WITHDRAWN FROM
MACALESTER COLLEGE
LIBRARY

DER NEUE PAULY

Altertum   Band 10   Pol–Sal

DER NEUE PAULY

(DNP)

Fachgebietsherausgeber

Dr. Andreas Bendlin, Erfurt
Religionsgeschichte

Prof. Dr. Gerhard Binder, Bochum
Kulturgeschichte

Prof. Dr. Rudolf Brändle, Basel
Christentum

Prof. Dr. Hubert Cancik, Tübingen
Geschäftsführender Herausgeber

Prof. Dr. Walter Eder, Bochum
Alte Geschichte

Prof. Dr. Paolo Eleuteri, Venedig
Textwissenschaft

Dr. Karl-Ludwig Elvers, Bochum
Alte Geschichte

Prof. Dr. Bernhard Forssman, Erlangen
Sprachwissenschaft; Rezeption: Sprachwissenschaft

Prof. Dr. Fritz Graf, Basel
Rezeption: Religion

Prof. Dr. Max Haas, Basel
Musik; Rezeption: Musik

Prof. Dr. Berthold Hinz, Kassel
Rezeption: Kunst und Architektur

Dr. Christoph Höcker, Kissing
Klassische Archäologie (Architekturgeschichte)

Prof. Dr. Christian Hünemörder, Hamburg
Naturwissenschaften und Technik; Rezeption:
Naturwissenschaften

Prof. Dr. Lutz Käppel, Kiel
Mythologie

Dr. Margarita Kranz, Berlin
Rezeption: Philosophie

Prof. Dr. André Laks, Lille
Philosophie

Prof. Dr. Manfred Landfester, Gießen
Geschäftsführender Herausgeber: Rezeptions- und
Wissenschaftsgeschichte; Rezeption: Wissen-
schafts- und Kulturgeschichte

Prof. Dr. Maria Moog-Grünewald, Tübingen
Rezeption: Komparatistik und Literatur

Prof. Dr. Dr. Glenn W. Most, Heidelberg
Griechische Philologie

Prof. Dr. Beat Näf, Zürich
Rezeption: Staatstheorie und Politik

PD Dr. Johannes Niehoff, Freiburg
Judentum, östliches Christentum,
byzantinische Kultur

Prof. Dr. Hans Jörg Nissen, Berlin
Orientalistik

Prof. Dr. Vivian Nutton, London
Medizin; Rezeption: Medizin

Prof. Dr. Eckart Olshausen, Stuttgart
Historische Geographie

Prof. Dr. Filippo Ranieri, Saarbrücken
Rezeption: Rechtsgeschichte

Prof. Dr. Johannes Renger, Berlin
Orientalistik; Rezeption: Alter Orient

Prof. Dr. Volker Riedel, Jena
Rezeption: Erziehungswesen, Länder (II)

Prof. Dr. Jörg Rüpke, Erfurt
Lateinische Philologie, Rhetorik

Prof. Dr. Gottfried Schiemann, Tübingen
Recht

Prof. Dr. Helmuth Schneider, Kassel
Geschäftsführender Herausgeber; Sozial-
und Wirtschaftsgeschichte, Militärwesen; Wissenschaftsgeschichte

Prof. Dr. Dietrich Willers, Bern
Klassische Archäologie
(Sachkultur und Kunstgeschichte)

Dr. Frieder Zaminer, Berlin
Musik

Prof. Dr. Bernhard Zimmermann, Freiburg
Rezeption: Länder (I)

DER NEUE PAULY

Enzyklopädie der Antike

Herausgegeben
von Hubert Cancik und
Helmuth Schneider

Altertum

Band 10 Pol–Sal

Verlag J. B. Metzler
Stuttgart · Weimar

Die Deutsche Bibliothek – CIP-Einheitsaufnahme

Der neue Pauly : Enzyklopädie der Antike/hrsg.
von Hubert Cancik und Helmuth Schneider. –
Stuttgart ; Weimar : Metzler, 2001
   ISBN 3-476-01480-3
NE: Cancik, Hubert [Hrsg.]

Bd. 10. Pol-Sal – 2001
   ISBN 3-476-01480-0

Inhaltsverzeichnis

Gedruckt auf chlorfrei gebleichtem,
säurefreiem und alterungsbeständigem
Papier

Dieses Werk einschließlich aller seiner
Teile ist urheberrechtlich geschützt.
Jede Verwertung außerhalb der engen
Grenzen des Urheberrechtsgesetzes ist
ohne Zustimmung des Verlages
unzulässig und strafbar. Das gilt
insbesondere für Vervielfältigungen,
Übersetzungen, Mikroverfilmungen
und die Einspeicherung und Verarbeitung in elektronischen Systemen.

ISBN 3-476-01470-3 (Gesamtwerk)
ISBN 3-476-01480-0 (Band 10 Pol-Sal)

© 2001 J. B. Metzlersche Verlags-
buchhandlung und Carl Ernst Poeschel
Verlag GmbH in Stuttgart
www.metzlerverlag.de
info@metzlerverlag.de

Typographie und Ausstattung:
Brigitte und Hans Peter Willberg
Grafik und Typographie der Karten:
Richard Szydlak
Abbildungen: Günter Müller
Satz: pagina GmbH, Tübingen
Gesamtfertigung: Franz Spiegel Buch
GmbH, Ulm
Printed in Germany

Juni 2001
Verlag J. B. Metzler Stuttgart · Weimar

Redaktion

Iris Banholzer
Jochen Derlien
Dr. Brigitte Egger
Susanne Fischer
Dietrich Frauer
Dr. Ingrid Hitzl
Heike Kunz
Vera Sauer
Christiane Schmidt
Dorothea Sigel
Anne-Maria Wittke

Hinweise für die Benutzung

Anordnung der Stichwörter

Die Stichwörter sind in der Reihenfolge des deutschen Alphabetes angeordnet. I und J werden gleich behandelt; ä ist wie ae, ö wie oe, ü wie ue einsortiert. Wenn es zu einem Stichwort (Lemma) Varianten gibt, wird von der alternativen Schreibweise auf den gewählten Eintrag verwiesen. Bei zweigliedrigen Stichwörtern muß daher unter beiden Bestandteilen gesucht werden (z. B. *a commentariis* oder *commentariis, a*).

Informationen, die nicht als Lemma gefaßt worden sind, können mit Hilfe des Registerbandes aufgefunden werden.

Gleichlautende Stichworte sind durch Numerierung unterschieden. Gleichlautende griechische und orientalische Personennamen werden nach ihrer Chronologie angeordnet. Beinamen sind hier nicht berücksichtigt.

Römische Personennamen (auch Frauennamen) sind dem Alphabet entsprechend eingeordnet, und zwar nach dem *nomen gentile*, dem »Familiennamen«. Bei umfangreicheren Homonymen-Einträgen werden *Republik* und *Kaiserzeit* gesondert angeordnet. Für die Namensfolge bei Personen aus der Zeit der Republik ist – dem Beispiel der RE und der 3. Auflage des OCD folgend – das *nomen gentile* maßgeblich; auf dieses folgen *cognomen* und *praenomen* (z.B. erscheint *M. Aemilius Scaurus* unter dem Lemma *Aemilius* als *Ae. Scaurus, M.*). Die hohe politische Gestaltungskraft der *gentes* in der Republik macht diese Anfangsstellung des Gentilnomens sinnvoll.

Da die strikte Dreiteilung der Personennamen in der Kaiserzeit nicht mehr eingehalten wurde, ist eine Anordnung nach oben genanntem System problematisch. Kaiserzeitliche Personennamen (ab der Entstehung des Prinzipats unter Augustus) werden deshalb ab dem dritten Band in der Reihenfolge aufgeführt, die sich auch in der »Prosopographia Imperii Romani« (PIR) und in der »Prosopography of the Later Roman Empire« (PLRE) eingebürgert und allgemein durchgesetzt hat und die sich an der antik bezeugten Namenfolge orientiert (z.B. *L. Vibullius Hipparchus Ti. C. Atticus Herodes* unter dem Lemma *Claudius*). Die Methodik – eine zunächst am Gentilnomen orientierte Suche – ändert sich dabei nicht.

Nur antike Autoren und römische Kaiser sind ausnahmsweise nicht unter dem Gentilnomen zu finden: *Cicero*, nicht *Tullius*; *Catullus*, nicht *Valerius*.

Schreibweise von Stichwörtern

Die Schreibweise antiker Wörter und Namen richtet sich im allgemeinen nach der vollständigen antiken Schreibweise.

Toponyme (Städte, Flüsse, Berge etc.), auch Länder- und Provinzbezeichnungen erscheinen in ihrer antiken Schreibung (*Asia, Bithynia*). Die entsprechenden modernen Namen sind im Registerband aufzufinden.

Orientalische Eigennamen werden in der Regel nach den Vorgaben des »Tübinger Atlas des Vorderen Orients« (TAVO) geschrieben. Daneben werden auch abweichende, aber im deutschen Sprachgebrauch übliche und bekannte Schreibweisen beibehalten, um das Auffinden zu erleichtern.

In den Karten sind topographische Bezeichnungen überwiegend in der vollständigen antiken Schreibung wiedergegeben.

Die Verschiedenheit der im Deutschen üblichen Schreibweisen für antike Worte und Namen (*Äschylus, Aeschylus, Aischylos*) kann gelegentlich zu erhöhtem Aufwand bei der Suche führen; dies gilt auch für *Ö / Oe / Oi* und *C / Z / K*.

Transkriptionen

Zu den im NEUEN PAULY verwendeten Transkriptionen vgl. Bd. 3, S. VIIIf.

Abkürzungen

Abkürzungen sind im erweiterten Abkürzungsverzeichnis am Anfang des dritten Bandes aufgelöst.

Sammlungen von Inschriften, Münzen, Papyri sind unter ihrer Sigle im zweiten Teil (Bibliographische Abkürzungen) des Abkürzungsverzeichnisses aufgeführt.

Anmerkungen

Die Anmerkungen enthalten lediglich bibliographische Angaben. Im Text der Artikel wird auf sie unter Verwendung eckiger Klammern verwiesen (Beispiel: die Angabe [1. 5²³] bezieht sich auf den ersten numerierten Titel der Bibliographie, Seite 5, Anmerkung 23).

Verweise

Die Verbindung der Artikel untereinander wird durch Querverweise hergestellt. Dies geschieht im Text eines Artikels durch einen Pfeil (→) vor dem Wort / Lemma, auf das verwiesen wird; wird auf homonyme Lemmata verwiesen, ist meist auch die laufende Nummer beigefügt.

Querverweise auf verwandte Lemmata sind am Schluß eines Artikels, ggf. vor den bibliographischen Anmerkungen, angegeben.

Verweise auf Stichworte des zweiten, rezeptions- und wissenschaftsgeschichtlichen Teiles des NEUEN PAULY werden in Kapitälchen gegeben (→ ELEGIE).

Karten und Abbildungen

Texte, Abbildungen und Karten stehen in der Regel in engem Konnex, erläutern sich gegenseitig. In einigen Fällen ergänzen Karten und Abbildungen die Texte durch die Behandlung von Fragestellungen, die im Text nicht angesprochen werden können. Die Autoren der Karten und Abbildungen werden im Verzeichnis auf S. VIff. genannt.

Karten- und Abbildungsverzeichnis

NZ: Neuzeichnung, Angabe des Autors und/oder der
zugrundeliegenden Vorlage/Literatur
RP: Reproduktion (mit kleinen Veränderungen) nach der
angegebenen Vorlage

Lemma
Titel
AUTOR/Literatur

Poliochni
Poliochni: wichtige Besiedlungsphasen
(ca. 3200 – 2100 v. Chr.)
NZ nach: L. BERNABÒ BREA, Poliochni Bd. 1.2, 1964, Taf.
22.

Poliorketik
Widderschildkröte (testudo arietaria), Rekonstruktion nach
einem Relief auf dem Bogen des Septimius Severus in Rom
NZ nach: O. LENDLE, Texte und Unt. zum technischen
Bereich der ant. Poliorketik (Palingenesia 19), 1983, 191,
Abb. 58.
Helepolis des Poseidonios (Rekonstruktion)
NZ nach: O. LENDLE, Texte und Unt. zum technischen
Bereich der ant. Poliorketik (Palingenesia 19), 1983, 57,
Abb. 18.
Laube (vinea), Versatzstück für einen gedeckten Laufgang nach
Vegetius (Rekonstruktion)
NZ nach: O. LENDLE, Texte und Unt. zum technischen
Bereich der ant. Poliorketik (Palingenesia 19), 1983, 140,
Abb. 40.
Angriff auf eine Stadtmauer mit einem Wandelturm (turris
ambulatoria), der mit einer Fallbrücke ausgerüstet ist
NZ nach Entwurf von D. BAATZ
Bau einer Belagerungsrampe aus Holz, Steinen und Erde mit
Hilfe der Schüttschildkröte
NZ nach Entwurf von D. BAATZ

Pompeii
Pompeii (col. Veneria Cornelia Pompeianorum, 80 v. Chr.
bis 62/24.8.79 n.Chr.)
NZ: REDAKTION (nach H. ESCHEBACH, Die städtebauliche
Entwicklung des ant. P., 1970, Beilage).

Pompeius
Die Neuordnung des Vorderen Orients durch Pompeius
(67–48 v. Chr.)
NZ: W. EDER/REDAKTION (nach: TAVO B V 7, Autor:
J. WAGNER, © Dr. Ludwig Reichert Verlag, Wiesbaden).

Pontische Vasenmalerei
Gefäßformen der pontischen Keramik
NZ nach: M. MARTELLI (Hrsg.), La ceramica degli etruschi.
La pittura vascolare, 1987, 144, Nr. 101.1; 146, Nr. 101.5;
150 Nr. 103; 154, Nr. 107 · L. HANNESTAD, The Paris
Painter, 1974, Taf. 1. · I. WEHGARTNER, CVA Würzburg (3),
1983, Taf. 38,1.

Portus [1]
Portus, Hafenanlage von Ostia
NZ nach: O. TESTAGUZZA, Portus. Illustrazione dei porti di
Claudio e Traiano, 1970.

Poseidonia, Paistos, Paestum
Poseidonia (Paestum)
NZ nach: J.G. PEDLEY, Paestum. Greeks and Romans in
Southern Italy, 1990, 13, Abb. 3.

Pressen
Das Trapetum nach Cato
NZ nach: H. SCHNEIDER, Einführung in die ant.
Technikgesch., 1992, 229, Abb. 7.
Römische Pressen
NZ nach: H. SCHNEIDER, Einführung in die ant.
Technikgesch., 1992, 230, Abb. 8; 231, Abb. 9.

Priene
Priene
NZ: REDAKTION (nach: F. RUMSCHEID, Priene, 1998,
Abb. 30).

Protokorinthische Vasenmalerei
Gefäßformen der protokorinthischen Keramik
NZ nach: D.A. AMYX, Corinthian Vase Painting of the
Archaic Period, 1988, Taf. 3,1c. · J. BOARDMAN, Early
Greek Vase Painting, 1998, Abb. 168, Abb. 181 ·
C.W. NEEFT, Protocorinthian Subgeometric Aryballoi,
1987, 33, Abb. 4.

Psalmodie
Abb. 1: Ausschnitte aus sog. »altröm.« Gradualia
Abb. 2: Ausschnitte aus sog. »altröm.« Offertoria
Abb. 3: Eine hypothetische Annahme für gleiche Faktoren im
Produktionsschema einiger sog. »altröm.« Gradualia
NZ nach Vorlagen von M. HAAS

Pseudodipteros
Pseudodipteros: Magnesia [2] am Maiandros, Tempel der
Artemis Leukophryene, 2. H. 2. Jh. v. Chr. (schematischer
Grundriß)
NZ nach: C. HUMANN, Magnesia am Maeander, 1904, 43,
Abb. 30.

Ptolemaios
Die Dynastie der Ptolemaier
NZ: W. EDER (nach: HÖLBL).

Punische Kriege
Der 1. Punische Krieg (264–241 v. Chr.)
NZ: W. EDER/REDAKTION
Der 2. Punische Krieg (218–201 v. Chr.)
NZ: W. EDER/REDAKTION

Pus
Die griech. Längenmaße und ihre Relationen
NZ nach Vorlage von H. SCHNEIDER

Pylos [2]
Pylos, »Palast des Nestor«.
NZ nach: K.P. KONTORLIS, Die mykenische Kultur.
Mykene, Tiryns, Pylos, 1974, 73.

Pyrenäenhalbinsel
Archäologische Plätze und Funde der iberischen Kultur
(7.–1. Jh. v. Chr.)
NZ: M. BLECH

Pyrrhos

Pyrrhos von Epeiros – Familie und dynastische Beziehungen
  NZ nach Vorlage von L.-M. Günther

Quadrantal

Die röm. Hohlmaße und ihre Relationen
  NZ nach Vorlage von H. Schneider

Qumran

Ḫirbat Qumran (ca. 100 v. Chr. bis 68 n. Chr.)
  NZ: A. Lange

Raetia

Die provinziale Entwicklung in Raetia (1. Jh. v. – 3. Jh. n. Chr.)
  NZ: F. Schön/Redaktion

Ravenna

Ravenna, Caesarea, Classis: Stadtentwicklung (1. Jh. v. Chr. –
  Ende 6. Jh. n. Chr.) und altchristliche Sakral- und
  Profanbauten (5.–8. Jh. n. Chr.)
  NZ: Redaktion

Regiones

Die Regionen Italiens zur Zeit des Augustus
  NZ: Redaktion

Regnum Bosporanum

Das nördliche Schwarzmeergebiet als Wirtschaftsraum im
  Hellenismus
  NZ: I. von Bredow/W. Eder/Redaktion (nach: TAVO
  B V 5, Autor: H. Waldmann, © Dr. Ludwig Reichert
  Verlag, Wiesbaden).
Das Bosporanische Reich vom 5. Jh. v. Chr. bis zum
  1. Jh. n. Chr.
  NZ: I. von Bredow/W. Eder/Redaktion (nach: TAVO
  B V 3, Autor: H. Waldmann, © Dr. Ludwig Reichert
  Verlag, Wiesbaden).

Reiterei

Röm. Pferdegeschirr; Rekonstruktion
  (1. Jh. n. Chr.)
  NZ nach: M. Kemkes, J. Scheuerbrandt, Zw. Patrouille
  und Parade. Die röm. Reiterei am Limes, 1997, 39, Abb. 35.

Rhetorik

Das System der antiken Rhetorik
  NZ nach: H. Hommel, K. Ziegler, s.v. Rh., KlP 4,
  1411–1414.

Roma

Die Entwicklung des Imperium Romanum
  (3. Jh. v. Chr.–2. Jh. n. Chr.)
  NZ: W. Eder/Redaktion
Die Provinzaufteilung des Imperium Romanum
  (1.–2. Jh. n. Chr.)
  NZ: W. Eder/Redaktion
1. Roma. Die wichtigsten Denkmäler
  NZ: Redaktion
2. Roma. Antikes Stadtzentrum
  NZ: M. Heinzelmann
3. Roma. Die Tribus (seit dem 6. Jh. v. Chr.) und die
  augusteischen Regionen
  NZ: M. Heinzelmann

4. Roma. Die Aquaedukte und Ausfallstraßen
  NZ: M. Heinzelmann

Runen

Runen: Das ältere Futhark
  NZ nach: K. Düwel, Runenkunde, ²1983, 2.

Säule

Dorische Säule: Agrigent, Dioskuren-Tempel
  NZ nach: D. Mertens, Der Tempel von Segesta und die
  dor. Tempelbaukunst des griech. Westens in klass. Zeit,
  1984, 121, Abb. 68.
Säulen und Basen
  NZ nach: W. Müller-Wiener, Griech. Bauwesen in der
  Ant., 1988, 122, Abb. 69 · B. Wesenberg, Kapitelle und
  Basen, 1971, Taf. 160 · J.M. von Mauch (Hrsg.), Die
  architektonischen Ordnungen der Griechen und Römer,
  ⁷1875, Taf. 20.
Korinthische Kapitelle
  NZ nach: H. Bauer, Korinthische Kapitelle des 4. und 3. Jh.
  v. Chr., 1973, Beil. 7. 15 · EAA. Atlante dei complessi
  figurati 1, 1973, Taf. 368 · J. von Egle, Praktische Baustil-
  und Bauformenlehre auf gesch. Grundlage, o.J., Abt. IV,
  Taf. 56, Abt. V, Taf. 17 · M.F. Squarciapino, Sculture del
  Foro Severiano di Leptis Magna, 1974, Taf. 92.
Tuskanische Halbsäule: Rom, Kolosseum
  NZ nach: EAA. Atlante dei complessi figurati 1, 1973, Taf.
  303.
Kapitell à jour gearbeitet: Konstantinopolis, Hagia Sophia,
  Westkonche
  NZ nach: H. Kähler, Die Hagia Sophia, 1967, Taf. 75.

Autoren

Maria Grazia **Albiani** Bologna	M. G. A.
Ruth **Albrecht** Hamburg	R. A.
Keimpe **Algra** Utrecht	K. AL.
Annemarie **Ambühl** Basel	A. A.
Walter **Ameling** Jena	W. A.
Jean **Andreau** Paris	J. A.
Silke **Antoni** Kiel	SI. A.
Jan **Assmann** Heidelberg	J. AS.
Christoph **Auffarth** Tübingen	C. A.
Dietwulf **Baatz** Bad Homburg	D. BA.
Balbina **Bäbler** Göttingen	B. BÄ.
Ernst **Badian** Cambridge, MA	E. B.
Pedro **Barceló** Potsdam	P. B.
Jens **Bartels** Bonn	J. BA.
Manuel **Baumbach** Heidelberg	M. B.
Otto A. **Baumhauer** Bremen	O. B.
Hans **Beck** Köln	HA. BE.
Heinz **Bellen** Mainz	H. BE.
Andreas **Bendlin** Erfurt	A. BEN.
Lore **Benz** Kiel	LO. BE.
Albrecht **Berger** Berlin	AL. B.
Walter **Berschin** Heidelberg	W. B.
Enrico **Berti** Padua	E. BE.
Carsten **Binder** Kiel	CA. BI.
Vera **Binder** Gießen	V. BI.
A. R. **Birley** Düsseldorf	A. B.
Jürgen **Blänsdorf** Mainz	JÜ. BL.
Michael **Blech** Madrid	M. BL.
Bruno **Bleckmann** Straßburg	B. BL.
René **Bloch** Princeton	R. B.
Horst-Dieter **Blume** Münster	H.-D. B.
Barbara **Böck** Madrid	BA. BÖ.
Henning **Börm** Kiel	HE. B.
Ewen **Bowie** Oxford	E. BO.
Hartwin **Brandt** Chemnitz	H. B.
Susanna **Braund** London	SU. B.
Iris **von Bredow** Bietigheim-Bissingen	I. v. B.
Jan N. **Bremmer** Groningen	J. B.
Burchard **Brentjes** Berlin	B. B.
Klaus **Bringmann** Frankfurt/Main	K. BR.
Luc **Brisson** Paris	L. BR.
Sebastian P. **Brock** Oxford	S. BR.
Kai **Brodersen** Newcastle und Mannheim	K. BRO.
Leonhard **Burckhardt** Basel	LE. BU.
Jan **Burian** Prag	J. BU.
Pierre **Cabanes** Clermont-Ferrand	PI. CA.
Lucia **Calboli Montefusco** Bologna	L. C. M.
J. Brian **Campbell** Belfast	J. CA.
Giovannangelo **Camporeale** Florenz	GI. C.
Guglielmo **Cavallo** Rom	GU. C.
Michael **Chase** Victoria, BC	MI. CH.
Justus **Cobet** Essen	J. CO.
Carsten **Colpe** Berlin	C. C.
Edward **Courtney** Charlottesville, VA	ED. C.
Valentina Isabella **Cuomo** Bari	V. I. C.
Christo **Danoff** Sofia	CHR. D.
Loretana **de Libero** Hamburg	L. d. L.
Teresa **De Robertis** Florenz	T. d. R.
Wolfgang **Decker** Köln	W. D.
Roland **Deines** Herrenberg	RO. D.
Jeanne-Marie **Demarolle** Nancy	J.-M. DE.

Albert **Dietrich** Göttingen	A. D.
Albrecht **Dihle** Köln	A. DI.
Joachim **Dingel** Hamburg	J. D.
Götz **Distelrath** Konstanz	G. DI.
DNP-Gruppe Kiel Kiel	DNP-G. K.
Roald Fritjof **Docter** Amsterdam	R. D.
Francesco **Donadi** Padua	F. D.
Alice A. **Donohue** Bryn Mawr	A. A. D.
Tiziano **Dorandi** Paris	T. D.
Annie **Doubordieu** Paris	A. DU.
Volker Henning **Drecoll** Münster	V. DR.
Boris **Dreyer** Göttingen	BO. D.
Stella **Drougou** Thessaloniki	S. DR.
J. **Duchesne-Guillemin** Lüttich	J. D.-G.
Constanze **Ebner** Innsbruck	C. E.
Werner **Eck** Köln	W. E.
Walter **Eder** Bochum	W. ED.
Beate **Ego** Osnabrück	B. E.
Susanne **Eiben** Kiel	SU. EI.
Ulrich **Eigler** Trier	U. E.
Paolo **Eleuteri** Venedig	P. E.
Karl-Ludwig **Elvers** Bochum	K.-L. E.
Johannes **Engels** Köln	J. E.
Robert Malcolm **Errington** Marburg/Lahn	MA. ER.
Marion **Euskirchen** Bonn	M. E.
Martin **Fell** Münster	M. FE.
Ulrich **Fellmeth** Stuttgart	UL. FE.
Juan José **Ferrer Maestro** Castellón	J. J. F. M.
Menso **Folkerts** München	M. F.
Nikolaus **Forgó** Wien	N. F.
Sotera **Fornaro** Sassari	S. FO.
Karl Suso **Frank** Freiburg	K.-S. F.
Thomas **Franke** Dortmund	T. F.
Christa **Frateantonio** Gießen	C. F.
Michael **Frede** Oxford	M. FR.
Klaus **Freitag** Münster	K. F.
Thomas **Frigo** Bonn	T. FR.
Therese **Fuhrer** Zürich	T. FU.
Jörg **Fündling** Bonn	JÖ. F.
Peter **Funke** Münster	P. F.
Massimo **Fusillo** L'Aquila	M. FU.
Hartmut **Galsterer** Bonn	H. GA.
Richard **Gamauf** Wien	R. GA.
Michela **Gargini** Pisa	M. G.
Hans Armin **Gärtner** Heidelberg	H. A. G.
Paolo **Gatti** Trient	P. G.
Bardo Maria **Gauly** Kiel	B. GY.
Hans-Joachim **Gehrke** Freiburg	H.-J. G.
Renate **Germer** Hamburg	R. GE.
Tomasz **Giaro** Frankfurt/Main	T. G.
Adalberto **Giovannini** Genf	A. GIO.
Bettina **Goffin** Bonn	B. GO.
Christiane **Goldberg** Berlin	CH. G.
Julia **Gonnella** Berlin	J. GO.
Richard L. **Gordon** Ilmmünster	R. GOR.
Herwig **Görgemanns** Heidelberg	H. GÖ.
Hans **Gottschalk** Leeds	H. G.
Marie-Odile **Goulet-Cazé** Antony	M. G.-C.
Fritz **Graf** Princeton	F. G.
Herbert **Graßl** Salzburg	H. GR.
Walter Hatto **Groß** Hamburg	W. H. GR.
Kirsten **Groß-Albenhausen** Frankfurt/Main	K. G.-A.
Joachim **Gruber** Erlangen	J. GR.

Maria Ida **Gulletta** Pisa	M.I.G.	Andreas **Külzer** Wien	A.KÜ.
Linda-Marie **Günther** München	L.-M.G.	Christiane **Kunst** Potsdam	C.KU.
Matthias **Günther** Bielefeld	M.GÜ.	Jochem **Küppers** Düsseldorf	J.KÜ.
Andreas **Gutsfeld** Münster	A.G.	Yves **Lafond** Bochum	Y.L.
Max **Haas** Basel	MA.HA.	Marie-Luise **Lakmann** Münster	M.-L.L.
Volkert **Haas** Berlin	V.H.	Armin **Lange** Tübingen	AR.L.
Mareile **Haase** Berlin	M.HAA.	Joachim **Latacz** Basel	J.L.
Claus **Haebler** Münster	C.H.	Thomas **Leisten** Princeton	T.L.
Robin **Hägg** Göteborg	R.HÄ.	Hartmut **Leppin** Hannover	H.L.
Ruth Elisabeth **Harder** Zürich	R.HA.	Michael **Lesky** Tübingen	MI.LE.
Henriette **Harich-Schwarzbauer** Graz	HE.HA.	Silvia **Letsch-Brunner** Zürich	S.L.-B.
Roger **Harmon** Basel	RO.HA.	Alexandra **von Lieven** Berlin	A.v.L.
Elke **Hartmann** Berlin	E.HA.	Jerzy **Linderski** Chapel Hill, NC	J.LI.
Arnulf **Hausleiter** Berlin	AR.HA.	Rüdiger **Liwak** Berlin	R.L.
Eberhard **Heck** Tübingen	E.HE.	Hans **Lohmann** Bochum	H.LO.
Martin **Heimgartner** Basel	M.HE.	Angelika **Lohwasser** Berlin	A.LO.
Theodor **Heinze** Genf	T.H.	Mario **Lombardo** Lecce	M.L.
Michael **Heinzelmann** Rom	MI.H.	Werner **Lütkenhaus** Marl	WE.LÜ.
Jeffrey **Henderson** Boston	J.HE.	Franz **Mali** Fribourg	F.MA.
Joachim **Hengstl** Marburg/Lahn	JO.HE.	Ulrich **Manthe** Passau	U.M.
Clemens **Heucke** München	C.HEU.	Christian **Marek** Zürich	C.MA.
Gerhard **Hiesel** Freiburg	G.H.	Christoph **Markschies** Heidelberg	C.M.
Friedrich **Hild** Wien	F.H.	Wolfram **Martini** Gießen	W.MA.
Christoph **Höcker** Kissing	C.HÖ.	Stephanos **Matthaios** Köln	ST.MA.
Nicola **Hoesch** München	N.H.	Gerhard **May** Mainz	GE.MA.
Heinz **Hofmann** Tübingen	H.HO.	Andreas **Mehl** Halle/Saale	A.ME.
Peter **Högemann** Tübingen	PE.HÖ.	Mischa **Meier** Bielefeld	M.MEI.
Elisabeth **Hollender** Köln	E.H.	Gerhard **Meiser** Halle/Saale	GE.ME.
Jens **Holzhausen** Washington	J.HO.	Franz-Stefan **Meissel** Wien	F.ME.
Augusta **Hönle** Rottweil	A.HÖ.	Klaus **Meister** Berlin	K.MEI.
Wolfgang **Hübner** Münster	W.H.	Giovanni **Mennella** Genua	G.ME.
Christian **Hünemörder** Hamburg	C.HÜ.	Andreas **Merkt** Mainz	AN.M.
Rolf **Hurschmann** Hamburg	R.H.	Ernst **Meyer** † Zürich	E.MEY.
Werner **Huß** Bamberg	W.HU.	Simone **Michel** Hamburg	S.MI.
Brad **Inwood** Toronto	B.I.	Martin **Miller** Berlin	M.M.
Michael **Jameson** Stanford	MI.JA.	Heide **Mommsen** Stuttgart	H.M.
Karl **Jansen-Winkeln** Berlin	K.J.-W.	Maria Milvia **Morciano** Florenz	M.M.MO.
Seth **Jerchower** Philadelphia	S.JE.	Anja **Moritz** Potsdam	A.MO.
Nina **Johannsen** Kiel	NI.JO.	Sigrid **Mratschek** Ludwigshafen	S.MR.
Klaus-Peter **Johne** Berlin	K.P.J.	Anna **Muggia** Pavia	A.MU.
Willem **Jongman** Groningen	W.J.	Christian **Müller** Bochum	C.MÜ.
Tim **Junk** Kiel	T.J.	Hans-Peter **Müller** Münster	H.-P.M.
Hans **Kaletsch** Regensburg	H.KA.	Walter W. **Müller** Marburg/Lahn	W.W.M.
Lutz **Käppel** Kiel	L.K.	Christa **Müller-Kessler** Emskirchen	C.K.
Klaus **Karttunen** Helsinki	K.K.	Peter C. **Nadig** Duisburg	P.N.
Wilhelm **Kierdorf** Köln	W.K.	Michel **Narcy** Paris	MI.NA.
Konrad **Kinzl** Peterborough	K.KI.	Ada **Neschke** Lausanne	A.NE.
Martin **Klöckener** Fribourg	M.KLÖ.	Heinz-Günther **Nesselrath** Göttingen	H.-G.NE.
Claudia **Klodt** Hamburg	CL.K.	Richard **Neudecker** Rom	R.N.
Dietrich **Klose** München	DI.K.	Christoff **Neumeister** Frankfurt/Main	CH.N.
Heiner **Knell** Darmstadt	H.KN.	Karin **Neumeister** Frankfurt/Main	K.NE.
Nadia Justine **Koch** Tübingen	N.K.	Johannes **Niehoff** Freiburg	J.N.
Valentin **Kockel** Augsburg	V.K.	Herbert **Niehr** Tübingen	H.NI.
Matthias **Köckert** Berlin	M.K.	Inge **Nielsen** Hamburg	I.N.
Christoph **Kohler** Bad Krozingen	C.KO.	Hans Georg **Niemeyer** Hamburg	H.G.N.
Anne **Kolb** Frankfurt/Main	A.K.	Wilfried **Nippel** Berlin	W.N.
Heinrich **Konen** Regensburg	H.KON.	Hans Jörg **Nissen** Berlin	H.J.N.
Barbara **Kowalzig** Oxford	B.K.	René **Nünlist** Basel	RE.N.
Herwig **Kramolisch** Eppelheim	HE.KR.	Vivian **Nutton** London	V.N.
Jens-Uwe **Krause** München	J.K.	John H. **Oakley** Williamsburg, VA	J.O.
Stefan **Krauter** Tübingen	ST.KR.	Hans-Peter **Obermayer** München	H.-P.O.
Ludolf **Kuchenbuch** Hagen	LU.KU.	Joachim **Oelsner** Leipzig	J.OE.
Hans-Peter **Kuhnen** Trier	H.KU.	Norbert **Oettinger** Augsburg	N.O.

Eckart **Olshausen** Stuttgart	E.O.	Jörg **Spielvogel** Bremen	JÖ.SP.
Björn **Onken** Marburg/Lahn	BJ.O.	Karl-Heinz **Stanzel** Tübingen	K.-H.S.
Barbara **Patzek** Wiesbaden	B.P.	Frank **Starke** Tübingen	F.S.
Christoph Georg **Paulus** Berlin	C.PA.	Helena **Stegmann** Bonn	H.S.
Ulrike **Peter** Berlin	U.P.	Elke **Stein-Hölkeskamp** Köln	E.S.-H.
C.Robert III. **Phillips** Bethlehem, PA	C.R.P.	Dieter **Steinbauer** Regensburg	D.ST.
Volker **Pingel** Bochum	V.P.	Matthias **Steinhart** Freiburg	M.ST.
Robert **Plath** Erlangen	R.P.	Jan **Stenger** Kiel	J.STE.
Annegret **Plontke-Lüning** Jena	A.P.-L.	Dirk **Steuernagel** Heidelberg	DI.ST.
Seraina **Plotke** Basel	SE.P.	Magdalene **Stoevesandt** Basel	MA.ST.
Thomas **Podella** Lübeck	TH.PO.	Daniel **Strauch** Berlin	D.S.
Karla **Pollmann** St.Andrews	K.P.	Michael P. **Streck** München	M.S.
Werner **Portmann** Berlin	W.P.	Karl **Strobel** Klagenfurt	K.ST.
Friedhelm **Prayon** Tübingen	F.PR.	Meret **Strothmann** Bochum	ME.STR.
Simon R.F. **Price** Oxford	SI.PR.	Gerd **Stumpf** München	GE.S.
Joachim **Quack** Berlin	JO.QU.	Werner **Suerbaum** München	W.SU.
Georges **Raepsaet** Brüssel	G.R.	Sarolta A. **Takacs** Cambridge, MA	S.TA.
Sitta **von Reden** Bristol	S.v.R.	Hildegard **Temporini – Gräfin Vitzthum** Tübingen	
François **Renaud** Moncton, NB	F.R.		H.T.-V.
Johannes **Renger** Berlin	J.RE.	Andreas **Thomsen** Tübingen	A.T.
Peter J. **Rhodes** Durham	P.J.R.	Gerhard **Thür** Graz	G.T.
Christoph **Riedweg** Zürich	C.RI.	Stephanie **Thurmann** Kiel	S.T.
Josef **Rist** Würzburg	J.RI.	Günther E. **Thüry** Salzburg	G.TH.
James B. **Rives** Toronto	J.B.R.	Franz **Tinnefeld** München	F.T.
Helmut **Rix** Freiburg	H.R.	Malcolm **Todd** Exeter	M.TO.
Emmet **Robbins** Toronto	E.R.	Isabel **Toral-Niehoff** Freiburg	I.T.-N.
Frank **Rumscheid** Berlin	FR.RU.	Joseph **Tropper** Berlin	J.TR.
Jörg **Rüpke** Erfurt	J.R.	Charalampos **Tsochos** Erfurt	X.T.
Ian C. **Rutherford** Reading	I.RU.	Giovanni **Uggeri** Florenz	G.U.
Henri D. **Saffrey** Paris	H.SA.	Jürgen **von Ungern-Sternberg** Basel	J.v.U.-S.
Antonio **Sartori** Mailand	A.SA.	Jürgen **Untermann** Pulheim/Köln	J.U.
Eberhard **Sauer** Leicester	E.SA.	Gabriella **Vanotti** Novara	G.VA.
Vera **Sauer** Stuttgart	V.S.	Zoltán **Végh** Salzburg	Z.VE.
Kyriakos **Savvidis** Bochum	K.SA.	Artur **Völkl** Innsbruck	A.VÖ.
Mustafa H. **Sayar** Köln	M.H.S.	Franco **Volpi** Vicenza	F.VO.
Dietmar **Schanbacher** Dresden	D.SCH.	Ulrike **Wagner-Holzhausen** Erlangen	U.WA.
Ingeborg **Scheibler** Krefeld	I.S.	Christine **Walde** Basel	C.W.
Johannes **Scherf** Tübingen	JO.S.	Gerhard H. **Waldherr** Regensburg	G.H.W.
Gottfried **Schiemann** Tübingen	G.S.	Katharina **Waldner** Berlin	K.WA.
Karin **Schlapbach** Zürich	K.SCHL.	Gerold **Walser** † Basel	G.W.
Peter L. **Schmidt** Konstanz	P.L.S.	Irina **Wandrey** Berlin	I.WA.
Hatto H. **Schmitt** München	H.H.S.	David **Wardle** Kapstadt	D.WAR.
Tassilo **Schmitt** Bielefeld	TA.S.	Rainer **Warland** Freiburg	RA.WA.
Winfried **Schmitz** Bielefeld	W.S.	Gregor **Weber** Eichstätt	GR.WE.
Ulrich **Schmitzer** Erlangen	U.SCH.	Karl-Wilhelm **Weeber** Witten	K.-W.WEE.
Helmuth **Schneider** Kassel	H.SCHN.	Michael **Weißenberger** Greifswald	M.W.
Georg **Schöllgen** Bonn	G.SCH.	Karl-Wilhelm **Welwei** Bochum	K.-W.WEL.
Franz **Schön** Regensburg	F.SCH.	Otto **Wermelinger** Fribourg	O.WER.
Martin **Schottky** Pretzfeld	M.SCH.	Gunter **Wesener** Graz	GU.WE.
Christian **Schulze** Bochum	CH.S.	Peter **Wick** Basel	P.WI.
Heinz-Joachim **Schulzki** Mannheim	H.-J.S.	Rainer **Wiegels** Osnabrück	RA.WI.
Franz Ferdinand **Schwarz** Graz	FR.SCH.	Josef **Wiesehöfer** Kiel	J.W.
Elmar **Schwertheim** Münster	E.SCH.	Wolfgang **Will** Bonn	W.W.
Markus **Sehlmeyer** Jena	M.SE.	Dietrich **Willers** Bern	DI.WI.
Stephan Johannes **Seidlmayer** Berlin	S.S.	Orell **Witthuhn** Marburg	O.WI.
Reinhard **Senff** Bochum	R.SE.	Greg **Woolf** Oxford	G.WO.
Brent D. **Shaw** Princeton	B.D.S.	Michael **Zahrnt** Kiel	M.Z.
Anne Viola **Siebert** Hannover	A.V.S.	Frieder **Zaminer** Berlin	F.Z.
Dietrich **Simon** Jena	DI.S.	Konrat **Ziegler** † Göttingen	K.Z.
Roswitha **Simons** Düsseldorf	R.SI.	Bernhard **Zimmermann** Freiburg	B.Z.
Kurt **Smolak** Wien	K.SM.	Heidy **Zimmermann** Basel	H.ZI.
Holger **Sonnabend** Stuttgart	H.SO.	Sylvia **Zimmermann** Freiburg	S.ZIM.
Wolfgang **Speyer** Salzburg	WO.SP.	Erika **Zwierlein-Diehl** Bonn	E.Z.-D.
Wolfgang **Spickermann** Bochum	W.SP.		

Übersetzer

J. Derlien	J. DE.	E. Nesselmann	E. N.
H. Dietrich	H. D.	B. Onken	B. O.
E. Dürr	E. D.	C. Pöthig	C. P.
S. Externbrink	S. EX.	B. v. Reibnitz	B. v. R.
S. Fischer	SU. FI.	L. v. Reppert-Bismarck	L. v. R.-B.
Th. Gaiser	TH. G.	P. Riedl	PE. R.
A. Heckmann	A. H.	U. Rüpke	U. R.
T. Heinze	T. H.	I. Sauer	I. S.
F. Hofelich	F. H.	A. Schilling	A. SCH.
G. Krapinger	G. K.	Ch. Schmidt	CH. SCH.
S. Krauter	S. KR.	C. Skrdlant	C. SK.
J. W. Mayer	J. W. MA.	Th. Zinsmaier	TH. ZI.

Mitarbeiter in den Fachgebietsredaktionen

Alte Geschichte:	Dr. Thomas Franke, Anne Krahn, Stefanie Märtin, Christian Müller
Alter Orient:	Kristin Kleber
Archäologie (Sachkultur und Kunstgeschichte):	Dr. Fulvia Ciliberto
Christentum:	Dr. Martin Heimgartner
Griechische Philologie:	Raphael Sobotta
Historische Geographie:	Vera Sauer M. A., Christian Winkle
Kulturgeschichte:	Janine Andrae
Lateinische Philologie, Rhetorik:	Katharina Fleckenstein, Diana Püschel
Mythologie:	Silke Antoni
Religionsgeschichte:	Markus Eckart, Diana Püschel
Sozial- und Wirtschaftsgeschichte:	Bettina Jarosch-von Schweder, Björn Onken
Sprachwissenschaft:	Christel Kindermann
Textwissenschaft:	Dr. Gerson Schade

P

Pola (Πόλα, Πόλαι). Stadt an der SW-Spitze der Halbinsel Histria, h. Pula. Die Lage an einer geräumigen, tief eingeschnittenen Bucht und die vorgelagerten Brioni-Inseln machen P. zu einem hervorragenden Naturhafen. Mythen zufolge von Kolchern (→ Kolchis) gegr., war das Gebiet von P. spätestens seit der Brz. besiedelt, seit dem 11. Jh. v. Chr. von Illyriern. Nach der röm. Eroberung von Histria 178/7 v. Chr. entwickelte sich um einen Flotten- und Militärstützpunkt in P. eine prosperierende Zivilsiedlung. Zw. 42 und 31 v. Chr. wurde P. zur *colonia, tribus Velina* erhoben. Ab 11 v. Chr. gehörte Histria, und damit auch P., zur *regio X*. Seit 78/9 n. Chr. war P. der Endpunkt der neuangelegten Via Flavia. Die Stadtmauern wurden im 2. Jh. n. Chr. im Zusammenhang mit den Kriegen gegen die → Marcomanni verstärkt, im 5. Jh. ein weiteres Mal, obwohl die exponierte Lage, fern der Hauptwanderlinien der → Völkerwanderung, P. vor Zerstörungen weitgehend schützte. → Belisarios baute P. zur Basis gegen die ostgot. Residenz → Ravenna aus.

Überreste der ant. Stadt sind ins h. Pula integriert. Um die Oberstadt auf einem Hügel (wohl dem ehemaligen Militärstützpunkt, h. Kastell mit venezianischer Festung) gruppierte sich die Unterstadt. Erh. haben sich Reste der Stadtmauer mit Toren, Fundamente zweier Theater, Reste des Forums und das gut erh. Amphitheater (mit ca. 23 000 Sitzplätzen). Der Wohlstand von P. gründete sich auf die landwirtschaftliche Produktion (Wein, Öl, Getreide: zahlreiche große *villae rusticae* in der Umgebung) und auf den florierenden Handel. Lit. Belege: Kall. fr. 11; Lykophr. 1022; Plin. nat. 3,129; Mela 2,57; Ptol. 3,1,27; Strab. 1,2,39; 5,1,9.

G. FISCHER, Das röm. P., 1996 · S. MLAKAR, Das ant. Pula, 1968 · F. ROTHER, Jugoslawien – Kunst, Gesch., Landschaft, 1976, 94–96.   UL. FE.

Polemaios (Πολεμαῖος).
[1] (in den Hss. auch *Ptolemaios* und *Polemon*; richtig aber P., IG II² 469 und IK 28,2). Sohn eines P., Makedone, Neffe des → Antigonos [1]. P. war verm. bereits unter Alexandros [4] d.Gr. Offizier im maked. Heer, evtl. *sōmatophýlax* (→ Hoftitel B.) des Philippos → Arridaios [4] (Arr. succ. 1,38). Er ging 319 v. Chr. als Geisel des Antigonos [1] zu Eumenes [1] (Plut. Eumenes 10), wurde 314 als General nach Kappadokia und zur Sicherung des Hellespontos ausgeschickt (Diod. 19,57,4; 60,2f.) und heiratete währenddessen die Tochter des Dionysios [5]. Noch 314 wurde er gegen Asandros [2] und gegen Eupolemos nach Ionien geschickt (Diod. 19,68,5–7). Als P. 312 zum *stratēgós tōn katá tēn Helláda pragmátōn* (»Strategen für die Angelegenheiten Griechenlands«) eingesetzt wurde (Diod. 19,77f.; 87), blieb er *stratēgós tōn perí ton Hellḗsponton* (»Stratege für den Hellespont«) und ernannte seinen Vertrauten Phoinix zum Stellvertreter. P. landete in Aulis, befestigte Salganeus gegen → Kassandros; im Winter 313/2 waren Boiotia und Euboia ganz, Phokis und Lokris teilweise in seiner Hand. 312 unterdrückte er die Rebellion des → Telesphoros und führte verm. Vorverhandlungen für den Frieden mit Kassandros [1. 9f.]. 310 revoltierte er, schloß ein Bündnis mit Kassandros und forderte Phoinix erfolgreich auf, Antigonos nicht mehr zu gehorchen (Diod. 20,19,2). P. legte Garnisonen nach Chalkis und Eretria und knüpfte im Winter 309/8 – nach der Übereinkunft zwischen Kassandros und → Polyperchon [1] – Kontakte mit Ptolemaios [1] I. (erste Verhandlungen über → Philokles [8]). Er fuhr zu Ptolemaios nach Kos, brachte Iasos auf die Seite des Lagiden (IK 28,2), wurde dann aber von Ptolemaios zum Selbstmord gezwungen.

1 WELLES.

R. A. BILLOWS, Antigonos the One-Eyed, 1990, 426–430 Nr. 100.   W. A.

[2] P. aus Ephesos, Tragiker, siegte im 1. Jh. v. Chr. an den Rhomaia in Magnesia am Mäander (DID A 13, 3) mit einer Tragödie ›Klytaimestra‹ und einem Satyrspiel ›Aias‹ (TrGF I 155).   B. Z.

Polemarchos (Πολέμαρχος).
[1] Reicher → *métoikos* in Athen, Sohn des → Kephalos [2], Bruder des Redners → Lysias [1]; letzterer klagte → Eratosthenes [1], den an der Ermordung P.' Hauptschuldigen unter den Dreißig Tyrannen (→ *triákonta*), (erfolglos) an (Lys. or. 12).

TRAILL, PAA 776500.   K. KI.

[2] P. von Kyzikos. Astronom; wirkte zw. 380 und 370 v. Chr. als Schüler des → Eudoxos [1] und Lehrer des → Kallippos [5]. P. setzte sich mit der Frage auseinander, wie sich die scheinbaren Änderungen der Planetengrößen mit der eudoxisch-aristotelischen Theorie von den homozentrischen Planetensphären vertragen. Die Zeugnisse (Simpl. in Aristot. cael. 493,5 und 505,21–23) sind über den Peripatetiker → Sosigenes vermittelt.
→ Planeten

A. REHM, s. v. P. (2), RE 21, 1256–1258.   W. H.

[3] Griech. Grammatiker, spätestens frühes 1. Jh. n. Chr. Die vier unter seinem Namen erh. Worterklärungen zu einer Brotart (Athen. 3,111c), att. Geldeinheiten (Sch. Hom. Il. 23,269; Hesych. s. v. χρυσοῦς) und zu Tiernamen (Erotianos 58,17 NACHMANSON: λεβηρίς als massaliotischer Ausdruck für Kaninchen, mit Berücksichtigung des Lat.(!); ähnlich Strab. 3,144) lassen auf ein wohl sachlich geordnetes → Onomastikon des P. schließen.

K. LATTE, Glossographika, in: Philologus 80, 1925, 162⁵² · C. WENDEL, s. v. P. (3), RE 21, 1258f.   R. SI.

[4] (πολέμαρχος, Pl. *polémarchoi*, »Führer im Krieg«), in vielen griech. Staaten Titel eines Amtsträgers mit mil. Aufgaben. In den Erzählungen über den Aufstieg von Tyrannen wird von → Kypselos [2] von Korinth (Nikolaos von Damaskos FGrH 90 F 57,5) und → Orthagoras [1] von Sikyon (POxy. XI 1365 = FGrH 105 F 2) gesagt, sie seien *polémarchoi* gewesen. Es ist jedoch unwahrscheinlich, daß Leute außerhalb der regierenden Aristokratie in ein solches Amt bestellt wurden oder der *p.* im archaischen Korinth wie der *p.* im klass. Athen zivilrechtliche Aufgaben erfüllte. Im Heer Spartas wurden im 5. Jh. v. Chr. die sechs *mórai* (»Abteilungen«) von *p.* befehligt, die zusammen mit dem kommandierenden König speisten (Xen. Lak. pol. 13,1; 13,6; vgl. Xen. hell. 4,3,21; u. ö.). Theben hatte im frühen 4. Jh. v. Chr. *p.*; das Amt wurde 382 gleichzeitig von den rivalisierenden polit. Führern Ismenias [1] und Leontiades [2] bekleidet (Xen. Hell. 5,2,25). *P.* sind auch an mehreren anderen Orten bezeugt, darunter die vier Bezirke (Tetraden) in Thessalien (IG II² 116 = Tod 147; IG II² 175: Mitte 4. Jh. v. Chr.).

In Athen war es unter den neun Archonten (→ *árchontes*) der *p.*, der das urspr. von den Königen ausgeübte mil. Kommando übernahm ([Aristot.] Ath. pol. 3,2). Bei Marathon (490 v. Chr.; → Perserkriege) waren der *p.* und alle zehn → *strategoí* anwesend (Hdt. 6,103–114): Die Strategen waren die eigentlichen Befehlshaber, doch wurde der *p.* angerufen, um Meinungsverschiedenheiten unter den Strategen zu schlichten (Hdt. 6,109f.), und er focht auch auf dem rechten Flügel in der Position des Kommandeurs (Hdt. 6,110). Als in der Folgezeit die Strategen in Athen zu den führenden Amtsträgern und die Archonten zu Routinebeamten wurden, trug der *p.* als ziviler Magistrat die Verantwortung für einige Feste, einschließlich des Staatsbegräbnisses für die im Krieg Gefallenen, und für Prozesse, in die Metoiken (→ *métoikos*) oder privilegierte Nicht-Bürger verwickelt waren ([Aristot.] Ath. pol. 58).

N. G. L. HAMMOND, Strategia and Hegemonia in Fifth-Century Athens, in: CQ 19, 1969, 111–144, bes. 111–123 = Ders., Stud. in Greek History, 1973, 346–394, bes. 346–364.   P. J. R.

Polemik I. DEFINITION
II. GRIECHEN, RÖMER III. CHRISTEN

I. DEFINITION
Anders als die auf Personenbeschimpfung und Schmähung gerichtete, von Beginn der Ant. an mündlich und schriftlich bezeugte → Invektive und Iambik [1] richtet sich die P. – von πολεμική/*polemiké* (sc. τέχνη/*téchnē*), »Kriegskunst«, d. h. die verletzende Auseinandersetzung durch Worte – auf Themen und ist insofern sachlich orientiert. Bisweilen benutzt der Polemiker auch die Invektive, da ihn der Zorn gegen jene Person mitreißt, deren Meinung oder Lehre er bekämpft. Seit Begründung der griech. Begriffskultur und damit seit Entstehen von Philos. und Wiss. gibt es für P.

mündliche und schriftliche Beispiele. Darin geht es auch um das Selbstverständnis und den Rang der eigenen geistigen Tätigkeit; eine apologetische Tendenz schwingt oft mit.

II. GRIECHEN, RÖMER
Seit → Herakleitos [1] polemisierten Philosophen gegen Dichter und Dichtkunst sowie gegeneinander. Im 4. Jh. v. Chr. stritten Philos. und Rhet. um den Vorrang in der Bildung. Die P. zeigt dabei ein breiteres Spektrum von Unsachlichkeit, Unterstellung, Verleumdung und Mißverständnissen (z. B. gegen Homer: → Zoilos; vgl. im 1. Jh. n. Chr. gegen Vergil die *Obtrectatores Vergilii*). Die P. unterlag in ihrer Anwendung keiner Beschränkung und richtete sich gegen rel., polit., philos., wiss. Überzeugungen und Lehren, gegen Unwert- und Wertbegriffe, gegen Tätigkeiten und Lebensformen, soziales Verhalten, Ges.- und Staatsformen sowie gegen »Ungriechisches« und »Unrömisches«. Die Philosophenschulen v. a. seit dem 4. Jh. v. Chr. bieten dafür zahlreiche Belege, bes. Kyniker (→ Kynismus), Epikureer (→ Epikuros) und Skeptiker (→ Skeptizismus). In den Monarchien des Alt. war P. gegen diese Staatsform nur versteckt möglich, andernfalls mußte der Polemiker um sein Leben bangen [2].

III. CHRISTEN
Wie die lit. → Fälschung gewann auch die P. bei den Christen große Bed. Aufgrund ihres Glaubens, der sich in fundamentalen Gegensatz zu Götterglauben und Herrscherkult (→ Kaiserkult) setzte, gewann die P. gegen Nichtchristen große Wirkung: Viele Märtyrer polemisierten offen gegen den Staatskult; ebenso die christl. Apologeten vom 2. Jh. bis zu Prudentius (*Contra Symmachum*) und Augustinus (*De civitate Dei*) [3]. Entsprechend antworteten ihnen nichtchristl. Schriftsteller wie → Fronto [6], → Kelsos, → Hierokles [5], → Porphyrios, Kaiser → Iulianus [11] (vgl. [4; 9]). Ferner polemisierten christl. Theologen in Streitgesprächen (vgl. den Terminus *altercatio*), Abh. und Predigten mit Titeln *Adversus …, Contra …, In …* gegen Juden (Ansätze bereits in den Evangelien, bes. bei → Iohannes [1]) [5], gegen → Gnostiker [6; 7] und → Manichäer. Einen weiteren Aufschwung erfuhr die P. durch die von Beginn an gegebene verschiedene Glaubensauslegung innerhalb der christl. Gruppen. Die sog. Rechtgläubigen, die Häretiker und Schismatiker (selbst polemische Begriffe) stritten erbittert miteinander [3; 8]. Daher läßt sich unter P. ein großer Teil der frühen christl. Lit. einordnen.

→ Apologien; Häresie; Häresiologie; Iambographen; Invektive; Schisma

1 S. KOSTER, Die Invektive in der griech. und röm. Lit., 1980 2 W. SPEYER, Büchervernichtung und Zensur des Geistes bei Heiden, Juden und Christen, 1981, 43–74 3 I. OPELT, Die P. in der christl. lat. Lit. von Tertullian bis Augustin, 1980 4 S. BENKO, Pagan Criticism of Christianity During the First Two Centuries A. D., in: ANRW II 23.2, 1980, 1055–1118 5 H. SCHRECKENBERG, Die christl. Adversus-Judaeos-Texte und ihr lit. und histor. Umfeld (1–11. Jh.), ²1990 6 C. COLPE, s. v. Gnosis II (Gnostizismus),

RAC 11, 537–659 **7** K. RUDOLPH, Die Gnosis, ³1990
8 N. BROX, s. v. Häresie, RAC 13, 248–297
9 A. MEREDITH, Porphyry and Julian Against the Christians, in: ANRW II 23.2, 1980, 1119–1149.   WO. SP.

Polemius Silvius. Wohl mit dem Silvius identisch, den die *Vita Hilarii* (14) erwähnt. P. verfaßte 448/9 n. Chr. eine *Laterculus* (»Verzeichnis«) betitelte Zusammenstellung chronographischen Inhalts. Er kompiliert damit, wie er in der Vorrede bemerkt, frühere Werke gleichen Namens. Diese sind verloren, der sogenannte → Chronograph von 354 (→ Filocalus) dürfte ihnen nahekommen, zumal dieser P. wohl bekannt gewesen ist [1]. Es ist die Absicht des P., weniger Gebildeten die Lektüre zu erleichtern. Er tilgte zudem Relikte der nichtchristl. → Kalender-Trad., indem er auf die Anführung ihrer Feste verzichtete; Illustrationen fehlen. Wie auch im Falle des Chronographen von 354 ist die Form heterogen und auf die Kumulation elementaren Orientierungswissens ausgerichtet. So fand der *Laterculus* meist die mißbilligende Einordnung als typisches Werk einer Verfallszeit.

Nach einer kurzen Einführung in die Grundbegriffe der Chronologie (*de diebus, de signis, de anno*: Tagestypen, Sternzeichen, Jahr) wird der Kalender immer wieder durch verschiedene Zusätze ergänzt. So findet sich zw. Januar und Februar eine Liste der röm. Kaiser von Iulius Caesar bis Theodosius II. und Valentinian III. (*enumeratio principum cum tyrannis*) [2] und zw. Februar und März eine Zusammenstellung der röm. Prov. Dem März folgt eine *enumeratio spirantium*, ein Tierverzeichnis, das nach dem April fortgesetzt wird. Den eigentlichen Kern christl. chronographischer Lit. beträfe die in der Vorrede angekündigte *ratio quaerendae lunae festivique paschalis* (die »Errechnung des Ostertermins«). Durch sie weist die Schrift auf den Komplex der ma. Computus-Abh. (→ KALENDER) voraus. Dieser Teil fehlt allerdings. Zw. Juni und Juli steht wieder ein Einschub, in diesem Fall über die Sehenswürdigkeiten Roms (*urbis Romae fabricarum enarratio*). Nach einer Lücke im Anschluß an den Juli, wo sich *poeticae fabulae* (»erdichtete Geschichten«) befinden sollten, folgt nach dem August eine knappe Darstellung der Menschheitsgesch. seit der Sintflut (*breviarium temporum*). Ferner ist nach dem Dezember eine Übersicht über Maße und Gewichte beigefügt, während die angekündigten Kapitel über Tierstimmen, metrische Fragen und Philosophenschulen in der Überl. ausgefallen sind. Die Schrift ist Eucherius [3] von Lyon gewidmet. Von ihrer geringen Wirkung zeugt ihre Überl. in nur einer Hs. (Brüssel 10615–10729, 12. Jh.). Bes. das Prov.-Verzeichnis jedoch entfaltete eine eigene Wirkung [3].

→ Kalender; Onomastikon

1 H. STERN, Le calendrier de 354, 1952, 32 ff. **2** R. W. BURGES, Principes cum tyrannis, in: CQ 43, 1993, 491–500 **3** MGH AA 9,524–551.

ED.: MGH AA 9,511–551.
LIT.: E. S. DULABAHN, Stud. on the Laterculus of P. S., Diss. Bryn Mawr 1987 · J. RÜPKE, Kalender und Öffentlichkeit, 1995, 151–160.   U. E.

Polemokrateia (Πολεμοκρατεία, auch Πολεμοκρατία). Thrakische Königin, Gattin des → Sadalas II. und Mutter von → Kotys [I 6] (IGR I 775); für Kotys' Rettung und Wiedereinsetzung in die Herrschaft übergab M. → Iunius [I 10] Brutus 43 v. Chr. den Familienschatz (App. civ. 4,75,319–320).

R. D. SULLIVAN, Thrace in the Eastern Dynastic Network, in: ANRW II 7.1, 1979, 186–211, bes. 192.   U. P.

Polemokrates (Πολεμοκράτης).
[1] Erhielt unter → Philippos [4] II. Ländereien im neugewonnenen Gebiet im Westen der Chalkidischen Halbinsel; dieser Besitz sowie derjenige, den sein Sohn Koinos [1], der nachmalige Offizier von → Alexandros [4] d. Gr., von Philippos erhalten hatte, wurde später vom König → Kassandros bestätigt und für abgabenfrei erklärt (Syll.³ 332).

M. B. HATZOPOULOS, Une donation du roi Lysimaque, 1988.   M. Z.

[2] s. Alexanor; Machaon

Polemon (Πολέμων).
[1] Akadem. Philosoph, ca. 350 bis verm. 276/5 v. Chr.; wurde von → Xenokrates für die Philosophie gewonnen (legendäre Ausgestaltung der Berufung bei Diog. Laert. 4,16 f.) und war später dessen Nachfolger in der Leitung der → Akademeia. Er war Lehrer von → Krates [3] und → Krantor, außerdem der Stoiker → Zenon von Kition und → Ariston [7] von Chios. Von den zahlreichen Schriften, die P. nach dem Ausweis der ant. Quellen verfaßt haben soll (Diog. Laert. 4,20; Suda s. v. Π 1887), ist nur sehr wenig erh. (Sammlung der Fr. durch [1]). P. wird zu denjenigen Vertretern der Akademie gerechnet, die an den Lehren Platons treu festhielten (Philod. academicorum index 18,9 ff. = F 81 G.; Cic. ac. 1,9,34 = F 120 G.). Er scheint zwar den Vorrang der Ethik und des praktischen Handelns betont (Diog. Laert. 4,18), dennoch aber auch einen eigenen Beitrag zur weiteren Ausbildung der Dialektik und insbes. der Logik geleistet zu haben. Im Bereich der Ethik ist noch erkennbar, daß sich P. mit dem Begriff des »naturgemäßen Lebens« an die Eudaimoniebestimmung von → Speusippos anlehnt. In der Güterlehre hat Zenon die stoische Position offenbar in der Auseinandersetzung mit P. zu profilieren versucht.
→ Akademeia

FR.: **1** M. GIGANTE, I frammenti di Polemone, in: Rendiconti della Accademia di Archeologia, Lettere e Belle Arti N.S. 51, 1976–1977, 91–144.
LIT.: **2** H. J. KRÄMER, Die Spätphase der Älteren Akademie..., in: GGPh², Bd. 3, 151–174.   K.-H. S.

[2] P. aus Ilion (Suda 4. 1888 Adler, s. v. Π.) wird, weil er in der Ant. so oft zit. wurde [1; 2], generell für den wichtigsten Verf. von periegetischer Lit. in hell. Zeit gehalten. Eine inschr. erh. Liste von Proxenoi (→ *proxenía*) in Delphi (Syll.[3] II, 585,266), die ihn (oder einen Verwandten? [3. 40]) nennt, liefert das Datum von 177/6 v. Chr., das ungefähr mit der chronologischen Information in der Suda übereinstimmt; P. lebte wahrscheinlich zw. 220 und 160 v. Chr. [4. 1289–1291].

P. wird verschiedentlich als → *periēgētēs* [5, Bd. 1. 667, Anm. 123], einmal auch als *historikós* (Suda l.c.) bezeichnet. Die Charakterisierung als Perieget hat den Zugang zu P. stark beeinflußt. Prellers immer noch grundlegende Anordnung von ca. 100 erhaltenen Fr. [1] spiegelt die Struktur von → Pausanias' [8] Werk, und einzelne Forscher, die sich auf eine überzogene Quellenforsch. stützten, versuchten in der Folge, P. zur Hauptquelle für den späteren Autor zu machen; diese Sicht hat sich als unhaltbar erwiesen [6. LXXXIII–XC]. Wenn man die Fr. P.s unabhängig von Pausanias bewertet, zeigen sie eine Breite und Vielseitigkeit, die sich einer klaren Zuordnung zu einer lit. Gattung entziehen ([5, Bd. 2. 667–672]; vgl. [4. 1291]). Schwer zu entscheiden ist, ob sich die ca. 30 überl. Titel auf jeweils unabhängige Abh. beziehen oder Abschnitte größerer Werke sind [4. 1292].

P. schrieb über die Athener Akropolis sowie über Städte und Sagentrad. mehrerer anderer griech. Landschaften; ferner Kritisches über → Timaios und → Eratosthenes [2]; schließlich Abh. über Maler, Wunder sowie lit. und antiquarische Themen [4. 1291–1318; 7. 728–732; 8. 247–249]. Seine periegetischen und polemischen Schriften wie auch Briefe haben durchgehend griech. Altertümer als bevorzugte Themen, mit obskuren, auch ziemlich sensationellen Inhalten [4. 1318–1320]. Athenaios berichtet (6,234D = fr. 78), daß P. *Stēlokópas* genannt wurde (etwa »Stelenvielfraß« [8. 248, Anm. 6]), wohl im Hinblick auf seine Begeisterung für Inschriften. Einige mod. Kritiker fanden ihn ziemlich phantasielos [4. 1319f.]; ein ant. Lob, das ihn als ›vielgelehrt und nicht verschlafen in griech. Angelegenheiten‹ preist (Plut. mor. 675b; fr. 27 Preller), dürfte seiner Leistung als Mensch und Autor eher gerecht werden.

1 L. Preller (ed.), Polemonis Periegetae fragmenta, 1838 (Ndr. 1964) 2 FHG III, 108–148 3 H. J. Mette, Die »Kleinen« griech. Historiker heute, in: Lustrum 21, 1978, 5–43 4 K. Deichgräber, s. v. P. (9), RE 21, 1288–1320 5 F. Susemihl, Gesch. der griech. Litteratur in der Alexandrinerzeit, 2 Bde., 1891–1892 6 J. G. Frazer, Pausanias's Description of Greece, [2]1913, Bd. 1 7 H. Bischoff, s. v. Perieget, RE 19, 725–742 8 R. Pfeiffer, History of Classical Scholarship, 1968.   A. A. D.

[3] Verf. eines Satyrspiels, in Magnesia am Mäander an den Rhomaia nach 150 v. Chr. erfolgreich (DID A 13,2).   B. Z.

[4] mit dem Herrschernamen *Eusebēs* (»der Fromme«, IOSPE I[2] 704). Sohn des römerfreundlichen Rhetors → Zenon aus Laodikeia (Strab. 12,8,16). Zusammen verteidigten sie im J. 40 v. Chr. ihre Stadt gegen die Parther. Zum Dank setzte Antonius [I 9] P. im J. 39 als Dynasten über das Gebiet von → Ikonion in Lykaonien ein (Strab. 12,6,1). Im J. 35 nahm P. am → Partherkrieg des Antonius teil, wobei er in Gefangenschaft geriet, aber losgekauft wurde (Cass. Dio 49,25,4). Darauf vermittelte er erfolgreich zw. Antonius und dem König von → Media Atropatene, Artavasdes [2], wofür er mit der Herrschaft über Kleinarmenien belohnt wurde (Cass. Dio 49,33,2 u. a.; → Armenia).

Trotz Unterstützung des Antonius in Actium (→ Aktion; Plut. Antonius 61) gelang es ihm auch unter Octavianus/Augustus, seine Stellung zu halten; nur Kleinarmenien mußte er abgeben. Im J. 26 v. Chr. wurde er als *socius et amicus populi Romani* durch den röm. Senat anerkannt (Cass. Dio 53,25,1–2). Dank dieser Position legte → Augustus ihm nahe, Scribonius, den König des → Regnum Bosporanum, zu vertreiben; doch bevor er den Plan ausführen konnte, war Scribonius ermordet worden. Am Eindringen in das bosporan. Gebiet gehindert, bat er Agrippa [1] um Hilfe, worauf sich die Bosporaner im J. 14 v. Chr. ergaben und P. König des Regnum Bosporanum wurde. Auf Anweisung aus Rom ehelichte er → Dynamis (Cass. Dio 54,24,5–7), später Pythodoris [1]. Wahrscheinlich auf Initiative von Dynamis brachen Aufstände im asiatischen Teil des Regnum Bosporanum aus, bei denen u. a. → Tanais stark zerstört wurde (Strab. 11,2,11). Bei einem Versuch im J. 8 v. Chr., die Anhänger des Aspurgos zu überfallen, wurde P. verraten und getötet (Strab. 11,2,11).
→ Armenia; Laodikeia; Parthia; Pontos

W. Hoben, Unt. zur Stellung kleinasiatischer Dynasten, 1969, 39–53 · PIR[2] P 531 · V. E. Gaidukevič, Das Bosporanische Reich, 1971 · R. D. Sullivan, Dynasts in Pontos, in: ANWR II 7.2, 1980, 913–930, hier: 915–920 · S. J. Saprykin, Pontijskoe carstvo, 1996, 308–310.

[5] Iulius P. Sohn des Kotys [I 9] und der Antonia [7] Tryphaina, Enkel des P. [4]; Bruder des Kotys [I 10] und des → Rhoimetalkes [3]. P. wurde von seinem Jugendfreund → Caligula nach dem Tod des Aspurgos im J. 38 n. Chr. als König von → Pontos und des → Regnum Bosporanum eingesetzt (Cass. Dio 59,12,2; Syll.[3] 798; IGR 4, 147), obwohl Mithradates [9] VIII. der legitime Erbe war und es auch praktisch antrat. Dieser wurde von Claudius [III 1] im J. 41 als bosporan. König anerkannt, P. erhielt zu Pontos einen Teil von → Kilikia (Cass. Dio 60,8,2). Im J. 48 heiratete P. Berenike, die Tochter des Herodes [8] Agrippa, und nahm den jüdischen Glauben an (Ios. ant. Iud. 20,145). Nach der Scheidung ehelichte er Iulia Mamaea. Als → Nero Pontos mit → Galatia vereinigte (Tac. ann. 14,26), blieb P. nur Kilikia, wo er bis zu seinem Tod regierte (nach 68).

PIR[2] P 472 · H. Seyrig, P. II. et Julia Mamaea, in: RN (Ser. 6) 11, 1969, 44–47 · R. D. Sullivan, Dynasts in Pontos, in: ANRW II 7.2, 1980, 913–930, hier: 925–930 · S. J. Saprykin, Pontijskoe carstvo, 1996, 333–339.   I. v. B.

[6] M. Antonius P., ca. 90–146 n.Chr., Sophist aus einer führenden Familie aus Laodikeia und Lykon, mit Verbindung zum pontischen Königshaus. Seine Stellung als Lehrer, Redner und Politiker (in → Smyrna) zeigt seine Vita in Philostratos' [5–8] ›Sophistenbiographien‹ (vergleichbar der des → Herodes [16] Atticus). P. erhielt seine Ausbildung als Sophist bei → Dion [I 3] in Prusa (Philostr. soph. 1,25,539), sowie bei → Skopelianos und dem Stoiker Timokrates in Smyrna (ebd. 1,25,536); er selbst hatte u. a. → Aristeides [3] als Schüler.

P. wurde zwar in Laodikeia bestattet (ebd. 1,25,543), doch sind seine polit. Aktivitäten hauptsächlich für Smyrna belegt. Dort nahm er an einer Gesandtschaft zum Kaiser an Stelle des alternden Skopelianos teil. Kaiser Traianus verlieh ihm wohl bei dieser Gelegenheit das Recht auf freies Reisen. Kaiser → Hadrianus verlieh nach einer weiteren Gesandtschaft des P. Smyrna eine zweite Neokorie (d. h. einem Tempel für den Kaiserkult), neue Spiele (vielleicht die *Hadriáneia Olýmpia*) und zehn Millionen Drachmen für einen Getreidemarkt sowie einen Haupttempel (Zeus Akraios?; vgl. ebd. 1,25,532f., vgl. ISmyrna = IGR 4,1431, wo P.s Schlüsselrolle belegt ist, aber 1500000 Drachmen genannt sind). Hadrian gewährte P. zudem Mitgliedschaft im → Museion von Alexandreia und mehr als 250000 Drachmen. Smyrna wählte P. (und seine Nachfahren) zum Vorsitzenden (→ *agōnothétēs*) der *Hadriáneia Olýmpia* (Philostr. ebd.) und (verm. zw. 130 und 136) P. zum Hauptmagistraten (*stratēgós*). Dies und die Weihung einer Statue des Kaiserlieblings → Antinoos [2] durch P. nach 130 ist durch Mz. bezeugt [1; 2]. P. wird von Philostratos (ebd. 1,25,531) für seine gute Rechtsprechung und sein Engagement für den Bürgerfrieden gelobt, von Ammianos jedoch in Epigrammen als korrupt gebrandmarkt (Anth. Pal. 11,180–181). P. war im Gefolge des Hadrian bei dessen Reise 123/4 durch die Prov. Asia (Physiognomonika 138f., vgl. [3]) und hielt die Festrede bei der Einweihung des Athener Olympieions 131/2 (eine dort gefundene Büste ist verm. sein Porträt [4]). Seine Arroganz zeigte sich in seinem protzigen Gefolge auf Reisen und dadurch, daß er 134/5 den kurz zuvor angekommenen Proconsul von Asia und späteren Kaiser Antoninus [1] Pius um Mitternacht aus seinem Haus warf (Philostr. soph. 1,25,532; 534).

In seinen stets energischen Reden orientierte sich P. an Themen des Demosthenes [2]; er weihte eine Statue seines Vorbildes im Asklepieion von Pergamon (IPerg. 273). Zitate bei Philostr. soph. und zwei ganz erh. Reden (es sprechen vorgeblich die Väter zweier Marathon-Helden) zeigen eine »asianistische« Vorliebe für kurze Sätze und forcierte Tropen (→ Asianismus).

P.'s *Physiognōmoniká* sind in einer arabischen Übers. (1356) und einer griech. Paraphrase (vor 300, von → Adamantios) überl. und werden von einer lat. Abh. des 4. Jh. ausgiebig benutzt. P. macht viel her von der Wirksamkeit seiner eigenen Praxis der → Physiognomie, bekräftigt durch zahlreiche Anekdoten, die hell-

seherische Qualitäten »beweisen« sollen. Ein histor. Werk (vgl. Phryn. Ekloge 238 p. 339 RUTHERFORD) ist verloren.

→ Philostratos [5–8]; Zweite Sophistik

1 PIR A 862 2 BMC Ionia 277–278 Nr. 328, 339–341 3 G. W. BOWERSOCK, Greek Sophists in the Roman Empire, 1969, 120–123 4 RICHTER, Portraits 3, 285 und Abb. 2034–2037 (= NM Athens inv. Nr. 427).

ED.: PHYSIOGNŌMONIKA: G. HOFFMANN, in: R. FÖRSTER, Scriptores Physiognomonici Graeci et Latini, 1893. REDEN: H. HINCK, 1873.
LIT.: H. JÜTTNER, De Polemonis vita operibus arte, 1898 (Ndr. 1967) · M. W. GLEASON, Making Men. Sophists and Self-Presentation in Ancient Rome, 1995 · M. T. BOATWRIGHT, Hadrian and the Cities of the Roman Empire, 2000, 157–162.   E. BO./Ü: TH. G.

Polemonion (Πολεμώνιον). Hafenstadt an der Südküste des Schwarzen Meeres (→ Pontos Euxeinos; Ptol. 5,6,4; peripl. m. Eux. 30–33; Steph. Byz. s. v. Π.; Plin. nat. 6,11; Tab. Peut. 10,3; Hierokles, Synekdemos 37) beim h. Bolaman 10 km westl. von Fatsa, wo der Sidenos (Strab. 1,3,7; 2,5,25; 3,3,14–16; h. Bolaman Irmaği) in eine weite Bucht mündet, benannt nach Polemon [4] I. (37–7 v. Chr.: Etym. m. s. v. Πολεμώνιος); die Stadt lag wohl an der Stelle von Side, einer z. Z. Strabons (12,3,16) verlassenen Ortschaft (vgl. Amm. 22,8,16, der die griech. Trad. von P. hervorhebt).

D. R. WILSON, The Historical Geography of Bithynia, Paphlagonia, and Pontus in the Greek and Roman Periods, D. B. Thesis Oxford 1960, 245–247 (maschr.) · A. BRYER, D. WINFIELD, The Byzantine Monuments and Topography of the Pontos, Bd. 1, 1985, 111–115 · E. OLSHAUSEN, s. v. P., RE Suppl. 14, 427f.   E. O.

Polemos (Πόλεμος, lat. *Bellum*). Personifikation (Ov. met. 1,142f.) des Krieges; er gilt als Herr des *kydoimós* (»Schlachtgetümmel«, Aristoph. Pax 204–300, bes. 236 und 255) und der *alalá* (»Kriegsgeschrei«, Pind. fr. 78). Der Krieg wird in Rom mit eisernen Riegeln (Verg. Aen. 1,293) hinter doppelten Toren (Enn. ann. 266f.) eingeschlossen und von → Ianus bewacht. Wird ein Krieg beschlossen, so öffnet der röm. Consul persönlich die Tore des Ianus-Tempels in Rom und ruft damit zum Kampf auf (Verg. Aen. 7,607f.).   S. T.

Polenta (ἄλφιτα). Gerstengraupen, -mehl, -brot. Der lat. Begriff *p.* bezeichnet zum einen die Grütze von enthülsten und gerösteten Gerstenkörnern, zum anderen den Brei, der aus dieser Grütze mit Wasser, Salz und anderen Zutaten gemischt oder gekocht wurde (Plin. nat. 18,72; Pall. agric. 7,12). Gerstenbrei, der zusammen mit Zukost wie Öl oder Gemüse auf den Tisch kam, gehörte in Griechenland bis in hell. Zeit zu den wichtigsten Gerichten. Dagegen bevorzugte man in It. – vielleicht mit Ausnahme der Gallia Cisalpina (Plin. nat. 18,85) – den Emmerbrei (*puls*), das röm. Nationalgericht republikan. Zeit.

→ Getreide

M.-C. Amouretti, Le pain et l'huile dans la Grèce antique. De l'araire au moulin, 1986 · J. André, Essen und Trinken im alten Rom, 1998 · A. Dalby, Essen und Trinken im alten Griechenland. Von Homer bis zur byz. Zeit, 1998.

A.G.

Poletai (πωληταί), »Verkäufer«, hießen in Athen die Beamten, die für die Vergabe öffentlicher Aufträge (z.B. Steuereinziehung, Bearbeitung von Heiligem Land und Ausbeutung der Silberminen) und den Einzug von konfisziertem Vermögen zuständig waren. Die Abschlüsse erfolgten in Anwesenheit des Rats (→ bulē), der bis zur Zahlung Buch führte; die Verkaufserlöse aus konfisziertem Vermögen wurden von den neun → árchontes [1] bestätigt. Die p. werden in Verbindung mit → Solon erwähnt ([Aristot.] Ath. pol. 7,3); in klass. Zeit bildeten sie ein Gremium von zehn Mitgliedern, von denen jährlich je einer aus den zehn Phylen bestellt wurde ([Aristot.] Ath. pol. 47,2–5). Unter den inschriftl. erhaltenen Verzeichnissen von p. befinden sich die »Attischen Stelen«; auf diesen ist der Verkauf des Vermögens der im J. 415 v. Chr. wegen Gottlosigkeit (→ asébeia; → Hermokopidenfrevel) Verurteilten verzeichnet (IG I³ 421–430) sowie die Verpachtung der Minen. Das Amtslokal der p. war das pōlētḗrion auf der Agora [3. p. 165].

1 Busolt/Swoboda 1, 483 Anm. 5 2 P. J. Rhodes, A Commentary on the Aristotelian Athenaion Politeia, 1981, 552–557 3 R. E. Wycherley, Literary and Epigraphical Testimonia (Agora 3), 1973. P. J. R.

Poliarchos (πολίαρχος).
[1] (»Oberbeamter der Stadt«). Im 3. Jh. v. Chr. gab es in den Städten Thessaliens ein Kollegium von fünf políarchoi, vgl. IG IX 2,459 (Krannon); IG IX 2,1233 (Larisa [1]). Wie die Etym. nahelegt, umfaßte ihr Aufgabenbereich wohl mil. und zivile Belange der Polis. Die Abgrenzung gegenüber dem ebenfalls städtischen Kollegium der tágoi ist unklar (siehe [2]). Der archipolíarchos hatte den Vorsitz inne (IG IX 2,1233).
→ Tagos; Thessaloi, Thessalia

1 B. Helly, L'état Thessalien, 1995, 332 2 Ders., Politarques, poliarques et politophylakes, in: Ancient Macedonia 2, 1977, 531–544. HA. BE.

[2] (»Herr der Stadt«) benutzen Cassius [III 1] Dio und Iohannes Lydos [3] des öfteren als griech. Übers. des röm. Titels → praefectus urbi.

F. Geschnitzer, s. v. P., RE Suppl. 11, 1108–1112. T. F.

Polichne (Πολίχνη).
[1] Siedlung im Olympieion, einem Zeus-Heiligtum am rechten Ufer des Anapos im SW von Syrakusai, bei der 414 v. Chr. → Gylippos einen Teil der Reiterei stationierte, um den Athenern auf dem → Plemmyrion das Fouragieren im Hinterland von Syrakusai zu erschweren (Thuk. 7,4,7; Diod. 13,7,5; vgl. [1. 41, 41¹⁰]).

1 H.-P. Drögemüller, Syrakus (Gymnasium Beih. 6), 1969. E. O.

[2] Ort im NW von Kreta, wohl in der Nähe des h. Meskla, ca. 15 km südwestl. von Chania zu lokalisieren. Gemäß der griech. Trad. neben → Praisos als einzige Stadt nicht beteiligt an einer minoischen Unternehmung gegen Sizilien (Hdt. 7,170). Zeitweilig unter Kontrolle der Nachbarstadt → Kydonia, aus dieser 429 v. Chr. von den Athenern befreit (Thuk. 2,85,5 f.).

M. Guarducci (ed.), Inscriptiones Creticae, Bd. 2, 233–236. H. SO.

Poliochni. Prähistor. Siedlung an der SO-Küste der Insel → Lemnos. Die 1930 entdeckte Fundstätte zählt zu den bedeutendsten prähistor. FO der Ägäis. It. Grabungen zw. 1930 und 1956 und erneut ab 1986 legten bislang etwa die Hälfte der Gesamtfläche von P. frei. Die spätneolithische und brz. Siedlung entstand am Übergang vom 4. zum 3. Jt. v. Chr. und weist während des 3. Jt. ununterbrochene, im 2. Jt. v. Chr. immer wieder – verm. durch Invasionen und Naturkatastrophen – unterbrochene Besiedlung auf.

Die kulturelle Entwicklung von P. zeigt in vielen Bereichen (Keramik, Metallkunst, Architektur) Gemeinsamkeiten mit → Troia, mit Thermi auf Lesbos, den → Kykladen sowie mit Thessalien (→ Thessaloi; Dimini- und → Sesklo-Kultur). Seine Bed. verdankt P. der geogr. Lage unweit der Küste Kleinasiens, ungefähr auf der Höhe des Hellespontos und Troias, als Station an den Handelswegen vom südl. Mittelmeer zum Schwarzen Meer (→ Pontos Euxeinos). Der Hafen war vor starken NO-Winden geschützt. Westl. der Siedlung erstreckte sich eine fruchtbare Ebene, die die Siedlung mit Agrarprodukten versorgte; in der Nähe gab es Tongruben sowie Obsidianvorkommen.

Die Identität der Einwohner von P. ist nicht zu klären. Wahrscheinlich siedelten neben einer autochthonen Bevölkerung verschiedene Völkergruppen oder benutzten die Siedlung als Handelsstützpunkt. Bisher wurden in P. weder identifizierbare Kulträume noch Friedhofsanlagen oder als solche bestimmbare Kultgegenstände entdeckt.

Die it. Ausgräber erkannten in P. Einfluß von Anatolien (z.B. Kumtepe, Beycesultan), den ägäischen Inseln (z.B. Thermi auf Lesbos, Chios, Kykladen) und Kreta sowie vom griech. Festland (Dimini) und Thrakien (Michalic-Karanovo VII, Gumelniţa). Sie unterschieden sieben Siedlungsphasen, die sie mit Farben bezeichneten (schwarz=I, blau=II, grün=III, rot=IV, gelb=V, braun=VI und lila=VII).

In Periode I (ca. 3200–2800 v. Chr.) war P. von bescheidener Größe. Die großräumigen Bauten hatten ellipsoide Form und waren verm. aus Lehmziegeln errichtet. Grobe dunkelfarbige Tongefäße meist ohne Verzierung bilden die charakteristische Keramik; eine Ausnahme stellt die zum ersten Mal erscheinende sog. Obstschale auf hohem Fuß dar. Bemerkenswert ist das völlige Fehlen von Metallen. In Periode II (ca. 2800–2550 v. Chr.) war P. eine gut organisierte kleine Stadt mit Mauer (s. Lageplan, 4), die in der roten Periode IV er-

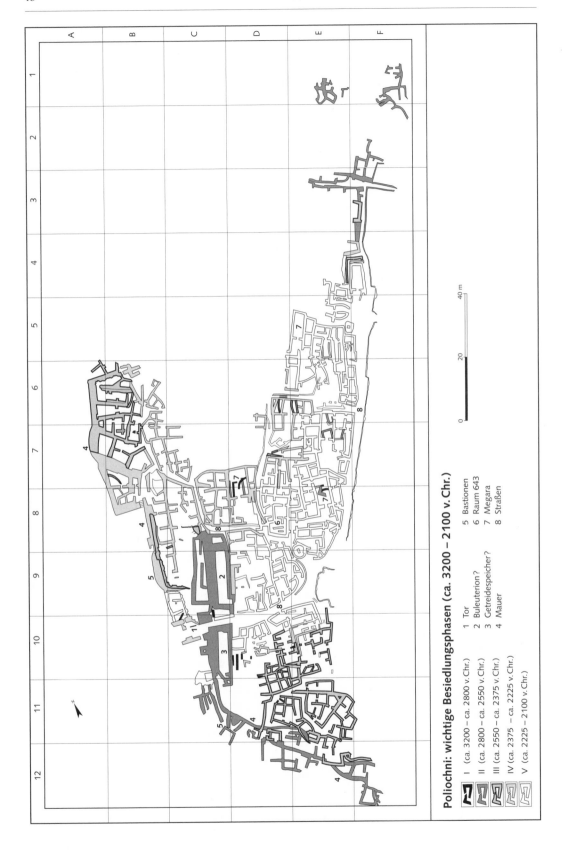

Poliochni: wichtige Besiedlungsphasen (ca. 3200 – 2100 v. Chr.)

I   (ca. 3200 – ca. 2800 v.Chr.)
II (ca. 2800 – ca. 2550 v.Chr.)
III (ca. 2550 – ca. 2375 v.Chr.)
IV (ca. 2375 – ca. 2225 v.Chr.)
V (ca. 2225 – 2100 v.Chr.)

1 Tor
2 Buleuterion?
3 Getreidespeicher?
4 Mauer

5 Bastionen
6 Raum 643
7 Megara
8 Straßen

40 m   20   0

weitert und mit Bastionen versehen wurde. Das Haupttor (1) lag im SW, in seiner unmittelbaren Nähe befanden sich zwei längliche Bauten, die als Versammlungsort (Buleuterion, 2) und Getreidespeicher (3) gedeutet wurden. Die nun rechteckigen Wohnhäuser waren aus Stein und besaßen einen bis zwei Räume. Erstmalig erscheint ein Bau des → Megaron-Typus (7), dessen Funktion noch unklar ist. Die Fläche von P. gegen Ende von Periode II betrug 10 ha – fast das Doppelte des gleichzeitigen Troia II. Die Keramik umfaßt feine, gefirnißte Vasen, mit Zickzack-Linien und Spiralen verziert, ferner sog. Streifenkeramik, die verm. aus anderen ägäischen Zentren importiert wurde. Die Werkzeuge (Äxte, Mörser, Beile, Messer, Mahlgeräte u. a.) waren hauptsächlich aus Stein oder Knochen, obwohl die Metallbearbeitung allmählich an Bed. gewann (Nadeln und Nägel).

In Periode III (ca. 2550–2375 v. Chr.) wurde P. nach Westen bzw. SO erweitert und erhielt eine zusätzliche Mauer (4). Viele Häuser wurden vergrößert. In der Keramik finden sich neben der einheimischen Produktion viele Importe aus Kleinasien. Die Herstellung von Knochen- und Steingeräten ging gegenüber solchen aus Br. zurück; gleichzeitig traten erste Schmuckstücke auf. In Periode IV (ca. 2375–2225 v. Chr.) wurde die Mauer (4) erweitert und in regelmäßigen Abständen halbkreisförmige »Bastionen« (5) angefügt. Die Keramikformen zeigen eine starke Stilisierung; Formen wie Amphoren und Becher gewannen an Bed. Der Ton ist fein, aber die Gefäße blieben ohne Verzierung. Werkzeuge wurden nun durchweg aus Metall hergestellt. Deutlich ist die kulturelle Verwandtschaft von P. zu anderen Zentren wie Troia I und II sowie → Kreta, Thessalien und Boiotien (→ Boiotia). In Periode V (ca. 2225–2100 v. Chr.) wurden innerhalb der Siedlung zwei große Straßen (8) angelegt und mit Kanalisation versehen. Ein neues Megaron (7), umgeben von mehreren großen Räumen, wurde am »Nordplatz« gebaut. In der Keramik erscheint eine Trinkbecherform: das sog. *dépas amphikýpellon*, das auch in den späten Schichten von Troia II vorkommt. Die Gefäße dieser Periode sind sehr qualitätvoll, mit linearer gemalter oder reliefierter Verzierung. Viele Fundgegenstände gelten als Kykladen-Importe, was für rege Handelsbeziehungen spricht. Die Formen der Schmuckstücke aus einem Goldschatz aus Raum 643 (6) weisen große Ähnlichkeit zum sog. Priamosschatz aus Troia auf.

Ein Erdbeben zerstörte um 2100 v. Chr. die blühende Stadt, die dann für ca. 100 Jahre verlassen wurde. In Periode VI (ca. 2000–1900 v. Chr.), die etwa Troia V entspricht, wurden v. a. zerstörte Bauten repariert; die Siedlung erreichte aber nicht mehr ihre vorherige Größe. Zu dieser Zeit wurde die Töpferscheibe eingeführt. Die Keramik zeichnet sich durch bes. Tonqualität und feine, gewöhnlich rote Firnisoberfläche aus; parallel existiert die sog. grau-minysche Ware. Zw. Periode VI und VII (ca. 1500–1275 v. Chr.) liegt eine Phase von ca. 400 Jahren, die noch intensiver Erforschung bedarf. P. verlor an Bed. Erst in Periode VII (zeitgleich mit der Blüte der myk. Kultur auf dem griech. Festland und

Troia V und VI, → Mykenische Kultur) wurden wieder einige Bauten erneuert. Die Keramik umfaßt gefirnißte Vasen mit schwarzer linearer Verzierung. Ein Erdbeben im 1. Viertel des 13. Jh. v. Chr. zerstörte P. vollständig; die Stadt wurde endgültig verlassen und die Bewohner siedelten mit großer Wahrscheinlichkeit in den Westen von Lemnos um.

1 A. ARCHONTIDOU (Hrsg.), Lemnos, Arch. Mus. (Führer), 1993 2 TH. BELITSOS, Η Λήμνος και τα χωριά της, ²1997, 13–19 3 L. BERNABÒ-BREA, P. Città preistorica nell' isola di Lemnos, 2 Bde., 1964, 1976 4 F. SCHACHERMEYR, Forsch.-Ber. über die Ausgrabungen und Neufunde zur ägäischen Frühzeit 1957–1960, in: AA 1962, 2, 104–382, bes. 203–204 5 P. Z. SPANOS, Unt. über den bei Homer »depas amphikypellon« genannten Gefäßtypus (MDAI(Ist) Beih. 6), 1972, 30–34.   X. T.

Poliochos (Πολίοχος). Att. Komödiendichter des 5. Jh. v. Chr., siegte einmal an den Lenäen [1. test. 1]. Erh. sind zwei Fr., davon eines aus dem Stück Κορινθιαστής (*Korinthiastḗs*, ›Der Liederliche‹).

1 PCG VII, 1989, 550–551.   B. BÄ.

Poliorketik   I. GRIECHENLAND   II. ROM

I. GRIECHENLAND
A. ARCHAISCHE UND KLASSISCHE ZEIT
B. HELLENISMUS

A. ARCHAISCHE UND KLASSISCHE ZEIT

Seit der Frühzeit der → *pólis* im 8./7. Jh. v. Chr. entstanden im griech. Kulturbereich Stadtbefestigungen im eigentlichen Sinn. Bei einer Belagerung dienten Speer, Schleuder und Bogen als Fernwaffen für Angriff und Verteidigung; für die Verteidigung war außerdem der Steinwurf mit der Hand eine wirksame Waffe. Die technischen Angriffsmittel waren bescheiden: Leitern zum Ersteigen der Mauer, Äxte und einfache Sturmböcke zum Aufbrechen der Tore; die Stadtmauern hingegen boten den Verteidigern durch die erhöhte Stellung einen beträchtlichen Vorteil. Daher ist bis zur klass. Zeit (5./4. Jh.) generell eine mil. Überlegenheit der Verteidiger zu beobachten.

Im Vorderen Orient besaß die Belagerungstechnik schon im 3. Jt. v. Chr. einen hohen Standard; so waren in Mesopotamien Belagerungsrampen, fahrbare Schutzdächer mit Sturmböcken (Widderschildkröten) und die Unterminierung der Mauern bekannt; sie sind auf assyrischen Reliefs (z. B. Relief des Tiglatpileser III. aus dem Zentralpalast in Nimrūd; London, BM) dargestellt. Während der Kriege in Kleinasien lernten die Griechen diese hochentwickelte Belagerungstechnik kennen, so bes. während des → Ionischen Aufstandes (500–494 v. Chr.; Eroberung von Milet: Hdt. 6,18). Durch arch. Unt. sind die persische Belagerungsrampe vor Alt-Paphos (498 v. Chr.) und die Gegenminen der griech. Verteidiger bekannt (→ Perserkriege). Mit dem Einfluß aus dem Osten begann die Entwicklung der griech.

Poliorketik

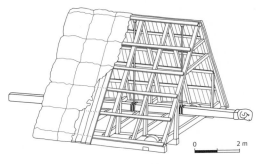

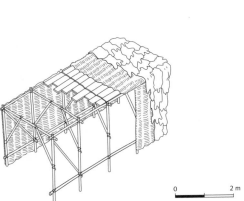

Widderschildkröte (testudo arietaria),
Rekonstruktion nach einem Relief auf dem
Bogen des Septimius Severus in Rom.

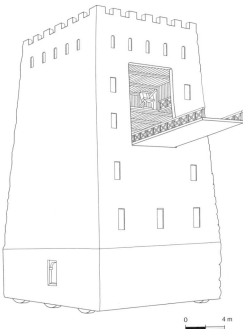

Helepolis des Poseidonios.

Laube (vinea), Versatzstück für einen
gedeckten Laufgang nach Vegetius.

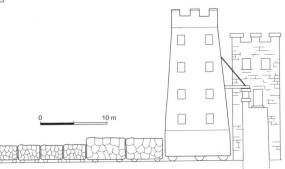

Angriff auf eine Stadtmauer mit einem
Wandelturm (turris ambulatoria), der mit
einer Fallbrücke ausgestattet ist.

Bau einer Belagerungsrampe aus Holz, Steinen
und Erde mit Hilfe der Schüttschildkröte.
Das Schüttmaterial wird in einem gedeckten
Laufgang nach vorne gebracht, der aus einzelnen
bewegbaren Lauben (vineae) zusammengesetzt wird.

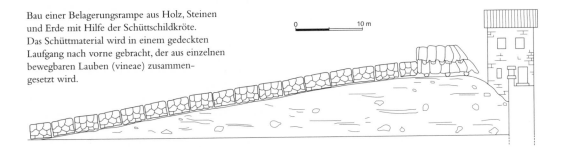

P. [3]. Die neuen Belagerungsmethoden verbreiteten sich, befördert durch die während des 5. Jh. v. Chr. geführten Kriege, auch im griech. Mutterland.

Wenn es die Bodenverhältnisse erlaubten, wurde die Stadtmauer unterminiert und so zum Einsturz gebracht. Die Belagerungsrampe (χῶμα/*chõma*; lat. *agger*) wurde aus Holz und Erde ansteigend gegen die Mauer bis zur Höhe des Wehrgangs aufgeschichtet. Die dabei als Deckung verwendete Schüttschildkröte (χελώνη χωστρίς/*chelõnē chõstrís*; lat. *testudo, musculus*) war fahrbar konstruiert. Das Baumaterial wurde in gedeckten Laufgängen nach vorne gebracht, die aus einzelnen beweglichen Abschnitten (ἄμπελοι/*ámpeloi*; lat. *vineae*, wörtl. »Lauben«) zusammengesetzt wurden. Auf der Rampe konnten nun Angriffswaffen gegen die Mauer eingesetzt werden, v. a. der Mauerbrecher in Gestalt der fahrbaren Widderschildkröte (χελώνη διορυκτρίς/*chelõnē dioryktrís*; lat. *testudo arietaria*). Die Verteidiger wehrten sich durch Erhöhung der Mauer, Unterminierung der Rampe sowie durch den Versuch, den Widderbalken hochzuziehen oder durch schwere Steine, Brandgeschosse und Ausfälle mit Brandmitteln zu zerstören. Die Brandwaffe war ein wirksames Verteidigungsmittel, da die Belagerungsvorrichtungen viel Holz enthielten. Stand die Breschelegung durch die Angreifer bevor, errichteten die Verteidiger hinter der gefährdeten Mauer eine zweite als Auffangstellung. Alle diese Mittel wurden bei der Belagerung von Plataiai 429–428 v. Chr. eingesetzt (Thuk. 2,75–77). Dafür war handwerkliches und technisches Fachpersonal erforderlich, das sich in dieser Epoche herausbildete. So ist Ende des 5. Jh. der μηχανοποιός/*mēchanopoiós* (»Hersteller eines mechanischen Geräts«) für Athen im mil. Bereich bezeugt (Xen. hell. 2,4,27; vgl. Plat. Gorg. 512b), und in Syrakusai konnte Dionysios [1] I. 399 v. Chr. auf zahlreiche Fachleute (τεχνῖται/*technítai*) zum Bau und zur Neuentwicklung von Waffen und Belagerungsgeräten zurückgreifen (Diod. 14,41–43).

Eine Stadt konnte auch durch Circumvallation (Einschließung durch Wall und Graben) eingeschlossen und ausgehungert werden, falls etwa der erste Angriff mißlang. Dafür waren aufwendige Belagerungsbauwerke zu erstellen. Die Angreifer mußten die entsprechenden Mittel über längere Zeit einsetzen können und das Umland beherrschen. Die Circumvallation wurde von Athen schon 440 v. Chr. gegen Samos angewandt (vgl. Thuk. 1,116,2) und blieb eine wichtige Belagerungsmethode der griech. P.

Zu Beginn der spätklass. Epoche war die Erfindung des → Katapults um 400 v. Chr. eine wesentliche Neuerung; aber erst die Entwicklung der Torsionskatapulte um etwa 350 v. Chr. ließ Waffen entstehen, die seitdem bei der Belagerung einer Stadt regelmäßig eingesetzt wurden. Mit Torsionskatapulten konnten Pfeile abgeschossen oder schwere Steine geschleudert werden (λιθοβόλος/*lithobólos*). Das Brescheschießen war aber auch mit schweren Steinwerfern nicht möglich. Zum Breschelegen dienten die Widderschildkröte oder der fahrbare Belagerungsturm aus Holz, der mit einem

Widder (κριός/*kriós*; lat. *aries*) ausgerüstet war. Spätestens seit etwa 350 v. Chr. wurden mehrstöckige Wandeltürme eingesetzt, die höher als die Stadtmauer waren (Philippos [4] II. von Makedonien vor Perinth: 341–340 v. Chr.; Diod. 16,74,2–76,4). Ein solcher Wandelturm (φορητός πύργος/*phorētós pýrgos*; lat. *turris ambulatoria*) konnte einen Widder, Katapulte oder eine Fallbrücke (σαμβύκη/*sambýkē*; lat. *sambuca, exostris*; ähnlich auch der *corax*) zum Besteigen der Mauer tragen [5].

Gleichzeitig begann mit der Schrift des Aineias [2] Taktikos eine eigene Fachlit. zur P.; es folgten rasch weitere Werke, so etwa die verlorenen Texte der Militärarchitekten Polyidos, Charias und Diades im späten 4. Jh. v. Chr. (Vitr. 10,13,3). Mit der schriftlichen Fixierung des Fachgebiets wurde ein völlig neuer Faktor wirksam: Die Wechselwirkung zw. Fachlit. und mil. Praxis hat die Entwicklung der griech. P. seit der Mitte des 4. Jh. v. Chr. beträchtlich beschleunigt. Die Techniker Alexandros' [4] d. Gr. konstruierten fahrbare Belagerungstürme von vorher unbekannter Größe (→ helépolis des Poseidonios, s. Abb.) [5]. Durch ihren Einsatz nahm die mil. Überlegenheit der Verteidiger gegenüber dem Angreifer ab. Das zeigte sich u. a. bei den Angriffen Alexanders auf die stark befestigten Städte Halikarnassos (334 v. Chr., vgl. Arr. an. 1,20,2–23,6) und Gaza (332 v. Chr., vgl. Arr. an. 2,26f.). Von dieser Zeit an kann von einem »griech. Stil« der P. gesprochen werden.

B. HELLENISMUS

Im Hell. erreichte die griech. P. ihren Höhepunkt; die Herrscher und ihre Techniker wetteiferten mit dem Bau unerhört großer und technisch aufwendiger Belagerungsgeräte wie etwa der Widderschildkröte des Hegetor (Vitr. 10,15) oder der *helépolis* zur Belagerung von Rhodos, die Epimachos 304 v. Chr. für → Demetrios [2] Poliorketes baute; sie soll 9 Stockwerke bei mindestens 30 m Höhe besessen haben (Diod. 20,91; vgl. Vitr. 10,16,2–8). Die mil. Effektivität dieser Belagerungstürme war aber wegen ihrer Schwerfälligkeit enttäuschend. Die Techniker experimentierten im 3. Jh. v. Chr. auch mit verschiedenen Varianten der Katapultkonstruktion. Auf die größere Bedrohung reagierten die Städte mit einer Verstärkung der Wehrbauten. In zahlreichen, meist verlorenen Fachschriften wurde die P. theoretisch behandelt (→ Biton, → Philon [7] von Byzanz).

II. ROM

Durch den Krieg mit → Pyrrhos [3] und die röm. Expansion in Unteritalien und auf Sizilien wurde Rom mit der hell. P. konfrontiert und übernahm bald deren gebräuchliche Mittel. Gegen das 214–212 v. Chr. gut verteidigte → Syrakusai war die poliorketische Technik Roms allerdings noch unzureichend (Pol. 8,5–9; → Claudius [I 11] Marcellus). Als Rom nach 200 v. Chr. im östl. Mittelmeerraum eingriff, wurde bei der Belagerung von Atrax ein Belagerungsdamm gegen die Stadt geführt, Bresche gelegt und ein riesiger mehrstöckiger Wandelturm vorgerückt, der allerdings einsackte; die Römer waren schließlich gezwungen, die Belagerung erfolglos abzubrechen (Liv. 32,17,4–18,3). Solche Erfahrungen lehrten die röm. Techniker, ineffektive Dimensionen hell. Belagerungstürme zu vermeiden.

In der späten Republik beherrschte das röm. Heer alle Methoden der P., wie sie bei der Belagerung Athens 86 v. Chr. von Cornelius [I 90] Sulla (App. Mithr. 30–38; Plut. Sulla 12–14) oder bei den Belagerungen von Avaricum (52 v. Chr.; Caes. Gall. 7,17–28) und Massalia (49 v. Chr.; Caes. civ. 2,1–16; 22) eingesetzt wurden. Das röm. Heer war für Schanz- und Bauarbeiten vorzüglich ausgebildet; daher ließen die Feldherren oft die Circumvallation anwenden, etwa bei Numantia 134–133 v. Chr. oder Alesia (52 v. Chr.; Caes. Gall. 7,68–74; 79–89). Die Circumvallation sollte dem Gegner jede Hoffnung nehmen, so in Iudaea 70 n. Chr. bei Jerusalem (Ios. bell. Iud. 5,47–6,355) oder 73–74 bei → Masada, wo heute noch Circumvallation und Belagerungsrampe vorhanden sind. Nach der Befriedung des Mittelmeerraums in der frühen Prinzipatszeit waren Belagerungen selten geworden. Allerdings wurden Städte oder Festungen in den jüd. Aufständen, im Dakerkrieg oder in den Partherkriegen belagert; auch während der Bürgerkriege waren einzelne Städte heftig umkämpft (Cremona, 69 n. Chr.: Tac. hist. 3,26–33; Byzantion, 194–196: Cass. Dio 75,10–13). Seit der Krise des 3. Jh. mehr in die Defensive gedrängt, mußte das röm. Heer v. a. im Osten des Reiches Städte häufiger verteidigen als angreifen. Ein Beispiel ist die erfolglose Verteidigung der Stadt → Amida 359 gegen das persische Heer (Amm. 19,1–8; vgl. auch ebd. 21,12 zur Belagerung Aquileias 361). Einen informativen Überblick über die Ausrüstung des spätant. Heeres mit Belagerungsgeräten bietet Amm. 23,4.

Schon früh entstand in Rom unter hell. Einfluß eine lat. poliorketische Fachlit., von der einschlägige Abschnitte im Werk des → Vitruvius erh. sind (10,10–16). Die hell. Originalwerke zur P. waren in der Prinzipatszeit in griech. Bearbeitungen verbreitet (→ Athenaios [5] Mechanicus; → Heron von Alexandreia). Eigenständige Konstruktionen für den Gebrauch des röm. Heeres beschrieb → Apollodoros [14] von Damaskos unter Traianus (98–117) in griech. Sprache. In der Spätant. schrieb → Vegetius die *Epitoma rei militaris* mit einer Zusammenfassung der P. im 4. Buch (Veg. mil. 4,1–30); sie bot Anregungen für die Ausbildung der ma. P.

→ Befestigungswesen; Bewaffnung; Militärwesen

1 Y. Garlan, Recherches de poliorcétique grecque, 1974 2 Kromayer/Veith, 209–245, 373–376, 442–449 3 A. W. Lawrence, Greek Aims in Fortification, 1979, 16–28 4 O. Lendle, Schildkröten. Ant. Kriegsmaschinen in poliorketischen Texten, 1975 5 Ders., Texte und Unt. zum technischen Bereich der ant. P., 1983, 38–58, 71–106 6 F. G. Maier, Ausgrabungen in Alt-Paphos, in: Chiron 2, 1972, 24–28 7 M. Reddé, S. von Schnurbein, S. Sievers, Fouilles et recherches nouvelles sur les travaux de César devant Alésia, in: BRGK 76, 1995, 73–158 8 I. A. Richmond, The Roman Siege-Works of Masada, Israel, in: JRS 52, 1962, 142–155 9 W. Wimmel, Die technische Seite von Caesars Unternehmen gegen Avaricum, 1974.   D. BA.

Polis (πόλις, πτόλις; Pl. πόλεις/*póleis*; »Stadtstaat«).

I. TOPOGRAPHISCHE UND FRÜHE ENTWICKLUNG
II. ALS POLITISCHER BEGRIFF

I. TOPOGRAPHISCHE UND FRÜHE ENTWICKLUNG

P. hat je nach Kontext top., personale und polit.-rechtliche Konnotationen: a) Befestigte Höhensiedlung, homer. *pólis akrḗ* bzw. *akrotátē* (Hom. Il. 6,88; 20,52), in Athen bis ins späte 5. Jh. v. Chr. synonym mit Akropolis (Thuk. 2,15,3–6); b) urbane Siedlung; c) urbaner Siedlungskern mit Umland, »Staatsgebiet«; d) Gemeinwesen eines Bürgerverbandes, Gemeinschaft der *polítai* (s. u. II.).

In der Bed. von a) geht p. wohl zurück auf ein myk. Wort *po-to-ri-jo*, das aber nur als Bestandteil eines Namens bezeugt ist [1]. Unmittelbare Kontinuität von myk. Palastburgen zur histor. p. besteht nicht, doch ist das Erscheinungsbild der p. in eine altmediterrane Koine mit unterschiedlichen, durch die jeweiligen top. und demographischen Gegebenheiten bedingten Siedlungsformen einzuordnen. Wichtig für die p.-Bildung waren dauerhafte Versorgungsmöglichkeiten. Die in den → »Dunklen Jahrhunderten« [1] entstandenen Höhensiedlungen von → Zagora (Andros) und von Emporio (Chios) waren zwar leicht zu verteidigen, wurden aber vor 700 v. Chr. wieder aufgegeben, während in Alt-Smyrna (in İzmir) schon im 9. Jh. auf einer damaligen Halbinsel eine kleinere Siedlung eine Umwallung erhielt und vor 700 v. Chr. die auf etwa 2000 Personen angewachsene Einwohnerschaft einen urbanen Tempel errichtete, der ein charakteristisches Merkmal im Erscheinungsbild einer p. darstellt [2].

Bereits früh zeichnete sich die Bed. des »öffentlichen Raumes« ab, was sich v. a. in der → *agorá* manifestiert. In archa. Zeit waren indes viele Gemeinschaften bereits p. im polit. Sinne (s. u. II.), aber noch keine urbanen Siedlungen. Die Wohnbezirke waren recht unregelmäßig angelegt, doch lassen sich Konzeptionen einer planvollen Siedlungsgestaltung bis zu Koloniegründungen auf Sizilien im späten 8. Jh. v. Chr. zurückverfolgen. Die Zahl der p. schwankte, da durch → Kolonisation und → *synoikismós* neue entstanden, während andere durch Kriegsereignisse ein Ende fanden. Insgesamt existierten im griech. Mutterland, im Ägäisraum sowie in den kolonialen Gebieten der Hellenen an den Küsten des Mittelmeers und des Schwarzen Meers und später in den hell. Reichen (→ Hellenistische Staatenwelt) annähernd 1500 Siedlungen vom Typ der p.

Generell hatten sich seit dem frühen 8. Jh. an vielen Plätzen im griech. Mutterland und im Ägäisraum durch Bevölkerungswachstum Siedlungskerne in ländlichem Umfeld entwickelt, so daß hieraus neue Ordnungsaufgaben resultierten und ein Regelwerk für Entscheidungsfindung und Rechtspflege entstand. Starke Impulse erhielten Anfänge einer Institutionalisierung durch die um 750 v. Chr. beginnende Große Griech. Kolonisation (→ Kolonisation IV.), die dazu führte, daß sich der Kommunikationsraum, in dem Griechen Erfahrungen austauschten und in ihren lokalen Gemeinschaften spezifische Identitäten entwickelten, erheblich erweiterte. Durch Interaktion bei gleichzeitiger Abgrenzung bildete sich ein Netzwerk von Personenverbänden in Form von Bürgergemeinschaften, die sich als eigenständige Einheiten empfanden. Dabei bedingten erhebliche Größenunterschiede zw. ihnen mannigfach abgestufte Abhängigkeitsverhältnisse kleinerer p. von größeren. Die Skala reicht von den p. der → períoikoi Spartas bis zu den als sýmmachoi (→ symmachía) bezeichneten, faktisch aber von Athen dominierten Mitgliedern des → Attisch-Delischen Seebundes oder zu den Städten in hell. Monarchien [3].

→ Koinon; Privatheit und Öffentlichkeit; Siedlungsformen; Staat; Stadt; Stadtrechte; Städtebau; Synoikismos; Territorium

1 A. MOPURGO DAVIES, Mycenaeae Graecitatis Lexicon, 1963, 262 2 A. M. SNODGRASS, Archaeology and the Rise of the Greek State, 1977 3 F. QUASS, Zur Verfassung der griech. Städte im Hell., in: Chiron 9, 1979, 37–52.

E. KIRSTEN, Die griech. P. als histor.-geogr. Problem des Mittelmeerraumes, 1956 · N. J. G. POUNDS, The Urbanization of the Classical World, in: Annals of the Association of American Geographers 59, 1969, 135–157 · T. FISCHER-HANSEN, The Earliest Town-Planning of the Western Greek Colonies, with Special Regard to Sicily, in: M. H. HANSEN (Hrsg.), Introduction to an Inventory of P., 1996, 317–373 · M. H. HANSEN, The Hellenic P., in: Ders. (Hrsg.), A Comparative Study of Thirty City-State Cultures, 2000, 141–187.   K.-W. WEL.

II. ALS POLITISCHER BEGRIFF

Seit der archa. Zeit entwickelte sich die p. als eine für Griechenland und für von Griechen besiedelte Regionen charakteristische Form der polit. Organisation, deren wesentliche Merkmale die polit. Selbstverwaltung und -regierung durch ihre Bürger und das Streben nach innerer und äußerer Unabhängigkeit waren (→ autonomía; → Freiheit). In der Regel beschloß die Bürgerschaft einer p., d. h. der männliche, erwachsene, von Bürgern abstammende und zuweilen durch bestimmte Vermögensqualifikationen beschränkte Teil der Bevölkerung, seine eigenen Gesetze (→ nómos [1]; → pséphisma) und entwickelte eigene polit. Institutionen. Die póleis verfügten über öffentl. Gebäude, hatten spezifische → Kalender (B. 2.), Feste und Heiligtümer, eigene Wirtschaftsformen und Zahlungsmittel, ein eigenes Heer und zuweilen auch eine Flotte. Doch läßt sich weder die Verwendung des Begriffs p. strikt an diese Merkmale binden noch waren alle griech. Gemeinden in dieser Form organisiert. In Regionen mit wenigen oder keinen städtischen Siedlungskernen (z. B. im westl. und nordwestl. Griechenland) bildete der Stammesstaat (éthnos) die Hauptorganisationsform, in der die einzelnen Siedlungen nur untergeordnete Funktionen und Kompetenzen ausüben konnten. Daneben existierte die Form des Bundesstaats (→ koinón, z. B. in Boiotia seit dem späten 6. Jh. v. Chr.), in dem die einzelnen Sied-

lungen als p. zwar jeweils ihre eigene Bürgerschaft besaßen, aber im Innern nach ähnlichem Muster organisiert waren und in der Gestaltung ihrer Außenbeziehungen der Kontrolle durch die Organe des Boiotischen Bundes (→ Boiotia mit Karte) unterlagen.

Es gab eine Tendenz, mehrere kleinere Siedlungen auf dem Weg des → synoikismós zu einer größeren Gemeinde zu vereinen. Diese Vereinigung bestand zuweilen lediglich in einem polit. Zusammenschluß, der die einzelnen Siedlungen nicht berührte (→ isopoliteía; → sympoliteía), konnte aber auch zu einer Zusammenlegung der Orte an einem gemeinsamen Mittelpunkt führen (z. B. in → Megale Polis in Arkadia). Innerhalb ausgedehnter p. wiederum konnten kleinere Einheiten polit. Selbstverwaltung besitzen und polit. Funktionen für die Gesamt-p. erfüllen, wie z. B. die Demen (démoi, → démos [2]) Athens. Der Begriff p. konnte auch für unbedeutende Siedlungen verwendet werden, die von größeren abhängig waren; ebenso gaben p., die zu Bündnissystemen gehörten, einen Teil ihrer Entscheidungsfreiheit zugunsten des Bundes auf, ohne nach griech. Verständnis dabei die Qualität einer p. zu verlieren.

Die Griechen beschränkten den Begriff nicht auf von Griechen besiedelte Gebiete, sondern bezeichneten auch Gemeinden wie Karthago und Rom als p. Ebensowenig verband sich eine bestimmte Verfassung (→ politeía) mit dem Begriff. Von Tyrannen regierte Gemeinden wurden ebenso p. genannt wie polit. organisierte Siedlungen.

Die p. wurde in erster Linie als eine Gemeinschaft von Bürgern definiert (koinōnía tōn politṓn), weniger nach ihren territorialen Grenzen. Dies zeigt sich in der üblichen Bezeichnung eines Staates nach seinen Bürgern (Athēnaíoi, Lakedaimónioi usw.), nicht nach seinem Staatsgebiet (etwa Athēnai, Thébai). Die meisten p. näherten sich dem Ideal der kleinen, überschaubaren Gemeinde, in der man einander kannte und sich leicht zu Versammlungen einfinden konnte (vgl. Aristot. pol. 7,1326a 5–b 25). Weiträumige p. mit hoher Bevölkerungszahl bildeten eher die Ausnahme: Athen war eine der größten, Sparta nach der Eroberung von Messenia an Fläche noch größer, jedoch nicht an Bürgerzahl. Griech. p. in Kleinasien (Miletos, Smyrna) oder im westl. Mittelmeer (Syrakusai, Taras/Tarentum, Neapolis [2], Massalia) erreichten einen ähnlichen Umfang, blieben jedoch wie Athen und Sparta mit etwa 30 000–50 000 polit. berechtigten Bürgern im Rahmen heutiger Kleinstädte.

Trotz dieser Unterschiede in Umfang, Bürgerzahl, äußerem Erscheinungsbild und Verfassung lassen sich gemeinsame Grundlinien der Entwicklung der p. und ihrer polit. Organisation erkennen. Die Entwicklung ist geprägt durch eine wohl schon im 8. Jh. v. Chr. einsetzende Verbreiterung der an den polit. Entscheidungen beteiligten Schichten, die vielleicht einherging mit einer Veränderung der mil. Kampfform vom adeligen Einzelkampf zur Hoplitenphalanx (→ hoplítai), zunehmender Festlegung der geltenden Rechtsnormen und einer allmählichen Institutionalisierung der polit. Ordnung durch die Schaffung von zeitlich oder sachlich begrenzten Magistraturen (→ *árchontes* [1]) oder Ratsgremien (→ *Áreios págos*; → *gerusía*; → *bulé*). Spätestens um 600 v. Chr. kann die *p.* als handelndes Subjekt (Inschr. aus Dreros auf Kreta, ML 2: ›von der *p.* beschlossen‹) bzw. die Bürgerschaft als Einheit gedacht werden (s. → Solon). Diese Entwicklung scheint durch die Kolonisationsbewegung (→ Kolonisation IV.) des 8. und 7. Jh. und die damit verbundene Notwendigkeit, neue Siedlungen effizient zu organisieren, erheblich gefördert und durch die → Tyrannis nicht behindert worden zu sein. Am Ende dieses Prozesses stand meist eine Verfassung, in der alle zum Dienst als Hopliten fähigen Einwohner als polit. berechtigte Bürger (*polítai*) anerkannt waren und die polit. Aufgaben in Ratsgremien (→ *bulé*) vorbereitet, in einer Volksversammlung (→ *ekklēsía*) entschieden und von jährlich wechselnden Beamten ausgeführt wurden. Über die Hopliten hinaus verbreitete sich die Schicht der polit. Berechtigten bes. im Athen des 5. Jh. v. Chr. und wurde in den *p.* des → Attisch-Delischen Seebundes von Athen gefördert und zuweilen auch gefordert.

Die *p.* als prägende Organisationsform des polit. Lebens endete nicht mit der Verwandlung der griech. Welt durch Philippos [4] II., Alexandros [4] d. Gr. oder die → Diadochen, sondern lebte mit gewissen Beschränkungen weiter. Alexandros und seine Nachfolger gründeten in den eroberten Gebieten zahlreiche *p.* als Verwaltungsmittelpunkte (→ Hellenistische Staatenwelt), die ihrer Kontrolle unterlagen und hauptsächlich von Griechen und Makedonen bewohnt waren, während im Umland (*chóra*) die einheimischen Bauern lebten. Auch die Freiheit der traditionellen *p.* in Griechenland, die nun einem König unterworfen waren oder zwischen den hell. Königen lavierten, war beschränkt – doch war dies auch das Schicksal der meisten *p.* in der klass. Zeit des 5. und 4. Jh. v. Chr. gewesen. Die *p.* und ihre charakteristischen Institutionen florierten in hell. Zeit und auch im röm Reich weiter, in dem die *p.* als → *coloniae* oder als → *municipia* eine gewisse lokale Autonomie genießen konnten. Erst mit der Begründung des → Prinzipats, als es keine Möglichkeit mehr gab, zwischen rivalisierenden Mächten zu manövrieren, schwand die Illusion einer *p.*-Freiheit, nicht aber die Rolle der *p.* als eines lokalen Zentrums von Wirtschaft, Verwaltung und Verkehr. Das aufstrebende Christentum fand im gesamten Imperium Romanum seine ersten Stützpunkte in diesen alten städtischen Zentren.

C. BÉRARD, Architecture érétrienne et mythologie delphique, in: AK 1, 1971, 59–73 · J. M. COOK, Old Smyrna, 1948–1951, in: ABSA 53/54, 1958/59, 1–34, bes. 10–17 · W. GAWANTKA, Die sogenannte P., 1985 · V. EHRENBERG, When Did the P. Rise?, in: JHS 57, 1937, 147–159 · Ders., Der Staat der Griechen, ²1965 · M. H. HANSEN u. a. (Hrsg.), Acts of the Copenhagen Polis Centre, 5 Bde., 1995–1998 · Ders. u. a. (Hrsg.), Papers from the Copenhagen Polis Centre, 1993 ff. · A. H. M. JONES, The Greek City from Alexander to Justinian, 1940 · O. MURRAY, S. PRICE (Hrsg.), The Greek City from Homer to Alexander, 1990 · P. J. RHODES, D. M. LEWIS, The Decrees of the Greek City States, 1997 · K.-W. WELWEI, Die griech. P., ²1998.   P. J. R.

Politeia (πολιτεία) kann entweder das → Bürgerrecht eines oder mehrerer Bürger bezeichnen (Hdt. 9,34,1; Thuk. 6,104,2) oder den Zustand und die Beschaffenheit eines Staates, bes. seine formale Verfassung (Thuk. 2,37,2).

I. BÜRGERRECHT II. VERFASSUNG

I. BÜRGERRECHT

Das Bürgerrecht eines griech. Staates war ein Privileg, das nur freien, erwachsenen Männern zustand, die von Bürgern abstammten: Gewöhnlich war die Herkunft von einem Vater mit *p.* erforderlich; das Bürgerrechtsgesetz unter → Perikles [1] (451 v. Chr.) verlangte die Abstammung von Vater und Mutter mit *p.* (Aristot. Ath. pol. 26,4). Männern ohne Abstammung von Bürgern konnte die *p.* für erwiesene Wohltaten verliehen werden, doch bestand kein rechtlicher Anspruch darauf. Nur die Bürger eines Staates genossen polit. Rechte, ›die Teilhabe am Gericht und an der Regierung‹ (Aristot. pol. 3,1275a 22–23), und durften Grundstücke und Häuser auf dem Staatsgebiet besitzen. Während griech. Demokratien (→ *dēmokratía*) einige oder alle Rechte auf alle freien Männer von einheimischer Abkunft ausdehnten, beschränkten Oligarchien (→ *oligarchía*) gewöhnlich einige oder alle Rechte auf diejenigen Einwohner, die einer bestimmten Vermögensqualifikation genügten. Das Bürgerrecht konnte Menschen, die gravierender Verbrechen schuldig waren, ganz oder teilweise entzogen werden (→ *atimía*).

II. VERFASSUNG

Die Unterscheidung zwischen der despotischen Herrschaft eines Tyrannen und der auf Gesetze gegründeten Regierung durch Bürger stand bei den Griechen am Beginn ihrer Analyse von Verfassungsformen (Hdt. 4,137,2; 5,78; → Verfassungstheorie). Eine dreifache Gliederung in → *monarchía*, → *oligarchía* und → *dēmokratía*, die von Herodotos (3,80–82) – wenig überzeugend – den Persern im J. 522 v. Chr. zugeschrieben wird, erscheint zum ersten Mal glaubwürdig bei Pindaros [1] (Pind. P. 2,86–88; 468 v. Chr.?) und wurde seit der 2. H. des 5. Jh. v. Chr. üblich. → Platon [1] und → Aristoteles [6] differenzierten das Schema weiter, indem sie zwischen guten und schlechten Formen der jeweiligen *p.* unterschieden. Im späten 5. Jh. bestärkte der Relativismus der → Sophistik die Sicht, unterschiedliche Verfassungen entsprächen den Interessen unterschiedlicher Menschen. Im 4. Jh. v. Chr. erörterten Platon und Aristoteles die verschiedenen Verfassungsformen und versuchten, die beste zu bestimmen; in der Schule des Aristoteles (→ Peripatos) entstand eine Slg.

von 158 Verfassungen, von denen nur die *Athēnaíōn p.* (›Verfassung der Athener‹) erh. ist.

→ Athenai; Civitas; Polis [II.]; Politische Philosophie; Staatsformenlehre; Staatstheorie; Verfassungstheorie; Bürger

J. K. Davies, Athenian Citizenship: The Descent Groups and the Alternatives, in: CJ 73, 1977/8, 105–121 • P. B. Manville, The Origins of Citizenship in Ancient Athens, 1990 • U. Walter, An der Polis teilhaben, 1993.   P. J. R.

Polites (Πολίτης).

[1] Sohn des troianischen Königs → Priamos und der → Hekabe. Im Troianischen Krieg rettet er seinen verwundeten Bruder Deïphobos (Hom. Il. 13,533 ff.). Die Göttin Iris nimmt einmal seine Gestalt an (ebd. 2,786 ff.). Er wird am Altar der Burg von Neoptolemos [1] getötet (Verg. Aen. 2,526 ff.). Nach Cato (orig. fr. 54 HRR) gelangt er mit Aeneas (→ Aineias [1]) nach Latium und gründet die Stadt Politorium.

[2] Nach Paus. 6,6,7 ff. einer der Gefährten des → Odysseus, der in Temesa ein Mädchen vergewaltigt und von den Einwohnern gesteinigt wird. Sein gleichnamiger Dämon, auch Heros oder Alybas genannt, verfolgt die Einwohner und fordert einen Schrein und jedes Jahr das schönste Mädchen zum Opfer. Der Geist wird schließlich von dem berühmten Faustkämpfer Euthymos bezwungen und vertrieben (Strab. 6,1,5; Ail. var. 8,18).   S. ZIM.

Politeuma (πολίτευμα).

Neben der Bed. »Staatsgewalt«, »Regierungs- und Verfassungsform« bezeichnet *p.* speziell im Seleukidenreich und im ptolem. Ägypten landsmannschaftliche Zusammenschlüsse z. B. der als Minderheiten lebenden Makedonen, Griechen, Perser und Juden, mit teilweiser Selbstverwaltung und eigener Gerichtsbarkeit. Nach Verschwinden der ethnischen Komponente blieb *p.* eine Standesgruppe der bevorzugten Bevölkerungsschicht.

M. Th. Lenger, Corpus des Ordonnances des Ptolémées, ²1980, XVIIIf. • J. Modrzejewski, La règle de droit dans l'Égypte ptolemaïque, in: A. E. Sammel (Hrsg.), FS C. B. Welles, 1966, 125–173, bes. 143 f. • H.-A. Rupprecht, Kleine Einführung in die Papyruskunde, 1994, 98 • J. Velissaropoulos, Alexandrinoi Nomoi, 1981, 16 f. • H. J. Wolff, Das Justizwesen der Ptolemäer, 1962, 45, 92.   G. T.

Politische Philosophie

A. Begriffliche Abgrenzung und historische Übersicht
B. Sophistik   C. Sokrates
D. Platon   E. Aristoteles
F. Epikuros, Zenon, Chrysippos
G. Cicero   H. Augustinus

A. Begriffliche Abgrenzung und historische Übersicht

Der Mensch ist infolge seiner biologischen Ausstattung ein »Gemeinschaftswesen« (πολιτικὸν ζῷον/*politi-kón zṓion*: Aristot. pol. 1253a 3). Aber erst seit der neolithischen Revolution (ab 10000 v. Chr.) formieren sich Machtzentren, die zur frühen Staatenbildung führen [1]. Da vom Menschen gestaltet, geht diesen Gebilden menschliches Denken, »polit. Theorie«, voraus, das sich für die frühen Epochen vor allem in mythopoetischen Formen aufspüren läßt [2; 3]. In Griechenland wird die polit. Theorie nach dem Beginn der wiss. Prosa (u. a. bei → Anaximandros, 6. Jh. v. Chr.) auch in der Geschichtsschreibung (Herodotos [1], »Verfassungsdebatte« Hdt. 3,80–82 und → Thukydides) faßbar. In allen diesen Zeugnissen bedeutet »polit. Theorie« Reflexion und Legitimation polit. Praxis [4].

P. Ph. dagegen, d. h. die vorerst praxisunabhängige, grundsätzliche Reflexion auf den Menschen als ein »Gemeinschaftswesen« sowie auf die Formen der Gemeinschaftsbildung, beginnt mit der → Sophistik (5. Jh. v. Chr.). Als anti-philos. Denker beanspruchen die Sophisten ebenso wie die Philosophen Universalität für ihr Menschen- und Staatsbild und fordern dadurch die Vertreter der Philos. (Sokrates, Platon, Aristoteles im 5. und 4. Jh. v. Chr.) zu einer Anwort heraus. Den Höhepunkt der ant. p. Ph. bildet die ›Politik‹ des → Aristoteles [6]; in dieser Schrift bringt er die griech. → Polis auf den Begriff und entwickelt zugleich eine fundamentale Lehre vom Menschen als staatenbildendem Wesen. In der hell. Epoche (4.–1. Jh. v. Chr.) reagieren → Epikuros, → Zenon und → Chrysippos [2] polemisch auf die klass. p. Ph. und ordnen sie der ethischen Reflexion unter. Einen neuen Höhepunkt erreicht sie dagegen bei dem Römer → Cicero (102–42 v. Chr.), der, unter gleichzeitiger Benutzung der hell. Schulen, auf Platon [1], Aristoteles und dessen Schule zurückgreift. Eine grundsätzliche Auseinandersetzung mit der paganen p. Ph. findet sich dann erst wieder bei → Augustinus (354–430 n. Chr.). Dagegen greifen die röm. Denker wie → Seneca und → Marcus [2] Aurelius die moralisierende Tendenz der Stoa auf.

B. Sophistik

Gemäß dem Zeugnis Platons (Plat. Prot. 320c 8–323a 2; s. auch Diog. Laert. 9,55) hat → Protagoras [1] eine Theorie der Staatenbildung vorgelegt [5]. Wie die moderne philos. Anthropologie (A. Gehlen) führt der Mitbegründer der Sophistik das Motiv der Staatenbildung auf den Mängelcharakter des Menschen zurück. Dieser zwingt den Menschen in kleinen (wohl Sippen-)Verbänden zu leben, die aber nicht stark genug sind, um sich gegen die Tierpopulationen zu wehren, und infolgedessen zu größeren Gemeinschaften zusammentreten. Da die neuen Gruppierungen sich nicht auf natürliche, familiäre Bindungen stützen können, muß der Friede zw. den Mitgliedern über das Recht (δίκη, → *díkē*) und die gegenseitige Achtung (αἰδώς, → *aidṓs*), auf deren Verletzung Strafandrohung steht, erzwungen werden. Nach dieser Theorie ist der Mensch zur Staatenbildung gezwungen. Der Staat, die → Polis, erweist sich in diesem Zusammenhang als die erste abstrakte Gemeinschaft, deren Kohäsion durch das Recht und die

moralische Einstellung der Anerkennung des anderen
als Mitbürger gestiftet und durch den Zwang gewährleistet ist (zu weiteren sophistischen Theorien vgl.
[4. 21–34; 5. 84–116]).

C. Sokrates

Platons Darstellung des → Sokrates im ›Kriton‹ läßt
dessen Auffassung der Polis durchscheinen (Plat. Krit.
50a 6–54d 1) [6]. Für Sokrates bedeutet die Polis die
Gesamtheit der Rechtsnormen (νόμοι, → nómoi), die
alle Lebensverhältnisse des Einzelnen durchgestalten
und denen er daher seine Existenz und Persönlichkeit
verdankt. Die Einsicht in dieses Abhängigkeitsverhältnis
ist die Quelle für das gerechte Verhalten, das Sokrates
durch sein Sterben beweist; Gerechtigkeit bedeutet
nämlich, daß der einzelne sich für die Erhaltung des
Ganzen und die es konstituierenden Normen verantwortlich fühlt. So würde die Flucht aus dem Gefängnis
eine Verletzung der höchsten Norm einer Polis bedeuten, nämlich der Norm, daß die Gesetze gültig sein sollen. Das impliziert, daß der Staat ein Rechtsgebilde sein
soll, d.h. *verbindlich* die Normen des Einzel- und Ge-
samtlebens festlegen muß. Nur als ein solches kann es
seine Funktion als Lebensraum des einzelnen ausüben.
Wie KANT macht auch Sokrates den einzelnen für die
Gültigkeit des allg. Gesetzes verantwortlich. Der gute
Staat ist der Staat der *eunomía* (Plat. Krit. 52e 6), verstanden als die Gültigkeit der Gesetze.

D. Platon

Die Haltung des Sokrates wird von Platon [1] als dessen »Gerechtigkeit« ausgelegt (*dikaiosýnē*; Plat. Krit.;
Plat. epist. 7,324e 2). Doch die Frage nach dem »Wesen«, der Idee der Gerechtigkeit (Plat. rep. 2,358b 4;
366e 5; 367b 3; 367e 3) führt bei Platon nicht, wie später
bei Aristoteles, zur Theorie einer menschlichen Tugend, sondern, im Rahmen der platonischen Einheits-
Wiss., zu einer universalen Theorie der Ordnung
(κόσμος/*kósmos*, τάξις/*táxis*) [7]. In der Tat gelingt es
Platon dank des Ordnungsgedankens, zugleich das
menschliche Selbst (ψυχή, *psyché*), den Staat (πόλις, *pólis*)
und das Sein (τὸ ὄντως ὄν, *to óntōs on*) begrifflich zu
erfassen und diese Ordnung in einer fiktiven Staats-
gründung, die als theoretisches Modell (παράδειγμα/
parádeigma, vgl. Plat. rep. 5,472c 4) eingeführt wird,
anschaulich zu machen (zum ›Staat‹ vgl. [8]; s. auch
→ Utopie, → Gerechtigkeit). Das Grundproblem von
Ordnung ist die Frage, wie Einheit aus der Vielheit entstehen kann (zur Fundamental-Philos. des Einen in dieser Theorie vgl. [9]; zur polit. Dimension [10]).

Im Lichte dieser Problematik ist ein Staat dasjenige
Gebilde, in dem die drei Grundaktivitäten des Men-
schen, das Erkennen und Herstellen von Ordnung (=
Regieren), die Verteidigung des eigenen Lebens und die
Deckung der lebenserhaltenden Bedürfnisse, in solcher
Weise zusammenwirken, daß der Staat nach innen eine
harmonische Gemeinschaft bildet und nach außen als
Einheit auftritt. Dazu müssen die Regierenden die Ein-
sicht besitzen, welche Stellung die Funktionen im Staat
einnehmen können. Regierende mit dieser Einsicht

verwirklichen die Herrschaft der Besten, d.h. der Philosophen, die die Ordnung erkannt haben. So erweist
sich der Staat als der Betätigungsraum der menschlichen
Grundleistungen, die er einerseits zu seiner Konstitution voraussetzt, die er aber andrerseits zu erzeugen und
zu fördern hat. Dazu muß er dem einzelnen eine solche
Erziehung gewähren, daß er seine Funktion ausüben
kann. Infolgedessen obliegt dem Staat die Erziehung der
zukünftigen Staatslenker, die mittels der philos. → Dialektik in den Stand gesetzt werden, das Modell des geordneten Staates, d.h. die Ordnung des Seienden, zu
erkennen und sie im Staat ›nachzuahmen‹ (Plat. rep.
6,500a–c).

Die theoretische Grundlage der Polis besteht für Platon in der Konzeption der Ordnung, die durch die Gerechtigkeit qua proportionale Gleichheit entsteht (vgl.
[11]). Sie bildet noch im ›Politikos‹ und in den ›Gesetzen‹ den theoretischen Leitfaden, an dem sich die philosophische Praxis, die Gesetzgebung, auszurichten hat
(Plat. leg. 5,756e 9–758a 2; zu den ›Gesetzen‹ vgl.
[6. 124–321; 12; 13; 14]): Im Rahmen einer fiktiven
Koloniegründung bemüht sich Platon hier um die
Rücksicht auf den Durchschnittsmenschen, dem die
Voraussetzungen der philos. Natur fehlen. Daher wird
die philos. Erziehung durch eine Schulung in den pro-
pädeutischen, vor allem mathematischen Wiss. ersetzt
(Plat. leg. 7,818a ff.), die Regierungsform der Aristokratie durch demokratische Elemente gemildert (ebd.
5,756e 9 ff.), in allen Schichten das Privateigentum zugelassen, das im ›Staat‹ den Regierenden verweigert war
(ebd. 5,739b 8–e 7). Ungeachtet dieser realitätsfreund-
licheren Modifikationen bleiben die staatstheoretischen
Grundsätze des ›Staates‹ in den ›Gesetzen‹ voll erhalten:
Auch hier ist der Staat implizit als die vollkommene
Gemeinschaft und Einheit der vielen Verschiedenen definiert, die sich in der → Freundschaft (φιλία, *philía*) der
Bürger manifestiert (ebd. 4,713b 1–715e 2; vgl. [11]).

E. Aristoteles

Wie in anderen Bereichen seiner Philos. entwickelt
→ Aristoteles [6] auch in der p.Ph., die er als Einzeldisziplin als erster begründet (vgl. [15]), die eigene Position
am Leitfaden der Platonkritik (Aristot. pol. 1,1 ff.; 2,
Kap. 5–6; vgl. [6. 412–419; 16]). Gegen die platonische
Lehre von der Einheit des Staates setzt er seine Definition des Staates als die Vielheit der Freien und Gleichen
(pol. 3,1261b 32; 1274b 41). Als »Gleiche« gelten dabei
nur die männlichen Bürger (Hausvorstände; s. → *oíkos*),
die sich die Ausübung der Regierungs- und Richter-
funktionen teilen (ebd. 3,1275a 1–a 23; vgl. [17]). In
dieser Definition des Bürgers zeigt sich deutlich, daß
Aristoteles – anders als Platon – die bestehende Polis so,
wie er sie im Griechenland seiner Zeit vorfand (erschlossen durch die Slgg. der Verfassungen) auf den Begriff (das *eídos*) zu bringen sucht. Er als erster stellt ausdrücklich die Frage ›Was ist die Polis?‹ (pol. 3,1274b 33).
Zugleich jedoch entwirft er eine Theorie des Zustan-
dekommens und der Finalität des Staates, die im Unterschied zu Platon auf die biologischen Voraussetzungen

des Menschen (das Leben im Familienverband) Rücksicht nimmt (pol. 1,1252a–1253a 39). Staatszweck ist nach Aristoteles das »gute Leben«, d. h. noch wie bei Platon die Verwirklichung der → Tugend und des → Glücks der Bürger. Daher kann auch Aristoteles eine Theorie des »besten Staates« (Aristot. pol., B. 7 und 8) entwerfen.

Der Blick auf die histor. Realität jedoch zeigt, daß die Staaten *de facto* auch nur um des Überlebens willen bestehen (ebd. 3,1278b 21–25). Unter diesem Gesichtspunkt behandelt Aristoteles im Unterschied zu Platon systematisch die konstitutionellen, wirtschaftlichen und sozialen Voraussetzungen, die gegeben sein müssen, damit ein Staat überleben kann (ebd. 4,1288b 10–1289a 25). In Rücksicht auf diese Bedingungen, bes. die Frage der Verteilung des Reichtums (ebd. 3,1279b 29), entwickelt Aristoteles unter normativen und empirischen Gesichtspunkten eine Theorie der Therapie der bestehenden Verfassungen in Griechenland (ebd., B. 4–6, zur ›Politik‹ insgesamt vgl. [18; 19]). An Tiefe und Reichtum der polit. Einsichten ist die aristotelische ›Politik‹ bis heute unübertroffen (vgl. [20]).

F. Epikuros, Zenon, Chrysippos

Von einer »politischen« Theorie der hell. Denker läßt sich nur in einem eingeschränkten Sinn sprechen. → Epikuros und die Stoa (→ Stoizismus) behaupten die Autarkie des rationalen Individuums, das auf die Philos., nicht jedoch – wie bei Sokrates, Platon und Aristoteles – auf die Polis angewiesen ist. Nicht die Frage »was ist die Polis und welches ihr Bezug zum Menschen«, sondern die nach dem → Glück des einzelnen steht im Mittelpunkt des hell. Denkens. Für Epikuros gilt die Polis als der Raum des Rechtes, durch das die äußere Sicherheit des Individuums garantiert wird (Epik. Kyriai doxai 31–40), [21. 110–117]. Für Zenon und Chrysippos [2] entsteht ein »Staat« als Folge des rationalen und sozialen Verhaltens des Weisen, der den anderen Weisen (Zenon), bzw. der Menschheit (Chrysippos) durch Freundschaft (*philía*) und Gerechtigkeit (*dikaiosýnē*; definiert als Wissen, einem jedem das Seine zuzuteilen) zugetan ist (vgl. [22. 23–92]). In der Philos. des Epikuros ist der Staat als Raum der Sicherheit eine der notwendigen Bedingungen des Glücksstrebens des Einzelnen, in der Stoa bildet er als natürliche Gemeinschaft rationaler Individuen (→ Kosmopolitismus) die notwendige Folge aus deren moralischem Handeln. Kollektiven partikulären Normen und Traditionen steht die Stoa, in Nachfolge des → Kynismus, kritisch gegenüber. Das Fehlen einer Analyse von außerindividuellen, gemeinschaftbildenden Faktoren erlaubt es in der Tat, den stoischen Denkern eine genuine p.Ph. abzusprechen, was jedoch nicht polit. relevantes Handeln von seiten der Stoiker ausschließt [23].

G. Cicero

Die Krise der späten röm. Republik bildet das Motiv für den Politiker → Cicero, ein Reformprogramm für Rom auf der Grundlage griech. Staatstheorie zu entwickeln [24]. Seine Quellen sind vor allem Platon, Aristoteles und dessen Schule [25]. Cicero definiert den Staat als Gemeinschaft des Rechts und des Nutzens (Cic. rep. 1,25,39) und bestimmt als dessen Voraussetzung die Gerechtigkeit (*iustitia*) des Bürgers, die, nach stoischem Modell, in der Bereitschaft besteht, dem anderen das Seine zuzuteilen (ebd. 3,11,18 und passim). Nach platonisch-aristotelischem, nicht aber stoischem Modell erfolgt die Erziehung des Bürgers zur Gerechtigkeit nicht durch die Philos., sondern durch den partikulären Staat und seine Traditionen (ebd., B. 4 und 5). Der originale Beitrag Ciceros für die p.Ph. besteht darin, das für den Staat konstitutive Recht (*ius*) mit dem röm. → Recht zu identifizieren und die Verwirklichung des »besten Staates« in der röm. Republik vor der Gracchenzeit (vor 133 v. Chr.) wiederzuerkennen (Rom als Idealstaat, ebd., B. 2). Dadurch wird die moralisch verstandene → Gerechtigkeit zur Quelle der staatlichen Rechtsschöpfung [26], das Recht erstmals neben dem peripatetisch verstandenen »gemeinsamen Guten« (*utilitatis communio*, Cic. rep. 1,25) [27] das Wesensmerkmal des Staates und Rom das Modell eines Rechtsstaates.

H. Augustinus

Der von Cicero beanspruchte Rang Roms als Verwirklichung des »besten Staates« bildet für den Bischof von Hippo, → Augustinus, eine denkerische Herausforderung [28]. Gemäß der paganen Theorie, die er aus Varro (*Liber de philosophia* Langenberg) rezipiert (Aug. civ. 19), vollendet sich das menschliche Glücksstreben in der gemeinschaftlichen Ausübung weltlicher Tugend (civ. 19, 1–3). Auch das christl., im Jenseits zu findende Glück des Augustinus findet sich in der Gemeinschaft, *civitas Dei* genannt (civ. 19,4), jedoch bildet sich diese nicht in der Ausübung der weltlichen Tugenden, sondern der christl., an deren Spitze die Liebe zu Gott (*amor dei*) als dem Heilsbringer und Erlöser steht (l.c.). Aus dem Glauben folgt die christl. Gerechtigkeit, die jedem, vor allem aber Gott in der kultischen Verehrung, das Seine gibt. Daher übernimmt Augustinus die ciceronianische Definition der *res publica*, vor allem dessen These von der Gerechtigkeit der Bürger als Voraussetzung der polit. Gemeinschaft (Aug. civ. 19,21); indem er aber die Gerechtigkeit biblisch-paulinisch als Gottesgefolgschaft umdeutet, stellt er den christl. Staat auf die Grundlage des Glaubens (*fides*). Vom Glauben aus müssen alle weltlichen Verhältnisse, wie Augustin in der Friedens-Abh. zeigt (civ. 19,13–16), neu durchdacht werden.

Zu den Folgen dieses Umdenkens gehört in erster Linie die Verwerfung der Idee, der weltliche Staat verwirkliche die wahre polit. Gemeinschaft (ebd. 2,21; 19,21); letztere kann nur auf Gott gegründet sein. Weltlichen Staaten fehlt das Wesensmerkmal des echten Staates, die Gerechtigkeit als Gottesgefolgschaft (ebd. 19,22–23); sie können daher nur als Interessengemeinschaft interpretiert werden (civ. 19,24) [29. 77–139]. Da in ihnen ein gewisser Frieden herrscht, werden sie von Augustinus soweit anerkannt, als sie nicht der göttlichen Friedensordnung im Wege, sondern in ihrem Dienst stehen. Mit den Begriffen von Frieden (*pax*), Ordnung (*ordo*) und Gerechtigkeit (*iustitia*) als Kennzeichen des wahren Staates greift Augustinus auf genuines platonisches und ciceronianisches Erbe zurück, deutet dieses jedoch auf die biblische Botschaft hin um [30].

→ Aristoteles [6]; Augustinus; Cicero; Epikuros; Ethik; Gerechtigkeit; Marcus [2] Aurelius; Platon [1]; Polis; Politeia; Res publica; Sokrates; Sophistik; Staat; Stoizismus; Verfassungstheorie; Zenon; POLITISCHE THEORIE

1 V.G. CHILDE, Soziale Evolution, 1975, 166f. (engl. 1951) 2 P. WEBER-SCHÄFER, Einführung in die ant. p.Ph., Bd. 1: Die Frühzeit, 1976 3 K. RAAFLAUB (Hrsg.), Anfänge polit. Denkens in der Ant. (Schriften des histor. Kollegs. Kolloquien 24), 1993 4 C. MOSSÉ, Histoire des doctrines politiques en Grèce, 1975 5 W.K.C. GUTHRIE, The Sophists, 1971, 63–68 6 A. HENTSCHKE, Politik und Philos. bei Plato und Aristoteles, 1971, 68–74 7 H. J. KRÄMER, Arete bei Plato und Aristoteles (SHAW, Philos.-histor. Kl.), 1959, 41–145 8 O. HÖFFE, Plato. Politeia (Klassiker auslegen, Bd. 7), 1997 9 A. NESCHKE-HENTSCHKE, Platonisches Staatsdenken und Henologie, in: T. FROST (Hrsg.), Henologische Perspektiven II, FS E. A. Wyller, 1997, 29–39 10 J. F. M. ARENDS, Die Einheit der Polis. Eine Studie über Platons »Staat« (Mnemosyne Suppl. 106), 1988, 1–30 11 A. NESCHKE-HENTSCHKE, Platonisme politique et théorie du droit naturel, 1995, 79–164 und 226–228 12 G. MORROW, Plato's Cretan City, 1960 13 R. F. STALLEY, An Introduction to Plato's Laws, 1983 14 J. F. PRADEAU, Platon et la cité, 1997, 98–128 15 G. BIEN, Die Grundlegung der p.Ph. bei Aristoteles, 1973 16 R. F. STALLEY, Aristotle's Criticism of Plato's Republic, in: [19], 182–199 17 D. STERNBERGER, Drei Wurzeln der Politik, 1984, 87–156 18 G. PATZIG (Hrsg.), Aristoteles' ›Politik‹ (Akten des XI. Symposium Aristotelicum, 1987), 1990 19 D. KEYT, F. MILLER (Hrsg.), A Companion to Aristotle's Politics, 1991 20 O. HÖFFE, Aristoteles (Becksche Reihe Denker 535), 1996, 235–263 21 V. GOLDSCHMIDT, La doctrine d'Epicure et le droit, 1977 22 M. SCHOFIELD, The Stoic Idea of the City, 1991 23 A. ERSKINE, The Hellenistic Stoa. Political Thought and Action, 1990 24 G. A. LEHMANN, Polit. Reformvorschläge in der Krise der späten röm. Republik, 1980 25 W. W. FORTENBAUGH, P. STEINMETZ (Hrsg.), Cicero's Knowledge of the Peripatos, 1989 26 A. NESCHKE-HENTSCHKE, Justice et état idéal chez Platon et Cicéron, in: M. VEGETTI (Hrsg.), La Repubblica di Platone nella tradizione antica, 1999, 79–105 27 D. FREDE, Constitution and Citizenship: Peripatetic Influence on Cicero's Political Conception in ›De re publica‹, in: [25], 77–100 28 V. HAND, Augustin und das klass.-röm. Selbstverständnis, 1970 29 M. REVELLI, Cicerone, San Agostino, San Tommaso, 1989 30 J. VAN OORT, Jerusalem and Babylon. A Study into Augustin's ›City of God‹ and the Sources of his Doctrine of the Two Cities (Suppl. Vigiliae christianae 14), 1991.   A. NE.

Politorium. Latinerstadt südl. von Rom in der Gegend von Tellenae und Ficana, wohl in der Nähe des h. Castel di Decima (Liv. 1,33,1f.; Dion. Hal. ant. 3,37f; 43; Cato orig. HRR 54; bei Plin. nat. 3,68 unter die *clara oppida*, »die berühmten Orte«, Latiums gerechnet). P. wurde von Ancus → Marcius [I 3] erobert und zerstört, die Bewohner auf den Mons Aventinus umgesiedelt. Doch wurden die *Poletaurini* noch im Verzeichnis der Kultgemeinschaft des Iuppiter Latiaris am Mons Albanus geführt (Plin. nat. 3,69).

NISSEN 2, 562 · L. QUILICI, Inventario e localizzazione dei beni culturali archeologici del territorio del comune di Roma, in: Urbanistica 54/5, 1969, 109–128 · M. GUAITOLI, Inquadramento storico topografico, in: Ricognizione archeologica e documentazione topografica, 1974, 58–69.   M. M. MO./Ü: H. D.

Polizei. P. ist ein neuzeitlicher Begriff, der (in den meisten europäischen Sprachen) urspr. die gute Ordnung des Gemeinwesens bezeichnete, aber seit dem späteren 18. Jh. auf die Gewährleistung der öffentlichen Sicherheit eingeschränkt wurde. Dabei verschränken sich ein materialer, die Aufgabe bezeichnender Aspekt und ein institutioneller, der die zunehmende Übertragung dieser Aufgabe an mit Zwangsgewalt ausgestattete, jedoch von der Armee funktional differenzierte, staatliche Organe widerspiegelte, die auch der Prävention und Verfolgung von Straftaten dienten.

In der Ant. gab es dazu nur begrenzt funktionale Äquivalente, weil zum einen die Durchsetzung der öffentlichen Ordnung jeweils (in bestimmten Hinsichten) unterschiedlichen Magistraten anvertraut war, die zumeist ohne Erzwingungsstäbe auskommen mußten, und weil zum anderen der Schutz vor Verbrechen weitgehend Sache der Individuen blieb, von deren Initiative auch die Einleitung von Strafverfahren abhing. Ausnahmen von letzterer Regel stellten – bei bestimmten (manifesten) Delikten bzw. Tätergruppen – die Funktionen der Elf in Athen (→ *héndeka*) und (seit Mitte des 3. Jh. v. Chr.) der → *tresviri capitales* in Rom dar, wobei Art und Ausmaß der den letzteren zugeschriebenen Kompetenz [1] umstritten ist [2].

In der griech. Welt nahmen diverse, mit begrenzten Zwangsmitteln ausgestattete Magistrate (→ *agoranómoi*, → *astynómoi*, → *sitophýlakes* u. a.) die Aufsicht über die Märkte sowie die Reinigung und Instandhaltung von Straßen wahr; entsprechende Funktionen waren in Rom und den italischen Gemeinwesen den → *aediles* und ähnlichen Magistraten übertragen. Ihnen zugeordnetes Hilfspersonal (einschließlich der Staatssklaven) übernahm administrative Aufgaben, wurde aber nicht unmittelbar gegen widerstrebende Bürger eingesetzt. Eine – schwer erklärbare – Ausnahme stellten im 5. und frühen 4. Jh. v. Chr. in Athen skythische Staatssklaven (→ Skythai) als Hilfskräfte der Magistrate zur ungestörten Durchführung von Volksversammlungen und Volksgerichten dar.

Grundsätzlich beruhte die öffentliche Ordnung darauf, daß die Bürger die Autorität der Magistrate anerkannten. Bes. deutlich wird dies in Rom durch das Auftreten der Oberbeamten in ständiger Begleitung von → *lictores*, die (nach der Ausschließung körperlicher Zwangsmaßnahmen durch die *leges de provocatione*; s. → *provocatio*) nicht die Funktion eines Erzwingungsstabs ausübten, sondern den Anspruch der Magistrate auf den Gehorsam der Bürger symbolisierten.

In Krisensituationen war man auf den Appell an die Bürgerschaft angewiesen, sich (bewaffnet) zur Unterstützung der Magistrate einzufinden, so z. B. 415 v. Chr. in Athen (And. 1,45). In den großen Krisen der späten röm. Republik war die Verkündung eines *senatus consultum ultimum* (*SCU*) stets mit dem Appell an Freiwillige aus der Bürgerschaft verbunden (→ Notstand). Der Senat konnte auch die kurzfristige Aufbietung kleinerer Schutzmannschaften zur Absicherung von Gerichtsverhandlungen oder Volksversammlungen autorisieren. Der Einsatz von in It. ausgehobenen Truppen durch → Pompeius [I 3] in der anarchischen Situation des J. 52 v. Chr. stellte einen Bruch mit den überkommenen Prinzipien der Ordnungssicherung dar.

Im frühen → Prinzipat wurden erstmals ständige Ordnungsapparate etabliert. Die aus Freigelassenen bestehenden → *vigiles* waren für die Feuerbekämpfung zuständig, konnten jedoch gegebenenfalls auch für andere Aufgaben eingesetzt werden. Hinzu kamen spezialisierte Militäreinheiten. Die → Praetorianer dienten in erster Linie als Leibgarde des Kaisers, wurden aber auch zur Bekämpfung von Unruhen eingesetzt. Die *cohortes urbanae* unterstanden dem → *praefectus urbi*. Zu den regelmäßigen Aufgaben der paramilitärischen Kräfte gehörte die Überwachung der öffentl. Spiele. Fraglich ist, ob bzw. in welchem Ausmaß sie Verbrechensbekämpfung übernahmen. Die zunehmende Kriminalgerichtsbarkeit von *praefectus urbi* und *praefectus vigilum* einschließlich der Möglichkeit der Strafverfolgung von Amts wegen beweist nicht eine Verwendung der ihnen unterstellten Kräfte in diesem Sinne. Alle Einheiten in Rom wurden im Laufe des 4. Jh. aufgelöst. Die Sicherung der Ordnung in den Städten des Reiches blieb Aufgabe der jeweiligen lokalen Magistrate, die weiterhin auf die Unterstützung aus der Bevölkerung angewiesen waren; nur in Ausnahmefällen intervenierten Statthalter auf Grund diskretionärer Entscheidungen auch mit dem Einsatz regulärer Truppen. Außerhalb der Städte wurde Militär v. a. eingesetzt, um Banditen zu bekämpfen, die eine Gefahr für die Versorgung des Heeres darstellten, Zulauf von Deserteuren und Sklaven fanden oder hartnäckigen indigenen Widerstand gegen die röm. Herrschaft repräsentierten (→ Räuberbanden, → Seeraub).

1 W. KUNKEL, Unt. zur Entwicklung des röm. Kriminalverfahrens in vorsullanischer Zeit, 1962, 71–79
2 A. LINTOTT, Violence in Republican Rome, ²1999, XXVf. (mit Bibliogr.).

V. HUNTER, Policing Athens, 1994 · W. NIPPEL, Public Order in Ancient Rome, 1995.   W. N.

Pollenius (auch *Pollienus*).

[1] Tib. P. Armenius Peregrinus. *Cos. ord.* im J. 244 n. Chr. Er könnte sowohl als Praetorier Proconsul von Lycia-Pamphylia gewesen sein als auch nach dem Konsulat Proconsul von Asia. Die genealogischen Verhältnisse sind nicht völlig klar; wohl Adoptivsohn von P. [2]. PIR² P 536.

[2] P. Auspex. *Cos. suff.* Consularer Legat von Dalmatia, Richter im Auftrag des Kaisers, *praefectus alimentorum viae Appiae et Flaminiae ter*, Proconsul von Africa. Ob er auch Moesia inferior als Legat geleitet hat, ist unsicher. Verm. sind seine consularen Ämter in die Zeit von Marcus [2] Aurelius und Commodus zu datieren; an den Säkularspielen des J. 204 n. Chr. nahm er als *XVvir sacris faciundis* teil. Zur einschlägigen Lit. zu den strittigen Fragen vgl. PIR² P 537.

[3] P. Auspex. Sohn von P. [2]. *Cos. suff.* Richter im Auftrag des Kaisers, consularer Statthalter von Hispania Tarraconensis, von Dacia und von Moesia inferior, zw. 193 und 197 n. Chr., da sich Mz. aus Markianupolis und Nikopolis am ehesten auf ihn beziehen. Wenn dies nicht der Fall ist, sind seine Ämter in die Zeit des → Severus Alexander zu datieren. Sein letztes bekanntes Amt ist die Statthalterschaft in Britannia (ohne den Zusatz von *inferior* bzw. *superior*), was für die frühere Datier. spricht. PIR² P 538.

[4] Ti. Iulius Pollienus Auspex. Legat von Numidia zw. 212 und 222 n. Chr., danach *cos. suff.* Vielleicht Sohn von P. [3]. PIR² P 539.

[5] Pollienus Sebennus. Senator, der 205 n. Chr. im Senat den Tod des Baebius [II 11] Marcellinus verschuldete. Er selbst wurde nach seiner Statthalterschaft in Noricum im Senat angeklagt, jedoch durch seinen Verwandten Auspex (P. [2] oder P. [3]) gerettet (Cass. Dio 76,9,2f.). PIR² P 540.   W. E.

Pollentia

[1] Stadt im Gebiet der Ligures Bagienni nahe der Mündung der Stura in den → Tanarus am südl. Abschnitt der Via Fulvia zw. Appenninus und dem Oberlauf des Padus, h. Pollenzo nahe Cuneo, wohl z.Z. der Feldzüge des Fulvius [I 9] (eher als Fulvius [I 12]) 125–123 v. Chr. gegr. Die Stadt war berühmt für ihre Woll- und Keramikproduktion (Plin. nat. 8,191; 35,160). P. ergriff im → Mutinensischen Krieg 43 v. Chr. Partei für Antonius [I 9] (Cic. Phil. 11,14; Cic. fam. 11,14). P. war wohl *municipium*, *tribus Pollia*, *regio IX* (Ptol. 3,1,45; Plin. nat. 3,49). Noch im 5. Jh. n. Chr. ist P. als blühende Stadt mit zahlreichen Latifundien in der weiten Ebene belegt (Tab. Peut. 3,5; Geogr. Rav. 4,33). Bei P. fand am 6. April 402 eine Schlacht zw. Alarich (→ Alaricus [2]) und → Stilicho statt (Oros. 7,37,2; Claud. carm. 26,635; 28,203; 281). Ant. Überreste: rechteckige Stadtanlage nach röm. Lagerschema, Nekropole, Mauern, Aquädukt, Amphitheater; zahlreiche Inschr.

G. FORNI (Hrsg.), Fontes Ligurum et Liguriae antiquae, 1976, s. v. P. · A. FERRUA, Inscriptiones Italiae IX 1 (Augusta Bagiennorum et P.), 1948 · A. T. SARTORI, P. ed Augusta Bagiennorum, 1965 · L. GONELLA, D. RONCHETTA BUSSOLATI, P. romana, in: Studi di archeologia dedicati a P. Barocelli, 1980, 95–108 · G. CAVALIERI MANASSE, Piemonte, Valdaosta, Liguria, Lombardia (Guide archeologiche Laterza), 1982, 29–31.   G. ME./Ü: H. D.

[2] Stadt an der NO-Küste von Mallorca, h. La Alcudia, ca. 12 km südöstl. von Pollensa, zusammen mit → Palma von Caecilius [I 19] Baliaricus nach Eroberung der Insel 123/2 v. Chr. gegr. (Strab. 3,5,1; Ptol. 2,6,78). P. war *municipium civium Romanorum* (Plin. nat. 3,77) und *colonia* (Mela 2,124), *tribus Vellina* (CIL II 3669). Ant. Überreste: Stadtmauer, Theater, Hausanlagen, Straßenzüge, Forum, Capitolium, *tabernae*, Nekropolen, Kleinfunde, Inschr., Mz.

J. M. ROLDÁN, s. v. P., PE, 721 f. • TIR K/J 31 Tarraco, Baliares, 1997, 122–124.   P. B. u. E. O.

Pollianos (Πωλλιανός). Epigrammatiker der Blütezeit des kaiserzeitlichen Spottepigramms. Von ihm sind erh.: die Beschreibung eines – ohne Anhaltspunkt dem Bildhauer Polykleitos zugeschriebenen – Gemäldes (Anth. Pal. 16,150) und vier satirische Gedichte, eines gegen einen fruchtbaren, aber jeglicher Kritikfähigkeit entbehrenden Dichter (11,127), eines gegen einen gewissen Florus, den Verf. plumper und schwerfälliger Verse (128: die Gleichsetzung mit dem Dichter und Geschichtsschreiber → Florus [1] ist reine Vermutung), eines gegen die kyklischen Dichter als »Fledderer« Homers (130) sowie eines gegen einen Wucherer (167).

F. BRECHT, Motiv- und Typengesch. des griech. Spottepigramms, 1930, 31–35; 79 • W. PEEK, s. v. P., RE 21, 1411 f. • V. LONGO, L'epigramma scoptico greco, 1967, 125–131 • FGE 114   M. G. A./Ü: G. K.

Pollinctor (urspr. auch *pollictor*: Plaut. Poen. 63; Varro Men. 222,2) hieß in klass. röm. Zeit der Sklave (Dig. 14,3,5,8) oder freie Angestellte des Begräbnisunternehmers (→ *libitinarii*), dessen Aufgabe es war, Leichname für Aufbahrung und Begräbnis vorzubereiten (Non. 157,21: *pollinctores sunt qui mortuos curant*; ähnlich, aber mit abwegiger Etym.: Fulg. p. 112 HELM), indem er sie wusch (Serv. Aen. 9,485), mit Substanzen einbalsamierte, die die Verwesung aufhielten (bes. Salz, Zedernöl, Myrrhe: [1. 484, bes. Fußnote 7]), einkleidete und schmückte. Einen *p.* erkennt man allg. in dem Mann, der auf dem Relief des Haterier-Grabes (Rom, Via Laticana: spätes 1. Jh. n. Chr.) [2. Nr. 1074] hinter dem Totenbett steht und die Verstorbene mit einer Blumen-Girlande schmückt (Abb. [3. Taf. 9]). Der Beruf wurde bes. wegen seines ständigen Kontakts mit Toten gering geachtet.

Seit frühchristl. Zeit bezeichnet *p.* unspezifisch den Bestatter (z. B. = *funerator* CGL V, 93,22; = *funerarius* CGL V, 645,77; vgl. auch Sidon. epist. 3,13,5).
→ Bestattung (D.)

1 BLÜMNER, PrAlt., 484 2 HELBIG, Bd. 1, Nr. 1074 3 J. M. C. TOYNBEE, Death and Burial in the Roman World, 1971.   W. K.

Pollio. Röm. Cognomen, wohl vom Gentiliz → Pollius abgeleitet; in republikan. Zeit nur in der Familie der Asinii (→ Asinius [I 4]; [II 12]); in der Kaiserzeit weitverbreitet [1].

1 KAJANTO, Cognomina, 37; 164 2 D. REICHMUTH, Die lat. Gentilicia, 1956, 69.   K.-L. E.

Pollis (Πόλλις). Spartanischer *naúarchos* (Flottenkommandant) 396/5 v. Chr., kämpfte in der Ägäis gegen → Konon [1] (Hell. Oxyrh. 12,2 CHAMBERS); 393/2 v. Chr. war er *epistoleús* des *naúarchos* Podanemos im → Korinthischen Krieg (Xen. hell. 4,8,11). P. sollte als Gesandter Spartas in Syrakusai eine Teilnahme des → Dionysios [1] I. am Krieg gegen Athen erreichen und wurde beschuldigt, auf der Rückreise den Philosophen → Platon [1] in Aigina in die Sklaverei verkauft zu haben (Plut. Dion 5; Diog. Laert. 3,19). Als *naúarchos* wurde er 376 bei Naxos von → Chabrias besiegt (Xen. hell. 5,4,60 f.; Diod. 15,34). Er ertrank 373 bei einem Erdbeben in → Helike [1] (Diog. Laert. 3,20; Ail. nat. 11,19).   K.-W. WEL.

Pollius Felix. Aus → Puteoli (h. Pozzuoli), Magistrat und Mäzen von Puteoli und → Neapolis [2], Grundbesitzer in → Tibur (h. Tivoli), Puteoli (vgl. ILS 5798) und Tarent (→ Taras). Er war verheiratet mit einer Polla; ihre Tochter war die Frau des Iulius Menecrates; zu der Geburt des dritten Enkelkindes gratuliert Statius (silv. 4,8; zu einem Sohn des P. vgl. Stat. silv. 4,8,12). P. war selbst Poet, *en Campanie, le protecteur attitré* ([1. 3235]) des Dichters → Statius, der seine Villa bei → Surrentum (silv. 2,2) und eine an deren Ufer geweihte Hercules-Statue (silv. 3,1) beschreibt und ihm zudem *Silvae* 3 insgesamt mit einer Prosaepistel dediziert.

1 L. DURET, Dans l'ombre des plus grands: II. Poètes et prosateurs mal connus de la latinité d'argent, in: ANRW II 32.5, 1986, 3152–3346 2 PIR² P 550 3 A. KRÜGER, Die lyrische Kunst des Papirius Statius in Silv. II 2, 1998.   P. L. S.

Pollux
[1] Lat. Name des Polydeukes; s. → Dioskuroi.
[2] Grammatiker und Rhetor, s. Iulius [IV 17].

Polos (Πῶλος).
[1] aus Agrigent, Sophist. Erwähnt als Schüler bald des Empedokles (31 A 19 DK), bald des Gorgias (82 A 2 und 4 DK; Philostr. vit. soph. 1,13). Platon macht ihn deshalb zu einem der Gesprächspartner des Sokrates im ›Gorgias‹ (461b–481b). Die technische Abh. Μουσεῖα λόγων (wörtlich: ›Rhet. Museum‹), die ihm Plat. Phaidr. 267b-c zuweist, ist vielleicht diejenige, auf die Plat. Gorg. 462c anspielt. Die Suda (s. v. Π.) macht P. zum Lehrer des → Likymnios [2].
→ Rhetorik; Sophistik   MI. NA./Ü: J. DE.

[2] Griech. Tragödienschauspieler des späten 4. Jh. v. Chr. aus Aigina, Schüler des → Archias [5] von Thurioi (Plut. Demosthenes 28,3). Ein einziger inschr. Beleg (Verleihung des Bürgerrechts und hoher Ehren durch die Samier) [1], jedoch viele lit. Erwähnungen bezeugen seinen Ruhm. Als → *prōtagōnistḗs* scheint P. Reprisen sophokleischer Trag. bevorzugt zu haben: Er spielte nacheinander → Oidipus als König und blinden Bettler (Arrianos bei Stob. 4,33,28), und in der Rolle der → Elektra [4] trat er kurz nach dem Tod seines Sohnes mit dessen Urne auf und vermischte so die Klage um

Orestes mit privatem Schmerz (Gell. 6,5). In Stimme und Gestik bemühte er sich um realistische und psychologisch motivierte Darstellung. Nach → Eratosthenes [2] soll er noch als 70jähriger in acht Trag. an vier Tagen (am gleichen Fest?) aufgetreten sein (FGrH 241 F 33). Starallüren waren ihm fremd: Er verzichtete gegebenenfalls auf einen Teil der Gage [1] und ordnete sich auch einem → *tritagōnistḗs* unter (Plut. mor. 816f).
→ Hypokrites

> 1 P. GHIRON-BRISTAGNE, Recherches sur les acteurs dans la Grèce antique, 1976, 164–168 (Abb.).

> J. B. O'CONNOR, Chapters in the History of Actors and Acting in Ancient Greece, 1908, Nr. 421 · I. E. STEFANIS, Dionysiakoi Technitai, 1988, Nr. 2187.   H.-D. B.

[3] (πόλος). Zylindrische Kopfbedeckung ohne Krempe von weiblichen Gottheiten wie z. B. Aphrodite (Paus. 2,10,4), Tyche (Paus. 4,30,6), Athena (Paus. 7,5,9), Hera, Demeter, Persephone, Kybele, aber auch von Menschen bei festlichen Anlässen. Der *p.* kam als Götterkrone aus dem Vorderen Orient (z. B. Elfenbeinstatuetten aus Nimrud, s. → Kalḫu) nach Griechenland und ist bereits auf minoisch-mykenischen Denkmälern dargestellt. Die H des *p.* konnte nur wenige Zentimeter messen, aber auch beträchtliche Ausmaße annehmen, wie der Kopfputz der Hera von Samos [1. 19 Abb. 6]. Einen derart hohen *p.* nannte man auch *pyleṓn* (»Torturm«), wie z. B. den *p.* der Hera (Alkm. fr. 60 P.) aus Sparta, der aus Gras und einem Schlinggewächs geflochten war. Der *p.* konnte zudem figürlich oder ornamental verziert sein (Paus. 2,17,4; → Karyatiden vom Siphnierschatzhaus in → Delphoi). Aus der archa. Zeit sind einige Tonnachbildungen zylindrischer *póloi* erh., daneben eine nicht unbeträchtliche Anzahl von Frauenfiguren oder -büsten der archa. und klass. Zeit, die *p.* tragen.

> 1 H. KYRIELEIS, Führer durch das Heraion von Samos, 1981.

> I. MÜLLER, Der. P., die griech. Götterkrone, 1915 · E. SIMON, Hera und die Nymphen. Ein böotischer P. in Stockholm, in: RA 1972, 205–220 · M. DEWAILLY, La divinità femminile con p. a Selinunte, in: SicA 16, 1983, Nr. 52–53, 5–12 · P. G. THEMELIS, The Cult Scene on the p. of the Siphnian Karyatids at Delphi, in: R. HÄGG (Hrsg.), The Iconography of Greek Cult in the Archaic and Classical Periods (Proc. of the First International Seminar on Ancient Greek Cult, November 1990), 1992, 49–72.   R. H.

Polyainos (Πολύαινος).

[1] Einer der vier »Meister« (καθηγεμόνες) der → Epikureischen Schule (neben → Epikuros, → Metrodoros und → Hermarchos). Geb. in Lampsakos (Jahr unbekannt), gest. in Athen 278/7 v. Chr. Zu seinen Ehren veranstaltete Epikuros ein jährliches Fest im Monat Metageitnion. P. kam mit Epikuros während dessen Aufenthaltes in Lampsakos in Kontakt (311/10–307/6 v. Chr.) und wandte sich darauf der Philos. zu. Zuerst tat er sich als Mathematiker hervor; Reste einer anon. Bio-

graphie überliefert PHercul. 176. Einige Werke des P. sind bekannt: ›Über Definitionen‹ (Περὶ ὅρων), ›Über Philos., Buch 1‹ (Περὶ φιλοσοφίας, α´), ›Gegen Ariston‹ (Πρὸς Ἀρίστωνα) und ›Aporien‹ (Ἀπορίαι). Die Zuschreibung zweier weiterer Schriften, ›Über den Mond‹ (Περὶ σελήνης) und ›Gegen die Rhetoren‹ (Πρὸς τοὺς ῥήτορας), an P. war schon in der Ant. umstritten. Von den ›Aporien‹ sind einige Fr. aus Demetrios [21] Lakons ›Zu den Aporien des P.‹ (Πρὸς τὰς Πολυαίνου Ἀπορίας) erhalten.

> M. ERLER, in: GGPh² 4.1, 223–226 · A. TEPEDINO GUERRA (ed.), Polieno: Frammenti, 1991.   T. D./Ü: J. DE.

[2] Um 60 v. Chr. lebender Sophist, Autor eines verlorengegangenen Θρίαμβος Παρθικός (*Thríambos Parthikós*), 3 B., verm. auf den Sieg über die Parther 38 v. Chr. Mit ihm setzt man allg. den Autor (vgl. Suda s. v. Πολύαινος Σαρδιανός) gleich, dem ein ausgefeiltes Epigramm im Stile des → Leonidas [3] von Tarent (Anth. Pal. 9,1) zugeschrieben wird.

[3] Einem Iulius P. werden drei Epigramme zugewiesen, die vielleicht dem »Kranz« des → Philippos [32] entstammen. Sie sind in würdevollem, zu persönlichem Ton neigendem Stil gehalten (daraus entnehmen wir, daß er nach Kerkyra verbannt worden war), was gegen eine eventuelle Gleichsetzung mit P. [2] spricht.

> GA II 1, 438–441; 2, 465–467.   M. G. A./Ü: G. K.

[4] P. aus Makedonien (1 praef.) war in Rom als Rhetor und Advokat unter → Marcus [2] Aurelius und Lucius → Verus tätig. Ihnen widmete er beim Ausbruch des → Partherkrieges im J. 162 n. Chr. eine Sammlung von ›Kriegslisten‹ (*Stratēgiká* bzw. *Stratēgḗmata*) in acht B. als Handreichung für erfolgreiche Kriegsführung (1 praef.; 3 praef.). Mit ethnographischer Gliederung behandelt P. in B. 1–5 Griechen unter Einschluß der mythischen Zeit (darunter B. 4: Makedonen und → Diadochen), in B. 6 die verschiedenen Völker, B. 7 die Meder, Perser, Ägypter, Thraker, Skythen und Kelten und in B. 8 Römer und Kriegslisten von Frauen. P. exzerpierte dabei griech. Historiker, z. B. → Ephoros in B. 1 und 2. Den benützten Quellen entsprechend ist das Werk von unterschiedlichem histor. Wert, teils authentisch, teils fiktiv bzw. unglaubwürdig. Aus P. abgeleitet sind die (nun sachlich geordneten) byz. *Hypothéseis*, von denen vier Bearbeitungen existieren [1. 1434–1436].

> 1 F. LAMMERT, s. v. P. (8), RE 21, 1432–1436.

> ED.: E. WOELFFLIN, ¹1860, Neubearb. von J. MELBER, 1887 (Ndr. 1970) (mit Hypotheseis).
> ÜBERS.: W. H. BLUME, 1833–1855 (dt.) · F. MARTÍN GARCÍA, 1991 (span.) · P. KRENTZ, E. L. WHEELER, 2 Bde., 1994 (engl.) · E. BIANCO, 1997 (ital.).
> INDICES: F. MARTÍN GARCIA, A. RÓSPIDE LÓPEZ (Hrsg.), Polyaeni Indices, 2 Bde., 1992.
> LIT.: F. MARTÍN GARCÍA, Lengua, estilo y fuentes de Polieno, Diss. Madrid 1980 · N. LURAGHI, Polieno come fonte per la storia di Dionisio il Vecchio, in: Prometheus 14, 1988, 164–180 · N. G. L. HAMMOND, Some Passages in

Polyaenus Concerning Alexander, in: GRBS 37, 1996,
23–53 · M. T. Schettino, Introduzione a Polieno, 1998.
K. MEI.

Polyanthes (Πολυάνθης) aus Korinth kommandierte

413 v. Chr. ein Geschwader in der Seeschlacht vor der
achaiischen Küste (Thuk. 7,34,2). Von → Timokrates
im J. 395 mit persischem Gold bestochen, steuerten P.
und → Timolaos einen antispartanischen und wohl auch
demokratischen Kurs, der in die korinthische Allianz
(StV 225) mündete (Xen. hell. 3,5,1; Paus. 3,9,8; Hell.
Oxyrh. 2,3).
→ Korinthos (II.B.); Peloponnesischer Krieg
(mit Karte)

J. B. Salmon, Wealthy Corinth, 1984 · H.-J. Gehrke,
Stasis, 1985, 83.   HA. BE.

Polyaratos (Πολυάρατος).

[1] Reicher ([Demosth.] or. 40,24) Athener aus Chol-
argos (IG I³ 375,21), erste Nennung 410/409 v. Chr.
(ebd., Z. 20 f.) als → próhedros des hellēnotamías (→ hellēnotamíai) Anaitios von Sphettos; dann 405/4 als gram-
mateús (→ grammateís) der → bulḗ (IG I³ 126,5). P.' Frau
war die Tochter des Menexenos und Schwester der
→ Dikaiogenes [1], um dessen Erbe sich Dikaiogenes'
Adoptivsohn und P., dann P.' wohl ältester Sohn Menexenos, stritten (Isaios 5; 389 v. Chr.). Die Familie war
bis in die 320er Jahre wohlhabend und bedeutend. P.
starb 399/394 v. Chr.

Davies, 11907 · Traill, PAA, 777540.   K. KI.

[2] P. aus Rhodos, Exponent der antiröm. Politik, die
im 3. → Makedonischen Krieg erstarkte und 168 v. Chr.
zur fatalen Vermittlerrolle der Rhodier führte (vgl.
Pol. 27,7,4–12; 30,7,9–8,8; Liv. 44,23,10; 44,29,6–8)
[1. 139–147; 2. 185–190]. Nach dem röm. Sieg forderte
C. Popillius [I 3] Laenas in Alexandreia P.' Auslieferung;
trotz zweier Fluchtversuche wurde dieser schließlich
nach Rom gebracht und hingerichtet (Pol. 30,9,1–19)
[1. 152³; 2. 205 f.].

1 H. H. Schmitt, Rom und Rhodos, 1957 2 J. Deininger,
Der polit. Widerstand gegen Rom in Griechenland, 1971.
L.-M. G.

Polybios (Πολύβιος).

[1] Arzt, s. Polybos [6]
[2] Griech. Geschichtsschreiber.
A. Leben   B. Kleinere Werke   C. ›Historien‹
D. Methodische Grundsätze
E. Glaubwürdigkeit   F. Stil   G. Nachleben

A. Leben

Sohn des → Lykortas, des führenden Staatsmanns des
Achaiischen Bundes (→ Achaioi mit Karte), aus → Megale Polis, geb. vor 199 v. Chr. (als hípparchos, d. h. als
Inhaber des zweithöchsten Amtes des Achaiischen Bundes, 169 v. Chr. war er mindestens 30 J. alt), gest. um 120
(nach Ps.-Lukian. makrobioi 22 im Alter von 82 J. durch
Sturz vom Pferd); das letzte in P.' Werk (3,39,8) datier-

bare Ereignis ist die Errichtung der Via Domitia, was erst
nach dem Sieg über die Averner (121) möglich war.
Nach dem 3. → Makedonischen Krieg (171–168) wurde
P. mit 1000 → Achaioi nach It. deportiert (u. a. Paus.
7,10,7–12) und erst 150, kurz vor der Katastrophe seiner
Heimat Achaia, die in der Zerstörung Korinths 146
v. Chr. kulminierte (38,9–18), mit den noch 300 Überlebenden entlassen (Pol. 35,6). P. wurde in It. – verm.
wegen seiner nicht erh. mil.-technischen Schrift Taktiká
– bevorzugt behandelt. Er war Lehrer des P. → Cornelius [I 70] Scipio und wurde somit Augenzeuge des 3.
→ Punischen Krieges (evtl. dabei Forsch.-Reisen
[25. 1455–1462]) und vielleicht des Numantinischen
Krieges (→ Numantia). Nach 146 konnte er mit der röm.
Zehnergesandtschaft (39,2–4) und später allein die Verhältnisse in Achaia positiv beeinflussen (Ehrungen
durch Städte der Peloponnesos: u. a. Pol. 39,5; 39,8,1).

B. Kleinere Werke

Folgende kleinere Werke des P. sind bekannt:

1) Eine Biographie des berühmten Staatsmanns des
Achaiischen Bundes → Philopoimen in 3 B. (erwähnt
bei Pol. 10,21), die kurz nach dessen Tod (183) verfaßt
wurde und diesen als strahlenden Helden schilderte
(2,37,7–11: Philopoimen ist in die Trad. der polit. Bestrebungen des → Aratos [2] gestellt, die nach P. auf die
Einigung der Peloponnes abzielten; dagegen steht die
nüchterne Bewertung des Philopoimen in B. 24).

2) Eine Schrift ›Über die Feldherrnkunst‹ (Taktiká),
die P. berühmt machte (erwähnt in Pol. 9,20,4; zitiert
bei Arr. takt. 1,1 und mehrfach von Aineias Taktikos).

3) Eine Unt. ›Über die Bewohnbarkeit der Äquato-
rialzone‹ (Perí tēs perí ton isēmerinón oikéseōs) erwähnt bei
→ Geminos [1] in der Eisagōgḗ eis ta phainómena (16,32);
diese war vielleicht nicht als eigenes Werk, sondern als
Vorbereitung für B. 34 der ›Historien‹ (s. u. C.) gedacht
[25. 1474].

4) Eine Schrift über den Numantinischen Krieg (Bellum Numantinum; Cic. fam. 5,12,2), dem eine Schilderung bei Appianos (App. Ib. 90,392–98,427) entnommen ist.

C. ›Historien‹

Das Hauptwerk des P. ist eine urspr. auf die Zeit von
220 bis 167 v. Chr. angelegte, dann aber bis 146 bzw. 144
erweiterte Gesch. der Eroberung der Weltherrschaft
durch Rom in 40 Büchern.

1. Erhaltungszustand
2. Aufbau 3. Entstehung

1. Erhaltungszustand

Von den ›Historien‹ ist etwa ein Drittel erh. (zur
Überl.-Gesch. vgl. [11] mit Stemma p. 171), erst im
10. Jh. gingen die B. 17, 19, 26, 37 (40) verloren. Erh.
sind a) vollständig die B. 1–5; b) Auszüge in den Excerpta
antiqua für B. 1–16 und B. 18 und in den nach inhaltlichen Kriterien angeordneten und mehreren ant. Autoren entnommenen ›Konstantinischen Exzerpten‹ aus

der Zeit des Konstantinos [1] VII. (10. Jh.), insbesondere die *Excerpta de legatis*, *Excerpta de sententiis*, *Excerpta de virtutibus et vitiis*, *Excerpta de insidiis* und wenige *Excerpta de strategematis*; c) Zitate und Fr. bei ant. Autoren (lexikalische Werke, Athenaios [3], Heron, Plutarchos [2], Strabon, Diodoros [18], Appianos, Cassius [III 1] Dio und bes. Livius [III 2] ab der 4. Dekade; für Ereignisse im Osten vgl. [12]). → Livius [III 2] ist häufig genauer als die Exzerpte, doch verfälscht seine Darstellung die Quelle P. mitunter durch Auslassungen, Übersetzungsfehler und stilistische Umformungen.

2. Aufbau

In den Prooemien werden die Themen und methodischen Maximen P.' vorgestellt: im 1. Prooemium (1,1–5; vgl. auch 3,1–3 und 6–7) für die J. 220–167, im 2. Prooemium (3,4–5) für die J. 167–144. Adressat ist v. a. die griech. Elite (3,21,9–10; 6,11,3–8), im zweiten Werkteil (d. h. den letzten 10 B.) bzw. in späteren Einschüben auch die röm. (31,22,8), doch bleibt die griech. Perspektive trotz abnehmender polit. Gestaltungsmöglichkeit der Griechen (3,59,3–5) immer präsent (36,9; anders [22. 162]).

In den B. 1–5 werden die Ereignisse in Ost und West getrennt dargestellt, ab dem 7. B. (d. h. ab der 141. Olympiade, 216/5 v. Chr.) annalistisch zusammengefaßt und nach Olympiaden datiert (nach dem Vorbild des → Timaios: 12,10,4; 11,1–4). Je nach Stoffmenge werden die Ereignisse einer ganzen oder einer halben Olympiade oder auch nur die eines Jahres in einem B. dargestellt. Nach einer Einleitung (*prokataskeué*) in B. 1 und 2, die für den Westen ab 264 v. Chr. an Timaios (1,5,1; 39,8,4), für den Osten an → Aratos [4] anknüpft (4,2,1; vgl. aber den weiter ausholenden Rückgriff in 2,37–71), beginnt die Haupterzählung (B. 3–5: 220–216 v. Chr.) mit dem Hannibalkrieg (→ Hannibal [4]) im Westen und dem → Bundesgenossenkrieg [2] (220–217) sowie dem 5. → Syrischen Krieg im Osten. Die B. 7–29 umfassen die Ereignisse der J. 215–168, die B. 30–40 die der J. 167–144.

Neben der diachronen Darstellung sind an inhaltlichen Wendepunkten des Geschehens einzelne Bücher systematischen Fragen gewidmet: Die katastrophale Niederlage der Römer bei → Cannae (216) gibt P. Anlaß, im 6. B. die röm. Verfassung nach der Theorie des Verfassungskreislaufes (entgegen [25. 1497f.] widerspruchsfrei; → Verfassungstheorie) und im Vergleich mit anderen Verfassungen als bes. stabil (nicht als ewig: [10. 392ff.] gegen [25. 1495–1497]) zu präsentieren und damit die Eignung Roms zur Weltherrschaft zu erweisen (Lit. bei [1. 56–57]; s. → Mischverfassung). B. 12 enthält (zum Zeitpunkt des Übersetzens Scipios nach Afrika) eine Auseinandersetzung mit P.' Vorgängern, bes. mit → Timaios (vgl. dazu [18. 39–61]). In B. 24 war wohl im Zusammenhang mit der ›Wende zum Schlechteren‹ (Pol. 24,10,10: fatale Folgen der Anklagen des → Kallikrates [11] im röm. Senat für das Verhältnis Roms zu den griech. Staaten ab 180 v. Chr.) ein Exkurs zur Verfassung Achaias vorgesehen, der jedoch erst nach

146 abgefaßt wurde (gegen [5], der von einer Abfassung von 2,37–71 vor 167 und einer Einfügung nach 146 ausgeht). B. 34 enthält eine geogr. Beschreibung der → Oikumene, die P. vor der großen letzten *taraché* (»Unruhe«) und *kínēsis* (»Verwirrung«) (3,4,12–13) um 150 v. Chr. eingeschaltet hat, bevor er auf den sog. spanischen ›Feuerkrieg‹ (Suda, s. v. πύρινος πόλεμος mit Verweis auf Pol. 35,1; Keltiberischer Krieg 154–133 v. Chr.) eingeht, in dessen Verlauf die Schwächen auch des röm. Systems immer deutlicher zutage traten. P.' Exkurse werden in der Regel – bes. wegen nachweislicher Fehler (z. B. 10,9–11) – gerügt [25. 1567–1569; 9. 163].

3. Entstehung

Mehrere Editionen der ›Historien‹ durch P. sind ebensowenig eindeutig verifizierbar wie es falsch ist, eine Abfassung in einem Zuge zu vermuten. Sicher ist die letztendliche Planung auf 40 B. (s. 3,32,2–3) sowie die postume Gesamtedition (39,5) (vgl. die breite Diskussion bei [25. 1485–1489] und [9. 153ff.]). Urspr. hatte P. (1,1,5) die entscheidenden 53 J. vor und bis zur Erringung der röm. Herrschaft im J. 167 v. Chr. infolge des siegreichen 3. → Makedonischen Krieges schildern wollen (B. 1–30) und dies – abgesehen von späteren Nachträgen – auch vor 146 verwirklicht. Wieweit sich die röm. Herrschaft vom Standpunkt der Besiegten auch bewähre, bildete dann eine ergänzende (3,4–5), kritische Fragestellung, von der die weiteren 10 B. geprägt sind. Diese B. sind (entgegen [21. 25; 183; 22. 162]) keineswegs inhaltlich disparat, sondern durchaus homogen [15. 186ff.], wenn auch – aufgrund des gewählten Endes 146 – mit negativer Perspektive für Griechenland (3,4,12–13; 36,9) und Rom (38,22). Die zwei Abfassungsperioden erklären auch, daß in den ersten 15 B. (im Gegensatz zu späteren B. und Nachträgen) Karthago als bestehend erwähnt wird (z. B. 1,65,9; 1,67,13; 1,73; 6,51–56; 14,10,5; 15,30,10), auf der anderen Seite frühere B. Kenntnis der gracchischen Unruhen verraten (2,21,8; 6,5–9; 6,57,5f.; [10. 392ff.]).

D. Methodische Grundsätze

1. Wahrheit
2. Ursachenanalyse und Teleologie
3. Nutzen der Historiographie
4. Universalgeschichte 5. Quellen

1. Wahrheit

P. verpflichtet sich der ›Wahrheit‹ (*alḗtheia*, 1,14,6), verurteilt vorsätzliche Verfälschung (16,20,8), spricht sich selbst aber nicht frei von Irrtümern (29,12,9–12), die jedoch in einer Universalgesch. (*hoi ta kathólon gráphontes*) verzeihlicher seien als in einer Spezial-Gesch. (*hoi tas práxeis epí méros gráphontes*), deren Verfasser im Interesse ihrer Sache zum Lügen neigten (7,7 und 29,12). Wundergesch. (4,40,2) und Parteilichkeit (8,8) seien der Wahrheit abträglich, Patriotismus gestattet (16,17,8). Jede Tat sei gesondert zu bewerten (16,28); fiktive Reden lehnt P. ab (12,25b,4) und übertrifft durch die sparsame Verwendung von Reden sogar die strengen Kriterien des → Thukydides (Thuk. 1,22,1).

2. Ursachenanalyse und Teleologie

Der Nutzen der Historiographie liegt nach P. allein in der Darlegung von Ursachen (*aitía*, 3,31,12); anderenfalls bleibt Gesch. eine bloße Reihe von Ereignissen (11,18a; 12,25b,2 und 4). Ähnlich wie Thuk. 1,23,5–6 (vgl. [15. 165–169]) entwickelt P. ein System zur Unterscheidung von Beginn, Anlässen und tieferen Ursachen (Pol. 3,6,1; 22,18,8; [14. 54–354]). Ursachen liegen im Persönlichen (Pläne, Ziele der Handelnden) oder in den Bedingungen des Handelns (Verfassung). Obgleich P. den Willen des Individuums als zentralen Verursacher sieht, grenzt er sein Werk scharf von der → Biographie ab (10,21,8), weil diese die Verherrlichung einer Person verlange. P. erörtert auch die Beschränkung der Handlungsfreiheit, etwa am Beispiel Hannibals oder Scipios (9,22–26; 10,2–5), und ist sich der Grenzen bewußt, die den Menschen bei der Suche nach den Ursachen durch das irrationale Element der → *týchē* (→ Schicksal, Zufall) gesetzt sind (29,21; vgl. [20. Bd. 1. 16–26; 25. 1532]). Der *týchē* können nach P. verschiedene Funktionen zugeschrieben werden: Sie kann als einziges Prinzip die Welt auf ein Ziel lenken (1,4,1 und 4); sie kann ausgleichend wirken (2,4,3; 15,20,5; 29,19,2) oder scheinbar willkürlich bestrafen bzw. belohnen (1,35,2; 8,20,10). Gleichwohl schränkt P. den Bereich des Irrationalen ein (1,63,9; 15,21,3; 18,28,2–4; 31,30) und hält daran fest, daß alle Probleme für den Menschen methodisch lösbar sind (9,2,5; Fortschrittsglaube: 9,2,4). Rel. ist für P. nur öffentlich notwendig, um die Masse zu zügeln und gute Sitten zu gewährleisten, wie dies im röm. Staat der Fall sei (6,56,6ff.). Trotz dieser negativen Haltung zu den Volksmassen (21,7,6; 27,9–10; 31,6,6) ist P. nicht unsensibel für soziale Fragen (4,73; 5,93; 36,16; 36,17,5–15).

3. Nutzen der Historiographie

Die pragmatische Geschichtsschreibung (*pragmatikḗ historía*: Pol. 39,1,4 u.ö.), die ursächliche Zusammenhänge (bes. aus dem Schicksal anderer) darlegt, will Maßstäbe für das polit. Handeln vermitteln (3,4,7–8; 7,11,2). Wie → Thukydides will P. demnach durch die Darlegung nicht erfreuen, sondern für die Praxis belehren (3,31,13; 3,57,8–9). Zwar fehlt in der Schilderung neben dem »Nützlichen« (*chrḗsimon*) das »Angenehme« (*terpnón*) nicht (1,4,11; 15,36), doch ist ersteres vorrangig (12,25b; 12,25g,2; [26. 171–186]). Daher bringt nach P. (9,1–2; vgl. aber 23,21–23) die pragmatische Geschichtsschreibung – im Gegensatz zur historiograph. Gattung der → Genealogie und Koloniegründungsgeschichte (→ Ktisis-Epos) – dem polit. Interessierten Erkenntnisgewinn. Dem Verfasser einer pragmat. Geschichtsschreibung sind nach P. Quellenstudium, Ortskenntnis und polit.-mil. Erfahrung für eine angemessene Darstellung anzuempfehlen.

4. Universalgeschichte

Nach P. bietet sich Universal-Gesch. seit dem 3. J. der 140. Olympiade (220 v. Chr.) an, weil sich von da an

die Ereignisse in Ost und West verflechten (1,3,3ff.; 4,28; 5,105,4f.). Dank der *týchē* läuft alles auf die Herrschaft der Römer hinaus. Dem entspricht P.' Ansicht, daß die Römer einen Welteroberungsplan verfolgt hätten (1,63,9; 3,2,6). Hingegen seien Spezial-Gesch. für diese Periode wegen ihres ausschnitthaften Charakters und ihrer unverhältnismäßigen Darstellung untauglich.

5. Quellen

Von P. benutzte historiographische Quellen für die Gesch. des westl. Mittelmeers werden erörtert bei [15. 105–139], allg. griech. historiograph. Quellen bei [15. 147–205] und [9. 162–163]. »Höfische« Quellen sind sicher bei den Berichten über Antiochos [5] III. ([16. 175–185]; s. auch Liv. (nach Pol.) 35,17,3–19,7; Pol. 3,11–12), den ptolemaiischen → Hof (15,24–36) und über → Philippos [7] V. und → Perseus [2] anzunehmen. Vertrautheit mit dokumentarischen Quellen läßt sich durch die direkte Benutzung [25. 1564] und die Bestätigung seiner Berichte (auch in Liv. nach Pol.) durch epigraph. Material nachweisen.

E. Glaubwürdigkeit

Die Zuverlässigkeit des P. ist hoch anzusetzen. Vorsätzliche Verfälschung wird ihm kaum vorgeworfen. Angesichts seiner persönlichen Betroffenheit ist die nüchterne Distanz zu Gegnern und Gönnern ebenso bemerkenswert (dagegen [25. 1557f.; 9. 163f.]) wie die zur röm. Politik und ihrem Wandel (18,37; 24,10; 28,6; 29,4,8–10; 36,9; 39,3). Auch in bezug auf die eigene »Partei« und Tätigkeit im Achaiischen Bund bemüht er sich um Objektivität (22,9; 24,11–13; 28,3,7–10; 28,7,8–15; 28,12–13; 29,23–25), doch kann sein Urteil über einzelne Politiker schwanken (4,8,7–12; 8,8,7–9): so gegenüber Aratos [2] (4,7,11–4,8,7; 4,10–11), Philopoimen (10,21; 22,19; 24,11–13), seinem Vater Lykortas (22,9; 23,15–16) oder Diophanes (21,9; 22,10,4). P.' negatives Urteil über die Gegner Achaias, bes. die → Aitoloi (aber positiv: deren Abwehr der Kelten: 2,35,7; 9,35,1–4) wird in der histor. Forsch. oft beklagt, doch steht er damit nicht allein. Seine Haltung zum Königtum ist nicht grundsätzlich ablehnend, sondern bemißt sich nach der Leistung des jeweiligen Königs für das Gemeinwohl, speziell für das Griechentum (Philippos [7] V.: 2,35; 8,11,3; Antiochos [5] III.: 11,39; 15,20; 15,37). P.' hoher, an Thukydides orientierter Anspruch auf Wahrheit und Glaubwürdigkeit führt ihn zu scharfer Kritik an Vorgängern und Zeitgenossen. → Ephoros wird als einziger Universalhistoriker positiv beurteilt (5,33). Primär methodisch, aber auch sachlich werden bes. Phylarchos [4] (2,56), die Hannibalhistoriker (3,47), → Zenon aus Rhodos und Antisthenes [2] (16,14–20), Timaios (B. 12), Theopompos (u.a. 16,12) sowie Kallisthenes [1] (12,17–23) kritisiert (zur Bewertung der Kritik vgl. [8. 179–192]).

F. Stil

Die ant. Urteile über P.' Stil gehen vom klass. Ideal aus und sind entsprechend negativ (Dion. Hal. comp.

4,15; Cic. rep. 1,34; 2,27; 4,3). Oft schwerfällig wirkend, geprägt durch Hiatvermeidung und umständlichen Partizipial- und Infinitivgebrauch, wurde er als Kanzleistil bezeichnet [3; 4; 18. 233–243; 25. 1569–1572], womit man die Beeinflussung P.' durch die polit. Praxis herausstellte (vgl. dagegen [13], der die Eigenart einer neuen Kunstprosa betont).

G. NACHLEBEN

P. wurde bereits in der Ant. ausgiebig genutzt (s.o. C. 1.) und blieb auch in byz. Zeit ein häufig gelesener Autor [25. 1572–1578]. Nach seiner Wiederentdeckung als Historiker durch Leonardo BRUNI 1420 nutzte ihn MACCHIAVELLI als polit. Denker, Angelo POLIZIANO analysierte ihn philologisch. Im 16. Jh. von CASAUBONUS ediert und von LIPSIUS als Mil.-Historiker hochgeschätzt, wurde P. bis 1789 der einflußreichste Historiker, der durch seine Theorie eines Bundesstaates (2,37) über Ubbo EMMIUS (Vetus Graecia illustrata, tomus tertius repraesentans Graecorum res publicas, Leiden 1626) in den *Federalist Papers* (1787; vgl. → BUND) und durch MONTESQUIEU als Vermittler des Prinzips der → Mischverfassung [27. 159ff.; 308ff.] nachwirkte [25. 1572–1578; 15. 347–372; 6. 171–182].

→ Achaioi, Achaia; Geschichtsschreibung; Makedonische Kriege; Mischverfassung; Punische Kriege; Verfassungstheorie; GESCHICHTSMODELLE; GESCHICHTSWISSENSCHAFT

ED.: F. HULTSCH, Bd. 1², 1888, Bd. 2², 1892, Bd. 3, 1870, Bd. 4, 1872 · TH. BÜTTNER-WOBST, Bd. 1², 1905, Bde. 2–5, 1889–1904.
ÜBERS.: W. R. PATON, 6 Bde. 1922–1927 (Ed. mit engl. Übers.) · H. DREXLER, dt., 1963.
KOMM.: F. W. WALBANK, 3 Bde., 1957–1979 (s.u. [20]).
LEX.: A. MAUERSBERGER, G. GLOCKMANN, H. HELMS, P.-Lexikon, Bd. 1,1–4; Bd. 2,1 (bisher bis ποιέω), 1956–1998.

LIT.: 1 W. BLÖSEL, Die Anakyklosis-Theorie und die Verfassung Roms im Spiegel des 6. B. des P. und Ciceros De re publica, Buch II, in: Hermes 126, 1998, 31–57 2 J. DEININGER, Bemerkungen zur Historizität der Rede des Agelaos 217 v. Chr. (Polybios 5,104), in: Chiron 3, 1973, 103–109 3 M. DUBUISSON, Le latin de Polybe, 1985 4 J. A. DE FOUCAULT, Recherches sur la langue et le style de Polybe, 1972 5 M. GELZER, Die hell. *Prokataskeué* im 2. Buche des P., in: Hermes 75, 1940, 27–37 6 G. A. LEHMANN, Die Rezeption der achaiischen Bundesverfassung in der Verfassung der USA, in: W. SCHULLER (Hrsg.), Ant. in der Moderne, 1985, 171–182 7 Ders., The »Ancient« Greek History in P.' Historiae, in: Scripta Classica Israelica 10, 1989/90, 66–77 8 K. MEISTER, Histor. Kritik bei P., 1975 9 Ders., Die griech. Gesch.-Schreibung, 1990, 153–166 10 E. MEYER, Unt. zur Gesch. der Gracchen, in: Ders., KS 1, 1910, 363–421 11 J. M. MOORE, The Manuscript Trad. of P., 1965 12 H. NISSEN, Kritische Unt. über die Quellen der 4. und 5. Dekade des Livius, 1863 13 J. PALM, P. und der Kanzleistil, 1957 14 P. PÉDECH, La méthode historique de P., 1964 15 Polybe (Entretiens 20), 1974 16 H. H. SCHMITT, Unt. zur Gesch. Antiochos' d.Gr. und seiner Zeit, 1964 17 H. TRÄNKLE, Livius und P., 1977 18 H. VERDIN, G.

SCHEPENS, F. DE KEYSER (Hrsg.), Purposes of History: Stud. in Greek Historiography from the 4th to the 2nd Century B. C. (Studia Hellenistica 30), 1990 19 F. W. WALBANK, Φίλιππος Τραγῳδούμενος, in: JHS 58, 1938, 55–68 20 Ders., A Historical Commentary on P., Bd. 1, 1957; Bd. 2, 1967; Bd. 3, 1979 21 Ders., P., 1972 22 Ders., P.' Last Ten Books, in: Historiographia antiqua, FS W. Peremans, 1977, 139–162 23 Ders., P.' Sicht der Vergangenheit, in: Gymnasium 97, 1990, 15–30 24 K.-W. WELWEI, Könige und Königtum im Urteil des P., Diss. Köln 1963 25 K. ZIEGLER, s. v. P., RE 21, 1440–1578 26 H. SACKS, Polybius on the Writing of History, 1981 27 W. NIPPEL, Mischverfassungstheorie und Verfassungsrealität in Ant. und früher Neuzeit, 1980.

BO.D.

[3] C. Iulius P. Freigelassener des → Augustus, der im April 13 n. Chr. zusammen mit dem Freigelassenen Hilarion das Testament des Augustus mitverfaßte oder eine Kopie anfertigte (Suet. Aug. 101,1) und es nach dem Tod des Augustus (19.8.14) im Senat verlas (Cass. Dio 65,32,1; vgl. Suet. Tib. 23,1).

W. ED.

[4] C. Iulius P. Freigelassener des → Caligula (evtl. CIL VI 19795; 20252; 33838; vgl. PIR I²475); gelangte durch die Gunst des → Claudius [III 1] (Sen. dial. 11,3,5) zu großem Einfluß (Suet. Claud. 28). Er beriet den Kaiser (Sen. dial. 11,5,2) und reichte ihm die Bittschriften (Sen. dial. 11,6,5); ob er die Ämter *a studiis* und *a* → *libellis* ausübte, ist umstritten [2. 133; 3. 17]. Wegen seiner Beziehung zu → Messalina [2] fand P. 47/8 n. Chr. den Tod (Zon. 11,10,25; Cass. Dio 60,31,2). Er hatte mehrere Brüder, Sohn und Frau (Sen. dial. 11,12,1); dem Tod eines Bruders gilt → Senecas Konsolationsschrift *Ad Polybium*. P. paraphrasierte Homer im Lat. und Vergil im Griech. (Sen. dial. 11,8,2; 11,11,5).

1 TH. KURTH, Senecas Trostschrift an Polybius: Dialog. 11, 1994 2 J. CHRISTES, Sklaven und Freigelassene als Grammatiker und Philologen im ant. Rom, 1979 3 F. MILLAR, Emperors at Work, in: JRS 57, 1967, 9–19.

A. MO.

Polybolon s. Katapult

Polybos (Πόλυβος).

[1] Name zahlreicher Nebenfiguren im griech. Mythos, u.a. ein Troer, Sohn des → Antenor [1] (Hom. Il. 11,59), von → Neoptolemos [1] getötet (Q. Smyrn. 8,86); ein Itakesier, Freier der → Penelope, von Eumaios getötet (Hom. Od. 22,243 und 284), sowie auch dessen Vater (Hom. Od. 1,399); ein Phaiake (Hom. Od. 8,373); myth. König in Theben (Hom. Od. 4,126).

[2] Myth. König von Korinth, Gatte der → Merope [4] oder → Periboia [4]. Sie ziehen den von seinem Vater → Laios [1] als Säugling ausgesetzten → Oidipus als ihren eigenen Sohn auf (nachdem sie ihn von einem Hirten erhalten haben bzw. nachdem er dem P. von seiner Gattin als eigenes Kind untergeschoben worden ist: so Soph. Oid. T. *passim*; Hyg. fab. 67; oder nachdem er in einem Kasten angespült worden ist: schol. Eur. Phoen. 26 und 28; Hyg. fab. 66).

Ein Orakel, Oidipus werde seinen Vater töten und seine Mutter heiraten, bringt diesen dazu, zum Schutz seiner – vermeintlichen – Eltern Korinth zu verlassen. Nachdem er Laios getötet, Iokaste geheiratet und die Herrschaft über Theben angetreten hat, kommt die Adoption und die Erfüllung des Orakels an den Tag, und zwar durch den Hirten, nachdem P. gestorben ist (Soph. Oid. T.), oder durch Periboia selbst (Eur. Oidipus ?; Hyg. fab. 67); → Thebanischer Sagenkreis.

[3] Sohn des Hermes und der Chthonophyle, myth. König von Sikyon, vererbt seine Herrschaft → Adrastos [1], dem Gatten (Hdt. 5,67) oder Sohn (Paus. 2,6,6) seiner Tochter.

[4] Sohn des Hermes, myth. König von Anthedon in Boiotien, Vater des → Glaukos [1] (Athen. 7,296b; schol. Apoll. Rhod. 1,1310; schol. Eur. Phoen. 28).

[5] Vater der Alkinoe, aus Korinth (Parthenios 27).

L.K.

[6] (auch Polybios). Griech. Arzt, wirkte zw. 400 und 370 v. Chr.; Sohn eines Apollonios, Schwiegersohn und Schüler des → Hippokrates [6]. In der Brüsseler *Vita Hippocratis* [1. 24–28] wird ihm – wenig überzeugend – das Verdienst zugesprochen, Hippokrates mit 7 B. über ägypt. Medizin aus Memphis versorgt zu haben, die den hippokratischen Textkanon begründeten. → Galenos zufolge (CMG V 9,1, S. 8) blieb er in seiner Heimat auf Kos und übernahm die medizinischen Lehrmeinungen seines Meisters, ohne jemals nennenswert von ihnen abzuweichen. Auch soll er während der Pest griech. Städte besucht und ihnen dessen Rat übermittelt haben (Hippokr. oratio Thessali 9,418–420 L.). P. wird auch die (Teil-)Autorschaft an der hippokratischen Schrift ›Über die Natur des Menschen‹ zugeschrieben: Aristoteles (hist. an. 512b) zit. nahezu wörtlich das 11. Kap. dieser Schrift, während Menon (→ Anonymus Londiniensis 19) ihn mit Theorien in Zusammenhang bringt, die in den Kap. 3–4 dieser Schrift zur Sprache kommen. In seinem Komm. zu *De natura hominis* 2,6 vertritt Galen hingegen die Meinung, Hippokrates habe, wenn nicht das gesamte Werk, so doch den größten Teil davon selbst geschrieben, wobei er allerdings hinzufügt (CMG V 9,1, 70–75), daß weder Hippokrates noch P. Kap. 11 geschrieben hätten. An anderer Stelle (2,22: CMG V 9,1,87) berichtet Galen, → Sabinos und seine Nachfolger hätten geglaubt, P. sei für die Kap. 15 ff. verantwortlich. Schließlich soll P. auch *De octomestri partu* (Gal. de octomestri partu 345 WALZER) geschrieben haben, ferner *De natura pueri* und *De affectionibus*, auch wenn die in den beiden zuletzt genannten Schriften entwickelten Theorien nicht mit dem Gedankengut in den zuerst genannten übereinstimmen [2].

1 J. RUBIN PINAULT, Hippocratic Lives and Legends, 1992
2 H. GRENSEMANN, Der Arzt P. als Verf. hippokratischer Schriften (AAWM), 1968, 2, 1–18.

H. GRENSEMANN, s. v. P. (8), RE Suppl. 14, 428–435 ·
J. JOUANNA, Le médecin Polybe, est-il l'auteur de plusieurs ouvrages de la collection hippocratique?, in: REG 82, 1969, 69–92 · H. VON STADEN, A New Testimonium about P., in: Hermes 104, 1976, 494–496.   V.N./Ü: L. v. R.-B.

Polybotes (Πολυβώτης). Einer der → Giganten. In der Gigantenschlacht hetzt → Poseidon P. über das Meer auf die Insel → Kos. Dort reißt Poseidon ein Stück der Insel ab und bewirft P. damit. Aus dem geworfenen Felsbrocken entsteht die Insel → Nisyros (Apollod. 1,38); P. wird unter der Insel Kos oder Nisyros begraben (Strab. 10,5,16). In Athen befand sich ein Reiterstandbild des Poseidon, der einen Speer gegen P. schleudert (Paus. 1,2,4).   S.T.

Polychares (Πολυχάρης). Dichter des beginnenden 4. Jh. v. Chr. Ob er Tragiker oder Dithyrambiker war, ist nicht zu entscheiden (DID B 6).   B.Z.

Polychromie   I. EINLEITUNG II. ARCHITEKTUR III. PLASTIK

I. EINLEITUNG

P. ist ein Begriff der neuzeitlichen Kunstwiss., der das Phänomen der farbigen Fassung von Rundplastik, Relief, Architektur sowie von Gefäßen oder Tafeln aus Ton, Stein usw. benennt. Er steht in Opposition zur Monochromie (→ Farben, → Malerei, → Monochromata, → Ornament). Die griech. Adj. *polýchroos* (πολύχροος) und *polychrōmatos* (πολυχρώματος), die die Vielgestaltigkeit von Stoffen (Emp. fr. B23 DK) oder Oberflächen (Aristot. gen. an. 785b19) bezeichnen, sind keine Begriffe der ant. Kunstterminologie [5. 38, 129 ff.]. Vielmehr heißen die Verfahren der Farbgebung im Griech. je nach Technik *epíchrōsis* (ἐπίχρωσις, lat. *circumlitio*, »farbige Fassung«), *énkausis* (ἔγκαυσις, »Bemalung mit Wachsfarben«, → Enkaustik), *gánōsis* (γάνωσις, »Wachsüberzug«) oder einfach *graphḗ* (γραφή, »Malerei«) [5. 25 ff.]. Neben Farbpigmenten wurden auch Metalle, Steineinlagen und kontrastierende Materialien für polychrome Effekte eingesetzt. Schon in den archa. Familienwerkstätten arbeiteten Maler und Bildhauer oft gemeinsam, um Form- und Farbgebung von Plastiken, Reliefs oder Stelen optimal aufeinander abzustimmen. Im 5. Jh. v. Chr. etablierte sich der *sophós technítēs* (σοφὸς τεχνίτης, »Universalkünstler«), der mit einer Vielfalt an Materialien farbige Innenausstattungen, Bauplastiken und Kultbilder realisierte [5. 63 ff.] (→ Damophilos [1], → Euphranor [1], → Pheidias).

Der seit der Renaissance geführte kunsttheoretische Rangstreit um *disegno* und *colore* (Zeichnung und Farbe) [2. 117–138] war mit WINCKELMANN endgültig zugunsten der Zeichnung und der farbbereinigten Form entschieden worden. Die P.-Forsch. wurde Anf. des 19. Jh. initiiert, als die Entdeckung der P. in der griech. Architektur und Skulptur ein neues ästhetisches Paradigma schuf [7]. Ziel der P.-Forsch. ist es, auf Materialien wie Ton, Stein, Metall, Holz, Stuck oder Bein mit Hilfe von chemischen Farbanalysen und spezialisierten photographischen Methoden [1; 3] die urspr., durch Verwitterung oder mod. Restaurierung zerstörte Bemalungsschicht wiederzugewinnen. Diese Detailanalysen werden in der Farbrekonstruktion zur Synthese gebracht [4;

6]. Indem die Rekonstruktion zeitgenössische Werkstoffe und Medien nutzt, z. B. Aquarell, kolorierte Abgüsse oder digitale Bildbearbeitung, transferiert sie ein ant. Phänomen in die Gegenwart.

1 V. Brinkmann, La p. de la sculpture archaique en marbre, in: PACT 17, 1987, 35–70 **2** J. Gage, Kulturgesch. der Farbe, 1994 **3** V. von Graeve, F. Preusser, C. Wolters, Malerei auf griech. Grabsteinen, in: Maltechnik Restauro 87, 1981, 11–34 **4** N. J. Koch, De picturae initiis, 1996 **5** Dies., Techne und Erfindung in der klass. Malerei, 2000 **6** U. Koch-Brinkmann, Polychrome Bilder auf weißgrundigen Lekythen, 1999 **7** A. C. Quatremère de Quincy, Le Jupiter Olympien ou l'art de la sculpture antique considéré sous un nouveau point de vue, 1814.

Polychromie in minoischer Zeit: W. Schiering, Steine und Malerei in der min. Kunst, in: JDAI 75, 1960, 17–36 · E. Hirsch, Painted and Decorated Floors on the Greek Mainland and Crete in the Bronze Age, 1975 · Th. Nörling, Altägäische Architekturbilder, 1995 · A. Dandrau, La peinture murale minoenne I: La palette du peintre égéen et égyptien à l'Âge du Bronze. Nouvelles données analytiques, in: BCH 123, 1999, 1–41.   N.K.

II. Architektur

Mehr- bzw. Vielfarbigkeit war in der Architektur der klass. Ant. weiter verbreitet als allgemein angenommen; sie ließ sich entweder durch die Verwendung verschiedenfarbiger, miteinander kontrastierender Materialien (→ Inkrustation) oder durch Bemalung hervorrufen. Architektonische P. wird in der archa. Baukunst Griechenlands zunächst durch bemalte Terrakotten evoziert (Geloer-Schatzhaus in Olympia; Metopen des Tempels C in Thermos), die die steinernen oder hölzernen Gebälk-Strukturen optisch repräsentativ verkleideten. Farbige Bemalung von Tempel-Bauten wird gegen E. des 6. Jh. v. Chr. zur Regel; frühestes derzeit bekanntes Beispiel für eine Bemalung der Steinarchitektur ist der ältere Aphaia-Tempel von Aigina (ca. 570 v. Chr.). Vorherrschend waren die Farben weiß, gelb, blau und rot, die in maximaler Kontrastierung die baulichen Elemente der Gebälk- und Kapitellzonen überzogen. Eines der ältesten bekannten Beispiele für die durch verschiedenfarbige Materialien hervorgerufene P. ist in der klass. Ant. das Erechtheion auf der Athener Akropolis, wo der weiß-schimmernde marmorne Skulpturenfries auf einen blaugrauen Träger aus eleusinischem Kalkstein montiert wurde und verschiedenfarbige Glaseinlagen die Kapitelle zierten. In der röm. Architektur gehört P. zum allgemeinen Repertoire des Bauluxus.

Die Wiederentdeckung der durch vergängliche Bemalung erzeugten P. griech. Tempel von frz. Forschungsexpeditionen zu Beginn des 19. Jh. (Tempel von Selinus und Poseidonia/Paestum) hat die bis dahin dominante klassizistische Idee einer »weißen Antike« massiv erschüttert und blieb über gut eine Generation umstritten [1; 2], wurde sogar explizit negiert. Der klassizistische Architekt John Nash (1752–1835) hüllte seine zahlreichen im ant.-griech. Habitus errichteten Londoner Bauten dogmatisch in einen patentierten, wetterbeständigen alt-weißen Schutzanstrich.

1 G. Semper, Die Anwendung der Farbe in der Architektur und Plastik, 1836 **2** F. T. Kugler, Über die P. der griech. Architektur, 1835/36.

M. F. Billot, Recherches aux XVIIIᵉ et XIXᵉ siècles sur la p. de l'architecture greque, in: Paris, Rome, Athenes, Le voyage en Grèce des architects français aux XIXᵉ et XXᵉ siècles, Ausst.-Kat. Paris/Athen/Houston 1982/83, 61–125 · A. v. Butlar, Klenzes Beitrag zur P.-Frage, in: P. Frese (Hrsg.), Ein griech. Traum. Leo v. Klenze, der Archäologe, Ausst.-Kat. München 1985, 213–215 · H. Colvin, s. v. Nash (John), in: A Biographical Dictionary of British Architects 1600–1840, ³1995, 687–694 · L. Gericke, H. Schöne, Das Phänomen Farbe. Zur Gesch. und Theorie ihrer Anwendung, 1970 · W. Müller-Wiener, Griech. Bauwesen in der Ant., 1988, 134 f. · H. Phleps, Die farbige Architektur bei den Römern und im MA, 1930 · O. Rückert, Die Farbe als Element der baulichen Gestaltung, 1935 · E. M. Stern, Die Kapitelle der Nordhalle des Erechtheions, in: MDAI(A) 100, 1985, 405–426 · Ch. Zintzen, Von Pompeji nach Troja. Arch., Lit. und Öffentlichkeit im 19. Jh., 1998, 111–114.   C.HÖ.

III. Plastik

Farbigkeit bestimmte wesentlich die Erscheinung griech. und röm. Plastik. In der nachant. Rezeption von der Renaissance bis Winckelmann war jedoch farbige Plastik nicht vorstellbar. Erst mit der Entdeckung bemalter Bauplastik in Sizilien setzte eine Diskussion über ant. P. ein. Funde wie die Augustusstatue von Prima Porta (1863), die Terrakotten von Tanagra und die Koren von der Athener Akropolis erweiterten die Kenntnis von ant. P. Deren Ausmaß und Erscheinung bleiben dennoch umstritten, da jeweils höchstens Reste von Farbspuren erh. sind, die nach der Auffindung rasch verschwinden. Oft wird ehemalige Bemalung erst durch photographische Techniken nachweisbar sowie anhand von Konturritzungen und aufgrund unterschiedlicher Korrosion der bemalten Oberfläche. Die Farbwerte sind durch chemische Reaktionen meist verändert. P. findet sich an Bronzen ebenso wie an Terrakotten und Werken aus Stein und kann mit Vergoldung kombiniert sein. Als Malfarbe dienten mineralische und Erdpigmente (→ Farben). An Marmorplastik gab ein getönter Wachsüberzug die Haut wieder. Plastik aus porösem Stein wurde mit Stuck überzogen und komplett bemalt.

Ant. P. diente als Ersatz für teure Materialvielfalt und zur Ergänzung plastischer Formen oder bildete eine eigenwertige Kunstform auf dem plastischen Träger. An Kykladenidolen des 3.–2. Jt. v. Chr. ergänzten gemalte Details die summarisch ausgeführten plastischen Formen. Kalksteinplastik aus myk. Zeit zeigt eine ornamentale P. An archa. Rundplastik werden Körperteile wie Augen und Haare naturgetreu bemalt; an den Gewändern stellt P. die Buntheit der Textilien dar. An Reliefs stellt P. wichtige Details dar oder hebt sie hervor (Siphnierfries in Delphi). Ab dem 4. Jh. v. Chr. wird P.

nicht nur gegenständlich, sondern auch illusionistisch zur Tönung und Verschattung verwendet (Alexandersarkophag, Istanbul). Die Wertschätzung der P. an Statuen zeigt sich an Nachrichten über die Zusammenarbeit von → Nikias [3] und → Praxiteles (vgl. Plin. nat. 35,133). Im Hell. steht neben einer kräftigen Farbgebung an Marmorplastik ein pastellartiges Kolorit mit Purpur, Hellblau und Rosa auf Terrakottaplastik. In der Kaiserzeit wird an Idealplastik nicht konsequent P. angebracht. Häufiger findet sie sich an → Porträts zur naturnahen Wiedergabe von Augen und Haaren. Sarkophage konnten bis in die Spätant. mit einer weitgehenden Bemalung oder Vergoldung versehen werden.
→ Farben; Marmorbilder; Plastik

R. BIANCHI BANDINELLI, s. v. Policromia, Enciclopedia italiana, 27, 1935, 633–639 • P. REUTERSWÄRD, Stud. zur P. der Plastik. Griechenland und Rom, 1960 • K. TÜRR, Zur Antikenrezeption in der frz. Skulptur des 19. und frühen 20. Jh., 1979 • V. BRINKMANN, Beobachtungen zum formalen Aufbau und zum Sinngehalt der Friese des Siphnierschatzhauses, 1994 • Ders., s. v. Policromia, EAA, 2. Suppl., Bd. 4, 1996, 400–402.   R. N.

Polydamas

(Πολυδάμας, bei Homer metr. gedehnt: Πουλυδάμας).
[1] Troianer, Sohn des → Panthus. P. verfügt aufgrund seiner Erfahrung über Einsicht in Vergangenes und Zukünftiges und repräsentiert als klug besonnener Warner das pessimistische *alter ego* des Stadtverteidigers → Hektor, mit dem er den Geburtstag teilt. Allerdings wird P.' vernünftiger Ratschlag (Rückzug in die Stadt) im entscheidenden Moment, wo er trotz früherer Auftritte erstmals als Figur näher vorgestellt wird, in den Wind geschlagen (Hom. Il. 18,249–313, vgl. auch 12,195–250). In der ›Ilias‹ überlebt P., spätere Quellen sprechen von Verwundung (Q. Smyrn. 6,505) bzw. Tod (Dictys 4,7) durch Aias [2].

K. REINHARDT, Die Ilias und ihr Dichter, 1961, 272–277 • P. WATHELET, Dictionnaire des Troyens de l'Iliade, Bd. 2, 1988, 901–906. • K. ZIMMERMANN, s. v. P., LIMC 8.1, 1009f.   R.E.N.

[2] Athlet, s. Pulydamas.
[3] In → Pharsalos in tyrannenähnlicher Stellung. Nach einem Bürgerkrieg waren ihm Burg und Einkünfte anvertraut worden (Xen. hell. 6,1,2f.). Er verständigte sich 374 v. Chr. mit dem mächtigeren → Iason [2] von Pherai, nachdem es ihm mißlungen war, Sparta als Bündner gegen diesen zu gewinnen (Xen. hell. 6,1,2–18). Dessen Nachfolger → Polyphron ermordete ihn 370 (Xen. hell. 6,4,34).

H. BERVE, Die Tyrannis bei den Griechen, 1967, 285 f., 668.   J.CO.

[4] Wahrscheinlich Sohn des Antaios aus Arethusa, nicht weit vom → Bolbe-See (Strab. 7, fr. 36), überbrachte 330 v. Chr. Kleandros [3] den Befehl, → Parmenion [1] zu ermorden. Der Eilritt durch die Wüsten

ist mehrfach beschrieben (Strab. 15,2,10; Curt. 7,2,17–19; bei Curtius rhet. ausgemalt). P. ist ein Busenfreund Parmenions, der ihn bei → Gaugamela mit einem Hilferuf an Alexandros [4] d.Gr. schickt. (Die Par.-Überl., z. B. Arr. an. 3,15,1, erwähnt P. nicht.). Zur Ausführung der Mordbotschaft wird er durch Stellung seiner ganz jungen Brüder als Geisel gezwungen. (Ihre Existenz wurde von [1] zu Recht bezweifelt, der sie durch Söhne ersetzen wollte.) Parmenion ist bei P.' Anblick hoch erfreut (Curt. 7,2,11–28). 324 wurde P. unter den ausgedienten Soldaten nach Makedonien entlassen (Iust. 12,12,8).

1 BERVE 2, Nr. 648.   E.B.

Polydektes (Πολυδέκτης).

[1] Sohn des → Magnes [2], myth. Kolonisator und König von Seriphos, Bruder des → Diktys [1]. Er will die in einem Kasten mit ihrem Sohn → Perseus gestrandete → Danae zur Hochzeit zwingen, doch Perseus versteinert ihn mit dem Haupt der → Medusa (→ Gorgo [1]), das er von den → Hyperboreioi geholt hat, und macht Diktys zum König (Pind. P. 12; Apollod. 2,24–46).
[2] Dichterischer Beiname des Unterweltsgottes (der »viele Aufnehmende«, »der Gastfreundliche«; → Hades, → Pluton): Hom. h. 2,9, 17, 31 etc. (s. → Polyxenos [1]).   L.K.

Polydeukes (Πολυδεύκης).

[1] s. → Dioskuroi.
[2] (Polydeuces). Sklave des Claudius [III 1], der diesen vor Gericht anklagte, als → Caligula den Sklaven allg. das Recht einräumte, gegen ihre Herren gerichtlich vorzugehen. Obwohl Caligula bei dem Prozeß erschien, wurde Claudius nicht verurteilt (Ios. ant. Iud. 19,12f.). PIR² P 562.   W.E.

Polydora (Πολυδώρα).

[1] Eine der → Okeaniden (Hes. theog. 354).
[2] Tochter des → Danaos, vom Flußgott → Spercheios (Nikandros fr. 41 SCHNEIDER) oder → Peneios (Pherekydes FGrH 3 F 8) Mutter des → Dryops.
[3] Tochter des → Peleus und der → Antigone [2], (Halb-)Schwester des Achilleus [1] (Pherekydes FGrH 3 F 61; Apollod. 3,163), empfängt vom Flußgott Spercheios den → Menesthios [2], der dennoch als Sohn ihres Gemahls Boros angesehen wird (Hom. Il. 16,173–175; Strab. 9,5,9).
[4] Tochter des → Meleagros [1] und der Kleopatra [I 2], Gemahlin des → Protesilaos. Sie soll sich nach dem frühen Tode ihres Mannes das Leben genommen haben (Kypria bei Paus. 4,2,7). Gewöhnlich wird als Gattin des Protesilaos → Laodameia [2] genannt.
[5] Im Widerspruch zu P. [3] Tochter des Perieres, Schwester des Boros, Gemahlin des Peleus und Mutter des Menesthios (Apollod. 3,168).
[6] Eine der namentlich bekannten → Amazones (Hyg. fab. 163).   CA. BI.

Polydoros (Πολύδωρος, lat. *Polydorus*).

[1] König von Theben, Sohn des → Kadmos [1] und der → Harmonia (Hes. theog. 978; Eur. Phoen. 8; Hyg. fab. 179), Gatte der Nykteis, einer Tochter des → Nykteus (Apollod. 3,40). Nach Pausanias wird P. Nachfolger des Kadmos auf dem theban. Thron (Paus. 9,5,3), während Euripides ihn nicht als Thronfolger erwähnt, sondern den greisen Kadmos seinem Enkel → Pentheus den theban. Thron übergeben läßt (Eur. Bacch. 43 f. und 213). Obwohl die Ahnenreihe Kadmos – P. – → Labdakos – → Laios [1] – → Oidipus schon früh belegt ist (Soph. Oid. T. 267 f.; Hdt. 5,59), scheint P. allein zu genealogischen Zwecken erfunden worden zu sein, um das Geschlecht des Oidipus mit → Kadmos zu verbinden. → Thebanischer Sagenkreis

[2] Jüngster Sohn des → Priamos und der → Laothoe [3] (Hom. Il. 22,46–48), der gegen den Willen seines Vaters in den Kampf um Troia eintritt und gegen → Achilleus [1] fällt (Hom. Il. 20,407 ff.). Anders dagegen die nachhomer. Sage, deren Hauptvertreter Euripides ist: Hier ist → Hekabe die Mutter auch des jüngsten Priamiden (Eur. Hec. 3 und 31; Apollod. 3,151; Hyg. fab. 109), und P.' Schicksal ist mit seinem Aufenthalt bei seinem Schwager, dem Thrakerkönig Polymestor, verbunden, zu dem Priamos P. mit reichen Schätzen gesandt hat (Eur. Hec. 10 und 710 f.; Verg. Aen. 3,49; Ov. met. 13,429–438). Nach der üblichen Trad. tötet Polymestor nach dem Fall Troias seinen Schützling, bemächtigt sich der Schätze und stößt den Leichnam ins Meer (Eur. Hec. 25 ff. und 712 ff.; Ov. met. 13,429–438), den entweder eine Dienerin der Hekabe (Periboia, Eur. Hec. 679 ff. und 701) oder Hekabe selbst (Ov. met. 13,536) am Strand findet, so daß P. mit Erlaubnis des → Agamemnon bestattet werden kann (Eur. Hec. 895 ff.). Verbindung mit der Aeneas-Sage (→ Aineias [1]): Vergil (Aen. 3,19–68) läßt Aeneas an der thrakischen Küste an P.' Grabstelle das schauerliche → *prodigium* der bluttropfenden Zweige und der Geisterstimme des P. erleben. Drei weitere Schilderungen liefern Diktys 2,18 und 20–27, Serv. Aen. 3,6 und Hyg. fab. 109, wobei die ersten beiden P.' Ende der perfiden Handlungsweise einiger Griechen zuschreiben. Der letzte – hier überlebt P. – faßt höchstwahrscheinlich den Inhalt einer Trag. zusammen, die dem → Pacuvius als Vorlage für seine *Iliona* diente.

[3] Sohn des Argivers → Hippomedon [1] und der Euanippe (Hyg. fab. 71), einer der Epigonen, die Theben erobern (Paus. 2,20,5; schol. Eur. Phoen. 126; allerdings fehlt P. in anderen Epigonenlisten).

[4] Grieche, der in Buprasion bei den Leichenspielen des → Amarynkeus [1] dem → Nestor [1] im Speerwurf unterliegt (Hom. Il. 23,637).

[5] Ein Sohn des → Herakles [1] und der → Megara [1] (schol. Pind. I. 4,104 g). CA. BI.

[6] Spartanischer König, Enkel des → Teleklos, Agiade (Hdt. 7,204), mehrfach als Kollege des Eurypontiden → Theopompos im Kontext des 1. → Messenischen Krieges genannt (Paus. 3,3,1; 4,7,7); seine Regentschaft

(*basileía*) fällt somit in die 1. H. des 7. Jh. v. Chr. [1. 91 ff.]. P.' Beteiligung an Kämpfen zw. Argos und Sparta (vgl. Paus. 3,7,5 über Theopompos) ist nicht auszuschließen [1. 75 f.], die Nachricht, er habe gemeinsam mit Theopompos den sog. Zusatz zur Großen → Rhetra verfaßt (Plut. Lykurgos 6,7 f.), ist aber sicher falsch [1. 187]. P. soll bes. wegen seiner gerechten Richtertätigkeit beim spartanischen Volk (*dámos*) beliebt gewesen sein, weshalb ihn der Aristokrat Polemarchos ermordet habe (Paus. 3,3,2 f.). Während dieser ein *mnéma* in Sparta erhielt, benützten noch in der Kaiserzeit spartanische Beamte – wohl die → *éphoroi* – P.' Bild als Siegel (Paus. 3,11,10). In der Polemarchos-Geschichte spiegeln sich die aristokratischen Rivalitäten im frühen Sparta sowie eine sehr alte enge Beziehung der Könige zum *dámos*, die partiell auf die *éphoroi* übergegangen zu sein scheint [2. 92 f.].

1 M. MEIER, Aristokraten und Damoden, 1998 2 Ders., Zw. Königen und Damos, in: ZRG 117, 2000, 43–101
3 M. NAFISSI, La nascita del kosmos, 1991, Index s. v. P.
M. MEI.

[7] Bruder des → Iason [2] von Pherai, nach einigen Quellen dessen Mörder 370 v. Chr. (Diod. 15,60,5). Mit dem Bruder → Polyphron wurde er Iasons Nachfolger als → *tagós* Thessaliens und Tyrann von Pherai, von Polyphron (irrtümlich: Alexandros [15] Diod. 15,61,2) aber 369 ermordet (Xen. hell. 6,4,33).

H. BERVE, Die Tyrannis bei den Griechen, 1967, 289 f., 670.
J. CO.

[8] Gesetzgeber in Syrakus unter Hieron [2] II. (vgl. Diod. 13,35,1–5). Über den Inhalt seiner Gesetze, die vielleicht die 412 v. Chr. von Diokles [3] entworfenen Gesetze revidierten bzw. aktualisierten, ist nichts Näheres bekannt.

H. BERVE, Hieron II., 1959, 43. K. MEI.

Polyeuktos (Πολύευκτος).

[1] Drittältester Sohn des → Themistokles und dessen erster Frau Archippe, der Tochter des Lysandros von Alopeke (der den zweitältesten, Diokles, adoptierte); unbekannten Lebenslaufes.

DAVIES, 6669 • R. FROST, Plutarch's Themistocles. A Historical Commentary, 1980, ad 32,1 • TRAILL, PAA, 778325. K. KI.

[2] Sohn des Sostratos aus dem Demos Sphettos, athen. Rhetor der 2. H. des 4. Jh. v. Chr. im Umkreis des → Demosthenes [2] und des → Lykurgos [9]. P. beantragte 356/5 Verhandlungen mit → Neapolis [1] (Tod 159), 343/2 war er Gesandter in der Peloponnes beim Aufbau des Hellenenbundes des Demosthenes (Demosth. or. 9,72; Plut. mor. 841e). Im Aufstand Thebens 335 verlangte Alexandros [4] d.Gr. von Athen die Auslieferung des P. (Arr. an. 1,10,4; Plut. Demosthenes 23,4; Suda s. v. Antipatros); P. beantragte 335/4 oder

326/5 Ehren für Dionysios [5] von Herakleia [4. Nr. 67]
und stellte 332/1 einen Proxenie-Antrag [4. Nr. 33]. In
den → Harpalos-Prozessen 323 sprach P. zugunsten des
Demosthenes (Deinarch. 1,100) und war 323/2 Gesandter in Arkadia beim Aufbau des Hellenenbundes des
→ Hypereides und des → Leosthenes [2] (Plut. mor.
846c-d). P. beantragte Ehren für Theophantos [4. Nr.
82] sowie 318/7 das athen. Bürgerrecht für Einwohner
von Epidamnos und Apollonia [3. Nr. 150–151 D 39].
→ Demosthenes [2]

> 1 DEVELIN, Nr. 2563 2 LGPN 2, s. v. P. (49)
> 3 M. J. OSBORNE, Naturalization in Athens, 4 Bde.,
> 1981–1983 4 C. J. SCHWENK, Athens in the Age of
> Alexander, 1985.

[3] Athener des 4. Jh. v. Chr. aus dem Demos Kydan-
tidai, Rhetor aus dem Freundeskreis des → Lykurgos
[9], mehrfach Prozeßgegner des → Hypereides (Hyp. fr.
146–159 JENSEN), beantragte vielleicht um 330 Ehren
für Priester und *hieropoioí* (Syll.³ 289), 326 eine Strategie
für → Thrasybulos (IG II² 1628a,38f.), sowie erfolglos,
daß die Phylen Akamanthis und Hippothontis Land bei
Oropos an das Heiligtum des → Amphiaraos zurück-
geben sollten. In dieser Sache klagte P. ca. 330 Eu-
xenippos mit einer → *eisangelía* an (Hyp. or. 3,15–27). P.
wurde 324/3 von einer Anklage wegen Konspiration
mit athen. Emigranten in Megara freigesprochen
(Deinarch. 1,58f.).

> DEVELIN, Nr. 2560 · J. ENGELS, Stud. zur polit. Biographie
> des Hypereides, ²1993, 222–238.

[4] Athenischer Archon 246/5 v. Chr., in dessen – für
die Chronologie des 3. Jh. bedeutsamem – Amtsjahr
Athen das Fest der von den Aitolern neugeordneten
→ Soteria annahm (IG II² 680) und in der Polis eine
mehrstellige Finanzbehörde auch während der Zeit
fremder Herrschaft bezeugt ist.

> G. DONTAS, The True Aglaurion, in: Hesperia 52, 1983,
> 48–63. · CH. HABICHT, Hellenistic Athens, 1988, 163 ·
> LGPN 2 s. v. P. (20) · M. J. OSBORNE, The Chronology of
> Athens in the Mid Third Century B. C., in: ZPE 78, 1989,
> 209–242, bes. 241.   J. E.

[5] Griech. Bronzebildner. Vielfach beschrieben und in
Kopien (Kopenhagen) identifiziert ist die Porträtstatue
des Demosthenes [2] auf der Athener Agora, die 280
v. Chr. von P. geschaffen wurde.

> OVERBECK, Nr. 1365–1368 · LIPPOLD, 302–303 ·
> P. E. ARIAS, s. v. Demostene, EAA 3, 1960, 76–77 ·
> RICHTER, Portraits, Bd. 2, 215–223 · B. S. RIDGWAY,
> Hellenistic Sculpture, 1, 1990, 224–225 · A. STEWART,
> Greek Sculpture, 1990, 199, 297 · F. JOHANSEN, Demos-
> thenes, in: Meddelelser fra Ny Carlsberg Glyptotek 48,
> 1992, 60–80 · P. MORENO, Scultura ellenistica, 1994,
> 181–189.   R. N.

Polygnotos (Πολύγνωτος).

[1] Griech. Maler, zugleich Bronzebildner (Plin. nat.
34,58) der Frühklassik aus → Thasos.
I. ALLGEMEINES II. LESCHE DER KNIDIER
III. STOA POIKILE IV. WEITERE BILDER

I. ALLGEMEINES

Genaue Lebensdaten sind unbekannt; P. wirkte nach
den Perserkriegen etwa ab 480 bis ca. 440 v. Chr. in Athen
und anderen Orten Griechenlands. Wegen seiner Fähigkeit, histor., polit. und kulturelle Leistungen der Polis
durch Gegenüberstellung mythischer und aktueller Ereignisse in eine identitätsstiftende Bildersprache zu übersetzen, erhielt P. – dem enge Verbindungen zur Familie des → Kimon [2], einem seiner Hauptauftraggeber,
nachgesagt wurden (Plut. Kimon 4,5–6) – das att. Bürgerrecht. Sein Ansehen und künstlerisches Selbstbewußtsein (→ Könnensbewußtsein) waren für damalige
Verhältnisse ungewöhnlich ausgeprägt; den öffentlichen
Auftrag für die Oberaufsicht bei der Gestaltung der Stoa
Poikile in Athen (s. u.) führte er umsonst aus (Plut. Kimon
4,5). Auch in Delphi genoß er für einen → Künstler seiner Zeit außergewöhnliche Privilegien (Plin. nat. 34,59).
P., dessen Werke sämtlich verloren sind, galt deswegen
bereits im ant. Urteil als bedeutender und innovativer
Künstler dieser Epoche, als »Erfinder« v. a. neuartiger
Bildschöpfungen in der großen Malerei (Plin. nat. 7,205;
Plat. Ion 532 E). Daher rührt eine relativ günstige Schrift-
quellenlage, die zumindest zu einer Vorstellung vom
kompositorischen Aufbau, von Struktur und Gehalt
mancher seiner Bilder beiträgt. Reflexe davon finden
sich auch auf einigen Vasenbildern dieser Zeit, z. B. vom
→ Niobiden-Maler. Ausführliche Beschreibungen (s. u.)
bei → Pausanias [8], der im 2. Jh. n. Chr. einzelne Werke
des P. noch im Original sah, haben seit dem 18. Jh. immer
wieder Gelehrte und Maler veranlaßt, die Gemälde zu
rekonstruieren oder auch künstlerisch im Stil ihrer Zeit
nachzuempfinden, wie z. B. A. CAYLUS in Paris oder F.
und J. RIEPENHAUSEN mit den an GOETHES Ges. der Wei-
marischen Kunstfreunde 1803 als Preisaufgabe einge-
sandten Zeichnungen.

II. LESCHE DER KNIDIER

Wohl am berühmtesten, weil am ausführlichsten beschrieben (Paus. 10,25,1–31,12), sind P.' Monumental-
gemälde in der → Lesche der Knidier, einer Versamm-
lungshalle in → Delphoi. Ihre Datier. ist umstritten, sie
reicht von den 70er Jahren bis in die 40er des 5. Jh.
v. Chr. Auf den Wänden der rechten Raumseite war die
Iliupersis (der Untergang Troias) dargestellt, auf denen
der linken Odysseus' Besuch in der Unterwelt (Nekyia,
→ Katabasis). Die Forsch. vermutet *al fresco*-Wandma-
lerei (→ Freskotechnik). Die erzählenden Szenen – mit
Figuren wohl in halber Lebensgröße und mit sparsamen
Landschaftsangaben – waren auf mehreren Ebenen
übereinander angeordnet. Antithetische Gruppierungen einzelner Heroen oder verschiedener Handlungs-
konstellationen, die für bestimmte Werte und Tugenden, aber auch Fehlverhalten standen, müssen den ethi-

schen und moralischen Gehalt der Gemälde, für den P. immer bes. gerühmt wurde, bewirkt haben (z. B. Arist. pol. 1450a 25–29). Die Nekyia kann als früheste uns bekannte, wohl von verschiedenen lit. Quellen beeinflußte Unterweltsdarstellung in der Gesch. der Malerei gelten. P. hat allerdings durch bes. inhaltliche Bezüge und Hinzufügung bestimmter Personen einen eigenen epischen Zyklus gestaltet. Die auf zahlreichen → apulischen Vasen des 4. Jh. v. Chr. erh. Unterweltsbilder hängen jedoch nur indirekt – in Motivik und Haltung einzelner Gruppen – vom Gemälde des P. ab.

III. STOA POIKILE

In der Stoa Poikile (→ Athenai II. 4.; vgl. Paus. 1,15,1f.) hing ein wohl nach 457 v. Chr. enstandenes Tafelgemälde P.', das die Griechen mit Gefangenen und der gefesselten Kassandra nach der Einnahme Troias zeigte, in der Art wie das Leschebild in Delphoi, jedoch ruhiger im Ausdruck. Hier kamen verm. die von Plin. nat. 35,58 erwähnten maltechnischen Neuerungen – z. B. der bes. Gesichtsausdruck durch detailreiche Mimik, die Trachtenvielfalt und die durch Lasuren erzeugten durchscheinenden Gewänder der Frauen – voll zur Geltung. Letzteres hängt mit Experimenten auf farblichem Gebiet und den enkaustischen Kenntnissen P.' zusammen (Plin. nat. 35,42; 122; → Enkaustik).

IV. WEITERE BILDER

Die Thematik weiterer Bilder im öffentlichen Auftrag Athens ist vielfältig und wohl immer programmatisch zu verstehen: eine Leukippidenhochzeit für das Dioskurenheiligtum, Szenen aus der Theseussage für das Theseion, homerische Episoden in der Pinakothek der Propyläen (Paus. 1,22,6–10). Aber auch andere Orte profitierten von seiner Kunst: so → Plataiai mit dem Bild vom Freiermord des Odysseus, entstanden um 460 v. Chr., im Tempel der Athena.

→ Athenai II.; Malerei

I. BALDASSARE, A. ROUVERET, Une histoire plurielle de la peinture greque, in: M.-CH. VILLANUEVA-PUIG (Hrsg.), Céramique et peinture grecques, 1999, 219–232 · D. CASTRIOTA, Myth, Ethos and Actuality, 1992, bes. 63–77; 96–133 · F. FELTEN, s. v. Nekyia, LIMC 8,1, 1997, 871–878, Nr. 6 · J. W. GOETHE, Münchner Ausgabe (hrsg. von K. RICHTER u. a.), Bd. 6,2, Weimarer Klassik 2, 1988, 508–537 · R. B. KEBRIC, The Paintings in the Cnidian Lesche at Delphi and their Historical Context, 1983 (Rez. T. HÖLSCHER, in: Gnomon 60, 1988, 465–467) · N. J. KOCH, Techne und Erfindung in der klass. Malerei, 2000 · R. KRUMEICH, Bildnisse griech. Herrscher und Staatsmänner im 5. Jh. v. Chr., 1997, 102ff.; 132; 192f. · S. MATHESON, P. and Vase Painting in Classical Athens, 1995, 3f.; 92; passim · I. SCHEIBLER, Griech. Malerei der Ant., 1994 · M. STANSBURY-O'DONNELL, P.'s Iliupersis: A New Reconstruction, in: AJA 93, 1989, 203–215 · Ders., P.'s Nekyia: A Reconstruction and Analysis, in: AJA 94, 1990, 213–235 · J. TANNER, Culture, Social Structure and the Status of Visual Artists in Classical Greece, in: PCPhS 45, 1999, 137–175.   N. H.

[2] Att. rf. Vasenmaler, der 5 der fast 75 von ihm bekannten Gefäße signierte. In seiner frühen Periode (450–440 v. Chr.) erinnert sein Zeichenstil speziell an den des → Niobiden-Malers und ist offensichtlich auch von diesem abgeleitet. P. übernimmt dessen Werkstatt. Die bewegten Bodenlinien auf verschiedenen Vasen lassen den Einfluß frühklass. Wandgemälde vermuten – etwa solcher des P. [1] von Thasos, nach dem der Vasenmaler vielleicht seinen Namen hat. Auf einen Großteil von P.' reifem Werk (440–430 v. Chr.) hat der Parthenonfries einen deutlichen Einfluß – und dies nicht nur in der Art, wie P. manche Details wiedergibt, sondern auch in seiner Wahl der Figurentypen und der Kompositionen. Die Zeichenweise seiner späten Vasen (430–420 v. Chr.) ist flüssiger, und der Gewandstil kommt der Gestaltung der Parthenongiebel näher als der des Frieses.

P. ist der wichtigste Künstler in einer großen Gruppe von stilistisch verwandten Vasenmalern, unter ihnen namentlich der Coghill-Maler und der Lykaon-Maler in der Frühzeit, in der Folge der Peleus- und der Hektor-Maler, in der Spätzeit schließlich der Christie- und der Curti-Maler. Des weiteren gehört eine große Menge stilistisch verwandter Vasen, die nicht individuellen Künstlerhänden zugeschrieben sind, zur Polygnot-Gruppe. Auf den mehr als 675 h. bekannten Vasen dieser Gruppe sind über 100 ikonographische Themen vertreten, einige davon sind von der Trag. beeinflußt. Bes. Interesse hatte P. an der Darstellung des → Triptolemos, von Opfern, Kämpfen, Symposion und → Komos wie von Bildern erotischer Verfolgung und dionysischen Szenen. Er bevorzugte die Ausschmückung großer Gefäße, bes. von Stamnoi, Krateren, Hydrien und Halsamphoren (→ Gefäßformen), doch bemalte er gelegentlich auch Gefäße mittleren Formats wie z. B. Nolanische Amphoren und Peliken.

Ein spätes Mitglied der Polygnot-Gruppe, der → Kleophon-Maler, und sein Schüler, der → Dinos-Maler, sind die wichtigsten Künstler der nächsten Generation in dieser Werkstatt. Das bedeutendste Erbe der Polygnot-Gruppe ist ihr stilistischer und thematischer Einfluß auf die frühe → unteritalische Vasenmalerei, speziell auf die → lukanischen Vasen.

→ Dinos-Maler; Kleophon-Maler; Niobiden-Maler; Parthenon

M. PRANGE, Der Niobiden-Maler und seine Werkstatt, 1989, 117–118 · S. B. MATHESON, P. and Vase Painting in Classical Athens, 1995 · M. ROBERTSON, The Art of Vase-Painting in Classical Athens, 1992, 210–217.   J. O.

Polygonon (πολύγωνον), wörtlich »Vielfrucht«, der Knöterich (Fam. Polygonaceae), nach Plin. nat. 27,113 lat. sanguinaria, mit vier Arten (vgl. Plin. nat. 27,113–117); liefert einen das Bluten unterdrückenden Saft, weil diese Pflanzen eine zusammenziehende und kühlende Kraft hätten (Plin. nat. 27,114, ähnlich Dioskurides 4,4–5 WELLMANN und BERENDES). Die Samen wirken angeblich u. a. abführend und harntreibend. Nach Colum. 6,12,5 heilt das P. auch Schnittwunden, nach 7,5,19 werden Schafe durch seinen Verzehr ernsthaft krank.

H. GOSSEN, s. v. P., RE 21, 1647f.   C.HÜ.

Polyhymnia (Πολύμνια, seltener Πολυύμνια, »die mit den vielen Gesängen« oder »vielstimmiger Chorgesang«; vgl. Diod. 4,7,2 ff.). Eine der neun kanonischen → Musen, die in der Dichtung selten individuell erwähnt wird (Ov. fast. 5,9–54). Trotz ihres eindeutigen Namens ist ihr Tätigkeitsbereich unspezifisch bzw. vielseitig. Bei Horaz (carm. 1,1) ist P. als Muse, die große Dinge mit großen Gesängen unsterblich macht, zu fassen. Sie firmiert als Erfinderin der Lyra (schol. Apoll. Rhod. 3,1–5a), als Muse des Pantomimos (Nonn. Dion. 5,104), der Geschichtsschreibung (Plut. symp. 9,14,1), der Merkfähigkeit (Etym.: Polymneme) und des rationalen Abwägens von Argumenten (Fulg. 1,15). Der Sage nach ist sie Mutter des → Triptolemos (schol. Hom. Il. 10,435), des → Orpheus (schol. Apoll. Rhod. 1,23) und des irdischen → Eros (Plat. symp. 187d).

C.W.

Polyidos (Πολύιδος, lat. *Polyidus*).
[1] (»Vielwissender«). Myth. Seher und Wundertäter aus Korinth (vgl. Cic. leg. 2,33), Nachfahre des → Melampus [1] (Pherekydes FGrH 3 F 115a; Paus. 1,43,5), Gatte der Eurydameia, Vater des Euchenor (Hom. Il. 13,663–668; vgl. Cic. div. 1,89), → Kleitos [2], der Astykrateia und Manto (nicht identisch mit der Seherin → Manto). Seine Wirkung dokumentiert sich in zahlreichen Hilfsaktionen: So hilft er u. a. in Korinth als Traumdeuter dem → Bellerophontes, sein Pferd → Pegasos [1] zu bändigen, und veranlaßt den Bau eines Altars für Athena (schol. Pind. O. 13,113). In Megara entsühnt er → Alkathoos [1] und begründet dort ein Dionysosheiligtum (Paus. 1,43,5), in Mysien heilt er → Teuthras vom Wahnsinn (Ps.-Plut. de fluviis 21,4). Am bekanntesten und am reichsten belegt ist sein Wirken auf Kreta für → Minos und seinen Sohn (vgl. → Glaukos [3]). Kultisch verehrt wurde P. mit seinen Töchtern Astykrateia und Manto in Megara, wo ihre Gräber gezeigt wurden (Paus. 1,43,5), sowie in Byzantion (Dionysios von Byzantion 14 GÜNGERICH).

O. PALAGIA, s. v. Glaukos (2), LIMC 4.1, 273 f. ·
K. ZIMMERMANN, s. v. P., LIMC 8.1, 1010 f.   L.K.

[2] Troianer, Sohn des alten Traumdeuters und Sehers → Eurydamas [1] und Bruder des Abas, wurde gemeinsam mit diesem von → Diomedes [1] erschlagen (Hom. Il. 5,148 f.).
[3] Einer der sieben Landesheroen von Plataiai, denen auf Geheiß des Delphischen Orakels vor der Schlacht geopfert wurde (Plut. Aristeides 11,3).   HE.B.
[4] Thessalischer Ingenieur; er konstruierte Kriegsmaschinen und nahm unter → Philippos [4] II. an der Belagerung von Byzantion (340/339 v.Chr.) teil (Vitr. 10,13,3). Seine Schrift über den Maschinenbau (Vitr. 7,

Prooem. 14) ist nicht erhalten. Seine Schüler waren Diades und Charias, die unter Alexandros [4] d.Gr. als Ingenieure tätig waren (Vitr. 10,13,3).

K. ZIEGLER, s. v. P. (6), RE 21, 1658f.   M.F.

[5] Dithyrambiker des beginnenden 4. Jh. v. Chr. Daß er auch Tragödien verfaßte, ist unwahrscheinlich (vgl. TrGF I 78).   B.Z.

Polykarpos von Smyrna (Πολύκαρπος).
I. LEBEN   II. WERK

I. LEBEN
P. gehört zu den wichtigsten Gestalten der zweiten Generation christl. Lehrer, die noch Kontakt zu den Personen der ersten, »apostolischen« hatten (Eirenaios [2] nach Eus. HE 5,20,6). In den Briefen des Ignatios [1] wird er als »Bischof von Smyrna« bezeichnet (Ignatios, Epistula ad Magnesios 15), ein weiterer Brief ist an den Bischof P. selbst adressiert (*Epistula ad Polycarpum*). Offenbar galt er nicht nur als Repräsentant der kleinasiat. Gemeinden, sondern auch als Hüter der unverfälschten apostolischen Trad. Als solchen stellen ihn jedenfalls Eirenaios [2] von Lyon und Eusebios [7] dar. Gegen 154 n.Chr. verhandelte er in Rom über den Termin des Osterfestes und diskutierte mit Gnostikern (→ Gnosis). Verm. 155/6 (andere Datier. 167) starb er den Märtyrertod, nach eigenen Aussagen im Alter von 86 J. (Martyrium Polycarpi 9,3). Der Ber. darüber, den die Gemeinde von Smyrna nach Philomelion (Phrygien) sandte, stellt das früheste Beispiel eines ausführlichen Ber. über ein Martyrium, aber noch keine Märtyrerakte dar ([2]: »Diaspora-Rundbrief«). Früher vertretene literarkritische Hypothesen zur Identifikation einer Redaktionsschicht haben sich nicht durchsetzen können. Die *Vita* des Ps.-Pionios [4. 1561] stammt aus dem 4. Jh. und enthält für die Biographie des P. keine bedeutsamen Informationen.

II. WERK
Aus der Korrespondenz des P. ist ein Schreiben an die Gemeinde in Philippoi erh. Man schließt sich jetzt überwiegend einer Teilungshypothese an, die von P. N. HARRIS stammt und von J. A. FISCHER [6. 233–235] noch präzisiert wurde: Kap. 13 (und 14) wären demnach der Rest eines Begleitschreibens zu den Ignatios-Briefen, Kap. 1–12 (und 14) ein später (um 135 n.Chr.?) entstandenes Schreiben, wofür man anführen könnte, daß in 9,1 der Tod des Ignatios vorausgesetzt ist, während er nach 13,1 noch zu leben scheint. Damit ist das literarische Problem dieses Briefes eng mit der sog. »ignatianischen Frage« verbunden (→ Ignatios [1] B.). Es gibt allerdings auch gute Argumente für eine Einheit des schlecht überl. Schreibens. Der Autor konzentriert sich in seinem Text auf die Frage der Gerechtigkeit und expliziert dies u. a. an der christl. Ethik, die den Frommen die Erweckung zum ewigen Leben ermöglicht (2,2). Die Frage nach dem spezifischen Charakter dieser Theologie ist eng verbunden mit der Charakterisierung

der Entwicklung einer christl. Mehrheitskirche im 2. Jh.; fruchtbarer als traditionelle Schemata wie das eines »Frühkatholizismus« scheinen Beobachtungen zu den Mechanismen der Identitätsbildung von Gruppen zu sein: P. ist ein Zeuge dieses Bemühens um Identität angesichts deutlicher Tendenzen zur Pluralisierung (→ Markion).
→ Märtyrerliteratur

1 J.B. BAUER, Die Polykarpbriefe, 1995 (dt. Übers. und Komm.) 2 G. BUSCHMANN, Das Martyrium des Polykarp, 1998 3 M. FRENSCHKOWSKI, s.v. P., Biographisch-bibliogr. Kirchenlex. 7, 1994, 809–815 (Lit.) 4 F. HALKIN (ed.), Bibliotheca hagiographica Graeca (Subsidia hagiographica 8a), ³1957 5 W.R. SCHOEDEL, P. and Ignatius of Antioch, in: ANRW II 27.1, 1993, 272–358 6 J.A. FISCHER (ed.), Die Apostolischen Väter (Schriften des Urchristentums 1), ⁹1986, 227–265.   C.M.

Polykaste (Πολυκάστη).

[1] Tochter des Lygaios in Akarnanien, Gattin des → Ikarios [2], Mutter der → Penelope, des Alyzeus und des Leukadios. Letztere sind Eponyme von → Alyzeia und → Leukas (Strab. 10,2,24; 10,2,8).

[2] Jüngste Tochter des → Nestor [1] (Hom. Od. 3,465) und der Eurydike (vgl. ebd. 3,451 f.). Nach Apollod. 1,1,9 ist ihre Mutter Anaxibia. Sie badet → Telemachos bei seiner gastlichen Aufnahme im Hause ihres Vaters (Hom. Od. 3,464–468). Hes. cat. fr. 221 erwähnt einen Sohn der beiden namens Persep(t)olis. Spätere Zeugnisse nennen → Homeros [1] den Sohn des Telemachos und der P. (Certamen Homeri et Hesiodi B 27 ALLEN).

I. ZECHNER, s.v. P., RE 21, 1693–1695.   K. WA.

Polykleia (Πολύκλεια).

Heroine aus dem Geschlecht der Herakleidai, der ein Orakel vorhersagt, daß der, welcher zuerst den Acheloos [1] überschreite, Herrscher der damals in Thessalien ansässigen Boioter werde. Sie bittet ihren Bruder Aiatos darum, sie durch den Fluß zu tragen, macht sich kurz vor dem anderen Ufer los und betritt dieses als erste, worauf ihr Bruder sie heiratet, um die Herrschaft für seine Familie zu sichern, und mit ihr → Thessalos zeugt (Polyain. 8,44).

G. RADKE, s.v. P. (1), RE 21, 1695–1698.   R. HA.

Polykleitos (Πολύκλειτος).

[1] der griech. Bronzebildner Polyklet.
I. ALLGEMEINES II. ANTIKE KUNSTURTEILE
III. ERHALTENE WERKE
IV. WEITERE QUELLEN UND ZUSCHREIBUNGEN
V. REZEPTION

I. ALLGEMEINES

Bronzebildner aus Sikyon, in Argos Schüler des → Ageladas. Biographische Angaben zu P. sind dürftig. Seine Söhne galten als wenig erfolgreich. P. [2] kann wegen des Namens ein Neffe, somit → Naukydes ein Bruder des P. gewesen sein. Sechs Schüler mit zumeist

nichtssagenden Namen sind überliefert. Dennoch wurden verschiedentlich Familien- und Künstlerstammbäume rekonstruiert, um die von 470 bis 370 v.Chr. reichenden Entstehungsdaten der Werke zu erklären. Bei einer früh angesetzten Schaffenszeit von 460–420 v.Chr. müssen einige antik zugeschriebene Werke jüngeren Namensträgern zugewiesen werden. Einer späteren Ansetzung entspräche die bei Plinius genannte Hauptschaffenszeit des P. um 420 v.Chr.

II. ANTIKE KUNSTURTEILE

Die Ant. sah in P. den Bildhauer schlechthin, die ant. Überl. gibt reichlich Auskunft über seinen Schaffensprozeß, konzentrierte aber – wie auch die heutige Forsch. – den Blick auf wenige Statuen. Bemerkenswert war daher P.' Beschränkung auf den Typus des nackten, stehenden Jünglings, an dem das Standmotiv, Körperrhythmus und plastische Gliederung vervollkommnet wurden. Diesen Typus behandelte P. in einer Schrift über den ›Kanon‹ (Κανών), aus der wenige Passagen überl. sind. Der ›Kanon‹ gab Richtlinien zur Proportionierung des idealen männlichen Körpers anhand von Zahlenverhältnissen, die eine übernatürliche Schönheit garantierten. Daß der ›Kanon‹ auch als Musterstatue ausgeführt war, ist unwahrscheinlich. Die Rekonstruktion des Proportionssystems anhand der Kopien polykletischer Statuen wird nach wie vor mit Akribie betrieben. Ant. Kunsturteile betonen eine Blockhaftigkeit (quadratus, vgl. Plin. nat. 34,56) der Körper und loben Sorgfalt im Detail (akríbeia, vgl. Aristot. eth. Nic. 67), kritisieren gegenüber → Pheidias jedoch Mängel im Gehalt (pondus, vgl. Quint. inst. 12,10,8), weshalb P. Götter ungern gebildet habe.

III. ERHALTENE WERKE

Die lit. überl. stilistischen Eigenheiten erlaubten die Identifizierung einiger als röm. Kopien überl. Werke des P., die allerdings nur einen Teil des vielfältigen Œuvres vermitteln. Als frühestes Werk um 460–450 v.Chr. – wegen des Standes auf beiden Fußsohlen – wird P. in der mod. Forsch. ein Typus eines Diskophoros zugewiesen, der auch als Speerträger rekonstruiert wird. Den Stand mit einem entlasteten Bein hatte laut erh. Basis die Siegerstatue des Kyniskos in Olympia (nach 460 v.Chr.), dessen Identifizierung mit dem sogenannten Typus Westmacott aus chronologischen Gründen abzulehnen ist.

Um 440–430 v.Chr. entstand die 1863 durch K. FRIEDERICHS in Kopien identifizierte Statue des Doryphoros (Speerträgers), die als Meisterwerk des P. galt und von einigen ant. Autoren mit dem ›Kanon‹ gleichgesetzt wurde. An ihm sind die Leitlinien des polykletischen Kontrapostes vom Bewegungspotential des Körpers bis in die Details der Locken so deutlich vorgeführt, daß nach ant. Urteil die Kunst selbst dargestellt sei (Plin. nat. 34,55). Als Achilleus, Theseus oder viriliter puer (»mannhafter Knabe«, l. c.) bezeichnet, wurde er zum Idealbild des griech. Helden. Ein Hermes des P. in Lysimacheia liegt in einer allerdings umstrittenen Rekonstruktion vor, da der Kopftypus nur einmal mit einem Körper verbunden ist, der zudem als Doryphoros identifiziert wird. Um 440–430 v. Chr. schuf P. einen Herakles, an dem Muskeln und Haare sowie Bewegung der Arme lebhafter als beim Doryphoros sind. Gleichzeitig entstand die Amazone, mit der P. den Wettbewerb von Ephesos gewann. Ihre Identifizierung mit dem sog. Typus Sciarra (Kopenhagen) ist umstritten, auch wenn an ihm der polykletische Kontrapost am klarsten zum Ausdruck kommt. Als letzte Steigerung des Kontraposters in ausgreifender Bewegung wird der Diadumenos (Jüngling, der sich die Siegerbinde ums Haupt legt) gegen 420 v. Chr. datiert. Das Motiv des Athleten, der sich eine Binde umlegt, wurde von Lukianos (Philopseudes 18) beschrieben, so daß schon WINCKELMANN die Benennung vorschlug.

IV. WEITERE QUELLEN UND ZUSCHREIBUNGEN

Darüber hinaus werden stilistisch ähnliche Statuen von Athleten sowohl P. als auch seinen Nachfolgern zugeschrieben. Eine Verbindung dieser und der oben genannten Werke mit epigraphisch oder lit. überl. Siegerstatuen ist in keinem Fall gesichert. Vom Sieger Pythokles (452 v. Chr.) fanden sich in Olympia und in Rom beschriftete Basen mit voneinander abweichenden Standspuren, von Xenokles (460 v. Chr.) die Basis mit einer Inschr. vom 4. Jh. v. Chr. Ein *nudus talo incessens* (Plin. nat. 34,56), ein Apoxyomenos (Typus des Schabers, ebd. 34,62) und ein ungeklärter *hageter arma sumens* (ebd. 34,56) in Rom können als Athleten oder myth. Gestalten ebenso hinter den identifizierten Statuen verborgen sein. Andere Siegerstatuen in Olympia, so die des Thersilochos, Antipatros und Ariston, entstanden erst im frühen 4. Jh. v. Chr. und stammen eher von der Hand des P. [2]. Aufgrund der Datierungen an das E. des 5. Jh. können einige Kultstatuen ebenfalls eher P. [2] zugewiesen werden, bes. das chryselephantine Kultbild der Hera in Argos (→ Goldelfenbeintechnik) und die nach 405 v. Chr. entstandene Aphrodite Amyklaia sowie Statuen des Zeus Meilichios in Argos und der Letoiden (Apollon und Artemis) bei Tegea aus Marmor. Kanephoren in Sizilien und würfelspielende Knaben (Astragalizontes) wurden später P. zugeschrieben.

V. REZEPTION

Die Leitlinien des polykletischen Kontraposters und der Proportionen des nackten Männerkörpers fanden weite Verbreitung in Nachbildungen und stilistischen Exzerpten bes. ab späthell. Zeit. Als erstes klass. Werk wurde um 100 v. Chr. der Diadumenos kopiert; für röm. Porträtstatuen wurde die heroische Erscheinung des Doryphoros repräsentativ. Die künstlerische Bed. des P. war in der Ant. unbestritten. Als Überwinder der Vielfalt des »Strengen Stils« erreichte und vollendete er auch nach ant. Vorstellung die hohe Klassik. Dem ›Kanon‹ liegt die Idee von der erlernbaren Einheit eines ästhetischen und ethischen Wertmaßes zugrunde. Am Werk des P. läßt sich die Rezeption des klass. griech. Körperideals von der Renaissance bis zur Kunst der Gegenwart aufzeigen.

→ Plastik; Statue

OVERBECK (s. Index) · LOEWY, Nr. 50, 90–93, 490 · L. BESCHI, s. v. Policleto, EAA 6, 1965, 266–275 · G. DONNAY, Faut-il rajeunir Polyclète l'Ancien? in: AC 34, 1965, 448–463 · D. ARNOLD, Die Polykletnachfolge, 1969, 12, 214–233 · B. S. RIDGWAY, Fifth Century Styles in Greek Sculpture, 1981, 201–206 · A. H. BORBEIN, Polyklet, in: GGA 234, 1982, 184–241 · H. BECK (Hrsg.), Polyklet. Der Bildhauer der griech. Klassik. Ausstellung im Liebieghaus, Frankfurt a.M. 1990 · STEWART, 160–162, 237–239, 262–266, 272–273 · D. KREIKENBOM, Bildwerke nach Polyklet, 1990 · H. BECK, P. C. BOL (Hrsg.), Polykletforsch., 1993 · W. SONNTAGBAUER, Das Eigentliche ist unaussprechbar. Der Kanon des Polyklet als mathematische Form, 1995 · W. G. MOON (Hrsg.), P., the Doryphoros, and Tradition, 1995 · A. H. BORBEIN, s. v. Policleto, EAA, 2. Suppl., Bd. 4, 1996, 398–400 · A. H. BORBEIN, P., in: YClS 30, 1996, 66–90 · B. S. RIDGWAY, Fourth-Century Styles in Greek Sculpture, 1997, 25–26, 237–243.

[2] Bildhauer aus Argos, Sohn und Schüler des → Naukydes, somit vielleicht Enkel oder Neffe des P. [1]. Als Bruder des Naukydes nennt Pausanias (2,22,7) je nach Hs. → Periklytos oder P., somit einen möglichen dritten Namensträger (P. [3]). Schwierigkeiten in der zeitlichen Verteilung der für P. [1] überl. Werke führten dazu, daß einige von dessen Werken einem jüngeren P. zugewiesen wurden. Je nach zeitlicher Einordnung ist ein weiterer, dritter Namensträger im mittleren 4. Jh. v. Chr. möglich. In der schriftlichen Überl. ist jedoch P. einzig mit der nicht erh. Siegerstatue des Agenor aus Theben in Olympia verbunden, die im Zeitraum von 371 bis 339 v. Chr. entstand. Ohne allg. Zustimmung werden aus dem für P. [1] überl. Œuvre wegen der zudem unsicheren Entstehungsdaten dem jüngeren P. [2] die berühmte Kultstatue des Heraion von Argos und ebd. eine Bronzestatue der Hekate zugewiesen, eine Aphrodite in Amyklai, Letoiden (Apollon und Artemis) bei Theben, Zeus Philios in Megalopolis und Zeus Meilichios in Argos. An Siegerstatuen könnten Thersilochos, Antipatros und Ariston in Olympia vom jüngeren P. stammen. Die Statue des Timokles in Theben wird wegen der Verbindung mit einem Werk des → Lysippos ebenso wie ein Porträt des Hephaistion von einem späteren Träger des Namens geschaffen worden sein.

OVERBECK, Nr. 807, 932–939, 941–943, 947, 949–951, 995, 1004 · LOEWY, Nr. 90–93, 401 · LIPPOLD, 216–218, 286, 339 · P. ZANCANI MONTUORO, s. v. P. (4), EAA 6, 1965, 298 · EAA 6, s. v. P. (5), 1965, 298 · G. DONNAY, Faut-il rajeunir Polyclète l'Ancien ? in: AC 34, 1965, 448–463 · D. ARNOLD, Die P.-Nachfolge, 1969, 6–16, 151–155, 176–179, 180–183 · A. LINFERT, Die Schule des P., in: H. BECK (Hrsg.), Polyklet. Der Bildhauer der griech. Klassik. Ausstellung im Liebieghaus, Frankfurt a.M., 1990, 240–297 · L. TODISCO, Scultura greca del IV secolo, 1993, 45–55, 52–53 · P. C. BOL, Der Antretende Diskobol, 1996, 62–72 · B. S. RIDGWAY, Fourth-Century Styles in Greek Sculpture, 1997, 25–26, 237–240, 287.   R. N.

[3] Einzig bei Pausanias (2,27,5) überl. Name eines Architekten aus Argos, der der Erbauer von → Tholos und Theater in → Epidauros gewesen sein soll; Pausanias meint damit ganz unzweifelhaft den hier vermeintlich auch als Architekt tätigen berühmten argivischen Bildhauer P. [2]. Die Möglichkeit bzw. Unmöglichkeit der Identität ist vielfach diskutiert worden; besonders problematisch ist die zeitliche Diskrepanz der Bauten mit den Lebensdaten des Bildhauers P. Durchgesetzt hat sich die Annahme von G. ROUX [1. 186f.], hier einen Irrtum des Pausanias anzunehmen und den Architekten P. ins Reich der Fabel zu verbannen.

G. ROUX, L'architecture de l'Argolide aux IVᵉ e IIIᶜ siècles av. J.C., 1961. C.HÖ.

[4] P. von Larisa (FGrH 128 F 1), Vater der Olympias, der Mutter des → Antigonos [3] (FGrH 128 T 1), nahm am Feldzug Alexandros' [4] d.Gr. teil und schrieb ein histor. oder anekdotisches Werk in mindestens 8 B. Er beschrieb den Luxus Alexandros' und der Perserkönige (FGrH 128 F 1 und 4), → Susa (FGrH 128 F 2–3), die Wunder Indiens (FGrH 128 F 9–10) und die Gewässer Asiens (FGrH 128 F 5–7), über die er aber nicht immer gut informiert war. Ob er vor oder nach → Kleitarchos [2] und → Onesikritos schrieb (vgl. FGrH 128 F 8: Alexandros und die Amazonenkönigin), ist nicht auszumachen. Identität mit P. [5] ist nicht unmöglich.

FGrH 128 · L. PEARSON, The Lost Histories of Alexander the Great, 1960, 70–77. E.B.

[5] Wurde im Sommer 315 v. Chr. als naúarchos (Flottenkommandant) des Ptolemaios I. unter → Menelaos [4] mit 100 Schiffen nach → Kypros geschickt und von dort mit 50 Schiffen zur Unterstützung des → Kassandros zur Peloponnes; er kehrte, da unnötig geworden, um, besiegte auf der Rückfahrt an der kilikischen Küste Truppen des → Antigonos [1] unter → Theodotos und → Perilaos, erreichte über Kypros wieder Pelusion und wurde vom König hoch geehrt (Diod. 19,62; 64). P. stiftete vor 279 einen Kranz in Delos (IG XI 2, 161 B 86f.). Vielleicht identisch mit dem Alexanderhistoriker P. [4] von Larisa (FGrH 128).

H. HAUBEN, Het Vlootbevelhebberschap in de vroege diadochentijd, 1975, 79ff. Nr. 30. W.A.

[6] Nur inschr. als Lenäensieger bezeugter griech. Komödiendichter des 3. Jh. v. Chr.

1 PCG VII, 1989, 552. B.BÄ.

[7] P. aus Kyrene wurde 215 v. Chr. von Hieronymos [3] von Syrakus mit Bündnisvorschlägen zu → Hannibal [4] gesandt (Pol. 7,2). Nach der Ermordung des Hieronymos 214 wurde P. von der erregten Menge, die eine Verständigung mit dem röm. Consul M. → Claudius [I 11] Marcellus suchte, umgebracht (Liv. 25,28,5). K.MEI.

[8] (*Polyclitus*). Freigelassener des → Nero, der ihn im J. 61 n. Chr. nach Britannia sandte, um in einem Konflikt zw. dem Statthalter → Suetonius Paulinus und dem → *procurator* Iulius Alpinus Classicianus (PIR² I 145) zu vermitteln. Partiell scheint er erfolgreich gewesen zu sein (Tac. ann. 14,39). Auch im J. 67 erscheint er noch unter den angesehenen → Freigelassenen Neros, als er in Abwesenheit des Kaisers für diesen und sich selbst Vermögenswerte aufhäufte. Er wurde von → Galba [2] hingerichtet. PIR² P 561. W.E.

Polykles (Πολυκλῆς).

[1] Sohn des Polykrates aus dem Demos → Anagyrus, athen. Ratsherr 367/6 v. Chr. (Agora XV,14) und mehrfach Trierarch und Syntrierarch (IG II² 1609,105f.; 1611,371; 1622b,238 und 1630,6: noch 327/6–325/4 v. Chr.). P. übernahm erst lange nach dem regulären Termin seine Triere und wurde deswegen von → Apollodoros [1] 359 verklagt ([Demosth.] or. 50).

DAVIES, 465f. · DEVELIN, Nr. 2567 · PA 11988. J.E.

[2] Bronzebildner aus Argos. Plinius gibt seine Blütezeit mit 372–369 v. Chr. an (Plin. nat. 34,50). Erh. ist nur eine Signatur aus Hermione. Die Zuweisung lit. überl. Werke an P. oder spätere Namensträger ist ungeklärt.

OVERBECK, Nr. 1138, 1145 · LIPPOLD, 225 · J. MARCADÉ, Recueil des signatures de sculpteurs grecs, Bd. 2, 1957, 106, 107 · L. GUERRINI, s. v. P. (1), EAA 6, 1965, 298 · R. KRUMEICH, Bildnisse griech. Herrscher und Staatsmänner im 5. Jh. v. Chr., 1997, 136, 229.

[3] Mehrere gleichnamige Bildhauer einer Familie aus Athen. Der Stammbaum ist nicht sicher zu rekonstruieren. Ein älterer P., Schüler des Stadieus, schuf nach 200–197 v. Chr. in Olympia die nicht erh. Siegerstatue eines Amyntas. Er war Vater der Bildhauer Timokles und → Timarchides, die laut Pausanias (10,34,7) die Statue der Athena Kranaia in Elateia schufen. Eine mit Resten der Statue gefundene Inschr. sichert jedoch auch die Mitarbeit des Sohnes des Timarchides, des jüngeren P. Mit seinem Bruder Dionysios [48] schuf dieser in Rom nach 149 v. Chr. die Statuen von Iuppiter und Iuno sowie einen Hercules auf dem Kapitol, dessen Kopf erh. ist. Plinius nennt ihn unter den Künstlern, mit welchen nach 156 v. Chr. die Kunst wieder aufgelebt sei (Plin. nat. 34,52). Die Zuweisung weiterer schriftlich überl. Werke – ein Alkibiades, ein Hermaphrodit und Musenstatuen – an die einzelnen Namensträger ist vorerst nicht möglich.

OVERBECK, Nr. 1146, 2206–2210, 2212 · LIPPOLD, 366–367 · J. MARCADÉ, Recueil des signatures de sculpteurs grecs, Bd. 2, 1957, 41, 107–108 · L. GUERRINI, s. v. P. (2), EAA 6, 1965, 298–300 · F. COARELLI, Polycles, in: Omaggio a R. Bianchi Bandinelli (Studi miscellanei 15), 1969–70, 75–89 · A. STEWART, Attika, 1979, 42–47 · STEWART, 220–221, 225, 230, 304–305 · P. MORENO, Scultura ellenistica, 1994, 521–530, 542, 545–546 · G. I. DESPINIS, Stud. zur hell. Plastik, 1. Zwei Künstlerfamilien aus Athen, in: MDAI(A) 110, 1995, 339–372. R.N.

Polyklet s. Polykleitos

Polykrateia (Πολυκράτεια). P. aus Argos, erste Gattin
→ Philippos [7] V., der sie aus ihrer Ehe mit → Aratos [3] entführt hatte (Liv. 27,31,8; 32,21,24; Plut. Aratos 49,2). Sie gebar ihm den → Perseus [2], in dessen
Namen sich die argivische Abkunft spiegelt (s. → Perseus [1]) [1. 39⁴⁹].

> 1 J. SEIBERT, Histor. Beitr. zu den dynastischen
> Verbindungen in hell. Zeit, 1967.   L.-M.G.

Polykrates (Πολυκράτης).
[1] Sohn des → Aiakes [1], Tyrann von → Samos gegen
540 bis 522 v.Chr., anfangs mit den Brüdern Panta-
gnostos und → Syloson; den ersten tötete, den zweiten
vertrieb er (Hdt. 3,39). Den Pyramiden vergleichbare
Großbauten nennt Aristoteles [6] ›die Werke des P.‹
(Aristot. pol. 1313b 24); Herodot hebt ihm in Samos drei
Bauten als die größten unter denen der Griechen hervor: Heratempel, Hafenmole und die Wasserleitung des
Architekten → Eupalinos (Hdt. 3,60). Wasserleitung
und Mole gehören mit den archa. Stadtmauern zusammen; sie werden wie der Tempel ins 3. Viertel des 6. Jh.
datiert [4. 287–295]. In die J. nach Kyros' [2] Eroberung
von Sardeis ca. 546 passen Mauerbau und P.' Machter-
greifung [5. 78] – etwas früher als das allg. erschlossene
Datum 538 [1. 583; 3. 1727f.]. Samos' Prosperität im
6. Jh. beschränkt sich nicht auf die Zeit des P., obwohl
diesem einzelne Fördermaßnahmen zugerechnet werden (Athen. 12,540c-f).
     Die Macht gewann P. durch List und Gewalt (Hdt.
3,39; 120; Polyain. 1,23,2). Er besetzte die Akropolis
von Samos und setzte Söldner ein, verfügte aber auch
über das Bürgerheer (Hdt. 3,44f.; 54). Er muß »populär«
und seine Herrschaft scheint stabil gewesen zu sein, von
institutionellen Änderungen hören wir nichts; manche
Aristokraten wurden allerdings verbannt oder verließen
– wie → Pythagoras [1] – die Stadt; einige von ihnen
gründeten 526 Dikaiarcheia in Italien [1. 583f.; 4. 268–
271; 5. 91]. P. übersteigerte den aristokratischen Lebensstil, an »Glanz« (*megaloprépeia*) nur den Tyrannen
von Sizilien vergleichbar (Hdt. 3,125). Er zog den Arzt
→ Demokedes, den Architekten Eupalinos, die Dichter → Anakreon [1] und → Ibykos an seinen »Hof«
[1. 585f.]. Er begründete seine sprichwörtliche Seeherrschaft (Hdt. 3,39; Thuk. 1,13; Strab. 14,1,16), im Grunde nur eine gut organisierte Verknüpfung von Piraterie
und Handel, gestützt auf eine verbesserte Form des
Fünfzigruderers. Die Politik der Perser scheint, solange
Kyros im Osten engagiert war, trotz der Unterwerfung
Ioniens (Hdt. 1,169) dafür Spielraum gelassen zu haben.
Im Bündnis stand P. mit dem äg. König → Amasis [2],
mit → Kyrene und mit → Lygdamis [1] von Naxos.
     Durch die expansive Politik des → Kambyses [2]
wurde P.' Situation prekär. Er unterstützte diesen um
525 gegen Äg., konnte aber nur mit Mühe einen Angriff
durch samische Widersacher, die von Sparta und Korinthos unterstützt wurden, abwehren (Hdt. 3,44–48;

54–56). Persien besaß nun zudem mit den Phöniziern
eine Flotte. Daß sein Spielraum verloren war, könnte
erklären, warum P. sich vom pers. Statthalter → Oroites
in einen Hinterhalt locken ließ und am Kreuz endete
(Hdt. 3,120–125).
     Von einer reichen lokalen Überl. besitzen wir nur
Spuren [2. 22–30]; Ibykos hatte ihm »unvergänglichen«
Ruhm gesungen (Ibykos 3,47f. DIEHL = PMG 282), und
Anakreons Dichtung ›war voll des Erinnerns‹ an P.
(Strab. 14,1,16; PMG 438). Unsere Hauptquelle Herodot (3,39–60; 120–125) erzählt auf das überraschende,
›dem Leben des P. unwürdige Ende‹ hin und macht mit
dem einleitenden Geschichte vom Ring des P. (Hdt.
3,40–43; Reflexe bei [1. 584f.]) den Prototyp der archa.
→ Tyrannis zum Gegenstand einer exemplarischen Reflexion über das menschliche Glück, was SCHILLER in
seiner Ballade ›Der Ring des P.‹ wieder aufnahm.
→ Tyrannis

> 1 H.BERVE, Die Tyrannis bei den Griechen, 1967, 107–114
> 2 G.GOTTLIEB, Das Verhältnis der außerherodoteischen
> Überl. zu Herodot, 1963 3 T.LENSCHAU, s.v. P. (1), RE 21,
> 1726–1734 4 L. DE LIBERO, Die archa. Tyrannis, 1996,
> 253–297 5 G.SHIPLEY, A History of Samos, 1987, 67–99.
>   J.CO.

[2] Athener, als Söldner 401/400 v.Chr. im Dienst des
→ Kyros [3], im Rang eines *lochagós* (→ *lóchos* [1]); wird
von → Xenophon bei dessen Rückführung der griech.
Söldner positiv erwähnt (vgl. Xen. an. 4,5,24; 5,1,16;
7,2,17).

> TRAILL, PAA, 779385.   K.KI.

[3] Rhetor aus Athen, geb. vor 436/5 v.Chr. (Isokr. or.
11,50), gest. nach 380 (um diese Zeit kam Iason von
Pherai an die Macht, der nach Paus. 6,17,9, ›nachdem er
Tyrann geworden war,‹ den P. zugunsten des Gorgias als
Lehrer abgelehnt habe). Die Nachricht, der Sophist
Zoilos sei sein Schüler gewesen (Ail. var. 11,10), macht
wahrscheinlich, daß P. sich um 380 in Athen aufhielt.
     Die aufsehenerregendste seiner Schriften war eine
Anklage des → Sokrates, die Spätere (auch die o.g. Hy-
pothesis) für die beim Prozeß tatsächlich gehaltene
Rede ansahen, deren Fiktivität jedoch außer aus Isokr.
or. 11,6 auch daraus hervorgeht, daß P. den erst 393
begonnenen Wiederaufbau der Langen Mauern Athens
erwähnt hat (Favorinos bei Diog. Laert. 2,39). Aus den
zahlreichen Widersprüchen gegen diese Rede (Platon;
Xen. mem. 1,2; Isokr. or. 11,5; Lib. *apología Sokrátus*)
läßt sich ihr Inhalt in den Hauptpunkten rekonstruieren.
Ob aber P. als Repräsentant des Geistes der restaurierten
Demokratie, die Sokrates zum Tode verurteilte, einzu-
stufen ist, oder ob es sich bei dieser Anklage eher um die
echt sophistische Behandlung eines paradoxen Sujets
gehandelt hat, läßt sich nicht entscheiden. Eindeutig
spielerisch-paradoxen Charakters sind andere für P. bezeugte Reden, wie ein Enkomion auf Busiris [3] (Isokrates korrigiert und überbietet dieses in or. 11), eine
Rede über Helena (Erwiderung auf Isokr. or. 10), ein
Lob der Klytaimestra (Quint. inst. 2,17,4), Lobreden auf

Kochtöpfe, Rechensteine (Spengel 3,3,10f.) und anderes mehr. Auch ein Lehrbuch der Rhet. wird ihm zugeschrieben (Quint. inst. 3,1,11). Dionysios [18] von Halikarnassos (de Isaeo 20) beurteilt ihn insgesamt ungünstig (›inhaltsleer, frostig, überladen, ohne Charme‹), der Iambograph → Aischrion (E. 4. Jh. v. Chr.) nennt ihn einen ›abgefeimten Wortverdreher‹ (vgl. Athen. 8,335d).

→ Sokrates; Sophistik

Ed.: Radermacher 128–132 · K. Müller, Oratores Attici, Bd. 2, 1888, 312–315 · Blass 2,365–372.
Lit.: E. Gebhardt, P.' Anklage gegen Sokrates und Xenophons Erwiderung, 1957 · M. Raoss, Ai margini del processo di Socrate, in: Miscellanea greca e romana 2, 1968, 47–291 · L. Rossetti, Due momenti della polemica fra Policrate e i socratici all'inizio del IV sec. a. C., in: Riv. di cultura classica e medioevale 16, 1974, 289–299 · Ders., Aspetti della letteratura socratica antica, 1977 · H. J. Toole, Xenophon's Apologia and Its Relations to the Platonic Apologia and to the Accusatory Pamphlet of Polycrates, in: Platon 18, 1976, 3–8.   M. W.

[4] Athen. Rhetor des 4. Jh. v. Chr., Anhänger des → Demosthenes [2], beantragte 342/1, athen. Kleruchen auf der thrakischen Chersonesos zum Widerstand gegen → Philippos [4] II. aufzurufen ([Demosth.] or. 12,16); Gesandter zu diesem und Schatzmeister der Schiffsbaukasse zw. 328/7 und 323/2 (IG II² 1628a,13f.; 1629b,275; 1632a,14–15).

→ Athenai (III. 10.)

Develin, Nr. 2573. · LGPN 2, s. v. Polykrates (26).   J.E.

[5] Sohn des Mnasiades, aus Argos; seine Schwester → Polykrateia war die erste Frau des → Aratos [3] und dann Mutter des Königs → Perseus [2] [1. 140]; P.' Familie nahm unter Ptolemaios IV. und V. zahlreiche wichtige Positionen ein. P. kam wohl kurz nach der Schlacht von Sellasia (223 v. Chr.) nach Äg.; als erfahrener Militär (Pol. 5,64,5f.; 5,65,5) spielte er eine wichtige Rolle in der Vorbereitung der Schlacht von → Rhaphia (217), wo er einen großen Teil der Kavallerie befehligte. Zuerst auf Seiten des → Agathokles [6] (Pol. 15,29,10), überstand P. dessen Sturz und war 203–197/6 stratēgós und archiereús auf → Kypros (Pol. 18,55,6: ein hohes Lob zur Amtsführung). 196 nach Alexandreia zurückgekehrt, hatte er anläßlich der Feierlichkeiten bei der Mündigkeitserklärung Ptolemaios' V. (anaklētēria) Anteil am Sturz des → Skopas (Pol. 18,54f.) und löste bald → Aristomenes [2] in der Gunst des Königs ab. 186/5 kämpfte er bei Sais gegen eine einheimische Revolte (Pol. 22,17). P.' Lebensweise im Alter wird von Polybios (18,55,8) getadelt. Er wurde auf Delos geehrt [2. Nr. 62]; seine Töchter siegten 202 bei den Panathenaia, er selbst und seine aus Kyrene stammende Frau 198. PP II 2172; VI 15065.

1 Beloch, GG, Bd. 4,2 2 F. Durrbach, Choix d'inscriptions de Délos, 1921.

R. S. Bagnall, The Administration of the Ptolemaic Possessions outside Egypt, 1976, 253–255 · Ch. Habicht, Athen in hell. Zeit, 1994, 121; 130; 150f. · I. Michaelidou-Nicolaou, Prosopography of Ptolemaic Cyprus, 1976, 99f. Nr. 34 · M. Mitsos, Argolike Prosopographia, 1952, 150f. · L. Mooren, Ptolemaic Families, in: R. S. Bagnall (Hrsg.), Proc. of the 16th International Congress of Papyrology, 1981, 289–301.   W. A.

Polykrite (Πολυκρίτη). Naxierin, die durch eine List ihre von den Milesiern und Erythraiern belagerte Heimatstadt rettet: Sie wird in einem vor der Stadt → Naxos [1] gelegenen Heiligtum zurückgelassen und von Diognetos, dem Führer der Erythraier, gefangengenommen. Da er nicht wagt, sie im Heiligtum zu vergewaltigen, versucht er, sie durch Überredung zu gewinnen. Sie willigt ein unter der Bedingung, daß er schwöre, ihr zuerst eine Bitte zu erfüllen. Als Diognetos zustimmt, verlangt P. den Verrat an seinen Bundesgenossen, den Milesiern. Sie schickt ihren Brüdern auf einem in ein Brot eingebackenen Bleitäfelchen die Information, daß sie die Stadt befreien sollten, während die Milesier das Fest der → Thargelia feierten. Dies gelingt, die Stadt wird zurückerobert und Diognetos fällt. Die Naxier überschütten P. aus Dankbarkeit mit einer so großen Menge von Kränzen und Gürteln, daß sie darunter erstickt. Von nun an bringen ihr die Naxier regelmäßig Totenopfer; Diognetos wird in ihrer Nähe bestattet (Parthenios 9 = Andriskos FGrH 500 F 1; vgl. Plut. mor. 254b-f; Polyain. 8,36). Nach Plut. mor. 254e wurde ihr Grab *baskánu táphos* (»Grab des bösen Blicks« oder »des Grolls/Neides«) genannt.

Die Rettung einer Stadt im Krieg durch den Tod einer Jungfrau ist ein verbreitetes Motiv des griech.-röm. Mythos (→ Tarpeia). Es wird in den Zusammenhang von → »Sündenbock«-Ritualen gestellt, bei denen Tod oder Vertreibung eines einzelnen die gesamte Gemeinschaft rettet [1]. Die Benennung des Grabes der P. zeigt, daß die rituelle Besänftigung der frühzeitig Verstorbenen zentral war [2]. Dieses Motiv findet sich allg. häufig in griech. Mythen, die mit dem Thema der → Initiation junger Frauen in Verbindung gebracht werden können [3].

1 W. Burkert, Structure and History in Greek Mythology and Ritual, 1979, 72–77 2 J. Larson, Greek Heroine Cults, 1995, 136–143 3 S. I. Johnston, Restless Dead, 1999, 203–249.

O. Höfer, s. v. P., Roscher 3.2, 1902–1909 · G. Radke, s. v. P. (1), RE 21, 1753–1759.   K. WA.

Polykritos (Πολύκριτος) von Mende, westgriech. Historiker ca. Mitte 4. Jh. v. Chr. und Verf. einer ›Gesch. des (Jüngeren) Dionysios [2]‹ sowie einer ›Sizilischen Gesch.‹ (*Sikeliká*), deren Umfang, Tendenz und zeitl. Ausdehnung unbekannt sind; erh. sind nur 3 Fr. (FGrH 559 mit Komm.).   K. MEI.

Polyktor (Πολύκτωρ).
[1] Bei Hom. Od. 17,207 ein Einwohner von Ithaka, der am Bau des Stadtbrunnens mitgewirkt hat.
[2] Vater des → Peisandros [4].
[3] Myrmidone; bei Hom. Il. 24,397 gibt sich → Hermes im Gespräch mit → Priamos als dessen siebter Sohn aus. L.K.

Polymele (Πολυμήλη, Πολυμήλα).
[1] Tochter des → Autolykos [1], Gattin des → Aison [1], Mutter des → Iason [1] (Hes. fr. 38 M.-W.). L.K.
[2] Tochter des Königs → Phylas [1] von Ephyra, Geliebte des → Hermes, von diesem Mutter des → Eudoros [1], danach Gattin des Aktoriden Echekles (Hom. Il. 16,179–190).
[3] Tochter des Aktor, vor → Thetis Gattin des → Peleus (schol. Lykophr. 175), nach Eust. ad Hom Il. 2,684 Mutter der → Polydora [3] und des → Achilleus [1] (vgl. Daimachos FGrH 65 F 2, wo sie Philomela heißt). Apollod. 3,176 nennt P. allerdings als Tochter des Peleus, die möglicherweise als Gattin des → Menoitios [1] Mutter des → Patroklos ist. NI.JO.

Polymestor s. Hekabe; Ilione; Polydoros [1]

Polymnestos (Πολύμνηστος), Sohn des Meles. Epischer und elegischer Dichter des 7. Jh. v. Chr. aus Kolophon. Ps.-Plut. de musica 1132c-d referiert, daß P. laut Herakleides Pontikos (fr. 157 WEHRLI) nach Klonas und → Terpandros lebte und aulodische Nomoi (αὐλῳδικοὶ νόμοι, aulōidikoí nómoi; → nómos [3]), die sog. *Polymnḗsteia* (Πολυμνήστεια) komponierte (1132d). Ps.-Plutarchos bringt ihn − im Zusammenhang mit der Etablierung (κατάστασις) der »zweiten Schule« der griech. Musik auf der Peloponnes − u.a. mit Thale(ta)s von Gortyn und mit Sakadas von Argos in Verbindung (daher vielleicht gelegentlich die Schreibweise Πολύμναστος), wobei er P. bes. mit ὄρθιοι νόμοι assoziiert (órthioi nómoi, 1134 b-c, vgl. 1135c). Bei → Alkman (145 PMG) und → Pindaros (fr. 188 S.-M.) gibt es Anspielungen auf P.; Pausanias (1,14,4) kennt ein erzählendes (elegisches?) Gedicht (ἔπη) des P. über Thale(ta)s von Gortyn, der eine Seuche in Sparta beendete. Schol. Aristoph. Equ. 1287 (danach Suda π 1988) faßt die (wie Kratinos 338 PCG) dem Ariphrades zugeschriebenen Πολυμνήστεια wohl zu unrecht als obszön auf.

M.L. WEST, Greek Music, 1992 · D.A. CAMPBELL, Greek Lyric, Bd. 2, 1988, 330–335. E.BO./Ü: G.K.

Polyneikes (Πολυνείκης, lat. *Polynices*, »der Vielstreitende«). Sohn des → Oidipus und der → Iokaste (Epikaste) oder → Euryganeia, Bruder des → Eteokles [1] (älter bei Sophokles, jünger bei Euripides) und der → Antigone [3]. Nach der Blendung des Oidipus herrschen seine Söhne in Theben. Sie kränken (Sophokles: P. verbannt) den Vater, der sie verflucht. Eteokles vertreibt P. bzw. bricht das Abkommen der beiden Brüder,

im Wechsel zu herrschen. P. flieht nach Argos, wo er nach anfänglichem Streit um ein Nachtlager den ebenfalls flüchtigen → Tydeus zum Freund gewinnt. Der König → Adrastos [1] gibt ihm aufgrund eines Orakels seine Tochter Argeia zur Frau. Mit sechs weiteren Heerführern zieht P., nachdem er den Widerstand des → Amphiaraos durch Bestechung von dessen Gattin → Eriphyle mit dem Halsband der Harmonia überwunden hat, gegen Theben. Versöhnungsversuche Antigones und Iokastes (bei Statius auch des Adrastos) scheitern. Es kommt zum Sturm auf die Stadt und zum Zweikampf der Brüder, die einander tödlich verletzen. Der neue Herrscher Kreon [1] (Aischylos: der Ältestenrat) untersagt die Bestattung des Vaterlandsverräters P., doch Antigone (bei Statius und Hyginus mit Argeia) trotzt dem Verbot. P.' Sohn ist → Thersandros, einer der Epigonen (→ *Epígonoi*). Hauptquellen: Thebais fr. 2–3 EpGF; Aischyl. Sept. 631ff.; Soph. Oid. K. 365–381; 1249–1446; Soph. Ant. 21–36; 177–210; Eur. Phoen. passim mit schol. zu 71; Eur. Suppl. 131–154; Sen. Phoen. 279–Ende; Stat. Theb. passim; Diod. 4,64,4–66,4; Apollod. 3,5,8–7,2; Hyg. fab. 68–71; Paus. 5,19,6; 9,5,10–14; 18,3; 25,2. Darstellungen des Bruderzweikampfs auf griech. Bechern, röm. und etr. Sarkophagen und zahlreichen etr. Urnen.
→ Sieben gegen Theben; Thebanischer Sagenkreis

E. BETHE, Thebanische Heldenlieder, 1891, 99–108 · C. ROBERT, Oidipus, 1915, passim · E. WÜST, s.v. P. (1), RE 21, 1774–1788 · I. KRAUSKOPF, s.v. Eteokles, LIMC 4.1, 26–37. CL.K.

Polyperchon (Πολυπέρχων).
[1] P. (nicht *Polysperchon*, vgl. OGIS 1, p. 12 Anm. 14), Sohn des Simmias (Arr. an. 2,12,2) aus der Tymphaia (Tzetz. schol. Lykophr. 802), unter → Alexandros [4] d.Gr. seit 333 v. Chr. Führer der tymphaischen *táxis* der → *pez(h)étairoi*, tüchtig, doch nie hervorstechend. Nach Curt. 8,5,22–24 vereitelte er (doch bei Arr. an. 4,12,12 → Leonnatos) durch Spott die Einführung der → *proskýnēsis*. Nach Curt. 8,11,1 nahm er im Swat-Tal Ora ein (bei Arr. an. 4,27,9 Alexandros selbst). In Indien und vielleicht auf dem Rückmarsch (Iust. 12,10,1) diente er unter → Krateros [1], 324 begleitete er diesen als stellvertretender Kommandeur der entlassenen Veteranen (Arr. an. 7,12,4) und blieb bei → Antipatros' [1] und Krateros' Ausmarsch gegen Perdikkas [4] als *stratēgós* in Makedonia. Er gewann Thessalien von den Aitoloi zurück.

Vor seinem Tod bestimmte Antipatros P. zu seinem Nachfolger und den eigenen Sohn → Kassandros zu P.s → *chilíarchos*. Schwer enttäuscht organisierte Kassandros bei den Satrapen Widerstand gegen P. und floh zu Antigonos [1]. P. lud → Olympias [1] ein, nach Makedonia zurückzukehren, ernannte Eumenes [1] zum *stratēgós* von Asien und Führer der → Argyraspides und verkündete die Befreiung der Städte Griechenlands von ihren (zumeist an Kassandros gebundenen) Kommandanten. In Athen jedoch ermöglichte es → Nikanor [5] Kassandros, zu landen und die Stadt → Demetrios [4] von Phaleron zu unterstellen. P.s Flotte unter Kleitos [7] wurde von Nikanor vernichtet, und als ein Angriff auf → Megale Polis fehlschlug, bekannten sich mehrere Städte zu Kassandros.

In P.s Abwesenheit ließ Eurydike [5] von ihrem Gemahl, dem König Philippos → Arridaios [4], Kassandros zum Reichsverweser erheben und zog mit der Armee gegen Olympias. Als die Truppen zu Olympias überliefen, diese das Königspaar und viele andere ermordete, die Truppen sie dann verließen und Kassandros sie tötete und den jungen König Alexandros [5] mit seiner Mutter inhaftierte, mußte P. machtlos zusehen. Bald behielt er nur durch seinen Sohn → Alexandros [8] einen Teil der Peloponnes.

Als sich 315 die anderen → Diadochen gegen Antigonos [1] verbündeten, spielte dieser P. gegen sie aus. Er übernahm P.s Amt und seine Politik als Beschützer des verhafteten Königs und der Griechen. P. akzeptierte den Titel eines *stratēgós* der Peloponnesos von Antigonos' Gnaden. Als P. ein Angebot des Kassandros ablehnte, nahm sein Sohn Alexandros es an, vielleicht mit P.s geheimer Zustimmung. Alexandros wurde 314 ermordet, doch hielt seine Witwe → Kratesipolis Sikyon und Korinthos als Festungen für P.

Den Frieden von 311 (s. → Diadochenkriege) interpretierte Antigonos diskret als gegen P. gerichtet (OGIS 5,39–43). Als bald die (wohl beabsichtigte) Ermordung des jungen Königs folgte, raffte sich P. zu einer letzten Anstrengung auf: Er würde → Herakles [2], den Sohn von Alexandros [4] d.Gr. und → Barsine, auf den vakanten Thron setzen. Bald darauf nahm er aber Kassandros' Bündnis an und ließ Herakles töten. Damit hatte P. ausgespielt. Er konnte nur noch einige peloponnesische Städte halten, bis er (wahrscheinlich vor 301) starb. Keine Quelle erwähnt P.s Tod. Er war Subalternoffizier und in der Welt der neuen Könige fehl am Platz. Für die Zeit nach Alexandros' [4] d.Gr. Tod ist Diod. 18–20 (aus → Hieronymos [6]) fast die einzige Quelle zu seinem Leben.

HECKEL, 188–204.

[2] Söldner unter Kallippos [1], den er ermordete (Plut. Dion 58,6: 351 v.Chr.). E.B.

Polypheides (Πολυφείδης). Seher des griech. Mythos. Sohn des → Mantios, Enkel des → Melampus [1], Vater des → Theoklymenos. Nach einem Streit mit dem Vater zieht er von Argos ins achaiische Hyperesia (Hom. Od. 15,249) und sagt allen Menschen wahr. Nach dem Tod seines Neffen → Amphiaraos (vgl. Stemma Hom. Od. 15,225 ff.; 242 ff.) ist er der bedeutendste griech. Seher. Der ältere P. kann durchaus Nachfolger des jüngeren Amphiaraos sein, da dieser bereits jung stirbt (Hom. Od. 15,246 f.). Bei Pherekydes (FGrH 3 F 116) ist er der Gatte der Aichme, der Tochter eines Haimon, und lebt in Eleusis. S.T.

Polyphemos (Πολύφημος, lat. auch *Polyphemus*).
[1] Ein Lapithe (→ Lapithai) aus Larisa in Thessalien, Sohn des → Elatos [2] und der Hippea (der Tochter des Anthippos), Bruder des → Kaineus. P. bekämpft die → Kentauren (Hom. Il. 1,264), er gehört zu den → Argonautai (Apoll. Rhod. 1,40–44). Mit → Herakles [1] in Mysien auf der Suche nach → Hylas zurückgeblieben, gründet er → Kios und fällt im Kampf gegen die → Chalybes (Apoll. Rhod. l.c. und 1,1240 ff.; Apollod. 1,113 und 117). Bei Euphorion ist er Sohn des Poseidon und Liebhaber des Hylas (Antoninus Liberalis 26).
[2] Berühmtester der → Kyklopen, der einäugigen Riesen und Menschenfresser des griech. Mythos; Sohn des → Poseidon und der Nymphe → Thoosa (Hom. Od. 1,70). P. lebt mit den anderen Kyklopen, doch abseits von ihnen auf einer Insel in einer Höhle mit Herden von Schafen und Ziegen. Die Lokalisierung am Ätna in Sizilien ist nachhomerisch. Hom. Od. 9,105–564 erzählt die klass. Form der Gesch.: → Odysseus kommt auf die Ziegeninsel, wird von P. in der Höhle eingesperrt, P. frißt einige seiner Gefährten, Odysseus macht ihn jedoch betrunken, blendet ihn, entkommt mit List aus der Höhle, führt ihn mit der Behauptung, »Niemand« (Οὔτις) habe ihn geblendet, in die Irre, enthüllt schließlich jedoch mit der Nennung seines wahren Namens die Erfüllung eines alten Orakels. Dieser Form der Gesch. folgte man zunächst in Dichtung und bildender Kunst, bes. in der griech. Komödie und im Satyrspiel (Epicharmos; Kratinos; bes. Euripides, ›Kyklops‹, dem einzigen vollständig erh. griech. Satyrspiel).

Mit dem Dithyrambos des Philoxenos (PMG 815–824) erscheint erstmals die im Hell. und der röm. Zeit so beliebte Episode von P. und → Galateia [1]: Geduldig und demütig wirbt P. vom Land aus um die Liebe der Meerjungfrau; diese verschmäht jedoch den tölpelhaften liebeskranken Riesen und entzieht sich ihm immer wieder neckisch in ihr angestammtes Element. P. tröstet sich mit Tanz und Gesang (Theokr. 11; Ov. met. 13,750–878). Dieses bald »burleske«, bald »bukolische« P.-Bild tritt nun neben das homerisch-epische. Eine weitere Gesch. ist die vom Nebenbuhler → Akis, den P. aus Eifersucht tötet (Ov. met. 750–897). Eine vollständige Aufarbeitung des lit. Materials bei [1. 406–411], der bildlichen Darstellungen bei [2. 1011–1019].

P. verkörpert als riesenhafter, roher und unzivilisierter Sohn des → Poseidon offenbar die menschenfeindliche Seite seines Vaters als eines Gottes, der vernichtende Seestürme, Erdbeben, Seebeben, Vulkanausbrüche und andere Naturkatastrophen schickt [3. 69]. Die mod. Rezeption in Lit. und Kunst hat fast ausnahmslos die unglückliche Liebe des P. zu Galatea zum Thema [4. 432–436].
→ Euripides [1]

1 F. BÖMER, P. Ovidius Naso, Metamorphosen B. 12–13, 1982 2 O. TOUCHEFEN-MEYNIER, s.v. P. (1), LIMC 8.1, 1011–1019; 8.2, 666–675 3 SIMON, GG, 69 4 HUNGER, Mythologie 432–436 5 B. FELLMANN, Die ant. Darstellungen des Polyphemabenteuers, 1972. L.K.

Polyphonte (Πολυφόντη). Tochter des Hipponoos und der Ares-Tochter Thrassa. P. verachtet → Aphrodite, begibt sich in die Berge und wird dort eine Gefährtin der → Artemis. Deshalb straft Aphrodite P. mit der Liebe zu einem Bären, der mit ihr die menschenfressenden Zwillinge Agrios und Oreios zeugt. Zeus will diesen die Gliedmaßen abschlagen lassen, Ares aber veranlaßt, daß sie gemeinsam mit ihrer Mutter in Vögel verwandelt werden. P. wird zur Eule, die den Menschen Krieg und Zwietracht verkündet (Antoninus Liberalis 21).   S.T.

Polyphontes (Πολυφόντης).
[1] Thebaner, Sohn des Autophonos, stellt aus gekränktem Stolz gemeinsam mit Maion [1] dem → Tydeus eine Falle und wird von diesem getötet (Hom. Il. 4,391 ff.).
[2] Thebaner, Günstling der Artemis und Gegner des → Kapaneus beim Sturm der → Sieben gegen Theben (Aischyl. Sept. 447 ff.).
[3] Herold des → Laios [1], tötet ein Pferd des → Oidipus, der ihn und Laios im Zorn erschlägt (Apollod. 3,51).
[4] Herakleide (→ Herakleidai), Mörder des → Kresphontes [1] und zweier seiner Söhne, wird sein Nachfolger als Herrscher Messeniens und Gatte der → Merope [3], der Tochter des Arkaderkönigs Kypselos (Apollod. 2,180; Paus. 4,3,3 schildert den Mord, ohne aber P. zu erwähnen). Merope versteckt ihren jüngsten Sohn → Aipytos [4] (in der gleichnamigen Trag. des Euripides: → Kresphontes [2]) vor P. bei ihrem Vater. Hyg. fab. 137 nennt den Sohn Telephontes und berichtet, nach einigen Jahren sei er vor P. erschienen und habe das Kopfgeld für sich selbst gefordert. Merope erschlägt darauf beinahe den vermeintlichen Mörder ihres Sohnes, erkennt ihn aber noch rechtzeitig. P. wird später von Mutter und Sohn bei einer rel. Zeremonie getötet.   HE.B.

Polyphrasmon (Πολυφράσμων). Sohn des → Phrynichos [1], Tragiker, 1. Sieg zw. 482 und 471 (DID A 3a, 13), an den Dionysien des Jahres 471 erfolgreich (DID A 1, 22). 467 belegte er hinter → Aischylos [1], der mit seiner thebanischen Trilogie siegte, und Pratinas' Sohn → Aristias [2] mit seiner ›Lykurgie‹ den 3. Platz (TrGF I 7).   B.Z.

Polyphron (Πολύφρων). Bruder des → Iason [2] von Pherai, 370 v. Chr. mit dem Bruder → Polydoros [7] dessen Nachfolger (Xen. hell. 6,4,33). Diesen ermordete er (Xen. hell. 6,4,33; irrtümlich: Alexandros [15] Diod. 15,61,2) nach kurzer Zeit. ›Die Stellung als → *tagós* gestaltete er zur Tyrannis‹, indem er Bürger Larisas verbannte und in Pharsalos u.a. → Polydamas [3] ermordete (Xen. hell. 6,4,34). Sein Neffe Alexandros [15] beseitigte ihn 369 (Xen. hell. 6,4,34; Plut. Pelopidas 29).

> H. BERVE, Die Tyrannis bei den Griechen, 1967, 289 f.; 670.
>   J.CO.

Polypoites (Πολυποίτης).
[1] Sohn des → Peirithoos und der → Hippodameia [2], Teilnehmer mit 40 Schiffen am Troianischen Krieg, meist mit → Leonteus [1] zusammen genannt (Hom. Il. 2,740 ff.; 12,182 ff.; 23,836 ff.; vgl. Apollod. 3,130; Apollod. epit. 3,14). Nach Q. Smyrn. 12,318 einer der Helden im Troianischen Pferd. Nach dem Krieg geht er mit → Kalchas nach Kolophon (Apollod. epit. 6,2) und gründet → Aspendos (Eust. ad Hom. Il. 2,740). In der von Polygnotos [1] ausgemalten → *lésché* der Knidier in Delphi war er zusammen mit → Akamas dargestellt (Paus. 10,26,2).
[2] Sohn des → Odysseus und der → Kallidike [2] (Prokl. cyclicorum enarrationes: Telegonia 321–330 p. 97 SEVERYNS).   L.K.

Polyptoton s. Figuren

Polyrrhenia (Πολυρρηνία). Stadt in NW-Kreta (Ptol. 3,17,10; Strab. 10,4,13; Skyl. 47: Πολύρρηνα; Plin. nat. 4,59: *Polyrhenum*) südl. der Bucht von Kissamos in exponierter Lage auf steilem Hügel, an der Stelle eines Dorfes, das auch h. noch P. heißt. P. ist eine der ältesten dorischen Siedlungen auf Kreta (der ON ist vorgriech.) mit eigenem Dial. [1]. Anf. des 3. Jh. v. Chr. schloß P. auf Vermittlung Spartas ein Bündnis mit der Nachbarstadt → Phalasarna [2. Nr. 1, p. 179–181]. Im innerkretischen Krieg um → Lyktos (221–219 v. Chr.) stand P. an der Spitze einer Koalition gegen die kret. Führungsmächte → Gortyn und → Knosos und suchte Unterstützung bei Philippos [7] V. und dem Achaiischen Bund (Pol. 5,53,6; 55,1–5). Eine von Anf. an vorhandene, sich insbes. in diversen Inschr. (Adressaten u.a. Caecilius [I 23], Augustus, Hadrianus) artikulierende romfreundliche Haltung hatte röm. Protektion auch in der Zeit nach der röm. Eroberung von → Kreta (67 v. Chr.) zur Folge. Im 3. Jh. n. Chr. verlor P. an Bed., später wurde die Siedlung aufgegeben. Systematische Grabungen wurden bisher noch nicht durchgeführt. Dominierend ist auf der Akropolis ein venezianisches Kastell. Ant. Reste: z. T. gut erh. Stadtmauern, hell. Bauten, Tunnel eines hadrianischen Aquädukts.
→ Kreta (mit Karte)

> 1 K. T. WITCZAK, Non-Greek Elements in the Animal Terminology of the Ancient Polyrrhenians, in: Eos 83, 1995, 17–25 **2** A. CHANIOTIS, Die Verträge zw. kret. Poleis in der hell. Zeit, 1996.
>
> J. W. MYERS u.a., Aerial Atlas of Ancient Crete, 1992, 251–255 · I. F. SANDERS, Roman Crete, 1982, 172 f. · R. SCHEER, s. v. P., in: LAUFFER, Griechenland, 559 f.
>   H.SO.

Polystratos (Πολύστρατος).
[1] Begüterter Athener, bekleidete mehrfach Ämter, war 411 v. Chr. Ratsherr und nach dem oligarchischen Umsturz an der Auswahl der 5000 Bürger beteiligt, die künftig als einzige polit. Rechte besitzen sollten. In den Seegefechten bei Eretria gegen die Spartaner wurde er

verwundet. Nach dem Sturz der 400 (→ *tetrakósioi*) wurde P. zu einer hohen Geldbuße verurteilt und um 410/409 im Alter von 70 J. erneut wohl wegen seiner polit. Tätigkeit angeklagt; von seiner Verteidigung sind Teile in der 20. Rede des lysianischen Corpus erh. (→ Lysias [1]).

H. HEFTER, Die Rede für P. ([Lysias] XX), in: Klio 81, 1999, 68–94. W.S.

[2] Schuloberhaupt der → Epikureischen Schule seit 250 v. Chr. als Nachfolger des → Hermarchos (Diog. Laert. 10,25); im J. 220/19 war er schon tot. Von seiner Biographie ist kaum etwas bekannt. Offenbar war er kein direkter Hörer (ἀκροατής) des → Epikuros; sein Geburtsdatum liegt also in den ersten Jahrzehnten des 3. Jh. v. Chr. Die → Herculanensischen Papyri haben Reste zweier Werke des P. überliefert. Im ersten ›Über die grundlose Verachtung der Volksmeinung‹ (Περὶ ἀλόγου καταφρονήσεως τῶν ἐν τοῖς πολλοῖς δοξαζομένων: PHercul. 336/1150) bekämpft P. diejenigen Philosophen (wohl Skeptiker und Kyniker), die der Volksmeinung jegliche Bed. absprechen. Protreptischen Inhalts ist das zweite Werk ›Über die Philos., B. 1‹ (Περὶ φιλοσοφίας α´; geringe Reste PHercul. 1520 [3]).

1 M. ERLER, in: GGPh² 4.1, 247–250 2 G. INDELLI (Hrsg.), Polistrato, Sul disprezzo irrazionale delle opinioni popolari, 1978 3 M. CAPASSO (Hrsg.), L'opera polistratea sulla filosofia, in: CE 6, 1976, 81–84. T.D./Ü: J.DE.

[3] Epigrammatiker des »Kranzes« des → Meleagros [8], wo er zusammen mit → Antipatros [8] von Sidon (Anth. Pal. 4,1,41 f.), vielleicht einem Zeitgenossen, erwähnt wird. Wie auch dieser gedenkt P. (mit kühler Rhet.) der Zerstörung von Korinth durch L. [I 3] Mummius im J. 146 v. Chr. (ebd. 7,297). Auch im anderen erh. Gedicht über einen Knabenliebhaber (12,91, vgl. Meleagros [8], ebd. 12,92) überdeckt rhet. Gekünsteltheit die Klarheit der Aussage. Nicht beweisbar ist die von JACOBS (Anth. Gr. 13,941) suggerierte Gleichsetzung mit P. von Letopolis (bei Steph. Byz. s. v. Λητοῦς).

GA I 1, 166; 2, 480 f. M.G.A./Ü: G.K.

Polysyndeton (πολυσύνδετον, »vielfach zusammengebunden«). Stetige Setzung einer beiordnenden kopulativen oder disjunktiven Konjunktion (vgl. Quint. inst. 9,3,50: *schema, quod coniunctionibus abundat: ... hoc* πολυσύνδετον *dicitur;* ferner Rutilius Lupus 1,14: *hoc schema efficitur, cum sententiae multorum articulorum convenienti copula continentur*). Die stilistische Figur betrifft die Koordinierung einzelner Wörter oder synt. Einheiten (Wortgruppen, Satzteile, Sätze) und hebt die Quantität der einzelnen Elemente hervor. So sind z. B. 28 Glieder bei Cic. de orat. 3,207 durch *et* miteinander verknüpft. Das P. kann als Wiederholung derselben Konjunktion oder als Variation verschiedener inhaltlich gleichwertiger Konjunktionen (z. B. τε καί oder *et* *-que*) gestaltet sein. Gegenbegriff: → Asyndeton.

Beispiele: Ὄλυνθον μὲν δὴ καὶ Μεθώνην καὶ Ἀπολλωνίαν καὶ δύο καὶ τριάκοντα πόλεις ἐπὶ Θρᾴκης ἐῶ (Demosth. or. 9,26); *qui aut deponere aut recipere aut accipere aut polliceri aut sequestres aut interpretes corrumpendi iudicii solent esse quique ad hanc rem aut potentiam aut imprudentiam suam professi sunt* (Cic. Verr. 1,36).

→ Stil, Stilfiguren; Syntax

LAUSBERG, 345 · SCHWYZER/DEBRUNNER, Index s. v. P. · HOFMANN/SZANTYR, Index s. v. P. R.P.

Polytechnos (Πολύτεχνος). Bei Antoninus Liberalis 11 (nach Boios, Ornithogonia) der Gatte der → Aëdon und Vater des → Itys. Aus Rache für die Schändung ihrer Schwester Chelidonis durch P. tötet Aëdon ihren Sohn Itys und setzt ihn P. zum Essen vor. Am Ende werden alle Beteiligten in Vögel verwandelt, P. in einen Specht [1. 87–89]. Es handelt sich hier wohl um die reinste Form des alten Vogelmärchens, das schließlich mit → Tereus, → Prokne und Philomele seine kanonische Form gefunden hat (Ov. met. 6,412–674) [2. 115–119].

1 M. PAPATHEMOPOULOS (ed.), Antoninus Liberalis, Les Métamorphoses, 1968 2 F. BÖMER, P. Ovidius Naso, Metamorphosen, B. 6–7, 1976. L.K.

Polytheismus I. ALLGEMEIN UND KLASSISCHE ANTIKE II. ALTER ORIENT UND ÄGYPTEN

I. ALLGEMEIN UND KLASSISCHE ANTIKE
1. BEGRIFFSGESCHICHTE 2. EIGENSCHAFTEN POLYTHEISTISCHER RELIGIONEN

I. BEGRIFFSGESCHICHTE

Das Adj. πολύθεος/*polýtheos* bezeichnet in der griech. Dichtersprache das, was einer Mehrzahl von Göttern zukommt: der Altar als Sitz (*hédra*) vieler Gottheiten (Aischyl. Suppl. 424) oder die von einer großen Zahl besuchte Götterversammlung (Lukian. Iuppiter Tragoedus 14). Erst die jüd. und christl. Lit. (→ Apologien) verwendet das Begriffsfeld zur Rechtfertigung der Herrschaft (*monarchía*) eines einzigen Gottes: Philon [12] von Alexandreia prägt δόξα πολύθεος/*dóxa polýtheos* (Phil. de decalogo 65) und πολυθεΐα/*polytheía* (Phil. de mutatione nominum 205), Origenes [2] (c. Celsum 3,73; vgl. Ps.-Iust. Mart. ad Graecos de vera religione 15) benutzt πολυθεότης/*polytheótēs*, »die Vorstellung einer Mehrzahl von Göttern«, zur begrifflichen Schärfung des Vorwurfs, die »heidnische« Verehrung vieler Gottheiten sei – in Verkennung des einen, wahren Gottes – *eidōlolatreía* (»Bilderkult«) und → Atheismus. Die lat. Apologeten bilden kein vergleichbares Wort, sondern umschreiben den Vielgötterglauben (*colere deos*), instrumentalisieren aber ebenfalls das Ido(lo)latrie-Argument (Tert. de idololatria). Die polemische Engführung von *polytheótēs/polytheía*, Idolatrie- und Atheismusvorwurf setzt sich in den neuzeitlichen theologischen Diskursen fort: 1580 übersetzt Jean BODIN das Begriffspaar *polytheótēs – atheótēs* in einem Text des Neuplatonikers → Proklos zuerst als *polythéisme – athéisme*; die dt. Übers.

des frz. Textes von 1591 benutzt ebenfalls die latinisierten Formen »P.« und »Atheismus« [1. 10–16; 2. 1087f.].

»P.« und der Neologismus → »Monotheismus« bilden die beiden Pole der sich im 17. Jh. ausdifferenzierenden Diskussion über den Ursprung von Rel.: Während für die einen ein urspr. »Urmonotheismus« im Laufe der Zeit in den Zustand des P. degenerierte, steht dieser für D. HUME am Anfang der rel. Entwicklung. Beide Modelle werden im 18. und 19. Jh. erweitert: Während das Dekadenzmodell die Reinheit eines urspr. Eingottglaubens zu erweisen sucht, weist das Evolutionsmodell dem P. den Rang eines Übergangsphänomens zu, das zw. einer anfänglichen primitiven Rel. (sei es Fetischismus, Animismus, Totemismus oder Dämonismus) und dem monotheistischen Hochgottglauben stehe (Doxographie: [1; 2. 1088–1091]). Beide Modelle gehen von einer logischen wie moralischen Überlegenheit des Monotheismus aus; für beide ist dieser der Bezugspunkt aller rel. Evolution. In den Altertumswiss. führte die Adaption v. a. des Evolutionsmodells bis weit in das 20. Jh. zur Abdrängung der Behandlung der griech. Götter in den Bereich der Myth. [3] und resultierte im Fall der Götter der angeblich »mythenlosen« röm. Rel. in der Marginalisierung des Gegenstandes [4].

In wissenstheoretischer Perspektive läßt sich eine solche Position dadurch beschreiben, daß sie eine »polytheistische« Rel. nur aus dem Blickwinkel einer »monotheistischen« Denktrad. zu deuten vermag [5. 293; 6. 5–12; 7. 322f.]. Ein Verstehen der Systemeigenschaften der komplexen polytheistischen Religionen in der klass. Ant. befördert das Gegensatzpaar »P.« – »Monotheismus« dagegen nicht: Als »monotheistische« Bewertungskategorie macht es die Frage nach der Gottesvorstellung zum Mittelpunkt seiner Klassifizierung von Religionstypen [6. 15–21], ohne daß diese notwendigerweise eine zentrale Kategorie heidnischer Selbstbeschreibung wäre; virulent wird diese Frage für die Philosophen erst im 2. Jh. n. Chr. in Auseinandersetzung mit der christl. Theologie und durch die Neuformulierung des traditionellen Argumentes, ein Hochgott könne unter vielen Namen und in vielen Formen verehrt werden (Kelsos: Orig. c. Celsum 7, *passim*; 8,65; vgl. Aug. epist. 16; Macr. Sat. 1,17ff.; Symm. rel. 3,10; [8]).

2. EIGENSCHAFTEN

POLYTHEISTISCHER RELIGIONEN

R. PETTAZZONI vertrat gegen die evolutionistische Vorstellung, der Monotheismus sei Fluchtpunkt der rel. Entwicklung, die These, Monotheismen seien ganz im Gegenteil das Ergebnis rel. Revolutionen und somit »Sonderfälle« der Religionsgesch. [9]. Verifizieren läßt sich diese These an der von → Amenophis [4] initiierten → Aton-Verehrung und dem islam. Monotheismus (→ Mohammed), mit Modifikationen auch anhand des altisraelitischen [10]. In Kontrast zu solchen theologisch radikalisierten, in der Praxis aber kaum durchführbaren Monotheismen sind die komplexen polytheistischen Systeme der klass. Ant. Beispiele für den »Normalfall« pluraler rel. Lebenswelten: Die Vorstellung einer Mehr-

zahl personalisierter und innerhalb eines nach soziomorphen Mustern ausdifferenzierten Pantheons handelnder Götter (s. zur Forschungsgesch. → Pantheon [1]) korrespondiert mit den Wahlmöglichkeiten zw. mehreren alternativen rel. Optionen sowohl universaler als auch regional und lokal differenzierter Art ([5; 7. 323–327]; vgl. [11. Bd. 1]; → Epiklese). Der klass. Loyalitätskonflikt des → Hippolytos [1], der Aphrodite zugunsten von Artemis vernachlässigt, thematisiert die Notwendigkeit, alternative rel. Optionen gegeneinander abzugleichen [12].

Als die komplementären Deutungsmuster der rel. Kommunikation neben dem (öffentlichen) Kult benennt die → *theologia tripertita* → Mythos und Drama sowie die philos. Spekulation. Integraler Bestandteil dieser Deutungsmuster ist seit → Xenophanes (fr. 23 DK) auch die Vorstellung eines im Einzelfall durchaus transzendent vorgestellten göttlichen Wesens oder Allgottes (s. → Pantheos). Die von evolutionistischen Vorstellungen geprägte Rede vom »heidnischen Monotheismus« verkennt, daß die Systemleistung der polytheistischen Religionen der klass. Ant. gerade darin besteht, auch »monotheistische« Handlungsmuster zu integrieren und gegen konkurrierende Sinnsysteme abzugleichen. Die beiden komplementären Bausteine dieser Systemleistung – Integration *und* Abgleichung durch Selektion – erklären nicht nur die Anfälligkeit für die theologischen Monotheismen der jüd. und christl. Rel., sondern auch den Widerstand gegen deren universalistische Ausrichtung [13]. Integration und Abgleichung bezeichnen so gewissermaßen die Eckwerte rel. Handelns in polytheist. Systemen: Rel. Sinn wird nicht durch bloße Akkumulation, sondern durch Selektion aus einem potentiell unerschöpflichen Angebot an Optionen – Göttern, Kulten, Ritualen und Vorstellungen – konstituiert. Die mangelnde Angleichung von rel. Sinnangeboten würde das Integrationspotential überfordern, Selektion heißt deshalb auch, daß intern Singularisierungen und Normierungen ermöglicht werden und daß nach außen Ausgrenzungs- und Konfliktpotentiale generiert werden – wie im Fall der athenischen Asebieprozesse (→ *asebeía*), der röm. → Bacchanalia oder der Christenverfolgungen (→ Toleranz).

→ Religion; Ritual; Sondergötter; Staatsreligion; RELIGIONSWISSENSCHAFT

1 F. SCHMIDT, Polytheism: Degeneration or Progress?, in: Ders. (Hrsg.), The Inconceivable Polytheism, 1987, 9–60 2 R. HÜLSEWIESCHE, S. LORENZ, s. v. P. (1), HWdPh 7, 1989, 1087–1093 3 A. HENRICHS, Die Götter Griechenlands, 1987 (= H. FLASHAR (Hrsg.), Auseinandersetzungen mit der Ant., 1990, 116–162) 4 J. SCHEID, Polytheism Impossible; Or, The Empty Gods: Reasons Behind a Void in the History of Roman Rel., in: [1], 303–325 5 B. GLADIGOW, Strukturprobleme polytheistischer Religionen, in: Saeculum 34, 1983, 292–304 6 G. AHN, »Monotheismus« – »P.«: Grenzen und Möglichkeiten einer Klassifikation von Gottesvorstellungen, in: M. DIETRICH, O. LORETZ (Hrsg.), Mesopotamica – Ugaritica – Biblica, 1993, 1–24 7 B. GLADIGOW, s. v. P., HrwG 4, 1998, 321–330

8 W. Liebeschuetz, The Speech of Praetextatus, in: P. Athanassiadi, M. Frede (Hrsg.), Pagan Monotheism in Late Antiquity, 1999, 185–205 **9** R. Pettazzoni, La formation du monothéisme, in: RHR 88, 1923, 193–299 **10** B. Lang, s. v. Monotheismus, HrwG 4, 1998, 148–165 **11** D. Sabbatucci, Politeismo, 3 Bde., 1998 **12** B. Gladigow, *Chresthai theois* – Orientierungs- und Loyalitätskonflikte in der griech. Rel., in: Ch. Elsas, H. G. Kippenberg (Hrsg.), Loyalitätskonflikte in der Religionsgesch., 1990, 237–251 **13** Y. Amir, Der jüd. Eingottglaube als Stein des Anstoßes in der hell.-röm. Welt, in: Jb. für Biblische Theologie 2, 1987, 58–75. A. BEN.

II. Alter Orient und Ägypten

Die Rel. des alten Orients waren durchweg polytheistischer Natur. Die einzelnen Götter der verschiedenen lokalen und territorialen Panthea (→ Pantheon) verkörperten bestimmte Kräfte der Natur und des Kosmos bzw. Aspekte der jeweiligen Zivilisation. Henotheistische bzw. monolatrische Bewegungen (in Ägypten → Aton-Kult unter Echnaton) bzw. Tendenzen (→ Nabû und → Marduk in Babylonien [1]) lassen sich feststellen. Ein bes. Phänomen stellt die Verehrung des Gottes → Jahwe durch israelitische Stämme insofern dar, als dieser zunächst ein Gott neben anderen Göttern war. Frühstens nach 722/720, spätestens nach der Zerstörung → Jerusalems 586/582 v. Chr. erfolgte die Transformation der Jahwe-Verehrung zu einer monotheistischen Religion.

1 W. von Soden, Monotheiotetistische Tendenzen und Traditionalismus im Kult in Babylonien im 1. Jt. v. Chr., in: Studi e materiali di storia delle religioni 51, 1985, 5–19. J.RE.

Polytimetos (Πολυτίμητος). Fluß in der Sogdiana; der h. Zeravshan in Usbekistan, der im Alaj entspringt und nach ca. 640 km in der Kyzylkum (Wüste) versickert bzw. in den Oxos (→ Araxes [2]) mündet (Aristob. FGrH 139 F 28a; Arr. an. 4,5,6; 4,6,7; Ptol. 6,14,2; Curt. 7,10,1–3).

H. Treidler, s. v. P., RE 21,2, 1836–1838. E. O.

Polytropos (Πολύτροπος). Befehlshaber einer in Korinthos angeworbenen Söldnertruppe, die im Dienst Spartas 370/369 v. Chr. gegen das neu gegründete → *koinón* der Arkader (s. auch → Arkades, Arkadia mit Karte; [1. 80 ff.]) kämpfte und → Orchomenos [3] besetzte, als diese Polis dem Bund der Arkader nicht beitreten wollte. P. fiel in einem Gefecht gegen Truppen der Mantineier (Xen. hell. 6,5,11–14; vgl. Diod. 15,62,1–3).

1 H. Beck, Polis und Koinon, 1997. K.-W. WEL.

Polyxene (Πολυξένη, lat. *Polyxena*). Tochter des → Priamos und der → Hekabe. In den ›Kyprien‹ (PEG I fr. 34) wird sie von → Odysseus und → Diomedes [1] getötet und von → Neoptolemos [1] begraben. Eine andere Trad. berichtet von ihrer Opferung durch die Griechen an → Achilleus' [1] Grab (Iliupersis argumentum

PEG I p. 89; Hyg. fab. 110; Apollod. epit. 5,23), da dessen Geist das Opfer verlangt (Eur. Hec. 37–41; 107–115; Ov. met. 13,441–448; Q. Smyrn. 14,234–245) und droht, die griech. Flotte an der Heimkehr zu hindern. Oft erscheint Neoptolemos selbst als Opferer (Ibykos fr. 307 PMG). P.s Schicksal und ihre tapfere Haltung werden ausgestaltet (Eur. Hec. 1–628; Verg. Aen. 3,321–324; Ov. met. 13,439–480; Sen. Tro. 1132–1164; Q. Smyrn. 14,304–323). Von der ›P.‹ des Sophokles (TrGF 4 p. 403–407) und der des Euripides d. J. (Nr. 17 T 1 TrGF 1) ist fast nichts erh. Bei Sen. Tro. 864–887 wird P. unter dem Vorwand der Hochzeit mit Achilleus zur Opferung geführt. Hierher gehört auch das Motiv der Liebe des Achilleus zu P.: Er soll sie bei den Verhandlungen um die Auslösung von Hektors Leiche oder beim Belauern des → Troilos gesehen und sich in sie verliebt haben (Diktys 3,2 f.; 4,10 f.). Als er im Heiligtum des Thymbräischen Apollon über die Hochzeit verhandeln will, tötet ihn → Paris (Hyg. fab. 110; schol. Eur. Tro. 16; Serv. Aen. 3,321). Philostr. Ap. 4,16,4 berichtet von P.s Selbstmord aus Liebe am Grab des Achilleus. Zum Nachleben der P. s. [1].

1 Hunger, Mythologie, 343.

Lit.: R. E. Harder, Die Frauenrollen bei Euripides, 1993, 179–189, 401–407 · Ch. Segal, Golden Armor and Servile Robes: Heroism and Metamorphosis in Hecuba of Euripides, in: AJPh 109, 1990, 304–317 · Ders., Violence and the Other: Greek, Female, and Barbarian in Euripides' Hecuba, in: TAPhA 120, 1990, 109–131 · O. Touchefeu-Meynier, s. v. P., LIMC 7.1, 431, 434 f. · E. Wüst, s. v. P. (1), RE 21, 1840–1850. Abb.: S. F. Schröder, Der Achill-Polyxena-Sarkophag im Prado: ein wenig bekanntes Meisterwerk, in: MDAI(Madrid) 32, 1991, 158–169 · G. Schwarz, Achill und Polyxena in der röm. Kaiserzeit, in: MDAI(R) 99, 1992, 265–299 · N. Sevinç, A New Sarcophagus of Polyxena from the Salvage Excavations at Gümüşçay, in: Studia Troica 6, 1996, 251–264 · O. Touchefeu-Meynier, s. v. P., LIMC 7.2, 345–347. R.HA.

Polyxenidas (Πολυξενίδας). Verbannter Rhodier (Liv. 37,10,1; App. Syr. 21,97), Feldherr und Admiral → Antiochos' [5] III., führte 209 v. Chr. eine kretische Hilfstruppe gegen den Partherkönig → Arsakes [2] II. (Pol. 10,29,6). Im Krieg gegen die Römer wurde er 191 bei Korykos geschlagen, vernichtete 190 beim samischen Panormos die rhodische Flotte unter → Pausistratos (Liv. 37,8–11) und verlor nach einem Erfolg gegen die Römer die halbe Flotte bei → Myonnesos (Liv. 36,41–45; 37,27–30; App. Syr. 22,103–109; 24,114–120; 27, 132–136). A. ME.

Polyxenos (Πολύξενος, »der Gästereiche«).
[1] Dichterisches Beiwort des Gottes der Unterwelt (→ Hades, → Pluton): Aischyl. Suppl. 156 f. etc. (vgl. → Polydektes [2]).
[2] Mythischer König von Elis; verwahrt die dem → Elektryon geraubten Rinder; → Amphitryon löst sie aus und erhält dafür Elektryons Tochter → Alkmene (Apollod. 2,55 f.; schol. Lykophr. 932).

[3] Mythischer König von Elis, Enkel des → Augeias; Freier der → Helene [1] (Apollod. 1,130); im Troianischen Krieg Anführer von 40 Schiffen der Epeier (zusammen mit → Amphimachos [2], → Diores [1] und Thalpios: Hom. Il. 2,615–624). In der → Telegonia besucht → Odysseus P. und erhält einen Krater mit den Bildern des → Trophonios, des Agamedes und des → Augeias (Prokl. cyclicorum enarrationes 309–312 Severyns; vgl. Hom. Od. 14,100; 20,209; 23,355). Sein Sohn heißt Amphimachos (Paus. 5,3,4). P. stirbt in Elis (Aristot. peplos 36).

[4] Sohn des → Iason [1] und der → Medeia (Paus. 2,3,8); sein Name wird auch als Medeios (Hes. theog. 1000f.; Paus. 2,3,9 nach Kinaithon) oder Medos (Apollod. 1,147; Hyg. fab. 27) angegeben; z.T. wird auch → Aigeus als Vater genannt (so Hyg. l.c.).   L.K.

[5] Philosoph aus dem Umkreis des → Platon [1], der zuweilen auch der megarischen Tradition zugerechnet wird (→ Megariker), da er in Platons 13. Brief als *hetaíros* des → Bryson bezeichnet wird (360bc). Platon soll ihn um 360 v.Chr. zu Dionysios [2] II. nach Syrakus geschickt haben. P. tritt als Nebenfigur in drei Anekdoten auf (Plut. mor. 176c-d; Diog. Laert. 2,67–77; Gnomologium Vaticanum 194). Nach Alex. Aphr. in Aristot. metaph. 83,34–85,12 Hayduck stammt auch eine Spielart des *trítos-ánthrōpos*-Arguments zur Widerlegung der platonischen Ideenlehre (vgl. dazu schon Plat. Parm. 132a–133a) von P.: der Mensch, der sein Sein in Beziehung zur Idee hat, muß ein von Idee und Einzelmensch verschiedener »dritter« Mensch sein.

Fr.: K. Döring, Die Megariker, 67–70; 166–170.
Lit.: Ders., s.v. P., GGPh² 2.1, 236–237.   K.-H.S.

[6] P. Soter (Π. Σωτήρ/*Sōtḗr*, mittelindisch *Palasina*). Indogriech. König am E. des 2. oder im 1. Jh.v.Chr., nur durch seine Mz. belegt.

Bopearachchi, 99, 286.   K.K.

Polyxo (Πολυξώ).

[1] Eine der → Hyaden.

[2] Gattin des → Nykteus, Mutter der → Antiope [1].

[3] Gattin des → Tlepolemos. Nachdem dieser im Troianischen Krieg gefallen ist, veranstaltet sie für ihn in Rhodos, wohin sie mit ihm aus Argos geflohen ist, Leichenspiele. Als ihre Freundin → Helene [1] zu ihr flieht, läßt sie sie als Schuldige an dem Krieg, in dem ihr Gatte zu Tode kam, von als Erinyen verkleideten Dienerinnen an einem Baum aufhängen (Paus. 9,19,9f.); dies bildet das Aition für den dortigen Kult der Helene Dendritis [1; 2; 3]. Bei Polyain. 1,13 rettet → Menelaos [1] Helene, indem er die Rhodier täuscht und eine verhüllte Sklavin statt ihrer ausliefert.

[4] Amme der Hypsipyle (→ Lemnische Frauen); sie veranlaßt die freundliche Aufnahme der → Argonautai auf Lemnos (Apoll. Rhod. 1,668ff.; Hyg. fab. 15). Bei Val. Fl. 2,316ff. ist sie eine Prophetin.

1 Nilsson, Feste, 426 2 Nilsson, GGR, Bd. 1, 315, 487
3 Wilamowitz, Bd. 1, 122.   L.K.

Polyzelos (Πολύζηλος).

[1] Komödiendichter vom E. des 5./Anf. des 4. Jh. v.Chr.; errang vier Lenäensiege [1. test. 2]. Erh. sind 13 Fr. und fünf Stücktitel, davon vier myth. (Ἀφροδίτης γοναί/›Die Geburt der Aphrodite‹, Δημοτυνδάρεως/ ›Demotyndareos‹, Διονύσου γοναί/›Die Geburt des Dionysos‹, Μουσῶν γοναί/›Die Geburt der Musen‹); der Dichter bevorzugte offenbar komische Darstellungen von Göttergeburten, eine Sonderspielart myth. Stücke, die um die Wende 5./4. Jh. oder kurz danach beliebt war [2. 15–18]. Der ›Demotyndareos‹ wird um 410 datiert (vgl. [1. 553]).

1 PCG VII, 1989, 553–559 2 H.-G. Nesselrath, Myth, Parody and Comic Plots, in: G. Dobrov (Hrsg.), Beyond Aristophanes, 1995, 1–27.   B.Bä.

[2] P. von Rhodos verfaßte um 300 v.Chr. *Rhodiaká*, eine rhodische Lokalgesch., deren Umfang, Tendenz und zeitliche Ausdehnung unbekannt sind. Die neun erhaltenen Fr. (darunter fünf in der → Lindischen Tempelchronik), lassen vielfältige Interessen erkennen. FGrH 521 mit Komm.   K.Mei.

Pomerium. *P.* heißt die sakralrechtlich wichtige Linie, die in Rom und seinen Kolonien (→ *coloniae*) die *urbs* von dem *ager*, d.h. die Stadt im engeren Sinn von dem umgebenden Territorium der Stadt trennte. Die Bed. des Wortes war schon in der Ant. nicht klar: Es wurde je nach Standpunkt etym. als Linie »hinter« (*post* bzw. *pone murum*) oder »vor« (*promoerium*) der Stadtmauer erklärt (Varro ling. 5,143 und Gell. 13,14,1 gegen Fest. 295), doch ist wohl keine dieser Etym. haltbar.

Die Festlegung des *p.* bildete den Höhepunkt einer Stadtgründung »nach etruskischem Ritus« (*ritu Etrusco*). Diese Form einer Stadtgründung ist bei der Gründung Roms durch → Romulus am ausführlichsten geschildert (alle Quellen bei [2. 1868]): Der Stadtgründer zog nach Einholung des *augurium* (s. → *augures*) mit über den Kopf gezogener Toga (*cinctus Gabinus*) die Grenzfurche (*sulcus primigenius*) mit einem Pflug, der von einem weißen Stier und einer weißen Kuh gezogen wurde. An den für Tore vorgesehenen Stellen wurde der Pflug angehoben und über diese Distanz getragen. Die nach innen fallende Scholle symbolisierte die Mauer (*murus*), die Furche den Graben (*fossa*). Es ist klar, daß schon aus fortifikatorischen Gründen (Einbeziehung von Steilhängen in die Befestigung) das *p.* nicht überall mit der späteren Stadtmauer zusammenfallen konnte, und umso mehr gilt das bei schon bestehenden Städten, in die nachträglich eine Kolonie deduziert wurde.

Trotz des Anwachsens der Städte fand eine Verschiebung des *p.* selten statt. Die Erweiterung wurde später als Recht des Königs (*lex de imperio Vespasiani*) interpretiert oder dem zugestanden, der den *populus Romanus* durch vom Feind erobertes Land erweitert hatte (*qui populum Romanum agro de hostibus capto auxerat*: Gell. 13,14,3; vgl. Tac. ann. 12,23). Das erste *p.* des Romulus umfaßte wohl den Palatin (→ Mons Palatinus); darauf deuten Gräben in der Nähe des Titusbogens (vgl. [3. 578 ff.]). Eine Servius → Tullius zugeschriebene Erweiterung (Mitte 6. Jh. v. Chr.) umschloß möglicherweise die Vierregionenstadt und das Kapitol (→ Capitolium). Dann verschoben erst wieder Cornelius [I 90] Sulla, → Caesar, → Augustus (?), Claudius [III 1], → Vespasianus und schließlich vielleicht auch → Hadrianus das *p*. Ihre Aktivitäten sind durch Grenzsteine (»Pomerialcippi«) belegt (CIL VI 31537–31539; vgl. [1. 101]).

Obgleich das *p*. demnach weder mit der Stadtmauer noch mit den Grenzen der städtischen Bebauung zusammenfiel, besaß es erhebliche Bed. als die Grenze zwischen städtischen und außerstädtischen Auspizien, zwischen *imperium domi* und *imperium militiae*. Hier zogen der Magistrat oder Promagistrat, der ein Kommando übernahm, den Kriegsmantel (*paludamentum*) über und seine Liktoren (→ *lictor*) steckten die Beile in die *fasces*, hier endete bei der Rückkehr das → *imperium* des Promagistrats. Nur innerhalb des *p*. galt die Kompetenz der Volkstribunen (→ *tribunus*; später aus praktischen Gründen auf die Zone *intra primum milliarium* ausgedehnt; s. [6. 66 f.]), nur außerhalb durften die Centuriatkomitien (→ *comitia*) tagen, Kultstätten fremder Götter errichtet und Tote beerdigt werden.

In spätrepublikanischen Kolonien ist ebenfalls ein *p*. belegt (→ Lex Ursonensis 73 für Urso; CIL X 3825 für Capua), doch läßt sich Näheres zu seiner Bed. nicht sagen.

1 M. ANDREUSSI, s. v. P., LTUR 4, 1999, 96–105 2 A. VON BLUMENTHAL, s. v. P., RE 21, 1867–1876 3 A. CARANDINI, La nascita di Roma, 1997 4 F. CASAVOLA, Il concetto di urbs Roma, in: Labeo 38, 1992, 20–29 5 B. LIOU-GILLE, Le p., in: MH 50, 1993, 94–106 6 MOMMSEN, Staatsrecht 1.

H. GA.

Pomerius, Iulianus. Aus Mauretanien, christl. Priester, ließ sich gegen E. des 5. Jh. n. Chr. in Arelate/Arles als Rhet.-Lehrer nieder, wo er u. a. → Caesarius [4] von Arelate unterrichtete (Gennadius vir. ill. 99; Isid. vir. ill. 25). Von *De natura animae et qualitate eius* sind nur wenige Spuren vorhanden; vollständig erh. ist *De vita contemplativa* in 3 B., worin er eine Tugend- und Lasterlehre entwickelt. Trotz Anlehnung an → Augustinus und → Hieronymus ist das Werk eigenständig und hat in das MA hinein gewirkt.

ED.: PL 59, 415–520.
LIT.: M. SPINELLI, Il sacerdos docens nel De vita contemplativa di Giuliano Pomerio, in: F. SERGIO (Hrsg.), Crescita dell'uomo nella catachesi dei Padri, 1988, 287–300.

K. P.

Pomona. Die röm. Göttin der Früchte, lat. *pomum* (Fest. 144,12 f. L.; Varro fr. 181, 189 CARDAUNS), deren Heiligtum (*pomonal*) außerhalb Roms an der Via Ostiensis im *ager Solonius* lag (Fest. 296,15–17 L.; [1. 144 f.]). Die röm. Kalender verzeichnen kein Fest für P.; bewegliche Feiertage (*feriae conceptiuae*) sind wahrscheinlich [2. 199]. P. besaß einen *flamen minimus* (→ *flamines*;

Fest. 144,13 f. L.; CIL III 12732); die Bezeichnung *minimus* bezieht sich wohl nicht auf einen hypothetischen untergeordneten Status der Göttin, sondern reflektiert eine Differenzierung innerhalb des Flaminats [3. 27 f., 46–50].

Als Frau des → Picus (Serv. Aen. 7,190) bzw. gemeinsam mit → Vertumnus (Ov. met. 14,623–771) ist P. Gegenstand erst der kaiserzeitlichen Myth.; auf hohes Alter verweisen aber neben der Existenz eines eigenen *flamen* frühe kultische Parallelen aus It. (Tabulae Iguvinae III-IV; VETTER Nr. 227; vgl. [4. 60 Anm. 1]).

1 R. A. PALMER, The Archaic Community of the Romans, 1970 2 G. WISSOWA, Rel. und Kultus der Römer, ²1912 3 J. VANGGAARD, The Flamen, 1988 4 DUMÉZIL.

C. R. P.

Pompa s. Prozession

Pompaelo. Stadt im Gebiet der → Vascones, h. Pamplona in Navarra, von Pompeius [I 3] (Strab. 3,4,10: Πομπέλων ὡς ἂν Πομπηιόπολις) im Winter 75/4 v. Chr. während des Krieges gegen → Sertorius an der Kreuzung der Straßen Tarraco – Oiasso (Strab. l.c.) und Astorga – Roncevalles (Itin. Anton. 455,5) gegr. Röm. Überreste: Abwasser- und Straßensystem, Stadtmauer, ein *macellum*, Hausanlagen mit Mosaiken, Kleinfunde. Inschr.: CIL III 2958–2961. Bischofssitz seit dem 6. Jh.

TOVAR 2,3, 1989, 401–404 · TIR K 30 Madrid, 1993, 181 f.

P. B.

Pompeia

[1] Enkelin des Cornelius [I 90] Sulla, Schwester des Q. Pompeius [I 6] Rufus. Ab 67 v. Chr. zweite Ehefrau → Caesars (Plut. Caesar 5). Im Rahmen des → Bona-Dea-Skandals trennte sich Caesar im J. 62 unter Vorgabe des Verdachts ihrer Untreue von P. (Cic. Att. 1,13,3; Plut. Caesar 10,8–9; Plut. Cicero 29,9; Suet. Iul. 6,3; 74,2; Cass. Dio 37,45,2).

[2] Tochter des Pompeius [I 3] Magnus und der → Mucia Tertia, verlobt mit Faustus Cornelius [I 87] Sulla, dem Sohn des Dictators Cornelius [I 90] Sulla. Nach dem Tod des Dictators Ehefrau des L. Cornelius [I 19] Cinna, des Schwagers Caesars (Sen. clem. 1,9,2). 54 v. Chr. plante Caesar eine Ehe mit P., um Pompeius erneut an sich zu binden (Suet. Iul. 27,1).

H. S.

[3] P. Agrippinilla. Wohl Schwester von M. Pompeius [II 13] Macrinus, *cos. suff.* im J. 164 n. Chr.; Frau von M. Gavius [II 11] Squilla Gallicanus, *cos. ord.* 150. Priesterin im Dionysuskult. PIR² P 667.

G. ALFÖLDY, Gallicanus noster, in: Chiron 9, 1979, 507–544; hier 521 f.

[4] P. Celerina. Schwiegermutter des jüngeren → Plinius [2], Frau des Bittius Proculus. Plinius stand mit ihr in reger Verbindung, auch nachdem ihre Tochter, Plinius' erste (?) Frau, gestorben war. PIR² P 670.

[5] P. Macrina. Tochter des Ritters Pompeius Macer; ihr Bruder war Senator (vgl. → Pompeius [II 12]). P.

wurde 33 n. Chr. in die Verbannung gesandt (Tac. ann. 6,18,2). PIR² P 674.

[6] P. Paulina. Tochter des Pompeius [II 15] Paulinus aus Arelate. Sie heiratete den Philosophen → Seneca, mit dem sie offensichtlich innig verbunden war. Als Seneca sich auf Befehl → Neros selbst töten mußte, wollte sie sich ihm anschließen; doch ließ Nero dies verhindern. PIR² P 678.

[7] P. Plotina s. Plotina

[8] P. Sosia Falconilla. Tochter des *cos. ord.* von 149 n. Chr., Enkelin des Q. Pompeius [II 8] Falco, Urenkelin des Q. Sosius Senecio (*cos. ord.* 99), Ururenkelin des Sex. Iulius → Frontinus. Sie wurde in Cirta in Africa, Minturnae, Athenai und Katane mit Statuen geehrt [1. 120f.]. PIR² P 681.

1 W. Eck, Senatorische Familien der Kaiserzeit in der Prov. Sizilien, in: ZPE 113, 1996, 109–128.   W. E.

Pompeianische Wandmalerei
s. Wandmalerei

Pompeianus

[1] *Cos. ord.* im J. 209 n. Chr. Identisch mit L. Aurellius Commodus P. (AE 1978, 733 = 1979, 560; RMD 1, 73; SEG 32, 1149). PIR² P 568.

[2] *Cos. suff.* am 13.5. eines unbekannten J. (CIL XVI 127); möglicherweise existiert ein Zusammenhang mit dem P., der in CIL VI 40646 als Consul um 212 n. Chr. genannt ist. PIR² P 567; 569.

[3] Clodius P. (PIR² P 570) s. Clodius [II 12]

[4] C. Gabinius Barbarus P. (PIR² P 566) s. Gabinius [II 1]   W. E.

[5] Gabinius Barbarus P. *Proconsul Africae* 400–401 n. Chr., wahrscheinlich der → *praefectus urbi Romae*, der 408 beim Nahen des → Alaricus [2] die Gefahr durch »heidnische« Opfer zu bannen suchte (angeblich im Einverständnis mit Papst → Innocentius I.) und 409 bei einem Volksaufstand umkam. Vorher hatte er wohl vorgeschlagen, Valerius → Pinianus [2] und dessen Frau → Melania [2] zu enteignen, doch konnte dies im Senat nicht mehr diskutiert werden. Mit → Symmachus hatte er einen Streit um eine gemeinsame Grundstücksgrenze in Baiae. PLRE 2, 897f. (P. 2).   K. G.-A.

Pompeii (Πομπεῖα, Πομπήια).
I. Lage und Bevölkerung
II. Geschichte
III. Archäologie

I. Lage und Bevölkerung
Stadt in → Campania am Fuß des → Vesuvius. Wegen der günstigen Lage an der Mündung des → Sarnus (Strab. 5,4,8; Plin. nat. 3,62) und der zahlreichen hochwertigen Produkte, die hier hergestellt wurden, z. B. Öl (Ölmühlen, Cato agr. 25,3), Bimsstein, Wein, *garum* (eine Fischsauce, → Fischspeisen; Plin. nat. 31,94) war P. ein größerer Handelsplatz. Nach myth. Überl. wurde P. von Herakles [1] (Isid. orig. 15,1,51) gegründet. In histor. Zeit lebten in P. (nach Strab. 5,4,8) → Osci, → Etrusci, → Pelasgoi und → Samnites.

II. Geschichte
Aus der Zeit der Auseinandersetzungen zw. Griechen und Etruskern in Campania im 6. und 5. Jh. ist über P. selbst nichts bekannt. Griech. Keramikimporte und etr. Graffiti auf Weihungen in den Heiligtümern belegen aber Beziehungen zu beiden Kulturbereichen, wobei das Etr. überwiegt [7]. Seit dem späten 5. Jh. stand P. unter samnitischer Herrschaft. Aus dem 2. Jh. v. Chr. stammt eine Reihe oskischer Inschr. [30], die verschiedene Ämter der Gemeinde (→ *meddix tuticus, aidiles, quastores*) nennen.

Wie schon in den Samnitenkriegen (→ Samnites) (Liv. 9,38,2) stand P. auch im → Bundesgenossenkrieg [3] gegen Rom (App. civ. 1,39). P. wurde wohl 89 v. Chr. von P. Cornelius [I 90] Sulla belagert und erobert (App. civ. 1,50; Spuren des Artilleriebeschusses sind erh.). Aus dieser Zeit müssen die auf Hauswände gemalten sog. *eítuns*-Inschr. stammen, mit denen ortsunkundigen Verteidigern der Weg gewiesen wurde und die einige Straßennamen überliefern. Erste lat. Inschr. könnten dagegen auf eine »Selbstromanisierung« hinweisen (→ Romanisation). 80 v. Chr. erfolgte die *deductio* (→ *coloniae* B.) der röm. *colonia Veneria Cornelia Pompeianorum* durch Sulla (Cic. Sull. 62). Der konkrete Umfang und Ort der Ansiedlung der Kolonisten ist umstritten. Nach Konflikten der Neuankömmlinge mit einheimischen Familien (Cic. Sull. 60–62) scheinen diese jedoch bis in augusteische Zeit ihren polit. Einfluß zurückgewonnen zu haben [5]. Ein durch Tac. ann. 14,17 für das J. 59 n. Chr. überl. blutiger Krawall mit den Bürgern der benachbarten Stadt → Nuceria [1], der zu einem zeitweiligen Verbot von Gladiatorenspielen (→ *munus* III.) führte, könnte über P. hinausweisende polit. Ursachen gehabt haben.

Nach einem ersten großen Erdbeben 62 n. Chr. (Tac. ann. 15,22,2; Sen. nat. 6,1,2), dem offenbar eine Reihe kleinerer Nachbeben folgte [4], wurde P. mit den übrigen Siedlungen des Gebiets (→ Herculaneum, → Stabiae, → Oplontis) durch den Ausbruch des Vesuvius am 24. August 79 n. Chr. vollständig zerstört und verschüttet (Plin. epist. 6,16; 20).

Polit. Verbindungen zu Rom lassen sich an der Übernahme der höchsten Ämter durch Mitglieder des Kaiserhauses (Claudius [II 42] Marcellus, Caligula, Nero [1]) ebenso wie an der Einsetzung des Titus Suedius Clemens als *tribunus* durch Vespasianus (ILS 5942) zur Restituierung des öffentlichen Grundbesitzes ablesen. Eine Verarmung und Proletarisierung von P. nach dem Erdbeben von 62 wird h. nicht mehr für wahrscheinlich gehalten. Schätzungen der Einwohnerzahl zum Zeitpunkt der Zerstörung 79 v. Chr. schwanken zw. 12000 und 30000 Einwohnern.   V. K. u. M. I. G.

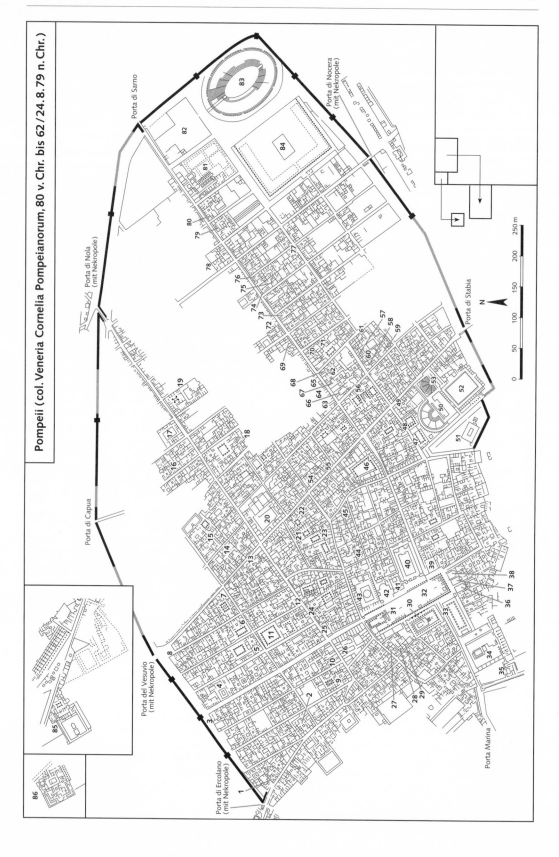

Pompeii (col. Veneria Cornelia Pompeianorum, 80 v. Chr. bis 62 / 24. 8. 79 n. Chr.)

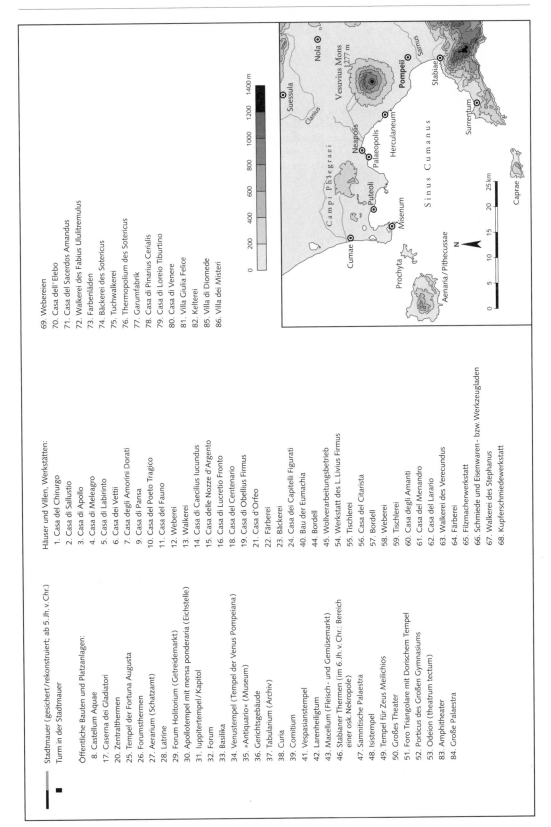

Stadtmauer (gesichert/rekonstruiert; ab 5. Jh. v. Chr.)

Turm in der Stadtmauer

Öffentliche Bauten und Platzanlagen:

8. Castellum Aquae
17. Caserna dei Gladiatori
20. Zentralthermen
25. Tempel der Fortuna Augusta
26. Forumsthermen
27. Aerarium (Schatzamt)
28. Latrine
29. Forum Holitorium (Getreidemarkt)
30. Apollotempel mit mensa ponderaria (Eichstelle)
31. Iuppitertempel / Kapitol
32. Forum
33. Basilika
34. Venustempel (Tempel der Venus Pompeiana)
35. »Antiquario« (Museum)
36. Gerichtsgebäude
37. Tabularium (Archiv)
38. Curia
39. Comitium
41. Vespasianstempel
42. Larenheiligtum
43. Macellum (Fleisch- und Gemüsemarkt)
46. Stabianer Thermen (im 6. Jh. v. Chr.: Bereich
    einer osk. Nekropole)
47. Samnitische Palaestra
48. Isistempel
49. Tempel für Zeus Meilichios
50. Großes Theater
51. Foro Triangolare mit Dorischem Tempel
52. Porticus des Großen Gymnasiums
53. Odeion (theatrum tectum)
83. Amphitheater
84. Große Palaestra

Häuser und Villen, Werkstätten:

1. Casa del Chirurgo
2. Casa di Sallustio
3. Casa di Apollo
4. Casa di Meleagro
5. Casa di Labirinto
6. Casa dei Vettii
7. Casa degli Amorini Dorati
9. Casa di Pansa
10. Casa del Poeto Tragico
11. Casa del Fauno
12. Weberei
13. Walkerei
14. Casa di Caecilius Iucundus
15. Casa delle Nozze d'Argento
16. Casa di Lucretio Fronto
18. Casa del Centenario
19. Casa di Obellius Firmus
21. Casa d'Orfeo
22. Färberei
23. Bäckerei
24. Casa dei Capitelli Figurati
40. Bau der Eumachia
44. Bordell
45. Wollverarbeitungsbetrieb
54. Werkstatt des L. Livius Firmus
55. Tischlerei
56. Casa del Citarista
57. Bordell
58. Weberei
59. Tischlerei
60. Casa degli Amanti
61. Casa del Menandro
62. Casa del Larario
63. Walkerei des Verecundus
64. Färberei
65. Filzmacherwerkstatt
66. Schmiede und Eisenwaren- bzw. Werkzeugladen
67. Walkerei des Stephanus
68. Kupferschmiedewerkstatt
69. Webereien
70. Casa del'Elebo
71. Casa del Sacerdos Amandus
72. Walkerei des Fabius Ululitremulus
73. Farbenläden
74. Bäckerei des Sotericus
75. Tuchwalkerei
76. Thermopolium des Sotericus
77. Garumfabrik
78. Casa di Pinarius Cerialis
79. Casa di Loreio Tiburtino
80. Casa di Venere
81. Villa Giulia Felice
82. Kelterei
85. Villa di Diomede
86. Villa dei Misteri

III. Archäologie
A. Grabungsgeschichte
B. Entwicklung der Stadt
C. Bedeutung für die Forschung

A. Grabungsgeschichte

Nach der Katastrophe des Ausbruchs des → Vesuvius wurde das Gelände von P. nur noch sporadisch bewohnt. Raubgräber durchsuchten seit der Ant. bis in das 18. Jh. die leicht erreichbaren Ruinen nach Metall und kostbarem Steinmaterial, so daß spätere Ausgrabungen oft deutlich gestörte Befunde freilegten. Die 1748 begonnenen offiziellen Grabungen zielten zunächst nur auf die Bergung von bes. Schaustücken ab, wobei v. a. auch die → Wandmalereien ausgeschnitten und nach Portici verbracht wurden. Ab 1763 konnten dann offenliegende Ruinen besucht werden (Theater, Plan Nr. 50; Tempel der → Isis, Nr. 48; Stadttor und Umgebung, Diomedes-Villa/Villa di Diomede, Plan Nr. 85). Große Fortschritte brachte die Herrschaft der Franzosen (1806–1815), unter der die Stadtmauer erkundet und die von Norden eintretende Hauptstraße samt Teilen des Forums (Nr. 32) freigelegt wurden. Die fortschreitende Ausgrabung der Stadt ging in der 2. H. des 19. Jh. mit einer Verbesserung der Grabungsmethoden (Gipsausgüsse der Toten, Aufnahme und Wiederaufbau der Obergeschosse) einher; durch diese unterstrich man den vermeintlich unmittelbaren Zugang zum Verständnis der Ant. und der großen Katastrophe. Auch dem Schutz der freigelegten Ruinen wurde allmählich mehr Aufmerksamkeit gewidmet. Erst A. Maiuri begann in den 20er J. des 20. Jh. an verschiedenen Stellen auch unter das Niveau von 79 n. Chr. zu graben und damit Erkenntnisse über die Siedlungsgesch. der Stadt zu gewinnen. Letzte große Grabungskampagnen fanden gleichfalls unter A. Maiuri in den 1950er J. statt. Seitdem legt die Administration verstärkt Wert auf die Konservierung und Dokumentation des Vorhandenen, was vereinzelte Ausgrabungen und gezielte Sondagen nicht ausschließt. P. gehört h. zu den attraktivsten Touristenzentren von It. (→ POMPEJI).

B. Entwicklung der Stadt

Der weitgehend bekannte Stadtplan von P. zeigt einen unregelmäßigen Kern (Altstadt) um das Forum und weitgehend rechtwinklig angelegte Straßen im Norden und Osten, die zu mehreren Ausbauphasen gehören [11; 13; 27]. Das ganze, anfangs nur teilweise besiedelte Gelände wurde seit E. des 6. Jh. v. Chr. von einer zweischaligen Mauer umgeben, später durch eine um 100 v. Chr. mit Türmen verstärkte *agger*-Mauer ersetzt [34]. Außer der Stadtmauer haben sich aus der Frühzeit nur der Apollo-Tempel (Nr. 30) im Zentrum [9] und der dorische Tempel der Athena (?) auf dem sog. Foro Triangolare (Nr. 51), einem dreieckigen Platz, sowie Spuren weiterer Heiligtümer außerhalb der Altstadt und der Stadtmauer erh. Verstreute Kleinfunde ergeben kein klares Bild von Größe und Bed. der Siedlung [7]. Eine erste Blüte erlebte P. im 2. Jh. v. Chr. als Teil der hell., hier v. a.

von → Sicilia beeinflußten Welt. Damals entstanden zahlreiche repräsentative Bauten aus lokalem Tuff [17]: Forum-Tempel, Apollo-Tempel, Basilika (Nr. 33; Abb. s. → Basilika), → *macellum* (»Viktualienmarkt«; Nr. 43), Theater (Nr. 50) mit Gymnasium (?) und Palaestra, Stabianer Thermen (Nr. 46) [33; 34; 12]. Mit dem Isis-Tempel wurde der erste orientalische Kult in P. eingerichtet [1]. Als Wohnbauten waren die zum Innenhof (Atrium) geöffneten eingeschossigen und in den Kontext eines Häuserblocks eingebundenen Häuser beliebt, wenn auch mittlerweile andere Typen nachgewiesen sind [10; 25]. Die Oberschicht errichtete sich aufwendige Stadtpaläste mit z. T. verdoppelten Atria und großen Peristylhöfen (Casa del Fauno, Nr. 11, mit reicher Mosaikausstattung; → Haus, mit Abbildungen) sowie aufwendige suburbane Villen (vgl. Villa dei Misteri, Nr. 86, [21]).

Mit der Gründung der Kolonie kamen neue Bauaufgaben hinzu [33]. Der Tempel auf dem Forum wurde in ein *capitolium* (Nr. 31) umgewandelt und ein auf Substruktionen errichteter Venus-Tempel (Nr. 34) dominierte das Sarnus-Tal. Das → *amphitheatrum* (inschr. *spectacula*, CIL X 852; Nr. 83) und ein Versammlungsbau (*theatrum tectum*, CIL X 844; Nr. 53) dienten ebenso wie eine zweite Thermen-Anlage der Bequemlichkeit der Neubürger. Neue Häuser entstanden auf den nunmehr funktionslosen Stadtmauern in aufwendig inszenierter Aussichtslage. Gleichzeitig begann mit der Ausmalung im sog. 2. Stil die in P. bes. vielfältig erh. röm. Wanddekoration (Villa dei Misteri [21]; Casa delle nozze d'argento, Nr. 15). Vor den Stadttoren errichtete man außerhalb des → *pomerium* aufwendige Grabbauten, die sich mit der Zeit zu Gräberstraßen (→ Nekropolen VIII.) verdichteten [15; 31]. In augusteische Zeit fällt die Errichtung verschiedener mit dem → Kaiserkult verbundener Heiligtümer im Bereich des Forums und dessen aufwendige Ausgestaltung, ebenso wie die Versorgung von P. mit stets fließendem Wasser [8]. Die Schäden des Erdbebens von 62 waren 79 n. Chr. erst teilweise behoben, überall wurden Baustellen entdeckt [4]. Gleichzeitig fand offenbar eine Umstrukturierung der Bevölkerung statt, da die Zahl der schon seit dem 2. Jh. v. Chr. nachgewiesenen Mietwohnungen deutlich zunahm [25]. Die großen Häuser wuchsen oft aus kleineren Einheiten zusammen und erhielten unregelmäßige Grundrisse (Haus des Menandros/Casa del Menandro, Nr. 61 [19; 20]; Haus der Amorini Dorati/Casa degli Amorini Dorati, Nr. 7). Zentrale öffentliche Bereiche wie das Forum scheinen beim Wiederaufbau jedoch zunächst vernachlässigt worden zu sein.

C. Bedeutung für die Forschung

P. ist wegen der bes. Art der Zerstörung eine wichtige Quelle für alle Bereiche des röm. Lebens und ein bes. dankbares Feld zur Erprobung umfassender kulturgesch. Methoden. Der Name der Stadt wird oft als Metapher für die plötzliche und vollständige Konservierung eines histor. Augenblicks gebraucht. Wegen der Raubgrabungen und der lange Zeit schlechten Dokumentation entspricht dies aber nicht unbedingt der arch.

Realität (→ Klassische Archäologie III.). Dennoch bleibt P. für verschiedene Bereiche der histor. und arch. Forsch. von zentraler Bed. Das trifft insbes. für die → Wandmalerei zu, ihre Entwicklung und ihren z. T. perfekt erh. räumlichen Kontext (vgl. Haus der Vettier/Casa dei Vettii, Nr. 6) [6; 22; 26; 29]. Die Haus- und Wohn-Forsch. hat gerade in den letzten J. durch P. neue Impulse erh. und einen sich wandelnden Wohngeschmack nachzeichnen können [19; 18; 25; 32]. Die Bepflanzung von Gärten (→ Garten [2]) und kleinen landwirtschaftlichen Betrieben kann weitgehend rekonstruiert werden [16]. Wegen der oft schlechten Dokumentation bleibt die Ausstattung der Häuser mit Gerät und Kunst dagegen meist weniger aussagekräftig, als man hätte erhoffen können [2]. Die Gräberstraßen geben dank ihrer oft ganz konkreten Verknüpfung mit Bauten in der Stadt Aufschlüsse über Sozialstrukturen und spezifische Formen des Totenkultes [15; 31]. Zahlreiche repräsentative Bautypen sind in P. erstmals überl.: Basilika [24], Thermen [12], Amphitheater, *macellum*. Auch die Wasserversorgung einer röm. Stadt kann in P. beispielhaft studiert werden [8]. Schließlich erlaubt die weitgehende Ausgrabung der gesamten Stadt Unt. zum Wandel des Stadtbildes [18; 33]. Sonst selten erh. Quellen wie Schrifttafeln (Archiv des Caecilius Iucundus, s. Nr. 14; vgl. [3]) und Graffiti geben Einblick in Geschäftsvorgänge, Alltagssprache und Ablauf sowie Rezeption der öffentlichen Spiele [28]. Die zahlreichen auf Hausfassaden gemalten Wahlinschr., sog. Dipinti, ermöglichen zugleich einen einzigartigen Einblick in das polit. Leben einer röm. Kleinstadt [5; 14; 23].

→ Altar (Abb.); Ekphrasis II. (Abb.); Freskotechnik (Abb.); Garten [2]; Haus; Naturkatastrophen; Städtebau; Villa; Wandmalerei;
Klassische Archäologie III.C. (mit Karte); Pompeji

1 R. Cantilena (Hrsg.), Alla ricerca di Iside (Ausst.-Kat. Napoli 1992/3), 1992 2 P. M. Allison, The Distribution of Pompeian House Contents and Its Significance, Diss. Sidney 1992 3 J. Andreau, Les affaires de Monsieur Jucundus, 1974 4 Arch. und Seismologie. Kolloquium Boscoreale 1993, 1995 5 P. Castrén, Ordo populusque pompeianus. Polity and Society in Roman P. (Acta Instituti Romani Finlandiae 8), 1975 6 G. Cerulli Irelli (Hrsg.), Pompejanische Wandmalerei, 1990 7 M. Cristofani, La fase »etrusca« di P., in: F. Zevi (Hrsg.), Pompei, Bd. 1, 1990, 7–20 8 N. de Haan, G. C. M. Jansen (Hrsg.), Cura Aquarum in Campania. Kolloquium P. 1994, 1996 9 S. De Caro, Saggi nell'area del Tempio di Apollo a P., 1986 10 J. A. Dickmann, Domus frequentata. Anspruchsvolles Wohnen im pompejanischen Stadthaus, 1999 11 H. Eschebach, Die städtebauliche Entwicklung des ant. Pompeji, 1970 12 Ders., Die Stabianer Thermen in P., 1979 13 Ders. (Hrsg.), Gebäudeverzeichnis und Stadtplan der ant. Stadt Pompeji, 1993 14 J. L. Franklin, P.: the Electoral Programmata, Campaigns and Politics A. D. 71–79, 1980 15 V. Kockel, Die Grabbauten vor dem Herkulaner Tor in Pompeji, 1983 16 W. F. Jashemski, The Gardens of P., 2 Bde., 1979 und 1993 17 H. Lauter, Zur späthell. Baukunst in Mittelit., in: JDAI 94, 1979, 416–436 18 R. Lawrence, Roman P., 1994 19 R. Ling, The Insula

of the Menander at P., Bd. 1, 1997 20 Ders., La Casa del Menandro, 1933 21 Ders., La Villa dei Misteri, 1931 22 E. M. Moormann (Hrsg.), Functional and Spatial Analysis of Wall Painting, 1993 23 H. Mouritsen, Elections, Magistrates and Municipal Elite. Studies in Pompeian Epigraphy (Analecta Romana Instituti Danici, Suppl. 15), 1988 24 K. Ohr, Die Basilika in Pompeji, 1991 25 F. Pirson, Mietwohnungen in P. und Herculaneum, 1999 26 G. Pugliese Carratelli (Hrsg.), P. Pitture e Mosaici, 11 Bde., 1990 ff. 27 L. Richardson Jr., P.: An Architectural History, 1988 28 P. Sabbatini Tumolesi, Gladiatorum Paria, 1980 29 V. M. Strocka (Hrsg.), Häuser in Pompeji, 1984 ff. (bisher 10 Bde.) 30 Vetter, 46–67, Nr. 8–72 31 L. Vlad Borelli u. a., Un impegno per P., 2 Teile, 1983 32 A. Wallace-Hadrill, Houses and Society in P. and Herculaneum, 1994 33 P. Zanker, P. Stadtbild und Wohngeschmack, 1995 34 F. Zevi (Hrsg.), P., 2 Bde., 1991/2.

M. R. Borriello (Hrsg.), P. – abitare sotto il Vesuvio (Ausst.-Kat. Ferrara 1996/7), 1996 · F. Coarelli (Hrsg.), Guida archeologica di P., 1976 (dt. 1979) · R. Etienne, La vie quotidienne à Pompéi, 1966 (dt. 1974) · L. Garcia y Garcia, Nova Bibliotheca Pompeiana, 1998 · V. Gassner, Die Kaufläden in P., 1986 · B. Gesemann, Die Straßen der ant. Stadt P., 1996 · V. Kockel, Arch. Funde und Forsch. in den Vesuvstädten I und II, in: AA 1985, 495–571; 1986, 443–569 · Th. Krauss, L. von Matt, Lebendiges Pompeji, 1973 · A. Maiuri, Alla ricerca di P. preromana, 1973 · A. Mau, F. Drexel, Pompeji in Leben und Kunst, ²1908 · A. und M. De Vos, P., Ercolano, Stabia, 1982 · BTCGI 14, 143–186.   V. K.

Pompeiopolis (Πομπηιόπολις; auch *Pompeiúpolis*/ Πομπηιούπολις: Strabon). Stadt in → Paphlagonia, die → Pompeius [I 3] 64 v. Chr. im fruchtbaren Tal des → Amnias am wichtigsten nordanatolischen Verkehrsweg von der Propontis nach Armenia gründete (Strab. 12,3,1; Cass. Dio 37,20,2). Die Lage beim h. Taşköprü ist durch Inschr. und Grabungsfunde gesichert [1. 68 f.]. Felsgräber, bes. das große reliefgeschmückte bei Donalar [1. 14 f.], bezeugen, daß die Umgebung schon in vorhell. Zeit bed. Siedlungsplätze besaß. Pompeius scheint Soldaten aus dem Westen in P. angesiedelt zu haben. Die Ephebenliste traianischer Zeit [1. 135 Nr. 1] hat, soweit erh., fast nur röm. Namen, und aus einer Pap.-Urkunde [1. 67 f.] ergibt sich, daß P. nach dem röm. Kalender datierte. Durch Antonius [I 9] etwa 39 wieder unter die Herrschaft einheimischer Klientelfürsten gegeben, feierte P. mit dem Ärenbeginn im J. 5 v. Chr. seine Neugründung als Metropolis und Versammlungsort des Landtags der Prov. Paphlagonia [1. 71 f.]. Aus den Bürgerfamilien gingen prominente Reichsbeamte hervor: C. Claudius [II 61] Severus, Statthalter von Arabia unter Traianus, und sein Enkel Cn. Claudius [II 62] Severus, der Schwiegersohn des Kaisers Marcus Aurelius. Die Familie der Subatianii, unter ihnen der erste Gouverneur der severischen Prov. Mesopotamia, scheint in P. beheimatet gewesen zu sein [2]. Als Bischofsstadt bezeugt seit 325, unterstand P. zunächst → Gangra, stellte Metropoliten seit E. des 10. Jh. [2. 261]. Mit den Sāsānideneinfällen um 600 endet die Blüte der Stadt. Im 14. Jh. wird sie als zerstört beschrieben [3].

1 Ch. Marek, Stadt, Ära und Territorium ... (Istanbuler Forschungen 39), 1993 2 O. Salomies, Die Herkunft des Legaten Ti. Claudius Subatianus Aquila, in: ZPE 119, 1997, 245–248 3 K. Belke, Paphlagonien und Honorias (TIB 9), 1996, 260f. C. MA.

Pompeius. Name eines plebeiischen Geschlechtes (die Verbindung mit der campanischen Stadt Pompeii ist unklar). Die Familie erlangte mit P. [I 1] polit. Bed.; auf ihn führt sich der Zweig der Rufi zurück. Ein verwandter Zweig gelangte mit P. [I 8] zum Konsulat und stellte mit dessen Sohn Cn. P. [I 3] Magnus den bedeutendsten Angehörigen der *gens*. Beide Linien setzten sich bis in die frühe Kaiserzeit fort (Stammbäume: [1; 2; 3]).

1 Stemma s. v. P., RE 21, 2051 f. 2 PIR² P 584 3 Syme, RR, Stemma V.

I. Republikanische Zeit II. Kaiserzeit
III. Schriftsteller und Redner

I. Republikanische Zeit

[I 1] P., Q. Wurde 141 v. Chr. als *homo novus* und beliebter Redner (Cic. Brut. 96) gegen den Widerstand der Nobilität und bes. des P. Cornelius [I 70] Scipio Aemilianus Consul und erhielt das Kommando in Spanien. Belagerungen von → Numantia und Termantia scheiterten, wofür P. seinem Vorgänger L. Caecilius [I 27] Metellus Macedonicus die Schuld gab. Trotzdem wurde sein Kommando für 140 verlängert. Aufgrund weiterer Mißerfolge handelte er mit den Numantinern eine Scheinübergabe aus, deren Existenz er bei Ankunft seines Nachfolgers leugnete; der Senat billigte schließlich sein äußerst umstrittenes Verhalten (App. Ib. 291–344; Cic. rep. 3,28; Cic. fin. 2,54; Cic. off. 3,109). Aus diesem Grund wurde er 138 von Metellus u. a. wegen Erpressung verklagt, aber freigesprochen (Cic. Font. 23; Val. Max. 8,5,1). 136 mit Metellus als Legat unter dem Consul L. Furius [I 28] Philus erneut in Spanien; 133 ein prominenter Gegner des Ti. → Sempronius Gracchus (Plut. Ti. Gracchus 14; Oros. 5,8,4). 131 erneut mit Metellus Censor (Cic. Brut. 263); sie bildeten das erste plebeiische Censorenpaar (Liv. per. 59).

1 A. E. Astin, Scipio Aemilianus, 1967, Index s. v.
2 H. Simon, Roms Kriege in Spanien, 1962, 108–116; 139–142. K.-L. E.

[I 2] s. Lenaeus

[I 3] P. Magnus, Cn. Der Gegner Caesars.

A. Die frühe Karriere (106–71)
B. Vom Konsulat zum »Triumvirat« (70–60)
C. Pompeius in Rom (59–50)
D. Bürgerkrieg (49–48)
E. Urteil der Zeitgenossen und Nachleben

A. Die frühe Karriere (106–71)

Cn. P., Sohn des Cn. P. [I 8] Strabo, geb. in Rom am 29.9.106 v. Chr. (im selben J. wie → Cicero), ermordet am 28.9.48 in Ägypten (*pridie natalem*, Vell. 2,53,3), begann seine mil. Laufbahn während des → Bundesgenossenkrieges [3] (91–89) im Heer seines Vaters (*cos.* 89). Im nachfolgenden Bürgerkrieg zwischen L. → Cornelius [I 90] Sulla und C. → Marius [I 1] verließ er rechtzeitig das Lager des L. Cornelius [I 18] Cinna und stellte sich 83 auf die Seite des zurückkehrenden Sulla. Zu dessen Unterstützung rekrutierte er als amtsloser Privatmann in Picenum, wo die Familie umfängliche Besitzungen hatte, drei Legionen aus Veteranen und Klienten seines Vaters. P. heiratete noch 82 → Aemilia [3], die Stieftochter Sullas; auch seine weiteren Ehen mit → Mucia Tertia (ca. 81–62), mit → Iulia [5] (59–54) und → Cornelia [I 4] (seit 52) waren polit. motiviert.

Als Propraetor ging P. 81, formal im Auftrag des Senats, nach Sizilien und eroberte es von den Gegnern Sullas zurück (Hinrichtung des Cn. → Papirius [I 9] Carbo), 81/80 kämpfte er erfolgreich in Africa (MRR 2,77; 81). Widerstrebend bewilligte ihm Sulla spätestens 79, wahrscheinlich aber früher (MRR 3,161), einen → Triumph, obwohl die formalen Voraussetzungen (Alter, senatorischer Rang) fehlten. Bei den Konsulatswahlen für das J. 78 unterstützte P. den M. → Aemilius [I 11] Lepidus, half aber im Kampf gegen diesen, sobald Lepidus sullanische Gesetze rückgängig zu machen drohte (MRR 2,90).

77 erzwang sich P. ein *imperium extraordinarium* (s. → *imperium*) für Spanien, um dem dort seit 83 agierenden Sullagegner Q. → Sertorius effektiver entgegenzutreten. Nach anfänglichen Niederlagen konnte er Sertorius in die Defensive drängen, aber erst nach dessen Ermordung 72 den letzten Widerstand brechen. 71 kehrte P. nach It. zurück, ein → Tropaion in den Pyrenäen kündete von 876 eroberten Städten (Plin. nat. 7,96). Auf dem Rückweg vernichtete er versprengte Sklaventruppen des bereits besiegten → Spartacus (MRR 2,124); in Rom erhielt er seinen zweiten Triumph bewilligt (am 29.12.71).

B. Vom Konsulat zum »Triumvirat« (70–60)

Im J. 70 bekleidete P. nach zwei Triumphen zum ersten Mal das Konsulat (eine ungewöhnliche Reihenfolge). Sein Kollege im Amt wurde M. → Licinius [I 11] Crassus, Gegner und Verbündeter der nächsten zwei Jahrzehnte. Als Consul vollzog P. wiederum eine Wendung. Die bisher verteidigten Gesetze Sullas wurden nun z. T. aufgehoben, die Rechte der Volkstribunen wiederhergestellt, die *equites* (→ *equites Romani*) wieder in die Gerichtshöfe eingesetzt; sie erhielten wie Senatoren und Aerartribunen (s. → *tribunus*) ein Drittel der Sitze (MRR 2,126).

Den Höhepunkt seiner Karriere bildeten zwei große Kommandos: 67 v. Chr. übertrug ihm die *lex Gabinia* (→ Gabinius [I 2]) die Aufgabe, die Piraten zu bekämpfen (→ Seeraub); ausgestattet mit einem *imperium* über das ganze Mittelmeer, das 20 Legionen und 500 Schiffe einschloß (MRR 2,146) benötigte er zur Erfüllung seines Auftrages drei Monate. Anf. 66 unterstellte ihm die *lex Manilia* (→ Manilius [I 2]) die Prov. Bithynia, Pontus

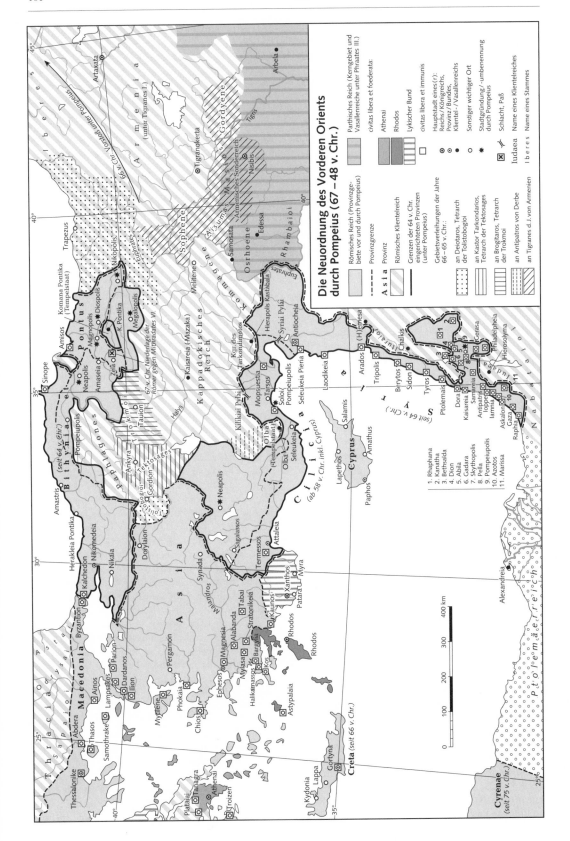

Die Neuordnung des Vorderen Orients durch Pompeius (67 – 48 v. Chr.)

Römisches Reich (Provinzgebiete vor und durch Pompeius)

Provinzgrenze

Asia Provinz

Römisches Klientelreich

Grenzen der 64 v. Chr. eingerichteten Provinzen (unter Pompeius)

Gebietsverleihungen der Jahre 66 – 65 v. Chr.:

an Deiotaros, Tetrarch der Tolistobogioi

an Kastor Tarkondarios, Tetrarch der Tektosages

an Brogitaros, Tetrarch der Trokmoi

an Antipatros von Derbe

an Tigranes d. J. von Armenien

Parthisches Reich (Kerngebiet und Vasallenreiche unter Phraates III.)

civitas libera et foederata:
Athenai
Rhodos
Lykischer Bund

civitas libera et immunis

Hauptstadt eines (r):
Reichs / Königreichs,
Provinz / Bundes,
Klientel- / Vasallenreichs

Sonstiger wichtiger Ort

Stadtgründung / -umbenennung durch Pompeius

Schlacht, Paß

Iudaea Name eines Klientelreiches

Iberes Name eines Stammes

1. Rhaphana
2. Kanatha
3. Bethsaida
4. Dion
5. Abila
6. Gadara
7. Skythopolis
8. Pella
9. Pompeiupolis
10. Azotos
11. Marissa

und Cilicia, um den Krieg gegen → Mithradates [6] VI.
zu führen (MRR 2,155; → Mithradatische Kriege). P.
löste dabei → Licinius [I 26] Lucullus ab, besiegte noch
66 Mithradates und setzte den unterworfenen → Tigranes I. als König in Armenia ein; Syria fiel an Rom. 65
gelangte P. bei der Verfolgung des Mithradates bis ans
Kaspische Meer, 63 besetzte er Iudaea (→ Palaestina).
Bei der Neuordnung der Provinzen zeigte P. sein bedeutendes Organisationstalent (dazu vgl. die Karte): Er
konstituierte die Doppelprovinz → Bithynia et Pontus,
richtete Syria als Prov. ein, erweiterte → Cilicia, bildete
Klientelstaaten, regelte die Administration neu, förderte
Kultur und lokale Autonomie; die Provinzialen wurden
weitgehend human behandelt [5; 8; 10; 11; 14].

Die Hauptstadt, die gerade die → Catilina-Affäre
und den Bona Dea-Skandal (→ Clodius [I 4]) erlebt hatte, erwartete mit Sorge die Rückkehr des Siegers, dessen
Machtfülle befürchten ließ, er werde wie Sulla den Weg
zur Diktatur gehen. Anders als Sulla entließ P. jedoch
nach der Landung in Brundisium seine Truppen und traf
im Jan. 61 in Rom ein. Erleichtert glaubte die Senats-
oligarchie, ihre Verweigerungshaltung gegen P. verschärfen zu können. Zwar konnte P. im September einen Triumph für seine Erfolge im Osten feiern (Plin.
nat. 7,98), sah sich jedoch polit. isoliert und fand in Lucullus, Q. Caecilius [I 23] Metellus Creticus, Crassus
und M. Porcius [I 7] Cato einflußreiche Gegner. Versuche, seine Neuordnung des Ostens bestätigen zu lassen, scheiterten ebenso wie ein vom Volkstribun L. Flavius [I 3] im Jan. 60 eingebrachtes Ackergesetz, das die
Versorgung der Veteranen des Feldzuges vorsah, am Senat, der eine neue Machtstellung (nova potentia) des P.
fürchtete. Der amtierende Consul L. Afranius [1], »eine
Warze im Gesicht des P.« (Cic. Att. 1,20,5), war P. keine
Hilfe. Erst als die Optimaten (→ optimates) auch Crassus
brüskierten, zeigte sich ein Ausweg: Die gemeinsame
Gegnerschaft zum Senat einigte P. und Crassus; → Caesar, der nach seiner Propraetur in Spanien zwar zum
Consul für 59 gewählt worden war, aber ebenfalls senatorische Obstruktion fürchtete, vermittelte ein »Zusam-
mengehen« (coitio) [12], das gegen E. 60 zum sog. ersten
→ Triumvirat führte (Cic. Att. 2,9,2). In geheimer Absprache wurde vereinbart, nichts dürfe im Staat geschehen, was gegen die Interessen eines der Drei ver-
stoße (Suet. Iul. 19,2).

C. POMPEIUS IN ROM (59–50)

Die Effizienz des Dreibundes lag in seiner schnellen
Handlungsfähigkeit. Noch Anf. 59 ließ der Consul
Caesar zwei Agrargesetze verabschieden, die vornehmlich (nicht ausschließlich) P.' Veteranen zugute kommen sollten (P. selbst gehörte einer Kommission zur
Landverteilung an.); die Neuordnungen im Osten wurden pauschal bestätigt (lex Iulia de actis Cn. Pompei confir-
mandis). Die schwierige Beziehung zwischen P. und
Caesar (socer generque, »Schwiegervater und Schwiegersohn«: Catull. 29) prägte in den kommenden J. die röm.
Innenpolitik. Gemeinsames Interesse gegen den Senat
und Verwandtschaft durch die Heirat des P. mit Caesars

Tochter Iulia [5] im April 59 verbanden beide, die Konkurrenz um die erste Stelle im Staat entfremdete sie einander. Die Lage wurde kompliziert, als der Volkstribun
von 58, P. Clodius [I 4] Pulcher – mit und gegen Caesar,
mit und gegen die Optimaten – die Situation für seine
Ziele zu nutzen suchte. Er attackierte P. in ausgesuchter
Weise, sabotierte die Neuordnung im Osten (lex Clodia
de rege Deiotaro et Brogitaro) und machte P. in öffentl.
Versammlungen zum Gespött der → plebs. So versuchte
P. eine zunächst vergebliche Annäherung an die Optimaten, die ihm als verm. Urheber der berüchtigten coitio
(s.o. B.) mißtrauten: 57 sprach er sich für die (vorher
gebilligte) Rückberufung → Ciceros aus dem Exil aus
[15], im Sept. erhielt er auch ein neues Amt, die → cura
annonae: Nach gewaltigen Hungerdemonstrationen in
Rom wurde ihm für fünf J. die Versorgung im ganzen
Reich übertragen. P. bemühte sich vergeblich um weitere Aufgaben, blieb aber ohne Unterstützung der Optimaten und damit weiter an Caesar gebunden.

Im J. 56 wurde das »Triumvirat« in Lucca erneuert,
ein gemeinsames Konsulat von P. und Crassus für 55
vereinbart und durchgesetzt – nicht zuletzt in Straßenschlachten. P. erhielt auf fünf J. beide spanischen Prov.
(Hispania Baetica und Tarraconensis), Caesars Statthalterschaft in Gallia wurde um dieselbe Frist verlängert,
Crassus bekam die Prov. Syria. Während Syrien und
Gallien Aussicht auf Kriegsruhm boten, blieb P. in
Rom, um sich dort als starker Mann zu präsentieren.
Dazu schürte er in der krisengeschüttelten Hauptstadt
nach Kräften die Streitigkeiten und Unruhen, die er
später beilegen bzw. unterdrücken wollte. Im Okt.
54 befand Cicero, es rieche nach Diktatur (Cic. Att.
4,18,3). Zwar revidierte er diese Äußerung später etwas,
doch die anarchischen Zustände in Rom änderten sich
nicht. Erheblich verpätet (erst im Juli 53) konnten die
Consuln für 53 gewählt werden, und das J. 52 begann
wieder ohne Consuln. Die neuen Bewerber um das
Konsulat, T. Annius [I 14] Milo, P. Plautius [I 8]
Hypsaeus und Q. Caecilius [I 32] Metellus Scipio, be-
kämpften einander mit allen Mitteln; Caesar war durch
gallische Aufstände gebunden (→ Vercingetorix), die
Bestellung eines → interrex, der Neuwahlen hätte durchführen können, wurde verhindert. Als Clodius, Kandidat für die Praetur, am 18.1.52 auf der Via Appia von
Milo ermordet wurde, brach in Rom eine Revolte der
plebs aus. Die curia ging in Flammen auf, die Senatoren
flüchteten aus der Stadt, und E. Febr. war P. am Ziel: Er
wurde alleiniger Consul (consul sine collega) und erhielt
eine diktaturähnliche Machtstellung. Ein Bürgerkrieg
bahnte sich an.

D. BÜRGERKRIEG (49–48)

Bereits im August 54 war Iulia gestorben, ohne deren
Vermittlung der Bruch zwischen Caesar und P. nicht zu
heilen war; im Mai 53 fiel Crassus während des Par-
therfeldzuges (→ Partherkriege). Nun endlich fand P.
die lang erstrebte Aufnahme bei den Optimaten, die
ihrerseits Caesar fürchteten. Mitte 52 machte P. Caecilius [I 32] Metellus Scipio zum Mitconsul und ehelich-

te dessen Tochter Cornelia [I 4]. Er lehnte Caesars Verständigungsangebote ab (Suet. Iul. 27,1), zeigte sich aber ihm gegenüber unsicher, vielleicht doppelzüngig: Zunächst förderte er einen Beschluß, der es Caesar gestattete, sich in Abwesenheit für das 2. Konsulat zu bewerben (*plebiscitum de petitione Caesaris*), dann aber erneuerte er ein Gesetz, das alle Amtsbewerber verpflichtete, vor der Volksversammlung zu erscheinen (*lex Pompeia de iure magistratuum*). Die *lex Pompeia de provinciis* (ebenfalls Sommer 52) erlaubte es, dem Proconsul Caesar vorzeitig einen Nachfolger zu schicken, und vermehrte so die Versuche, Caesar abzuberufen. Wo P. schwieg, äußerte sich sein (neuer) Schwiegervater. P. wußte den Senat hinter sich, Caesar stützte sich auf einzelne Volkstribunen (C. → Scribonius Curio; M. → Antonius [I 9]) und suchte noch in letzter Minute einen Kompromiß, doch war sich P. seiner Stärke bewußt. Wie weit er selbst treibende Kraft war, wie weit er vom Senat getrieben wurde, ist unklar.

Am 7.1.49 jedenfalls beauftragte der Senat die Magistrate mit dem Schutz der Republik: Caesar solle als Landesfeind gelten, wenn er sein Heer nicht entließe. Dieser stieß jedoch nach Überquerung des → Rubico (11.1.49) schnell nach Süden vor. Die Aushebungen, die P. in It. vornehmen ließ, kamen zu spät; im März flohen er, viele Senatoren und die Consuln über Brundisium nach Osten. Da sich Caesar zunächst gegen die dem P. treuen Legionen in Spanien wandte, konnte P. ein starkes Heer in Macedonia rekrutieren. Nach einem erfolglosen Stellungskrieg (nach der Landung Caesars in Epeiros) und Siegen des P. bei → Dyrrhachion (April-Juli 48) kam es am 9.8.48 zu der (von P. wohl als zu früh erachteten) Entscheidungsschlacht bei → Pharsalos. P. unterlag dem nach neunjährigem Kampf in Gallien erfahreneren Feldherrn, floh nach Ägypten und wurde bei seiner Ankunft in Alexandreia [1] ermordet.

P.' große mil. Erfolge werden durch seine letzte Niederlage überschattet, seine organisatorischen Verdienste für die Republik in den 60er Jahren durch den Bürgerkrieg. Jenseits unbestrittener Fähigkeiten weisen ihn rücksichtsloser Ehrgeiz, unmäßige Bereicherung, opportunistisches Taktieren und letztliches Scheitern als Exemplum einer spätrepublikanischen Biographie aus.

E. URTEIL DER ZEITGENOSSEN UND NACHLEBEN
Die Zeitgenossen beurteilten P. widersprüchlich. Seine Soldaten verliehen ihm noch in den 80er J. in Anlehnung an Alexander d.Gr. (→ Alexandros [4]) den Beinamen *Magnus*, »der Große« (Liv. per. 103; [1. 53 f.; 16]). Cicero pries ihn (Cic. fam. 2,8,2) und kritisierte ihn (Cic. Att. 8,16,1); Sallust nennt ihn ›biederen Gesichts, unverfrorenen Gemüts‹ [1. 46], und M. Caelius [I 4] Rufus gibt in einem Brief vom 26.5.51 (Cic. fam. 8,1,3) wohl die vorherrschende Meinung über P. als Politiker wieder: ›Er pflegt ja anders zu reden als er denkt und besitzt doch nicht so viel Geist, um zu verbergen, worauf er hinaus will.‹

Das Urteil der Nachwelt ist vom Sieg Caesars beeinflußt, doch fällt es meist günstiger aus als das der Zeit-

genossen. Livius [III 2] hegt Sympathien für den Verlierer des Bürgerkriegs, und Valerius Maximus rühmt P.' Milde und Menschlichkeit (5,1,9 und 10). Velleius Paterculus (2,53,3) nennt ihn einen ›untadeligen und herausragenden Mann‹ (*sanctissimus et praestantissimus vir*), Plinius [2] stellt ihn Alexander d.Gr., Herakles und → Liber Pater gleich (Plin. nat. 7,95). In → Lucanus' [1] *Bellum civile* wird P. zur tragischen Figur, die sich zu spät für die bessere Sache entscheidet; Plutarchos [2] gibt eine abgewogene Charakteristik (Plut. Pompeius 81–85).

Plutarch und Lucan haben auch das Bild des P. in MA (*Gesta Romanorum*) und Neuzeit am stärksten geprägt. Als die ersten Plutarch-Übers. (1559 von J. AMYOT ins Frz. und 1579 von T. NORTH ins Engl.) erschienen, wurde P. zum Gegenstand von Lit., Kunst und Musik. M. de MONTAIGNE (*Essais* I 47) zitiert bereits 1580 aus der P.-Vita des Plutarch. Neben dem Krieg gegen → Sertorius beschäftigt dabei bes. P.' unglückliches Schicksal. P. CORNEILLE schrieb 1643 *La mort de Pompée*, 1662 erscheint sein Drama *Sertorius*.

Der Lütticher Maler G. de LAIRESSE (1641–1711) stellte 1684 eine Episode aus dem spanischen Krieg dar: P. verbrennt (ungelesen) die Briefe des Sertorius. TINTORETTO malte P.' Rückkehr aus der Schlacht von Pharsalos (2. H. 16. Jh.), J. H. MORTIMER (1741–1779) eine Beratung vor dem Kampf bei Dyrrhachion (1776), A. KAUFFMANN (1741–1807) Cornelias Reaktion auf den Tod ihres Gatten (1785), T. GÉRICAULT zeichnete den Tod des P. Zwischen 1666 und 1825 nahm sich auch eine Reihe von Opern des P.-Stoffes an (P. F. CAVALLI, 1666; G. D. FRESCHI, 1681; A. SCARLATTI, 1683 u. a.; [17. 575 f.]).

MONTESQUIEU respektiert in seinen *Considérations* von 1734 P. als originäre Größe, im übrigen wird – so in J. G. HERDERS ›Ideen zur Philos. der Gesch. der Neuzeit‹ oder in G. W. F. HEGELS ›Vorlesungen über die Philos. der Gesch.‹ – P.' Rolle durch sein Scheitern definiert. F. NIETZSCHE und J. BURCKHARDT, der Caesar zum ›größten der Sterblichen‹ erklärt (›Weltgeschichtliche Betrachtungen‹), halten P. keiner Erwähnung für wert. Nachdrücklich äußert sich K. MARX (mit Blick auf seine Lektüre Appians): ›Pompejus [erscheint als] reiner Scheißkerl; erst durch Eskamotage der Erfolge von Lucullus …, dann der Erfolge von Sertorius (Spanien) usw. als »young man« von Sulla usw. in falschen Ruf gekommen‹ (Brief vom 27.2.1861).

In der Lit. des 20. Jh. ist P. Randfigur. Bei B. BRECHT (›Die Geschäfte des Herrn Julius Caesar‹, 1949 bzw. 1957) tritt er als Typus des käuflichen Politikers auf; H. de MONTHERLAND und der Nobelpreisträger C. SIMON verwenden das Bürgerkriegsmotiv als (Rahmen-)Thema (*La guerre civile*, 1965 bzw. *La bataille de Pharsale*, 1969).

→ Caesar; Licinius [I 11] Crassus; Triumvirat

1 M. GELZER, P., ²1959 (Ndr. 1984) 2 E. MEYER, Caesars Monarchie und das Principat des P., ³1922 (Ndr. 1963) 3 P. GREENHALGH, Pompey, the Roman Alexander, 1981

4 J. Leach, Pompey the Great, 1978 5 G. Wirth, P. –
Armenien – Parther. Mutmaßungen zur Bewältigung einer
Krisensituation, in: BJ 183, 1983, 1–60 6 P. Panitschek,
Die Agrargesetze des J. 59 und die Veteranen des P., in:
Tyche 2, 1987, 141–154 7 K. von Fritz, Pompey's Policy
before and after the Outbreak of the Civil War of 49 B. C.,
in: TAPhA 73, 1942, 145–180 8 K. M. Girardet, Imperium
und provinciae des P. seit 67 v. Chr., in: Cahiers du Centre
G. Glotz 3, 1992, 177–188 9 Th. P. Hillman, P. and the
Senate: 77–71, in: Hermes 118, 1990, 444–454 10 G. J.
Wylie, Pompey Megalopsychos, in: Klio 72, 1990, 445–456
11 G. Wirth, P. im Osten, in: Klio 66, 1984, 574–580
12 G. R. Stanton, B. A. Marshall, The Coalition
between P. and Crassus 60–59 B. C., in: Historia 24, 1975,
205–219 13 L. G. Pocock, What Made P. Fight in 49
B. C.?, in: G&R 28, 1959, 68–81 14 A. Dreizehnter, P. als
Städtegründer, in: Chiron 5, 1975, 213–245 15 R. Seager,
Clodius, P. and the Exile of Cicero, in: Latomus 24, 1965,
519–531 16 D. Michel, Alexander als Vorbild für P., Caesar
und Marcus Antonius (Diss. Heidelberg 1965), 1967
17 E. M. Moormann, W. Uitterhoeve, Lex. der ant.
Gestalten, 1995 18 K. Christ, Krise und Untergang der
röm. Republik, ⁴2000.

Karten-Lit. (zusätzlich): J. Wagner, Die
Neuordnung des Orients von P. bis Augustus (67 v. Chr. –
14 n. Chr.), TAVO B V 7, 1983.   W. W.

[I 4] P. Magnus, Cn. Ca. 80–45 v. Chr., ältester Sohn
von P. [I 3] und → Mucia Tertia, seit 56 (?) verheiratet
mit Claudia, einer Tochter von Ap. Claudius [I 24] Pulcher. Im Bürgerkrieg führte P. 49 eine Flotte (MRR
2,271). Von Africa, wohin er nach dem Tod seines Vaters geflohen war, setzte er 46 nach Spanien über. Rasch
gewann P. den Süden der Halbinsel für sich, nahm den
Titel *imperator* an und führte mit 13 Legionen erfolgreich Krieg gegen → Caesars Truppen (MRR 2,298;
309), bis seine Armee am 17.3.45 bei → Munda [1] vernichtet wurde. Der verwundete P. wurde auf der Flucht
getötet. Cicero (Cic. fam. 11,19,4; vgl. Plut. Cicero
39,1) und das *Corpus Caesarianum* bezeichnen ihn als
grausam.

[I 5] P. Magnus, Sex. Sohn des P. [I 3] Magnus und
Gegner der Triumvirn.
A. Frühe Karriere
B. Der Widerstand gegen das Triumvirat
C. Der Kampf gegen Octavian und das Ende

A. Frühe Karriere
Ca. 76/70?–35 v. Chr. [2], jüngerer Sohn von P. [I 3]
und → Mucia. Eine Teilnahme am Feldzug seines Vaters
49/8 ist ungewiß (einziger Hinweis Lucan. 6,419f.
u.ö.). Im September 48 erlebte P. die Ermordung seines
Vaters mit und floh nach Africa. Nach der Niederlage
der Pompeianer gegen → Caesar bei Thapsos schloß er
sich Mitte Juni 46 seinem Bruder Cn. P. [I 4] in Spanien
an. Bis zur Niederlage von Munda im März 45 verteidigte P. das wichtige Corduba; bei den → Lacetani versteckt überlebte er Caesars Sieg (→ Caesar, mit Karte
zum Bürgerkrieg). Nach dem Abzug des Dictators stellte P. sieben Legionen auf, mit denen er bis zum Sommer
44 den Süden und SO Spaniens wiedergewann. Nach

Siegen über C. Carrinas [I 2] und C. Asinius [I 4] Pollio
führte P. den Titel *imperator* (RRC 477–479).

Caesars Tod im März 44 gab P. die Chance, das finanzielle und polit. Erbe seines Vaters anzutreten. Mit
seiner Streitmacht verließ P. Spanien und setzte sich in
→ Massalia fest, von wo aus er Druck auf It. ausübte.
Ende 44 kam dank M. Aemilius [I 12] Lepidus ein Ausgleich mit M. Antonius [I 9] zustande; er scheiterte, als
der Senat P. bewog, den in → Mutina belagerten Repu-
blikanern zu helfen, und ihn zum *praefectus classis et orae
maritimae* gegen Antonius ernannte (MRR 2, 348 f.). P.
wurde im Herbst 43 zusammen mit den Caesarmördern
geächtet und proskribiert; er mußte Massilia räumen,
konnte aber mit seiner starken Flotte auf Sizilien Fuß
fassen, das er seit dem Sommer 42 völlig beherrschte.

B. Der Widerstand gegen das Triumvirat
Sizilien wurde nun Zufluchtsort zahlreicher Pro-
skribierter. Angriffsflotten der Triumvirn Octavianus
(→ Augustus), M. Antonius [I 9] und M. Aemilius [I 12]
Lepidus wies P. ab, während er durch Überfälle und
eine Seeblockade Italiens seine Anerkennung zu erzwingen suchte. Nach der Schlacht von Philippoi (42)
verstärkten fliehende Republikaner (v. a. Armee und
Flotte von L. Staius Murcus, den P. später ermorden
ließ) seine Streitmacht. In Konkurrenz zum *Divi filius*
(d. h. Sohn des vergöttlichten Caesar und damit – als
Mitglied der *gens Iulia* – Nachkomme der Venus) Octavianus (→ Augustus) trat P. als Sohn Neptuns auf und
führte so die Namensform *Magnus P. Pius*; Octavian
brandmarkte ihn seinerseits als Piraten [4. 163–177; 185–
210].

Das Zerwürfnis der Triumvirn erlaubte es P. schließlich, seine Isolation zu überwinden; im *bellum Perusinum*
40 trat er auf die Seite des Antonius (→ Perusia). Mit der
Eroberung von Corsica, einem Vormarsch in Bruttium
und ersten Aktionen in Africa erreichte P.' Macht einen
Höhepunkt. Der Ausgleich von Brundisium zwischen
Octavian und Antonius im selben J. isolierte P. erneut;
der Gewinn Sardiniens ermöglichte es ihm jedoch, It.
wirksamer denn je auszuhungern (→ Getreidehandel).
Unruhen nötigten die Triumvirn im Sommer 39 zum
Vertrag von Misenum, der P. als Statthalter der drei Inseln Corsica, Sardinien und Sizilien sowie Achaias anerkannte. Während zahlreiche proskribierte *nobiles* aus P.'
Gefolge, die Triebkräfte des Friedens, begnadigt heim-
kehrten, forderten seine Freigelassenen um → Menodoros [1] und → Menekrates [11] vergebens Krieg zur
Durchsetzung größerer Ziele.

C. Der Kampf gegen Octavian und das Ende
Beim Neuausbruch der Kämpfe mit Octavian 38
verlor P. durch Menodoros' Verrat Sardinien und Cor-
sica und damit die Seeherrschaft. Von Sizilien aus nahm
er die Blockadepolitik wieder auf, unterließ es aber, Sie-
ge über Octavians Flotte auszunutzen, und war seit dem
Ausgleich der Triumvirn vom Sommer 37 ganz in die
Defensive gedrängt. Die starke, gut geführte Flotte von
Octavians General → Agrippa [1] erkämpfte trotz P.'
Tagessieg bei Mylai im August 36 die Landung seiner

Feinde auf Sizilien [1. 117–138]; P., zu Lande chancenlos, suchte eine Entscheidung auf See und unterlag Agrippa bei Naulochos. Mit wenigen Schiffen rettete er sich nach Lesbos. Bis Anf. 35 verhandelte P. mit Antonius über ein Bündnis, warb aber gleichzeitig Truppen, verhandelte mit den Parthern und hoffte, dank der starken Klientel der Pompeii im Orient Antonius ersetzen zu können. Sein Angriff auf Städte der Troas und Bithyniens hatte zuerst Erfolg; gegen Antonius' stärkere Flotte konnte er sich jedoch nicht halten. Sein Heer zerstreute sich; auf der Flucht nach Armenien geriet P. in die Hände des Legaten M. Titius und wurde nach verzweifelten Fluchtversuchen im Sommer 35 in Milet hingerichtet.

P.' Ziel, die Position seiner Familie neben den Erben Caesars wiederzugewinnen, bestimmte sein Leben. Die augusteische Geschichtsschreibung prägte das Bild eines Desperado, *servorum servus* (Vell. 2,73,1) und Piratenfürsten [3], das bis in mod. Darstellungen nachwirkt, und verstellt den Blick auf P.' Charakter: Abenteurernatur oder tragische Gestalt?

→ Antonius [I 9]; Augustus; Caesar; Triumvirat

1 J.-M. RODDAZ, Marcus Agrippa, 1984 2 J. ROUGÉ, La date de naissance de Sextus Pompée, in: REL 46, 1968, 180–193 3 F. SENATORE, Sesto Pompeo tra Antonio e Ottaviano nella tradizione storiografica antica, in: Athenaeum 69, 1991, 103–139 4 P. WALLMANN, Triumviri rei publicae constituendae, 1989.

E. GABBA (ed.), Appiani bellorum civilium liber quintus, 1970 (mit Komm. und ital. Übers.) · M. HADAS, Sextus Pompey, 1930 · B. SCHOR, Beitr. zur Gesch. des Sex. P., 1978.　　　　　　　JÖ. F.

[I 6] P. Rufus, Q. Sohn oder Enkel von P. [I 1]; setzte sich als Volkstribun (→ *tribunus plebis*) 100 v. Chr. (MRR 3,22) vergeblich für die Rückberufung des Q. Caecilius [I 30] Metellus Numidicus ein (Oros. 5,17,11); Praetor 91; zusammen mit P. → Cornelius [I 90] Sulla Consul 88, dessen Tochter Cornelia [I 2] seinen Sohn Q. heiratete. Er opponierte gegen Sullas Gegner, den Volkstribunen P. → Sulpicius (in den Tumulten kam sein Sohn um) und half bei der Rückeroberung Roms durch Sulla. Mit der Übernahme des Heeres seines entfernten Verwandten Cn. P. [I 8] Strabo beauftragt, wurde er von dessen Soldaten mit der Duldung ihres Kommandeurs erschlagen (App. civ. 1, 283; Liv. per. 77). Sein Enkel war P. [I 7], seine Enkelin Pompeia [1], die zweite Frau Caesars.　　　　　　　K.-L. E.

[I 7] P. Rufus, Q. Sohn von Cornelia [I 2] und einem Q. P. Rufus, 54 v. Chr. Münzmeister (RRC 434). Als Volkstribun 52 (MRR 2, 236) unterstützte er Cn. P. [I 4]; wegen seiner Agitation gegen T. Annius [I 14] Milo wurde P. – angeblich P. Clodius [I 4] Pulchers engster Freund (Ascon. 50 f. C.) – E. 52 auf Betreiben von M. Caelius [I 4] *de vi* (wegen Gewaltanwendung) verurteilt und verbannt. Seitdem lebte er in → Bauli (Cic. fam. 8,1,4). Identität mit dem Caesarianer P. Rufus (Bell. Afr. 85,7) ist möglich.　　　　　　　JÖ. F.

[I 8] P. Strabo, Cn. Vater des P. [I 3]. P. versuchte vergeblich, nach seiner Quaestur ca. 106 v. Chr. seinen ehemaligen Vorgesetzten T. Albucius [2] anzuklagen (Cic. div. in Caec. 63); als Volkstribun 104 (?) klagte er erfolgreich Q. Fabius [I 25] Maximus Eburnus wegen unrechtmäßiger Hinrichtung dessen eigenen Sohnes an (Val. Max. 6,1,5; Oros. 5,16,8; [2. 306–309]). Praetor spätestens 92, verwaltete danach Macedonia (IG II/III 4101). Im → Bundesgenossenkrieg [3] kämpfte er als Legat in der Nordarmee und wurde mit der Unterwerfung von Asculum in Picenum, wo er Grundbesitz besaß, betraut. Nach wechselhaften Kämpfen gelang ihm ein Sieg über T. → Lafrenius, worauf er das Konsulat für 89 erhielt. Nachdem Verhandlungen mit dem Führer der → Marsi [1], P. → Vettius Scato, gescheitert waren (Cic. Phil. 12,27), besiegte P. 89 die Marsi und eroberte Asculum (Liv. per. 74; App. civ. 1,207–216). Er wurde zum *imperator* akklamiert, verlieh verdiente Soldaten seiner Hilfstruppen das röm. Bürgerrecht (ILLRP 515 mit einer Liste der Mitglieder seines Stabes, darunter sein Sohn Cn. P. [I 3], → Cicero und → Catilina; [3; 4]), verlieh latinisches Bürgerrecht (→ Latinisches Recht) an die Gemeinden der Gallia Transpadana (Ascon. 3 C.; Plin. nat. 3,138) und triumphierte im Dez. des J. 89. Im folgenden J. blieb er als Proconsul bei der Armee und führte die Unterwerfung Nordimaliens zu Ende; der Consul Q. P. [I 6] Rufus wurde bei dem Versuch, ihn abzulösen, von den Soldaten mit P.' Duldung getötet. 87 rückte P., vom Senat zur Verteidigung gegen den Consul L. Cornelius [I 18] Cinna herbeigerufen, zur Veteidigung Roms heran, verhandelte aber gleichzeitig mit Cinna, da er sich wohl eine bessere Behandlung der Neubürger und ein erneutes Konsulat (mit Cinna) versprach (Granius Licinianus p. 15 CRINITI). Er starb aber kurz darauf wohl an einer Seuche, was von seinen Gegnern als Strafe für sein undurchsichtiges Taktieren angesehen wurde; sein Leichnam wurde vom Mob durch die Straßen Roms geschleift (Vell. 2,21,2; Granius p. 17 f.; Plut. Pompeius 1,2).

Wie es scheint, wollte P., das Beispiel des C. Marius [I 1] und Sullas Marsch auf Rom 88 vor Augen, gestützt auf eine loyale Armee und mit Zustimmung der Neubürger, eine unabhängige Stellung im Staat bewahren. Die große Hausmacht, die P. aufbaute, ermöglichte es seinem Sohn P. Magnus, in diesen Plänen seinem Vater zu folgen.

1 E. BADIAN, Quaestiones Variae, in: Historia 18, 1969, 447–491 2 Ders., Three Non-Trials in Cicero, in: Klio 66, 1984, 291–309 3 C. CICHORIUS, Röm. Studien, 1922, 130–185 4 N. CRINITI, L'epigrafe di Asculum di Gn. Pompeo Strabone, 1970 5 M. GELZER, KS 2, 1963, 106–125 6 MRR 3, 165 f.　　　　　　　K.-L. E.

II. KAISERZEIT

[II 1] Röm. Ritter, der E. des J. 32 n. Chr. wegen angeblicher Teilnahme an der Verschwörung des → Aelius [II 19] Seianus gegen Tiberius umkam (vgl. Tac. ann. 6,14,1). PIR² P 575.

[II 2] Praetorianer-Tribun, der 65 n. Chr. aus Anlaß der Pisonischen Verschwörung (→ Calpurnius [II 13]) zusammen mit anderen Tribunen aus der Garde entlassen wurde (Tac. ann. 15,71,2). PIR² P 576.

[II 3] Cn. P. Senator; *cos. suff.* zusammen mit → Octavianus [1] im J. 31 v. Chr. Mitglied im erneuerten Collegium der → *Arvales fratres*; im J. 14 v. Chr. gestorben. PIR² P 577.

[II 4] Sex. P. Wohl Enkel des gleichnamigen Consul von 35 v. Chr.; verwandt mit → Augustus (Cass. Dio 56,29,5), doch ist der genaue genealogische Zusammenhang nicht zu rekonstruieren. *Cos. ord.* 14 n. Chr. während des gesamten Jahres; er spielte somit eine wichtige Funktion beim Begräbnis des Augustus und bei der Übernahme der vollen Macht durch → Tiberius, auf den er zusammen mit seinem Konsulatskollegen als erster den Eid ablegte (Tac. ann. 1,7,2). Er lehnte die Verteidigung von Cn. → Calpurnius [II 16] Piso im J. 20 ab, erscheint aber im abschließenden *SC* unter den Zeugen [1. 38 f.]. Um 24/5 amtierte er als Proconsul von Asia. Der Dichter → Ovidius war mit ihm vertraut; als dieser verbannt wurde, unterstützte P. ihn bei der Reise nach Tomi, u. a. wohl auf seinen Besitzungen in Macedonia. Ovid schrieb an ihn mehrere Briefe aus der Verbannung (Ov. Pont. 4,1; 4,4; 4,5; 4,15). PIR² P 584.

1 W. ECK, A. CABBALLOS, F. FERNÁNDEZ, Das s.c. de Cn. Pisone patre, 1996.

[II 5] Cn. P. Catullinus. *Cos. suff.* im J. 90 n. Chr., was auf eine sehr loyale Haltung gegenüber → Domitianus [1] nach der Verschwörung des Antonius [II 15] Saturninus hinweist. PIR² P 598.

[II 6] Cn. P. Collega. Senator. Im J. 70 n. Chr. schlug er, vielleicht als Legionslegat, einen Aufstand in Antiocheia [1] in Syrien nieder. *Cos. suff.* im J. 71; consularer Statthalter von Cappadocia-Galatia ca. 74/5–76. Sein Sohn war P. [II 7]. PIR² P 600.

[II 7] Sex. P. Collega. Sohn von P. [II 6]. *Cos. ord.* im J. 93 n. Chr. Im J. 100 stellte er einen milderen Strafantrag im Prozeß gegen Marius [II 15] Priscus (Plin. epist. 2,11,20 ff.). PIR² P 601.

[II 8] Q. P. Falco, mit vollem Namen Q. Roscius Coelius Murena Silius Decianus Vibullius Pius Iulius Eurycles Herculanus P. Falco. Sohn eines Sex. P. Rufus und einer Clodia Falconilla; möglicherweise von der Insel Sicilia stammend, wo auf jeden Fall Grundbesitz der Familie nachgewiesen ist [1. 116 ff.]. Seine senatorische Laufbahn begann noch unter → Domitianus [1]; wohl im J. 97 n. Chr. erhielt er den Volkstribunat, während dessen er im Senat auffiel (Plin. epist. 1,23; 9,13,19). Er war außerdem *praetor inter fiscum et peregrinos*. Im 1. Dakerkrieg wurde er als Legat der *legio V Macedonia* ausgezeichnet. Einmalig ist in dieser Zeit eine zweifache praetorische Statthalterschaft in kaiserl. Prov.: in Lycia-Pamphylia ca. 103–105, dann in Iudaea ca. 105/6–108; der Grund war vielleicht die Einziehung des Nabatäerreiches (→ Nabataioi) im J. 106. *Cos. suff.* 108; *curator viae Traianae*, dabei verm. zuständig für den Neubau

dieser Straße, ca. 109–112. Legat von Moesia inferior zumindest 116–118, vielleicht schon ab 113/4. Von → Hadrianus wurde P. im J. 118 nach Britannia gesandt, wo er bis Mitte 122 blieb. Proconsul von Asia 123/4 [2. 158]. P. war verheiratet mit Sosia Polla, der Tochter des → Sosius Senecio. Plinius sandte an ihn epist. 1,23; 4,27; 7,22; 9,15. Zur Förderung von Rittern durch P. vgl. Plin. epist. 7,22 und IEph 3, 713 (vgl. [3. 67 ff.]), zu seinem Haus in Rom vgl. G. ALFÖLDY zu CIL VI 41113. P. starb nicht vor 141. PIR² P 602.

1 W. ECK, Senatorische Familien der Kaiserzeit in der Provinz Sizilien, in: ZPE 113, 1996, 109–128 2 Ders., Jahres- und Provinzialfasten der senatorischen Statthalter, in: Chiron 13, 1983, 147–237 3 Ders., Flavius Iuncus, Bürger von Flavia Neapolis und kaiserlicher Prokurator, in: Acta Classica 42, 1999, 67–75.

[II 9] Q. P. Falco Sosius Priscus. Urenkel von Q. P. → Sosius Priscus, dem *cos.* 149 n. Chr., Ururenkel von P. [II 8]. PIR² P 603.

[II 10] Cn. Pinarius Aemilius Cicatricula P. Longinus. Wohl Adoptivsohn von Pinarius [II 1] Aemilius Cicatricula. Praetorischer Statthalter von Iudaea ca. 85/6–88/9 n. Chr.; *cos. suff.* 90. Consularer Legat von Moesia inferior von 93/4–96/7. Wohl schon 97 Legat in Pannonia, wo er verm. in die Pläne eingeweiht war, → Traianus durch → Nerva [2] adoptieren zu lassen. Möglicherweise ist er mit dem Longinus identisch, der von → Decebalus als Faustpfand gegen Traianus benutzt werden sollte, worauf er sich selbst tötete (Cass. Dio 68,12,1–4). PIR² P 623.

[II 11] C. P. Longus Gallus. *Cos. ord.* im J. 49 n. Chr. PIR² P 624.

W.E.

[II 12] Q. P. Macer. Röm. Ritter, Neffe des Geschichtsschreibers → Theophanes von Mytilene und wohl Sohn des Cn. P. Macer. Praetor im J. 15 n. Chr. Wohl mit dem Bruder von Pompeia [5] Macrina identisch, der sich, als ihm 33 n. Chr. eine Verurteilung drohte, selbst tötete (Tac. ann. 6,18,2). Ihm können verm. zwei konventionelle, aber fein gestaltete Epigramme zugeschrieben werden, die vielleicht aus dem »Kranz« des → Philippos [32] stammen: ein fiktiver Epitaph auf die berühmte Hetäre → Laïs (Anth. Pal. 7,219; vgl. Antipatros von Sidon 7,218 etc.) und ein Klagelied auf die Ruinen Mykenes (9,28, vgl. 9,101–104).

GA II 1, 440–443; 2, 468 f. · PIR² P 626.

W.E. u. M.G.A./Ü: G.K.

[II 13] M. P. Macrinus. Aus Mytilene stammend. P. trug die ehrende Bennenung *Neós Theophánēs*, in Erinnerung an seinen Vorfahren, den Historiker → Theophanes von Mytilene; doch war sie nicht Teil seines Namens. Senator; seine Laufbahn führte ihn nach der Praetur zur *cura viae Latinae*, zum Kommando über die *legio VI Victrix* in Germania inferior, zur praetorischen Statthalterschaft von Cilicia ca. 111–113 n. Chr. Danach war er Proconsul von Sicilia; dann *cos. suff.* 115; Proconsul von Africa ca. 130. PIR² P 628. Wohl sein Sohn war M. P. Macrinus Theophanes, *cos. suff.* 164. PIR² P 629.

[II 14] Cn. P. Magnus. Sohn von Licinius [II 9] Crassus Frugi (*cos.* 27 n. Chr.). Seinen Namen erhielt er von der mütterlichen Linie, die sich auf Pompeius [I 3] Magnus zurückführte (vgl. Stemma PIR² VI p. 279). Unter → Caligula geriet P. wegen seines Namens in Gefahr; er mußte das Cogn. ablegen, das Claudius [III 1] ihm wieder zuerkannte. P. verlobte sich mit Antonia [5], der Tochter des Claudius. Er wurde in der Öffentlichkeit durch frühe Ämter herausgestellt. Am Triumph des Claudius im J. 44 nahm er teil. Er hatte auch mehrere Priesterämter inne. Doch verm. Anf. 47 ließ Claudius ihn hinrichten, vielleicht auf Drängen → Messalinas [2]. PIR² P 630.

[II 15] (P.) Paulinus. Ritter aus Arelate, Vater von P. [II 16]. Schwiegervater des → Seneca, der an ihn seine Schrift *De brevitate vitae* richtete. Er war → *praefectus* [3] *annonae* ca. 49–55 n. Chr. PIR² P 634.

[II 16] A. P. Paulinus. *Homo novus* aus Arelate in der Gallia Narbonensis. *Cos. suff.* vor 54 n. Chr. Von mindestens 54 bis 56 als consularer Legat des niedergermanischen Heeres bezeugt, wo er die Legionslager in → Bonna/Bonn und → Novaesium/Neuss zumindest partiell in Stein ausbauen ließ [1. 120 ff.]. 62 wurde er mit zwei anderen Senatoren von → Nero beauftragt, die *vectigalia publica* neu zu ordnen (→ Steuern). Der Erfolg ist u. a. in der *lex portorii Asiae* zu fassen [2]. PIR² P 633.

1 Eck (Statthalter) 2 H. Engelmann, D. Knibbe, Das Zollgesetz der Provinz Asia (EA 14), 1989, 9, 41 f.

[II 17] P. Pedo. *Cos. suff.* unter Caligula oder Claudius [III 1], der ihn, obwohl er sein *amicus* war, töten ließ (Sen. apocol. 13,5 f.; 14,2). PIR² P 635.

[II 18] C. P. Planta. Ritter; → *procurator* von Lycia-Pamphylia ca. 74–76 n. Chr.; 98–100 → *praefectus Aegypti*; *amicus* des → Traianus (Plin. epist. 10,7; 10). P. war auch historiographisch tätig. Um 107 muß er gestorben sein (Plin. epist. 9,1). PIR² P 637.

[II 19] M. P. Priscus. Aus der Tribus Teretina. Im J. 20 n. Chr. Senator wohl praetorischen Ranges [1. 91 ff.]. Vielleicht Vater von P. [II 22]. PIR² P 638.

1 W. Eck, A. Cabballos, F. Fernández, Das s. c. de Cn. Pisone patre, 1996.

[II 20] P. Probus → Probus

[II 21] P. Propinquus. → *Procurator* der Prov. → Belgica. Er meldete als erster nach Rom, daß die obergermanischen Truppen gegen → Galba [2] revoltierten. Kurze Zeit später wurde er von Soldaten des → Vitellius getötet. PIR² P 643.

[II 22] M. P. Silvanus Staberius Flavinus. Aus Arelate in der Gallia Narbonensis, wo er bestattet wurde [1. 259 ff.]. Wohl Sohn von P. [II 19]. Möglicherweise erhielt er als Praetorier zwei Legionskommandos. *Cos. suff.* im J. 45 n. Chr., Proconsul von Africa von 53/4–55/6 (AE 1968, 549). → Galba [2] ernannte ihn im J. 69 trotz seines fortgeschrittenen Alters zum Statthalter von

Dalmatia. Im J. 70 war er damit betraut, die öffentl. Finanzsituation in Rom zu überprüfen (Tac. hist. 4,47,1). *Curator aquarum* 71–73; 74 *cos. II*; er war wohl für 83 zum *cos. III* designiert, starb aber vorher. Er ist mit größter Wahrscheinlichkeit mit dem P. identisch, der im J. 83 am *consilium* des → Domitianus [1] in der Albaner Villa teilnahm (Iuv. 4,109 f.). Er verfügte, auch wegen seines Reichtums, über erheblichen Einfluß in Rom. PIR² P 654.

1 W. Eck, M. P. Silvanus, consul designatus tertium – Ein Vertrauter Vespasians und Domitians, in: ZPE 9, 1972, 259–275.

[II 23] L. P. Vopiscus. Freund → Othos; *cos. suff.* im J. 69 n. Chr. Er stammte aus Vienna in der Gallia Narbonensis. Wohl Adoptivvater von P. [II 24]. PIR² P 661.

[II 24] L. P. Vopiscus C. Arruntius Catellius Celer. Wohl Adoptivsohn von P. [II 23]. Praetorischer kaiserlicher Statthalter von Lusitania 77/8 n. Chr. Cos. *suff.* im Okt. 77, also wohl *in absentia*. Curator viarum (?); *curator aedium sacrarum locorumque publicorum* ca. 82/3. Wahrscheinlich consularer Legat der Prov. Hispania Tarraconensis ca. 85/89. Als → *Arvalis frater* von 75–92 bezeugt. PIR² P 662.

[II 25] Q. P. Vopiscus C. Arruntius Catellius Celer Allius Sabinus. Wohl Nachkomme von P. [II 24]. Senator, dessen Laufbahn sich unter → Hadrianus und → Antoninus [1] Pius entfaltete. Nach der Praetur war er Legat zweier Legionen, dann Legat einer kaiserl. Prov., *cos. suff.*, Proconsul von Africa. Karthago ehrte ihn in Volsinii mit einem großen statuarischen Denkmal. PIR² P 663.　　　　　　　W. E.

III. Schriftsteller und Redner

[III 1] Afrikanischer Grammatiker der 2. H. des 5. Jh. n. Chr. [4. 29–33], Verf. eines weitschweifigen und elementaren *Commentum artis Donati* (eines Komm. zu Donatus' [3] *Ars maior*), das als Vorlesung mitstenographiert worden zu sein scheint; der Komm. baut auf der (noch vollständiger erh. [4. 21–29]) Erklärung des → Servius (vielleicht in einer Bearbeitung des Astyagius, [7. 140; 149; 385 f.]) auf und zieht zudem Donats Komm. zu Vergil und Terenz heran [4. 101–114]. Auch die Abfassung eigener Komm. zu beiden Autoren ist nicht auszuschließen [7. 344–346]. Die Wirkung des seit dem 6. Jh. vielfach benutzten *Commentum* kulminiert in den 18 erh. Hss. des 8./9. Jh. ([3. 77]: Stemma).

Ed.: 1 GL 5, 81–312 (die ursprüngliche Praefatio bei [3. 58–64]).
Lit.: 2 L. Jeep, Zur Gesch. der Lehre von den Redetheilen, 1893, 43–55 3 L. Holtz, Trad. et diffusion … de Pompée, in: RPh 45, 1971, 48–83 4 U. Schindel, Die lat. Figurenlehren, 1975, 19–33 5 L. Holtz, Donat, 1981, 236 f., 735 (Index) 6 M. de Nonno, s. v. P., EV 4, 1988, 196 f. 7 R. A. Kaster, Guardians of Language, 1988, 139–168, 343–346 8 J. N. Adams, Some Neglected Evidence for Latin *habeo* with Infinitive, in: TPhS 89, 1991, 131–196.　　　　　　　P. L. S.

[III 2] P. Silo. Bedeutender Redner z.Z. des Augustus, der ausschließlich aus den zahlreichen Erwähnungen durch → Seneca d. Ä. bekannt ist. Ihm fehlte das Talent zum extemporierenden Deklamieren (Sen. contr. 3, praef. 11), doch zeigen die z. T. sehr ausführlichen Paraphrasen seiner Redebeiträge (z. B. Sen. contr. 1,2,20; 9,2,17; 9,4,7; 9,6,14–17; Sen. suas. 7,10) argumentative Brillanz und hohen Rechtsverstand. P. konnte jedem Fall ungewöhnliche Nuancen abgewinnen, die von der konventionellen Argumentation der anderen abwichen, weshalb er sich vielfach harscher Kritik, z. B. von seiten des → Porcius [II 3] Latro, ausgesetzt sah. Mehr als andere Rhetoren orientierte er sich an der zu seiner Zeit üblichen Praxis der Rechtsauslegung.　　　C.W.

[III 3] P. Trogus.
A. ALLGEMEIN　B. HISTORIAE PHILIPPICAE
C. QUELLEN UND REZEPTION

A. ALLGEMEIN
Röm. Historiker gallischer bzw. vokontischer (→ Vocontii) Herkunft. Sein Großvater erhielt von Pompeius [I 3] während des Sertoriuskrieges das röm. Bürgerrecht, sein Vater bekleidete eine herausragende Vertrauensstellung im Dienste Caesars (Iust. 43,5,11f.). P. selbst verfaßte eine auf den zoologischen Schriften des Aristoteles [6] fußende Abh. *De animalibus* (fr. 1–14) in mindestens 10 B. (Char. GL 1, p. 137,9), die u. a. in der *Naturalis historia* des Plinius [1] rezipiert wurde, und die *Historiae Philippicae* (= *H.Ph.*) in 44 B., sein Hauptwerk, das in augusteischer Zeit entstand (dagegen [1. 178–180] mit geringer Akzeptanz in der Forsch.: Entstehungszeit unter Tiberius). Es ist in der z. T. unter Auslassung ganzer Passagen auf ca. ¹⁄₁₀ bis ⅙ der Vorlage verkürzten *Epitoma* (»Auszug«) des → Iustinus [5] und den *prologi*, knappen Inhaltsangaben der einzelnen B. mit allen in ihnen behandelten Themen, überliefert.

B. HISTORIAE PHILIPPICAE
Die *H.Ph.* verstehen sich als eine Welt- bzw. Universalgesch. Sie unternimmt es, nach in einem geogr. (von Ost nach West) und chronologischen Aufbauprinzip ›die Geschichten aller Jh., Könige, Stämme und Völker‹ (praef. 2) dem röm. Leser näherzubringen: B. 1–2 behandeln die orientalischen Großreiche der Assyrer, Meder und Perser, B. 3–6 die griech. Gesch. bis zum Aufstieg Makedoniens unter bes. Berücksichtigung des athenisch-spartanischen Dualismus, B. 7–40 die (im weiteren Sinne) maked. Gesch.: den Aufstieg Makedoniens unter Philippos [4] II., die Eroberung des Weltreiches durch Alexandros [4] d.Gr., den Zerfall des Reiches nach dessen Tod und die Gesch. der → hellenistischen Staatenwelt bis zum E. des → Ptolemaier-Reiches im J. 31/30 v. Chr. B. 41–42 umfassen die Gesch. der → Parther, B. 43 die röm. Gesch. bis → Tarquinius Priscus, der Ligurer und die Massilias, B. 44 die Gesch. Spaniens bis zu seiner Eroberung durch → Augustus im J. 25 v. Chr. (→ Cantabri). Eingefügt ist eine Vielzahl von histor.-geogr. Exkursen (z. B. 17,3: Epeiros bis zur Herrschaft des Pyrrhos; 36,2f.: die jüd. Gesch.; 42,2,7–3,9: Gesch. Armeniens), mit denen sich das Werk in die Trad. des → Herodotos [1], aber auch die des → Theopompos von Chios stellt.

Hinter diesem chronologisch-geogr. Aufbau steht die Idee der Abfolge der → Weltreiche bzw. der *translatio imperii*, nach der die Weltherrschaft von den Assyrern über die Meder, Perser und Makedonen schließlich auf Rom übergegangen ist. Die röm. Gesch. selbst wird jedoch – außer in B. 43 – nicht eigenständig, sondern nur dann thematisiert, wenn sie sich mit den jeweils behandelten geogr. Räumen und histor. Verläufen verknüpft, was die *H.Ph.* zu einer Ausnahme in der weitgehend romzentrierten röm. Gesch.-Schreibung macht. Der in der röm. Historiographie singuläre Titel *H.Ph.* schließt an mehrere Philippos II. und seine Zeit thematisierende *Historíai Philippikaí* aus dem 4. Jh. v. Chr. an, v. a. die des Theopompos von Chios (FGrH 115 F 24–246; s.o.); er gab in der Forsch. aber wegen der formal bescheidenen Rolle Philipps (behandelt in 2 von 44 B.: B. 8 und 9) auch Anlaß zu weiteren auf Programmatik des Werkes und Gesch.-Bild des P. abzielenden Deutungen (z. B. Philipp als Begründer der maked. Größe und in diesem Sinne Ausgangspunkt der gesamten hell. Gesch.; hierzu [2. 354–385]).

C. QUELLEN UND REZEPTION
Forschungsgesch. bedeutsam wurde die »Timagenes-Hypothese« von [3] (im wesentlichen akzeptiert u.a. bei [4. 220f.; 5. 322f.]), nach der die *H.Ph.* die lat. Bearbeitung eines bis auf wenige Fr. verlorenen, in seiner antiröm. Grundtendenz die *H.Ph.* prägenden Werkes des → Timagenes (FGrH 88) seien. Demgegenüber betont die neuere Forsch. P.' gedankliche Eigenständigkeit in Zusammenführung und Disposition disparater Quellen (u.a. Ephoros, Theopompos, Timaios, Duris, Polybios und Poseidonios; zu P.' Quellen: [6], speziell zu B. 13–40: [7]) und Stoffe, rückt damit aber auch überwiegend ab von der angeblichen antiröm. Tendenz des Werkes ([8], vgl. aber [9. 68] mit deutlicherer Betonung der romkritischen Passagen in 28,2; 29,2,1–6; 31,5,2–9; 38,4–7).

In der Ant. wurden die *H.Ph.* direkt oder indirekt in der Historiographie selbst wie auch in Exempla-Slgg. und antiquarischen Werken rezipiert (vgl. [10. 2309–2313]). Wirkungsgesch. bedeutsam und einer der Gründe für die eifrige Rezeption der *H.Ph.* bzw. der *Epitoma* im MA war v. a. die Idee der (vom Papst beanspruchten) Übertragung der Herrschaft vom röm. auf ein anderes Volk und dessen Herrscher (*translatio imperii*; vgl. [11]).

1 O. SEEL, Eine röm. Weltgesch., 1972 2 B. R. VAN WICKEVOORT CROMMELIN, Die Universalgesch. des P. Trogus, 1993 3 A. VON GUTSCHMID, Trogus und Timagenes, in: RhM 37, 1882, 548–555 (= Ders., KS, Bd. 5, 218–227) 4 FGrH II C 5 SCHANZ/HOSIUS, Bd. 2 6 G. FORNI, M. G. ANGELI BERTINELLI, Pompeo Trogo come fonte di storia, in: ANRW II 30.2, 1982, 1298–1362 7 H.-D. RICHTER, Unt. zur hell. Historiographie, 1987 8 R. URBAN, 'Gallisches Bewußtsein' und 'Romkritik' bei

P. Trogus, in: ANRW II 30.2, 1982, 1424–1443 **9** J. M. ALONSO-NÚÑEZ, An Augustan World History, in: G&R 34, 1987, 56–72 (dazu: Ders., Trogue-Pompée et l'impérialisme romain, in: Bulletin de l'Association G. Budé 1990, 72–86) **10** A. KLOTZ, s. v. P. (142) Trogus, RE 21, 2300–2313 **11** W. GOEZ, Translatio Imperii, 1958.

Ed: O. SEEL (ed.), P. Trogi Fragmenta, 1956 · Ders. (ed.), M. Iuniani Iustini Epitoma Historiarum Philippicarum P. Trogi. Accedunt Prologi in P. Trogum, ²1972 · Ders., P. Trogus. Weltgesch. von den Anf. bis Augustus, 1972 (dt. Übers. und Komm.) · J. C. YARDLEY, W. HECKEL, Justin, Epitoma of the Philippic History of P. Trogus, Bd. 1 (Books 11–12), 1997 (engl. Übers. und Komm., bes. 1–41).

C. MÜ.

Pompilius.
Röm. Gentilname etr. Herkunft (*pumple*). Als Ahnherr der Familie galt der König → Numa Pompilius. Die bekannten Namensträger sind histor. unbedeutend.

SCHULZE, 183.   K.-L. E.

[1] P. Andronicus, M. Nach Suet. gramm. 8 Grammatiker des 1. Jh. v. Chr., Freigelassener aus Syrien, der sich wegen seiner Konzentration auf die epikureische Philos. in Rom nicht durchsetzen konnte und deshalb nach Cumae (→ Kyme [2]) übersiedelte. Sein Hauptwerk, eine Auseinandersetzung mit den Annalen des → Ennius [1] (*Annalium Enni elenchi* in 16 B.), wurde von L. → Orbilius Pupillus herausgegeben. Fr. sind nicht erh.

G. PUCCIONI, M. Pompilio Andronico, in: Studi e ricerche dell' Istituto di Latino (Genova) 2, 1979, 141–151 · J. CHRISTES, Sklaven und Freigelassene als Grammatiker und Philologen, 1979, 25–27 · R. A. KASTER (ed.), C. Suetonius Tranquillus, De grammaticis et rhetoribus, 1995, 122–128.

P. L. S.

Pomponia
[1] Mutter des P. Cornelius [I 71] Scipio Africanus, den sie (nach Liv. 26,19,6; Gell. 6,1,1–4) von einer Schlange (=*Iuppiter*) empfangen haben soll (in Anlehnung an die Geburtsgesch. von Alexandros [4] d. Gr.). Ihr soll er auch von seinem Traum, er werde zusammen mit dem älteren Bruder Lucius das Aedilenamt übernehmen, berichtet haben, was sie sehr bewegte (Pol. 10,4,4–5,7); die Gesch. ist unglaubwürdig und irrig (vgl. [1. 200 f.]). Vielleicht durch ihre Vermittlung heiratete Scipio Aemilia, Tochter des L. Aemilius [I 31] Paullus, und unterstützte damit die polit. Bindungen zwischen Aemiliern, Komponiern und Corneliern.

1 F. W. WALBANK, A Historical Comm. on Polybius, Bd. 2, 1967

H. H. SCULLARD, Scipio Africanus, 1970, 28, 30 f.

[2] P. Caecilia Attica. Tochter des T. Pomponius [I 5] Atticus, → Caecilia [2] Attica.

[3] P. Graecina. Tochter des P. Pomponius [II 11] Graecinus, Frau des A. Plautius [II 3]. 57 n. Chr. der → *superstitio externa* angeklagt (sie war Jüdin oder Chri-

stin, vgl. [1. 391]), wurde sie dem Richterspruch ihres Gatten überantwortet, der sie freisprach (Tac. ann. 13,32; vgl. Komm. KOESTERMANN z. St. und [2. 199; 3. 12]). Sie war mit Iulia [8] befreundet, um deren Tod sie 40 J. lang getrauert haben soll.

1 W. ECK, Das Eindringen des Christentums in den Senatorenstand bis zu Konstantin dem Großen, in: Chiron 1, 1971, 381–406 **2** R. BAUMAN, Women and Politics in Ancient Rome, 1992 **3** J. GARDNER, Frauen im ant. Rom, 1995 (engl. 1986).

PIR² P 775 · RAEPSAET-CHARLIER, 640. ME. STR.

Pomponius.
Name einer röm. plebeiischen Familie wohl vom ital. Vornamen *Pompo*, die sich wie die Aemilii, Calpurnii und Pinarii auf einen der Söhne des → Numa Pompilius zurückführte (Plut. Numa 21,2; vgl. Nep. Att. 1,1). Im 3. Jh. v. Chr. gelangte die Familie mit den Mathones (vgl. P. [I 7–9]) zum Konsulat, war aber später unbedeutend. Prominentester Angehöriger ist der Freund Ciceros, T. P. [I 5] Atticus.

1 SALOMIES, 87 **2** SCHULZE, 212.

I. REPUBLIKANISCHE ZEIT
II. KAISERZEIT
III. LITERARISCH TÄTIGE

I. REPUBLIKANISCHE ZEIT
[I 1] P., Cn. Volkstribun 90 v. Chr., im Bürgerkrieg 82 ermordet; Cicero hörte ihn in seiner Jugend häufiger; sein Urteil über den Redner schwankt (Cic. de orat. 3,50; Cic. Brut. 182; 207; 221; 308; 311). K.-L. E.

[I 2] P., M. Verhinderte als Volkstribun 167 v. Chr. durch sein Veto die Pläne des Praetors M'. Iuventius [I 6] Thalna, den Rhodiern den Krieg zu erklären (Liv. 45,21,2). Als Praetor 161 bewirkte er einen Senatsbeschluß, der Philosophen und Rhetoren aus Rom auswies (Suet. gramm. 1; Gell. 15,11,1). P. N.

[I 3] P., M. Röm. Ritter und Freund des C. → Sempronius Gracchus, Adressat einer Schrift des Gracchus (Cic. div. 2,62). P. verhinderte zunächst mit P. Laetorius [2] 121 den Selbstmord des Gracchus und verteidigte ihn auf dessen Flucht, bis er sich selbst das Leben nahm (Vell. 2,6,6 f.; Plut. Gracchus 37–38; Val. Max. 4,7,2). Vielleicht identisch mit dem Autor P. Rufus (Val. Max. 4,4 pr.).

[I 4] P., T. Aus Veii, röm. Steuerpächter (→ *publicani*), der mit M. Postumius [I 2] im 2. → Punischen Krieg durch fingierte Verluste von Heereslieferungen zur See den Staat schwer schädigte, da dieser dafür aufkommen mußte. 213 v. Chr. geriet P. als *praefectus socium* in die Gefangenschaft → Hannos [8], durch die er 212 einer Verurteilung wegen Betruges entging (Liv. 25,1,3 f.; 3,8–5,1).

E. BADIAN, Zöllner und Sünder, 1997, 10–12; 240. K.-L. E.

[I 5] P. Atticus, T. Der Freund Ciceros.
A. Leben B. Wirtschaftliche Verhältnisse
C. Geistige Interessen

A. Leben

P., geb. 110 v. Chr., entstammte einer wohlhabenden Familie des Ritterstandes (→ *equites Romani*) und
erhielt eine sorgfältige Ausbildung; dabei schloß er lang-
dauernde Freundschaften, z. B. mit dem jüngeren C.
Marius [I 2] und bes. mit → Cicero (Nep. Att. 1,4; 5,3).
P. trat (vielleicht wegen der widrigen polit. Verhältnisse
[9. 451]) nicht in die Ämterlaufbahn ein, sondern widmete sich der Mehrung seines Vermögens und kulturellen Interessen. Verm. 86 v. Chr. siedelte er für lange
Zeit nach Athen über, wo er seine Bildung vervoll-
kommnete (z. B. 79 mit Cicero philos. Vorlesungen
hörte, Cic. fin. 1,16; 5,1), aber auch engagiert am öffentl. Leben teilnahm (Nep. Att. 2,4–6). Im J. 65 (bzw.
64: [7. 12]) kehrte er – auf Drängen Ciceros (Cic. Att.
1,2,2) – zeitweilig nach Rom zurück, unterstützte diesen bei der Bewerbung um das Konsulat und trat sogar
am 5.12.63 als Anführer der Ritter gegen → Catilina in
Erscheinung (Cic. Att. 2,1,7). In der Folgezeit hielt sich
P. teils in Griechenland (bes. auf seinem Besitz in Epeiros), teils in Rom auf. 58 wurde er von seinem Onkel
Q. Caecilius [I 3] testamentarisch adoptiert (Cic. Att.
3,20,1; Nep. Att.5,2), der ihn als Haupterben seines großen Vermögens einsetzte (danach lautete seine Name:
Q. Caecilius Q(uinti) f(ilius) Pomponianus Atticus: Cic.
Att. 3,20, Adresse). Während Ciceros Verbannung unterstützte P. diesen und seine Familie (Cic. Att. 3,7,1;
3,20,2) und wirkte im Hintergrund für seine Rückberufung. Im Bürgerkrieg zw. Caesar und Pompeius blieb
er neutral und wartete in Rom den Ausgang der Kämpfe
ab. Seit 48 setzte er sich bei Caesars Günstlingen für
Cicero ein (Cic. Att. 11,6,3; 7,1). Trotz seiner prinzipiell
konservativen Gesinnung (Nep. Att. 6,1; Cic. leg. 3,37)
hielt er sich unter Caesars Alleinherrschaft zurück und
vermied es auch nach dessen Ermordung, sich zu exponieren. Vor der → Proskription rettete ihn das Eingreifen des M. Antonius [I 9] (Nep. Att. 10). Im Alter
stand P. in intensivem (bes. brieflichen) Kontakt auch zu
Octavianus (→ Augustus; Nep. Att. 20,1–2) und verheiratete seine Tochter → Caecilia [2] Attica aus der Ehe
mit Pilia (56 v. Chr.: Cic. ad Q. fr. 2,3,7) mit M.
→ Agrippa [1]. Wegen unheilbarer Krankheit entschloß
er sich im März 32 v. Chr., sein Leben durch Nahrungs-
entzug zu beenden (Nep. Att. 22,3).

B. Wirtschaftliche Verhältnisse

P. arbeitete erfolgreich mit seinem großen ererbten
Vermögen. Nepos (Att. 14,3) betont einseitig die Anlagen in Grundbesitz: Landgüter bei Arretium und Nomentum, seit 68 v. Chr. (Cic. Att.1,5,7) einen ertragrei-
cher Besitz bei Buthrotum in Epeiros (dazu bes. [3. 67–
78]) sowie weitere Güter in derselben Region. Größere
Bed. für P.' Einkünfte hatten seine Geldgeschäfte, vereinzelt spekulative Operationen (Cic. Att. 1,6,1 ?), v. a.
aber regelmäßiger Geldverleih sowohl in Rom als auch

in den Provinzen (viele Hinweise in Ciceros Briefen:
[2. 516f.]). Zeitweise ließ P. auch → Gladiatoren ausbil-
den, um sie zu vermieten oder zu verkaufen (Cic. Att.
4,4a,2). Problematisch ist die früher oft angenommene
Tätigkeit als Verleger. P. stellte zwar seine spezialisierten
Sklaven (*librarii*: Nep. Att. 13,3), die ihm hochwertige
Abschriften zur Erweiterung seiner umfangreichen Bibliothek herstellten, spätestens seit 55 v. Chr. (Cic. Att.
4,13,2) auch in den Dienst Ciceros (und vereinzelt anderer Bekannter), um von deren Werken nach kritischer
Revision eine begrenzte Zahl von Abschriften in Umlauf zu bringen, betrieb diesen Service aber wohl kaum
als gewinnorientiertes Gewerbe (restriktiv [8]; zeitlich
differenzierend [4]).

C. Geistige Interessen

P. war ein hochgebildeter Mann mit weitgespannten
lit. und histor. Interessen, der z. B. Cicero nicht nur
allg., sondern auch mit konkreten Auskünften beriet.
Seine Mittlerrolle im kulturellen Leben (bes. [5. 100–
104]) bezeugen Widmungen von Werken nicht nur
durch Cicero (*Laelius*, *Cato maior*), sondern auch durch
→ Varro (*De vita populi Romani*) und Cornelius → Nepos
[2] (*De excellentibus ducibus exterarum gentium*). Im Bereich der röm. Gesch. verfaßte P. auch (nicht erh.) eigene Schriften (umfassende Nachweise: [6]). 60 v. Chr.
erhielt Cicero ein von ihm verfaßtes griech. Buch über
sein Konsulat (Cic. Att. 2,1,1; Nep. Att. 18,6), dessen
kunstloser Stil Cicero nicht gefiel. Für mehrere vornehme Familien schrieb P. eine Familiengeschichte (z. T.
Mitte der 40er J.: Nep. Att. 18,3–4). P.' bedeutendste
Schrift war der *Liber annalis*, eine chronologisch sorgfältige Kurzfassung der röm. Gesch. von der Stadtgründung bis etwa 50 v. Chr. (Cic. orat. 120) mit Berücksichtigung der Magistrate, Gesetze, Kriege und Frie-
densschlüsse (Nep. Att. 18,1f.; vgl. Cic. Brut. 14f.).
Cicero erhielt 47 das Widmungsexemplar und benutzte
es häufig (bes. in *Brutus*, *Cato maior*, *De finibus*; zur Benutzung durch spätere Autoren vgl. HRR 2,6–8). Im
Gegensatz zu Ciceros Briefen an Atticus (→ Cicero C.)
sind die Gegenschreiben des P. nicht erh., aber teilweise
aus Ciceros Briefen rekonstruierbar (vgl. [1]).
→ Bildung (C. 2.); Cicero; Literaturbetrieb (II.)

1 S. Consoli (ed.), T. Pomponi Attici epistularum ad
Ciceronem reliquiae, 1913 2 R. Feger, s. v. P. (102), RE
Suppl. 8, 503–526 3 O. Perlwitz, Titus P. Atticus, 1992
4 J. J. Phillips, Atticus and the Publication of Cicero's
Works, in: CW 79, 1986, 227–237 5 E. Rawson,
Intellectual Life in the Roman Republic, 1985
6 Schanz/Hosius I, 329–332 7 D. R. Shackleton Bailey
(ed.), Cicero's Letters to Atticus, Bd. 1, 1965, 3–59 (mit
engl. Übers.) 8 R. Sommer, T. P. Atticus und die
Verbreitung von Ciceros Werken, in: Hermes 61, 1926,
389–422 9 K. E. Welch, T. P. Atticus: A Banker in Politics?,
in: Historia 45, 1996, 450–471.

[I 6] P. Dionysius, M., Freigelassener des T. P. [I 5]
Atticus, von griech. Herkunft (Cic. Att. 7,18,3) und zu
wiss. Tätigkeit ausgebildet. Er war mehrfach im Dienst
→ Ciceros tätig: 56 v. Chr. half er bei der Ordnung von

dessen Bibliothek (Cic. Att. 4,4a,1 mit 4,8,2) und begleitete diesen 51 nach Kilikien, wo er u. a. – wie wohl schon früher – Ciceros Sohn und Neffen unterrichtete (Cic. Att. 6,1,12). Trotz seiner Hitzköpfigkeit (Cic. Att. 6,1,12; 8,5,1) wurde er von Cicero menschlich und fachlich hoch geschätzt (Cic. Att. 5,9,3; 6,1,12; 7,4,1), bis es 50/49 zu einem schweren Zerwürfnis kam, als P. zu Atticus zurückkehrte und erneute Lehrtätigkeit bei den jungen Cicerones ablehnte (Cic. Att. 8,4,1 f.). Später muß der Streit beigelegt worden sein (Cic. Att. 13, 2,3; Cic. fam. 12,24,3: 45 v. Chr.). P. scheint auf eigene Rechnung (uns nicht näher bekannte) Geschäfte betrieben zu haben.

→ Freigelassene

S. TREGGIARI, Roman Freedmen during the Late Republic, 1969, 119–121 · J. CHRISTES, Sklaven und Freigelassene als Grammatiker und Philologen im ant. Rom, 1979, 107–115.　　　　　　W.K.

[I 7] P. Matho, M. 231 v. Chr., zwei Jahre nach seinem älteren Bruder M.' Consul. 204 starb er als Augur und *decemvir* hochbetagt und – wie die Doppelung der Priesterämter zeigt – hochangesehen (Liv. 29,38,7). Während des 2. → Punischen Krieges soll er 215–214 ein Kommando in Oberitalien (Liv. 24,10,3; 44,3) geführt, nach einer anderen Trad. 214 mit M. Claudius [I 11] Marcellus → Hannibal [4] vor Nola eine Niederlage zugefügt haben (Liv. 24,17). Beides ist aber ebenso fiktiv wie ein ephemeres Amt als → *magister equitum* 217 (Liv. 22,33,11–12).

T. SCHMITT, Die Marci Pomponii Mathones, in: Göttinger Forum für Alt.-Wiss. 4, 2001 (im Druck).

[I 8] P. Matho, M. Meldete 217 v. Chr. als → *praetor peregrinus* dem Volk die Niederlage am Trasimenischen See (→ Punische Kriege; Liv. 22,7,8; Plut. Fabius Maximus 3,4; vgl. Pol. 3,85,7). 216 leitete er im kontinuierten Amt die Senatssitzung nach der Katastrophe von Cannae (Liv. 22,55,1). Über seine weitere Laufbahn im 2. Punischen Krieg ist nichts Sicheres bekannt. 211 wird er bei seinem Tod als *pontifex* genannt (Liv. 26,23,7).

T. SCHMITT, Die Marci Pomponii Mathones, in: Göttinger Forum für Alt.-Wiss. 4, 2001 (im Druck).

[I 9] P. Matho, M. Möglicherweise Sohn von P [I 7], war 207 v. Chr. Aedil, 205 Teilnehmer an einer Gesandtschaft nach Delphoi (Liv. 28,45,12) und unterstützte 204 als Praetor auf Sizilien P. Cornelius [I 70] Scipios Africafeldzug (Liv. 29,24–26). Schon zuvor hatte er die Kommission zur Untersuchung von → Pleminius' Untaten in Lokroi [2] geleitet (Liv. 29,20,8–11; 31,12,3).

T. SCHMITT, Die Marci Pomponii Mathones, in: Göttinger Forum für Alt.-Wiss. 4, 2001 (im Druck).　　　　TA.S.

II. KAISERZEIT

[II 1] C. P. Alkastos. Spartaner aus angesehener Familie, röm. Bürger, der hohe Ämter in Sparta bekleidete (*éphoros* um 132 n. Chr.: IG V 65; SEG 11, 523; Kaiserpriester auf Lebenszeit: IG V 59; SEG 11 523, 780; Leiter der *nomophýlakes* 135/6: IG V 59; vgl. SEG 11, 521a). 137 oder 138 n. Chr. wurde er als Gesandter zu L. Ceionius [3] Commodus, dem Adoptivsohn und designierten Nachfolger Hadrianus', nach Pannonia geschickt.

A. S. BRADFORD, A Prosopography of Lacedaemonians, 1977, 27 (Alkastos 3).　　　　　　W.ED.

[II 2] T. P. Antistianus Funisulanus Vettonianus. Praetorischer Statthalter von Lycia-Pamphylia ca. 117–119 n. Chr.; *cos. suff.* im J. 121. PIR² P 696.

[II 3] Q. P. Bassianus. Sein Name im *SC de Cyzicenis* (CIL III 7060 = ILS 7190) wurde bisher als Pomp[eius] gelesen; doch muß er P. lauten (AE 1973, 200). Wohl Sohn von P. [II 8]. PIR² P 697.

[II 4] P. Bassus. Senator; *cos. ord.* 211 n. Chr. → Elagabal [2] tötete P. um 220, um dessen Frau Annia Faustina zu heiraten. Wohl Sohn von P. [II 9]. PIR² P 700.

[II 5] P. Bassus [...]stus. Senator; *cos. ord.* II 271 n. Chr.; vielleicht identisch mit dem *cos. ord.* von 259. Proconsul von Asia oder Africa; → *comes imperatoris*. → *Praefectus urbi* wohl in unmittelbarem Zusammenhang mit seinem 2. Konsulat. *Corrector Italiae*, vielleicht unter → Diocletianus um 288 [1. 221 ff.]. PIR² P 702.

1 M. CHRISTOL, Essai sur l'évolution des carrières sénatoriales, 1986.

[II 6] L. P. Bassus. Senator. Wohl Sohn von P. [II 7]; Vater von P. [II 8]; verheiratet mit einer Nonia Torquata (AE 1973, 200). *Cos. suff.* im J. 118. PIR² P 704.

[II 7] T. P. Bassus. Möglicherweise Nachkomme eines Freigelassenen des → Pomponius [I 5] Atticus; er besaß ein Haus auf dem Quirinal [1. 161 f.]. Senator; Legat des Proconsuls M. Ulpius Traianus in Asia 79/80 oder 80/1 n. Chr. Cos. *suff.* 94; consularer Legat in Cappadocia, entweder im unmittelbaren Anschluß an den Konsulat oder vielleicht schon als *consul designatus*; bezeugt von 94–100; in dieser Zeit wurden von ihm umfangreiche Straßenarbeiten durchgeführt. Von → Traianus wurde er neben anderen Senatoren beauftragt, die Alimentarstiftung in It. einzurichten (→ *alimenta*). Er war in Latium und in der Aemilia tätig. In welcher Eigenschaft er für die Stadt Herakleia [6] Salbake in Asia tätig war, muß offen bleiben [2. 115 f.]. PIR² P 705.

1 W. ECK, s. v. domus: T. P. Bassus, LTUR 2, 161 f.
2 R. HAENSCH, Heraclea ad Salbacum, die heiligen Dörfer der Artemis Sbryallis und der Kaiser, in: W. ECK (Hrsg.), Lokale Autonomie und römische Ordnungsmacht..., 1999, 115–139.

[II 8] L. P. Bassus Cascus Scribonianus. Als Sohn von P. [II 6] und einer (Nonia) Torquata Nachkomme bedeutender senatorischer Familien. Auf seiner Grabinschr. ist wohl nur ein Teil seiner Ämter erwähnt; er war *cos. suff.* unter Hadrianus oder Antoninus [1] Pius (CIL VI 41114). PIR² P 706.

[II 9] C. P. Bassus Terentianus. Seine senatorischen Ämter sind aus seiner riesigen Grabinschr. bekannt (CIL VI 41196): Quaestor, [*iuridicus*] wohl in der Hispania citerior, *proconsul Lyciae et Pamphyliae* unter Commodus, praetorischer Legat von Pannonia inferior, *praefectus aerarii militaris.* PIR² P 707.

[II 10] L. P. Flaccus. Wohl aus Iguvium in Umbrien stammend. Praetorischer Legat in Moesia vor dem J. 16 n. Chr. unter → Poppaeus [1] Sabinus, wohin → Ovidius ihm den Brief Pont. 1,10 sandte. *Cos. ord.* im J. 17. Von → Tiberius 19 als Statthalter nach Moesia gesandt, um die Probleme mit den → Thrakes zu lösen. Er war eng mit Tiberius befreundet, der ihn 32 n. Chr. zum consularen Statthalter von Syrien ernannte. Verhandlungen mit Herodes [8] Agrippa, dem P. die Freundschaft aufkündigte. P. starb in der Prov. Bruder von P. [II 11]. PIR² P 715.

[II 11] C. P. Graecinus. Älterer Bruder von P. [II 10]. Mit → Ovidius befreundet; 8 n. Chr. nicht in Rom, sondern mit amtlichem Auftrag in der Prov. (vgl. [1. 74 f.]). *Cos. suff.* im J. 16 n. Chr., → *Arvalis frater* seit 21; im J. 38 gestorben [2. 30, Z. 33 f.]. Ein gleichnamiger Sohn und seine Tochter Pomponia [3] Graecina sind bekannt. PIR² P 717.

1 R. SYME, History in Ovid, 1978 2 J. SCHEID, Commentarii fratrum Arvalium qui supersunt, 1998.

[II 12] P. Labeo. Praetorischer Legat in Moesia unter Poppaeus [1] Sabinus, insgesamt acht J. lang. Wegen Mißwirtschaft in der Prov. angeklagt, tötete er sich selbst im J. 34 n. Chr., zusammen mit seiner Frau Paxaea. PIR² P 726.

[II 13] T. P. Mamilianus Rufus Antistianus Funisulanus Vettonianus. Legionslegat in Britannia unter Domitianus. *Cos. suff.* im J. 100 n. Chr. Später Legat einer consularen Prov., wohin Plinius ihm epist. 9,16 und 25 schickte. P. befaßte sich mit Lit. Sein Sohn ist P. [II 2]. PIR² P 734.

[II 14] Q. P. Munat[ius/ianus] Clodianus. Senator in der Mitte des 3. Jh. n. Chr., der wohl nach der Praetur *curator viae Latinae* wurde und anschließend Statthalter der Prov. Hispania Baetica, ob als Proconsul oder als kaiserl. Legat, ist strittig [1]. PIR² P 739.

1 G. ALFÖLDY, Der Status der Baetica um die Mitte des 3. Jh., in: R. FREI STOLBA (Hrsg.), Röm. Inschr. FS H. Lieb, 1995, 29–42; bes. 38 ff.

[II 15] Q. P. Musa. *Cos. suff.* zusammen mit L. Cassius Iuvenalis; während sein Konsulat zuletzt ins J. 159 n. Chr. datiert wurde (vgl. PIR² P 740), muß er tatsächlich früher fallen, nicht später als ins J. 157 [1. 165 ff.].

P. WEISS, Ein Konsulnpaar vom 21. Juni 159 n. Chr., in: Chiron 29, 1999, 147–182.

[II 16] T. P. Proculus s. Vitrasius

[II 17] Q. P. Rufus. Vielleicht aus Spanien stammend. Unter Galba [2] war er *praefectus orae maritimae* in Spanien und der Gallia Narbonensis. Danach wohl Aufnahme in den Senat, doch ist unsicher, ob durch Galba oder durch Vespasianus. *Iuridicus* in der Hispania Tarraconensis unter Vespasianus; Legionslegat; praetorischer Legat in Dalmatia im J. 94 n. Chr. *Cos. suff.* 95, vielleicht *in absentia. Curator operum publicorum*, consularer Legat von Moesia inferior im J. 99; Proconsul von Africa 110. PIR² P 749.

[II 18] Q. P. Secundus. Bruder von [P.? Calv?]sius Sabinus P. Secundus (PIR² P 254). Senator. Vor Caligula demütigte er sich in erniedrigender Weise. Als dieser ermordet wurde, versuchte er, als Consul zusammen mit seinem Kollegen die alte → *res publica* wiederherzustellen; ohne Eingreifen des Claudius [III 1] wäre er deshalb von den → Praetorianern ermordet worden. Als er von Suillius Rufus im Senat angeklagt wurde, schloß er sich offensichtlich dem Aufstand des L. Arruntius [II 8] Camillus in Dalmatia an, bei dem er umgekommen sein dürfte. PIR² P 757.   W. E.

III. LITERARISCH TÄTIGE

[III 1] (a) Lat. Dichter (Epigrammatiker?) des späten 2. Jh. v. Chr., der sich selbst im einzig erh. Fr., einem → Epigramm (Non. 125 L = 87 M = FPL³ 75), als Schüler des → Pacuvius bezeichnet. Verm. nicht identisch mit (b) dem Dichter des Epigramms FPL³ 108: Varro ling. 7,28 (*Papinius*) = Prisc. gramm. 2,90 GL (*P./Pompnius*), der mit seinem Gedicht auf den Caesarmörder Servilius Casca eher dem frühen 1. Jh. v. Chr. angehört.

COURTNEY, 51 (a), 109 (b) · SCHANZ/HOSIUS 1,167 (a = b)
J. R.

[III 2] Lat. Lustspieldichter aus Bononia, dessen Blüte nach Hier. chron. p. 150 H. (= a.A. 1928) in das J. 89 v. Chr. fällt. Bezeugt sind Reste von etwa 190 V. aus 70 Stücken, die wir dem Interesse der Grammatiker, bes. des Nonius [III 1], an morphologischen und lexikalischen Raritäten verdanken. Darunter finden sich Togatentitel (→ Togata) wie *Augur, Fullones* (›Gerber‹, vgl. Ps.-Acro zu Hor. ars 288) und Mythenparodien (*Agamemno suppositus, Armorum iudicium*), die wie Satyrspiele nach Trag. aufgeführt worden zu sein scheinen (vgl. Porph. zu Hor. ars 221). Der Nachwelt (vgl. Vell. 2,9,6; Macr. Sat. 6,9,4) galt P. mit → Novius [I 1] als Schöpfer der lit. → *Atellana fabula*, wohin die meisten Titel aus dem ital. Volksleben bzw. mit den typischen Atellanafiguren (*Maccus, Bucco* usw.) gehören. Sprache und Inhalt waren entsprechend volkstümlich und derb (vgl. bes. das *Prostibulum*).

FR.: CRF ²1873, 225–254; ³1898, 269–307 · P. FRASSINETTI (ed.), Atellanae Fabulae, 1967, 23–67, 117–131 (mit it. Übers.).
LIT.: P. FRASSINETTI, 1967 (s. o.), 8–11, 101–108 · R. RAFFAELLI, Pompone e l'Atellana, in: Cispadana e letteratura antica (Atti del convegno, Imola 1986), 1987, 115–133 · R. RIEKS, Atellane, in: E. LEFÈVRE, Das röm. Drama, 1978, 351–361.   P. L. S.

[III 3] S. P. Der noch nach dem Tod des Antoninus [1] Pius (161 n. Chr.) tätige (Dig. 50,12,14) röm. Jurist der Antoninenzeit war weder Amtsträger noch Respondent, jedoch ein juristischer Schriftsteller enzyklopädischen Formats, der über 300 Buchrollen hinterließ. Sein riesiger Komm. *Ad edictum* (etwa 150 B.) wurde von den Ediktskommentaren des → Iulius [IV 16] Paulus und des → Ulpianus ausgeschlachtet und vom Markt verdrängt. Ein ähnliches Schicksal war seinem *Ex Sabino* (35 B.), dem ersten Komm. zu → Sabinus, beschieden. P. schrieb auch Komm., *Ad Q. Mucium* (39 B.) und *Ex Plautio* (7 B.), die Monographien *De stipulationibus* (mindestens 8 B.), *De fideicommissis* und *De senatus consultis* (jeweils 5 B.), die Fallbearbeitungen *Variae lectiones* (›Lesefrüchte‹, 41 B.) und *Epistulae* (›Briefe‹, 20 B.; dazu [2. 543 f.; 6. 149 f.]) sowie ein Buch *Regulae* (›Rechtsregeln‹). Außerdem veröffentlichte er Rechtsbescheide des → Titius Aristo (Dig. 24,3,44 pr.), dessen Schüler er verm. war [6. 145, 147].

Einzigartig in der röm. Jurisprudenz ist sein ›Handbüchlein‹, *Enchiridium* (2 B.), eine isagogische Schrift [2. 512 ff.; 6. 146], die in ihrer histor. Einführung (Dig. 1,2,2) die Rechtsentwicklung bis zu → Hadrianus (Dig. 1,2,2,49) nach dem Schema der »äußeren Rechtsgesch.« (Rechtsquellen-, Magistratur- und Jurisprudenzgesch.) darstellt [2. 533]. Die dort geschilderte Autorenfolge bis zu Salvius → Iulianus [1] (Dig. 1,2,2,53) ist die wichtigste Erkenntnisquelle der röm. Juristengesch. [3], bes. des juristischen *ius respondendi* (Gutachterbefugnis, → *ius*) [4]. Angesichts seiner rechtshistor. Interessen und des lehrhaften Stils wird P. samt → Gaius [2] und → Florentinus [3] der akademischen Nebenströmung der röm. Jurisprudenz zugerechnet [2. 510; 5. 341]. Seinen Fachkollegen galt er aber als zitier- und kommentierfähig: → Ulpius Marcellus annotierte seine *Regulae* [1. 633; 2. 516] und wohl auch sein *Ex Sabino* [1. 634; 6. 111]. Die Identität des P. mit → Gaius [2] ist unwahrscheinlich [5].

1 O. Lenel (Hrsg.), Palingenesia Iuris Civilis, Bd. 1, 1889 2 D. Nörr, P., in: ANRW II 15, 1976, 497–604 3 Wieacker, RRG, 531 f. 4 Bauman, 287–304 5 O. Stanojević, Gaius and P., in: RIDA 44, 1997, 333–356 6 D. Liebs, Jurisprudenz, in: HLL 4, 1997, 144–150.   T. G.

[III 4] P. Bassulus, (M.). Komödiendichter vom E. des 1./Anf. des 2. Jh. n. Chr., bekannt nur aus seiner 15 iambische Senare umfassenden Grabinschr. in Aeclanum (CIL 9,1164). Nach seiner Tätigkeit als Duovir von Aeclanum, einer Kleinstadt bei Beneventum, übersetzte er einige wenige → Komödien des → Menandros [4] ins Lat. und verfaßte auch eigene Komödien; die Inschr. erwähnt aber keine Aufführungen. P. gehört zu den zahlreichen poetischen Amateuren der Zeit des jüngeren Plinius [2], die allenfalls für die Rezitation schrieben (vgl. → Vergilius Romanus). Werke und Titel sind nicht überliefert.

P. Cugusi, Aspetti letterari dei carmina latina epigraphica, 1985, 102–104 · PIR² P 698.   Jü. Bl.

[III 5] P. Mela. Geograph aus Tingentera (Mela 2,96) in Südspanien, verfaßte unter Claudius 43/4 n. Chr. (3,49) in 3 B. das älteste uns erh. geogr. Werk in lat. Sprache; als Titel ist *De chorographia* (›Beschreibung von Gegenden‹) überl. [3. 15–22; 5. VII-XIV, bes. 97]. P. schickt voraus (1,3–24a): die Erde im Weltall, ihre beiden Hemisphären, ihre fünf klimatischen Zonen – von denen der eigenen, völlig vom Ozean umgebenen (1,5, vgl. 3,45), gemäßigten Zone die der Antichthonen entspreche –, die Gestalt der Meere und der Kontinente (Asia, Europa und Africa). P. übernimmt hier im wesentlichen das von → Eratosthenes [2] herrührende Erdbild mit seinen alten Fehlern [5. XXV-XXIX], z. B. die Einschätzung des Kaspischen Meeres als Meerbusen des nördl. Okeanos (Mela 3,38). Man neigt dazu, für P. und Plin. nat. 2–6 eine gemeinsame, der griech. geogr. Trad. folgende Quelle aus dem 1. Jh. v. Chr. anzunehmen [2. 2401–2405; 3. 175–441; 5. 97–324], die allerdings von P. bei Hispania und Germania mit jüngeren Daten angereichert wurde [2. 2363–2386; 3. 43–46; 5. XXX—XLII]; P. nennt als Quelle namentlich nur Nepos [2] (Mela 3,45; 3,90).

Die Periegese beginnt (Mela 1,24 b) »innen« bei den »Säulen des Herakles« (→ Pylai [1] Gadeirides), geht, teilweise mit Blick auf das Landesinnere, an den afrikan. Küsten des Mittelmeeres (→ Mare Nostrum) entlang – bei Aegyptus ist er in Asia (1,49) – bis zum Schwarzen Meer (→ Pontos Euxeinos), folgt hier der von → Menippos [6] bekannten Route – der → Tanais (Ende von B. 1) markiert die Grenze zu Europa –, streift dann die nördl. Küsten des Mittelmeeres entlang bis hinaus nach → Gades (2,97). Der Rest des 2. B. ist den Inseln im Mittelmeer gewidmet. Thema des 3. B. sind die Küsten des → Okeanos. Die Rundfahrt beginnt (3,3) bei der Westküste von Hispania und führt nach Norden, NO und Osten bis zu den skythischen Völkern (3,35) der europ. Festlandsküste als dem Rande des nördl. Ozeans. Beim *Codanus sinus* (Ostsee bei Dänemark) zeigt P. (3,31 f.) genauere Kenntnisse von Jütland und den dänischen Inseln, von Cimbri, Teutoni und Hermiones (→ Mare Suebicum). Im folgenden bietet P. das Traditionswissen des 1. Jh. v. Chr. [5. XL]: so bei den → Hyperboreioi (3,36) an der asiat. Küste; → Britannia als stumpfwinkliges Dreieck (3,50) und → Thule mit seinen kurzen Nächten (3,57) erscheinen wie bei Pytheas [4]. Am *Scythicum promunturium* (3,59) biegt die asiat. Küstenlinie des P. nach Süden zum Kap *Colis* um; an dieser Ostküste von Asia siedelt er die → Seres an; → India füllt die SO-Ecke seiner Asia (3,61). Die Insel → Taprobane (Ceylon) betrachtet P. (3,70) als möglichen Anfang des *alter orbis*, d. h. einer anderen *zona* (vgl. 1,4; anders Plin. nat. 5,81 [5. 297 f.]). Traditionell sieht P. (Mela 3,72–79) auch das *Mare rubrum* (→ *Erythrá thálatta*, Rotes Meer). Im SW von Libya (3,96 f.) setzt er die Nilquelle an (anders 1,54: im Süden); an der Westküste von Afrika entlang erreicht die Periegese das afrikan. *promunturium Ampelusia.*

Die Abfolge der geogr. Orte erinnert an einen → Periplus; doch hat sich P. dieses trad. Anordnungsprinzips nur als Literat bedient; es fehlen die steten Angaben über Entfernungen, Himmelsrichtungen und anderes für den Seemann Wichtiges. P. ist Schriftsteller [1. 1–14; 2. 2363; 3. 23–41]. Das Material hat er unter dem Gesichtspunkt des allgemeineren Interesses eines größeren röm. Leserkreises an Bildungswissen ausgewählt [2. 2388], wobei er dafür aus der geogr.-ethnographischen Trad. seit Herodotos [1] schöpfen konnte; er bringt Mythologisches, Historisches, Geistes- sowie Kulturgeschichtliches, Biographisches und auch Paradoxes, wie bes. für Aegyptus (1,49–60). Eine → Ekphrasis zeigt die rel. Faszination der Höhle von Korykos [2] in Kilikia (1,72–75). Es wird u.a. (1,85) des als Weltwunder bekannten → Maussolleion oder (1,86) der Stadt Miletos [2] wegen ihrer berühmten Männer gedacht (→ Thales, des Dichters und Musikers → Timotheos, → Anaximandros; 1,90). Myth. Bezüge werden u.a. (vgl. [1. 10f.]; 1,109) zum goldenen Vlies (→ Argonautai) hergestellt; gesch. interessant sind z.B. → Issos (vgl. [1. 11–14]; 1,70) wegen der Alexanderschlacht und → Saguntum (2,92) wegen seiner Treue zu Rom. Veränderungen bes. im Bezug auf die röm. Gegenwart werden hervorgehoben, so bei → Pola (2,57; [2. 2392–2396]). Bei den Völkern wird eine Fülle von teils bizarren Verhaltensweisen dargestellt, unbekanntere werden entweder idealisiert, so die Hyperboreioi (3,37) und Seres (3,60), oder als schrecklich geschildert, so Völker nördl. des Pontos Euxeinos (2,12–14), bzw. einfach als absonderlich, wie die → Blem(m)yes ohne Kopf (1,48). Überhaupt verfolgt P. das Ziel, die Lektüre seines schwerfälligen Stoffes (1,1; [2. 2387]) auch mit rhet.-stilistischen Mitteln anregend zu gestalten [2. 2408f.]. P. will gefällig belehren, keinen Forsch.-Ber. geben [2. 2397].

Benutzt wurde P. von → Plinius [1] d. Ä. [2. 2405f.], außerdem wohl von → Martianus Capella; für das MA ist Einhart zu nennen. Im 14. Jh. war P. dank PETRARCA in It. sehr bekannt, später wurde sein Werk gedruckt (Ed. princeps: 1471, Mailand) und viel gelesen – auch von P.A. CABRAL, dem Entdecker Brasiliens. In der Neuzeit wurde P. zum Schulautor [1. 14–20].

→ Geographie; Periegetes

1 K. BRODERSEN, P. Mela. Kreuzfahrt durch die Alte Welt, 1994 (Text, Übers., Karten) 2 F. GISINGER, s.v. P. (104), RE 21, 2360–2411 3 P. PARRONI, Pomponii Melae De chorographia libri tres, 1984 (Einf., Text, Komm.) 4 F.E. ROMER, P. Mela's Description of the World, 1998 (engl. Übers. mit Komm.) 5 A. SILBERMAN, P. Mela. Chorographie, 1988 (Einf., Text, franz. Übers., Komm., Karten).   H.A.G.

[III 6] P. M. Porcellus (zum Cognomen Porcellus/ Marcellus s. [3]). Röm. Gramm.-Lehrer der frühen Kaiserzeit, den die Nachwelt nicht mit veröffentlichten Werken (vgl. aber [2; 3. 100]) im Gedächtnis behielt, sondern in Anekdoten (zwei bei Suet. gramm. 22, die

zweite auch bei Cass. Dio 57,17,2; eine weitere bei Sen. suas. 2,13), die seinen pedantischen Sprachpurismus kennzeichnen, und in einem Spottepigramm des Asinius [II 5] Gallus (FPL BLÄNSDORF, 305).

1 GRF(add) 1, 23–25 2 G. BRUGNOLI, Studi sulle Differentiae verborum, 1955, 103 3 R. A. KASTER, Studies on the Text of Suetonius de grammaticis, 1992, 99–102 4 Ders. (ed.), Suetonius, De grammaticis, 1995, 222–228.
                                                            P.L.S.

[III 7] P. Poryphyrio s. Porphyrio

[III 8] P. P. Secundus. Politiker und Literat des 1. Jh. n. Chr., Schwager → Caligulas und Freund des älteren → Plinius [1], der seine Vita in 2 B. verfaßte (Plin. nat. 7,39; 14,56; Plin. epist. 3,5,3). Geb. um die Zeitenwende, wurde er 31 im Zusammenhang mit dem Sturz des → Aelius [II 19] Seianus angeklagt und bis zum Regierungsantritt Caligulas (37) inhaftiert (Tac. ann. 5,8; 6,18,1; Cass. Dio 59,6,2). Förderung erfuhr P. dann durch → Claudius [III 1]: Ab Mai 44 war er Suffektconsul, in den J. 50/1 inschr. als kaiserlicher Legat von Obergermanien bezeugt, wo der Plinius d. Ä. unter ihm gedient haben wird; von einer Vertreibung plündernder → Chatti durch P. berichtet Tac. ann. 12,27f. Nicht viel später dürfte P., wohl noch in Germanien, gest. sein.

Quintilian (inst. 10,1,98) nennt P. als führenden zeitgenössischen Trag.-Schreiber (vgl. Tac. ann. 12,28,2; dial. 13,3). Von Vertretern der vorhergehenden Generation wurde seinen Stücken sprachliche Ausgefeiltheit konzediert, aber Mangel an tragischem Pathos vorgeworfen. Auch gegenüber → Seneca (Quint. inst. 8,3,31) und Freunden (Plin. epist. 7,17,11) mußte sich P. wegen sprachlicher Manierismen verteidigen; sprachlichgramm. Interesse verrät zudem ein Char. 1, 174, 18ff. GL berichtete Äußerung. Vergeblich versuchte Claudius im J. 47, mit einem Edikt gegen den Spott des Publikums vorzugehen (Tac. ann. 11,13,1). Die Nachwelt hat sich dieser Ablehnung angeschlossen: Nach der Generation des Tacitus und des jüngeren Plinius [2] ist P. nicht mehr gelesen worden. Die wenigen Fr. der gramm. Trad. (einziger sicherer Titel ist der einer → Praetexta *Aeneas*; vgl. noch Quint. inst. 8,3,31; Sen. epist. 3,6) gehen auf die *Dubii sermonis libri* des älteren Plinius (von hier stammen auch zwei morphologische Besonderheiten aus einem Brief des P. an Claudius [II 15] Thrasea) bzw. auf die Metrik des → Caesius [II 8] Bassus zurück.

FR.: TRF ²1871, 231f.; ³1897, 267ff.; ⁴1953, 312ff. · GRF(add), Bd. 1, 210ff.
LIT.: SCHANZ/HOSIUS 2, 475–477 · BARDON 2, 129–132 · A. DELLA CASA, Grammatica e letteratura, 1994, 7–23 (zuerst 1961).   P.L.S.

Pomptinus. Aus *Pomp-* gebildeter ital. Gentilname, auch inschr. belegt [1. 553]. Wichtigster Träger: C. P. (geb. 103 v. Chr.), ein typischer *homo militaris* (Sall. Catil. 45,2), 71 Legat des M. Licinius [I 11] Crassus im Sklavenkrieg (MRR 2,166). Als Praetor 63 (MRR 2,167) verschaffte er → Cicero Beweismaterial gegen die Catilinarier, als er am Pons Mulvius die allobrogischen Gesandten überfiel (Cic. Catil. 3,5 f.; Sall. Catil. 45,1–4). 62–59 verwaltete P. als Propraetor Gallia Narbonensis; ein Sieg über die durch Roms Steuerlast erbitterten Allobroger unter → Catugnatus bei Solonium trug ihm ein Dankfest (→ *supplicatio*) ein. Nach P.' Heimkehr verschleppten M. Porcius [I 8] Cato und Caesars Verbündete unter sakralrechtlichen Vorwänden jahrelang die Genehmigung eines Triumphes, den erst 54 der Praetor Ser. Sulpicius Galba und andere für P. durchsetzten; am Festtag kam es zu Straßenschlachten (vgl. Cass. Dio 39,65,1 f.). 51–50 bewies P. als Legat Ciceros in Cilicia, das er vorzeitig verließ (Cic. fam. 15,4,8 f.; 2,15,4), erneut sein taktisches Talent.

1 SCHULZE. JÖ.F.

Pomptinus ager s. Ager Pomptinus

Pompusius Mettius. *Praefectus aerarii Saturni* für vier J., von 80–83 n. Chr. (InscrIt 13,1 p. 307). Er ist nicht mit dem bei Suet. Vesp. 14 genannten Mettius Pompusianus identisch. PIR² M 570; P 783. W.E.

Ponderarium bezeichnet lat. das Eichamt. Die Eichung von → Waagen und → Gewichten sowie der Maßgefäße für Flüssiges und Trockenes erfolgte in Griechenland und im Imperium Romanum in einem in der Umgebung des Marktes gelegenen Gebäude, in dem die städtischen Mustergewichte sowie ein Steinblock mit unterschiedlich großen Vertiefungen und herausnehmbaren Metalleinsätzen zur Normierung der → Hohlmaße aufbewahrt wurden. Eine Kopie eines solchen Maßtisches (*mensa ponderaria*, griech. σήκωμα/ *sḗkōma*) mit Aushöhlungen unterschiedlicher Größe befindet sich am Forum von Pompeii (CIL X 793; Original in Neapel, NM). Zahlreiche weitere *ponderaria* röm. Zeit sind aus Italien (ILS 5602–5616), aus Griechenland und dem östl. Mittelmeerraum (SEG 26, 1976/77, 101; [1; 6]) sowie aus Nordafrika (AE 1912, 156; 1921, 46; 1922, 12; 1941, 156/157) bekannt. Seltenes Belegstück für ein *p.* nördl. der Alpen ist ein Sandsteinquader mit Vertiefungen für → *sextarius*, → *cyathus* und → *cochlear* [1] aus dem röm. Vicus von Wiesloch (Rhein-Neckar-Kreis). Aus hell. Zeit stammt ein in Assos gefundener Eichtisch für die → Maße – *kotýlē* [2], → *xéstēs*, → *choínix* und *triónkion* (Boston, MFA; [3. 3a]). Für die Einhaltung und Kontrolle der offiziellen Maße und Gewichte sowie für deren Herstellung waren in Griechenland die → *agoranómoi* oder → *metronómoi*, in Rom die → *aediles* zuständig. Die Arbeit innerhalb eines *p.* wurde von einem Eichmeister (*ponderarius*) ausgeführt (CIL IX 706). Die Einrichtung von *p.* erfolgte – wie sich aus dem vorhandenen Inschriftenmaterial erschließen läßt – in der Regel durch die kommunalen *duoviri iure dicundo* oder einen *aedilis*, in Einzelfällen auch durch begüterte Privatpersonen oder Angehörige von Händlerkollegien (ILS 5602–5616; AE 1912, 156; 1922, 12; 1922, 89).

→ Eichung

1 M. GUARDUCCI, Epigrafia greca, Bd. 2, 1969, 471–472 und Abb. 113–114 2 A. HENSEN, Der röm. Vicus von Wiesloch – Unt. zu den Ausgrabungen bis zum Jahr 1991, unpubl. Diss. München 1997 3 R. MERKELBACH (ed.), Die Inschr. von Assos, 1976 4 E. MICHON, s. v. P., DS Bd. 4, 547 f. 5 J. OVERBECK, Pompeji in seinen Gebäuden, Alterthümern und Kunstwerken, 1884, 63–64 Abb. 23–24 6 G. BARDENACHE (Bearb.), Römer in Rumänien (Ausstellung Köln – Cluj), 1969, 160 Nr. E 131 7 K. SCHNEIDER, s. v. P., RE 21, 2425 f. H.-J.S.

Pondo. Erstarrter Abl. limitationis von lat. *pondus, -i*, »an Gewicht«. Häufig verwendet anstelle von → *libra* [1] als Grundeinheit des röm. Gewichtswesens in der Bed. »im Gewicht von 1 Pfund«.

F. HULTSCH, Griech. und röm. Metrologie, ²1882. H.-J.S.

Ponos (Πόνος). Personifikation der Mühe, Last und Arbeit, entspricht dem lat. *Labor*. Sohn des Erebos und der → Nyx (Soph. Trach. 29; Cic. nat. deor. 3,17,44) oder der → Eris ohne Angabe des Vaters (Hes. theog. 226). Als Sohn der Eris wird P. bei Hesiod als erster in der Reihe der Übel aufgeführt. Er wird aber auch positiv gesehen, indem er Schwelgerei beseitigt und für ein tugendhaftes Leben sorgt (Lukian. Timon 31–33). S.T.

Pons
[1] s. Straßen- und Brückenbau
[2] Mit *p.* (in der Regel im Pl. *pontes*) werden auch die engen »Stimmbrücken« in Rom bezeichnet, die in den → *comitia* auf dem Weg zur Abstimmung überschritten werden mußten. Der Ursprung des Sprichworts *Sexagenarios de ponte (deicere)*, das dazu auffordert, ›Sechzigjährige von der Brücke zu werfen‹ (Cic. S. Rosc. 100; Fest. 452; Macr. Sat. 1,5,10) wird mit dem von den Jüngeren verlangten Ausschluß der Alten von der Abstimmung begründet (so Ov. fast. 5,633 f.; Fest. 452; Non. 842 LINDSAY; [1. 408²; 2. 152¹⁸]). Dagegen spricht, daß *p.* niemals im Sg. in der Bed. Stimmbrücke verwendet wird (vgl. Cic. Att. 1,14,5; leg. 3,38; betont von [3]), so daß das Sprichwort in der Tat auf einen alten Brauch zurückgehen kann, nämlich die Tötung der Alten durch Sturz von der Brücke (wohl dem Pons Sublicius) bei der Hungersnot in Rom nach dem Galliersturm von 387 v. Chr. (Festus) oder auch auf ein alljährliches Opfer eines Greises bzw. einer Ersatzpuppe (vgl. [4. 2025 f.; 5. 81 f.]).
→ Menschenopfer

1 MOMMSEN, Staatsrecht, Bd. 2 2 L. R. TAYLOR, Roman Voting Assemblies, 1966 3 F. X. RYAN, Sexagenarians, the Bridge, and the Centuria Praerogativa, in: RhM 138, 1995, 188–190 4 A. KLOTZ, s. v. Sexagenarii, RE 2 A, 1923 5 J. G. FRAZER, The Fasti of Ovid, Bd. 4, 1929. W.ED.

[3] P. Aelius; P. Aemilius; P. Agrippae; P. Aurelius; P. Milvius; P. Sublicius; P. Valentinianus (Brücken in Rom) s. Roma III. (mit Karte)

[4] P. Aelius. Der Übergang über den Tyne in New-castle und das urspr. westl. Ende des hadrianischen Limes wurde nach 122 n. Chr. mit einer Brücke und einem Kastell gesichert und nach dem Kaiser P. Aelius → Hadrianus benannt. Die Lage der Brücke ist bekannt [1], aber über Gestalt und Gesch. des Kastells wissen wir wenig [2; 3]. Im 4. Jh. war die *cohors I Cornoviorum* dort stationiert (Not. dign. occ. 40,34).
→ Limes II.

1 R. G. COLLINGWOOD, R. P. WRIGHT, The Roman Inscriptions of Britain, Bd. 1, 1965, 1319f. 2 E. BIRLEY, Research on Hadrian's Wall, 1961, 161–163 3 TIR N 30, O 30 Britannia Septentrionalis, 1987, 58.

J. COLLINGWOOD BRUCE, Handbook to the Roman Wall, [13]1978, 61–63.   M. TO./Ü: I. S.

[5] P. Aeni. Ortschaft in Raetia (Itin. Anton. 236,2; 257,1; 258,8; 259,3; 7; *statio Enensis*, CIL III 15184; *ad Enum*, Tab. Peut. 4,3); h. Pfaffenhofen am Inn (Aenus) in Oberbayern. Das Töpferzentrum [1; 2], das sich aus einer Straßen-, Zoll- und wohl auch Benefiziarierstation (→ *beneficiarii*) entwickelte, lag am Kreuzungspunkt der Straßen von → Iuvavum nach → Augusta [7] Vindelicum (Inn-Brücke) und vom Brenner nach → Regina Castra. Im spätant. Kastell lagerten zu unterschiedlichen Zeiten *pseudocomitatenses* (»zum Marschheer abkommandierte Grenztruppen«) *Pontaenenses* und *equites stablesiani* (»Kavallerie des Grenzheeres«) *iuniores* (Not. dign. occ. 35,21ff.). Die Prov.-Zugehörigkeit (Raetia, Noricum?) ist nicht geklärt. Am rechten Innufer wurden 1977 ein Mithraeum [3] und 1994 ein Militärlager [4] entdeckt. Der ON lebt in Langenpfunzen am linken und Leonhardspfunzen am rechten Innufer weiter.

1 J. GARBSCH, Terra Sigillata. Ausstellungskat. Prähistor. Staats-Slg. München 10, 1982, 88 I 15 2 Ders., Röm. Alltag in Bayern ... 125 Jahre Bayerische Handelsbank in München 1869–1994, 1994, 198 3 Ders., H.-J. KELLNER, Das Mithraeum von P. Aeni, in: Bayerische Vorgeschichtsblätter 50, 1985, 355–462 4 M. PIETSCH, Ein neues röm. Lager am Innübergang bei Mühltal, in: Das arch. Jahr in Bayern (1995), 1996, 99–101.

H.-J. KELLNER, Pfaffenhofen, in: W. CZYSZ u. a. (Hrsg.), Die Römer in Bayern, 1995, 498.   G. H. W.

[6] P. Aluti. Röm. Militärstation mit Zivilsiedlung in Dacia Inferior am rechten Ufer des Alutus (h. Olt), wohl beim h. Ioneştii Govorii (Kreis Vilcea/Rumänien) zu lokalisieren. Im Lager war die *cohors III Gallorum* stationiert. Die Zivilsiedlung entfaltete sich um das Lager; sie wurde später von → Dakoi übersiedelt. Neben Keramik- und Ziegelfunden ist ein Schatz von 152 Mz. aus dem 3. Jh. n. Chr. (Caracalla und Philippus Arabs) von bes. Bed.

TIR L 35 Bukarest, 1969, 47, s. v. Ioneştii Govorii (mit älterer Lit.) · I. B. CATANICIU, Evolution of the System of Defence Works in Roman Dacia, 1981, 26.

[7] P. Augusti. Röm. Siedlung in Dacia Superior (→ Dakoi), h. Marga (Kreis Caransebeş, Banat/Rumänien). Poststation nahe → Sarmizegetusa auf dem Wege nach → Tibiscum (Geogr. Rav. 4,7), Zollstation (CIL III 1351 = 7853). Inschr. bezeugt sind ein *collegium utriclariorum* (»Schlauchmacher«) und ein *templum Deae Nemesis* (CIL III 1547). Spuren von Goldgewinnung finden sich in der Umgebung.

TIR L 34 Budapest, 1968, 91f.   J. BU.

[8] P. Drusi. Die nach Nero → Claudius [II 24] Drusus benannte Straßenstation (Tab. Peut. 3,3) lag 40 Meilen nördl. von → Tridentum an der von Altinum über den Reschenpaß führenden Via Claudia und ist im Raum Bozen zu lokalisieren.

R. HEUBERGER, Von P. Drusi nach Sublavione, in: Klio 23, 1930, 24–73 · G. INNEREBNER, P. Drusi, in: Der Schlern 30, 1956, 15–23.   H. GR.

[9] P. Dub(r)is. Nur in der Tab. Peut. 2,5 erwähnte röm. Brückenstation der Gallia → Belgica im Gebiet der → Sequani am Dubis, ca. 8 km vor der Mündung in den Arar, h. Pontoux-sur-le-Doubs (Dép. Saône-et-Loire). Die Station war an der Strecke Cabillonum – Vesontio die erste nach 14 *leugae* (30 km), von Crusina (h. entweder Crissey bei Dôle oder Orchamps), der nächsten Station flußaufwärts, 19 *leugae* (43 km) entfernt. Fundamente der Brücke wurden lokalisiert. Zahlreiche Funde im Fluß und in der näheren Umgebung reichen bis in vorgesch. Zeit zurück; Material überwiegend mil. Art aus burgundischer und merowingischer Zeit läßt auf kriegerische Auseinandersetzungen im 7./8. Jh. schließen.

L. BONNAMOUR, Un example d'archéologie fluviale: Pontoux (Communications présentées au 42e Congrès de l'A. B. S. S., Chalon-sur-Saône 1971), in: Mémoires de la Soc. d'histoire, d'archéologie de Chalon-sur-Saône 41, 1971, 145 f. (résumé) · A. REBOURG u. a., Saône-et-Loire, Carte Archéologique de la Gaule 71/4, 1994, 485 f., Nr. 563.   F. SCH.

[10] P. Sociorum. Straßenstation in der → Pannonia Inferior zw. → Sopianis und → Aquincum (Itin. Anton. 264,2), im Raum vom h. Tolna/Ungarn, evtl. an der Fundstelle bei Aparhant (4. Jh. n. Chr.) zu lokalisieren.

J. FITZ, s. v. P. S., RE Suppl. 9, 864 · TIR L 34 Budapest, 1968, 92.

[11] P. Sonti. Poststation an der Straße von → Aquileia [1] nach → Emona (Tab. Peut. 4,5; Herodian. 8,4,2), *regio X*, h. Mainizza (Venezia Giulia/It.). Hier zweigte eine Straße den Aesontius (h. Isonzo) aufwärts ab. Bei P. S. wurde 489 n. Chr. → Odoacer von → Theoderich d. Gr. geschlagen (Iord. Get. 57; Anon. Vales. 50).

TIR L 33 Trieste, 1961, 58 · L. BOSIO, Le strade romane della Venetia e della Histria, 1991, 204–206.   J. BU.

[12] P. Tiluri. Station an der parallel zur Küste des → Ionios Kolpos verlaufenden Binnenstraße von Narona nach Salona, wovon P. T. 16 *milia passuum* (ca. 23,7 km) in nordöstl. Richtung entfernt lag (Tab. Peut. 3,6; Itin. Anton. 337,5; Geogr. Rav. 4,16), h. Trilj am Cetina [1. 151].

1 I. Bojanovski, Dolabelin sistem cesta u rimskoj provinciji Dalmaciji, 1974.   E.O.

[13] P. Ulcae. Röm. Straßenstation zw. → Mursa und → Cibalae in Pannonia Superior (Tab. Peut. 6,2), h. in Kroatien, wohl an der h. Vuka zu suchen; die Identifikation mit der *mutatio Leutuoano* (Itin. Burdig. 563,1) ist dagegen wenig wahrscheinlich.

TIR L 34 Budapest, 1968, 73 f., s. v. Leutuoanum.

[14] P. Vetus. Röm. Siedlung in Dacia Inferior (→ Dakoi) beiderseits des Alutus (h. Olt), h. Cîineni (Kreis Vîlcea, Rumänien). Am linken Ufer wurde ein Militärlager errichtet (ca. 150 × 150 m), die Zivilsiedlung lag auf beiden Uferseiten. Die Existenz einer Zollstation wird angenommen.

TIR L 35 Bukarest, 1969, 33, s. v. Cîineni.   J.BU.

Pontarches s. Achilleus [1]

Pontecagnano. Von der etr.-campanischen Siedlung auf einer ca. 85 ha großen, sich nur leicht über die Piana del Sele erhebenden Fläche beim heutigen Ort P. (10 km südl. von Salerno) ist wenig mehr als die Ausdehnung bekannt. Ausgegraben sind nur zwei Heiligtümer im Westen sowie Handwerksbetriebe (Öfen von Ziegeleien des 6. und 5. Jh. v. Chr. und eine Färberei) im Osten der Stadt. Die großen Nekropolen im SW und Osten der ant. Siedlung werden seit 1954 systematisch untersucht. Die it. Ausgrabungen belegen die Existenz des etr.-campanischen P. von der frühen Eisenzeit (9./8. Jh. v. Chr.) bis ins ausgehende 4. Jh. v. Chr. Eine Blütezeit im 7. Jh. v. Chr. wird durch reiche »Fürstengräber« des Steinkistentypus belegt, wie sie auch aus → Kyme [2]/Cumae und → Praeneste bezeugt sind (u. a. orientalische und griech. Importfunde). Im J. 268 v. Chr. wurden Angehörige des Stammes der Picentes aus dem Adriagebiet in der röm. Kolonie Picentia angesiedelt (Strab. 5,4,13), die ebenfalls beim heutigen P. lokalisiert wird. Die Gräber der Nekropolen des 9.–7. Jh. zeigen, daß das Gebiet von P. enger mit der → Villanova-Kultur Etruriens und des nördl. Latium als mit den Fossagräber-Kulturen der näheren Umgebung verbunden ist. Totenverbrennung mit anschließender Verwahrung der Asche in bikonischen Urnen und Körperbestattung wurden nebeneinander praktiziert. → Etrusci, Etruria; Nekropolen VII.

B. d'Agostino (Hrsg.), P., Bd. 1, 1990 · S. De Natale, P., Bd. 2,2 (La necropoli di S. Antonio. Tombe della prima età del ferro), 1992 · L. Cerchiai, s. v. P., EAA 2. Suppl., 1971–1994, Bd. 4, 1996, 425–427 · P. Gastaldi, Struttura

sociale e rapporti di scambio nel IX secolo a P., in: La presenza etrusca in Campagna meridionale (Atti del Convegno, P. – Salerno 1990), 1994, 49–59 · A. Serritella, P. Bd. 2,3, Le nuove aree di necropoli del IV e III secolo a. C., 1995.   M.M.

Pontia

[1] (Ποντία). Unbewohnte Felseninsel in der Großen Syrte, die zusammen mit den Inseln Skopelos bzw. Misynos und Gaia die *Póntiai nḗsoi* bildete (Ptol. 4,3,46; Stadiasmus maris magni 74 f.; Ps.-Skyl. 109). Anscheinend waren die *Póntiai nḗsoi* mit den *Leukaí nḗsoi* (»Weißen Inseln«) identisch [1. 1812]. Letztere verdankten ihren Namen wohl dem von den Seevögeln stammenden Guano.

1 H. Treidler, s. v. Syrtis, RE 4A, 1796–1829.

V. J. Bruno, E. Lyding Will, The Island of P., in: Archaeology 38,1, 1985, 40–47 · H. Treidler, s. v. P. (2), RE 22, 20 f.   W.HU.

[2] P., Pontiae (Ποντία). Kleine, dicht besiedelte Vulkaninsel (7,3 km², H 283 m) im → Mare Tyrrhenum vor der ital. Küste bei Formiae bzw. Tarracina (Strab. 2,5,19; 5,3,6; Ptol. 3,1,79; Plin. nat. 3,81), h. Ponza (Prov. Latina). Zusammen mit → Palmaria und Sinonia (h. Zannone; 0,94 km², H 185 m) bildete P. die Inselgruppe der *insulae Pontiae* (Varro rust. 3,5,7; Mela 2,121). Hier legten die Römer 313 v. Chr. während des 2. → Samnitenkriegs (326–304 v. Chr.) eine latin. *colonia* an (Diod. 19,101,3; Liv. 9,28,7). In der röm. Kaiserzeit war P. Verbannungsort (z. B. für Nero Caesar, den ältesten Sohn des Germanicus [2]; Livilla [2] und deren Schwester Iulia Agrippina [3]; Flavia [3]). Nachgewiesen sind mehrere unterirdische Gänge (u. a. der Verbindungsgang zw. Punta della Madonna und Cala Chiaia di Luna), Hafen und Kai bei S. Maria, ober- und unterirdische Aquädukte, Zisternen, Villen (S. Antonio, S. Maria, Punta della Madonna), zwei Nekropolen (Colle Guarini, Bagno Vecchio), ein Mithräum (3./4. Jh. n. Chr.).

G. M. De Rossi (Hrsg.), Le isole Pontine attraverso i tempi, 1986 · J. Liński, The Death of Pontia, in: RhM 133, 1990, 86–93 · L. Lombardi, Ponza. Impianti idraulici romani, 1996, 55 · V. J. Bruno, s. v. P., PE, 728.
                                       M.M.MO./Ü: J.W.MA.

Pontianus wurde 230 gegenüber → Hippolytos [2] ordentlicher Bischof von Rom. In einer Verfolgung unter → Maximinus [2] Thrax wurden P. und Hippolytos 235 nach Sardinien verbannt, wo P. am 28.9.235 auf sein Amt verzichtete (MGH AA 9,74 f.) und beide (noch 235?) starben. Damit war die Spaltung der stadtröm. Kirche beendet. P. ist in der sog. Kallistoskatakombe in Rom beigesetzt (MGH AA 9,72; Grabinschr.: ILCV Nr. 953).

E. Caspar, Gesch. des Papsttums von den Anfängen bis zur Höhe der Weltherrschaft, Bd. 1, 1930, 43–50 · W. Ensslin, s. v. P. (2), RE 22, 25.   M.HE.

Pontica. Titel eines anon. lat. Lehrgedichts über Meereslebewesen. Erh. sind nur die ersten 22 Hexameter der *praefatio* in einigen Hss. der Werke des → Solinus (Anth. Lat. 1,2, Nr. 720 RIESE). K.BRO.

Ponticus. Epischer Dichter augusteischer Zeit und Freund Ovids (trist. 4,10,47). An P. als Verf. einer *Thebais* richtet → Propertius die Elegien 1,7 und 1,9 und gewinnt einen Kontrast zw. erotischer Elegie und Epos, indem er P. als verzweifelt verliebt darstellt.

PIR² P 785. ED.C./Ü: U.R.

Pontifex, Pontifices A. ALLGEMEINES
B. FUNKTIONEN C. HISTORISCHE ENTWICKLUNG
D. PONTIFICES AUSSERHALB ROMS

A. ALLGEMEINES

Die *pontifices* waren das vornehmste Priestercollegium in Rom, traditionell von Numa Pompilius gegründet (Liv. 1,20,5–7). Laut der akzeptierten modernen Etym. (*pont-* = »Weg«, vgl. Sanskrit *pánthāh*, »Pfad«) bedeutet *p.* »Wegebereiter« [1]; manche ant. Etym., obwohl falsch, zeigen röm. Ansichten deutlicher: Q. Mucius [I 9] Scaevola, selbst *p. maximus*, schlug eine Etym. von *posse* und *facere* vor: »diejenigen, die die Macht haben (zu handeln)« (Varro ling. 5,83; vgl. Plut. Numa 9,2). Das Collegium hatte die Aufgabe, zumindest von der mittleren Republik an, das rel. Leben des röm. Staates generell zu beaufsichtigen; es war auch für alle rel. Angelegenheiten verantwortlich, die nicht ausdrücklich den anderen urspr. Priestercollegien, den → *augures*, → *decemviri [4] sacris faciundis*, und wahrscheinlich → *fetiales* (später auch den → *septemviri*) zugeordnet waren.

Die Zusammensetzung des Collegiums der *p.* war komplexer als die der anderen Collegien, deren Funktionen auch eingeschränkter waren. Die regulären Mitglieder waren: a) die eigentlichen *p.*, deren urspr. Anzahl (drei, vier, oder fünf) unbekannt ist, geführt vom *p. maximus*; ihre Anzahl wurde nach der *lex Ogulnia* (300 v.Chr.) auf neun erhöht (→ Ogulnius [1]), von Sulla auf fünfzehn (Liv. per. 89), und von Iulius Caesar auf sechzehn (Cass. Dio 42,51,4); b) die Repräsentanten einer früheren (königlichen) priesterlichen Ordnung, der → *rex sacrorum* und die drei → *flamines maiores*; c) zumindest von der späten Republik an drei *p. minores* (Cic. har. resp. 12). Zwar eng mit den *p.* verbundene, jedoch nicht ganz reguläre Mitglieder waren: d) die sechs → Vestalinnen, die unter der generellen Aufsicht des *p. maximus* standen; e) die zwölf *flamines minores*. Alle *p.* hatten das Amt auf Lebenszeit inne. Die traditionelle Residenz des *p. maximus* war die Domus publica am Hang des Palatin; das Collegium dagegen versammelte sich (→ *comitia calata*) in der → Regia auf dem Forum Romanum [2]; die offizielle Eskorte bzw. die Assistenten (→ *calatores*) bewohnten Räume in der unmittelbaren Nähe. Ein Opfermesser mit eiserner Klinge, die *secespita*, war das einzige Amtszeichen der *p.* (Suet. Tib. 25).

B. FUNKTIONEN

Die Aufgaben der Sakralcollegia waren von der mittleren Republik an in den Büchern *De sacerdotibus publicis* (›Über die öffentl. Sakralämter‹) detailliert beschrieben (Gell. 10,15,1). Die ausführlichste ant. Beschreibung der Pflichten der *p.* liefert Dion. Hal. ant. 2,73,2–3. Sie waren sozusagen die Bürokraten der → *pax deorum*. Ihre Hauptaufgabe war, den Senat, Beamte und Privatleute über die Richtigkeit und Wirksamkeit kultischer Handlungen, oder im allg. jeder Handlung, die die *pax deorum* möglicherweise beeinträchtigen könnte, mittels ihrer *decreta* (Beschlüsse) bzw. *responsa* (angefragten Gutachten) zu beraten (Cic. dom. 107). Eng damit verbunden war ein Monopol des Wissens sowohl der Kultsprache und kultischer Handlungen wie auch der richtigen Reaktion auf Prodigien (→ *prodigium*; Cato bei Fest. 342 L.; Plin. nat. 10,35f.); die Aufsicht über die Tagesqualifikationen der → *Fasti* (Macr. Sat. 1,15,9–13); und die Beaufsichtigung aller Aspekte der Leichenversorgung (Cic. leg. 2,45–57). Diese Befugnisse führten direkt zu der Beteiligung der *p.* an zwei weiteren Bereichen des öffentl. Lebens, dem Zivilrecht und der täglichen, von den Schreibern (*scribae*) des *p. maximus* vorgenommenen Protokollierung wichtiger Ereignisse (→ *annales maximi*).

Ihre Aufsicht über rel. Belange basierte anscheinend auf der Schriftlichkeit: Die Grundlage ihrer Autorität bestand in einer beachtlichen Slg. niedergeschriebener Spruchformeln und Vorschriften, die für die korrekte Ausführung kultischer Handlungen unentbehrlich waren; bei öffentl. Kulthandlungen sprach ein *p.* die erforderlichen Worte vor (*praeire verbis*), die vom opfernden Beamten nachgesprochen wurden. Unter den protokollierten Ereignissen waren Prodigien und darauf abgestimmte rituelle Antworten aufgelistet, die allmählich ein Archiv von Präzedenzfällen konstituierten (Liv. 8,18,11–2). In der frühen Republik war es offensichtlich üblich, daß die *p.* jeden Monat den Neumond beobachteten, den rel. Status jedes Tages verkündeten (*dies* → *fasti et nefasti* oder → *feriae*) und Schaltmonate bei Bedarf einsetzten. Auch nach 304 v.Chr., als die Veröffentlichung des Kalenders solche Verfahren weitgehend erübrigte (→ Kalender B. 4.), blieb die Verantwortlichkeit der *p.* für die Organisation sakraler und profaner Zeit (Varro ling. 6,27f.).

Die Verantwortlichkeit der *p.* für das → Sakralrecht führte direkt zu ihrem frühen Einfluß über das Profan- und Zivilrecht. Die Spruchformeln für Rechtshandlungen weisen eine deutliche Ähnlichkeit mit Sakralformeln auf. Andererseits liegen die Ursprünge des *ius civile* nicht im Sakralrecht, sondern in der Interpretation der Bestimmungen des Gewohnheitsrechts sowie, nach 451/0 v.Chr., der XII Tafeln (→ *tabulae duodecim*) [4], herausgegeben von einer ganzen Reihe hervorragender *p.*, die sich auf das Erstellen der *legis actiones* (Verfahrenstypen) spezialisiert hatten (Pomp. Dig. 1,2,2,35–53) [5]. Bis zur Zeit des Tib. → Coruncanius (*cos.* 280 v.Chr.) behielt das Collegium starken Einfluß auf das Zivilrecht, indem es den Zugriff auf Responsen streng regelte (ebd. 1,2,2,35; 38).

C. Historische Entwicklung

Die Beschränkung des Pontifikats in der Frühzeit auf die Patrizier (→ *patricii*) hatte ihren Ursprung wahrscheinlich in der Rolle, die die gentilizischen Kulte der ital. Völker bei der Entstehung der öffentl. röm. Rel. spielten [6]. Die Frühgesch. des Collegiums und somit der Prozeß, durch den auch der → *rex sacrorum* und die *flamines maiores* Mitglieder wurden, bleiben vollkommen im dunkeln; die röm. Antiquare waren der Auffassung, daß zu einem frühen Zeitpunkt der *p. maximus* an fünfter Stelle der röm. priesterlichen Rangordnung stand (Fest. 198 L.). Man hat jedoch vermutet, daß das Amt des *rex sacrorum* schon im Königszeitalter existierte, und daß daher die rel. Funktionen des Königs zu Beginn der Republik ausschließlich zwischen den Consuln und dem *p. maximus* geteilt wurden [7]. Wenn diese Theorie stimmt, wäre die Seniorität des *rex* schon immer rein formal gewesen.

Die Frage von Befugnissen und Mitgliedschaft des Collegiums war im späten 4. Jh. v. Chr. zunehmend umstritten. Im J. 304 v. Chr. veröffentlichte Cn. → Flavius [I 2] die Fasten und die Spruchformeln für die *actiones legis* (Liv. 9,46,5–6). Das alleinige Verfügungsrecht der Patrizier wurde von der *lex Ogulnia* (300 v. Chr.) gebrochen, die dem Collegium vier Plebeier hinzufügte (Liv. 10,6,1–9,2). Ungefähr zur gleichen Zeit wurde das Amt des *p. maximus* zur beschränkten Wahl in 17 der 35 → *tribus* geöffnet. Erst 104 v. Chr. jedoch wurde das allg. Prinzip der Kooptation aufgelöst (→ Cn. Domitius [I 4] Ahenobarbus) und derselbe Wahlmodus für alle Kandidaten eingeführt. Trotz des immer schärfer gewordenen aristokratischen Wettbewerbs wurde die Entscheidungskompetenz der *p.* in Fragen des Sakralrechts während der mittleren Republik nie ernsthaft gefährdet [8]. Das Recht auf Mitgliedschaft im Collegium war stets einer kleinen Elite der besten (patrizischen und später auch plebeiischen) Familien vorbehalten.

Das Amt des *p. maximus* wurde im J. 44 v. Chr. durch einen Beschluß des Senats in der Familie des Iulius → Caesar für erblich erklärt (Cass. Dio 44,5,3). Nach dem Tod des M. Aemilius [I 12] Lepidus nahm Augustus das Amt im J. 12 v. Chr. an [9], und bis 382/3 (?) n. Chr. (Gratianus) blieb es ein fester Bestandteil der kaiserlichen Würden. Ein Sitz im Collegium wurde regelmäßig jüngeren Mitgliedern der kaiserlichen Familie zugesprochen (z. B. AE 1988, 546: Tiberius, 11–9 (?) v. Chr.; ebd. 550: Drusus dem Jüngeren, 14 n. Chr.). Die Ernennung anderer zum *p.* wurde zum Zeichen bes. kaiserlicher Begünstigung. Seit der Schaffung von *p. Solis* (→ Sol) durch Kaiser Aurelianus hießen die *p. p. maiores* und sind bis ans Ende des 4. Jh. inschr. belegt (z. B. ILS 1264).

D. Pontifices ausserhalb Roms

Coloniae und *municipia* imitierten Rom in vielerlei Hinsicht; so auch im Falle der *p.* Jede *colonia*, jedes *municipium* hatte ein *p.*-Collegium, dessen Mitglieder, wie

in Rom, von Militärdienst und weiteren Pflichten ausgenommen waren (z. B. ILS 6087 § LXVI = [4. Bd. 1, 393–454], *Lex Ursonensis*). Solche Ämter sind meist in den Inschr. als Höhepunkte einer lokalen öffentlichen Karriere hervorgehoben (z. B. AE 1982, 356: ager Volaterranus; ILGN 635 = AE 1987, 750: Narbonensis). Manche *p.* waren auch für den örtlichen Kaiserkult zuständig (ILS 6910 = CIL II².7 68: Urgavo). Schon seit Cyprianus [2] konnte der Begriff *p.* auch für christl. Presbyter und insbes. Bischöfe verwendet werden, ist aber in dieser Bed. vor der 2. H. des 4. Jh. nicht häufig.

1 Latte, 196 2 R. T. Scott, s. v. Regia, LTUR 4, 189–92 3 A. K. Michells, The Calendar of the Roman Republic, 1967, 19f., 71 4 M. H. Crawford (Hrsg.), Roman Statutes, 2 Bde., 1996 (bes. Bd. 2, 555–721) 5 F. Wieacker, RGG, 310–340 6 C. J. Smith, Early Rome and Latium, 1996, 185–202 7 T. J. Cornell, The Beginnings of Rome, 1995, 232–236 8 J. Bleicken, Kollisionen zw. Sacrum und Publicum, in: Hermes 85, 1957, 446–480 9 J. Scheid, Auguste et le grand pontificat, in: Rev. historique de droit français et étranger 77, 1999, 1–19.

M. Beard, J. North, R. Price, Religions of Rome, 1998, Bd. 1, 24–28, 102–106 · G. de Sanctis, Storia di Roma, Bd. 4.2.1, 1953, 353–361 · J. Scheid, Les prêtres officiels sous les empereurs julio-claudiens, in: ANRW II 16.1, 1978, 610–654 · L. Schumacher, Die vier hohen röm. Priesterkollegien unter den Flaviern, den Antoninen und den Severern, 69–235 n. Chr., in: ANRW II 16.1, 1978, 655–819 · G. J. Szemler, The Priests of the Roman Republic (Coll. Latomus 127), 1972 · Ders., s. v. P., RE Suppl. 15, 332–396 · G. Wissowa, Rel. und Kultus der Römer, ²1912, 501–523. R. GOR.

Pontische Vasenmalerei. Die Bezeichnung p. V. für die etr. → schwarzfigurige Vasenmalerei der 2. H. des 6. Jh. v. Chr. geht auf F. Dümmler zurück, der die wichtige Gattung aufgrund einer Darstellung skythischer Bogenschützen zu Pferd irrtümlich mit dem Schwarzmeergebiet verband (Amphora Rom, VM 231; vgl. Hdt. 7,64). Die etwa 200 Gefäße der p. V. sind durch ihren Stil und auch den ausschließlichen Fundort Etrurien als etr. erkannt worden; Inschr. fehlen völlig. Die p. V. orientiert sich an der att. sf. Vasenmalerei, weist jedoch auch Einflüsse der → korinthischen und der → ostgriechischen Vasenmalerei auf. Innerhalb der p. V. lassen sich neben dem frühen und wegweisenden → Paris-Maler und dem → Tityos-Maler drei weitere Hauptmeister unterscheiden.

Als → Gefäßformen sind auffallend schlanke Amphoren und Oinochoen bes. beliebt, weiter Kyathos, Teller und Becher auf hohem Fuß (Kelch); seltener bleiben → Kantharos [1] und Kessel. Die Gefäße der p. V. zeigen eine hellgelbe bis orange Oberfläche, der Glanzton ist häufig bräunlich-rötlich verfärbt. Die Zusatzfarben Rot und Weiß werden für Figuren wie Ornamente reich verwendet. Das → Ornament nimmt in der p. V. einen hohen Stellenwert ein: So werden z. T. ganze Gefäße rein ornamental bemalt, auf Amphoren und Oinochoen sind die figürlichen Bilder stets von reichen Ornamentfriesen umgeben.

Gefäßformen der pontischen Keramik

Bauchamphora   Halsamphora   Oinochoe

Kelch   Kyathos   Teller

Die Bildthemen der p.V. sind sehr vielfältig. Häufig begegnen Tierfriese, Reiter, Komasten, Fabelwesen oder Satyrn und Mänaden. Hinzu kommen Bilder aus der griech. Myth., die wie bei anderen Gattungen der etr. Kunst die gute Kenntnis dieser Mythen belegen. Beliebt sind v. a. Bilder aus dem Sagenkreis um → Troia, was auch mit der Bed. des → Aineias [1] in Etrurien zusammenhängen mag (bes. zu nennen: Parisurteil des Paris-Malers; Opferung der → Polyxene des Silene-Malers, Paris, LV E 703); einheimische Mythen und Vorstellungen belegen etwa der Kampf des Herakles gegen Iuno Sospita (Paris-Maler) oder ein Wolfsdämon des Tityos-Malers (Teller Rom, VG 84444). Neben ihrem kunstgesch. Rang ist die p.V. damit auch eine wichtige Quelle für die Etruskologie.

→ Etrusci, Etruria

P. Ducati, Pontische Vasen, 1932 · F. Dümmler, Über eine Classe griech. Vasen mit schwarzen Figuren, in: RhM 2, 1887, 171–192 · L. Hannestad, The Paris Painter, 1974 · Dies., The Followers of the Paris Painter, 1976 · M. A. Rizzo, La ceramica a figure nere, in: M. Martelli (Hrsg.), La ceramica degli Etruschi, 1987, 31–35.   M.ST.

Pontius. Osk. Praenomen und osk./lat. Gentilname.

Salomies, 107; 113 · Schulze, 212.   K.-L. E.

I. Republikanische Zeit

[I 1] Pontius, Gavius. Samnitischer Feldherr, der 321 v. Chr. den Römern die berühmte Niederlage bei → Caudium beibrachte und sie ›unter das Joch schickte‹ (Liv. 9,2,6–6,4). Daß der samnit. Anführer im → Bundesgenossenkrieg [3] (P. [I 4]) ebenfalls diesen Namen trug, ist kein Indiz dafür, daß P.' Name erst später in die Überl. gelangte. Unhistor. und Ausdruck des röm. Bedürfnisses, die demütigende Niederlage abzuschwächen, ist dagegen die annalistische Überl. (bei Liv. 9, 15,8), daß P. im Zuge der angeblichen röm. Erfolge des J. 320 selbst in Gefangenschaft geriet und ebenfalls ›unters Joch geschickt wurde‹, ebenso die Nachricht, daß P. im J. 292 im 3. Samnitenkrieg von den Römern gefangen und hingerichtet wurde (Liv. per. 11).

E. T. Salmon, Samnium and the Samnites, 1967, Index s.v. P.   C.MÜ.

[I 2] P., T. Centurio unter P. Cornelius [I 70] Scipio Aemilianus und ebenso wie der Satiriker → Lucilius [I 6] dessen Nachbar, der einige Anekdoten über ihn überl. hat (Lucil. 2,89f. M.; Cic. fin 1,9; Cic. Cato 33; Macr. Sat. 3,16,4).   K.-L. E.

[I 3] P. Aquila. *Tr. pl.* 45 v. Chr. (MRR 2,308), blieb zu Caesars Zorn demonstrativ sitzen, als der Dictator im Triumph vorbeifuhr. Eventuell wurde P. deshalb enteignet (Cic. Att. 14,21,3); 44 war er unter den Caesarmördern (Cass. Dio 46,38,3). Als Legat des D. Iunius [I 12] Brutus versuchte P., das belagerte Mutina zu entsetzen, schlug T. Munatius [I 5] Plancus bei Pollentia, stieß zur Armee der Consuln und fiel am 21.4.43 in der Schlacht bei Mutina (→ Mutinensischer Krieg). Auf Ciceros Antrag erhielt er eine Ehrenstatue (Cic. ad Brut. 1,15,8).   JÖ.F.

[I 4] P. Telesinus. Aus Telesia in Samnium, Feldherr der → Samnites im → Bundesgenossenkrieg [3] im J. 90 v. Chr. (Vell. 2,16,1); 82 führte er mit M. → Lamponius das Heer der Samnites und Lucani, um den von den Truppen von P. Cornelius [I 90] Sulla in Praeneste eingeschlossenen C. Marius [I 2] zu befreien (App. civ. 1,416). Als dies scheiterte, wandte er sich gegen Rom, wurde aber am 1.11.82 in der Schlacht an der Porta Collina geschlagen und getötet (Vell. 2,27,1–3; Plut. Sulla 29; App. civ. 1,431). Sein jüngerer Bruder und Marius gaben einander in Praeneste gegenseitig den Tod.   K.-L. E.

II. Kaiserzeit

[II 1] L. P. Allifanus. Sohn des Senators L. Pontius, der, wohl unter → Vespasianus, Proconsul von → Cyprus war; sein Sohn begleitete ihn in die Prov. Mit Plinius [2] befreundet, der an ihn mehrere Briefe schrieb. PIR² P 794.

[II 2] P. Laelianus. Genannt im Testament des → Domitius [II 25] Tullus im J. 108 n. Chr. (CIL VI 10229,20). Seine Nachkommen waren wohl P. [II 3] und [II 4]. PIR² P 804.

[II 3] M. P. Laelianus. *Cos. ord.* 163 n. Chr.; consularer Legat von → Moesia inferior, wohl unter der gemeinsamen Herrschaft von → Marcus [2] Aurelius und Lucius → Verus. Sohn von P. [II 2]. PIR² P 805.

[II 4] M. P. Laelianus Larcius Sabinus. Senator, Nachkomme von P. [II 2]. Seine Laufbahn begann unter → Hadrianus; sie führte ihn über die praetorische Statthalterschaft in → Pannonia inferior zum Konsulat, wohl im J. 144 n. Chr. Anschließend consularer Legat in

Pannonia superior (146–149), ebenso in Syrien, wohl ca. 150–154. Im → Partherkrieg war er → *comes* des Lucius → Verus im Osten, wofür er → *dona militaria* erhielt; er war ebenfalls *comes* im Krieg gegen die Germanen an der Donau. Dafür wurde er vom Senat mit einer Statue auf dem Traiansforum geehrt (CIL VI 1497 und 1549 = 41146). PIR² P 806.

[II 5] C. Petronius P. Nigrinus. *Cos. ord.* im J. 37 n. Chr. Adoptiert von einem der senatorischen Petronii der augusteisch-tiberischen Zeit. PIR² P 812.

[II 6] C. P. Paelignus. Wohl Ritter, der in den Senat aufgenommen wurde. Seine Laufbahn ist von der Quaestur bis zur Praetur bekannt (vgl. [1. 249ff.]). Er war Sonderlegat in Asia *ex senatus consulto* auf Antrag des → Tiberius. PIR² P 813.

1 W. ECK, Prosopographica II, in: ZPE 106, 1995, 249–254.

[II 7] P. Pilatus, Röm. Ritter, während dessen Amtszeit in Iudaea → Jesus gekreuzigt wurde. P. war *praefectus Iudaeae*, d. h. verantwortlich für Iudaea, das damals noch einen Teil der Prov. Syria bildete (s. → Palaestina III.); damit unterstand P. auch dem consularen Statthalter von Syria. Ihn selbst »Statthalter« zu nennen, wie es auf Grund der Benennung *procurator* oder griech. *hēgemṓn* (z. B. Tac. ann. 15,44,3; Mt 27,2 u.ö.) oft geschieht, ist irrig; er war kein unabhängiger Prov.-Gouverneur, da Iudaea damals keine eigene Prov. war. P. amtierte von 26–36/7 n. Chr. in Iudaea, wo er mit Teilen der jüd. Bevölkerung in einen harten Konflikt geriet, da er auf die Befindlichkeiten vieler Juden kaum Rücksicht nahm, v. a. nicht auf den rel. Status von → Jerusalem. Dabei ist freilich zu bedenken, daß die zeitgenössische Überl. stets seine Gegner repräsentiert. Durch P. wurde Jesus zum Kreuzestod verurteilt, ohne daß die Beteiligung des jüd. → *synhédrion* klar erkennbar würde (Lk 22,66–23,25; Mt 26,3–27,26; Mk 15,1ff.; vgl. auch Tac. ann. 15,44,3). Als P. einen Aufstand der Samaritaner (→ Samaria) brutal niederschlug, wurde er bei L. Vitellius, dem Statthalter von Syrien, angeklagt und von diesem nach Rom gesandt.

P. galt Juden wie Christen, wenn auch aus unterschiedlichen Gründen, zunächst als grausamer Verfolger; später fiel das christl. Urteil unter heilsgesch. Aspekt schwankend aus. P. fand Eingang in christl. Glaubensbekenntnisse (→ Nicaenum; → Nicaeno-Constantinopolitanum) und wurde im apokryphen *Martyrium Pilati* (→ Neutestamentliche Apokryphen) zum christl. Märtyrer (Gedenktag in der koptischen Kirche: 19. Juni).

Die berühmte P.-Inschr. aus Caesarea [2] Maritima berichtet wahrscheinlich von der Errichtung eines Leuchtturms am Hafen, der *Tiberieum* benannt wurde [1. 85ff.].

Ob P. von → Tiberius nach seiner Rückkehr nach Rom verurteilt wurde oder was sein weiteres Schicksal war, ist unbekannt. PIR² P 815.

1 G. ALFÖLDY, P. Pilatus und das Tiberieum von Caesarea Maritima, in: Scripta Classica Israelica 18, 1999, 85–108 (mit der früheren Lit.).

J.-P. LEMONON, Pilate et le gouvernement de la Judée, 1981 • Ders., Ponce Pilate: Documents profanes, Nouveau Testament et traditions ecclésiales, in: ANRW II 26.1, 1992, 741–778 • J. BLINZLER, Der Prozeß Jesu, ³1960 • F. MILLAR, Reflections on the Trial of Jesus, in: P. R. DAVIES, R. T. WHITE (Hrsg.), Essays on Jewish and Christian Literature. FS G. Vermes, 1990, 355–381 • E. SCHÜRER, A History of the Jewish People in the Age of Jesus Christ, 1973, 383ff. • G. THEISSEN, A. MERZ, Der historische Jesus. Ein Lehrbuch, ²1997.

[II 8] M. P. Sabinus. Senator. *Cos. suff.* 153 n. Chr.; consularer Statthalter von Moesia superior, für das J. 159/160 bezeugt. PIR² P 822.   W. E.

[II 9] P. von Karthago. Christl. Diakon, ergänzte die im protokollarischen Stil geschriebenen *Acta Cypriani* eines unbekannten Verf. um eine *Vita Cypriani* [1; 2; 3], die bes. an Anf. und E. den rhet. Zugriff zeigt (Exordium, Kap. 1, Addubitatio, Kap. 2; Adynata, Kap. 2, Vaticinium, Kap. 17, Peroratio, Kap. 19). P. hat in seinem von Hier. vir. ill. 68 gelobten Werk als erster einen Bischof in einer lat. → Biographie dargestellt, die mit Hieronymus richtig als *Vita et passio* zu betiteln wäre [4. 58–65].

→ Cyprianus

ED.: 1 A. A. R. BASTIAENSEN, Vita di Cipriano, Vita di Ambrogio, Vita di Agostino, 1975 2 W. HARTEL, Cypriani opera 3 (CSEL 3/3), 1871 3 M. PELLEGRINO, Vita e martirio di San Cipriano, 1955.
LIT.: 4 W. BERSCHIN, Biographie und Epochenstil im lat. MA, Bd. 1, 1986.   W. B.

Pontos

[1] Griech. Personifikation des Meeres (vgl. → Okeanos, → Uranos), von Ge/→ Gaia ohne Gatten geboren (Hes. theog. 132); mit ihr zeugt P. → Keto, Eurybie, → Nereus, → Phorkys, → Thaumas (ebd. 233–239).   L. K.

[2] (ὁ Πόντος, lat. *Pontus*).
I. LAGE II. HISTORISCHER ABRISS BIS ZUR RÖMISCHEN PROVINZ III. SPÄTANTIKE UND BYZANTINISCHE ZEIT

I. LAGE

Landschaft an der Südküste des Schwarzen Meeres (→ Pontos Euxeinos) zw. Paphlagonia (Westen), Kolchis (Osten) und Kappadokia (Süden), gegliedert in die schmale nördl. Küstenebene mit verschiedenen griech. Städten (vgl. Amisos, Kotyora, Pharnakeia, Trapezus) und das Binnenland südl. des Nordanatolischen Randgebirges um Iris [3] und Lykos [19], noch bis ins 1. Jh. v. Chr. als Καππαδοκία ἡ περὶ τὸν Εὔξεινον/ *Kappadokía hē perí ton Eúxeinon* (Pol. 5,43,1; vgl. ἡ πρὸς τῷ Πόντῳ Καππαδοκία/ *hē pros tōi Póntōi Kappadokía*, Strab. 12,1,4; 3,2; aber bereits Πόντος/*Póntos* und Ποντικοί/*Pontikoí* bei Strab. 12,1,4 bzw. 11,8,4) geläufig.

II. Historischer Abriss bis zur römischen Provinz

P. war das Kernland eines sich seit 301 v. Chr. heraus-bildenden pontischen Königreichs unter der Dyn. der Mithradatiden: → Mithradates [1] I. nahm wohl 281 v. Chr. den Königstitel an und gewann mit der Hafen-stadt Amastris [4] 279 v. Chr. (Memnon FGrH 434 F 1,9,4) einen ersten Zugang zum Meer; sein Sohn → Ariobarzanes [6] gewann Amisos hinzu (Memnon FGrH 434 F 1,16); → Mithradates [2] II. erwarb auf dem Wege einer dynastischen Verbindung zu den → Seleu-kiden einen Teil von Phrygia (Iust. 38,5,3); → Mithra-dates [3] III. prägte als erster der Dyn. sein Portrait auf Mz. [1. 10f. Nr. 1–6]; → Pharnakes [1] I. eroberte 183 v. Chr. → Sinope (Pol. 23,9,2f.; Strab. 12,3,11) und eta-blierte hier anstelle von Amaseia die Königsresidenz (Strab. 12,3,11; evtl. geschah dies auch erst unter Mi-thradates IV.), scheiterte aber mit dem Versuch weiterer Expansion am Widerstand einer möglicherweise unter röm. Ägide zustandegekommenen kleinasiat. Koalition (sog. Pontischer Krieg, 182–179); → Mithradates [6] VI. weitete in drei Auseinandersetzungen mit den Römern (→ Mithradatische Kriege) seine Herrschaft im J. 88/7 v. Chr. über nahezu ganz Kleinasien und Griechenland aus [2], verlor sie schließlich aber ganz und wurde 63 v. Chr. von seinem Sohn Pharanakes [2] (II.) zum Selbstmord gezwungen (App. Mithr. 522–540; Cass. Dio 37,12f.; Iust. 37,1,9).

Während der Westteil von P. 63 v. Chr. der von Pompeius [I 3] geschaffenen röm. Prov. Bithynia (seit Nero → Bithynia et Pontus) eingegliedert wurde [3. 26–46], fielen die restlichen Teile von P. an verschiedene Dynasten (vgl. → Archelaos [5] und → Deiotaros). Für kurze Zeit mochte Pharnakes II. hoffen, von seinem Bosporanischen Königreich (→ Regnum Bosporanum) aus (Cass. Dio 37,14,2) das Reich seines Vaters wieder-zugewinnen, was sich aber bei Zela am 2. August 47 v. Chr. im Kampf gegen Caesar als Illusion erwies (vgl. Bell. Alex. 72ff.; Cass. Dio 42,47,1ff.). Antonius [I 9] nahm Umgestaltungen in P. vor, wo er Dareios, einen Sohn Pharnakes' II., inthronisierte (App. civ. 5,75); 37 v. Chr. bestimmte er Polemon [4], einen Bürger von Laodikeia [4], als Thronfolger (Cass. Dio 49,25,4; Plut. Antonius 38,6), den Begründer einer Dyn., nach deren Aussterben 64 n. Chr. Nero dieses pontische Königreich der procuratorischen Prov. Galatia als Pontus Polemo-nianus eingliederte (vgl. ILS 1017; [4]; lit. auch P. Po-lemoniacus).

1 RG 1,1, ²1925 2 E. Olshausen, J. Wagner, Kleinasien und Schwarzmeergebiet. Das Zeitalter Mithradates' d.Gr. (TAVO B V 6), 1981 3 Ch. Marek, Stadt, Ära und Territorium in Pontus-Bithynia und Nord-Galatia (IstForsch 39), 1993 4 R.D. Sullivan, Dynasts in Pontus, in: ANRW II 7.2, 1980, 913–930.

Anderson · Anderson/Cumont/Grégoire · L. Ballesteros Pastor, Mithrídates Eupátor, 1996 · A. Bryer, D. Winfield, The Byzantine Monuments and Topography of the P., 2 Bde., 1985 · F. und E. Cumont, Studia Pontica, Bd. 2, 1906 · D. French, Roman Roads and Milestones of Asia Minor, 1988 · Magie · Mitchell · Olshausen/Biller/Wagner · E. Olshausen, s.v. P. (2), RE Suppl. 15, 396–442 · Ders., Mithradates VI. und Rom, in: ANRW I 1, 1972, 806–815 · Ders., Zum Hellenisierungsprozeß am Pontischen Königshof, in: AncSoc 5, 1974, 153–170 · Ders., P. und Rom (63 v. Chr.–64 n. Chr.), in: ANRW II 7.2, 1980, 903–912 · Ders., Der König und die Priester, in: Ders., H. Sonnabend (Hrsg.), Stuttgarter Kolloquium zur Histor. Geogr. des Alt. 1/1980 (Geographica Historica 4), 1987, 187–205 · Ders., Götter, Heroen und ihre Kulte in P., in: ANRW II 18.3, 1990, 1865–1906 · Ders., Pontica IV. Das röm. Straßennetz in P., in: Orbis Terrarum 5, 1999, 93–113 · D.R. Wilson, The Historical Geography of Bithynia, Paphlagonia, and Pontus, D.B. Thesis, Oxford 1960, 239–244 (maschr.). E.O.

II. Spätantike und Byzantinische Zeit

Im Rahmen der diocletianischen Verwaltungsre-form (→ Diocletianus, mit Karte) wurde die dioecesis Pontus eingerichtet, die den NW und das Innere → Kleinasiens umfaßte (→ dioíkēsis). Der → vicarius re-sidierte in → Amaseia. Mil. unterstand P. dem dux Ponti et Armeniae, ein Amt, das, nach kurzer Aufteilung zw. zwei duces (→ dux [2]), Iustinianus [1] I. in Form des magister militum Armeniae wiederaufleben ließ. Hier kündigt sich bereits die spätere Themenverfassung (→ théma) mit dem Amt des → stratēgós an. Die dioecesis P. wurde im 7. Jh. aufgelöst und das Gebiet unter die Themen Armeniakon und → Opsikion aufgeteilt. In-nerhalb der dioecesis P. trugen nach Diocletianus auch zwei provinciae den Namen P., Helenopontos (mētrópolis: Amaseia) und P. Polemoniakos (Neokaisareia), was in den Kirchenprov. seine Entsprechung fand. Nach kur-zer Zusammenlegung unter Iustinianus verschwand auch diese Provinzeinteilung im 7. Jh. zugunsten der Themenverfassung. Schließlich wurde in byz. Zeit der Begriff P. auch für die südwestl. Küstengebiete des Schwarzen Meeres allg. gebraucht, die in mittelbyz. Zeit mit ihrer alten Metropole → Trapezus an Bed. ge-wannen. Dieser Sprachgebrauch hat sich bis h. erhalten. → Kleinasien; Pontos Euxeinos; Schwarzes Meer: Archäologie und Kultur

C. Foss, s.v. P., ODB 3, 1697, 1220 (mit Lit.). J.N.

Pontos Euxeinos (Πόντος Εὔξεινος), das h. Schwarze Meer. Die ant. Bez. dürfte auf die Iranier zurückgehen, die das Meer als achshaenas, »dunkel«, bezeichneten; durch Transkription ins Griech. entstand daraus áxeinos »ungastlich« (vgl. Ov. trist. 4,4,55), eine Bezeichnung, die von den Seeleuten euphemistisch zu eúxeinos, »gast-freundlich« umgedeutet wurde; als »Schwarzes Meer« war den Griechen der P. E. ebenfalls bekannt (Eur. Iph. T. 107: πόντος μέλας). Der P. E., ein Nebenmeer des Mittelmeeres (→ Mare Nostrum), erstreckt sich, un-ter Einschluß der → Maiotis, über eine Fläche von ca. 450000 km² (Ost-West-Erstreckung 980 km, Nord-Süd-Erstreckung 530 km; mittlere Tiefe 1270 m, größ-te Tiefe in der fast ebenen Mitte 2245 m); an der Nord-

und Westküste besitzt er ausgedehnte Schelfzonen; abgesehen vom nördl. Küstenbereich ist er fast insellos. Wasserreiche Ströme wie → Istros [2], → Hypanis, → Borysthenes, → Tanais und → Halys versorgen den P.E. mit Süßwasser; im → Bosporos [1] hat er einen Salzwasserzufluß. Die oberste Wasserschicht ist salzarm, die tiefste hat einen höheren Salzgehalt, ist sauerstoffarm und nimmt nicht am Wasserkreislauf teil, weshalb hier kein höheres Leben gedeiht. Die Oberflächenströmung, gegen den Uhrzeigersinn gerichtet, ist gering. Im Winter kann sich an den Küsten bes. im Norden und im Westen Treib-, aber auch Festeis bilden. Die Gezeiten schwanken nur wenig. Im Süden herrscht mediterranes, im Norden eher kontinental-gemäßigtes Klima. Die vorherrschende Windrichtung ist NW (wichtig für Schiffahrt und Hafenanlagen). Den P.E. kennzeichnen starke Stürme und viel Nebel im Winter. Der jährliche Niederschlag liegt durchschnittlich bei 1500/2500 mm im Osten und SO, 300/500 mm im NW und Westen.

Die Küstengewässer sind im Süden durchwegs flach und arm an Naturhäfen (Herakleia [7], Sinope, weniger gut Amisos und Trapezus). Im Hinterland steigt hier das Nordanatolische Randgebirge vielfach direkt aus dem Meer nach Osten bis über 3000 m zunehmender Höhe auf. Wenige Gebirgsdurchbrüche geben den Zugang zum Hochland frei (bei Herakleia und Amisos). Viel offener ist die Westküste. Wohl treten im Istranca Dağları (Türkei) und im Balkangebirge (Bulgarien) Kalksteinfelsen bis an die Küste heran, aber weiter im Norden öffnet sich der Küstenbereich in den Ebenen der Dobrudscha mit dem Istros-Delta und den Mündungsgebieten von Tyras, Hypanis und Borysthenes. Von der Istros-Mündung bis zur Chersonesos [2] greifen Lagunen tief ins Land ein.

Stärker als die übrigen Küstenabschnitte ist die NO-Küste zergliedert. Hier ragt die Halbinsel Chersonesos [2] über einen 8 km schmalen Isthmos weit ins Meer hinein. Sie zeigt im Norden ebenes bis welliges Flachland, das südwärts zum Krymskije Gory ansteigt (1545 m H) und dann steil ins Meer abfällt. Im Osten schließt sich die → Maiotis an. Weiter ostwärts folgt ein Küstenabschnitt, an dem Ausläufer des → Kaukasos dicht ans Meer herantreten. Schutz für die Schiffahrt bieten hier nur wenige kleine Buchten, gute Hafenbuchten finden sich erst wieder in → Pityus und → Dioskurias. Von hier ab öffnet sich die weite, sumpfige Mündungsebene des → Phasis [1]. West- und Nordküste waren bekannt für ihre Fruchtbarkeit (Getreide, Holz, Vieh, Honig, Wachs, Wein, Öl), die Küstengewässer im Norden und Süden galten als bes. fischreich. Auf diesen Grundlagen gedieh ein reger Binnen- und Fernhandel (inklusive Sklavenhandel; nach Hellas, aber auch weit darüber hinaus; vgl. Pol. 4,38). Seit der Mitte des 8. Jh. v. Chr., an der Süd-Küste für kurze Zeit unterbrochen durch das Einwirken der → Kimmerioi, erreichte die große griech. → Kolonisation die Küsten des P.E. (vgl. die Sage der → Argonautai; → Megara [2], → Miletos [2]).

Die frühesten Berichte über den P.E. liefert uns → Herodotos [1] (4,85 f.), weitere die Historiker → Polybios (4,39–42), → Ammianus (22,8), → Prokopios (Prok. BP 2,15; 30), sowie die *períploi* (→ *períplus*), die unter den Verfassernamen → Skylax, → Skymnos und → Arrianos [3] laufen, und der Geograph → Ptolemaios [65] (Ptol. 5,1; 6 f.; 9–12). Für die Westküste vgl. auch die Beschreibung des nach → Tomi verbannten Dichters → Ovidius (z. B. Ov. trist. 5,10; Ov. Pont. 4,14), der diese Gegend aus seiner gedrückten Seelenlage sehr viel düsterer sieht.

→ Argonautai; Getai; Goti; Kaukasos; Kolchoi; Kolonisation IV.; Medeia; Miletos [2]; Mithradates [6]; Pontos; Regnum Bosporanum; Schwarzmeerarchäologie und Kultur; Skythai

Ch. M. Danoff, s. v. P.E., RE Suppl. 9, 866–1175, mit Karte 870 · G.I. Bratianu, La Mer Noire, 1969 · E. Olshausen, Einführung in die Histor. Geogr. der Alten Welt, 1991, 171–177.   E.O.

Popillius (auch häufig *Popilius*). Name einer plebeiischen *gens*, die seit dem 4. Jh. v. Chr. bezeugt ist. Die Familie pflegte einen gemeinsamen Grabkult (Cic. leg. 2,55). Ihr berühmtester Zweig waren die Laenates (zum Cogn. → Laenas); seit der frühen Kaiserzeit unbedeutend.

Schulze, 17; 443; 449.   K.-L.E.

I. Republikanische Zeit

[I 1] P. Laenas. Augur (Cic. Att. 12,13,2), war 44 v. Chr. Berater der Caesarmörder und vielleicht versuchte, sie an den Dictator zu verraten (App. civ. 2,484; 487).   JÖ.F.

[I 2] P. Laenas, C. Praetor 175 v. Chr. Bildete 172 mit P. Aelius [I 6] Ligus das erste rein plebeïsche Consulncollegium (MRR 1,410 f.) und sabotierte den Senatsbeschluß gegen seinen Bruder P. [I 7]. 169 war er Gesandter in Griechenland. 168 zwang er in Eleusis bei Alexandreia [1] den Seleukidenkönig Antiochos [6] IV., das Ultimatum des Senats zur Räumung Ägyptens anzunehmen, indem er einen Kreis um den König zog, den dieser erst nach einer Entscheidung verlassen durfte (Pol. 29,27,1–10); er veranlaßte dort auch die Freilassung des pro-röm. gesinnten Spartaners → Menalkidas. *Cos. II* 158.
→ Syrische Kriege

1 Gruen, Rome, Index s. v. P. 2 W. Otto, Zur Gesch. der Zeit des 6. Ptolemäers, in: ABAW 11, 1934, 74–80.   P.N.

[I 3] P. Laenas, C. Sohn von P. [I 8], schloß 107 v. Chr. als Legat des Consuls C. Cassius [I 11] Longinus nach dessen Niederlage gegen die Tigurini einen Vertrag auf freien Abzug des Heeres, wurde dafür in Rom wegen Hochverrats (→ *perduellio*) verurteilt und mußte ins Exil gehen (Rhet. Her. 1,25; Cic. leg. 3,36).   K.-L.E.

[I 4] P. Laenas, C. Wurde vor 48 v. Chr. von Cicero verteidigt (Val. Max. 5,3,4) und war 43 als *tr. mil.* (MRR 2,350; 3,168) unter den Mördern des Redners. Die

Überl. stilisiert ihn zum undankbaren »Vatermörder« (*parricida*) [1. 13 f.].

1 H. HOMEYER, Die ant. Berichte über den Tod Ciceros und ihre Quellen, 1964. JÖ. F.

[I 5] P. Laenas, M. *Cos.* 359, 356, 354 (?), 350 und 348 v. Chr. (MRR 1, 121; 123 f.; 127 f.; 129 f.). Als *cos.* 350 siegte und triumphierte P. über die Gallier (Liv. 7,23,1–24,9; 25,1; vgl. InscrIt 13,1,34 f.; zu P.' mil. Erfolgen in den weiteren Konsulaten vgl. Liv. 7,12,1–4; 17,1 f.). In seinem ersten Konsulat war P. zudem *flamen Carmentalis* (→ *flamines*), als welcher er nach Cicero (Brut. 56), der hier unzutreffend das Cogn. → Laenas erklärt, noch mit der → *laena* bekleidet ein Staatsopfer verließ, um einen Aufruhr der → *plebs* zu besänftigen. Sein 3. Konsulat ist nur durch einige Annalisten bezeugt (bei Liv. 7,18,10), während die übrige Überl. (in InscrIt 13,1,540) einen T. Quinctius anführt. Nach Festus gab P. als Aedil 364 die ersten → *ludi (II. C.) scaenici* in Rom (Fest. 436; vgl. Liv. 7,2; hierzu [1. 40–72]); ebenfalls wohl als Aedil verurteilte er 357 den C. Licinius [I 43] Stolo wegen Verstoßes gegen dessen eigenes Gesetz zu einer Geldstrafe (Liv. 7,16,9; vgl. u. a. Val. Max. 8,6,3; Dion. Hal. ant. 14,12).

1 S. P. OAKLEY, A Commentary on Livy, Books VI–X, Bd. 2, 1998, Index s. v. P. C. MÜ.

[I 6] P. Laenas, M. Sohn von P. [I 7], war 154 v. Chr. Gesandter in Liguria (→ Ligures) und 146 in Korinthos (MRR 1, 451; 468; IMagn. 123). *Cos.* 139, *procos.* 138 in Hispania Citerior. Verhandlungen mit dem Führer der aufständischen Spanier, → Viriatus, scheiterten an den harten Bedingungen des P. (Diod. 33,19; Cass. Dio 22,75,1). Eine Niederlage gegen die Numantiner brachte ihm die Kritik des Lucilius [I 6] ein (Lucil. 26,621 M.). Nach ihm wurde ein Stadttor (*Porta Popillia*) in → Carthago Nova benannt (ILS 5333).

[I 7] P. Laenas, M. Bruder von P. [I 2], Praetor 176 v. Chr. Besiegte als *cos.* 173 die → Ligures bei Carytum und verhinderte mit seinem Bruder die vom Senat geforderte Freilassung der 10000 Gefangenen, die er nach seinem Sieg verkauft hatte (Liv. 42,7,3–9,6). P. war 169 Legat des Q. Marcius [I 17] Philippus im Krieg gegen → Perseus [2]. Censor 159 (MRR 1, 445). P. N.

[I 8] P. Laenas, P. Sohn von P. [I 2]. Bestrafte als *cos.* 132 v. Chr. die Anhänger des Ti. → Sempronius Gracchus hart (Cic. Lael. 37; Val. Max. 3,7,1), weswegen er 123 von C. Sempronius Gracchus ins Exil gezwungen wurde (Cic. Cluent. 95; Cic. dom. 82; 87; Cic. leg. 3,26 u.ö.), aus dem er 121 nach dessen Tod zurückkehren konnte. Als Consul baute P. die *via Popillia* in NO-It. Wenn sich die akephale Inschr. aus Polla (Campania) auf ihn bezieht (CIL I² 638 = ILLRP 454), war er Praetor in Sicilia vor Ausbruch des großen Sklavenkrieges (135?; → Eunus), baute als Consul eine weitere Straße von Capua nach Rhegium mit der Straßenstation *Forum Popilli* und förderte ein antigracchisches Siedlungsprogramm (s. → Annius [I 15]).

1 L. A. BURCKHARDT, Gab es ein optimatisches Siedlungsprogramm?, in: H. E. HERZIG (Hrsg.), Labor omnibus unus. FS G. Walser, 1989, 3–20 2 T. P. WISEMAN, Roman Studies, 1987, 108–115; 122–125. K.-L. E.

II. Kaiserzeit

[II 1] C. P. Carus Pedo. Senator, dessen Laufbahn in CIL XIV 3610 = ILS 1071 und IEph 7,1, 3028 überl. ist. *Decemvir stlitibus iudicandis*; Teilnahme am Krieg gegen → Bar Kochba als Tribun der *legio III Cyrenaica*. Quaestor Hadrians; auch als Volkstribun und Praetor war er *candidatus Caesaris*. Das Kommando über die *legio X Fretensis* in Syria-Palestina übernahm er nicht. Dann war er *curator viarum* und *praefectus aerarii Saturni*, *cos. suff.* 147 n. Chr. Als *curator operum publicorum* 150 bezeugt. Consularer Legat von Germania superior ca. 151–155; unter Marcus [2] Aurelius und Lucius → Verus führte er in der Gallia Lugdunensis einen → *census* durch. Proconsul von Asia in den ersten Regierungs-J. des Marcus Aurelius. Er gehörte den Priesterschaften der → *septemviri epulonum* und der → *sodales Hadrianales* an. Verwandtschaftlich mit P. [II 2] und [II 3] verbunden. PIR² P 838.

[II 2] P. Pedo Apronianus. *Cos. ord.* im J. 191 n. Chr. Als Proconsul von Asia ca. 205 wurde er im Senat wegen Magie in Abwesenheit angeklagt, in Asia hingerichtet (Cass. Dio 77,8,1). PIR² P 842.

[II 3] M. (P.) Pedo Vergilianus. *Cos. ord.* im J. 115 n. Chr.; er starb während seines Konsulats; möglicherweise war er damals → *comes* des → Traianus im → Partherkrieg (Cass. Dio 68,25,1). PIR² P 843.

[II 4] P. Priscus. *Cos. suff.* unter → Hadrianus; *procos.* von Asia 149/150 n. Chr. PIR² P 844. W. E.

Poplifugia. Stadtröm. Fest am 5. Juli (Fast. Antiates maiores, Fast. Amiterni, Fast. Maffeiani; vgl. InscrIt 13,2,476 f.), über dessen urspr. Bed. sich schon Varro nicht mehr im klaren war: ›Der Tag scheint *p.* genannt worden zu sein, weil an diesem Tag das Volk (*populus*) in plötzlichem Aufruhr floh (*fugerit*)‹ (Varro ling. 6,18; → Regifugium). Calpurnius Piso (fr. 34 FORSYTHE) sah ihren Ursprung in der Flucht vor Etruskern und einem nachfolgenden röm. Sieg, der durch eine → *vitulatio* gefeiert wurde. Das Fest könnte den Reflex einer → *lustratio* des Heeres darstellen, die urspr. auf Anfang Juli fiel [4. 10 f.; 2]. Zu parallelisieren wäre die → *transvectio equitum* am 15. Juli [2. 325].

Die Verbindung zu den Nonae → Capratinae am 7. Juli ist umstritten. Plutarch (Romulus 29) nimmt die Identität beider Feste an (ihm folgen [7; 6]). Seine Quellen führen die *p.* auf die Apotheose des → Romulus oder frühe Kriege Roms (Plut. Camillus 33) zurück, doch dürften das bereits Konstrukte der späten Republik sein (für die Verschiedenheit der beiden Feste s. [3; 5. 8 f. Anm. 1]). Zur Problematik der Deutung als Iuppiter-Fest vgl. [3. 74]. Den P. vergleichbare Feste sind in Umbrien [4. 10 f.] und in Attika bezeugt (Dipolieia; [1; 3]).

→ Kalender; Ritual

1 Deubner, 158–174 2 G. Forsythe, The Historian L. Calpurnius Piso Frugi, 1994, 321–330 3 W. Kraus, s. v. P., RE 22, 74–78 4 R. E. A. Palmer, Roman Rel. and Roman Empire, 1974 5 N. Robertson, The Nones of July and Roman Weather Magic, in: MH 44, 1987, 8–41 6 J. Rüpke, Kalender und Öffentlichkeit, 1995, 556–561 7 A. Schwegler, Röm. Gesch., Bd. 1,1, 1853, 532–537.
M. SE.

Poppaea

[1] P. Sabina, Tochter des Poppaeus [1] Sabinus, verheiratet mit T. Ollius und nach dessen Tod mit P. Cornelius [II 33] Lentulus Scipio (41/2 n. Chr. Proconsul von Asia). Mit T. Ollius wurde sie Mutter der P. [2] Sabina, mit Scipio wohl des P. Cornelius [II 49] Scipio Asiaticus, dessen Beiname auf eine Geburt in Asien hinweist. P. galt als die schönste Frau ihrer Zeit (Tac. ann. 13,45,2), war in zahlreiche Skandale verwickelt (Tac. ann. 11,2,1) und beging 47 Selbstmord, um einer drohenden Einkerkerung zu entgehen (Tac. ann. 11,2,2).

W. ED.

[2] P. Sabina. Geliebte und spätere Frau → Neros, berüchtigt durch ihre Intrigen und bekannt wegen ihrer Schönheit und Extravaganz. Geb. um 31 n. Chr. [2. 5] als Tocher der T. Ollius und der Poppaea [1] Sabina d. Ä., benannt nach dem Vater ihrer Mutter, C. Poppaeus [1] Sabinus, da ihr eigener Vater 31 n. Chr. im Zuge des Sturzes des Aelius [II 19] Seianus hingerichtet worden war (Tac. ann. 13,45,1). Die Herkunft P.s aus Pompeii (CIL IV 259; IV 6682; [1. 102; 2. 7]) ist umstritten [3]. P. war zuerst mit Rufrius Crispinus verheiratet (Tac. ann. 15,71,4), begann 58 n. Chr. ein Verhältnis mit dem späteren Kaiser M. Salvius → Otho, heiratete ihn und wurde im gleichen Jahr Geliebte des → Nero. Nach Tacitus (ann. 13,46,1) pries Otho P.s Schönheit vor Nero, aus Verliebtheit oder weil er sie dem Nero zuführen wollte, um Einfluß zu gewinnen (zur unklaren Quellenlage s. [2. 21–39]). Die treibende Kraft war dabei P. (so Tac. ann. 13,45,4; anders jedoch Tac. hist. 1,13; Cass. Dio 61,11,2; Plut. Galba 19; Suet. Otho 3).

Einer Heirat P.s mit Nero stand dessen Ehe mit der beim Volk beliebten → Octavia [3] entgegen, an der auch Neros Mutter Agrippina [3] (Tac. ann. 14,1,1) und der *praefectus praetorio* Afranius [3] Burrus (Cass. Dio 62,13,1–2) festhielten. Nach dem Muttermord (März 59), den Nero nach Tacitus (ann. 14,1,1; vgl. aber Suet. Nero 34,2) auf Drängen der P. veranlaßt haben soll [2. 39–46], dauerte es noch drei Jahre [1. 98 f.; 2. 48–55], bis Nero die Scheidung von Octavia durchsetzen und die von ihm schwangere P. heiraten konnte.

Anf. 63 n. Chr. brachte P. eine Tochter zur Welt, die wie die Mutter kurz darauf den Augusta-Titel erhielt, jedoch nur vier Monate lebte (Tac. ann. 15,23; Suet. Nero 35,3). 65 n. Chr. starb die erneut schwangere P. unter ungeklärten Umständen. Die Behauptung, Nero habe sie durch einen Tritt in den Bauch getötet (Tac. ann. 16,6; Suet. Nero 35,3; Cass. Dio 62,28,1), gehört zur Tyrannentopik [2. 130 f.]. P. wurde nicht wie üblich verbrannt, sondern einbalsamiert und im Grab der Iulii bestattet (Tac. ann. 16,6,2).

P. war eine ehrgeizige, intelligente und vielfach interessierte Frau, die dem Judentum besondere Aufmerksamkeit widmete [1. 101; 2. 19 ff.] und sich mit seinen Vertretern traf (Ios. vita 16; Ios. ant. Iud. 20,193–195). Zugleich galt sie als hemmungslos und extravagant. Zum Erhalt ihrer Schönheit soll sie täglich in der Milch von 500 Eselinnen gebadet haben (Cass. Dio 62,28,1; Plin. nat. 28, 182 f.; 11,238); auch eine Salbe soll nach ihr benannt worden sein (Iuv. 6,461–464). In der Oper *L'incoronazione di P.* von Monteverdi (Libretto: 1642) wird auch die Position von P.s Gatten Ottone gestaltet.

1 M. Griffin, Nero. The End of a Dynasty, 1984, 100–103 2 F. Holztrattner, P. Neronis potens, Stud. zu Sabina, 1995 3 A. Lós, Les intérêts de Poppée à Pompéi, in: Eos 79, 1991, 63–70.
B. GO.

Poppaedius

Poppaedius (inschr. auch *Popaedius*). Italischer Familienname vielleicht etr. Herkunft [2. 367]. Bekannt ist Q. P. Silo, Führer der Marsi [1] im → Bundesgenossenkrieg [3] 90–88 v. Chr. und mit C. Papius [I 4] Mutilus einer der beiden Oberkommandierenden der Abtrünnigen (Diod. 37,2,6; Strab. 5,4,2; Liv. per. 76 u. a.; Mz.: [3; 4]). Als Gastfreund des Volkstribunen M. Livius [I 7] Drusus betrachtete er dessen Ermordung als Anlaß zum Aufstand der Bundesgenossen. Als Kommandeur der Nordarmee schlug er nach vergeblichen Verhandlungen mit C. Marius [I 1] (Diod. 37,15) Q. → Servilius Caepio und im Frühj. 89 den Consul L. Porcius [I 4] Cato (App. civ. 1,196–198; 217; Liv. per. 73; 75). Nach Erfolgen der Armee des Consul Cn. Pompeius [I 8] Strabo räumten die Aufständischen Anf. 88 die Hauptstadt → Corfinium. P. sammelte sein Heer in Aesernia, wurde aber von Q. Caecilius [I 31] Metellus Pius geschlagen und getötet (App. civ. 1,230; Liv. per. 76).

1 A. Keaveney, Rome and the Unification of Italy, 1987, Index s. v. P. 2 Schulze 3 E. A. Sydenham, The Coinage of the Roman Republic, ²1952, Nr. 634 4 A. Campana, La monetazione degli insorti italici durante la guerra sociale (91–87 a. C.), 1987.
K.-L. E.

Poppaeus

[1] C. P. Sabinus. Die Familie stammt verm. aus Interamna Praetuttiorum, nicht aus Pompeii. *Homo novus*; sein Bruder war P. [2]; Vater von → Poppaea [1] Sabina und Schwiegervater von T. Ollius. Förderung durch Augustus und v. a. Tiberius. 9 n. Chr. erreichte er, ganz außergewöhnlich für einen *homo novus*, einen ordentlichen Konsulat. Kurz darauf, wohl im J. 11, wurde er nach Moesia gesandt, das er verm. überhaupt erst als eigenständige Prov. organisierte. Im J. 15 wurden ihm auch Achaea und Macedonia unterstellt, so daß er ein übergeordnetes Kommando über drei Prov. führte. In Moesia wurde er durch Unterstatthalter wie Pomponius [II 10] Flaccus oder Latinius [II 3] Pandusa vertreten. Kämpfe gegen das Klientelkönigtum der → Thrakes,

die Tacitus (ann. 4, 46–51) schildert, brachten ihm die
→ *ornamenta triumphalia* ein. Im J. 35 starb er in der Prov.
Er muß zu den vertrautesten Freunden des → Tiberius
gehört haben. PIR² P 847.

[2] Q. P. Secundus. Bruder von P. [1]. *Cos. suff.* nach
seinem Bruder ebenfalls im J. 9 n. Chr. Berühmt wurde
er durch die *lex Papia Poppaea* (→ *lex Iulia et Papia*), die er
mit seinem Kollegen → Papius [II 1] Mutilus verabschieden ließ, v.a., da er als Unverheirateter und Kin-
derloser durch die strengen Regeln dieses Gesetzes
selbst betroffen wurde (Cass. Dio 56,10,3); dies zeigt
nur, daß er dieses Gesetz in Auftrag von → Augustus
durchsetzte. PIR² 848.   W. E.

Populares I. Die Bedeutung des Begriffs
II. Themen der popularen Politik
III. Ziele der Populares
IV. Tradition und populare Politik

I. Die Bedeutung des Begriffs

Der lat. Begriff bezeichnet Politiker der späten röm.
Republik, die erklärtermaßen mit Hilfe und zugunsten
des Volkes (→ *populus*) handelten; eine begriffliche und
häufig genug auch sachliche Unschärfe ergibt sich aber
daraus, daß das zugrundeliegende Adj. *popularis* zunächst
»zum Volk gehörig«, »das Volk angehend«, dann nebeneinander »populär« und »im Interesse des Volkes« bedeutet. Agitation von *p.* vor der Menge gegen die etablierte Führungsschicht (*pauci*; »die Wenigen«) ist von
der Sache her nahezu naturgegeben und begegnet bereits in den Komödien des Plautus (Plaut. Trin. 34 f.)
und Terentius (Ter. Hec. 44 ff.); ein erster Beleg für den
polit. Begriff *p.* ist möglicherweise Accius, Pragmatica
fr. 3–4 W.

Differenzen zw. Volkstribunen (→ *tribunus*) und der
Senatsmehrheit sind schon seit Mitte des 2. Jh. v. Chr.
zu verzeichnen; erhöhte Brisanz erhielt der Gegensatz
133 v. Chr., als Ti. → Sempronius Gracchus ein Agrar-
gesetz gegen den Willen des Senats (→ *senatus*) vom
Volk beschließen ließ und mit der Absetzung eines Kollegen, der eigenmächtigen Regelung von Finanzange-
legenheiten und dem Versuch einer Wiederwahl zum
Volkstribun weitere Konflikte verursachte. Sein Verhalten wurde konstitutiv für die *popularis ratio* oder *via*
im Kontrast zu den *boni* (den Besitzenden) oder → op-
timates, wie Cicero (Cic. rep. 1,31) durchaus zu Recht
feststellt (vgl. Sall. Iug. 42,1). Ti. Gracchus als dem ersten der vier »großen *p.*« folgten sein Bruder C. → Sempronius Gracchus (*tr. pl.* 123/122 v. Chr.), L. Appuleius
[I 11] Saturninus (*tr. pl.* 103 und 100 v. Chr.) und P.
Sulpicius (das Cogn. Rufus ist schlecht belegt: MRR III
202). Zahlreiche andere Politiker betrieben zeitweilig
populare Agitation oder schlugen populare Maßnahmen vor, in der Regel als Volkstribune; popular agie-
rende Consuln sind dagegen selten: neben L. Cornelius
[I 18] Cinna (*cos.* 87–84 v. Chr.) und M. Aemilius [I 11]
Lepidus (*cos.* 78 v. Chr.) ist v. a. → Caesar in seinem
Konsulat 59 v. Chr. zu nennen.

II. Themen der populären Politik

Gegenstand populärer Politik waren v. a. die Sicherung bzw. Erweiterung der Freiheitsrechte des Volkes
und die Sicherung bzw. Besserstellung seiner materiellen Existenz. Ersterem dienten etwa die Gesetze zum
Provokationsrecht (→ *provocatio*), die Einführung geheimer Abstimmung bei Volksbeschlüssen oder Gerichtsverfahren (*leges tabellariae*), Gesetze, die eine Beteiligung des Volkes an den Priesterwahlen vorsahen,
und schließlich die Majestätsgesetze (*leges de maiestate*),
die sich vornehmlich gegen die Mißachtung von Gesetzen und Volksbeschlüssen durch Magistrate (→ *magistratus*) richteten. Der in den Jahren nach 78 v. Chr.
geführte Kampf um die Wiederherstellung der von
Cornelius [I 90] Sulla eingeschränkten Befugnisse des
Volkstribunats gehört ebenfalls in diesen Zusammenhang. Eine wirtschaftliche Besserstellung hatten die
→ Agrargesetze zum Ziel, später auch die Gesetze zur
Versorgung von Veteranen mit Land; für die Exi-
stenzsicherung der → *plebs urbana* sorgten die → Frumentargesetze; die Agitation für einen Schuldenerlaß
kann dagegen auch im Interesse von Angehörigen der
Führungsschicht gelegen haben.

Seit der Zeit des Marius [I 1] traten die *p.* zugunsten
von ambitionierten Einzelpersönlichkeiten auf, so in
der nachsullanischen Zeit etwa für → Pompeius [I 3],
M. → Licinius [I 11] Crassus und → Caesar. Der *popularis ratio* konnten sich auch Politiker mit optimatischen
Zielen bedienen, wie v. a. im Falle des älteren und jüngeren M. Livius [I 6 und 7] Drusus (*tr. pl.* 122 und 91
v. Chr.) deutlich wird. Auf einzelnen Gebieten, insbesondere bei der Getreideversorgung (→ *cura annonae*)
Roms, überschnitten sich populare und optimatische
Strategien. Wichtig war dabei die stets mitschwingende
Bedeutungsnuance von *p.* als »populär«, die ein Cicero –
etwa in der zweiten Rede *De lege agraria* 63 v. Chr. –
souverän zu nutzen wußte, um seine eigene Politik der
seiner Meinung nach verfehlten Politik der *p.* als wahr-
haft »volksfreundlich« gegenüberzustellen (Cic. leg. agr.
2,6–19).

III. Ziele der Populares

Die *p.* strebten schon deshalb keine »Demokratisierung« Roms an, weil das Volk dort ohnehin seit alters
über Gesetze abstimmte und wählte. Sie bildeten auch
keine geschlossene »Partei«, weil jeder Politiker seinen
persönlichen → *cursus honorum* im Auge hatte und das
durch Annuität und Kollegialität eingeschränkte Volkstribunat keine Voraussetzung für eine langfristig angelegte Realisierung programmatischer Ziele bot. Zudem
existierte in den »Treu- und Nahverbindungen« – *clien-
tela* (→ *cliens*) bzw. → *amicitia* – ein dichtes Netz sozialer
Beziehungen spezifisch röm. Art. Da die im Senat organisierte Führungsschicht sich aber 133 v. Chr. und in
der Folgezeit als unfähig zu gründlichen Reformen erwies, gab es eine Kontinuität der Probleme, in erster
Linie der Agrarfrage. Ihre natürliche Folge war das immer wieder erneuerte Auftreten von *p.* und eine durchgängig gegebene grundsätzliche Identität populärer Po-

litik. Sie ist Cicero (Cic. Catil. 4,9f.) wie Sallustius (Sall. Catil. 38,3) bewußt, wenngleich sie bei Cicero gewöhnlich negativ gewertet wird (Cic. Sest. 96ff.). Sehr spät wurde Cicero freilich klar, daß beide Seiten, *optimates* wie p., begrenzte Standpunkte und nicht das Gesamtwohl vertraten (Cic. off. 1,85).

IV. TRADITION UND POPULARE POLITIK

Wie vieles in der späten Republik wurde auch der Gegensatz zw. *optimates* und p. durch die annalistische Geschichtsschreibung in die Frühzeit Roms zurückprojiziert. Dies gilt für die Schilderung der Volkstribunen, ihrer Agitation in der Agrar- und Schuldenfrage ebenso wie für die Charakterisierung der *seditiosi* (wörtl. »Aufrührer«) Sp. Cassius [I 19], Sp. Maelius [2] und v. a. M. Manlius [I 8] Capitolinus sowie ihrer Gegner, aber auch etwa für das Auftreten des Decemvirn Ap. Claudius [I 5] bei Livius (Liv. 3,35). Allerdings sind nicht alle Parallelen als Rückprojektion zu betrachten, denn die Epoche der Ständekämpfe blieb für das Selbstverständnis des aus ihnen resultierenden Volkstribunats verbindlich, und die p. griffen auch häufig auf Kampfmethoden und -ziele der frühröm. → *plebs* zurück oder appellierten jedenfalls an frühröm. Vorbilder (Plut. C. Gracchus 3,3; vgl. auch die populaaren Redner bei Sallustius: C. Memmius [I 1], M. Aemilius [I 11] Lepidus sowie C. Licinius [I 30] Macer).

Ob es in engerem Sinn ein populares Kontinuitätsbewußtsein bis hin zur Frühzeit gab, ist mangels klarer Zeugnisse nicht zu beantworten. Ciceros Aufzählung prominenter p. (Cic. ac. 2,13) kann auch seine eigene Konstruktion sein. Mit Sicherheit waren aber die Gracchen und ihre Mutter → Cornelia [I 1] ein Bezugspunkt für alle späteren p., so schon für C. Memmius [I 1] (Sall. Iug. 31; vgl. Rhet. Her. 4,48) und L. Appuleius [I 11] Saturninus. Bezeichnend ist auch, wie Cicero sich vor dem Volk sogleich auf die Gracchen bezieht (Cic. leg. agr. 2,10). Auch die Reihe der vier »großen p.« begegnet vor Cicero bereits in der *Rhetorica ad Herennium* (Rhet. Her. 4,31), wobei sich freilich bereits dort M. Livius [I 7] Drusus (tr. pl. 91 v. Chr.) einschiebt, der dann im Schema der vier *seditiones* der Kaiserzeit P. Sulpicius ersetzen sollte (Flor. epit. 2,1–5; Ampelius 26). Auch ohne direkte Abfolge oder feste Verbindungen ergibt sich somit zw. den p. ein Bewußtsein der Gemeinsamkeit, ein Zusammenhang, für den der (mod.) Begriff der »Bewegung« hilfreich sein könnte.

→ Agrargesetze; Großgrundbesitz; Optimates; Plebs

1 J.-M. DAVID, »Eloquentia popularis« et conduites symboliques des orateurs de la fin de la République: problèmes d'efficacité, in: Quaderni di storia 12, 1980, 171–211 2 J.-L. FERRARY, K.-J. HÖLKESKAMP, *Optimates* et *P.* Le problème du rôle de l'idéologie dans la politique, in: H. BRUHNS, J.-M. DAVID, W. NIPPEL (Hrsg.), La fin de la république romaine, 1997, 221–235 3 U. HACKL, Die Bed. der popularen Methode von den Gracchen bis Sulla im Spiegel der Gesetzgebung des jüngeren Livius Drusus, Volkstribun 91 v. Chr., in: Gymnasium 94, 1987, 109–127 4 M. JEHNE (Hrsg.), Demokratie in Rom? Die Rolle des

Volkes in der Politik der röm. Republik, 1995 5 N. MACKIE, *Popularis*. Ideology and Popular Politics at Rome in the First Century B. C., in: RhM 135, 1992, 49–73 6 J. MARTIN, Die Popularen in der Gesch. der Späten Republik, Diss. Freiburg i.Br. 1965 7 CH. MEIER, s. v. P., RE Suppl. 10, 549–615 8 F. MILLAR, The Crowd in Rome in the Late Republic, 1998 9 L. PERELLI, Il movimento popolare nell'ultimo secolo della repubblica, 1982 (dazu Gnomon 58, 1986, 154–159) 10 R. SEAGER, »P.« in Livy and the Livian Tradition, in: CQ 27, 1977, 377–390 11 L. R. TAYLOR, Forerunners of the Gracchi, in: JRS 52, 1962, 19–27 12 L. THOMMEN, Das Volkstribunat der späten röm. Republik, 1989 13 J. VON UNGERN-STERNBERG, Die Legitimitätskrise der röm. Republik, in: HZ 266, 1998, 607–624 14 Ders., Die popularen Beispiele in der Schrift des Auctors ad Herennium, in: Chiron 3, 1973, 143–162 15 P. J. J. VANDERBROECK, Popular Leadership and Collective Behavior in the Late Roman Republic (ca. 80–50 B. C.), 1987 16 A. YAKOBSON, Elections and Electioneering in Rome: A Study in the Political System of the Late Republic, 1999.   J.v.U.-S.

Popularphilosophie. Dieser moderne Begriff dient zur Bezeichnung einer kollektiven kulturellen ant. Tradition, welche ein Produkt der ethischen Philos. ist und sich v. a. aus Gemeinplätzen zusammensetzt. Entwickelt wurden diese Topoi in den Schulen der hell. Epoche und der Kaiserzeit, bes. im → Kynismus und → Stoizismus, und auch von Wanderpredigern. Sie gehen auf die ältere → Sophistik, die philos. Lit. des 4. Jh. v. Chr. und die griech. Dichtung zurück (→ Philosophische Literaturformen), doch die Themen entstammen bes. dem Alltagsleben: Reichtum, Verbannung, Ehe, Alter, Schicksal, Sklaverei usw. (Liste von 94 Themen bei [1]).

Die P. will vor allem Moral-Philos. sein, die Gewohnheiten ihrer Zeitgenossen kritisieren und sie zum Nachdenken veranlassen: Sie sollen ihr Verhalten ändern und sich zur Tugend bekehren. Die vorgeschlagenen Grundsätze werden deshalb ansprechend präsentiert, um die Zuhörer in den Bann zu ziehen. Diese Reden (griech. *diatribé, diálexis, diálogos, homilía,* lat. *sermo*), die von volkstümlichen Moralpredigern gehalten wurden, faßt man heute unter der Bezeichnung → Diatribe zusammen.

Eine wichtige Stellung für die Vermittlung des Gedankengutes muß man den sog. pseudepigraphischen Briefen einräumen (des → Herakleitos [1], der Sokratiker oder der Kyniker), die in einfacher und lebendiger Form, verm. zum Zweck der Werbung und Propaganda, das Wesentliche der Morallehre der betreffenden Philosophen vermittelten.

Die P. hatte in der griech. und röm. Welt bes. in kynischen und stoischen Kreisen ihre Vertreter: → Bion [1] von Borysthenes, → Teles, C. → Musonius Rufus, → Seneca, → Epiktetos, → Dion [I 3] Chrysostomos, → Plutarchos [2], → Maximos [1] von Tyros, → Libanios; daneben aber auch Christen wie → Paulus [2] von Tarsos und die christl. Apostel, sowie auch → Tertullianus.

→ Protreptik; EPIKUREISMUS; KYNISMUS

1 A. OLTRAMARE, Les origines de la diatribe romaine, Diss. Genève-Lausanne 1926.

R. BULTMANN, Der Stil der paulinischen Predigt und die kynisch-stoische Diatribe, 1910 (Ndr. 1984) •
P. P. FUENTES GONZÁLEZ, Les diatribes de Télès, 1998 •
A. J. MALHERBE, Paul and the Popular Philosophers, 1989.

M. G.-C./Ü: E. D.

Populonia (Ποπλώνιον / *Poplṓnion*, etr. *Pupluna / Fufluna*). Die einzige größere etr. Stadt am → Mare Tyrrhenum (Strab. 5,2,5; Plin. nat. 3,51) gegenüber von Elba, 14 km nördl. von Piombino mit einem guten Naturhafen im h. Golf von Baratti. Die Siedlung liegt auf dem Vorgebirge von Piombino, von in Nord-Süd-Richtung verlaufenden Mauern umschlossen; ebenfalls ummauert war die Akropolis auf dem Poggio di Castello. Überl. sind verschiedene, vom arch. Befund nicht zu bestätigende Ursprungsversionen (Serv. Aen. 10,172), die die Gründung von P. auf → Corsica oder → Volaterrae zurückführen.

Die frühesten Zeugnisse (zwei Kupferplatten-Depots aus der Brz.) belegen Bergbau und metallurgische Fertigkeiten bereits im 2. Jt. v. Chr. Die Verteilung der eisenzeitlichen Nekropolen (9. bis 8. Jh. v. Chr.) bezeugen Streusiedlungen. Die unterschiedliche Grabgestaltung (Pozzettogräber der ältesten, Fossagräber der jüngsten Phase, Kammergräber mit *tumuli*; → Grabbauten III.C.1., → Nekropolen VII.) läßt wohl auf eine Gliederung nach Familienverbänden schließen. Für das 7. Jh. v. Chr. sind monumentale → Tumulus-Gräber nachweisbar, die auf eine aristokratische Oberschicht hinweisen. Ton- und Buccherovasen sowie brn. Gebrauchsgegenstände wurden in P. hergestellt oder aus → Vetulonia, → Caere, → Sardinia, → Korinthos, Ionia und dem Nahen Osten importiert. Die Stadt unterhielt weitreichende Handelsbeziehungen, da sie über sehr begehrte Produkte wie Mineralien und Erze (Campigliese, Elba) verfügte. Im 7./6. Jh. v. Chr. waren die Gräber mit kleineren *tumuli* gedeckt, im Laufe des 6. Jh. traten → *aedicula* und Cassone-Gräber hinzu.

Nachdem die Flotte von Syrakusai die Etrusker bei Cumae (→ Kyme [2]) 474 v. Chr. geschlagen hatte, unternahm sie 453 v. Chr. Plünderungszüge nach P. und Elba (Diod. 11,88,4f.); dadurch wurden die Häfen der südetr. Städte blockiert, der Hafen von P. jedoch boomte als Umschlagplatz für Minerale und Erze. Nun wurde hier in großen Mengen Eisenerz aus Elba (→ Eisen B.3) angeliefert und verhüttet; aus dieser Zeit stammen die über eine Fläche von mehreren Hektar ausgedehnten Schlackenhaufen am Golf von Baratti. Die Nekropolen befanden sich nicht mehr in Küstennähe, sondern im Landesinnern; es handelte sich nun um teilweise ausgemalte Felsgräber (→ Grabmalerei).

P. war die erste ital. Stadt, die eigene Mz. prägte (5. Jh. v. Chr.). Im 3. Jh. v. Chr. dehnte sich der röm. Einflußbereich auf die Stadt aus. 282 v. Chr. geriet P. im Krieg Roms mit den → Boii zw. die Fronten (Frontin. strat. 1,2,7). 205 v. Chr. versorgte sie die Unternehmung

des Cornelius [I 71] Scipio gegen Hannibal [4] mit Eisen (Liv. 28,45,15). Zugleich setzte der Niedergang ein; um die Zeitenwende, z. Z. Strabons (5,2,6) war P. bis auf die Tempel, wenige Wohnhäuser und den Hafenbereich verlassen, die Bergwerke in der Umgebung aufgegeben; die Verfügung des röm. Senats, die Bergbau in It. untersagte (wohl E. des 2. Jh. v. Chr.; Plin. nat. 3,138; 30,78), mag zu diesem Verfall beigetragen haben. In der röm. Kaiserzeit änderte sich daran nichts: → Rutilius Namatianus (1,404–414) besuchte den Ort 417 n. Chr. und erwähnt nur Ruinen. Eine sicherlich unscheinbare Siedlung mag weiter bestanden haben; immerhin war P. in der Spätant. Sitz eines Bischofs. Die Stadt wurde 546 n. Chr. von → Totila verwüstet und schließlich 570 von → Langobardi völlig zerstört.

→ Etrusci, Etruria (mit Karten)

A. MINTO, P., 1943 • F. FEDELI, P., 1983 • A. ROMUALDI u. a., in: G. CAMPOREALE (Hrsg.), L'Etruria mineraria, 1985, 185ff. • Dies., P. in età ellenistica, 1992 • F. FEDELI u. a., P. e il suo territorio, 1993 • Ders. (Hrsg.), Studi sul territorio di P. GS A. Minto (Rassegna di Archeologia 12), 1994 • A. ROMUALDI, P. fra la fine del VIII e l'inizio del VII sec.a.C., in: G. MAETZKE, P. GASTALDI (Hrsg.), La presenza etrusca nella Campania meridionale, 1994, 171ff. • M. TORELLI (Hrsg.), Atlante dei siti archeologici della Toscana, 1992, 447–470.

GI.C./Ü: H. D.

Populus. P. bezeichnet in histor. Zeit die Gesamtheit der erwachsenen, männlichen röm. Bürger, d. h. unter Ausschluß von Frauen und Kindern sowie Fremden und Sklaven. P. (*Romanus*) wird seit der späten Republik zur Bezeichnung für die → *res publica* (*Romana*), den röm. Staat (Cic. rep. 1,25,39: *est igitur ... res publica res populi*), wobei der *p.* als Zusammenschluß einer durch Anerkennung des Rechts und des gemeinsamen Nutzens geeinten Menge definiert wird (s. [2. 315–318]). Dabei ist es durchaus möglich, daß auf dem röm. Staatsgebiet weitere *populi* existieren (s. → Quirites; vgl. [2. 388–393]).

Die Etym. des Wortes ist ungeklärt. Verm. ist es zu *populari* (»verwüsten«) zu stellen, und zwar in der Bed. »Volk in Waffen«. Dazu würde auch die alte Bezeichnung des → *dictator, magister populi*, gut passen. Eine Herkunft aus etr. **puple* (»waffenfähige Jugend«: [3. 99–101]) scheint möglich; wenig wahrscheinlich ist die Verbindung mit der Etruskerstadt Populonia, da dieser Name meist mit → Fufluns (d. h. Dionysos) in Verbindung gebracht wird.

1 P. CATALANO, P. Romanus. Quirites, 1974 2 L. PEPPE, La nozione di »p.« e le sue valenze, in: EDER, Staat, 312–343, 388–393 3 C. DE SIMONE, Gli etruschi a Roma: evidenza linguistica e problemi metodologici, in: G. COLONNA (Hrsg.), Gli Etruschi e Roma, 1981, 93–103. H. GA.

Porcia.

[1] Schwester des M. Porcius [I 7] Cato, verheiratet mit L. Domitius [I 8] Ahenobarbus. Sie überlebte ihren 48 v. Chr. gefallenen Mann und starb hochgeachtet vor dem August 45; nach dem Vorbild des M. (Terentius?) Varro und eines Ollius widmete Cicero ihr ein Elogium (Att. 13,37,3; 48,2). JÖ.F.

[2] Tochter des M. Porcius [I 7] Cato, ca. 95–42 v. Chr.; zuerst mit M. Calpurnius [I 5] Bibulus, in zweiter Ehe seit ca. 44 v. Chr. mit M. → Iunius [I 10] Brutus, ihrem Cousin, verheiratet (Val. Max. 3,2,15; Plut. Brutus 13,3; App. civ. 4,136). Um ihren Mut unter Beweis zu stellen, fügte sie sich eine schwere Wunde zu und ließ sich dann in die Mordpläne des Brutus gegen → Caesar einweihen (Plut. Brutus 13,4–11). Nach dem Tod ihres Mannes beging sie Selbstmord, indem sie den Dampf glühender Kohlen einatmete (Val. Max. 4,6,5; Plut. Brutus 53,6f.; App. civ. 4,136). Plutarchos [2] (mor. 243c) rühmt ihren Mut; auch in SHAKESPEARES ›Iulius Caesar‹ spielt sie eine Rolle (bes. 1,2; 2,1; 3,4; 4,3; 5,4).

E. M. MOORMANN, W. UITTERHOEVE, Lexikon der ant. Gestalten, 1995, s. v. ME.STR.

Porcius. Name einer aus → Tusculum stammenden plebeiischen Familie. Im Glauben, die Familie habe sich mit Schweinezucht beschäftigt, leitete man im Alt. ihren Namen von *porcus* ab (Varro rust. 2,1,10 u. a.). Von der Mitte des 3. Jh. v. Chr. gehörten die Zweige der Catones und Licinii zur Führungsschicht Roms und erlangten Anf. des 2. Jh. mit → Cato [1] (Censorius) und P. [I 13] das Konsulat. Die genaue verwandtschaftliche Verbindung zwischen den prominentesten Namensträgern Cato [1] und seinem Urenkel P. [I 7] Cato (Uticensis) ist nicht restlos geklärt. K.-L. E.

I. REPUBLIKANISCHE ZEIT

[I 1] P. Cato, C. Sohn von [I 9] und Enkel des Cato [1]; Münzmeister 123 v. Chr. (RRC 274), Praetor und Propraetor in Sicilia ca. 117 [1]. Er kämpfte als *cos.* 114 erfolglos in Macedonia gegen die Scordisci und wurde deshalb 113 wegen Provinzausbeutung (→ *repetundarum crimen*) verurteilt (Cic. Verr. 2,3,184; 2,4,22; Vell. 2,8,1). 109 wurde er erneut wegen Bestechung durch den Numiderkönig → Iugurtha belangt und ging ins Exil nach Tarraco, wo er starb (Cic. Balb. 28; Cic. Brut. 128; Sall. Iug. 40,1–2).

1 E. BADIAN, The Legend of the Legate Who Lost His Luggage, in: Historia 42, 1993, 203–210. P. N.

[I 2] P. Cato, C. Enkel (?) des C. P. [I 1] Cato; ein *turbulentus adulescens* (»unruhestiftender junger Mann«, Non. 385 M.) der Wirren nach 60 v. Chr. Während seines Volkstribunats 56 dem Triumvir P. Licinius [I 11] Crassus und P. Clodius [I 4] Pulcher (Cic. ad Q. fr. 2,1,2) nahestehend, wandte sich P. gegen L. Cornelius [I 54] Lentulus Spinther und den schon zuvor attackierten Pompeius [I 3] (Cass. Dio 39,15,3f.; Cic. ad Q. fr. 1,2,15; 2,3,1; 3f.). Die Abwerbung seiner Gladiatoren-Leibwache durch T. Annius [I 14] Milo war für P. ein peinlicher Rückschlag (ebd. 2,5,3). In der Folge kam es zu einer Annäherung an Pompeius, der zusammen mit Crassus Nutznießer der von P. betriebenen Verzöge-

rung der Konsulatswahlen für 55 war (Liv. per. 105). Die Aussöhnung mit dem früheren Gegner bewahrte P. vor Verurteilungen aufgrund seines Gebarens als Tribun (Cic. Att. 4,15,4; 16,5) und bescherte ihm vielleicht die Praetur 55 (Cic. ad Q. fr. 3,4,1). MRR 2,209; 3,169f. T. FR.

[I 3] P. Cato, L. Enkel des → Cato [1] und Onkel des P. [I 8]; spätestens 92 v. Chr. Praetor, errang er im → Bundesgenossenkrieg [3] 90 einen Sieg über die Etrusker (Liv. per. 74). Consul 89 mit Cn. Pompeius [I 8] Strabo (MRR 2, 32), wurde er bei einem Angriff auf die Marsi geschlagen und getötet (Liv. per. 75; Vell. 2,16,4 u. a.). K.-L. E.

[I 4] P. Cato, M. Sohn von P. [I 5]. Praetor spätestens 121 v. Chr. Er starb als *cos.* 118 in Africa, wo er wohl die Nachfolge des → Micipsa regeln wollte. P. galt als kraftvoller Redner (Gell. 13,20,10). P. N.

[I 5] P. Cato, M. Sohn des P. [I 3], Vater des P. [I 7]. Scheiterte als Volkstribun 99 v. Chr. zusammen mit Q. Pompeius [I 6] Rufus am Widerstand des C. Marius [I 1], den Q. Caecilius [I 30] Metellus Numidicus aus dem Exil zurückzurufen (Oros. 5,17,11; MRR 2,2). Er war befreundet mit L. Cornelius [I 90] Sulla und verheiratet mit → Livia [1], der Tochter des M. Livius [I 6] Drusus; gest. vor 91 (Gell. 13,20,4; Cic. off. 3,66; Plut. Cato min. 3,2). K.-L. E.

[I 6] P. Cato, M. (Censorius) s. Cato [1]

[I 7] P. Cato (Uticensis), M. Erbittertster Gegenspieler → Caesars und entschlossener Vorkämpfer des Senatsregiments in der Endphase der röm. Republik.

Die Bewertung seiner Rolle ist seit jeher zwiespältig: Erscheint P. einerseits als strenger Hüter der Trad. des Freistaats, durchdrungen vom Geist altröm. Tugenden und der Stoa (→ Stoizismus), als Verkörperung unbeugsamen Widerstands auf verlorenem Posten (Lucan. 1,128), so gilt er andererseits als weltfremder (Cic. Att. 2,1,8) Ultrakonservativer, der überlebten polit. Idealen starrsinnig verhaftet blieb und so den ›Don Quichotte der Aristokratie‹ [1] darbot. Grundlage der Überl. ist Plutarchs Biographie des Cato minor (dem Griechen → Phokion gegenübergestellt) [2]; die kaiserzeitl. Kopie einer Portraitbüste des P. ist 1943 in → Volubilis in Marokko entdeckt worden [3. 212f.].

A. KARRIERE BIS ZUM BÜRGERKRIEG
B. VERHALTEN IM BÜRGERKRIEG UND TOD
C. NACHLEBEN

A. KARRIERE BIS ZUM BÜRGERKRIEG

Geb. wurde P. 95 v. Chr. als Sohn des M. P. [I 5] Cato und Urenkel des M. P. → Cato [1] (Censorius). Schon um 75 wurde er in das Collegium der → *quindecimviri sacris faciundis* kooptiert; 72 war er Kriegsfreiwilliger im Feldzug gegen → Spartacus, 67/6 unter M. (?) Rubrius Militärtribun in Macedonia, mit einem Sperrmanöver an der Propontis beauftragt (Plut. Cato minor 4; 8–11; Flor. epit. 1,41). Auch die prägenden Kontakte zu den Stoikern Antipatros von Tyros und

Athenodoros [2] von Kordylion fallen in diese frühen Jahre. Während seiner Quaestur (65 oder 64; MRR 2, 163; 3, 170f.) zeichnete sich P. aus durch akribische Rechnungsführung und Korrektheit (Rückforderung der sullanischen Proskriptionsprämien: Plut. Cato minor 16–18; Cass. Dio 47,6,4; → Proskriptionen). Aufsehen erregte die Rigorosität, mit der P. als designierter Volkstribun (Plut. Cato minor 20–23) E. 63 gegen Korruption (er verklagte den künftigen Consul L. Licinius [I 35] Murena wegen Amtserschleichung, dieser wurde aber von Cicero erfolgreich verteidigt) und gegen die Catilinarier (→ Catilina) vorging (Forderung der Todesstrafe, von Caesar vehement attackiert: Sall. Catil. 52). Die Ausnahmestellung des → Pompeius [I 3] bot 62 während seines Tribunats ein weiteres Angriffsziel (tumultuarische Auseinandersetzungen mit dem Kollegen Q. Caecilius [I 29] Metellus Nepos, Plut. Cato minor 26,2–29,4). Auch in der Folgezeit profilierte sich der Senator P. in seiner Gegnerschaft zu Pompeius, Caesar und den → publicani als beharrlicher Verfechter optimatischer Interessen (→ optimates), nahm dabei jedoch in Kauf, die innenpolit. Spannungen zu verschärfen, die concordia ordinum (»Eintracht der Stände«) durch eine kurzsichtige Brüskierung der Ritter zu unterminieren bzw. aufzuspalten oder gar die Staatsgeschäfte mittels Dauerreden vollends zu blockieren (Cic. Att. 1,18,7; 2,1,8; Plut. Cato minor 30–33).

So lag es im Sinne von Pompeius, Crassus und Caesar, daß P. 58 auf Antrag des P. Clodius [I 4] Pulcher in ehrenhafter diplomatischer Mission entsandt wurde; fernab von Rom war er als quaestor pro praetore bis E. 56 gebunden durch die Annexion Zyperns (→ Kypros; Selbstmord des Königs Ptolemaios [19]), die Veräußerung der Krongüter zugunsten des röm. Staatsschatzes und die Heimführung Verbannter nach Byzantion (Plut. Cato minor 34–39; [4]). Nach der Rückkehr nahm P.' Obstruktion im Senat angesichts der triumviralen Dominanz (umstrittene lex Trebonia zur Provinzenverteilung; Plut. Cato minor 43; Cass. Dio 39,34), bes. aber sein Vorgehen gegen Caesar (Antrag zu dessen Auslieferung an die Germanen; Plut. Caesar 22,4; Plut. Cato minor 51,1f.; App. Celt. 18; [5. 317–19]) immer schroffere Formen an. Seine Praetur im J. 54 war geprägt durch den siegreichen Repetundenprozeß (→ repetundarum crimen) gegen Pompeius' Gefolgsmann A. Gabinius [I 2] und Maßnahmen gegen Wahlbestechung (→ ambitus; Cic. Att. 4,15,7). Im sich anbahnenden Machtkampf zw. Caesar und Pompeius näherte sich P. notgedrungen letzterem an und wandte sich 52 nicht gegen dessen Bestellung zum alleinigen Consul (consul sine collega: Plut. Cato minor 47,2–4; Plut. Pompeius 54,5–8; App. civ. 2,84); der Konfrontationskurs der optimat. Reaktion konnte angesichts des sich abzeichnenden Bürgerkriegs (s. → Caesar I. D.) schwerlich beibehalten werden.

B. VERHALTEN IM BÜRGERKRIEG UND TOD

Nach Ausbruch des Bürgerkriegs im Januar 49 trug P. das Trauergewand (Cass. Dio 41,3,1) und vernachlässig-

te ostentativ Haar- und Bartpflege (Plut. Cato minor 53,1) als Zeichen des Protests. Er hatte die Aufsicht über Truppenaushebungen und über Zurüstungen (Sizilien; Kleinasien) für Pompeius, der P. mißtrauisch den Oberbefehl über die Flotte vorenthielt (Plut. Cato minor 54,5f.). Ab E. 49 war er in → Dyrrhachion, dessen Sicherung ihm nach der Aufhebung von Caesars Belagerung im Sommer 48 oblag. Nach dem Debakel der Pompeianer bei Pharsalos und Pompeius' Tod in Ägypten (48) zog er sich nach Africa zurück. Obgleich er freiwillig hinter den ranghöheren persönlichen Gegner Q. Caecilius [I 32] Metellus Pius Scipio (cos. 52) zurücktrat, koordinierte P. maßgeblich (RRC 1, 473 Nr. 462; [5. 320f.]) den Ausbau der Prov. zur letzten starken Auffangstellung der Senatspartei. P. war Kommandant des Hauptortes → Utica (Frühj. 47); nach der Niederlage von Thapsos (6.4.46) leitete er umsichtig die Evakuierung der noch verbliebenen Senatoren. P. lehnte jegliche Fürsprache ab, ihn der Caesarischen clementia (»Milde«) teilhaftig werden zu lassen, und stürzte sich Mitte April 46 in sein Schwert (seine letzte Lektüre war Platons ›Phaidon‹); als Wohltäter der Stadt wurde dem Toten der Beiname Uticensis verliehen (Plut. Cato minor 56–71; Cass. Dio 43,11,6).

C. NACHLEBEN

Caesar mißgönnte P. dieses Ende (Plut. Caesar 54,2; Plut. Cato minor 72,2; App. civ. 2,420) und griff bald in den regen publizistischen Kampf um dessen Andenken ein (der maliziöse Anticato [6] und die ihm vorausgehenden Elogen sind verloren [5. 279–302]). Die Laudes Catonis des → Cicero [5. 322–324; 7], des M. Iunius [I 10] Brutus u. a. sollten freilich einen durchdringenderen Nachhall haben. Die lit. Ausgestaltung des Antagonismus zw. Caesar und Cato hob mit → Sallustius (Catil. 51–54) an [5. 303–316; 8]. Unter dem Einfluß der kaiserzeitl. Rhetorikschulen [9] wandelte sich die Verklärung P. Catos vom archetypischen Widersacher des Tyrannen (Cic. off. 1,112; Plin. epist. 1,17,3) zum weitgehend entpolitisierten Märtyrer der Tugend, es formte sich das Bild eines unangefochten integren »röm. Sokrates«. Auch unter christl. Vorzeichen würdigte man den Selbstmörder P., der bei DANTE zum Wächter des Läuterungsberges avancierte (Divina commedia, Purgatorio 1,31–109). Später bewunderten aufgeklärte Denker wie MONTAIGNE (Essai 1,37), MONTESQUIEU und ROUSSEAU das hohe Ethos Catos, dessen Sterben der Malerei (GUERCINO, LEBRUN, GUÉRIN) und dem Drama (ADDISON, GOTTSCHED) des Barock bzw. Klassizismus als beliebtes Motiv sittlicher Erbauung diente.

P.' äußerste Konsequenz im Einsatz für eine besiegte Sache und sein Mut zum Untergang blieben nicht folgenlos (›hinter dem erdolchten Caesar reckte sich Catos mächtiger Schatten‹ [10. 285]); der Ruhm dieser mittelfristigen polit. Wirkung begann ebenso wie jene längerwährende Ausstrahlung als Tugendheros mit der Caesar-Verehrung des 19. Jh. zu verblassen [11. 20f.]. Eine effektvoll theatralische Dimension kann der Gestalt des Cato Uticensis nicht abgesprochen werden; für den späteren Betrachter scheint allerdings der Auftritt des Staatsmannes, mit seinen Gesten rückwärtsgewandter Widerspenstigkeit und arider Erstarrung, in ernüchterndes Licht getaucht.

→ Caesar; Cicero; Stoizismus; Triumvirat

1 TH. MOMMSEN, Röm. Gesch., Bd. 3, [6]1875, 167
2 J. GEIGER, A Commentary on Plutarch's Life of Cato minor, Diss. Oxford 1972 3 W. H. GROSS, s. v. P. (16), RE 22, 211–213 (Nachtrag zu den Bildnissen) 4 E. BADIAN, M. P. Cato and the Annexation and Early Administration of Cyprus, in: JRS 55, 1965, 110–121 5 R. FEHRLE, Cato Uticensis, 1983 6 H.-J. TSCHIEDEL, Caesars Anticato, 1981 7 W. KIERDORF, Ciceros Cato, in: RhM 121, 1978, 167–84 8 K. BÜCHNER, Zur Synkrisis Cato-Caesar in Sallusts Catilina, in: Grazer Beitr. 5, 1976, 37–57 9 W. WÜNSCH, Das Bild des Cato von Utica in der Lit. der neronischen Zeit, Diss. Marburg 1949 10 M. GELZER, Cato Uticensis, in: Ders., KS 2, 1963, 275–285 11 F. GUNDOLF, Caesar: Gesch. seines Ruhms, 1925.

A. AFZELIUS, Die polit. Bed. des jüngeren Cato, in: CeM 4, 1941, 100–203 • E. FRENZEL, Stoffe der Weltlit., [9]1998, 130–132 • G. HAFNER, Bildlex. ant. Personen, 1993, 81f. • F. MILTNER, s. v. P. (16), RE 22, 168–211 • MRR, Bd. 2, 174f.; 198; 221f.; Bd. 3, 170f. • A. PIGLER, Barockthemen, Bd. 2, [2]1974, 376f.

[I 8] P. Cato, M. Sohn des P. [I 7] aus der Ehe mit → Atilia (Plut. Cato min. 24,6). Floh 49 v. Chr. aus Rom mit seinem Vater, an dessen Seite er auch 46 in Utica ausharrte, ohne den Selbstmord verhindern zu können (Plut. Cato min. 52,4; 65,9; 66,3 ff.; 68–70; Val. Max. 4,3,12). Von Caesar begnadigt (›stellvertretend für seinen Vater‹ [1. 176]; App. civ. 2,416; Bell. Afr. 89,5; Val. Max. 5,1,10), schloß sich P. 44 seinem Schwager, dem Caesarmörder M. Iunius [I 10] Brutus, an (Cic. ad Brut. 1,5,3; 14,1) und begleitete ihn nach Asien (Affäre mit der kappadokischen Fürstin Psyche). Mit P.' Tod in der Schlacht von Philippoi (42) sind die Porcii Catones ausgestorben ([2. 60]; Plut. Cato min. 73,1–5; Plut. Brutus 49,9; App. civ. 4,571; Vell. 2,71,1).

1 W. WILL, Caesar: eine Bilanz, 1992 2 R. FEHRLE, Cato Uticensis, 1983 3 MRR 2,354; 368. T. FR.

[I 9] P. Cato Licinianus, M. Jurist, ältester Sohn des → Cato [1], 168 als legatus im dritten → Makedonischen Krieg, starb 152 v. Chr. als praetor designatus. Er schrieb zahlreiche Buchrollen (Dig. 1,2,2,38), darunter Commentarii iuris civilis (›Komm. zum Zivilrecht‹, mindestens 15 B.). Diese enthielten seine juristischen Gutachten im Wortlaut mit genauer Fallschilderung samt den Parteinamen (Cic. de orat. 2,142), aber auch abstrakte Rechtssätze, die noch die Jurisprudenz des späten Prinzipats (3. Jh. n. Chr.) beschäftigten (Dig. 21,1,10,1; 45,1,4,1). Die von → Iulius [IV 16] Paulus monographisch bearbeitete regula Catoniana (Regel des Cato, Dig. 34,7,1 pr.) verlangt, daß Wirksamkeitserfordernisse eines Legats bereits bei der Testamentserrichtung vorliegen.

WIEACKER, RRG, 539, 584f., 586f. • M. BRETONE, Gesch. des röm. Rechts, 1992, 141f. T. G.

[I 10] P. Laeca, M. Schon frühzeitig in die Umtriebe des → Catilina eingeweihter Senator (Sall. Catil. 17,3; Flor. epit. 2,12,3), in dessen Haus inter falcarios am 7. Nov. 63 v. Chr. die letzte Versammlung der Putschisten vor Catilinas Abreise aus Rom stattfand (Cic. Catil. 1,8; 2,13; Cic. Sull. 52; Sall. Catil. 27,3 f.). T. FR.

[I 11] P. Laeca, P. Untersagte als tr. pl. 199 v. Chr. die → ovatio für L. Manlius [I 6] Acidinus (Liv. 32,7,4). P. wurde 196 in das neugeschaffene Collegium der tresviri epulones (s. → septemviri) gewählt. Als Praetor 195 erhielt er ein Kommando bei Pisa gegen die Ligurer und Gallier (Liv. 33,43,5 und 9) und brachte wohl auch ein Gesetz über die Ausweitung der → provocatio durch, auf das eine von seinem Nachfahren geschlagene Mz. hinweist (RRC 301).

ROTONDI, 268f. P. N.

[I 12] P. Licinus. Lat. Dichter wohl der 2. H. des 2. Jh. v. Chr. Über Leben und Person des P. ist nichts bekannt. Er ist Verf. eines lit.-histor. Gedichtes in trochäischen Septenaren (angeregt von den Didascalica des → Accius?), in dem (laut dem synchronistischen Kap. bei Gell. 17,21,45) der Beginn der Dichtung (›Einzug der Muse‹) in Rom nicht auf 240 v. Chr., sondern in die 2. → Punischen Krieg verlegt war (Archeget also → Ennius [1] oder → Naevius [I 1], kaum → Livius [III 1] Andronicus – ein durch Varro endgültig widerlegter Spätansatz) und in dem mindestens Terenz, Ennius und der Palliatendichter Atilius [I 1] vorwiegend biographisch behandelt wurden. P. zählt ferner zu der Gruppe von drei röm. Präneoterikern, für die Gell. 19,9,10–14, wohl aus einer Anthologie, erotische Epigramme (zu P. fr. 6 vgl. Anth. Pal. 9,15) zitiert.

ED.: FPL[1], 44–46 • FPL[3], 96–100 (7 Fr.) • COURTNEY, 70f., 82–92.
LIT.: R. BÜTTNER, P. L. und der lit. Kreis des Q. Lutatius Catulus, 1893 • BARDON I, 124–128 • H. GUNDEL, s. v. P. (48), RE 22, 232f. • J. GRANAROLO, D'Ennius à Catulle, 1971, 32–40 • W. SUERBAUM, in: HLL, Bd. 1, § 143 (im Druck, 2001). W. SU.

[I 13] P. Licinus, L. Soll sich nach einem insgesamt phantastischen Bericht 211 v. Chr. als Legat im Kampf um Capua ausgezeichnet haben (Liv. 26,6,1–2). 210 stiftete er zusammen mit Q. Catius [I 1] als plebeiischer Aedil aus Strafgeldern finanzierte Statuen für → Ceres und veranstaltete aufwendige Spiele (Liv. 27,6,19; → munera). 207 soll er als Praetor für Gallia mit zwei Legionen (Liv. 27,36,11) am Sieg über → Hasdrubal [3] beteiligt gewesen sein (Liv. 27,48,4); eine konkurrierende annalistische Version spricht ihm das Kommando als Propraetor zu (Liv. 28,10,12). TA. S.

[I 14] P. Licinus, P. Sohn von P. [I 13], erhielt als Praetor 193 v. Chr. Sardinia. Nach einigen gescheiterten Bewerbungen wurde 184 Consul (Liv. 39,32,8) und zog mit seinem Kollegen P. Claudius Pulcher gegen die → Ligures, ohne aber mil. etwas auszurichten (Liv. 39,45,11). P. gelobte einen Tempel der Venus Erycina

(→ Eryx [1]), den sein Sohn drei J. später weihte (Liv. 40,34,4).　　　　　　　　　P.N.

II. Kaiserzeit

[II 1] M. P. Cato. Senator. Im J. 28 n. Chr. klagte er im Rang eines Praetoriers zusammen mit anderen Titius Sabinus, einen Freund des Germanicus [2], an, um den Konsulat zu erhalten; dies erreichte er erst im J. 36 (FO² 68). 38 war er *curator aquarum*; doch wurde er noch in diesem J., wie es scheint, in seinem Amt abgelöst. PIR² P 856.

[II 2] P. Festus. Ritter. Von 60 bis 62 n. Chr. war er höchster unmittelbarer Repräsentant Roms in Iudaea. Ob er aber dort nur als *praefectus* tätig war und dem Statthalter von Syrien unterstand, oder ob er als Praesidialprocurator einer unabhängigen Prov. Iudaea anzusehen ist, kann noch nicht geklärt werden. Den Fall des Apostels → Paulus [2] übernahm er von seinem Vorgänger; als Paulus an den Kaiser appellierte, sandte ihn P. nach Rom (Apg 24,7; 25 f.). Er starb in der Prov. PIR² P 858.　　　　　　　　　W.E.

[II 3] M. P. Latro. Führender Declamator und Redelehrer der augusteischen Zeit (Sen. contr. 19, pr. 13; Quint. inst. 10,5,18) aus Spanien, vielleicht Cordoba; geb. etwa 55 v. Chr., gest. nach Hier. chron. p. 168 f. H. (Hier. a.A. 2014) 4 v. Chr., Landsmann, Mitschüler (bei → Marullus [1]) und Jugendfreund des älteren → Seneca, der ein lebendiges Charakterbild gibt (Sen. contr. 1, pr. 13–24) und ihn reichlich zit. (vgl. bes. Sen. contr. 2,7). P. fand in Rom viel Anerkennung; zu seinen Bewunderern gehörte u. a. → Ovidius (Sen. contr. 2,2,8), der viele P.-Sentenzen in seine Dichtung übernommen haben soll. Andererseits wird P.' Stil von Messalla Corvinus (→ Valerius), gegen den er dann in einem Prozeß auftrat (Sen. contr. 2,4,8; vgl. 3, pr. 14), kritisiert, und von → Asinius [I 4] Pollio die Distanz zur Gerichtspraxis (Sen. contr. 2,3,13; vgl. 9, pr. 3).

BARDON, Bd. 2, 1956, 88–90 · J. FAIRWEATHER, Seneca the Elder, 1981, 251–270 (Index 401) · PIR² P 859.　　P.L.S.

[II 4] P. P. Optatus Flamma. Senator, der aus → Cirta in Afrika stammte. Quaestor; *adlectus inter tribunicios*, praetorischer Gesandter des Senats zu → Septimius Severus und → Caracalla, als dieser als *imperator designatus* öffentl. als Nachfolger seines Vaters herausgestellt wurde. Ob bei dieser Wahl zum Gesandten seine Herkunft aus Afrika eine Rolle spielte, muß offen bleiben. Später verm. praetorischer Statthalter von Raetia. PIR² P 861.

[II 5] C. P. Priscus Longinus. Senator. In seiner Laufbahn, während der er zweimal in eine senatorische Rangklasse erhoben wurde, ohne das Amt zu bekleiden, gelangte er unter → Caracalla zum Prokonsulat von Lycia-Pamphylia; später wurde er noch *cos. suff.* PIR² P 864.

[II 6] P. Vetustinus. Ritter. Praesidialprocurator von Mauretania Caesariensis unter Antoninus [1] Pius, im J. 133 n. Chr. bezeugt; er hatte offensichtlich einen Feldzug in Afrika durchgeführt, an dem auch Truppen aus Pannonia teilnahmen (CIL XVI 99). Er stammte verm. aus Iuliobriga im Norden Spaniens. PIR² P 870.　　W.E.

Pordoselene (Πορδοσελήνη). Stadt auf gleichnamiger Insel (Skyl. 97) der → Hekatonnesoi bzw. nahe bei diesen (vgl. Steph. Byz. s. v. Σελήνης πόλις; Strab. 13,2,5), in spät- und nachhell. Zeit Poroselene (Πορσσελήνη, Paus. 3,25,7; Ptol. 5,2,5; Steph. Byz. s. v. Π.), h. wohl Alibey bzw. Alibey Adası (etwa 14 km²), der kleinasiat. Küste bei Ayvalık vorgelagert, jetzt durch einen Damm mit dem Festland verbunden. P. war von Aioleis besiedelt. 425/4 und 421/0 ist die Stadt als Mitglied des → Attisch-Delischen Seebunds in den Tributquotenlisten verzeichnet (ATL 1, 385; 541). Bezeugt ist ein Apollon-Kult. Mauerreste sind erh. In frühbyz. Zeit ist P. als Bistum unter der Metropolis Rhodos bezeugt (Hierokles, Synekdemos 686,9). Mz.: HN 563; BMC Troas 219. Inschr.: IG XII 2, 647; 650–652.

E. KIRSTEN, s. v. P., RE 22, 240–247 · J. KODER, Aigaion Pelagos (TIB 10), 1998, 266.　　A.KÜ.

Poristai (πορισταί, »Beschaffer«, von πορίζειν, »beschaffen, versorgen«) hießen athenische Beamte in den letzten Jahren des → Peloponnesischen Krieges, deren Aufgabe es verm. war, Geldquellen für die Stadt aufzutun. Sie werden zum ersten Mal 419 v. Chr. erwähnt, bevor Athen in ernsthafte finanzielle Schwierigkeiten geriet (Antiph. or. 6, 49), und zuletzt 405 (Aristoph. Ran. 1505). P. sind nicht inschr. bezeugt.　　P.J.R.

Porkis und Chariboia (Πόρκις und Χαρίβοια). Die beiden Schlangen, die → Laokoon [1] und dessen Sohn (Tzetz. zu Lykophr. 344; 347) bzw. Söhne (nur schol. Marcian. zu Lykophr. 347) töten. Bei Serv. Aen. 2,211 treten jedoch die Namensformen *Curifis* und *Periboea* auf. Zur Überl. und Problematik der Namensgebung vgl. [1]. Die beiden Schlangen stammen aus Kalydna. Der Beiname Kalydneus des Apollon (Steph. Byz. s. v. Κάλυδνα) weist ebenfalls auf die Verbindung zu Schlangen hin. Es ist aufgrund der Proportionen zw. den beiden Schlangen sowie Laokoon und dessen Sohn umstritten, ob es sich um ein Schlangenpaar oder eine ausgewachsene und eine junge Schlange handelt.

1 G. RADKE, s. v. P., RE 22, 254–261.　　S.T.

Pornographie I. ALTER ORIENT II. ÄGYPTEN III. GRIECHENLAND IV. ROM

I. ALTER ORIENT

P. ist aus dem Alten Orient nicht überl., es sei denn, man betrachtet zahlreiche Darstellungen des Geschlechtsaktes auf Terrakottareliefs und Bleiplaketten – von denen möglicherweise viele als magische Amulette dienten oder *ex-voto*-Gaben darstellten [1. 265] – als P. Explizite verbale, auf Sexuelles Bezug nehmende Schilderungen stammen aus lit. Texten (z. T. Hymnen auf → Ištar, die u. a. als Göttin der geschlechtlichen Liebe galt) und sind so eher ein Zeugnis für eine unvoreingenommene Einstellung zu sexuellem Verhalten als Ausdruck erotischer Phantasien.

1 J.S. Cooper, s. v. Heilige Hochzeit, RLA 4, 259–269.

J.RE.

II. Ägypten

Zwar gibt es in Äg. zahllose textliche und bildliche Darstellungen nackter menschlicher und göttlicher Wesen und geschlechtlicher Betätigung [4; 5], doch gehören die meisten davon in den rel. Bereich. Auch scheint generell eine recht unverkrampfte Haltung gegenüber körperlichen Bedürfnissen bestanden zu haben. Folglich finden sich nur wenige Gattungen, die sich im engeren Sinne als P. bezeichnen lassen. So ist etwa höchst fraglich, ob die Ägypter selbst die recht expliziten Beschreibungen sexueller Abenteuer der Götter in lit. Werken (z. B. Horus und Seth [3]) als pornogr. empfanden. Dies gilt auch für die phallischen Terrakottafigurinen der Spätzeit und des Hell. [2], die relativ eindeutig dem kultischen Bereich zuzuordnen sind, obwohl ihre Interpretation im Detail nicht immer klar ist.

Relativ eindeutig der P. zuweisbar sind daher hauptsächlich Graffiti und Ostraka, wobei bei einigen Felsinschr. aufgrund ihrer Lage klar ist, daß sie dem Zeitvertreib dort lagernder Wachmannschaften oder Reisender ihre Existenz verdanken. Dabei hat man sich, etwa im Wādī Hamāmat, auch nicht an der Nähe zu königlichen Inschr. gestört, weshalb eine Deutung von Einzelfällen (angebliche Hatschepsut-Satire in Theben [7. 57]) als polit. Aussage unterbleiben sollte. In einer Grauzone zwischen P. und Kult bewegt sich PCarlsberg 69 [1], wo im Rahmen eines Bastet-Festes bewußt Obszönitäten gegen eine Gegenpartei vorgebracht werden (vgl. Hdt. 2,60). In seiner Deutung ebenfalls umstritten ist PTurin 55001, das berühmteste äg. »Erotikon« [6]. Der Papyrus enthält einen Streifen mit Darstellungen von Tieren in Fabelsituationen, die übrige Fläche zeigt erotische Szenen mit Menschen mit kurzen Dialog(?)–Beischriften.

1 M. Depauw, A Companion to Demotic Stud., 1997, 95
2 J. Fischer, Griech.-röm. Terrakotten aus Äg., 1994, 29–35
3 A. H. Gardiner, The Library of A. Chester Beatty. The Chester Beatty Papyri, No. 1, 1931, 8–26, Taf. I–XVI
4 L. Manniche, Sexual Life in Ancient Egypt, 1987
5 D. Montserrat, Sex and Society in Græco-Roman Egypt, 1996 6 J. A. Omlin, Der Pap. 55001 und seine satirisch-erotischen Zeichnungen und Inschr., 1973
7 D. P. Silverman, The Nature of Egyptian Kingship, in: D. O'Connor, Ancient Egyptian Kingship, 1995, 49–92.

A.v.L.

III. Griechenland
A. Definition B. Erscheinungsformen, Gattungen C. Charakteristika

A. Definition

Griech. Erotik und P. unterscheiden sich von der modernen hauptsächlich durch größere Spannbreite und Öffentlichkeit (z. B. im Götterkult, s. u. B.); außerdem unterlag sie geringerer sozialer und rel. [6; 12] sowie keinerlei gesetzlichen Kontrolle. Als Hintergrund der griech. P. sind von Bed.: die zentrale Rolle der Landwirtschaft und, damit verbunden, der Fruchtbarkeit (bes. auch der phallischen Symbolik; → Phallos); die Tendenz, Erotik und Freude am menschlichen Körper als natürlich wie auch als göttlich sanktioniert anzusehen; die Beschränkung von »legitimer« sexueller Ausbeutung auf Personengruppen, die als minderwertig galten (Sklaven, Nichtbürger); fehlendes Interesse daran, Kinder von Sexualität fernzuhalten; und die Institutionalisierung von (Homo- wie Hetero-)Sexualität in einer Männerkultur von griech. Bürgern, bes. im Kontext von Symposion, → Gymnasion, → Palaistra und Militär [4]. Im ganzen war griech. P. eher die Repräsentation tatsächlicher Genüsse an diesen Orten als ein Phantasieersatz für Verbotenes.

B. Erscheinungsformen, Gattungen

Voyeurismus erscheint bereits bei Homer (Hom. Od. 8,306–342: Aphrodite und Ares) [10]. In der griech. Kunst war männliche → Nacktheit seit frühester Zeit überall gegenwärtig, weibliche hingegen kam erst im späten 5. Jh. v. Chr. auf: zunächst auf att. Vasen (badende Frauen, auch Bräute), in der Plastik erst ab → Praxiteles' Knidischer Aphrodite. Auf att. Vasen (viele davon exportiert in den Westen, v. a. nach Etrurien) wurde Homo- und Heterosexualität ab etwa 575 v. Chr. sehr freizügig dargestellt, weniger im Zeitraum von ca. 470 bis 440 v. Chr. (was vielleicht mit der Entwicklung der Demokratie, → dēmokratía, zusammenhängt). Ab dem 4. Jh. war Erotik in Malerei und Skulptur zunehmend geläufig, ebenso bei Gebrauchsgegenständen (darunter Amuletten und Öllampen). Sowohl in der bildenden Kunst [2; 3; 9] als auch in der Lit. waren heterosexuelle Themen weit häufiger als homosexuelle.

In der griech. Lit. tauchen erotische Themen – sexuell explizit bis moralisch belehrend – erstmals in der archa. Periode in den lyrischen Gattungen auf (nicht in der Chorlyrik [7]), z. B. bei Archilochos, Hipponax, Semonides, Theognis, Mimnermos, Sappho, Ibykos, Anakreon. Im 5. Jh. v. Chr. zeigten Alte → Komödie und → Satyrspiel (oft phantastische oder groteske) Nachmung (Mimesis) sexuellen Verhaltens [8]. Sie brachten u. a. die bis dahin exklusive Welt von Bordell und Symposion auf die Bühne (z. B. Eupolis 172, 261: schmutzige Witze des → Parasiten; Aristoph. Eccl. 943: erotische Lieder der Hetäre Charixene). Die (realen oder fiktiven) Hetären der Komödie (schon seit Pherekrates, um 430) wurden ab dem 4. Jh. zu typischen lit. Figuren.

In der archa. und frühen klass. Periode waren erotische Kunst, Dichtung und Drama noch eng mit den Götterkulten der griech. → Polis verbunden (bes. von → Aphrodite, → Demeter und → Dionysos; vgl. [1]); ab dem 4. Jh. herrschte im öffentlichen Kontext größere Zurückhaltung und man stellte Erotika hauptsächlich für den privaten Gebrauch her. In der hell. und röm. Periode wurden einige lit. erotische Gattungen neu belebt (z. B. das → Epigramm), andere erst erfunden, z. B.

Sexhandbücher [14; 17] (das berühmteste von Philainis aus Samos: ›Verführungstechniken‹, Περὶ πειρασμῶν), die wohl eher zur Unterhaltung als zur ernstgemeinten Unterweisung dienten (und darin Vorfahren von Ovids ›Liebeskunst‹ waren [14. 90–111]; vgl. → Ovidius), und Slgg. von Liedern (vgl. Glauke bei Theokr. 4,32; Hedylos' Epigramm in Appendix Anth. Pal. 2,134,7 COUGNY) und geistreichen Aussprüchen von Hetären (z. B. Lukianos' *Hetairikoí*; zu ›Hetärendialogen‹ vgl. u. a. Athen. 13,567a; 583d; 586a; 591d). Schließlich weist auch der ant. → Roman, ausgehend u. a. von der Neuen Komödie, ausgedehnte erotische Handlungsstränge auf.

C. Charakteristika

Bei der Darstellung von Sexualität ist eine gewisse Selbstbeschränkung festzustellen: »P.« wird häufig mit sexuellem Fehlverhalten (*asélgeia*), Roheit und Schamlosigkeit (*aischrología*) assoziiert, pornogr. Sprache in Dichtung und Kult (bes. von Demeter und Dionysos) mit Streit und obszöner Aggression konnotiert. Die Schilderung von sexuell anstößigem männlichem Verhalten (Vergewaltigung, Masturbation, passiver oraler oder analer Penetration) ist auf Sklaven, → Barbaren oder auf Phantasiefiguren wie → Satyrn verschoben [12]. Explizite P. kommt in der ernsthaften Dichtung und Prosa nicht vor (Ausnahme: Roman), stattdessen werden Euphemismen bevorzugt [7]; Obszönes findet sich nur in Iambos, Epigramm und Alter Komödie (→ Aristophanes [3]). Dennoch unterlag P. nie offiziellen Sanktionen (wenn auch antihedonistische Philosophen solche für notwendig hielten: z. B. Plat. rep. 395e; Aristot. pol. 1336b 4; vgl. Athen. 13,566f.). Griech. Kulte hatten häufig stark erotisierte Inhalte (z. B. *phallēphória*, *aischrología*, → *hierós gámos*, zotige Gedichte) und nur selten Vorschriften von ritueller Reinheit [12. 74–103] (→ Kathartik).

Der *pornográphos* (zuerst bei Athen. 13,567b 3–8 für Maler von P. verwendet) stellte genaugenommen nur das Umfeld von Prostituierten dar (hauptsächlich weiblichen, doch vgl. den *kinaidológos*, den männlichen Vortragenden von pornogr. Liedern, z. B. → Sotades: Athen. 14,620d) – im Gegensatz zu ehrbaren Frauen; allerdings war Ehebruch ein geläufiges lit. Thema (Archil. 169a, die Lieder des Gnesippos, vgl. Eupolis fr. 148, Telekleides fr. 36, die *Moichoí* des Ameipsias; Euripides' *Phaídra* und *Sthenebóia*, vgl. Aristoph. Ran. 1043–1055) und der Status von Frauengestalten in der bildenden Kunst [9. 159–167] oft zweideutig (vgl. auch die Figuren Oporia und Theoria in Aristophanes ›Frieden‹, Aristoph. Pax 819–908). Für pornogr. deutbare Frauendarstellungen sind Realismus und Verdinglichung bezeichnend (vgl. die Kopulation mit Statuen: Pygmalion bei Athen. 13,1605f 4–10), daneben Fetischisierung von Kleidung, die Interesse am Verdeckten weckt, und Depilation im Schambereich [9. 133–159]. Heterosexueller Geschlechtsverkehr (auch analer) wird in vielfältigen Stellungen gezeigt, wobei die *a tergo*-Position vorherrscht. Frauen werden, wie Knaben, als Quelle, nicht als Subjekt sexueller Erregung dargestellt. Manchmal

finden sich gewalttätige und sadistische Elemente [9. 103–132], allerdings spielt Sadomasochismus in der griech. P. eine geringe Rolle.

Homosexuelle Erotika benutzten dieselbe Sprache wie heterosexuelle; die relativen Vorzüge von Frauen und Knaben als sexuellen Partnern waren ein Topos der → Symposionliteratur. Die griech. Homosexualität war der Norm nach päderastisch; sexuelle Beziehungen zw. erwachsenen Männern waren sozial mißbilligt und nicht Gegenstand sexueller bzw. pornogr. Repräsentation [5]. In der bildenden Kunst wird homosexueller Koitus nur selten dargestellt (Ausnahme: Interkruralverkehr von Männern), doch scheint er in Sapphos Dichtung Thema gewesen zu sein [5. 173–179]. Wir besitzen keine eindeutige Abbildung eines männlichen Prostituierten.

Zum in griech. Lit. und Kunst thematisierten »pornogr.« Sexualverhalten zählen u. a. Gruppensex, Fellatio (meist von Frauen ausgeführt, in bildlichen Darstellungen nie von einem Mann), Penetration mit dem Dildo (nur von Frauen, durch einen Mann oder eine Frau, auch bei der Masturbation), Urinieren (beider Geschlechter, nicht lit. belegt).

1 C. BERARD, Phantasmatique érotique dans l'orgiasme dionysiaque, in: Kernos 5, 1992, 13–26 2 J. BOARDMAN, E. LAROCCA, Eros in Greece, 1978 3 O. BRENDEL, The Scope and Temperament of Erotic Art in the Greco-Roman World, in: T. BOWIE, C. V. CHRISTENSON (Hrsg.), Studies in Erotic Art, 1970, 3–108 4 J. N. DAVIDSON, Courtesans and Fishcakes. The Consuming Passions of Classical Athens, 1997 5 K. J. DOVER, Greek Homosexuality, 1978 (dt. 1983), ²1989 6 H. FLUCK, Skurrile Riten in griech. Kulten, 1931 7 J. HENDERSON, The Cologne Epode and the Conventions of Early Greek Erotic Poetry, in: Arethusa 9, 1976, 159–179 8 Ders., The Maculate Muse. Obscene Language in Attic Comedy, ²1991 9 M. F. KILMER, Greek Erotica on Attic Red-Figure Vases, 1993 10 W. KRENKEL, Skopophilie in der Ant., in: Wiss. Zschr. Rostock 26, 1977, 619–631 11 A. LISSARAGUE, De la sexualité du Satyres, in: Métis 2, 1987, 63–79 12 R. PARKER, Miasma. Pollution and Purification in Early Greek Rel., 1983 13 C. REINSBERG, Ehe, Hetärentum und Knabenliebe im ant. Griechenland, 1989 14 A. RICHLIN (Hrsg.), Pornography and Representation in Greece and Rome, ²1992 15 A. STÄHLI, Die Verweigerung der Lüste: erotische Gruppen in der ant. Plastik, 1999 16 A. STEWART, Art, Desire and the Body in Ancient Greece, 1997 17 K. TSANTSANOGLOU, Memoirs of a Lady from Samos, in: ZPE 12, 1973, 183–95. J. HE.

IV. Rom

A. DEFINITION B. WIRKUNG
C. LITERARISCHE GATTUNGEN
D. KUNST E. REZEPTION

A. Definition

Der Terminus »röm. P.« bedarf einer Spezifizierung: Zum einen hat der griech. Begriff *pornográphos* (Athen. 13,567b), »einer, der Huren malt (bzw. über sie schreibt)«, in der lat. Sprache – und wohl auch im röm. Denken – keine kategoriale Entsprechung. Zum anderen ist das Intertextualitätsverhältnis zwischen den maßgeblichen griech. und lat. Texten (Roman, Epigramm) zu komplex, als daß genuin Römisches extrahiert werden könnte. Wir können also lediglich untersuchen, auf welche Weise »pornographische« (= pornogr.), d. h. erotisch stimulierende oder obszöne Inhalte in lat. Texten gestaltet werden und ob in ihnen Abgrenzungen, Einschränkungen oder Ausschlüsse vorgenommen werden. Auch wenn wir von keinen gesetzlichen Reglementierungen wissen, so waren die röm. Autoren doch bestrebt, ihren gesellschaftlichen Status als *mares* (»Männer«) durch die rhet. Strategie der *excusatio* (»Rechtfertigung«) vor übler Nachrede zu schützen: Catulls Forderung nach einer Unterscheidung zw. Autor und pornogr. Textproduktion (Catull. 16,5 f.) wird in apologetischer Absicht oft zitiert (Plin. epist. 4,14,5; Apul. apol. 11,2 f.) und witzig variiert: Ov. trist. 2,354, Mart. 1,4,8 (zit. von Auson. cento nuptialis 218,7 P., Apul. apol. 11,3). Eine vermeintlich scharfe Grenze (anders Mart. 11,16!) zw. erotischer und pornogr. Dichtung zieht Mart. 12,43 [8]: Sabellus wird dafür kritisiert, daß er kühne Stellungen *(Veneris novae figurae)* für *puellae* (»Mädchen«), *fututores* (heterosexuelle »Ficker«), *exoleti* (homosexuelle »Lustknaben«) und Gruppen *(catena, symplegmata;* s. → *symplegma)* in Versen darstellt. Lit. Talent sei bei einem derartigen Stoff überflüssig, ja unangebracht.

B. Wirkung

P. soll unmittelbar stimulieren: Das gilt v. a. für die Sex-Hdb. der griech. Autorinnen (?) Philainis (vgl. [2], s.o. III.) und Elephantis, deren Bekanntheit im röm. Publikum aufgrund der häufigen Erwähnungen vorausgesetzt werden kann. Die *molles libelli* (»schlüpfrigen Büchlein«) der Elephantis (Mart. 12,43,4) waren angeblich mit *obscenae tabellae* (obszönen Bildern) illustriert (Priap. 4,1 f.) und lagen in den Schlafzimmern der Tiberius-Villa als Anschauungsmaterial auf (Suet. Tib. 43). Analog die Empfehlung in Mart. 12,95, P. *(pathicissimi libelli,* »bes. zotige Büchlein«) nur im Beisein einer Partnerin *(puella)* zu lesen. Ovids detailgenaue Ratschläge an die Frauen hinsichtlich der sexuellen Stellungen *(figurae Veneris,* Ov. ars 3,769–808) werden von Mart. 11,104 parodiert: Ultimativ wird die Ehefrau *(uxor)* aufgefordert, alle sexuellen Wünsche des Sprechers *(mores nostri)* zu erfüllen, einschließlich Analverkehr *(pedicatio);* umgekehrt 12,96,9–12, wo der Frau die Bereitschaft zu dieser Praktik scharf untersagt wird [8. 62f.]. Doch auch außerhalb der Erotodidaxis ist die Erregung des Lesers erwünscht: In Petronius' [5] Roman (88,1) bleibt Eumolpus' pseudo-autobiographische Erzählung vom Epheben von Pergamon bei Encolpius nicht folgenlos *(erectus his sermonibus).* Abweichend von 12,43 betont der Sprecher bei → Martialis [1] oftmals, daß erotische Stimulierung ein genretypisches Merkmal des → Epigramms sei: Scherzgedichte *(carmina iocosa)* gehorchten der Regel, ›daß sie nur dann Spaß machen, wenn sie aufgeilen‹ *(prurire,* Mart. 1,35,10 f.; [7. 321 f.]); *versus Saturnalicii* hätten keine Moral *(mores;* 11,15,12 f.). Selbst-

bewußt warnt der Sprecher vor den physiologischen Konsequenzen einer Lektüre seiner Verse (Mart. 11,16,5; 11,16,8). Folgerichtig empfehlen Mediziner bei der Behandlung von Impotenz die Lektüre von P. *(fabulae amatoriae;* Theodorus Priscianus, Logicus 34, p. 133, 10 ff. Rose).

C. Literarische Gattungen

P., im Sinne von erotisch gewagten oder geschmacklosen Darstellungen, findet sich v. a. in den röm. Gattungen → Satire, → Roman und → Epigramm. Die Obszönitäten bei → Lucilius [I 6] sind bemerkenswert und stehen dem ordinären Sprachgebrauch mancher Inschr. (CIL 10,1,4483) in nichts nach (z. B. *inbubinare:* »mit Menstruationsblut besudeln«; *inbulbitare:* »mit Kot beschmieren«, Lucil. 1205 K.); erst → Iuvenalis wagt Vergleichbares in sat. 2 (homosexuelle »Perversion«, Iulias Abtreibung) oder in sat. 9 (die Beschmutzung des »Arschfickers« *(pedico)* Naevolus während des Sexualakts).

Höhepunkte bei → Petronius [5] sind die Orgie bei Quartilla (19–26), Encolpius' Impotenz (126–132), seine Heilung bei Oenothea (134–138) und die Philomela-Episode (140); bei → Apuleius [III] Lucius' Koitus mit Photis (met. 2,9–17), die Ehebruchgeschichten (met. 9) [10] und der sodomitische Geschlechtsakt zw. Lucius-Esel und einer → *matrona* (»Dame«; met. 10,19–22). Dennoch bleibt der röm. Roman in seiner Wortwahl relativ gemäßigt, er greift bei der Schilderung von Sexualhandlungen oft zu Metaphern und Euphemismen [1].

Die Epigrammatiker hingegen verzichten auf jede Zurückhaltung: → Catullus [1] setzt bereits Maßstäbe; obszöne Ausdrücke [6] wie *mentula* (»Schwanz«), *futuere* (»vögeln«), *pedicare* (»arschficken«) oder *irrumare* (»in den Mund ficken«) begegnen häufig. Sexualstrafen sind das Lieblingsthema der Carmina → Priapea: im Triporneia-Modell [3. 87] droht der Sprecher → Priapus weiblichen Dieben mit *fututio,* jungen Burschen mit *pedicatio,* älteren (behaarten) Männern mit *irrumatio* (mit vaginaler, analer, oraler Penetration; Priap. 12; 22; 74). Das Œuvre Martials (→ Martialis [1]) enthält alle nur denkbaren Sexualakte, Verirrungen und obszöne Peinlichkeiten. Im ›Saturnalienbuch‹ 11 und in B. 12 finden sich die meisten pornogr. Epigramme, mit einem überraschend hohen Anteil homosexueller Themen [8]; auffallend sind die intertextuellen Bezüge zu Stratons *Paidikḗ Músa* (Anth. Gr., Bd. 12). Glanzstücke intertextueller Gelehrsamkeit liefert → Ausonius mit seinen Epigrammen und dem *Cento nuptialis:* Gruppensex (epigr. 59 P. 43) [10], Bisexualität (epigr. 93) und alle Varianten von Oralsex (epigr. 78 f.; 86 f.) sind seine Themen.

D. Kunst

In der röm. Kunst begegnen nahezu ausschließlich heterosexuelle Sujets (→ Erotik II.); eine Ausnahme verdient Erwähnung: der sog. »Warren-Cup«, ein Silberbecher aus dem 1. Jh. n. Chr. [4], der zwei *pedicatio*-Szenen zeigt: Der *pedico* (»Arschficker«) liegt jeweils unter dem *pathicus* (dem passiven männl. Partner), ein Paar wird von einem Voyeur beobachtet. Für die Darstellungsweise pornogr. Thematik in der späten Republik und der frühen Kaiserzeit, aber auch für die Häufigkeit und die Orte ihrer Verwendung (z. B. Schlafräume, Bäder) kann die Bilderwelt Pompeiis als repräsentativ betrachtet werden [12; 13].

E. REZEPTION

Die Genres Epigramm und → Milesische Geschichten (vgl. → Novelle; z. B. Petrons ›Witwe von Ephesus‹) werden im Humanismus bevorzugt aufgegriffen: BOCCACCIOS *Decamerone* orientiert sich am ant. Roman, v. a. an Apuleius' Ehebruchgeschichten, und Antonius BECCADELLI (i.e. A. PANORMITA) erweist in seiner erotischen Epigramm-Slg. *Hermaphroditus* (ca. 1422) deutlich seinem Vorbild Martial Referenz. Für die erste dt. Übers. des *Hermaphroditus* (1824) besorgte der Coburger Hofbibliothekar FORBERG [5] einen lat. Anhang (*Apophoreta*), ein unschätzbares, vollständiges Kompendium röm. P., geordnet nach Sexualpraktiken. FORBERG zitiert auch den Dialog *De arcanis Amoris et Veneris*, den Nicholas CHORIER nach dem Vorbild von → Lukianos' [1] ›Hetärengesprächen‹ unter dem Pseudonym Aloisia SIGEA lat. publizierte. Mit FORBERGS *Apophoreta* setzt eine ernsthafte wiss. Auseinandersetzung mit röm. P. ein. PIERRUGUES (1826; dt. Raubdruck 1833) [9] und VORBERG (1932) [11] erarbeiteten Speziallexika, die die erotischen Spezialbedeutungen oft harmlos klingender Begriffe und raffinierter Wortspiele aufschlüsseln, KRENKEL hat mit einer Reihe von Einzeluntersuchungen (verzeichnet in [7]) das Stellenmaterial für alle sexuellen Themen gesammelt; [1] ist für jeden an röm. P. Interessierten unverzichtbar.

→ Erotik; Hetairai; Homosexualität; Nacktheit; Päderastie; Phallos; Prostitution; Sexualität; Vasenmalerei; EROTICA; GENDER STUDIES

1 J. N. ADAMS, The Latin Sexual Vocabulary, 1982
2 B. BALDWIN, Philaenis, The Doyenne of Ancient Sexology, in: Corolla Londoniensis 6, 1990, 1–7
3 V. BUCHHEIT, Stud. zum Corpus Priapeorum, 1962
4 J. R. CLARKE, Looking at Lovemaking. Constructions of Sexuality in Roman Art 100 BC–AD 250, 1998 5 F. C. FORBERG, Antonii Panormitae Hermaphroditus, 1824 (²1908 = Ndr. 1986) 6 W. GOLDBERGER, Kraftausdrücke im Vulgärlat., in: Glotta 18, 1930, 8–65; 20, 1932, 101–150
7 J. HALLETT, Nec castrare velis meos libellos, in: C. KLODT (Hrsg.), Satura lanx. FS W. A. Krenkel, 1996, 321–344
8 H. P. OBERMAYER, Martial und der Diskurs über männliche 'Homosexualität' in der Lit. der frühen Kaiserzeit, 1998 9 P. PIERRUGUES, Glossarium eroticum linguae Latinae, 1826 (Ndr. der 2. Aufl. 1908)
10 V. SCHMIDT, Ein Trio im Bett: »Tema con variazioni« bei Catull, Martial, Babrius und Apuleius, in: Groningen Colloquia on the Novel 2, 1989, 63–73 11 G. VORBERG, Glossarium Eroticum, 1932 (Ndr. 1965) 12 A. VARONE, Erotica Pompeiana. Iscrizioni d'amore sui muri di Pompei, 1994 (mit Farbtafeln) 13 E. CANTARELLA, L. JACOBELLI, I volti dell'amore, 1998 (dt. 1999). H.-P. O.

Poroi (πόροι, wörtl. »Wege«; Pl. von *póros*) waren im ant. Griechenland Wege zur Erreichung von Einkünften (Xen. hell. 1,6,12) und schließlich Einkünfte und Einkunftsquellen selbst im privaten und öffentl. Sektor

(→ *chrēmatistikē*; Aristot. pol. 1259a 3–36; Syll.³ 284,23). In öffentl. Finanzwesen umfassen *p.* nicht nur Zölle (→ Zoll) und → Steuern von Nichtbürgern (→ *métoikoi*), sondern auch Erträge aus Vermietung und Verpachtung von Staatsbesitz, den Betrieb staatlicher Monopole (Minen), Gerichtsgebühren und weitere Einkünfte (→ *poristaí*). In seiner Schrift *Póroi* entwirft → Xenophon ein auf Dauer angelegtes System der Steigerung und Stabilisierung staatl. Einnahmen, deren Ertrag jedem athen. Bürger ein tägliches Einkommen von 3 Obolen sichern soll, aber nicht als Entgelt für polit. Tätigkeit gedacht ist (so [1. 30–45; 2. 293–300] gegen [3]).

1 E. SCHÜTRUMPF (ed.), Xenophons Vorschläge zur Beschaffung von Geldmitteln oder ›Über die Staatseinkünfte‹, 1982 (mit dt. Übers.) 2 Ders., Polit. Reformmodelle im 4. Jh., in: EDER, Demokratie, 271–301 3 PH. GAUTHIER, Le programme de Xénophon dans les Poroi, in: RPh 58, 1984, 181–199. W. ED.

Porolissum (Πορόλισσον). Siedlung in NW-Dacia (CIL III 7986; CIL XVI 132; Tab. Peut. 8,3: *Porolisso*; Ptol. 3,8,6; → Dakoi, Dakia), auf dem Gebiet vom h. Moigrad-Jas (Kreis Cluj/Rumänien). Von den Römern bereits unter Traianus (98–117 n. Chr.) besetzt und infolge seiner strategischen Lage als wichtiger mil. Stützpunkt mit zwei Lagern ausgebaut. P. spielte als Handels- und Verwaltungszentrum der 124 n. Chr. konstituierten Prov. *Dacia Porolissensis* eine bed. Rolle. Die Zivilsiedlung (*vicus, canabae*) wurde von Septimius Severus (193–211 n. Chr.) zum → *municipium* erhoben (vgl. ILS 7130). Kleine, bewegliche Einheiten bildeten die Garnison (*cohors I Brittonum miliaria, cohors V Lingonum, numerus Palmyrenorum sagittariorum*, Vexillationen). Ant. Überreste: zwei Steinlager, Gebäude, Amphitheater, Tempel des → Liber Pater, Wasserleitung, eine gepflasterte Straße, Nekropolen.

C. DAICOVICIU, s. v. P., RE 22, 265–270 • L. MARINESCU, s. v. P., PE, 729 • TIR L 34 Budapest, 1968, 92 f. (mit älterer Lit.). J. BU.

Poros

[1] (Πόρος). Personifikation des Auswegs und des Reichtums. Sohn der → Metis. Nach dem Götterfestmahl zu → Aphrodites Geburtstag liegt P. berauscht im Zeusgarten; → Penia (Armut) nähert sich ihm und wünscht sich ein Kind von ihm. Aus dieser Verbindung geht → Eros [1] hervor (Plat. symp. 203b; Lyd. mens. 4,154). Im christl. Kontext (Eus. Pr. Ev. 12,11) steht der Zeusgarten als Sinnbild für das Paradies, Penia für die böse Schlange und P. für den Menschen an sich. S. T.

[2] (Πόρος). Att. Paralia(?)-Demos, Phyle Akamantis, ab 307/6 v. Chr. Demetrias, drei *buleutaí*. Lage unbekannt, aber keinesfalls im Laureion oder bei Metropisi (anders [1; 2]), da für P. kein Bergbau bezeugt ist.

1 P. SIEWERT, Die Trittyen Attikas und die Heeresreform des Kleisthenes, 1982, 95, 173 f. 2 J. S. TRAILL, Demos and Trittys, 1986, 133.

TRAILL, Attica, 9, 48, 68, 112 Nr. 117 Tab. 5, 12. H. LO.

[3] (Πῶρος). Indischer König im → Pandschab, östl. von Taxila, von → Alexandros [4] d.Gr. in der Schlacht am → Hydaspes im Frühjahr 326 v. Chr. besiegt und danach als Bundesgenosse akzeptiert (Arr. an. 5,8–19; Diod. 17,87–89; Curt. 8,13–14). Die genaue Lage des Schlachtortes bleibt wohl – trotz vieler Theorien – infolge der Verlagerung des Flußbettes unbekannt. P. hatte damals schon erwachsene Söhne, die am Kampf teilnahmen. Sein Reich, das zw. Hydaspes und → Akesines [2] lag, war anscheinend das mächtigste dieser Region. Sein Name ist wohl als mittelindische Form des altindischen dynastischen Namens Paurava (aus Pūru) zu erklären; Versuche, ihn persönlich in indischen Quellen nachzuweisen (etwa als Parvataka, »Bergkönig«) sind verfehlt (z.B. [1. 172–179]). Er begleitete Alexandros während des Pandschabfeldzuges zum → Hyphasis und berichtet über die Macht der Gangesvölker (Diod. 17,93,3; Curt. 9,2,5–6). P. herrschte dann als Satrap oder Unterkönig in seinem ehemaligen Reich, das im Osten etwas erweitert wurde (Arr. an. 6,2,1; Curt. 9,3,22). Wahrscheinlich hatte er als Beschützer der Ostgrenze des Alexanderreiches weitreichende Autonomie. Nach dem Tod des Alexandros im J. 323 ist P. noch als Satrap in seinem ehemaligen Reich belegt (Diod. 18,3,2), wurde aber 317 v.Chr. von Eudamos [1] ermordet (Diod. 19,14,8). Die Porosschlacht war eines der Hauptereignisse in der Geschichte des Alexanderzuges. Damit wurde P., seine Tapferkeit, sein majestätisches Verhalten und auch sein treuer Elefant ein häufiger Topos in der ant. Literatur.

1 H.C. SETH, Identification of Parvataka and Porus, in: Indian Historical Quarterly 17, 1941, 172–179.

H. SCHAEDER, s.v. P. (1), RE 22,1, 1953, 1225–1228.

[4] P. der Böse (Πῶρος ὁ κακός/*ho kakós*, Arr. an. 15, 21,2). Indischer König (Hyparch bei Arr. an. 5,20,6) im Osten des → Pandschab, zw. Akesines [2] und Hyarotis. Er war ein Vetter und Feind des großen P. [3]. Durch Gesandte hatte er anfangs → Alexandros [4] d.Gr. seine Unterwerfung versprochen, als dieser jedoch P. [3] besiegt hatte und heranzog, floh P. mit vielen seiner Leute (Arr. an. 5,21). Auch bei Strabon (15,1,30) genannt.

H. SCHAEDER, s.v. P. (2), RE 22, 1953, 1228f.   K.K.

Porphyrio, Pomponius. Verf. eines Schulkomm. zu Horaz (als Marginalglossierung) des frühen 3. Jh. n. Chr. (vor → Iulius [IV 19] Romanus, vgl. Charisius p. 285,10ff. BARWICK), vielleicht aus Afrika stammend; eine kurze Biographie ging dem Text voran. Die Funktion des Werks zwang P. zum Verzicht auf Textvarianten; die Quellenzit. dürften über → Helenius Acrons gelehrteren Komm. vermittelt sein. P. selbst ist weniger archaistisch interessiert, betont bei obsoleten Sitten die zeitgenössische Distanz, zit. häufiger → Persius [2]. Sein glossierter Text wurde von Schulexemplar zu Schulexemplar tradiert, wobei sich Kürzungen, aber auch (gegen Ende) mechanische Verluste ergaben; der noch vollständigere Text hat beide spätant. Fassungen der (ps.-acronischen) Horaz-Scholien geprägt. Als Marginalglossierung hat sich ein dünnes Rinnsal bis ins frühe MA gehalten, die (wohl erst im späten 8. Jh.; in It.?) in einen Lemma-Komm. übertragen wurde. Die Trad. basiert auf zwei Lorscher Codd. des 9. Jh. (Vat. Lat. 3314; München, Clm 181) sowie humanistischen Kopien eines weiteren dt. Exemplars. Im 9. Jh. ist der Lemma-Komm. – wohl um Heiric von Auxerre entstanden – erneut in eine Marginalerklärung transponiert worden, deren verbreiteter Einfluß zu einer Homogenisierung der ma. Horazerklärung beitrug.
→ Horatius [7]; Kommentar

ED.: A. HOLDER, 1894.
LIT.: P. WESSNER, Quaestiones Porphyrioneae, in: Commentationes Ienenses 5, 1894, 155–196 · P.L. SCHMIDT, in: HLL, Bd. 4, 259–261 · E. MASTELLONE IOVANE, L'auctoritas di Virgilio nel commento di Porfirione, 1998 · S. DIEDERICH, Der Horazkomm. des P., 1999.   P.L.S.

Porphyrion (Πορφυρίων). König des att. Demos Athmonon (Paus. 1,14,7), später identifiziert mit dem König der → Giganten (Pind. P. 8,12ff.). Sohn des → Athamas und der Gaia oder des Erebos und der → Nyx (Hyg. fab. praef. 1). Mit Zeus verfeindet (Aristoph. Av. 1251). P. wird von Zeus zur Lust zu → Hera angeregt. Als er sie dann zu vergewaltigen versucht, trifft Zeus ihn mit seinem Blitz und Herakles ihn mit dem Pfeil (Apollod. 1,36). Laut Pindar (l.c.) soll P. von Apollon besiegt worden sein.   S.T.

Porphyrios (Πορφύριος), neuplatonischer Philosoph und Gelehrter.
A. LEBEN B. WERKE
C. PHILOSOPHISCHE LEHRE D. WIRKUNG
E. KOMMENTAR ZUR HARMONIK DES PTOLEMAIOS

A. LEBEN

P. (ca. 234–305/310 n. Chr.) stammte aus einer vornehmen Familie im phöniz. → Tyros. Über seine Kindheit wissen wir nichts. In Athen studierte er Mathematik bei Demetrios, Gramm. bei Apollonios, Rhet. bei Minukianos, und v.a. Philol., Lit.-Kritik und Philos. bei dem großen Gelehrten → Longinos [1], einem Vertreter des → Mittelplatonismus. Möglicherweise auf dessen Empfehlung verließ P. im J. 263 Athen, um sich der Schule des → Plotinos in Rom anzuschließen. Zunächst hatte er Schwierigkeiten, dessen Lehre zu akzeptieren, daß die Ideen (→ Ideenlehre) im Intellekt (νοῦς, *nus*) zu lokalisieren sind; doch nach dem Austausch von Streitschriften mit Plotins Lieblingsschüler → Amelios Gentilianos revidierte er seine eigene, noch von Longinos geprägte Auffassung, die Ideen seien außerhalb des Intellekts anzusiedeln. Sechs Jahre blieb P. in der Schule des Plotinos in Rom und nahm nach und nach Amelios' Platz beim Meister ein. Er überarbeitete und korrigierte dessen Schriften und traf so die Vorbereitungen zu seiner Edition von dessen ›Enneaden‹. Wegen seines philol. Scharfsinns wurde er von Plotinos beauftragt, sich mit den Schriften verschiedener konkurrierender Philosophen(schulen) auseinanderzusetzen. P. verfaßte einen Bericht über die ›Platonischen Fragen‹ des Platonikers Eubulos, widerlegte die Preisrede des Rhetors Diophantes auf Alkibiades in Platons ›Symposion‹ und wies nach, daß ein von den Gnostikern dem Zoroastres zugeschriebenes Werk in Wirklichkeit apokryph war. 268 litt P. an einer Depression und erwog, sich das Leben zu nehmen. Plotinos diagnostizierte seinen Zustand und empfahl eine Reise; P. verließ Rom und ging nach → Lilybaion auf Sizilien, wo er auf dem Landgut eines Honoratioren namens Probus lebte.

Über den weiteren Verlauf von P.' Leben wissen wir wenig. Im ›Leben Plotins‹ (Περὶ τοῦ Πλωτίνου βίου) erwähnt er sein Alter (68 J.) und die Tatsache, daß er die *unio mystica*, die mystische Vereinigung mit dem höchsten Prinzip (d. h. Gott), einmal erreichte (während Plotinos sie viermal erlebte). Im ›Brief an Marcella‹ (Πρὸς Μαρκέλλαν) erwähnt er seine späte Heirat mit Marcella, der Witwe eines Freundes und Mutter von sieben Kindern. Spätere Quellen berichten, daß P. in Sizilien seine ›Eisagoge‹ (›Einführung in die Kategorien des Aristoteles‹, Εἰσαγωγὴ εἰς τὰς Ἀριστοτέλους κατηγορίας) verfaßte, und zwar auf Wunsch des röm. Senators Chrysaorius, der Aristoteles' ›Kategorien‹ erklärt haben wollte. Verm. verfaßte er wenigstens ein Teil der Schriften ›Gegen die Christen‹ (Κατὰ Χριστιανῶν λόγοι) und ›Über die Enthaltsamkeit‹ (Περὶ ἀποχῆς ἐμψύχων) ebenfalls in Sizilien; das mag auch für ›Über das, was uns angeht‹ (Περὶ τῶν ἐφ' ὑμῖν) und eine der beiden Abh. ›Über den Unterschied zw. Platon und Aristoteles‹ (Περὶ διαστάσεως Πλάτωνος καὶ Ἀριστοτέλους; ebenfalls Chrysorius gewidmet) zutreffen. Laut Eunapios kehrte P. nach Plotins Tod im J. 270 nach Rom zurück, um die Leitung der Schule zu übernehmen (dies bezweifelt SAFFREY [19]). Einige von P.' Schriften – bes. der kleine ›Kategorien‹-Komm. in Form von Fragen und Antworten (κατὰ πεῦσιν, *katá peúsin*) – lassen auf Abfassung für den Schulgebrauch schließen. Wir haben Informationen über einige Schüler des P., so → Iamblichos und → Theodoros von Asine; andere lassen sich mit einiger Plausibilität erschließen, so die Adressaten seiner Werke, Anatolios, Eudoxios, Gauros, Gedalios und der Platoniker Ptolemaios. Über Ort und Zeitpunkt von P.' Tod haben wir keine zuverlässige Nachricht. Eunapios' Vermutung, daß P. in hohem Alter in Rom starb, findet sich wohl von spätere Autoren (Libanios, Damaskios, einigen arab. Quellen) bestätigt, die P. den ›alten Mann aus Tyros‹ nennen.

B. WERKE

Das lit. Schaffen des P. ist durch bemerkenswerte enzyklopädische Breite gekennzeichnet. Neben philos. Werken schrieb er über Mathematik, Astronomie, Musik (s. u. E.), Grammatik, Rhet. und Gesch. Kaum zufällig entsprechen diese Arbeitsfelder Zweigen der Sie-

ben Freien Künste (→ Artes liberales), die P. wohl selbst systematisch darstellte. Seine philos. Werke umfassen ein breites Gattungsspektrum, vom protreptischen Brief (›An Marcella‹) und der paränetischen Abh. (›Über die Enthaltsamkeit‹), die sich an ein breiteres Publikum richten, bis zum polemischen Pamphlet (›Über die Seele gegen Boëthos‹, Περὶ ψυχῆς πρὸς Βοήθόν); von systematischen Einführungsschriften (›Eisagoge‹) bis zu abstrusen Traktaten (Ἀφορμαὶ πρὸς τὰ νοητά/ *Sententiae ad intellegibilia ducentes*, ›Sentenzen, die zum intelligiblen führen‹). Heimisch fühlte sich P. offenbar in der Gattung des Komm.: Er war der erste Philosoph, der sowohl die Dialoge → Platons [1] als auch die Schriften des → Aristoteles [6] kommentierte. Für den späteren → Neuplatonismus war sein Einfluß in beiden Fällen entscheidend (→ Aristoteles-Kommentatoren).

C. PHILOSOPHISCHE LEHRE
1. DIDAKTIK 2. LOGIK
3. METAPHYSIK 4. ETHIK

1. DIDAKTIK

Das Denken des P. ist durch zwei Hauptzüge bestimmt: einen geradezu friedfertigen Willen zur Harmonisierung und eine stark pädagogische Zielsetzung. Der erste Wesenszug führt ihn dazu, die Gemeinsamkeiten von Platon und Aristoteles, Plotinos und den Chaldäischen Orakeln (→ Oracula Chaldaica) zu sehen. Seine pädagogische Neigung zeigt sich in seiner Gewohnheit, seine Lehre sorgfältig auf das philos. Niveau seiner Zielgruppe abzustimmen. So sind z. B. die *Eisagōgḗ* und der ›Komm. zu den Kategorien des Aristoteles in Form von Fragen und Antworten‹ (Εἰς τὰς Ἀριστοτέλους Κατηγορίας κατὰ πεῦσιν καὶ ἀπόκρισιν) für philos. Anfänger bestimmt und daher eine vereinfachte Darstellung der Kategorienlehre des Aristoteles; andererseits belegen die erh. Fr. seines Komm. *Ad Gedalium*, daß er dasselbe Werk auch auf beträchtlich höherem intellektuellen Niveau erörterte. Diese beiden – oft mißverstandenen – Wesensmerkmale haben zu P.' Ruf als eines unbeständigen und widersprüchlichen zweitklassigen Denkers beigetragen. Eine solche Einschätzung ist jedoch nicht gerechtfertigt.

2. LOGIK

P.' wichtigste Leistung auf dem Gebiet der Logik war die Rehabilitierung des aristotelischen *Órganon*, speziell der ›Kategorien‹, wodurch deren Integration in den neuplatonischen Studiengang möglich wurde (vgl. dazu die harsche Kritik des Plotinos, Enneades 6,1–3). P. scheint auch den neuplaton. Lektürekanon begründet zu haben, bei dem die Studenten mit den ›Kategorien‹ begannen (die von einfachen Wörtern handelten), dann zu *De interpretatione* (wo Propositionen/Prämissen erörtert sind) und danach zur ›Analytik‹ (die den Gebrauch des Syllogismus lehrte) übergingen.

3. METAPHYSIK

Vor den 1950er Jahren waren viele Forscher der Meinung, P. habe lediglich → Plotinos' Philos. popularisiert, doch dieses Bild ist revidiert worden ([20], [12] und bes. [16]). P.' Erstes Prinzip ist nicht mehr das plotinische Eine, sondern das als reine, nicht determinierte Existenz verstandene Sein (τὸ εἶναι, *to eínai*). Dieses höchste Prinzip kann mit der ersten Hypothese des platonischen ›Parmenides‹ gleichgesetzt werden: Es liegt jenseits von Pluralität, Aktivität, Denken und Einfachheit, jenseits von Differenz und Identität und steht über Reden und Denken; es ist unaussprechlich, nicht zu benennen und nur durch eine Art von Nichtwissen erkennbar, die dem Denken überlegen ist. Einem angemessenen Namen dafür können Ausdrücke wie »Sein« (*to eínai*), »Existenz« (*hýparxis*) oder auch »Idee des Seins« (ἡ ἰδέα τοῦ ὄντος, *hē idéa tu óntos*) am nächsten kommen. Doch trotz (oder eher wegen) seiner vollkommenen Einsamkeit hat das Erste Prinzip kein Bewußtsein seiner selbst. Um sich selbst zu erkennen, entäußert sich das Sein in einem unbegrenzten Ausströmen, das man »Leben« (ζωή, *zōḗ*) nennen kann. Dieses Sich-Ergießen wird durch das Denken bzw. den Intellekt (νοῦς, *nus*) begrenzt, der das Sein veranlaßt, zu sich selbst zurückzukehren. So determiniert und mit einer Form versehen, wird die reine Aktivität zum Seienden (*to on*), entsprechend dem plotinischen Intellekt (*nus*), in dem die intelligiblen Ideen enthalten sind. So konstituiert sich die Intelligenz selbst in einem dreifachen Prozeß des Voranschreitens, Verharrens und Zurückkehrens, welcher der Dreiheit Sein, Leben und Denken entspricht. Diese drei Stufen sind auch gleichbedeutend mit der chaldäischen intelligiblen Triade, die aus dem Vater (πατήρ, *patḗr*), seiner Macht (δύναμις, *dýnamis*) und seinem Intellekt (νοῦς, *nus*) besteht. Diese drei Phasen bleiben jedoch, wie bei Plotinos, eher Stadien eines Prozesses als → Hypostasen (Porph. in Plat. Parm. 9, 3–4); zu letzteren werden sie erst bei → Iamblichos, → Proklos und im späteren → Neuplatonismus.

Wenn der Intellekt die Dinge unter sich betrachtet, erzeugt er die Hypostase Seele (ψυχή, *psychḗ*), die wie bei Plotin in die Weltseele und die Vielzahl der Einzelseelen aufgeteilt ist; diese bewahren auch im inkarnierten Zustand substantielle Einheit mit der Hypostase Seele und untereinander. Wie die Hypostasen über ihr ist die Seele in der Lage, das, was über ihr, und das, was unter ihr ist, zu kontemplieren. Wenn sie ersteres tut, verhält sie sich tugendhaft; wenn letzteres, verfällt sie in Sünde und beginnt den Prozeß der Schöpfung der materiellen Welt. Die Materie, ewig von dem → *dēmiurgós* oder dem Einen geschaffen, ist an sich formlos, konturlos und ohne Eigenschaften; doch wenn die Seele auf sie schaut, wird sie in Bewegung gesetzt. Durch die Bewegung in Richtung Breite, Länge und Tiefe wird sie zum dreidimensionalen Körper. Wenn die Bewegung andauert, wird ein Teil der Substanz erhitzt, bis er sich loslöst und eine Position einnimmt, die an den Himmel grenzt; so wird er zum Element Feuer. Der Körper, der dem aus Feuer am nächsten ist, wird langsamer bewegt und erhitzt sich deshalb weniger: die Luft. Von der Luft gekühlt und schon entfernt vom Himmel ist das Wasser

das nächste Element, während das kalte, unbewegliche Element im Mittelpunkt der Welt die Erde ist. Diese Körper, ausgestattet mit den grundlegenden Eigenschaften (heiß, kalt, naß, trocken), stellen die erste Phase der Schöpfung des Universums dar.

4. ETHIK

In der Ethik zeigt P. mehr Interesse als Plotinos am Schicksal des gewöhnlichen Nicht-Philosophen, einschließlich seiner Religionen (›Über die Rückkehr der Seele‹/*De regressu animae*, ›Über die Bilder‹/Περὶ ἀγαλμάτων, ›Über die Philos. aus Orakeln‹/Περὶ τῆς ἐκ λογίων φιλοσοφίας). Doch wie für Plotinos ist auch für P. das Ziel der Philos. die Rückkehr zu Gott, und das Mittel dafür ein asketisches Leben. Alle sinnlichen Freuden und Genüsse verstärken die Herrschaft des Körpers über die Seele; ein unmoralisches Leben führt, wie schon Platon meinte, zur Reinkarnation (→ Seelenwanderung) auf einer niedrigeren Seinsstufe (wobei Wiedergeburt als Tier nicht notwendig auszuschließen ist). In jedem Fall führt übermäßiger Genuß von Sexualität, erlesenen Speisen und Weinen, weichen Betten usw. dazu, daß die feinstoffliche Grundlage der Seele (ὄχημα/*óchēma* oder πνεῦμα/*pneúma*) feuchter und dichter wird; im Tode zieht diese kompakte Trägersubstanz die Seele in den Hades hinunter (vgl. Porph. sententiae 29). Im Gegensatz dazu trocknet ein abstinentes Leben die Trägersubstanz aus und ermöglicht es der Seele beim Tod, in die Planetensphären aufzusteigen, von wo sie in die intelligible Welt gekommen ist; dabei verliert sie Schichten von Ablagerungen, die auf dem Weg hinunter entstanden sind. Die Enthaltung von Fleisch und Tieropfern hilft ebenfalls, die Heimsuchungen von feindlichen Dämonen (→ Dämonologie) zu vermeiden, die durch Blut und fettigen Rauch angezogen werden.

Plotinos (Enneades 1,2) folgend, konstruierte P. (vgl. Sententiae 32) ein vierstufiges Tugendschema, das alle späteren Neuplatoniker übernahmen: 1. Polit. Tugenden, gründend auf der aristotelischen Mäßigung der Leidenschaften (μετριοπάθεια, *metriopátheia*): Sie lehren den philos. Anfänger, wie er mit seinen Nachbarn auskommen und in einer zivilisierten Gesellschaft leben kann. 2. Kathartische Tugenden: der Adept beginnt, sich von der Welt der Empfindungen zu distanzieren; das Ziel ist die Leidenschaftslosigkeit (ἀπάθεια, *apátheia*) des stoischen Weisen. 3. Theoretische Tugenden der Seele: die Seele wendet sich dem *nus* als ihrem Ursprung zu mit dem Ziel der Kontemplation (θεωρία, *theoría*). 4. Tugenden des Intellekts: sie sind paradigmatisch.

Anders als Plotinos scheint P. an die Möglichkeit der dauerhaften Erlösung aus dem Zyklus der Wiedergeburten geglaubt zu haben. Der Wiederaufstieg der Seele muß durch rationale Mittel bewerkstelligt werden; die → Theurgie kann nur die niedere, phantasievolle Seele reinigen. Die Anhäufung verstandesmäßigen Wissens (μαθήματα, *mathḗmata*) reicht aber noch nicht aus: die philos. Lebensweise muß zur zweiten Natur und Lebensweise werden (›Über die Enthaltsamkeit‹ 1, 29).

D. Wirkung

P. übte weiten Einfluß auf den lat. Westen, den byz. Osten Europas und die islamischen Länder aus. Im Westen wurden seine Arbeiten zur Logik durch → Boëthius vermittelt, der zwei Komm. zur *Eisagoge* schrieb und auch P.' andere Komm. zum *Órganon* benutzte. P.' Wirkung auf die Trinitätslehre des → Marius [II 21] Victorinus, auf → Augustinus und → Ambrosius ist nachgewiesen ([12; 16; 20]). → Macrobius zeigt sich mit einer ganzen Reihe von P.' Werken vertraut, und → Calcidius' ›Timaios‹-Komm. verdankt ihm vieles.

P.' Einfluß auf die byz. Philos. ist bisher wenig untersucht. P. war Grundlage der neuplatonischen → Aristoteles-Kommentatoren, aber er wurde weitgehend durch seinen Schüler und philos. Gegner → Iamblichos verdrängt. P. kommentierte einige der dreizehn Dialoge Platons, die Iamblichos und Proklos später zu den kanonischen erklärten, aber nur von seinem ›Komm. zum Timaios‹ sind namhafte Fr. erhalten. Einfluß des P. ist erkennbar bei Proklos, Synesios, Gregorios [2] von Nyssa, Euagrios, Ps.-Dionysios [54], Damaskios, Philoponos, Simplikios, Iohannes → Lydos [3] und Maximos [7] Homologetes. Kyrillos [2] von Alexandreia zitiert aus vielen Werken des P.; für manche ist er unsere einzige Quelle. Im 11. Jh. belebte Michael → Psellos das Interesse an P.' metaphysischen Schriften, bes. den *Sententiae*, und an seinen Komm. zu den chaldäischen Orakeln neu. P.' Einfluß auf spätere byz. Autoren bleibt ein Desiderat der Forschung.

Viele Fragen sind auch noch bezüglich P.' Wirkung auf arabische Autoren offen. Wie im europ. MA war seine – erschöpfend kommentierte – *Eisagōgḗ* Grundlage auch der arabischen Logik. Sein Einfluß auf die pseudonyme ›Theologie des Aristoteles‹ und ähnliche neuplatonisierende Werke, etwa den ›Brief der göttlichen Wiss.‹, wird in der Forsch. weithin anerkannt; aus dem Arab. übers. Auszüge aus al-ʿĀmirī, Bar Hebraeus, al-Bīrūnī, Ibn Abī Usaybīʿa, Ibn al-Nadīm, Ibn Rushd, Ibn Sīnā, Ishḥaq b. Ḥunayn, Miskawayh, Mubashshr b. Fātik, al-Quiftī, al-Rāzī, al-Shahrastānī, al-Tawhīdī finden sich in der Slg. der P.-Fragmente [6]. Ganz unerforscht ist bisher noch P.' Wirkung auf die schiitische und iranische Philos.; durchaus möglich ist, daß etwa die radikal negative Theologie des Mollā Sadrā Shīrāzī (gest. 1640) viel dem ›Parmenides‹-Komm. des P. verdankt.
→ Askese; Mittelplatonismus; Neuplatonismus; Platon [1]; Plotinos

Ed. und Übers.: 1 J. Bidez (ed.), Vie de Porphyre, le philosophe néo-platonicien (mit Fr. von *Perí agalmátōn* und ›De regressu animae‹) 1913 (Ndr. 1964 u.ö.) 2 L. Brisson et al. (ed.), La Vie de Plotin, Bd. 2, 1992 (mit frz. Übers., Einleitung, Komm., Bibliogr.) 3 E. Des Places (ed.), Porphyre, Vie de Pythagore, 1982 (darin: *Pros Markéllan*; Text mit frz. Übers.) 4 E. Lamberz, 1975 (*Aphormaí*); C. Larrain (*Aphormaí*, dt. Übers.) 5 W. Pötscher, 1969 (*Pros Markéllan*, mit dt. Übers.) 6 A. Smith (ed.), Porphyrii Philosophi Fragmenta, 1993.
Lit.: 7 T. D. Barnes, Scholarship or Propaganda?: Porphyry Against the Christians and Its Historical Setting, in: BICS 39, 1994, 53–65 8 R. Beutler, s. v. P., RE 22.1, 275–313 9 E. Bickel (ed.), Diatribe in Senecae Philosophi fragmenta, 1915 10 P. Courcelle, Les lettres grecques en Occident, de Macrobe á Cassiodore, ²1948 11 B. Croke, Porphyry's Anti-Christian Chronology, in: Journ. of Theological Studies 34, 1983, 168–185 12 H. Dörrie, P.' ›Symmikta Zetemata‹. Ihre Stellung in System und Gesch. des Neuplatonismus (Zetemata 20), 1959 13 St. Ebbesen, Commentators and Commentaries on Aristotle's Sophistici Elenchi, 3 Bde., 1981 14 A.-J. Festugière, La révélation d'Hermès Trismégiste, Bd. 1: L'astrologie et les sciences occultes, 1944; Bd. 2: Le dieu cosmique, 1949; Bd. 3: Les doctrines de l'âme, 1953; Bd. 4: Le dieu inconnu et la gnose, ³1954 15 I. Hadot, Arts libéraux et philos. dans la pensée antique, 1984 16 P. Hadot, Porphyre et Victorinus, 2 Bde., 1968 17 J. Magee (ed.), Anicii Manlii Severini Boethii De Divisione liber (mit engl. Übers. und Komm.), 1998 18 F. Romano, Porfirio di Tiro, 1979 19 H. D. Saffrey, Pourquoi Porphyre a-t-il édité Plotin?, in: L. Brisson et al., La Vie de Plotin, Bd. 2, 1992 (Text, franz. Übers., Einleitung, Komm., Bibliogr.), 31–64 20 W. Theiler, P. und Augustin (Schriften der Königsberger Gelehrten Ges., Geisteswiss. Klasse, 10.1), 1933. MI.CH./Ü: E.D.

E. Kommentar zur Harmonik des Ptolemaios

Eis ta Harmoniká Ptolemaíu Hypómnēma (Εἰς τὰ Ἁρμονικὰ Πτολεμαίου ὑπόμνημα) ist ein durchgängiger Komm. zu Ptolemaios' [65] *Harmoniká* 1,1–15 und 2,1–7. Lange, bruchlose Lemmata zeigen seine Verwandtschaft mit dem alexandrinischen → *hypómnēma* (s. auch → Aristarchos [4]). Praktischer Musik gegenüber war P. skeptisch eingestellt [3. 52–55]; das Werk gehört zum Interessenbereich seiner Einführung (→ *Isagōgḗ*) zu Ptolemaios' *Apotelesmatiké* und Biographie des Pythagoras [2]. Das *Hypómnēma* (=*Hyp.*) wurde häufig mit Ptolemaios' *Harmoniká* (=*Harm.*) zusammen kopiert und erlangte dadurch breite Überl. [13. xxxiii und 788–791]: Düring konnte 70 Hss. für seine im folgenden verwendete Ausgabe von 1932 benutzen [1].

Einleitungen [1. 3–5, 29–38, 90–95] teilen das *Hyp.* in Abschnitte über Methodik (zu Ptol. *Harm.* 1,1–2), Akustik (1,3–4) und Harmonik (1,5–2,7). Einleitung 1, die einem Eudoxios gewidmet ist, behandelt die Gesch. der Musikwiss., die Gründe des Autors, das *Hyp.* zu schreiben, und den Charakter des Ptolemaios. P. weist jedoch darauf hin, daß *Harm.* größtenteils dem Traktat des → Didymos [1] ›Über den Unterschied der Musik des Pythagoras und der Anhänger des Aristoxenes‹ entnommen ist, und verspricht seinerseits, seine Quellen zu nennen, wie dies in seinen Ausführungen über *Harm.* 1,1–5 dann der Fall ist. *Hyp.* 1,1–2 [1. 5–29], welche Vernunft und Wahrnehmung als Maßstäbe musikalischer Gültigkeit postulieren, werden Ausgangspunkt neuplatonischer Erkenntnistheorie (13) [13. 201–202]. *Harm.* 1,3–4 benennen Quantität und Qualität als Faktoren der Klangerzeugung [8. 153–158]; über das Wesen des Unterschieds zw. hohen und tiefen Tönen ist P. anderer Meinung als Ptolemaios [1. 58]. Einleitung 3 referiert Schulmeinungen über die Eignung von Zahlenverhältnis bzw. Intervall als Modell für Tonbeziehungen. P. verzichtet ab Harm. 1,6 auf Zitate und paraphrasiert 1,9–15 nur noch. Die Unvermitteltheit, mit der das *Hyp.* endet, wird nur dadurch gemildert, daß bis Harm. 2,7 sämtliche Tonsysteme schon erörtert sind.

Das *Hyp.* enthält die ältesten Belege für die Entdeckung der musikalischen Zahlenverhältnisse durch Pythagoras (Xenokrates) [10. 207] und für die → Sphärenharmonie (→ Archytas [1]) [7. 159]. Es wurde durch Ptolemaios-Scholiasten exzerpiert [6. lxxvi] und von GAFFURIUS in *De Harmonia* (1518, 2,15 und 18) erwähnt. Neuere Stud. behandeln vorwiegend Textprobleme [9. 322; 14. 8; 13. 198; 3; 12]. Zitate aus Ailianos [2], Didymos [1], Herakleides [21], Panaitios, Ptolemais und Theophrastos sind bei [4], aus Thrasyllus bei [5] und bei [11. 131–132] übersetzt.

→ Hypomnema; Kommentar; Ptolemaios [65]

ED.: 1 I. DÜRING, P. Komm. zur Harmonielehre des Ptol., 1932.
LIT.: 2 H. ABERT, Musikanschauung des MA, 1905
3 B. ALEXANDERSON, Textual Remarks on Ptol. Harm. and Porph. Comm., in: Studia Graeca et Latina Gothoburgensia 27, 1969, 19–64 4 A. BARKER, Greek Musical Writings 2, 1989 5 H. DÖRRIE, La manifestation du Logos dans la creation, in: J. BONNAMOUR (Hrsg.), Neoplatonisme, FS J. Trouillard, 1981, 141–157 6 I. DÜRING, Die Harmonielehre des Klaudios Ptolemaios, 1930 7 Ders., Ptolemaios und P. über die Musik, 1934 8 J. HANDSCHIN, Der Toncharakter, 1948 9 C. HÖEG, Rez. von [1], in: Gnomon 10, 1934, 318–326 10 F. LEVIN, πληγή and τάσις in the Harm. of Klaudios Ptolemaios, in: Hermes 108, 1980, 205–229 11 Dies., The Manual of Harmonics of Nicomachus, 1994 12 S. OLSON, An Emendation in Porph. Comm., in: CQ 46, 1996, 596 13 T. J. MATHIESEN, Ancient Greek Music Theory. A Catalogue Raisonné of Manuscripts, 1988 14 W. THEILER, Rez. von [1], in: GGA 198, 1936, 196–204 15 A. WIFSTRAND, EIKOTA 3, 1933–1934. R.O.HA.

Porphyrogennetos (πορφυρογέννητος, »im Purpur geboren«) diente als Beiname (nicht als Titel) für Kinder, die einem Kaiser in seiner Amtszeit geboren wurden (→ Konstantinos [1] VII.). Die griech. Form *p.* bezeichnete beide Geschlechter, die lat. unterscheidet sie (*porphyrogenitus* bzw. *-a*). Eine ähnliche lat. Version (*natus in purpure*) ist bereits für Honorius [3] (geb. 384 n. Chr.) belegt, eine griech. (ἐν τῇ πορφύρα/*en tēi porphýrāi*) für Theodosius II. (geb. 401). In offiziellen Texten erscheint das Adj. in lat. Form im 8. Jh., in griech. erst E. des 9. Jh., wohl zur Betonung dynastischer Kontinuität und der Herrschaftslegitimation. Möglicherweise verbindet sich mit dem Wort *p.* schon seit dem 5. Jh. n. Chr. eine Geburt in einem speziellen, mit Porphyr verkleideten Gebäude der kaiserlichen Palastanlage.

1 G. DAGRON, Nés dans la pourpre, in: Travaux et Mémoires (Centre de Recherche d'Hist. et. Civ. de Byzance) 12, 1994, 105–142 2 F. TINNEFELD, Rez. zu [1], in: Deutsches Archiv für Erforschung des MA, 51, 1995, 618 f. W.ED.

Porrima (auch *Antevorta*: Macr. Sat. 1,7,20; oder *Prorsa*: Gell. 16,16,4). P. ist die Superlativform von lat. *porro* (»fern«), analog zur Ableitung *Hekátē* (→ Hekate) von griech. *hekás*. Als Begleiterin (Ov. fast. 1,633 ff.; Macr. l.c.) oder Schwester (Ov. l.c.) der → Carmentis oder identisch mit dieser (Gell. l.c.) weiß P. Vergangenes, ihre Schwester → Postverta Zukünftiges. P. gilt auch als Geburtsgöttin, die Geburten mit den Füßen voran besorgt, während Postverta sich um Geburten mit dem Kopf voran kümmert (Gell. l.c.). S.T.

Porsenna. P., Lars. Etrusker, König von → Clusium (h. Chiusi) am E. des 6. Jh. v. Chr. (*Porsena* bei Hor. epod. 16,4; Macr. Sat. 2,412; inschr. *Porsina*, CIL VI 32919; griech. Πορσίνας/*Porsínas*: Dion. Hal. ant. 5,21,1; wohl etr. Eigenname, vielleicht auch abgeleitet von → *zilath purthne*, der Bezeichnung für das oberste Amt in etr. Städten).

Nach röm. Überl. (Liv. 2,9,1–14,9; Dion. Hal. ant. 5,21,1–34,5) wollte P. den zu ihm geflüchteten → Tarquinius Superbus wieder als König in Rom einsetzen, zog aber beeindruckt vom heldenhaften Widerstand der Römer (s. → Horatius [4] Cocles; → Mucius [I 2] Scaevola; → Cloelia [1]) wieder ab und schenkte den Römern sein Lager mit allen Vorräten (daher angeblich die Formel *bona Porsinae regis* bei der Versteigerung von Beute; Liv. 2,14; Plut. Poplicola 19,9–10). Der v. a. von [1. 44–81] analysierte historische Kern der Erzählung zeigt P. dagegen im Rahmen einer allg. Unruhe in Mittelitalien eher als Condottiere an der Spitze einer Kriegergruppe (vgl. → Lapis Satricanus und [2. 143–145]), die Tarquinius – vielleicht im Einverständnis mit der röm. Oberschicht – vertrieb, dann aber selbst Rom als Basis für Raubzüge nach oder die Eroberung von Latium nutzen wollte. P. ist demnach der »achte König« Roms, der die Stadt in der Hand seines Sohnes → Arruns [2] beließ und sich nach Clusium zurückzog; dort befindet sich nach Plinius (nat. 36,91) sein Grabmal. Erst die Niederlage des Arruns gegen eine Koalition von Latinern und dem Stadtherrscher (»Tyrann«) → Aristodemos [5] von Kyme [2] bei Aricia (505/4 v. Chr.; vgl. Dion. Hal. ant. 7,3–11) setzte dem Königtum ein Ende und erlaubte die Entwicklung zur röm. Republik.

Neben den Heldenmärchen lebte in Rom die Erinnerung an eine Niederlage gegen P. (Tac. hist. 3,72; Plin. nat. 34,139) in einer Trad. weiter, die über Timaios auf eine Stadtchronik von Kyme zurückging und somit nicht dem Zwang zur patriotischen Umformung unterlag.

1 A. ALFÖLDI, Das frühe Rom und die Latiner, 1977 (engl. 1965) 2 T. J. CORNELL, The Beginnings of Rome, 1995, bes. 215–218. W.ED.

Port of Trade (Handelsplatz) beschreibt im theoretischen Modell Karl POLANYIS eine Niederlassung, die als Kontrollpunkt im Handel zw. zwei Kulturen mit verschiedenartig strukturierten wirtschaftlichen Institutionen fungiert. Im typischen Fall befindet sich ein P. zw.

einer marktlosen Ges. und einer Marktwirtschaft oder professionellen Fernhändlern, die einem Marktsystem angehören. Ein typisches Beispiel hierfür ist der frühe Handel der Karthager (→ Karthago) mit Stämmen Westafrikas (Hdt. 4,196). Der P. kann unabhängig von beiden am Austausch beteiligten Ges., aber auch von der Handels- oder der Landmacht beherrscht sein. POLANYI betrachtete den von einer marktlosen Macht beherrschten P. als Einrichtung, die den Staat vor den Einflüssen der fremden Händler schützen sollte; er diente sowohl polit. als auch wirtschaftlich als Pufferzone zw. den Händlern und dem Hinterland, dessen Produkte verkauft oder für das Produkte gekauft wurden. Der Handel war streng kontrolliert und auf offizielle Kanäle beschränkt, der lokale Kleinhandel und der Fernhandel vollständig voneinander getrennt.

→ Hafen, Hafenanlagen; Handel; Markt

K. POLANYI, Ökonomie und Ges., 1979, 284–299.   S. v. R.

Porta Asinaria; P. Aurelia; P. Caelemontana; P. Capena; P. Carmentalis; P. Collina; P. Esquilina; P. Sanqualis; P. Trigemina (Tore in Rom) s. Roma III. (mit Karte)

Porta Triumphalis. Bau in Rom, über den die ant. Zeugnisse spärlich sind [1] und dessen Lokalisierung sowie Verhältnis zur Stadtmauer nach wie vor umstritten sind. Der Zug des → Triumphs zog immer durch dieses Tor (Cic. Pis. 23,55; Ios. bell. Iud. 7,130f.), das an der Sakralgrenze Roms, dem → Pomerium, und nicht in erster Linie in der Stadtmauer zu suchen ist, auch wenn beides in bestimmten Phasen der Stadt-Gesch. zusammenfallen konnte. Das rituelle Betreten des Bereichs *domi* (»zu Hause«), aus dem Bereich *militiae* (»im Felde«) kommend, mag Entsühnungs-, Reinigungs- oder Durchgangsfunktion gehabt haben und besaß hohe Symbolkraft.

Die P. T. muß in der Gegend des nördlichen Forum Boarium zw. → Capitolium und Tiber gelegen haben, wo weder der Verlauf der Stadtmauer noch der des Pomeriums bekannt sind. In der Forsch. sind zur Positionierung der P. T. im nördlichen Forum Boarium, aber auch fälschlich für das südliche Forum Boarium [2] etliche Vorschläge gemacht worden [6], die sich aber nicht bewährt haben oder Hypothese geblieben sind, so auch zuletzt die Thesen, welche Fundamentreste im Areal des Tempels der Mater Matuta bei S. Omobono als Teil eines hadrianischen Neubaus der P. T. deuten [3] oder die P. T. und Porta Carmentalis gleichsetzen [4]. Fest steht aber, daß die P. T. zahlreiche Neubauten bis in die hohe Kaiserzeit erfuhr.

→ Pomerium; Roma III. (mit Karte); Triumph

1 G. LUGLI, Fontes ad Topographiam Veteris Urbis Romae pertinentes 1, 1952, 196–199 2 M. PFANNER, Codex Coburgensis Nr. 88: Die Entdeckung der P. T., in: MDAI(R) 87, 1980, 327–334 3 F. COARELLI, Il Foro Boario dalle origini alla fine della repubblica, 1988, 363–414 4 RICHARDSON, s. v. Porta Carmentalis, 301 5 G. BRANDS,

M. MAISCHBERGER, Der Tempel des Hercules Invictus, die Porta Trigemina und die P. T., in: Riv. di Archeologia 19, 1995, 102–120 6 F. COARELLI, s. v. P. T., LTUR 3, 1996, 333 f.   DI. WI.

Portae Caspiae (Plin. nat. 6,30; Πύλαι Κάσπιαι/*Pýlai Káspiai*: Hekat. FGrH 1 F 286; Strab. 11,5,4; 11,12,5; Θύραι Κάσπιαι/*Thýrai Káspiai*: Ios. ant. Iud. 18,4,4). Der h. Paß von Sirdara im Elbursgebirge (→ *Caspii montes*), zw. → Media und → Parthia, 60 km nö von Teheran. Zugleich wurde der Name auch für die Straße von Darband am Westufer des Kaspischen Meeres gebraucht.

M. SCHOTTKY, Parther, Meder und Hyrkanier, in: AMI 24, 1991, 61–135, bes. 123.   A. P.-L.

Portentum s. Prodigium

Porthaon (Πορθάων, »der Zerstörer«, auch Πορθεύς/ *Portheús*: Hom. Il. 14,115 und lat. *Parthaon*: Ov. met. 8,542; 9,12; Hyg. fab. 175; Stat. Theb. 1,670; 2,726). Sohn des → Agenor [3] und der Epikaste (Apollod. 1,59), Gatte der Euryte, König in Pleuron und Kalydon. Vater von → Oineus, Agrios und Melas (nur diese bei Hom. l.c., somit Urgroßvater des → Diomedes [1]). Weiterhin Vater von Alkathoos, Leukopeus, Sterope (Apollod. 1,63) sowie Laokoon [2] (Hyg. fab. 14,17; Apoll. Rhod. 1,191). Bedeutend nur als Vater des Oineus.   S. T.

Porthmos (Πορθμός, »Fährplatz«).

[1] Meerenge von → Salamis und gleichnamige Fährstation dorthin (Hdt. 8,76,91; Aischin. 3,158). Grenzsteine des Fährhafens wurden im Peiraieus gefunden (πορθμείων ὅρμου ὅρος, IG I³ 1104 [1. 446]). Das Herakleion der Salaminioi beim P. (SEG 21, 527 Z. 10f., 16) ist nicht identisch mit jenem in Sunion (SEG 21, 527 Z. 84, 94f.), P. bezeichnet daher nicht die Meerenge bei Puntazeza im *dḗmos* Sunion.

1 W. JUDEICH, Top. von Athen, ²1930 2 H. LOHMANN, Wo lag das Herakleion der Salaminier ἐπὶ Πορθμῷ?, in: ZPE 133, 2000, 91–102.   H. LO.

[2] Küstenort am südl. Golf von Euboia, 24 km östl. von Eretria [1] beim h. Aliveri. Hafen der ant. Polis → Tamynai; Teile der Befestigung sind noch erh. P. gehörte schon im 5. Jh. v. Chr. zu Eretria. Im Zusammenhang mit dem Ringen → Philippos' [4] II. und der Athener um den Einfluß auf Euboia wird P. öfters von Demosthenes erwähnt. P. wurde 342 von den → Makedones besetzt, die Mauer zerstört (vgl. Demosth. or. 9,33 mit schol. 57f.; 10,8; 18,71; Strab. 10,1,10; Plin. nat. 4,64). In byz. Zeit war P. Bistum (Hierokles, Synekdemos 645,7). Inschr.: IG XII 9, 96–121; Suppl. 540–543.

E. FREUND, s. v. P., in: LAUFFER, Griechenland, 562.   A. KÜ.

Porticus I. Definition II. Funktion

I. Definition

P. ist das lat. Wort für die griech. → stoá, eine überdeckte Säulenhalle mit Hinterschale und häufig auch Seitenmauern. Die Säulen konnten in antis, prostyl sowie zw. Wangenmauern stehen. Die ein- oder mehrschiffige P. war normalerweise linear und einstöckig, konnte aber auch gerundet (*p. absidata*) und zweistöckig sein. Im Gegensatz zur griech. Stoa war die röm. P. nur selten freistehend. *Porticus* befanden sich meist entlang einer Straße oder vorgelagerten Fläche sowie an einer oder mehreren Seiten eines Hofes. Als Peristylhof (→ Peristylium) bezeichnete P. auch ein selbständiges Gebäude. Ein Ausnahmebeispiel ist die schon 193 v. Chr. erbaute P. Aemilia beim Tiber in Rom, die ein Lagergebäude mit Reihen von gewölbten Räumen war und deshalb nicht der üblichen Definition von P. folgte.

Mit Cryptoporticus (→ Crypta) wird ein unterirdischer Korridor mit Lichtschlitzen bezeichnet, der entlang oder um einen Hof herum lief und oft Träger einer aufgehenden P. war (Plin. epist. 2,17,16).

II. Funktion

P. waren multifunktionale Gebäude und zählten zu den geläufigsten Bautypen der ant. Stadt. Obwohl P. auch in Privathäusern unter dem Einfluß der Hellenisierung Italiens als Peristylhöfe eingeführt wurden, kamen P. im Imperium Romanum vorwiegend im öffentlichen Bereich vor. Sie schützten vor Sonne und Regen, wurden als gesellschaftlicher Treffpunkt sowie für polit. und rel. Aktivitäten genutzt. Die P. war oft mit der → Basilika gekoppelt und wurde häufig in Verbindung mit einem → Forum erbaut, z. B. bei den Kaiserfora in Rom. Die P. konnte auch in Heiligtümern verschiedene Funktionen erfüllen und – als *p. triplex* – den Tempel umgeben, z. B. im Heiligtum des Hercules in Tibur und dem der Iuno in Gabii. In Rom baute man in Peristylhöfe häufig Tempel, z. B. lagen in der 146 v. Chr. errichteten P. Metelli (später P. Octaviae benannt) die Tempel für Iuppiter Stator und Iuno Regina. Diejenigen Peristylhöfe, die oft in Verbindung mit Theatern hinter dem Bühnengebäude lagen, wie z. B. in Pompeii (Vitr. 5,9) und Ostia, konnten von den Zuschauern genutzt werden. Die P. hinter dem Pompeius-Theater in Rom war als Garten ausgestattet. In den Thermen wurden P. sowohl als Bezeichnung für die säulenumstandenen Palaistren (am frühesten in Verbindung mit den Stabianer Thermen von Pompeii, 80–50 v. Chr., erwähnt, CIL XII 829) als auch für die mit Räumen versehenen Umfassungsmauern benutzt (Kaiserthermen, SHA Alex. 25,6).

Die P. wurde auch in die Architektur des Christentums übernommen. So besaßen die Vorhöfe der Kirchen (→ Atrium) sowie die Höfe der Klöster normalerweise P.

R. Etienne (Hrsg.), Les cryptoportiques dans l'architecture Romaine, 1972 · A. Nünnerich-Asmus, Basilika und Portikus, 1994.   I. N.

Portitor s. Portorium

Portlandvase I. Gegenstand, Geschichte
II. Stil und Datierung
III. Darstellung und Deutung
IV. Technik V. Wirkung

I. Gegenstand, Geschichte

Amphora aus Glas mit weißen Relieffiguren auf blauem Grund, London, BM, H: 245 mm; eine Kameoglasscheibe ersetzt in ant. Reparatur das fehlende Unterteil. Die P. befand sich 1600/01 in der Slg. des Kardinals Francesco del Monte in Rom, wurde 1784 durch die Herzogin von Portland erworben und war seit 1810 als Leihgabe im BM deponiert. 1845 wurde sie zerschmettert und wieder zusammengefügt, 1945 vom BM erworben, schließlich 1948/49 und 1988/89 erneut restauriert [11. 7–13; 23. 1–2; 28. 24–102; 29].

II. Stil und Datierung

Der Vergleich mit der sog. Triumphalprägung des Octavianus ergibt eine Datier. bald nach 30 v. Chr. [23. 50–51; 30. 30]. Die Behandlung der Körper, weniger die der Köpfe und Haare, steht signierten Werken des → Dioskurides [8] (vgl. [30. 41]) nahe, dessen Werkstatt die P. zugeschrieben wurde [26. 62; 28. 125].

III. Darstellung und Deutung

Die Pan-Masken am unteren Ansatz der Henkel teilen den Fries in zwei Dreifigurenbilder; Seite I: Figuren A, C, D (und Amor: B), Seite II: Figuren E-G [11; 20. 33; 28. 188–189]. In sakral-idyllischer Landschaft sitzt bzw. liegt in der Mitte jeder Seite eine Frau. Auf Seite I umfängt diese (C) einen schlangenleibigen Drachen und umfaßt den ausgestreckten Arm eines von links nahenden Jünglings (A); über ihr schwebt Amor (B), rechts steht ein Bärtiger (D). Auf Seite II betrachten zwei Sitzende eine Frau (F): links ein Jüngling (E), rechts eine szepterhaltende Frau (G). Die Bodenscheibe gibt den Oberkörper eines Jünglings in Phrygertracht wieder.

Die Darstellungen sind singulär. Die P. war sicherlich eine Auftragsarbeit. Wie die Hofkameen (→ Steinschneidekunst) war sie nur für einen exklusiven Kreis von Betrachtern bestimmt, dem die Deutung bekannt war. Für die arch. Interpretationskunst stellt sie seit dem 17. Jh. eine der größten Herausforderungen dar (Übersichten über die Deutungen: [11. 27–32; 20. 42–45; 23. 77; 28. 172–176]). Unstrittig ist die Identifizierung Amors (B), weitgehende Einigkeit herrscht über die von G als Aphrodite/Venus. Unter den Deutungen aus dem Mythos ist die häufigste für Seite I: Peleus, Thetis, Poseidon oder Zeus (Winckelmann und [1; 4; 10; 13; 14; 18]). Mit der Peleus-Thetis-Deutung werden verschiedene Interpretationen von Seite II verknüpft, u. a.: Achilleus, Helena, Aphrodite auf der Insel der Seligen [1; 4; 14; 15]; Lykomedes, Deidameia, Personifikation von Skyros [3]; Aeneas, Dido, Venus [13]; Theseus, Ariadne, Aphrodite [18]; Paris, Helena, Aphrodite [10]. Haynes [11. 16–21; 12. 146–151] sieht eine fortlaufende Erzählung: Seite I: Peleus wird begrüßt von Doris oder Tethys im Beisein von Nereus oder Okeanos und von Amor zu Thetis (Seite II) geleitet, Seite II: Hermes, Thetis, Aphrodite. Weitere Vorschläge sind: Seite I: Theseus, Amphitrite, Poseidon, Seite II: Theseus, Ariadne, Aphrodite [9; 19]; I: Dionysos, Personifikation von Naxos, Poseidon, II: Ares, Ariadne, Aphrodite ([2], dagegen: [9. 136]); I: Perseus, Andromeda, Poseidon, II: Theseus, Ariadne, Aphrodite [6]; I: Iasion, Demeter, Zeus, II: Adonis, Persephone, Aphrodite [5].

Die Beziehung auf eine Meeressage stützt sich auf die Deutung des Drachens als Meeresungeheuer (κῆτος, *kḗtos*). Dessen hundeähnlicher Kopf kann jedoch nicht mehr als Argument gegen die Identifizierung als Schlange dienen [5. 111–114; 20. 38; 16. 95–96; 28. 133]; der dreizipfelige Bart ist mit Bärten von Schlangen, die zusammen mit → Laren abgebildet wurden, vergleichbar (→ Genius). Wesentlich für die Deutung ist die erotische Beziehung zw. A und C, zw. C und Schlange (so [1. 6; 6. 211; 23. 13–14], dagegen: [9; 11; 12; 19]. Die myth. Interpretationen rechnen entweder mit einem in der Bildkunst bekannten Mythos in ungewöhnlicher Ikonographie oder der Darstellung nur lit. überl. Sagen [1. 11; 5].

Dieser Aporie setzt SIMON eine Interpretation aus der röm. Legende entgegen [16. 89–96; 23; 25]: die Beziehung auf die Geburtslegende des → Augustus, wonach seine Mutter → Atia ihn beim rituellen Schlaf im Tempel des Apollo von einer Schlange (lat. *draco*, griech. δράκων/*drákōn*) empfangen habe (Suet. Aug. 94,4; Cass. Dio 45,1,2). Seite II: Apollo erblickt die schlafende Atia im Beisein der Venus Genetrix, Seite I: Apollo-Veiovis in menschlicher und Schlangen-Gestalt vereint sich mit Atia in Anwesenheit des Quirinus-Romulus [23. 21–22], Chronos [25. 165] oder Tiberinus [16. 96]. Die Deutung stützt sich auf gleichzeitige Zeugnisse der – wie die P. zur privaten oder halboffiziellen Sphäre gehörenden – Gattung der Gemmen (→ Steinschneidekunst): ein Kameoglas mit Sol-Apollo-Schlange von ähnlicher Gestalt wie auf der P., 37–16 (wohl vor 31) v. Chr. [16. 95–96]; Gemmen mit der schlafenden Atia, der sich der *draco* nähert, ca. 50–25 v. Chr. ([23. 17–19]; 16. 95]; der Atia-Legende vergleichbar: [25. 164; 247]). Eingewandt wurde, daß Seite II als Vorspiel zu I zu wenig Eigenbedeutung habe [20. 38–39; 28. 134]. Bei der Deutung I: Marcellus, Atia, Quirinus (oder Tiber), II: Augustus-Apollo-Veiovis-Terminus, Iulia, Venus [22] sind die Umarmung des in ihrem Todesjahr noch ungeborenen Enkels (A) durch (C) und das Fehlen der erotischen Komponente problematisch. Dem Vorschlag I: Augustus, Atia, Neptun, II: Paris, Hecuba, Venus [20; 28. 130–136] steht entgegen, daß Amor auf I, die Situation auf II A und E als Liebhaber bezeichnen.

Die Büste der Bodenscheibe wird als Paris [7. 99–100, Nr. 5; 8. 66–67; 11. 25–26; 28. 21–23], als Attis [23. 52; 16. 92] oder Iulus Ascanius [13. 25] gedeutet.

IV. TECHNIK

Die in augusteischer Zeit geschätzte reine Zweifarbigkeit von Kameen mit weißen Figuren auf dunklem Grund war bei Achatgefäßen nicht erreichbar, ließ sich jedoch mit Glas künstlich erzielen. Der Rohling der P. wurde wahrscheinlich im sog. Hafenüberfang hergestellt, d. h. der in weißes Glas getauchte blaue Vasenkörper wurde mit der Glasmacherpfeife aufgeblasen [27. 27; 28. 108–118]. Die Figuren sind wie bei Lagenachat geschnitten. Das Verfahren wurde in Kopie nachvollzogen [27]. In technischer Hinsicht neu war nicht der Schnitt an der mit rotierenden Rädchen ausgestatteten Werkbank des Gemmenschneiders, die im Mittelmeerraum bereits seit Mittelminoisch II und wieder ab dem 6. Jh. v. Chr. verwendet wurde und an der seit dem 3.–2. Jh. v. Chr. große Kameen aus Lagensteinen und Achatgefäße geschnitten wurden (→ Steinschneidekunst); relativ neu war vielmehr die Verwendung der im 2. Viertel des 1. Jh. v. Chr. erfundenen Glasmacherpfeife [28. 129] (→ Glas). Nach einer nicht im praktischen Versuch überprüften Theorie wäre die P. in einer Form nach einem Modell aus Wachs oder Ton auf der Töpferscheibe gepreßt worden [16. 67–89]. Dagegen sprechen unverkennbare Spuren der Gemmenschneiderwerkzeuge, auch Hinterschneidungen sowie die plastische Ausarbeitung der Zehenunterseiten des rechten Fußes von G [11. 23; 28. 128; 20. 31].

V. WIRKUNG

Die P. wurde seit dem frühen 17. Jh. durch Zeichnungen bekannt. Viele kunstinteressierte Rombesucher betrachteten sie [28. 24–37]. Kopien der P. durch Josiah WEDGWOOD in sog. *jasperware* standen am Beginn der Produktion der weiß-blauen Wedgwood-Keramik [28. 47–56]. Erasmus DARWIN bietet in dem Gedicht *The Botanic Garden* (1791) eine allegorische Deutung [11. 29–30; 30. 56–61].

→ Glas; Steinschneidekunst

1 B. ASHMOLE, A New Interpretation of the P. V., in: JHS 87, 1967, 1–17 2 F. L. BASTET, De Portlandvas, in: Nederlands Kunsthistorisch Jaarboek 18, 1967, 1–29 3 E. L. BROWN, Achilles and Deidamia on the P. V., in: AJA 76, 1972, 379–391 4 C. W. CLAIRMONT, A Note on the P. V., in: AJA 72, 1968, 280–281 5 B. FEHR, Die P. oder: Die kleinen Freiheiten einer entmachteten Elite, in: Hephaistos 13, 1995, 109–124 6 F. FELTEN, Neuerlich zur P., in: MDAI(R) 94, 1987, 205–222 7 S. M. GOLDSTEIN, L. S. RAKOW, J. K. RAKOW (Hrsg.), Cameo Glass, 1982 8 D. B. HARDEN, K. S. PAINTER, in: D. B. HARDEN (Hrsg.), Glas der Caesaren, 1988, 53–67 9 E. B. HARRISON, The P. V.: Thinking It Over, in: L. BONFANTE (Hrsg.), Essays in Memoriam O. Brendel, 1976, 131–142 10 S. J. HARRISON, The P. V. Revisited, in: JHS 112, 1992, 150–153 11 D. E. L. HAYNES, The P. V., 1964, ²1975 12 Ders., The P. V.: a Reply, in: JHS 115, 1995, 146–152 13 J. G. F. HIND, Greek and Roman Epic Scenes on the P. V., in: JHS 99, 1979, 20–25 14 Ders., The P. V.: New Clues towards Old Solutions, in: JHS 115, 1995, 153–155 15 Ders., Achilles and Helen on White Island in the Euxine Sea: Side B of the P. V., in: G. R. TSETSKHLADZE (Hrsg.), New Studies on the Black Sea Littoral, 1996, 59–62 16 R. LIERKE et al., Ant. Glastöpferei,

1999 **17** LIMC 1, 1981, Achilleus 184; Aineias 213; 2, 1984, Apollon/Apollo 499; 4, 1988, Helene 378; 7, 1994, Skyros 2; 8, 1997, Ketos 33; Oceanus 106 **18** H. MEYER, Griech. Mythen in röm. Kontexten: Die Ara Telesina und die P., in: Boreas 12, 1989, 123–134 **19** H. MÖBIUS, Die Reliefs der P. und das ant. Dreifigurenbild (ABAW N. F. 61), 1965 **20** K. PAINTER, D. B. WHITEHOUSE, The P. V., in: M. NEWBY, K. PAINTER (Hrsg.), Roman Glass. Society of Antiquaries of London. Occasional Papers 13, 1991, 33–45 **21** G. PLATZ-HORSTER, Nil und Euthenia (BWPr 133), 1992 **22** L. POLACCO, Il Vaso Portland, venti anni dopo, in: N. BONACASA (Hrsg.), Studi e Materiali 6. FS A. Adriani, 1984, 729–743 **23** E. SIMON, Die P., 1957 **24** Dies., Drei ant. Gefäße aus Kameoglas in Corning, Florenz und Besançon, in: Journ. of Glass Studies 6, 1964, 13–33, bes. 19 **25** Dies., Augustus, 1986, 162–165 **26** M.-L. VOLLENWEIDER, Die Steinschneidekunst und ihre Künstler in spätrepublikanischer und augusteischer Zeit, 1966 **27** J. WELZEL, Die Amphore des Kaisers. Ausst. Glasmuseum Wertheim u. a., 1992 **28** D. B. WHITEHOUSE (Hrsg.), The P. V. (Journ. of Glass Studies 32), 1990 **29** N. WILLIAMS, The Breaking and Remaking of the P. V., 1989 **30** E. ZWIERLEIN-DIEHL, Das Onyx-Alabastron aus Stift Nottuln in Berlin (BWPr 138), 1999.　　　　　E. Z.-D.

Portorium. Allg. röm. Bezeichnung für den → Zoll. Urspr. wohl nur im → »Hafen« (*portus*) erhoben (Herleitung von *porta*, »Pforte« bei [1. s. v.]), mit der Ausbreitung der röm. Herrschaft in It. und den Prov. auf alle Land- und Seezölle erweitert. Die Erhebung des *p.* wurde Pachtgesellschaften (→ *publicani*) überlassen, die sich dazu eines umfangreichen Stabs aus Sklaven und Freigelassenen, den *portitores* (»Zöllnern«), bedienten. Seit dem 2. Jh. n. Chr. erhob der Staat allmählich den Zoll mit eigenem Personal (vgl. → *procurator*). Zu zollpflichtigen Waren, Höhe und gesetzlichen Regelungen s. → Zoll.

1 WALDE/HOFMANN.

S. J. DE LAET, P., 1949.　　　　　　　　　W. ED.

Porträt I. ALLGEMEINES
II. GRIECHISCHES PORTRÄT
III. ITALISCHES UND RÖMISCHES PORTRÄT

I. ALLGEMEINES

Nach neuzeitlicher Definition ist ein P. die Wiedergabe eines individuellen Menschen in seiner erkennbaren Erscheinung. Dazu dienen typologische und physiognomische Kennzeichnungen; diese fehlen beim intendierten P., das sich nur durch die P.-Absicht oder Namensbeischrift zu erkennen gibt. Das typologische P. beschreibt die Person anhand kanonischer Merkmale als zu einer Gruppe gehörig. Das physiognomische P. gewährleistet durch Wiedergabe körperlicher Merkmale eine Identifizierung des Individuums. Beim erfundenen P. werden psychologisierende und typisierende Vorstellungen in physiognomische Züge umgesetzt. Die Gesamtheit aller visuellen Signale ist aus einem jeweils aktuellen und vertrauten Formenkatalog gegriffen. For-

men und Funktionen des P. sind somit auf gesamtkulturelle Erwartungen und Vorurteile bezogen. Das P. unterscheidet sich durch positive Darstellung und Absichtlichkeit von → Karikatur und zufälliger Dokumentation.

Innerhalb der griech.-röm. → Plastik bildet das P. eine der umfangreichsten Gattungen. Seine Erforschung diente von der Renaissance bis in das 18. Jh. der visuellen Vergegenwärtigung histor. Persönlichkeiten. Heute namenlose P. fanden erst im 19. Jh. Interesse als Material für Charakterstudien, für moralische und ethnische Bewertungen. Im frühen 20. Jh. wurden kunsttheoretische Kategorien wie Idealisierung und Verismus am ant. P. entwickelt. Die aktuellen Fragen an das P. gelten seiner Entstehung, Verbreitung und politischkulturellen Funktion.

Material für die Forsch. sind überwiegend rundplastische P., zu großem Teil röm. Kopien. Gemalte P. sind abgesehen von ägypt. → Mumienporträts fast nicht erh. Die Identifizierung mit histor. bekannten Personen geschieht zuverlässig nur durch Münz-P. und Inschr. Die kulturgesch. und histor. Interpretation des P. stützt sich auf ant. Schilderungen von Aufstellungskontexten bzw. entsprechende arch. Befunde. Grundlegend sollten dabei die ant. Definitionen und Interpretationen sein. Laut Plinius hatten in Olympia nur dreimalige Sieger das Recht auf eine Siegerstatue mit körperlicher *similitudo* (Ähnlichkeit), die man (*statua*) *iconica* nenne; dieses Recht auf eine öffentl. Statue sei wohl erstmals den Tyrannenmördern → Harmodios und → Aristogeiton zuteil geworden (Plin. nat. 34,16 f.). Das ant. P. setzt demnach nicht das physiognomische Wiedererkennen voraus; es kann auch einzig durch inschr. Benennung definiert sein und ist in diesem Falle ein Benennungsporträt.

Ant. lit. Beschreibungen einzelner P. konzentrieren sich meist auf wenige physiognomische oder pathognomonische Details, die entsprechend den physiognomischen Schriften des 4. Jh. v. Chr. gedeutet werden konnten (→ Physiognomie); beliebige individuelle Züge des Porträtierten waren von geringerer Bed. Dementsprechend prägte das Wechselspiel zw. formelhafter Charakterisierung und wirklichkeitsgetreuer Wiedergabe das ant. P. bis in die Spätant. Der Sinn des P. lag für die Ant. immer darin, Träger einer Botschaft an die Ges. zu sein. Das Münzbildnis war daher ein wichtiges Medium der polit.-staatlichen Propaganda und Repräsentation. Die Formelhaftigkeit des ant. P. erlaubte es auch, die zugehörigen Körper ohne jegliche somatische Ähnlichkeit durch entsprechende Bewegungsschemata und Gewandung zu Trägern weiterer P.-Aussagen zu machen; eine individuelle Körperwiedergabe kennt die Ant. hingegen nicht. Frauen und Kinder sind aufgrund ihrer reduzierten öffentlichen Rolle im P. sowohl typologisch als auch physiognomisch weniger differenziert und akzentuiert dargestellt.

Die formalen Möglichkeiten des P. waren vielfältig. In der Rundplastik war die häufigste Form die einzelne oder zu Gruppen gestellte P.-Statue. Auf den Kopf reduzierte Formen wie → Herme, → Büste und → Clipeus verbreiteten sich ab späthell. Zeit. In der Reliefplastik ist das P. von der Archaik bis in die Spätant. eine durchgehende Erscheinung. In erzählerischem Kontext begegnet das P. auf histor. Reliefs und auf Schmuckreliefs mit lit. Sujets. Auf Mz. ist das herrscherliche P. in Hell. und Kaiserzeit eines der häufigsten Motive. Die Glyptik (→ Steinschneidekunst) kennt sowohl das histor. Erinnerungsporträt wie auch das herrscherliche und das private P. Gemalte P. sind ab dem 5. Jh. v. Chr. anhand lit. Zeugnisse nachgewiesen. In der Buchmalerei waren sie bedeutend für die Tradierung benannter P.

II. Griechisches Porträt

Nach den frühesten magischen P. aus Jericho (7. Jt.: Gips über Totenschädeln) und nach typengebundenen P. in Äg. und im Vorderen Orient erscheint das physiognomische P. als eigene Entwicklung der griech.-röm. Kultur. Es entwickelte sich jedoch ebenfalls aus der typisierenden Menschendarstellung. In der aristokratischen Ges. der Archaik (6. Jh. v. Chr.) waren → Statuen im Typus von Kuros, Kore, Reiter und Schreiber oft Benennungsporträts, die nur durch Namensbeischriften identifiziert werden konnten; die Mimik des Lächelns ebenso wie die Namensbeischriften demonstrierten die Einordnung in die Familie und in Verhaltensnormen und galten nicht der Unverwechselbarkeit einer Person.

Auch in klass. Zeit verblieb das P. in einem allmählich erweiterten Typenspektrum: Strategen werden mit Helm und Bart an ihrem Status gemäß definiert; auf Grabreliefs (→ Relief) unterscheiden sich die Familienmitglieder entsprechend dem Alter. Die Unterlassung persönlicher Kennzeichnung in der Physiognomie verdeutlicht eine bewußte Akzeptanz der demokratischen Bürgerrolle. Nur in Einzelfällen erhält ein P. scheinbar individuelle Züge und pathognomonische Formeln, um die polit. oder charakterliche Einmaligkeit einer Person anzuzeigen, ohne daß damit die realen Züge wiedergegeben sein müssen (Themistokles).

Ab dem späten 5. Jh. v. Chr. führten veränderte Verhaltensnormen zu einer intensiveren Wahrnehmung des Einzelmenschen und seiner unverwechselbaren Eigenheiten. Im P. äußert sich dies zuerst bei P. von Personen des Geisteslebens (z. B. Philosophen); mimische Formeln für Eigenschaften wie Energie oder Nachdenklichkeit zeigen den hervorstechenden Wesenszug des Dargestellten und zugleich seines Schaffens an; so werden Epikureer mimisch von Stoikern unterschieden. Die Veränderung vom typologischen zum physiognomischen P. des Hell. ist erstmals bei → Lysippos [2] zu greifen. Gesichtsabformungen in Wachs wurden als Hilfsmittel verwendet, um authentische Züge und selbst körperliche Defekte im P. deutend wiederzugeben. Das Interesse am Einzelmenschen führte zur Überzeichnung der Züge (Demosthenes, 280 v. Chr.; → Polyeuktos [5]).

Wie typenprägend die künstlerisch interpretierende Porträtierung einer überragenden Persönlichkeit wurde, zeigt sich an den P. von Alexandros [4] d. Gr.; seine individuellen Züge wurden rasch zum formelhaften Bestandteil späterer Herrscher-P. Hell. Dynasten zeigen im P. jeweils eine Kombination allg. gültiger Macht- und Würdeformeln mit persönlichen Erkennungszeichen. Die Verbreitung des physiognomischen P. ist an das Selbstverständnis des hell. Bürgers gekoppelt und nimmt in Exemplaren aus Athen und Delos bis zum 1. Jh. v. Chr. zunehmend veristische Formen an.

III. Italisches und römisches Porträt

In den ital. Kulturen waren Menschenbilder seit der frühen Eisenzeit häufig auf den Kopf beschränkt; sie blieben allerdings bei → Cippi und → Terrakotta-Votivköpfen ganz im magisch-intentionalen Bereich. Etr. Ganzkörperporträts auf → Sarkophagen sind bis in das 2. Jh. v. Chr. extrem typengebunden und insgesamt von hell. Würdeformeln beeinflußt.

Dem röm. P. republikanischer Zeit wies die Forsch. auf der Suche nach einer ethnisch-genuinen Kunst eine herausragende Bed. zu; Ableitungen eines veristischen P. aus den Totenmasken gelten inzwischen aber als überholt. Totenmasken sind als Hilfsmittel des Porträtisten zwar arch. nachgewiesen, doch sind sie nicht zu verbinden mit den Ahnenbildern, die bei Begräbnis und Familienkult eine Rolle spielten (Pol. 6,53). Das öffentliche Ehren-P. hingegen war seit dem späten 3. Jh. v. Chr. in Rom bekannt und entspricht den gängigen hell. P.-Möglichkeiten. Realismusformeln werden dabei neu gedeutet, indem sie z. B. die *auctoritas* als positive Altersbewertung der stadtröm. Aristokratie unterstreichen. Hell. Pathosformeln führen Härte und Stärke der Eroberer vor oder verbinden sich mit der Eleganz eines hell. Fürstenporträts (Pompeius [I 3]). Individuelle physiognomische Details gewährleisteten die Einprägung der Unverwechselbarkeit ihrer Träger. Andere kulturelle Gruppen wie *liberti* (→ Freigelassene) oder Prov.-Honoratioren übernahmen im 1. Jh. v. Chr. verstärkt die veristischen Stilelemente als Ausdruck von erfolgreichem Durchsetzungsvermögen, während in der Oberschicht mit klassizistischen Stilelementen eine Beruhigung ins Charakterbild eintrat.

In der Kaiserzeit wurde das zeitgenössische P. zum Massenphänomen. Durch Beschränkung auf den Kopf im Büstenformat und durch Wiederverwendung mit einfacher Umbenennung oder Umarbeitung war es für viele erschwinglich. Bei sepulkraler Verwendung wurde es an Kastengrabsteinen, Urnen und später an Sarkophagen im Relief angebracht. Die Forsch. zum kaiserzeitlichen P. unterscheidet zwischen Herrscher-P., wozu auch die der Kaiserfamilie gerechnet werden, und sogenannten Privat-P. Das Herrscher-P. zeigt neben einem reduzierten Spektrum an mimischen Formeln einzelne physiognomische Erkennungsmarken, die v. a. bei Frisuren (→ Haartracht) und Lockenanordnungen zu Chiffren für polit. Aussagen werden können. Münzemissionen erlauben die Identifizierung und meist auch die histor. Einordnung des jeweils verlorenen originalen P., das den Repliken eines Bildnistypus zugrunde liegt.

Eine Kopie nach verschiedenen Typen gilt als P.-Klitterung. Privat-P. weisen oft die Übernahme einzelner Chiffren des Herrscher-P. auf. Die häufige Wiederholung mimischer und physiognomischer Eigenheiten des Herrscherbildes führt zum Phänomen des sog. Zeitgesichtes. Mehrere par. Ausbildungen an Zeitgesichtern kennzeichnet das P. im 3. Jh. n. Chr.

Ab tetrarchischer Zeit (294 n. Chr.) wurden physiognomische Züge zunehmend vernachlässigt oder verzerrt und durch abstrakte Formen ersetzt, die repräsentative Werte wie Ruhe, Eleganz oder Distanz vermitteln. Aus ihnen bildeten sich in der Spätant. die jeglicher individuellen Physiognomik entledigten P.-Muster des charismatischen Herrschers, des *homo spiritualis* und des *vir illustrissimus*.

Das P. war in der Ant. ein wesentliches Medium zur Lokalisierung des Menschen in der Ges. Als Träger von allg. zugänglichen Botschaften ist es für die Forsch. von Bed., um polit., soziale und kulturelle Veränderungen und Zusammenhänge zu erkennen.

→ Mumienporträts; Statue; PORTRÄT

HERRSCHERBILD • J. BAZANT, Roman Portraiture. A History of Its History, 1995 • R. BIANCHI BANDINELLI, s. v. ritratto, EAA 6, 1965, 695–738 • B. BORG, Mumien-P., 1996 • K. FITTSCHEN (Hrsg.), Griech. P., 1988 • Ders., Prinzenbildnisse antoninischer Zeit, 1999 • Ders., P. ZANKER, Kat. der röm. P. im Capitolinischen Mus. und den anderen kommunalen Slgg. der Stadt Rom, Bd. 1–3, 1983–1994 • L. GIULIANI, Bildnis und Botschaft. Hermeneutische Unt. zur Bildniskunst der röm. Republik, 1986 • H. VON HEINTZE (Hrsg.), Röm. P., 1974 • R. VON DEN HOFF, Philosophen-P. des Früh- und Hochhell., 1994 • V. KOCKEL, P.-Reliefs stadtröm. Grabbauten, 1993 • R. KRUMEICH, Bildnisse griech. Herrscher und Staatsmänner im 5. Jh. v. Chr., 1997 • G. LAHUSEN, Die Bildnismünzen der röm. Republik, 1989 • D. METZLER, P. und Ges. Über die Entstehung des griech. P. in der Klassik, 1971 • M. NOWICKA, Le portrait dans la peinture antique, 1993 • M. G. PICOZZI, K. FITTSCHEN, s. v. ritratto, EAA, 2. Suppl., Bd. 4, 1996, 742–760 • G. M. A. RICHTER, The Portraits of the Greeks, 1965, Suppl. 1972 • N. BONACASA (Hrsg.), Ritratto ufficiale e ritratto privato. Atti della II Conferenza internazionale sul ritratto romano (Roma 1984), 1988 • K. SCHEFOLD, Die Bildnisse der ant. Dichter, Redner und Denker, ²1997 • J. M. C. TOYNBEE, Roman Historical Portraits, 1978 • M. L. VOLLENWEIDER, Die P.-Gemmen der röm. Republik, 1974 • P. ZANKER, Die Maske des Sokrates. Das Bild des Intellektuellen in der ant. Kunst, 1995.   R. N.

Portunata. Insel mit gleichnamiger Stadt im *sinus Flanaticus*, dem Golf östl. von → Histria (Plin. nat. 3,140). Nicht zweifelsfrei [1] identifiziert mit Dugi Otok (Kroatien) [2].

1 E. POLASCHEK, s. v. P., RE 22, 400 2 J. CHAPMAN, The Changing Face of Dalmatia, 1996, Index s. v. Dugi Otok.
D. S.

Portunus. Mit der Herleitung von lat. *portus*, »Hafen« (schol. Veronense in Verg. Aen. 5,241; Cic. nat. deor. 2,66) wurde der röm. Gott P. unter griech., verm. sogar korinthischem, Einfluß mit Palaimon/→ Melikertes und Ino/→ Leukothea (Fest. 279 L.; Ov. fast. 6,543–548) identifiziert [1]. Schon zuvor war die Einfahrt in den Tiberhafen der Aufgabenbereich des Gottes: lat. *portus* bedeutet schon im 5. Jh. v. Chr. »Tür« (Fest. 262,19–22 L.; [2. 343 f.; 3. 141–178]); P. trägt einen Schlüssel (Fest. 48,25–27 L.). Die Zuweisung eines *flamen* (→ *flamines*) an P. (Fest. 238,7–9 L.) ist dagegen fragwürdig [3. 169–171]. P. hatte einen Tempel im Forum Boarium am Tiberhafen (*in portu Tiberino*; Varro ling. 6,19; [4]) nahe dem Pons Aemilius. Sein Fest, die Portunalia, fand am 17. August statt (InscrIt 13,2,496 f.; ILS 7839).

1 F. BÖMER, Ovid. Die Fasten, Bd. 2, 1958, 373 f.
2 WALDE/HOFMANN, Bd. 2 3 L. TAYLOR, Janus and the Bridge, 1961 4 C. BUZZETTI, s. v. P., LTUR 4, 1999, 153 f.
C. R. P.

Portus

[1] Unter Kaiser Claudius (41–54 n. Chr.) zur Erweiterung des Hafens von → Ostia (mit Plan) geschaffene, unter Traianus (98–117 n. Chr.) ausgebaute künstliche Hafenanlage ca. 3 km nordwestl. von Ostia. Das claudische Hafenbecken (ca. 80 ha) war durch eine Molenkonstruktion gegen die See geschützt (aber nicht wirklich sicher; im J. 62 n. Chr. gingen hier nahezu 200 Schiffe im Sturm unter: Tac. ann. 15,18) und durch einen Leuchtturm (vgl. Plan: 1) markiert (nach Suet. Claud. 20,3 diente als Fundament ein ehemals zum Obeliskentransport eingesetztes, ballastgefülltes Frachtschiff; durch Grabungen bestätigt) sowie durch Kanalaushebung (*fossa Traiani*) mit dem → Tiberis und so mit Rom verbunden. Die traianische Erweiterung erfolgte im Osten der claudischen Anlage; sie bestand aus einem sechseckigen Hafenbecken (ca. 33 ha) mit neuem Kanal zum Tiberis. Funde: im Schlick konservierte Schiffe unterschiedlicher Größe aus dem Bereich des claudischen Beckens (beim Bau des röm. Flughafens Leonardo da Vinci in Fiumicino entdeckt), *horrea* (»Speicheranlagen«; Plan: 11) enormer Größe (unterschiedlicher Bauphasen; vgl. Mz.-Darstellungen der traianischen Anlage: RIC 2, Nr. 471 und Nr. 631, vgl. Komm. p. 241).

Die sich allmählich entwickelnden Siedlungsareale lagen im Süden zw. Hafenbecken und traianischem Kanal (hier auch christl. Basilika, Pilger-Rasthaus) und im Osten, an der Straße nach Rom; dort führte auch ein Aquädukt (Plan: 9) in die Siedlung (in diesem Siedlungsareal ein großer, nicht identifizierter Tempel; Plan: 8). Gräberfelder liegen an der Straße nach Rom bzw. nach Ostia (auf der sog. Isola Sacra, so erstmals bei Prok. BG 1,26 bezeichnet). Die Grabbauten auf der Isola Sacra entstanden seit dem 1. Jh. n. Chr., v. a. aber im 2. und 3. Jh.: Es handelt sich überwiegend um Ziegelbauten mit schlichter Fassade, aber relativ reicher Innenausstattung (exzeptionell gut erhalten; Körper- und Brandbestattungen).

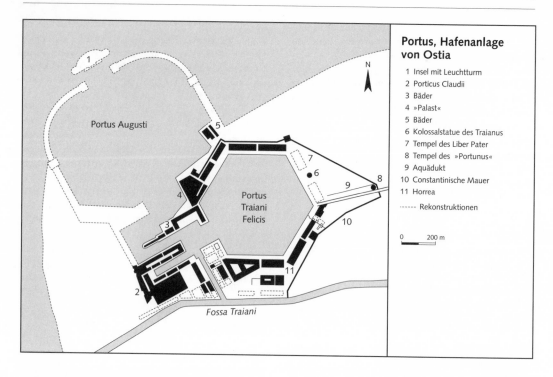

Portus, Hafenanlage von Ostia

1 Insel mit Leuchtturm
2 Porticus Claudii
3 Bäder
4 »Palast«
5 Bäder
6 Kolossalstatue des Traianus
7 Tempel des Liber Pater
8 Tempel des »Portunus«
9 Aquädukt
10 Constantinische Mauer
11 Horrea

------ Rekonstruktionen

0   200 m

Portus Augusti

Portus Traiani Felicis

Fossa Traiani

N

Seit Commodus (180–192) legte die Flotte mit für Rom bestimmtem Getreide (→ *cura annonae*) aus Alexandreia [1] statt in Puteoli direkt in P. an. Zunächst von Ostia aus verwaltet, war P. seit Constantinus d.Gr. (307–337) selbständig, jetzt statt *P. Ostiensis* oder *P. Augusti civitas Flavia Constantiniana Portuensis* oder *P. Romae* genannt (vgl. die prachtvolle Darstellung von P. in der Tab. Peut. 5,5). Der erste Bischof von P., Gregorius, nahm 314 am Konzil von Arelate teil. Im J. 408 wurde P. von → Alaricus geplündert. Die Bed., die P. selbst noch im 5. Jh. hatte, spiegelt sich im Bau einer ca. 200 m langen Porticus aus Marmor im J. 425 am Nordufer des Kanals. Im 6. Jh. verschlammte der Hafen jedoch zusehends, der Bevölkerungsschwund in Rom machte den Aufwand, den die Erhaltung der Hafenzufahrt und des Hafenbeckens bedeutete, entbehrlich.

→ Hafenanlagen; Ostia

G. LUGLI, G. FILIBECK, Il Porto di Roma Imperiale e l'Agro Portiense, 1935 · O. TESTAGUZZA, P., 1970 · R. MEIGGS, Roman Ostia, ²1973 · G. CALZA u.a., Ostia, ¹³1982 · Ders., La Necropoli del Porto di Roma Imperiale nell'Isola Sacra, 1940 · I. BALDASSARRE u.a., Necropoli di Porto. Isola sacra, 1996. V.S.

[2] Ortschaft im nördl. Schwarzwald, h. Pforzheim. Ein Leugenstein von 245/6 n. Chr. zählt *a Port(u) l(eugae) V* (CIL XVII 563; [1]); P. ist hier wohl nur ein Namensbestandteil und wird als »Stapelplatz am Fluß (Enz)« interpretiert [1; 5. 73–75]. Ob P. Mittelpunkt einer Gebietskörperschaft war (*civitas? saltus?*), ist umstritten (so [1; 5. 95–101], dagegen [2. 23–28; 3. 126f.]). Der Siedlungsbeginn ist etwa zeitgleich mit den Kastellen des

mittleren Neckarlimes (→ Limes III.) unter Domitianus. Röm. Militär ist in P. erst nach Mitte des 2. Jh. n. Chr. nachgewiesen. Große Teile des → *vicus* mit seinen Holz-Erde-Bauten brannten 130/150 n. Chr. ab. Danach wurden Steinbauten errichtet, P. erlebte eine Blütezeit bis zu seiner Zerstörung bzw. weitgehenden Aufgabe um 260 n. Chr. Neben Handel scheint Eisenerzgewinnung bed. gewesen zu sein.

1 H. NESSELHAUF, Neue Inschr., in: BRGK 27, 1938, 121 Nr. 263 2 P. GOESSLER, Zum neugefundenen Leugenstein A PORT (Pforzheim), in: Saalburg Jb. 9, 1939, 23–33 3 J. W. WILMANNS, Die Doppelurkunde von Rottweil und ihr Beitr. zum Städtewesen in Obergermanien (Epigraphische Stud. 12), 1981, 126f. 4 A. DAUBER u.a., Pforzheim, in: PH. FILTZINGER u.a. (Hrsg.), Die Römer in Baden-Württemberg, ³1986, 477–485 5 K. KORTÜM, P.-Pforzheim, 1995. R.A. WI.

[3] P. Arni. Station der Via Quinctia (Faesulae – Pisae) zw. → Valvata und Ad Arnum (Tab. Peut. 4,2: *in Portu*) am → Arnus.

A. MOSCA, Via Quinctia, in: Journ. of Ancient Topography 2, 1992, 91–108. G.U./Ü: H.D.

[4] P. Lemanae. Röm. Hafenstation an der britannischen SO-Küste beim h. Lympne in Kent an der Lemana (Geogr. Rav. 5,31; h. East Rother, ehemals Lympne), bestehend aus einem röm. Kastell (h. Stutfall Castle, Lympne [1]) und einem Hafen, erbaut 270/275 n. Chr. P. L. litt über einen langen Zeitraum hinweg unter starker Küstenerosion, die Befestigungsanlagen wurden schwer beschädigt. Der Grundriß des Kastells kann als

Quadrat mit gleichmäßig verteilten, vorspringenden Türmen und zwei Toren rekonstruiert werden [2]. Gebäude im Kastellinneren sind kaum bekannt. Das Kastell war mindestens bis in die Mitte des 4. Jh. besetzt. Die *Notitia Dignitatum occidentis* nennt als Garnison den *numerus Turnacensium* (28,13). Es gibt Hinweise auf eine frühere, nicht notwendigerweise unter dem Kastell des 3. Jh. zu suchende Anlage, eine Station der *classis Britannica* wohl aus dem späten 2. Jh. [3]. Ziegelstempel der *classis Britannica* weisen ebenfalls auf das 2. Jh. n. Chr. hin.

1 C. ROACH SMITH, Report on Excavations Made on the Site of the Roman Castrum at Lympne in Kent in 1850, 1852 **2** B. W. CUNLIFFE, Excavations at the Roman Fort at Lympne/Kent 1976–78, in: Britannia 11, 1980, 227–288 **3** R. G. COLLINGWOOD, R. P. WRIGHT, The Roman Inscriptions of Britain, Bd. 1, 1965, 66.

S. JOHNSON, The Roman Forts of the Saxon Shore, 1976, 53–56.   M. TO./Ü: I. S.

[5] P. Magnus. Stadt an der Küste der → Mauretania Caesariensis, 30 km östl. von Oran (Mela 1,29; Plin. nat. 5,19; Ptol. 4,2,2; Itin. Anton. 13,8; Geogr. Rav. 40,47; 88,8 f.), h. Arzew. P. M. lag auf einer Anhöhe, von der aus die Ebene an der Küste beherrscht werden konnte. Ein hl. Bezirk, neupunische Inschr. [1. 78 f.] und andere arch. Zeugnisse weisen auf Einflüsse der pun. Kultur hin, u. a. auf den Kult des Baal Hamon (B'l Ḥmn). Aus röm. Zeit sind Reste des Forums, von Tempeln und von Wohnhäusern erhalten. Inschr.: CIL VIII 2, 9753–9789; 10455–10460; Suppl. 3, 21605–21623; 21659; 22589–22593.

1 P. SCHRÖDER, Die phöniz. Sprache, 1869.

AAA, Bl. 21, Nr. 6 • S. LANCEL, E. LIPIŃSKI, s. v. P. M., DCPP, 358 f. • J. LASSUS, Le site de Saint-Leu, P. M. (Oran), in: CRAI 1956, 285–293 • M. LEGLAY, Saturne Africain. Monuments 2, 1966, 324–330 • R. VILLOT, Arzeu et son histoire, 1952.

[6] P. Menelaus (Μενέλαος λιμήν). Hafen an der Küste der → Kyrenaia (Hdt. 4,169,1; Skyl. 108; Strab. 1,2,32; 17,3,22; bei Ptol. 4,5,28 fälschlich zu den *kômai mesógeioi* (»Ortschaften im Binnenland«) gezählt; Stadiasmus maris magni 35), h. wahrscheinlich Marsa Lahora (nordwestl. von Bardia). Menelaos [1] soll einst auf der Flucht aus Äg. dort gelandet sein (Hdt. 2,119,3). 360/359 v. Chr. starb hier der spartanische König Agesilaos [2] II. (Nep. Agesilaus 8,6; Plut. Agesilaos 40,3). In hell. und v. a. in röm. Zeit verlor P. M. an Bed.

A. LARONDE, Cyrène et la Libye hellénistique, 1987, 224 f.
                                                        W. HU.

[7] P. Pisanus. Hafen mit der von Rutilius Namatianus geschilderten *villa Triturrita* (Rut. Nam. 527–531) an der tyrrhenischen Küste von Etruria südl. von → Pisae und der Mündung des → Arnus, h. unter Schwemmland begraben (Padule di Stagno).

M. PASQUINUCCI, G. ROSSETTI, Archaeology of Coastal Changes, 1988, 137–155.   G. U./Ü: H. D.

[8] P. Pyrenaei s. Pyrenaei Portus.
[9] P. Veneris. Küstenstadt am Fuß der östl. → Pyrenaei (Monts Albères), h. Port-Vendres, mit einem Aphrodite-Heiligtum wohl am Cap Béar, das für die Seefahrer die Grenze zw. Gallia und Hispania markierte (Strab. 4,1,3; 6; Mela 2,84: *insignis fano*; Plin. nat. 3,22: *Pyrenaea Venus*; Ptol. 2,10,2). Zu erwägen ist die Identität mit → Pyrene (Avien. 559).

G. BARRUOL, s. v. P. V., PE, 733.   Y. L.

[10] P. Vindana (Οὐίνδανα λιμήν, Οὐινδάνα λιμήν). Hafenstadt in der Gallia → Lugdunensis nördl. der Mündung des → Liger (Ptol. 2,8,1) an der Südküste der Bretagne, von [1] in der Gegend von Port Louis vermutet.

1 P. MERLAT, s. v. Vindana portus, RE 8 A, 2206–2210.
                                                        E. O.

Poseidion (Ποσείδιον).

[1] Heiligtum des → Poseidon Samios mit frequentiertem Hafen an der Küste von → Triphylia (wohl schon bei Hom. Od. 3,4 ff. gemeint; Strab. 8,3,13; 3,16 f.; 3,20) im Küstenpaß Klidi am Fuß des Kaiaphagebirges, genaue Lage nicht bekannt. Das P. war einst Zentralheiligtum von Triphylia mit einem eigenen Fest. Die Kultstatue des Poseidon befand sich z. Z. des Pausanias (2. Jh. n. Chr.) in → Elis [2] (Paus. 6,25,6). → Samikon

R. BALADIÉ, Le Péloponnèse de Strabon, 1980, 335 • A. M. BIRASCHI, Strabone e Omero, in: Dies. (Hrsg.), Strabone e la Grecia, 1994, 37–42 • E. MEYER, Neue peloponnesische Wanderungen, 1957, 74–79.   Y. L.

[2] Das h. Kap Kassandra an der Westküste der Pallene [4] im Gebiet von → Mende trug nach Liv. 44,11,3 den Namen P.
[3] Nach Hdt. 7,115,2 ant. Name des Kaps Eleuthero an der Ostküste der Chalkidischen Halbinsel zw. Stagiros und Akanthos, bei Plin. nat. 4,38 fälschlich als Stadt bezeichnet.

M. ZAHRNT, Olynth und die Chalkidier, 1971, 214.   M. Z.

[4] Kap an der Küste von Epeiros in der Nähe von → Buthroton; h. Kap Skala. Belege: Strab. 7,7,5; Ptol. 3,14,4.

E. MEYER, s. v. P. (16), RE Suppl. 14, 447.   K. F.

[5] (lat. *Posideum*). Kap im SW der Halbinsel von Miletos [2] (→ Milesia), ehemals Kap Marmaras, Kap Monodendri, Kavo Klado, h. Tekağaç Burnu, nach Strabon Grenze zw. Ionia und Karia (Strab. 14,2,1; 22; vgl. Plin. nat. 5,112) mit spätarcha. Poseidon-Altar (Strab. 14,1,3; 5); vgl. ferner peripl. m. m. 268 f. (= GGM 1, 496).

E. OLSHAUSEN, s. v. P. (7), RE Suppl. 14, 446 • A. VON GERKAN, Milet, Bd. 1,4: Der Poseidonaltar bei Kap Monodendri, 1915 • K. TUCHELT, Branchidai – Didyma (Sonderh. Antike Welt), 1991, 50 f., Abb. 80–82 • W. D. NIEMEYER, Die Zierde Ioniens, in: AA 1999, 400.   H. LO.

Poseidippos (Ποσείδιππος).

[1] Komödiendichter aus der maked. Stadt Kassandreia [1. test. 1, 2], der im dritten Jahr nach dem Tod des Menandros [4] (291/0 v. Chr.) mit dem Aufführen von Stücken begonnen haben soll [1. test. 1], viermal an den Dionysien erfolgreich war [1. test. 7] und mit Standbildern geehrt wurde [1. test. 10. 11]; seine Ἀποκλειομένη (›Die Aus-/Eingesperrte‹) wurde im 2. Jh. v. Chr. mehrmals wiederaufgeführt [1. test. 8, 9]. Von P.' ›bis zu 30‹ Stücken [1. test. 1] sind noch 18 Titel erh.; sie und einige der insgesamt 45 Fr. (die meisten stammen aus Lexikographen und Iohannes → Stobaios und geben daher nicht allzu viel her) lassen noch typische Sujets der Neuen → Komödie erkennen: Koch-Szenen (in fr. 1 klagt jemand, daß ihm ein Koch sämtliche Fehler seiner Berufskollegen aufgezählt hat; in fr. 2 und 25 treten ungewöhnlicherweise Sklaven-Köche auf; in fr. 28 hält ein Koch seinen Schülern einen Vortrag über die Vorzüge arroganten Protzens; in fr. 29 wird ein Koch geradezu einem Feldherrn gleichgestellt; vielleicht spricht ein von sich eingenommener Koch auch in fr. 34), einen Hetärenauftritt (in fr. 13 scheint eine über die berühmte Vorgängerin → Phryne zu sprechen) und Philosophenspott (fr. 16: gegen den Stoiker → Zenon). Stücke des P. wurden auch zu Vorlagen für lat. Komödiendichter [1. test. 4]; so wie er schrieb Caecilius [III 6] einen *Epístathmos* (›Der Statthalter‹).

  1 PCG VII, 1989, 561–581.   H.-G. NE.

[2] P. von Pella. Elegiker und Epigrammatiker des »Kranzes« des Meleagros [8], der ihn neben seinem Nachahmer → Hedylos und seinem Vorbild → Asklepiades [1] (Anth. Pal. 4,1,45 f.) einordnet. Mit letzterem teilt P. seine Bewunderung für Antimachos' *Lýdē* (Anth. Pal. 12,168) im Gegensatz zu → Kallimachos [3], zu dessen Feinden (»Telchinen«) er mit eben diesem Asklepiades gehört (schol. Flor. Kall. fr. 1,1). Umstritten ist der möglicherweise anthologische Aufbau seines rätselhaften Σωρός (*Sōrós*, ›Haufen‹, → Anthologie C; [8]). Tätig in Ägypten zw. 280 und 270 v. Chr. (Epigr. 11–13; 17 G.-P.; fr. 41 f. F.-G.), geehrt mit der Proxenie 276/2 von den Delphern und 264/3 von den Aitolern (Test. B, A F.-G.), scheint P. noch um 240 gewirkt zu haben (epigr. 24 [2], anders [9]); evtl. Aufenthalt in Athen (epigr. 1; 16 G.-P.); vielleicht identisch mit dem von Phoinix von Kolophon (fr. 6 CollAlex) angeredeten P. Auf sein langes Leben verweist P. in der Alterselegie, gedichtet im boiot. oder ägypt. Theben (fr. 37 f. F.-G.). Umstritten ist seine Autorschaft an einem weiteren kurzen elegischen Bruchstück (fr. *30 f. F.-G.: vielleicht ein Epithalamion für Arsinoë II.), das eine anon. Slg. von Epigrammen eröffnet (SH 961). Von zwei bei Athenaios 11, 491c und 13, 596bc-d zitierten (hexametrischen oder daktylischen?) Gedichten haben wir nicht viel mehr als die unsicheren und vielleicht auf ein einziges Stück zu beziehenden Titel. Ungewiß ist auch die Zuweisung eines Werkes ›Über Knidos‹, wohl in Prosa, (fr. *44 f. F.-G.).

Zu den ca. 25 bekannten Epigrammen (Lob von Kunstwerken, darunter vielleicht auch einige inschr.; erotische Gedichte nach Manier des Asklepiades; Gelage- und Spottgedichte; Grabepigramme) hat jüngst ein Mailänder Papyrus (P. Vogl. inv. 1295, Ende 3. Jh. v. Chr., vgl. [1; 2]) noch weitere hundert im Umfang von über 600 V. hinzugefügt. Diese Epigramme (18 und 20 G.-P. waren bereits bekannt) weisen offenbar einheitliche sprachliche, stilistische und metrische Züge auf (sie enthalten keinerlei Einschübe von Autorennamen). Sie umfassen zw. 4 und 14 V. und sind nach thematischen Abschnitten unterschiedlicher Länge gegliedert: Steine und Edelsteine, Vorzeichen, Widmungen, Epitaphien, Statuen, Pferderennen, Schiffbrüche, Genesungen, Verhaltenstypen (vielleicht Charaktere). Wie an den 24 bisher veröffentlichten neuen Texten (vgl. [2]) zu ersehen, wird eine erstaunlich vielfältige Thematik mit großer Ausdruckskraft behandelt. Gelegentlich delikate und ironische Noten bezeugen bemerkenswertes künstlerisches Niveau.

  ED.: **1** G. BASTIANINI, C. GALLAZZI, Sorprese da un involucro di mummia; il poeta ritrovato, in: Ca' de Sass 121, 1993, 28–33; 34–39 **2** Dies., Posidippo, Epigrammi, 1993 (mit Übers., Komm. zu 25 Epigrammen) **3** P. SCHOTT, Posidippi epigrammata, 1905 **4** GA I 1, 166–174; 2, 481–503 **5** FGE 116 **6** SH 698–708 **7** E. FERNÁNDEZ-GALIANO, Posidipo de Pela, 1987.

  LIT.: **8** K. J. GUTZWILLER, Poetic Garlands, Hellenistic Epigrams in Context, 1998, 18 f., 121, 155 f. **9** A. CAMERON, Callimachos and His Critics, 1995, 243 f. **10** M. GRONEWALD, Der neue P. und Kallimachos' Epigramm 35, in: ZPE 99, 1993, 28 f. **11** M. GIGANTE, Attendendo Posidippo, in: SIFC 86, 1993, 5–11 **12** L. LEHNUS, Posidippo ritorna, in: RFIC 121, 1993, 364–367 **13** B. M. PALUMBO STRACCA, Note dialettologiche al nuovo Posidippo, in: Helikon 33/34, 1993/94, 405–412 **14** E. VOUTIRAS, Wortkarge Söldner?, in: ZPE 104, 1994, 27–31 **15** M. S. CELENTANO, L'elogio della brevità tra retorica e letteratura: Callimaco, ep. 11 Pf. = A. P. VII 447, in: Quaderni Urbinati 49, 1995, 67–79 **16** M. W. DICKIE, A New Epigram by P. on an Irritable Dead Cretan, in: Bulletin of the American Soc. of Papyrologists 32, 1995, 5–12 **17** F. CAIRNS, The New Posidippus and Callimachus AP 7. 447 = 35 (G-P) = 11 (Pf.), in: R. FABER, B. SEIDENSTICKER (Hrsg.), Worte, Bilder, Töne. Studien zur Ant. und Antikerezeption. FS B. Kytzler 1996, 77–88 **18** M. W. DICKIE, An Ethnic Slur in a New Epigram of Poseidippus, in: Papers of the Leeds Intern. Latin Seminar 9, 1996, 327–336 **19** N. KOSTAS, A Poetic Gem: Posidippus on Pegasus, in: Pegasus 40, 1997, 16 f.
                                            M. G. A./Ü: TH. ZI.

[3] Att. Komödiendichter des 2. Jh. v. Chr., der auf der Dionysiensiegerliste [1. test.] mit zwei Siegen verzeichnet ist; sonst nichts bekannt.

  1 PCG VII, 1989, 582.   H.-G. NE.

Poseidon (Ποσειδῶν, dor. Ποτειδάν, neben weiteren Namenformen).

I. MYTHOS UND KULT
II. IKONOGRAPHIE

I. MYTHOS UND KULT
A. ALLGEMEINES   B. FUNKTIONEN
C. STELLUNG IM GRIECHISCHEN PANTHEON

A. ALLGEMEINES

P. war der griech. »Gott des Meeres, der Erdbeben und der Pferde« (Paus. 7,21,7). Er gehört in die älteren Schichten der griech. Rel., da sein Name schon in myk. Zeit bezeugt ist: Verehrt wurde P. sowohl in → Knosos als auch in → Pylos [2], wo er auch ein Heiligtum (das *Posidaion*), eine Kultvereinigung (die *Posidaiewes*) und wahrscheinlich sogar eine Gattin, »Frau P.« (*Posidaeja*) hatte [1. 181–185]; seine lokale Bed. spiegelt sich noch in dem Opfer wider, das der Pylier → Nestor [1] dem P. in Hom. Od. 3,4–8 darbringt. Der im Grunde ionische Monatsname *Posideṓn*, welcher von dem selten bezeugten archa. Fest der *Posideía* (auch *Poseidéa*, *Pohoidáia*, *Poseidánia*) abgeleitet ist, das zur Zeit der Wintersonnenwende stattfand [2; 3. 283f.], geht auf das Ende des 2. Jt. v. Chr. zurück [3. 29f.]. Die Etym. des Namens P. ist nicht vollständig geklärt; möglicherweise ist er gar vorgriech. Herkunft [4. 229–236].

B. FUNKTIONEN
1. POSEIDON HIPPIOS
2. POSEIDON UND DIE ERDE
3. GOTT SOZIALER BEZIEHUNGEN
4. GOTT DES MEERES

1. POSEIDON HIPPIOS

In Pheneus und anderen Orten Arkadiens (Paus. 8,14,5f. und passim), in Attika (Aristoph. Equ. 551; Aristoph. Nub. 83) und Thessalien (SEG 42,511–514) war P. Besitzer von Pferdeherden; seine Verbindung mit Pferderennen und -zucht kam in dem weitverbreiteten Epitheton Hippios zum Ausdruck [5. 171–173; 6. 284–290]. Durch → Medusa ist P. Vater des geflügelten Pferdes → Pegasos [1] (Hes. theog. 278–283) – der Mythos spricht von dem Gott gar als dem Vater des allerersten Pferdes Skyphios (Etym. m. 473,42) – bzw. durch Demeter Vater des Pferdes → Areion (Paus. 8,24,4f.; POxy. 61,4096 fr. 10). Mit → Demeter, einer weiteren »ekzentrischen« Gottheit, ist P. häufig verbunden [17. 1159]. Ausnahmsweise erhielt P. Pferdeopfer (Paus. 8,7,2, vgl. Eust. ad Hom. Il. 21,131; 23,148); Pferde waren sonst keine gebräuchlichen Opfertiere, vgl. → Opfer (III. B.). Wie die Geschichten von den menschenfressenden Pferden des → Diomedes [1] zeigen, waren die Griechen von der wilden, unruhigen und kraftvollen Natur des → Pferdes bes. beeindruckt. Mit diesem Aspekt assoziiert, wurde P. in Olympia unter dem Epitheton → Taraxippos, »Pferdescheumacher«, verehrt (Paus. 6,20,15). An verschiedenen Orten

war P. Hippios mit Athena Hippia (→ Athena C. 5.) verbunden, doch hatten die beiden Götter nicht dieselbe Funktion, wie ihr Verhältnis zu Pegasos belegt: P. war sein Vater, doch schrieb man Athena seine Zähmung zu; während P. mit der Kraft des Pferdes im allg. assoziiert wurde, sah man Athena als diejenige an, welche für den richtigen Umgang mit dem Pferd verantwortlich war. Entsprechend wurde Athena während der Rennen angerufen, P. entweder vorher oder nachher [7. 178–202].

2. POSEIDON UND DIE ERDE

Auch mit der Macht der Erde wurde P. verbunden. Seinen Zorn sah man als Ursache der → Erdbeben an, die Griechenland regelmäßig heimsuchten: Schon Homer nennt ihn den »Erderschütterer« (Ennosigaios, Enosichthon; vgl. Hom. Il. 20,57f.). Der Gott wurde auch angerufen, um Erdbeben zu beenden: Xenophon berichtet (Xen. hell. 4,7,4), daß man bei einem Beben während des Überfalls der Spartaner auf Argos im J. 388 v. Chr. einen → Hymnos auf P. sang, in den alle Spartaner einstimmten. In vielen Städten, bes. an der Westküste Kleinasiens, wurde P. mit dem Epitheton Asphaleios verehrt; die Epitheta Themeliuchos (SEG 30,93) und Hedraios (SEG 40,1266) weisen in dieselbe Richtung. In Kolophon und Sparta wurde der Gott – ausnahmsweise (s.u.) – sogar im Stadtzentrum verehrt – ein Zeichen seiner großen lokalen Bed. [5. 175]. Seine Macht über die Erde erklärt vielleicht auch seine Verbindung – als P. Epilimnios (Aischyl. Sept. 304–11; Pind. O. 6,58; SEG 28,690; 32,1273) – mit Quellen, die unerklärterweise aus den Tiefen der Erde kommen.

3. GOTT SOZIALER BEZIEHUNGEN

P. war als Stammvater auch mit Männervereinigungen verbunden. Seine Tempel in Helike (daher das Epitheton Helikonios [5. 383]) und Kalaureia [8. 215; 16] waren die Treffpunkte des Panionischen Bundes (→ Panionion) und der frühen → Amphiktyonia, die Athen und seine Nachbarn umfaßte; die Triphylier trugen alle zum Unterhalt des Tempels des P. Samios bei (Strab. 8,3,13); in P.s Heiligtum in Onchestos befand sich einer der beiden Bundesschreine des Boiotischen Bundes [9. 35f.]; in Delphoi leistete das Geschlecht der Labyadai seinen Mitgliedschaftseid im Namen des P. Phratrios [5. 207].

Andere Gruppen sahen P. als ihren Vorfahren an (was seine Epitheta Genesios und Genethlios erklärt), wie z.B. Aiolier und Boioter, deren eponyme Heroen → Aiolos [3] und → Boiotos seine Söhne waren. Nach Plut. mor. 730e sollten alle Nachfahren der alten Hellenen dem P. Patrogeneios Opfer darbringen. Diese Verbindung mit Männervereinigungen läßt sich nicht von P.s Rolle bei der → Initiation trennen, was vielleicht auch seine regelmäßige Verbindung mit → Artemis erklärt [17. 1147]. An mehreren Orten wurde P. unter dem Epitheton Phytalmios, »der Nährende«, verehrt, welches auf einen Bezug zur Erziehung hindeutet [5. 207]. Einen deutlicheren Hinweis findet man in Ephesos, wo Jungen, die bei einem Fest für P. Helikonios als Weineinschenker fungierten, »Bullen« genannt wurden (Athen. 10,425c; Hesych. s.v. ταῦροι), wie auch der Gott selbst zuweilen »Bulle« hieß (Hesych. s.v. Ταῦρος) und Stieropfer erhielt (Strab. 8,7,2; Cornutus 22). In Griechenland war das Amt des Weineinschenkens typisch für Jungen, die an der Schwelle zum Erwachsenenalter standen [10]. Auf diese Weise wurde der Unterschied zw. trinkenden Erwachsenen und nichttrinkenden Jugendlichen deutlich markiert. Kombiniert man die Funktion des P. als Gott von Männervereinigungen mit der Rolle der in seinem Kult fungierenden Jugendlichen als »Bullen«, drängt sich der Gedanke auf, in diesen »Bullen« die »zivilisierten« Nachfahren der ekstatischen Bullenkrieger zu sehen, die sich auch in frühen kelt. und german. Männerbünden finden [5. 415f.].

Die Verbindung von P., Initiation und ekstatischen Kriegern verdeutlicht der archa. Mythos von der thessalischen Königstochter Kainis, die nach erzwungenem Beischlaf mit P. darum bittet, in einen unverwundbaren Mann verwandelt zu werden. Als → Kaineus wird sie König der → Lapithai und befiehlt, daß man ihren Speer verehre. Die Verbindung von Geschlechtswechsel und Erwachsenwerden ist ein deutlicher Reflex des Brauchs, männliche Initianden als Mädchen zu verkleiden (vgl. → Achilleus' [1] Aufenthalt in den Frauengemächern von König → Lykomedes [1] von Skyros vor seiner Fahrt nach Troia; [11. 191f.]). In diesem Mythos ist P. aber nicht nur mit der Initiation assoziiert, sondern auch mit der rohen Gewalt des archa. Kriegers, der, wie Kaineus, zur Hybris neigt und als Gefahr für die rechte Beziehung zw. Menschen und Göttern empfunden wird. Diese Seite des Gottes verdeutlicht auch seine Vaterschaft von wilden oder grausamen Männern, z.B. von → Kyklopen, → Aloaden, → Busiris [3] und → Prokrustes [17. 1154f.].

4. GOTT DES MEERES

Schließlich wurde P. auch als Herrscher der See verehrt (Hom. Il. 13,27–30) und mit → Amphitrite zu einem Paar verbunden. Zahlreiche Küstensiedlungen waren nach P. benannt, wie z.B. → Poseidonia/Paestum, und seine Tempel wurden regelmäßig auf Landvorsprüngen und Inseln errichtet, wie z.B. Kap Sunion, Kap Tainaron (Paus. 3,25,4; IG V 1,1226–1236), Tenos (IG XII 5,812), Mykale (Hdt. 1,148) und Kap Poseidion auf Chios (Strab. 14,1,35). P. erregt oder beruhigt die rohe Gewalt des Meeres. Dem Steuermann hilft er nicht, sein Schiff durch die Stürme zu lenken; derartige Hilfe ist die Domäne der Athena [7. 223–226]. Dem P. sollen die → Argonautai ihr Schiff (das allererste) in dem panhellenischen Heiligtum am korinthischen Isthmos geweiht haben (Ps.-Apollod. 1,9,27), wo auch die Griechen nach ihren Seesiegen über die Perser eine P.-Statue weihten (Hdt. 9,81,1). Hier war der Sitz des Hellenischen Bundes, der zuerst während der Perserkriege gebildet worden war; die Kultaktivitäten dauerten bis zum Ende des 4. Jh. n. Chr. an [18. 84–92].

In nachhomerischer Zeit war P. nicht so sehr der Gott der Seeleute wie der der Fischer, deren Werkzeug,

der Dreizack, zu seinem Symbol wurde [12. 15–20]. Das homer. Porträt P.s als Herrscher des Meeres stellt offenbar eine theologische Neuerung dar; die Griechen besaßen daneben viele ältere → Meergottheiten. In Hom. Il. 15,187–193 erzählt P., wie er das Meer erhielt, nachdem die Söhne des → Kronos den Kosmos per Los aufgeteilt hatten; die ähnliche Losziehung im akkadischen Epos → Atraḫasis ist offenkundig die urspr. Quelle des homer. Passus [13. 85–88]. Das Meer – und auch sein Herr P. – hatte für die Griechen stark negative Konnotationen: Auch wenn der Gott nicht zu vernachlässigen war, wurde er dennoch buchstäblich am Rand der zivilisierten Welt angesiedelt.

C. STELLUNG IM GRIECHISCHEN PANTHEON

Diese Marginalität kommt auch in einer Reihe von Mythen zum Ausdruck, in denen P. durch einen Wettkampf oder einen Austausch von Geschenken einen Teil Griechenlands, den er vorher besessen hat, an einen anderen Gott verliert. In Athen erzählte der Mythos (und zeigte der → Parthenon) einen Wettkampf zwischen P. und Athena um Attika: P. vertritt seinen Anspruch, indem er einen Quell von Salzwasser hervorbringt, Athena den ihren, indem sie den ersten der berühmten Olivenbäume in Attika pflanzt. Im anschließenden Prozeß obsiegt Athena, und P. beginnt, die Ebene von Eleusis zu überfluten, bis Zeus ihm Einhalt gebietet [14. 198f.]. In Delphoi wurde erzählt, daß → Apollon Delphi von P. im Tausch gegen das Orakel von Tainaron erhalten habe; nach einer anderen Version hatte P. Delphi dem Apollon als Gegengabe für Kalaureia überlassen [15. 233f.]. Früher erklärte man diese Mythen als den histor. Reflex einer Ersetzung des P. durch Athena und Apollon, doch gibt es keine histor. oder arch. Belege, die diese Ansicht stützen könnten. Dagegen werden diese Mythen h. in strukturalistischer Perspektive als Artikulierung der Position der Götter innerhalb der griech. Polis interpretiert (→ Pantheon [1] III.): P. nahm zwar einen Platz im Kult von Athen und Delphi ein, doch war er Athena und Apollon nachgeordnet.

P.s Stellung an den Rändern der griech. Polis wurde durch die Lokalisierung seiner Heiligtümer außerhalb der Stadtmauern betont. Wie Strabon und Pausanias belegen, standen viele Tempel am Meer (etwa am Kap Tainaron, am Kap Sunion und bei Hermione), andere befanden sich am Fuß von Gebirgen (Mantineia), an einem Fluß (Methydrion) oder in einem hl. Hain (Trikolonoi). Die Bed. dieser Lokalisierungen scheint klar: Trotz seiner Macht erhielt P. keinen Platz innerhalb der Polis-Gesellschaft [16]. Für diesen Macho-Gott typisch ist es, daß Frauen der Zutritt zu mehreren seiner Heiligtümer versagt war [19].

P.s Verbindung mit der unruhigen Energie des Pferdes, der unvorhersagbaren Macht von Meer und Erde und der rohen Gewalt ekstatischer Krieger zeigt, daß er mit den schreckenerregenden Mächten im Menschen und in der Natur assoziiert war. Zugleich sprachen die

Griechen, wenn sie P.s Heiligtümer außerhalb der Polis ansiedelten, ein Werturteil über die Zulässigkeit roher Gewalt in der menschlichen Gesellschaft aus. Dieses Werturteil wird durch die Gegenüberstellung von P. und Athena bzw. Apollon im griech. Mythos noch verstärkt: Der Gott der rohen Gewalt und des Chaos ist den Göttern der Intelligenz und der Ordnung stets untergeordnet [20. 12–30].

→ Neptunus

1 Gérard-Rousseau 2 N. Robertson, P.'s Festival at Winter Solstice, in: CQ 34, 1984, 1–16 3 C. Trümpy, Unt. zu den altgriech. Monatsnamen und Monatsfolgen, 1997 4 C. J. Ruijgh, Scripta minora, Bd. 1, 1991 5 Graf 6 Jost 7 J.-P. Vernant, M. Detienne, Les ruses de l'intelligence, ²1978 8 Burkert 9 C. Habicht, Pausanias' Guide to Ancient Greece, 1985 10 J. Bremmer, Adolescents, Symposion, and Pederasty, in: O. Murray (Hrsg.), Sympotica, 1990, 135–148 11 Ders., Transvestite Dionysos, in: The Bucknell Review 43, 1999, 183–200 12 C. Bérard, Iconographie – iconologie – iconologique, in: Études de lettres 1983, 5–37 13 W. Burkert, Die orientalisierende Epoche in der griech. Rel. und Lit., 1984 14 R. Parker, Myths of Early Athens, in: J. Bremmer (Hrsg.), Interpretations of Greek Mythology, 1988, 187–214 15 C. Sourvinou-Inwood, »Reading« Greek Culture, 1991 16 R. Schumacher, Three Related Sanctuaries of P.: Geraistos, Kalaureia and Tainaron, in: N. Marinatos, R. Hägg (Hrsg.), Greek Sanctuaries, 1993, 62–87 17 O. Gruppe, Griech. Myth. und Religionsgesch., Bd. 2, 1906 18 R. M. Rothaus, Corinth: The First City of Greece, 2000 19 S. G. Cole, *Gynaiki ou themis*: Gender Difference in the Greek Leges Sacrae, in: Helios 19, 1992, 104–122 20 J. Bremmer, Götter, Mythen und Heiligtümer im ant. Griechenland, 1996 (Greek Religion, 1994).

Farnell, Cults, Bd. 4, 1907, 1–97 · E. Wüst, s. v. P., RE 22, 446–557 · Nilsson, GGR, Bd. 1, 444–452.   J. B./Ü: T. H.

II. Ikonographie

Die ältesten Darstellungen des P. stammen aus Korinth, wo er große Verehrung genoß; seit dem 3. Viertel des 7. Jh. zeigen bemalte Pinakes (→ Pinax [5]) P. aufrecht, in → Chiton und Himation, mit → Diadema und Dreizack, später oft von Fischen umgeben [3. 69 f.]. Attische Darstellungen setzen im 2. Viertel des 6. Jh. ein; Amasis und → Exekias, in der Spätzeit der sf. Vasenmalerei Antimenes zeigen ihn als mächtigen Olympier, bei myth. Ereignissen (Geburt der → Athena, Hochzeit von Peleus und Thetis) anwesend, aber oft abgewandt; in der → Gigantomachie ist er kräftig ausschreitend, den Felsen → Nisyros geschultert, bisweilen den Dreizack schwingend, dargestellt [5]. Als Hippios (s. o. I. B.) zeigt ihn die sf. Malerei wie die archa. Münzprägung von Poteidaia [7. 108; 9. 478]; seit ca. 500 sind »Verfolgungsbilder« (P. verfolgt Aithra, Amymone, Amphitrite) beliebt [4].

Seit den Perserkriegen in Athen als Stammvater der Athener im Vordergrund vieler Darstellungen [7. 101–111], fand P. seine überragende Gestaltung im Westgiebel des → Parthenon und in der Götterversammlung des

Ostfrieses. Paus. 1,24,3 sah eine Gruppe von Athena und P. auf der Akropolis (Datier. umstritten: [1], s. aber [9. 478]). Fehlt das Attribut (Dreizack bzw. Blitzbündel), sind Zeus und P. oft schwer zu unterscheiden, bes. bei der um 460 v. Chr. entstandenen Bronzestatue von Kap Artemision [8. 69 f.; 13]. Nach Mitte des 4. Jh. entstand der Typus Lateran mit aufgestütztem Fuß und Dreizack in erhobener linker Hand, ein in der Ant. populäres P.-Bild (Repliken aus Ostia und Ephesos, Wiederholungen in Kleinplastik, Malerei, Mosaiken, auf Sigillaten), dessen Original, oft mit Lysippos [2] in Verbindung gebracht, vielleicht auf einer der Hafenmolen von Kenchreai stand [2. 142–151; 9. 478; 11].

Naturhaftigkeit und Aufruhr der Elemente stellt erst das hell. Pathos an P. dar: auf dem Hippokampenwagen (→ Hippokampos), mit Dreizack sowie Delphin und umgeben von Meerwesen, zieht er auf dem Pergamonaltar in den Gigantenkampf [10. 63 f.; 12. 253]; theatralisch-königliche Pose zeigt der P. von Melos vom E. des 2. Jh. [6]. Als Gott der Seesiege blieb P. auf hell. Mz. aktuell; nach der Schlacht von Actium griff Octavian (→ Augustus) dieses Thema auf.

'P. und Amphitrite' waren v. a. in Renaissance und Barock beliebt.

1 F. Ghedini, Il gruppo di Atene e Poseidon sull'Acropoli di Atene, in: Riv. di Archeologia 7, 1983, 12–36 2 F. P. Johnson, Lysippos, 1927 (Ndr. 1968) 3 U. Heimberg, Das Bild des P. in der griech. Vasenmalerei, 1968 4 S. Kaempf-Dimitriadou, Die Liebe der Götter in der attischen Kunst des 5. Jh. v. Chr., 1979 5 M. B. Moore, P. in the Gigantomachy, in: G. Kopcke, M. B. Moore (Hrsg.), Stud. in Classical Art and Archaeology. FS P. H. von Blanckenhagen, 1979, 23–27 6 J. Schäfer, Der P. von Melos (Athen, NM 235), in: AntPl 8, 1968, 55–67 7 H. A. Shapiro, Art and Cult under the Tyrants in Athens, 1989 8 E. Simon, Die Götter der Griechen, ³1985 9 Dies., s. v. P., LIMC 7,1, 1994, 446–479 10 E. Thiemann, Hell. Vatergottheiten, 1959 11 R. Walde, Die Aufstellung des aufgestützten P., in: MDAI(A) 93, 1978, 99–107 12 E. Walter-Karydi, P.s Delphin. Der P. Loeb und die Aufstellung des Meergottes im Hell., in: JDAI 106, 1991, 243–259 13 R. Wünsche, Der 'Gott aus dem Meer', in: JDAI 94, 1979, 77–111.   B. Bä.

Poseidonia, Paistos, Paestum (Ποσειδωνία: Aristot. mir. 839a 30; Παιστός: Strab. 5,4,13; Ποσειδονιάς: Skymn. 248; »oskisch« Παῖστον: Ptol. 3,1,8; *Posidonia*: Liv. per. 14; Plin. nat. 3,71; lat. *Paestum*: Plin. l.c.; *Pestum*: Tab. Peut. 6,5).

I. Geschichte   II. Archäologie

I. Geschichte

Stadt in Lucania (Aristot. l.c.) an der Südküste des Golfo di Salerno (Strab. l.c.: Ποσειδωνιάτης κόλπος, Παιστανὸς κόλπος), in der schon seit dem Paläolithikum besiedelten fruchtbaren (Rosen: Verg. georg. 4,119; überhaupt Blumenreichtum: Mart. 9,26,3; 60,1) Schwemmlandebene westl. des Monte Sottano zw. der Mündung des Silarus im NO und der Mündung des Ca-

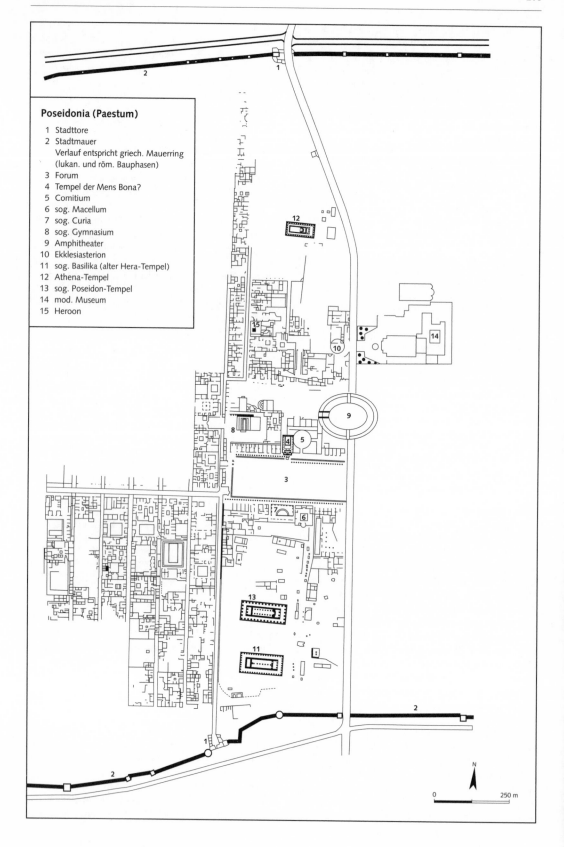

Poseidonia (Paestum)

1 Stadttore
2 Stadtmauer
  Verlauf entspricht griech. Mauerring
  (lukan. und röm. Bauphasen)
3 Forum
4 Tempel der Mens Bona?
5 Comitium
6 sog. Macellum
7 sog. Curia
8 sog. Gymnasium
9 Amphitheater
10 Ekklesiasterion
11 sog. Basilika (alter Hera-Tempel)
12 Athena-Tempel
13 sog. Poseidon-Tempel
14 mod. Museum
15 Heroon

0   250 m

N

podifiume im Süden; um 600 v. Chr. (arch. Befund; vgl. Hdt. 1,167: vor 530 v. Chr.) von Achaioi aus → Sybaris gegr. (Strab. 6,1,1: τεῖχος). Zu ihrer *metrópolis* unterhielt P. ganz bes. gute Beziehungen (vgl. den Vertrag der Serdaioi mit Sybaris, StV 2, 120; [1. 207–210]). Die Inbesitznahme von P. durch → Lucani 410/0 v. Chr. (Amtssprache → Oskisch, die Stadt hieß danach Paiston/Paistos) zeigt sich nicht nur in einer Unterbrechung der Siedlungskontinuität, sondern auch durch eine Kultivierung des Territoriums und eine Veränderung in den Bestattungsriten (weitläufige Nekropolen). 332 v. Chr. wurde P. für kurze Zeit von Alexandros [6] besetzt (Liv. 8,17,9).

Nach dem Krieg der Römer gegen → Pyrrhos, in dem sich P. auf die Seite des Königs geschlagen hatte, veranlaßten diese 273 v. Chr. die Gründung einer *colonia* → latinischen Rechts (Paestum; Vell. 1,14,7). Als *civitas foederata* hielt P. während der → Punischen Kriege treu zu Rom (vgl. Liv. 22,36,9; 26,39,5; 27,10,8). Nach dem → Bundesgenossenkrieg [3] (91–88 v. Chr.) war P. *municipium, tribus Maecia*; nach der Augusteischen Gebietsreform gehörte P. zur *regio III* (Plin. 3,71). In der Kaiserzeit erlebte P. bes. wegen der zahlreichen Überschwemmungen in der Ebene und der Versandung des Hafens einen stetigen, wohl z. T. auch gewaltsam herbeigeführten Niedergang (Guido, Geographia 74); im 8. Jh. n. Chr. wurde sie von ihren Bewohnern ganz aufgegeben.   A. MU./Ü: H. D.

II. Archäologie

Bereits zur Zeit der Stadtgründung entstand das wegen seiner → Metopen [1] berühmte Heraion (Hera-Tempel) an der Sele-Mündung (Foce del Sele), das mit seiner Randstellung die Bed. der Beziehungen zw. der Stadt und den angrenzenden etr. Gebieten unterstreicht. Weitere Heiligtümer in Fonte di Roccadaspide und Santa Venera im Umfeld der Stadt und das durch Einzelfunde zu erschließende Heiligtum im Süden auf dem Vorgebirge Agropoli belegen bereits im frühen 6. Jh. v. Chr die Inbesitznahme eines größeren Territoriums durch P. (→ Klassische Archäologie III. mit Abb. 5). Die Einteilung der Stadt in eindeutig abgegrenzte öffentliche, sakrale und private Bereiche wurde sehr wahrscheinlich ebenfalls in dieser frühen Zeit vorgenommen, auch wenn erst später (zw. 550 und 470/460 v. Chr.) das Stadtzentrum mit seinen großen Bauten ausgestaltet und das Straßenraster festgelegt wurde. Verm. ist auch der erste Bau der Stadtmauer (vgl. Lageplan Nr. 2), die in ihrer erh. Substanz auf lukanische und röm. Bauphasen zurückgeht, in diese Zeit zu datieren. Noch um die Mitte des 6. Jh. entstand im hl. Bezirk der Hera die sog. Basilika (Nr. 11), deren zweigeteilte Cella eine früharcha. Trad. fortführt. In einem gesonderten Temenos wurde um 500 v. Chr. der Athena-Tempel (Nr. 12) mit seiner einzigartigen Verzierung des Schräg-Geisons mit Kassetten errichtet. Ebenfalls noch im 6. Jh. muß auch südl. des Athena-Tempels die Agora angelegt worden sein, die ein Rechteck von ca. 330 × 300 m² einnimmt. An ihrer NW-Seite liegt das

gegen 510/500 v. Chr. zugemauerte Heroon (Nr. 15), in dessen Innerem Gegenstände für den wohl städtischen Heroenkult gefunden wurden. An der NO-Seite der Agora befindet sich das um 480/470 v. Chr. errichtete Ekklesiasterion (Versammlungsplatz, Nr. 10), dessen runder Grundriß in den Fels eingetieft wurde. Neben der Basilika entstand gegen 470/460 v. Chr. der letzte der großen Tempel, der sog. Poseidon-Tempel (Nr. 13), der entweder dem Zeus oder Apollon geweiht war.

Nach der endgültigen Übernahme P.s durch die → Lucani am Ende des 5. Jh. v. Chr. fällt bes. die Veränderung der Begräbnissitten auf. Die bis zu diesem Zeitpunkt nur in Einzelfällen beobachtete Hervorhebung des sozialen Status der Bestatteten (*tomba del tuffatore*) wird jetzt zur Regel und macht sich bes. in der prunkvollen Ausgestaltung der Grabkammern mit → Wandmalerei bemerkbar. Neben der über mehrere Generationen überl. Trad. der Wandmalerei bildeten sich auch die berühmten Werkstätten (→ Asteas und → Python [5]) der → paestanischen Vasen heraus.

Große bauliche Veränderungen gab es erst wieder in röm. Zeit: Der Platz der griech. Agora wurde aufgegeben, die öffentlichen Einrichtungen wie das Ekklesiasterion eingeebnet, das Straßennetz neu angelegt und mit dem neuen Forum (Nr. 3) und seinen umliegenden Gebäuden – Comitium (Nr. 5), Tempel der Mens Bona? (Nr. 4), sog. Macellum (Nr. 6) und sog. Curia (Nr. 7) – ein neues Stadtzentrum geschaffen. Nahe dem Forum entstanden das bescheidene Amphitheater (Nr. 9) und das sog. Gymnasium (Nr. 8). Die alten Kulte der griech. Stadt wurden erneuert (Heroon) oder weiter gepflegt, die großen Tempel waren bis zum E. der röm. Zeit in Benutzung. Sie sind als Zeugnisse der einstigen Größe der Stadt bis h. erhalten.

→ Paestum

1 E. Kunze, 7. Ber. über die Ausgrabungen in Olympia, 1961.

G. Avagliano, Città e territorio nelle colonie greche d'occidente, Bd. 1: Paestum, 1987 • M. Cipriani, E. Greco u. a. (Hrsg.), I Lucani a Paestum, 1996 • E. Greco u. a., Chronique, in: MEFRA 107, 1995, 510–520; 108, 1996, 460–474; 109, 1997, 448–472; 110, 1998, 503–513 • Ders., F. Longo (Hrsg.), Paestum, scavi, studi, ricerche. Bilancio di un decennio (1988–1998), 2000 • Ders., D. Theodorescu (Hrsg.), P.-Paestum, Bde. 1–4, 1980–1999 • J. Griffith Pedley, Paestum. Greeks and Romans in Southern Italy, 1990 • K. Junker, Der ältere Tempel im Heraion am Sele, 1993 • E. Kirsten, Süditalienkunde, 1975, 362–407 • F. Longo, P., in: E. Greco (Hrsg.), La città greca antica, 1999, 365–384 • D. Mertens, Der alte Heratempel in Paestum und die archa. Baukunst in Unteritalien, 1993 • A. Pontrandolfo, A. Rouveret, Le tombe dipinte di Paestum, 1992 • M. Torelli u. a., P.-Paestum, in: Atti del XXVII Convegno di studi sulla Magna Grecia (1987), 1992, 33–115 • A. D. Trendall, The Red-Figured Vases of Paestum, 1987 • P. Zancari Montuoro, U. Zanotti Bianco, Heraion alla foce del Sele, 2 Bde., 1951–1954.   MI. LE.

Poseidonios (Ποσειδώνιος).

[1] Arzt am E. des 4. Jh. v. Chr., der über → Geisteskrankheiten und über *ephiáltēs* schrieb, ein Erstickungsgefühl (vgl. → Dämonen V.C.; Aet. 6,12). P. wurde von Philostorgios (historia ecclesiastica 8,10) als Gewährsmann für die Behauptung genommen, daß Wahnsinn nicht das Resultat von dämonischer Heimsuchung sei, sondern eine körperliche Ursache in Form eines Säfteungleichgewichts habe (→ Säftelehre).

V. N./Ü: L. v. R.-B.

[2] Alexandrinischer Grammatiker des 2. Jh. v. Chr., Schüler des → Aristarchos [4] von Samothrake, bekannt als dessen »Vorleser« (ἀναγνώστης). Von P.' Homer-Erklärung sind nur wenige Zeugnisse erh. (schol. Hom. Z 511a; Z 510-1a¹; P 75a; schol. Apoll. Rhod. B 105–106). Der bei Apollonios [11] Dyskolos (de coniunctionibus, GG 2.1.1, 214,4–20; de syntaxi 4,65, GG 2.2, 487,11–488,4) als Verf. einer Schrift Περὶ συνδέσμων (›Über die Konjunktionen‹) zitierte P. ist verm. mit dem stoischen Philosophen → Poseidonios [3] von Apameia identisch.

1 M. BARATIN, La naissance de la syntaxe à Rome, 1989, 25 2 A. BLAU, De Aristarchi discipulis, 1883, 40–41 3 K. HÜLSER, Die Fragmente zur Dialektik der Stoiker, Bd. 1, 1987, LXIV-LXV 4 J. LALLOT, Apollonius Dyscole, De la construction, Bd. 2, 1997, 320 5 C. WENDEL, s. v. P. (4), RE 22.1, 826. ST. MA.

[3] Stoischer Philosoph, 2. Jh. n. Chr.
A. LEBEN B. WERKE
C. SPEZIALGEBIETE
D. PHILOSOPHIE

A. LEBEN
Geb. ca. 135 v. Chr. in Apameia (Syrien), ging P. nach Athen zum Studium bei dem stoischen Philosophen → Panaitios. Obwohl P. dessen bekanntester Schüler war, folgte er ihm bei dessen Tod 110/109 v. Chr. als Haupt der Schule in Athen nicht nach. Vielmehr ließ er sich in → Rhodos nieder, der Heimatstadt des Panaitios und dem damaligen Zentrum der philos. und wiss. Forsch. P. wurde Bürger von Rhodos, reiste aber weit im Mittelmeerraum: Spanien (bes. Gadeira), Südgallien, Italien, Griechenland, Naher Osten, Nordafrika und Sizilien. In Rhodos schrieb und lehrte er und nahm am polit. Leben teil: Er wurde sowohl Magistrat (Prytane) als auch Mitglied der Gesandtschaft nach Rom (87–86 v. Chr.). P. war so prominent, daß auch röm. Politiker auf ihn aufmerksam wurden: Pompeius [I 3] besuchte ihn in Rhodos zweimal während seiner Feldzüge (66 und 62 v. Chr.), → Cicero zählte ihn zu seinen Freunden und betrachtete ihn als einen seiner philos. Lehrmeister. Unter den Schülern des P. waren auch Asklepiodotos [2], der über Meteorologie schrieb (Sen. nat. 2,26,6; 6,17,3), Phanias (Diog. Laert. 7,41), möglicherweise Athenodoros [2] von Tarsos und sein Enkel Iason, der seine Schule übernahm. P. starb über 80jährig um 51 v. Chr.

B. WERKE
Seine Schriften umfaßten die ganze Reichweite der stoischen Philos., darunter auch naturwiss. Themen; sein Geschichtswerk (Ἱστορίαι, *Historíai*) in 52 B. setzte das Werk des → Polybios [2] fort und endete wohl mit den Ereignissen Mitte der 80er Jahre (nur wenige Fr. dieses umfangreichen Werkes sind erh.). Zu seinem geogr. Werk zählen eine Schrift ›Über den Ozean‹ und vielleicht ein davon zu unterscheidender ›Periplus‹. Der ›Vergleich von Aratos und Homer bezüglich der Mathematik‹ handelt über Astronomie; in der Schrift ›Gegen Zenon von Sidon‹ verteidigte er die axiomatische Geometrie. Unter P.' philos. Werken sind zu nennen: ›Protreptika‹; einige ethische Traktate (›Über die Leidenschaften‹, ›Über den Zorn‹, eine ›Trostschrift‹, ›Über das angemessene Handeln‹ und ›Über die Tugenden‹); Werke zur Logik, die eher Methode und Rhet. als formale Logik behandeln (›Über den Stil‹, ›Über die Konjunktionen‹, ›Über das Kriterium‹ und ein allg. methodologisches Werk ›Gegen Hermagoras über die allg. Untersuchungen‹, die veröffentlichte Version eines Vortrags, den er vor Pompeius gehalten hatte); zahlreiche Schriften zur Naturphilos. (›Über den Kosmos‹, ›Naturphilos.‹, mindestens zwei verschiedene Traktate über Meteorologie, ›Über die Größe der Sonne‹, ›Über die Seele‹, ›Über das Schicksal‹, ›Über Weissagung‹, ›Über Heroen und Dämonen‹ und ›Über die Götter‹).

C. SPEZIALGEBIETE
Unter den Stoikern war P. bekannt für seine vielfältigen Interessen, seine Bemühungen um kausale Erklärungen in der Physik und in der Psychologie, sowie seine Offenheit für andere Lehrmeinungen außerhalb seiner Schule, bes. für Platon [1] und Aristoteles [6]. Das führte ihn zur Reflexion über intellektuelle Bereiche. An oberster Stelle stand für P. die Beschäftigung mit der Philos. in ihrer traditionellen Dreiteilung (Logik, Physik und Ethik); die verschiedenen Künste und Spezialwiss. wie Mathematik, Astronomie, Geogr. und Gesch. sind ihr untergeordnet. Wieviel auch immer die Spezialwiss. erklären mögen, die wesentlichen Grundprinzipien der Dinge müssen immer mit Hilfe der Philos. selbst begriffen werden: Histor. Studien enthüllen die ursächliche Bedeutung von guten und schlechten Eigenschaften, aber es bedarf der Ethik, um sie und ihren Ursprung zu erklären; sorgfältige Forsch. offenbart die Rolle des Mondes bei der Entstehung der Gezeiten, aber die kosmische Verbundenheit (συμπάθεια, *sympátheia*), die dies ermöglicht, ist eine Doktrin der Naturphilos. Bei Simplikios (F 18 E.-K.) ist P.' Analyse der Beziehung zw. Physik und mathematischer Astronomie erh., die ihre aristotelischen Wurzeln klar erkennen läßt. Sextos Empeirikos (F 88) berichtet, daß P. selbst die Untrennbarkeit der Teile der Philos. hervorhob und ihre Einheit mit der eines Lebewesens verglich (die Physik ist Fleisch und Blut, Logik die Knochen und Sehnen, Ethik die Seele).

Das Geschichtswerk des P. enthielt umfangreiches ethnographisches Material über zahlreiche Völker außerhalb des griech.-röm. Kulturkreises (Kelten, Germanen, Kimbern, Juden, Parther und andere Ethnien im Nahen Osten). Bes. Interesse zeigte er dabei an den Ursachen von Naturphänomenen wie z. B. den Gezeiten, der Nilschwelle, vulkanischen Aktivitäten und Erdbeben. Bes. viele Fragmente bzw. längere Textpassagen sind aus seinen geogr., botanischen und zoologischen Berichten über den westlichen Mittelmeerraum erh. Seine moralisierende Diskussion über Bergbau und Edelmetalle (F 239–240 E.-K.) ist verm. typisch für seinen ganzheitlichen Ansatz. Sein Werk enthielt auch eine mathematische Methode zur Beschreibung der Erde. Er formulierte Aussagen über die Gestalt der bewohnten Welt, die Größe der Erde (durch astronomische Daten ermittelt), über die Lage und das Klima Indiens; er entwickelte eine Theorie von fünf Erdzonen, die nach dem Bewegungen der Sonne im Jahresverlauf eines Jahres eingeteilt wurden, und setzte sie zu klimatischen Faktoren in Beziehung. In der Geometrie legte er einige von → Eukleides differierende technische Definitionen (Figur, parallele Linien) fest. Die erh. Belege deuten auf ein ernsthaftes Engagement im Bereich der fortgeschrittenen mathematischen Wiss. hin.

D. Philosophie

P.' eigene Beiträge zur Logik scheinen gering gewesen zu sein, doch darf man ihn deshalb nicht als daran desinteressiert oder heterodox ansehen. In der Physik und Ethik war er aktiver und selbständiger, aber man sollte sich daran erinnern, daß P. in B. 7 von Diogenes Laertios ›Leben der Philosophen‹ regelmäßig als Philosoph zitiert wird, der an den traditionellen stoischen Ansichten festhält: Die durch die Vernunft (lógos) geregelte Welt ist ein organisches Ganzes, ein lebendes Wesen, charakterisiert durch die wechselseitige Abhängigkeit all seiner Teile und umsichtig gelenkt von einer ihm innewohnenden Gottheit. Da die Kausalgesetze sich überall im Kosmos gleichmäßig auswirken, kann dieser zugleich als ein Ganzes und in seinen Teilen begriffen werden. KIDD belegt überzeugend ([2] zu F 92), daß P.' zwei Grundprinzipien (die ungeformte Materie und ein aktiv gestaltender Faktor) eher eine Verdeutlichung der orthodoxen stoischen Lehre als eine Abweichung davon darstellten. Auch in seiner Lehre von den vier Elementen (→ Elementenlehre) gab es keine signifikanten Änderungen, obwohl aristotelischer Einfluß auf seine Lehre der natürlichen Bewegung zu vermuten ist. Wir besitzen ant. Berichte über P.' Ansichten zu Kausalität, Veränderung, Raum, Zeit, Gott und Schicksal. Bes. Interesse scheint er jedoch an der Weissagung, auch den Einzelheiten ihrer Durchführung, gehabt zu haben (vgl. v. a. Cicero, De Divinatione); er stellte sie neben andere Mittel zur Voraussage von Ereignissen (Wetterzeichen und Astrologie). Dies steht in keinerlei Widerspruch zum Stoizismus des Chrysippos [2]; es fügt sich gut zu dessen Lehre, daß der Kosmos ein einziges, organisch verbundenes Ganzes sei.

P. leistete eigene Beiträge zur astronomischen Theorie (zu Größe und Entfernung der Sonne, Eklipsen, Beschaffenheit des Mondes usw.), mehr noch zur Meteo-

rologie (Kometen, Regenbogen und Halo, Hagel, Winde, Gezeiten).

Seine Ansichten über die physische Beschaffenheit der → Seele und ihre Beziehung zum Körper scheinen ganz orthodox. Im Gegensatz dazu hat P. frühere Theorien zum inneren Aufbau der Seele wahrscheinlich bedeutend verändert. Nach Galenos' ›Lehren von Hippokrates und Platon‹ unterschied sich P. in der Frage der Unterteilung der menschlichen Seele signifikant von Chrysippos: er kehrte zu der Ansicht zurück, daß Vernunft, »Zorn« (θυμός, thymós) und Begehren unterschiedliche Kräfte seien. Galenos führte diese Ansicht auf Platon und Aristoteles zurück, wobei er differenzierte, daß Platon jede dieser Kräfte in einem anderen Körperteil lokalisierte, Aristoteles und P. jedoch nicht. Galenos erklärt des weiteren, daß Kleanthes diese Position eingenommen und daß P. seinerseits mit seiner Sichtweise an Pythagoras angeknüpft habe (F 151 EDELSTEIN-KIDD).

In welchem Ausmaß sich P. von der früheren stoischen Schuldoktrin entfernte, ist umstritten; P. selbst behandelte jedenfalls in seiner revidierten Moralpsychologie wichtige Fragen zu den Leidenschaften (πάθη, páthē) und der Konzeption des Lebenszieles (τέλος, télos) und stand dabei Chrysippos [2] kritisch gegenüber. P. brachte auch die neue These vor, daß jede Seelenkraft ihre eigene οἰκείωσις (→ oikeíōsis, »natürliche Neigung und Zugehörigkeit«) habe. Diese Änderungen illustrieren wichtige Züge von P.' Denken: Sie belegen seine Offenheit für den Einfluß von Platon und Aristoteles, sind jedoch immer auch durch Argumentationsprobleme motiviert. Aus seiner Sicht sah sich die Theorie des Chrysippos unüberwindlichen Schwierigkeiten gegenüber, wenn sie erklären sollte, wie Leidenschaften entstehen und vergehen; dessen hoch intellektualistische Theorie konnte nämlich keine Begründung für die Tatsache bieten, daß sich Leidenschaften ändern können, während die auf sie bezogenen Meinungen stabil bleiben – ein Punkt, der wichtige Auswirkungen nicht nur auf die Erklärung der Leidenschaften, sondern auch auf die Analyse und Behandlung psychischer Leiden hat (P. und Chrysippos verwendeten körperliche Krankheit als ein Modell für Schwächen und Krankheiten der Seele). Die Änderungen der oikeíōsis-Lehre spiegeln P.' Überzeugung, daß es unmöglich sei, die Entstehung moralischer Schwächen zu erklären, ohne eine Facette der menschlichen Natur anzuerkennen, die der Vernunft prinzipiell entgegensteht. Trotz Zweifeln an der Verläßlichkeit einiger Angaben bei Galenos wird klar, daß Untersuchung und Behandlung der Leidenschaften und Laster im Zentrum der Ethik des P. standen und daß sie sich auf eine gründlichere Analyse der Ursachen stützte als die der älteren Stoiker.

In den übrigen Teilen seiner Ethik war P. ganz orthodox; die Aussage bei Diog. Laert. 7,103, Poseidonios habe Gesundheit und Reichtum für Güter gehalten, ist irrig. Die Diskrepanzen zw. P. und Chrysippos bezüglich der Klassifikation der Tugenden verbleiben inner-

halb der Bandbreite der üblichen stoischen Theorie. P.'
Ansichten über das *télos* gehen auf seine Anerkennung
einer irrationalen Komponente der Seele zurück
(→ Teleologie) und zeigen die Wichtigkeit der Physik
für seine Lehre (›zu leben, indem man die Wahrheit und
die Ordnung aller Dinge zusammen betrachtet und dazu
beiträgt, sie so weit wie möglich voranzubringen, wobei
man sich in keiner Weise von dem irrationalen Teil der
Seele leiten lassen darf‹, F 186). Das rationale Element in
der Seele nennt er δαίμων (*daímōn*) und stellt es einer
tierähnlichen Komponente gegenüber, die letztlich die
Quelle des menschlichen Elends ist. Dieser Dualismus
macht den wichtigsten Unterschied zw. dem Stoizismus
des P. und dem des Chrysippos aus; dennoch ist bezüglich der stoischen Ethik bei P. eine sehr sehr starke Kontinuität feststellbar.

→ Stoizismus

Ed.: **1** L. Edelstein, I. G. Kidd (ed.), Posidonius. Bd. 1,
²1989 (Text) **2** I. G. Kidd, Posidonius. Bd. 2.1–2.3,
1988–1999 (Komm.) **3** I. G. Kidd, Posidonius. Bd. 3, 1999
(engl. Übers.) **4** W. Theiler, P. Die Fragmente, 2 Bde.,
1982 (mit Komm.).
Lit.: **5** K. Bringmann, Gesch. und Psychologie bei P., in:
I. G. Kidd (Hrsg.), Aspects de la philos. héllenistique
(Entretiens 32), 1986, 29–66 **6** J. F. Dobson, The
Posidonius Myth, in: CQ 12, 1918, 197 **7** L. Edelstein, The
Philosophical System of Posidonius, in: AJPh 57, 1936,
286–325 **8** I. G. Kidd, Posidonius and Logic, in:
J. Brunschwig (Hrsg.), Les Stoïciens et leur logique, 1978,
273–283 **9** M. Laffranque, P. d'Apamée, 1964
10 J. Malitz, Die Historien des P., 1983
11 G. Pfligersdorfer, Studien zu P., 1959 **12** M. Pohlenz,
Die Stoa, 1947, 208–238 **13** K. Reinhardt, s. v. P. von
Apameia, RE 22, 558–826 **14** K. Schindler, Die stoische
Lehre von den Seelenteilen …, 1934.   B.I./Ü: E.D.

[4] P. aus Korinth, erwähnt in Athen. 1,13b zusammen
mit → Numenios aus Herakleia, → Pankrates [2] aus Arkadien und → Oppianos [1] (er lebte früher als dieser) als
Verf. von Ἁλιευτικά (›Über die Fischerei‹).

SH 709.   S.FO./Ü: TH.G.

Poses (Ποσῆς). Athenischer Komödiendichter des früheren 1. Jh. v. Chr.; er war Sohn eines Komödiendich-
ters Ariston [2. 569] wie auch Vater eines solchen
[2. 570]; ca. 85 Sieger an den Sarapischen Spielen in
Tanagra [1. test. 1]. P. war ebenfalls Archon (88/87 [1.
test. 2]), Gymnasiarch [1. test. 3] und neben seinem Bruder Timostratos Münzmagistrat (um 101 [1. test. 4].
Weder Fr. noch Stücktitel sind erhalten.

1 PCG VII, 1989, 560 **2** PCG II, 1991, 569–570 **3** Ch.
Habicht, Athen in hell. Zeit, 1994, 296.   B.Bä.

Posideia s. Poseidon

Posides. Freigelassener des Claudius [III 1], der ihm
bes. Vertrauen schenkte (Suet. Claud. 28,1). P. begleitete Claudius 43 n. Chr. nach Britannia und erhielt beim
Triumph eine *hasta pura* wie ein freigeborener Militär,

wodurch seine Vertrauensstellung bei Claudius auch
öffentlich deutlich gemacht wurde. PIR² P 878.   W.E.

Positionslänge s. Metrik; Prosodie

Possenreißer s. Unterhaltungskünstler

Possessio. »Besitz«, v. a. tatsächliche Herrschaft über
eine Sache, aber im Gegensatz zum *dominium* (Eigentum) als voller rechtlicher Macht. Die *p.* als t.t. des röm.
Rechts hat zum Teil tatsächliche, zum Teil rechtliche
Züge (*p. non tantum corporis, sed et iuris est*, Papin. Dig.
41,2,49,1). Den Erwerb der *p.* z. B. betrachten → Ofilius
und Nerva filius (→ Cocceius [6]) als eine tatsächliche
Angelegenheit (*rem facti non iuris*, Dig. 41,2,1,3). Daher
sollte ein *pupillus* (Unmündiger, → *minores*) ohne Zustimmung des Vormunds (*tutoris auctoritas*) und sogar ein
furiosus (Geisteskranker) Besitz erwerben können. Iulius
[IV 16] Paulus ist derselben Ansicht für Unmündige, die
alt genug sind, um verständig zu sein (Dig. 41,2,1,3).
Andererseits können fremder Gewalt Unterworfene
zwar Pekuliargut (→ *peculium*) innehaben, es jedoch
nicht besitzen. Gerät ein Käufer in Kriegsgefangen-
schaft, verliert er seine *p.*, und das → *postliminium*
(Rückkehrrecht) stellt die *p.* nicht wieder her, weil es
nur Rechte betrifft, die *p.* jedoch ›sehr viel Tatsächli-
ches‹ hat (*plurimum facti*, Papin. Dig. 4,6,19).

Die *p.* ist durch Interdikte geschützt (→ *interdictum*).
Dies gilt auch für den Prekaristen (→ *precarium*). Der
Beklagte der Eigentümerklage (→ *rei vindicatio*) muß *p.*
haben, und zwar nach → Pegasus die durch Interdikte
geschützte, nach Ulpian nur überhaupt *p.* (Dig. 6,1,9).
Der Erwerb der *p.* ist vielfach Voraussetzung des Eigen-
tumserwerbs (→ *dominium*), so für den durch *traditio ex
iusta causa* (»Übergabe aus rechtlichem Grund«, Dig.
12,1,9,9; 41,2,18,2), ferner für die Ersitzung (→ *usucapio*). Diesen Zusammenhang betrifft die alte, auf die *veteres* (Juristen der Republik) zurückgehende Regel
›Niemand kann sich selbst den Grund des Besitzes ändern‹ (*Nemo sibi ipse causam possessionis mutare potest*, Paulus Dig. 41,2,3,19). So liegt der Fall einer verbotenen
Schenkung unter Ehegatten: Eine Ersitzung aufgrund
einer solchen Schenkung (*usucapio pro donato*) ist ausgeschlossen. Die Scheidung ändert daran nicht ohne weiteres etwas (Cassius/Paulus Dig. 41,6,1,2). Nach Iulianus [1] bezieht sich die Regel nicht nur auf die *p. civilis*
(*p.* nach dem → *ius civile*), sondern auch auf die *p.
naturalis* und betrifft damit Landpächter (*coloni*), Verwahrer, Entleiher (Dig. 41,5,2,1; strenger: Paulus Dig.
41,2,3,20).

Der Besitz wird nach der Doktrin des 3. Jh. n. Chr.
›durch Ergreifen und Willen‹ erworben (*corpore et animo*,
Paulus Dig. 41,2,3,1). Bei einem Grundstück wird nicht
verlangt, daß der Erwerber ›alle Erdschollen umschrei-
tet‹ (*ut … omnes glebas circumambulet*); er muß nur irgend-
einen Teil des Grundstücks betreten (Paulus l.c.) oder
sogar nur von einem Turm des Nachbargrundstücks aus
die Grenzen des Grundstücks gezeigt bekommen (Cels.

Dig. 41,2,18,2). *Corpore et animo* erhält man die p. auch nach dem Erwerb. Doch genügt hierfür nach einer schon von Quintus → Mucius [I 9] (*cos.* 95 v. Chr.) vertretenen Lehre der Besitzwille allein (*solo animo,* Pomp. Dig. 41,2,25,2). Ein Landbewohner auf dem Weg zum Markt behält demnach trotz heimlicher Besetzung seines Grundstücks zunächst noch den Besitz und den Schutz des → *interdictum uti possidetis* (Labeo/Ulp. Dig. 41,2,6,1). Q. Mucius hat entsprechend seiner im *ius civile* zuerst angewandten Methode auch die Erscheinungsweisen des Besitzes in Gattungen (*genera possessionum*) gegliedert (Paul. Dig. 41,2,3,23). Trebatius Testa (1. Jh. v. Chr.) erschien es möglich, daß unter mehreren der eine berechtigt (*iuste*), der andere unberechtigt (*iniuste*) Alleinbesitzer war. Nach → Sabinus [II 5] besaßen beim → *precarium* sowohl der Prekarist wie auch der Gewährende; jener sollte »durch Ergreifen« (*corpore*), dieser durch »Willen« (*animo*) besitzen (Pomp. Dig. 43,26, 15,4). Antistius Labeo und – mit naturalistischer Begründung – Paulus wandten sich gegen Trebatius (Paulus Dig. 41,2,3,5).

Bis ins 3. Jh. n. Chr. galt: ›Nichts haben das Zueigenhaben und der Besitz gemein‹ (*Nihil commune habet proprietas cum possessione,* Ulp. Dig. 41,2,12,1). Danach verlor der t.t. *p.* seine Konturen und nahm auch die Bed. »Eigentum« auf. Iustinianus (6. Jh.) kehrte dagegen zur klaren Unterscheidung von *p.* und Eigentum (*dominium*) zurück.

HONSELL/MAYER-MALY/SELB 131–141 · KASER, RPR 1, 384–400; 2, 246–261 · L. SOLIDORO MARUOTTI, Studi sull'abbandono degli immobili nel diritto romano. Storici giuristi imperatori, 1989 (Rez. in: Gnomon 63, 1991, 703–708). D. SCH.

Possidius. Bischof von → Calama, h. Guelma, Algerien († nach 437), schrieb etwa 5 J. nach dem Tod des → Augustinus († 430) dessen Biographie *De vita et moribus praedestinati et suo tempore praesentati sacerdotis* (1; 2; 3; 4; 5; praef.). Für Augustins Jugend ist auf dessen *Confessiones* verwiesen; eigentliches Thema sind die fast vierzig Bischofsjahre Augustins. Als einziger lat. Bischofsbiograph der Spätant. stellt P. (wie → Suetonius) öffentliches und privates Leben getrennt dar [7]; beim Privatleben betont P. ähnlich wie Cornelius Nepos [2] in der Atticus-Vita, was sein Held alles *nicht* tat. Das umfangreiche, *Indiculum* genannte Werkverzeichnis [6] ist als Schlußteil der Biographie anzusehen [6. 231–233; 8].

ED.: 1 PL 32, 33–66 (Vita) und PL 46, 5–22 (Indiculum) 2 H. T. WEISKOTTEN, 1919 3 A. C. VEGA, 1934 4 M. PELLEGRINO, 1955 5 A. A. R. BASTIAENSEN, 1975 6 A. WILMART, Operum S. Augustini elenchus, in: Miscellanea Agostiniana 2, 1931, 149–233. LIT.: 7 W. BERSCHIN, Biographie und Epochenstil im lat. MA, Bd. 1, 1986 8 G. LUCK, Die Form der suetonischen Biographie und die frühen Heiligenviten, in: A. STUIBER (Hrsg.), Mullus. FS Theodor Klauser, 1964, 230–241 9 A. MUTZENBECHER, Bemerkungen zum Indiculum des P., in: Revue des Etudes Augustiniennes 33, 1987, 128–131. W. B.

Post. Die Ant. kannte zu keinem Zeitpunkt eine P. nach mod. Definition. Die heutige P. ist als eine für die Allgemeinheit bestimmte, dauernd und regelmäßig betriebene Institution zu definieren, die an bestimmten Verkehrsplätzen gemäß festgelegten Benutzungsbedingungen die Beförderung von Nachrichten, Kleingütern und Personen durchführt. Im Gegensatz dazu fehlen den Einrichtungen der Ant. die Hauptkriterien der allg. Zugänglichkeit sowie des regelmäßigen Transports von Korrespondenz und Gütern. Um die Zustellung von privater P. hatten sich die Absender selbst zu kümmern (→ Nachrichtenwesen).

Für einige ant. Staaten, die von Alleinherrschern regiert wurden und z. T. über sehr große Staatsgebiete verfügten, ist die Einrichtung bes. Systeme zur effizienten und sicheren Abwicklung der Nachrichtenübermittlung im Auftrag ihrer Machthaber dokumentiert. Sie können somit bestenfalls als »Staats-P.« bezeichnet werden, wenn sie reichsumfassend etabliert waren. Dazu gehörten die besser bekannten Institutionen der Perser, der Ptolemäer und der Römer während der Kaiserzeit und Spätantike. Hinweise auf speziell eingerichtete Nachrichtenverbindungen existieren ferner für die kleinasiatischen Gebiete des Antigonos [1] Monophtalmos (4. Jh. v. Chr.), der in Intervallen Boten stationiert haben soll (Diod. 19,57,5), und für Makedonien im 2. Jh. v. Chr., wo auf gewissen Strecken Pferde zum Wechsel bereitgestellt waren (Liv. 40,56,11). Vergleichbar sind auch die von Caesar und Pompeius [I 3] während des Bürgerkrieges auf bestimmten Strecken aufgestellten Nachrichtenstafetten (Caes. civ. 3,101; Bell. Hisp. 2), die aus Reitern und eventuell auch Botenläufern bestanden. Derartige temporäre und allein mil. Zwecken dienende Einrichtungen scheinen in gewissen Gebieten auch während der röm. Kaiserzeit existiert zu haben (PDura 100; 101) [1. 59]. Die Dokumentation von Nachrichtensystemen in den Nachfolgestaaten des Alexanderreiches könnte auf eine Übernahme der Einrichtung aus dem Perserreich schließen lassen. In Persien bestand unter Kyros [2] II. ein ausgebautes System zur Übermittlung königlicher Befehle und Briefe durch Reiterstafetten (Hdt. 8,98). Dies bestätigt auch Xenophon (Kyr. 8,6,17–18), der die Einrichtung des Systems dem Kyros selbst zuschreibt, obwohl dieser auf Institutionen seiner assyrischen Vorgänger aufbauen konnte [2. 953, vgl. 382–383]. Der Stafettendienst mit Wechselstationen in Abständen von Tagesreisen zur schnellstmöglichen Nachrichtenübermittlung ist auch durch Tontafeln aus Persepolis dokumentiert [2. 383]. Daneben konnten die königlichen Raststätten (Hdt. 5,52) offenbar auch von Reisenden im staatlichen Auftrag in Anspruch genommen werden [3. 692–693].

Die ptolem. Einrichtung wurde entsprechend der berühmten Rekonstruktion durch PREISIGKE [4] stets als Abbild des persischen Systems betrachtet [5. 24; 6. 195]. PREISIGKE schloß aus PHibeh I 110 (259–253 v. Chr.) auf die tags und nachts erfolgte Briefbeförderung durch Stafettenreiter in regelmäßigen zeitlichen Intervallen, die er auch für Persien annahm. Außerdem schloß er aus POxy. IV 710 (111 v. Chr.) auf ein zweites, langsameres System mit Briefträgern zu Fuß und Kameltreibern zur Paketbeförderung. Eine erneute Analyse zeigt, daß sich weder die Existenz von zwei P.-Systemen noch die Regelmäßigkeit der Briefbeförderung, Stationsabstände oder der 24stündigen Boteneinsatz aus den wenigen Angaben der beiden Texte nachweisen lassen [7]. Auch muß die Zugehörigkeit des Kameltreibers (POxy. 710) zu dieser Organisation zweifelhaft erscheinen. Sicher ist nur die Existenz eines Briefbeförderungsdienstes durch staatliche Boten, die ihre Fracht an bestimmten Stationen zur Weiterbeförderung ablieferten. Aber ob diese Botenstafette mit Hilfe von Reitern organisiert war, muß bislang offen bleiben.

Im Gegensatz zum persischen und ptolem. System stellte das römische (→ *cursus publicus*) keinen Zustellungsdienst dar, da es nicht über systemeigene Kuriere verfügte. Vielmehr handelte es sich um eine Infrastruktur, die aus Wechsel- und Raststationen (*mutatio*, → *mansio*) mit bereitgestellten Transportmitteln bestand, die von Reisenden in staatlichem Auftrag – wie Kurieren (→ *tabellarius*, im 4. Jh. n. Chr. bes. *veredarii* aus den → *agentes in rebus*), Beamten und Soldaten – genutzt werden konnte, sofern diese über eine spezielle Berechtigung (→ *diploma*, seit dem 4. Jh. *evectio*) verfügten [8]. Einen Teil des Systems bildeten auch gewisse Schiffsverbindungen, die beispielsweise Abteilungen der kaiserzeitlichen Flotte auf der Adria (Tac. ann. 4,27,1) [9] für die staatlichen Beauftragten sicherstellten, ferner Nilschiffer in Äg. (POxy. LV 3796) oder auch lokale Ruderer auf dem Po (Sidon. epist. 1,5).

Die Institution des *cursus publicus* bestand bis zum Ende des Röm. Reiches und wurde von einigen der Nachfolgestaaten in seiner zunehmend eingeschränkten Form (bes. seit 467/8: Cod. Iust. 12,50,22) übernommen. Im Osten führte das Byz. Reich die eingespielten röm. Verfahrensweisen weiter, was die Rechtstexte der Basiliken (Bas. 56,17) sowie Bleisiegel [10] und lit. Quellen zeigen. Veränderungen in der Administration des byz. *dēmósios drómos* (»Staats-P.«) sind vor allem für das 7./8. Jh. bekannt, als die Aufsicht an den *logothétēs tu drómu* (etwa: »P.-Sekretär«) überging [11]. Auch die Araber behielten in den von ihnen eroberten Gebieten des Byz. Reiches die vorgefundene Institution zur schnellen Nachrichtenübermittlung bei (PLond. IV 1347; 1414; 1434). In It. scheinen die Ostgoten das System wiederbelebt zu haben (6. Jh.), wofür Cassiodorus' *Variae* zahlreiche Hinweise liefern [12]. Das Gesetzbuch des Westgotenkönigs Alarich II. (→ Alaricus [3]) überliefert stark verkürzt allein eine Konstitution aus dem *Codex Theodosianus* über den *cursus publicus* (Cod. Theod. 8,5,59). Für das Reich der Burgunder wie auch der Vandalen liegen keine eindeutigen Quellen vor. Im Frankenreich der Merowinger wie auch später der Karolinger wurden lediglich einige Regelungen weitergeführt [13; 14]. An die Stelle reichsumfassender Organisationen traten individuell eingerichtete Boten-

systeme von Königen, Kirchenvertretern oder reichen Grundbesitzern (später Handelsgesellschaften, Städten usw.) [15].

→ Brief; Cursus publicus; Nachrichtenwesen

1 R. W. DAVIES, Service in the Roman Army, 1989 2 P. BRIANT, Histoire de l'empire Perse, 1996 3 A. KUHRT, The Ancient Near East, Bd. 2, 1995 4 F. PREISIGKE, Die ptolem. Staatsp., in: Klio 7, 1907, 241–277 5 E. J. HOLMBERG, Zur Gesch. des Cursus Publicus, 1933 6 H. G. PFLAUM, Essai sur le cursus publicus sous le Haut-Empire romain (Mém. Académie des Inscriptions et Belles-Lettres de l'Institut de France 14), 1940 7 S. R. LLEWELYN, Did the Ptolemaic Postal System Work to a Timetable?, in: ZPE 99, 1993, 41–56 8 A. KOLB, Transport und Nachrichtentransfer im Röm. Reich, 2000, 49–226 9 W. ECK, Die Verwaltung des röm. Reiches in der hohen Kaiserzeit, Bd. 2, 1997, 339–346 10 V. LAURENT, Corpus des sceaux de l'empire byzantin, Bd. 2, 1981, 196–244 11 D. A. MILLER, The Logothete of the Drome in the Middle Byzantine Period, in: Byzantion 35, 1966, 442–445 12 P. STOFFEL, Über die Staatsp., 1993, 157–159 13 F. L. GANSHOF, La tractoria. Contribution à l'étude des origines du droit de gîte, in: TRG 8, 1928, 81–91 14 W. C. SCHNEIDER, Animal Laborans. Das Arbeitstier und sein Einsatz in Transport und Verkehr der Spätant. und des frühen Mittelalters, in: Settimane di studio del centro italiano di studi sull'alto medioevo 31, 1985, 568–578 15 TH. SZABÓ, s. v. Botenwesen, in: LMA 2, 484–487.

A. KOLB, Transport und Nachrichtentransfer im Röm. Reich, 2000, 49–226. A. K.

Postliminium (»Rückkehrrecht«, häufiger in der Verbindung *ius postliminii*) wird in Inst. Iust. 1,12,5 aus *limen* (Schwelle) abgeleitet, was bildlich auf die Grenze des röm. Staatsgebietes übertragen worden sei, so daß der Kriegsgefangene, der bei seiner Rückkehr die »Schwelle« des röm. Staates von jenseits (*post*) her wieder überschritt, von Rechts wegen in seine frühere Stellung vor der Gefangennahme zurückkehrte. Mit der Gefangenschaft bei den Feinden (→ Kriegsgefangene) geriet ein röm. Bürger in Sklaverei. Wurde er z. B. freigekauft, stand ihm das *ius p.* als »Rückkehrrecht« zu (dazu Digestentitel 49,15). Bis dahin blieben seine Rechte in der Schwebe (»Pendenz«), ähnlich wie Rechtsgeschäfte vor dem Eintritt einer Bedingung (→ *condicio*). Starb er freilich in der Gefangenschaft, galten seine Rechte schon mit der Gefangennahme als erloschen. Beerbt wurde er dann aber, wie wenn er als Freier gestorben wäre. Das *ius p.* erstreckte sich nicht auf eine vor der Gefangenschaft bestehende Ehe.

KASER, RPR I, 290 mit Anm. 15 • A. WATSON, The Law of Persons in the Later Roman Republic, 1967, 237–255.

G. S.

Postulatio wird im röm. Recht bisweilen synonym mit → *petitio* allg. für ein Fordern oder Verlangen verwendet. Für den röm. Formularprozeß (→ *formula*) definiert im 3. Jh. n. Chr. Ulpian (im Kontext des Edikttitels *de postulando*; vgl. auch Cod. Iust. 2,6) *postulare* als *desiderium suum vel amici sui in iure ... exponere: vel alterius de-*

siderio contradicere (›sein eigenes oder eines Freundes Begehren vor Gericht darzulegen oder dem Begehren eines anderen zu widersprechen‹, Dig. 3,1,1,2). Mit der *p. actionis* erbat der Kläger vom → Praetor die Gewährung derjenigen Klage, auf die er sich im Wege über die → *editio* (»Bekanntmachung«) mit dem Beklagten verständigt hatte. Die (auch heute noch so genannte) Postulationsfähigkeit bestand in Rom nicht uneingeschränkt: Einzelne (jünger als 17 J. oder Taube) konnten gar nicht, andere (Frauen, Blinde, Infame) nur eingeschränkt postulieren – bedurften also eines → *advocatus*. Im älteren Legisaktionenprozeß (→ *legis actio*) war die *p.* Gegenstand einer eigenen Klage, *legis actio per iudicis arbitrive postulationem*.

Im röm. Strafprozeß war *p.* bedeutungsgleich mit → *accusatio* (»Anklage«).

J.A. CROOK, Legal Advocacy in the Roman World, 1995, 159f. · M. KASER, K. HACKL, Das röm. Zivilprozeßrecht, ²1996, 232f.   C.PA.

Postumia. Letzte Angehörige des Geschlechts der Postumii Albini. Um 94 geb., Frau des Juristen Ser. Sulpicius Rufus (*cos.* 51). Kinder waren ein gleichnamiger Sohn und eine Tochter Sulpicia. Cicero erwähnt P. und ihren Sohn (Cic. Att. 5,21,9; vgl. SHACKLETON BAILEY z.St.; Cic. fam. 4,2,1; 4,2,4; Cic. Phil. 9,5.). Suetonius (Suet. Iul. 50,1) nennt P. unter den hochgestellten Frauen, die → Caesar verführt habe.   ME.STR.

Postumianus. → *Praefectus praetorio Orientis* 383 n.Chr. P., ein aus dem Westen stammender orthodoxer Christ, stieg über verschiedene, nicht näher bekannte Ämter zur Praetorianerpraefektur des Ostens auf (Greg. Naz. epist. 173). Er trat dieses Amt Anf. 383 an (Cod. Theod. 9,42,10), bekleidete es aber nur bis E. des Jahres (Cod. Theod. 16,5,12). Nach seiner Rückkehr in den Westen wurde er 395–396 mit einer Gesandtschaft des stadtröm. Senats zum Kaiser betraut (Symm. epist. 6,22,3; 6,26,2).

W. ENSSLIN, s. v. P. (2), RE 22, 890 · PLRE 1, 718 (P. (2)); vgl. 1, 718 f. (P. (3)).   A.G.

Postumius. Gentilname einer röm. patrizischen Familie (vom Vornamen → *Postumus*), seit dem 5 Jh. v.Chr. in den höchsten Ämtern und bis ins 2. Jh. v.Chr. polit. bedeutend. Ein A.P. soll als → *dictator* 499 oder 496 v.Chr. die Schlacht am → Lacus Regillus entschieden haben (Liv. 2,19–20). Von ihm leiteten sich die Albi bzw. Albini (Regillenses) ab, die mit dem mil. Versagen von P. [I 9] im Iugurthinischen Krieg am E. des 2. Jh. v.Chr. aus der Politik ausschieden.

I. REPUBLIKANISCHE ZEIT

[I 1] P., C. Etr. Eingeweideschauer (*haruspex*; → *haruspices*), der L. Cornelius [I 90] Sulla 89 v.Chr. und 83 dessen mil. Erfolge vorausgesagt haben soll (Cic. div. 1,72; Liv. 77 fr. 19 W.; Plut. Sulla 9,6; 27,7: nach Sullas Memoiren).   K.-L.E.

[I 2] P., M. Aus Pyrgoi; einer der im 2. → Punischen Krieg mit der Heeresversorgung betrauten Staatspächter (→ *publicani*); wurde 213 v.Chr. als Betrüger angezeigt. Nur auf Druck des Volkes kam es 212 zu einer Multklage (→ *multa*), die der Senat aus Furcht vor einem Konflikt mit den *publicani* gerne vermieden hätte. Erst mit Hilfe eines Volkstribunen, dann durch Unruhestiftung versuchte P., sich einem Schuldspruch zu entziehen. Deswegen wurde er nun in einem Kapitalprozeß geächtet; auch gegen seine Helfer wurde streng eingeschritten (Liv. 25,3,8–5,2). Der gesamte Hergang ist nur durch die Annalistik mit möglicherweise starken Anachronismen überliefert.
→ Pomponius [I 2]

E. BADIAN, Publicans and Sinners, 1972, 17–20.

[I 3] P. Albinus, A. Konnte 242 v.Chr. als Consul am entscheidenden Kampf gegen die Karthager nicht teilnehmen, weil er als *flamen Martialis* dazu gezwungen wurde, in Rom zu bleiben (Val. Max. 1,1,2; → *flamines*). 234 war er Censor neben seinem Sohn P. [I 5] als Consul; er starb vor 218.

J. BLEICKEN, Gesammelte Schriften 1, 1998, 435.   TA.S.

[I 4] P. Albinus, A. Röm. Senator und Historiker, Sohn des A. P. [I 10] Albinus Luscus (*cos.* 180 v.Chr.). P. nahm 168/7 – wohl als *tribunus militum* – am Krieg gegen → Perseus [2] von Makedonien teil, der ihm nach der Kapitulation in Gewahrsam gegeben wurde (Liv. 45,28,11). 155 leitete er als *praetor urbanus* die Senatssitzung, in der die Philosophen-Gesandtschaft aus Athen empfangen wurde (Cic. ac. 2,137; s. → Karneades [1]), und sorgte für die Ablehnung der Entlassung der achaiischen Geiseln (Pol. 33,1,3–8). 154 war er Mitglied der Senatsgesandtschaft, die → Prusias [2] II. von Bithynien zum Frieden mit → Attalos [5] II. von Pergamon veranlaßte (Pol. 33,13,4–7). Als Consul des J. 151 (MRR 1, 454f.) hielt er mit seinem Collegen L. → Licinius [I 24] Lucullus eine so strenge Aushebung für den Krieg in Spanien, daß beide zeitweise von den Volkstribunen inhaftiert wurden (Liv. per. 48). 146/5 war er Mitglied (wohl kaum Leiter: [1. 726]) der Zehnerkommission, die die Neuordnung von → Achaia regelte (Cic. Att. 13,30,3; 13,32,3), und wurde vielerorts mit Statuen geehrt (Cic. Att. 13,32,3; IvOl 322; SEG 1,152: Delphi).

P. widmete sich von Jugend an so begeistert der griech. Sprache und Kultur, daß er bei traditionsbewußten Zeitgenossen Anstoß erregte (Pol. 39,1,3), verfaßte ein (nicht näher bekanntes) griech. Gedicht (Pol. 39,1,4) sowie ein Geschichtswerk in griech. Sprache (Cic. Brut. 81; Cic. ac. 2,137; Gell. 11,8,2). Seine Bitte im Vorwort, etwaige Stil- und Kompositionsfehler zu entschuldigen (Pol. 39,1,4; Gell. 11,8,2–3) erregte den Spott des alten → Cato [1] (Pol. 39,1,5–9; Plut. Cato maior 12,6). Obwohl nur Fr. bis zum E. der Königszeit erh. sind, muß das Werk wegen Polybios' Charakterisierung als *pragmatikḗ historía* (d.h. als eine für den Zeitgenossen des Autors bes. nützliche Ursachenanalyse der jüngeren

Vergangenheit, Pol. 39,1,4) auch die jüngere Gesch. Roms umfaßt haben. Die spätant. Zitate aus *De adventu Aeneae* (schol. Servius Danielis ad Verg. Aen. 9, 707; Origo gentis Romanae 15,1–4) entstammen wohl kaum einem separaten Werk, sondern dem 1. B. des Geschichtswerks. Ob es eine lat. Übers. davon gab, ist umstritten (skeptisch [2. LXXXII–III]). Das Werk war insgesamt wenig bekannt.

1 F. W. WALBANK, A Historical Comm. on Polybius, Bd. 3, 1979, 726f. 2 M. Chassignet (ed.), L' annalistique romaine, Bd. 1, 1996.

ED.: HRR I², 53f. · FGrH 812 · M. CHASSIGNET (ed.), L'annalistique romaine, Bd. 1, 1996, 59–61.   W. K.

[I 5] P. Albinus, L. Kämpfte 234 v. Chr. als Consul gegen die → Ligures. 229 erneut Consul, befehligte er das Landheer im 1. Illyrischen Krieg, dann das Winterlager im Feindesland, führte die Friedensverhandlungen und ließ deren Ergebnisse in Griechenland verbreiten (Pol. 2,11–12; → Teuta). Ein Triumph ist nicht überl. Nach einer nicht datierbaren ersten Praetur (233?, 228?) übernahm er dieses Amt 216 zum zweiten Mal. Zur Zeit der Schlacht bei → Cannae (2.8.216; → Hannibal [4]) erlag er mit seinen Truppen am Padus/Po einem Hinterhalt der → Boii. Diese faßten seine Hirnschale in Gold und verwendeten sie fortan bei rel. Feiern als Trinkgefäß (Pol. 3,118,6; Liv. 23,24,6–13). Die Wahl zu einem 3. Konsulat 215 ist annalistische Erfindung.

T. SCHMITT, Hannibals Siegeszug, 1991, 273–276.

[I 6] P. Albinus, L. Feierte 178 einen Triumph über die → Lusitani (Liv. 41,7,1–3); verläßliche Nachrichten zu den Kämpfen 180–179 (Praetur und → prorogatio) fehlen. 173 sicherte er als Consul → *ager publicus* vor privaten Übergriffen. Die Belastung → Praenestes mit Zwangsleistungen stellte die Überl. als eine aus Rache veranlaßte neue Qualität des Drucks auf ital. Verbündete dar (Liv. 42,1,6–12; 9,7). 171 war er Gesandter nach Nordafrika; er scheiterte 169 als einer der *principes civitatis* (→ *princeps* I.) bei der Bewerbung um die Zensur und gehörte dann zum Stab des L. Aemilius [I 32] Paullus bei dessen Griechenlandfeldzug.   TA. S.

[I 7] P. Albinus, L. Sohn von P. [I 8], wurde 168 v. Chr. *flamen Martialis* (Liv. 45,15,10; → *flamines*) und war 158 oder 157 Praetor. Er starb 154 während seines Konsulats entweder durch Krankheit (Obseq. 17) oder durch Gift, das ihm seine Frau Publicia verabreicht haben soll (Liv. per. 48; Val. Max. 6,3,8).

[I 8] P. Albinus, Sp. *Praetor peregrinus* 189 v. Chr. Als *cos.* 186 ging er zusammen mit seinem Collegen Q. Marcius [I 17] Philippus gegen die Geheimkulte (→ Bacchanal(ia)) vor (CIL I² 581; Liv. 39,8–20; Val. Max 6,3,7). Mit seiner Wahl zum Augur 184 war er der erste Vertreter seines Geschlechts in einem großen Priestercollegium. Da er schon 180 an der Pest starb (Liv. 40,42,6; 13), sind seine Klagen über die Beschwerden des Alters in Cic. Cato 7 fiktiv.

1 M. GELZER, KS 3, 256–269 2 MÜNZER, 213.   P. N.

[I 9] P. Albinus, Sp. Erneuerte 110 v. Chr. als Consul trotz des von L. Calpurnius [I 1] Bestia geschlossenen Vertrages den Krieg gegen → Iugurtha in Africa, ging aber nach Rom zurück, um dort die Wahlen abzuhalten, und übergab seinem Bruder Au. P. als Legaten das Kommando. Dieser geriet bei Suthul in einen Hinterhalt, mußte bedingungslos kapitulieren, und die Römer mußten Numidia räumen. 109 konnte P. als Proconsul die Lage mil. nicht mehr wenden und wurde von Q. Caecilius [I 30] Metellus Numidicus abgelöst. Beide Brüder wurden in Rom vor ein Sondergericht gestellt (vgl. → Mamilius [4]) und verurteilt (Sall. Iug. 36–40; Cic. Brut. 128); dieser Zweig der Familie war danach polit. unbedeutend.   K.-L. E.

[I 10] P. Albinus Luscus, A. Der Beiname (nur bei Liv.) deutet den Verlust eines Auges an. P. war Enkel von P. [I 3] und Bruder von P. [I 6] und P. [I 12]. Er war Legat im Krieg gegen → Antiochos [5] III., 187 Aedil und 185 Praetor. Als Consul 180 zog er gegen die Ligures (MRR 1,387) und leitete 176 eine Senatskommission in den Norden der Balkanhalbinsel (Pol. 25,6). Zwei Weihinschr. bezeugen ihn 175 als *duumvir aedi dedicandae* (ILLRP 121; 281). 174 war er Censor mit Q. Fulvius [I 12] Flaccus und wurde 173 *decemvir sacris faciundis*. Nach → Pydna (168) führte er die Zehnmännerdelegation zur Regelung der Verhältnisse im Osten an (MRR 1,435; → Makedonische Kriege).

[I 11] P. Albinus Magnus, Sp. Praetor um 151 v. Chr. Legte als *cos.* 148 die Via Postumia vom Ligurischen Meer bei Genua bis Aquileia [1] an (CIL I² 624; MRR 3,174). P. gehörte wohl mit P. [I 4] der Kommission zur Einrichtung der Prov. Achaia an (Cic. Att. 13,30,2; vgl. 32,3).

[I 12] P. Albinus Paullulus, Sp. Bruder von P. [I 10], war wohl der bei Plin. nat. 18,42 (= Piso, fr. 33 HRR) erwähnte curulische Aedil Sp. Albinus und hatte demnach dieses Amt 185 v. Chr. inne. *Praetor Siciliae* 183, *cos.* 174. Bei Ausbruch des 3. → Makedonischen Krieges 172 wurde P. mit einer Gesandtschaft zu den Rhodiern und anderen Bundesgenossen in Kleinasien geschickt (Liv. 42,45,1–4; vgl. Pol. 27,3).   P. N.

[I 13] P. Albinus Regillensis, M. Censor 403 v. Chr. zusammen mit M. Furius [I 13] Camillus. Als Anreiz zur Eheschließung setzten sie eine Abgabe für unverheiratete ältere Männer fest (Val. Max. 2,9,1; vgl. Plut. Camillus 2,2f.).

[I 14] P. Albinus Regillensis (?), P. (?). Consulartribun 414 v. Chr. (P.' Praenomen und Authentizität der Cognomina sind unklar). Nach Livius (4,49,8–50–8; vgl. Val. Max. 9,8,3) geriet P. nach der Eroberung von Bola über die Beute- und Landverteilung in heftigen Streit mit den Soldaten und wurde von diesen gesteinigt.

R. M. OGILVIE, A Comm. on Livy, Books 1–5, ²1970, 609–611.

[I 15] P. Albus Regillensis, A. Als *cos.* 464 (MRR 1, 34) soll P. nach Livius (3,4,1–5,13; vgl. Dion. Hal. ant.

9,62,2–66,4) nach der Niederlage seines Kollegen gegen die → Aequi auf Grundlage eines *senatus consultum (ultimum)* Verteidigungsmaßnahmen ergriffen haben, was wie auch die hierbei erfolgte Entsendung des Ti. Quinctius Capitolinus *pro consule* offensichtlich eine Rückprojektion der späteren Praxis darstellte (→ Notstand; → *proconsul*; → *propraetor*); dabei soll er selbst marodierende Truppen der Aequi geschlagen haben. Bei der Gesandtschaft von 458 an die Aequi, als deren Mitglied Livius (3,25,6) P. erwähnt, handelt es sich verm. um eine »Dublette«. Bei dem für 484 erwähnten Dedikanten eines noch von seinem Vater gelobten Tempels für Castor (Liv. 2,42,5) kann es sich um P. oder seinen Bruder Sp. P. Albus Regillensis, *cos.* 466 und *decemvir* 451, handeln.

R. M. OGILVIE, A Comm. on Livy, Books 1–5, ²1970, 347 f.; 398–402; 439 f.

[I 16] P. Megellus, L. Consul 305, 294 und 291, Propraetor 295 v. Chr. (MRR 1, 166 f.; 178 f.; 182 f.). Die annalistische Überl. zu P. bzw. seiner Rolle in den mil. Abläufen seiner Zeit ist teilweise widersprüchlich (vgl. Liv. 10,37,13 zum J. 294: *parum constans memoria*, »unsichere Überl.«). Im J. 305 kämpfte er erfolgreich gegen die → Samnites (Diod. 20,90,3 f.; Liv. 9,44,5–16 mit einem Triumph P.' laut einem Teil der Überl.; anders InscrIt 13,1,70 f.). Nach Livius weihte er als *cos.* II 294 einen → Victoria-Altar und siegte über die Samniten und Etrusker, wofür er einen → Triumph erhielt, den er aber gegen den Senat nur mit Hilfe dreier Volkstribune durchsetzen konnte (Liv. 10,32,8–34,14; 37; P.' Triumph wird bestätigt in InscrIt 13,1,72 f.). Sein 3. Konsulat, das P. als → *interrex* zur Abhaltung von Consulnwahlen durch Selbstausrufung erlangte (Liv. 27,6,8), war geprägt durch Zwistigkeiten P.' mit dem Senat, dem Volk und seinem Mitconsul, ausgelöst durch P.' selbstherrliches Gebaren, das ihm in Verbindung mit beträchtlicher Verstimmung über seine Selbstausrufung nach Ablauf der Amtszeit eine Geldstrafe eintrug (Liv. per. 11; vgl. [1]; Dion. Hal. ant. 17/18,4,2–5,4; Cass. Dio fr. 36,32; zu den Spannungen zw. P. und dem Senat [2. 187–189]). Dennoch war P. 282 Führer der röm. Gesandtschaft, die in Tarent (→ Taras) Genugtuung für einen Überfall auf röm. Schiffe fordern sollte, dort beleidigt wurde und daher den Tarentinern den Krieg erklärte (Dion. Hal. ant. 19,5,1–6,1; Cass. Dio fr. 39,5–9; App. Samn. 7,1 f.; vgl. Pol. 1,6,5; Val. Max. 2,2,5.).

1 B. BRAVO, M. GRIFFIN, Un frammento del libro XI di Livio?, in: Athenaeum N. S., 66, 1988, 447–521 2 HÖLKESKAMP.

[I 17] P. Tubertus, A. Nach Livius (4,23,6) 434 v. Chr. → *magister equitum* des *dictator* Mamercus Aemilius, doch ist diese Diktatur wohl unhistor. und wird P. das Amt verm. nur zugewiesen wegen seiner eigenen Diktatur, die er ungewöhnlicherweise ohne vorherige Bekleidung des Oberamtes im J. 432 (Diod. 12,64,1) oder 431 (Liv. 4,31,4: zum möglichen innenpolit. Hintergrund

der Einsetzung P.' [1. 945 f.]) innehatte. Als → *dictator* siegte und triumphierte P. über die Aequi (und Volsci) (Diod. 12,64,1–3; Liv. 4,26,1–29,8); daß er dabei seinen eigenen Sohn wegen Ungehorsams hinrichten ließ, kann trotz der Parallelität zum bekannteren Fall des T. Manlius [I 12] Torquatus, durchaus historisch sein [2. 576 f.].

1 F. MÜNZER, s. v. P. (63), RE 22, 945–948 2 R. M. OGILVIE, A Comm. on Livy, Books 1–5, ²1970. C. MÜ.

II. KAISERZEIT

[II 1] P. P. Acilianus. Ritter, der verm. aus Astigi stammte (CIL II² 7, 285). Nach den ritterlichen *militiae* wurde er → *procurator* von Achaia, wohl im Anschluß daran *procurator* in Syria, wenn nicht noch eine andere Prokuratur dazwischen lag. In Syria amtierte er im J. 102 n. Chr. PIR² P 883.

[II 2] M. P. Festus. Senator, der aus Africa stammte, aus einer Stadt nicht weit von Cirta. Möglicherweise *homo novus*, der seinen Aufstieg vielleicht Cornelius → Fronto [6] verdankte, der ihn seinerseits seinen Mitbürgern als Patron empfahl. *Cos. suff.* im J. 160 n. Chr.; zum Proconsul von Asia bestimmt, aber wohl vorher gestorben; sein Urenkel T. Flavius P. [II 5] Titianus rühmte seine Beredsamkeit in der lat. und griech. Sprache (ILS 2929; vgl. 2941). PIR² P 886.

[II 3] (T. Flavius) P. Quietus. Patrizischen Ranges, seine Laufbahn ist wohl in CIL VI 1419 = 41 224 überl. *Cos. ord.* im J. 272 n. Chr. PIR² P 890.

[II 4] P. Terentianus. Gebildeter junger Römer, dem die anonyme Schrift *Perí hýpsus* (›Über das Erhabene‹; → Ps.-Longinos) gewidmet ist. PIR² P 898.

[II 5] T. Flavius P. Titianus. Nachkomme von P. [II 2]. Vielleicht patrizischen Ranges; *cos. suff.* zw. 285 und 290. → *Corrector Italiae* und in kaiserl. Auftrag Appellationsrichter. Später *corrector Campaniae, consularis aquarum et Miniciae* in Rom; *proconsul Africae* 295/6. *Cos. ord.* II 301 und *praefectus urbi* 305/6. Sein Urgroßvater P. [II 2] war sein Vorbild als Redner (CIL VI 1418 = ILS 2941). Er war auch verwandt mit T. Fl. P. Varus, *cos. suff.* um 250 und *praefectus urbi* 271 n. Chr. PIR² P 900; P 899.

W. E.

Postumus

[1] Röm. → Praenomen, das wie andere der sog. »Numeralpraenomina« (→ Quintus) Kindern nach der Reihenfolge der Geburt gegeben wurde: das Adj. *p.*, »letzter«, meint hier »(weil) nach (dem Tod des Vaters) geboren« (vgl. P. [2]). Bei den Römern war P. bis ins 3. Jh. v. Chr. als Vorname in Gebrauch, dann nur noch als → Cognomen. Die weitere Verbreitung eines ital. Individualnamens **Postumo-* läßt sich aus der Entlehnung ins Etr. erschließen, wo daraus ein Gent. *Pustmi-na-* (CIE 8715) gebildet wurde; dies entspricht dem röm. Gent. *Postumius*.

SALOMIES, 42–44. D. ST.

[2] Nach röm. Recht war ein innerhalb von 10 Monaten (nach altröm. Kalender: 295 Tage) nach dem Tode eines → *pater familias* geborenes Kind nach den XII Tafeln (→ *tabulae duodecim*, 4,4) ehelich, weil es als vom Erblasser gezeugt galt und bei früherer Geburt noch unter dessen Gewalt gestanden hätte. Ob auch ein noch später geborenes Kind unter diese Regelung fiel, war unter den röm. Juristen strittig (Gell. 3,16,23; Dig. 38,16,3,11). Ein *p.* hatte als *suus heres* (Hauserbe; → *sui heredes*) Intestaterbrecht (→ *intestatus*) und konnte im Testament (→ *testamentum*) als Erbe eingesetzt werden; war ein *p.* darin nicht erwähnt, so war das Testament wegen → *praeteritio* (»Übergehung«) unwirksam. Um dies zu vermeiden, pflegte man zu erwartende *postumi* im Testament zu erwähnen (*si mihi filius genitur in X mensibus, unus pluresve, is mihi heres/exheres esto,* ›wenn mir ein Kind innerhalb von 10 Monaten geboren wird, eines oder mehrere, soll es mein Erbe/enterbt sein‹; Cic. inv. 2,42,122; Gell. 3,16,13). Seit C. → Aquillius [I 12] Gallus (1. Jh. v. Chr.) hatte ein Enkelkind, das von einem vor dem Erblasser verstorbenen Sohn des Erblassers gezeugt worden war, dann die Stellung eines *p.*, wenn es nach dem Tod des Großvaters geboren wurde, weil es bei früherer Geburt noch unter der Gewalt des Erblassers gestanden hätte und mit dessen Tod ausgeschieden wäre, also *suus heres* gewesen wäre (*p. Aquilianus*).

Die *lex Iunia Vellaea* (unter Tiberius) erklärte zu *postumi*: (1) ein Kind des Erblassers, das vor der Testamentserrichtung gezeugt und nach ihr, aber noch vor dem Tod des Erblassers geboren war, (2) ein bei Testamentserrichtung lebendes Enkelkind, dessen Vater danach, aber vor dem Tod des Erblassers durch Tod oder Emanzipation aus der → *patria potestas* ausgeschieden war (*p. Vellaeanus*). Salvius → Iulianus [1] fügte ein solches Enkelkind hinzu, das nach der Testamentserrichtung, aber vor dem Tod seines Vaters geboren war und dessen Vater vor dem Tod des Erblassers aus dessen Gewalt ausgeschieden war (*p. Iulianus*). All diese Arten von *postumi* konnten im Testament bedacht werden, machten es aber auch unwirksam, wenn sie übergangen waren (→ *praeteritio*). Wenn freilich jemand nach Testamentserrichtung durch Rechtsgeschäft (→ Adoption) in die Gewalt des Erblassers eingetreten war, war ein Testament selbst bei dessen namentlicher Erwähnung unwirksam, weil der Erblasser ihn nicht in seiner Eigenschaft als *suus* berücksichtigt hatte. Beim Erbfall gezeugte, aber noch ungeborene Kinder fremder Personen *(postumi alieni)* hatten keinen Einfluß auf die Wirksamkeit des Testaments und konnten nach *ius civile* als *personae incertae* (»unbekannte Personen«) auch nicht zum Erben eingesetzt werden, doch gab ihnen der Praetor, wenn sie eingesetzt waren, die → *bonorum possessio secundum tabulas* (»Vermögensinhaberschaft gemäß Testament«). Seit Iustinianus (Inst. Iust. 3,9 pr.; Cod. Iust. 6,48,1) konnten *postumi alieni* eingesetzt werden und konnte ein → *fideicommissum* selbst solchen Personen gewährt werden, die beim Tode des Erblassers noch gar nicht gezeugt waren (Dig. 31,32,6, der Schlußsatz ist

iustinianische → Interpolation); Nov. 159,2 (von 555 n. Chr.) beschränkte dies auf vier Generationen.
→ Erbrecht

1 HONSELL/MAYER-MALY/SELB, 459–460, 463 2 KASER, RPR 1, 684–685, 695, 706; 2, 487–488, 513–514
3 F. LAMBERTI, Studi sui »postumi« nell'esperienza giuridica romana, Bd. 1, 1996 4 U. ROBBE, I »postumi« nella successione testamentaria romana, 1937.   U. M.

[3] Imperator Caesar M. Cassianius Latinius P. Pius Felix Invictus Augustus (z. B. AE 1958, 58). Gründer des sog. »Gallischen Sonderreichs« (260–269 n. Chr.). Von niederer Herkunft (Eutr. 9,9,1), möglicherweise gallischer Abstammung, war P. während der Herrschaft des → *Gallienus praeses provinciae Germaniae inferioris* (SHA trig. tyr. 3,9; Zos. 1,38,2; Aur. Vict. Caes. 33,8; Zon. 12,24 D.; [1. 222 ff.]) und wurde nach einem Sieg über die → Franci, der Einnahme von → Colonia Agrippinensis (Köln) und der Beseitigung des → Licinius [II 6] Saloninus 260 n. Chr. zum Augustus erhoben. P. fand rasch Anerkennung in Gallien, Britannien, Nordspanien, vielleicht auch in Raetien (AE 1993, 1231) und bildete aus diesen Gebieten das sog. »Gallische Sonderreich« mit eigenen Consuln, Praetorianergarde und wohl auch einem Senat in der Hauptstadt Colonia Agrippinensis.

P. selbst führte die reguläre Titulatur der röm. Kaiser, belegt durch zahlreiche, teilweise prächtige Mz.-Emissionen (z. B. RIC 5,2. 328–368; [2. 27–47 und Taf. 1–14]), ohne jedoch – wie bei Usurpatoren üblich – den Anspruch auf die Herrschaft im Gesamtreich mil. durchsetzen zu wollen. So gelang es ihm, die Rheingrenze (→ Limes III. mit Karte) gegen die fortwährenden Übergriffe der germanischen Stämme wirksam zu sichern sowie Handel, Wirtschaft, Rechtsprechung und Verkehr in seinem Reichsteil zu fördern. Nach 263 n. Chr. wurde P. mehrmals von Gallienus und → Aureolus besiegt, ohne daß die Wiedereingliederung des Sonderreiches ins Imperium gelang. Als → Laelianus Anf. 269 von den Truppen in Mogontiacum (Mainz) zum Augustus erhoben worden war, besiegte ihn P. in der Nähe der Stadt. P. wurde aber wenig später, etwa im Mai/Juni 269, selbst von unzufriedenen Soldaten ermordet, da er ihnen die Plünderung von Mogontiacum verweigert hatte (Eutr. 9,9; 9,11; Aur. Vict. Caes. 33,8; [Aur. Vict.] epit. Caes. 32,3; SHA trig. tyr. 3,1–11; Zon. 12,24 D.; Zos. 1,40,1).

1 ECK, Statthalter 2 B. SCHULTE, Die Goldprägung der gallischen Kaiser von P. bis Tetricus, 1983.

J. F. DRINKWATER, The Gallic Empire, 1987 · KIENAST², 243 f. · I. KÖNIG, Die gallischen Usurpatoren von P. bis Tetricus, 1981 · J. LAFAURIE, L'empire Gaulois, in: ANRW II 2, 1975, 853–1012 · PIR² C 466 · PLRE 1, 720 (P. 2).
                                                             T. F.

Postverta (Postvorta) wurde als ein Aspekt der weissagenden Geburtsgöttin → Carmentis verehrt. Varro (*antiquitates rerum divinarum* 103 CARDAUNS) erklärt ihren Namen durch die rückwärts gewandte Lage des Kindes bei der Steißgeburt. Nach Ov. fast. 1,633–636 (vgl. Hyg. bei Macr. Sat. 1,7,20) bezieht sich der Name hingegen auf das Wissen der Göttin um die Zukunft. P. ist Gegenstück zu → Prorsa, zu → Porrima und zu Antevorta.

F. BÖMER, P. Ovidius Naso, Die Fasten, 1958, Bd. 2, 52 · DUMÉZIL, 385 · RADKE, 259–261.   K. SCHL.

Potaissa (Ptol. 3,8,7: Πατρούισσα; Geogr. Rav. 4,14: *Potabissa*; CIL III 1627; CIL III 2086: *Patavisensis*). Siedlung in der Dacia Porolossensis südöstl. von → Napoca, h. Turda (Kreis Cluj/Rumänien). Die Bed. von P. bestand in seiner mil. Besatzung, die seit dem Ausbruch der Markomannenkriege 168/9 n. Chr. von der *legio V Macedonica* gebildet wurde. Der urspr. *vicus* gewann nach der Entstehung der *canabae* (→ Heeresversorgung) an Größe und Bed. Von Septimius Severus (193–211 n. Chr.) erhielt die Zivilsiedlung den Munizipalstatus. Die Bevölkerung war ethnisch gemischt: neben röm. Ansiedlern ist in P. eine lokale dako-getische Schicht nachgewiesen. In der Nähe befanden sich Salzbergwerke. Arch. Reste: Steinlager im SW von Turda, Gebäude (Tempel, Basilika) und Nekropolen.

C. DAICOVICIU, s. v. P., RE 22, 1014–1020 · L. MARINESCU, s. v. P., PE, 733 · TIR L 34 Budapest, 1968, 93 (mit älterer Lit.).   J. BU.

Potamiaina (Ποταμιαίνα). Märtyrerin († um 360 n. Chr.; Fest 7. bzw. 28. Juni). Schülerin des → Origenes [1] in Alexandreia. Nach dem Bericht des Eusebios [7] (Eus. HE 6,4) erlitt sie unter → Septimius Severus (193–211) das Martyrium. Sie bekehrte den Soldaten Basileides, der sie zur Hinrichtung eskortierte. Zusammen mit ihrer Mutter Markella wurde sie durch Übergießen mit heißem Pech hingerichtet. Nach drei Tagen soll sie Basileides erschienen sein, der wegen seiner Bekehrung inhaftiert wurde und danach ebenfalls das Martyrium fand.

J. BOLLANDUS, G. HENSCHENIUS (ed.), Acta sanctorum, Bde. 1, 1643 ff.; 2, 1742, 6 f.; 5, 1744, 355 ff. · R. KNOPF, G. KRÜGER (Hrsg.), Ausgewählte Märtyrerakten, ³1929, 44 f.   K. SA.

Potamon (Ποτάμων). Rhetor aus Mytilene auf Lesbos, Sohn des Philosophen Lesbonax, bekannt aus der Suda (s. v. P., Lesbonax und Theodoros aus Gadara), Erwähnungen bei Seneca (suas. 2,15 f.), Strabon (13,2,3), Lukianos (makrobioi 23) sowie mehreren Inschr. (vgl. [1]). Seine Lebenszeit (nach Lukian. l.c. 90 Jahre) reichte wohl von den 70er J. des 1. Jh. v. Chr. bis in die Anf. der Regierung des Tiberius. Dreimal führte er eine Gesandtschaft seiner Heimatstadt, zweimal zu Caesar (47 und 45 v. Chr.), einmal zu Augustus (27 oder 25); gute Beziehungen zur röm. Führung verrät auch seine Bewerbung um die Stelle des Lehrers des späteren Kaisers Tiberius, für die allerdings → Theodoros aus Gadara

ihm vorgezogen wurde. In Mytilene genoß er höchstes Ansehen. Als Werke nennt die Suda eine Gesch. des Alexandros [4], eine lokalhistor. Schrift über Samos, eine Schrift ›Über den vollkommenen Redner‹, Lobreden auf Brutus und Caesar; Sen. suas. 2,16 erwähnt als Sujet einer der Deklamationen des P. den traditionellen Leonidas-Thermopylen-Stoff (*de trecentis*; → Leonidas [1]); Fr. gibt es nicht.

1 W. STEGEMANN, s. v. P. (3), RE 22, 1023–1027.

FGrH 147 · PIR ²P 675.   M. W.

Potamophylax (ποταμοφύλαξ, »Flußwächter«). Die *potamophýlakes* (ptolem. Amt) bewachten mittels Wachbooten (belegt seit dem 2. Jh. v. Chr.) den Nil, die Nilarme (im Delta) und die Kanäle von Alexandreia bis Syene (Assuan), zuweilen beförderten sie auch eilige Briefe und wurden zum Eintreiben von Zöllen und Steuern eingesetzt. Die *p.* wurden für ihren Dienst konskribiert; das Amt des *p.* war eine → Liturgie.

E. KIESSLING, s. v. P., RE 22, 1029 f.   J. RE.

Potamos (Ποταμός). Name von drei att. Demoi der Phyle → Leontis: (1) und (2) Asty-Demos im oberen Ilissos-Tal, geteilt in Ober-P. (Π. καθύπερθεν/*P. kathýperthen*) beim Kloster Kaisariani mit zwei *buleutaí* und Unter-P. (Π. ὑπένερθεν/*P. hypénerthen*) im h. Panepistemiupolis mit einem bzw. zwei *buleutaí*, von 307/6 bis 201/200 v. Chr. in der → Demetrias. Horos-Felsinschr. am Alepovuni [1; 2] markierten verm. die Grenze zw. Ober- und Unter-P. [3. 117].

(3) *P. Deiradiótai* (Π. Δειραδιῶται). Paralia-Demos, von 307/6 bis 201/0 v. Chr. der Phyle → Antigonis zugeteilt, zwei *buleutaí*. Da für P. keine Erzgruben bezeugt sind, lag es nicht im Potami-Tal nördl. von Thorikos, sondern außerhalb des att. Montanreviers, evtl. östl. von Keratea, angrenzend an Deiradiotai [4. 24], was Strab. 9,1,22, der ein P. zw. Thorikos und Prasiai erwähnt, nicht widerspräche (vgl. Plin. nat. 4,24). Paus. 1,31,3, der ein Grabmal des Ion bezeugt, bezieht sich auf P. (3).

1 M. K. LANGDON, Hymettiana 1, in: Hesperia 54, 1985, 257–270 2 J. OBER, Rock-Cut Inscriptions from Mount Hymettos, in: Hesperia 50, 1980, 68–77 3 J. S. TRAILL, Demos and Trittys, 1986, 14 f., 55, 61, 67, 69, 117, 130 mit Anm. 23 4 E. VANDERPOOL, A South Attic Miscellany, in: H. F. MUSSCHE, P. SPITAELS (Hrsg.), Thorikos and the Laurion in Archaic and Classical Times, in: Miscellanea Graeca, Bd. 1, 1975, 1–42.

TRAILL, Attica, 8, 29 mit Anm. 10, 44 f. mit Anm. 18, 59, 62, 69 f., 112 Nr. 118–120, 134, Tab. 4, 11, 12 · WHITEHEAD, Index s. v. P.   H. LO.

Poteidaia (Ποτείδαια). Die korinthische Kolonie P. wurde um 600 v. Chr. auf dem Isthmos der Pallene [4] (Westen der chalkidischen Halbinsel) angeblich von einem Sohn des Tyrannen → Periandros gegr. (Nikolaos von Damaskos FGrH 90 F 59). Sie begann noch im 6. Jh.

mit der Münzprägung und errichtete kurz vor 500 in → Delphoi ein Schatzhaus (Paus. 10,11,5). Im J. 480 v. Chr. stellte sie Truppen für → Xerxes' Heer (Hdt. 7,123,1; → Perserkriege), fiel aber nach dessen Niederlage bei Salamis ab und wurde im Winter 480/479 vom Perser Artabazos vergeblich belagert (Hdt. 8,126–129); in der Schlacht bei Plataiai (479) kämpfte ein Kontingent von P. an der Seite der Korinther (Hdt. 9,28,3; 31,3; Syll.³ 31). Als Seebundsmitglied (→ Attisch-Delischer Seebund) stellte P. anfangs Schiffe und ging erst nach 450 zur Geldzahlung über; der urspr. Jahrestribut von 6 Talenten wurde später auf 15 erhöht. Im J. 433 forderte Athen P. auf, einen Teil der Stadtmauer niederzureißen, Geiseln zu stellen und die Beziehungen zu Korinth abzubrechen. Nach mehrmonatigen Verhandlungen mit Athen einerseits, Korinth und Sparta andererseits und mit Rückendeckung des Makedonenkönigs → Perdikkas [2] fiel P. schließlich im Frühjahr 432 von Athen ab. P. wurde nach einer für die Athener siegreichen Schlacht eingeschlossen und über zwei J. lang belagert, bis die Einwohner im Winter 430/429 gegen die Zusicherung freien Abzugs kapitulierten. Der Ort wurde von den Athenern neubesiedelt und diente ihnen im weiteren Verlauf des → Peloponnesischen Krieges als Stützpunkt (vgl. Thuk. 1,56–65; 2,31,2; 58; 67; 70; 79; 4,7; 120f.; 129,3; 135,1; Syll.³ 74f.).

Spätestens am E. des Krieges wurde P. den früheren Bewohnern zurückgegeben. Um 390 noch in seiner Unabhängigkeit bestätigt (Syll.³ 135, 18ff.), wurde P. kurz vor 382 Mitglied des Chalkidischen Bundes, fiel aber in diesem J. zu den Spartanern ab und diente ihnen im Krieg gegen → Olynthos als Stützpunkt (Xen. hell. 5,2,24; 39; 3,6). 364/3 wurde P. von Athen eingenommen und durch die Entsendung von → klērúchoi gesichert (Diod. 15,81,6; Syll.³ 180), blieb aber formal frei (IG IV² 1, 94 Ib 12). 356 eroberte Philippos [4] II. P., versklavte die Bewohner mit Ausnahme der Athener und übergab die nicht zerstörte Stadt den Olynthiern (Diod. 16,8,3; 5).

316 gründete → Kassandros an dieser Stätte Kassandreia, das wohl als Hauptstadt gedacht war, und zog zu deren Besiedlung die Bewohner der ehemaligen Städte P. und Olynthos sowie der Orte der Pallene und des Gebietes nördl. des Isthmos heran (Diod. 19,52,2f.). Diese Neugründung war von Anf. an eine der bedeutendsten maked. Städte. In den Auseinandersetzungen nach Kassandros' Tod (298) wechselte sie mehrfach den Besitzer und erlebte schließlich nach dem Tod des Ptolemaios [2] Keraunos (279) eine Erhebung der Unterschicht, die mit der Schreckensherrschaft des Apollodoros, des Führers des Aufstandes, endete (Diod. 22,5). Erst 276 konnte Antigonos [2] die Stadt erobern, die nun bis zum E. der maked. Monarchie fest zum Reich gehörte, im 1. → Makedonischen Krieg (215–205) als Kriegshafen und Arsenal diente und in den J. 199 und 169 von den Römern und ihren jeweiligen Verbündeten vergeblich belagert wurde (Liv. 28,8,14; 31,45,14f.; 44,10,11–12,7).

In der Triumviratszeit (nach 43 v. Chr.) wurde in K. eine röm. colonia gegr., die unter Augustus zusätzliche Siedler und den Namen colonia Iulia Augusta Cassandrensis sowie das ius Italicum erhielt. 269 n. Chr. konnte eine Belagerung durch die → Goti und ihre Verbündeten abgewehrt werden (Zos. 1,43,1). 539/540 wurde Kassandreia, dessen Befestigungen verfallen waren, von den Slaven eingenommen und zerstört. Iustinianus [1] ließ zwar die Befestigungen und die Sperrmauer über den Isthmos wiederherstellen (Prok. BP 2,4,5; Prok. aed. 4,3,21ff.), aber K. selbst erstand nicht wieder. Sein Name ging auf die noch h. Kassandra genannte Halbinsel Pallene über.

Aus P./Kassandreia stammten der Alexanderhistoriker → Aristobulos [7] und der Komödiendichter → Poseidippos [1], der im 3. Jh. v. Chr. große Erfolge in Athen hatte.

J. A. ALEXANDER, Potidaea, Its History and Remains, 1963 · E. MEYER, s. v. P. (1), RE Suppl. 10, 616–639 · M. ZAHRNT, Olynth und die Chalkidier, 1971, 214–218 · F. PAPAZOGLOU, Les villes de Macédoine à l'époque romaine, 1988, 424–426 · M. B. HATZOPOULOS, Une donation du roi Lysimaque, 1988 · Ders., Le statut de Cassandrée à l'époque hellénistique, in: Ancient Macedonia 5, 1993, 575–584. M. Z.

Poteidania (Ποτειδανία). Stadt in Aitolia (→ Aitoloi, mit Karte) im Gebiet der Apodotoi, identifiziert mit den Ruinen südöstl. des h. Kambos am mittleren Mornos durch hier gefundene Freilassungsurkunden (SEG 41, 528) von 135/4 v. Chr. Vgl. Thuk. 3,96,2; Liv. 28,8,9.

PRITCHETT 7, 49–52 · D. STRAUCH, Röm. Politik und griech. Trad., 1996, 301. D. S.

Potestas. Abstrakter Begriff für die Amtsgewalt der röm. Magistrate (→ magistratus). Anders als auspicium, das die älteste Bezeichnung magistratischer Gewalt in Rom abgibt, und das speziellere → imperium bezeichnet p. nicht nur den Inhalt von Amtsgewalt (vgl. R. Gest. div. Aug. 34), sondern dient auch und v. a. als Bezugsgröße in der Ämterhierarchie: Mit den relativierenden Zusätzen maior (»größere«), par (»gleiche«) und minor (»kleinere«) regelt sie im Interesse der aristokrat. Ges. die Beziehungen der röm. Magistrate untereinander. Die par p. steht für das Prinzip der Kollegialität, das es ranggleichen Amtskollegen (z. B. Consuln) ermöglicht, einander mit Hilfe des Interzessionsrechtes (→ intercessio I.) zu kontrollieren. Die Amtshandlungen des jeweils anderen können so verhindert oder, sofern sie bereits Rechtsgültigkeit besitzen, kassiert werden; sie gelten dann als nicht ergangen. Durch diese Intra-Organ-Kontrolle sind die Magistrate gleicher Ordnung zur Absprache gezwungen. Gleichfalls kann die ranghöhere Gewalt (maior p.), z. B. des → Consuls, Akte der rangniederen Gewalt (minor p.), z. B. des → Praetors oder → Quaestors, untersagen (Verbietungsrecht). Die Inter-Organ-Kontrolle verhindert eigenmächtiges Vorgehen niederer Amtsinhaber. Die *p.* bezeichnet nicht ein Rangverhältnis zw. Magistraten *cum potestate* und denen *cum imperio*, da *imperium* eine spezielle Vollmacht neben der *p.* und nicht über der *p.* darstellt.

→ Magistratus; Princeps; Tribunus (plebis)

J. BLEICKEN, Zum Begriff der röm. Amtsgewalt, 1981, 278–287 · Ders., Die Verfassung der röm. Republik, ⁷1995, 98f., 103f. · W. KUNKEL, Die Magistratur, 1995, 21f., 207–224.   L. d. L.

Pothaios s. Megakles [7]

Potheinos (Ποθεῖνος). Eunuch, *nutricius* (Erzieher) → Ptolemaios' [20] XIII. (Caes. civ. 3,108), wohl von Ptolemaios [18] XII. testamentarisch als Vormund eingesetzt. Seine genaue Stellung am Hof in Alexandreia ist unklar; wenn P. *amicus regis* (Caes. civ. 3,104,1) heißt, so ist das wohl nicht mit dem → Hoftitel *phílos* gleichzusetzen; Cassius Dio (42,36,1) bezeichnet ihn als *tēn dioíkēsin tōn tu Ptolemaíu chrēmátōn prostetagménos* (»Verwalter der Güter des Ptolemaios«) – vielleicht ist damit das Amt eines → *dioikētḗs* gemeint, das P. allerdings kaum vor E. Juli 48 v. Chr. bekleidet haben kann; vielleicht stand er aber als → *epítropos* [1] (App. civ. 2,84) über dem *dioikētḗs*. P. gehörte mit → Achillas und Theodotos zu der Gruppe, die spätestens im Herbst 50 durchsetzte, daß Ptolemaios XIII. an der Macht beteiligt wurde, und die ab Juni 49 eine dominante Rolle des Königs erreichte sowie dafür sorgte, daß → Kleopatra [II 12] vertrieben wurde. P. spielte im September 48 eine wichtige Rolle bei der Entscheidung, → Pompeius [I 3] zu töten (Plut. Pompeius 77,2; Lucan. 8,482–535), und versuchte danach, die Interessen eines eigenständigen Äg. und des jungen Ptolemaios XIII. gegen → Caesar und Kleopatra zu verteidigen. P. mobilisierte die Alexandriner gegen Caesar und rief das Heer des Achillas nach Alexandreia. Auch nach der offiziellen Versöhnung von Ptolemaios und Kleopatra hielt er Verbindung zu Achillas, versuchte auch, Ptolemaios XIII. zum Heer zu bringen – weshalb er von Caesar 48 hingerichtet wurde (Cass. Dio 42,39,2; Caes. civ. 3,112,12).

Die Erwähnung eines P. (PP VI 14621) bei Plutarch (Antonius 60,1) ist entweder Propaganda des Octavianus (→ Augustus) oder ein Irrtum Plutarchs.

H. HEINEN, Rom und Äg. von 51–47 v. Chr., Diss. Tübingen 1966 · L. MOOREN, The Aulic Titulature in Ptolemaic Egypt, 1975, 72f. Nr. 028 · PP V 14428; VI 14620.   W. A.

Pothos (Πόθος, lat. *Pothus*). Daimon (→ Dämonen); Personifikation der strebenden Sehnsucht, oft nach etwas Fernem; der anfängliche Unterschied zu → Eros [1] und → Himeros, der Sehnsucht nach Gegenwärtigem (Plat. Krat. 420a), verwischt in späterer Zeit. P. gilt bisweilen als Sohn des Zephyros oder des Eros (Plat. symp. 197d) und der → Kypris sowie als Bruder der → Peitho (Aischyl. Suppl. 1038ff.). P. wurde zudem bildlich im Kontext des aphrodisischen und dionysischen Kreises

dargestellt (Paus. 1,43,6; Plin. nat. 36,25). Auch eine Assoziation mit dem Tod ist belegt: P. ist der Name einer Blume, die als Grabschmuck diente (Theophr. h. plant. 6,8,3).   HE. B.

Potin. Frz. Bezeichnung für eine Legierung aus Kupfer, Zinn, Blei und Antimon, aus der die Kelten im östlichen Gallien gegossene Mz. herstellten. Durch einen hohen Zinnanteil und das weiche Blei sinkt der Schmelzpunkt auf wenige hundert Grad, so daß die Mz. bei relativ niedrigen Temperaturen gegossen werden konnten [1. 66]. P.-Mz. kommen als anepigraphe, semiepigraphe und epigraphe Münztypen vor [1. 152–184].

1 A. BURKHARDT, W. B. STERN, G. HENNIG (Hrsg.), Keltische Mz. aus Basel. Numismatische und metallanalytische Unt., 1994 2 GÖBL, Bd. 1, 37 3 K. GRUEL (Hrsg.), Les potins gaulois: typologie, diffusion, chronologie, in: Gallia 52, 1995, 1–144 4 SCHRÖTTER, s. v. P., 528.   GE. S.

Potitii. Patrizisches Geschlecht. Nach der Überl. versahen die P. einen → Hercules-Kult an der Ara Maxima in Rom, der ihnen zusammen mit den Pinarii (→ Pinarius), denen gegenüber sie einen Vorrang besaßen, angeblich schon in frühester Zeit, nämlich von Hercules selbst bzw. → Euandros [1], anvertraut worden war, dann aber im J. 312 v. Chr. durch den Censor Appius Claudius [I 2] Caecus in einen Staatskult überführt wurde (Verg. Aen. 8,268–72 mit Serv. Aen. ad loc.; Liv. 1,7,8–15; 9,29,9–11; Dion. Hal. ant. 1,40,1–5; Val. Max. 1,1,17; Macr. Sat. 1,12,28; 3,6,12ff; Fest. 270). Diese Übertragung erregte den Zorn der Götter, so daß nach einer Version die P. mit zwölf erwachsenen Familienmitgliedern innerhalb von 30 Tagen (Fest.), nach einer anderen die P. mit zwölf Familien und insgesamt 30 Erwachsenen innerhalb eines J. (Liv.; Val. Max.) ausstarben, Claudius selbst aber erblindete. Ist die Überl. im Kern histor., wird man wohl in umgekehrter Weise ein Aussterben der *gens Potitia* und die darauf folgende Übertragung des Kultes an Staatssklaven anzunehmen haben [1. 213; 2. 60f.]. Auffällig ist aber das Fehlen von P. in den *Fasti* – u. a. hieraus schloß [3. 293–308], daß es sich bei den P. (von lat. *potiri* bzw. *potire*, »sich bemächtigen«; vgl. [4]) um Kriegsgefangene handelte, die als Beutezehnt der Gottheit überantwortet wurden und, als ihre Zahl eine bestimmte Grenze unterschritt, 312 durch den Staat wieder auf ihre notwendige Gesamtzahl gebracht wurden. In späterer Zeit wurde der Kult an der Ara Maxima vom *praetor urbanus* versehen (Varro ling. 6,54; CIL VI 313 = ILS 3402; zur Ara Maxima vgl. [5]).

1 LATTE 2 R. M. OGILVIE, A Comm. on Livy, Books 1–5, ²1978 3 R. E. A. PALMER, The Censors of 312 B. C. and the State Religion, in: Historia 14, 1965, 293–324 4 WALDE/HOFMANN 2, 350 5 F. COARELLI, s. v. Hercules invictus, ara maxima, in: LTUR 4, 1996, 15–17.   C. MÜ.

Potnia theron (Πότνια θηρῶν, »Herrin der Tiere«).
A. VORBEMERKUNG B. SPRACHLICHES
C. MYTHOS UND IKONOGRAPHIE
D. ZU GESTALT UND FUNKTION

A. VORBEMERKUNG

Mit der P.th. verknüpft die gräzistische Rel.-Wiss. mehrere grundlegende Thesen über das Verhältnis von Göttern, Menschen und Tieren, wie sie bes. in Opfer und Jagd, aber auch in der Bedrohtheit der menschlichen Lebenswelt eine lebenswichtige Erfahrung dargestellt habe: die Sakralisierung der Tiertötung, um das eigene Leben zu erhalten. In Indien stand der Herr der Tiere im Gegenteil geradezu für das Verbot der Tiertötung [1]. Die P.th. dagegen sei das Bindeglied von der jägerischen Existenzweise zur »wilden« Tiefendimension der klass. ant. Kultur ([2; 3. 85–96]; kritisch: → Opfer I.). Der Befund ist aber zu begrenzt, um solche weitreichenden Hypothesen zu tragen.

B. SPRACHLICHES

Sprachlich ist *p.th.* nur in Hom. Il. 21,470 als Beiname der → Artemis genannt. Das Fehlen weiterer Belege legt nahe, daß es sich nicht (mehr) um eine kultische Epiklese dieser Göttin handelt (vgl. Anakr. PMG 348,3 *déspoina thērôn*). Die Epiklese an die myk. *Potnia* der Brz. anzuschließen, die dort eine zentrale Stellung im → Pantheon einnimmt, ist verführerisch. Aber jene Göttin ist unterschieden von *Artemis* und *At(h)ana Potinija* (→ Athena A.; Diskussion: [4]).

Zu differenzieren ist zw. dem die Herrin mitumschließenden Genetiv (z. B. *Pótna theáōn* von Demeter als sie selbst einschließende »Herrin der Götter«: Hom. h. 2,118) und dem Genetiv, der die Herrin den Beherrschten gegenüberstellt. Der erste Typ liegt dem Märchenmotiv »Herrin der Tiere«, der zweite dem myth. und ikonographischen Motiv von der P.th. zugrunde.

C. MYTHOS UND IKONOGRAPHIE

Im Unterschied zum »Märchenmotiv« (vgl. [5]) steht im Mittelpunkt der griech. Mythen die Zähmung und Beherrschung der wilden Tiere (→ Artemis C.1). Diese Mythen haben mit dem Bild der P.th. ihre Entsprechung in der kultischen Realität, etwa → Kirkes »Zoo« in Hom. Od. 10,348 ff. oder die Nymphe Kyrene, die das Land für eine griech. Polis kultiviert, indem sie wie Herakles einen Löwen niederringt (Hes. fr. 215 M.-W.; Pind. P. 9; [6. 53–165]). Der männliche Herr (mask. Form *-ios* nicht belegt) der Tiere ist sehr selten; der kretische Zeus → Zagreus aus der Höhle auf dem Ida-Gebirge steht myth. nahe ([7. 2222–2231]: ein Fund von Schilden und Schlaginstrument mit dem Bild eines assyrisierend dargestellten Mannes, der seinen Fuß auf einen Stier stellt). Epiklese [8. 22 Anm. 22; 9. 56], Erzähl- und Bildmotiv sind allerdings älter und zeitgleich im Alten Orient als Vorbilder auszumachen.

Ikonographisch ist der Befund sehr ergiebig, aber regional und histor. stark differenziert (Kataloge: [10. 99–131; 11. 51–55, 129–154, 203–217; 12]: Meist symmetrisch zw. zwei wilden Tieren hat die P.th. die Löwen, Greifen, Hirsche oder Wasservögel im Griff. Die Machtverhältnisse sind durch die Größe bestimmt (Anisokephalie). Auch als nackte Göttin kann die P.th. dargestellt sein. Das Bildmotiv ist auf Kreta in minoischer Zeit (→ Minoische Kultur und Archäologie D. 5.) und wieder in der orientalisierenden Epoche belegt, auch als »Bergmutter« (so anspielend auf die Göttin neben dem kretischen Zeus/Zagreus auch Eur. Kretes fr. 472,13 NAUCK²; [13. 353]; männliches Gegenstück: [14]). Sonst ist die Darstellung auf der Peloponnes in myk. Zeit und wieder in der orientalisierenden Epoche vor allem in Sparta und in Korinth, von dort ausstrahlend in den Kolonien wie Korkyra [1] häufig. Das Motiv ist in der 2. H. des 6. Jh. v. Chr. »ausgestorben« [11. 211].

D. ZU GESTALT UND FUNKTION

Älteren rel.-wiss. Modellen galt die P.th. als griech. »Beleg« für eine frühe Stufe der menschlichen Entwicklung vom Jäger zum Kulturmenschen (s.o. A.) und als Indiz für den Animismus: Sie sei die tiergestaltige Trägerin der Totenseele, deren Jagd damit tabuisiert war. Für die Rekonstruktion der Jägerkultur gibt die P.th. allerdings keine Basis. Sie ist also keine griech. Formung einer psychischen Situation, die spontan in allen Jägerkulturen entstünde. Damit rückt die Frage nach der Übernahme aus der altoriental. Bild- und Vorstellungswelt in den Mittelpunkt: Während im Alten Orient die Fähigkeit zur Herrschaft (auch des Königs über Menschen, bes. »wilde« Menschen) und zur Domestizierung im Vordergrund steht, oszilliert das Bild von der P.th. im orientalisierenden Griechenland eher ambivalent zwischen »Tod bringen« und »Tod bannen« (vgl. [15. 178]). Sie läßt sich weder als Personifikation einer (rekonstruierten) umfassenden brz. Gottheit verstehen noch ist sie mit *einer* Olympischen Gottheit oder einer bestimmten, namenlosen Dämonin identisch (vgl. [13. 352–388]). Nur im Kult des Idäischen Zeus sowie der Artemis → Orth(e)ia in Sparta und auf Korkyra scheint die Vorstellung eines Herrn bzw. einer Herrin über die Tiere fest mit einem Kult verbunden. Das Motiv aus dem Alten Orient, von einheimischen Künstlern gestaltet, ist als »Ikone« verwendet, die aber nicht den Import der entsprechenden altoriental. rel. Vorstellung voraussetzt.

1 E. HOFSTETTER, Der Herr der Tiere im Alten Indien, 1980 2 K. MEULI, Die Baumbestattung und die Göttin Artemis (1965), in: Ders., Gesammelte Schriften, Bd. 2, 1975, 1083–1118 3 W. BURKERT, Homo necans, 1972 4 M. GÉRARD ROUSSEAU, Les mentions religieuses dans les tablettes mycéniennes, 1968 5 L. RÖHRICH, s. v. Herr der Tiere, EDM 6, 1990, 866–879 6 F. STUDNICZKA, Kyrene. Eine altgriech. Göttin, 1890 7 W. FAUTH, s. v. Zagreus, RE 9 A 2, 2221–2283, bes. 2225 8 W. BURKERT, Die orientalisierende Epoche in der griech. Rel. und Lit., 1984 9 M. L. WEST, The Eastern Face of Helicon, 1996 10 E. SPARTZ, Das Wappenbild des Herrn und der Herrin der Tiere in der minoisch-myk. und frühgriech. Kunst (Diss. München), 1964 11 P. MÜLLER, Löwen und Mischwesen in der archa. griech. Kunst (Diss. Zürich), 1978 12 N. ICARD-GIANIOLI, s. v. P.th., LIMC 8, 1021–1027

13 Nilsson, MMR **14** E. Hallager, The Master Impression (Studies in Mediterranean Archaeology 69), 1985 **15** C. Christou, P. th., 1968.

P. Blome, Die figürliche Bilderwelt in der geom. und früharcha. Periode, 1982 · H. P. Dürr, Sedna, Oder: die Liebe zum Leben, ²1985, 128–208. C. A.

Potniai (Πότνιαι, Ποτνιαί). Boiotischer Ort ca. 2 km südl. von → Thebai an der nach → Plataiai führenden Straße (Xen. Hell. 5,4,51) beim h. Tachi mit Heiligtümern der Demeter und der Kore und des Dionysos Aigobolos sowie einer Quelle, deren Wasser angeblich Pferde rasend machte (Paus. 9,8,1; Strab. 9,2,24; Verg. georg. 3,266ff.; Ail. nat. 15,25), gleichgesetzt mit dem bei Hom. Il. 2,505 erwähnten Hypothebai (Strab. 9,2,32). Zu Anf. des → Peloponnesischen Krieges wurde die Bevölkerung des unbefestigten Ortes, der einem der von Thebai abhängigen Bezirke des Boiotischen Bundes angehörte, nach Thebai evakuiert (Hell. Oxyrh. 20,3,439).

Fossey, 208–210 · N. D. Papachatzis, Παυσανίου Ἑλλάδος Περιήγησις 5, ²1981, 65–69 · Schachter 1, 159f., 182 · P. W. Wallace, Strabo's Description of Boiotia, 1979, 93f. P. F.

Pozo Moro s. Pyrenäenhalbinsel

Praecia. Von *praeco* (»Herold«) abgeleiteter Eigenname. Bekannt durch P., um 75 v. Chr. Geliebte des P. Cornelius [I 15] Cethegus; durch massive Geschenke an sie sicherte sich L. Licinius [I 26] Lucullus die Unterstützung des Cethegus und damit die Prov. Cilicia (Plut. Lucullus 6,2–4). JÖ. F.

Praeco (»Ausrufer«). Der *p. publicus* (Cic. Sest. 57) gehörte zum Hilfspersonal der röm. Magistrate (→ *apparitores*). Er war kein Amtsträger im röm. Rechtssinn (→ *magistratus*), sondern diente in der Hierarchie der staatl. besoldeten Subalternen auf der untersten Stufe (vgl. CIL I² 594, LXII Z. 32–39). Mit seiner Tätigkeit, für die er im Grunde nur über eine laute Stimme verfügen mußte (spöttisch: Mart. 5,56), war kein hohes soziales Ansehen oder gar polit. Einfluß verbunden. *Praecones* waren zumeist Freigelassene und deren Söhne, aber auch Freigeborene, in jedem Fall röm. Bürger (CIL I² 587, Z. 12f.; vgl. I² 594, LXII Z. 18–20 = [2]). Sie waren in einer Berufskorporation organisiert ([3]; → *collegium*). Magistratische Verlautbarung in und außerhalb Roms konnten durch Ruf erfolgen: P. luden z. B. die Bürger zu den Volksversammlungen (→ *comitia*) und die Senatoren in die Kurie, trugen Gesetzesvorlagen vor, verkündeten Wahlergebnisse oder riefen im Kriminalverfahren die Prozeßbeteiligten auf [1. 125; 6. 363–365].

1 W. Kunkel, Die Magistratur, 1995 **2** M. H. Crawford (Hrsg.), Roman Statutes, Bd. 1, 1996, 293–300; 355–391 **3** B. Cohen, Some Neglected *ordines*: the Apparitorial Status-Groups, in: C. Nicolet (Hrsg.), Des ordres à Rome, 1984, 23–60 **4** N. Purcell, The apparitores. A Study in Social Mobility, in: PBSR 51, 1983, 125–173 **5** F. Hinard, Remarques sur les praecones e le praeconium dans la Rome de la fin de la République, in: Latomus 35, 1976, 730–746 **6** Mommsen, Staatsrecht 1. L. d. L.

Praeda. Mit *p.* bezeichneten die röm. Juristen vor allem die → Kriegsbeute (Labeo Dig. 49,15, 28). Nach dem *ius gentium* (→ *ius* C.2.) war an dem Feind abgenommenen Sachen der originäre Eigentumserwerb durch → *occupatio* möglich (Gai. Dig. 41,1,5,7); gefangene Feinde wurden versklavt (Florentinus Dig. 1,5,4); erobertes Land fiel an den röm. Staat. Die zur Plünderung abkommandierten Soldaten verpflichteten sich durch Eid zur vollständigen Ablieferung der *p.* Diese wurde meist vom Feldherrn verkauft, und der Erlös (*manubiae*) unter die Soldaten verteilt. Auch der Feldherr und das → *aerarium* (Veteranenkasse) erhielten Anteile. Die Unterschlagung von zur Kriegsbeute zählenden Sachen war → *peculatus* (strafbare Aneignung von Staatsvermögen, Mod. Dig. 48,13,15).

Des weiteren verwendeten die Juristen *p.* für unerlaubt erlangte Vermögensvorteile (Ulp. Dig. 25,5,1 pr.) und die Beute von Räubern und Plünderern (Paul. Dig. 47,9,4,1; Callistratus Dig. 48,19,28,10). Plünderungen wurden bei erschwerenden Umständen sogar mit dem Tode bestraft (Paul. sent. 5,20,1).

→ Krieg; Kriegsbeute; Sklaverei

F. Bona, Osservazioni sull'acquisto delle »res hostium« a seguito di »direptio«, in: SDHI 24, 1958, 237–268 · Kaser, RPR 1, 425 · A. Watson, The Law of Property in the Later Roman Republic, 1968, 63–74. R. GA.

Prädestinationslehre I. Allgemeines II. Griechisch-römische Prädestinationslehren III. Christlich

I. Allgemeines

Prädestination (lat. *praedestinatio*, ein christl. Begriff) ist im engen Sinne die christl. Lehre von der Vorherbestimmtheit der Gesch. und des Einzellebens. Sie wurde bes. in der Auseinandersetzung des → Augustinus mit den Pelagianern (→ Pelagius [4]) für die Kirche wegweisend gestaltet, hat aber Wurzeln, die sowohl auf das AT als auch auf die griech.-röm. Philos. und Rel. zurückreichen. Sie ist letztlich die christl. Ausprägung eines für die meisten rel. Systeme grundlegenden Konflikts: desjenigen zw. der Allmacht des Göttlichen, die auch die Vorbestimmtheit der Zukunft einschließen müßte, und dem Anspruch des einzelnen auf Willensfreiheit, und desjenigen zw. der Definition des Göttlichen als gut und der Existenz des Bösen (→ Theodizee).

II. Griechisch-römische Prädestinationslehren

Für das homerische Epos ist das Verhältnis der Götter, bes. von → Zeus, dem Lenker der jetzigen Weltordnung, zum → Schicksal ambivalent: Die Götter können dem Schicksal unter- oder übergeordnet sein; auch der

Mensch kann etwas tun, was über das Schicksal hinausgeht (*hypér aísan*) oder gegen es verstößt (*pará moíran*) [1]. Nach vereinzelten Äußerungen der → Vorsokratiker zum Schicksal (Herakl. 22 A 5 und 8; B 137 DK; Demokr. 68 A 32 DK; vgl. Epik. bei Diog. Laert. 10,134) war es der → Stoizismus, welcher die philos. Problematik für die gesamte Folgezeit entscheidend ausformulierte; in der Auseinandersetzung mit der Stoa wurden die Argumente geprägt, welche auch die christl. Autoren seit den Apologeten in ihrer Diskussion benutzten. Entsprechend der stoischen Annahme des göttlichen → *lógos*, der gleichzeitig Vernunft ist, als Grundlage des Kosmos (→ Kosmologie, → Welt) ist alles Geschehen in eine unendliche Kausalkette eingebunden (Chrysippos fr. 917, SVF 2,265), in die allein der Weise Einsicht hat und der er sich kraft dieser Einsicht ergibt (Sen. epist. 107,10); Vorsehung (griech. πρόνοια/ *prónoia*, lat. *providentia*) und Schicksal (griech. *heimarméné*, lat. *fatum*) sind so identisch. Den Versuch des Chrysippos [2], der Aufhebung der Willensfreiheit zu entgehen, betrachtet schon Cicero (fat. 41) als gescheitert [4; 5].

Der vor allem durch → Poseidonios [3] präzisierte Einfluß der Gestirne auf das individuelle Leben prägte als »astrologischer Fatalismus« die folgende Diskussion, in der sich bes. → Mittelplatonismus und → Neuplatonismus gegen die stoische Schicksalsauffassung wandten (die christl. Diskussion schließt hier an). Hauptzeugnisse sind die Schrift *De fato* (*Perí heimarménés*) des → Alexandros [26] von Aphrodisias (2./3. Jh. n. Chr., CAG Suppl. 2,2; 1897; [6; 7]), der pseudo-plutarchische Traktat *De fato* (Plut. mor. 586b–574f; 2. Jh. n. Chr.) [8] und ein Teil des Timaios-Kommentars des Christen → Calcidius (3./4. Jh. n. Chr.) [9]. Gegen die Stoa wird von den Platonikern das individuelle Schicksal vom übergeordneten göttlichen Willen (*prónoia*) getrennt; im Anschluß an die platonische Konzeption der freien Wahl des Lebensloses (Plat. rep. 10,617e ff.) wird die Willensfreiheit dadurch gewahrt, daß das Schicksal als Rahmenbedingung des individuellen Handelns verstanden wird – der Mensch handelt »im Schicksal«, nicht »gemäß dem Schicksal« (Calcidius in Timaeum 150): Das göttlich vorgebene Schicksal ist somit bloß der Rahmen, innerhalb dessen individuelle Entscheidung und damit Verantwortung möglich bleibt.
→ Schicksal; Theodizee

1 U. BIANCHI, Dios Aisa, 1953 2 B. C. DIETRICH, Death, Fate and the Gods, 1967 3 H. LLOYD-JONES, The Justice of Zeus, 1971 (²1983) 4 J. B. GOULD, The Stoic Conception of Fate, in: Journ. for the History of Ideas 25, 1974, 17–32 5 R. W. SHARPLES, Necessity in the Stoic Doctrine of Fate, in: Symbolae Osloenses 56, 1981, 81–97 6 Ders. (ed.), Alexander of Aphrodisias On Fate: Text, Translation and Commentary, 1983 7 P. THILLET (ed.), Alexandre d'Aphrodise: Traité du destin, 1984 8 E. VALGIGLIO (ed.), Plutarco, Il Fato: introduzione, testo critico, traduzione e commento, 1964 9 J. DEN BOEFT (ed.), Calcidius On Fate. His Doctrines and Sources, 1970. F. G.

III. CHRISTLICH

Praedestinare gibt das nt. *(pro)orízein* (»vorherbestimmen«) in Röm 1,4; 8,29–30, 1 Kor 2,7 und Eph 1,5; 1,11 wieder [1], das lat. Subst. *praedestinatio* ist ab → Novatianus (De trinitate 94) Bestandteil der christl. lat. Sondersprache. In der griech. Theologie wird die P. als Providenzlehre entwickelt [2. 93, 236–241, 398–409], und zwar in Abgrenzung gegen die stoische Lehre (→ Stoizismus) von der *heimarméné* bzw. dem *fatum* (→ Schicksal) und der gnostizistischen Lehre (→ Gnosis), daß durch die Natur/*phýsis* festgelegt sei, wer erlöst wird (so nur die Pneumatiker, nicht die Psychiker und Sarkiker). Bes. → Origenes [2] betont die freie Willensentscheidung (Orig. de principiis 3,1, vgl. → Methodios [1], De autexusio). Die Prädestination versteht er als Belohnung, Prüfung oder Bestrafung aufgrund der »Vorsehung« (vgl. Röm 8,29): Gegenstand der πρόνοια (*prónoia*)/lat. *providentia* ist das gesamte Leben der Seele über die Grenzen des irdischen Lebens hinaus [3]. Den erwählten Seelen voran geht die erwählte Seele Jesu (Orig. de principiis 2,6; vgl. Athan. c. Ar. 2,75–76).

Entscheidend weiter führt → Augustinus. Nachdem er zunächst die *praedestinatio* ebenfalls auf Gottes Vorauswissen zurückgeführt hatte (Aug. expositio quarundam propositionum ex epistola ad Romanos 52), interpretierte er ab 397 n. Chr. Röm 9 als Beleg für eine unbedingte Gnadenwahl (Aug. ad Simplicianum 1,2) [4. 165–169, 211–245]. Auch das Vorauswissen um den künftigen Glauben ist nicht Grundlage der Prädestination, vielmehr ist der Glaube Folge des Erbarmens bei den Prädestinierten. Die Verstockung ist als Belassen in der *massa peccati* (»Sündenmasse«) zu verstehen. Die P. sichert bei Augustinus den Gnadenbegriff ab und wird vor allem im Pelagianischen Streit (→ Pelagius [4]) ab 411 im Zusammenhang mit der Erbsündenlehre ausgebaut [5]. In der Weltgesch. stehen sich zwei *civitates* (»Bürgerschaften«) gegenüber: die *civitas dei* (»Bürgerschaft Gottes«), also die Gemeinschaft der Prädestinierten, und die *civitas terrena* (»irdische Bürgerschaft«, Aug. civ.) [6]. Gegen seine P. erhob sich schon zu Augustinus' Lebzeiten Widerspruch; diese wurde von der lat. Theologie ab dem 5. Jh. nur beschränkt aufgenommen (→ Semipelagianismus). Auf der Synode von Orange/ → Arausio im J. 529 wurde nur die Prädestination zum Bösen abgelehnt [7. Nr. 397]; diese findet sich später bei Gottschalk († 866/9) und in der calvinistischen Theologie (Synode von Dordrecht, 1613) wieder.
→ Gnosis; Pelagius [4]

1 G. RÖHSER, Prädestination und Verstockung, 1994 2 M. SPANNEUT, Le stoïcisme des pères de l'Église, 1957 3 H. KOCH, Pronoia und Paideusis, 1932 4 V. H. DRECOLL, Die Entstehung der Gnadenlehre Augustins, 1999 5 G. NYGREN, Das Prädestinationsproblem in der Theologie Augustins, 1956 6 J. VAN OORT, Jerusalem and Babylon, 1991 7 H. DENZINGER, P. HÜNERMANN, Enchiridion Symbolorum definitionum et declarationum (...), 1991. V. DR.

Praedium. Abgeleitet von lat. *praes*, dem »Bürgen«, der mit seinem Besitz bei der Verpachtung öffentl. Aufgaben (und seit alters wohl auch im Zivilrecht: vgl. Lex XII tab. 1,4) für einen anderen bürgte. *P.* wird nahezu synonym mit *fundus* (→ »Großgrundbesitz«) verwendet, wobei zur näheren Bezeichnung *p.* meist mit dem Ort, in dessen Territorium es lag, *fundus* mit dem Namen des Erstbesitzers bezeichnet wird (z.B. *p. Nomentanum, fundus Sextilianus*). *P.* umfaßte das Landgut im eigentlichen Sinne wie auch die darauf gelegenen Gebäude.

Je nach Lage oder Besitzer spricht das röm. Recht von *praedia urbana* und *praedia rustica*, von *praedia decurionum* (→ *decurio* [1]) und *praedia fiscalia* (→ *fiscus*). *P. Italica* waren in quiritarischem Eigentum (→ *Quirites*), also frei von Abgaben, während *p. stipendiaria* oder *tributaria* (→ *tributum*) in den Provinzen steuerpflichtig waren (→ Steuern). Nach Gaius (inst. 2,21) lagen die *p. stipendiaria* in Prov., die dem röm. Volk (*populus Romanus*) gehörten, während sich die *p. tributaria* in den kaiserl. Prov. befanden (*p. stipendiaria sunt ea quae in his provinciis sunt quae propriae populi Romani esse intelleguntur; tributaria sunt ea quae in his provinciis sunt quae propriae Caesaris esse creduntur*).

A. HUG, s.v. P., RE 22, 1213–1224.   H.GA.

Praefectiani s. Praefectus praetorio

Praefectus (»Vorgesetzter, Vorsteher«, von *praeficere*; sein Amt bzw. Gebiet: *praefectura*). Der *p.* ist der röm. Funktionsträger, der von einem → *magistratus* für eine bestimmte Zeit zu seiner umfassenden Stellvertretung oder für eine spezifisch umschriebene Aufgabe per → *mandatum* eingesetzt wurde (s. → *praefectus iure dicundo/dando*); in der Kaiserzeit durch den → *princeps*, wobei die Funktionen zumeist Dauerhaftigkeit erlangten.

Im nicht-mil. Bereich wurde die Bezeichnung *p.* nur noch unter → Augustus für neue Funktionen verwendet, später ausschließlich in Analogie zu schon existierenden Funktionen. *Praefecti* wurden vom *princeps* normalerweise ernannt, ohne daß der Senat involviert war, anders als zunächst bei den stadtröm. *curatores* (→ *cura* [2]).

Häufiger finden sich während der Republik *p.* beim Heer und bei der Flotte, was sich in der Kaiserzeit fortsetzt. Während zunächst *p.* v.a. die berittenen Truppen (s. → *ala* [2]) kommandierten, wurde die Bezeichnung *p.* seit Augustus v.a. den Kommandeuren von Hilfstruppen (→ *auxilia*) gegeben, gleichgültig ob Fußtruppen (*cohortes*; s. → *cohors*) oder → Reiterei (*alae*); die *p.* besaßen seit Augustus generell ritterlichen Rang. Nach der Herrschaft des Claudius [III 1], d.h. ab ca. Mitte des 1. Jh.n.Chr., entwickelte sich eine Rangfolge, in der der *p. cohortis* die erste, der *p. alae* die dritte Stelle in einer ritterlichen mil. Laufbahn einnahm. Grundsätzlich konnten diese Positionen auch nur nominell übertragen werden (Suet. Claud. 25; AE 1932, 34); doch ist nicht erkennbar, wie oft dies geschah. Auch außergewöhnliche mil. Aufgaben konnten einem *p.* übertragen wer-

den, z.B. als *praefectus auxiliorum omnium adversus Germanos* (ILS 990 und 991). Bes. Bed. und Kompetenzen hatten der direkt vom Kaiser beauftragte und nur ihm verantwortliche Verwalter Ägyptens (→ *praefectus Aigypti*), der Leiter der kaiserlichen Garde (→ *praefectus praetorio*) und der Stellvertreter des Kaisers in Rom, später auch in Konstantinopel (→ *praefectus urbi*). Im privaten Bereich, etwa der Gutsorganisation, wurden gelegentlich die Anführer von Arbeitsgruppen als *p.* bezeichnet.

DEVIJVER · H. DEVIJVER, The Equestrian Officers of the Roman Imperial Army, Bd. 1, 1989; Bd. 2, 1992 · W. ECK, Die Laufbahn eines Ritters aus Apri in Thrakien, in: Chiron 5, 1975, 365–392, bes. 381 · W. ENSSLIN, s.v. P., RE 22, 1257–1347 · NICOLET, Bd. 1, 423–439 · D.B. SADDINGTON, The Development of the Roman Auxiliary Forces from Caesar to Vespasian: 49 BC – AD 79, 1982 · J. SUOLAHTI, The Junior Officers of the Roman Army in the Republican Period, 1955.

Einzelne bezeugte Amtsinhaber von *praefecturae* sind:

[1] P. Aegypti s. Praefectus Aegypti

[2] P. aerarii. 1) *P. aerarii militaris*: 6 n.Chr. von Augustus geschaffen zur Leitung der Kasse für die Versorgung der Legionsveteranen (→ *aerarium militare*); es gab jeweils drei Inhaber des Amtes; nachweisbar sind sie bis ins 2. Viertel des 3. Jh.n.Chr. Das Amt rangierte hoch innerhalb der praetorischen Laufbahn. 2) *P. aerarii Saturni*: Leiter der Staatskasse in Rom, die stets als Zweiercollegium organisiert waren. 28–23 v.Chr. trugen sie die Bezeichnung *p. aerarii Saturni* (→ *aerarium*); dann wurden sie als *praetores (aerarii)* aus den Reihen der → Praetoren, seit Claudius [III 1] als *quaestores (aerarii)* aus denen der → Quaestoren genommen. Letztere Bezeichnung hatte sich endgültig seit 56 n.Chr. durchgesetzt und ist bezeugt bis 360 n.Chr. In der praetorischen Laufbahn wurde die Funktion üblicherweise unmittelbar vor dem Konsulat übernommen. Die genaue Funktion innerhalb der staatl. Finanzadministration ist nicht klar.

M. CORBIER, L'aerarium Saturni et l'aerarium militare, 1974.

[3] P. alimentorum. Senator, der die Verwaltung der Alimentargelder (→ *alimenta*) in den Städten Italiens zu kontrollieren, nicht aber selbst auszuzahlen hatte; die *praefectura alimentorum* war oft mit einer *cura viae* (→ *cura* [2]) kombiniert; das Amt ist seit → Traianus (98–117 n.Chr.), der die *alimenta* in großem Stil eingerichtet hatte, bezeugt (AE 1984, 426 = 1987, 421).

W. ECK, L'Italia nell'impero romano, 1999, 151 ff.

[4] P. annonae. Zur Sicherung der stadtröm. Lebensmittelversorgung setzte → Augustus, der seit 22 v.Chr. die → *cura annonae* innehatte, nach 7 n.Chr. einen permanenten *p.a.* ritterlichen Ranges ein. Der erste *p.a.*, → Turranius Gracilis aus Gades, amtierte bis 48 n.Chr. Seit flavischer Zeit (69–96 n.Chr.) wurde die Stelle in die ritterliche Laufbahn eingeordnet (→ *equites Romani* D.); sehr häufig wurde ein *p.a.* zum → *praefectus Aegypti* befördert. Die vorausgehende Laufbahn konnte sehr

unterschiedlich sein; eine Spezialisierung ist nicht erkennbar. Das Amt setzte sich bis ins 6. Jh. n. Chr. fort
und war seit Anf. des 4. Jh. dem → *praefectus urbi* untergeordnet. Seit dem 2. Jh. führte der *p.a.* den Rangtitel
→ *vir egregius*; seit Anf. 3. Jh. wurde er *vir* → *perfectissimus*
genannt, im 4. Jh. → *vir clarissimus*, schließlich im 6. Jh.
vir → *spectabilis* [1. 60–62].

Der *p.a.* hatte den Transport des Getreides (→ Getreidehandel), später auch anderer Lebensmittel (u.a
Wein und Öl aus den Prov.), die Kontrolle der Qualität
und die Lagerung der Importe in → Ostia und Rom zu
organisieren. Dazu stand ihm zahlreiches Personal aus
Soldaten, v. a. aber aus kaiserlichen Sklaven und Freigelassenen in Rom und Ostia zur Verfügung; wieweit
solches Personal regelmäßig in den Prov. tätig war, ist
umstritten. Doch muß der *p.a.* mit den Statthaltern bestimmter Prov. in ständigem Kontakt gestanden haben.
Eine hierarchische Befehlsstruktur entwickelte sich
kaum vor E. des 3. Jh. Der Großteil der Arbeit wurde
durch vertraglich gebundene Reeder und durch die
Korporationen (s. → *collegium* [1]) in Ostia erledigt. Iu-
risdiktionsbefugnisse (→ *iurisdictio*) standen dem *p.a.*
frühzeitig zu.

1 H. Pavis d'Escurac, La préfecture de l'annone, 1976.

P. Herz, Stud. zur röm. Wirtschaftsgesetzgebung. Die
Lebensmittelversorgung, 1988, 70–81; 117–120; 176–178 ·
B. Sirks, Food for Rome, 1991 · PLRE 1, 1057; 2, 1256 f.

[5] P. castrorum (auch *p.c. legionis* bzw. *p. legionis*;
»Lagerpraefekt«). Von → Augustus geschaffenes Amt,
als Folge der generellen Einrichtung eines stehenden
Heeres; früheste Beispiele: Vespasius Pollio (Suet. Vesp.
1) und Hostilius Rufus (Obseq. 72). Von Anf. an wurde
für jede Legion ein *p.c.* ernannt, obwohl im Titel die
mil. Einheit zunächst nicht genannt ist; seit Claudius
[III 1] ist dies zunehmend in Inschr. zu beobachten; ab
dem späteren 2. Jh. wird *castrorum* immer öfter wegge-
lassen; ab Septimius Severus ist die Bezeichnung generell nur noch *p. legionis*, aber noch ohne Konsequenz für
die Stellung. Seit Kaier Gallienus (253–268) übernahm
der *p. legionis* das Kommando der Einheit anstelle des
senatorischen → *legatus*.

Seit Kaiser Claudius [III 1] bildete die Stellung des
p.c. zumeist die abschließende Position der primipilaren
Laufbahn (→ *primipilus*), wobei vorher zumeist noch ein
Tribunat (→ *tribunus*) übernommen wurde. Seit Anf.
des 2. Jh. n. Chr. war gelegentlich nach der Stellung als
p.c. auch die Übernahme einer centenaren Prokuratur
(→ *procurator*) möglich. Der *p.c.* war zuständig für das
technische Funktionieren des Lagers und die Kontrolle
des Wachdienstes, ein → *officium* unterstützte ihn dabei
(vgl. Veg. mil. 2,10).

B. Dobson, The Significance of the Centurion and
Primipilaris ..., in: ANRW II 1, 1974, 392–434, bes. 396 f.;
413–317 · B. Dobson, The Primipilares in Army and
Society, in: G. Alföldy, B. Dobson, W. Eck (Hrsg.), Heer
und Ges. in der röm. Kaiserzeit, 1999, 139 ff.; bes. 141 ff.;
147 f. · D. B. Saddington, Early Imperial praefecti
castrorum, in: Historia 45, 1996, 244–252.

[6] P. civitatium. Vom röm. Kaiser oder dem jeweiligen Statthalter eingesetzte Amtsträger, die zumeist
gleichzeitig Mil.-Behlshaber waren, um einzelne größere Bezirke innerhalb von Prov., die einer stärkeren
Kontrolle vor Ort bedurften, zu leiten (z. B. *p. Asturiae,
p. civitatium Treballiae, p. Iudaeae*, wohl auch *p. Raetiae*
und *p. Norici*). Sie waren keine unabhängigen Provinz-
gouverneure (auch nicht in Iudaea), sondern unterstanden einem senatorischen Provinzstatthalter, wie z. B.
dem Legaten von Syria oder dem des obergermanischen
Heeres. Lediglich die Gouverneure von Äg., von Sardinia und – seit Septimius Severus (193–211) – von Mesopotamia et Osrhoena trugen diese Amtsbezeichnung
als selbständige Statthalter.

H. Zwicky, Zur Verwendung des Mil. in der Verwaltung
der röm. Kaiserzeit, 1944.

[7] P. classis. Während der Republik wurde ein *p.c.*
nur bei Bedarf als Oberbefehlshaber über die röm. Flotte (s. → Flottenwesen) ernannt, so war dies z. B. offizieller Titel für Sex. → Pompeius [I 5] im J. 44 v. Chr.
(Vell. 2,73,1–3). Seit → Augustus wurden die beiden italischen Flotten in → Misenum und → Ravenna von *p.c.*
geleitet, die zunächst häufig → Freigelassene, seit spät-
neronischer Zeit, d. h. den 60er J. des 1. Jh., aber regelmäßig Ritter (→ *equites Romani*) waren. Häufig leitete
derselbe *p.c.* beide Flotten nacheinander, immer zunächst die von Ravenna, dann die von Misenum; die
Amtsdauer konnte sehr unterschiedlich sein. Der Rangtitel war zunächst → *vir egregius*, später *vir* → *perfectissimus*; das Gehalt betrug 200000 Sesterzen (*ducenarius*).
Der *p.c.* hatte Entscheidungsbefugnis im Bereich der
freiwilligen Gerichtsbarkeit (FIRA I² Nr. 49 Z. 44). Pro-
vinzflotten wurden ebenfalls von ritterlichen *p.c.* kommandiert (vgl. [1. 1051 ff.]). Eine Liste der *p.c.* in It. findet sich bei [2. 85 ff.].

1 Pflaum, Bd. 3 und Suppl. 2 W. Eck, H. Lieb, Ein Diplom
für die classis Ravennas, in: ZPE 96, 1993, 75–88
(Ergänzungen dazu: RMD 4).

D. B. Saddington, P. classis and p. castrorum, in:
H. Vetters, M. Kandler (Hrsg.), Akten des 14.
Internationalen Limeskongresses (Carnuntum 1986), 1990,
67–70.

[8] P. fabrum. Über die urspr., namensgebende Funktion des *p.f.* ist nichts bekannt. Die ersten bezeugten *p.f.*
haben mit »Pionier«-Truppen nichts zu tun. In der späten Republik wird der *p.f.* von einem Imperiumsträger
(Consul, Praetor oder Proconsul; → *imperium*) ausgewählt und beim *aerarium* angemeldet. Diese Verwendung ist bis zum E. des 2. Jh. n. Chr. nachweisbar. Der
p.f. diente seinem → *magistratus* als Vertrauensperson,
weshalb in Inschr. häufig der Name des Imperiumsträ-
gers erscheint (z. B. AE 1964, 255), und konnte zu vielerlei Diensten eingesetzt werden. Die Bindung an ein-
jährige Magistrate führt dazu, daß die *praefectura fabrum*
mehrmals übernommen werden konnte (vgl. die Itera-
tionsangaben in den Inschr., z. B. ILS 2690; 6286). Bis

zur Zeit des Claudius [III 1] (41–54 n.Chr.) sind *p.f.* häufig im mil. Kontext anzutreffen; wenn die bei Vegetius (mil. 2,11) beschriebene Tätigkeit des *p.f.* als des Leiters der Waffenfabrikation (→ *fabrica*) der Legion überhaupt einen histor. Kontext besitzt, dann vielleicht in der späten Republik und frühen Kaiserzeit. Später jedoch erscheint die Funktion nur noch vor einer mil. Laufbahn; sie könnte häufig zivile Aufgaben umfaßt haben. Dann wird sie öfter auch als reine Honorarstellung ohne konkrete Tätigkeit vergeben worden sein, da selbst noch nicht Mündige als *p.f.* bezeichnet sind (CIL VI 3512; IX 223). Auch im munizipalen Bereich waren *p.f.* tätig, doch kann ihre Funktion nicht genau bestimmt werden.

E. BADIAN, Notes on a Recent List of P. fabrum under the Republic, in: Chiron 27, 1997, 1–19 · B. DOBSON (Hrsg.), The p. fabrum in the Early Principate, in: D. J. BREEZE, B. DOBSON, Roman Officers and Frontiers, 1993, 218–241 · K. E. WELCH, The Office of P. fabrum in the Late Republic, in: Chiron 25, 1995, 131–145.

[9] P. feriarum Latinarum causa. Vertreter der stadtröm. Magistrate mit → *imperium* während des Latinerfestes (→ Feriae Latinae) auf dem → Mons Albanus. In der Kaiserzeit wurden sie eingesetzt, um junge Angehörige des Senatorenstandes in der Öffentlichkeit herauszustellen (eine Liste findet sich bei [1. 124–131]).

1 S. PANCIERA, L. Pomponius L.f. Horatia Bassus Cascus Scribonianus, in: RPAA 45, 1972/73, 105–131.

[10] P. frumenti dandi. Unter → Augustus seit 22 v.Chr. wurden zunächst zwei, seit 18 v.Chr. vier Senatoren praetorischen Ranges vom Senat bestimmt, um in Rom das kostenlose Getreide zu verteilen. Das Amt war wenig begehrt, weshalb die vier Inhaber jeweils nur drei Monate tatsächlich tätig waren. Bis fast zur Mitte des 3. Jh. n.Chr. sind kontinuierlich Inhaber bekannt.

G. RICKMAN, The Corn Supply of Ancient Rome, 1980, 193 ff.; 213 ff.; 253 ff.

[11] P. iure dicundo s. Praefectus iure dicundo
[12] P. legionis. Die ritterlichen Kommandeure der Legionen (→ *legio*) in Äg. trugen diese Bezeichnung, ebenso seit Septimius Severus (193–211) die der *legiones Parthicae*. Seit → Gallienus wurde jeder Legionskommandeur so benannt. *P. legionis* (= *p.l.*) kann auch Abkürzung für *p. castrorum legionis* (s. → *p.* [5]) sein.
[13] P. praetorio s. Praefectus praetorio
[14] Praefectus urbi s. Praefectus urbi
[15] P. vehiculorum. Ritterlicher Leiter der *vehiculatio* oder des → *cursus publicus*. Verm. wurde er bereits durch → Augustus für It. eingesetzt; seit dem späten 2. Jh. n.Chr. sind auch regionale *p.v.* in It. tätig; außerhalb wurde manchmal ein *p.v.* auch für verschiedene Provinzkomplexe eingesetzt [1. 1037 ff.]. Ihre Hauptaufgabe bestand in der Kontrolle der *mansiones* (→ *mansio*) und *mutationes* sowie im Abschluß von Verträgen mit Pächtern dieser Stationen. Häufig waren sie auch zuständig für den Heeresnachschub.

1 PFLAUM 3 2 W. ECK, L'Italia nell'impero Romano, 1999, 93 ff.

[16] P. vigilum. Von → Augustus 6 n.Chr. als Leiter der sieben Kohorten der → *vigiles* zur Brandbekämpfung in Rom eingesetzt; im Laufe der Zeit wurde das Amt auch auf → Polizei-Funktionen ausgedehnt. Es handelte sich um eine ritterliche Amtsstellung, die wegen der Nähe der Inhaber zum Kaiser in der ritterlichen Laufbahn seit dem späten 1. Jh. n.Chr. sehr hoch bewertet wurde. Häufig wurde ein *p.v.* zum *p. annonae* (s. → *p.* [4]) oder → *praefectus praetorio* befördert. Der Amtstitel lautete unter den Severern → *eminentissimus*, seit Severus Alexander (222–235) nur *vir* → *perfectissimus*, seit Constantinus [1] d.Gr. → *vir clarissimus*. Noch Cassiodorus (var. 7,7,1; 7, 7,8; 6. Jh. n.Chr.) verweist auf die *praefectura vigilum*. Inhaber sind aber seit Mitte des 4. Jh. nicht mehr bekannt. Seit → Traianus wurde auch ein ritterlicher *subpraefectus vigilum* ernannt.

Im Rahmen der *cognitio extra ordinem* (s. → *cognitio* 2.) übte der *p.v.* Gerichtsbarkeit über Brandstifter, Diebe, Hehler (Dig. 1,15,3), also über Störer der öffentl. Ordnung, in Rom aus (ausgenommen waren bes. schwere Fälle und Straftaten von Standespersonen). Appellation an den Kaiser oder den → *praefectus praetorio* war möglich. Die Juristen Iulius [IV 16] Paulus und Ulpianus schrieben jeweils einen *Liber singularis de officio p. vigilum*. Der Amtssitz des *p.v.* ist bisher unbekannt.

R. SABLAYROLLES, Libertinus miles. Les cohortes de vigiles, 1996.   W.E.

Praefectus Aegypti. Statthalter der von → Augustus im J. 30 v.Chr. nach der Einnahme Alexandreias [1] geschaffenen Prov. → Ägypten; der volle Amtstitel lautete *p. Alexandreae et Aegypti* (griech. ἔπαρχος Αἰγύπτου/ *éparchos Aigýptu*, P.Oxy 237; ὁ τῆς Αἰγύπτου ἄρχων/*ho tēs Aigýptu árchōn*, Cass. Dio 54,51).

Erster Amtsinhaber war Cornelius [II 18] Gallus, ein Ritter, dem drei Legionen unterstellt wurden. In der polit. noch ungeklärten Situation ließ Octavianus (→ Augustus) ihm durch eine *lex* eine »umfassende Amtsgewalt, vergleichbar einem promagistratischen Proconsul« zuerkennen (Dig. 1,17,1: *imperium ad similitudinem proconsulis*), damit er legal die Legionen kommandieren und als voller Gerichtsmagistrat fungieren konnte (Tac. ann. 12,60,1). Gleichzeitig verbot der Princeps allen Senatoren und »führenden Rittern« (*equites illustres*) das Betreten des Landes ohne seine Erlaubnis. So war der *p.Ae.* sein umfassender, uneingeschränkter Stellvertreter, der für alle staatlichen Aufgaben in der Prov. die letzte Autorität darstellte. In Äg. selbst trat der *p.Ae.* in Stellvertretung des Kaisers als Nachfolger der → Pharaonen auf (Strab. 17,1,12; 17,1,53). So hatte er jährlich dem → Nil zu opfern und durfte nach Beginn der Nilschwelle nicht mehr den Strom befahren (Plin. nat. 5,57).

In Äg. unterstanden dem *p.Ae.* alle staatl. Amtsträger, die dort eingesetzt wurden: *praefecti legionum* (s. → *prae-*

fectus [12]), → *iuridicus* (2.), → *ídios lógos*, → *dioikētḗs*, *epistratēgoí*, *archiereús*. Man darf durchaus seit dem 2. Jh. n. Chr. insoweit von einem hierarchischem System sprechen, als der *p.Ae.* allen diesen Funktionsträgern übergeordnet war; allerdings wurden diese durch den Kaiser, nicht den *p.Ae.* ernannt. Letzterer bestellte nur die Gaustrategen, die alle aus Äg. stammten. Die Amtszeit des *p.Ae.* war nicht fixiert; Perioden von wenigen Monaten bis zu sieben Jahren sind bekannt (daß Galerius [1] unter Kaiser Tiberius 15 J. amtierte, ist nur unsicher erschlossen).

Von Anfang an hatte der *p.Ae.* unter den ritterlichen Funktionen die mächtigste und prestigereichste Stellung, die seit der 2. H. des 1. Jh. n. Chr. lediglich von den → *praefecti praetorio* übertroffen wurde. Sein Rangtitel lautete im 1./2. Jh. *ho krátistos*, für eine gewisse Zeit auch generell *ho lamprótatos* (was aber nicht als → *vir clarissimus* verstanden werden darf); vom späteren 2. Jh. an, als die Hoftitel systematisiert wurden, lautete die Bezeichnung häufig *ho diasēmnótatos* (= lat. *perfectissimus*); *ho lamprótatos* verschwindet fast vollständig erst nach der 2. H. des 3. Jh. [1. 583⁴]. Die Vertretung des *p.Ae.* übernahm üblicherweise der *iuridicus*.

Dem *p.Ae.* stand in seinem Amtssitz Alexandreia [1] Personal aus Soldaten, kaiserlichen Sklaven und Freigelassenen, aber auch aus freigeborenen Personen aus der Prov. zur Verfügung [2. 518ff.]. Ein immer umfassenderes Archiv wurde ausgebildet, dessen Unterlagen partiell auch den Bewohnern der Prov. zur Verfügung standen.

Die wichtigsten Aufgaben des *p.Ae.* waren die Repräsentierung des Kaisers, das Kommando über die Legionen und Auxiliartruppen, die Kontrolle der Bevölkerung im Hinblick auf ihre Steuerkraft (→ Steuern), wozu auch die → *epíkrisis* der Veteranen und anderer Personengruppen gehörte, sowie die Gerichtsbarkeit über Bewohner mit verschiedenem Personalstatus. Der Rechtsfindung sowie der Kontrolle der lokalen Verwaltung und der Rechnungslegung (*dialogismós*) in den »Gauen« (s. → *nomós* [2]) diente die jährliche Konventreise, die üblicherweise zwischen Januar und April stattfand. Die Fülle der Eingaben reduzierte die Tätigkeit des *p.Ae.* weithin auf Delegierung der Entscheidung an Richter (*iudices*) aus seiner Umgebung bzw. an die lokalen Verwaltungsspitzen (*stratēgoí*). Die Kriminalgerichtsbarkeit blieb in seiner persönl. Zuständigkeit; er konnte als Kapitalstrafen Geißelung, Verbannung, Bergwerksarbeit und Hinrichtung verhängen. Appellation an den Kaiser war für bestimmte Personengruppen möglich.

Nicht selten konzentrierte sich die Tätigkeit des *p.Ae.* auf die Probleme der Weltstadt → Alexandreia [1] und deren unterschiedlichen Bevölkerungsgruppen, so z. B. unter → Tiberius und → Caligula mit den Spannungen zwischen Griechen und Juden (bis in die Spätzeit des Kaisers → Traianus). Im 4. Jh. wurde der *p. Ae.* häufig in die kirchlichen Auseinandersetzungen in Alexandreia verwickelt. Die Stationierung von zunächst

zwei, seit → Hadrianus nur noch einer Legion diente wesentlich dem Zweck, die Kontrolle der unruhigen Bevölkerung gerade Alexandreias zu ermöglichen. Schließlich hatte der *p.Ae.* auch die Heiligtümer, Tempel und Priester in der gesamten Prov. zu überwachen, wobei er ab dem 2. Jh. vom *archiereús* (»Oberpriester«) unterstützt wurde.

Der *p.Ae.* erhielt vom Kaiser *mandata* (s. → *mandatum*); er erließ ein Provinzialedikt, nach dem die Prov. verwaltet werden mußte; er selbst erließ bei Bedarf Edikte in griech. Sprache, die – je nach Inhalt – in allen oder nur einem Teil der »Gaue« publiziert wurden. Sie behielten über die Amtszeit dessen, der sie erlassen hatte, hinaus Gültigkeit, ebenso Einzelentscheidungen und Anordnungen, die deshalb auch später in Gerichtsverfahren herangezogen werden konnten. Mit vielen Edikten sollten Mißstände korrigiert werden, die aus der Administration heraus oder durch Heeresangehörige verursacht worden waren; am umfassendsten ist das Edikt des Ti. Iulius Alexander (s. → Alexandros [18]) vom 6.7.68. Die Sicherung der Steuereinnahmen und die laufende Kontrolle der Abrechnungen standen im Zentrum der Tätigkeit; dazu mußte der *p.Ae.* die Kanäle und Deichanlagen kontrollieren und die Ausdehnung der Überflutung feststellen. Wenn nötig, war der *p.Ae.* dann befugt, Steuererleichterungen wegen zu geringen Wasserstandes zu verfügen.

Unter → Diocletianus wurde die Prov. Äg. geteilt; der *p.Ae.* blieb im Rang der höchste der in Äg. tätigen Statthalter; sein Zuständigkeitsgebiet variierte im Verlauf des 4. Jh., doch war ihm zumindest das Delta einschließlich Alexandreias stets zugeordnet. Spätestens seit 383 wurde der Titel *p.Ae.* zu *praefectus Augustalis* verändert, womit seit der Schaffung der Diözese Äg. (→ *dioíkēsis* II.) eine partielle Oberaufsicht des Amtes über alle Prov. verbunden gewesen sein dürfte. Doch könnte die Veränderung auch wesentlich früher erfolgt sein (vgl. Komm. zu POxy. 4376, 6f.; 4382, 6f.). Seit spätkonstantinischer Zeit trug er den Rangtitel → *vir clarissimus*. Die Zuständigkeit über die Truppen war ihm (wie auch den anderen Provinzstatthaltern seit diokletianischer Zeit) entzogen.

1 A. BASTIANINI, Ἔπαρχος Αἰγύπτου nel formulario dei documenti da Augusto a Diocleziano, in: ANRW II 10.1, 1988, 581–597 2 R. HAENSCH, Capita provinciarum (Kölner Forsch. 7), 1997.

A. BASTIANINI, Il prefetto d'Egitto (30 a. C.–297 d. C.), in: ANRW II 10.1, 1988, 503–517 • P. A. BRUNT, The Administrators of Roman Egypt, in: Ders., Roman Imperial Themes, 1990, 215–554 • P. BURETH, Le préfet d'Égypte …, in: ANRW II 10.1, 1988, 472–502 • J.-M. CARRIÉ, Séparation ou cumul? Pouvoir civile et autorité militaire dans le provinces d'Égypte de Gallien à la conquête arabe, in: Antiquité tardive 6, 1998, 105–243 • G. CHALON, L'édit de Tiberius Julius Alexander, 1964 • R. HAENSCH, Das Statthalterarchiv, in: ZRG 109, 1992, 209–317 • Ders., Die Bearbeitungsweisen von Petitionen in der Prov. Aegyptus, in: ZPE 100, 1994, 487–546 • Ders., Zur Konventsordnung in Aegyptus und den übrigen Provinzen, in: B. KRAMER (Hrsg.), Akten des 21. Internationalen Papyrologenkongresses 1995, 1997, 320–391 · H. HÜBNER, Der P.Ae. von Diokletian bis zum Ende der röm. Herrschaft, 1952 · M. HUMBERT, La juridiction du préfet d'Égypte d'Auguste à Dioclétien, in: F. BURDEAU u. a. (Hrsg.), Aspects de l'empire Romain, 1964, 97–142 · R. KATZOFF, Sources of Law in Roman Egypt: The Role of the Prefect, in: ANRW II 13, 1980, 807–844 · J. LALLEMAND, L'administration civile de l'Égypte de l'avènement de Dioclétien à la création du diocèse (284–382 a. J.-C.), 1964 · O. W. REINMUTH, s. v. P.Ae., RE 22, 2353–2377 · A. STEIN, Die Präfekten von Äg. in der röm. Kaiserzeit, 1950 · J. D. THOMAS, Communication between the Prefect of Egypt, the Procurators and the Nome Officials, in: W. ECK (Hrsg.), Lokale Autonomie und röm. Ordnungsmacht, 1999, 181–195.   W. E.

Praefectus iure dicundo. *Praefecti i.d.* hießen Beauftragte der stadtröm. Gerichtsmagistrate (s. → *praetor*), die in der Zeit der röm. Republik in It. für röm. Bürger Recht sprachen, welche fernab von Rom und in einer polit. nicht oder nur rudimentär organisierten Gemeinde lebten (*forum*, → *conciliabulum*, → *oppidum* I.). *P.i.d.* übten weder eine Rechtsaufsicht über bestehende Gerichte aus, noch waren sie Appellationsinstanz (→ *appellatio*). Eine *praefectura* ist demnach sowohl der (zeitweilige) Sitz des Beauftragten als auch der Gerichtssprengel, für den dieser zuständig ist. Mit zunehmender städtischer Organisation in It. (vgl. → *municipium*) wurden *p.i.d.* als Beauftragte des Praetors überflüssig und werden schließlich in augusteischer Zeit nicht mehr genannt.

H. GALSTERER, Herrschaft und Verwaltung im republikanischen Italien, 1976, 27–36.   W. ED.

Praefectus praetorio (»Praetorianerpraefekt«; griech. ἔπαρχος bzw. ὕπαρχος τῆς αὐλῆς/*éparchos* bzw. *hýparchos tēs aulḗs*). Inhaber eines der wichtigsten Ämter in der Reichsverwaltung der röm. Kaiserzeit.

A. PRINZIPAT   B. SPÄTANTIKE

A. PRINZIPAT

Das Amt wurde im J. 2 v. Chr. durch → Augustus eingerichtet, als dieser zwei Männer aus dem Ritterstand (→ *equites Romani*) an die Spitze seiner Leibgarde, der → Praetorianer (*cohortes praetorianae*), stellte (Cass. Dio 55,10). Die urspr. Aufgabe des *p.p.* bestand im Kommando der kaiserl. Leibwache, die den Schutz des Kaisers im Hauptquartier (→ *praetorium*) sicherstellte. Sehr bald aber, bereits unter → Tiberius, gab der *p.p.* das direkte Kommando der Garde zugunsten anderer, zumeist ziviler Aufgaben auf [1. 56], behielt jedoch während der gesamten Prinzipatszeit überragende Kompetenzen auf mil. Gebiet. So führte er bei Thronwechseln persönlich die Praetorianergarde, übernahm gelegentlich das Kommando über weitere Truppen in It. (anders Cass. Dio 52,24,3–4) und fungierte schließlich in Bürger- und in Grenzkriegen als Generalstabschef. In dieser Ei

genschaft kommandierte er ab Mitte des 3. Jh. n. Chr. zunehmend eigenständig Legionstruppen [4. 28–29].

In Friedenszeiten war der *p.p.* vorwiegend mit juristischen und verwaltungstechnischen Aufgaben befaßt, die freilich aus der an sich mil. Aufgabe erwachsen waren, das Leben des Kaisers zu schützen. So wurde → Naevius [II 3] Macro schon unter Tiberius mit der Untersuchung von Hochverratsfällen betraut (Cass. Dio 58,21,3; 24,2). Seit Anf. des 2. Jh. n. Chr. wuchs der *p.p.* immer mehr in die Rolle eines Richters (*iudex*) hinein: Er agierte zunächst als juristischer Berater im → *consilium principis* (fest erst seit den → Antoninen) und stand dann seit → Septimius Severus zusätzlich einem eigenen Gerichtshof in Rom vor. Im 3. Jh. n. Chr. nahm der *p.p.* vermehrt Appellationen (→ *appellatio*) gegen Urteile von Prov.-Statthaltern entgegen; seine Entscheidungen, die im Namen des Kaisers ergingen, waren seit Anf. des 3. Jh. n. Chr. nicht mehr anfechtbar (vgl. Dig. 1,11,1,1). Im Zuge seiner im 3. Jh. n. Chr. stärker hervortretenden administrativen Rolle gewann der *p.p.* Disziplinargewalt über das kaiserl. Verwaltungspersonal am Hof und in den Prov. (Cass. Dio 52,24,4). Aus der Bündelung höchster mil. und administrativer Kompetenzen ergab sich schließlich, daß dem *p.p.* – verm. von Septimius Severus – die Verwaltung der als Sondersteuer erhobenen, in Naturalien gezahlten *annona militaris* (→ *cura annonae*) übertragen wurde (Zos. 2,32,2; s. auch SHA Gord. 28,2–5).

Die große, geogr. nicht begrenzte Aufgabenfülle des *p.p.* (Cod. Iust. 1,26,2) sowie seine unmittelbare Nähe zum Kaiser gaben seinem Amt eine bes. Stellung. Schon im frühen Prinzipat galt der *p.p.* als der mächtigste Amtsträger nach dem Kaiser (Philostr. Ap. 7,18); bes. Bed. erlangten damals die *praefecti praetorio* → Aelius [II 19] Seianus unter Tiberius, → Afranius [3] Burrus und → Nymphidius [2] Sabinus unter Nero. Den Höhepunkt ihrer Macht erreichte die Praetorianerpraefektur allerdings erst im 3. Jh. n. Chr. (Herodian. 5,1,2; Aur. Vict. Caes. 9,10–11; Zos. 2,32,2), als Amtsinhaber wie Opellius → Macrinus, → Philippus [2] Arabs, → Annius [II 4] Florianus und Aurelius → Carus [3] den Kaiserthron bestiegen.

Die Praetorianerpraefektur blieb bis zum E. des Prinzipats prinzipiell ein ritterliches Amt (Cass. Dio 52,24; ILS 8938). Seit → Domitianus [1] krönte sie die ritterliche Laufbahn [1. 39]. Unter → Hadrianus taucht erstmals die hohe Rangbezeichnung des *vir* → *eminentissimus* auf. Kein *p.p.* wurde aufgrund seines Amtes Senator (anders SHA Alex. 21,3–5). Auch die → *ornamenta consularia*, mit denen die Kaiser seit Tiberius viele *p.p.* auszeichneten, implizierten nur den Ehrentitel eines Senators, → *vir clarissimus*, nicht einen Sitz im Senat. In die ordentliche senatorische Laufbahn traten jedenfalls nur solche *p.p.* ein, die zum Amtsende mit dem ordentlichen Konsulat bedacht worden waren (was im 3. Jh. n. Chr. vermehrt geschah) [2. 2399–2400].

B. Spätantike

Der überragende Einfluß des *p.p.* auf die Politik des Reiches endete mit dem Beginn der Spätant. → Constantinus [1] I., der das Amt des *p.p.* grundlegend reformierte, reagierte dabei auf die Überlastung des *p.p.* infolge der Aufgabenfülle (Cass. Dio 52,24), auf seine unklare Stellung im System der Reichsverwaltung, v. a. aber auf die polit. Gefahr, die fähige und machtbewußte *p.p.* für einen Kaiser darstellen konnten. Constantinus löste die Praetorianergarde 312 auf (Aur. Vict. Caes. 40,25) und entzog dem *p.p.* wohl gegen 330 auch die Befehlsgewalt über andere Truppen, die dann auf das neue Amt des → *magister militum* überging (Zos. 2,32,2). Die früheren Aufgaben des *p.p.* am Hof fielen mehrheitlich dem neugeschaffenen → *magister officiorum* zu (Lyd. mag. 2,10–11; 2,25; 3,41). Gleichzeitig jedoch wurden die zivilen Kompetenzen des *p.p.* gestärkt. Die bis dahin oft nur fallweise übertragenen Aufgaben in der Rechtsprechung (Appellationsgerichtsbarkeit), im Steuerwesen (*annona militaris*) und bei der Oberaufsicht über die öffentliche Ordnung in den Prov. (insbesondere die Leitung und Kontrolle des zivilen Verwaltungspersonals) wurden in allg. Zuständigkeiten verwandelt [3. Kap. 2]. Dieses Aufgabenprofil behielt der *p.p.* während der ganzen Spätant.

Die konstantinischen Reformen gliederten das Amt des *p.p.* fest in das System der Reichsverwaltung ein. Jedem *p.p.* wurde ein geogr. bestimmter Amtssprengel (Praefektur) zugewiesen (Lyd. mag. 3,33; vgl. Zos. 2,33,1). Anf. des 5. Jh. n. Chr. war das Reich in vier solcher Regionalpraefekturen aufgeteilt: *Galliae* und *Italia* im Westreich, *Illyricum* und *Oriens* im Ostreich (Schema der Reichsverwaltung s. → Diocletianus). In seinem Amtssprengel stand der *p.p.* an der Spitze der jeweiligen Zivilverwaltung und ihrer Instanzenzüge; die Behörde des *p.p.* *Orientis* z. B. bestand zu Anf. des 5. Jh. n. Chr. aus rund 1000 *praefectiani*, die in zwei Abteilungen, der allg. und juristischen Abteilung und der Finanzabteilung, arbeiteten [5. 1057⁴⁴]. Das Amt des *p.p.* wurde somit zum zentralen Bindeglied zwischen Territorialverwaltung und → Hof (D.) bzw. Zentralverwaltung; es trug in bes. Weise zur Einheit der Reichsteile bei. Trotz des neuen Tätigkeitsprofils des *p.p.* und seiner neuen Stellung im System der Reichsverwaltung blieb sein Titel unverändert; er wurde in offiziellem Zusammenhang lediglich um den Namen des jeweiligen Amtssprengels des *p.p.* erweitert (z. B. *p.p. Italiae*).

Der spätant. *p.p.* war ein ordentlicher Amtsträger mit ausschließlich zivilen Kompetenzen. Daß er normalerweise ohne großen polit. Einfluß war, lag neben dem Verlust der mil. Befehlsgewalt v. a. daran, daß er kraft seines Amtes keine dauernden Aufgaben am Hof bzw. im → *consistorium* zu erledigen hatte und nicht mehr in ständigem Kontakt zum Kaiser stand. Nur noch in Ausnahmefällen konnte er persönl. Beziehungen zum Kaiser aufbauen und polit. Einfluß auf ihn gewinnen (z. B. Ablabius [1], Secundus Salutius, Rufinus, Anthemius [1], Iohannes [16] »der Kappadokier«). Diese Tatsache

erschütterte das hohe Ansehen der Praetorianerpraefektur allerdings nicht. Unter Constantinus wurde das ehemals ritterliche Amt senatorisch, und es rückte sofort an die Spitze des senatorischen *cursus honorum* [2. 2448]. Die Praetorianerpraefektur genoß fortan protokollarischen Vorrang vor allen anderen Ämtern (Amm. 21,16,2; Zos. 2,46,2), und viele *p.p.* wurden mit dem ordentlichen Konsulat in den Ruhestand verabschiedet. → Magister militum; Magister officiorum; Praetorianer; Verwaltung

1 M. Absil, Les préfets du prétoire d'Auguste à Commode. 2 av. J.-C.–192 ap. J.-C., 1997   2 W. Ensslin, s. v. P.p., RE 22, 2391–2502   3 A. Gutsfeld, Die Macht des Prätorianerpräfekten. Stud. zum *p.p.* *Orientis* von 313 bis 395 n. Chr. (Historia ES), 2001   4 L. L. Howe, The Pretorian Prefect from Commodus to Diocletian (A. D. 180–305), 1942   5 Jones, LRE   6 E. Stein, Unt. über das Officium der Prätorianerpräfektur seit Diokletian, 1922.

A. G.

Praefectus urbi (Stadtpraefekt <von Rom, später auch von Konstantinopolis>; griech. πολίαρχος/*políarchos*). Nach der röm. Trad. leitete bereits in der Frühzeit Roms ein vom König, dann vom Höchstmagistrat beauftragter *p.u.* (»Stadtverweser« bei [4. 663]) in dessen Abwesenheit die Staatsgeschäfte, v. a. die Rechtsprechung (Liv. 1,59,12; 3,3,6; Tac. ann. 6,11; Dion. Hal. ant. 5,75). Das Amt – sollte es jemals bestanden haben – mußte mit der Einführung der Kollegialität (→ *collega*) der Obermagistratur unbedeutend und mit der Schaffung der Praetur als Gerichtsmagistratur im J. 367 v. Chr. obsolet geworden sein und ist danach auch nicht mehr sicher bezeugt.

→ Augustus führte das Amt (wieder) ein, → Tiberius erhob es zur ständigen Einrichtung (vgl. Tac. ann. 6,11). Der *p.u.*, meist ein → *consularis*, war in Rom, v. a. in der Gerichtsbarkeit, Vertreter des Kaisers. Er hatte in der Stadt für Ruhe und Ordnung zu sorgen und verfügte hierzu über Ordnungskräfte (Tac. ann. 6,11; Cass. Dio 59,13; Dig. 1,12; 4,4,16; 5,1,12; 4,8,19; [3]).

Auch in der Spätant. blieb der mit dem → *praefectus praetorio* ranggleiche *p.u.* (Cod. Theod. 6,7,1) unmittelbar dem Kaiser unterstellt. Sein sich nun auf den Umkreis von 100 Meilen erstreckender Aufgabenbereich (vgl. Cod. Theod. 1,6; Cassiod. var. 1,32; 6,4; Not. dign. occ. 4) blieb im Kern unverändert, doch wuchs in manchen Bereichen die Macht des *p.u.*, der jetzt auch als Senatspräsident fungierte. Ständiger Vertreter war ein → *vicarius*. Seit → Constantius [2] II. gab es auch für Konstantinopolis (→ Byzantion) einen *p.u.* Die Kompetenzen waren weitgehend gleich, freilich auf das Stadtgebiet beschränkt.

1 A. Chastagnol, La préfecture urbaine à Rome sous le Bas-Empire, 1960   2 Ders., Les fastes de la préfecture de Rome, 1962   3 H. Freis, Die cohortes urbanae, 1967   4 Mommsen, Staatsrecht 1, 661–674   5 E. Sachers, s. v. P.u., RE 22, 2502–2534.   A. G.

Präfix s. Flexion; Wortbildung

Praefurnium. Feuerstelle für Kalk- oder Brennöfen sowie der zentrale Heizraum bei röm. Thermenanlagen. → Bäder; Heizung; Thermen   C. HÖ.

Praegustator (»Vorkoster«). Vorkoster, die hochgestellte Personen vor Vergiftung schützen sollten, wurden seit den persischen Achaimenidai [2] verwendet, dann auch von Alexandros [4] d. Gr. (z. B. Xen. Kyr. 1,3,9; Iust. 12,14,9). Von den Römern soll → Antonius [I 9] als erster einen *p.* verwendet haben (Plin. nat. 21,9,12). Seit → Augustus wurden *praegustatores* von röm. Herrschern herangezogen; ob ihr Beruf in der Realität immer gefährlich war, ist schwer zu klären. Ein Coetus Herodianus, *p. divi Augusti*, starb erst zw. 39 und 42 n. Chr., also mehr als 25 J. nach Augustus (ILS 1795). Die *p.* waren wohl zunächst Sklaven, später auch häufig Freigelassene; sie waren so zahlreich, daß sie sich in einem → *collegium* organisierten, das von einem *procurator praegustatorum* geleitet wurde (CIL VI 9003–9005; AE 1976, 504).

L. SCHUMACHER, Der Grabstein des Ti. Claudius Zosimus aus Mainz. Bemerkungen zu den kaiserlichen praegustatores, in: Epigraph. Stud. 11, 1976, 131–141.
                    W. E.

Praeiudicium (wörtlich »vorangehendes Gerichtsverfahren«). Wegen verschiedener Zuständigkeiten konnte schon nach röm. Recht ein Prozeß u. U. erst dann abschließend entschieden werden, wenn die betreffende Rechtsfrage von dem dafür zuständigen Gericht geklärt worden war, z. B. die Erbenstellung oder etwa das Eigentum an einem Grundstück oder das Vorliegen eines Kapitalverbrechens. Freilich gab es keinen generellen Vorrang der *iudicia publica* (→ *iudicium*) vor *actiones privatae*. Zur Lösung des Spannungsverhältnisses zw. der noch nicht entschiedenen – Vorfrage, dem *p.*, und dem Klagebegehren konnte der → Praetor entweder die Klage bis zur Entscheidung über die Vorfrage verweigern oder das Verfahren *in iure* einstweilen aussetzen. Später wurde dem Beklagten auch oft eine Einrede (→ *exceptio*) gewährt, z. B. die *exceptio quod praeiudicium hereditati non fiat* (›...‹, daß ein *p.* über die Erbenstellung nicht stattfindet‹, vgl. Gai. Inst. 4,133).

Auch das Begehren einer gesonderten Vorabentscheidung derartiger Vorfragen wurde *p.* genannt, Gai. Inst. 4,44,94.

K. HACKL, P. im klass. röm. Recht, 1976 • M. KASER, K. HACKL, Das röm. Zivilprozeßrecht, ²1996, 247–250, 347 f. • M. LEMOSSE, Les questions incidentes dans le procès romain classique, in: Revue historique de droit français et étranger 66, 1988, 5–14.   C. PA.

Praemia s. Delator; Dona militaria

Praeneste (Πραίνεστος; Ptol. 3,1,61: Πραίνεστον). Stadt in Latium ca. 40 km östl. von Rom am Südhang des Monte Ginestro, einem Ausläufer des Appenninus, h. Palestrina. Die Überl. spricht von verschiedenen Gründern: → Caeculus, Sohn des Vulcanus (Solin. 2,9; Verg. Aen. 7,678 f.); → Telegonos, Sohn des Odysseus und der Kirke (Plut. mor. 316b 1); Praenestes, Sohn des → Latinus [1] (Steph. Byz. s. v. Π.). Kontakte mit Etruria (insbes. mit → Caere und → Vetulonia) bestanden im 7. Jh. v. Chr.; erh. sind orientalisierende Gräber der Columbella-Nekropole (Galeassi, Castellani, Bernardini, Barberini) [1]. Die latinische Kolonie (Dion. Hal. ant. 5,61) schloß sich bereits vor der Schlacht am Lacus Regillus 499 v. Chr. Rom an (Liv. 2,19,2). In der Zeit nach dem Galliersturm (387/6) wandte sich die Stadt 381 v. Chr. wieder von Rom ab und dem Latinischen Bund zu (→ Latini, mit Karte), bis sie 338 v. Chr. von Rom unterworfen wurde (Liv. 8,14); danach war P. *civitas foederata*. Schwer mitgenommen wurde P. im Bürgerkrieg der J. 83–80 v. Chr., in dem die Stadt für die → *populares* Partei nahm (Cic. Sull. 61; Cic. leg. agr. 2,78; App. civ. 1,94). Sie wurde 82 v. Chr. sullanische *colonia* (Cic. Catil. 1,8; → Cornelius [I 90] Sulla), unter Kaiser Tiberius (14–37 n. Chr.) dann *municipium* (Gell. 16,13,5), *tribus Menenia* (CIL XIV 2888; 2972; 2974), *regio I* (Plin. nat. 3,64).

Die von zwei → *praetores* und zwei → *aediles* unter einem eigenen Senat geführte Stadt hatte Asylrecht (→ *asylía*) und eigene Mz.-Prägung. P. leistete Rom mit einer *cohors Praenestina* unter einem der *praetores* Heeresfolge (vgl. Liv. 23,19,17 f.). Auch in den von → Catilina ausgelösten Bürgerkrieg wurde P. hineingezogen (vgl. Cic. Catil. 1,8). Von Tiberius wurde die Stadt zum *municipium* erhoben (vgl. CIL XIV 2889; 2941; 3004). Sie avancierte zur Sommerresidenz der *high society* von Rom (vgl. Hor. epist. 1,2,2; Stat. silv. 4,4,15; Mart. 4,64,33; Iuv. 14,88; Plin. epist. 5,6,45).

Stadtanlage: vier verschiedene städtische Planungsstufen von archa. bis sullanischer Zeit (mit *insulae* von 200 × 150 Fuß) [2]; zwei Phasen, eine des 6. Jh. und eine des 4. Jh. v. Chr., erkennt TORELLI [7]; Gliederung in Ober- und Unterstadt [3]. In der archa. Anlage fanden sich Tempelterrakotten, die Rückschlüsse auf Lage und Gestalt der Tempelbezirke zulassen. Vom Mauerring des 4. Jh. v. Chr. (4,8 km L) haben sich Reste in *opus polygonale* unterschiedlicher Bauphasen erh., ebenso rechteckige Türme und eine Einfriedung in *opus quadratum* auf der unteren Terrasse (→ Mauerwerk). Im 4. Jh. v. Chr. konzentrierten sich die Nekropolen an den Zugangsstraßen zur Stadt, während Votivgegenstände ebenso wie die Überreste eines Podests unter S. Agapito die hl. Bezirke anzeigen. Das Heiligtum der → Fortuna Primigenia (vgl. Plin. nat. 33,61; von Sulla renoviert: Plin. nat. 36,189) wird allg. in die letzten Jahrzehnte des 2. Jh. v. Chr. datiert [4]. Im sog. Apsidensaal wurde das berühmte → Nilmosaik gefunden. Neue Bauuntersuchungen heben das organische Ensemble der Orakelstätte der Grotte der *sortes Praenestinae* (»Losorakel von P.«) mit einem eigenen Tempel (*thólos*) hervor (Architekt C. oder Q. Mucius: [5]). S. Agapito (städtischer Tempel) war verm. Teil des Forums und vom höher gelegenen Heiligtum getrennt (anders [6]). Auf dem

Forum wurden das → *aerarium*, die Basilika (die sog. *area sacra*), ein Isis- (Aula mit Apsis) und ein Sarapis-Heiligtum (in der Höhle der *sortes*) nachgewiesen. Zur *fibula Praenestina* → Nadel.

→ Praenestinische Cisten

1 P. BAGLIONE, La necropoli di P. Periodi orientalizzante e medio-repubblicano. Atti del 2. convegno di studi archeologici, 1992 2 L. QUILICI u. a. (Hrsg.), Urbanistica ed architettura dell'antica P. Atti del convegno di studi archeologici, 1989, 29–67 3 H. RIEMANN, Zur Südmauer der Oberstadt von P., in: RhM 92, 1985, 151–168 4 N. DE GRASSI, Epigraphica IV, in: Memorie della classe di scienze morali e storiche dell'Accademia dei Lincei 14, 1969/70, 111–129 5 F. ZEVI, Considerazioni vecchie e nuove sul Santuario di Fortuna Primigena . . ., in: B. COARI (Hrsg.), Le fortune dell' età arcaica . . . (Atti del 3° convegno di studi archeologici, Palestrina 1994), 1994, 137–183 6 G. GULLINI, L'architettura e l'urbanistica, in: B. ANDREAE (Hrsg.), Princeps Urbium. Cultura e vita sociale nell' Italia romana, 1991, 488 ff. 7 M. TORELLI, Topografia sacra di una città latina. P., in: Atti del Convegno di Studi archeologici 1989, 15–30.

F. FASOLO, G. GULLINI, Il santuario della Fortuna Primigenia a Palestrina, 1953 • P. ROMANELLI, Palestrina, 1967 • F. COARELLI, I santuari del Lazio in età repubblicana, 1987 • Ders., Revixit ars. Arte e ideologia a Roma, 1996 • Atti del Convegno di Studi archeologici, 1989, 1992, 1999 • L. RICHARDSON JR., s. v. P., PE, 735 f.

M.M.MO./Ü: J.W.MA.

Praenestinische Cisten. Vorwiegend in → Praeneste (Palestrina) hergestellte Behälter für Toilettenutensilien in Form einer → *cista*. Der zumeist zylindrische Gefäßkörper ist entweder vollständig aus Br. gearbeitet oder besteht aus einem Holz- oder Lederkern mit Br.-Beschlägen. Die figürlichen Deckelgriffe, die Füße und die Halterungen für Kettchen an den Gefäßwänden wurden in mehreren Arbeitsschritten von unterschiedlichen Handwerkern angebracht. Die Produktion der P. C. beginnt bereits in der Mitte des 5. Jh. und hat ihren Höhepunkt im 4. und 3. Jh. v. Chr. Außerhalb von Palestrina sind nur wenige Cisten in Tuscania (Etrurien) und in Servigliano (Picenum) gefunden worden.

Besondere Beachtung fanden die P. C. wegen ihrer reichen Gravierungen auf Deckeln und Gefäßkörpern. Die dargestellten Mythen wurden wie die gleichzeitige → unteritalische Vasenmalerei vom ant. Theater inspiriert. Beispielhaft erwähnt sei hier die Ficoronische Cista (Rom, VG), deren Bildthemen auf ein Satyrdrama des Sophokles zurückgehen. Die Signatur nennt als ausführenden Künstler Novios Plautios, einen Freigelassenen der röm. *gens* der Plautii. Diese und weitere altlat. Inschr. auf anderen Cisten lassen eine Zuordnung der gesamten Gattung zur mittelrepublikanischen Kunst zu. → Etrusci, Etruria II.

G. BORDENACHE BATTAGLIA, A. EMILOZZI, Le ciste prenestine, Bd. 1 und 2, 1979–1990 (Rezension: E. SIMON, in: Gnomon 68, 1996, 252–255) • M. MENICHETTI, »Quoius forma virtutei parisuma fuit.« Ciste prenestine e cultura di Roma medio-repubblicana, 1995. MI. LE.

Praenomen. Als alter Individualname steht das P. an erster Stelle im röm.- mittelital. → Personennamen (bes. im mask.), vor (*prae*) dem *nomen*, dem → Gentile. Es wird meist abgekürzt geschrieben; die lat. Siglen wurden schon im 6. Jh. v. Chr. eingeführt (wegen K = *Kaeso*, M = *Manius*, C = *Gaius*). Die Zahl der zur Wahl stehenden Praenomina ging nach Einführung des Familiennamens (→ Gentile) stark zurück, in Rom auf elf (dazu sieben weitere in einigen Adelsfamilien), im etr. → Perusia auf fünf. Das P. deutete so das Bürgerrecht in einer Stadtgemeinde an. Es wurde in Rom von Frauen nicht mehr gebraucht (vgl. → Personennamen III.B.). Der älteste Sohn erhielt meist das P. des Vaters, der *libertus* (→ Freigelassene II.) seit ca. 100 v. Chr. das P. des → *patronus*. Die staatliche Vereinigung Italiens und die zunehmenden Freilassungen beeinträchtigten die Funktion des P., das als Individualname durch das → Cognomen ersetzt wurde, zunächst in der Umgangssprache (*Crispe Sallusti*, Hor. carm. 2,2,3), dann mehr und mehr auch in offiziellen Texten (Liste von Centurionen, ILS 2452, 161 n. Chr.), bis es im 4. Jh. n. Chr. verschwand.

Von den idg. Namenkomposita gibt es in It. allenfalls noch Spuren (→ *Opiter*, *Agrippa*). Die P. sind nur teilweise mit Appellativa identisch oder als solche verständlich (nicht etwa lat. *Titus*, osk. *Vibis*). Viele sind mit -*io*- abgeleitet (lat. *Poplios*, wofür später → *Pūblius*, von *poplo*- > *populus* *»Heer«* > »Volk«; etr. *Spurie*, lat. *Spurius* von etr. *spura* »Gemeinwesen«; osk. *Niumsis*, lat. → *Numerius*), das das Ende des Appellativums ersetzen kann (osk. *Dekkis* = lat. → *Decimus*; lat. → *Lūcius* für *lūcidus* »hell«?). Ordnungszahlen als P. (lat. → *Quintus*, osk. *Seppis* = lat. *Septimus*) sind vielleicht vom Geburtsmonat genommen. Von → Götternamen abgeleitet sind → *Mārcus* (*Mars*) und → *Tiberius* (Flußgott *Tiberis*). P. mit guter Vorbedeutung sind lat. *Lūcius* und → *Gāius*, osk. *Gaavis* (wenn für **gāvidus* »froh«, vgl. **gāvideō* > *gaudeō*), oder osk. *Klovats* »dem Ruhm (**kleṷo-m*) gebührt«, osk. *Heirens* »der Begehrte« [1. 255–258]. Manche P. sind entlehnt: lat. *Aulus* stammt aus etr. *Aule* < *Avile* (zu *avil* »Jahr«), etr. *Mamerce* aus osk. *Mamereks* (zu *Mamers* »Mars«, → Mamercus). Eine Monographie über die Etym. der P. Italiens ist ein Desiderat.

1 G. MEISER, Das Gerundivum im Spiegel der röm. Onomastik, in: F. HEIDERMANNS, H. RIX, E. SEEBOLD (Hrsg.), Sprachen und Schriften des ant. Mittelmeerraums. FS J. Untermann, 1993, 253–268.

SCHULZE, 487–521 • SALOMIES, passim • R. SCHMITT, Das idg. und das alte lat. P.-System, in: O. PANAGL, T. KRISCH, Lat. und Idg., 1992, 369–393. H. R.

Praepes. T. t. der röm. Auguralsprache (Gell. 7,6), etym. mit lat. *praepetere* zu verbinden (Fest. 224; 286 f. L.; [1. s. v. *peto*]); er bezeichnete die Vögel, die im Blickfeld des Beobachters hoch »vorausflogen« und von günstiger Bedeutung waren (Serv. auct. Aen. 3,246). Zusammen mit den niedrig schwebenden Vögeln (*aves inferae*: Nigidius Figulus bei Gell. 7,6; Serv. Aen. 3,361;

[2. 2279]) gehörten die *praepetes* zu der Kategorie von *alites* (Bezeichnung für »Vögel« in der Auguralsprache), die durch ihren Flug Zeichen gaben (Serv. auct. Aen. 3,246). Bei der Beschreibung der Gründungsauspizien Roms durch Ennius (ann. 86–89; vgl. [3. 233–236]) erscheint der *avis p.* – bei Annahme der üblichen Orientierung des Betrachters nach Osten hin [2. 2280–2287] – in der linken, d.h. der nö. Ecke des Blickfeldes. Nach ihrem Erscheinen wenden sich die Vögel des Romulus zurück zu den ›hoch gelegenen und schönen Orten‹ (*praepetibus sese pulcrisque locis dant*); nach der etr.-röm. Lehre von den Wohnsitzen der Götter befanden sich diese Orte im NO, wo Iuppiter residierte und *summa felicitas*, »höchste Glückseligkeit«, herrschte (Serv. auct. Aen. 2,693; Dion. Hal. ant. 2,5,2–4; Plin. nat. 2,142–144; [2. 2282–2284]).

→ Augures; Divination

1 Ernout/Meillet 2 J. Linderski, The Augural Law, in: ANRW II 16.3, 1986, 2146–2312 3 O. Skutsch (ed.), The Annals of Q. Ennius, 1985 (mit Komm.). J. Ll.

Praepositus. In der röm. Kaiserzeit und Spätant. Bezeichnung für leitende Funktionen in mannigfaltigen Bereichen des öffentl. Dienstes [3], im 4.–6. Jh. n. Chr. in der erweiterten Form *p. sacri cubiculi* (griech. *praipósitos tu eusebestátu koitṓnos*) für das nur → Eunuchen vorbehaltene Hofamt des kaiserl. Oberkämmerers, dem die Kämmerer (s. → *cubicularius*) unterstanden. Das Amt des *p.* ist erstmals bezeugt unter Constantius [2] II. für → Eusebios [3]. Als Vertrauter des Kaisers nahm der *p.* in der Zentralbürokratie des Reiches häufig eine Schlüsselstellung ein. Ab dem späteren 8. Jh. trat an dessen Stelle der → *parakoimṓmenos*. Im 9.–11. Jh. ist die Bezeichnung *p.* (bezeugt bis 1087) einem Amt geringeren Ranges vorbehalten, das Funktionen in der Verwaltung und im Hofzeremoniell wahrnahm. Mehrfach sind zwei *praepositi* nebeneinander erwähnt; der Ranghöhere von ihnen wird gelegentlich als *protopraepositus* (griech. *prṓtopraipósitos*) bezeichnet [1. 340; 2. 300].

1 R. Guilland, Recherches sur les institutions byzantines, Bd. 1, 1967, 333–380 2 N. Oikonomidès, Les listes de préséance byzantines des IXᵉ et Xᵉ siècles, 1972 3 W. Ensslin, s. v. P., RE Suppl. 8, 1956, 539–556; s. v. P. sacri cubiculi, 556–567 4 ODB 3, 1709. F. T.

Praerogativa centuria (auch verkürzend *praerogativa*: z. B. Cic. ad Q. fr. 2,14,4; Cic. Phil. 2,82; Liv. 24,7,12) nannte man in Rom die durch → Los aus den Centurien der ersten Vermögensklasse ermittelte → *centuria*, die verm. seit der Reform der → *comitia centuriata* (zw. 241 und 218 v. Chr.) bei → Wahlen (unsicher ob auch bei legislativen Beschlüssen) vorweg abstimmte. Da das Ergebnis der *p.c.* sofort bekanntgemacht wurde (Liv. 24,7,12; Cic. Phil. 2,82), übte es eine erhebliche suggestive Wirkung auf die weitere Stimmabgabe aus. Diese Wirkung war bei der Schaffung der *p.c.* wohl beabsichtigt, um eine Zersplitterung der Stimmen zu vermeiden; weitergehende Vermutungen über polit.

Hintergründe sind umstritten. Angeblich wurde der zuerst genannte Kandidat der *p.c.* stets für das fragliche Jahr gewählt (Cic. Planc. 49). Deshalb galt das Votum der *p.c.* als *omen comitiorum* (Cic. div. 1,103; 2, 83; vgl. Cic. Mur. 38: *omen . . . praerogativum*).

Die *p.c.* wird als lebendige Institution letztmals für 44 v. Chr. erwähnt (Cic. Phil. 2,82). Spätestens 5 n. Chr. wurde sie durch die 10 Destinations-Centurien der *lex Valeria Cornelia* (→ Tabula Hebana, Z. 6–13) obsolet.

Mommsen, Staatsrecht 3, 290–298 · C. Meier, s. v. P.c., RE Suppl. 8, 567–598 · L. R. Taylor, Roman Voting Assemblies, 1966, 91–96. W. K.

Praescriptio longi temporis. Die *p.l.t.* (»Verteidigung mit der langen Dauer«) ist eine Verteidigung des Besitzers gegenüber dem Eigentümer, weil dieser so lange sein Recht nicht geltend gemacht hat. Einführung oder Anerkennung der *p.l.t.* verbinden sich mit einem → *rescriptum* des Septimius Severus und des Caracalla von 199 n. Chr., welches an eine bereits vorhandene Praxis anknüpfte. Die *p.l.t.* betraf Provinzialgrundstücke, die der Ersitzung (→ *usucapio*) nicht zugänglich waren, wurde jedoch auch auf bewegliche Sachen bezogen (Mod. Dig. 44,3,3; Marcianus Dig. 44,3,9). Sie setzte einen ›rechtmäßigen Beginn des Besitzes‹ (*iustum initium possessionis*, Paul. sent. 5,2,4) voraus, der dann ungestört 10 bzw. 20 J. gedauert haben mußte. Die Stellung des Besitzers war danach durch Klagen geschützt (Cod. Iust. 7,39,8 pr. vom J. 528) und insofern eigentumsähnlich.

Honsell/Mayer-Maly/Selb, 178 f. · Kaser, RPR 1, 424 f.; 2, 285–288 · M. Kaser, K. Hackl, Das röm. Zivilprozeßrecht, ²1997, 489. D. Sch.

Praeses (wörtlich: »Vorsitzender«) wurde im 2. und 3. Jh. n. Chr. als lat. Titel zuerst zur bes. Ehrung von Statthaltern gebraucht, setzte sich dann im amtlichen Sprachgebrauch zunächst für ritterliche → *procuratores* durch und wurde im Gefolge der Neuordnung der Verwaltung unter Diocletianus und Constantinus [1] I. zum Sondertitel für die unterste Gruppe der Provinzstatthalter nach den → *consulares* und → *correctores*, v. a. in den vielen kleinen neugeschaffenen Prov.; allerdings wechselte die Rangstufenfolge. In der → *Notitia dignitatum* sind für den Osten 40, für den Westen 31 *praesides* erwähnt. Der *p.*, der über ein Büro (→ *officium* [6]) verfügte, kam im Westen meist aus vornehmer Familie, im Osten stieg er häufig aus subalternen Positionen auf. Seine Aufgaben lagen in Verwaltung und Gerichtsbarkeit, nur in Isauria und Mauretania Caesariensis hatte er auch mil. Befugnisse. Der Titel konnte auch ehrenhalber verliehen werden und taucht noch im 7. Jh. auf. K. G.-A.

Praestigiator s. Unterhaltungskünstler

Praesul s. Salii (Priesterschaft)

Praeteritio (»Übergehung«). Nach röm. *ius civile* mußten alle → *sui heredes* (Hauserben) im Testament erwähnt
werden, indem sie entweder ausdrücklich als Erben eingesetzt oder enterbt (→ *exheredatio*) wurden. Söhne und
→ *postumi* (Nachgeborene) beiderlei Geschlechts konnten nur unter Namensnennung *(nominatim)* wirksam
enterbt werden, bei allen anderen (Töchtern, in → *manus*-Ehe lebender Ehefrau, Enkel/innen usw.) genügte
pauschale Enterbung *(inter ceteros)*. Nichterwähnung (*p.*)
führte bei Söhnen und *postumi* zur Nichtigkeit des Testaments mit all seinen Verfügungen; bei den übrigen
blieb das Testament wirksam, sie erhielten aber einen
Kopfteil neben *sui* oder die Hälfte neben *extranei* (»Au-
ßenerben«, → Erbrecht III.A.). Das praetorische Erbrecht gewährte unter ähnlichen Voraussetzungen die
→ *bonorum possessio intestati* (»Vermögensinhaberschaft
ohne Testament«, für Söhne oder *postumi*) oder *contra
tabulas* (»gegen ein Testament«, für Töchter usw.).
→ Erbrecht III.E.; Pflichtteil; Testamentum

    1 HONSELL/MAYER-MALY/SELB, 463–464 **2** KASER, RPR 1,
    705–709; 2, 513–514 **3** G. WESENER, s. v. p., RE Suppl. 9,
    1175–1180.   U. M.

Praetexta. Ant. Bezeichnung (zumal Diom. 3, GL
1,489,14 ff.; zum Schema der Termini vgl. [2]) des republikanischen histor. Dramas der Römer, als Gattung –
wie das histor. Epos – von → Naevius [I 1] in Rom eingeführt. Ein (seltener realisierter) Typ – vgl. Naevius’
Lupus (vel Romulus?) – stellte exemplarische Figuren der
Vorgesch. Roms dar, während die Mehrzahl der Stücke
(Naevius’ *Clastidium*, → Ennius’ *Ambracia*, → Pacuvius’
Paulus) der postumen Ehrung von Mäzenen durch Preis
ihrer Siege gewidmet war, d. h. wohl an deren *ludi fu-
nebres* (»Leichenspielen«; vgl. → Tod) aufgeführt wurde;
ihre Darstellung zu Lebzeiten war als der aristokratischen Gleichheit widerstrebend durch eine gesellschaftlich verbindliche Norm (Cic. rep. 4,12) ausgeschlossen
(anders [6. 177 ff.]). Diesen panegyrischen Typ meint
der Begriff *p.* (von der → *toga p.* der röm. Magistrate,
also der Tracht der Hauptakteure, abgeleitet).
    Mit → Accius, der in der indirekten Panegyrik seines
berühmten *Brutus* (für D. Iunius [I 14] Brutus, *cos.* 138;
zu einer Wiederaufführung vgl. Cic. Sest. 123) und der
Glorifizierung der röm. Gesch. (*Aeneadae vel Decius*) eigene Wege ging, erreichte die Form Höhepunkt und
Ende. Im *Aeneas* des → Pomponius [III 8] Secundus
klingt der Typ des Mythendramas nach 150 J. punktuell
nach. Eine Generation später jedoch bilden die Stücke
des Curiatius Maternus (*Cato* und *Domitius*, die schei-
ternden Helden der sterbenden Republik) sowie die im
Corpus der Seneca-Tragödien überl. → *Octavia* [4]
(wohl frühes 2. Jh. n. Chr.) insofern eine selbständige
Gruppe, als Gesch. hier nicht panegyrisch oder exemplarisch, sondern in kritischer Distanz und in Form von
Trag. dargestellt ist; ihre mod. Bezeichnung als P. ist
nicht gerechtfertigt (anders [4]); umgekehrt scheint den
älteren Triumph-Praetexten die Tragik zu fehlen.

    Fr.: **1** TRF ⁴1953, 358–368 **2** L. PEDROLI, 1954 (mit
    Komm.) **3** G. DE DURANTE, 1966 (mit it. Übers.).
    LIT.: **4** N. ZORZETTI, La pretesta, 1980 **5** P. L. SCHMIDT,
    Postquam ludus in artem verterat, in: G. VOGT-SPIRA
    (Hrsg.), Stud. zur vorlit. Periode im frühen Rom, 1989,
    77–135 **6** H. L. FLOWER, Fabulae praetextae in Context, in:
    CQ 45, 1995, 170–190 **7** G. MANUWALD, Fabulae
    praetextae. Spuren einer lit. Gattung der Römer (im Druck;
    mit Komm. der Fr.).   P. L. S.

Praetextatus. Röm. Cognomen (»in der *toga praetexta*
gekleideter ⟨Knabe⟩«). Beiname des L. Papirius [I 23] P.
und in der Familie der → Sulpicii; in der Kaiserzeit weit
verbreitet.

    KAJANTO, Cognomina, 300.   K.-L. E.

[1] Vettius Agorius P., etwa 320–384 n. Chr. Nach
Quaestur und Praetur war er vor 362 *corrector Tusciae et
Umbriae*, 362/4 als Günstling des Iulianus [11] *proconsul
Achaiae*, 365/7 *praefectus urbi* in Rom, dann Praetorianerpraefekt von Illyrien, Italien, Africa; 384 zum Consul
designiert; mehrfach Gesandter des Senats. Er war führender Vertreter nichtchristl. Kreise im röm. Senat, der
mit seinen Priesterschaften eine Vielzahl paganer Kulte
zu integrieren versuchte (CIL VI 1779). Korrespondent
und Freund des → Symmachus (Symm. epist. 1,44–55;
vgl. Symm. rel. 10–12); Gesprächsteilnehmer in den *Sa-
turnalia* des → Macrobius [1]. PLRE 1, 722–724.   H. L.

Praetor (älter *praitor*, ILS 3141; wohl richtig etym. erklärt als *qui praeiret exercitui*/»der dem Heer voranschrei-
tet« in Varro ling. 5,87; vgl. Cic. leg. 3,8; griech. Äquivalent στρατηγός/*stratēgós*).

I. ROM   II. ITALISCHE STÄDTE

I. ROM
A. REPUBLIKANISCHE ZEIT   B. KAISERZEIT

A. REPUBLIKANISCHE ZEIT
Praetores hießen in Rom urspr. die eponymen Oberbeamten (später → *consul*: Liv. 3,55,12; Paul. Fest. s. v.
praetoria porta, 249 L.). Überlegungen, daß es *p.* schon in
der Königszeit gab und daß das Oberamt in der frühen
Republik dreistellig war (z. B. [2. 428]), haben keine
gesicherte Grundlage. Seit den *leges Liciniae Sextiae* (traditionelle Datier. 367 v. Chr.) trat neben die früheren
zwei Oberbeamten ein weiterer (zunächst nur patrizischer) *p.* (Pomponius Dig. 1,2,2,27), in Wahrheit mit
umfassendem → *imperium*, das allerdings dem der *consules* unterlegen war (*imperium minus*: Messalla bei Gell.
13,15,4; dazu [4]), so daß diese im Konkurrenzfall dem
p. Weisungen bzw. Verbote erteilen konnten. Die Bestellung eines zweiten *p.* seit 242 v. Chr. (*p. peregrinus*:
p. qui inter peregrinos ius dicit, »Fremdenpraetor« ›der für
die Fremden = Nichtbürger Recht spricht‹) diente zunächst eher mil. Bedürfnissen als der Rechtsprechung
[1. 296 f.]. Zwei weitere *p.* wurden seit 227 (Liv. per.
20) für die Verwaltung der Prov. Sicilia und Sardinia

eingesetzt, nochmals zwei 197 v. Chr. für die spanischen Prov. (Liv. 32,27,6; 32,28,2). Nach vorübergehendem Wechsel zw. vier und sechs *p.* (Liv. 40,44,2) blieb es lange bei sechs *p.*, obwohl weitere Prov. hinzukamen und in Rom ständige Geschworenengerichte (s. → *quaestio*) unter praetorischem Vorsitz eingerichtet wurden. Erst L. Cornelius [I 90] Sulla erhöhte 81 v. Chr. die Zahl der *p.* auf acht (erschlossen aus Vell. 2,89,3). Seit Anf. des 1. Jh. v. Chr. war das Amt praktisch zweijährig, da der *p.* zunächst in der städtischen Rechtsprechung tätig war, vor Ende des Amtsjahres aber Rom verließ, um – als → *propraetor* oder oft sogar im Range eines → *proconsul* – die Leitung einer Prov. zu übernehmen. Caesar steigerte die Zahl der *p.* 47 v. Chr. auf 10 (Cass. Dio 42,51,3), später sogar auf 14 bzw. 16 (Cass. Dio 43,47,2; 43,49,1).

Die *p.* wurden in den → *comitia centuriata* gewählt. Voraussetzung war seit 180 v. Chr. ein Mindestalter von 40 J. (Liv. 40,44,1); vorherige Bekleidung der Quaestur war seit dem 3. Jh. üblich (s. → *cursus honorum*), aber wohl erst seit Sulla vorgeschrieben (App. civ. 1,466). Wie die *consules* hatte der *p.* als Amtsinsignien die → *toga praetexta* und die → *sella curulis*, aber wegen seines minderen *imperium* nur sechs → *lictores* (nur zwei bei zivilrechtlicher Jurisdiktion: [1. 120f.]). Die Tätigkeitsbereiche (→ *provincia*) wurden im allg. vor Amtsantritt durch das → Los (I. C. 3.) verteilt.

Die urspr. umfassende Amtsgewalt kam später bes. bei den Provinzialkommandos zur Geltung, während die städtischen *p.* fast ausschließlich in der Rechtsprechung beschäftigt waren. Sie leiteten die erste Stufe des Verfahrens (*in iure*) im älteren Legisaktionenprozeß (→ *legis actio*) – wie im jüngeren Formularverfahren (→ *formula*); die Grundsätze ihrer Rechtsprechung publizierten sie bei Amtsbeginn im praetorischen → *edictum* [1], das überwiegend auf den vorhandenen praetorischen Edikten aufbaute, aber auch laufend Neuerungen aufnahm. Im Strafprozeß leiteten *p.* das Vorverfahren und seit dem 2. Jh. v. Chr. einen Teil der *quaestiones*. Seit Sulla amtierten außer *p.* urbanus und *p.* peregrinus alle *p.* als Vorsitzende der ständigen *quaestiones*.

B. KAISERZEIT

In der Kaiserzeit wechselte die Zahl der *p.* nach dem Bedarf. Unter → Augustus lag sie meist zw. 10 und 12, unter → Claudius [III 1] erreichte sie zeitweise 18 (Cass. Dio 60,10,4), was unter → Hadrianus als normal galt (Dig. 1,2,2,32). Das Mindestalter betrug nur noch 30 J. Die Aufgaben der *p.* im Bereich des Strafrechts gingen stark zurück; stattdessen erhielten einige *p.* spezielle Aufgaben, z. B. von 23 v. Chr. bis 44 n. Chr. zwei *p. aerarii* als Leiter der Staatskasse (→ *aerarium*; Cass. Dio 53,32,2; 60,24,1), seit Claudius zwei *p. fideicommissarii* (→ *fideicommissum*; seit → Titus nur noch einer: Dig. 1,2,2,32), seit Marcus [2] Aurelius ein *p. tutelaris* für Vormundschaftsregelungen (SHA Aur. 10,11; weiteres [6. 1600]). Außerdem mußte sich das *p.*-Collegium seit 22 v. Chr. (Cass. Dio 54,2,3f.) mit erheblichen Kosten um alle stadtröm. Spiele (→ *ludi*) kümmern. Das Amt behielt dennoch als Voraussetzung für die Bekleidung

hoher Militär- und Verwaltungsämter lange Zeit große Bed. Erst als unter → Constantinus [1] I. der Einsatz von ehemaligen Praetoren in attraktiven Positionen entfiel, wurde die Praetur endgültig zum lästigen → *munus*.

II. ITALISCHE STÄDTE

Auch in vielen ital. Städten gab es das Amt des *p.*, teilweise nach röm. Vorbild eingerichtet (z. B. in Beneventum: ILS 3096; 6492). Dagegen dürfte der *p.* in urspr. oskischen Gemeinden die lat. Umschreibung des traditionellen → *meddix* [5. 130], in latinischen Städten (wie Praeneste: ILS 4020; 6246; Cora: ILS 6131) sogar originärer Amtsträger der vorröm. Zeit sein [5. 117], zumal auch an der Spitze des Latinischen Bundes (→ Latini mit Karte) vor 338 v. Chr. angeblich zwei *p.* standen (Liv. 8,3,9). Während im allg. die städtischen *p.* im 1. Jh. v. Chr. durch → *duoviri iure dicundo* abgelöst wurden, behielten einzelne Städte ihre *p.* noch in der Kaiserzeit (z. B. Anagnia: ILS 6259f.; Cumae: ILS 4175). → Consul; Magistratus; Prozeßrecht; Strafrecht; Verwaltung

1 W. KUNKEL, R. WITTMANN, Staatsordnung und Staatspraxis der röm. Republik, Bd. 2, 1995 2 MARTINO, SCR 1, 427–436 3 MOMMSEN, Staatsrecht 2, 193–238 4 J.-C. RICHARD, *P. collega consulis est*, in: RPh 3. Ser. 56, 1982, 19–31 5 A. N. SHERWIN-WHITE, The Roman Citizenship, ²1973 6 G. WESENBERG, C. KOCH, s. v. P., RE 22, 1581–1605.   W. K.

Praetoriae cohortes s. Praetorianer

Praetorianer (*cohortes praetoriae*). In der röm. Republik war die *cohors praetoria* (*c. p.*) eine kleine mil. Einheit, die das → *praetorium* bewachte und als Eskorte des Feldherrn fungierte. Nach Festus (Fest. 223M.) soll Cornelius [I 71] Scipio Africanus als erster zu seinem Schutz »die tapfersten Männer« ausgewählt haben, die von anderen Dienstpflichten befreit waren und einen höheren Sold bezogen. In der späten Republik besaßen mächtige Feldherren starke Leibwachen; so stellte M. Antonius [I 9] 44 v. Chr. aus seinen Veteranen eine Leibwache von 6000 Mann auf.

27 v. Chr. schuf → Augustus eine stehende Truppe von P., die durch eine bessere Besoldung und kürzere Dienstzeit (schließlich 16 Jahre) Elitestatus besaßen. 14 n. Chr. existierten mindestens neun *c. p.* wahrscheinlich mit einer Stärke von je 500 Mann (Vespasianus 76 n. Chr.: ILS 1993). Drei dieser *c. p.* waren in Rom, die übrigen in Nachbarstädten stationiert; möglicherweise hatten einige ihre Basis zeitweise in Aquileia. Im Dienst trugen diese Truppen in Rom Zivilkleidung mit Seitenwaffen und Schilden; vielleicht sollte damit auf die Vorbehalte der Senatoren Rücksicht genommen werden, denn normalerweise waren in Rom keine Soldaten stationiert. Augustus erkannte die polit. Bed. dieser einzigen mil. Einheit im Zentrum der Macht und behielt selbst die Kontrolle über die *c. p.*, bis er schließlich 2 v. Chr. zwei Praefekten ernannte (→ *praefectus praetorio*). Für Cassius Dio symbolisierte die Aufstellung der *c. p.*

den Beginn der Monarchie des Augustus (Cass. Dio 53,11,5). Daneben unterhielt Augustus als persönliche Leibwache (*corporis custodes*) eine kleine Truppe von Germanen, die er aus rheinländischen Stämmen rekrutiert hatte. Seit der Zeit der Flavier (69–96) wurden die *c. p.* von einer Reitereinheit, den → *equites singulares Augusti*, unterstützt.

Im Jahr 23 überredete L. Aelius [II 19] Seianus, damals alleiniger Praefekt der *c. p.*, Tiberius, die *c. p.* in einem einzigen Lager in Rom zusammenzuziehen, was ihnen noch mehr Gewicht verlieh (Tac. ann. 4,2; Suet. Tib. 37,1). Seitdem waren die *c. p.* in den *castra praetoria* auf dem → Viminalis stationiert. Die Zahl der *c. p.* wurde von Tiberius, Gaius oder Claudius auf zwölf erhöht (AE 1978, 286). Während der Bürgerkriege verstärkte Vitellius 69 die *c. p.* zeitweise auf 16 *cohortes* zu 1000 Mann (Tac. hist. 2,93,2). Unter Domitianus (81–96) gab es schließlich zehn *c. p.* zu je 1000 Mann (vgl. zu 221 n. Chr. ILS 2008); zusammen hatten die *c. p.* damit eine Truppenstärke von zwei Legionen. Obwohl die Zahl der Soldaten, die aus Italien stammten, in den Legionen kontinuierlich sank, konnten die P. hauptsächlich in Italien rekrutiert werden, da der Dienst in Rom als attraktiv galt. Jede → *cohors* stand unter dem Befehl eines → *tribunus*, der gewöhnlich schon als ranghöchster → *centurio* in einer Legion und als *tribunus* der → *vigiles* und → *urbanae cohortes* gedient hatte.

Die *c. p.* dienten primär als offizielle Eskorte des → Princeps, der auch Befehlshaber aller röm. Legionen war. Schließlich begleiteten und schützten sie ihn und seine Familie bei allen offiziellen Anlässen in Rom und Italien und unterdrückten, wenn nötig, jegliche Unruhen in Rom. Eine Abteilung der *c. p.* begleitete Mitglieder der Familie des Princeps auf Reisen außerhalb Italiens oder auf Feldzügen; so gingen zwei *cohortes* mit Drusus [II 1] 14 nach Pannonia (Tac. ann. 1,24). Es gibt jedoch keinen Hinweis darauf, daß die *c. p.* in der Schlacht eine bes. taktische Rolle spielten. Nach ihrer Entlassung aus dem Dienst erhielten die P. Diplome, die ihre Privilegien bestätigten und immer den Namen des Princeps, nicht den des P.-Praefekten trugen.

Die P. wurden schnell in polit. Auseinandersetzungen in der Umgebung des Princeps hineingezogen, wobei dies eher dem Ehrgeiz einzelner Praefekten zuzuschreiben war als einem wirklichen polit. Bewußtsein der Truppe. Nach dem Mord an Gaius Caligula ließ Claudius [III 1] 41 den *c. p.* eine sehr hohe Geldsumme auszahlen, um ihre Unterstützung zu gewinnen. Seitdem gewährte jeder neue Princeps den P. und den Soldaten der Legionen bei Amtsantritt ein → *donativum*; falls der Princeps in Rom war, wandte er sich mit einer formellen Ansprache an die P. In entscheidenden Momenten hatten die P. erheblichen Einfluß auf das polit. Geschehen; so spielten sie 54 bei der Ernennung → Neros zum Princeps und 69 bei der Ernennung Galbas [2] eine wichtige Rolle (Tac. ann. 12,69; Tac. hist. 1,36ff.). Gegen E. des 2. Jh. wurden die P. zunehmend undiszipliniert und aufrührerisch. 193 ermordeten sie → Per-

tinax, weil sie ihn für geizig hielten und fürchteten, daß er ihnen strikte Disziplin auferlegen wolle; sodann boten sie Didius [II 6] Iulianus, der ihnen das höchste *donativum* versprochen hatte, ihre Unterstützung an, gaben ihn aber ebenso schnell auf (SHA Pert. 10f.; Did. 2). Nachdem → Septimius Severus Iulianus gestürzt hatte, entließ er die P. und ersetzte sie durch Soldaten aus den Donaulegionen. Er brach also mit der Bevorzugung von Bürgern aus Italien, die man aber bald darauf wieder zu rekrutieren begann. Die *c. p.* blieben bestehen, bis Constantinus [1] I. sie 312 nach der Niederlage seines Rivalen Maxentius auflöste (Zos. 2,17,2).

→ Praefectus praetorio

1 H. BELLEN, Die germanische Leibwache der röm. Kaiser des julisch-claudischen Hauses, 1981 **2** D.L. KENNEDY, Some Observations on the Praetorian Guard, in: AncSoc 9, 1978, 275–301 **3** L. KEPPIE, The Praetorian Guard before Sejanus, in: Athenaeum 84, 1996, 101–124, bes. 108 **4** A. PASSERINI, Le coorti pretorie, 1939.   J.CA./Ü: B.O.

Prätorianergarde s. Praetorianer

Praetorium. Das *p.* war während der Republik das Zelt des Befehlshabers einer röm. Armee; der Begriff zeigt, daß der → Praetor urspr. der röm. Oberbefehlshaber war. Wenn ein Marschlager errichtet wurde, bestimmte man zunächst den Platz für das *p.* (Pol. 6,27; vgl. Caes. civ. 1,76,2); es nahm die zentrale Stelle des Lagers (→ *castra*) ein und wurde von einem offenen Platz für den Markt und vom Zelt des → Quaestors flankiert. Die *via praetoria* und die *porta praetoria* waren wahrscheinlich Straße und Tor, die dem *p.* benachbart waren.

Das Wort *p.* bezeichnete auch die Beratung der Offiziere im Zelt des Feldherrn und wurde später die Bezeichnung für den Amtssitz eines Provinzstatthalters (Cic. Verr. 2,4,65). In der Prinzipatszeit war das *p.* in den Legionslagern das Wohnhaus des Legionsbefehlshabers; es lag neben dem Stabsgebäude (*principia*), das nun den zentralen Platz einnahm (s. Grundriß bei → *limes*). Gleichzeitig bezeichnete *p.* auch Quartiere entlang der Fernstraßen für in offiziellem Auftrag reisende Beamte (CIL III 6123), außerdem einen Palast des Princeps oder eines Königs (Suet. Cal. 37,2; Iuv. 10,161) und – abgeleitet vom *p.* des Princeps in Rom – die Praetorianercohorten (→ Praetorianer) selbst (Tac. hist. 2,11,3).

→ Castra; Legio

1 A. JOHNSON, Roman Forts of the 1st and 2nd Centuries A.D. in Britain and German Provinces, 1983.   J.CA.

Praetuttii, Praetuttiana regio. Volk und Landschaft (mit Weinanbau: Plin. nat. 14,60, 67; 75) an der ital. Adriaküste (→ Ionios Kolpos); die P.r. entspricht dem *ager Praetuttianus* der *regio V* (Plin. nat. 3,110) zw. dem Fluß Helvinus (Identifikation unsicher – h. Salinello? Vibrata? Acquarossa? Aso?) im Norden, den Abruzzi im Westen (*mons Fiscellus*, h. Gran Sasso; Monti della Laga) und dem Fluß Vomanus (h. Vomano) im Süden. Urspr. sollen hier Siculi und Liburni gesiedelt haben (Plin. nat.

3,112). 290 v. Chr. wurden die P. von den Römern unterworfen (Liv. per. 11; Flor. epit. 2,10); anfangs besaßen sie den Status von *cives sine suffragio*, seit 241 v. Chr. *cives optimo iure* (→ *civitas*). Zentren waren Interamna [3] Praetuttiorum (im MA zu *Abrutium* verstümmelt, daher der mod. Gebirgsname Abruzzi; h. Téramo), Hatria (h. Atri), Castrum [3] Novum und Truentum. Bed. war das Heiligtum am Monte Giove. Die *P. r.* wurde von der *via Caecilia* durchquert (CIL VI 3824). Wichtig sind die Nekropolen von Campovalano (Gräber 10.–8., 7.–5. und 4.–2. Jh. v. Chr.).

V. D'ERCOLE u. a., Antica terra d'Abruzzo ..., 1990 · L. FRANCHI DELL'ORTO (Hrsg.), Le valli della Vibrata e del Salinello, in: Documenti e testimonianze dell'Abruzzo Teramontano · M. P. GUIDOBALDI, La romanizzazione dell'ager Praetutianus, 1995.   M. M. MO./Ü: H. D.

Praevaricatio (wörtlich etwa: »sich von vornherein Querlegen«) bezeichnet bei ma. christl. lat. Autoren meist den Glaubensabfall; in ant. röm. juristischen Quellen (Cod. Theod. 16,7,3,1: 383 n. Chr.) in diesem Sinn selten. *P.* ist dort die Begünstigung des Angeklagten durch den Ankläger im öffentlichen Strafverfahren (→ *iudicium publicum*). Im weiteren Sinne erstreckt sich der Begriff auf andere öffentliche (Dig. 44,3,10), sogar auf private Verfahren (Cod. Iust. 2,7,1) und auf andere Beteiligte (Dig. 47,15,1 pr.). *P.* umfaßt alles Handeln zum Schutz des Angeklagten vor Bestrafung. Erfolg und Verabredung mit oder Geldannahme vom Angeklagten (für diesen selbständig strafbar!) wurden nicht vorausgesetzt.

P. bewirkte, daß die korrupte Entscheidung nicht rechtskräftig wurde. Der Täter wurde (nicht erst seit der *lex Iulia iudiciorum publicorum*, also schon vor Augustus) wie bei grundloser Anklage (→ *calumnia*) mit dem Verlust der bürgerlichen Rechte (→ *infamia*) und des Anklagerechts bestraft. Später (gegen E. 1. Jh. n. Chr.) wurde *p.* auch im »außerordentlichen« kaiserlichen Verfahren (*extra ordinem* → *cognitio*) geahndet: mit Verbannung (Tac. ann. 14,41), → *relegatio* (Plin. epist. 3,9,29–34), endlich mit der den Begünstigten treffenden Strafe (Dig. 47,15,6). Der wegen *p.* Verurteilte war also nicht *publico iudicio damnatus* (»im öffentlichen Strafverfahren verurteilt«), doch wurden die dafür typischen Folgen (Dig. 48,2,4) zum Teil auf ihn ausgedehnt.

B. SANTALUCIA, Diritto e processo penale nell'antica Roma, ²1998, 180f., 264f. · E. LEVY, Von den röm. Anklägervergehen, in: ZRG 53, 1933, 177–233 · MOMMSEN, Strafrecht, 501–503.   C. E.

Praisos (Πραισός). Stadt in Ost-Kreta (Skyl. 47) auf der Halbinsel von Sitia nahe dem h. Dorf Nea P. (Vaveli) zw. drei Akropoleis. Der Ort war bereits in neolithischer Zeit besiedelt (Kultstätte in Höhle nordwestl. der Stadt). Zahlreiche Spuren aus minoischer und myk. Zeit sind erh. (Megalithhaus im Süden; Tholosgräber in der Nekropole nördl. der Stadt, in Benutzung zw. dem 15. und dem 2. Jh. v. Chr.). P. und Polichne [2] sollen sich als einzige Städte nicht an der min. Expedition nach Sizilien beteiligt haben (Hdt. 1,170). P. war das Zentrum der Eteokretes (Strab. 10,4,6), von denen aus P. zahlreiche Inschr. in griech. Schrift, jedoch nichtgriech. Sprache bis ins 3. Jh. v. Chr. vorliegen ([1. 55–85, 119–124]; → Eteokretisch). In hell. Zeit gehörte P. zu den bedeutendsten Städten auf Kreta. Das Territorium erstreckte sich bis zur Nord- und Südküste der Halbinsel von Sitia. Dazu gehörte im Osten wohl auch das Heiligtum des Zeus Dikaios beim h. Palekastro. Aus dieser Zeit sind arch. Überreste (Wohnhäuser) erh. Die Rekonstruktion der polit. Gesch. beruht fast ausschließlich auf Inschr. Diese bezeugen für hell. Zeit wiederholt Auseinandersetzungen mit den größeren Städten in West-Kreta. Bündnis-, Friedens- und Grenzverträge sind überl. mit → Hierapytna [2. Nr. 5, p. 185–190, Nr. 21, p. 236], → Lyktos [2. Nr. 12, p. 213f., Nr. 23, p. 237–239] und → Itanos [2. Nr. 47, p. 303–306]. Um 145 v. Chr. wurde P. von Hierapytna zerstört und in dessen Territorium integriert. Für die Zeit danach gibt es keine Siedlungsspuren mehr, abgesehen von wenigen Gräbern aus spätröm. Zeit [3. 137].

1 Y. DUHOUX, Les Étéocrétois, 1982 2 A. CHANIOTIS, Die Verträge zw. kret. Poleis in der hell. Zeit, 1996 3 I. F. SANDERS, Roman Crete, 1982.

R. C. BOSANQUET, Excavations at P. I, in: ABSA 8, 1901/2, 231–270 · J. W. MYERS u. a., Aerial Atlas of Crete, 1992, 256–261 · R. SCHEER, s. v. P., in: LAUFFER, Griechenland, 564f. · J. WHITLEY, From Minoans to Eteocretans ..., in: W. G. CAVANAGH, M. CURTIS (Hrsg.), Post-Minoan Crete, 1998, 27–39.   H. SO.

Praktische Philosophie   A. BEGRIFF
B. PLATON UND DIE AKADEMIE
C. ARISTOTELES UND DER PERIPATOS
D. HELLENISMUS UND LATEINISCHE ANTIKE
E. WIRKUNG

A. BEGRIFF
P. Ph. (πρακτικὴ φιλοσοφία/*praktikḗ philosophía*, lat. *philosophia practica*) bzw. praktische Wiss. (πρακτικὴ ἐπιστήμη/*praktikḗ epistḗmē*, lat. *scientia practica*) wurde seit Aristoteles vorwiegend in der Wissenseinteilung als Terminus verwendet, um die Erkenntnisweise der wiss. bzw. philos. Disziplinen zu bezeichnen, die das »Handelbare« (πρακτόν/*praktón*, lat. *agibile*) betreffen. Später benutzte man den Begriff zunehmend als Sammelbezeichnung für die Disziplinen des Handelns: Ethik, Ökonomie und Politik, die man als »praktisch« sowohl von den theoretischen als auch von den poietischen Disziplinen abgrenzte.

B. PLATON UND DIE AKADEMIE
Die erste bedeutende Bestimmung des philos. Wissens als praxisrelevant, insofern es mit seiner Einsicht auf das Handeln zurückwirkt – in Abhebung vom rein beschauenden, theoretischen Wissen – findet sich bei → Platon [1]. Im ›Politikos‹, in dem es um Wesen und Erkenntnisart der polit. Wiss. geht, teilt er nach dem

dihairetischen Verfahren die Wiss. in zwei Gruppen (258e): die praktischen bzw. handelnden (πρακτικαί/ praktikaí) und die bloß erkennenden bzw. theoretischen (μόνον γνωριστικαί/mónon gnōristikaí). Als Unterscheidungskriterium gilt ihm der »Gebrauch der Hände« (χειρουργία/cheirurgía): Nimmt eine Wiss. die Hände in Anspruch, dann ist sie »praktisch« (259e). Damit faßt Platon die praktische Wiss. eindeutig im Sinne des prakt.-technischen Wissens auf. Die bloß erkennenden Wiss. teilt er weiter in zwei Untergruppen: die beurteilenden (κριτικὸν μέρος/kritikón méros) und die gebietenden (ἐπιτακτικὸν μέρος/epitaktikón méros). Die ersten (z. B. die Arithmetik) stellen nur theoretische Urteile her und sind praxisfrei (ψιλαὶ τῶν πράξεων, psilaí tōn práxeōn), die anderen erzeugen auch Befehle (260a), wie die Politik, und orientieren das Handeln (260b).

Die Einteilung und Klassifikation der Wiss. nach dem dihairetischen Verfahren sowie die Bestimmung von Wesen und Ziel der prakt. Wiss. war in der Platonischen Akademie (→ Akadēmeia) ein wichtiges Diskussionsthema. Da dort die Lehre Platons als »die Philos.« galt, ergab die systematische Ordnung der platon. lógoi in logische (logiká), physische (physiká) und ethische (ēthiká) zugleich eine Dreiteilung der Philos. überhaupt. Laut Sextos Empeirikos geht sie somit möglicherweise auf Platon selbst zurück, findet sich jedoch ausdrücklich erst bei Xenokrates (fr. 1 HEINZE = 82 ISNARDI PARENTE = Xenokrates adv. logicos 1,16). Cicero bestätigt diese Auskunft, indem er von einer ratio triplex spricht (ac. 1,4,19). Die »Dreiteilung« wurde in der weiteren Gesch. der Akademie in verschiedenen Abwandlungen tradiert, die oft den Einfluß der aristotelischen Klassifikation zeigen, wie z. B. bei Albinos (Didaskalikos 3,158,21–25).

C. ARISTOTELES UND DER PERIPATOS

Erst → Aristoteles [6] führt den Terminus »p.Ph.« ein und gibt ihm seine maßgebliche Bestimmung. Er nimmt das bei Platon aufgeworfene Problem der Wissenseinteilung auf und stellt es auf neue Grundlagen, indem er eine eigenständige Auffassung von Wesen und Strukturierung des wiss. Wissens entwickelt und zum erstenmal die p.Ph. bzw. epistémē von der theoretischen und poietischen Wissensart scharf unterscheidet. Daraus ergibt sich die Teilung der Philos. in die theoretische, praktische und poietische (vollständige Dreiteilung: Aristot. top. 6,6,145a 14–18, metaph. 6,1; 11,7, eth. Nic. 6,2,1138a 27–28; die Abgrenzung von theoretischer und p.Ph. in Aristot. top. 7,1,152b 4 und metaph. 2,1,993b 20–21, vgl. auch Aristot. cael. 3,7,306a 16 und metaph. 12,9,1074b 38–1075a 2). P.Ph. bzw. epistémē bezeichnet hierbei nicht so sehr das Ensemble von Politik, Ökonomie und Ethik (so erst später in der hell., spätant. und ma. Trad.), sondern eine bestimmte praxisrelevante wiss. Erkenntnisart, und zwar hauptsächlich diejenige der polit. Wiss. (und der Ethik, die allerdings bei Aristoteles nicht selbständig, sondern Teil der Politik ist). Die Wesensbestimmung des Praktischen ergib sich aus der doppelten Abgrenzung gegenüber dem Theoretischen und dem Poietischen.

1. PRAKTISCH VERSUS THEORETISCH
2. PRAKTISCH VERSUS POIETISCH
3. PRAKTISCHE KLUGHEIT UND PRAKTISCHE WISSENSCHAFT

1. PRAKTISCH VERSUS THEORETISCH

Aristoteles unterscheidet die Verhaltensweise des Handelns (πράττειν/práttein) von derjenigen des Beschauens (θεωρεῖν/theōreín), die dianoetische Tugend der prakt. → Klugheit (φρόνησις/phrónēsis) von derjenigen der → Weisheit (σοφία/sophía) und die praktische von der theoretischen Wiss., aus folgenden Gründen:

a) Während man im theoretischen Bereich die beschauende Erkenntnis der → Wahrheit anvisiert, ist das Ziel im praktischen Bereich das Gelingen des Handelns selbst, die εὐπραξία (eupraxía), das »gute Handeln und Leben«, das εὖ πράττειν (eu práttein) und εὖ ζῆν (eu zēn; Aristot. eth. Nic. 2, 2, 1103b 26–29). Entsprechend anders ist die Wissensweise der theoretischen und der p.Ph.; die erste vollzieht eine konstatierende Betrachtung des Seienden, die andere, die ebenso wiss. ist, wirkt auf das menschliche Handeln zurück, indem sie sein Gelingen im Blick hat (ebd. 6,2,1139a 26–27).

b) Auch die Seinsweise des jeweils intendierten Gegenstands ist verschieden: Die theoretische Philos. (Erste Philos. bzw. Theologie, Mathematik, Physik) hat mit dem notwendig Seienden (ἀναγκαῖον/anankaíon) zu tun, was nicht anders sein kann (τὰ μὴ ἐνδεχόμενα ἄλλως ἔχειν, Aristot. eth. Nic. 6,3,1140a 1–2), die p.Ph. mit menschlichen Angelegenheiten (τὰ ἀνθρώπινα/ta anthrōpina). Diese haben die kontingente Seinsweise dessen, was mit ziemlicher Regelmäßigkeit (ὡς ἐπὶ τὸ πολύ/ hōs epí to polý) geschieht, und lassen als solche eine epistemische Betrachtung zu. Dementsprechend hat das praktische Wissen der phrónēsis eine niedrigere Rangstellung als das theoretische Wissen der sophía. Dafür hat es einen Vorzug, der theoretischem Wissen enthoben ist, nämlich gebietende, praxisorientierende Kraft: Die phrónēsis gibt Befehle (ἐπιτακτική/epitaktiké, ebd. 6,10, 1143a 8).

c) Die praktische Wiss. kann in Anbetracht der Veränderlichkeit menschlicher Angelegenheiten nicht den gleichen Genauigkeitsgrad anstreben wie die theoretische Philos. Dies tut jedoch ihrem epistemischen Charakter keinen Abbruch (ebd. 1,3; 1,7,1098a 26ff.; 2,2; 9,2,1165a 12–14), denn ihre mindere Genauigkeit hängt von ihrer prakt. Zielsetzung ab. Deshalb ist sie auch keine minderwertige Art von Philos., sondern ein ebenso wiss. Wissen wie das theoretische.

2. PRAKTISCH VERSUS POIETISCH

Die Eigenart des Handelns (πρᾶξις/práxis) muß auch vom Herstellen (ποίησις/poíēsis) abgegrenzt werden. Dies wird dadurch erschwert, daß Handeln und Herstellen beide eine Art von Tun sind und daher leicht vermengt werden können. Als Unterscheidungskriterium fungiert bei Aristoteles die »Autotelie« des Handelns, das sein → Ziel (τέλος/télos) in sich selbst hat, bzw. die »Heterotelie« des Herstellens, das sein Ziel im hergestellten Werk (ἔργον/*érgon*), also außerhalb seiner selbst hat. So wird denn auch der Erfolg im Herstellen am hergestellten Werk beurteilt, während das gute Handeln nur an dessen Tugend (ἀρετή/*areté*) erkannt wird, d. h. an der Qualität und Vollkommenheit des Handlungsvollzugs (der eine → Bewegung, κίνησις/*kínēsis*, und in seiner vollkommenen Ausführung eine ἐνέργεια/ → *enérgeia*, »Tätigkeit«, ist).

Dementsprechend unterscheidet Aristoteles in aller Schärfe das prakt.-moralische Wissen der → Klugheit (φρόνησις/*phrónēsis*) vom prakt.-technischen Wissen der → Kunst bzw. Technik (τέχνη/*téchnē*). Denn die *phrónēsis* hat im Unterschied zur *téchnē* Handlungen oder Handlungsbereiche nicht einzeln im Blick, sondern insofern sie Mittel zum Gesamtziel des Lebens, zur Glückseligkeit sind. Sie visiert das Gelingen des Lebens im ganzen an (πρὸς τὸ εὖ ζῆν ὅλως/*prós to eu zēn hólōs*, Aristot. eth. Nic. 6,5,1140a 28). Darüber hinaus gibt es für die *téchnē* eine Tugend (ἀρετή/*areté*), d. h. die schrittweise Annäherung an die Vollkommenheit und die Möglichkeit der Vervollkommnung mit verschiedenen Perfektionsstufen, für die *phrónēsis* dagegen nicht (ebd. 6,5,1140b 24–25): Entweder trifft sie voll zu oder sie verfehlt ihr Ziel ganz. Aristoteles sagt, die ethische Tugend, die der *phrónēsis* zugrunde liegt, sei στοχαστικὴ τοῦ μέσου (*stochastikḗ tu mésu*), d. h. sie kann auf eine einzig mögliche Weise die richtige Mitte treffen, und gerade das macht die Sache schwierig. Sie kann hingegen vielfach, also leicht danebengehen (ebd. 2,5,1106a 26–31). In der *téchnē* erreicht man daher Vollkommenheit durch Üben und selbst durch Irrtümer; nicht so in der *phrónēsis*, denn man wird nicht dadurch tugendhaft, daß man sich im lasterhaften Leben übt. So ist denn auch in der *téchnē* derjenige vorzuziehen, der sich absichtlich, in der *phrónēsis* derjenige, der sich unabsichtlich vertut (ebd. 6,5,1140b 22–24).

3. PRAKTISCHE KLUGHEIT UND PRAKTISCHE WISSENSCHAFT

Aristoteles unterscheidet grundlegend zw. prakt. Klugheit und prakt. Wiss., dem handlungsorientierenden Wissen der *phrónēsis* und dem praktisch-wiss. Wissen der *epistḗmē praktikḗ*. Der Unterschied ist fundamental: Praktische Klugheit ist nicht Wiss. (Aristot. eth. Nic. 6,8,1142a 23–24), sondern Wissen der Lebensführung, dessen der Hausvater wie der Politiker – etwa ein Perikles – bedürfen. P.Ph. geht über dieses erfahrungsbezogene Wissen hinaus; sie ist diejenige Wiss., die Aristoteles selbst in seinen Abh. zur Ethik und Politik entwickelt. Sie handelt vom πρακτὸν ἀγαθόν/*praktón agathón*, dem »handelbaren Guten« – nicht vom πρακτέον/ *praktéon*, dem »zu Handelnden«, etwa im Sinne der stoischen Pflichtenlehre oder der modernen Sollensethik, und auch nicht von der *práxis* als »Gegenstand« einer deskriptiven Handlungstheorie. Da ferner die Realisierung des handelbaren Guten die gute Erziehung (παιδεία/→ *paideía*) der Bürger mit ihrem appetitiven Leben, ihren Gewohnheiten und Sitten voraussetzt, die Erziehung aber nach den Gesetzen der → Polis stattfin-

det, ist p.Ph. vor allem die Wiss. von der bestmöglichen polit. Verfassung (→ Verfassungstheorie).

Schon im → Peripatos erfuhr die aristotelische Auffassung der p.Ph. tiefgreifende Veränderungen. Bei → Theophrastos und → Dikaiarchos verlagerte sich der Schwerpunkt auf die Kontroverse um den Vorrang der theoretischen bzw. der praktischen Lebensform, wobei Dikaiarchos den für die Aristoteliker anstoßerregenden Primat des prakt. Lebens (βίος πρακτικός/*bíos praktikós*) vertrat (fr. 25 WEHRLI = Cic. Att. 2,16,3).

Mit der Systematisierung der aristotelischen Lehre setzte sich die Tendenz durch, die p.Ph. bzw. *epistḗmē* nicht mehr als Erkenntnisweise aufzufassen, sondern als Bereich der Disziplinen vom Handeln. Diese Entwicklung sowie auch andere Faktoren – etwa die aristotelische Unterscheidung verschiedener Formen von *phrónēsis* (Aristot. eth. Nic. 6,8) oder der Einfluß des ps.-aristotelischen *Oikonomikós* – führten schon in der Ant. zur Dreiteilung der p.Ph. in Ethik als Wissen um das individuelle Handeln, Ökonomie als Wissen um das hausbezogene Handeln (Haushaltslehre) und Politik als Wissen um das Handeln der polit. Gemeinschaft.

D. HELLENISMUS UND LATEINISCHE ANTIKE

Ein beredsames Zeugnis der Art und Weise, wie im Hell. infolge des Schicksals des *Corpus Aristotelicum* die aristotelische Bestimmung der p.Ph. samt der Unterscheidung von prakt. Klugheit und prakt. Wiss. in Vergessenheit geriet, ist die stoische Lehre vom prakt. Wissen. Trotz der aristotelischen Differenzierung brachten die Stoiker *phrónēsis* und *epistḗmē praktikḗ* durcheinander, wie die wohl auf → Chrysippos [2] zurückgehende Definition zeigt: Die *phrónēsis* sei ›Wiss. (ἐπιστήμη/*epistḗmē*) dessen, was getan (ποιητέον/*poiētéon*), nicht getan werden oder gleichgültig sein soll, bzw. Wiss. vom Guten, Schlechten oder Gleichgültigen in bezug auf die Natur des polit. Lebewesens‹ (SVF 3, 262).

Diese Vermengung wurde durch Cicero in die lat. Philos. übernommen. Er übersetzte *phrónēsis* mit *prudentia* und definierte sie als *rerum expetendarum fugendarumque scientia*, also ›Wiss. der zu verfolgenden und abzulehnenden Dinge‹ (Cic. off. 1,43,153) – im Haus (*domestica*) wie im polit. Bereich (*civilis*; Cic. part. 76–79) – und unterschied sie von der *sapientia* (σοφία/*sophía*; → Weisheit) als *rerum divinarum et humanarum scientia*, ›Wiss. der göttlichen und menschlichen Dinge‹.

Wichtige Verbindungsglieder in der weiteren Überl. der p.Ph. sind → Boëthius mit seinem Komm. zur *Eisagōgḗ* des → Porphyrios (PL 64, 73–74) und → Cassiodorus mit dem zweiten Teil seiner *Institutiones* (*De artibus ac disciplinis*, 3; PL 70, 1167–1169). Sie stellen die Dreiteilung der Philos. in theoretische, praktische und poietische und die Untergliederung der praktischen Philos. in Ethik (*philosophia moralis*), Ökonomie (*philosophia dispensativa*) und Politik (*philosophia civilis*) systematisch dar und geben sie an das lat. MA weiter.

E. WIRKUNG

Die disziplinäre Überl. der p.Ph. hielt sich bes. in den ma. Enzyklopädien – etwa in Isidorus [9] von Sevillas

Etymologiae (2,24; 8,6), Hugo von St. Victors *Didascali-con* (2, 2; 2,19), Vinzenz von Beauvais' *Speculum Doctrinale* (2,16), Dominicus Gundissalins *De divisione philosophiae* (2,2) und Robert Kildwardbys *De ortu scientiarum* (Kap. 36) – sowie an den Universitäten. Seit der Wiederentdeckung der ›Ethik‹ und ›Politik‹ des Aristoteles um die Mitte des 13. Jh. koppelte sich das Studium der p.Ph. von der Theologie ab. Neben den Vorlesungen des *organicus*, des *philosophus naturalis* und des *metaphysicus* umfaßte das philos. Studium auch die Vorlesungen des *ethicus*, d. h. das Studium der Ethik und Politik, wozu später Ökonomie oder Chrematistik hinzukamen. Damit wurde die dreigeteilte *philosophia practica* zum offiziellen Studienfach, bes. an dt. Universitäten bis zum 18. Jh. Als letztes Zeugnis dieser scholastischen Trad. aristotelischer Herkunft, die jedoch mit Aristoteles nur Formales gemeinsam hat, kann man Christian WOLFFS Abh. *Philosophia practica universalis* (1738–1739) ansehen: Die *philosophia practica* wird hier *universalis* genannt, weil sie die systematische, *more mathematico* erarbeitete Grundlage für die *Philosophia moralis sive Ethica, oeconomica* und die *Philosophia civilis sive Politica* ausmacht.
→ Ethik; Pflicht; Philosophie; Politische Philosophie; PRAKTISCHE PHILOSOPHIE; THEORIE/PRAXIS

P. AUBENQUE, La prudence chez Aristote, 1963, ³1986 · R. C. BARTLETT, S. D. COLLINS (Hrsg.), Action and Contemplation. Studies in the Moral and Political Thought of Aristotle, 1999 · E. BERTI, Le ragioni di Aristotele, 1989 · G. BIEN, Die Grundlegung der polit. Philos. bei Aristoteles, 1973 · R. BODÉÜS, Le philosophe et la cité, 1982 · S. BROADIE, Ethics with Aristotle, 1991 · D. CHARLES, Aristotle's Philosophy of Action, 1984 · H.-G. GADAMER, Praktisches Wissen, in: Ders., Gesammelte Werke, 1985 ff., Bd. 5, 230–248 · I. HADOT, Arts libéraux et philosophie dans la pensée antique, 1984 · W. F. R. HARDIE, Aristotle's Ethical Theory, 1968 · W. HENNIS, Politik und p.Ph., 1963, ²1977 · O. HÖFFE, P.Ph. Das Modell des Aristoteles, 1971, ²1996 · H. KRÄMER, Arete bei Platon und Aristoteles, 1967 · C. LORD, D. K. O'CONNOR (Hrsg.), Essays in the Foundation of Aristotelian Political Science, 1991 · H. MAIER, Die Lehre der Politik an den älteren dt. Universitäten (1962), in: Ders., Polit. Wiss. in Deutschland, 1985, 31–67, 247–262 · A. W. MÜLLER, Praktisches Folgern und Selbstgestaltung nach Aristoteles, 1982 · C. NATALI, La saggezza di Aristotele, 1989 · C. PACCHIANI (Hrsg.), Filosofia pratica e scienza politica, 1980 · P. PETERSEN, Gesch. der aristotelischen Philos. im protestantischen Deutschland, 1921 · M. RIEDEL (Hrsg.), Rehabilitierung der p.Ph., 2 Bde., 1972–1974 · Ders., Metaphysik und Metapolitik, 1975 · J. RITTER, Metaphysik und Politik, 1969 · L. STRAUSS, The City and Man, 1964 · G. TEICHMÜLLER, Neue Studien zur Gesch. der Begriffe, Bd. 3: Die praktische Vernunft bei Aristoteles, 1879 · A. VIGO, Die aristotelische Auffassung der praktischen Wahrheit, in: Internationale Zschr. für Philos., 1998/2, 285–308 · E. VOEGELIN, Order and History, Bd. 3: Plato and Aristotle, 1957 · F. VOLPI, Réhabilitation de la philos. pratique et néo-aristotélisme, in: P. AUBENQUE, A. TORDESILLAS (Hrsg.), Aristote politique, 1993, 461–484 · Ders., Filosofia pratica, in: Enciclopedia del Novecento, 1998, 10, 630–638 · J. WALTER, Die Lehre von der praktischen Vernunft in der griech. Philos., 1874 · G. WIELAND, Ethica – Scientia practica, 1981. F. V.

Praktor (πράκτωρ, πρακτήρ: Poll. 8,114, »Ausführer«, »Macher«, von *práttein*, »tun«).

I. KLASSISCHE ZEIT II. PTOLEMÄISCHES UND KAISERZEITLICHES ÄGYPTEN

I. KLASSISCHE ZEIT

Griech. Beamter einer staatlichen Vollstreckungsbehörde, der auf Weisung staatl. Forderungen, bes. Geldstrafen, eintrieb. In Athen amtierten zehn jährlich ausgeloste *práktores*, die über verhängte Bußen vom zuständigen Gerichtsmagistrat informiert wurden und eine Eintragung in die auf der Akropolis aufbewahrte Liste der Staatsschuldner vornahmen, wenn der Staatsschuldner nicht sofort zahlte (IG II² 45; And. 1,77–79; Demosth. or. 25,4; 25,28; 43,71) [1. 270 f.]. Eine gleichnamige Behörde mit im wesentlichen ähnlichen Funktionen existierte auf Amorgos, Imbros, Ios, Keos, Rhodos, Tenos, Thera, in Delphoi, Kyme, Medeon, Miletos, Mylassa, Pergamon und Sikinos. In Kreta hießen diese Beamten *ereutaí* (»Sucher«).

M. H. HANSEN, Die athen. Demokratie im Zeitalter des Demosthenes, 1995. K.-W. WEL.

II. PTOLEMÄISCHES UND KAISERZEITLICHES ÄGYPTEN

Im ptolem. Äg. hatten die *práktōres* wohl urspr. die unter I. genannte Aufgabe, doch erhielten sie rasch (Mitte 3. Jh. v. Chr.) größere Exekutivrechte in fiskalischen und privatrechtlichen Prozessen (vgl. z. B. UPZ 153 ff.). Sie hatten häufig eigene Gehilfen (*hypērétai*). In Ausnahmefällen wurden *p.* bereits mit der Eintreibung von Steuern beauftragt. In der Kaiserzeit waren *p.* Steuererheber für unterschiedliche Steuerarten – z. B. für die Kopfsteuer der *p. laographías* (→ *laographía*). 107 wurde der *p. argyrikón* damit beauftragt, alle direkten Steuern in die Staatskassen zu leiten. Wenigstens bis ins 3. Jh. n. Chr. wurden *p.* von Beamten zu ihrer → Liturgie (I. C.) nominiert.

Praktoreíon bezeichnete v. a. in der Kaiserzeit das Schuldgefängnis für Schuldner des → *fiscus*.

R. BOGAERT, Trapezitica Aegyptiaca, 1994, 134 ff.; 371 ff.; 381 ff.; 434 · CL. PRÉAUX, Sur les fonctions du πράκτωρ ξενικῶν, in: Chronique d'Egypte 30, 1955, 107–111 · Corpus Papyrorum Raineri, Bd. 15, 1990, 88 ff. · H. SCHAEFER, s. v. P., RE 22, 2538–2548 · S. L. WALLACE, Taxation in Egypt, 1938, 507. W. A.

Prandium s. Mahlzeiten

Prasia, Prasiai (Πρασία, Πρασίαι). Att. Paralia-Demos, Phyle Pandionis, drei *buleutaí*. Mit → Steiria lag P. an der Bucht von Porto Raphti (h. Limen Mesogeias), wo der ON als Pras(i)as überlebt hat (Strab. 9,1,22; Thuk. 8,95,1; Liv. 31,45,10; Steph. Byz. s. v. Π.; [4. 67 ff.]). Siedlungsreste finden sich in der Gemarkung Natso [1; 2]. Paus. 1,31,1 bezeugt einen Tempel des Apollon, IG II² 4977 Kult der Herakliden. 286/5 v. Chr.

wurden P. und Steiria auf die Halbinsel Koroneia verlegt und befestigt [3; 4], 262 v. Chr. erstürmten die Makedonen die Festung.

1 O. Kakavogianni, Πόρτο Ράφτη (Πρασιές), in: AD 39, 1984 (1989), 45 2 Dies., Πόρτο Ράφτη (Πρασιές), in: AD 40, 1985 (1990), 66f. Abb. 6 Taf. 19a 3 H. Lauter, Some Remarks on Fortified Settlements in the Attic Countryside, in: S. van de Maele, J.M. Fossey (Hrsg.), Fortificationes Antiquae, 1992, 77–91 4 H. Lauter-Bufe, Die Festung auf Koroni und die Bucht von Porto Raphti, in: MarbWPr 1988, 67–102.

Ch. Habicht, Athen, 1995, 149f. · Traill, Attica, 42, 62, 68, 112 Nr. 121, Tab. 3 · J. S. Traill, Demos and Trittys, 1986, 33f., 38, 43ff., 55ff. Anm. 7, 67, 69, 89, 129 · Whitehead, Index s. v. P.   H. LO.

Prasias limne (Πρασιὰς λίμνη). See im Tal des → Strymon (h. Limni Kerkinis/Griechenland). Hier wohnten → Paiones in Pfahlbauten, wie sie Hdt. 5,15f. schildert.

N. G. L. Hammond, A History of Macedonia, Bd. 1, 1972, 193f. · Müller, 89f.   MA. ER.

Prasioi (Πράσιοι; lat. *Prasii*). Volk im Osten Indiens am Unterlauf des Ganges im h. Bihār, altindisch Prāchya, »die Östlichen« (z. B. im *Mahābhārata*). In ihrem Land lag → Palimbothra, die Hauptstadt des Maurya-Reiches (→ Mauryas). Die ersten Nachrichten über die P. stammen von den → Alexanderhistorikern (Diod. 17,93, Curt. 9,2,3); seit Megasthenes (bei Strab. 15,1,36) galten sie als das mächtigste Volk Indiens. Ihr Land war als Πρασιακή/*Prasiakḗ* (Ail. nat. 17,39, Ptol. 7,1,53) bekannt. Verm. beruhen viele Stellen, an denen die P. ohne Quellenangabe genannt werden (z. B. bei Ail. nat.), auf Megasthenes.

H. Treidler, s. v. Prasii, RE 22, 2548–2559.   K. K.

Prasis epi lysei (πρᾶσις ἐπὶ λύσει). Das Substantiv *p.* bezeichnet gemeingriech. den »Verkauf«, der Zusatz *e.l.* (in den Quellen nie mit dem Substantiv, sondern nur mit dem Verbum λύειν/*lýein* verbunden) bedeutet »auf Lösung«. Es handelt sich um ein der späteren → *onḗ en písti* (dort auch zur Terminologie des griech. → Kaufes) entsprechendes Geschäft zur Sicherung eines Kredits. Der Darlehensnehmer (s. → *dáneion*) verkauft dem Darlehensgeber ein Grundstück; mit Auszahlung der Darlehenssumme wird der Gläubiger Eigentümer des Sicherungsobjekts. Der Verkäufer behält sich jedoch das Recht vor, das Grundstück durch Tilgung des Darlehens innerhalb einer bestimmten Frist wieder auszulösen, andernfalls bleibt der Gläubiger Eigentümer. Entsprechend der → *hypothḗkē* bleibt der Darlehensnehmer im Besitz des Grundstücks, das er allerdings vom Käufer pachtet (→ *místhōsis*). Der Pachtzins tritt dabei an die Stelle der Darlehenszinsen. Überl. sind diese Geschäfte durch → *hóroi* (Pfandsteine), die auf dem zur Sicherung dienenden Grundstück aufgestellt wurden. Sie sind aus zahlreichen Poleis bekannt (Athen, Amorgos, Lemnos, Skyros; vgl. auch Sardeis, Aidone, Dura Europos

[1. 654] und Amphipolis [6]) und verweisen manchmal auf privat oder öffentlich hinterlegte Urkunden. Die *hóroi* sollen davor warnen, daß der Besitzer des Grundstück verkauft hat und rechtlich nicht weiter darüber verfügen kann; deshalb ist das Geschäft in den Poleis aus der Sicht des Verkäufers benannt (*prásis*), im Gegensatz zur *onḗ* (Kauf) *en písti* der Papyri, die ohne *hóroi* auskommt und sich auch auf bewegliche Sachen erstreckt.

1 E. Berneker, s. v. P.e.l., RE Suppl. 10, 652–664 (mit älterer Lit.) 2 A. Biscardi, Diritto greco antico, 1982, 219–235 3 M. I. Finley, Mehrfache Belastungen von Grundstücken im att. Recht, in: E. Berneker (Hrsg.), Zur Griech. Rechtsgesch., 1968, 534–558 4 E. M. Harris, When is a Sale not a Sale? …, in: CQ 38, 1988, 351–381 5 M. B. Hatzopoulos, Actes de vente de la Chalcidique centrale, 1988, 30, 57–64 6 Ders., Actes de vente d'Amphipolis, 1991, Nr. 1 und p. 59 7 G. V. Lalonde, Horoi, in: The Athenian Agora 19, 1991, Nr. H 84 – H 113 8 D. M. MacDowell, The Law in Classical Athens, 1978, 142–145 9 S. C. Todd, The Shape of Athenian Law, 1993, 252–255.   G. T.

Prasodes thalassa (πρασώδης θάλασσα, das »grüne Meer«). Bei Ptol. 7,2,1 und 7,3,6, → Markianos (Periplus maris exteri 1,44 = GGM 1,44) und Anon. Geographia Compendiaria 32 (= GGM 2,32) als Teil des Indischen Ozeans beschriebene Region, die durch lauchähnliches »Seemoos« gefärbt sei. Dieses Auftreten von Tang spricht für eine flache, wahrscheinlich küstennahe Zone, die der ostafrikanischen Küste nördlich von Sansibar vorgelagert gewesen sein kann. Die griech.-röm. Schiffahrt erreichte diese Region seit augusteischer Zeit auf der Rückfahrt von Indien, wenn die Schiffe die Einfahrt in das Rote Meer verfehlten. Jegliche Erschließung der ostafrikan. Küstenzone scheint nicht stattgefunden zu haben. Madagaskar und die ihm gegenüberliegende Küste sind den Griechen und Römern offenbar unbekannt geblieben. Die irrige Vorstellung eines Südkontinents versperrte anscheinend die Wege nach Süden. Dabei könnte es sich auch um Verschleierungsmärchen wie an der westafrikan. Küste handeln, um Konkurrenten von den Goldländern des Südens fernzuhalten. Aber für eine griech.-röm. Anwesenheit südl. von Sansibar fehlt jeglicher Hinweis.
→ Prason

H. Treidler, s. v. P.Th., RE 22, 1699–1703.   B. B.

Prason (Πράσον ἀκρωτήριον). Südlichstes Kap an der afrikan. Küste, das von den Griechen erreicht wurde. Es galt als NW-Grenze des sagenhaften »Südlandes« (Ptol. 7,2,1) – das Gegenstück zu → Kattigara als Eckpunkt Asiens. Den Längenangaben mehrerer Seefahrer zufolge lag es südl. des Äquators, s. Ptol. 1,8. Es könnte sich um das Kap Ra's Kansi bei Dār as-Salām gehandelt haben. P. wurde von Kauffahrern erreicht, die auf der Indusfahrt nach Süden verschlagen wurden bzw. an der ostafrikan. Küste Handel trieben. Erwähnt werden die Kapitäne Diogenes, Theophilos und Dioskoros (Ptol. 1,9).

H. Treidler, s. v. P., RE 22, 1705–1719.   B. B.

Prastina

[1] C. P. Messalinus. Senator. Praetorischer Legat der *legio III Augusta* in Numidia 143–146 n. Chr. *Cos. ord.* 147. Verm. war er auch Legat von Moesia inferior, wenn sich CIL III 7529 und [1. 14] auf ihn beziehen, doch können sie auch P. [3] nennen. PIR² P 926.

> 1 B. GEROV, Inscriptiones Latinae in Bulgaria Repertae, 1989.

[2] P. Messalinus. Consularer Legat von Pannonia superior unter Commodus, vielleicht 188/191 n. Chr. Wohl Sohn von P. [1]. PIR² P 927.

[3] C. P. Messalinus. Verwandt mit P. [1] und [2]. Consularer Legat von Moesia inferior unter → Philippus [2] Arabs (AE 1981, 743). PIR² P 928.   W. E.

Prasutagus. Britischer Klientelkönig der → Iceni; Gatte der → Boudicca (seit vor 45 n. Chr.). Zählte evl. zu den elf von Claudius [III 1] 43 n. Chr. unterworfenen Königen (CIL VI 920 = ILS 216); wahrscheinlicher ist hingegen, daß er aufgrund seiner Loyalität zu Rom während des Aufstandes der Iceni 48 n. Chr. (Tac. ann. 12,31) anstelle des auf Mz. belegten Königs SAEMV [1. 433] zum (alleinigen?) Klientelkönig eingesetzt wurde. P.' Versuch, das Königtum nach seinem Tod (59 n. Chr.) zu erhalten, indem er neben seinen Töchtern auch den Kaiser Nero zu Erben einsetzte, scheiterte (Tac. ann. 14.31).

> 1 R. P. MACK, The Coinage of Ancient Britain, ²1964.
>
> PIR² 931 • D. F. ALLEN, An Icenian Legend, in: Britannia 7, 1976, 276–278 • Ders., C. HASELGROVE, The Gold Coinage of Verica, in: Britannia 10, 1979, 258 f. • SH. FRERE, Britannia. A History of Roman Britain, ³1987 • P. SALWAY, Roman Britain, Ndr. 1984.   C. KU.

Pratinas (Πρατίνας) aus Phleius (Peloponnes), nach der Suda π 2230 (TrGF I 4 T 1) »Erfinder« des → Satyrspiels; Sohn eines Pyrrhonides oder Enkomios (sprechende Namen: Sohn des »Rothaars« bzw. des »Mitglieds eines – dionysischen – Komos«; zu den roten Haaren und Bärten von Satyrn vgl. Dioskorides, Anth. Pal. 7,707,3 oder Soph. Ichn. 358). Zwei Lebensdaten sind bezeugt: 499/496 trat er im tragischen Agon gegen → Aischylos [1] und → Choirilos [2] an (T 1). Das J. 467 ist *terminus ante quem* für seinen Tod, da in diesem J. sein Sohn → Aristias [2] mit Stücken des P. (›Perseus‹, ›Tantalos‹, Satyrspiel ›Die Ringkämpfer‹/Παλαισταί, *Palaistaí*) antrat und hinter Aischylos, der mit der thebanischen Tetralogie siegte, und vor → Polyphrasmon den 2. Platz belegte (DID C 4 = T 2).

Die Notiz in der Suda, die P. zum Erfinder (→ *prôtos heurétēs*) macht, muß man wohl so verstehen, daß die ant. Lit.-Historiker keine älteren Satyrspiele als die des P. kannten und P. die für das 5. Jh. typische Form – vielleicht durch eine Kombination dor. und att. Elemente – geschaffen und im Agon verankert hat, eventuell mit der Absicht, den Dramenaufführungen wieder mehr dionysischen Charakter zu verleihen. Damit

könnte die aristotelische Rekonstruktion der Gattungsgenese der Trag. in der ›Poetik‹ (Aristot. poet. 4,1449a 19–21) in Verbindung gebracht werden, nach der sich die → Tragödie aus einer »satyrischen« Vorstufe (*satyrikón*) entwickelt habe, wenn man in P.' »Erfindung« des → Satyrspiels eine Rückbesinnung auf die kultischen, dionysischen Ursprünge des Dramas sieht [7]. Auffällig ist jedenfalls, daß in der att. Vasenmalerei zw. 520 und 510 Darstellungen von → Satyrn zunehmen [9]. Die erstaunliche Nachricht in der Suda, von 50 Stücken des P. seien 32 Satyrspiele und nur 18 Trag. gewesen, kann eine Erklärung darin finden, daß in der Frühzeit dramatischer Aufführungen nach den Kleisthenischen Reformen (508 v. Chr.) Satyrspiele noch nicht die die Tetralogien abschließenden Stücke sein mußten, sondern die Form der → Tetralogie sich erst allmählich herausbildete [3. 63]. Die in der Suda überl. Notiz, anläßlich einer Aufführung von P. seien die hölzernen Zuschauertribünen (*íkria*) zusammengebrochen, ist in ihrer Relevanz für die Lokalisierung von Dramen in der ersten Hälfte des 5. Jh. in der Forsch. immer noch umstritten [6].

Von den 50 Dramen des P. ist außer den Titeln der 467 aufgeführten Stücke nur noch ein weiterer Titel bezeugt (›Dymainai oder Karyatiden‹). Das Satyrspiel ›Die Ringkämpfer‹ könnte entweder Herakles' Ringkampf mit dem Riesen → Antaios oder Theseus' Kampf gegen den eleusinischen König → Kerkyon [1] zum Inhalt gehabt haben. Heftig umstritten in der Datier., der Gattungszugehörigkeit und sogar der Zuweisung an P. sind 17 Verse, die Athen. 14,617b-f als → *hypórchēma* unter dem Namen des P. zitiert (TrGF F 3) [5; 8; 10]. In den in einer Mischung aus Anapästen, Daktyloepitriten und Iamben komponierten Versen reagiert ein Chor, der offensichtlich eine enge Beziehung zu Dionysos besitzt, auf das Übergewicht, das dem Aulos (→ Musikinstrumente [V.B.1]) in einer anderen Darbietung zufiel, oder sogar auf ein Aulos-Solo. Er betont, daß der Gesang die führende Rolle von der Muse zugewiesen bekommen habe, und widmet Dionysos seinen traditionellen dor. Tanz. Umstritten ist, ob die Verse aus einem Satyrspiel stammen [8] oder ob sie Teil eines eigenständigen Gedichts sind. Der stark mimetische Charakter könnte auf einen → Dithyrambos schließen lassen [5; 10], wobei die Datier. – Ende 6. Jh. [5] oder Mitte 5. Jh. [10] – genauso diskutiert wird wie die Frage, ob der Text eine Reaktion auf die mimetischen Tendenzen in der »Neuen« → Musik der 2. H. des 5. Jh. darstellt [10] oder sogar von einem anderen Autor stammt [4]. Auch die anderen Fr. (TrGF I F 4–6) befassen sich mit musikalischen Fragen.

→ Dithyrambos; Musik; Satyrspiel; Tragödie

> 1 B. GAULY u. a. (Hrsg.), Musa tragica, 1991, 48–53
> 2 R. KRUMEICH, N. PECHSTEIN, B. SEIDENSTICKER (Hrsg.), Das griech. Satyrspiel, 1999, 74–87 3 A. LESKY, Die tragische Dichtung der Hellenen, ³1972, 62–64
> 4 H. LLOYD-JONES, Greek Epic, Lyric, and Tragedy, 1990, 225–237 5 M. NAPOLITANO, Note all'iporchema di Pratina,

in: A. C. CASSIO, D. MUSTI, L. E. ROSSI (Hrsg.), Synaulia. Cultura musicale in Grecia e contatti mediterranei, AION 5, 2000, 109–155 **6** H.-J. NEWIGER, Drama und Theater, 1996, 70–79 **7** M. POHLENZ, Das Satyrspiel des P. von Phleius, in: B. SEIDENSTICKER (Hrsg.), Satyrspiel, 1989, 29–57 **8** R. A. S. SEAFORD, The »hyporchema« of P., in: Maia 29/30, 1977/78, 81–94 **9** E. SIMON, Satyrspielbilder aus der Zeit des Aischylos, in: B. SEIDENSTICKER (Hrsg.), s. [7], 1989, 362–403 **10** B. ZIMMERMANN, Überlegungen zum sogenannten Pratinasfragment, MH 43, 1986, 145–154

B. Z.

Pratum s. Anthologie [2]

Praxagoras (Πραξαγόρας) von Kos. Arzt, E. des 4. Jh. v. Chr., Lehrer von → Herophilos [1], → Phylotimos, → Pleistonikos und → Xenophon. Seine Familie führte ihre Abstammung auf → Asklepios zurück, sein gleichnamiger Großvater wie auch sein Vater Nikarchos waren ebenfalls Ärzte. Die Familie gehörte auch noch Generationen nach P. der koischen Prominenz an [1]. Auf einer Statue hat sich ein Gedicht erh., das → Krinagoras zu seinen Ehren verfaßte (Anth. Plan. 273).

Unter den Werken dieses Arztes findet sich eine Abh. über Therapie in mindestens 4 B., eine Schrift über Krankheiten in mindestens 3 B. sowie ein Traktat zur Anatomie. Einige dieser Werke wurden mindestens bis zur Zeit des → Galenos (2. Jh. n. Chr.) überl., der eine Schrift gegen P.' Säftelehre verfaßte. Bei der *Epistula Praxagorae* handelt es sich um ein ma. Pseudepigraph [2].

Galen, der die Hauptquelle für Nachrichten über P. darstellt, sieht in ihm einen Nachfolger des → Hippokrates [6], nicht nur mit Blick auf Prognostik (fr. 93), Diätetik (fr. 36) und → Aderlaß (fr. 98), sondern auch in seiner Vorliebe, den ganzen Körper und nicht nur den befallenen Körperteil zu behandeln (fr. 97). Abweichungen von hippokratischer Doktrin werden von Galen oftmals heruntergespielt. So wird z. B. P.' Vorstellung von zehn Körpersäften, besonders von einem »glasigen« Körpersaft, als Bestätigung hippokratischer Säftelehre genommen (fr. 21), während schon → Rufus von Ephesos darin eine neuere Entwicklung (fr. 22) sah.

P.' anatomische Stud. beruhten auf zootomischen Unt. z. B. der Gebärmutter (fr. 12–14). Er hielt das Gehirn für einen bloßen Auswuchs des Rückenmarks (fr. 15); Empfindung komme vom Herzen, dem Sitz der Seele (fr. 10, 30). Er unterschied bluthaltige Venen von den Arterien. In der Nachfolge seines Vaters war er davon überzeugt, Arterien könnten nur → Pneuma enthalten und würden nach immer weiterer Verzweigung schließlich in feinen »Nerven« (*neúra*, fr. 10) enden. Als Puls bezeichnete P. die Bewegung der Arterien, die unabhängig von der des Herzens sei. Den Pulsveränderungen maß P. als erster diagnostische Bed. bei, auch wenn er den Puls nicht von ähnlichen vom Herzen ausgehenden Muskelbewegungen wie Tremor oder Palpitation unterschied.

Die doxographischen Einträge im → Anonymus Parisinus zeigen, wie P. Krankheiten über eine Veränderung im Säftehaushalt, gelegentlich aufgrund einer Ver-

änderung der Körpertemperatur, erklärte. So seien z. B. → Epilepsie, Apoplexie und Paralyse das Resultat von Schleim (fr. 70–74), → Melancholie das Ergebnis von schwarzer Galle (fr. 69). Brustfell-, Gehirn- und Lungenentzündung resultierten aus einer Entzündung der Herz- und Lungengegend (fr. 62–66). Einige seiner Behandlungsformen machten von gefährlich starken Medikamenten wie Nieswurz (→ Helleborus; fr. 113, 118, 119) Gebrauch. Sein Behandlungsverfahren bei Darmverschluß, das eine Bauchoperation eingeschlossen haben mag, nannte Caelius [II 11] Aurelianus zynisch einen ›großartigen Tod‹ (fr. 109).

→ Säftelehre

1 S. M. SHERWIN-WHITE, Ancient Cos, 1978, 216 **2** K. SCHUBRING, Epistula Praxagorae, in: Sudhoffs Archiv 46, 1962, 295–310.

3 F. STECKERL (ed.), The Fragments of P. of Cos and his School, 1958 **4** K. BARDONG, s. v. P., RE 22, 1735–1743 **5** E. D. BAUMANN, P. von Kos, in: Janus 41, 1937, 167–185 **6** C. R. S. HARRIS, The Heart and the Vascular System, 1973, 108–113.

V. N./Ü: L. v. R.-B.

Praxeas. Christl. Lehrer aus Kleinasien, wirkte zw. 190 und 220 in Rom und Nordafrika (?). Hauptquelle ist Tertullianus (*Adversus Praxean*, nach 210). P. veranlaßte Bischof → Victor von Rom, dem → Montanismus die Kirchengemeinschaft zu verweigern (Tert. adv. Praxean 1,4 f.). Als Vertreter des modalistischen → Monarchianismus lehrte er, um die Einheit Gottes zu wahren, die Identität von Vater und Sohn (ebd. 2,1.3; 13,1; 23,7). Das Verhältnis von Gottheit und Menschheit in Christus erklärt P. so, daß er Gott-Vater mit dem göttl. Element, Jesus, den Sohn, mit dem menschl. Element gleichsetzt (ebd. 27). Der Vater ist am Leiden des Sohnes nicht voll beteiligt, er ›leidet mit‹ (*compatitur*; ebd. 29,5). Hier wird der strenge Monarchianismus abgeschwächt. → Tertullianus hat im Streit mit P. die Grundzüge seiner Trinitätslehre entwickelt.

→ Trinität

Lit. s. → Monarchianismus.   GE. MA.

Praxias (Πραξίας). Sohn des Lysimachos, Bildhauer aus Athen, Schüler eines → Kalamis. Seine von Pausanias (10,19,4) beschriebenen Giebelgruppen am Apollontempel in Delphi (→ Delphoi) sind erh. Die Fertigstellung 335–327 v. Chr. geschah durch Androsthenes nach P.' Tod. Aus Oropos und Athen sind Signaturen des P. von 368–338 v. Chr. erh.; weitere in Delos und Thasos stammen von seinem gleichnamigen Sohn.

OVERBECK, Nr. 857, 860 · LIPPOLD, 193, 243 · J. MARCADÉ, Recueil des signatures de sculpteurs grecs, Bd. 2, 1957, 109–113 · EAA 6, s. v. P. (2)–(4), 1965, 431–432 · B. S. RIDGWAY, Hellenistic Sculpture, Bd. 1, 1990, 17–21, 54 · F. CROISSANT, s. v. P., EAA, 2. Suppl., Bd. 4, 1996, 462–464 · Ders., Les Athéniens à Delphes avant et après Chéronée, in: P. CARLIER (Hrsg.), Le IVe siècle av. J. C., 1996, 127–139.

R. N.

Praxidike (Πραξιδίκη). Griech. Eidgöttin (»Vollstreckerin des Rechts«), Schwester des → Zeus Soter, von diesem auch Mutter der → Homonoia und der Arete (die auch als *Praxidíkai* bezeichnet werden) sowie des Ktesios (Mnaseas FHG 3, 152 fr. 17). Nach Panyassis, fr. 18 K MATTHEWS Gattin des Tremiles, Mutter von Tlos, Pinaros, Kragos. Daneben findet sich der Pl. *Praxidíkai* als Beiname für eine Dreiheit von Göttinnen (Dionysios von Chalkis FHG 4, 394 fr. 3) sowie der Sg. P. als Beiname der → Persephone (Orph. h. 29,5). Ein Heiligtum der *Praxidíkai* befand sich im boiotischen → Haliartos unter freiem Himmel, wo nur wohlüberlegte Eide geleistet wurden (Paus. 9,33,3). Außerdem war P. in Lakonien (Paus. 3,22,2), Attika und Lykien verbreitet. Bildlich wurde P. wohl lediglich als *kephalé* (in Kopfgestalt) dargestellt (Suda, Hesych. s. v. Π.)

J. E. HARRISON, Prolegomena to the Study of Greek Rel., ³1922, 188 · M. C. VAN DER KOLF, s. v. P., RE 22, 1751–1760.   NI. JO.

Praxilla (Πράξιλλα). Lyrische Dichterin aus Sikyon, Hauptzeit 451 v. Chr. (Eusebios, Hier. chron. Ol. 82,2). Verfasserin von Hymnen (747 PMG), Dithyramben (748 PMG) und *skólia* (749, 750 PMG). Zwei Verse über ein Mädchen, das sich an einem Fenster zeigt (754 PMG), sind in dem nach der Dichterin Praxilleion genannten Metrum abgefaßt; die Anfangssilben finden sich als Inschr. auf einer boiotischen Vase aus der Mitte des 5. Jh. Ihre Behandlung des Mythos war innovativ: Dionysos war der Sohn der Aphrodite und nicht der Semele (752 PMG); Zeus, und nicht Laios, entführte Chrysippos (751 PMG). Über fr. 747 PMG amüsierte man sich, und ›dümmer als der Adonis der P.‹ wurde zum Sprichwort. Tatian meint (or. ad Graecos 33), daß → Lysippos [2] eine Br.-Statue von P. herstellte, ›obwohl sie in ihren Gedichten nichts Nützliches gesagt habe‹. Antipatros [9] nennt sie jedoch als eine der neun Dichterinnen (analog zu den neun Musen; Anth. Pal. 9,26).

D. A. CAMPBELL, Greek Lyric 4, 1992.   E. R./Ü: T. H.

Praxiphanes (Πραξιφάνης). Peripatetiker des 4./3. Jh. v. Chr., Sohn des Dionysophanes, ein Schüler des → Theophrastos. P. war in Mytilene geboren, siedelte aber später nach Rhodos um. Ein Dekret aus Delos, in welchem er als *euergétes* (»Wohltäter«) und *próxenos* (»öffentlicher Gastfreund«) geehrt wird (Fr. 4 WEHRLI), wird auf ca. 260 datiert; seine Geburt kann daher schwerlich in die Zeit vor 330 fallen. Ein Bericht, daß → Epikuros sein Schüler gewesen sei (Fr. 5 W.), ist sicher falsch.

Eine vereinzelte doxographische Notiz, daß seine Lehre der des Theophrastos (und Aristoteles) gleiche (Fr. 2 W.), bezieht sich auf P.' Natur-Philos., von welcher wir nichts weiteres erfahren. Seine Freundschaftslehre wurde von dem Epikureer → Karneiskos angegriffen (Fr.7 W.). Sonst sind von P. nur Arbeiten zur Lit.-Wiss. bezeugt, und er wurde als einer der Begründer der »höheren« Grammatik angesehen (Fr. 8–10 W.). Seine Kritik an → Kallimachos [3] rief eine Gegenschrift des letzteren hervor.

WEHRLI, Schule, Bd. 9, ²1969, 93–115 · M. CAPASSO, Prassifane, Epicuro e Filodemo. A proposito di Diog. Laert. X 13 e Philod. Poem. V IX 10–X 1, in: Elenchos 5, 1984, 391–415.   H. G.

Praxis (πρᾶξις).
[1] Juristische Bezeichnung für die Vollstreckung eines auf Geld lautenden Urteils aus einem griech. Privatprozeß (→ *díke* [2]), die in Athen Sache des siegreichen Gläubigers war und generell (And. 1,88) und auch im Text von Vertragsurkunden (Demosth. or. 35,12) als *p.* bezeichnet wurde. Als Verbum für »vollstrecken« war εἰσπράττειν (*eisprátte in*) üblich (Demosth. or. 47,33; 47,37; 47,41; 57,63; 57,64). Die *p.* war nicht gegen die Person des Schuldners, sondern nur durch Ergreifen seiner Vermögensstücke erlaubt (→ *enechyrasía*). Zur *p.* im Attischen Seebund (IG I³ 41 A 17; B 40–43; 68,1; 118,20f.) vgl. auch [2]. Außerhalb Athens s. z. B. Syll.³ 364,76; 742,34, 35, 57 (Ephesos); 577,63 (Milet); 976,67 (Samos); 578,58 (Teos); 527,44 (Drepos); 712,37 (Lato).

Ebenso wie in der aus Athen überl. Vertragsurkunde ist die *p.*-Klausel fester Bestandteil der ägypt. Papyrusurkunden [3. 147f.]. Die Vollstreckung aufgrund eines Urteils beim Schuldner durch Pfändung von dessen Vermögensgegenständen erfordert ein Gesuch an den → *práktor* (»Gerichtsvollzieher«), die Bezeichnung des zu pfändenden Gegenstandes (παράδειξις, *parádeixis*) und Versteigerung mit Zuschlag (προσβολή, *prosbolé*), Eintragung in das Register der Liegenschaftsverfügungen (καταγραφή, *katagraphé*) und Besitzeinweisung (ἐμβαδεία, *embadeía*). Der *p.* aus einer vollstreckbaren Urkunde ist noch ein Mahnverfahren vorgeschaltet [3. 149f.].

1 A. R. W. HARRISON, The Law of Athens, Bd. 2, 1971, 185–190 2 C. KOCH, Volksbeschlüsse in Seebundangelegenheiten, 1991 3 H.-A. RUPPRECHT, Kleine Einführung in die Papyruskunde, 1994.   G. T.

[2] s. Praktische Philosophie

Praxiteles (Πραξιτέλης).
I. ZUR PERSON   II. WERKE   III. STIL

I. ZUR PERSON

Bildhauer aus Athen, tätig ca. 370–320 v. Chr. Da → Timarchos und → Kephisodotos [5] Söhne des P. waren, wird als sein Vater → Kephisodotos [4] vermutet. Anhand späterer Namensträger wird eine bis ins 1. Jh. v. Chr. reichende Bildhauerfamilie rekonstruiert, die ebenso umstritten ist wie Vermutungen über Reichtum und polit. Einfluß der Familie im 4. Jh. Die anekdotische Biographie und Berühmtheit des P. mahnen bei ca. 55 genannten Werken zur Vorsicht. Dennoch führte der Quellenreichtum zu vielen, oft widersprüchlichen Identifizierungen mit röm. Kopien.

II. Werke

Zumindest als Typus ist das berühmteste Werk des P., die Marmorstatue der → Aphrodite in Knidos, sicher erkannt. Ihrem Entstehungsdatum entspricht die Hauptschaffenszeit des P., 364–361 v. Chr. Als erste nackte Darstellung der Aphrodite (→ Nacktheit D.) schuf sie P. für Kos zugleich mit einer bekleideten Alternative. Letztere bleibt uns unbekannt, ebenso weitere in Alexandreia (Karien) und später in Rom befindliche Aphrodite-Darstellungen. Modell für die Knidierin sei die mit P. oft in Verbindung gebrachte Hetäre → Phryne gewesen. Deren Porträtstatuen von P. in Thespiai und in Delphoi sind ebenfalls als Darstellungen der Aphrodite zu werten. Phryne erscheint außerdem in einer Anekdote zu zwei Meisterwerken, die P. selbst am höchsten schätzte, den Statuen eines Eros und eines Satyrn. Der Eros gelangte durch Phryne nach Thespiai, wo er Ziel von Kunstreisenden war (vgl. Plin. nat. 36,22 oder Cic. Verr. 4,60,135), bis er nach Rom gebracht und in Thespiai durch eine Kopie ersetzt wurde. Unter den in Kopien überl. Typen wird er häufig mit dem sog. Steinhäuserschen Eros (Paris, LV) identifiziert, doch sind weitere Erosstatuen des P. in Parion und in Sizilien bekannt. Satyrstatuen des P. werden in unsicherer Anzahl erwähnt, neben dem genannten gab es einen an der Tripodenstraße in Athen, einen »Einschenkenden« im nahen Dionysostempel, schließlich einen in Marmor in Megara. Ein weiterer oder bereits genannter Satyr in Br. war der *Peribóētos* (der Weitberühmte), der im Zusammenhang mit Dionysos und *ebrietas nobilis* (»edler Rausch«, Plin. nat. 34,69) angeführt wird. Zwei zahlreich kopierte Satyrtypen werden mit einer dieser überl. Statuen verbunden, der sog. »Einschenkende« eher mit dem frühen von der Tripodenstraße, der spätere sog. »Angelehnte« am häufigsten mit dem *Peribóētos*, sei es in Megara oder in Athen. In Br. schuf P. den Apollon Sauroktonos (Eidechsentöter), der anhand des seltenen Motivs in röm. Kopien identifiziert wurde. Im Heraion von Olympia sah Pausanias (5,17,3) einen Hermes mit kindlichem Dionysos von P., der bei der Ausgrabung am Ort aufgefunden wurde, von vielen jedoch nicht als Original, sondern als hell. Nachbildung betrachtet wird.

In Mantineia schuf P. die Kultbildgruppe im Leto-Tempel, deren Reliefbasis mit Musen und Marsyas Pausanias (8,9,1) beschreibt. Dort aufgefundene Reliefs werden wegen ihrer minderen Qualität nur der Werkstatt des P. zugewiesen. Für die Kultbilder selbst wurden verschiedene in Kopien überl. Typen vorgeschlagen, wie auch für weitere Kultbilder von P. Es sind dies Statuen der Hera mit Athena und Hebe ebenfalls in Mantineia, in Megara die Zwölf Götter, Tyche, weitere Letoiden und Peitho und Paregoros, eine Artemis in Antikyra, in Plataiai eine Hera Teleia und Rhea, Leto mit der Niobidin Chloris in Argos, Trophonios in Lebadeia, die Taten des Herakles in Theben (wohl als Giebelfiguren) und in Elis ein Dionysos in Bronze. In Athen sah Pausanias (1,2,4) Marmorstatuen von Demeter, Kore und Iakchos, die nach einer Inschr. an der Tempelwand

von P. stammten, und im Kerameikos sogar die Grabstele eines Kriegers mit Pferd. Auf der Akropolis von Athen befand sich eine Artemis Brauronia des P., die wegen ihres Motivs häufig mit dem Typus Gabii (Paris, LV) identifiziert wurde, deren originale Reste aber kürzlich von G. Despinis entdeckt wurden.

Andere Stücke gelangten später nach Rom in Tempel und Slgg., namentlich Thespiaden, Agathodaimon und Agathe Tyche, Demeter, Triptolemos und Flora, Gruppen von Mänaden, Thyiaden, Karyatiden und Silenen, Apollon und Poseidon, eine bronzene Darstellung des Raubes der Persephone. Zw. P. und Skopas umstritten waren Niobiden im Apollon Sosianus Tempel, Ianus Pater und ein Eros-Alkibiades. Andere Werke führt Plinius (34,69–70) mit Rufnahmen an, die eine Identifizierung erschweren, so eine »Catagusa«, eine weinende Matrone mit einer lachenden Hetäre, die Bronzestatuen einer Stephanusa (»Bekränzende«), einer Pseliumene (»mit Ketten Schmückende«) und einer »Opora«. Andere ant. Zuweisungen gehen eher auf den Ruhm des Namens P. zurück, so eine Tyrannenmördergruppe, Mitarbeit am → Maussoleion von Halikarnassos, Reliefs am Altar der Artemis in Ephesos, der Wagenlenker eines Viergespannes von → Kalamis, eine Gruppe von Danae, Nymphen und Pan, eine Leda in Myra, bis hin zu Silbertoreutik. Einige erh. Inschr. von verlorenen Ehrenstatuen auf der Athener Agora, in Olbia und in Leuktra sind auf P. selbst zu beziehen und verweisen auf einen wichtigen verlorenen Teil des Œuvres, andere stammen von einem Namensgenossen des frühen 3. Jh. v. Chr. Aus der Kaiserzeit finden sich weitere fragwürdige Künstlerinschriften.

III. Stil

Die Basis zur Identifizierung von Werken des P. und somit zur Wahrnehmung seines Stils ist geringer, als die Vielzahl von heutigen Zuschreibungen erwarten läßt. Doch selbst bei der Annahme von gesicherten Kopien fehlt die in der Ant. an P. gerühmte Oberflächengestaltung, die an den Marmorwerken durch enkaustische Bemalung von → Nikias [3] zu besonderer Vollendung geführt worden sei. Daneben gelten schlankere Körperproportionen und Standmotive mit gekurvten Körperachsen als kennzeichnend für P. Dementsprechend bevorzugte P. jugendliche Gottheiten, an denen eine besondere *cháris* (Grazie) zutage trete, die gegenüber den phidiasischen Göttern (→ Pheidias) ein verändertes Götterbild ausdrückte.

→ Plastik; Statue

Overbeck (s. Index) · Loewy (s. Index) · J. Marcadé, Recueil des signatures de sculpteurs grecs, Bd. 1, 1953, 89; Bd. 2, 1957, 114–122 · G. Becatti s. v. Prassitele, EAA 6, 1965, 423–431 · Davies, 286–290 · A. Corso, Prassitele. Fonti epigrafiche e letterarie. Vita e opere, Bd. 1–3, 1988–92 · A. Stewart, Greek Sculpture, 1990, 277–281 · C. M. Havelock, The Aphrodite of Knidos and Her Successors, 1995 · A. Corso, s. v. Prassitele, EAA, 2. Suppl. Bd. 4, 1996, 456–462 · A. Ajootian, P., in: YClS 30, 1996, 91–129 · G. I. Despinis, Neues zu einem alten Fund, in:

MDAI(A) 109, 1994, 173–198 Taf. 31–45 · B.S. RIDGWAY, Fourth-Century Styles in Greek Sculpture, 1997, 261–267, 329 · G. DESPINIS, Zum Athener Brauronion, in: W. HOEPFNER (Hrsg.), Kult und Kultbauten auf der Athener Akropolis, 1997, 209–217. R.N.

Praxithea (Πραξιθέα).

[1] Tochter oder Enkelin des Kephisos, die einerseits als Gattin des → Erechtheus (Demaratos FGrH 42 F 4) und Mutter mehrerer Kinder (darunter → Kreusa [2], → Oreithyia, → Prokris), andererseits als Gattin des → Erichthonios [1] und Mutter des → Pandion [1] (Apollod. 3,190; Φρασιθέα Tzetz. chil. 1,174) erscheint. Nach einem Orakel kann Erechtheus den Krieg gegen → Eumolpos nur nach der Opferung einer Tochter gewinnen. Euripides läßt in seinem ›Erechtheus‹ P. die Entscheidung zur Opferung der Tochter ausführlich begründen, die beiden Schwestern der Todgeweihten folgen ihr freiwillig nach (Eur. Erechtheus fr. 65 AUSTIN; Lykurg. in Leocratem 98–100; Apollod. 3,196; 203). P. wird nach dem Tod der Töchter und des Gatten von Athene zu ihrer Priesterin eingesetzt.

[2] (Namensvarianten Phrasithea/Φρασιθέα und Phasithea/Φασιθέα beruhen wohl auf Ungenauigkeiten späterer Autoren). Tochter des Königs Leos, die aufgrund eines Orakels zusammen mit ihren Schwestern geopfert wird oder sich selbst opfert, um Athen von einer Hungersnot oder Pest zu befreien. Sie wurden auf der → Agora im Leokorion verehrt (Ail. var. 12,28).

LIT.: R. E. HARDER, Die Frauenrollen bei Euripides, 1993, 336–342, 405 f. · U. KRON, Die zehn attischen Phylenheroen, 1976, 195–201 · A. SPETSIERI-CHOREMI, s. v. P., LIMC 7.1, 505 · M.C. VAN DER KOLF, s. v. P. (1)–(3), RE 22, 1809–1811.
ABB.: A. SPETSIERI-CHOREMI, s. v. P., LIMC 7.2, 397.
R.HA.

Precarium (»das Erbetene«). Die Überlassung einer Sache auf freien Widerruf (... *quod precibus petenti conceditur tamdiu, quamdiu is qui concessit patitur*, Ulp. Dig. 43,26,1 pr.) im röm. Recht. Histor. Ursprung des *p.* ist die Landleihe patrizischer Grundherren an ihre Klienten. Ansonsten konnte etwa ein Pfandschuldner die Pfandsache als *p.* behalten (Iulianus Dig. 13,7,29), oder ein Kreditkäufer erhielt die Kaufsache zum *p.* (Ulp. Dig. 43,26,20). Das *p.* ist anfangs kein Rechtsverhältnis, sondern nur tatsächliche Überlassung, welche der Gewährende jederzeit beenden kann. Der Prekarist (*p. habens*) ist gegenüber dem Gewährenden (*p. dans*) unberechtigter Besitzer (*iniustus possessor*); er hat daher nur eine *vitiosa possessio* (mangelhaften Besitz, Gai. inst. 4,151) und wird dem Gewährenden gegenüber nicht durch die Besitzinterdikte geschützt, welche voraussetzen, daß der Betroffene *nec vi nec clam nec p.* (»weder gewaltsam, noch heimlich, noch als *p.*«) besitzt (→ *interdictum*). Nach sabinianischer Lehre ist allerdings auch der Gewährende (berechtigter) Besitzer (*iustus possessor*); nach – siegreicher – proculianischer Lehre ist dagegen Besitzer nur der Prekarist (Paulus Dig. 41,2,3,5, auch → *possessio*).

Der Gewährende setzte die Rückgabe mittels eines *interdictum de precario* durch (Ulp. Dig. 43,26,2 pr.). Dritten gegenüber ist der Prekarist allerdings Besitzer und durch die Besitzinterdikte geschützt (Ulp. Dig. 43, 26,4,1).

Noch in der Prinzipatszeit entwickelt sich das *p.* zu einem Leihverhältnis eigener Art. In der Spätant. erscheint es als mit der → Pacht verbunden. Bei Iustinianus (6. Jh.) ist das *p.* ein Innominatkontrakt (urspr. nicht klagbarer Vertrag, dazu s. → *condictio* C.), mit dem sich eine → *actio* [2] *praescriptis verbis* (»Klage nach vorgeschriebenem Wortlaut«) verbindet (Dig. 43,26,2,2; 19,2 itp.).

HONSELL/MAYER-MALY/SELB, 135 f. · KASER, RPR 1, 141, 388 f., 400; 2, 407 f. D.SCH.

Predigt
I. ALLGEMEINES, BEGRIFF UND URSPRÜNGE
II. SPRECHER, ORT UND ZEIT
III. GESCHICHTE DER ANTIKEN
CHRISTLICHEN PREDIGT

I. ALLGEMEINES, BEGRIFF UND URSPRÜNGE

Als P. bezeichnet man diejenige Rede (griech. ὁμιλία/*homilía*, lat. *sermo*), die seit dem 2. Jh. im Kontext eines ant. christl. Gottesdienstes (→ Kult, Kultus IV.) im Anschluß an Lesungen aus den Heiligen Schriften (→ Bibel) vorgetragen wurde. Gegenstand der P. waren entweder Themen der Lesungen oder das aktuelle Fest bzw. die Festzeit und schließlich zunehmend auch → Heilige (B.); dabei wurden die Texte mit Hilfe allg. eingeführter Auslegungsmethoden (z. B. der → Allegorese) auf die Bedürfnisse einer konkreten christl. Ortsgemeinde appliziert und aus ihnen in aller Regel Konsequenzen für das Leben der Christen abgeleitet. Der Bibel wurden dafür auch gern die *exempla* entnommen. Die christl. P. sollte damit zugleich dem dienen, was bei → Paulus [2] (z. B. 1 Kor 14,5) *oikodomé* (»geistige Erbauung«) der Gemeinde heißt.

Der Begriff *homilía*, der urspr. das familiäre Gespräch zw. Philosophen und ihren Schülern (οἱ ὁμιληταί/*hoi homilētaí*) bezeichnete, wurde durch → Hieronymus und Tyrannius → Rufinus [6] auch im lat. Westen verbreitet [1. 170–172]; syn. wurden zunächst griech. *lógos* bzw. lat. *tractatus* verwendet, diese traten aber allmählich zugunsten von *homilía* zurück. Lat. *praedicatio* beschreibt zunächst die Funktion von P. im Kontext der allg. Verkündigung (*kērýssein*) des Evangeliums und wird erst ab dem 4. Jh. zum t.t. In der Forsch. wird gelegentlich der Begriff »Homilie« verwendet, um damit eine P. zu bezeichnen, die den biblischen Text versweise auslegt; diese Praxis kann sich nicht auf ein ant. Vorbild berufen.

Zur Vorgesch. der christl. P. gehören die »Missionsreden« des Apostels Paulus [2] und anderer Angehöriger der ersten und zweiten Generation, insofern sie in jüd. Synagogen gehalten wurden (vgl. z. B. Apg 18,4), ansonsten zählen sie zum weiteren Bereich der christl. Lehr-Reden, deren terminologische Abgrenzung zur P.

in der Frühzeit schwierig ist. Christl. P. im eigentlichen Sinne ist P. im Rahmen des Gottesdienstes; sie entstand aus der jüd. Praxis, in den synagogalen Gottesdiensten Auslegungen der biblischen Lesungen vorzutragen. Dieses Genre ist durch einige wenige erh. Synagogen-P. belegt, die sich in der armen. Überl. der Werke des → Philon [12] von Alexandreia erh. haben.

Formal ist die jüd. wie christl. P. von Anfang an durch die → Diatribe als Redeform geprägt (Details: → Diatribe C.), was sich beispielsweise an einer der frühesten erh. Beispiele, der Passa(Pesah)-P. des → Meliton [3] von Sardeis zeigt: Der Prediger verwendet u. a. die Stilmittel von Anaphora, Antithesen, Exklamationen, Oxymoron, Paronomasie, rhetorischen Fragen und Wiederholungen. Diese Stilmittel halten sich auch in der P. weniger prominenter und gebildeter christl. Theologen, wie eine anonyme Oster-P. des 4. Jh. zeigt, die unter dem Namen des → Epiphanios [1] von Salamis überl. ist (anaphorisch *anéstē*, »er ist auferstanden«: (Ps.-)Epiphanios, Homilia in Christi resurrectionem PG 43, 465). Sie wurden ergänzt durch formale Eigenheiten, die den ausgelegten biblischen Texten entnommen wurden, v. a. durch den Parallelismus der Satzglieder.

Neben solcher feierlicher Rede sind viele christl. P. auch durch spontane Reaktionen auf Verhaltensweisen des Auditoriums geprägt und tragen insofern einen dialogischen Charakter, der auf ihre Mündlichkeit zurückzuführen ist [2]. Dementsprechend häufig lassen sich Redundanz, Füllwörter und andere stilistische Eigenheiten mündlicher Rede beobachten; der Gedankengang ist häufig weniger argumentativ als kumulativ. Nicht selten wurde auf der Basis von Stichwortzetteln extemporiert. Viele P. sind in der Form von mehr, weniger oder gar nicht bearbeiteten Stenogrammen überl., andere für eine Wiederverwendung bearbeitet und um Züge konkreter Mündlichkeit gekürzt. Gelegentlich wurden sie auch in Form eines Komm. oder exegetischen Traktats veröffentlicht. Jüd. wie christl. P. ist als Kultrede eine »Neuheit«, die sich nicht von einer ihr genau entsprechenden paganen Redeform ableiten läßt [3. 25].

II. Sprecher, Ort und Zeit

Sprecher, Ort und Zeit kennzeichnen christl. P. als Kultrede: P. wurden in der Regel vom Gemeindevorsteher oder Bischof (→ *epískopos* [2]) gehalten, gelegentlich aber auch von einheimischen oder zugereisten prominenten Theologen (→ Origenes [2]), Presbytern oder Ältesten. Die Ausdifferenzierung der Ämterhierarchie und die zunehmende Definition einer normativen christl. Lehre führten seit dem 3. Jh. zu einer theoretischen Beschränkung auf den Bischof (Sokr. 5,22,58; Ambrosiaster in epistulam ad Efesios 4,12,4 sowie Coelestinus I., Epist. 21,2), die nicht unwidersprochen blieb (Epiphanios, Panarion 75,3,3 bzw. Hier. epist. 52,7). P. von Presbytern werden weiterhin überl. (→ Severianos von Gabala oder → Leontios [6] von Byzanz); vorher wird vereinzelt (z.B. von → Origenes [2]: Eus. HE 6,19,16) auch davon berichtet, daß Laien predigten.

Mönche, in der Regel Äbte, predigten im Normalfall für die Gemeinschaft (Regula Benedicti 2), nur unter bes. Bedingungen in der Öffentlichkeit (Greg. M. dial. 1,4,8).

Ort der P. war in aller Regel das christl. Kultgebäude, also bis zum 4. Jh. die Hauskirchen (→ Dura-Europos) und später vor allem die städtischen (Bischofs-)Kirchen; gelegentlich auch die Taufkapelle, das Baptisterium oder Grabkapellen, Friedhöfe und sonstige Gedächtnisorte, bisweilen auch der Kaiserpalast oder private Räumlichkeiten. Gepredigt wurde entweder von der Kathedra des Bischofs oder von speziellen Pulten; arch. sind verschiedene Typen von erhöhten Ambonen im Mittelschiff belegt, die sich entweder in der Mitte oder am Rande dieses Raumteiles befinden. Aus der teilweise üblichen Verbindung des Ambo mit der Abschrankung des Altars (*cancelli*) hat sich der dt. Begriff »Kanzel« entwickelt [4].

Spätestens seit dem 4. Jh. war in vielen Orten des Reiches das gesamte soziale Spektrum einer Stadt bzw. einer ländlichen Gemeinde als Hörerschaft einer P. präsent, gelegentlich offenbar auch Nichtchristen, z.B. Juden. Den Neubekehrten und Taufbewerbern (Katechumenen) gehörte in der Regel bes. Aufmerksamkeit. An den sog. ›Säulen-P.‹, die der Presbyter → Iohannes [4] Chrysostomos nach einem Aufruhr im Zusammenhang mit einer Steuererhebung im Frühj. 387 in Antiocheia zur Beruhigung der Lage hielt (CPG Suppl. 4330), kann man die Funktion christl. P. im Gefüge spätant. Gesellschaft paradigmatisch studieren. Bei- und Mißfallensäußerungen waren vielerorts üblich.

Zunächst beschränkte sich die P. wie der christl. Gottesdienst insgesamt wohl auf die Sabbate, später dann auf Herrentage und Festtage. Gepredigt wurde in Wort- und Sakramentsgottesdiensten, aber auch bei bes. Gelegenheiten (z.B. Vigilien vor Festen). Für das 3. Jh. besitzen wir Zeugnisse eines täglichen Wortgottesdienstes am Morgen, in dem biblische Bücher fortlaufend in P. ausgelegt werden (*lectio continua*). In der entwickelten reichskirchlichen → Liturgie hatte die P. ihren Platz im ersten Teil vor der Eucharistie, im Wortgottesdienst. Die Ordnungen wechselten teilweise von Ort zu Ort.

III. Geschichte der antiken christlichen Predigt

Erste christl. P. sind aus dem 2. Jh. erh., aus den Bruchstücken ragt die vollständig überl. Passa(Pesah)–Homilie des → Meliton [3] von Sardeis heraus. Einen ersten Höhepunkt bildet im 3. Jh. das homiletische Werk des → Origenes mit über hundert erh. P. aus einer urspr. weit größeren Zahl. In seiner Trad. stehen die drei kappadokischen Theologen → Basileios [1] der Große, → Gregorios [2] von Nyssa und → Gregorios [3] von Nazianzos, deren P. vor allem die theologische Schwerpunktsetzung dieser drei Bischöfe erkennen lassen. Die reiche P.-Überl. des Iohannes [4] Chrysostomos übermittelt dagegen viel Lokalkolorit; seine P. wurden in Antiocheia simultan zu bestimmten Gelegenheiten in die syrische Volkssprache der Landbevölkerung übersetzt, in Konstantinopel gelegentlich auch ins Gotische. Die originäre syr. Trad. im Blick auf Form wie Theologie vermitteln dagegen die metrischen und didaktischen Homilien (*memre/madraše*) des → Ephraem (gest. 306 n. Chr.). Im lat. Westen hat → Ambrosius von Mailand als Prediger beeindruckt, u. a. auch → Augustinus, von dem etwa 500 P. erh. sind, zumeist wörtliche und unkorrigierte Stenogramme. In der Trad. des Ambrosius stehen aber auch andere ital. Prediger wie → Maximus [14] von Turin. Während Papst → Leo [3] der Große P. auf sehr hohem stilistischem Niveau veröffentlichte, folgten Papst → Gregorius [3] I. der Große und → Caesarius [4] von Arles eher dem Ideal des *sermo humilis* (der »Rede auf niedrigem Stilniveau«). Vor allem diese P.-Serien hatten großen Einfluß auf die P. des europäischen MA. In der Spätant. wurden im Osten wie im Westen P.-Slgg. (»Homiliare«) üblich, aus denen weniger gebildete Prediger ihre P. vortrugen.

Allg. Regeln für die Anfertigung einer christl. P. haben u. a. Iohannes [4] Chrysostomos und Augustinus aufgestellt. Augustinus fordert im vierten Buch seines Werkes *De doctrina christiana* vom Prediger Verständlichkeit und Orientierung am Ideal des *delectare ac prodesse* (»Unterhaltens und Nützens«), das er in informativer (*docere* durch *praecepta*, »Belehrung durch Regeln«) wie performativer Hinsicht (*flectere* durch *exempla*, »Lenkung durch Beispiele«) entfaltet. Forsch.-Bedarf besteht vor allem noch bei den P. weniger bekannter Theologen der christl. Ant., die meist prominenten Autoren wie Iohannes [4] Chrysostomos untergeschoben wurden und teilweise noch nicht kritisch ediert sind.
→ Diatribe

1 M. SACHOT, s. v. Homilie, RAC 16, 1994, 148–175
2 A. MERKT, Mündlichkeit: Ein Problem der Hermeneutik patristischer P., in: Studia Patristica 31, 1997, 76–85
3 C. SCHÄUBLIN, Zum paganen Umfeld der christl. P., in: E. MÜHLENBERG, J. VAN OORT (Hrsg.), P. in der Alten Kirche, 1994, 25–49 (Wiederabdruck in: G. BINDER, K. EHLICH (Hrsg.), Kommunikation in polit. und kultischen Gemeinschaften (Bochumer alt.wiss. Colloquium 24), 1996, 167–192)   4 C. DELVOYE, s. v. Ambo, RBK 1, 1966, 126–133.

ED.: A. EHRHARD, Überl. und Bestand der hagiographischen und homiletischen Lit. der griech. Kirche, 1937–1952 (unvollendet) • H. J. SIEBEN, Kirchenväterhomilien zum NT, 1991.
LIT.: M. B. CUNNIGHAM, P. ALLEN (Hrsg.), Preacher and Audience, 1998 • J. HAMMERSTAEDT, s. v. Improvisation, RAC 17, 1996, 1257–1284 • D. G. HUNTER (Hrsg.), Preaching in the Patristic Age, 1989 • M. OLIVAR, La Predicación Cristiana Antigua, 1991 • K.-H. UTHEMANN, Die Kunst der Beredsamkeit in der Spätant., in: NHL 4, 1997, 327–376.   C. M.

Preietos (Πρείετος). Hafen- und Bischofsstadt in → Bithynia, an der Südküste des Golfes von Astakos bzw. Nikomedeia, wohl nahe dem h. Karamürsel, benannt nach dem bithynischen Kriegsgott P., der hier eine seiner Hauptkultstätten hatte (Konstantinos Por-

phyrogennetos, De thematibus 1,27: Πραίνετος; Tab. Peut. 9,2: *Pronetios*; Plin. nat. 31,23: *Brietium*).

F. K. DÖRNER, s. v. P. (2), RE 22, 1832–1835 • Ders., Inschr. und Denkmäler in Bithynien (IstForsch 14), 1941, 37–40, 65–67, Nr. 39–42.   K. ST.

Preis   I. ALTER ORIENT
II. KLASSISCHE ANTIKE
III. FRÜHES MITTELALTER

I. ALTER ORIENT

Preise oder Äquivalente für zahlreiche vertretbare Sachen hatten sowohl in Äg. als auch in Mesopotamien einen allgemein anerkannten Wert, über dessen Zustandekommen aber nichts bekannt ist. P. wurden in Äg. zunächst meist in einer Werteinheit *šnʿ(tj)* (vielleicht »Silberring«?), im NR auch in Kupfer und Sack Getreide (die beide aber nicht als Austauschmedium dienten) [7. 13], in Mesopot. meist in gewogenem Silber (zuweilen in Assyrien auch in Zinn) ausgedrückt.

Angaben über Äquivalente sind in unterschiedlicher Dichte und Aussagekraft aus Mesopot., Äg., Syrien [1] und der Levante [6] überliefert. Dabei sind P.-Angaben für Mesopot. für mehrere Epochen so umfangreich belegt (v. a. aus dem 21., 18./17. und vom 6. bis 1. Jh. v. Chr.), daß sie Vergleichbarkeitsstudien ermöglichen [3; 10; 11]. Aus Äg. stammen die relevanten Angaben fast ausschließlich aus der Handwerkersiedlung der königlichen Nekropole von → Thebai (Dair al-Madīna; 16./15. Jh. v. Chr.) [7. 17]. Die sonstigen P.-Angaben sind zu wenig zahlreich, zeitlich und räumlich zu sehr voneinander entfernt, um vergleichbar zu sein. Ähnliches gilt für die zahlreichen P.-Angaben aus der Levante (→ Ugarit, → Alalaḫ) vom 15. bis 12. Jh. v. Chr. [6]. Unter den Bedingungen der → Oikos-Wirtschaft des 3. Jt. in Mesopotamien waren Äquivalente in der Regel für den interinstitutionellen Austausch von Gütern, Waren und Dienstleistungen administrativ festgelegt. Dies gilt auch für spätere Epochen, wie zahlreiche königliche »Tarife« belegen [9. 247 f.]. Ob es in Äg. Versuche der P.-Regulierung gegeben hat, ist umstritten [7. 17 f.; 4. 1082].

P.-Fluktuationen lassen sich in Mesopot. v. a. für das Grundnahrungsmittel → Getreide im Verlauf des landwirtschaftlichen Jahres feststellen; die äg. Belege aus Dair al-Madīna zeigen dagegen keine nennenswerten Fluktuationen des Getreide-P. [7. 21]. Außergewöhnlich ist ein massiver kurzzeitiger Anstieg des Getreide-P. während der 20. Dyn. (1196–1080 v. Chr.), über dessen Ursachen nur Vermutungen existieren [4. 1082]. Die babylonischen astronomischen Tagebücher (6.–3. Jh. v. Chr.) notieren neben meteorologischen und astronomischen Erscheinungen die (täglichen) Äquivalente für die sechs wichtigsten Subsistenzprodukte (Gerste, Datteln, Senf, Kresse, Sesam und Wolle) in Babylon. Sie lassen keine jahreszeitlich bedingten Fluktuationen erkennen. Überdies läßt sich vom 5. Jh. bis zu Antiochos [5] III. (222–187 v. Chr.) ein Abwärtstrend für die genannten sechs Waren feststellen, als dessen mögliche Ursache staatliche Intervention angesehen wird [10. 105]. – In Mesopot. hat sich der Wert von Silber im Verhältnis zu Gerste vom 26. Jh. v. Chr. bis in die 2. Hälfte des 1. Jt. kaum verändert [8. 98].

Vorstellungen über die Angemessenheit von P. und Löhnen (→ Lohn) lassen sich durch den Vergleich mit den institutionell verteilten Rationen gewinnen, die jeweils das für den Lebensunterhalt notwendige Existenzminimum garantierten. Aus Äg. gibt es einen interessanten Hinweis für P.-Bildung, wonach der Wert eines Korbes dem Wert der Menge Getreide (ausgedrückt in Kupfer) entsprach, die der Korb faßte [7. 15]. Ein lit. Text aus Mesopot. verbindet die hohen Äquivalente verschiedener Metalle zu Silber mit kriegerischen Ereignissen, die den Handel behindert hatten. In den Inschr. der neuassyrischen Herrscher → Sargon II. und → Assurbanipal heißt es, daß man auf Grund gewaltiger Kriegsbeute für verschiedene Güter ›das Äquivalent für Silber dem von Kupfer gleichzusetzen‹ pflegte. Was in unseren Augen einer Inflation gleichkommt, wird hier als etwas Rühmenswertes dargestellt [9. 252].

Während die Höhe von P. in Äg. und Mesopot. in internen Austauschprozessen nur in begrenztem Maße von Angebot und Nachfrage abhing und im Wesentlichen vom Gebrauchswert bestimmt war, spielten Angebot und Nachfrage im Fernhandel eine größere Rolle (→ Handel). Der P. einer Ware wurde u. a. durch die darin enthaltenen beträchtlichen Transaktionskosten bestimmt. Die Diskussion um P.-Bildung in den altorientalischen Wirtschaftssystemen, insbes. die Frage nach dem Einfluß von Marktmechanismen (Angebot – Nachfrage – P.) wird wesentlich bestimmt durch Prämissen, die sich entweder an der neo-klassischen (d. h. marktwirtschaftlichen) oder an der von K. POLANYI vertretenen Theorie (→ Geld; → Markt) orientieren.

Zahlreiche P.-Angaben für Groß- und Luxusgüter oder von Immobilien sind aus allen Regionen des Alten Orients und Äg.s bezeugt. Da aber auch für diese kein »Markt« im Sinne von Angebot und Nachfrage bestand, läßt sich über deren P.-Bildung nichts Konkretes sagen. Eine Vorstellung von der Höhe eines P. läßt sich nur über die generelle Getreide (meist Gerste): Silber-Ratio für die am Existenzminimum orientierten Rationen für das Personal institutioneller Haushalte gewinnen.

→ Geld; Lohn; Markt; Oikos-Wirtschaft; Rationen

1 A. ARCHI, Prices, Worker's Wages and Maintenance at Ebla, in: Altoriental. Forsch. 15, 1988, 24–29 2 M. A. DANDAMAYEV, Wages and Prices in Babylonia in the 6th and 5th Centuries B. C., in: Altoriental. Forsch. 15, 1988, 53–58 3 H. FARBER, A Price and Wage Study for Northern Babylonia during the Old Babylonian Period, in: Journ. of the Economic and Social History of the Orient 21, 1978, 1–53 4 W. HELCK, s. v. P., LÄ 4, 1081–1083 5 Ders., Das Problem der Löhne und P. im AR, in: Altoriental. Forsch. 15, 1988, 3–9 6 M. HELTZER, Goods, Prices and the Organisation of Trade in Ugarit, 1978 7 J. J. JANSSEN, Prices and Wages in Ancient Egypt, in: Altoriental. Forsch. 15, 1988, 10–23 8 M. A. POWELL, Identification and Interpretation of Long Term Price Fluctuations in Babylonia, in: Altoriental. Forsch. 17, 1990, 76–99 9 J. RENGER, Zur Rolle von P. und Löhnen im Wirtschaftssystem des alten Mesopot. an der Wende vom 3. zum 2. Jt. v. Chr., in: Altoriental. Forsch. 16, 1989, 234–252 10 A. L. SLOTSKY, The Bourse of Babylon – Market Quotations in the Astronomical Diaries of Babylonia, 1997 (mit einer Liste von Stud. zu P. im alten Mesopot.) 11 D. SNELL, Ledgers and Prices, 1982 12 P. VARGYAS, Les prix des denrées de première nécessité en Babylonie à l'époque achéménide et hellénistique, in: J. ANDREAU et al. (Hrsg.), Économie antique: Prix et formation des prix (Entretiens d'archéologie et d'histoire 3), 1998, 335–354 (mit ausführlicher Bibliogr.) 13 K. R. VEENHOF, Prices and Trade. The Old Assyrian Evidence, in: Altoriental. Forsch. 15, 1988, 243–263 14 C. ZACCAGNINI, On Prices and Wages at Nuzi, in: Altoriental. Forsch. 15, 1988, 45–52 15 Ders., Prices and Price Formation in the Ancient Near East, in: s. [12], 361–384 16 D. GENET, J. MANCOURANT, Une étude critique de hausse des prix à l'ère Ramesside, in: DHA 17, 1991, 13–31.   J. RE.

II. KLASSISCHE ANTIKE
A. ALLGEMEINES
B. QUELLEN UND METHODENPROBLEME
C. PREISE FÜR GRUNDNAHRUNGSMITTEL IN ATHEN (5./4. JH. V. CHR.)
D. PREISE FÜR GRUNDNAHRUNGSMITTEL IN DER RÖMISCHEN REPUBLIK UND IM PRINZIPAT
E. PREISBILDUNG   F. KRISEN UND PREISSTEIGERUNG

A. ALLGEMEINES

Der P. (τιμή/timḗ; lat. pretium) drückt einen quantitativen Gegenwert für Waren und Leistungen aus und setzt Geld in seiner Funktion als Wertmesser voraus. In weniger monetarisierten Gebieten wurde der P. einer Ware zwar in Geldeinheiten ausgedrückt, aber häufig nicht mit Geld vergütet. Wichtig für die Analyse der griech. und röm. Wirtschaft ist die Frage der P.-Bildung, die einerseits durch den Ausgleich von Angebot und Nachfrage, andererseits durch öffentliche Kontrolle oder gesellschaftliche Normsetzung (Normal-P.; gerechter P.) stattfinden konnte. Ferner kann das Verhältnis von Löhnen (→ Lohn) und P. Einblicke in den Lebensstandard von Individuen und die Stabilität einer Wirtschaft geben.

B. QUELLEN UND METHODENPROBLEME
Informationen über P. in der Ant. sind v. a. inschr. und papyrologisch überl., wobei die griech. Papyri aus dem ptolem. und röm. Äg. die detailliertesten Informationen bieten, die allerdings nicht unbedingt zu verallgemeinern sind. Die Papyri geben nur über einige Teile des ländlichen Trockengebietes (χώρα/chṓra) Auskunft, während Alexandreia [1] in diesem Material nur indirekt dokumentiert ist. Eine wichtige Quelle für die Erfassung griech. P. im 5. Jh. v. Chr. sind die sog. Attischen Stelen (415/414 v. Chr.; IG I³ 421), welche die Verkaufserlöse der Gegenstände, die nach dem → Hermokopidenfrevel in Athen konfisziert worden waren,

auflisten. Ferner sind die Konten der Priester des Apollon-Tempels in → Delos aus den J. 314–166 v. Chr. (IG XI 2,290–371; IDélos 372–509) heranzuziehen; wichtige Informationen bieten außerdem Bau- und Weihinschr. sowie Ehrendekrete aus Griechenland, Rom, It. und den röm. Prov. Afrikas zur Prinzipatszeit, für die Spätant. das Preisedikt des Diocletianus aus dem J. 301 n. Chr. Lit. Quellen können nur in Einzelfällen zuverlässige Aussagen liefern. Hinweise in Dichtung, Komödie und Roman gelten heute als wirtschaftshistor. nicht direkt verwendbar, während die Werke einiger röm. Historiker sowie die Texte von → Cicero und → Plinius [1] d. Ä. bes. für qualitative Einschätzungen des P.-Niveaus wertvoll sind.

Bei der Analyse von P.-Entwicklungen muß stets die sehr lückenhafte Überl. beachtet werden. So sind selbst für das röm. Äg. nicht mehr als 20 bis 50 P. pro Jh. für Grundnahrungsmittel wie Getreide und Wein bekannt; für andere Waren liegen noch weit weniger P.-Angaben vor. Darüber hinaus ist zu berücksichtigen, daß Getreide-P. saisonal und ertragsbedingt schwankten und ggf. Veränderungen von Angebot und Nachfrage ausgesetzt waren. P. von Wein, Tieren und Sklaven sind in der Regel nicht als allg. gültig zu betrachten, da sie entsprechend der Qualität stark variierten. Außerdem waren → Maße und → Gewichte nicht überregional standardisiert. Eine weitere Schwierigkeit liegt darin, daß ant. Quellen selten zw. »Großhandels«- und Wiederverkaufs-P. unterscheiden, obwohl in der Praxis ein deutlicher Unterschied bestand. P. für importierte Rohstoffe und eingeführtes Getreide beruhten häufig auf polit. Abmachungen und entsprachen nicht dem eigentlichen Marktwert. P.-Informationen sind in den meisten Fällen auf alphabetisierte Schichten und monetarisierte Gebiete bezogen und erlauben damit nur einen partiellen Einblick in das allg. P.-Gefüge im Mittelmeerraum.

C. Preise für Grundnahrungsmittel in Athen (5./4. Jh. v. Chr.)

In den attischen Stelen schwanken P. für 1 *phormós* (= 1 Medimnos = ca. 55 l; Lys. 22,5) Weizen zw. 6 und 6½ Drachmen (IG I³ 421,137–9); Anf. des 4. Jh. v. Chr. (IG II² 1356,17; 21) wird der P. von Weizen mit 6 Drachmen je Medimnos angegeben. Aus einem Dekret aus der 2. H. des 4. Jh. v. Chr. geht hervor, daß der normale Einfuhr-P. für Weizen zu dieser Zeit bei 4 Drachmen, 3 Obolen, für Gerste bei 2 Drachmen, 3 Obolen lag (IG II² 408,10–15). Von Demosthenes wird der staatlich festgelegte P. für importierten Weizen mit 5 Drachmen je Medimnos angegeben (Demosth. or. 34,39). Die Abrechnungen des Demeterheiligtums von Eleusis [1] aus dem J. 329/8 v. Chr. nennen als Verkaufs-P. für Weizen 5 oder 6 Drachmen je Medimnos (IG II² 1672,282–8). Der P. für Gerste liegt in diesen Inschr. bei 3 Drachmen bzw. 3 Drachmen, 5 Obolen je Medimnos. Ein Ehrendekret aus dem J. 324 v. Chr. zeigt, daß in diesem J. der P. für importiertes Getreide bei 5 Drachmen lag (IG II² 360). Der durchschnittliche P. von Getreide scheint in

Athen langfristig stabil gewesen zu sein und bei etwa 5 bis 6 Drachmen je Medimnos gelegen zu haben. Gerste kostete die Hälfte – ein Verhältnis, das bis in die röm. Zeit gültig war. Der tägliche Bedarf eines erwachsenen Mannes wird mit 1 Choinix (= ¹⁄₄₈ Medimnos) Weizen/Tag angenommen (Hdt. 7,187; Pol. 6,39,13); für den Kauf von 7 Medimnoi Weizen mußte ein athenischer Bürger also ca. 42 Drachmen im Jahr ausgeben.

Weniger Informationen liegen für die Grundnahrungsmittel → Wein, Olivenöl (→ Speiseöle) und Honig vor. In den attischen Stelen liegt der P. von ungemischtem attischen Wein bei 4 Drachmen je Metretes (39 l) und entspricht damit den Angaben bei Demosthenes (Demosth. or. 42,20; 42,37: 12 Drachmen als das Dreifache des normalen P.). Der P. für Olivenöl wird in IG II² 1356 (Anf. 4. Jh. v. Chr.) mit ½ Obole je Kotyle (0,3 l) und Honig mit 3 Obolen je Kotyle angegeben. Setzt man diese P. in Relation zu dem Tageslohn für gelernte und ungelernte Arbeiter (1 Drachme am Tag für gelernte Arbeit in IG I³ 475: 409 v. Chr., und 2 Drachmen pro Tag für ungelernte Arbeit in IG II² 1672: 329/8–327/6 v. Chr.), erscheinen P. für Grundnahrungsmittel in Athen niedrig. Doch muß in Betracht gezogen werden, daß in der Ant. nicht von einer ständigen Beschäftigung ausgegangen werden kann (→ Arbeitslosigkeit).

D. Preise für Grundnahrungsmittel in der römischen Republik und im Prinzipat

Allg. Einschätzungen über das P.-Niveau im röm. Herrschaftsgebiet sind wegen seiner geogr. und zeitlichen Ausdehnung kaum möglich. In der Prinzipatszeit waren in It. 4 HS (= 1 Denarius) je Modius (ca. 8,7 l) der kontrollierte P. für importiertes → Getreide zur Zeit einer Getreideknappheit (CIL XI 6117, Forum Sempronii; vgl. auch Cic. Verr. 2,3 zu demselben P. in Sizilien 63 v. Chr.) [11]. In der Stadt Rom war im 1. Jh. der Wiederverkaufs-P. deutlich höher (12 HS je Modius und mehr für gemahlenen Weizen: Plin. nat. 18,90; vgl. jedoch den kontrollierten P. für importierten Weizen von 3 HS je Modius nach dem Brand in Rom 64 n. Chr.: Tac. ann. 15,39). In einigen – bes. den getreideexportierenden – Prov. war der P. niedriger. P.-Informationen für Getreide im röm. Mittelägypten lassen eine differenzierte Analyse zu: P.-Schwankungen sind deutlich zu bemerken, erklären sich aber nicht allein saisonal oder knappheitsbedingt, sondern können auch auf nicht erfaßte Unterschiede von Großhandels- und Wiederverkaufs-P. sowie auf Sonderabmachungen und sonstige nicht marktbedingte P.-Entscheidungen zurückgeführt werden. Tatsächlich kündigten sich schlechte Ernten in Äg. frühzeitig durch einen zu niedrigen oder hohen Stand des Nilwassers an und konnten weitgehend durch private und staatliche Maßnahmen ausgeglichen werden. So schwankt der P., den derselbe Verkäufer pro Artabe Weizen (ca. 40 l) erzielte, kurzfristig zw. 4 und 8 Drachmen vor der zu erwartenden Mißernte im Sommer des folgenden Jahres (P. Mich. II. 127 i 8–17). Jenseits solcher kurzfristigen Schwankungen läßt sich ein relativ ausgeglichenes P.-Niveau für Getreide in den ersten beiden Jh. des röm. Äg. feststellen, das in privaten und öffentlichen Geschäften zw. 6 und 12 Drachmen je Artabe lag. Der festgelegte P. für Zwangsverkäufe an den Staat betrug in diesem Zeitraum 8 Drachmen je Artabe. In den folgenden 80 J. (bis ca. 265 n. Chr.) lag der Markt-P. für Getreide immer noch bei nicht mehr als 12–20 Drachmen je Artabe, bis er E. des 3. Jh. auf ein Vielfaches anstieg. Insgesamt geht man von einer schleichenden jährlichen Inflation im röm. Reich von nicht mehr als 1–2% bis zur Zeit des Septimius Severus aus, die sich mit einer ähnlichen Inflationsrate in den nachgewiesenen Soldzahlungen für röm. Legionäre im gleichen Zeitraum deckt.

E. PREISBILDUNG

Von Ausnahmen abgesehen (→ Preiskontrolle) bildeten sich P. im ant. Mittelmeerraum durch den Ausgleich von Angebot und Nachfrage. Allerdings sind die überl. P. nicht immer mit Markt-P. gleichzusetzen. Für Äg. belegte P. z. B. sind meist *farmgate*-P., d. h. P., die Gutsbesitzer für ihre Angestellten und Tagelöhner festsetzten. Diese werden sich zwar am Markt-P. orientiert haben, waren aber Schwankungen ausgesetzt und nicht im eigentlichen Sinne anonym gebildet. Ähnlich verhält es sich mit den P.-Reihen, die aus dem Apollon-Tempel in Delos erh. sind. Waren-P. wurden von den Priestern mit den Händlern individuell ausgehandelt, es besteht aber kein Grund zur Annahme, daß sie marktabweichend waren oder sogar festgelegt wurden. Errechnet man ferner die lokalen und temporären Abweichungen von einem überregionalen Mittelwert aller erh. P., ergibt sich eine Abweichungsquote im privaten Sektor von nicht mehr als 5% (Mittelägypten in den ersten zwei Jh. des Prinzipats). Dies läßt auf einen weitgehenden Zusammenhang zw. den lokalen Märkten schließen. Anhand des Materials aus dem hell. Delos wird jedoch deutlich, daß die P.-Bildung nicht auf der Existenz überregionaler Märkte beruhte. Die P.-Gesch. von Olivenöl zeigt, daß die Insel zunächst auf importiertes Öl (aus Athen, später aus Rhodos) angewiesen war, was zu hohen P. bis in das erste Viertel des 3. Jh. v. Chr. führte. Danach läßt sich ein auffälliger P.-Abfall sowie weitgehende P.-Stabilität feststellen, die sich auf einen Zeitraum bezieht, in dem Öl lokal produziert oder von nahegelegenen Märkten importiert wurde. Insgesamt wird gegenwärtig die These von einer integrierten P.-Bildung im Mittelmeerraum selbst während des Hell. oder im röm. Imperium verworfen. Vielmehr wird von einer Vielzahl lokaler Märkte ausgegangen, die nur unter bestimmten polit. Umständen vorübergehend miteinander in Verbindung traten.

F. KRISEN UND PREISSTEIGERUNG

Bis zur Mitte des 3. Jh. n. Chr. ist im gesamten griech.-röm. Mittelmeerraum eine bemerkenswerte Geldwert- und damit P.-Stabilität zu verzeichnen. Finanzkrisen, die sich auf Boden-P., Zinssätze und das allg. P.-Niveau niederschlugen, sind nur für den Ausbruch des Bürgerkriegs (49 v. Chr.; vgl. → Caesar D.)

und für das späte 3. und 4. Jh. n. Chr. nachgewiesen. Die sogen. Ptolem. Bronzegeld-Inflation des späten 3. und 2. Jh. v. Chr. war dagegen keine Inflation, sondern lediglich eine Neufestsetzung der Relation von Bronze- zu Silbergeld von ihrem urspr. Verhältnis von 1:1 zu 60:1, 120:1 und schließlich 240:1. Die Krise des J. 49 v. Chr. war vor allem eine »Kreditkrise«, die sich auf die Oberschichten der Stadt Rom bezog. Angesichts hoher Militärausgaben und allg. träger Geldzirkulation entstand eine Geldknappheit (*nummorum caritas*, Cic. Att. 9,9,4; vgl. Cass. Dio 41,37,2), die zu Wucherzinsen führte (→ Zins). Nach Tacitus soll es eine ähnliche Finanzkrise unter Tiberius (33 n. Chr.) gegeben haben (Tac. ann. 6,16–17; vgl. Suet. Tib. 48). Komplexer und histor. folgenreicher ist die Krise des ausgehenden 3. und 4. Jh., die ab 270 n. Chr. im Anstieg von Getreide-P. in Äg. um das fünffache, für Sklaven und Esel sogar um das acht- bzw. fünfzehnfache deutlich wird. Der extreme P.-Anstieg führte zu der Festsetzung von Höchstpreisen unter Diocletianus im J. 301 n. Chr. (→ *Edictum* [3] *Diocletiani*), die allerdings ohne langfristigen Erfolg waren. Im 4. Jh. verschärfte sich der P.-Anstieg noch erheblich, bes. in der Zeit nach 350 n. Chr., als P. sich zeitweise um das hundertfache erhöhten. Wesentliche Gründe für die mangelnde Kaufkraft der Silberwährung mögen entweder die schrittweise Herabsetzung ihres Feingehalts − von 75% vor Septimius Severus (193 n. Chr.) auf 1% zum Regierungsbeginn des Aurelianus (270 n. Chr.) − oder der Vertrauensverlust der Bevölkerung in die Währung nach ihrer Loslösung vom Goldstandard im J. 274 und ihre wiederholte Retarifierung zw. 274 und 301 n. Chr. gewesen sein. Erklärungsansätze, die von einem absoluten Anstieg des Geldvolumens und einer damit verbundenen Erhöhung der → Steuern, Löhne und P. ausgehen, sind von moderneren Inflationstheorien abgeleitet und für die Ant. nicht nachweisbar, da entscheidende Faktoren wie etwa das Geldvolumen und seine Zirkulationsgeschwindigkeiten nicht empirisch feststellbar sind.

→ Geld; Getreide; Lohn; Markt

1 J. ANDREAU et al. (Hrsg.), Économie antique: Prix et formation des prix (Entretiens d'archéologie et d'histoire 3), 1998 2 A. BURNETT, Coinage in the Roman World, 1987 3 H. J. DREXHAGE, P., Mieten/Pachten, Kosten und Löhne im Röm. Äg. bis zum Regierungsantritt des Diokletian, 1991 4 Ders., P. im röm. Britannien (1.–3. Jh.), in: K. RUFFING, B. TENGER (Hrsg.), Miscellanea oeconomica, FS H. Winkel, 1997, 13–25 5 R. DUNCAN-JONES, Money and Government in the Roman Empire, 1994 6 Ders., The Economy of the Roman Empire, ²1985 7 L. FOXHALL, H. A. FORBES, Sitometreia: The Role of Grain as a Staple Food in Classical Antiquity, in: Chiron 12, 1982, 41–90 10 T. FRANK, An Economic Survey of Ancient Rome, Bd. 2 und Bd. 5, Appendix, 1936, 1940 11 C. HOWGEGO, Ancient History from Coins, 1995, 125–140 12 K. MARESCH, Bronze und Silber. Papyrolog. Beitr. zur Gesch. der Währung im ptolem. und röm. Äg. bis zum 2. Jh. n. Chr., 1996 13 W. K. PRITCHETT, The Attic Stelai, Part II, in:

Hesperia 25, 1956, 178–321 **14** D. RATHBONE, Monetisation, not Price-Inflation in Third-Century AD Egypt?, in: C. E. KING, D. G. WIGG (Hrsg.), Coin Finds and Coin Use in the Roman World, 1996, 321–339.   S. v. R.

III. FRÜHES MITTELALTER

Was an schriftlichen Spuren zu Preisen zw. den Preisedikten der spätröm. Kaiser seit Diocletianus (301) und denen Karls d. Gr. (794, 806) verfügbar ist, läßt sich von der Forsch. weder statistisch bearbeiten und konjunkturell deuten noch als situationsgerechte Austauschpraxis beschreiben. Ein systematisches Denken über wirtschaftliche Phänomene ist in den Texten nicht faßbar. Einzelne Angaben der spätant. Rechts-Lit., der Stammesrechte, Urkunden, Formelbücher, Unterhaltungsmathematik, Hagiographie und Herrscheranordnungen (Kapitularien) geben jeweils nur ausschnittweise Auskunft zu den P., zur sozialen Bewertung der getauschten Güter, zum Prozeß der P.-Bildung und zu den Zahlungsweisen. Der Bezug von Prestige- und Luxusgütern (Pfeffer, Elfenbein, Seide) in Pfalzen, Bischofsresidenzen und Klöstern unterschied sich radikal von Grundstückstransfers unter Nachbarn und von Landschenkungen an Heilige, vom Salz- und Wachsverkauf gegen Sklaven unter Fernhändlern, vom Getreideverkauf von Grundherrn an Zwischenhändler, vom Brotkauf des Schusters im Laden, vom Viehverkauf des Bauern auf dem Marktplatz, vom Eierverkauf der Bäuerin am Kircheneingang oder von der Verköstigung und Beherbergung Reisender in Tavernen.

Geleitet von der Idee des festen, rechten P. und unter Anerkennung angemessenen Handelsgewinns (*lucrum*) nahm die Kontrolle durch lokale Gewohnheiten oder unparteiische *aestimatores*, *boni homines* oder *iudices* verschiedene Formen an. Es wurde auf unterschiedliche Weise ausgehandelt (gefeilscht) und bezahlt (mit Sachwerten, in Naturalwährungen, mit Mz., abgewogenem Edelmetall oder Kombinationen davon). Derlei Tauschhandlungen in so verschiedenen Foren und Formen waren nicht aufzeichnungswert und bleiben somit für die P.-Forsch. im Früh-MA weitgehend im dunkeln.

Dennoch zeichnen sich im Rahmen der allg. Wirtschafts- und Gesellschaftsentwicklung Tendenzen ab, die auch preisgesch. Bed. haben: Bis zum 7. Jh. schrumpften in den in der Völkerwanderungszeit entstandenen Reichen der marktvermittelte Austausch und die obrigkeitliche Kontrolle. Auf die Entwicklungen der folgenden Zeit – die Verlagerung des Fernhandels vom Mittelmeer zum fränkisch-angelsächsischen NW, die tiefgreifende landwirtschaftliche Erholung, die seigneuriale Akkumulation sowie die Ausbildung regionaler, standortbegünstigter Gewerbe – reagierten die Karolinger im Verbund mit dem Episkopat, den Reichsklöstern und Teilen des Adels mit einer Münzreform (Festlegung auf Silbergeld; Silberdenar von ca. 1,6 g), der Einrichtung von öffentlichen Märkten an Herrschaftszentren und auf dem flachen Land sowie schließlich mit Edikten über Mindest-P. für Getreide mit Gel-

tung für das ganze Reich. Derartige Maßnahmen stellen zwar Reaktionen auf aktuelle Notlagen dar (Hungersnöte 792/4, 804/6), zeugen aber ebenso von oikoethischen Prinzipien distributiver Gerechtigkeit der herrschenden Kreise.

→ Geld; Handel; Lohn

1 D. CLAUDE, Zu Fragen der merowingischen Geldgesch. in: Vierteljahrschrift für Sozial- und Wirtschaftsgesch. 48, 1961, 236–250 **2** R. DOEHAERD, Le haut moyen âge occidental, 1971 **3** B. EMMERICH, Geiz und Gerechtigkeit. Ökonomisches Denken im frühen MA, 2000 **4** S. ENGELER, Altnordische Geldwörter, 1991 **5** J. HERRMANN, Der »Gerechte P.«, 1982, 9–19 **6** H. SIEMS, Handel und Wucher im Spiegel frühma. Rechtsquellen, 1992 **7** R. SPRANDEL, s. v. P., LMA 7, 183–185 **8** M. WELTI, Der Gerechte P., in: ZRG Germanist. Abteilung 113, 1996, 424–433.   LU. KU.

Preisedikt, Diokletianisches s. Edictum [3] Diocletiani

Preiskontrolle. In der Ant. bildeten sich → Preise normalerweise durch den Ausgleich von Angebot und Nachfrage. Eine Ausnahme stellten Grundnahrungsmittel wie → Getreide, Öl (→ Speiseöle) und Fleisch (→ Fleischkonsum) dar. Aufgrund eines Gesetzes aus dem 4. Jh. v. Chr. hatten die Getreideaufseher (→ *sitophýlakes*) in Athen die Aufgabe, darauf zu achten, daß ungemahlenes Getreide ehrlich (*dikaíōs*) auf den Markt angeboten wurde, daß ferner die Müller das Mehl entsprechend dem Preis für Getreide verkauften, die Bäcker Brot entsprechend dem Preis, den sie für Weizen bezahlt hatten, verkauften und ihre Brote das vorgeschriebene Gewicht hatten (Aristot. Ath. pol. 51,3; vgl. SEG 26,72, Z. 18 ff.). Die Übertretung dieser Gesetze wurde mit der Todesstrafe geahndet. In Krisenzeiten wurde der Preis, den Kleinhändler für Getreide fordern konnten, im Verhältnis zum Großhandelspreis festgelegt. So war den Kleinhändlern 386 v. Chr. verboten, mehr als 50 Medimnoi pro Tag oder insgesamt aufzukaufen und mehr als 1 Obole je → Medimnos auf den Großhandelspreis aufzuschlagen (Lys. 22,6; 22,8). Sowohl athenische Bürger als auch Wohltäter (→ *euergétēs*) aus befreundeten Gebieten importierten in Krisenzeiten Getreide nach Athen und verkauften es dort zu einem kontrollierten oder von der Polis festgelegten Preis (Demosth. or. 34,39; IG II² 360,8–10; 28–30; 1672). Im ptolem. Äg. wurden die Preise für Öl per Dekret jährlich festgelegt (P Revenue Laws of Ptolemy Philadelphus, 55).

Die röm. Republik setzte in den getreideproduzierenden Prov. Preise für requiriertes Getreide fest, das entweder für den Export (*frumentum imperatum*) oder für den Gebrauch des Statthalters (*frumentum in cellam*) gedacht war (vgl. Cic. Verr. 2,3,163; 2,3,188; 2,3,214 f.; 2,3,217). In Rom war die Getreideversorgung seit den Gracchen (→ Sempronius) ein Politikum und wurde durch mehrere → Frumentargesetze geregelt. In der Prinzipatszeit unterstand die Getreideverteilung dem

Praefekten der → *cura annonae*; die Zahl der Empfänger wurde begrenzt und kostenloses Getreide, das als Steuer aus den Prov. – bes. aus Afrika und Äg. – kam, nur an eine privilegierte Personengruppe, die *plebs frumentaria*, verteilt. In akuten Notlagen intervenierten die Principes oder einzelne reiche Privatpersonen, indem sie für Getreideimporte und eine P. sorgten (51 n.Chr.: Tac. ann. 12,43; Suet. Claud. 18; 64 n.Chr.: Tac. ann. 15,39,2; vgl. außerdem CIL XIV 3608=ILS 986 zu Getreidelieferungen aus den Prov. am Schwarzen Meer). In Antiocheia/Pisidia verfügte der Provinzstatthalter L. Antistius [II 4] Rusticus 93 n.Chr. während einer Getreideknappheit durch ein Edikt den Verkauf von gelagertem Getreide bei einem festgesetzten Höchstpreis (4 HS pro → *Modius* [3]; AE 1925,126).

Angesichts stark steigender Preise sah das Preisedikt des Diocletianus (301 n.Chr.) Maximaltarife für eine umfassende Liste von Waren und Leistungen vor. Obgleich das Preisedikt laut Lactantius (mort. pers. 7,7) dazu führte, daß die Waren noch knapper wurden, und daher aufgehoben werden mußte, wurden in der Spätant. gerade für Getreide lokal Höchstpreise festgesetzt, so etwa 362 n.Chr. von Iulianus in Antiocheia (Iul. mis. 368–369; Lib. or. 1,126; Amm. 22,14,1). Während Ammianus die Festsetzung von Höchstpreisen ablehnte, weil sie seiner Meinung nach Mangel verursachen, kritisierte Libanios nach 387 n.Chr. die Freigabe der Preise in Antiocheia durch den Statthalter Eutropios (Lib. or. 4,35).

→ Edictum [3] Diocletiani; Frumentargesetze; Getreidehandel; Plebs; Preis

1 R. DUNCAN-JONES, The Prices of Wheat in Roman Egypt, in: Ders., Structure and Scale in the Roman Economy, 1990, 143–156 2 P. GARNSEY, Famine and Food Supply in the Graeco-Roman World, 1987 3 S. LAUFFER, Diokletians Preisedikt, 1971 4 L. MIGEOTTE, Le contrôle des prix dans les cités grecques, in: J. ANDREAU et al. (Hrsg.), Économie antique: Prix et formation des prix (Entretiens d'archéologie et d'histoire 3), 1998, 33–52. S.v.R.

Preiskos (Πρεῖσκος). Der PTurner 39 (PIenensis inv. 267) aus dem 3. Jh. n.Chr. (ein Bücherverzeichnis einer Privatbibliothek) führt bei Zeile 4 einen ›Komm. zu epischen Versen des P.‹ [2] auf, welcher als einer der zwei *Prisci* identifiziert wird, die in Ov. Pont. 4,16,10 erwähnt werden (*Priscus uter*); vielleicht ist er identisch mit → Clutorius Priscus, dem röm. Ritter und Dichter, der in Tac. ann. 3,49 und Cass. Dio 57,20,3–4 erwähnt wird.

1 SH 710 A 2 R. OTRANTO, Antiche liste di libri su papiro, 2000, 73–77 (mit Lit.). S.FO./Ü: TH.G.

Preistheorie. Da in der Ant. Warentausch nicht im Rahmen eines Marktprozesses, sondern als Serie individueller Tauschhandlungen gesehen wurde, sind ant. P. grundsätzlich nicht mit denen der neoklass. Wirtschaftstheorie vergleichbar. Im Mittelpunkt stand nicht die Frage, wie sich → Preise infolge verschiedener Interessen bilden und mittelfristig regulieren, sondern in welchem Verhältnis ein Preis zu dem Wert einer Ware steht und unter welchen Umständen eine Diskrepanz zw. ihnen entsteht.

Aristoteles traf die Unterscheidung zw. Gebrauchswert und Tauschwert (Aristot. pol. 1257a 6–13). Der Preis einer Ware ist für ihn zunächst nur der quantitative Wertmesser, mit dem der Austausch qualitativ unterschiedlicher Güter möglich ist (5 Minen = 1 Haus = 5 Betten = eine bestimmte Menge Getreide = eine bestimmte Menge von Paaren von Schuhen usw.; Aristot. eth. Nic. 1133b 25 f.). Es stellte sich jedoch die Frage, was → Geld mißt, wenn es qualitativ unterschiedliche Substanzen miteinander quantitativ vergleichbar macht. Die Antwort lag für Aristoteles im Bedürfnis (χρεία/ *chreía*), das nicht als kollektiver Bedarf einer Menge von Marktteilnehmern, sondern als objektiver Bedarf eines Individuums an Gütern, die es nicht selbst herstellt, verstanden wird. Dieses Bedürfnis wird durch gesellschaftliche Übereinkunft (νόμος/→ *nómos*) mit Geld (νόμισμα/*nómisma*) quantifiziert und bestimmt den Preis einer Ware (Aristot. eth. Nic. 1133a 30). In einer gerechten Tauschsituation, in der jeder bekommt, was ihm zusteht, sind daher Gebrauchs-, Tauschwert und Preis identisch. Menschen tauschen jedoch nicht nur innerhalb ihrer Gemeinschaft, sondern auch über deren Grenzen hinweg. Daher besteht für Händler der Wert einer Ware nicht in ihrem Gebrauchswert, sondern allein in ihrem Tauschwert. Die Trennung von Tauschwert und Gebrauchswert ist nach Aristoteles gegen die Natur und führt zu der ebenfalls unnatürlichen Situation, daß Geld als Gut an sich und nicht nur als Mittel zur Erlangung anderer Güter fungiert (Aristot. pol. 1257b 28–1258a,15). Aristoteles sah den Preis also nicht als Variable von Angebot und Nachfrage oder der zirkulierenden Geldmenge an, sondern als Ausdruck des Tauschwertes, der durch das natürliche Bedürfnis des Menschen nach Gebrauchsgütern bestimmt war, allerdings durch das unnatürliche Bedürfnis der Händler nach Geld verfälscht sein konnte.

In den Finanzkrisen der späten röm. Republik und frühen Prinzipatszeit scheint im Sinne der Quantitätstheorie BODINS (s. [3. 107]) durchaus ein Zusammenhang zw. Preisen und der zirkulierenden Geldmenge gesehen worden zu sein. Dies führte jedoch nicht zu der Formulierung einer allgemeinen P. So bemerkt Suetonius, daß in Rom nach der Einnahme Alexandreias [1] wegen des Zustroms großer Geldmengen die Bodenpreise anstiegen und die Zinsraten sanken (Suet. Aug. 41,1; vgl. Cass. Dio 51,21,5). Cicero beobachtete umgekehrt, daß Kredite und Geldzirkulation (*fides et ratio pecuniarum*) in Rom von der Geldverknappung betroffen waren, die durch den → Mithradatischen Krieg verursacht worden war (Cic. Manil. 19). Ähnlich führt er die steigenden Kreditzinsen, die Zahlungsunfähigkeit der Schuldner und die fallenden Bodenpreise 49 v.Chr. auf die allg. Münzknappheit (*caritas nummorum*) und nicht etwa auf den Wucher der Kreditgeber oder die

Unehrenhaftigkeit der Kreditnehmer zurück (Cic. Att. 9,9,4; 7,18,4). Caesar und Tiberius scheinen sich im Sinne der Quantitätstheorie richtig verhalten zu haben, wenn sie in Zeiten der Geldknappkeit die Thesaurierung von Münzen beschränkten (Cass. Dio. 41,38; vgl. Suet. Iul. 42,2) und die Gläubiger verpflichteten, zwei Drittel ihres Vermögens in Land anzulegen (Suet. Tib. 48,1; Tac. ann. 6,17,3). Damit stimulierten sie einerseits die Geldzirkulation, andererseits den Grundstücksmarkt. Dies kann allerdings kaum als Einsicht in die Quantitätstheorie gewertet werden, denn das Verhältnis zw. zirkulierender Geldmenge und Preisniveau wurde nur in Krisenzeiten beobachtet und nicht als allg. preistheoret. Zusammenhang gewertet.

Ansätze zu einer P. finden sich ferner in den Überlegungen zum Verhältnis des Geldwertes zum Wert von Edelmetallen. Es wurde bereits gesehen, daß der Preis von Gold, Silber und Bronze durch Über- oder Unterangebot steigen oder fallen konnte, während der Wert des Geldes auf Übereinkunft beruhte und zudem öffentlicher Kontrolle ausgesetzt war (Xen. vect. 4,6; Paulus Dig. 18,1,01; Gai. inst. 1,122).

Wieweit die Ant. von einer ökonomischen P. entfernt war, zeigt deutlich die *praefatio* des diocletianischen Preisedikts vom J. 301 n. Chr.; für die Preissteigerung wird die *avaritia* (»Geldgier«; → Edictum Diocletiani 6 ff.) verantwortlich gemacht; deswegen kann dort behauptet werden, daß der Preis für Nahrungsmittel nicht davon abhängig ist, ob die Ernten gut oder schlecht ausfallen. Immerhin wird angenommen, daß bei normalen Verhältnissen ein Warenüberfluß zu niedrigen Preisen führt (ebd. 16). Anlaß für das Eingreifen des Diocletianus war die Tatsache, daß gerade von den Soldaten überhöhte Preise für gelieferte Waren verlangt wurden.

→ Geld; Preis; Preiskontrolle; Zins

1 S. Meikle, Aristotle's Economic Thought, 1995
2 C. Nicolet, Prix, monnaies, échanges. Les variations des prix et la »theorie quantitative de la monnaie« à Rome de Cicéron à Pline l'Ancien, in: Annales 26, 1971, 1203–1227
3 F. Schinzinger, Ansätze ökonomischen Denkens von der Ant. bis zur Reformationszeit, 1977.   S. v. R.

Prepelaos (Πρεπέλαος). Feldherr im Dienst des → Kassandros. 315 v. Chr. brachte er Alexandros [8] auf dessen Seite. Mit Asandros [2] wurde er 303 nach Asien geschickt, wo → Polemaios eine Truppe von 8000 Mann aus ihrer Armee vernichtete. 311 wirkte er bei den Friedensverhandlungen mit (OGIS 5, Z. 10 und Z. 28). 303 verlor er Korinthos an → Demetrios [2]. 302 schickte ihn Kassandros zur Verstärkung von → Lysimachos [2] nach Asien, wo er schnell mehrere Städte eroberte (vgl. Syll.³ 353, Ephesos), aber die meisten ebenso schnell an Demetrios verlor. Vielleicht ist er der ca. 287 in Delphoi geehrte P. (Syll.³ 378/9; Diod. 19,64,3; 68,5–7; 20,102,1; 103,1–4; 107,2–5; 111,3).

K. Ziegler, s. v. P., RE 22, 1836–1838.   E. B.

Presbeia, Presbeis (πρεσβεία, πρέσβεις, »Gesandtschaft«, »Gesandte«). Als Begriffe sind *p.* und *présbeis* (= *pr.*) in diesem Sinne erst im 5. Jh. v. Chr. belegt, doch ist »diplomatischer Verkehr« in Hellas wesentlich früher nachweisbar, bei Homer in Form der Entsendung von »Boten« (Hom. Il. 4,384; 5,804; 10,286). Die Bezeichnung *pr.* ist damit zu erklären, daß urspr. zumeist »Ältere« (*présbys*: »alt«) als Gesandte geschickt wurden, was jedoch im 5. Jh. nicht mehr üblich war (Aristoph. Ach. 599 ff.). *Pr.* hatten für ihr Gemeinwesen zu agieren, z. B. günstige Vertragsklauseln auszuhandeln, Hilfe anzufordern (Thuk. 2,7; 3,86,3; Aischin. 3,132) Beschwerden vorzutragen (Demosth. or. 19,306), um Auslösung von Geiseln oder Gefangenen nachzusuchen (Aischin. 2,15 f.; Diod. 17,15) oder – in hell. und röm. Zeit – Herrschern oder röm. Magistraten Ehrungen zu übermitteln. Auch einzelne Gruppen innerhalb eines Gemeinwesens schickten gegebenenfalls *pr.* (Thuk. 8,49; 8,53 f.).

In Athen und anderen Poleis wurden *pr.* zumeist in der Volksversammlung bestellt (Xen. hell. 2,4,38; 3,2,23). Neben Bürgern wurden in Athen im 4. Jh. auch Nichtbürger als *pr.* benannt (Plut. Phokion 27,1–6). In Sparta übernahmen auch Könige oder mil. Funktionsträger Gesandtschaftsaufgaben (Xen. hell. 3,2,22; 6,5,4). Bei der Auswahl der *pr.* war deren → *proxenía*-Verhältnis zum Zielort wichtig, wo sie möglichst auch bei »Gastfreunden« (*próxenoi*) wohnten. Makedonenkönige und hell. Herrscher schickten in wichtigen Angelegenheiten oft Verwandte (Iust. 9,4,5; Plut. Dion 5,8).

Unverletzlichkeit besaßen griech. *pr.* im Unterschied zu *kérykes* (→ *kéryx* [2]) nicht (Thuk. 1,53; 2,67; 7,32). Sie mußten mit Überfällen rechnen (Pol. 21,26,7 ff.). In Athen wurden Gesandte von den → Prytanen empfangen. Sie hatten deren Anliegen auf die nächste Tagung des Rates (→ *bulé*) zu setzen, der einen Vorbeschluß (*probúleuma*) für die nächste Volksversammlung faßte (Thuk. 5,45; Aischin. 2,58; Demosth. or. 18,28). Prinzipiell ähnlich wurde in anderen Poleis verfahren. In Sparta allerdings führten die → *éphoroi* seit dem 5. Jh. v. Chr. auch ohne Einschaltung der Volksversammlung die Verhandlungen (Hdt. 9,7–11; Xen. hell. 2,2,13). Der Handlungsspielraum einer *p.* konnte eng begrenzt oder weit gefaßt sein (Thuk. 5,45; And. 3,33 f.; 3,41). Gegebenenfalls holte eine *p.* neue Instruktionen brieflich ein. Nach der Rückkehr hatte die *p.* in Athen vor Rat und Volksversammlung zu referieren (Demosth. or. 19,18; 31). Die *pr.* wurden nicht entlohnt, konnten aber Ehrungen erhalten. Bei Erfolglosigkeit mußten sie mit einer Anklage rechnen (→ *parapresbeías graphé*).

Da es in der Ant. keine institutionalisierten diplomatischen Vertretungen gab (→ Diplomatie), spielte die *p.* eine bed. Vermittlerrolle im zwischenstaatlichen Verkehr.

→ Diplomatie; Legatio; Legatus

F. Adcock, D. J. Mosley, Diplomacy in Ancient Greece, 1975 · F. Gschnitzer, s. v. Presbeia, RE Suppl. 13, 499–628 · D. J. Mosley, Envoys and Diplomacy in Ancient Greece, 1974.   K.-W. Wel.

Pressen I. VERWENDUNG II. KONSTRUKTION
III. WIRTSCHAFTLICHE BEDEUTUNG

I. VERWENDUNG

P. wurden in der Ant. v. a. bei der Öl- und Wein-
produktion sowie für die Verarbeitung von Papyrus-
blättern, Tuchen, Obst, Kräutern, Wurzeln und zur
Herstellung von Duftstoffen eingesetzt. Schon im AR in
Ägypten war das Zerstampfen von Weintrauben in Bottichen üblich; zur weiteren Verarbeitung der Maische
verwendete man dort Sack-P.: An beiden Enden eines
Sackes war ein Stock befestigt; wenn man diese Stöcke
gegeneinander verdrehte, wurde aus der Maische im
Sack weiterer Most herausgewrungen.

Im ant. Mittelmeerraum wurden Oliven zuerst zer-
treten oder mit Steinen in einem Mörser gequetscht,
aber noch nicht völlig ausgepreßt; später wurde zu diesem Zweck das *trapetum* (s. u. II.) oder die Ölmühle (*mola
olearia*) verwendet; das beim Quetschen aufgefangene
Öl galt als bes. hochwertig. Danach wurde das Frucht-
fleisch in Körben, Beuteln oder einer Holzkonstruktion
(Heron, Mēchaniká 3,16 f.) unter die P. gelegt. Nach
Varro umfaßte die Kelterung 120–160 *modii* Oliven
(ca. 930–1250 kg), die in mehreren Preßgängen ausgepreßt wurden, wobei die Qualität des gewonnenen
Öls immer mehr abnahm (Varro rust. 1,24,3; Colum.
12,52,11; vgl. Plin. nat. 15,5; 15,23). Weintrauben wurden zur Kelterung zunächst in Bottichen mit Abfluß
von Arbeitern mit den Füßen zerstampft; aus der übrig-
gebliebenen Maische erhielt man ähnlich wie bei der
Ölproduktion weitereren Most durch mechanische
Pressung (Varro rust. 1,54,2 f.; Plin. nat. 14,86; 18,317).

II. KONSTRUKTION

Ein *trapetum* bestand aus einer runden Steinwanne
(*mortarium*), in deren Mitte ein Sockel (*miliarium*) saß,
auf dem ein Balken parallel zum Boden drehbar gelagert
war. Am Balken waren zwei Läufersteine (*orbes*) so befestigt, daß deren untere Hälfte einen nur geringen Abstand zur Wannenwand hatte (vgl. Abb.). Durch die
Drehung des Balkens wurden die Läufersteine bewegt
und die Oliven zw. diesen und der Wannenwand zer-
rieben. Der Gebrauch des *trapetum* ist aufgrund arch.
Zeugnisse aus → Olynthos bereits für das 4. Jh. v. Chr.
anzunehmen. Cato gibt eine detaillierte Anleitung zum
Bau eines *trapetum*, das zu seiner Zeit (2. Jh. v. Chr.) in
Pompeii − abgesehen vom Transport − 384 Sesterzen
kostete; Columella allerdings bevorzugte Ölmühlen
(Cato agr. 20–22; Colum. 12,52,6).

Die Balken-(Hebel-)P. wurde im Ägäisraum und in
der Levante seit dem späten 2. Jt. v. Chr. verwendet, wie
arch. Funde nahelegen. Das Hebelgesetz wurde genutzt,
indem ein an einem Ende fest aufgehängter Preßbalken
(ὅρος/*óros*, ὅρον/*óron*; lat. *prelum*) an dem anderen Ende
mit Gewichten und Muskelkraft heruntergezogen wurde und so Druck auf das unter dem Balken liegende
Preßgut ausübte. Ein griech. Vasenbild aus dem 6. Jh.
v. Chr. zeigt eine derartige P. (Boston, MFA, [3.185]).
Die Weiterentwicklung der P. konzentrierte sich dann

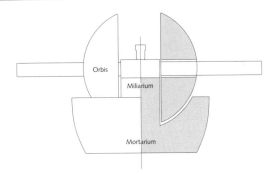

Das Trapetum nach Cato

v. a. auf die Vorrichtungen, mit deren Hilfe der Balken
heruntergezogen wurde. Cato agr. 18,2 empfiehlt den
Gebrauch einer Seilwinde (*sucula*; vgl. Abb. 1). Heron
beschreibt eine Balken-P., bei der ein Gewicht an einer
am Balken befestigten Rolle hing; mit einer Winde
konnte dieses Gewicht gehoben werden, so daß es den
Balken heruntzog (Heron, Mēchaniká 3,13–15).

Bei der wohl noch im 1. Jh. v. Chr. entwickelten
Balken-(Hebel-) und Schrauben-P. wurde eine große
Holzschraube (Spindel) in ein Gewinde am hinteren
Ende des Preßbalkens geschraubt. Sie war in den mei-
sten aus der Ant. bekannten Fällen fest mit einem Gewicht verbunden; wenn die Schraube angezogen wurde
und sich nach oben bewegte, hob das Gewicht vom
Boden ab und übte eine nach unten gerichtete Kraft auf
den Balken aus (Plin. nat. 18,317; vgl. auch Heron,
Mēchaniká 3,15; s. Abb. 2). P. wurden oft in einem
Gebäude installiert; Cato (agr. 18–22) gibt genaue Anweisungen für den Bau eines solchen *torcularium* mit vier
Balken-P. von je 7,5 m Länge und vier *trapeta*. Spätestens seit dem 1. Jh. n. Chr. verwendete man mit der
direkten Schrauben-P. einen neu konzipierten Typ, bei
dem ein oder zwei große Schrauben in einem Rahmen-
gestell verankert waren; drehte man diese Schrauben
nach unten, drückten sie direkt auf eine waagerechte
Platte, unter der das Preßgut lag (Heron, Mēchaniká
3,18–21, s. Abb. 3; vgl. Plin. nat. 18,317). Die direkte
Schrauben-P. beanspruchte weniger Material und Platz
für die Aufstellung (Vitr. 6,6,3) und ließ sich leicht
transportieren. Man verwendete die direkten Schrauben-P. auch als Tuch-P. in der → Textilherstellung.

Bei Keil-P., die v. a. aus der Duftölherstellung in
Pompeii bekannt sind, schlug man Keile zw. Bretter,
deren unterstes den Druck auf das Preßgut weitergab
(vgl. Heron, Mēchaniká 2,4).

Die zahlreichen arch. Funde und Darstellungen auf
Reliefs, Wandmalereien und Vasen dokumentieren erhebliche regionale Unterschiede bei der Konstruktion
von P. In Spanien kam es vermutlich erst seit dem 3. Jh.
n. Chr. zu einem vermehrten Gebrauch der Balken-P.
mit Schraube, während in Africa und Numidia die P.
ohne Schraube, die ständig verbessert wurden, noch im
spätant. Fundmaterial überwiegen. Die Verbreitung der
direkten Schrauben-P. ist schwer einzuschätzen, da sie

Römische Pressen

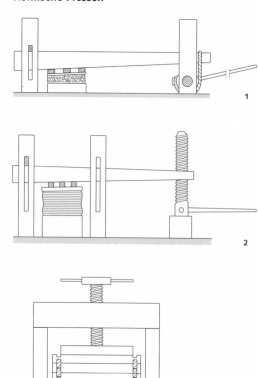

1   **1**

     2

     3

1   Die von Cato beschriebene Presse
     (Cato, agr. 18 f.)

2   Balken- / Hebel- und Schraubenpresse nach Plinius
     (Plin. nat. 18, 317)

3   Schraubenpresse nach Heron
     (Mēchaniká 3, 21)

oft ganz aus Holz gebaut wurden und daher arch. nur bedingt faßbar sind.

    III. Wirtschaftliche Bedeutung

Die für ant. Verhältnisse bemerkenswerten Fortschritte in der technischen Entwicklung der P. bis hin zu Typen, die erst im Zuge der der Industrialisierung ersetzt wurden, sind sicherlich auch eine Folge ihrer wirtschaftlichen Bed. → Thales von Milet soll im Winter zu günstigen Konditionen sämtliche Öl-P. in Milet und Chios gepachtet und aus der Weiterverpachtung der P. zur Erntezeit beträchtlichen finanziellen Gewinn gezogen haben (Aristot. pol. 1259a). Pachtverträge für P., Gebäude mit P. und Landgüter, zu deren Ausstattung im Vertrag ausdrücklich auch P. gezählt werden, sind aus dem griech.-röm. Ägypten überliefert (SB 12518; P. Aberd. 181; P. Giss. 95; vgl. P. Mich. 620; Dig. 19,2,19,2; Babylonischer Talmud, Baba Bathra 4,5).

→ Speiseöl; Wein, Weinbau

1 H. Altenmüller, s. v. P., LÄ 4, 1083 f. 2 M.-C. Amouretti, Le pain et l'huile dans la Grèce antique, 1986 3 Dies. und J. P. Brun (Hrsg.), La production du vin et de l'huile en Méditerranée, 1993 4 Blümner, Techn., Bd. 1, 332–356 5 J.-P. Brun, L'oléiculture antique en Provence, 1986, 68–132 6 A. G. Drachmann, Ancient Oil Mills and Presses, 1932 7 R. Frankel, Wine and Oil Production in Antiquity in Israel and other Mediterranean Countries, 1999 8 J. Hörle, s. v. Torcular, RE 6 A 2, 1727–1748 9 L. Klebs, Die Reliefs des Alten Reiches (AHAW 3), 1915, 57–59 10 D. J. Mattingly, Olive Presses in Roman Africa: Technical Evolution or Stagnation, in: M. Khanoussi (Hrsg.), L'Africa romana, Bd. 11, 1996, 577–595 11 H. Schneider, Einführung in die ant. Technikgesch., 1992, 63–66, 70 f. 12 White, Technology, 31 f., 67–72.

BJ. O.

Prexaspes (Πρηξάσπης).

[1] Vornehmer Perser, der (nach Hdt. 3,30; 65) im Auftrag des Königs → Kambyses [2] dessen Bruder Smerdis (→ Bardiya [1]) aus dem Weg räumte. Obgleich dem wahnsinnigen König treu, leugnete er nach dessen Tod den Smerdismord, offenbarte aber schließlich vor den versammelten Persern die Usurpation der Magier (→ Patizeithes), rief zu ihrem Sturz auf und beging Selbstmord (Hdt. 3,66 ff.; 74 ff.).

[2] Sohn des Aspathines, des »Bogenträgers« des → Dareios [1] I. (und möglicher Enkel von P. [1]), Flottenführer → Xerxes' I. 480 v. Chr. (Hdt. 7,97).

1 R. Bichler, Herodots Welt, 2000, bes. 269–281 2 Briant, Index s. v. P.   J. W.

Priamel. Der Begriff »das P.«, seit Lessing »die P.«, leitet sich vom lat. Adj. *praeambulus* (zuerst bei Mart. Cap.; ThLL s. v. *praeambulus*): »vorangehend« ab; er wurde in der mod. Lit.-Wiss. für beispielreihende kleine dt. Gedichte des 12. bis 16. Jh. verwendet [2; 7. 8–12]. In die Interpretation der griech. und röm. Lit. hat ihn F. Dornseiff [8. 2] eingeführt.

Die P. konnte wegen der Einfachheit ihres reihenden Aufbaus in vielen Lit. entstehen [8. 1]; in ant. Texten kommt sie schon bei → Homeros [1] vor (Hom. Il. 9,379–387 [9. 7–16]) und ist bis in die Spätant. [3] nachweisbar. P. erscheinen in Dichtung und Prosa; ihnen ist formal gemeinsam, daß von einer Reihe von Beispielen, die auch summarisch verkürzt sein kann, die abschließende Aussage (→ Gnome) sich als höchste, kontrastierende, oder auch als spezifizierende [6. 85; 8. 7–17] Steigerung abhebt. Bes. ausgeprägt ist die P. der Werte (z. B. Tyrtaios 9 West, Hor. carm. 1,1; Paulus, 1 Kor 13); in ihr wird gegen andere Werte ein Höchstwert abgesetzt, den der Autor als objektiv gegeben oder als subjektiv gewählt darstellt [9]. Die P. entzieht sich einer eindeutigen Einordnung in die ant. rhet. Theorie [4; 5; 8. 17–30].

1 F. Dornseiff, Pindars Stil, 1921 2 K. Euling, Das P. bis Hans Rosenplüt, 1905 3 G. Fatouros, Die P. als Exordium des ant. lit. Briefes, in: Symbolae Osloenses 74, 1999, 184–194 4 H. Hommel, s. v. P., LAW 2, 2429 5 J. T. Kirby, Toward a General Theory of the P., in: CJ 80, 1985, 142–144

6 T. KRISCHER, Die logischen Formen der P., in: Grazer Beiträge 2, 1974, 79–91 7 W. KRÖHLING, Die P. (Beispielreihung) als Stilmittel in der griech.-röm. Dichtung, 1935 8 W. H. RACE, The Classical P. from Homer to Boethius, 1982 9 U. SCHMID, Die P. der Werte im Griech. von Homer bis Paulus, 1964.   H. A. G.

Priamos (Πρίαμος, lat. *Priamus*). Letzter König von → Troia. Sohn des → Laomedon [1], nach seinem Ur-ahn Dardanos in der ›Ilias‹ häufig auch *Dardanídēs* (»Nachkomme des Dardanos«) genannt (Stammbaum: Hom. Il. 20,215 ff.; Apollod. 3,138 ff.; → Dardanidai). Ehemann der Phrygerin → Hekabe und zahlreicher Nebenfrauen, darunter → Kastianeira aus Thrakien (Hom. Il. 8,304 f.) und → Laothoe [3], Tochter des Leleger-Königs (ebd. 21,85 ff.; 22,48): Die Polygamie charakterisiert P. als orientalischen Herrscher, dessen Heiratspolitik der Förderung internationaler Beziehungen dient [3. 464]. Nach Hom. Il. 6,244 ff. und 24,495 ff. ist P. Vater von 50 Söhnen (19 von Hekabe), von denen die meisten noch zu seinen Lebzeiten im Kampf um Troia fallen, und 12 – nach Vergil (Aen. 2,501) 50 – Töchtern (Namenlisten bei Apollod. 3,151–153 und Hyg. fab. 90); die bekanntesten Kinder sind → Paris/Alexandros, → Hektor, → Deïphobos, → Helenos [1], → Kassandra, → Lykaon, → Polydoros [2], → Polyxene und → Troilos.

Der Name P. ist höchstwahrscheinlich vom luwischen PN-Kompositum *Priia-muua-* (»vorzüglichen Mut habend«) abgeleitet [3. 458]. Die jüngere Mythographie gibt ihm eine volksetym. Deutung: Nach der ersten Eroberung Troias durch → Herakles [1] (→ Laomedon [1]) kauft → Hesione [4] ihren jüngsten Bruder Podarkes mit ihrem golddurchwirkten Schleier frei, woraufhin er P. (von griech. *príasthai*, »kaufen«) genannt wird (Lykophr. 335 ff. mit Tzetz. zu 335 und 337; Apollod. 2,136 und 3,146; etwas anders Diod. 4,32,5 und 4,49,3–6). P. übernimmt die Herrschaft und baut Troia wieder auf (die älteren Brüder sind nach Apollod. 2,136 von Herakles getötet worden; bei Homer ist P. nach der Entführung des Laomedon-Sohnes → Tithonos durch Eos offenbar der reguläre Thronfolger, denn seine Brüder → Lampos [1], → Klytios [4] und Hiketaon sind z.Z. der ›Ilias‹-Handlung noch am Leben, Hom. Il. 3,147; 20,237 f.). Sein Reich wird von Lesbos, Phrygien und dem Hellespont begrenzt (ebd. 24,544 f.); nach späteren Homer-Interpreten unterstehen auch die Bundesgenossen der Troianer an der kleinasiatischen Küste bis zum → Hermos [2] seiner Oberherrschaft (Strab. 13, 1,7; vgl. Apollod. epit. 3,33).

Als junger Mann unterstützt P. die Phryger im Kampf gegen die Amazonen (Hom. Il. 3,184 ff.); Vergil erwähnt eine Reise nach Salamis und Arkadien (Verg. Aen. 8,157 ff.). Das Hauptinteresse der lit. und bildlichen Überl. gilt aber dem greisen P. und seiner Rolle im Troianischen Krieg: P. wird zum Paradigma des vom Schicksal geschlagenen Menschen (Hom. Il. 24,518 ff.; Aristot. eth. Nic. 1,10,1101a; Iuv. 10,258 ff.; zur P.-Ikonographie [1; 2; 4. 926–935]).

In der ›Ilias‹ erscheint P. als kluger und auf Ausgleich bedachter Herrscher, der auch von den Gegnern geachtet wird (Hom. Il. 3,105 ff.); seine oft als Zeichen der Schwäche interpretierte Nachgiebigkeit gegenüber Paris, der in der Troianerversammlung Hom. Il. 7,345 ff. die Herausgabe der → Helene [1] verweigert, beruht wohl eher auf der Einsicht, daß die Eigendynamik des Krieges durch Verhandlungen nicht mehr zu durchbrechen ist (vgl. ebd. 7,365–367 und 400–404). Daß er es bisweilen an Initiative fehlen läßt, ist freilich in Hom. Il. 2,796 f. angedeutet; den Oberbefehl über das Heer überläßt er seinem Sohn Hektor (während sich bei den Griechen der greise → Nestor [1] noch aktiv am Kampf beteiligt). Charakteristisch ist P.' Freundlichkeit gegenüber Helene, der er nicht die Schuld am Krieg geben will (ebd. 3,164 f.; vgl. ebd. 24,770). In Hom. Il. 22,37 ff. sucht er Hektor vergeblich vom Zweikampf mit → Achilleus [1] abzuhalten und muß mitansehen, wie dieser ihm den Sohn tötet und den Leichnam mißhandelt (ebd. 22,408 ff.). Heroischen Mut beweist er mit seinem nächtlichen Gang zu Achilleus, von dem er die Herausgabe des Leichnams erwirkt (ebd. 24,160–691; die Episode war auch Thema der verlorenen Aischylos-Tragödie ›Phryges‹, TrGF 3, fr. 263–272). Spätere Mythographen weisen P. andere Rollen zu: Bei Diktys (bes. 1,8; 2,20) läßt er sich vollkommen von seinen Söhnen tyrannisieren, während er bei Dares eine aktive Kriegspolitik betreibt. Über das Ende des P. (Hom. Il. 22,66 ff. von ihm selbst antizipiert) wurde im → Epischen Zyklus sowohl in der → ›Iliupersis‹ (wo Achilleus' Sohn → Neoptolemos [1] ihn auf dem Altar des Zeus Herkeios tötet: PEG I, 88; ebenso Pind. fr. 52f,113–115) als auch in der ›Kleinen Ilias‹ (→ *Iliás mikrá*) berichtet (wo Neoptolemos ihn zuvor vom Altar wegzerrt: PEG I, fr. 16). Bei Vergil ist die Szene drastisch ausgestaltet (Verg. Aen. 2,469–558); vgl. ferner Q. Smyrn. 13,220 ff. und Triphiodoros 634 ff.

→ Troia (Sagenkreis)

1 M. MILLER, Priam, King of Troy, in: J. B. CARTER, S. P. MORRIS (Hrsg.), The Ages of Homer, 1995, 449–465 2 J. NEILS, s. v. P., LIMC 7.1, 507–522 3 F. STARKE, Troia im Kontext des histor.-polit. und sprachl. Umfeldes Kleinasiens im 2. Jt., in: Studia Troica 7, 1997, 447–487 4 P. WATHELET, Dictionnaire des Troyens de l'Iliade, 1988, Nr. 287.   MA. ST.

Priamos-Maler. Attischer spätsf. Vasenmaler, ca. 515–500 v. Chr., benannt nach einem Hydrienbild mit der Anschirrung von → Priamos' Gespann (Madrid, Mus. Arqueológico 10920). Dem P.-M. sind fast 60 große Gefäße zugewiesen, vorwiegend Hydrien und Bauchamphoren Typ A, die mit sorgfältig komponierten Szenen bemalt sind; er hat eine Vorliebe für Gespanne in unterschiedlichen Szenen sowie für Frauen im Brunnenhaus. Mit der gleichzeitigen → Leagros-Gruppe verbinden ihn Besonderheiten der Bildgestaltung, z. B. die nur halb sichtbaren Gespanne, die das Bildfeld als Ausschnitt aus einer größeren Szene erscheinen lassen, während er in seiner ruhigen, manchmal detailfreudigen Ausführung (z. T. mit Beischriften) eher dem → Psiax und dem → Rycroft-Maler nahesteht. Seine künstlerische Souveränität offenbart sich in einigen außergewöhnlichen Szenen wie den in einer Grotte badenden Frauen auf der Amphora »Lerici-Marescotti« (Rom, VG).

BEAZLEY, ABV, 330–335 · BEAZLEY, Paralipomena, 146–148 · BEAZLEY, Addenda², 89–91 · W. G. MOON, The Priam Painter, in: Ders. (Hrsg.), Ancient Greek Art and Iconography, 1983, 97–118 · Ders., Some New and Little-Known Vases by the Rycroft and Priam Painters, in: J. FREL (Hrsg.), Greek Vases in the J. Paul Getty Museum 2, 1985, 62–70. H.M.

Priapea. Slg. von lat. Gedichten, die dem ithyphallischen, segenspendenden, übelabwehrenden Fruchtbarkeitsgott → Priapos gewidmet sind. Überl. sind 80 Epigramme; einige Ausgaben enthalten 86, zwei davon werden Tibull zugeschrieben (82f.), drei (84–86) sind Teil der → Appendix Vergiliana. Ferner existieren P. z.B. von → Catullus, → Horatius [7] (sat. 1,8) und → Martialis [1]. Umstritten sind Autorschaft und Datier. der anon. überl. Slg. Die Forsch. tendiert von der Annahme mehrerer Autoren und einem zeitlichen Ansatz im 1. Jh. n. Chr. (in frühflavischer Zeit?) bis hin zur Annahme eines einzigen Verf. in der Zeit nach Martial [1]. Die Gedichte zeigen enge Verwandtschaft bes. zu Ovid und Martial – auch epigraphischer Ursprung einzelner P. wird angenommen –, so daß am ehesten an einen Dichter-Redaktor zu denken ist, der aus der Fülle vorhandener P. das vorliegende Corpus zusammengestellt hat [2. 28–34, 42]. Derb-erotisch im Inhalt, witzig-geistreich im Ton, sind die → Epigramme in Stil, Versbau und Komposition technisch brillant, elegant und raffiniert gestaltet.

Vorläufer der lat. Priap-Poesie sind seit frühhell. Zeit die griech. Priapeen u. a. des → Leonidas [3] von Tarent (→ Anthologie); der alexandrinische Dichter Euphronios soll bereits eine Slg. von P. angelegt haben. Anders als in der röm. Dichtung, die nur die sexuelle Seite des Gottes kennt, wird in der griech. Epigrammatik Priapos ernsthaft als Helfergott, bes. der Fischer und Seefahrer, angerufen [1. 55–62].

Der Stoff der 80 Epigramme ist begrenzt. Drei Grundmotive – das Symbol des Priapus, sein riesengroßer → Phallos; die Bestrafung der Diebe damit; die Opfer, die dem Gott dargebracht werden – werden kombiniert und variiert; dazu werden Motive aus anderer Dichtung übernommen, z.B. Göttervergleiche, Versrätsel, Spott auf körperliche Gebrechen, Verwünschungen, Spiel mit dem Mythos. Neben der kunstvollen Komposition jedes einzelnen Epigramms ist eine bewußte Anordnung in formal-metrischer wie in inhaltlicher Hinsicht im gesamten Gedichtbuch erkennbar [2. 37–40]. Wie bei Martial gibt es nur drei Versmaße, die einander planvoll ablösen: Distichen, Hendekasyllaben und Choliamben (→ Metrik). Mühelose

Sorgfalt und Eleganz im Versbau machen die metrische Kunst der P. aus. Sprache und Stil sind trotz stoffbedingter vulgärer Wendungen und umgangssprachlicher Elemente kultiviert und zeigen Nähe zur augusteischen Dichtersprache sowie zu Martial [1. 19–28; 2. 40f.].

Bes. seit der Renaissance (die älteste bekannte Hs.: Cod. Laur. 33,31, von BOCCACCIO selbst geschrieben) fanden die P. eifrige Leser, Kommentatoren und Nachahmer [2. 28–34, 43f.]. LESSING und GOETHE zollten durch Emendationen und Nachdichtungen den P. ihren Tribut [3. 176–191]
→ Epigramm; Pornographie; Priapos

1 V. BUCHHEIT, Stud. zum Corpus Priapeorum, 1962 2 C. GOLDBERG, Carmina P., 1992 (Übers., Komm.) 3 B. KYTZLER (ed.), Carmina P., 1978 (mit dt. Übers. und Anm.) 4 E. M. O'CONNOR, Symbolum Salacitatis, 1989 5 W. H. PARKER (ed.), P., 1988 (mit engl. Übers. und Komm.) 6 A. RICHLIN, The Garden of Priapus, 1983, ²1992. CH. G.

Priapos (Πρίαπος, ion. Πρίηπος, lat. *Priapus*). Ithyphallischer Gott der Fruchtbarkeit und Sexualität sowie allg. des Wohlstands und der Schadenabwehr. Urspr. stammt P. aus der am Hellespont gelegenen Region im NW Kleinasiens (als Ort wird meist → Lampsakos angegeben). Im griech. Kernland tritt er, ›Hesiod noch unbekannt‹ (Strab. 13,1,12), wie → Hermaphroditos (Diod. 4,6) allg. erst ab dem 4. Jh. v. Chr. in Erscheinung (vgl. Xenarchos' Komödie ›P.‹, PCG VII fr. 10). Seine Verbreitung wurde bes. durch Präexistenz ithyphallischer Gottheiten (→ Phallos), Alexanderzug und Mysterienkulte befördert, v. a. durch die → Mysterien des → Dionysos, mit dem P. eng verbunden war (Diod. 4,6,4). Über den Dionysoskult der → Ptolemaier fand P. auch in Alexandreia [1] und Äg. weite Verbreitung (unter Identifikation v. a. mit → Horus und → Min), über It., wo P. in → Mutunus Tutunus ebenfalls einen indigenen Vorgänger hatte, schließlich auch im übrigen Imperium.

Mythischer Überl. gilt P. meist als Sohn des Dionysos und der → Aphrodite (Diod. 4,6,1; Paus. 9,31,2) oder einer Nymphe (Strab. 13,1,12). An die Genealogie knüpft eine der wenigen mythischen Erzählungen an: Als Aphrodite kurz vor der Niederkunft steht, berührt Hera sie aus Eifersucht mit verzauberter Hand am Bauch, so daß das Kind ungestalt (*kakómorphon*) zur Welt kommt; aus Furcht vor Schande setzt die Göttin der Schönheit es in den Bergen aus, wo es von Hirten aufgezogen und wegen der Abnormität seines Geschlechtsteils (*páthos aidoíu*) als Fruchtbarkeitsbringer verehrt wird (Ps.-Nonn. in Greg. Naz., PG 36,1053).

Hauptfunktionen des P. sind Förderung vegetabiler und animalischer Fruchtbarkeit und, daraus abgeleitet, Bewahrung vor Schaden. In griech. Kontext ist P. daher auch Wohlstandsgarant und Beschützer von Fischern und Schiffern, wohl unter dem Einfluß des → Hermes auch von Wanderern. Allein in röm. Kontext, wo der sexuelle Aspekt stärker betont wird, ist P. auch als Grabwächter im Totenkult belegt. In späterer Zeit wird P.

zum Naturprinzip erhoben (z.B. CLE 1504 = CIL XIV 3565 *pater rerum*; CIL III 139 *Pantheus*) oder vom Gnostiker Iustinus [7] etwa mit dem Weltschöpfer identifiziert.

Charakteristisch ist die vornehmlich aus Feigenholz grob behauene Statuette mit meist rotem Phallos, v.a. in Äg. auch die Terrakottafigurine. Typische, rel. besetzte Körperhaltungen sind, vom »edlen P.« abgesehen (der Phallos zeichnet sich unter dem Gewand ab), die *lórdōsis* (zurückgebogener Oberkörper, vorgeschobenes Becken und von hinten in die Hüfte gestemmte Arme) und das *anásyrma* (bis über den Phallos hochgezogenes Gewand, dessen Bausch oft mit Früchten gefüllt ist).

Verehrt wurde P. ›nicht nur in der Stadt, sondern auch auf dem Land‹ (Diod. 4,6,4), v.a. in Gärten und Weinbergen, an Weiden und Hainen, wo die Holzstatuetten, meist am Rand der Parzelle, einfach in die Erde gesteckt wurden (die Parallele der »phallischen Demonstration« zur Revierabgrenzung bei Primaten ist verblüffend [1], wenn auch noch nicht befriedigend eingeordnet). Monumentalbauten sind, abgesehen vom Münzbild eines sechssäuligen Tempels [5. 1035 Nr. 91] (des lampsakenischen?), nicht erh., doch wurde P. auch in *naískoi* (*aediculae*) verehrt. Man opfert ihm meist kleine Gaben (Blumen, Früchte, Kuchen, Wein usw.), aber auch Fische und kleinere Tiere (Ferkel, Ziege usw.). Die schwach belegte Nachricht von ebenso exzentrischen wie kostspieligen Eselsopfer in Lampsakos (Ov. fast. 1,391 und 439f.; 6,345; mythische Aitiologien: die → Lotis-Erzählung, Ov. fast. 1,393–440; Hyg. astr. 2,23) sollte mit Vorsicht behandelt werden. Da P. gerade in der röm. → Priapea auch der Lächerlichkeit preisgegeben wird, mag sich der Eindruck nachlassender Verehrung ergeben, doch geht es diesen Gedichten aus lit. Kreisen weit mehr um Effekte als um die Religiosität meist (jedoch nicht ausschließlich) einfacherer Schichten. Die heftige Kritik von Kirchenvätern belegt jedenfalls Verehrung bis weit in die Spätant. hinein.

→ Phallos; Priapea

1 D. FEHLING, Phallische Demonstration, in: Ders., Ethologische Überlegungen auf dem Gebiet der Altertumskunde, 1974, 7–38; Ndr. in: A.K. SIEMS (Hrsg.), Sexualität und Erotik in der Ant., 1988, 282–323 (mit Nachträgen) 2 H. HERTER, s.v. P., RE 22, 1914–1942 3 Ders., De Priapo, 1932 4 Ders., De dis Atticis Priapi similibus, 1926 5 W.-R. MEGOW, s.v. P., LIMC 8.1, 1028–1044; 8.2, 680–694 6 M. OLENDER, Priape à tort et de travers, in: Nouvelle rev. de psychanalyse 43, 1991, 59–82 7 Ders., Priape le mal taillé, in: Le temps de la réflexion 7, 1986, 373–388 8 Ders., L'enfant Priape et son phallus, in: J. CAÏN et al. (Hrsg.), Souffrance, plaisir et pensée, 1983, 141–164 9 Ders., Éléments pour une analyse de Priape chez Justin le Gnostique, in: M.B. DE BOER, T.A. EDRIDGE (Hrsg.), Hommages à M.J. Vermaseren, 1978, Bd. 2, 874–897. T.H.

Prickings s. Linierung

Priene (Πριήνη).
I. HISTORISCHER ÜBERBLICK
II. STADTPLAN
III. BAUGESCHICHTE

I. HISTORISCHER ÜBERBLICK

Nach Paus. 7,2,10 urspr. Stadt der Kares am Milesisch-Latmischen Golf, die wohl vor dem 7. Jh. v.Chr. von Iones und Thebaioi übernommen wurde. Mitglied des Ion. Städtebundes, dessen älteres und jüngeres Bundesheiligtum (→ Panionion) ebenso auf dem Gebiet von P. lagen wie der Hafenort Naulochos. Im 6. Jh. v.Chr. war P. Heimat des Bias [2], eines der → Sieben Weisen. Zu dessen Lebzeiten geriet P. unter Oberhoheit der Lydoi, die 546 v.Chr. von den Persern abgelöst wurden. P. nahm am → Ionischen Aufstand (499/494 v.Chr.) teil und war im 5. Jh. zeitweise Mitglied des → Attisch-Delischen Seebundes. Die Lage der archa.-klass. Stadt ist unbekannt (evtl. beim h. Söke). Infolge fortschreitender Verlandung des Golfes durch den Maiandros [2] wurde P. Mitte des 4. Jh. westl. des h. Güllübahçe unterhalb der ca. 370 m hohen Teloneia am wasserreichen Südhang der → Mykale neu gegr. Seither umfaßte die *chóra* (»Territorium«) von P. den Ostteil der Mykale sowie die Ebenen südl. und nördl. des Gebirges. Lysimachos [2] schlichtete 283/2 den Streit mit Samos um Landbesitz (IPriene Nr. 37). Alexandros [4] d.Gr. billigte der demokratischen Polis, die später unter wechselnder Oberherrschaft hell. Königen stand, Autonomie zu. Die *chóra* von P., nicht jedoch P. selbst, wurde 277 v.Chr. von Kelten verwüstet. Um 155 bedrohten Ariarathes V. (→ Kappadokia) und Attalos [5] II. P., weil die Einwohner 400 Talente, die ihnen Orophernes [2] von Kappadokia anvertraut hatte, nicht herausgaben.

Seit 129 v.Chr. gehörte P., nominell frei, zur röm. Prov. Asia [2], hatte aber, anders als Miletos [2], in der mittleren Kaiserzeit am allg. Aufschwung nicht teil. Bischöfe von P. sind vom 5. Jh. n.Chr. bis 1270 nachgewiesen. Wenig später geriet der zuletzt Sampson genannte Ort unter die Kontrolle der Türken, die das ant. Stadtgebiet aufließen (IPriene p. V–XXI; [7. 1183–1189; 12. 1–15; 15. 12–25, 228f.]). Ausgrabungen erfolgten 1894–1899 durch TH. WIEGAND, H. SCHRADER und H. SCHLEIF.

II. STADTPLAN

Die Stadt des 4. Jh. v.Chr. mit steiler Hanglage hat einen rechtwinkligen (»hippodamischen«), nach den Haupthimmelsrichtungen orientierten Plan (→ Hippodamos aus Milet). Jede → Insula der Wohnviertel war urspr. wohl in acht längliche Grundstücke aufgeteilt für Hofhäuser mit für P. charakteristischer, nördl. Vierraumgruppe aus Prostas, Andron, Oikos und Oikos-Nebenraum (→ Haus II.B.). Im Zentrum blieben Plätze für die Agora (Plan Nr. 26) und die wichtigsten Heiligtümer ausgespart. Quellen nordöstl. oberhalb der Stadt versorgten P. über Tonrohrleitungen mit Wasser (Plan Nr. 2), Straßenkanäle entsorgten das Abwasser [2; 5. 188–225; 15. 26–35].

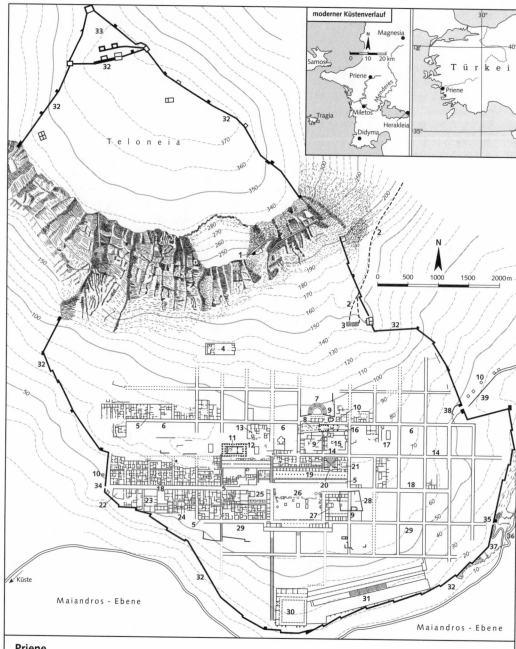

Priene

1. Heiligtum an der Felstreppe
2. Wasserleitung
3. Klärbassins
4. Heiligtum der Demeter und der Kore
5. Brunnen
6. »Theaterstraße«
7. Theater
8. Hauptkirche
9. Byzantinische Kapellen
10. Grabgewölbe
11. Tempel der Athena Polias
12. Altar der Athena Polias
13. Zeus-Heiligtum?

14. »Athenastraße«
15. Oberes Gymnasion
16. Römische Thermen
17. Heiligtum der Ägyptischen Götter
18. »Westtorstraße«
19. Heilige Halle
20. Buleuterion
21. Prytaneion
22. Heiligtum der Kybele
23. »Heiliges Haus«
24. Synagoge
25. Fisch- und Fleischmarkt
26. Agora

27. Asklepios-Heiligtum
28. Byzantinisches Kastell
29. »Quellentorstraße«
30. Unteres Gymnasion
31. Stadion
32. Stadtbefestigung
33. Byzantinische Verstärkung der Befestigung
34. Westtor
35. Quellentor
36. Quelle
37. Felsgräber
38. Osttor
39. Gepflasterte Rampe

III. BAUGESCHICHTE

(Zur Baugesch. allg. [13; 15]; vgl. Lageplan). Marmor war am Osthang der Teloneia verfügbar, sie selbst bildete den größten Steinbruch [15. 6 Abb. 5]. Am Anf. stand der Bau der Stadtmauer (Plan Nr. 32) mit sog. West-, Ost- und Quellentor (Nr. 34, 38, 35). Auch die Teloneia, die durch eine steile Felstreppe mit dem Siedlungsbereich verbunden ist, wurde befestigt. Noch im 4. Jh. legte man die Wohnviertel sowie die Terrassen des Athena-Polias- (Nr. 10) und des Demeter-Kore-Heiligtums an (Plan Nr. 4). Der berühmte, von → Pytheos in ion. Ordnung entworfene Athena-Tempel wurde begonnen [8] (Plan Nr. 11); Naos und Kultbild, eine Kopie der Athena Parthenos [1], waren noch vor 323 fertig (Weihinschr. Alexanders d.Gr.), während an der Ringhalle über Jh. weitergebaut wurde [14. 22–25].

Spätestens im 3. Jh. v. Chr. begann der Ausbau der Agora (Plan Nr. 26; vgl. auch den Lageplan bei → Agora) zunächst mit den Kammerreihen, auch denen der sog. Straßenhalle im Osten, dann mit den Säulenfassaden davor, die zumindest an der Westhalle vollendet wurden [6; 9]. Außerdem entstanden die Nordhalle des Asklepios-Heiligtums [17] (Nr. 27), die Steinfassung des an sich älteren Theaters [3] (Nr. 7), das Heiligtum der Äg. Götter (Nr. 17) und vielleicht das Obere Gymnasion (Nr. 15), ferner in den Jahrzehnten um 200 anstelle eines älteren Baues das Buleuterion (Nr. 20) und der Athena-Altar (Nr. 12). Im 2. Jh. folgten im Agora-Bereich das ältere Prytaneion (Nr. 21), vor ca. 130 v.Chr. die vom Sohn eines Kappadoker-Königs finanzierte »Hl. Halle« (Nr. 19) anstelle einer älteren Nordhalle, ebenfalls in der 2. H. des 2. Jh. die restlichen Säulenstellungen der Ost- und Straßenhalle sowie das Markttor [6]. Im selben Zeitraum wurden die Südhalle des Athena-Heiligtums samt der repräsentativen Terrassenmauer darunter, das Untere Gymnasion [10] (Nr. 30), die anschließende Stadionhalle (Nr. 31) und schließlich der Asklepios-Tempel (Nr. 27) errichtet. Ein Brand vernichtete um 140/130 v.Chr. die Westhälfte der Stadt, die nur zum Teil wiederaufgebaut wurde, so daß reiche Hausinventare u. a. mit Terrakotta-Figuren und Münzschätzen erh. blieben [11]. Wohl noch in hell. Zeit entstanden erste Peristylhäuser (→ Haus II.B.4.). Hell. ist auch der Antenbau im nordöstl. Annex des Athena-Heiligtums, der wahrscheinlich mit dem Zeus-Heiligtum zu identifizieren ist. Verm. noch im 1. Jh. v. Chr. baute man im Nordbereich des Oberen Gymnasion (Nr. 15) Thermen (Nr. 16), in augusteischer Zeit am Weg in die östl. Theaterparodos ein Monumentalgrab (Nr. 10).

In der frühen Kaiserzeit erhielt das Athena-Heiligtum ein monumentales Propylon, sein Tempel wurde vollendet und wie der Altar zusätzlich → Augustus geweiht. Später wurde das Prytaneion (Nr. 21) am alten Platz erneuert. Größere Bautätigkeit entfaltete sich erst wieder in der Spätant.: Eine Synagoge (Nr. 24), eine dreischiffige christl. Basilika [16] (Nr. 8), evtl. mit angeschlossenem Bischofspalast, mehrere Kapellen [4]

(Nr. 9), ein Kastell (Nr. 28) östl. der Agora sowie Reparaturen der Stadtmauer und Verstärkungen im Norden der Teloneia (Nr. 33), zuletzt noch im 13. Jh.
→ Agora (mit Lageplan); PRIENE

1 J. C. CARTER, The Sculpture of the Sanctuary of Athena Polias at P., 1993 2 D. P. CROUCH, P.'s Streets and Water Supply, in: BABesch Suppl. 4, 1996, 137–143 3 A. VON GERKAN, Das Theater von P., 1921 4 A. HENNEMEYER, Die Kapelle bei der Basilika von P., in: MDAI(Ist) 48, 1998, 341–348 5 W. HOEPFNER, E.-L. SCHWANDNER, Haus und Stadt im klass. Griechenland, ²1994 6 A. VON KIENLIN, Zur baulichen Entwicklung der Agora von P., in: Boreas 21/2, 1998/9, 241–259 7 G. KLEINER, s.v. P., RE Suppl. 9, 1181–1221 8 W. KOENIGS, Der Athena-Tempel von P., in: MDAI(Ist) 33, 1983, 134–176 9 Ders., Planung und Ausbau der Agora von P., in: MDAI(Ist) 43, 1993, 381–397 10 F. KRISCHEN, Das hell. Gymnasion von P., in: JDAI 38/9, 1923/4, 133–150 11 J. RAEDER, P. Funde aus einer griech. Stadt im Berliner Antikenmuseum, 1984 12 K. REGLING, Die Mz. von P., 1927 13 F. RUMSCHEID, Unt. zur kleinasiat. Bauornamentik des Hell., 1994, zu Kat.-Nr. 293–315 14 Ders., Vom Wachsen ant. Säulenwälder, in: JDAI 114, 1999, 19–63 15 Ders., P., 1999 (mit Lit.) 16 S. WESTPHALEN, Die Basilika von P., in: MDAI(Ist) 48, 1998, 279–340 17 A. VON KIENLIN, in: Ber. über die 40. Tagung für Ausgrabungswiss. und Bauforsch., Wien 1998 (Koldewey-Ges.), 2000, 79–85.

B. FEHR, Kosmos und Chreia. Der Sieg der reinen über die praktische Vernunft in der griech. Stadtarchitektur des 4. Jh., in: Hephaistos 2, 1980, 155–185 · M. SCHEDE, Die Ruinen von P., 1934; ²1964 · TH. WIEGAND, H. SCHRADER, P., 1904.   FR.RU.

Priester I. MESOPOTAMIEN II. ÄGYPTEN
III. SYRIEN/PALAESTINA UND ALTES TESTAMENT
IV. HETHITISCHER BEREICH
V. GRIECHISCH-RÖMISCH VI. CHRISTLICH

I. MESOPOTAMIEN

Das Personal mesopot. Tempel setzte sich seit dem 3. Jt. bis ans Ende der mesopot. Zivilisation aus dem Kultpersonal im engeren Sinn – d. h. den P. und P.innen, die den offiziellen Kult in den Tempeln besorgten, den Kultmusikanten und Sängern – sowie dem Dienstpersonal (Hofreinigern und Hofreinigerinnen, Köchen usw.) zusammen. Hinzu kam das hierarchisch gegliederte Verwaltungs- und Wirtschaftspersonal der Tempel-Haushalte, die in Babylonien große Wirtschaftseinheiten waren. Signifikante Unterschiede bestanden in Organisation und Zusammensetzung der Priesterschaft zw. Assyrien [7] und Babylonien [10], aber auch zw. dem nördl. und südl. Babylonien. Auch historisch gesehen gab es markante Entwicklungen. Von entscheidender Bed. für die Wahrnehmung rel. Praxis in Mesopotamien ist die Erkenntnis, daß die Experten für → Divination und Beschwörungen keine Kult-P. waren, sondern vielmehr als gelehrte Spezialisten zu betrachten sind [4; 8; 11].

Die strikte Trennung von → Tempel und → Palast, die etwa im 24. Jh. in Babylonien endgültig vollzogen war, führte dazu, daß an den einzelnen Tempeln Babyloniens ein höchster P. den Platz einnahm, den ursprünglich der → Herrscher als Stellvertreter des Stadtgottes auf Erden und höchster Repräsentant der Gemeinschaft im Kult gegenüber dem Stadtgott und den übrigen Göttern des (lokalen) → Pantheons innegehabt hatte. Auch weiterhin war die Interdependenz von Staat und Rel. in der Person und Funktion des Herrschers manifest. Während die Herrscher in Babylonien seit dem Beginn des 2. Jt. v. Chr. eher passiv am Kultgeschehen teilnahmen, war der assyrische Herrscher aktiver Kultoffiziant.

Innerhalb der Kultpriesterschaft läßt sich seit dem 24. Jh. in Südbabylonien eine funktional begründete dreistufige Hierarchie belegen, die in ihrer Grundstruktur bis ins 18. Jh. nachweisbar bleibt [2; 10]. Die höchsten P., oft Angehörige des Herrscherclans, wurden durch Opferschau bestimmt. Nur in der höchsten P.-Klasse gab es P.innen, wobei an den Tempeln der Stadtgottheiten der größten Städte Südbabyloniens (bis zum 18. Jh. v. Chr.) einem Gotte eine P.in (En-P.in) und einer Göttin ein P. (En-P.) zugeordnet waren. An den übrigen Tempeln Südbabyloniens stand eine P.in (nindingir, etwa »Herrin Gott[heit]«), in Nordbabylonien dagegen immer ein P. (sumerisch sanga, akkad. šangû) an der Spitze der P.schaft eines Tempels. Dieses Amt ging in zahlreichen Fällen vom Vater auf den Sohn über. Für die beiden niederen P.-Klassen läßt sich familiengebundene Sukzession im Amt sowohl für Nord- als auch für Südbabylonien feststellen [9; 14]. Die Voraussetzung für die Ausübung des P.-Amtes waren körperliche Fehlerlosigkeit und durch Ritualvollzug erworbene Reinheit [1] (→ Kathartik). In Nordbabylonien läßt sich das Bild der Priesterschaft weniger gut nachzeichnen. Im wesentlichen sind jedoch die für Nordbabylonien charakteristischen Strukturen auch im 1. Jt. für ganz Babylonien maßgebend gewesen [5].

Über die Tätigkeit der P. im Kult informieren zahlreiche Ritualtexte (z. B. → Neujahrsfest-Ritual; → Ritual), denen zufolge sie u. a. → Opfer durchführten und → Gebete sprachen (→ Kult; → Lied). – Die Versorgung der P. geschah durch Partizipation an den regelmäßigen (meist vom Herrscher bereitgestellten) Opfergaben und durch laufende Rationen aus der Tempelwirtschaft. Für zahlreiche priesterliche Ämter war diese Versorgung in Form von »Pfründeneinkommen« garantiert, das vererbt oder veräußert werden konnte [3; 6; 9. Bd. 59. 141 f., 165–167, 184 f., 194].
→ Gebet; Kult; Neujahrsfest; Opfer; Religion; Ritual; Tempel

1 R. BORGER, Die Weihe eines Enlil-P.s, in: Bibliotheca Orientalis 30, 1973, 163–176 2 D. CHARPIN, Le Clergé d'Ur au siècle d'Hammurabi, 1986 3 Chicago Assyrian Dictionary 7, s. v. isqu, 1960, 200 f. 4 S. M. MAUL, Zukunftsbewältigung, 1994 5 G. J. P. McEWAN, Priest and Temple in Hellenistic Babylonia, 1981 6 J. McGINNIS, Some Comments on the Ebabbara in the Neo-Babylonian Period, in: Journ. of the American Oriental Soc. 120, 2000, 63–67 7 B. MENZEL, Assyr. Tempel, 1981 8 A. L. OPPENHEIM, Ancient Mesopotamia, ²1977, 207–227 (zu barû etc.) 9 J. RENGER, Unt. zum P.tum in der altbabylon. Zeit, in: ZA 58, 1967, 110–188; 59, 1969, 104–230 10 Ders., Örtliche und zeitliche Differenzen in der Struktur der P.schaft babylon. Tempel, in: A. FINET (Hrsg.), Le temple et le culte (Compte Rendu de la XXᵐᵉ Rencontre Assyriologique Internationale), 1975, 108–115 11 F. ROCHBERG-HALTON, Empiricism in Babylonian Omen Texts and the Classification of Mesopotamian Divination as Science, in: Journ. of the American Oriental Soc. 119, 1999, 559–569 12 M. SIGRIST, Les satukku dans l'Ešumeša durant les périodes dyn. d'Isin et Larsa, 1984 13 P. STEINKELLER, On Rulers, Priests and Sacred Marriage: Tracing the Evolution of Early Sumerian Kingship, in: [14], 103–137 14 K. WATANABE (Hrsg.), Priests and Officials in the Ancient Near East, 1999 15 R. ZETTLER, The Genealogy of the House of Ur-me-me, in: AfO 31, 1984, 1–14.
J. RE.

II. ÄGYPTEN

In Äg. existierte eine reich entwickelte Hierarchie von P.-Ämtern. Ausführlichste Quelle sind die noch unveröffentlichten Dienstanweisungen innerhalb des ›Buches vom Tempel‹ [4]. P.-Stellungen waren lebenslang, Erbfolge vom Vater auf den Sohn die Regel. Für die meisten Ämter war eine Rotation in Form eines Systems von vier Phylen (äg. zȝ) üblich: Die jeweiligen Amtsinhaber gehörten zu einer bestimmten Phyle, die einen Monat im Tempel Dienst tat, anschließend gingen sie drei Monate lang anderen Betätigungen nach. Unter Ptolemaios III. wurde durch das Kanopos-Dekret (238 v. Chr.; → Kanobos) eine fünfte Phyle eingeführt. Durchgängiger Dienst ohne Rotation ist nur für wenige Spezialisten bezeugt.

An der Spitze eines lokalen Haupttheiligtums stand der Vorsteher der → »Propheten«, unter ihm agierten bis zu vier verschiedene weitere »Propheten«, deren Aufgabe das Vortragen der Rituale, manchmal auch das Opfern und nicht etwa das Verkünden der Zukunft war. Im Kult betonte der Offiziant den königlichen Auftrag. Für die höchsten P.-Ämter waren ortsspezifische Spezialtitel definiert, die normalerweise mit myth. Situationen der verehrten Gottheit zusammenhingen. Verschiedene Ritualspezialisten wie der Vorlese-P. waren bes. für die streng zugangsbeschränkten Kultgebräuche um den verstorbenen Gott → Osiris sowie für menschliche Bestattungsfeiern zuständig. Auch Männer mit magischer, medizinischer und tierärztlicher Spezialisierung waren fest im Tempel integriert (Skorpionbeschwörer, P. der Sachmet).

Neben den eigentlichen P. verrichteten auch handwerkliche Spezialisten und zahlreiche Hilfspersonen Dienst im Tempel. Bes. zu erwähnen sind die Türhüter, die in griech. Texten als → pastophóroi bezeichnet werden. Je nach Größe des Heiligtums konnten verschiedene Ämter in einer Person kumuliert werden, bis hin zum Extremfall, daß ein Mann gleichzeitig »Prophet«, gewöhnlicher P., pastophóros und Inhaber jeder Dienststellung im Tempel war. Für den Dienst im Tempel galten strenge → Reinheits-Vorschriften. Bei der P.-Weihe wurden Eide verlangt, bestimmte schwere Sünden nie begangen zu haben oder andere Verhaltensweisen in Zukunft zu unterlassen. Frauen wurden zum einen im Kult weiblicher Gottheiten, bes. der Hathor, als P.innen eingesetzt, daneben gab es standardmäßig ein »weibliches Amt« in einem größeren Tempel.

Die materielle Versorgung der P. erfolgte über festgesetzte Rationsanteile an den Opfergaben; nach dem Gnomon des → Idios Logos erhielt der Prophet ein Fünftel der Gesamtmenge, was auch den Angaben des demotischen PRylands IX entspricht [6. 447 und 490]. Auch hinterbliebene Ehefrauen und Kinder wurden durch Regelungen abgesichert. Chairemon [2] (bei Porph. de abstinentia 4,6–8) zeichnet ein Idealbild der asketisch lebenden, philos. interessierten äg. P. [1], das zumindest dem idealen Anspruch der äg. Priesterschaft entsprochen haben dürfte.

→ Kult; Ritual

1 P. van der Horst (ed.), Chairemon, ²1987 (mit engl. Übers. und Komm.) 2 H. Kees, Das Priestertum im äg. Staat, 1953–1958 3 W. Otto, P. und Tempel im hell. Äg., 1905–1908 4 J. F. Quack, Das Buch vom Tempel – Ein Vorbericht, in: Archiv für Religionsgesch. 2, 2000, 1–20 5 S. Sauneron, Les prêtres de l'égypte ancienne, 1988 6 G. Vittmann, Der demotische Pap. Rylands IX, 1998.

JO. QU.

III. Syrien/Palaestina und Altes Testament

In den Ritualen aus → Ugarit treten die P. (khnm) nicht auf, da hier der König dominiert (womit allerdings auch die in seinem Namen amtierenden P. gemeint sein können); direkte Erkenntnisse über die Rolle der P. im Kult von Ugarit liegen deshalb nicht vor. Deutlich ist aufgrund der Verwaltungsurkunden, daß die P. Bedienstete des Königs (bnš mlk) waren und für ihren Lebensunterhalt vom König durch Landzuweisungen, Naturalien und Silber unterstützt wurden [4. 433f.]. Wie die Prosopographie der Verwaltungsurkunden zeigt, war der P.-Beruf erblich. An der Spitze der P. stand ein Ober-P. (rb khnm) [4. 433]. P.innen sind für Ugarit nicht belegt.

Aus Emar ist ein neuntägiges Ritual für die Einsetzung der Hohenpriesterin (entu) des Wettergottes überliefert, welches auf einzigartige Weise Einblick in eine P.-Investitur der syrischen Spät-Brz. liefert [3].

Die P. an den phöniz. Tempeln führten ebenfalls den Titel khn. Sogar Könige trugen diesen Titel (KAI 13,1–2); auch die weibliche Form khnt (»Priesterin«) ist belegt (KAI 14,15). Aus griech. Inschr. des phöniz. Mutterlandes geht hervor, daß die P. in verschiedene Klassen aufgeteilt waren (z. B. sieben P.-Klassen in → Sidon). Eine über den eigentlichen Opfer-Kult hinausgehende Tätigkeit der P. läßt sich aufgrund der phöniz. Quellen nicht ausmachen [1].

In den aram. Inschr. begegnet als P.-Titel kmr (KAI 225,1–2; 226,1; 228 A 23; B 2; 239,3; 246,1 u.ö.). Wie schon im Falle der phöniz. P. läßt sich über die Tätigkeit der P. nichts aussagen. Abbildungen von P. liegen aus Nairab, Umm al-ʿAmad und → Palmyra vor [6].

Das AT läßt erkennen, daß am Ersten Jerusalemer Tempel (ca. 950 bis 586 v. Chr.) P. als königliche Beamte amtierten und ebenso P. an unterschiedlichen städtischen Heiligtümern fungierten. Eine Beschränkung des Kultes auf → Jerusalem wie zur Zeit des Zweiten Tempels (515 v. Chr. bis 70 n. Chr.) läßt sich für die Königszeit nicht nachweisen. Funktionen der P. bestanden im Altardienst, in der Lehre und in der Wahrnehmung richterlicher Aufgaben. Über Voraussetzungen und Pflichten von priesterlichem Dienst und Lebensführung informieren erst aus der Zeit des Zweiten Tempels Gesetze des Buches Lv, in denen z. T. älteres Material verarbeitet ist. Die Jerusalemer P., deren Amt erblich war, führten sich auf Ṣadōq, einen Ober-P. aus der Zeit Salomos (10. Jh. v. Chr.) zurück. Nach ihm ist auch die spätere P.-Klasse der → Sadduzäer benannt [2].

Mit dem Wegfall des judäischen Königtums im Exil bildete sich das Leitungsamt des Hohenpriesters am Zweiten Tempel in königsähnlicher Form heraus. So wurde der Hohepriester gesalbt (Ex 29,7; Lv 8,12), er trug offizielle Gewänder (Ex 28,1–43; 39,1–31) und eine Krone (Ex 28,36–38; 39,30f.; Sach 6,11), er saß auf einem Thron (Sach 6,13) und war der Mittler zw. Gott und Mensch (Lv 17). In der Hasmonäerzeit (143/2–37 v. Chr.) übernahmen die Hohenpriester auch wieder das Königsamt in Jerusalem.

1 M. G. Amadasi Guzzo, E. Lipiński, s. v. Clergé, DCPP, 114 2 J. Bergmann, H. Ringgren, W. Dommershausen, s. v. kohen, ThWAT 4, 62–79 3 D. E. Fleming, The Installation of Baal's High Priestess at Emar, 1992 4 M. Heltzer, The Economy of Ugarit, in: W. G. E. Watson, G. Wyatt (Hrsg.), Handbook of Ugaritic Stud., 1999, 423–454 5 R. Krumeich, Darstellungen syr. P. an den kaiserzeitlichen Tempeln von Niha und Chehim im Libanon, in: MDAI(Dam) 10, 1988, 171–200 6 E. Lipiński, The Socio-Economic Condition of the Clergy in the Kingdom of Ugarit, in: M. Heltzer, E. Lipiński (Hrsg.), Soc. and Economy in the Eastern Mediterranean, 1988, 125–150 7 A. Maes, Le costume phénicien des stèles d'Umm el-ʿAmed, in: E. Lipiński (Hrsg.), Phoenicia and the Bible, 1991, 209–230 8 H. Niehr, Religionen in Israels Umwelt, 1998, 49–51, 133–135, 165–166, 181–182, 189 9 R. Stucky, Prêtres syriens I, in: Syria 50, 1973, 163–180.

H. NI.

IV. Hethitischer Bereich

P. und P.innen waren im Dienst der Tempel hierarchisch organisierte ritualkundige Personen – andere waren nur lose mit den offiziellen Tempelkulten verbunden. Meist unterstanden die Tempel der Götter einem P. und die Tempel der Göttinnen einer P.in.

Das oberste P.-Paar im Reich → Ḫattusa bzw. der höchsten Staatsgottheiten – des → Wettergottes und der Sonnengöttin von Arinna (→ Sonnengottheiten) – waren der Großkönig und die Großkönigin mit den Sakraltiteln Tabarna und Tawananna.

Der P.-Klasse sankunni- (gebildet von sumerisch sanga, »P.«) oblag die Regie der großen Festrituale, die durch den König oder das Königspaar geleitet wurden; sie waren Ritualherr/-herrin. Die Ritual- und Opferhandlungen jedoch führte nicht der König, der nur für einzelne Ritualakte zuständig war, sondern statt seiner ein *sankunni*-P. aus. An den Festritualen war eine große Anzahl von P.-Klassen mit speziellen Aufgaben aktiv beteiligt. Die Beschwörungs-P. führten hauptsächlich kathartische Rituale aus (→ Kathartik). Das im Laufe der hethitischen Gesch. immer differenzierter gestaltete Ritualwesen – die »Verstaatlichung« und Normierung der Kulte des gesamten Landes und die wachsende Ritualisierung des Lebens des Königspaares – führte zur Herausbildung einer großen Anzahl ritualkundiger Spezialisten, die über eigene Rituale verfügten und die verschiedenen Ritualschulen oder -traditionen angehörten. Auch sonst lassen sich histor. bzw. regional bedingte Trad. hinsichtlich von P.-Bezeichnungen in der Textüberl. fassen.

P.-Ämter wurden gelegentlich auch von königlichen Prinzen ausgeübt. Da die Tempel der großen Götter über bedeutende Liegenschaften verfügten, waren solche P.-Ämter ein wichtiger Machtfaktor für das Königshaus. Daß bestimmte P.-Ämter erblich sein konnten, zeigt die Bestimmung Ḫattusilis II. (1265–1240 v. Chr.), wonach die P.-Würde der Ištar von Šamuḫa nur seiner Familie vorbehalten sein solle. Andererseits gibt es Anzeichen dafür, daß P.-Ämter auch zeitlich begrenzt sein konnten.

→ Kult; Ritual; Tempel

1 O. R. GURNEY, Some Aspects of Hittite Rel., 1977, 33–43 2 V. HAAS, Gesch. der hethit. Rel., 1994, 640–875 3 H. OTTEN, Puduḫepa. Eine hethit. Königin in ihren Textzeugnissen, 1975 4 F. PECCHIOLI-DADDI, Mestieri, Professioni e Dignità nell'Anatolia Ittita, 1982.   V.H.

V. GRIECHISCH-RÖMISCH
A. ALLGEMEINES B. GRIECHENLAND C. ROM

A. ALLGEMEINES

(ἱερεύς/*hiereús*, ἀρχιερεύς/*archiereús*, mit fem. ἱέρεια/ *hiéreia*; lat. *sacerdos* mask. und fem.). Die Eigenart der griech.-röm. Priesterschaften läßt sich in einer doppelten Kontrastierung fassen: (1) zw. den Priesterschaften der komplexen Staaten des ant. Nahen Ostens und denen der griech.-röm. Welt und (2) zw. griech. und röm. Vorstellungen. (1) Das Tempelpersonal in den Hochkulturen des Nahen Ostens gehörte einer zahlenmäßig starken und mannigfaltig gegliederten sozialen Schicht an, die sowohl polit. als auch wirtschaftliche Macht ausübte. In den griech. Poleis (→ Polis) wie auch in Rom war dagegen der Staat, nicht der Tempel, verantwortlich für die Beziehungen zw. Menschen und Göttern und deshalb ermächtigt, die Kompetenzen und Verpflichtungen der P., die als bedienstete Vermittler dieser Beziehungen galten, genau zu regulieren. (2) Während öffentliche P. in der griech. Welt individuell ernannt wurden, um dem Kult einer einzelnen Gottheit zu dienen, waren die P. der öffentlichen Rel. in Rom mit einigen wenigen Ausnahmen in Kollegien zusammengefaßt, die in erster Linie eine Ratgeberfunktion gegenüber dem Senat in rel. Belangen hatten.

B. GRIECHENLAND

Ob das spätere griech. Muster schon in myk. Zeit bestand, ist unbekannt, aber angesichts der sonstigen, auch kultischen, Parallelen zu den vorderasiatischen Hochkulturen eher unwahrscheinlich. In der Periode nach der Entrechtung der »Kleinfürsten« (→ *basileús* B.-C.) war die rel. Autorität jeder Polis in Händen der → *árchontes* [1] und des adligen Ältestenrats, wichtige P.-Ämter hatten ausschließlich die adligen Geschlechter (γένη/*génē*) inne. Homers Apollon-P. Chryses (vgl. → Chryseis) ist paradigmatisch für die Zuständigkeit für eine einzelne Gottheit und die enge Beziehung zw. P. und Gott (Hom. Il. 1,8–52; 2. H. 8. Jh. v. Chr.).

Mit der Etablierung von oligarchischen und demokratischen Staatsformen gegen Ende der archa. Periode öffneten sich die neueren Staatskulte [1] breiteren sozialen Gruppen, wenn auch die *génē* die Kontrolle über ihre gentilizischen P.-Ämter behielten. In Athen spiegeln sich ab ca. 450 v. Chr. am Zugang zu P.-Ämtern die Ansprüche der Demokratie; dieser wurde analog den Regeln für den Zutritt zu den Staatsämtern organisiert: jährliche Wahl durch Losentscheid (→ Los), gefolgt von einer finanziellen Prüfung nach dem Ende des Amtsjahres (→ *eúthynai*). Hier, wie auch in anderen demokratischen Staaten, waren die einzigen Qualifikationen physische Integrität (ὁλόκληρος/*holóklēros*) und beidseitige Abstammung von Bürgern der Polis, sowie gelegentlich (bei weiblichen Priesterämtern) Jungfräulichkeit (z. B. Paus. 2,33,2; 8,47,3). Die sozialen Voraussetzungen und finanziellen Bestimmungen in oligarchischen Staaten sind weitgehend unbekannt. P. wurde ein geringes Gehalt gezahlt, sie erhielten sowohl einen vorgeschriebenen Anteil des Opferfleisches (*hierṓsyna*, *gérē*, *theomória*) und der Opfergaben (*trapezṓmata*) als auch Ehrungen, wie einen bes. Sitzplatz im Theater (→ *prohedría*), eine (manchmal goldene) Krone und ein spezielles Gewand (→ Dienst- und Ehrentracht). Hauptaufgaben waren die Durchführung von Opfern (zu griech. *hiereús* vgl. *hiereúein*, »opfern, schlachten«), unter Einschluß von Gebeten (→ Opfer III. B.), und die Aufsicht über Tempelanlagen und -eigentümer (Plat. leg. 6,759a 1–760a 5). Meistens konnte ein P.-Amt gleichzeitig mit einem öffentlichen polit. Amt ausgeübt werden, vgl. z. B. → Kallias [4] (Plut. Aristeides 5, 321de).

Ab ca. 250 v. Chr. lassen sich viele P.-Ämter früherer Zeit nicht mehr nachweisen; der Verkauf des Amtes ersetzte die Losauswahl, oft wurde dem Käufer Befreiung von → Liturgie und Besteuerung versprochen (→ *atéleia*), lebenslängliche Amtsausübung ersetzte die jährliche. Ebenso wie die Demokratie im Hellenismus zur Formsache degenerierte, so tendierte öffentliche P.-Würde dazu, Symbol der sozial-polit. Macht der leitenden Familien zu werden. Im Spät-Hell. (3./2. Jh. v. Chr.) näherte sich das öffentliche Priestertum sowohl in Griechenland wie auch in den Nachfolgerstaaten des ehem. Alexanderreiches dem euergetischen Modell der Staatsämter an (→ Euergetismus; z. B. OGIS 533, Ankyra; [2. 107–113]).

Zu allen Zeiten, auch bes. in lit. Texten, konnte *hiereús/hiéreia* sowohl einfache Leute, meistens → *métoikoi* (ansässige Einwanderer) bezeichnen, die eine kultische bzw. sakrale Funktion außerhalb des Staatskults ausübten, als auch Sakralbeamte fremder (Hoch-)Kulturen (z. B. Hdt. 2,2,5; Plut. Is. 7,353d; Porph. de abstinentia 4,12,3; 17,1).

C. ROM

Die röm. P.-Kollegien (vgl. → *pontifices*, → *augures*, → *(quin)decemviri sacris faciundis*, → *fetiales*, → *septemviri epulonum*, → *Salii*, → *Arvales fratres*, *Vestales/*→ Vestalin), von denen viele der annalistischen Trad. zufolge in den ersten Jahren nach der Gründung Roms, hauptsächlich von König → Numa (Liv. 1,20; Dion. Hal. ant. 2,67–73), eingerichtet worden sein sollen, repräsentieren den sakralen Bereich gegenüber der Domäne der weltlichen Macht. Die Trennung der Bereiche ist ausgedrückt durch die Regel, daß der → *rex sacrorum* keine Staatsämter innehaben durfte, und durch die Tabus, die die Person des *flamen Dialis* umgaben [3]. Abgesehen von den → *flamines minores* waren diese Ämter zuerst alle ausschließlich den Patriziern (→ *patricii*) zugänglich, ein Monopol, das durch die *lex Ogulnia* gebrochen wurde (300 v. Chr.), die Plebejer zum Pontifikat und Augurat zuließ (Liv. 10,6,1–9,2). Kurz darauf wurde die Position des *pontifex maximus* durch eine eingeschränkte öffentliche Wahl vergeben. Die *lex Domitia* von 104 v. Chr. beendete das übliche Verfahren der Kooptation (→ *cooptatio*) durch die Ausdehnung derselben Wahlmethode auf die wichtigsten Kollegien (Suet. Nero 2,1). Im 1. Jh. v. Chr. wurde die jeweilige Anzahl von Cornelius [I 90] Sulla, Caesar und Augustus erhöht. Das hohe Ansehen der P.-Kollegien begründet sich durch die Bed., die die Pflichten zumindest der *pontifices*, *augures* und *X(V)viri sacris faciundis* im sozialen und polit. Leben Roms mit sich brachten.

Mit dem Beginn des Prinzipats wurde die aus der Zeit der Mittleren Republik stammende Regel gegen die Anhäufung von Priesterämtern zugunsten des Kaisers gebrochen, zunächst durch → Augustus und andere Mitglieder der Kaiserfamilie. Nach Augustus' Bestallung als *pontifex maximus* (R. gest. div. Aug. 5,20–6,6; 12 v. Chr.) gewann das Pontifikalcollegium an Bedeutung. Die Nominierung zu einem P.-Amt, deren Anzahl sich durch die Einführung der *flamines divorum* (P. der verstorbenen Kaiser; → Kaiserkult) stetig erhöhte, war ein wichtiger Aspekt der kaiserlichen Patronage. Im 4. Jh. n. Chr. spielten die P.-Kollegien eine bes. Rolle in der sog. »heidnischen Reaktion« des höchsten röm. Adels gegen Gratianus' und Theodosius' Maßnahmen zugunsten der Christianisierung des westl. Reiches [4] (→ Christentum D.). Zu weiteren Aspekten kultischer Funktionsträger in Rom s. → *sacerdos* und → *vates*.

Weil *coloniae* und *municipia* die Organisation der stadtröm. P.-Kollegien im Kleinen wiedergaben (vgl. → *lex Irnitana*), wurden sie zur Norm sowohl in den Städten des Latein sprechenden westl. Teils des Reiches als auch in den *coloniae* im Osten. Zudem spielte die röm. Konzeption und gesellschaftliche Funktion von P.-Ämtern, v. a. durch die Verbreitung des Kaiserkultes, einen wichtigen Part bei der Umwandlung indigener rel. Vorstellungen und Rollenmodelle. Dieser Wandel ist Teil eines generellen Prozesses der Umstrukturierung der Gesellschaften in den röm. Provinzen (→ Romanisierung).

→ Mantis; Prophet; Religion; Sacerdos; Vates

1 S. B. ALESHIRE, Towards a Definition of State-cult for Ancient Athens, in: R. HÄGG (Hrsg.), Ancient Greek Cult Practice, 1994, 9–16 2 S. MITCHELL, Anatolia, Bd. 1, 1993 3 J. SCHEID, Le prêtre et le magistrat, in: C. NICOLET (Hrsg.), Des ordres à Rome, 1984 4 H. BLOCH, The Pagan Revival in the West at the End of the Fourth Century, in: A. MOMIGLIANO (Hrsg.), Paganism and Christianity in the Fourth Century, 1963, 193–218.

C. SOURVINOU-INWOOD, Further Aspects of Polis Rel., in: R. BUXTON (Hrsg.), Oxford Readings in Greek Rel., 2000, 38–55 · R. PARKER, Athenian Rel., 1996 · M. BEARD, J. NORTH (Hrsg.), Pagan Priests, 1990 · T. DERKS, Gods, Temples and Ritual Practices, 1998 · D. LADAGE, Städtische P. und Kultämter im lat. Westen des Imperium Romanum zur Kaiserzeit, Diss. Köln 1971 · J. SCHEID, Les prêtres officiels sous les empereurs julio-claudiens, in: ANRW II 16.1, 1978, 610–654 · Ders., Romulus et ses frères, 1990 · Ders., Aspects religieux de la municipalisation, in: M. DONDIN-PAYRE (Hrsg.), Cités, municipes, colonies, 1999, 381–423. R. GOR.

VI. CHRISTLICH

Während Christus bereits im NT (Hebr 2,17; 3,1 u. a.) Hoherpriester genannt wird und mit 1 Petr 2,4–10; Apk 1,6; 5,10 die in der Ant. allerdings nicht sehr einflußreiche Vorstellung eines Priestertums aller Gläubigen aufkommt, fehlt bis ins späte 2. Jh. die Bezeichnung der christl. Amtsträger als P. (ἱερεύς/*hiereús*, lat. *sacerdos*), wohl um sie von dem als überholt angesehenen at.-jüd. Priestertum und den paganen Kult-P. abzusetzen. Mit dem zunehmenden Verständnis der Eucharistie als (unblutigem) Opfer konnten die Vorsteher der Eucharistiefeier, bes. der Bischof (→ *epískopos* [2]), seltener die Presbyter, seit dem 3. Jh. – häufig in Abgrenzung von den Laien – P. genannt werden. Je stärker die Liturgie in den Mittelpunkt des Amtsverständnisses trat, desto wichtiger wurde – meist in expliziter Wiederanknüpfung an das at. P.-Institut, teils auch unter Rekurs auf das Hohepriestertum Christi – das priesterliche Verständnis des Bischofs-, später auch des Presbyteramtes, ohne daß es die Amtstheologie durchgängig dominierte. Nur bei Ambrosius ist *sacerdos* die titulare Bezeichnung des Bischofs. Bis ins 6. Jh. meint *sacerdos* bzw. *hiereús* weit überwiegend den Bischof, danach vornehmlich den Presbyter, von dem der Bischof (manchmal auch Metropolit und Patriarch, außer in Africa) als Hoherpriester im Sinne hierarchischer Differenzierung abgegrenzt wird. Hintergrund war wohl die zunehmend eigenständige Leitung der Eucharistiefeier durch Presbyter, die in größeren Städten und auf dem Lande eigene Seelsorgebezirke erhielten.

Neben kirchlichen Amtsträgern konnte aber – seit → Eusebios [7] von Kaisareia belegt – auch der Kaiser als P. oder Hoherpriester akklamiert werden, ohne daß ihm damit eine konkrete Rangstufe in der kirchlichen Amtshierarchie zugewiesen wurde. Die Deutung ist umstritten und schwierig: Bei Eusebios kann es sich um das Verständnis des Kaisers als Abbild des himmlischen Hohenpriesters Christus handeln (Eus. de laudibus Constantini 2,5; 3,1). Möglich ist auch eine Anwendung der Melchisedek-Typologie (vgl. Ps 110,4; Hebr 5,6) auf den Kaiser. At. oder pagan inspirierte Vorstellungen vom P.-Königtum des Kaisers könnten zur Vorstellung geführt haben, der Kaiser sei als P. Hüter des Glaubens und habe die Befugnis, ins innerkirchliche Leben etwa durch Einberufung von Synoden einzugreifen. Dagegen gab es aber bes. im Westen (Gelasius I.) ausdrücklichen Widerstand.

P. F. Bradshaw, s. v. P./Priestertum III/1., TRE 27, 1997, 414–421 (Lit.) • K. M. Girardet, Das christl. Priestertum Konstantins d. Gr., in: Chiron 10, 1980, 569–572 • F.-L. Hossfeld, G. Schöllgen, s. v. Hoherpriester, RAC 16, 1994, 4–58 (Lit.) • B. Kötting, Die Aufnahme des Begriffs »Hiereus« in den christl. Sprachgebrauch, in: Ecclesia peregrinans 1, 1988, 356–364 • J. Waldram, Van presbyter tot p., in: W. Beuken (Hrsg.), Proef en toets, 1977, 144–165.

G.SCH.

Priesterkönig

s. Basileus; Ḫattusa (I. C.); Priester; Rex Sacrorum

Priesterschrift. Aufgrund von Wortwahl, Stil und Motivik konnte Julius Wellhausen (1844–1918) auf der Grundlage älterer Ergebnisse der Pentateuchkritik in der sog. »Neuesten Urkundenhypothese« (1876f.) eine von den anderen Überl.-Materialien zu unterscheidende eigene Schicht aus dem → Pentateuch im AT herauslösen. Charakteristisch hierfür sind neben bestimmten Begrifflichkeiten und Wendungen (z. B. *ʿēdā*, »Versammlung, Gemeinde«; *m^egūrīm*, »Fremdlingschaft«; *b^erīt ʿōlām*, »ewiger Bund«) Zahlen, Listen und Genealogien sowie – in inhaltlicher Hinsicht – eine Schwerpunktsetzung auf kultische Angelegenheiten (daher der Name »P.«). Aufgrund der Heterogenität des Materials differenziert man darüber hinaus zw. einer priesterlichen Grundschrift (P^g) und sekundären Zuwächsen (P^s).

Zu den wichtigsten Texten von P^g zählt man traditionell z. B. Schöpfungsgesch. (Gn 1,1–2,4a); Sintflut, Noahbund (Gn 6,9–9,17*); Abrahambund (Gn 17); Tod Saras und Erwerb der Höhle Machpela als Bestattungsort (Gn 23); Volkwerdung, Bedrückung in Ägypten und Klage (Ex 1,1–5; 1,7aαb; 1,13f; 2,23aβ–25); → Moses [1] Berufung und die Verheißung der Erlösung (Ex 6,2–12); Plagen, → Pesah, Auszug, Rettung (Ex 7–14*); Murren, Manna, → Šabbat (Ex 16*); Offenbarung am → Sinai (Ex 19,1 f.; 24,15b–18); Anordnungen über die Stiftshütte, deren Bau und Einwohnung Gottes (Ex 25–29*; 40*); erste Opferhandlungen (Lv 9); Einsetzung Josuas (Nm 27,12–23); Moses Tod (Dt 34,1aα; 34,7–9). Zu P^s gehören u. a. die detaillierten Anweisungen für die Stiftshütte, die Ausführungen zur Errichtung der Stiftshütte (Ex 35 ff.) oder verschiedene Opferanweisungen (Lv 1–7) (vgl. hierzu die ausführliche Zusammenstellung von P^g und P^s bei [1]).

In der neueren Forsch. werden diese Ausgrenzungen des Materials einer Überprüfung unterzogen, man fragt u. a. erneut nach dem Ende von P^g. Diskutiert wird auch, ob die P. urspr. eine eigene lit. Größe darstellte oder lediglich eine Redaktionsschicht bildet (zur Diskussion vgl. Lit. bei [2]).

Die P. ist in spätexilischer oder frühnachexilischer Zeit (2. H. 6./5. Jh. v. Chr.) entstanden und kann als Antwort auf die theologische Krise des jüd. Exils begriffen werden, der es um eine konstruktive Gegenwartsbewältigung ging. Kontrapräsentisch wird auf die gute Schöpfung Gottes verwiesen, die gleichzeitig Gottes universale Macht repräsentiert. Im Zentrum der Gesch. steht Israel (vgl. die Abfolge: Noahbund, Gn 9,1–17, für die gesamte Menschen- und Tierwelt und Abrahamsbund, Gn 17, für Abraham und seine Nachfahren) und seine Gemeinschaft mit Gott (vgl. die Einwohnung des *kābōd*, »Herrlichkeit«, in der Stiftshütte: Ex 40,34; vgl. auch die strukturelle Bezogenheit von Schöpfungswerk und der Errichtung der Stiftshütte). Šabbat (Ex 31,13) und Beschneidung (Gn 17) als Zeichen für die bes. Gottesbeziehung Israels fungieren in der → Diaspora zudem als unterscheidende Identitätsmerkmale, die einer Assimilation des Volkes entgegenwirken.

1 R. Smend, Die Entstehung des AT (Theologische Wiss. Bd. 1), ^{4}1989, 47–59 **2** E. Zenger, Die Bücher der Tora/des Pentateuch, in: E. Zenger u. a., Einl. in das AT, ^{3}1998, 66–124, 142–176 (alle mit weiterführender Lit.).

B. E.

Prifernius

[1] T. P. Paetus. *Cos. suff.* im J. 96 n. Chr. Seinen Namen tragen P. [3] und [4]. PIR^2 P 934.

[2] A. Pomponius Augurinus T. P. Paetus. Ritter, der als *tribunus militum legionis X Fretensis* diente, sodann als *praefectus cohortis I milliariae* und schließlich als *praefectus alae II Flaviae*; in dieser Eigenschaft Teilnahme am ersten Dakerkrieg, nach dem er von → Traianus ausgezeichnet wurde. Procurator der Prov. Achaia; Procurator des → Idios Logos in Äg. ca. 105/6 n. Chr. Der verwandtschaftliche Zusammenhang mit P. [1] ist unsicher. PIR^2 P 935.

[3] T. P. Paetus Memmius Apollinaris. Aus Reate stammend, Ritter; mit P. [1] verbunden, doch kann es sich kaum um eine volle Adoption handeln, da er nicht in den Senatorenstand übertrat. Nach den → *tres militiae*, während derer er von Traianus mit → *dona militaria* ausgezeichnet wurde, trat er in die procuratorische Laufbahn ein: *procurator provinciae Siciliae, procurator provinciae Lusitaniae, procurator vicesimae hereditatium* in Rom, *procurator provinciae Thraciae* (vor dem J. 110), *procurator provinciae Norici* (CIL IX 4753 = ILS 1350). PIR^2 P 936.

[4] T. P. Paetus Rosianus Geminus Laecan[ius Bassus?]. Senator, der vielleicht von P. [1] adoptiert wurde. *Decemvir stlitibus iudicandis, tribunus militum legionis I Minerviae* in Germania inferior vor dem J. 100 n. Chr., in dem er Quaestor des jüngeren Plinius [2] war (Plin. epist. 10,26). Er nahm verm. an den Dakerkriegen des → Traianus als Legionslegat teil. Für seine stadtröm. Ämter setzte sich Plinius bei Traianus ein. Seine Laufbahn muß sich wohl wegen Krankheit verzögert haben, denn erst ca. 122 wurde er Proconsul von Achaia, dann *cos. suff.* ca. 125. Im J. 129 ist er als consularer Legat von Cappadocia bezeugt (AE 1976, 675). Um 140/1 beschloß er seine Laufbahn als Proconsul von Africa. Sein Sohn ist P. [5]. PIR² P 938.

[5] T. P. Paetus Rosianus Nonius [Agric?]ola C. Labeo [T]et[tius ? Geminus?]. Sohn von P. [4]. Er stammt verm. aus Trebula Mutuesca, wo er zahlreiche munizipale Funktionen übernahm (AE 1972, 153). Die senatorische Laufbahn bis zur Praetur durchlief er noch unter Hadrianus; sodann Legionslegat, praetorischer Statthalter von Antoninus [1] Pius in Aquitanien, *cos. suff.* 146 n. Chr. *Curator alvei Tiberis* in Rom, vielleicht *praefectus alimentorum* in Italien, konsularer Legat von Dalmatien, konsularer Legat in Aquitania *ad census accipiendos*, schließlich Proconsul von Africa wohl 160/1. PIR² P 939.   W.E.

Prima Porta. Spätant. Bezeichnung einer Station – der ON steht auf einem Ziegelsteinbogen (wohl von einem Aquädukt, 4. Jh. n. Chr.) an der Via Flaminia, wo sich am 9. Meilenstein nördl. von Rom bei → Saxa Rubra an der Abzweigung der Via Tiberina und einer Straße nach → Veii von der Via Flaminia Reste eines *compitum* (→ *compitalia*) befinden. Dort stand in der Nähe des Lorbeerhains, in dem aus sakralen Gründen weiße Hühner gehalten wurden und aus dem man seit Augustus den Zweig für den Triumphator (→ Triumph) holte, die mit Mosaiken und Fresken geschmückte *villa ad Gallinas albas* der Livia [2] (Plin. nat. 15,136f.; Suet. Galba 1; Cass. Dio 48,52,3 f.) mit Gärten und Thermen. Aus dem Triclinium der Villa soll die berühmte Panzerstatue des → Augustus stammen (Rom, VM).

C. CALCI, G. MESSINEO, La villa di Livia a P. P., 1984 · G. MESSINEO, La torre di P. P., in: Archeologia Laziale 8, 1987, 130–134 · A. KLINNE, P. LILJENSTOLPE, Where to Put Augustus? A Note on the Placement of the P. P. Statue, in: AJPh 121, 2000, 121–128.   M. M. MO./Ü: H.D.

Primianus. Wurde 393 in Karthago als Nachfolger des → Parmenianus Primas der donatistischen (→ Donatus [1]) Kirche (Aug. contra epistulam Parmeniani 3,2,11); bald nach seiner Wahl von opponierenden Klerikern unter Führung von Maximianus abgesetzt (Maximianistisches Schisma), wurde er 394 jedoch auf dem Konzil von Bagai (h. Ksar Baghaï in Algerien) wieder in seinem Amt bestätigt. Geschwächt durch sein brutales Vorgehen gegen die Anhänger des Maximianus, vermochte er sich auf dem Unionskonzil von Karthago im

J. 411 kirchenpolit. gegenüber dem katholischen Primas Aurelius nicht durchzusetzen. Über sein weiteres Leben nach 411 ist nichts bekannt.

A. MANDOUZE, Prosopographie de l'Afrique chrétienne (303–533), 1982, s. v. P., 905–913 · G. FINAERT, A. C. DE VEER (ed.), Bibliothèque augustinienne, Bd. 31: Traités antidonatistes, 1968, 789–790 (lat. und frz.).   O. WER.

Primicerius. Wörtlich »der erste« (*primus*) auf der »Wachstafel« (*cera*), einer Stammrolle, bezeichnet *p.* den Vorsteher eines Büros (*officium*) oder einer Abteilung in mil. und zivilen röm. Dienststellen (→ Kanzlei). *Primicerii* gab es u. a. bei den *domestici et protectores* (→ *domesticus*), den *duces* (→ *dux*), in den *scholae* und *fabricae* des → *magister officiorum*, unter den Ämtern am → Hof (C.) und in der Zentralverwaltung sowie in der *schola notariorum*. Die Rangstufe des *p.* hing von seiner Tätigkeit ab. Sehr angesehen war der dem → *praepositus sacri cubiculi* unterstellte *p. sacri cubiculi*. *Primicerii* sind aber auch in den *officia* des → *praefectus praetorio* und des → *praefectus urbi* sowie bei den *collegia* bezeugt. Im Bereich der christl. Kirche sind *p.* (bes. *p. notariorum*) seit dem 6. Jh. n. Chr. bezeugt.

R. DELMAIRE, Les institutions du Bas-Empire romain de Constantin à Justinien, Bd. 1, 1995.   K. G.-A.

Primipilus. In republikanischer Zeit war der *centurio primi pili*, der später als *primipilus* oder *primus pilus* bezeichnet wurde, der ranghöchste → *centurio* in einer röm. Legion. Er befehligte den äußersten → *manipulus* der *triarii* oder *pilani* auf dem rechten Flügel. Er gehörte normalerweise zum *consilium* des Feldherrn und hatte wie die anderen *centuriones* mehrere Jahre als Soldat gedient. Da die Legionen urspr. Jahr für Jahr rekrutiert wurden, diente der *p.* nur für ein Jahr und war danach wieder einfacher *centurio*; allerdings konnte ein *p.* diese Position mehrmals bekleiden. So berichtet 171 v. Chr. Spurius Ligustinus, er sei während seiner mil. Karriere innerhalb weniger Jahre viermal *p.* gewesen (Liv. 42,34,11).

In der Armee der Prinzipatszeit blieb der *p.* der ranghöchste *centurio* einer Legion; er hatte den Befehl über die erste → *centuria* der fünf *centuriae* der ersten → *cohors*, deren *centuriones* die *primi ordines* waren. Der *p.* behielt diese Position wohl für ein Jahr und erreichte in der Regel unmittelbar darauf den Status eines *eques Romanus* (→ *equites Romani*), womit die Chance einer Beförderung zum *praefectus castrorum* oder zum → *tribunus* in den → *urbanae cohortes* verbunden war. C. Gavius [II 9] Silvanus etwa war der ranghöchste *centurio* der *legio VIII Augusta* und danach *tribunus* der → *vigiles*, der *urbanae cohortes* und der → Praetorianer (ILS 2701). Anschließend war eine Ernennung zum → *procurator* möglich (ILS 1339), manchmal auch nach einer zweiten Amtszeit als *p.* (*primipilus bis*: ILS 1326; 1356; 1385; *iterum*: ILS 1339; 1349). Ein *p.* konnte auch eine eigens für einen Spezialauftrag aufgestellte Einheit befehligen. So wurde

C. Velius Rufus in einer diplomatischen Mission ins Partherreich gesandt, als er verm. der ranghöchste *centurio* der *legio XII Fulminata* war; er wurde dann zum Praefekten ernannt und führte 83 im Germanenkrieg des Domitianus [1] Abteilungen, die aus neun Legionen abkommandiert waren (ILS 9200).

Die *primipili* waren vertrauenswürdige Männer mit einer guten Ausbildung und administrativen Fähigkeiten; sie hatten vor ihrer Beförderung in einer Legion oder, was wahrscheinlicher ist, in den *cohortes praetoriae* gedient; häufig erhielten sie mil. Auszeichnungen (ILS 1385; 2701). Aufgrund ihres hohen Soldes und ihrer guten Aufstiegsmöglichkeiten standen sie dem polit. System und dem → Princeps, von dessen Gunst ihre Beförderung abhing, loyal gegenüber.

→ Legio

1 B. DOBSON, Die Primipilares. Entwicklung und Bedeutung, Laufbahnen und Persönlichkeiten eines röm. Offiziersranges, 1978.   J. CA./Ü: B. O.

Primis (mod. *Qaṣr Ibrīm*; lat. *Primis*, *Prima*; griech. Πρῆμ(ν)ις/Πρίμις; koptisch/altnubisch Πριμ, meroitisch *Pedeme*), 235 km südl. von Aswān auf der linken Nilseite. Befestigte Siedlung (Militärgarnison) wohl seit dem NR, erst 1812 in den Mamlūkenkriegen zerstört und aufgegeben; bedeutendste meroit. Ansiedlung in Unternubien. 23 v. Chr. wurde P. von Petronius erobert (Strab. 17,53 f.; Plin. nat. 6,35), aus dieser Zeit stammt ein röm. Gebäude-Komplex. Zwei J. später wurde der Ort wieder meroit. P. war auch in christl. Zeit ein strategisch wichtiger Punkt und wurde erst 1172 von Šams ad-Daula erobert und islamisiert.

Hunderte von Texten in kopt., griech., lat., meroit., altnub. und arabischer Sprache wurden in P. gefunden, ebenso – aufgrund des Klimas hervorragend erh. – Textilien (Belege durchgehend von 250 v. Chr. bis 1812 n. Chr.) und Gegenstände aus organischem Material (Leder, Papier, Pergament, Papyrus, Holz, Bast), z. B. Schuhe, Sandalen und Korbwaren. Der Tempel für → Amun stammt aus der Zeit des Taharka (689–663 v. Chr.) und hatte evtl. einen Vorgängerbau: Blöcke aus der Zeit von Amenophis I. (1525–1504), Amenophis II. (1428–1402), Thutmosis I. (1504–1492), Thutmosis III. (1479–1458), Hatschepsut (1479–1425), Ramses III. (1183–1152); in christl. Zeit wurde er zu einer Kirche umgebaut. Ein Tempel aus spätmeroit. Zeit blieb unvollendet. In P. finden sich auch Felsgräber von Vizekönigen von Kusch, Thutmosis III., Amenophis II. und Ramses II. (1279–1213), ein meroitischer und ein sog. X-Gruppe-Friedhof (Gräberfeld aus dem 4./6. Jh. n. Chr.).

→ Nubien

K.-H. PRIESE, Orte des mittleren Niltals in der Überl. bis zum Ende des christl. MA, in: Meroitica 7, 1984, 484–497 · R. A. CAMINOS, s. v. Qaṣr Ibrim, LÄ 5, 1984, 43–45 · Laufende Publikationsreihe: Qaṣr Ibrim (Egypt Exploration Society – Excavation Memoirs, London, ab 1982).   A. LO.

Princeps (»der Erste«) bezeichnet im Lat. die von der (adligen) Ges. anerkannte soziale Vorrangstellung eines einzelnen. Allg. benennt *p.* im Sing. wie im Pl. (*principes*) die führenden Männer eines beliebigen – auch nichtröm. – Staates, die Angehörigen eines Standes oder andere Eliten.

I. RÖMISCHE REPUBLIK
II. INSTITUTION DES PRINZIPATS

I. RÖMISCHE REPUBLIK

In der röm. Republik bezeichnet *p.* (*civitatis*) im bes. die Zugehörigkeit zur Gruppe der einflußreichsten und vornehmsten Aristokraten in Rom (Varro bei Serv. Aen. 1,740; Cic. Sest. 97 f.). Durch eigene polit.-mil. Leistungen und die ihrer Familie (→ *gens*) im Dienste der → *res publica* verfügten *p.* im polit. und sozialen Bereich über größte Durchsetzungskraft (→ *auctoritas*) und höchstes Ansehen (*dignitas*) [1]. *P.* kann als Synonym für → *nobilis* stehen (Cic. leg. 3,32), aber auch *homines novi* wie M. Porcius → Cato [1], C. → Marius [I 1] oder M. Tullius → Cicero werden *p.* genannt. Als *principes viri* Genannten lassen sich trotz des adligen Gleichheitsgrundsatzes Rangabstufungen (*gradus dignitatis*) erkennen, die sich v. a. aus der unterschiedlichen Tätigkeit für den Staat ergaben.

Der adlige Verhaltenskodex ließ nur selten zu, daß sich einzelne aus dem Kreis der Ersten erhoben (zu → Pompeius [I 3] vgl. Cic. Manil. 41: *qui dignitate principibus excellit*; Cic. p. red. ad Quir. 16; Cic. p. red. in sen. 5). Symptomatisch für die Krise der röm. Republik ist das Streben mächtiger *p.* nach einer quasi-monarchischen Stellung im Staat, die wie die Alleinherrschaft → Caesars nicht als → Prinzipat zu bezeichnen ist (Cic. off. 1,26; Cic. fam. 6,6,5; vgl. Nep. Cato 2,2).

Wer in der Öffentlichkeit als *p.* gelten wollte (*iudicio hominum* bzw. *iudicio omnium*, Cic. fam. 4,8,2; Cic. dom. 66), mußte den gesellschaftlichen Idealvorstellungen entsprechen. Als Vorbild für die Allgemeinheit verfügte der für die *res publica* tätige *p.* über verschiedene Qualitäten und Eigenschaften: Tapferkeit (*virtus*), Weisheit (*sapientia*), Würde (*gravitas*), Anstand (*honestas*), Ruhmesstreben (*gloria*), Redegewandtheit (*eloquentia*), das Wissen um die Staatsordnung (*leges, instituta, iura, mores*, Cic. Pis. 30), um die sozialen Verpflichtungen gegenüber den → *clientes* (*fides*) und den rechten Lebensstil (*elegantia*) [2; 3]. Vermögen war Voraussetzung, nicht jedoch Teil des »Tugendkataloges«. Übermäßiger Bereicherung (*avaritia*) und Luxusstreben (*luxuria*) sollte sich der *p.* enthalten (vgl. aber den Senatsbeschluß von 161 v. Chr. gegen den Tafelluxus der *p. civitatis*, Gell. 2,24,2). Das Idealbild des *p.* in Ciceros Schrift *De re publica* ist republikanischer Trad. verpflichtet [4].

II. INSTITUTION DES PRINZIPATS

Nach seinem Sieg über M. Antonius [I 9] 31 v. Chr. suchte Octavianus (→ Augustus), ein *p. civitatis* (Nep. Att. 19,2), seine im Bürgerkrieg usurpierte Machtstellung zu legitimieren. Er benötigte hierzu in erster Linie die Anerkennung der polit. und sozial bedeutsamen Senatsaristokratie, auf deren Erfahrung er zur Verwaltung des großen Reiches angewiesen war [5; 6]. Die Einbindung des Machthabers in die öffentl. Rechtsordnung versprach wiederum der senatorischen Elite Sicherheit und Wahrung ihrer sozialen Stellung (*libertas*; → Freiheit). Es kam zu einem ›Kompromiß‹ zwischen Macht und Recht‹ [5. 62]. Der Senat (→ *senatus*) verlieh Octavianus/Augustus vom Jan. 27 v. Chr. an unterschiedliche Amtsgewalten, Privilegien und Teilrechte, wodurch seine unumschränkte Gewalt in Rechtsformen gekleidet wurde. Die rechtlichen Grundlagen seiner überragenden Machtstellung waren das → *imperium proconsulare* und die *tribunicia potestas* (→ *tribunus*) [5]. Die machtpolit. Verhältnisse, die Verfügungsgewalt eines einzelnen über ein riesiges Heer und sein hieraus resultierendes Übergewicht im Innern wurden so in das überkommene republikan. Recht integriert.

Die aus den unterschiedlichsten Kompetenzen zusammengesetzte Herrschergewalt verschmolz früh zu einer einheitlichen Rechtsgewalt, die *en bloc* den Nachfolgern vom Senat übertragen wurde (vgl. die *Lex de imperio Vespasiani*, CIL VI 930; [7]). Dieses Arrangement zwischen Gewaltherrscher und Senat war für mehr als zwei Jh. konstitutiv.

Unter Rückgriff auf die adligen Werte der republikan. Zeit nannte sich der Militärpotentat jetzt *p.* (R. Gest. div. Aug. 13; 30; 32), da er innerhalb der senatorischen Führungsschicht (→ *ordo senatorius*), der er sich zugehörig fühlte, die absolute Vorrangstellung (*principatus*; → Prinzipat) einnahm, die er nicht durch die faktischen Machtverhältnisse (Befehlshaber über das Heer) oder seine Rechtstitel (→ *potestas*), sondern durch seine → *auctoritas* (R. Gest. div. Aug. 34) offiziell begründet sah. Der Alleinherrscher war der *p.* schlechthin [8], allerdings wurden hochangesehene Männer weiterhin *p. civitatis* oder auch *p. viri* genannt. Der *p.* war kein → *magistratus*, er konnte jedoch Ämter bekleiden. *P.* wurde zwar titular gebraucht, fand aber nicht Eingang in die offizielle Titulatur [9; 10].

Seit → Tiberius findet sich *p.* in Verbindung mit ehrenden Prädikaten im Superlativ (z. B. *optimus, optimus maximusque, iustissimus, indulgentissimus, sacratissimus, providentissimus*; sehr selten *divinus* [9; 11; 12]). → Imperator und *p.* können synonym verwendet werden (Tac. hist. 1,1,4; 1,56,3; [8]), wie auch *p.* bis in das 8. Jh. in der allg. Bezeichnung von → »Kaiser« gebraucht wird [13]. *Femina p.* meint weibliche Angehörige des Kaiserhauses (Ov. Pont. 3,1,125; Tac. ann. 2,75,1; s. auch → Kaiserfrauen). Eine feste griech. Entsprechung für *p.* findet sich nicht, ἡγεμών (*hēgemón*) ist häufig (z. B. R. Gest. div. Aug. 13; 30; 32; vgl. aber im zweisprachigen Edikt des Sotidius für *principum maximus* das griech. *autokratórōn mégistos*: SEG 26, 1392; frühtiberisch).

Der *p.* verstand seine Machtstellung als *statio* (Augustus, epist. fr. 22 MALCOVATI; *SC de Pisone*: AE 1996, 885, Z. 130: *paternae stationis*; vgl. Vell. 2,124,2; Plin. paneg. 86,3 u. a.). Dieser aus dem mil. Bereich stam-

mende Begriff sollte auf die Selbstverpflichtung des Machthabers verweisen, in ständiger Wachsamkeit auf seinen ihm vom *consensus omnium* (Tac. hist. 1,49) zugewiesenen »Posten« für das Wohl aller zu sorgen (→ *pater patriae*). Er allein war Patron aller Bewohner des Reiches, v. a. galt seine Fürsorge »seinen« Soldaten (R. Gest. div. Aug. 26; 30: *exercitus meus, classis mea*), deren Gefolgschaft das Fundament seiner Macht darstellte, und der entpolitisierten → *plebs urbana* Roms, dem launischen Publikum für kaiserliche Selbstinszenierungen. Alle erwarteten von ihm die Sicherung ihrer sozialen Existenz (z. B. Sold, Getreide-, Geldspenden, Veteranenversorgung, → *pax*; [14; 15]). Um seine Herrschaft vor möglicher Konkurrenz und Opposition aus dem Kreis der Senatsaristokratie zu schützen, suchte der *p.* den adligen röm. Familien ihre ererbten Gefolgschaften zu entziehen und zugleich ihre Chancen zu mindern, neue soziale Beziehungen zu knüpfen [5; 19]. Treueeide wurden auf seine Person geleistet [16]. Die Fürsorgepolitik wurde finanziert durch das enorme Vermögen des *p.* (→ *patrimonium*, → *fiscus*). Seine Großzügigkeit (→ *liberalitas*) war denn auch eine der vielen Tugenden (*virtutes*; s. → Tugend), die der *p.* – gleich den republikanischen *p.* – aufweisen sollte, darüber hinaus v. a. aber jetzt noch herrscherliche Milde (→ *clementia*), pflichtgemäßes Verhalten (→ *pietas*) und Gerechtigkeit (*iustitia*). Einen festgelegten Kanon hat es aber nicht gegeben [17].

Der *p.* hatte als *primus inter pares* (»Erster unter Gleichen«) eine »bürgerliche Gesinnung« zu pflegen (*civilitas*), doch stand dem Wesen des Prinzipats als Rechtsordnung entgegen, daß er sich im Reich als Gott verehren ließ [18] (vgl. → Kaiserkult) und die dynastische Erbfolge durchzusetzen suchte. Da der *p.* aber seine ihm vom Senat verliehene Gewalt nicht vererben konnte, sollte dieser dem präsumptiven Nachfolger, entweder einem leiblichen oder adoptierten Sohn, zu Lebzeiten des Vaters das *imperium proconsulare* und die *tribunicia potestas* übertragen. Beim Herrscherwechsel hatte der neue *p.* dann durch scheinbare Verweigerung der Nachfolge (*recusatio imperii*) den Senat als Rechtsquelle anzuerkennen, der ihn daraufhin in seinem Kaisertum bestätigte.

Mit der allmählichen Entmachtung des Senats, der in der Reichsverwaltung entbehrlich wurde (→ *ordo equester*), löste sich der *p.* im 3. Jh. endgültig vom augusteischen Rechtsgedanken, der jedoch bis weit in die Spätant. lebendig blieb (Cod. Iust. 1,14,4; [5; 19]).
→ Adel; Augustus; Nobiles; Optimates; Patricii; Prinzipat; Senatus

1 J. BLEICKEN, Die Verfassung der röm. Republik, ⁷1995 2 Ders., Die Nobilität in der röm. Republik, in: Gymnasium 88, 1981, 236–253 3 G. THOME, Zentrale Wertvorstellungen der Römer, 2000 4 P. MARTIN, L'idée de royauté à Rome, Bd. 2, 1994 5 J. BLEICKEN, Verfassungs- und Sozialgesch. des röm. Kaiserreichs, Bd. 1, ³1989 6 R. TALBERT, The Senate of Imperial Rome, 1984 7 P. A. BRUNT, Lex de imperio Vespasiani, in: JRS 67, 1977,

95–116 **8** L. WICKERT, Neue Forsch. zum röm. Principat, in: ANRW II 1, 1974, 3–76 **9** R. FREI-STOLBA, Inoffizielle Kaisertitulaturen im 1. und 2. Jh. n. Chr., in: MH 26, 1969, 18–39 **10** D. MUSCA, Le denominazioni del principe, 1982, 147–158 **11** P. KNEISSL, Die Siegestitulatur der röm. Kaiser, 1969 **12** M. PEACHIN, Roman Imperial Titulature, 1990 **13** P. CLASSEN, Romanum gubernans imperium, in: G. WOLF (Hrsg.), Zum Kaisertum Karls des Großen, 1972, 4–29 **14** J. B. CAMPBELL, The Emperor and the Roman Army, 1984 **15** P. VEYNE, Brot und Spiele, 1988 (frz. 1976) **16** P. HERRMANN, Der Kaisereid, 1968 **17** C. J. CLASSEN, Virtutes imperatoriae, in: Arctos 25, 1991, 17–39 **18** M. CLAUSS, Kaiser und Gott, 1999 **19** A. CHASTAGNOL, Le sénat romain, 1992. L. d. L.

Princeps castrorum. Als *p. c. peregrinorum* oder *p. peregrinorum* wurde der ranghöchste → *centurio* der in Rom in den *castra peregrina* stationierten → *frumentarii* bezeichnet. Bis zum E. des 2. Jh. n. Chr. hatte dieser *p. c.* keine weiteren Aufstiegsmöglichkeiten, ab dem 3. Jh. jedoch konnte er höchste Staatsämter (Statthalter, → *praefectus praetorio*) erreichen (Cass. Dio 78,14; CIL VIII 2529; ILS 1372).

A. VON DOMASZEWSKI, Die Rangordnung des röm. Heeres, ²1967. K. G.-A.

Princeps iuventutis (griech. πρόκριτος τῆς νεότητος/ *prókritos tēs neótētos*, Cass. Dio 55,9,9; 78,17,1; »der Erste/der Vorzüglichste unter den jungen Leuten«, darauf zurückgehend das dt. Wort »Prinz«). Zur Zeit der röm. Republik wurde der Begriff im Pl. für die patrizischen Reiter verwendet, die in Abteilungen (→ *turma*) geordnet waren; da nur die jüngeren Mitglieder der Patrizier aktiv in der → Reiterei dienten, konnten die *principes iuventutis* als *seminarium senatus* (»Pflanzstätte des Senats«) bezeichnet werden (Liv. 42,61,5). Der Begriff wurde von Cicero bereits auf Einzelpersonen übertragen, wobei auch schon die Abstufung gegenüber dem *princeps civitatis* (→ *princeps*) erfolgt: *alterius* (d. h. des Pompeius [I 3]) *omnium saeculorum et gentium principis, alterius* (d. h. des Brutus) *iam pridem iuventutis, celeriter, ut spero, civitatis* (Cic. fam. 3,11,3).

Da → Augustus für sich selbst die Bezeichnung des → *princeps* innerhalb der *res publica* mehr oder weniger monopolisiert hatte (vgl. *princeps noster* im *SC de Cn. Pisone patre* vom J. 20 v. Chr. [1]), entsprach es einer polit. Logik, auf seine jungen, präsumptiven Nachfolger die Bezeichnung *p. i.* zu übertragen: 5 und 2 v. Chr. wurden C. Iulius [II 32] und L. Iulius [II 33] Caesar, die Enkel und Adoptivsöhne des Augustus, nach Anlegen der Männertoga (*toga virilis*) von der Gesamtheit der *equites Romani* mit Zustimmung des Senats (AE 1984, 30) als *p. i.* akklamiert, nachdem sie als Abzeichen einen silbernen Schild und eine silberne Lanze erhalten hatten (R. Gest. div. Aug. 14,2 f.). Augustus seinerseits war *princeps senatus*, er hatte 27 v. Chr. einen goldenen → *clipeus virtutis* (»Tugendschild«) erhalten. Die Parallelität war kein Zufall, so daß Ovidius (ars 1,194) Gaius Caesar anreden konnte: *nunc iuvenum princeps, deinde future se-*

num (›Erster der Jünglinge jetzt, Erster der Greise dereinst‹, i. e. der Senatoren). Auf Gold- und Silber-Mz., die in → Lugdunum geprägt wurden, erscheinen beide Enkel des Augustus und werden so v. a. dem Heer vorgestellt (RIC I² Augustus Nr. 205–212). Fast alle lat. Inschr. nennen für beide den Ehrentitel (für G. und L. Caesar gelegentlich auch im Osten in griech. Inschr. verwendet, jedoch nicht mehr für Spätere).

In der Folgezeit wurde jeweils auf den jungen Nachfolger des Kaisers die Bezeichnung *p. i.* übertragen, z. B. unter → Vespasianus auf → Titus und → Domitianus; nach Annahme der *tribunicia potestas* legte Titus den Titel ab. Bis zum späten 4. Jh. n. Chr. wurde der Titel übernommen, zuletzt von Gratianus [2] und Valentinianus II. Obgleich die Gesamtheit der → *equites Romani* den Titel übertrug, wurden die *p. i.* in der Öffentlichkeit nur mit den → *iuniores* verbunden, die sie bei der → *transvectio equitum* anführten [2. 258–260] – in Analogie zu den sagenhaften → Dioskuroi Castor und Pollux. Dieser Zusammenhang, der bei Marcus [2] Aurelius noch zu finden ist (HA Aur. 63), löste sich seit den Severern auf (Anf. 3. Jh. n. Chr.). Seit dem Sohn des Maximinus [2] Thrax wurde mit *p. i.* die Epiklese *nobilissimus* verbunden.

1 W. ECK, A. CABALLOS, F. FERNÁNDEZ, Das s. c. de Cn. Pisone patre, 1996 **2** S. DEMOUGIN, L'Ordre equestre, 1988.

W. BERINGER, s. v. P. i., RE 22, 2296–2311 (mit Liste aller *p. i.*) · A. VASSILEIOU, Caius ou Lucius Caesar proclamé p. i. par l'ordre equestre, in: H. WALTER (Hrsg.), Hommages à L. Lérat, 1984, 827–840 · F. HURLET, Les collègues du prince sous Auguste et Tibère, 1997, 120 f. W. E.

Princeps senatus s. Senatus

Principales. Die *p.* der röm. Legionen waren Soldaten, die eine bes. Dienstaufgabe erfüllten, dafür vom üblichen Lagerdienst befreit waren und den eineinhalbfachen oder doppelten Sold einfacher Soldaten erhielten (Veg. mil. 2,7); die *immunes* hingegen erhielten keinen erhöhten Sold. Die herausgehobene Stellung eines *principalis* verdeutlicht ein Brief von Iulius Appollinaris, einem röm. Soldaten in Äg.: ›Ich danke Serapis und dem guten Glück dafür, daß ich, während alle anderen hart arbeiten und Steine hauen, nun *p.* bin, herumstehe und nichts tue‹ (PMichigan VIII 465,13; 107 n. Chr.). Die Bezeichnung *p.* erscheint auf Inschr. der → Praetorianer und der → *vigiles* in Rom (ILS 2078; 2160). Einige der *p.* nahmen ihre Dienstaufgaben in der → *centuria* wahr, so etwa der → *tesserarius* (Soldat, der für die Überbringung der Parole verantwortlich war), der *optio* (zuständig für Verwaltungsaufgaben), der *signifer* (Träger des → Feldzeichens), der außerdem das → *depositum* der Soldaten verwaltete. Der *optio* stand in der Befehlsstruktur der *centuria* an zweiter Stelle, und einige Soldaten dieses Dienstranges drücken auf Inschr. ihre Erwartung aus, zum → *centurio* befördert zu werden (*op[t]ionis ad spem ordinis*: ILS 2441; vgl. 2442). Andere *p.* dienten im Stab der Legion, so etwa als *aquilifer* (Träger der Legionsad-

ler), *imaginifer* (Träger des Porträts des Princeps), *speculator* (Kundschafter) oder als *beneficiarius* (Soldat im Verwaltungsdienst). Diese Stellungen führten oft zur Beförderung zum *centurio* (gewöhnlich nach 13–20 Dienstjahren), wobei die Struktur solcher Karrieren unklar bleibt. Der Status von *p.* im Legionsdienst hing vom Rang des Offiziers ab, dem sie zugeordnet waren. Die höchsten Positionen waren die der *cornicularii* (tätig im Verwaltungsdienst) und der *commentarienses* (tätig in der Rechtsprechung) im Stab eines Provinzstatthalters. Sie unterstützten den *centurio*, der für das → *praetorium* zuständig war, und hatten oft selbst Hilfskräfte (*adiutores*).
→ Beneficiarii; Corniculum; Legio

1 D. J. BREEZE, Pay Grades and Ranks below the Centurionate, in: JRS 61, 1971, 130–135 2 Ders., The Career Structure below the Centurionate during the Principate, in: ANRW II 1, 1974, 435–451 3 Ders., The Organization of the Career Structure of the immunes and principales in the Roman Army, in: BJ 174, 1974, 245–292.   J. CA.

Principia. Das Stabsgebäude bzw. die Kommandantur eines röm. Legionärslagers oder Kastells, als administratives und rel. Zentrum der Anlage in deren Mitte, am Schnittpunkt der beiden Hauptstraßen (→ Cardo, → Decumanus) gelegen. Die P. bestanden aus einem offenen Hof mit Fahnenheiligtum, um den herum sich die Truppenverwaltung, Waffenarsenale sowie Versammlungsräume für das Offizierscorps gruppierten.
→ Castra; Praetorium

A. JOHNSON, Roman Forts of the 1st and 2nd Century AD in Britain and the German Provinces, 1983 · H. VON PETRIKOVITS, Die Innenbauten röm. Legionärslager während der Principatszeit, 1975.   C. HÖ.

Prinkipos (Πρίγκιπος). Unter der Bezeichnung Δημόνησοι/*Dēmónēsoi* (Hesych. s. v. Δημονήσιος χαλκός) bzw. Πριγκίπιοι νῆσοι/*Prinkípioi nēsoi* (Synaxiarium ecclesiae Constantinopolitanae 158,26 DELEHAYE) kennt die spätant.-byz. Lit. den Archipel von neun Inseln im Norden der → Propontis (von Norden nach Süden): Prote (h. Kınalı ada), Oreia (h. Sivri ada), Panormos (nachmals Antigone, h. Burgaz adası), Pita (h. Kaşık adası), Chalke (h. Heybeli adası), Plate (h. Yassı adası), P. (h. Büyük ada), Terebinthos (h. Sedef adası), Neandros (h. Balıkçı adası). Die Inseln waren Orte der Strafe (Exil) und der Besinnung (Klöster). Mit über 6 km² ist P. die größte der Inseln (Plin. nat. 5,151: *Megale*).

J. JANIN, Constantinople Byzantine, ²1964, 506–512.   E. O.

Prinos (Πρῖνος). Paßweg (διὰ Πρίνου καλουμένης: Paus. 8,6,4), der von Argos [II 1] auf 1210 m H über das → Artemision [2], nördl. des Hauptgipfels (h. Malevo), nach → Mantineia führt.

E. MEYER, s. v. P., RE 22, 2314 f. · PRITCHETT 3, 32–46.
                                                     E. O.

Prinzip A. GENERELLES B. VORSOKRATIKER
C. PLATON UND ARISTOTELES D. STOIZISMUS
E. RÖMISCHE PHILOSOPHIE F. BIBEL
G. MITTEL- UND NEUPLATONISMUS

A. GENERELLES

Das dt. Wort P. leitet sich vom lat. *principium* ab, einer Übers. des griech. ἀρχή (*archḗ*); allg. bedeutet dieses »Anfang« im räumlichen wie im zeitlichen Sinn, in der griech. Wiss.-Sprache kann es auch »Urgrund« oder »Grund« bedeuten, d. h. Ursache des Seins, des Werdens, einer Sache oder schließlich auch Ursache ihrer Erkennbarkeit, z. B. Grundsatz. Alle diese Bedeutungen wurden von Aristoteles [6] verzeichnet, der sie folgendermaßen unterschied: 1) der Teil einer Sache als Ausgangspunkt einer → Bewegung; 2) der Punkt, von dem ausgehend jede Sache am besten entstehen kann; 3) der ursprüngliche und der Sache innewohnende Teil, aus dem die Sache selbst entsteht; 4) die erste und nicht der Zeugung immanente Ursache, oder aber die erste Ursache von Bewegung und Veränderung (Aristot. metaph. 5,1,1012b 34–1013a 8). Aristoteles selbst nennt an anderer Stelle auch εἶδος (*eídos*: Form oder Formalursache), ὕλη (*hýlē*: Materie oder Materialursache) und στέρησις (*stérēsis*: Mangel, Aristot. phys. 1,7) Prinzipien und manchmal auch τέλος (*télos*: »Zweck oder Zweckursache«). Deshalb kann er behaupten, daß man ›in ebensoviel Bedeutungen darunter auch die Ursachen versteht, weil alle Ursachen P. sind‹ (Aristot. metaph. 1013a 16–17), auch wenn man die der Sache innewohnenden P. als στοιχεῖα (*stoicheía*: »Elemente«; → Elementenlehre) bezeichnen kann, während die äußeren nur »Ursachen« heißen.

In diesem Zusammenhang verzeichnet Aristoteles zwei weitere Bedeutungen von *archḗ* in der Alltagssprache: 5) das, durch dessen Willen sich das sich Bewegende bewegt und das sich Verändernde verändert, z. B. Behörden von Städten, Oligarchien, Monarchien und Tyrannenherrschaften (Aristot. metaph. 5,11013a 10–14); diese »polit.« Bed. von *archḗ* ist doppelt: einerseits »Amt«, »Amtsträger« (lat. *magistratus*), andererseits »Herrschaft, Gewalt«, die Macht selbst (lat. *imperium, dominatio, principatus*); 6) den Ausgangspunkt für die Erkenntnis einer Sache; z. B. sind die ὑποθέσεις (*hypothéseis*: »Voraussetzungen«) P. der Beweise (ebd. 5,1,1013a 15–16).

B. VORSOKRATIKER

Die allg. Bed. von P. als »Anfang« findet sich bei Homer (Hom. Il. 11,604), bei Xenophanes (21 B 10 DK) und bei Herakleitos (22 B 103 DK). Sie wird von Parmenides vorausgesetzt, wenn er das Sein als ἄναρχον (*ánarchon*), d. h. »ohne Anfang« definiert (28 B 8; 27 DK), ebenso von Melissos (30 B 2 DK). Auch die »polit.« Bed. wird von Homer vorausgesetzt, der denjenigen *ánarchos* nennt, der ohne »Anführer« (ἀρχός, *archós*) ist (Hom. Il. 2,703; 726). Die Bed. von P. in der Wiss.-Sprache als »Urgrund des Seins« dürfte auf → Anaximandros zurückgehen. Simplikios führt dazu ein Zeugnis des

Theophrastos an: ›Anaximandros hat gesagt, daß P. und das Element (στοιχεῖον, *stoicheíon*) der seienden Dinge das Unbegrenzte (ἄπειρον, *ápeiron*) ist, wobei er als erster die Bezeichnung P. (*arché*) einführte‹ (Simpl. in Aristot. phys. 24,13 = Anaximandros 12 A 9 DK). Aristoteles gibt diesen Gedankengang folgendermaßen wieder: ›Jedes Ding ist entweder P. oder leitet sich von einem P. ab; aber vom Unbegrenzten (*ápeiron*) gibt es kein P., denn ein solches wäre seine Grenze‹ (Aristot. phys. 3,2,203b 6–7 = Anaximandros 12 A 15 DK). Deshalb haben möglicherweise alle sog. Naturphilosophen, d.h. die sog. → Vorsokratiker vor den Sophisten, P. in diesem Sinn verwendet (Aristot. metaph. 1,3–5,983b 6–987a 28). Das läßt sich bei Philolaos [2] (44 B 6 DK: die Zahlen sind P. des Seins und des Erkennens; 44 B 13 DK: das Gehirn ist das P. des Denkens) und bei Empedokles nachweisen (B 38 DK: die P. sind die ersten Wirklichkeiten, aus denen sich alle Dinge, die wir sehen, erzeugen).

C. Platon und Aristoteles

Die Bed. von P. als »Ursache der Erkenntnis« oder »Voraussetzung des Beweises« dürfte dagegen von den griech. Mathematikern eingeführt worden sein. Aristoteles spricht in diesem Sinn von »P. der Wissenschaften« (ἀρχαὶ ἀποδεκτικαί, *archaí apodektikaí*) und unterscheidet sie in P., die je einer Wiss. eigen sind (z.B. der Arithmetik oder der Geometrie), und solche, die mehreren Wiss. gemein sind (z.B. die mathematischen P.; Aristot. an. post. 1,2,71b 16–32). Beispiele für erstere sind die Annahme der Existenz von Zahlen und geometrischen Figuren oder die Definition von Zahl, Punkt, Linie, Dreieck; Beispiele für letztere die Behauptung ›Wenn man Gleiches von Gleichem subtrahiert, erhält man Gleiches‹. In diesem letztgenannten Sinn nennt Aristoteles »P.« auch das »P. vom Widerspruch« (Aristot. metaph. 4,3,1005b 12) und das »P. vom ausgeschlossenen Dritten« (Aristot. metaph. 3,2,996b 29).

Beide Bed. von P. in der Wiss.-Sprache finden sich auch bei Platon [1], der seinerseits gegen die Mathematiker polemisiert, weil sie von »P.« sprechen, während seiner Meinung nach das, was sie anwenden, nicht eigentlich P., sondern nur »Hypothesen« (ὑποθέσεις, *hypothéseis*) sind. Das »P. aller Dinge« ist für P. die Idee des Guten, die Urgrund sowohl des Seins als auch der Erkennbarkeit aller anderen Ideen und dadurch auch aller Dinge ist (Plat. rep. 6,511a-b; → Ideenlehre). Daneben bezeichnet er die »planlos umherschweifende Ursache« (πλανωμένη αἰτία, *planōménē aitía*) als P., auch »Nährboden von allem, was entsteht«, »Amme«, »Mutter«, »Ort« oder → »Raum« (χώρα, *chóra*) genannt. Auch diese trägt nämlich, zusammen mit den Ideen und dem → *dēmiurgós*, zur Existenz der wahrnehmbaren Wirklichkeit bei (Plat. Tim. 48b–52b). Nach Aussage des Aristoteles hat Platon in der »ungeschriebenen Lehre« als P. der Ideen (und dadurch aller Dinge) die Elemente der Zahlen festgesetzt, d.h. das Eine und das Große und Kleine, oder die unbestimmte Zweiheit, wobei er das erste als Formalursache und das zweite als Materialursache verstanden habe (Aristot. metaph. 1,6).

D. Stoizismus

Nach Aristoteles gebrauchten die Stoiker Kleanthes [2] und Chrysippos [2] den Terminus *arché* häufig im Sinn von »Urgrund des Seins«; für sie gibt es zwei P. aller Dinge, das aktive (Gott) und das passive P. (die Materie; SVF 300; 310; 493). Für Chrysippos sind die P. von den Elementen (Wasser, Luft, Erde und Feuer) zu unterscheiden, weil sie weder entstehen noch vergehen (während die Elemente im Augenblick des Weltenbrandes zerstört werden) und weil sie – obwohl sie körperlich sind wie die Elemente – ohne Form sind (während die Elemente eine gegebene Form annehmen: SVF 299; → Elementenlehre).

E. Römische Philosophie

Mit den Bedeutungen der griech. Wiss.-Sprache (»Urgrund des Seins« und »Ursache der Erkenntnis«) begegnet der Terminus *principium* in der lat. Lit. (nicht aber die allg. Bed. »Anfang«). Ein interessanter Gebrauch im Sinn von »Ursache des Erkennens« findet sich z.B. bei Lucretius [III 1]: Er formuliert das epikureische P., nach dem »nichts aus nichts entsteht«: ›P., von dem wir ausgehen, ist, daß niemals ein Ding (*res*) aus nichts durch göttliches Eingreifen entsteht‹ (Lucr. 1,150). Ein wichtiger Beleg von *principium* im Sinne von »Urgrund des Seins«, genauer »Ursache der Bewegung«, findet sich bei Cicero: Nur das, was sich selbst bewegt und deshalb nie aufhört, sich zu bewegen, kann für die anderen Dinge Quelle (*fons*), d.h. P. der Bewegung sein (*principium movendi*, Cic. rep. 6,25). ›Für das P. gibt es keinen Ursprung (*principii . . . nulla est origo*), weil vom P. alle Dinge ihren Ausgang nehmen, während es selbst aus keinem anderen Ding entstehen (*nasci*) kann; es könnte nämlich das auch kein P. sein, was aus etwas anderem entstünde‹ (l.c.).

F. Bibel

Ein weiterer Gebrauch des Terminus *arché* setzt mit der griech. Übers. des AT, der LXX, im 2. Jh. v. Chr. ein: ›Am Anfang (ἐν ἀρχῇ) schuf Gott den Himmel und die Erde‹ (Gn 1,1). Dies wurde von Philon [12] von Alexandreia nicht im chronologischen Sinn (d.h. nicht »am Anfang der Zeit«) verstanden, weil ›die Zeit nicht vor der Welt existierte, sondern mit ihr zusammen oder danach entstand‹, sondern im numerischen Sinn: »als erste Sache schuf er den Himmel« (Philon, De opificio mundi 7,26). Eine andere, ebenfalls nicht chronologische Bed. steht im berühmten Prolog des Johannes-Evangeliums: ›Am Anfang war der → Logos‹ (ἐν ἀρχῇ ἦν ὁ λόγος, lat. *In principio erat verbum*) bedeutet vielm., daß der *lógos* vor jeder anderen Sache existierte, d.h. seit Ewigkeit. Die Kirchenväter dagegen deuteten »Anfang« in Gn 1,1 üblicherweise als zeitlichen Beginn, mit dem Ziel, die Ewigkeit der Welt auszuschließen (vgl. Basil. Hexaemeron 1,5,6–6,4).

G. Mittel- und Neuplatonismus

Die von Platon und Aristoteles herausgearbeiteten Bed. von P. kehren im ant. Platonismus und im ant. Aristotelismus wieder. Der → Albinos zugeschriebene *Didaskalikós* spricht von »theologischen P. und Lehren«;

es gebe drei »erste P. der Welt«: die Materie, die Ideen und Gott (im Sinn von Seinsgründen, 8–9). Bei Alexandros [26] von Aphrodisias finden sich alle Bed. des Terminus bei Aristoteles und späteren neuplatonischen Komm. Alexandros wird zudem auch als Autor eines (nur syr. und arab. erh.) ›Briefes über die ersten P. des Ganzen nach Meinung des Aristoteles‹ angesehen; trotz zweifelhafter Authentizität bezeugt dieses Werk die Fortdauer des aristotelischen Begriffs »erste P.« in alle ma. Aristoteles-Komm. hinein.

Im → Neuplatonismus definiert → Plotinos das erste P. als das Eine-Gute, Urgrund des Seins und des Werdens alles Seienden wie auch seiner Erkennbarkeit, wenn es auch selbst unerkennbar ist. Das P. ist keines der seienden Dinge, aber erzeugt sie alle (Plot. enneades 3,8,9): Das P. ist die Potenz von allem (δύναμις τῶν πάντων, dýnamis tōn pánton, 3,8,10), es steht über dem Sein, dem Leben und der Substanz, ist eine unerschöpfliche Quelle und teilt sich nicht (l.c.); es liegt jenseits jeder Erkenntnis (5,5,12) und der Essenz (ἐπέκεινα τῆς οὐσίας, epékeina tēs usías, 5,4,2), es ist unaussprechlich und ohne Existenz (5,3,13), es ist ungeworden (5,1,4) und braucht keine Dinge, die nach ihm kommen (6,9,6). Neben dem Einen nennt Plotin jedoch auch andere »erste P.«: Intelligenz, Sein, Verschiedenheit, Identität, Bewegung und Ruhe (5,1,4), die nicht nur Ursachen des Seins, sondern auch der Erkenntnis zu sein scheinen. Ganz und gar ursprünglich ist schließlich die Konzeption von Augustinus, für den das P., nach dem Gott Himmel und Erde schuf, auch das Wort (verbum) für Gott ist (Aug. conf. 11,9,11).

PHILOS.: 1 G. DELLING, s.v. ἀρχή, ThWB 1, 477–483 2 K. v. FRITZ, Die APXAI in der griech. Mathematik, in: ABG 1, 1955, 13–103 (= Ders., Grundprobleme der Gesch. der ant. Wiss., 1971, 335–429) 3 B. JORDAN, Beitr. zu einer Gesch. der philos. Terminologie, in: AGPh 24, 1911, 449–481 4 A. LUMPE, Der Terminus »P.« (arché) von den Vorsokratikern bis auf Aristoteles, in: ABG 1, 1955, 104–116 5 G. MOREL, De la notion de p. chez Aristote, in: Archives de Philos. 23, 1960, 487–511; 24, 1961, 497–516. POLIT.: 6 BUSOLT/SWOBODA, 313 f., 634 f., 1054 f. 7 M. RIEDEL, Metaphysik und Metapolitik, 1975, 44–52 8 A. KAMP, Die polit. Philos. des Aristoteles, 1985, 194–198 9 Syll.³, Index s.v. ἀρχή (magistratus).   E. BE./Ü: E. D.

Prinzipat (lat. *principatus*). P. meint die Vorrangstellung des durch Herkunft und Leistung einflußreichsten Mannes der Gemeinde (→ *princeps*) und bezieht sich v. a. auf die von → Augustus geschaffene Staatsform monarchischen Charakters, die auf den überkommenen Rechtsstrukturen der röm. Republik ruhte [1; 3]. 27 v. Chr. erfolgte die rechtliche Etablierung der faktischen Gewalt des Militärpotentaten durch den röm. Senat (→ *senatus*), der ihm republikanische Amtsgewalten und Einzelrechte verlieh. Der P. war als Rechtsordnung ein Kompromiß zwischen Machthaber und Senatsaristokratie, deren soziale Stellung anerkannt wurde und deren Mitarbeit in der Reichsverwaltung unentbehrlich war.

Der Begriff P. dient ferner seit MOMMSEN der wiss. → Periodisierung der röm. Kaiserzeit und umfaßt den Zeitraum von 30/27 v. Chr. bis 235/284 n. Chr. in Abgrenzung zur folgenden Spätant. (→ Dominat). Die Berechtigung dieser Epocheneinteilung ist nicht unumstritten, da dabei das Kaisertum einseitig von der verfassungsrechtlichen Seite definiert ist und neben der Entwicklungskomponente auch außerrechtliche Faktoren unberücksichtigt bleiben [2].
→ Dominat; Princeps

1 J. BLEICKEN, Verfassungs- und Sozialgesch. des röm. Kaiserreichs, Bd. 1, ³1989 2 Ders., P. und Dominat, 1978 (= Ders., Gesammelte Schriften, Bd. 2, 1998, 817–842) 3 J. BÉRANGER, Recherches sur l'aspect idéologique du principat, 1953, 55–61.   L. d. L.

Priolas (Πριόλας). Lokalheros von Priola bei Herodoia [7], Bruder des → Bormos und → Mariandynos (Poll. 4,55). Er wird im Kampf getötet, → Herakles [1] nimmt an seinen Leichenspielen teil; jährlich finden rituelle Klagegesänge zu seinen Ehren statt (Apoll. Rhod. 2,780–785 mit schol.).   L. K.

Prisca
[1] s. Priska
[2] Gemahlin des → Diocletianus, die im Unterschied zu anderen Kaiserinnen des 3. Jh. nicht *Augusta* war und keine Rolle in der Öffentlichkeit spielte. Nach dem Tode des → Maximinus [1] Daia wurde sie 314/315 n. Chr. mit ihrer Tochter Galeria Valeria von Licinius [II 4] in Thessalonike hingerichtet.   B. BL.

Priscianus. Der letzte bedeutende lat. → Grammatiker, geb. im mauretanischen Caesarea [1], Schüler des Theoctistus, wirkte bis in die ersten Jahrzehnte des 6. Jh. n. Chr. als Professor der Gramm. in Konstantinopolis. Zu seinem Kreis vgl. [5]–[8].

Sein Hauptwerk, die (1) *Institutio de arte grammatica* (›Lehrbuch der Grammatik‹), umfaßt (neben einer Einleitungsepistel) 18 B. (1–7: *De nomine*; 8–10: *De verbo*; 11: *De participio*; 12–13 *De pronomine*; 14: *De praepositione*; 15: *De adverbio et interiectione*; 16: *De coniunctione*; 17–18: *De constructione* = ›Syntax‹) und scheint in verschiedenen Etappen entstanden zu sein, vgl. die zweite Einleitung vor B. 6. Hauptquelle (vgl. 2,1,8 ff.; 195,8 f.; 3,107,2 f. in [1]) sind griech. Grammatiker (Apollonios [11] Dyskolos und sein Sohn Herodianos [1]; vgl. [10. 11,23 ff.]), die z. T. wörtlich übers. sind; von den Römern wird zumal in B. 3–10 → Flavius [II 14] Caper (um 200) herangezogen, von dem die Hauptmasse der älteren Grammatiker- und Lit.-Zit. stammen dürfte (vgl. aber [23]; zur Benutzung jüngerer Vorläufer vgl. [11. 7 ff.; 13]). Die *Institutio*, die umfangreichste Zusammenfassung der lat. Gramm., zeichnet sich durch Ansätze zu einem Sprachvergleich, durch Einbeziehung der Syntax und schließlich durch die Fülle von Belegen aus der älteren Lit. aus (kaum über Iuvenal hinaus). Ihre allg. Verbreitung im MA, das die ersten 16 B. als *P. maior* und die beiden letzten als *P. minor* benutzte, bezeugen über 800 Hss. (seit dem 8. Jh.; [14]–[17]), die nach [18] in eine insular-karolingische und eine beneventanisch-cassineser Trad.-Linie zerfallen, außerdem zahlreiche Adaptionen und Komm. ([19]–[21]).

Pädagogisch orientiert sind demgegenüber die (2) sog. *Institutio de nomine*, eine Kurzfassung von B. 6–13 des Hauptwerks in Regelform und die (3) *Partitiones*, eine metrisch-gramm. Analyse der je ersten Verse der 12 B. der *Aeneis* in Frage- und Antwortform [22]. Mit Sonderproblemen befassen sich vier kleinere Werke, von denen die ersten drei (vor 525 verfaßt) durch eine Widmung an Symmachus (*cos.* 485) zusammengefaßt sind: (4) *De figuris numerorum*, eine Behandlung der röm. Zahlzeichen, Münzen und Zahlwörter; (5) *De metris fabularum Terenti*, ein Nachweis des Vers-Charakters der röm. dramatischen Jamben und Trochäen [23]; (6) *Praeexercitamina*, eine Übers. der *Progymnásmata* des Hermogenes [7] ([24]). Das vierte dieser Werke, (7) *De accentibus*, liegt – wenn echt – nur in einer späteren Bearbeitung vor [25].

Zwei Gedichte kommen hinzu, ein (8) Panegyricus auf den Kaiser Anastasius (vor 518) und die (9) *Periegesis*, eine Adaption des gleichnamigen, schon von Avienus (*Ora maritima*) übers. geogr. Lehrgedichtes des Dionysios [27] Periegetes.

ED.: **1** M. HERTZ, GL 2/3, 1855/60 (Nr. 1)
2 M. PASSALACQUA, Opuscula 1/2, 1987/1999 (Nr. 4, 5, 6, 2, 3) **3** A. CHAUVOT, Procope de Gaza etc., 1986, 52–83, 92–95, 98–107, 116–119, 188–195 (Nr. 8, mit Übers. und Komm.) **4** P. V. D. WOESTIJNE, La Périégèse de P., 1953 (Nr. 9).
LIT.: **5** M. SALAMON, P. und sein Schülerkreis, in: Philologus 123, 1979, 91–96 **6** R. KASTER, Guardians of Language, 1988, 346–348 **7** G. BALLAIRA, P. e i suoi amici, 1989 **8** F. CONTI BIZZARRO, P. fra Oriente e Occidente, in: Filologia antica e moderna 7, 1994, 35–49 **9** L. JEEP, P., in: Philologus 57, 1908, 12–51; 68, 1909, 1–51; 71, 1912, 491–517 **10** A. LUSCHER, De Prisciani studiis Graecis, 1912 **11** S. JANNACCONE, Due ricerche su P., 1957 **12** G. PERL, Die Zuverlässigkeit der Buchangaben, in: Philologus 111, 1967, 283–288 **13** F. BERTINI, Nonio e Prisciano, in: Studi Noniani 3, 1975, 57–96 **14** M. PASSALACQUA, I codici di Prisciano, 1978 **15** G. BALLAIRA, Per il catalogo dei codici di Prisciano, 1982 **16** C. JEUDY, Complément, in: Scriptorium 36, 1982, 313–325 (zu [15], [16]) **17** Dies., Nouveau complément, in: Scriptorium 38, 1984, 140–150 **18** M. DE NONNO, Le citazioni di Prisciano, in: RFIC 105, 1977, 385–402 **19** R. W. HUNT, Collected Papers, 1980, 1–116 **20** M. GIBSON, Milestones in the Study of P., in: Viator 23, 1992, 17–33 **21** C. H. KNEEPKENS, The Priscianic Tradition, in: S. EBBESEN (Hrsg.), Sprachtheorien in Spätant. und MA, 1995, 239–264 (mit Bibl.) **22** M. GLÜCK, Priscians Partitiones, 1967 **23** H. D. JOCELYN, The Quotations of Republican Drama, in: Antichthon 1967, 60–69 **24** M. PASSALACQUA, Note su Prisciano traduttore, in: RFIC 104, 1986, 443–448 **25** M. G. LA CONTE, La tradizione manoscritta del *Liber de accentibus*, in: Atti della Accademia delle Scienze di Torino 115, 1981, 109–124
26 P. DRATHSCHMIDT, De Prisciani grammatici Caesariensis carminibus, Diss. Breslau 1907.   P. L. S.

Priscilla s. Priskilla

Priscillianus, Priscillianismus. Spätant. spanischer Asket und christl. Theologe; Bezeichnung für die von ihm begründete asketische Bewegung.
I. LEBEN DES PRISCILLIANUS UND GESCHICHTE DES PRISCILLIANISMUS
II. WERKE   III. THEOLOGIE

I. LEBEN DES PRISCILLIANUS UND GESCHICHTE DES PRISCILLIANISMUS

Weite Teile der Biographie des P. bleiben im dunkeln und werden durch die gegnerische Überl. verzeichnet. Geboren wurde P. wahrscheinlich vor 350 n. Chr.; er stammte verm. aus einer vermögenden Familie Spaniens. Seine rhet. Bildung deutet auf eine standesgemäße Erziehung. Im Zusammenhang mit seiner Zuwendung zum asketischen Leben ließ er sich als Erwachsener taufen. Seit 373 trat er als Haupt einer asketischen Bewegung auf, der Männer und Frauen, Kleriker und Laien angehörten; die Nachrichten verweisen auf das südliche Spanien (Belege: [13. 490f.]). In der Gemeinschaft legte P. biblische Texte aus, wahrscheinlich auch apokryphe (s.u. II.). Zu seinen Anhängern zählten in dieser Phase nicht nur sein Rhet.-Lehrer Helpidius, sondern auch schon die Bischöfe Instantius und → Salvianus, deren Bischofssitze offenbar in → Lusitania lagen.

Verm. im J. 378 oder 379 wurde die Gruppe durch drei andere Bischöfe unter Führung des Ithacius von Ossonoba (h. Faro) beim zuständigen Metropoliten von Augusta [2] Emerita (Lusitania) angezeigt und der Heterodoxie beschuldigt. Von Anf. an wurde ihr dabei unterstellt, gnostische Theologumena östlicher Provenienz zu vertreten (→ Gnosis: Sulp. Sev. chronica 2,46). Diese Unterstellungen bildeten den Anf. einer heftigen Eskalation der Affäre, die 386 mit der öffentlichen Hinrichtung von P. und seinen Begleitern in Trier (Augusta [6] Treverorum) endete; offenbar empfand man die zunehmend kritische Einstellung der Gruppe gegen asketefeindliche Kreise der kirchlichen Hierarchie in polit. [12] wie kirchenpolit. unruhiger Zeit schon früh als äußerst bedrohlich. Ein Grund dafür könnte sein, daß die Gruppe sich nicht wie andere asketische Bewegungen im Reich auf den Rückzug in eine besondere Lebensform beschränkte, sondern diese aktiv in die Stadtgemeinden hineinzutragen versuchte. Außerdem protestierte sie offenbar gegen die sich verbreitende Praxis, die Bischöfe (→ *epískopos* [2]) und andere Vertreter zunehmend nach ihrem gesellschaftlichen Stand auszusuchen.

Für eine derartige Interpretation sprechen bereits die *Canones* der Synode von → Caesaraugusta/Saragossa 380, die die Gruppe in Abwesenheit verurteilt hatte [9. 450f.], ferner die Umstände, unter denen P. im Jahre 381 Bischof von Avila wurde. Nach einem fehlgeschlagenen Versuch, durch die Herstellung von persönlichen Kontakten den einflußreichen und der Askese ebenfalls zuneigenden Mailänder Bischof → Ambrosius

und seinen röm. Kollegen → Damasus als Bundesgenossen zu gewinnen, erreichte P. durch Einflußnahme
am Hof, daß Kaiser → Gratianus [2] 382 ein Reskript
aufhob, das er zwei Jahre zuvor auf Drängen von spanischen Bischöfen gegen die »Priscillianisten« verhängt
hatte (Sulp. Sev. chronica 2,47,6). Nach der Ermordung
Gratians 383 wurde P. auf einer Synode in Bordeaux
384 verurteilt. Er appellierte daraufhin an den kaiserlichen Hof in Trier und wurde unter dem spanischen
Usurpator → Maximus [7] zum Tode verurteilt; unter
Folter hatte er magische und unsittliche Praktiken gestanden. Mit ihm starb ein gewisser Latronianus (Sulp.
Sev., chron. 2,51,3), den Hieronymus als hervorragenden Dichter darstellt (Hier. vir. ill. 122).

Eine derartige Bestrafung rel. Abweichung durch
staatliche röm. Behörden wurde sowohl von Christen
(Ambrosius sowie in besonderer Weise → Martinus [1]
von Tours: Sulp. Sev. dialogi 3,11–13 und chronica
50,5) als auch von paganen Autoren (Pacatus, Paneg.
2,29,2f.) als hochproblematisch empfunden. Seine Anhänger begruben P. als → Märtyrer und trennten sich
von der offiziellen Kirche. Der Terminus »Priscillianismus« ist aber mißverständlich, weil P. nicht von einer
organisierten Gruppe oder Kirche verehrt wurde; in den
Textüberlieferungen spanischer Synoden der Jahre 400
bis 561 bzw. 572 wird freilich eine lange regionale
Nachwirkung deutlich ([5. 234–239] druckt das Protokoll eines Verhörs priscillianistischer Bischöfe auf der
Synode von Toledo im J. 400).

II. WERKE

Es sind wie bei anderen Personen, die die Großkir-
che als Häretiker ausgrenzte, keine Schriften unter dem
Namen von P. überl., obwohl es sie gegeben haben
muß: *Opuscula* bezeugt Hieronymus (vir. ill. 121); Orosius zit. aus einem Brief [3. 153]. 90 *canones*, die die Lehren des Apostels Paulus in knappen Zeilen in elegantem
Stil zusammenfassen und mit Bibelstellen belegt sind,
werden in einem Vorwort P. zugeschrieben [3. 109], für
die Richtigkeit dieser Zuschreibung können kodiko-
logische und inhaltliche Gründe geltend gemacht werden. Bes. interessant sind jedoch elf anon., teils fr. Texte, die sich in einem Würzburger Codex des 5./6. Jh.
(Mp. Th. q3) finden, die G. SCHEPPS erstmals 1886 P.
zuschrieb und die er 1889 edierte ([2]; kritisch: [11]; vgl.
[5. 11 mit 69f.]). Die drei ersten Texte sind Überreste
von Rechtfertigungsschreiben, in denen bestimmte
Häresieverdächtigungen abgewiesen werden. Die restlichen Stücke stammen aus gottesdienstlichen Zusammenhängen: Predigten und eine ausführliche *benedictio*
(»Segnung«, tract. 11). Möglicherweise entstanden im
Umfeld der »priscillianischen« Bewegung auch apokryphe Schriften wie der in schlechtem Lat. gehaltene
Titusbrief (CPL 796, so [10. 204–223]); die in Frage
kommenden Texte und Fr. sind in CPL 790–796c bi-
bliographiert.

III. THEOLOGIE

Die präzise Rekonstruktion eines Profils ist schwierig. Sicher belegt ist die asketische Orientierung, offen-

bar auch eine bestimmte esoterische Tendenz: »Schwöre
und schwöre ab, aber liefere nicht das Geheimnis aus«
(zit. bei Aug. de haeresibus 70). Man orientierte sich
dafür an der Bibel, die durch einen inspirierten Lehrer
ausgelegt und von seinen Schülern eifrig studiert wurde
(tract. 2,52; 3,66f.). Außerdem wurden apokryphe
Schriften als Texte von Offenbarungscharakter geschätzt und wahrscheinlich auch produziert. Daß P. den
schroffen anthropologischen und kosmologischen Dualismus vertrat, den ihm seine Gegner zuschrieben, ist
eher unwahrscheinlich; freilich implizierten die strenge
Askese und ausgeprägte Konversionsvorstellung bei P.
eine gewisse Dichotomie zw. wahren und lauen Christen, zw. Gott und Satan. Die originalen Texte zeigen einen theologischen Autodidakten [5. 11], der bes.
Wert auf das »Okkulte und Charismatische« legt [5].

→ Askese; Häresie

ED.: **1** CPL 785–787 **2** G. SCHEPPS (ed.), Tractatus, CSEL 18,
1889, 3–106 (dazu J. MARTIN, in: Traditio 31, 1975, 317f.)
3 G. SCHEPPS (ed.), Canones, CSEL 18, 1889, 109–147.
LIT.: **4** H.CH. BRENNECKE, s. v. P./Priscillianismus, LMA 7,
1994, 219 **5** H. CHADWICK, P. of Avila, 1976 **6** J. DIERICH,
Die Quellen zur Gesch. Priscillians, 1897 **7** D. DE BRUYNE,
Fragments retrouvés d'apocryphes Priscillianistes, in: Rev.
bénédictine 24, 1907, 318–335 **8** Ders., Étude sur les
origines de la Vulgate en Espagne, in: Rev. bénédictine 31,
1914/19, 378–401 **9** J. FONTAINE, s. v. P., TRE 27, 1997,
449–454 **10** A. VON HARNACK, Der apokryphe Brief des
Paulusschülers Titus, in: SPrAW, philos.-histor. Klasse 1925,
180–213 (= Ders., KS zur Alten Kirche 2, 1980, 696–729)
11 G. MORIN, Un traité priscillianiste inédit sur la Trinité, in:
Ders., Études, textes et découvertes. Anecdota Maredsolana
2, 1913, 151–205 **12** R. VAN DAM, Leadership and
Community in Late Antique Gaul, 1985, 87–114, 126f.
13 B. VOLLMANN, s. v. P., RE Suppl. 14, 1974, 485–559
14 Ders., Stud. zum Priszillianismus (=Kirchengesch.
Quellen und Stud. 7), 1965.   C.M.

Priscus. Weitverbreitetes röm. Cogn. (»altehrwürdig«).

KAJANTO, Cognomina, 288.   K.-L.E.

[1] L. P. Vielleicht identisch mit T. Iulius P., dem Statthalter von Thrakia (AE 1932, 28 = SEG 7,784 [1. 103f.
Anm. 4]), wurde 250 n. Chr. von seinen Truppen in
dem von den Goten belagerten → Philippopolis (h.
Plovdiv) zum Kaiser ausgerufen – möglicherweise im
Einverständnis mit diesen –, als der Entsatz durch Kaiser
Decius [II 1] ausblieb [2. 111, 162]. In Verhandlungen
mit den Goten wurde die Übergabe der Stadt und zu-
gleich die Anerkennung des P. als Kaiser durch diese
vereinbart, doch kam P. – inzwischen vom Senat zum
Staatsfeind (*hostis*) erklärt – wohl in den Wirren bei der
Übergabe der Stadt um (Aur. Vict. Caes. 92,2f.; Iord.
Get. 18,101 ff.; Dexippos FGrH 100 F 26). PIR² P 971
und I 489.

1 A. STEIN, Die Legaten von Moesien, 1940
2 F. HARTMANN, Herrscherwechsel und Reichskrise, 1982.
     T.F.

[2] Philosoph, s. Priskos

[3] Griech. Historiker und Rhetor des 5. Jh. n. Chr., geb. spätestens um 420 n. Chr. in Panion in Thrakien, gest. nach 472. Zuerst wohl Lehrer der Rhetorik, dann → *adsessor* des → *comes* Maximinus [4], in dessen Gefolge er 449 an einer Gesandtschaft im Auftrag von Kaiser → Theodosius II. zu dem Hunnenkönig → Attila teilnahm (fr. 8 FHG 4, 77–91 = fr. 11,2 BLOCKLEY). 450 besuchte er Rom (fr. 16 FHG 4, 98 f. = fr. 20,3 B.), 452/3 in Begleitung des Maximinus Arabien und Ägypten (fr. 20–22 FHG 4, 100 f. = fr. 26–28 B.). Um 456 war er *adsessor* des → *magister officiorum* Euphemius (fr. 26 FHG 4, 102 f. = fr. 33,2 B.).

P. verfaßte außer Briefen und Deklamationen eine Gesch. seiner Zeit in acht B. wohl unter dem Titel *Historía Byzantiakḗ* (Suda, s. v. P.), deren Fr. von 433/4 bis 471 reichen. Größere Abschnitte davon sind in den *Excerpta de legationibus* des → Konstantinos [1] Porphyrogennetos aus dem 10. Jh. erh. geblieben. Sie sind die wichtigste Quelle für die Gesch. Attilas und der Hunnen. Die Darstellung erreicht dort, wo Autopsie vorliegt, große Anschaulichkeit und Lebendigkeit. P.' klare und anspruchslose Sprache mit herodoteischen Wendungen (→ Herodotos) und vielen Einschüben erweist ihn als einen Sophisten attizistischer Schulung. Als Quelle gedient hat sein Werk dem → Cassiodorus (erh. nur im Auszug des → Iordanes; vgl. Iord. Get. 178 MGH AA 5, 104), → Euagrios [3] Scholastikos, dem → *Chronicon Paschale* und → Theophanes; fortgesetzt wurde es für die Jahre ab 473 von → Malchos [4].

ED.: FHG 4, 69–110; 5, 24–26 · C. DE BOOR (ed.), Excerpta de legationibus, 1903, Bd. 1, 121–155; Bd. 2, 575–591 · R. C. BLOCKLEY (s. u.), Bd. 2, 1983, 222–400 (mit engl. Übers.).
ÜBERS.: E. DOBLHOFER, Byz. Diplomaten und östliche Barbaren, 1955, 11–82.
LIT.: B. BALDWIN, Priscus of Panium, in: Byzantion 50, 1980, 18–61 · R. C. BLOCKLEY, The Fragmentary Classicising Historians of the Later Roman Empire, Bd. 1, 1981, 48–70; 113–123 · E. V. MALTESE, A proposito dell'opera storica di Prisco di Panion, in: Quaderni di Storia 5, 1979, 297–320 · PLRE 2, 906 · G. WIRTH, Attila. Das Hunnenreich und Europa, 1999.   K. P. J.

Priska (Πρίσκα, in der Apg Priskilla/Πρίσκιλλα; lat. *Prisca, Priscilla*). P. und ihr Ehemann → Aquila [4] waren Mitte des 1. Jh. n. Chr. als christl. Missionare tätig. Infolge des Edikts des Kaisers → Claudius [III 1] (Ausweisung der Juden, Apg 18,2; Suet. Claud. 25) verließ das judenchristl. Ehepaar Rom, um in Korinth das Zeltmachergewerbe fortzusetzen, begegnete um das J. 50 n. Chr. → Paulus [2] und begleitete ihn nach Ephesos. Die Bed. P.s als Missionarin, Apostelin, Lehrerin und Leiterin einer Hausgemeinde wird von den nt. Berichten unterstrichen, die P. an vier von insgesamt sechs Stellen (Apg 18,2; 18,18; 18,26; Röm 16,3 f.; 1 Kor 16,19; 2 Tim 4,19) vor ihrem Ehemann Aquila nennen. In späteren Texten treten ihre missionarisch-apostolischen Züge zurück: → Eusebios [7] von Kaisareia (Eus.

HE 2,18,9) erwähnt sie nur als Opfer der Judenvertreibung aus Rom. Für → Iohannes [4] Chrysostomos bildet P. ein Beispiel der ›männlichen Gesinnung‹ (ἀνδρεῖον φρόνημα) frühchristl. Frauen (PG 58,677); sie habe aber lediglich privaten Unterricht erteilt (ebd. 60,664–669). P. und Aquila erscheinen als Vorbild einer christl. Ehe, in der die Frau durchaus die führende Rolle im Hinblick auf den Glauben wahrnehmen kann (ebd. 51,187–208; 62,658). Die These, daß P. den Hebr verfaßt haben könnte, wurde erst in der Neuzeit diskutiert. → Christentum (D.); Frau (IV.); Mission

1 P. LAMPE, Die stadtröm. Christen in den ersten beiden Jh. Unt. zur Sozialgesch., 1987, 156–164 2 A. VON HARNACK, Die Mission und Ausbreitung des Christentums in den ersten drei Jh., [4]1924, 589–611 3 R. HOPPIN, Priscilla. Author of the Epistle to the Hebrews and Other Essays, 1969 4 I. RICHTER REIMER, Frauen in der Apostelgesch. des Lukas. Eine feministisch-theologische Exegese, 1992.
R. A.

Priskianos Lydos (Πρισκιανός Λυδός). Neuplatoniker des 6. Jh. n. Chr., aus Lydien. Nach Agathias (II 30–31 = Suda, s. v. Πρέσβεις, Bd. 4, p. 192,18–29 ADLER) gehörte P. zu der Gruppe altgläubiger Philosophen, die (zusammen mit → Simplikios und → Damaskios) am Hof des Perserkönigs → Chosroes [5] I. Zuflucht suchten, als Kaiser Iustinianus [1] 529 die Akademie von Athen schließen ließ. Relativ bald erwiesen sich ihre damit verknüpften Hoffnungen als illusionär, und die Philosophen kehrten, nachdem sie Sicherheitsgarantien erhalten hatten, E. 532 ins röm. Imperium zurück. Für die Zeit nach seiner Rückkehr aus Persien sind keine Nachrichten über P. erh.; weder Aufenthaltsorte noch Todesdatum sind bekannt.

Im Auftrag von Chosroes I. schrieb P. ein Werk zu verschiedenen wiss. Fragen, von dem nur eine lat. Übers. erh. ist: *Solutiones eorum de quibus dubitavit Chosroes Persarum rex* (›Antworten auf die Fragen des Chosroes, des Königs der Perser, und wiss. Probleme‹). Wir besitzen außerdem die von P. verfaßte Paraphrase eines Werkes des → Theophrastos (*Metaphrasis in Theophrastum*). Die erstaunliche Ähnlichkeit dieser Paraphrase mit dem bislang dem Simplikios zugeschriebenen Komm. zu Aristoteles' *De anima* führte dazu, daß man diesen heute ebenfalls dem P. zuspricht [1]. → Neuplatonismus

1 F. BOSSIER, C. STEEL, Priscianus Lydus en de »In de Anima« van Pseudo(?)-Simplicius, in: Tijdschrift voor Filosofie 34, 1972, 761–782.
ED.: I. BYWATER, in: CAG, Suppl. Aristotelicum I.2, 1886.
LIT.: C. STEEL, The Changing Self. A Study on the Soul in Later Neoplatonism: Iamblichus, Damascius and Priscianus, 1978.   L. BR./Ü: B. v. R.

Priskilla (Πρίσκιλλα, Priska/Πρίσκα). P. begründete mit Montanus und → Maximilla [2] im dritten Viertel des 2. Jh. n. Chr. die christl. Erweckungsbewegung des → Montanismus (Fr. ihrer Orakel bei → Tertullianus,

De resurrectione 11,2 und De exhortatione castitatis 10,5). Die Überl. ist vermischt mit derjenigen über → Quintilla.

C. TREVETT, Montanism. Gender, Authority and the New Prophecy, 1996, s. Index. M. HE.

Priskos (Πρίσκος). Neuplatoniker des 4. Jh. n. Chr., geb. verm. vor 305 n. Chr. in Epeiros (als Thesproter: Lib. or. 1,123; als Molosser: Eun. vit. soph. 7,1,10). P. war in Pergamon Schüler des → Aidesios [1] (Eun. ebd. 7,1,10; 8,1,9). P. lehrte Philos. in Griechenland (ebd. 7,1,14; 7,4,4,12), genauer in Athen (Lib. epist. 760). Er war militant altgläubig orientiert und ein glühender Anhänger der → Theurgie. → Iulianus [11] lud ihn, als er noch Caesar war, zu sich nach Gallien ein (Iul. epist. 13), später – als Augustus – auch an seinen Hof in Konstantinopolis (Eun. vit. soph. 7,4,3–7). 362 war P. bei ihm in Antiocheia (Lib. or. 14,32 und 34; epist. 760); 363 begleitete er ihn auf dem Perserfeldzug (Iul. epist. 96; Eun. ebd. 7,4,9). P. und → Maximos [5] von Ephesos, die zu den persönlichen Beratern des Kaisers gehörten, leisteten diesem letzten Beistand, als er tödlich verwundet wurde (Amm. 25,3,23; Lib. or. 18,272). Nach dem Tod des Iulianus kehrte P. nach Antiocheia zurück (Lib. epist. 1426). Er stand zunächst noch in der Gunst des Iovianus (Eun. vit. soph. 7,4,10), wurde jedoch, zusammen mit Maximos, unter Valens wegen Verschwörung verhaftet. Nach seiner Entlassung konnte er nach Griechenland zurückkehren (ebd. 7,4,11–12). Dort unterrichtete er noch im Jahre 390 n. Chr. (Lib. epist. 947). P. starb wohl 395/6 im Alter von 90 Jahren (Eun. vit. soph. 8,2,11). Mit seiner Frau Hippia hatte er mehrere Kinder (Iul. epist. 13). L. BR./Ü: B. v. R.

Private Vermögen I. GRIECHENLAND II. ROM

I. GRIECHENLAND
A. DEFINITION B. ARCHAISCHE ZEIT
C. KLASSISCHE ZEIT D. HELLENISTISCHE ZEIT

A. DEFINITION
In einem Lysias-Fr. wird zwischen »unsichtbarem« (ἀφανής/aphanḗs) Vermögen (= V.; οὐσία/usía) wie → Geld, Tieren, Sklaven und Geräten sowie »sichtbarem« (φανερός/phanerós) V. wie Land unterschieden (Harpokr. s. v. ἀφανής).

B. ARCHAISCHE ZEIT
Die protogeom. Grabfunde von → Lefkandi (ca. 1050–850 v. Chr.) spiegeln die Vermögenswerte der aristokratischen Krieger in den → »Dunklen Jahrhunderten« wider: Waffen, Pferde und Werkzeuge/Geräte wie Schleifsteine, Trensen und Bratspieß. Bei Homer wird das V. des Odysseus allein an der Zahl und Größe der Rinder-, Ziegen-, Schaf- und Schweineherden gemessen (Hom. Od. 14,96–106). Die bis in die früharcha. Zeit nachweisbare Wertschätzung der Viehherden reflektiert eine Vermögensskala, die schon bei den einwandernden Griechen existierte. Die homerischen Hel-

den maßen aber auch Edelmetall und Sklaven hohen Wert bei und verwendeten diese Güter zum Tausch gegen edlen Wein aus Lemnos (Hom. Il. 7,467–475). Durch privaten Landbesitz war wiederum jeder unter den Griechen höher geachtet als die → Theten, die Lohnarbeit für ihren Unterhalt leisten mußten (Hom. Od. 11,487–491). → Solons timokratische Ordnung für Athen belegt das hohe Ansehen des Landbesitzers (vgl. Aristot. Ath. pol. 7,3 f.). Im Fernhandel konnten unter günstigen Umständen hohe Gewinne erzielt werden, wie das Beispiel des → Kolaios zeigt, der 6 Talente – ein Zehntel seines Handelsgewinns – als Opfergefäß dem Heraion von Samos weihte (Hdt. 4,152).

Für die V. der älteren Tyrannen liegen keine Vergleichsgrößen vor: An Prachtentfaltung ragte → Polykrates [1] von Samos heraus, der es sich immerhin leisten konnte, dem Arzt → Demokedes aus Kroton jährlich zwei Talente zu zahlen (Hdt. 3,131). Die allmähliche Verbreitung des Münzgeldes (χρήματα/chrḗmata) um die Mitte des 6. Jh. v. Chr. (→ Münzprägung) erweiterte die bisherige Vermögensbasis, wobei man es in aristokratischen Kreisen gering achtete (Alk. 49; Pind. I.2,11). In Sparta sollten die → Homoioi lediglich von den Erträgen des Landbesitzes leben, wie auch ihre Frauen jedem Luxus (Schmuck etc.) zu entsagen hatten. Die alleinige Gültigkeit des Eisengeldes sollte die private Anhäufung von Edelmetall verhindern (Xen. Lak. pol. 7); 479 v. Chr. wurde jedoch die persische Kriegsbeute, u. a. Gold und Silber, an die Vollbürger verteilt (Hdt. 9,81).

C. KLASSISCHE ZEIT
Die V. der Athener sind in ihrer Größenordnung und in ihrem Aufbau für diese Phase am detailliertesten bezeugt: → Themistokles soll vor seiner polit. Karriere drei, nach der Ostrakisierung über 100 Talente besessen haben (Kritias 88 B 45 DK; Ail. var. 10,17; [3. 215]). Kallias [4], sein Sohn → Hipponikos und sein Enkel Kallias [5] werden für das gesamte 5. Jh. v. Chr. als reichste Griechen mit einem V. von je 200 Talenten eingestuft (And. 1,130; Isokr. or. 16,31; Lys. 19,48). Hipponikos brachte die Vermietung von 600 Sklaven für je einen Obolos zum Silberabbau in → Laureion eine Tageseinnahme von einer Mine ein (Xen. vect. 4,15), und Nikias [1] soll auf diese Weise ein V. von über 100 Talenten angehäuft haben (Lys. 19,47; Xen. vect. 4,14). Der Landbesitz blieb ein bedeutender Vermögensfaktor: Die Ländereien des Oionias auf Euboia, die nach dem → Hermokopidenfrevel (415 v. Chr.) konfisziert worden waren, wurden für 81 Talente 2000 Drachmen verkauft (IG I³ 422 Z. 375 ff.). Das V. des Gerbereibesitzers und Demagogen Kleon [1] lag mit 50 Talenten schon deutlich niedriger (Kritias 88 B 45 DK; schol. Aristoph. Equ. 44). → Hyperbolos, ein Lampenhändler, und Theodoros, Vater des → Isokrates und Besitzer eines → ergastḗrion, dessen Sklaven Flöten herstellten, stockten ihr V. wie Kleon über Gewerbe und Fernhandel auf (Aristoph. Equ. 1304; 1315; Plut. mor. 836e; Lys. 32,4). Neben dem Landbesitz führte die Bergwerkspacht in Athen zu den größten V.

Im urbanen Lebensbereich Athens ließ man einen Teil des V. zur weiteren Akkumulation zirkulieren, wie das Beispiel des Diodotos zeigt: Sein V. bestand aus fünf Talenten Silber, während er sieben Talente 4000 Drachmen in → Seedarlehen (→ *nautikón dáneion*) investiert hatte, ein Talent 4000 Drachmen einem Freund zur Begleichung einer Zinsschuld und 2000 Drachmen einem anderen auf der Chersonnesos geliehen hatte, der ihm als Zins Getreide lieferte (Lys. 32,4–6; 32,8; 32,13–15). Von solchen Vermögenswerten träumte Xanthippe nur – das V. ihres Ehemannes → Sokrates belief sich inkl. des Hauses gerade auf fünf Minen (Xen. oik. 2,3). Manche Athener kämpften hingegen ohne eine Rücklage um den täglichen Lebensunterhalt (Aristoph. Vesp. 300ff.). Die Söhne reicher Athener waren die Zielgruppe, die von den Sophisten (→ Sophistik) über die Verwaltung des V. belehrt wurde. Breite Bevölkerungskreise Athens trugen gegen Ende des 5. Jh. v. Chr die Einnahmen und Ausgaben aus ihrem V. in ein Rechnungsbuch (*grammateíon*) ein. Bei Platon und Aristoteles findet man Vorschläge zur Begrenzung des V., damit die Gier nach Reichtum nicht eine → *stásis* innerhalb der Bürgerschaft auslösen konnte.

Nach dem Sieg über Athen (404 v. Chr.) gelangten manche Spartiaten zu V. durch heimgebrachtes Geld, das aber per Gesetz wieder eingezogen werden sollte (Xen. Lak. pol. 7,6). In der Praxis schlug die Verordnung nicht durch, vielmehr sollen im 4. Jh. einige spartanische Familien so viel Gold und Silber angehäuft haben wie sonst nirgendwo in Hellas (Plat. Alk. 1,122d). Parallel erfolgte die Konzentration des Landbesitzes, wobei spartan. Frauen aus den Königsdynastien und anderen reichen Familien angeblich ⅖ des gesamten Bodens besaßen (Aristot. pol. 1270a 15–30). Im Gegensatz dazu verringerten sich die großen athenischen V. bereits seit der spartan. Okkupation Dekeleias (413), die zur Sklavenflucht in den Minengebieten von Laureion führte: Das V. des Kallias betrug im Jahr 387 weniger als zwei Talente (Lys. 19,48). Nach dem Bürgerkrieg von 404/3 gehörten dem Sohn des Nikias, Nikeratos [1], noch 14 Talente (Lys. 19,47). Nach 400 v. Chr. wurde die Bergwerkspacht wieder lukrativ, führte aber nicht mehr zum Aufbau von V. auf dem früheren hohen Niveau.

Der Freigelassene Pasion [2] (370/69) war zu seiner Zeit der reichste Athener mit einem V. von über 60 Talenten, das sich aus Land inkl. Immobilien (20 Talente), einer Schildwerkstatt und Bankeinlagen in Höhe von 50 Talenten zusammensetzte (Demosth. or. 36,5; [3. 431–435]). Eine weitere V.-Aufstellung betrifft den gleichnamigen Vater des Demosthenes [2]; er hinterließ seinem Sohn 52 Sklaven aus seiner Schwert- und Bettenwerkstatt im Gesamtwert von vier Talenten 5000 Drachmen. Hinzu kamen Elfenbein, Erz und Holz (8000 Drachmen) sowie Farbstoffe (7000 Drachmen), das Familienhaus (3000 Drachmen), Möbel wie auch Schmuck (10000 Drachmen); neben diesen Sachwerten werden weiter Bargeld (8000 Drachmen), ein Seedar-

lehen (7000 Drachmen), Bankeinlagen (3000 Drachmen) und andere ausstehende Darlehen (7600 Drachmen) aufgeführt. Das gesamte V. des Vaters des Demosthenes hatte also einen Wert von 13 Talenten 4600 Drachmen (vgl. Demosth. or. 27,9–11; [3. 126–128]). Demosthenes war aufgrund seines V. zur Leistung von → Liturgien verpflichtet; bei drei bis vier Talenten lag im 4. Jh. die Bemessungsgrenze. Als Diphilos [1] 330 v. Chr. hingerichtet wurde, weil er in seinen Bergwerken die Sicherheitspfähle entfernt hatte, verteilte man sein V. in Höhe von 160 Talenten an alle Bürger Athens.

D. HELLENISTISCHE ZEIT

Mit der Eroberung des Perserreiches soll Alexandros [4] d.Gr. über Einnahmen von 30000 Talenten verfügt haben (Iust. 13,1,9). Nach seinem Vorbild betrachteten die → Diadochen die Tribute der besiegten Völker als private Einkommen. Einige Vermögensgrößen (Lysimachos: 9000 Talente, Strab. 13,4,1; Ptolemaios [3] II. Philadelphos: 14800 Talente, Hier. comm. in Dan 3, 11,5) sind umstritten, dokumentieren aber die unermeßlichen Ressourcen der hell. Könige [9]. Davon profitierten die hohen und niedrigen Angehörigen der Ziviladministration und des Militärs.

Außerhalb dieser Sphäre konnten einzelne Griechen im 3. Jh. respektable V. aufbauen: → Zenon von Kition (Zypern), der spätere Begründer der Stoa, soll ein V. von 1000 Talenten besessen haben, das v. a. in Schiffsdarlehen angelegt war (Diog. Laert. 7,13). In Sparta hatten mittlerweile 100 Familien den gesamten Landbesitz an sich gezogen, den Agis [4] zusammen mit den übrigen Vermögenswerten neu verteilen wollte. Seine Großmutter und Mutter galten als die reichsten Frauen in Sparta (Plut. Agis 4,1); Agis selbst besaß außer Ländereien angeblich noch 600 Talente Bargeld (Plut. Agis 9,5). Agis' Plan scheiterte genauso wie der seines Nachfolgers Kleomenes [6] an dem Einfluß anderer reicher spartan. Familien. Im 2. Jh. beheimatete das griech. Festland vergleichsweise gering begüterte Privatpersonen: Alexandros Isios aus Aitolia soll mit mehr als 200 Talenten der reichste Hellene gewesen sein (Pol. 21, 26,14). Im 1. Jh. v. Chr. lebte in der Provinz Asia Pythodoros von Nysa mit einem V. von 2000 Talenten (Strab. 14,1,42). Der Landbesitz blieb auch in der hell. Zeit das wichtigste Fundament der großen privaten V., gefolgt vom Handel und dem Bankwesen (→ Banken).

→ Geld; Großgrundbesitz; Pacht; Reichtum; Sklaverei

1 A. BRÄUNING, Unt. zur Darstellung und Ausstattung des Kriegers im Grabbrauch Griechenlands zw. dem 10. und 8. Jh. v. Chr., 1995, 37–43 2 A. B. BÜCHSENSCHÜTZ, Besitz und Erwerb im Alt., 1868/Ndr. 1962, 15–40 3 DAVIES 4 R. J. HOPPER, The Attic Silver Mines in the Fourth Century B. C., in: ABSA 48, 1953, 200–254 5 S. LAUFFER, Prosopographische Bemerkungen zu den attischen Grubenpachtlisten, in: Historia 6, 1957, 287–305 6 N. LEWIS, Greeks in Ptolemaic Egypt: Case Studies in the Social History of the Hellenistic World, 1986 7 C. MOSSÉ, Women in the Spartan Revolutions of the Third Centuries B. C., in: S. B. POMEROY (Hrsg.), Women's History and Ancient History, 1991, 144–149 8 W. RICHTER, Die

Landwirtschaft im homerischen Zeitalter (ArchHom 2 = H), 1968, 32–41 **9** ROSTOVTZEFF, Hellenistic World, Bd. 2, 918–924 **10** P. SPAHN, Die Anfänge der ant. Ökonomie, in: Chiron 14, 1984, 301–323 **11** C. G. STARR, Economic and Social Conditions in the Greek World, in: CAH III.3, ²1990, 425–431.   JÖ. SP.

II. ROM
A. PRIVATE VERMÖGEN IN DER RÖMISCHEN WIRTSCHAFT UND GESELLSCHAFT
B. ANGABEN ZU RÖMISCHEN PRIVATEN VERMÖGEN

A. PRIVATE VERMÖGEN IN DER RÖMISCHEN WIRTSCHAFT UND GESELLSCHAFT

Die V. der röm. Bürger und später der Einwohner des Imperium Romanum waren extrem ungleich, sowohl in ihrem Wert als auch in ihrer Zusammensetzung; dasselbe gilt für die privaten Einkünfte. Dabei sind wir bes. über die V. der polit. und sozialen Eliten, der Senatoren (→ *senatus*), Ritter (→ *equites*) und Angehörigen lokaler Oberschichten gut unterrichtet. Die Angehörigen dieser Eliten besaßen oft große Ländereien – Akkerland und Weiden –, zusätzlich Häuser, Tiere, Sklaven, Objekte von hohem Wert und Edelmetalle (u. a. in Form von Mz.). Sie bezogen ihre Einkünfte über die Erträge der Ländereien hinaus auch aus polit. oder kulturellen Aktivitäten sowie aus der Vergabe von Darlehen. Gleichgültig, ob solche Darlehen Sklaven oder Freigelassenen (etwa zum Betreiben von Handelsgeschäften), mittellosen Schuldnern oder aber Angehörigen der eigenen Gesellschaftsschicht gewährt wurden, trugen sie zur allgemeinen Verschuldung und zu Schuldenkrisen bei. Der Umfang der Einkünfte, die nicht aus der Landwirtschaft stammten, ist für die röm. Oberschicht nur schwer einzuschätzen.

Zu den finanziellen Aktivitäten gehörten die Münzkontrolle, der Geldwechsel, die Aufbewahrung von Mz. und Wertgegenständen, Bankeinlagen (→ Banken), die Darlehensvergabe (→ Darlehen), auch in der Form des → Seedarlehens (→ *fenus nauticum*), sowie der Geldtransfer. In Rom wurden derartige Geschäfte teilweise bereits vor Beginn der Münzprägung durchgeführt. Metall diente in Form von Barren – oft mit einem fischgrätähnlichen Muster – als Wertmesser oder Tauschmittel; die Barren konnten auch für die Zahlung von Geldstrafen verwendet oder verliehen werden. Es handelte sich um Elemente eines mobilen Reichtums. Für die frühe Republik berichtet die historiographische Überl. von → Verschuldung und Schuldentilgung, wobei einige Texte wahrscheinlich Patrizier als Gläubiger zeigen (vgl. zu Manlius Capitolinus Liv. 6,11; 6,14–20).

Zw. 318 und 310 v. Chr. ließen sich die Geldwechsler (→ *argentarius* [2]) in Geschäften am Forum nieder. Sie wechselten nicht nur Geld, sondern waren in der Zeit vom 2. Jh. v. Chr. bis zur Mitte des 3. Jh. n. Chr. durch Geldverleih an Käufer auch an den *auctiones* beteiligt. Die *coactores argentarii* trieben Außenstände ein, und die → *nummularii* prüften zunächst die Mz., wurden dann im 2. Jh. n. Chr. eigentliche Bankiers.

Die *lex Genucia* untersagte 342 v. Chr. den Geldverleih gegen → Zins (Liv. 7,42,1; Tac. ann. 6,16,2); das Gesetz fand wahrscheinlich aber nur kurze Zeit Anwendung. Darlehen gegen Zins waren danach in Rom üblich. Die Zinsnahme wurde durchaus kritisiert (Cato agr. praef. 1), aber offen praktiziert. Viele *equites*, Senatoren und Angehörige der lokalen Oberschicht verliehen Geld gegen Zins, zum Teil unregelmäßig und eher in Ausnahmefällen, zum Teil als regelmäßiges Geschäft. Geldverleiher, die sich auf dieses Geschäft spezialisiert hatten, nannte man *feneratores*. Die Angehörigen der Oberschichten betrieben ihre Geschäfte häufig über Mittelsleute, darunter Freunde, Verwandte, Freigelassene oder Sklaven; aus diesem Grund war es nicht notwendig, große dauerhafte Finanzunternehmen zu gründen; die einzigen bedeutenden Finanzgesellschaften der späten Republik und des frühen Prinzipats waren die *societates publicorum* (→ *publicani*), die in den Prov. die → Steuern einzogen, aber auch private Geldgeschäfte tätigten. Wenn ein Senator, der kein *fenerator* war, Geld verleihen wollte, wandte er sich normalerweise an jemanden, der in Finanzfragen erfahren war. Gegen Ende der Republik zogen Senatoren und *equites* oft Angehörige ihrer eigenen Schicht in Geldfragen zu Rate; das Geld wurde dann an Geschäftsleute oder Geldverleiher transferiert, die nicht der Oberschicht angehörten. So wurde Cicero in Finanzfragen von T. → Pomponius [I 5] Atticus beraten, der wiederum Geld über Cluvius und Vestorius verlieh. Senatoren und *equites* wie Pompeius [I 3], M. Iunius [I 10] Brutus oder C. Rabirius [I 3] Postumus hatten in den Prov. Darlehen vergeben.

Aufgrund der weiten Verbreitung von Darlehen in allen Bevölkerungsschichten kam es zu Verschuldung und zur Einstellung der Zahlungen; solche teilweise auch polit. bedingten Krisen werden für die Jahre 193/2 v. Chr., für die Zeit zw. 88 und 82 v. Chr, für 64/3 v. Chr. und erneut für 49 v. Chr. erwähnt; ferner ist die Finanzkrise unter Tiberius im Jahre 33 n. Chr. zu nennen (Tac. ann. 6,16 f.). Zw. der Finanzkrise der Jahre 64/3 v. Chr. und der Catilinarischen Verschwörung bestand ein enger Zusammenhang; die Revolte → Catilinas hatte ihren Ursprung in der Verschuldung vieler Menschen aller sozialen Schichten, darunter der sullanischen Veteranen, der → *plebs urbana* und eines Teils der senatorischen Führungsschicht. Es wurde die Forderung nach einem Schuldenerlaß erhoben, die Cicero und die Mehrheit der Senatoren aber ablehnten (Cic. off. 2,84).

B. ANGABEN ZU RÖMISCHEN PRIVATEN VERMÖGEN

Aus der Zeit des 2. Jh. v. Chr., der späten röm. Republik und des Prinzipats liegen eine Reihe wertvoller Informationen zum V. einzelner Senatoren vor: P. Cornelius [I 71] Scipio Africanus soll jeder seiner beiden Töchter 50 Talente (= 1,2 Mio HS) Mitgift zugesagt haben; der Vater des jüngeren Cornelius [I 70] Scipio Africanus, L. Aemilius [I 32] Paullus, hinterließ ein V. im Wert von 60 Talenten (= 1,44 Mio HS), der jüngere Africanus selbst besaß 32 Pfund Silber (Pol. 32,13 f.;

Plin. nat. 33,141). Im 1. Jh. n. Chr. verfügte M. Licinius [I 11] Crassus über 7100 Talente (= 170,4 Mio HS, Plut. Crassus 2), noch reicher war Pompeius [I 3] nach seinen Feldzügen im Osten: Der Senat sprach seinen Söhnen als Entschädigung für die Versteigerung seiner Besitzungen 700 Mio HS zu (Cic. Phil. 13,11 f.); das Bar-V. Caesars wird für das J. 44 v. Chr. auf 4000 Talente (= 96 Mio HS) beziffert (Plut. Antonius 15). Aber auch Senatoren, die nicht zu den wirklich Reichen gehörten, hatten noch ein beträchtliches V., so etwa der jüngere Cato (→ Porcius [I 7]) in Höhe von 220 Talenten (= 5,28 Mio HS, Plut. Cato minor 4; 6). Cicero äußert selbst, er habe Erbschaften von insgesamt 20 Mio HS erhalten (Cic. Phil. 2,40).

Die großen senatorischen V. der Prinzipatszeit beliefen sich auf Summen zw. 100 und 400 Mio HS (Seneca: 300 Mio HS, Tac. ann. 13,42,4; Q. Vibius Crispus: 300 Mio HS, Tac. dial. 8,1 f.; T. Clodius → Eprius Marcellus: 200 Mio HS, Tac. dial. 8,1; Cn. Cornelius [II 25] Lentulus: 400 Mio HS, Sen. benef. 2,27,1). Plinius d. J., der wahrscheinlich über 15 Mio HS besaß und damit nicht als sehr reich gelten kann, hatte sein V. vor allem in Ländereien angelegt (Plin. epist. 3,19,8). Dies traf sicherlich nicht auf alle Senatoren zu; Seneca muß erhebliche Beträge verliehen haben (Tac. ann. 13,42,4). Die Entstehung bes. großer V. ist in der Prinzipatszeit ebenso wie in der späten Republik oft speziellen polit. Umständen zu verdanken; dies gilt etwa für Seneca und Cn. Cornelius [II 25] Lentulus, die zumindest einen Teil ihres Besitzes Zuwendungen des Princeps verdankten.

Es ist schwer zu bestimmen, wie die Geld-V. und finanziellen Transaktionen sich im Verlauf der röm. Gesch. quantitativ entwickelten. Ohne Zweifel stieg die Geldmenge zw. dem 3. und 1. Jh. v. Chr. stark an, die Zahl der Bankiers nahm ebenfalls zu. Dies läßt auch auf einen wachsenden Umfang der Geld-V. schließen. Im Gegensatz dazu hatte die polit., wirtschaftliche und monetäre Instabilität nach 270 n. Chr. einen Niedergang der Geldgeschäfte zur Folge; allerdings kann dieser Eindruck durch den Forschungsstand bedingt sein: Die Finanzgeschäfte der Spätant. sind bislang nicht gut erforscht.

→ Darlehen; Geld, Geldwirtschaft; Reichtum; Steuern

1 J. ANDREAU, Patrimoines, échanges et prêts d'argent: l'économie romaine, 1997 2 Ders., Vie financière dans le monde romain, Les métiers des manieurs d'argent, 1987 3 CH. T. BARLOW, Bankers, Moneylenders and Interest Rates in the Roman Republic, 1978 4 R. BOGAERT, Trapezitica Aegyptiaca. Recueil de recherches sur la banque en Egypte gréco-romaine, 1994 5 D'ARMS 6 DUNCAN-JONES, Economy, 17–32, 343 f. 7 M. W. FREDERIKSEN, Caesar, Cicero and the Problem of Debts, in: JRS 56, 1966, 128–141 8 S. MRATSCHEK-HALFMANN, Divites et praepotentes. Reichtum und soziale Stellung in der Lit. der Principatszeit, 1993 9 I. SHATZMAN, Senatorial Wealth and Roman Politics, 1975 10 H. ZEHNACKER, Rome. Une société archaïque au contact de la monnaie (VIe–IVe siècles av. J.-C.), in: Crise et transformation des sociétés archaïques de l'Italie antique au Ve siècle av. J.-C., 1990, 307–326.

J.A./Ü: C.P.

Privatheit und Öffentlichkeit

I. ALLGEMEIN II. GRIECHENLAND
III. ROM IV. STIFTUNGSWESEN

I. ALLGEMEIN

P. als Bezeichnung desjenigen Lebensbereichs, der einen individuell ausgeprägten, gegenüber der in Gegensatz hierzu gestellten Ö. intimen Charakter aufweist, geht zwar auf das lat. *privatim / privatus* (»persönlich«, »abgesondert«, »privat«) zurück. Als Polarisierung zweier mehr oder minder strikt voneinander geschiedener Sphären existiert das Begriffspaar jedoch erst seit dem Aufkommen bürgerlicher Normvorstellungen im späten 18. Jh.; bis dahin konnten sogar Handlungen wie der Toilettengang oder das Ankleidezeremoniell des Herrschers zumindest im Rahmen des Hofstaates öffentlich-repräsentativen Charakter haben.

II. GRIECHENLAND

In der griech. Ant. war eine Trennung dieser Sphären zwar nicht vollständig unbekannt, doch weniger scharf, und ihre Grenze verlief an anderer Stelle. Die → Polis an sich war eine öffentliche Sache von hoher Bed., die jeden einzelnen Bürger nahezu permanent bis in sein häusliches Leben hinein berührte. Strikt von dem Betrieb dieser Ö. geschieden war die Lebenswelt des → *oíkos* (»Hauses«) jedoch nur, soweit es Frau und Kinder betraf. Der Mann agierte demgegenüber in nahezu seinem gesamten Tätigkeitsspektrum mehr oder minder öffentlich; sein Tun und Lassen war umfassender Bestandteil eines Kollektiv-Verhaltens, wurde aufmerksam registriert und an dem jeweils herrschenden System ges. Normen gemessen. Bes. evident wird dies bei den »Muße-Tätigkeiten« des vermögenden Aristokraten oder, im 5. Jh. v. Chr., des freien Bürgers: Tätigkeiten, die nicht im Sinne von freizeitlicher Hobby-Beschäftigung zu verstehen sind, sondern als ges. notwendige Handlungen im Sinne einer öffentlichen Repräsentation des eigenen Status (→ Muße).

Die Architektur des griech. Wohnhauses (→ Haus) zeigt diese Ambivalenz zw. den Sphären auch in dinglicher Form in aller Deutlichkeit: Den meist baulich separierten »Privaträumen« (z. B. der im Obergeschoß gelegenen γυναικωνῖτις/→ *gynaikōnítis*, »Frauengemach«) steht nicht nur ein nach Außen orientierter Wirtschaftstrakt gegenüber, sondern – etwa in Gestalt des → *andrṓn* [4] oder des Gästeraums (*xenṓn*) – zugleich auch ein ebenso extrovertierter Baukomplex für ges. Belange des Mannes. Und selbst das Leben im »Frauengemach« blieb der Ö. letztlich nicht verborgen: Zahlreiche Bilder des 5. und 4. Jh. v. Chr. (v. a. Grabreliefs) zeigen, nicht selten sogar an Orten größtmöglicher Ö. (Friedhöfen), privatestes Leben und formulieren auf diese Weise in jeweils begrenzten Bildausschnitten ein insgesamt vollständig erfaßtes, dabei idealisiertes System von ges. akzeptierten Verhaltensmustern und Normen »privaten« Verhaltens.

Das Verhältnis zwischen P. u. Ö. wandelte sich vom 7. zum 3. Jh. v. Chr. nicht unwesentlich: Während bes. im

Athen des 5. Jh. v. Chr. nahezu alle Lebensbereiche von Ö. durchdrungen waren, ist seit etwa 400 v. Chr., einhergehend mit dem Schwinden des demokratischen Selbstverständnisses (→ *dēmokratía*), dem Aufkommen des Bedarfs nach Individualisierung (Luxusgegenständen, Porträts) sowie dem Entstehen einer bis dahin unbekannten ökonomischen Diversifizierung zwischen den in der Polis zusammenwohnenden Familienclans (Ausbildung großer Geldvermögen), ein »Rückzug« in die Privatsphäre zu konstatieren und damit erstmalig eine Ausgliederung von Staat und Ö. aus dem wirtschaftlichen und ges. Lebensgefüge der Bürger. Zu Familiendarstellungen vgl. → Familie IV. C.

Eine klare und intendierte Trennung von P. u. Ö. findet sich hingegen im → Städtebau seit der Zeit des → Hippodamos von Milet; hier finden sich persönlich-private, polit.-öffentliche und kultisch-rel. Sphären strikt voneinander geschieden.

III. Rom

Das Verhältnis von P. u. Ö. ist im ant. Rom seit dem Zwölftafel-Gesetz (→ *tabulae duodecim*) zunächst v. a. juristisch definiert. Das *ius privatum* formuliert dabei in objektivem Sinne die Normen, durch die die Rechte und Pflichten der Bürger für sich und untereinander geregelt wurden; nicht minder reglementiert waren die Beziehungen der Bürger bzw. der Familien zur → *res publica*, dem öffentlichen Gemeinwesen, wobei dieses *ius privatum* aber nicht in heutigem Sinne systematisch von einem *ius publicum* geschieden war. Innerhalb dieses Systems, das grundsätzlich eine Trennlinie aufzeigt, die derjenigen der bürgerlichen Ges. des 19. Jh. zu ähneln scheint, geriet die Familie zum »Staat im Staat«, stand unter der uneingeschränkten Herrschaft des → *pater familias*, der wiederum das Bindeglied zw. P. und *res publica* repräsentierte (→ Familie IV.). Die Grenze zw. P. u. Ö. war indessen auch hier gegenüber dem mod. Verständnis nicht unwesentlich verschoben. Ö. war mindestens in der röm. Oberschicht ein Faktor, der bis in intimste Bereiche von Belang war und bis in das Wohnhaus hineindrang. Sowohl die *domus* (→ Haus) als auch die → *villa* des begüterten Römers wiesen baulich von den Privatgemächern getrennte Räumlichkeiten auf, die öffentlich-repräsentativen Zwecken, etwa dem → Gastmahl oder dem Empfang der → *clientes*, dienten (u. a. das → *Atrium*; dieses war meist mit einem Familienstammbaum und Ahnenbildern ausgestattet, die hier weniger an die Bewohner gerichtet, sondern vielmehr als Demonstration der Ehrwürdigkeit gegenüber einer sich hier konstituierenden Ö. gedacht waren).

IV. Stiftungswesen

Ein indifferentes Verhältnis zw. P. u. Ö. kommt seit dem Hell. auch im Stiftungswesen (→ Euergetismus) zum Ausdruck: Kaiser- und Königshäuser sowie vermögende Privatpersonen stifteten Bauwerke oder soziale bzw. rel. Dienstleistungen meist nicht aus altruistischen Gründen, sondern um einer Gegenleistung willen (sei es in Form einer Ehrung oder eines Zugewinns an sozialem oder polit. Prestige). Bisweilen kam es dabei

zu einer bes. Betonung der P. der Tat, die aber in Wahrheit ein hochpolit., öffentlicher Akt war: So ließ etwa Augustus »sein« → Forum [III 1] Augustum ausdrücklich auf einem ›aus privaten Mitteln‹ (R. Gest. div. Aug. 21) angekauften Terrain errichten.

→ Familie; Frau; Geschlechterrollen; Haus; Muße; Polis; Res publica

J. Bergemann, Demos und Thanatos. Unt. zum Wertsystem der Polis im Spiegel der attischen Grabreliefs des 4. Jh. v. Chr. und zur Funktion der gleichzeitigen Grabbauten, 1997 · N. Elias, Die höfische Ges., ⁵1981 · M. Grahame, Public and Private in the Roman House. The Spatial Order of the Casa del Fauno, in: A. Wallace-Hadrill, R. Laurence (Hrsg.), Domestic Space in the Roman World, Journ. of Roman Archaeology Suppl. 22, 1997, 137–164 · J. Habermas, Strukturwandel und Ö., ⁵1971 · M. Hakkarainen, Private Wealth in the Athenian Public Sphere during the Late Classical and the Early Hellenistic Period, in: J. Frösén (Hrsg.), Early Hellenistic Athens – Symptoms of a Change (Kongr. Helsinki), 1997, 1–32 · H. von Hesberg, P. u. Ö. in der frühhell. Hofarchitektur, in: W. Hoepfner (Hrsg.), Basileia. Die Paläste der hell. Könige (Kongr. Berlin 1992), 1996, 84–96 · T. Hölscher, Öffentliche Räume in frühen griech. Städten, 1998 · S. G. Humphreys, Public and Private Interests in Classical Athens, in: CJ 73, 1977/78, 97–107 · M. Jameson, Private Space and the Greek City, in: O. Murray (Hrsg.), The Greek City. From Homer to Alexander, 1990, 171–195 · A. M. Riggsby, Public and Private in Roman Culture – The Case of the Cubiculum, in: Journ. of Roman Archaeology 10, 1997, 36–56 · K. Schneider, Villa und Natur. Eine Studie zur Oberschichtskultur im letzen vor- und ersten nachchristl. Jh., 1995 · L. Schneider, Die Domäne als Weltbild. Wirkungsstrukturen der spätant. Bildersprache, 1983 · E. Stein-Hölkeskamp, Adelskultur und Polisgesellschaft, 1989 · J. P. Vernant, L'individu, la mort, l'amour. Soi-même et l'autre en Grèce ancienne, 1989.	C. Hö.

Privatus. Im röm. Staatsrecht allg. der nichtbeamtete Bürger im Gegensatz zum → *magistratus* (z. B. Cic. inv. 1,35; Isid. orig. 9,4,30); im engeren Sinne derjenige, der überhaupt noch nicht oder nicht unmittelbar zuvor ein polit. Amt innehatte (Cic. fam. 8,10,2).

Privati cum imperio sind – wie Promagistrate, die strenggenommen auch *p.* sind (Liv. 38,42,10) – Inhaber der vom Senat oder Volk verliehenen Amtsgewalt (→ *imperium*). Auch sie nennen sich → *proconsul* oder → *propraetor* [5]. Im 1. Jh. v. Chr. wurden per Volksgesetz den *p.* außerordentliche Kommandos übertragen, um den Aufgaben der röm. Weltherrschaft oder auch dem Ehrgeiz einzelner zu genügen (→ Pompeius [I 3]). In der Endzeit der Republik vertrat M. Tullius → Cicero das Recht des *p.*, zum Wohle des Staates *privato consilio* (»in privater Initiative«) tätig zu werden (z. B. Cic. Manil. 61 f.; Cic. rep. 2,46; Cic. fam. 11,7,2; vgl. R. Gest. div. Aug. 1) [2].

Der → *princeps* war kein *magistratus*, somit eigentlich *p.*, trotz seiner Amtsgewalten und der Bekleidung von Ämtern. Im 1. Jh. n. Chr. entwickelte sich der Gegen-

satz von *princeps* und *p.* (z. B. Tac. hist. 1,49,4; 3,70,1;
vgl. [1]).

→ Magistratus

1 J. Béranger, Le p. dans l'Histoire Auguste et dans la
tradition historique, in: Bonner Historia Augusta
Colloquium 1982/83, 21–55 2 Ders., Die Machtübernahme des Augustus und die Ideologie des »P.«,
in: H. Kloft (Hrsg.), Ideologie und Herrschaft in der Ant.,
1979, 315–335 3 Ph. Bruggisser, P. dans l'œuvre de
Symmaque: une incidence de la lexicographie sur la datation
de L'Histoire Auguste, in: Historiae Augustae Colloquium
Barcinonense 1996, 111–132 4 M. Humbert, Institutions
politiques et sociales de l'antiquité, ⁶1997 5 W. Kunkel,
R. Wittmann, Die Magistratur (HdbA 10,3,2,2), 1995.
L. d. L.

Privernas. Röm. Cognomen (»Sieger über → Privernum«), Beiname des L. Aemilius [I 24] Mamercinus P.
(vielleicht nachträglich erfunden).

Kajanto, Cognomina, 182.   K.-L. E.

Privernum (Πρίβερνον). Stadt der → Volsci im Süden
des Mons Lepinus am Oberlauf des → Amasenus in Latium (Strab. 5,3,10; Ptol. 3,1,63: Πριούερνον; das Gebiet
ager Privernas, vgl. Cic. de orat. 2,224. Weinbau: Plin.
nat. 14,65), h. Madonna di Mezzagosto bei Priverno.
Nach harten Kämpfen mit den Römern (357 und 329
v. Chr. die Triumphe *de Privernatibus*, Liv. 7,16,6 bzw.
8,20,7 ff.; CIL I² 1, p. 44 f.) wurde P. röm. *praefectura* (Fest.
262,12), später *civitas sine suffragio* (Liv. 8,21,10), um 160
v. Chr. *colonia* (Liv. per. 46), *tribus Oufentina* (Lucil. fr.
1260); seit Augustus gehörte P. zur *regio I* (Plin. nat.
3,64). Arch.: Regelmäßige Stadtanlage, Mauer in *opus
incertum* mit Türmen; auf dem Forum zwei Tempel, ein
Theater, ein Bogen, Reste von Thermen und Hausanlagen (u. a. die sog. *domus dell'Emblema* mit Nilmosaik).

M. Cancellieri, Lo sbocco meridionale della valle dei
Lepini, in: Bollettino dell'Ist. di storia e di arte del Lazio
Meridionale 11, 1979–1982, 35–41 • Dies., P.: l'area
archeologica, 1998 • Dies. (Hrsg.), Museo archeologico di
Priverno, 1 f. (im Druck).   M. M. MO./Ü: J. W. MA.

Privilegium. Als t. t. des röm. Rechts und als solcher
noch nicht so umfassend zu verstehen wie das »Privileg«
im MA und in der frühen Neuzeit und erst recht nicht
wie in der mod. Umgangssprache, ist das röm. *p.* ein
»Gesetz für einen einzelnen« und nach den XII Tafeln
(tab. 9,1) als Ausnahmegesetz zu Lasten einer Einzel-
person unzulässig: Es darf nicht in der Volksversammlung eingebracht werden (*ne inroganto*, Cic. leg. 3,4,11).
In der Zeit des Prinzipates werden mit *p.* Vorrechte für
bestimmte Institutionen und Personengruppen bezeichnet. So spricht Papin. Dig. 49,14,37 vom Vorrang
des Pfandrechts zugunsten des Staates (→ *fiscus*) am Vermögen eines Schuldners als *p.* im Gegensatz zum *ius
commune* (allg. Recht). Bes. häufig sind solche rechtlichen Sonderregeln im Soldatenrecht, z. B. das Rückkehrrecht eines Kriegsgefangenen (→ *postliminium*) oder

die Formerleichterungen und Erweiterungen der Gestaltungsmöglichkeiten (Erbfähigkeit von Latinern und
Nichtrömern) für Testamente von Soldaten (Ulp. Dig.
29,1,1 pr.; Gai. inst. 2,109 f.; 114).

Keine klare Abgrenzung ist zw. dem *p.* und der
»Rechtswohltat« des → *beneficium* zu erkennen; auch der
Begriff des *ius singulare* (Ausnahmerecht, → *ius* E.2.)
kommt für das *p.* vor.

V. Scarrano Ussani, Forme del privilegio, 1992.   G. S.

Proba. Die Christin Faltonia Betitia (dagegen [1]) P.
(gest. vor 380), aus einer teils paganen röm. Senatoren-
familie gebürtig, verfaßte ein nunmehr verlorenes Gedicht über die Usurpation des → Magnentius (351–353).
In ihrem *Cento Vergilianus de laudibus Christi* (›Vergilcen-
to über die Wohltaten Christi‹; vgl. → *cento*) stellt sie
Episoden des AT und NT (von der Genesis bis zum Tod
Christi) im sprachlichen Gewand Vergils dar. Kritik an
P.s Gedicht äußert → Hieronymus (epist. 53,7), für den
dogmatische Irrtümer und poetische Mängel P.s einander zu bedingen scheinen. Das *Decretum Gelasianum*
(decretum Gelasianum 287, vgl. [4. 299 f.]), ein pseud-
onymes Werk des 4. Jh. n. Chr., das u. a. eine Art Index
in der röm. Kirche erlaubter und verbotener Bücher
enthält, nennt den *Cento* ein *conpaginatum apocryphum*
(»ein verwerfliches Dichtwerk«). Anerkennend äußert
sich dagegen → Isidorus [9] (vir. ill. 22; vgl. orig.
1,39,26).

Die theologische Leistung P.s wird unterschiedlich
beurteilt. Die Ansicht, P. wolle einen zürnenden Christus zeichnen [2], wird h. in Zweifel gezogen. Der lie-
bende Sohn Gottes sowie die Bejahung des Diesseits
werden als zentrale Botschaft des *Cento* erkannt [3].

→ Cento; Literaturschaffende Frauen

1 D. Shanzer, The Anonymous »Carmen contra Paganos«
and the Date and Identity of the Centonist P., in: Rev. des
Ét. Augustiniennes 32, 1986, 232–248 2 I. Opelt, Der
zürnende Christus im Cento der P., in: JbAC 7, 1964,
106–116 3 A. Jensen, Eine Spiritualität für das Leben in
dieser Welt. Zum theologischen Werk der Faltonia Betitia
P., in: S. Spendel (Hrsg.), Weibliche Spiritualität im
Christentum, 1996, 50–61 4 E. von Dobschütz (ed.), Das
Decretum Gelasianum, 1912.

Ed.: K. Schenkl, CSEL 16,1, 1888, 511–609 • E. A. Clark,
D. F. Hatch, The Golden Bough, the Oaken Cross, 1981
(engl. Übers. und Komm.).
Lit.: R. Herzog, Faltonia Betitia P., in: HLL 5, § 562 •
J. Matthews, The Poetess P. and Fourth Century Rome,
in: M. Christol (Hrsg.), Institutions, société et vie
politique dans l'Empire Romain au IVe siècle ap. J.-C.,
1992, 277–304.   HE. HA.

Probalinthos (Προβάλινθος, mit Demotikon Προβα-
λίσιος). Att. Paralia-Demos der Phyle Pandionis [2], ab
200 v. Chr. der Attalis, mit fünf *buleutaí*, Name vorgriech., an der Ostküste von Attika beim h. Nea Makri;
dort auch bed. neolithische Siedlung [1; 2]. P. bildete

mit Marathon, Oinoe [5] und Trikory(n)thos den Kultverband der marathonischen Tetrapolis (Strab. 8,7,1; IG
II² 2933). Im 1. Jh. n. Chr. z.Z. des Plinius war P. ent-
völkert (Plin. nat. 4,24).

1 M. PANTELIDOU-GOPHA, Η νεολιθική Μάκρη, 1991
2 D. R. THEOCHARIS, Nea Makri, in: MDAI(A) 71, 1956,
1–29.

TRAILL, Attica 8, 42 mit Anm. 14, 63, 67, 112 Nr. 122, Tab.
3, 14 · J. S. TRAILL, Demos and Trittys, 1986, 33, 35, 38, 43,
45 f., 86 f., 89, 129, 146 ff. · WHITEHEAD, Index s. v. P.
                                                    H. LO.

Probatio (»Probe«; »Prüfung«; »Beweis(führung)«).

I. RECHT   II. RHETORIK

I. RECHT

Im röm. Recht subsumiert man unter *p*. ohne klare
Trennschärfe die für jeden Zivilprozeß zentrale Phase
der Beweiserhebung insgesamt, die Frage nach der Be-
weislastverteilung und schließlich auch die Liste der Beweismittel. Die von dem → *iudex* (»Richter«) durchzu-
führende Beweiserhebung wird in den Juristenschriften
kaum behandelt; sie galt nicht als Rechtsfrage. Die Verteilung der Beweislast wurde wohl nicht so streng wie
heute beachtet, doch hat es gewisse Regeln durchaus
gegeben: Etwa daß diese Last grundsätzlich den Kläger
treffe, daß aber hinsichtlich der Einwendungen (→ *exceptio*) der Beklagte wie ein Kläger agiere (Dig. 22,3,21;
22,3,9; 44,1,1). Die Beweismittel umfassen außer Zeugen, Urkunden oder Eid auch *fama*, *rumor* (»Gerede«)
oder → *praeiudicia* (vgl. etwa Quint. inst. 5,1–12).

M. KASER, K. HACKL, Das röm. Zivilprozeßrecht, ²1996,
361 · G. PUGLIESE, L'onere della prova nel processo per
formulas, in: RIDA 3, 1956, 349–422 · A. WACKE, Zur
Beweislast im klass. Zivilprozeß, in: ZRG 109, 1992,
411–449.   C. PA.

II. RHETORIK

Probationes (Quint. inst. 5,1,1; 5,9,1) sind – wie
πίστεις / *písteis* (Aristot. rhet. 1355b 35; → *pístis*), lat. *argumenta, argumentationes* (Consultus Fortunatianus 2,23)
– die Überzeugungsmittel, deren man sich bei der → *argumentatio* bedient. Aristot. rhet. Alex. 1428a 17–19 stellt
den aus Reden, Handlungen, Personen selbst gewonnenen *písteis* jene gegenüber, die dem von Personen
Gesagten und Getanen hinzugefügt (ἐπίθετοι / *epíthetoi*)
werden. Seit Aristot. (rhet. 1355b 35) unterscheidet man
als *genera* der *p*. solche, die zur rhet. → *téchnē* (ἔντεχνοι /
éntechnoi, lat. *artificiales*), und solche, die nicht zu ihr gehören (ἄτεχνοι / *átechnoi*, lat. *inartificiales*). Die *éntechnoi*
müssen durch die *téchnē* gefunden werden. Die *átechnoi*
sind von außen vorgegeben, hinzugefügt (Cic. inv.
2,46), müssen vom Redner aber mit größter Beredsamkeit gestaltet, unterstützt bzw. widerlegt werden
(Quint. inst. 5,1,2). Sie gelten allg. als wirksamer, weil
sich über sie alle einig sind.

Als *átechnoi* nennt Aristot. rhet. Alex. 1428a 23–24
Zeugenaussagen, Aussagen unter → Folter, Eide (rhet.

1355b 37); Aristot. rhet. 1375a 24–25 fügt Gesetze und
Verträge hinzu. Von Cic. de orat. 2,116 wird das ausdifferenziert in Urkunden, Zeugenaussagen, Verträge,
Übereinkünfte, peinliche Untersuchungen, Gesetze,
Senatsbeschlüsse, richterliche Entscheidungen, obrigkeitliche Verordnungen und Rechtsgutachten. Quint.
inst. 5,2,1–7; 5,3 behandelt die durch Gerichtsurteil geschaffenen Präjudizien, den Ruf einer Person und Gerüchte, Folter, Urkunden, den Eid sowie Zeugen, darunter die sog. göttlichen Zeugnisse, d. h. Prophezeiun-
gen, Orakel und Vorzeichen.

Die sophistische *téchnē* weiterentwickelnd, nennt
Aristot. rhet. 1356a 1–20 drei Arten (εἴδη / *eídē*) von *p*.,
die durch die Rede beschafft werden: den Charakter des
Redners (→ *éthos*), die Stimmung, in die er die Hörer
versetzt (→ *páthos*), die Rede selbst (λόγος / *lógos*), d. h.
das Beweisen und scheinbare Beweisen. Die einzelne
pístis ist für Aristot. (rhet. 1356a 35–b 6) entweder ein
Enthymem (ἐνθύμημα / *enthýmēma*; Cic. inv. 1,57: *ratiocinatio*; Quint. inst. 5,10,11: *argumentum, commentum,
commentatio*; 5,14,1: *argumenti elocutio*) oder ein Beispiel
(παράδειγμα / *parádeigma*; lat. *exemplum*). Dem Enthymem entspricht in der → Dialektik der Syllogismus
(συλλογισμός), dem Beispiel die Induktion (ἐπαγωγή /
epagōgé, lat. *inductio*). Formal ist das Enthymem ein ver-
kürzter, unvollständiger Syllogismus, bei dem man Prämissen verkürzt bzw. ganz wegläßt (Aristot. rhet. 1357a
16–21); auch die Konklusion zu ziehen kann den Hö-
rern überlassen werden (Quint. inst. 5,14,1).

Im Unterschied zum logischen Beweis (ἀπόδειξις /
apódeixis; Quint. inst. 5,10,7: *evidens probatio*), bei dem
aus wahren Vordersätzen eine zwingende Schlußfolgerung gezogen wird, sind die Vordersätze des dialektischen und rhet. Syllogismus meistens wahr scheinende,
glaubhafte (ἔνδοξος / *éndoxos*) Sätze, aus denen nur eine
wahr scheinende Konklusion gewonnen werden kann
(Aristot. rhet. 1357a 22–29). Wie der dialektische kann
auch der rhet. ein nur scheinbarer Syllogismus sein, weil
die Prämissen nicht wirklich wahrscheinlich sind oder
die Konklusion nicht korrekt ist. Aristot. rhet. 1396b
22–27 und 1400b 26–29 unterscheidet zw. beweisenden
(δεικτικός / *deiktikós*, ἀποδεικτικός / *apodeiktikós*) Enthymemen, der Deduktion aus Zugestandenem (Quint.
inst. 5,14,25: *ex consequentibus*), einerseits und widerlegenden (ἐλεγκτικός / *elenktikós*) Enthymemen, der Begründung des nicht Zugestandenen (*ex repugnantibus*),
andererseits. Höher geschätzt, weil einleuchtender, sind
die widerlegenden. Nur das widerlegende wird von den
meisten späteren Rhetorikern noch als Enthymem (*con-
trarium*) bezeichnet, während das beweisende dann Epi-
cheirem heißt (Quint. inst. 5,10,3).

Das widerlegende Enthymem teilt Aristot. rhet.
1402a 29–37 in Gegensyllogismus (ἀντισυλλογισμός /
antisyllogismós) und Einwand (ἔνστασις / *énstasis*) ein. Der
Gegensyllogismus kann gewonnen werden aus denselben Topoi wie der Syllogismus, der Einwand aus der
Sache selbst, dem Ähnlichen, dem Gegenteil, vorliegenden Entscheidungen (Aristot. rhet. Alex. 1430a 40–

1430b 29; Quint. inst. 5,13f.): Das Enthymem wird aus Wahrscheinlichem (εἰκότα/*eikóta*), Beispiel (παράδειγμα/*parádeigma*), Indiz (τεκμήριον/*tekmḗrion*) oder Zeichen (σημεῖον/*sēmeíon*) gebildet (Aristot. rhet. 1357a 30–b 10; 1402b 13–14). In Aristot. an. pr. 70a 3–6 wird das *eikós* definiert als Satz, der glaubhaft ist, weil man weiß, daß es meistens so geschieht oder nicht geschieht, so ist oder nicht so ist. Für Aristot. rhet. Alex. 1428a 26–27 fallen dem Hörer zu einem *eikós* sofort Beispiele ein. Das Indiz ist zwingend, so daß aus ihm ein Syllogismus gebildet, Wissen gewonnen werden kann, das Zeichen dagegen ἔνδοξος/*éndoxos* (»glaubwürdig«), so daß die daraus gezogene Schlußfolgerung nur eine Meinung darstellt (Aristot. an. pr. 70a 6–7; Aristot. rhet. Alex. 1430b 30–1431a 6).

Das Beispiel (l.c., 1429a 21–1430a 13), die rhet. Induktion, wird von Aristoteles zwar als eigener Begründungsmodus neben dem Enthymem genannt, ist für ihn aber grundsätzlich eine Voraussetzung des Enthymems (1393a 27). Eingeteilt werden die Beispiele (1393a 28–31) in frühere Tatsachen und Erdichtetes mit den Unterarten Parabel (z.B. Sokrates) und Fabel (z.B. Aisopos). Nach Quint. inst. 5,11,1f. entsprechen dem παράδειγμα/*parádeigma* lat. das *exemplum*, dem Erdichteten (παραβολή/*parabolḗ*) die *similitudo* und die Ciceronische *collatio* (Cic. inv. 1,40). Unter den Beispielen behandelt Quint. (inst. 5,11) ferner das Bild, die Entsprechung, das Urteil, das dank seiner *auctoritas* als *p.* taugt: Gedanken und Aussagen von Stämmen, Völkern, weisen Männern, bedeutenden Dichtern, ferner das, was man im Volk sagt, was in der Überzeugung eines Volkes seinen Platz gefunden, sich in dessen Sitten und Gebräuchen sowie Sprichwörtern niedergeschlagen hat.

In Aristot. rhet. Alex. 1428a 20–21 werden unter den technischen *p.* auch die Sentenzen (→ *gnṓmē*) genannt, definiert als Ausdruck einer persönlichen Meinung über allg. Verhalten und Handeln. Sie bringen entweder eine herrschende Meinung zum Ausdruck oder widersprechen dieser; gewonnen werden sie aus der Eigenart des Falles, einer Übertreibung, Ähnlichkeit (ebd. 1430a 40–1430b 29). Nach Aristot. rhet. 1394a 25–28 ergeben der Obersatz und die Schlußfolgerung eines Enthymems, das nicht in die Form eines Syllogismus gebracht wird, eine Sentenz. Die Sentenz kann ohne Erwägung (ἐπίλογος/*epílogos*) stehen, wenn sie etwas Anerkanntes aussagt; sagt sie etwas Paradoxes oder Strittiges aus, bedarf sie einer Begründung. Mit einer Erwägung verknüpft, kann die Sentenz entweder Teil eines Enthymems oder Enthymem-artig sein. Wird die Erwägung vorangestellt, bildet die Sentenz die Konklusion (ebd. 1394b 7–34; Quint. inst. 8,5,4). Als Konklusionen eignen sich bes. lakonische Sinnsprüche (ἀπόφθεγμα/→ *apóphthegma*) und dunkle Anspielungen (αἴνιγμα/*aínigma*; Aristot. rhet. 1394b 34–35). Auch Sprichwörter (παροιμία/*paroimía*) können als Sentenzen verwendet werden (1395a 19f.). Consultus Fortunatianus (2,29) und andere erklären das ἐνθύμημα γνωμικόν/*enthýmēma gnōmikón* zu einer eigenen Art neben dem beweisenden,

widerlegenden, auf dem Beispiel beruhenden und syllogistischen Enthymem.
→ Argumentatio; Rhetorik

LAUSBERG · J. MARTIN, Ant. Rhet., 1974.   O.B.

Probole (προβολή). In allg. Bed. das »Zum-Vorschein-Bringen«, z.B. von Kandidaten für ein Amt (Plat. leg. 6,765 b1). In Athen bezeichnet *p.* ein Verfahren, bei dem die Volksversammlung (→ *ekklēsía*) aufgefordert wurde, vor Klageerhebung über gewisse Varianten der Anklage abzustimmen; so begann Demosthenes' [2] Attacke gegen Meidias [2] (Demosth. or. 21) mit einer *p.*

A. R. H. HARRISON, The Law of Athens, Bd. 2, 1971, 59–64 · J. H. LIPSIUS, Das attische Recht, 1905–1915, 211–219 · D. M. MACDOWELL, The Classical Law in Athens, 1978, 194–197.   P. J. R.

Probolion (προβόλιον). Kurzer Speer (Hdt. 7,76), mehr aber noch Jagdspieß (Hesych. s.v. π.), bes. zur Eber- (Xen. kyn. 10; Philostr. imag. 1,28,5) und Löwenjagd; in der mod. arch. Forsch. als Terminus kaum verwendet, auch wenn man versucht hat, das *p.* auf Jagdszenen der minoisch-myk. und geom. Kunst zu erkennen (zu dem bei Philostr. imag. 1,2,2 als *p.* bezeichneten Attribut des Komos s. [1]). Des weiteren nannte man *p.* auch einen festen Platz, eine Festung (Xen. mem. 3,5,7; Dion. Hal. ant. 10,16,4).
→ Jagd

1 A. KOSSATZ-DEISSMANN, s.v. Komos, LIMC 6, 1992, 94f., Nr. 1.

H.-G. BUCHHOLZ, G. JÖHRENS, I. MAULL, Jagd und Fischfang (ArchHom. II J), 1973, 75–77.   R. H.

Probulos (πρόβουλος).
[1] Mitglied eines kleinen Gremiums mit vorberatender Funktion, z.B. in Korkyra (IG IX 1, 682; 686 = [1. 319, 320]). In Athen wurde 413 v. Chr. nach der mil. Katastrophe in Sizilien im → Peloponnesischen Krieg ein Ausschuß von zehn *próbuloi* bestellt (Thuk. 8,1,3). Sie scheinen einige Funktionen des Rats (→ *bulḗ*) und der → Prytanen übernommen zu haben und trugen 411 dazu bei, die Oligarchie der »Vierhundert« (→ *tetrakósioi*) an die Macht zu bringen ([Aristot.] Ath. pol. 29,2). Aristoteles galten *p.* als Charakteristikum einer Oligarchie (Aristot. pol. 4,1298b 26–30; 1299b 30–38).

1 C. MICHEL, Recueil d'inscriptions grecques, 1900 (Ndr. 1976).

[2] *Próbuloi* wird ebenfalls zur Bezeichnung von griech. Delegierten gebraucht: für die Gesandten der Iones, die sich am → Panionion trafen (Hdt. 6,7), und für die Vertreter der griech. Städte, die sich im »Hellenenbund« zur Abwehr der Perser 481–479 v. Chr. zusammenschlossen (Hdt. 7,172,1).   P. J. R.

Probus

[1] Imperator Caesar M. Aurelius Probus Augustus. Röm. Kaiser 276–282 n.Chr. Geb. am 19.8.232 n.Chr. in Sirmium; Angaben zu seinem Vater in SHA Probus 3,2 und bei [Aur. Vict.] epit. Caes. 37,1 sind wohl fiktiv. P.' Laufbahn bis zu seiner Kaisererhebung im Sommer 276 im Osten (Zos. 1,64) ist unbekannt (in SHA Probus ist er mit dem *dux* Tenagino P. verwechselt). In seiner gut sechsjährigen Regierungszeit (*cos. I–III* 277–279, *cos. IV* 281, *cos. V* 282) hatte er erst am Rhein gegen die → Alamanni, dann gegen → Franci, → Burgundiones und → Vandali zu kämpfen (Zos. 1,67–68; → Got(h)icus im J. 277, → Germanicus [1] maximus im J. 279). Darauf zog er an die Donau und 279 in den Orient, wo sich → Saturninus zum Gegenkaiser erhoben hatte, doch bald ermordet wurde (Zos. 1,66,1). In Isauria bekämpfte P. → Räuberbanden (Zos. 1,69,1 ff.), in Äg. wurden die → Blem(m)yes von seinen Feldherrn geschlagen (Zos. 1,71). Nur in den Papyri trägt P. die Titel Parthicus (P. Amherst 2,106) bzw. Persicus (POxy. 156,2). Während er sich im Osten aufhielt, begann in den westl. Prov. der Aufstand des → Proculus [3] und des → Bonosus [1], die er 280/281 schlug (Eutr. 9,17; Aur. Vict. Caes. 37,3). Er vollendete die Aurelianische Mauer in Rom (Zos. 1,49,2). Vor einem geplanten Perserfeldzug und nach Erhebung des Aurelius → Carus [3] zum Gegenkaiser wurde P. im Herbst 282 von seinen eigenen Soldaten in Sirmium getötet (Eutr. 9,17,3).

Kienast², 253–257 · PIR² A 1583 · PLRE 1, 736–740 · RIC 5,2, 1–121.   A.B.

[2] P. Flavius. Neffe des Kaisers Anastasios [1], *cos.* 502 n.Chr., als → *patríkios* [1] 526 und etwa in diesem J. auch als General (*stratēlátēs*) bezeugt. Er wurde 528 wegen Verleumdung Iustinianus' [1] I. angeklagt, aber von ihm begnadigt. Im → Nika-Aufstand 532 der Komplizenschaft mit den Rebellen verdächtigt, wurde er verbannt, aber vom Kaiser bald zurückgerufen. Als Monophysit (→ Monophysitismus) gewährte er 540–542 Glaubensgenossen Wohnung in seinem Haus in Konstantinopolis (letzte Erwähnung). PLRE 2, 912f. (P. 8).   F.T.

[3] Pompeius P. → *Praefectus praetorio* im Osten 308 (?)–310 (?) n.Chr. Er wurde von → Licinius [II 4], mit dem er seit einer gemeinsamen Gesandtschaft 307 zu → Maxentius gut bekannt war (Origo Constantini imperatoris 7), verm. kurz nach der Thronbesteigung 308 zum Praetorianerpraefekten für seinen (östl.) Reichsteil ernannt. P. blieb nur wenige J. im Amt. 310 erhielt er das ordentliche Konsulat und nahm dann wohl seinen Abschied. PLRE 1, 740 (P. 6).   A.G.

[4] P., M. Valerius. Lat. Philologe der 2. H. des 1. Jh. n.Chr., nach der Vita bei Suet. gramm. 24 [19] aus der röm. Kolonie Berytus (Beirut); zur Namensform: [28; 29]. Zuerst Berufssoldat, wandte er sich nach vergeblichen Bemühungen um eine Offiziersstelle erst in reiferen J. wohl in Rom als vermögender Privatgelehrter der Beschäftigung mit Lit. zu (Gell. 13,21). Die Grundschule seiner Heimat hatte P.' Interesse auf die in der

Hauptstadt mißachteten republikanischen Autoren gelenkt; dort stellte er nun durch Kollation, Interpungierung und kritische wie exegetische Annotierung seiner Handexemplare [14; 15] eine Reihe von Privatrezensionen von Werken von Terenz, Lukrez, Horaz, Vergil, wahrscheinlich auch von Plautus und Sallust her. Seine Bed. liegt weniger auf dem Gebiet editorischer Technik, als vielmehr in der Vorbereitung eines neuen Interesses an den republikanischen Klassikern [13].

P. selbst hat nur einige kleinere Schriften zu Detailfragen veröffentlicht: 1. eine Erklärung der Abkürzungen im öffentlichen Schriftverkehr, *De notis iuris* (erh.); 2. *Epistula ad Marcellum* zur Prosodie sowie zu gramm. Detailproblemen; 3. *De genetivo Graeco* und 4. *De temporum conexione* (2.–4. verloren). Sein Nachlaß enthielt reiches Material an Einzelbeobachtungen zum archa. Stil, die sich bei der Kollation ergeben hatten (vgl. Gell. 15,30,5); ihre Zitierung als *De inaequalitate consuetudinis* (Char. p. 274,22 B.) zeigt P.' Interesse an der unreglementierten Vielfalt der alten Sprache. Einen *Commentarius* über die Geheimschrift Caesars zit. Gell. 17,9,1 ff.

P.' Ruhm drang über den Zirkel seiner Anhänger (→ Annianus, → Favorinus, vgl. Gell. 1,15,18; 3,1,5f.; 6,7; 9,9,12 ff.) nach außen; schon 88 galt er Martial (3,2,12) als gefürchteter Lit.-Kritiker; Einfluß übte er auch auf Quintilian aus (vgl. [2. 85 ff.]). Im archaistischen 2. Jh. wuchs sein Ansehen weiter. Der Einfluß von annotierten Handexemplaren läßt sich in den Terenz- und Vergilscholien [16; 17; 18] nachweisen, wenngleich die Abhängigkeit einer der überl. Klassikerrezensionen von Exemplaren des P. kaum zu beweisen ist.

Spätant. und MA, denen P. als einer der Klassiker der Gramm. galt ([21], Testimonien: [2. LIIIff.]), stellten gramm. Traktate und Komm. z.T. nachweislich sekundär unter seinen Namen, was den Ruhm vermehrte und neue Zuschreibungen provozierte: 1. *Instituta artium*, eine in Wirklichkeit → Palladios [4] gehörende Formenlehre des frühen 4. Jh. [21. 116–119]; 2. ein im Anschluß an die *Instituta* überl. Konglomerat von gramm. Exzerpten des 5. Jh. [4. 21–25], die sog. *Appendix Probi*; 3. *Catholica*, in Wirklichkeit das 2. B. der Gramm. des → Plotius [II 5] Sacerdos [21. 115f.]; 4. *De nomine*; 5. *De ultimis syllabis* (an einen Caelestinus; [21. 120; 22]); 6. ein Komm. zu Vergils Eklogen und Georgica [24; 25]; 7. ein Komm. zu → Persius [2], aus dem nur die (letztlich suetonsche [26]) Vita erh. ist; 8. ein Zweig der Iuvenal-Scholien [27].

→ Archaismus; Literaturbetrieb; Philologie

Ed.: 1 GL 4, 267–276 (De notis iuris) 2 J. Aistermann, De M. Valerio Probo Berytio, 1910, Fr. III–LIII. — Ed. der Pseudepigrapha: 3 *Instituta*: GL 4, 45–192 4 *Appendix Probi*: F. Stok, 1997 5 *Catholica*: GL 4, 1–43 6 *De nomine*: M. Passalacqua, Tre testi grammaticali Bobbiesi, 1984, 61–75 7 *De ultimis syllabis*: GL 4, 217–264 8 Vergilkomm.: Serv. 3,2, ed. H. Hagen, 1902, 321–390. — Index: 9 G. de La-Chica Cassinello, Ps. Probus, 1991.

Lit.: **10** J. Steup, De Probis grammaticis, 1871, in:
J. Aistermann, s. [2], 1–156 **11** N. Scivoletto, Studi di
letteratura latina imperiale, 1963, 155–221 (zuerst 1959)
12 A. della Casa, Grammatica e letteratura, 1994, 117–140
(zuerst 1973) **13** G. Pascucci, Scritti scelti 1, 1983, 397–422
(zuerst 1976) **14** J. E. G. Zetzel, Latin Textual Criticism in
Antiquity, 1981, 41–54, 73 f., 237 f. **15** H. D. Jocelyn, The
Annotations of M. Valerius P., in: CQ 34, 1984, 464–472
(Bibliogr. 464, Anm. 4); 35, 1985, 149–161
16 S. Timpanaro, Per la storia della filologia virgiliana
antica, 1986, 18 ff., 27–30, 46 ff., 77–127 **17** M. L. Delvigo,
Testo virgiliano e tradizione indiretta, 1987 **18** L. Lehnus,
s. v. P., EV 4, 1988, 284–288 **19** R. A. Kaster (ed.),
Suetonius, De grammaticis et rhetoribus (mit Übers. und
Komm.), 1995, 242–269.
Bibliogr. zu den Pseudepigrapha: **20** Ders.,
Guardians of Language, 1988, 348–350 **21** P. L. Schmidt,
in: HLL, Bd. 5, 1989, 117 **22** M. de Nonno, in: G. Cavallo
(Hrsg.), Lo spazio letterario di Roma antica 5, 1991, 529 f.
Lit. zu den Pseudepigrapha: **23** Ders., L'auctor ad
Caelestinum, in: Dicti studiosus. FS S. Mariotti,
221–258 **24** M. Gioseffi, Studi sul commento a Virgilio
dello Pseudo-Probo, 1991 **25** Ders., Problemi di fonti nel
Comm. alle Bucoliche del Ps.-Probo, in: C. Moreschini
(Hrsg.), Esegesi, parafrasi e compilazione in età tardoantica,
1995, 131–145 **26** P. L. Schmidt, in: HLL, Bd. 4, 36 f.
27 W. S. Anderson, Valla, Juvenal and P., in: Traditio 21,
1965, 383–424.
Zur Namensform: **28** O. Keller, Über … Scholiasten
des Horaz, in: O. Ribbeck et al., Symbola. FS F. Ritschl,
1864/67, 491, Anm. 1 **29** P. L. Schmidt, s. v. P., RAC 16,
1993, 491 f.   P. L. S.

Procharisteria, Proscharisteria (Προ(σ)χαριστήρια).
Möglicherweise gleichzusetzen mit *Pro(s)chairēteria* (vgl.
Suda s. v. Προσχαιρητήρια). Att. Fest zur ersten Blüte
der Feldfrüchte, an dem οἱ ἐν τῇ ἀρχῇ πάντες (»alle
Amtsträger« oder »alle innerhalb des del.-att. Seebun-
des«) ein traditionelles Opfer darbrachten (Suda s. v.
Προχαριστήρια; Anecd. Bekk. 1,295,3). Der älteren
Überlieferung zufolge galt das Opfer der Kore (→ Per-
sephone) aus Anlaß ihres alljährlich zu Frühlingsbeginn
erneut vorgestellten Aufstieges aus der Unterwelt
(Lykurg. 7, fr. 1a-b Conomis; Harpokr. s. v. Προσ-
χαριστήρια), nach Suda der → Athena (ebd.; vgl.
Anecd. Bekk. ebd.). Lykurgos (ebd.) erwähnt die P. im
Zusammenhang der Auseinandersetzung zwischen den
génē der Krokoniden und Koironiden, beides Nach-
kommen des → Triptolemos (Anecd. Bekk. 1,273,7 s. v.
Κοιρωνίδαι).

Deubner, 17 · R. Parker, Athenian Rel., 1996, 302–304.
                                                        B. K.

Prochyta (Προχύτη, lat. *Procida*). Insel im Golf von Puteoli (Plin. nat. 3,82), h. Prócida, durch ein Erdbeben in
prähistor. Zeit von → Pithekussai abgetrennt (Strab.
5,4,9; Plin. nat. 2,203). Daß auf P. das Grab der Amme
des Aeneas (→ Aineias [1]) liegt, ist eine aitiologische
Erfindung des aus Campania stammenden Dichters
→ Naevius [I 1] (Serv. Aen. 9,712; Dion. Hal. ant.
1,53,3 ff.). Jüngste Ausgrabungen erweisen P. als ein

bed. Handelszentrum im 16./15. Jh. v. Chr. Unmittelbar bei P. liegt die Insel Vivara mit ägäisch-myk. Funden.

Nissen 1, 266; 2, 729 · A. Cazzella u. a. (Hrsg.), Vivara,
2 Bde., 1992 und 1995.   M. M. Mo./Ü: J. W. Ma.

Proconsul (urspr. *pro consule*, »anstelle des → *consul*«:
inschr. seit ILS 5945, d. h. 135 v. Chr. belegt; lit. z. B.
Cic. Phil. 10,26; Liv. 8,23,12; zum Sprachgebrauch vgl.
[1]; griech. ἀνθύπατος/ *anthýpatos*) hieß in Rom ein
staatl. Funktionär, der in seinem Amtsbereich außerhalb
der Stadt die volle consularische Gewalt (→ *imperium*)
ausübte, aber nicht befugt war, die Auspicien (*auspicia*;
s. → *augures*) einzuholen (Cic. div. 2,76).
I. Republikanische Zeit II. Kaiserzeit

I. Republikanische Zeit
Wenn die Magistrate mit *imperium* nicht ausreichten,
verlängerten Senat und Volk – erstmals 326 v. Chr.; verstärkt seit dem 2. → Punischen Krieg (218–201 v. Chr.) –
einem oder beiden *consules* durch → *prorogatio* das *imperium* über die reguläre Amtszeit hinaus, so daß sie *pro
consule* weiter amtierten, oder bestellten einen amtlosen
Bürger (→ *privatus*) außerordentlich zum *p.* (als ersten
211 v. Chr. P. Cornelius [I 71] Scipio für den Krieg in
Spanien: Liv. 26,18,9). In einige Prov. wurden zeitweise
praetorische Statthalter im Range von *proconsules* entsandt (im 2. Jh. v. Chr. nach Spanien: [2. 41–47]; im
1. Jh. z. B. ständig nach Asia: Cic. div. 1,58; Val. Max.
6,9,7; generalisierend: OGIS 441,114 f.). Im 1. Jh. gingen
die *consules* nach Erledigung ihrer städtischen Aufgaben
in der Regel für wenigstens ein weiteres Jahr als *p.* in
eine Prov. (gegen das im allg. angenommene Provinz-
algesetz Sullas: [3. 73–101]). Durch die *lex Pompeia*
(Cass. Dio 40,56,1), die 52 v. Chr. ein Intervall von mindestens fünf J. zw. Konsulat und Prokonsulat vor-
schrieb, wurde letzterer endgültig vom ordentlichen
Amt getrennt. Unter Caesars Alleinherrschaft nicht beachtet, wurde diese Regelung schließlich in die Neuordnung des → Augustus übernommen (Cass. Dio
53,14,2).

II. Kaiserzeit
Seit 27 v. Chr. hießen alle Statthalter der sog. Senatsprovinzen *p.*, obwohl die meisten nur Praetorier waren
(Cass. Dio 53,13,3; zu den Modalitäten der Bestellung
[4]). Seit der Reichsreform des → Diocletianus gab es *p.*
nur noch in Asia und Africa proconsularis, im 4. Jh.
n. Chr. zusätzlich in Achaia (ILS 1217; 1258 f.). Das pro-
consularische *imperium* war daneben auch eine der
wichtigsten Machtgrundlagen des → *princeps*, der es
nach Bedarf auch wichtigen Mitarbeitern und Angehörigen durch Gesetz verleihen ließ (z. B. M. Agrippa
[1]; C. Iulius [II 32] Caesar; Germanicus [2]; Nero [1]
unter Claudius [III 1]; vgl. bes. [5]). Augustus besaß dieses *imperium* in qualifizierter Form spätestens seit 23
v. Chr. (Cass. Dio 53,32,5), aber ohne daß es in der Titulatur erschien. Erst seit Traianus nannte sich der Kaiser
außerhalb It. *p.* (CIL XVI 62: Traianus; CIL XVI 69; 70:

Hadrianus), seit Septimius Severus auch in It. außerhalb Roms, seit Diocletianus (ILS 615; 617; 639 u.ö.) uneingeschränkt.

→ Consul; Imperium; Magistratus

1 I. HAJDÚ, *Pro consule* oder *p.?*, in: MH 56, 1999, 119–127 2 W. F. JASHEMSKI, The Origins and History of the Proconsular and the Propraetorian Imperium to 27 B.C., 1950 3 A. GIOVANNINI, Consulare Imperium, 1983 4 MARTINO, SCR 4, 725–728 5 F. HURLET, Les collègues du prince sous Auguste et Tibère, 1997. W.K.

Proculeius. C. P., Freund des Octavianus, des späteren → Augustus. P. begleitete diesen, offensichtlich ohne amtliche Position, in den Krieg gegen Sex. Pompeius [I 5] nach Sizilien und gegen M. Antonius [I 9] nach Ägypten. Freilich könnte man aus den Mz., die in Kephallenia mit seinem Namen geschlagen wurden (RPC I 1359–1362), auf einen mil. Auftrag schließen. P.' Geschwister waren → Terentius Murena und → Terentia, die Frau von Maecenas [2], ferner ein Scipio; seine Mutter muß also mehrfach verheiratet gewesen sein. P. galt als Modell eines engen Freundes eines Machthabers, der sich jedoch aus dem öffentlichen polit. Leben heraushielt (Tac. ann. 4,40,6). Wegen eines Magenleidens tötete er sich selbst, indem er einen Gipsbrei trank (Plin. nat. 36,183). PIR² P 985. W.E.

Proculiani s. Rechtsschulen (II. A.)

Proculus. Röm. → Praenomen (*P. Iulius*, ein Zeitgenosse des → Romulus [1]), und sekundär → Cognomen. Der Bildung nach ein Deminutivum (älter *prokelo-*) zum Stamm *proko-* (~ klass. *procus* »Bewerber, Freier«), bedeutet es urspr. etwa »wer (das Erbe?) fordert, beansprucht«. Etym. ist *Proca* (König von Alba Longa) anzuschließen. Das schon früh selten gewordene Praen. lebt in Ableitungen, den Gent. *Procilius* und *Proculeius*, fort.

G. KLINGENSCHMITT, Die lat. Nominalflexion, in: O. PANAGL, T. KRISCH (Hrsg.), Lat. und Idg., 1992, 90 · SALOMIES, 44f., 186. D. ST.

[1] Der Jurist aus der Zeit der Julio-Claudier, verm. Schüler des → Antistius [II 3] Labeo, wurde 33 n. Chr. wohl auch dank seines polit. Einflusses (Dig. 1,2,2,52: *plurimum potuit*) Nachfolger des M. → Cocceius [5] Nerva *pater* als Haupt der nach ihm als Proculianer benannten → Rechtsschule [1. 119–127]. P. war ein tüchtiger Rechtsgutachter (Zitate ohne Werkangabe: [4. 169–184]), verfaßte jedoch nur *Epistulae* (›Briefe‹, wohl 12 B.) mit seinen Fallentscheidungen aus der Praxis und mit der Erörterung fiktiver Rechtsfälle [2]. Außerdem annotierte er, oft ablehnend, die Texte Labeos [2; 4. 166–169].

1 R. A. BAUMAN, Lawyers and Politics in the Early Roman Empire, 1989 2 H. HAUSMANINGER, Proculus v. Labeo, in: Israel Law Review 29, 1995, 130–150 3 CH. KRAMPE, Proculi epistulae, 1970 4 O. LENEL, Palingenesia Iuris Civilis, Bd. 2, 1889. T.G.

[2] Senator, der bei Fronto (Ad amicos 2,7 VAN DER HOUT 1988, p. 195) erwähnt ist. P. war als Richter an dem Fall des Volumnius Serenus, eines Decurionen der Stadt Concordia, beteiligt. So könnte er, der bei Fronto auch als Proculus Iulius erscheint und *quindecimvir sacris faciundis* war (p. 195 Z. 8), mit C. → Iulius [II 116] P., dem *cos.* 109 n. Chr., identisch sein (vgl. [1. 231–236]). PIR² P 991.

1 A. R. BIRLEY, Hadrian and Greek Senators, in: ZPE 116, 1997, 209–245. W.E.

[3] Möglicherweise fränkischer Herkunft, stammte aus Albingaunum (h. Albenga) in den ligurischen Alpen (SHA quatt. tyr. 12,1) und wurde im J. 280 n. Chr. von den Einwohnern von → Lugdunum (Lyon) zu Hilfe gerufen, um die → Alamanni abzuwehren (ebd. 13,1–4). Nach seinem Sieg über die Eindringlinge ließ er sich auf Drängen seiner Gattin Vituriga zum Kaiser ausrufen (ebd. 12,3), zusammen mit → Bonosus [1]. Kurz darauf wurden beide von dem aus dem Orient herbeigeeilten → Probus [1] geschlagen (Eutr. 9,17,1; Aur. Vict. Caes. 37,2); P. floh zu den Franken, die ihn jedoch auslieferten. Probus ließ den Usurpator hinrichten (SHA quatt. tyr. 13,4).

KIENAST, ²1996, 255f. · PIR² P 995 · PLRE I, 745 · G. VITUCCI, L'imperatore Probo, 1952, 66–73. T.F.

[4] Bischof von Massilia (h. Marseille), Gesandter Galliens auf der Synode in Aquileia (381). An der Synode von Turin (→ Augusta [5] Taurinorum) (um 400) wurden ihm die Metropolitanrechte für die Prov. Narbonensis II *ad personam* übertragen. So geriet er mit → Patroclus von Arelate (h. Arles) in Streit, als Papst → Zosimos diese auf Dauer dem Bischof von Arelate verlieh. Weil P. dem Mörder von Patroclus († 426) Asyl gewährte, drohte Papst Coelestinus I. (422–432), ihn zu exkommunizieren.

E. CASPAR, Gesch. des Papsttums von den Anfängen bis zur Höhe der Weltherrschaft, Bd. 1, 1930, 348f.; 385 · W. ENSSLIN, s.v. P. (32), RE 23, 81 (Lit.). M. HE.

[5] Oström. Beamter unter Kaiser Iustinus [1] I., als *quaestor sacri palatii* bezeugt 522/3–526, gest. 526/7. Er galt als intelligent, einflußreich, gerecht und unbestechlich. PLRE 2, 924f. (P. 5). F.T.

Procuratio s. Sühneriten

Procurator (von lat. *procurare*, »Sorge tragen für, sich kümmern um«; griech. ἐπίτροπος/*epítropos*).
[1] Zur Verwaltung und Organisation großer Vermögen zog die polit. Führungsschicht Roms in der Republik → Freigelassene oder freie Personen heran, denen als *procuratores* die rechtliche Vertretung der Eigentümer übertragen war (Cic. Caecin. 57f.). Diese rechtliche Einrichtung verwendete → Augustus nach der Legalisierung seiner Stellung, um die ihm obliegenden privaten, aber auch öffentlichen Aufgaben, die mit Fi-

nanzen oder seinen sonstigen Vermögenswerten verbunden waren, zu bewältigen. In die ihm seit 27 v. Chr. übertragenen (kaiserlichen) Provinzen (→ *provincia* II.) konnte er keine → Quaestoren senden, da diese nicht in der nötigen Anzahl zur Verfügung standen. So übertrug er dort *p.* den Empfang und die Verrechnung der öffentl. Abgaben, die von den Städten oder Steuerpächtern (→ *publicani*) eingezogen wurden; außerdem hatten die *p.* den Sold an die Truppen zu überweisen (Strab. 3,4,20). Ferner hatten diese *p.* auch das Privatvermögen des Princeps in den Prov. zu verwalten, wozu Ländereien, Bergwerke und Steinbrüche gehörten. Während zunächst auch für die Leitung Freigelassene eingesetzt werden konnten (z. B. → Licinus in der Gallia Comata, Cass. Dio 54,21,3–8), wurden bald, und zwar bereits unter Augustus, ausschließlich Ritter damit beauftragt. Sie alle sind als Finanz-*p.* zu bezeichnen und waren für die Finanzen zumeist einer, manchmal aber auch mehrerer Prov. (z. B. *Aquitania et Lugdunensis*) zuständig.

In den *provinciae populi Romani* wurden ebenfalls bereits durch Augustus *p.* eingesetzt, die aber nur sein → *patrimonium*, also urspr. keine öffentl. Gelder, verwalteten; diese sind als Patrimonial-*p.* zu bezeichnen. Während die Finanz-*p.* vielleicht schon unter Augustus wegen des – jedenfalls dem Inhalt nach – öffentl. Charakters ihrer Aufgaben eine gewisse Rechtsprechungsbefugnis erhielten oder geduldet usurpierten, wurde den Patrimonial-*p.* spätestens von Claudius [III 1] diese Befugnis für ihren Funktionsbereich eingeräumt (Tac. ann. 12,60; Suet. Claud. 12,1) – ebenso jedoch auch den kaiserl. Freigelassenen, die mit der Bezeichnung *p.* einzelne Vermögensteile des Princeps (z. B. → Domänen) verwalteten bzw. als Stellvertreter der Prov.-*p.* insgesamt oder einzelner Steuerarten agierten (vgl. z. B. IEph III 855 oder CIL VI 8443 = ILS 1546 und [1. 249ff.]).

Seit Kaiser Claudius erscheinen auch ritterliche Praesidial-*p.*, die Statthalter von Prov. waren (z. B. von Raetia, Noricum, Thracia, den beiden Mauretaniae). Im Gegensatz zu den *praefecti* (→ *praefectus*), denen sie in manchen Prov.-Bereichen folgten, waren sie jedoch unabhängige Statthalter, nicht Untergebene eines senatorischen Legaten, in deren Prov. die Praefekten Teilverantwortung trugen (wie z. B. in Iudaea oder in Raetia). Diese *p.* übernahmen neben den Aufgaben des Statthalters auch die des Finanz-*p.*

Zunehmend wurden auch für andere Bereiche der kaiserl. Administration *p.* eingesetzt, so z. B. für große Domänenkomplexe (*p. saltus*), für Bergwerke (*p. aurariarum* in Dacia), für die stadtröm. → Münzprägung (*p. monetae*), für die Leitung der Gladiatorenschulen in Rom und in den Prov. (*p. ludi magni/matutini*, *p. familiarum gladiatoriarum* in größeren Prov.-Komplexen) und für die Kontrolle des Einzugs der fünfprozentigen Erbschafts- und Freilassungssteuer (*vicesima hereditatium* und *libertatis*).

Im Verlauf des 2. Jh. n. Chr. wurden in den Prov. immer mehr Teile der Finanzverwaltung aus dem Zuständigkeitsbereich des allg. Finanz-*p.* ausgegliedert und speziellen *p.* übertragen, z. B. die Leitung der *vicesima hereditatium*.

In Rom selbst wurden in der Umgebung des Kaisers seit → Vitellius, dann verstärkt seit → Domitianus allgemeine Funktionen, die zumeist nicht direkt mit finanziellen Aufgaben verbunden und die zuvor von kaiserl. Freigelassenen erledigt worden waren, an Ritter (→ *equites*) übertragen, die zwar oft nicht unmittelbar die Bezeichnung *p.* trugen, aber zu dieser Kategorie von Amtsträgern zu zählen sind: *ab* → *epistulis* (z. B. ILS 1448: *p. ab epistulis*), *a* → *libellis*, *a* → *rationibus* (z. B. IEph III 736; VII 1, 3046: *epítropos apó tōn lógōn* = *p. a rationibus*).

Die Stellung eines *p.* galt nicht wie die eines röm. → *magistratus* als ein Ehrenamt (*honos*). Deshalb wurde den *p.* von Anfang an ein Gehalt bezahlt. Unter Claudius ist erstmals ein Gehalt von 200000 Sesterzen (*ducenarius*) bezeugt (Suet. Claud. 24,1; vgl. Apul. met. 7,6). Später wurden Gehaltsstufen von 60000, 100000, 200000 und 300000 Sesterzen unterschieden. Die Zahl der *p.*, die unter Augustus zunächst nur sehr klein gewesen war, stieg langsam, aber kontinuierlich an. Die einzelnen Positionen wurden im Verlauf dieser Entwicklung nach dem Gewicht der Aufgaben und dem damit verbundenen Prestige differenziert und wohl seit der 2. H. des 2. Jh. n. Chr. in ein hierarchisches Rangverhältnis gebracht. Dieses basierte auf den Gehaltsstufen, die sodann auch die Bezeichnungen für die Rangstufen abgaben: *sexagenarii*, *centenarii*, *ducenarii*, *trecenarii*. In Laufbahn-Inschr. von ritterlichen Amtsträgern wurden diese Bezeichnungen titular und deshalb auch in Abkürzung (LX, C, CC, CCC) verwendet. Die Ernennung der *p.* erfolgte allein durch den Princeps mittels → *codicilli*; einer davon ist in AE 1962, 183 überl. Insgesamt leiteten die *p.* den gewichtigsten Teil des von den Kaisern langsam vergrößerten Verwaltungssytems des Reiches.

→ Praefectus; Provincia

1 W. ECK, Ein Prokuratorenpaar von Syria Palaestina in P. Berol. 21 652, in: ZPE 123, 1998, 249–255.

J.-J. AUBERT, Business Managers in Ancient Rome, 1994 · P. BRUNT, Procuratorial Jurisdiction, in: Ders., Roman Imperial Themes, 1990, 163–187 · W. ECK, Die Leitung und Verwaltung einer prokuratorischen Provinz, in: Ders., Die Verwaltung des röm. Reiches in der Hohen Kaiserzeit, Bd. 1, 1995, 327–340 · Ders., Die nichtsenatorische Administration: Ausbau und Differenzierung, in: Ders., Die Verwaltung … (s.o.), Bd. 2, 1998, 67–106 (erweiterte Fassung von Kap. 6 in CAH 11, 2000, 238 ff.) · NICOLET, 423–439 · PFLAUM · H.-G. PFLAUM, Les procurateurs équestres sous le Haut-Empire romain, 1950 · Ders., s. v. P., RE 23, 1240–1279 (frz.: Ders., Abrégé des procurateurs équestres, 1974) · CH. SCHÄFER, Spitzenmanagement in Republik und Kaiserzeit. Die Prokuratoren von Privatpersonen im Imperium Romanum vom 2. Jh. v. Chr. bis zum 3. Jh. n. Chr., 1998 · A. N. SHERWIN-WHITE, P. Augusti, in: PBSR 15, 1939, 11–26 · P. WEAVER, Familia Caesaris, 1972, 267–281.

[2] Allg., nichttechnische Bezeichnung für Procuratoren, die mit den Finanzen des → *fiscus* befaßt waren. Grundsätzlich sind darunter alle Praesidialprocuratoren, Finanzprocuratoren in den Prov. des Kaisers sowie alle Patrimonialprocuratoren zu fassen (Details s. *p.* [1]).

W.E.

[3] s. Bibliothek (II. B. 2.)

Prodigium. Im Rahmen der röm. → Divination ist das *p.* neben den Auspizien (→ *Augures*) die zweite wichtige Zeichenkategorie. Als *prodigia* (oder auch *portenta, ostenta*) gelten (Natur-)Ereignisse, die als außergewöhnlich wahrgenommen werden; sie sind unprovozierte, zeitlich nicht an die Handlungen von Magistraten gebundene Zeichen. Das *p.* kann einzelne betreffen, wird aber v. a. in der Republik durch die Anerkennung des Senats auf die Gemeinschaft bezogen (*p. publicum*, »Staats-*p.*«). Ein *p.* hat negative Bedeutung – das Wort steht selten für positive Vorzeichen: Es zeigt an, daß die → *pax deorum*, das Einvernehmen zw. Göttern und → *res publica*, gestört ist, daß Unglück droht, das durch Entsühnungen (*procurare, expiare*) abzuwenden ist. Für Cicero ist die Besänftigung (*placatio*) göttlichen Zorns (*ira deorum*), der häufig durch kultische Versäumnisse bedingt gesehen wird, ein wesentliches Merkmal röm. *religio* (→ Religion X. röm.) und zentral für Bestand und Erfolg der *res publica* (Cic. nat. deor. 3,5). Die Bandbreite der v. a. durch Livius und Iulius Obsequens in Form von *p.*-Listen, die letztlich auf priesterliche Aufzeichnungen zurückgehen, überl. Zeichen ist groß; sie reicht vom Blitzschlag in einen Tempel über die Geburt eines Androgynen bis hin zu Erdbeben (vgl. Cic. div. 1,97f.). Die Wahrnehmung von Zeichen intensiviert sich in Krisenzeiten wie der des 2. → Punischen Krieges (Liv. 21,62,1), ist aber nicht darauf beschränkt.

Zentral für die Anerkennung eines Ereignisses als *p.* und die Bestimmung der daran anschließenden Sühnerituale (*procuratio prodigiorum*; → Sühneriten) ist der Senat. Er entscheidet zunächst aufgrund des Berichts der Magistrate, meist der Consuln, manchmal nach Anhörung von Zeugen, ob die aus Rom oder von außerhalb gemeldeten Zeichen als *p.* gelten sollen und damit die *res publica* betreffen, dann über die zu vollziehenden Sühneriten. Hierbei kann der Senat auf die *pontifices* (→ *pontifex*) und die → *quindecimviri sacris faciundis*, welche auf Befehl des Senats die Sibyllinischen Bücher (→ Sibyllini libri) konsultieren, aber auch auf die etr. → *haruspices* zurückgreifen. Die Leistung der *interpretatio* besteht nicht in der Erkundung zukünftiger Ereignisse, sondern in der Feststellung der für die Besänftigung der Götter adäquaten Entsühnungen. Deren große Bandbreite reicht vom durch die Magistrate vollzogenen → Opfer bis zu die Bürgerschaft einbeziehenden → *supplicationes*, bisweilen werden auch die Zeichen – symbolisch oder materiell – zerstört (z. B. »Vergraben« eines Blitzes, Aussetzung von Androgynen). Regeln, die der Zuordnung bestimmter Zeichen zu Riten zugrundeliegen, lassen sich aus der Praxis nur partiell erschließen (so wird

Steinregen in der Regel durch ein → *novendiale sacrum* entsühnt*)*. Die Befragung der Sibyllinischen Bücher führt hingegen oftmals zu kultischen Innovationen.

Entstehung und Entwicklung der *p.*-Entsühnung sind aufgrund der Überl.-Lage problematisch. Da regelmäßige Entsühnungen erst seit Beginn des 3. Jh. v. Chr. überl. sind und bei Iulius Obsequens die Exzerpte der *p.*-Listen des Livius mit dem Jahr 249 v. Chr. beginnen, erscheint sie als Institution der mittleren und späten Republik, wobei die zunehmende Desintegration der Aristokratie weder Anerkennung noch Entsühnung des *p.* unberührt läßt; so beklagt Liv. 43,13,1 die nachlassende Bedeutung von *prodigia* in seiner Zeit. Für die Kaiserzeit sind nur spärlich Entsühnungen bekannt; die daran beteiligten Institutionen existierten allerdings weiter. In der kaiserzeitlichen Lit. werden auf Personen (genauer: auf die Kaiser) bezogene *omina* (→ Omen) wichtiger.

P.-Entsühnungen können als ein Mittel gedeutet werden, angesichts unerklärlicher Vorgänge Unsicherheit zu reduzieren: Der Verletzung von Ordnungs- und Grenzvorstellungen durch das *p.* entspricht die Wiederherstellung der Ordnung durch die Entsühnungen [1; 2]; die Deutung eines Ereignisses als *p.* trotz alternativer Erklärungsmodelle wie auch die Kontrolle durch den Senat weisen auf die Bedeutung des *p.* als Kommunikationsmedium hin, in dem das Verhältnis der röm. Aristokratie zu anderen Gruppen (*plebs*, ital. Bundesgenossen) verhandelt, v. a. aber bestätigt wurde.

→ Divination; Sühneriten

1 B. GLADIGOW, Konkrete Angst und offene Furcht: Am Beispiel des Prodigienwesens in Rom, in: H. VON STIETENCRON (Hrsg.), Angst und Gewalt, 1979, 61–77 **2** V. ROSENBERGER, Gezähmte Götter, 1998, 91–175.

R. BLOCH, Les prodiges dans l'antiquité classique, 1963 · D. J. DETREVILLE, Senatus et religio, Diss. Chapel Hill 1987 · B. MACBAIN, Prodigy and Expiation, 1982 · J. RÜPKE, Livius, Priesternamen und die »annales maximi«, in: Klio 75, 1993, 155–179. G. DI.

Prodigus. Den *p.* (»Verschwender«) stellten die XII Tafeln (7,4c) unter die Pflegschaft (*cura*) der nächsten Agnaten (→ *agnatio*), damit diese sein Vermögen verwalteten, so daß ihr künftiges Erbrecht (→ Erbrecht III. C.; → *intestatus*) nicht gefährdet wurde. Im klass. Recht des 1.–3. Jh. n. Chr. wurde der *p.* einem Minderjährigen, der unter Vormundschaft (→ *tutela*) stand, gleichgestellt; die *cura prodigi* wurde nun auch nicht nur im Interesse der Agnaten, sondern auch zum Schutz des *p.* angeordnet.

1 HONSELL/MAYER-MALY/SELB, 96–97 **2** KASER, RPR, Bd. 1, 85, 278–279; Bd. 2, 120 **3** G. WESENBERG, s. v. P., RE 23, 1279–1283. U. M.

Prodikos (Πρόδικος) aus Keos. Sophist und Philosoph, geb. in Iulis auf der Insel Keos (84 A 1 DK) verm. zw. 470 und 460 v. Chr.; Zeitgenosse von Demokritos [1], Gorgias und → Protagoras [2], dessen Schüler P. gewesen sein könnte. Sokrates hat er offenbar, wie sich aus der Erwähnung in Plat. apol. 19e schließen läßt (wie auch Gorgias und Hippias) überlebt. Er trat (wie die beiden Letztgenannten) als Gesandter der Stadt Keos und als wandernder Sophist auf (Plat. Hipp. mai. 282c). Von Aristophanes [3] wird P. mit Sokrates in Verbindung gebracht (Aristoph. Nub. 360–362), und bei Platon bezeichnet sich → Sokrates als sein Schüler (Plat. Prot. 341a, Plat. Men. 96d, Plat. Krat. 384b, Plat. Phaidr. 267b); die Suda hat ihm (wohl zu Unrecht) den Tod durch den Schierlingsbecher zugeschrieben. Als Schüler werden P. – neben denen, die Sokrates ihm geschickt haben will (Plat. Tht. 151b) – von der Überl. noch Theramenes, Isokrates und Euripides [1] zugeschrieben (84 A 6, 7, 8 DK), vielleicht auch Thukydides und Damon (84 A 9, 17 DK).

Platon zufolge beschäftigte sich P. hauptsächlich mit der Semantik und Lexikographie; an mindestens zwei Stellen (Plat. Prot. 337a–c; Plat. Euthyd. 277e) gibt Platon Proben seiner Kunst der Differenzierung scheinbarer Synonyme. Von dieser Unterscheidungskunst hat nach eigener Aussage auch Sokrates gelernt (vgl. Plat. Charm. 163d). Die berühmte Erzählung von Herakles am Scheideweg, die Xenophon als Teil eines Werkes des P. über Herakles überl. (Xen. mem. 2,1,21–34) – nach anderen (84 B 1 DK) stammt sie aus den Ὧραι (Hórai, ›Die Stunden‹ oder ›Die Jahreszeiten‹) –, zeigt P. auch als Moralphilosophen oder wenigstens als Vertreter der epideiktischen Redekunst (→ Rhetorik). Mehrere Zeugnisse (84 B 5 DK) schreiben ihm übereinstimmend eine rationalistische Erklärung (noch vor der Entstehung des → Euhemerismus) der Ursprünge der Rel. zu, weshalb er auch als Atheist galt. Laut Galenos hat er sich auch mit der Physiologie beschäftigt und ein Werk ›Über die Natur des Menschen‹ verfaßt (84 B 4, B 11 DK). Nach Cicero hat er – wie Thrasymachos und Protagoras – auch ›Über die Natur der Dinge‹ (de natura rerum) gehandelt (Cic. de Orat. 3,32,128 = 84 B 3 DK), woraus sich erklären könnte, warum Aristophanes ihn als μετεωροσοφιστής, (meteōrosophistḗs, »Sophist der Himmelserscheinungen«) bezeichnete (Aristoph. Nub. 360). → Sophistik

ED.: DIELS/KRANZ, Nr. 84 · M. UNTERSTEINER, Sofisti, Testimonianze e frammenti, ²1961, 156–201.
BIBLIOGR.: G.B. KERFERD, H. FLASHAR, s. v. P., GGPh² 2.1, 1998, 128–129.
LIT.: H. GOMPERZ, Sophistik und Rhet., 1912 (Ndr. 1965), 90–126 · H. MAYER, P. von Keos und die Anfänge der Synonymik bei den Griechen, 1913 · M. UNTERSTEINER, I Sofisti, ²1967 (Ndr. 1996), X–XI.   MI. NA./Ü: B. v. R.

Proditio. Eigentlich lat. die »Preisgabe«, im weiteren Sinn der Kriegs- und Landesverrat. Das Wort war wohl niemals ein juristischer t.t.; insbesondere war die p. kein Unterfall der → perduellio (»verräterische Verbindung mit dem Landesfeind«). Die p. stand den spezifisch mil. Delikten transfugium (→ transfuga, »Überläufer«) und desertio (→ desertor) nahe. Wie diese unterlag sie der Ge-

richtsbarkeit des Feldherrn, und wie diese wurde sie in der Regel durch Auspeitschung und Hinrichtung mit dem Beil bestraft (vgl. den exemplarischen Fall der Brutus-Söhne bei Liv. 2,3–5). Vielleicht wurde dem des Verrats Bezichtigten gegen Ende des 2. Jh. v. Chr. das Provokationsrecht zugestanden (→ provocatio); seit dem 1. Jh. v. Chr. behandelte man die p. als Unterfall des Staatsverbrechens (→ maiestas).
→ Kriegsrecht; Militärstrafrecht

M. FUHRMANN, s. v. P., in: RE Suppl. 9, 1221–1230.   A. VÖ.

Prodosia (προδοσία). Aus Athen sind stete Bemühungen zur Bestrafung von »Landesverrat« (p.) und »Hochverrat« (→ katálysis tu dḗmu) überl. P. ist die Beeinträchtigung der äußeren Sicherheit des Staates, die bis zur Unterlassung der Bergung von Gefallenen und Schiffbrüchigen gehen konnte (Schlacht bei den Arginusen, 406 v. Chr.; Xen. hell. 1,7,22 und 32, wo auf ein Gesetz gegen Tempelräuber und Landesverräter Bezug genommen wird). Später fiel p. unter das Gesetz über → eisangelía, doch wurden vielfach ad hoc Bestimmungen über p. erlassen (so nach der Schlacht bei Chaironeia, 338 v. Chr.; Lykurg. 1,53; 1,77). Strafe war der Tod mit vererblicher → atimía, Vermögensverfall, Verwüstung des Wohnhauses und Verbot der Bestattung in heimischer Erde.

E. BERNEKER, Hochverrat und Landesverrat im griech. Recht, in: Symbolae. FS R. Taubenschlag, Bd. 1, 1956, 105–137 · Ders., s. v. P., RE 23.1, 90–95 · J. BLEICKEN, Die athenische Demokratie, ⁴1995, 211 f., 385 f.
E. RUSCHENBUSCH, Zur Gesch. des athen. Strafrechts, 1968, 14 f. · K.-W. WELWEI, Das klass. Athen, 1999, 236–240.
                                                                  G. T.

Prodromoi (πρόδρομοι, »die Vorauseilenden«).
[1] Die sieben Tage lang vor dem heliakischen Aufgang des Sirius im Mittelmeergebiet wehenden nördlichen Winde. Gegenüber den späteren → Etesien sollten sie angeblich kühler sein. Die sieben Tage sind ebenso wie ihre behauptete Beziehung zum Sirius und die neun Tage von ihrem Beginn bis zu den Etesien willkürlich festgelegt [1; 2]. Ihre Datier. schwankt zw. dem 7. und 23. Juli des julianischen Kalenders (= 4.–20. Juli gregorianisch).
→ Winde

1 R. BÖKER, s. v. Windfristen, RE Suppl. 9, 1697–1705 (bes. 1701 f.) 2 Ders., s. v. P., RE 23, 97–102.
A. REHM, s. v. Etesiai, RE 6, 713–717 (bes. 714 f.) ·
A. SCHULTEN, s. v. Winde, RE 8A, 2211–2388 (bes. A. 2., 2212–2214).   C. HÜ.

[2] Im griech. Militärwesen bezeichnet das Wort p. die (berittene) Vorhut; Herodotos nennt so allg. die mil. Vorhut griech. Truppen (Hdt. 7,203; 9,14); an anderer Stelle bezieht sich p. auf die berittene Vorhut der Skythen (Hdt. 4,121 f.). Im 4. Jh. v. Chr. diente eine Spezialtruppe von leichtbewaffneten p. verm. als Kundschafter im athenischen Heer; sie ersetzten wohl die Einheit der → hippotoxótai (Aristot. Ath. pol. 49,1; vgl.

Xen. hipp. 1,25; Xen. mem. 3,3,1). Im Heer Alexandros' [4] d.Gr. dienten die auch σαρισοφόροι (*sarisophóroi*/»Sarissenträger«; → *sárissa*) genannten *p.* als Teil der → Reiterei; sie bestanden aus Makedonen und waren in vier Ilen eingeteilt (Arr. an. 1,12,7; 1,14,1; 1,14,6; vgl. Pol. 12,20,7; Diod. 17,17,4). Ihre Aufgabe war hauptsächlich die Aufklärung (Arr. an. 3,7,7), sie nahmen aber auch an Schlachten teil (Arr. an. 2,9,2). Für die seleukidische Armee sind *p.* dieses Typs bei Iosephos [4] Flavios (Ios. ant. Iud. 12,372) bezeugt.
→ Exploratores

1 KROMAYER/VEITH, 53, 100f. 2 R.D.MILNS, Alexander's Macedonian Cavalry and Diodorus XVII 17,4, in: JHS 86, 1966, 167–168 3 W.K.PRITCHETT, The Greek State at War, Bd. 1, 1971, 130f.; Bd. 2, 1974, 188f. 4 L.J.WORLEY, Hippeis. The Cavalry of Ancient Greece, 1994.   LE.BU.

Proegoros (προήγορος, dor. προάγορος, »Wortführer«; von *pro-agoreúein*, »für jemanden öffentl. reden«). Sprecher einer Gruppe oder Gesandtschaft (Xen. hell. 1,1,27; 2,2,22; Xen. an. 5,5,7). In den sizilischen Poleis → Akragas (IG XIV 952: 2. Jh. v. Chr.), → Tyndaris (Cic. Verr. 2,4,85) und evtl. auch in → Tauromenion (IG XIV 423) Bezeichnung für Beamte. In → Katane war der *p.* nach Cicero (Verr. 2,4,50) sogar der höchste Magistrat, doch kann dies übertrieben sein.

In → Sardeis sind *stratēgoí* und *proḗgoroi* (als leitende Beamte) in das Präskript eines Volksbeschlusses aufgenommen [1. 7ff.]. Die Personen könnten indes identisch sein.

Im hell. und im kaiserzeitl. Osten wird *p.* auch in der Bed. von »Advokat« verwendet (IGR III 63; 65; 778; SEG 1,366,20f.; Poll. 2,126; Them. or. 26,326a). Zudem erscheint *p.* als griech. Äquivalent für einen röm. *consul*, der die *fasces* führt.

1 L.ROBERT, Inscriptions et reliefs d'Asie mineure, in: Hellenica 9, 1950, 7–38.

H.SCHÄFER, s.v. P., RE 23, 104–107.   K.-W.WEL.

Proeisphora (προεισφορά, Vermögenssteuervorschuß). Da in Athen die → *eisphorá* (Vermögenssteuer) die in Krisenzeiten nötigen Geldmittel zu langsam einbrachte, wurde (vermutlich vor 362 v. Chr.) den 300 reichsten Bürgern der Stadt die → Liturgie (I.B.) auferlegt, den gesamten aufzubringenden Betrag zinslos als *p.* »vorzuschießen«. Unter Abzug ihres eigenen Anteils konnten sie die *p.* von den Mitgliedern ihrer → *symmoría* (Steuerklasse) auf ihr eigenes Risiko eintreiben. Die *p.* ist auch aus anderen demokratischen Poleis überliefert (z.B. Priene und Lindos [3. 1232f.]).

1 J.BLEICKEN, Die athenische Demokratie, ⁴1995, 296f. 2 HANSEN, Democracy, 112–115 3 H.SCHAEFER, s.v. P., RE Suppl. 9, 1230–1235 4 R.W.WALLACE, The Athenian proeispherontes, in: Hesperia 58, 1989, 473–490 5 K.-W.WELWEI, Das klass. Athen, 1999, 305.   G.T.

Proerosia (Προηροσία/Προηρόσια, auch Πρηρόσια/Πληροσία, sc. θυσία). »Vorpflügeopfer«, agrarischer Opferritus und möglicherweise Fest, das um guten Gedeihens der Früchte willen vor der Pflügung und Aussaat abgehalten wurde (Suda s.v. Π.; Hesych. s.v. Π.; vgl. schon Lykurg. 14, fr. 4 CONOMIS; Hyp. fr. 75). Das »Vorpflügeopfer« war einer von mehreren Riten oder Festen in den att. Demen, die das agrarische Jahr in Attika begleiteten. Art und Zeitpunkt des Opfers variierten je nach Demos. Die *p.* galt → Demeter (Paiania: IG I³ 250 A 8; 18; B 4; 16f. (im Monat Boedromion); Eleusis: IG II² 1363,6 (im Monat Pyanopsion); verm. Peiraieus: IG II² 1177,9), aber auch → Zeus (Myrrhinos: IG II² 1183,33; vielleicht Thorikos: SEG 33, 1983, 147,13 (Boedromion); vgl. Hes. erg. 465f.; Plut. mor. 1119e). Max. Tyr. 292,17 impliziert unblutige *p.*-Opfer der Bauern; anders der Thorikos-Kalender.

Die *p.* in → Eleusis [1] am 5. Pyanopsion, von Hierophant und Herold angekündigt (IG II² 1363,4–7), waren im 5. Jh. wohl ein größeres, den Rahmen des Demos überschreitendes Fest, das im 1. Jh. v. Chr. u.a. ein Ritual beinhaltete, bei dem die Epheben Rinder in die Höhe hoben und an den Altar trugen (IG II² 1028,28). Lexikographen verbinden die *p.* in Eleusis mit den *aparchaí* (den Erstlingsabgaben), die die athen. Bündnerstaaten (IG I³ 78 = ML 73, 435–415 v. Chr.) zu leisten hatten. Dem einzigen überl. *aítion* für *p.* zufolge gebot das delphische Orakel (nach Lykurg. 14, fr. 4 CONOMIS) gegen eine allg. Hungersnot das *p.*-Opfer Athens im Namen aller Griechen und zum Teil Nichtgriechen; nach einigen Texten sollen die Athener die *aparchaí* als Dank für die Rettung erhalten haben (schol. Aristoph. Equ. 729a/d; Plut. mor. 1054). Die Verbindung von *p.* und *aparchaí* in ein und demselben Fest ist problematisch. Als Zielort der Lieferung von *aparchaí* sind z.B. auch die eleusinischen → Mysteria vorgeschlagen worden ([1]; vgl. aber [2]).

Dagegen werden die *p.* in später Überl. auch mit dem Anspruch Athens verbunden, von Demeter die Kunst des Ackerbaus erh. zu haben (schol. Aristeid. 105,18; nach Isokr. or. 4,31 begründet dieser Mythos die *aparchaí*-Forderung). Die Annahme, die jährliche heilige Pflügung der sog. Rarischen Ebene (*Raríon pedíon*) im Gebiet von Eleusis werde nach dem Vorbild einer mythischen *p.* des → Triptolemos ausgetragen, basiert auf der Rekonstruktion des → *Marmor Parium* (FGrH 239 F 12–13; Plut. mor. 144b).

1 B.SMARCZYK, Unters. zur Religionspolitik und polit. Propaganda Athens im Delisch-Att. Seebund, 1990, bes. 188–196 2 R.PARKER, Athenian Rel., 1996, 143 und Anm. 85.

DEUBNER, 68f. · R.PARKER, Festivals of the Attic Demes, in: T.LINDERS, G.NORDQUIST (Hrsg.), Gifts to the Gods, 1987, 137–147, bes. 141f. · N.ROBERTSON, New Light on Demeter's Festival P., in: GRBS 37, 1996, 319–379.   B.K.

Prognostik s. Parapegma

Programma (πρόγραμμα).

[1] *P.* hieß in Athen die öffentl. Bekanntmachung, mit der die → Prytanen die → *bulḗ* und die → *ekklēsía* einberiefen und die Tagesordnung festlegten (Poll. 8,95; Aristot. Ath. pol. 43,3; 44,2; [1. 993]).

[2] In äg. Pap. kann *p.* jede amtliche Verlautbarung, vom königlichen Erlaß (z.B. BGU 1212 C) bis zum Steckbrief [2. 62], bezeichnen [3].

[3] Griech. Schriftsteller übersetzen mit *p.* das röm. → *edictum* [1] (z.B. Cass. Dio [4. Index]).

1 BUSOLT/SWOBODA, Bd. 2 2 J.E. POWELL (ed.), The Rendel Harris Papyri of Woodbrooke College, Birmingham, 1936 3 C.B. WELLES, New Texts from the Chancery of Philip V, in: AJA 42, 1938, 245–260 4 U.PH. BOISSEVAIN, Cassius Dio, Bd. 5, 662.   H. BE.

Progymnasmata (προγυμνάσματα, lat. *praeexercitamina* »Vorübungen«). *P.* bezeichnen im rhet. Kontext eine Serie von Übungsreden, die den zukünftigen Redner allmählich an das schwierigere Studium der → Rhetorik heranführen sollen (z.B. Nikolaos, Rhetores Graeci 11,1,15 ff. FELTEN). Sie leisten den Übergang von der Schule des → *grammaticus* zu der des Rhetors (vgl. Quint. inst. 2,1,1). Auch wenn der älteste Beleg (bei Aristot. rhet. Alex. 1436a 26) gefälscht sein mag, müssen *p.* vor Theon und Quintilianus (die im 1. Jh. n. Chr. die *p.* erstmals behandeln), praktiziert worden sein. Ailios → Theon selbst macht deutlich, daß er auf eine elaborierte Trad. zurücksieht (Rhetores Graeci 2,59,11 ff. SPENGEL; vgl. Cic. inv. 1,27; Rhet. Her. 1,13).

Der bekannteste und am häufigsten in der Ant. kommentierte Text stammt von → Aphthonios (Rhetores Graeci 10 RABE), sicher der Vielzahl der Beispiele wegen, die die Darstellung der Regeln begleiten; weniger verbreitet waren die Abh. von → Libanios und dem Sophisten Nikolaos.

Die kanonische Reihe der *p.* sah 1) *mýthos*, 2) Erzählung (*diḗgēma*), 3) → Chrie, 4) → Gnome, 5) *anaskeuḗ*, 6) *kataskeuḗ* (Widerlegung und positiver Erweis), 7) Gemeinplatz, 8) Enkomion (Lob), 9) Psogos (Tadel, Invektive), 10) Synkrisis (Vergleich), 11) Ethopoiie (Nachahmung), 12) → Ekphrasis (Beschreibung), 13) Thesis (Problem), 14) Einführung eines Gesetzes vor: Materialien nicht nur zur Einübung der verschiedenen Redeteile, sondern auch für die drei Redegenera (→ Genera causarum; vgl. Nikolaos, RABE 11,5,11–18). So wurden 1, 3 und 4 als Übungen für das → *prooímion* gesehen, 2 und 12 für die *narratio*, 5/6 für die → *argumentatio*; der Gemeinplatz diente dem Einüben von Epilogen (→ *epilogus*; ebd. 36,4 ff. u.ö.). 1, 3, 4 und 13 bereiteten auf das *genus deliberativum*, die beratende Rede, vor (ebd. 8,14 f.; 23,11 f. u.ö.), 5/6 und 14 auf die Gerichtsrede (ebd. 33,14 ff.; 78,15 ff.), 7–9 auf die → *epídeixis* (ebd. 47,2 f.), 2 und 10–12 schließlich auf alle Gattungen (ebd. 15,17 ff.; 62,6 ff. u.ö.).

→ Genera causarum; Partes orationis; Rhetorik

S. BONNER, Education in Ancient Rome, 1977, 250–276 · D.L. CLARK, Rhetoric in Greco-Roman Education, 1966, Kap. 6 · G. KENNEDY, Greek Rhetoric under Christian Emperors, 1983 · Ders., A New History of Classical Rhetoric, 1994 · Ders., P., 1999 · G. REICHEL, Quaestiones progymnasmaticae, 1909.   L.C.M./Ü: U.R.

Prohairesios (Προαιρέσιος). Christlicher Sophist (vgl. → Zweite Sophistik), wurde ca. 276 n. Chr. in Kaisareia (Kappadokien) als Sohn einer armen. Familie geb. und studierte in Antiocheia [1] bzw. Athen (Eun. vit. soph. 10,3,3–9), wo er dann lange Zeit als gefeierter Lehrer arbeitete und die Kontinuität der dortigen Ausbildung repräsentierte. Offenbar zog er wegen seiner kleinasiat. Herkunft v. a. auch Studenten aus dieser Region des Römischen Reiches an. Durch → Constans [1] wurde er mehrfach geehrt, von dem Rhetorenedikt des Kaisers Iulian (→ Iulianus [11]) wollte er als Christ nicht ausgenommen werden. P. war verheiratet und starb 366/7 n.Chr. Sein Schüler → Gregorios [3] von Nazianzos schrieb einen Epitaph (Greg. Naz. epitaphios 5), sein Konkurrent Diophantos hielt die Grabrede (Eun. vit. soph. 12,1–3). PLRE s. v. Proaeresius, p. 731.

W. ENSSLIN, s. v. P., RE 23, 30–32 · G. A. KENNEDY, Greek Rhetoric under Christian Emperors, 1983.   C.M.

Prohairesis s. Wille

Prohedria (προεδρία). Das Vorrecht, bei Veranstaltungen verschiedener Art einen Platz in vorderster Reihe einzunehmen; es wurde vom Staat hervorragenden Mitbürgern und Besuchern gewährt und ist für viele Poleis bezeugt. Im 6. Jh. v. Chr. wurde die *p.* von Delphoi → Kroisos von Lydien verliehen (Hdt. 1,54,2), und Olympia gab sie an einen spartanischen → *próxenos* (SEG 11, 1180a). In Athen gehörten zu den Empfängern der *p.* die ältesten lebenden Nachkommen von Harmodios und → Aristogeiton (Isaios 5,47); Demosthenes [2] besorgte an den Dionysia von 346 v. Chr. für die Gesandten Philippos' [4] II. von Makedonien die *p.* (Aischin. Ctes. 76). In athen. Inschr. findet sich die *p.* seit dem späten 4. Jh. v. Chr. unter den jeweils aufgezählten Ehrungen [1]. Sitze im Dionysostheater in Athen trugen die Titel oder Namen ihrer Inhaber (IG II² 5022–5064): Die ältesten Inschr. stammen aus dem späten 4. oder frühen 3. Jh. v. Chr. [2], d.h. aus der Zeit nach dem Umbau des Theaters durch Lykurgos [9], doch befanden sich auch im vorlykurgischen Theater ähnliche, einzelnen Personen zugewiesene Plätze [4].

In Rom wurden Theater und andere öffentl. Spielstätten nicht mit Ehrensitzen für einzelne, durch Namen oder Titel identifizierbare Personen ausgestattet. Hier waren vielmehr einzelnen Gruppen bzw. Ständen (Senatoren und *equites*) bestimmte Teile des Theaters kollektiv vorbehalten [3] und (z.B. im Amphitheater) nur über spezielle Zugänge zu erreichen.

1 A. S. HENRY, Honours and Privileges in Athenian Decrees, 1983, 291–294 2 M. MAASS, Die Prohedrie des

Dionysostheaters in Athen, 1972 **3** MOMMSEN, Staatsrecht 3, 519–521, 893 f. **4** E. PÖHLMANN, Die Prohedrie des Dionysostheaters im 5. Jh. und das Bühnenspiel der Klassik, in: MH 38, 1981, 129–146. P. J. R.

Prohedros (πρόεδρος, Pl. πρόεδροι/*próhedroi*) bezeichnet eine Person, die (in leitender Funktion) »vorne sitzt« (»Vorsitzender«).

I. GRIECHENLAND IN KLASSISCHER UND HELLENISTISCHER ZEIT II. BYZANTINISCHES AMT

I. GRIECHENLAND IN KLASSISCHER UND HELLENISTISCHER ZEIT

In Athen wurde im frühen 4. Jh. v. Chr. die Aufgabe des Vorsitzes in Rat (→ *bulế*) und Volksversammlung (→ *ekklēsía*) von den → Prytanen auf ein neugeschaffenes Kollegium von neun *p.* übertragen. Die *p.* wurden jeweils für einen Tag bestellt, je einer aus jeder → Phyle des Rates, ausgenommen die gerade geschäftsführende Prytanie. Man konnte nur einmal *p.* während einer Prytanie sein und nur einmal im Jahr *epistátēs* (»Vorsteher«) der *p.* werden ([Aristot.] Ath. pol. 44,2–3). Die → *nomothétai* des 4. Jh. v. Chr. verfügten über eigene *p.*

Thukydides (8,67,3) benutzt das Wort, um die fünf Männer zu bezeichnen, die 100 Männer nominierten, die wiederum weitere 300 Männer benannten, um so die Vierhundert (→ *tetrakósioi*) des J. 411 v. Chr. zu bilden. Zwar gibt es ebenfalls fünf leitende Beamte (ohne Titel) in der ›zukünftigen Verfassung‹, die in der ps.-aristotelischen *Athenaíōn politeía* (30,5) genannt wird – und auch inschr. (ML 80) scheinen fünf aufgeführt zu sein –, Thukydides berichtet jedoch nach der Bestellung der Vierhundert von *prytáneis*. Es ist deshalb nicht sicher, ob *p.* im J. 411 überhaupt ein offizieller Titel war.

Der von Antigonos [1] Monophthalmos 302 v. Chr. wiederbelebte Hellenenbund hatte fünf *p.*, die das → *synhédrion* einberiefen und dort den Vorsitz führten (StV 446 § III).

P. J. RHODES, The Athenian Boule, 1972, 25–28. P. J. R.

II. BYZANTINISCHES AMT

Vorsitzender (des Senates in Byzanz), seit Mitte des 11. Jh. n. Chr. auch *prōtopróhedros* (»erster Vorsitzender«), hochrangiger byz. → Hoftitel (D.), anfangs nur für Eunuchen; eingeführt 963 n. Chr. von Nikephoros [3] II. für den → *parakoimómenos* Basileios, im 11. Jh. häufiger, bis ca. 1150 bezeugt. ODB 3, 1727. F. T.

Proitides (Προιτίδες). Die P. (= »Töchter des → Proitos«) sind der Gegenstand einer myth. Trad., welche von ihrem Umherirren im Wahnsinn und der folgenden Heilung erzählt. Es gibt verschiedene Versionen; den meisten zufolge werden die P. von → Hera in Wahn versetzt, nachdem sie entweder sie selbst oder ihren Tempel verhöhnt oder auch Schmuckstücke von ihrer Statue gestohlen haben. Nach Hes. fr. 131 M.-W. ist → Dionysos für ihren Wahnsinn verantwortlich, da sie seine Riten ablehnen. Sie verlassen Argos oder das ar-

givische Tiryns; in der Meinung, sie seien Kühe (der Hera hl. Tiere), wandern sie auf wilden Wiesen umher. Hesiod berichtet von einer abstoßenden Hautkrankheit sowie von zuchtlosem Benehmen (fr. 132; 133 M.-W.). Ihre Heilung erfolgt entweder durch ihren Vater, König Proitos, oder durch den Seher des Dionysos, → Melampus [1], und seinen Bruder → Bias [1], die Proitos in seine Dienste nimmt, oder aber durch Artemis. Nach manchen Fassungen töten und verzehren die P. während ihres Wahns Kinder aus der Gegend. Dieser Aspekt – neben der Beteiligung des Dionysos in einigen Versionen – weist darauf hin, daß die Gesch. mit der der → Minyades [1. 70–95; 2] vermischt wurde.

Einige Elemente (z. B. daß die P. noch Jungfrauen sind und daß eine von ihnen auch als Jungfrau stirbt) stellen sie in eine Reihe mit anderen Mädchen oder Mädchengruppen des griech. Mythos [3. 221–223]. Der Mythos wurde mit Reiferitualen von Mädchen in Verbindung gebracht [1. 70–95] und bes. mit der Spannung zw. der Verbundenheit des Mädchens mit seiner Geburtsstätte und der Notwendigkeit, dieses Heim bei der Hochzeit zu verlassen [2] (→ Initiation). Er wurde ferner im Zusammenhang mit Ritualen gesehen, die verstorbenen Mädchen ihren Frieden geben sollen, damit sie nicht lebende Mädchen verfolgen [3. 66–70]. Die wichtigsten ant. Quellen für die verschiedenen Versionen sind Hes. fr. 129–133 M.-W.; Bakchyl. 11; Pherekydes FGrH 3 F 14 und Akusilaos FGrH 2 F 28; zu weiteren Quellen und Entwicklung der verschiedenen Versionen vgl. [1. 70–95].

1 K. DOWDEN, Death and the Maiden: Girls' Initiation Rites in Greek Mythology, 1989 **2** R. SEAFORD, The Eleventh Ode of Bacchylides: Hera, Artemis and the Absence of Dionysus, in: JHS 108, 1988, 118–136 **3** S. I. JOHNSTON, Restless Dead, 1999 **4** L. KAHIL, s. v. P., LIMC 7.1, 522–525 und 7.2 ad loc. J. B./Ü: PE. R.

Proitos (Προῖτος, lat. *Proetus*). Myth. König von Argos (Hom. Il. 6,157; Pind. N. 10,77), oder Tiryns (Apollod. 2,25; schol. Eur. Or. 965), Sohn des Tersandros und Vater der Maira [1] (Pherekydes FGrH 3 F 170b), häufiger jedoch Sohn des → Abas [1] und der Aglaïa (schol. Eur. Or. 965; Paus. 2,16,2; Apollod. 2,24f.). P. liegt mit seinem Zwillingsbruder → Akrisios im Streit, schon seit ihrer Zeit im Mutterleib (Apollod. 2,24f.) oder nachdem P. die Tochter des Akrisios → Danae verführt hat (Apollod. 2,34f.). An die Schlacht (Bakchyl. 10,66) zw. beiden erinnerte noch in histor. Zeit eine Pyramide (Paus. 2,25,7) und ein Fest namens Daulis (Hesych. s. v. Δαῦλις) [1. 416]. Für den Ausgang des Streits gibt es zwei Versionen: Nach Paus. 2,25,7 endet er unentschieden, wobei Akrisios die Herrschaft über Argos, P. die über Tiryns erhält. Nach der zweiten Version unterliegt P., soll im kommenden Frühjahr über das Meer auswandern, verschafft sich jedoch im Winter Hilfe (nach schol. Eur. Phoen. 1109 in Theben, wo er die Tochter des Königs → Iobates heiratet), kämpft abermals, und es kommt zum Unentschieden mit der o. g. Verteilung der

Herrschaft (schol. Eur. Or. 965) bzw. zur Rückführung durch Iobates nach Argos (schol. Eur. Phoen. 1109). Nach Ov. met. 5,236–241 siegt P., und erst → Perseus [1] tötet ihn mit dem Gorgonenhaupt und setzt seinen Großvater Akrisios wieder als König ein.

Unabhängig davon ist die Gesch. vom Aufenthalt des → Bellerophontes bei P., nach der die Gattin des P., → Anteia [1], sich in Bellerophontes verliebt, von ihm aber abgewiesen wird und sich dafür rächt, indem sie ihn bei P. verleumdet, er habe sie gegen ihren Willen verführen wollen. P. will ihn nicht töten, sendet ihn aber auf eine gefährliche Mission nach Lykien. Als er sie besteht, erkennt ihn der König von Lykien als Göttersohn und gibt ihm seine Tochter zur Frau (Hom. Il. 6,155–180; Hyg. fab. 57; Hyg. astr. 2,18; Eur. Stheneboia, TGF fr. 661–674).

Wiederum unabhängig davon ist die Gesch. von den Töchtern des P., den → Proitides: Als diese in Wahnsinn verfallen, läßt P. sie durch → Melampus heilen und verspricht ihm die Hälfte des Reiches und die Hand einer Tochter (Lactantius Placidus, Komm. zu Stat. Theb. 3,453), nach anderen versucht P., seinen Pflichten zu entgehen, worauf sich der Wahnsinn noch steigert. Da fordert Melampus je ein Drittel der Herrschaft für sich, seinen Bruder → Bias [1] und P., der schließlich einwilligt [2; 3].

In der bildenden Kunst ist P. vornehmlich in Verbindung mit Bellerophontes dargestellt [4].

1 NILSSON, Feste 2 H. MAEHLER, Die Lieder des Bakchylides I 2, 1982, 196–202 3 L. KÄPPEL, Paian, 1992, 131–133 4 L. KAHIL, s. v. P., LIMC 7.1, 525 f.; 7.2, 414–417.

G. RADKE, s. v. P. [1], RE 23.1, 125–133. L. K.

Proix (προίξ). Etym. »mit offener Hand gereichte Gabe« (im Epos nur im Genetiv im Sinne von »gratis« bekannt), bezeichnet *p.* in der agnatischen Familienordnung der griech. Poleis die »Mitgift« (im Gegensatz zur → *pherné* der Kleinfamilie im hell.-röm. Ägypten). Erst ab dem 3. Jh. n. Chr. (Vorläufer FIRA I² 58,25; 68 n. Chr.) tritt *p.* als Übers. der röm. → *dos* auf.

Am besten bekannt ist die rechtliche Struktur der *p.* aus Athen (zu den hell. Inschr. aus Mykonos, Tenos, Amorgos, Naxos und Syros vgl. [6. 135–137, 149 f.]). Anläßlich der Verheiratung (→ *engýesis*) übergibt (oder verspricht) der → *kýrios* (»Gewalthaber«) der Braut dem Bräutigam Sachwerte (Grundstücke, Sklaven, auch Schmuck und Hausrat; stets in Geld geschätzt) oder Geld »für« die Braut. Ob ein bloßes Versprechen klagbar ist oder der Ehre überlassen bleibt, ist strittig in der Lit. [2. 51 f.; 6. 144 f.]. Die Gegenstände der *p.* fallen in das freie Verfügungsrecht des Ehemannes, des neuen *kýrios* der Frau, und können von ihm, sofern keine dingliche Sicherheit vereinbart ist, auch ohne ihre Zustimmung veräußert werden [6. 149]. Nicht zur *p.* zählen die Gegenstände, welche die Frau zu ihrem persönlichen Gebrauch in die Ehe mitbringt (später → *parápherna* genannt). Eine legitime Ehe ohne *p.* ist zwar unüblich,

aber zulässig, eine *p.* für eine nichteheliche Lebensgemeinschaft gibt es hingegen nicht.

Wirtschaftlicher Zweck der *p.* ist der Unterhalt der Frau während und eventuell nach Beendigung der Ehe [4. 127]; zumindest symbolisch (Goldschmuck) trägt sie zum Familienvermögen bei. Die Höhe der *p.* ist dem *kýrios* der Braut überlassen. Das Wertverhältnis von *p.* und väterlichem Vermögen untersucht [6. 140 f.]; die Beträge bleiben weit hinter einem hypothetischen Erbteil – in Athen erben nur Söhne – zurück. Ohne *p.* wird stets die ohne Bruder hinterbliebene Tochter (→ *epiklḗros*) verheiratet. Da hier der zur Heirat berechtigte nächste Verwandte in das Haus des verstorbenen Schwiegervaters kommt, findet er den Wert der *p.* ohnedies vor. Will ein reicher anspruchsberechtigter Verwandter eine *epiklḗros* aus der untersten Vermögensklasse der → Theten nicht zur Frau nehmen, muß er sie für eine andere Ehe mit einer *p.* in gesetzlich festgesetzter Mindestsumme ausstatten (Demosth. or. 53; 54). Tragen Dritte, Private oder – als bes. Ehrung – der Staat, zu einer *p.* bei, bleibt gleichwohl der *kýrios* der Braut Besteller der *p.* [6. 141 f.].

Stirbt die Frau, fällt die *p.* als Sondervermögen an ihre Söhne aus dieser Ehe. Verläßt sie die Ehe oder wird sie entlassen, hat ihr nunmehriger *kýrios* (ihr Vater oder sein nächster Verwandter) das Recht, die *p.* vom ehemaligen Ehegatten mit δίκη προικός (*díkē proikós*, »Mitgiftklage«) herauszuverlangen; der Beklagte kann sich durch Zahlung der früher geschätzten Summe aus der Haftung befreien. Dasselbe gilt, wenn die Frau kinderlos in der Ehe verstorben ist. Strafzuschläge oder Verfall der *p.* wegen Verfehlungen des Mannes oder der Frau sind, anders als bei der → *pherné*, nicht vorgesehen. Solange der Mann die *p.* nach Beendigung der Ehe noch in Händen hat, haftet er mit einer δίκη σίτου (*díkē sítu*, »Brotklage«) in der Höhe von jährlich 18 % des Wertes der *p.* für den Unterhalt der Frau.

Üblicherweise sichert der Besteller einer *p.* seine Rückforderung ab: Der Ehemann stellt entweder ein eigenes oder ein zur *p.* gehöriges Grundstück für ein → *apotímēma* (Sicherheitsleistung) bereit (kenntlich durch Aufstellen von → *hóroi*), auf das der Berechtigte direkt zugreifen kann. Zu den *p.*-Registern von Mykonos und Tenos s. [6. 135].

Auf Grund der Sozialstruktur überflüssig ist die *p.* in Sparta und Gortyn, vermutlich wegen der dorischen Landaufteilung in *klḗroi* (→ *klḗros*) [4. 128–131].

→ Ehe; Eheverträge; Erbrecht

1 A. BISCARDI, Diritto greco antico, 1982, 101–105, 111 2 A. R. W. HARRISON, The Law of Athens, Bd. 1, 1968, 45–60 3 D. M. MACDOWELL, The Law in Classical Athens, 1978, 87–89, 144 f. 4 G. THÜR, Ehegüterrecht und Familienvermögen, in: D. SIMON (Hrsg.), Eherecht und Familiengut in Ant. und MA, 1992, 121–132 5 S. C. TODD, The Shape of Athenian Law, 1993, 215 f. 6 H. J. WOLFF, s. v. P., RE 23.1, 133–170. G. T.

Prokleides (Προκλείδης). Att. Komödiendichter, der an den Dionysien von 332 v. Chr. [1. test. 1] und an einem Lenäenagon [1. test. 2] siegte; sonst ist nichts bekannt.

1 PCG VII, 1989, 582. H.-G. NE.

Prokles (Προκλῆς).

[1] Legendärer spartanischer König. P. galt als Sohn des Aristodemos [1] – und somit als direkter Nachfahre des Herakles [1] – sowie als Stammvater der → Eurypontidai – benannt nach seinem Sohn (Hdt. 8,131) oder Enkel (Plut. Lykurgos 1) Eurypon. Noch im 5. Jh. v. Chr. erscheinen bei Hellanikos (FGrH 4 F 116) P. und sein Zwillingsbruder Eurysthenes [1], nicht etwa Lykurgos [4], als Stifter der spartan. Verfassung. Ephoros (FGrH 70 F 117) schreibt ihnen zudem die Aufteilung der lakedaimonischen Siedlungsbezirke zu. Auch die erst seit ca. 500 v. Chr. belegte Konkurrenz zw. den beiden Königshäusern Spartas wurde auf einen Dauerstreit der Brüder zurückgeführt (Hdt. 6,52; Paus. 3,1,7). Die angebliche Vormundschaft des Theras über die beiden noch unmündigen Könige (Hdt. 4,147) bindet die Gründungsgesch. von → Thera an die spartan. Königsliste. Interessant ist P. vornehmlich als exemplarische Kristallisationsfigur spartan. Geschichtskonstruktion: Gegenwärtige Zustände oder Ansprüche wurden durch konstruierte Vergangenheitsbilder legitimiert (vgl. allg. [1]).
→ Sparta

1 L. THOMMEN, Spartas Umgang mit der Vergangenheit, in: Historia 49, 2000, 40–53. M. MEI.

[2] Tyrann von → Epidauros in der 2. H. des 7. Jh. v. Chr. Als Mitglied der griech. Adelswelt heiratete er Eristheneia, die Tochter des Aristokrates [1] von Orchomenos, und gab seine Tochter Melissa zum Zwecke der Heiratsallianz dem → Periandros von Korinth zur Ehefrau. Nach dem frühen Tod Melissas wiegelte er dessen Söhne gegen ihn auf. Nach einer mil. Auseinandersetzung der beiden wurde Epidauros von Periandros erobert und P. gefangengenommen (Hdt. 3,50–52; Herakl. Pont. fr. 144).

H. BERVE, Die Tyrannis bei den Griechen, 1967, 20, 34f. · L. DE LIBERO, Die archa. Tyrannis, 1996, 218, 404, 406.
B. P.

[3] Als Nachkomme des spartanischen Königs → Damaratos dynastischer Herrscher über die Städte → Pergamon, → Teuthrania und → Halisarna [1]. Er überbrachte dem Griechenheer die Nachricht vom Tode des → Kyros [3] und beteiligte sich an einem seiner Beutezüge (Xen. an. 2,1,3; 7,8,17). 399 v. Chr. schloß er sich dem spartan. Heer in Kleinasien unter → Thibron an (Xen. hell. 3,1,6).

[4] Aristokrat aus Phleius, Sohn des Hipponikos; Gastfreund des spartanischen Königs → Agesilaos [2] (Xen. hell. 5,3,13). Im J. 369 v. Chr. trat P. mit zwei Reden in Athen für ein Bündnis zwischen Athen und Sparta ein (Xen. hell. 6,5,38–48; 7,1,1–11).

J. BUCKLER, Xenophon's Speeches and the Theban Hegemony, in: Athenaeum 60, 1982, 180–204 · P. CARTLEDGE, Agesilaos, 1987, 264–266. HA. BE.

Proklesis (πρόκλησις), wörtlich »Aufforderung«. Die Konzentration des Prozesses vor den athen. Geschworenengerichten (→ dikastérion) auf eine einzige, zeitlich begrenzte Hauptverhandlung erforderte umsichtige Vorbereitung des Prozeßstoffs vor dem Prozeß oder im Vorverfahren vor dem jeweiligen Gerichtsmagistrat (→ anákrisis, → diaitētaí). Eine Möglichkeit, den Gegner vor der Hauptverhandlung zu gewissen bindenden Stellungnahmen zu provozieren, war die p. Diese bedeutet sowohl den Akt einer vor Zeugen an den Gegner gerichteten Erklärung, als auch deren Inhalt und dessen schriftliche Fixierung als Urkunde. Der Inhalt der Erklärung und die Reaktion des Gegners wurden vor den Geschworenen durch Zeugen bestätigt. Trotz Aristot. Ath. pol. 53,3 war die p. kein Beweismittel (so [2]), sondern nur die Grundlage für Wahrscheinlichkeitsschlüsse. Typischerweise wurde ein Prozeßgegner mit p. aufgefordert, Sklaven über eine bestimmte Tatsache peinlich zu befragen (βάσανος, básanos) oder einen Eid zu leisten, was dieser regelmäßig ablehnte. Aus der abgelehnten p. wurde dann geschlossen, der Gegner habe die Tatsache zugestanden.
→ Folter

1 G. THÜR, Beweisführung vor den Schwurgerichtshöfen Athens. Die P. zur Basanos, 1977 2 D. C. MIRHADY, Torture and Rhetoric in Athens, in: JHS 116, 1996, 119–131 3 M. GAGARIN, The Torture of Slaves in Athenian Law, in: CPh 91, 1996, 1–18. G. T.

Proklise s. Akzent (B.)

Proklos (Πρόκλος).

[1] Bischof von Konstantinopolis (434–446). Nach gründlicher Ausbildung nahm der vor 390 wohl in Konstantinopel geb. P. unter Bischof Attikos (406–425) eine Vertrauensstellung ein. Dessen Nachfolger Sisinnios weihte ihn 426 zum Bischof von Kyzikos, allerdings konnte P. seinen Bischofsstuhl gegen lokale Widerstände nicht einnehmen. Mehrfach übergangen, wurde er schließlich 434 Bischof von Konstantinopolis. Als Prediger war er hochgeschätzt; neben Briefen – u. a. das 435 im Streit um → Theodoros von Mopsu(h)estia an die armen. Kirche gerichtete Lehrschreiben *Tomus ad Armenios* (CPG 5897) [4] – sind von ihm zahlreiche Homilien überl., von denen 38 als authentisch gelten (CPG 5800–5836; 4692; z. T. Ed.: [1; 2]). Berühmt ist seine Marienpredigt zur Verteidigung der Gottesgebärerin (*theotókos*; → Maria) in Gegenwart des → Nestorios (Homilie 1: CPG 5800). In seiner Christologie tritt der Kyrillos [2] von Alexandreia nahestehende, dabei aber stets um Ausgleich bemühte P. erstmals für die Einheit von menschlicher und göttlicher Natur Christi in einer einzigen → Hypostase [2] ein.

ED.: **1** F. J. LEROY, L'homilétique de Proclus de
Constantinople, 1967 **2** N. CONSTAS, Four Christological
Homilies of Proclus of Constantinople, 1994 (mit engl.
Übers. und Komm.).
LIT.: **3** J. H. BARKHUIZEN, Proclus of Constantinople, in:
M. B. CUNNINGHAM, P. ALLEN (Hrsg.), Preacher and
Audience, 1998, 179–200 **4** J. RIST, P. von Konstantinopel
und sein *Tomus ad Armenios*, Diss. Würzburg 1993. J. RI.

[2] Philosoph, Vorsteher der neuplatonischen Schule
von Athen (7.2.412–17.4.485).
A. LEBEN B. WERKE C. WIRKUNG

A. LEBEN

Quellen: Marinos [4], ›P. oder über das Glück‹ (Rede, am ersten Jahrestag seines Todes gehalten) [1]; Damaskios, ›Leben des Isidoros‹ [2; 3].

P. wurde in Konstantinopel geboren, war aber lykischer Abstammung. Sein Leben erstreckte sich fast über
das ganze 5. Jh. n. Chr. Er erhielt die Ausbildung eines
Sohnes aus gutem Hause (Grammatik in Xanthos, Rhet.
in Alexandreia [1]) und sollte wie sein Vater die An-
waltslaufbahn einschlagen. Doch nachdem er seinem
Rhet.-Lehrer nach Konstantinopel gefolgt war, entschied er sich aufgrund eines Traumes für die Philos. In
Alexandreia begann er seine Studien mit aristotelischer
Philos. und Mathematik; in Athen schloß er sich der
Schule des Platonikers → Syrianos an. Dieser machte
den 18jährigen P. mit → Plutarchos [3], dem Gründer
der neuplatonischen Schule in Athen, bekannt, der ihn
von 430 bis 432 unterrichtete. Nach dessen Tod wurde
Syrianos offizielles Schuloberhaupt. Mit ihm durchlief
P. den ganzen Zyklus der philos. Studien: 2 J. Aristoteles, dann Platons Dialoge in der von → Iamblichos [2]
festgesetzten Reihenfolge.

P. verfaßte mit 27 J. (d. h. 439) einen Komm. zum
platonischen ›Timaios‹ (Marinos, Proclus 13). Syrianos, der hierin viel zitiert wird, war da bereits tot; der
von ihm als Nachfolger ausersehene P. trat im Alter von
26–27 J. sein Amt an. Er leitete die Schule von etwa 438
bis 485, d. h. über einen Zeitraum von fast 50 Jahren.

P.' Tagesplan war der eines Professors, der sich un-
ermüdlich und mit beispielhafter Regelmäßigkeit seinen Aufgaben widmete: morgens erteilte er 5 Stunden
Unterricht in Exegese, nachmittags arbeitete er an der
Formulierung von 700 Zeilen, abends hielt er weitere
Kurse. Sein rel. Leben war durch Gebet und Askese
geregelt: Während der Nacht hielt er festgelegte Ge-
betsstunden ein, tagsüber vollzog er die Anbetung der
→ Sonne beim Aufgang, am Mittag und beim Untergang. Einige seiner Hymnen (s. u.) sind Zeugnis seiner
persönlichen Frömmigkeit. Wenn dieser Arbeitsrhyth-
mus tatsächlich fast 50 J. lang eingehalten wurde, wird
verständlich, wie P. sein enormes Werk – wohl zum
größten Teil Ergebnis seiner Lehrtätigkeit – schaffen
konnte; fast alle seiner überl. Schriften sind jedoch nur
unvollständig erh.

Unter P.' Leitung blühte die neuplaton. Schule von
Athen auf (→ Akademeia V.); von der großen Zahl von
Schülern – aller Wahrscheinlichkeit nach Anhängern
der alten Kulte, nicht Christen – unterrichteten manche
später Philos. in Athen, Alexandreia oder Aphrodisias
(Marinos [4], Ammonios, Asklepiodotos [3]); andere
waren freie Zuhörer, die entweder schon offizielle städtische oder imperiale Ämter bekleideten oder eine solche Laufbahn anstrebten. Seine thaumaturgischen Kräfte bewies P., indem er von → Asklepios die Genesung
der Urenkelin des Plutarchos [3] erreichte. Die Schwierigkeiten, denen griech.-röm. Rel. und Institutionen
seitens der christl. Regierung ausgesetzt waren (vgl.
Marinos, Proclus 15 und 30), ertrug er mit Gleich-
mut, weil er glaubte, die Wiederkehr der kosmischen
Zyklen werde die alte Rel. zurückbringen. P.' Schaf-
fensdrang ließ in den letzten Lebensjahren sehr nach
(Marinos, Proclus 22), und die Wahl eines Nachfolgers bereitete Probleme. Schließlich siegte → Marinos
über die Konkurrenten Asklepiodotos und Isidoros.

B. WERKE

1. PHILOSOPHIE 2. THEOLOGIE
3. ANDERE WERKE

1. PHILOSOPHIE

Im Rahmen seiner Lehrtätigkeit las und kommentierte P. mit seinen Schülern die wichtigsten Abh. des
Aristoteles [6]; für den Unterrichtsbedarf verfaßte
Komm.-Texte (falls es sie je gab) sind allesamt verloren.
P. las auch die platonischen Dialoge die zum o. g. Curriculum gehörten; die Komm. dafür sind erh.: ›Zum
Timaios‹ [4; 5], ›Zum Alkibiades‹ [6; 7], ›Zum Kratylos‹
[8], ›Zum Parmenides‹ [9; 10; 11; 12] sowie eine Slg. von
Erörterungen ›Zum Staat‹ [13, 14], unter denen man
auch den berühmten (Marinos gewidmeten) Komm.
über den Mythos des → Er findet. Bezeugt, aber ver-
loren sind weitere Komm. zum ›Phaidon‹, ›Gorgias‹,
›Philebos‹, ›Phaidros‹, ›Theaitetos‹ und ›Sophistes‹. Ein
Komm. zu den ›Enneaden‹ des → Plotinos ist ebenfalls
verloren.

P. kommentiert mit streng wiss. Methodik: Für jeden Dialog ermittelt er ein einziges Thema (im allg. das
bereits von Iamblichos gewählte), das der Exegese des
gesamten Dialogs die Richtung weist. Er teilt den Text
systematisch in Abschnitte unterschiedlicher Länge; zu
jedem liefert er eine allg. Erklärung (die sog. *theōría*,
»Lehre«), die sich aus der Anwendung des einen Themas
auf die betreffende Passage und aus der Diskussion der
Meinungen seiner Vorgänger ergibt (zahlreiche Verweise auf Vorgänger in ›Zum Timaios‹, wenige in ›Zum
Alkibiades‹ und in ›Zum Parmenides‹); es folgt eine
wortgetreue Auslegung (die sog. *léxis*, »Wort«), die jedes
schwierige Wort einbezieht, wobei P. mit großer Freiheit verfährt. Seine Komm. wurden zu Vorbildern; seine Methode überdauerte die Schließung der Akademie
in Alexandreia und wurde in den arab. und lat. Komm.
des MA weitergeführt (Ausnahme: die Komm. des Simplikios, die zum Lesen gedacht waren und niemals im
Unterricht benutzt wurden).

2. THEOLOGIE

P. widmete sich auch der Abfassung systematischer Werke. Er veröffentlichte eine Abh. über die Theurgie (Περὶ τῆς καθ' Ἕλληνας ἱερατικῆς τέχνης, ›Über die Kunst der Priester nach den Griechen‹; Ed. eines kurzen Fr. möglicherweise daraus: [15]); für P. ist ›die → Theurgie besser als alle Weisheit und alle menschliche Wiss., weil sie in sich alle Vorteile der Weissagung bündelt, die reinigenden Kräfte der Ausführung von Riten und alle Wirkungen der Erleuchtung, die den Menschen zu einem vom Göttlichen Besessenen macht‹ (Prokl. Theologia Platonica 1,25 S.-W.). Der umfangreiche Komm. (mehr als 1000 S., vgl. Marinos, Proclus 26) über die Chaldäischen Orakel (→ Oracula Chaldaica) [16] bot eine Slg. theologischer Weissagungen, die von Platon inspiriert waren, die u. a. von Porphyrios und Iamblichos studiert und benutzt wurden und denen P. höchste Autorität zuerkannte. P. revidierte und veröffentlichte auch ein Buch des Syrianos mit dem Titel ›Übereinstimmung von Orpheus, Pythagoras und Platon mit den Chaldäischen Orakeln‹ (Συμφωνία Ὀρφέως, Πυθαγόρου, Πλάτωνος πρὸς τὰ Λόγια). Dieses Buch brachte die großen theologischen Trad. der Antike miteinander in Einklang und lieferte das grundlegende Programm zur Theologie des P.

Zwei wichtige theologische Traktate sind erh.: die ›Elemente der Theologie‹ (Στοιχείωσις θεολογική [18; 19; 20], eine vollständige Darstellung der Metaphysik in Form von Lehrsätzen, denen die Beweisführung folgt) und die ›Platonische Theologie‹ (Περὶ τῆς κατὰ Πλάτωνα θεολογίας, Theologia Platonica, in 6 B.) [21], ein umfangreiches »Kompendium« der gesamten platonischen Lehre, die eine vollständige Darstellung der Theologie bieten. Nach B. 1 (Allgemeine Grundlagen) wird in jedem Buch eine Stufe der Hierarchie der Götter untersucht: der erste Gott, die intelligiblen Götter, die intelligibel-intellektuellen Götter, die intellektuellen Götter, die überweltlichen und die innerweltlichen Götter. Für jede Stufe dieser Hierarchie werden die entsprechenden Texte der platonischen Dialoge besprochen.

Quelle der Theologie des P. war die von Syrianos vorgegebene (und von P. ausgeführte) Interpretation des platonischen ›Parmenides‹. P. ist sich bewußt, daß es nicht allg. offensichtlich sein konnte, daß ›die Gesamtheit und die Vollständigkeit der Theologie‹ (Prokl. Theologia Platonica 1,7, p. 31 S.-W.) in diesem Dialog enthalten seien. Die Interpretation des Syrianos gründet auf der Symmetrie zw. den negativen Konklusionen der ersten Hypothesis (›wenn das Eine ist...‹) und den positiven der zweiten (›wenn das Eine nicht ist...‹). Die erste Hypothesis liefert also eine Abh. über negative Theologie; die zweite ermöglicht es, die Theologie aller Stufen der Götterhierarchie herauszuarbeiten. Syrianos hatte P. in seine theologische Methode eingeführt, die er in der Abh. ›Übereinstimmung von Orpheus, Pythagoras und Platon mit den Chaldäischen Orakeln‹ entwickelte. Diese Übereinstimmung zw. den »Theologen« (Homer, Orpheus, Pythagoras), dem »Philosophen« (Platon) und den »Orakeln« wurde dann zu einem Forsch.-Programm, das insgesamt zur ›Platonischen Theologie‹ führte. Sie machte es möglich, Platon als »Theologen« zu bezeichnen und die Theologie als »Wiss.« in der platonischen Philos. zu begründen (Prokl. Theologia Platonica 1,4, p. 20 S.-W.).

3. ANDERE WERKE

Das Werk des P. umfaßt auch mathematische und astronomische Abh., bes. den berühmten Kommentar. ›Zum ersten Buch der Elemente des Eukleides‹ [22; 23] (Εἰς τὸ α' τῶν Εὐκλείδου στοιχείων; nach Art der platonischen Komm., mit zwei Vorreden über die Gesch. der Mathematik), die ›Kurze Darstellung astronomischer Hypothesen‹ (Ὑποτύπωσις τῶν ἀστρονομικῶν ὑποθέσεων [24]; zu den Hypothesen des → Ptolemaios [65]), und die ›Einf. in die Physik‹ (Στοιχείωσις φυσική, Institutio Physica; Analyse von Aristot. phys., B. 6–7) [25; 26]. Des weiteren schrieb P. Werke zur Religionsphilos.: ›Über die Vorsehung‹ (Περὶ τῆς προνοίας) und ›Über die Existenz des Bösen‹ (Περὶ τῆς τῶν κακῶν ὑποστάσεως [27; 28], die der christl. Schriftsteller Isaak Sebastokrator im 11. Jh. benutzte), andere Abhandlungen in der Form der Monobibla und eine (teilweise erh.) Slg. von ›Hymnen‹ [29; 30], die bei rel. Festen in der Schule gesungen wurden: Überl. sind sieben hexametrische, stets nach dem gleichen Muster komponierte Hymnen (erste Strophe: Anrede und Aretalogie; danach die persönlichen Bitten des P.) an (1.) die Sonne, (2.) Aphrodite, (3.) die Musen, (4.) die Götter der Chaldäischen Orakel, (5.) die junge Aphrodite von Lykien, (6.) Hekate und Ianus sowie (7.) Athena (vgl. [30]).

C. WIRKUNG

P. war der letzte Universalgelehrte der Ant.; sein Schaffen kann als Höhepunkt des → Neuplatonismus bezeichnet werden. Der übernächste Nachfolger → Damaskios, das letzte Oberhaupt der Schule von Athen, bewahrte die Kernpunkte der Lehre (wenn er auch die Positionen des P. kritisch diskutiert und dabei eine Rückkehr zu Iamblichos erkennen läßt).

Dem MA war die Lehre des P. nur indirekt bekannt: einerseits durch den anon. Ps.-Dionysios [54] Areopagites, dessen christl. Theologie sich auf philos. Elemente des P. stützte und dessen lat. Version im MA großen Einfluß hatte, andererseits durch P.' ›Elemente der Theologie‹; ins Arab. übersetzt, trugen sie viel zur Entwicklung der islamischen Theologie bei – die spätere lat. Übers. E. des 12. Jh. wurde von den christl. Theologen benutzt. Es wurden sogar Auszüge der ›Elemente‹ mit dem (lat. und arab.) Monotheismus in Einklang gebracht und unter dem Titel Liber de causis ins Lat. übersetzt, dem Aristoteles zugeschrieben und dadurch in das offizielle Lehrprogramm der ma. Universitäten aufgenommen. Thomas von Aquin erkannte in seinem Komm. zum Liber de causis als erster dessen neuplaton. Charakter. Erst Lorenzo VALLA (1407–1457) warf das Problem der Fiktion des Ps.-Dionysios auf.

Einige der Hauptwerke des P. wurden im 13. Jh. von Wilhelm VON MOERBEKE ins Lat. übersetzt und waren so auch im MA bekannt. Die ›Platonische Theologie‹ wurde erst im 17. Jh. zum ersten Mal von Émile PORTUS ediert. Im 19. Jh. wurden die großen Komm. herausgegeben, v. a. von V. COUSIN und F. CREUZER; sie spielten eine gewisse Rolle in der Philos. von G. W. HEGEL. Im 20. Jh. haben E. DIEHL, W. KROLL und E. R. DODDS die Trad. der gelehrten Ausgaben von P. fortgeführt.
→ Akademeia; Neuplatonismus; Platon [1]; NEUPLATONISMUS

ED.: QUELLEN ZU P.' LEBEN: **1** H. D. SAFFREY et al., Marinus, Proclus ou sur le bonheur, 2001
2 C. ZINTZEN, 1967 **3** P. ATHANASSIADI, 1999.
TIMAIOS-KOMM.: **4** E. DIEHL, 3 Bde., 1903–1906
5 A. J. FESTUGIÈRE, 5 Bde., 1966–1968 (frz. Übers.).
ALKIBIADES-KOMM.: **6** L. G. WESTERINK, 1954
7 A. PH. SEGONDS, 2 Bde., 1985–1986.
KRATYLOS-KOMM.: **8** G. PASQUALI, 1908 (Ndr. 1994).
PARMENIDES-KOMM.: **9** V. COUSIN, 1864, ^{2}1961
10 C. STEEL, F. RUMBACH, G. MACISAAC, The Final Section of Proclus' Commentary on the Parmenides, in: Documenti e Studi sulla tradizione filosofica medievale 8, 1997, 211–267
11 C. STEEL, Commentaire sur le Parménide de Platon/Proclus. Trad. de Guillaume de Moerbeke, 2 Bde., 1982–1985 **12** G. R. MORROW, J. DILLON, 1987.
STAAT-KOMM.: **13** G. KROLL, 2 Bde., 1899–1901, ^{2}1965
14 A. J. FESTUGIÈRE, 3 Bde., 1970 (frz. Übers.).
THEURGIE: **15** J. BIDEZ, in: Catalogue des manuscrits alchimiques grecs, Bd. 6, 1928, 139–151.
CHALDÄISCHE ORAKEL: **16** E. DES PLACES, 1971, ^{3}1996
17 R. MAJERCIK, 1989.
THEOLOG. ELEMENTE: **18** E. R. DODDS 1933, ^{2}1963
19 H. BOESE, Proclus. Elementatio theologica. Transl. a Guillelmo de Moerbecca, 1987 **20** J. TROUILLARD, 1965 (mit frz. Übers.)
THEOLOGIA PLATONICA: **21** H. D. SAFFREY, L. G. WESTERINK, 6 Bde., 1968–1997.
ELEMENTE DES EUKLEIDES (1. B.): **22** G. FRIEDLEIN, 1873, ^{2}1967 **23** G. R. MORROW, 1970 (engl. Übers.).
ASTRON. HYPOTHESEN: **24** C. MANITIUS, 1909 (Ndr. 1974, mit dt. Übers.).
EINF. IN DIE PHYSIK: **25** A. RITZENFELD, 1912
26 H. BOESE, 1958 (ed., mit lat. Übers. des W. von Moerbeke).
ÜBER DIE VORSEHUNG, ÜBER DIE EXISTENZ DES BÖSEN: **27** H. BOESE, 1960 **28** D. ISAAC, 3 Bde., 1977–1980.
HYMNEN: **29** E. VOGT, 1957 **30** H. D. SAFFREY, 1994 (frz. Übers.).

LIT.: W. BEIERWALTES, Denken des Einen. Studien zur neuplatonischen Philos. und ihrer Wirkungsgesch., 1985 ·
Ders., P. Grundzüge seiner Metaphysik, 1965, ^{2}1979 ·
R. BEUTLER, s. v. P. (4), RE 23.1, 186–247 · G. BOSS, G. SEEL (Hrsg.), Proclus et son influence (Actes du Colloque de Neuchâtel 1985), 1987 · GGPh^1, ^{12}1926, 621–635 ·
E. R. DODDS, Theurgy and Its Relationship to Neoplatonism, in: Ders., The Greeks and the Irrational, 1951, 283–311 · H. DÖRRIE (Hrsg.), De Jamblique à Proclus (Entretiens 21), 1975 · G. ENDRESS, Proclus Arabus, 1973 ·
A. J. FESTUGIÈRE, Procliana, Études de philos. grecque, 1971, 535–596 · S. GERSH, ΚΙΝΗΣΙΣ ΑΚΙΝΗΤΟΣ. A Study of Spiritual Motion in the Philosophy of Proclus, 1973 ·

J. JOLIVET, Pour le dossier du Proclus arabe: al-Kindi et la Théologie platonicienne, in: Studia Islamica 49, 1979, 55–75 · H. LEWY, Chaldaean Oracles and Theurgy, 1956, ^{2}1978 · J. LOWRY, The Logical Principles of Proclus' ΣΤΟΙΧΕΙΩΣΙΣ ΘΕΟΛΟΓΙΚΗ, 1980 · NILSSON, GGR 2, 459–464 · J. PÉPIN, H. D. SAFFREY (Hrsg.), Proclus, lecteur et interprète des Anciens (Actes du Colloque International du CNRS, Paris 1985), 1987 · K. PRÄCHTER, Richtungen und Schulen im Neuplatonismus, in: Genethliakon C. Robert, 1910, 103–156 (= Ders., KS, hrsg. H. DÖRRIE, 1973, 165–216) · L. J. ROSÁN, The Philosophy of Proclus, 1949 · H. D. SAFFREY, Recherches sur le néoplatonisme après Plotin, 1990 · A. PH. SEGONDS, C. STEEL (Hrsg.), Proclus et la théologie platonicienne (Actes du Colloque International, Louvain 1998 en l'honneur de H. D. Saffrey et L. G. Westerink), 2000 · A. D. R. SHEPPARD, Studies on the 5th and 6th Essays of Proclus Commentary on the Republic, 1980 · L. SIORVANES, Proclus: Neo-Platonic Philosophy and Science, 1996 · J. TROUILLARD, L'un et l'âme selon Proclos, 1972 · Ders., La mystagogie de Proclos, 1982 · R. T. WALLIS, Neoplatonism, 1972, ^{2}1995 · U. VON WILAMOWITZ-MOELLENDORFF, Die Hymnen des P. und Synesius, in: Sitzungsber. der Preuß. Akad. der Wiss. 14, 1907, 272–295 (= Ders., KS Bd. 2, 1971, 163–191) · ZELLER 3.2, ^{4}1923, 834–890. H. SA./Ü: E. D.

Prokne (Πρόκνη, lat. *Progne, Procne*). Tochter des attischen Königs → Pandion [1], Gattin des → Tereus, Schwester der Philomela. Als Dank für die Hilfe in einem Krieg wird P. von ihrem Vater dem Thraker Tereus zur Frau gegeben. In Thrakien wird ihr Sohn → Itys geboren. Als P. ihre Schwester Philomela sehen möchte, soll diese von Tereus aus Athen nach Thrakien gebracht werden. Tereus vergewaltigt Philomela auf dem Weg, schneidet ihr die Zunge heraus, um ihr Schweigen zu sichern, und verbirgt sie auf dem Lande. Philomela jedoch webt in ein Gewand, was ihr geschehen ist, und läßt diese Botschaft ihrer Schwester zukommen, die sie daraufhin sucht. Gemeinsam töten sie aus Rache den Itys und setzen ihn Tereus zum Mahl vor; dieser verfolgt darauf beide mit einem Beil. Im phokischen → Daulis werden sie auf ihre Bitte hin von den Göttern in Vögel verwandelt: P. in eine Nachtigall, Philomela in eine Schwalbe. Tereus verwandelt sich in einen Wiedehopf (Apollod. 3,193–195). Diese attische Version geht zurück auf Sophokles' Trag. ›Tereus‹ (fr. 581–595b TrGF IV). Weitere (nicht erh.) Bearbeitungen des Mythos im 5./4. Jh. v. Chr.: Tetralogie ›Pandionis‹ des Philokles (TrGF I p. 141); Komödien des Kantharos (Tereus fr. 5–9 PCG IV) und Anaxandrides (Tereus fr. 46–48 PCG II). Anspielungen auf Sophokles' ›Tereus‹ finden sich bei Aristoph. Av. 93–101 (vgl. Lys. 563 f.).

Der Mythos ist jedoch auch in davon abweichenden, älteren und lokalen Varianten bezeugt: Die verwandte Erzählung von → Aëdon und ihrem Sohn → Itys gehört nach Theben. Nach Paus. 1,41,8–9 stirbt Tereus in Megara, wo sein Grab gezeigt wurde, während die Frauen nach Athen fliehen und dort aus Kummer sterben. In Daulis in der Phokis findet die Verwandlung der Schwestern (Apollod. 3,195), nach Paus. 10,4,8 auch die Ermordung des Itys statt (vgl. Thuk. 2,29,3; Strab. 9,3,13); ein Holzbild der Athena soll von P. nach Daulis gebracht worden sein (Paus. ebd.). Antoninus Liberalis 11 verlegt die Erzählung nach Kleinasien. Eine weitere Fassung bietet Hyg. fab. 45. Demosth. or. 60,28 bewertet die Tat der Schwestern positiv; nach Paus. 1,5,4 wurden sie durch das Verhalten des Tereus zur Rache gezwungen.

In röm. Dichtung wird oft auf den Mythos angespielt (z.B. Sen. Hercules Oetaeus 957; Ov. am. 2,6,7; Ov. Pont. 3,1,119), außerdem sind Tragödien des Livius Andronicus (Tereus, TRF p. 4 = p. 26f. Klotz) und des Accius (Tereus, TRF p. 252–254 = p. 293–295 Klotz) bezeugt. Die ausführlichste Behandlung findet sich bei Ov. met. 6,424–674: Er verknüpft das Wiedersehen der Schwestern mit dem Motiv eines Dionysosfestes (6,587f.), die Ermordung des Itys mit einem Opferbrauch (6,648). Zur Verbindung auch des griech. Mythos mit Rituellem vgl. [1]. Spätere Bearbeitungen bis in die Moderne basieren auf Ovid [2]. Auffällig ist die Rezeption bei SHAKESPEARE, Titus Andronicus (4,1,45f.): Lavinia, der das Gleiche angetan wird wie Philomela, enthüllt das Verbrechen mit einem stummen Hinweis auf die entsprechende Stelle bei Ovid.

1 W. Burkert, Homo Necans, 1972, 201–207
2 E. Moormann, W. Uitterhoeve, Lex. der ant. Gestalten, 1995, 583f.

O. Höfer, s.v. P., Roscher 3.2, 3017–3026 · Ders., s.v. Philomela, Roscher 3.2, 2343–2348 · Sh.D. Kauffold, Ovid's Tereus: Fire, Birds, and the Reification of Figurative Language, in: CPh 92, 1997, 66–71 · M.C. van der Kolf, s.v. Philomela, RE 19.2, 2515–2519 · G. Radke, s.v. P., RE 23.1, 247–252 · E. Touloupa, s.v. P. et Philomela, LIMC 7.1, 527f. K.WA.

Prokonnesos (Προκόννησος, lat. *Proconnesus*). Mit ca. 130 km² Fläche größte Insel der → Propontis, ca. 10 km nordwestl. von Arktonnesos, h. Marmara Adası. Man leitete den Namen P. von πρόξ/*próx*, »Hirschkuh«, ab (schol. Apoll. Rhod. 148); Plinius (nat. 5,151) nennt die Insel außerdem noch Elaphonnesos (abgeleitet von ἔλαφος/*élaphos*, »Hirsch«, vgl. Ἐλαφόνησος/*Elaphónēsos*, schol. l.c.) und Neuris (von νεῦρον/*neúron*, »Sehne«). Das Etym. m. bietet s.v. Προικόννησος/*Proikónnēsos* die Ableitung von προίξ/*proíx*, »Gabe« (sc. »des Marmors«); nach schol. Apoll. Rhod. 148 leitete man P. auch von einem Weihgefäß (πρόχοος/*próchoos*) aus dem Zusammenhang der Gründungssage von P. ab, andere von der Aufschüttung (προσχώννυμι/*proschṓnnymi*) der Insel in der Propontis.

Die Stadt P. im SW der Insel beim h. Marmara war eine Gründung von Miletos [2] (1. H. 7. Jh. v. Chr.; Strab. 13,1,12). Die Stadt gehörte, als Dareios [1] I. 513 v. Chr. gegen die → Skythai zog, zum Perserreich und stand unter der Tyrannis des Metrodoros (Hdt. 4,138); sie schloß sich dem → Ionischen Aufstand (499 v. Chr.) an und wurde nach dessen Scheitern von der phöniz. Flotte zerstört (Hdt. 6,33). Nach 478 v. Chr. war P.

Mitglied des → Attisch-Delischen Seebundes mit einem Beitrag von drei Talenten (ATL 3,36). Um 360 v. Chr. wurde P. von → Kyzikos erobert, die Bevölkerung nach Kyzikos deportiert (Paus. 8,46). In byz. Zeit war P. Bischofssitz [2. 1, 55] und Verbannungsort, z.B. des Hl. Stephanos des Jüngeren (754) und der Patriarchen Michael I. Kerullarios (1058) und Arsenios Autoreianos (1264) [3].

P. war berühmt wegen seiner Marmorbrüche im Norden der Insel (vgl. die Anlagen beim h. Saraylar; → Marmor, mit Karte). Gebrochen wurde hier ein weißer, mit blauen Adern durchzogener Marmor (präkambrisches Gestein [4]), der z.B. beim Bau des Palasts des → Maussolos in Halikarnassos Verwendung fand (4. Jh. v. Chr.; Vitr. 2,8,10; Plin. nat. 36,47), desgleichen bei Bauten in Konstantinopolis (vgl. Zos. 2,30,4; zu Sarkophagen: [1]). Aus P. stammte der Epiker → Aristeas [1].

1 J.B. Perkins, Four Roman Garland Sarcophagi in America, in: Archaeology 11, 1958, 98–104 2 J. Darrouzès (ed.), Notitiae Episcopatuum Ecclesiae Constantinopolitanae, 1981 3 H. Evert-Kappesowa, L'archipel de Marmara comme lieu d'exil, in: ByzF 5, 1977, 27–34 4 N. Asgari, The Proconnesian Production of Architectural Elements in Late Antiquity, in: C. Mango (Hrsg.), Constantinople and Its Hinterland, 1995, 263–288. E.O. u.V.S.

Prokopios (Προκόπιος).

[1] Usurpator 365–366 n. Chr. Er wurde 326 in Korykos geboren (Them. or. 7,86c; vgl. Amm. 26,9,11) und war ein Verwandter des Kaisers → Iulianus [11] (Amm. 23,3,2). 358 war er im Range eines *tribunus* Gesandter in Persien (Amm. 17,14,3), später hatte er eine hohe Stellung in der *schola notariorum* (Amm. 26,6,1). Auf Iulianus' Perserfeldzug befehligte er als → *comes* eine Abteilung (Amm. 23,3,5). Nach Iulianus' Tod (363) zog er sich ins Privatleben zurück (Zos. 4,4,3). → Valentinianus I. und → Valens beargwöhnten ihn als möglichen Usurpator (Amm. 26,6,3). Am 28.9.365 wurde er in Konstantinopolis zum Kaiser ausgerufen (Amm. 26,6, 12–18); er gewann Thrakien und Bithynien, erlitt aber bei → Nakoleia am 27.5.366 eine Niederlage gegen Valens und wurde hingerichtet (Zos. 4,8,3f.; Them. or. 7,87a/b).

P. Grattarola, L'usurpazione di Procopio e la fine dei Constantinidi, in: Aevum 60, 1986, 82–105 · PLRE 1, 742f. W.P.

[2] P. aus Gaza. Rhetor und theologischer Schriftsteller, geb. um 465 n. Chr. in → Gaza (Palaestina), lebte nach Studien in Alexandreia [1] wieder in seiner Heimatstadt, wo er um 528 n. Chr. starb. P. war das Haupt einer Gruppe von christl. Rhetoren in → Gaza, zu der auch Aineias [3] von Gaza und der Schüler des P., → Chorikios, gehörten. Chorikios, unter dessen Namen auch manche Werke des P. überl. sind, verfaßte eine Grabrede auf seinen Lehrer.

Als theologischer Autor gehört P. zu den Begründern der Gattung der → *catenae*, also jener Bibelkomm., in denen zu einer Stelle systematisch Zitate aus älteren theologischen Schriftstellern zusammengestellt sind, gleichgültig, ob diese inhaltlich miteinander übereinstimmen oder einander widersprechen. Seine große *catena* zum Oktateuch und den übrigen histor. Büchern des AT (→ Bibel), die Ἐκλογαὶ ἐξηγητικαί/*Eklogaí exēgētikaí*, lag dem Patriarchen → Photios [2] noch vor; sie wurde von der Forsch. mit verschiedenen h. anon. überl. *catenae* identifiziert [11], hat aber tatsächlich wohl nur als eine der Hauptquellen für diese gedient [1; 9]. Auch ein wahrscheinlich von P. selbst angefertigter Auszug, die Ἐπιτομὴ ἐκλογῶν/*Epitomḗ eklogṓn*, ist nur fr. erh. [2]. Teilweise oder ganz überl. sind ferner *catenae* zu Isaias (Jes), zum HL und zum Ekklesiastes (Prd) [3; 4]. Eine gelegentlich P. zugeschriebene Apologie gegen die neuplatonische Philos. des → Proklos [2] ist dagegen sicher nicht sein Werk [12].

Von P.' nicht theologischen rhet. Werken sind erh.: ein histor. wichtiger Panegyrikos (→ Panegyrik) auf Kaiser Anastasios [1] I. (vgl. [5; 14]), etwa 160 Briefe [6] sowie zwei → *ekphráseis*; von diesen schildert die erste eine mechanische Kunstuhr, in der eine Figur des Herakles stündlich erschien und eine der zwölf Taten vollbrachte [7], die andere einen Gemäldezyklus nach der Trag. *Hippólytos* des Euripides [1] (vgl. [8]). Eine Monodie auf die Zerstörung Antiocheias durch ein Erdbeben im J. 526 ist verloren.

→ Catena; Chorikios; Photios; Proklos [2]

Ed.: **1** PG 87, 1221–1544, 1755–1780 (Teile der unechten *catenae*) **2** PG 87, 21–1078 **3** PG 87, 1079–1220, 1545–1754 **4** S. Leanza, Procopii Gazaei Catena in Ecclesiasten, 1978 (Suppl.: Ders., Un nuovo testimone della catena sull'Ecclesiaste di Procopio di Gaza, 1983) **5** K. Kempen, Procopii Gazaei in imperatorem Anastasium Panegyricus, 1918 **6** A. Garzya, R. J. Loenertz, Procopii Gazaei epistolae et declamationes, 1963 **7** H. Diels, Über die von Prokop beschriebene Kunstuhr von Gaza (Abh. der Königlich-Preuss. Akad. der Wiss., philos.-histor. Kl.), 1917 **8** P. Friedländer, Ein spätant. Gemäldezyklus in Gaza (Studi e testi 89), 1939 (Ndr. 1969). Lit.: **9** H.-G. Beck, Kirche und theologische Lit., 1959, 414–416 **10** L. Eisenhofer, Procopius von Gaza, 1897 **11** E. Lindle, Die Oktateuchkatene des Prokop von Gaza und die Septuagintaforsch., 1902 **12** I. Stiglmayer, Die »Streitschrift des P. von Gaza«, in: ByzZ 8, 1899, 263–301 **13** ODB 3, 1732 **14** I. Tot, Poređenje u panegiriku Prokopija iz Gaze posvećenom Anastasju I, in: Zbornik Radova 33, 1994, 7–19. AL.B.

[3] Geb. ca. 507 n. Chr. [5. 522] in Caesarea [2] (Palaestina) als Sohn begüterter christl. Eltern, gest. (bald?) nach 555; gilt als bedeutendster Geschichtsschreiber der Spätantike [4. 3].
A. Leben B. Werke C. Würdigung

A. Leben
Nach rhet. und jurist. Studien und vielleicht kurzer Tätigkeit als Advokat schloß sich P. spätestens 530, aber wahrscheinlich schon einige J. früher, als *sýmbulos* (»Be-

rater«) bzw. *párhedros* (»Assessor«, → *adsessor*) dem bed. Feldherrn des Kaisers Iustinianus [1] I., → Belisarios, an, der damals *dux* von Mesopotamia war, und begleitete ihn bis 531 im Perser-, 533 im Vandalen- und 536–540 im Gotenkrieg. Im Frühjahr 540 war er Zeuge der Eroberung Ravennas, doch scheint er bald darauf It. verlassen und sich nach Konstantinopolis begeben zu haben, wo er wohl sein restliches Leben verbrachte; 542 war er dort Zeuge der großen Pest und kehrte 544 nicht mit Belisarios nach It. zurück, zeigt sich aber auch über die folgenden Kriegshandlungen dort gut informiert. Nach 555 liegt für ihn kein sicheres Lebensdatum vor [4. 14f.]. Die gelegentlich vorgebrachten Gründe für eine Datier. seiner ›Geheimgeschichte‹ und von ›Über die Bauten‹ nach 555 sind nicht zwingend (s.u. B.).

B. Werke
P. hat drei Werke hinterlassen: eine ›Kriegsgeschichte‹ (Ὑπὲρ τῶν πολέμων/*Hypér tōn polémōn*, lat. *De Bellis*, Abk. *Bella*), eine ›Geheimgeschichte‹ (Ἀνέκδοτα/*Anékdota*, lat. *Historia arcana*, Abk. *HA*) und eine Darstellung der iustinianischen Bautätigkeit (Περὶ κτισμάτων/*Perí ktismátōn*, lat. *De aedificiis*, Abk. *aed.*).

1. ›Kriegsgeschichte‹
Im wesentlichen im Verlauf der 540er J. verfaßte P., weitgehend nach älteren Tagebuchnotizen, die *Bella* in acht B.: *Bellum Persicum*, ›Perserkrieg‹ (BP; B. 1–2), *Bellum Vandalicum*, ›Vandalenkrieg‹ (BV; B. 3–4) und *Bellum Gothicum*, ›Gotenkrieg‹ (BG; B. 5–8). Bis 550/1 waren B. 1–7 abgeschlossen [4. 9; 6. 113; 13]. Ereignisse der Jahre 552 und 553 wurden in B. 8 (= BG, B. 4) nachgetragen, das bis 554 [4. 8, 86, 190], wahrscheinlich bereits während des Sommers 553 [13], fertiggestellt war. Die *Bella* sind sowohl der historiographischen Qualität wie auch dem Umfang nach ein bedeutendes Werk; sie sind die Haupt- und vielfach einzige Quelle für die Kriege, durch die Kaiser → Iustinianus [1] I. im Osten die Grenze des Röm. Reiches gegen die Perser (→ Sasaniden) verteidigte (vgl. → Parther- und Perserkriege) und in Nordafrika und It. röm. Territorium von den Vandalen und den Ostgoten zurückeroberte. Entsprechend ihrem Titel beschränken sich die *Bella* weitgehend auf diese Kriege [7] und verzichten auf eine allg. Darstellung der Epoche. Ihr bes. Wert liegt darin, daß P. hier weitgehend als Augenzeuge schreibt. Die B. 1–6 sind im wesentlichen den Erfolgen des Belisarios gewidmet. Er, nicht der Kaiser, ist hier der eigentliche Held des Geschehens, und auch seine etwaigen Mißerfolge werden entschuldigt. Ab dem 7. B. (= BG, B. 3) zeigt sich der Autor jedoch mehr und mehr von seinem Helden enttäuscht, und zugleich finden sich auch häufiger kritische Bemerkungen über den Kaiser, v. a. seine Finanzpolitik und seine »Neuerungen«, die unabhängig von ihrem Zweck negativ beurteilt werden.

P. fragt auch sonst selten nach den eigentlichen Gründen des histor. Geschehens. Er sieht seine Aufgabe vielmehr darin, getreulich zu berichten, und zu diesem Zweck fügt er seinem Werk auch ausführliche geogr.

Exkurse ein. Unter den lit. Vorbildern der *Bella* ist an erster Stelle → Thukydides zu nennen. Mit ihm teilt P. die Wertschätzung des Augenzeugenberichts, bei ihm lernte er die sprachliche Gestaltung eingefügter Reden sowie Beschreibungen, z.B. von Schlachten oder auch der Pest des J. 542, ohne dabei in bloße Imitation abzugleiten.

2. ›GEHEIMGESCHICHTE‹

Umstritten ist nach wie vor P.' ›Geheimgeschichte‹, deren Titel *Anékdota* (Neutr. Pl.: »Unveröffentlichtes«), erstmals in der → Suda zitiert, wahrscheinlich nicht auf P. zurückgeht [4. 50]. Sie ist ein gegen Iustinianus, seine Gattin → Theodora und z.T. auch gegen Belisarios gerichtetes Pamphlet, das P. zu Lebzeiten des Kaisers verfaßte, in der Absicht, es erst nach dessen Tod zu veröffentlichen, doch hinderte ihn verm. sein eigener vorzeitiger Tod daran, diesen Plan auszuführen. Dies erklärt auch, warum die *HA* in Byzanz erst spät, in der Suda (um 1000), erstmals erwähnt wird. Jedenfalls gilt sie (in Übereinstimmung mit dem Editor J. HAURY) h. durchweg als von P. verfaßt. Die Abfassung der *HA* wird in der neueren Forsch. unterschiedlich datiert, von den meisten auf 550/1 [4. 9, 53; 6; 10. 146; 13], von einigen aber auf 558/9 ([9]; [10]; dagegen [6]), ja sogar in die Zeit nach dem Tod des Iustinianus 565 [5]; doch können die Argumente für späte Datier. nicht überzeugen.

Das Hauptanliegen der Schrift ist die polit. Anklage. Sie besteht im wesentlichen in dem Vorwurf, der Kaiser und seine Beamten hätten das Röm. Reich (*hē tōn Romaíōn archḗ*) durch Kriege und ruinöse Finanzpolitik zugrundegerichtet. Mehr als alles andere aber haben die pornographischen und dämonologischen Passagen des Werkes seine sachgerechte Beurteilung erschwert. Die Dämonisierung von Iustinianus und Theodora (HA 12,14–32; 18,1; 30,34) verwirrte Historiker, welche die *Bella* als ein durchgehend von rationaler Weltsicht geprägtes Werk mißverstanden. Doch sind P. zweifellos auch diese Passagen zuzutrauen. Die dunklen Seiten des Kaisers, seine Kriegspolitik, die P. aus zügelloser Mordlust erklärt, die schonungslose Verfolgung der christl. Häretiker, die P. mit der Christenverfolgung des → Domitianus [1] gleichsetzt, schienen einer wundergläubigen Zeit wie dem 6. Jh. mit natürlichen Kategorien nicht erklärbar. Zudem ist Dämonisierung ein Topos der klassischen → Invektive, und da zu deren Arsenal auch die pornographische Diffamierung gehört, erklären sich aus dieser rhet. Form auch die allzu deutlichen Passagen in HA 9,1–29 (dazu [3. 89–98]) über sexuelle Verirrungen der jugendlichen Theodora [4. 56–59]. Das Gesamtbild, das P. von der Kaiserin entwirft, ist zweifellos von Haß und Rachegefühlen diktiert und daher nur mit Einschränkungen als histor. Darstellung zu werten [2].

Neuestens vertritt ADSHEAD [1] in Abwandlung einer Beobachtung Leopold VON RANKES die Ansicht, die *HA* bestehe aus drei von P. gesondert verfaßten *opuscula*, einem über Belisarios und dessen Gattin Antonina in Form eines satirischen Romans (HA 1,11–5), einem zweiten mit allg. Diffamierung des Kaiserpaares (HA 6–18) und einer kritischen Darstellung der kaiserlichen Wirtschafts- und Finanzpolitik, deren Quellenwert durch Anhäufung anekdotischen Materials erheblich eingeschränkt werde (HA 19–30). Diese *opuscula* seien im 10. Jh. für ein Publikum zusammengefügt worden, das sich an anekdotenhafter Lektüre im Stil der damals entstehenden patriographischen Lit. erfreut habe. Der auch von anderen [4. 50, 53] beobachtete uneinheitliche Charakter des Werkes läßt sich aber zu Genüge mit der Tatsache erklären, daß es sich um einen Entwurf handelt, der in dieser Form nicht zur Veröffentlichung bestimmt war. Doch ist sicherlich der satirisch-romanhafte erste Teil am wenigsten als histor. Quelle ernstzunehmen.

3. ›ÜBER DIE BAUTEN‹

Zeitlich zuletzt verfaßt ist zweifellos das panegyrische Werk über die Bautätigkeit des Iustinianus in sechs B., das im wesentlichen die von diesem errichteten Kirchenbauten, Befestigungen und Wasserleitungen als seinen großen Beitrag zur umfassenden Restauration des Reiches behandelt. Es wird überzeugend auf 554/5 datiert [4. 9–11; 6; 13], in eine Zeit, als nach der erfolgreichen Beendigung des Gotenkrieges (s. → Narses [4]) ein Lobpreis auf den Kaiser durchaus angebracht erschien. Die Annahme, daß die Schrift erst 560/1 verfaßt wurde, beruht auf der Erwähnung einer im Bau befindlichen Brücke über den Sangarios (aed. 5,3,8–10), die gemäß einer Bemerkung des Chronisten Theophanes (p. 234, 15–18 DE BOOR) in diese Zeit verweist ([10. 145–147]; vgl. [9]). Doch wurde gegen diese Datier. jetzt eine Reihe überzeugender Argumente angeführt [6. 107–113].

Wegen des positiven Bildes, das dieses Werk von Kaiser Iustinianus vermittelt, wurde es mit Blick auf ein Pamphlet wie die *HA* oft als unwahrhaftig abgetan. Wenn aber hier aus dem zerstörerischen Dämon Iustinianus ein frommer christlicher Herrscher wird, mag man dies als notwendigen Tribut des P. an die Gattung der → Panegyrik in einer Zeit verstehen, als die kaiserl. Restaurationspolitik sich als erfolgreich zu bewähren schien. Auch dieses Werk wurde wie die *HA* vom Autor nicht abschließend redigiert und ist in der vorliegenden Form äußerst unausgewogen. Vollendet sind nur die B. 1–3 und 6, während B. 4 und 5 zum Teil aus Listen nicht näher behandelter Bauwerke bestehen. Doch ist sowohl das nur aufgezählte wie das detaillierter beschriebene Material lückenhaft; Bauten in It. etwa fehlen völlig. Auch bleiben viele Fragen, welche die mod. Arch. an die Bauwerke stellt (z.B. zur Bautechnik), unbeantwortet.

C. WÜRDIGUNG

Nach Ansicht von CAMERON [4. X, 262f.] kann man P. nur gerecht werden, wenn man seine drei Werke trotz ihrer Verschiedenheit als eine zusammengehörige Einheit versteht und interpretiert. Die Unterschiede in Inhalt und Ton erklären sich vornehmlich aus den verschiedenen lit. Genera, denen sie zugehören: Die *Bella* folgen dem traditionellen Konzept der weltlichen → Geschichtsschreibung, die *HA* dem der → Invektive bzw. → Satire, *aed.* dem der → Panegyrik. Diese Konzepte einzuhalten fordert das Gesetz der lit. Nachahmung (→ *mímēsis*); die Wahl des jeweiligen Genus steht im Zusammenhang mit verschiedenen Phasen der polit. Entwicklung im iustinianischen Zeitalter, welche die persönliche Sicht des Historikers beeinflussen. Jedenfalls ist in den drei Werken ein und derselbe Verfasser spürbar, der sowohl den Kaiser wie auch andere Personen seiner Zeit aus seinem individuellen Blickwinkel darstellt.

Die Sicht des histor. Geschehens bei P. ist keineswegs nur, wie RUBIN [8] glaubt, aus seiner Beziehung zu Belisarios abzuleiten. Sie spiegelt vielmehr die gespannte Situation einer Übergangsepoche, in der die antik-»heidnische« Vorstellungswelt, die nur noch in elitären Gruppen fortdauerte, durch die konsequente Christianisierung, die Kaiser Iustinianus betrieb, nachhaltig verdrängt wurde und einer neuen, einheitlichen Weltsicht den Platz räumte. Der Kaiser ging aber nicht nur gegen die Anhänger der ant. Trad. vor [4. 21–23], sondern auch gegen christliche Abweichler (s. auch → Häresie; → Toleranz). Dies forderte die Kritik des Geschichtsschreibers heraus, dem jegliche weltanschauliche Repression zuwider war. Aber obwohl P. sich in seinem Werk oft als Rationalist gibt, war er zweifellos Christ. Er betont zwar das Walten des → Schicksals, zeigt sich aber an anderen Stellen vom Wirken Gottes überzeugt oder gar anfällig für christl. Wunderglauben und übernatürliche Erklärungen.

V. a. in Vokabular und Morphologie ist P. bemüht, in einem antikisierenden Griech. zu schreiben. So verwendet er u. a. Optativ und Dual, die längst aus der Umgangssprache verschwunden waren. Doch findet sich daneben auch viel Nachklassisches, v. a. in der Satzstruktur und im Gebrauch der Präpositionen. P.' lit. Stil ist im wesentlichen schlicht, ungekünstelt und verständlich.

→ Geschichtsschreibung; Goti; Partherkriege; Vandali; GESCHICHTSWISSENSCHAFT

ED.: J. HAURY (ed.), Procopii Caesariensis opera omnia, Bd. 1–4, 1905–1913 (2. korrigierte Ed. durch G. WIRTH, Bd. 1–4, 1962–1964: maßgebliche Ed.) • O. VEH (ed.), P., Bd. 1–5, ¹1961–1977 (mit dt. Übers.) • Ders., P., HA, ³1981 (mit dt. Übers.) • H. MIHĂESCU (ed.), P. diu Caesarea, Istoria secretă, 1972 (eigenständige krit. Ed., mit rumän. Übers.).

1 K. ADSHEAD, The Secret History of P. and its Genesis, in: Byzantion 63, 1993, 5–28 2 M. ANGOLD, P.' Portrait of Theodora, in: C. N. CONSTANTINIDES u. a. (Hrsg.), Φιλέλλην. FS R. Browning, 1996, 21–34 3 H.-G. BECK, Kaiserin Theodora und P. Der Historiker und sein Opfer, 1986 4 A. CAMERON, P. and the Sixth Century, 1985 5 G. FATOUROS, Zur P.-Biographie, in: Klio 62, 1980, 517–523 6 G. GREATREX, The Dates of Procopius' Works, in: Byzantine and Modern Greek Studies 18, 1994, 101–114 7 W. E. KAEGI, P. the Military Historian, in: ByzF 15, 1990, 53–85 8 B. RUBIN, P. von Kaisareia, 1954 (= Ders., s. v. P. (21), RE 23, 273–599) 9 R. SCOTT, Justinian's Coinage and

Easter Reforms and the Date of the Secret History, in: Byzantine and Modern Greek Studies 11, 1987, 215–222 10 M. WHITBY, Justinian's Bridge over the Sangarius and the Date of P.' De Aedificiis, in: JHS 105, 1985, 129–148 11 G. WEISS, s. v. P. (3), LMA 7, 246f. 12 B. BALDWIN, s. v. P. of Caesarea, ODB 3, 1732 13 PLRE 3, 1060–1066. F. T.

Prokris (Πρόκρις; lat. *Procris*). Tochter entweder des → Erechtheus und der → Praxithea (Apollod. 3,196) oder des → Pandion (Hyg. fab. 189; 241) oder des Iphiklos (Serv. Aen. 6,445). Berühmte Jägerin, die mit dem athenischen Jäger → Kephalos [1] verheiratet ist, der ihre Treue prüft, indem er sie verkleidet mit Geschenken verführt (vgl. Pherekydes nach schol. Hom. Od. 11,321, Ov. met. 7,690–865, Antoninus Liberalis 41). Beschämt flieht sie zu → Minos oder zu → Artemis, deren Jagdgefährtin sie ist (Kall. h. 3,209). Von Artemis oder Minos erhält P. einen schnellen Jagdhund (Eubulos fr. 89 PCG 5) und einen unfehlbaren Speer, die sie nach der Versöhnung Kephalos schenkt. P. mißtraut ihm nun ihrerseits und versucht ihn zu beobachten, wobei er sie aus Versehen tötet. P. wird begraben (Eur. Hypsipyle fr. I iv 1–9 BOND), Kephalos vom Areopag zum Exil verurteilt. Der Stoff wurde von Sophokles in seiner *P.* behandelt (fr. 533 TrGF 4). P. gehört auch zu den berühmten Frauen im Hades (Hom. Od. 11,321; Verg. Aen. 6,445; Paus. 10,29,6). Zum Nachleben vgl. [1. 216f.].

1 HUNGER, Mythologie.

G. DAVIS, The Death of Procris. »Amor« and the Hunt in Ovid's Metamorphoses, 1983, 125–148 • J. FABRE, La chasse amoureuse: A propos de l'épisode de Céphale et Procris, in: REL 66, 1988, 122–138 • J. FONTENROSE, Orion: The Myth of the Hunter and the Huntress, 1981, 86–111 • G. RADKE, s. v. P. (1), RE 23, 600–609 • E. SIMANTONI-BOURNIA, s. v. P., LIMC 7.1, 529; LIMC 7.2, 420 I. LAVIN, Cephalus and Procris. Transformations of an Ovidian Myth, in: JWI 17, 1954, 260–287. R. HA.

Prokrustes (Προκρούστης, »Ausstrecker«, lat. *Procrustes*). Wegelagerer in Attika, der Reisenden auflauert und sie dadurch zu Tode quält, daß er sie dehnte und ihre Gliedmaßen mit dem Hammer schlägt (Alternativname: Προκόπτης/*Prokóptēs*, »Breitschläger«), bis sie die Größe seines Riesenbettes haben (»Prokrustesbett«). Zusammen mit → Sinis und → Skiron stellt P. eine »Landplage« dar, von der → Theseus die Gegend in zivilisatorischer Absicht befreit (Bakchyl. 18,19–30; Xen. mem. 2,1,14; Diod. 4,59; Hyg. fab. 38; Ov. met. 7,438; Plut. Theseus 11, 5bc). Auf ant. bildlichen Darstellungen dominiert nicht das heute sprichwörtliche Bett, sondern der Hammer [1].

1 F. BROMMER, Theseus, 1982, 22–24. RE. N.

Prokyon s. Sternbilder

Prolaqueum. *Statio* im Tal des oberen Flusor (h. Potenza) an der Straße von → Nuceria [3] nach → Ancona (Itin. Anton. 312,2: *Prolaque*; vgl. CIL IX 5642), h. Pioraco.

V. GALIÈ, Strade ed insediamenti romano-medievali tra il Potenza ed il Chienti lungo il litorale, in: Studi Maceratesi 16, 1980, 3–78.   M. M. MO./Ü: J. W. MA.

Prolepsis (πρόληψις, »Vorwegnahme«; lat. *anticipatio*

bzw. *praeceptio*). Urspr. t.t. der Gerichtsrede (Quint. inst. 4,1,49), der ein vorab erfolgtes Eingehen und Entkräften der gegnerischen Argumente bezeichnet, stellt die P. als rhet. Figur der synt. Umstellung die Vorwegnahme einer nominalen Satzkonstituente dar. Man unterscheidet die P. eines Adj. oder eines Subst.: Ein Adj. legt einem Subst. eine erst aus dem Verbalinhalt des Prädikates resultierende Absicht oder Folge bei (vgl. Liv. 2,6,7: »*ille est vir*« inquit »*qui nos* extorres *expulit patria*« ›Jener ist der Mann‹, sprach er, ›der uns (als) *Heimatlose* aus dem Vaterland vertrieb‹). Im Falle eines Subst. wird gewöhnlich das Subjekt einer untergeordneten Satzeinheit herausgelöst und als Objekt in die übergeordnete Satzkonstruktion eingefügt (vgl. Hdt. 3,68,2: Ὀτάνης πρῶτος ὑπόπτευσεν *τὸν μάγον, ὡς οὐκ εἴη ὁ Κύρου Σμέρδις* ›Otanes hegte als erster den Verdacht, daß *der Magier* nicht Smerdis, der Sohn des Kyros sei‹).

→ Stil, Stilfiguren; Syntax

LAUSBERG, 425 · KÜHNER/GERTH 2, 577–580 · SCHWYZER/DEBRUNNER, Sachreg. s. v. P. · HOFMANN/SZANTYR, Sachreg. s. v. P.   R. P.

Proletarii. Das lat. Wort *p.*, abgeleitet von *proles*

(»Nachkomme«), bezeichnete Besitzlose, die nur durch ihre Nachkommenschaft zählten (Cic. rep. 2,40), d. h. weder wehr-, noch steuerpflichtig waren. Deutlich sagt Cato [1] Censorius: *expedito pauperem plebeium atque proletarium* (fr. 152 ORF). Der Gegensatz von *p.* und → *adsiduus* begegnet schon in den XII Tafeln (Gell. 16,10,5); das Wort *p.* ist noch bei einigen Autoren des 2. Jh. v. Chr. und zuletzt bei Varro (De vita Populi Romani, fr. 9) belegt und war dann nicht mehr im lebendigen Sprachgebrauch, wie die Erörterung bei Gellius (Gell. 16,10,1 ff.) deutlich zeigt. Praktisch syn. tritt *capite censi* (bei Gell. 16,10,10 freilich unterschieden) als Bezeichnung für die letzte → *centuria* in der sog. Servianischen Zenturienordnung auf; entsprechend waren die *p.* nicht in den Censuslisten (→ *census*) der Wehrfähigen erfaßt. In bes. Notlagen konnten sie freilich – von der Republik bewaffnet – zum Kriegsdienst herangezogen werden, wie es erstmals Ennius für den Krieg gegen Pyrrhos [3] Anf. 3. Jh. v. Chr. bezeugt (Enn. ann. 170–172; Cass. Hemina fr. 21 HRR; Oros. 4,1,3; Aug. civ. 3,17). Obwohl die Bedenken gegen die Bewaffnung Besitzloser in der Ant. weit verbreitet waren (Val. Max. 2,3,1; Gell. 16,10,11), rekrutierte Marius [I 1] 107 v. Chr. in größerem Umfang *p.* für den Krieg gegen Iugurtha (Sall. Iug. 86,1–3; Plut. Marius 9,1). Die *p.* bildeten aber keineswegs überwiegend die Heere der späten Republik.

→ Plebs

1 H. AIGNER, Gedanken zur sog. Heeresreform des Marius, in: F. HAMPL, I. WEILER (Hrsg.), Kritische und vergleichende Stud. zur Alten Gesch. und Universalgesch., 1974, 11–23 2 G. ALFÖLDY, Röm. Sozialgesch., ³1984 3 P. A. BRUNT, The Army and the Land in the Roman Revolution, in: Ders., The Fall of the Roman Republic, 1988, 240–280 4 E. GABBA, Republican Rome, the Army and the Allies, 1976 5 Y. SHOCHAT, Recruitment and the Programme of Tiberius Gracchus, 1980 (dazu Gnomon 54, 1982, 471–473).   J. v. U.-S.

Prolog (ὁ πρόλογος, lat. *prologus, prologium*).

A. BEGRIFF
B. GRIECHISCHE TRAGÖDIE   C. GRIECHISCHE KOMÖDIE
D. RÖMISCHES DRAMA

A. BEGRIFF

In der Aufzählung der einzelnen Bauteile (μέρη, *mérē*) der → Tragödie in der ›Poetik‹ definiert Aristoteles *p.* als ganzen Abschnitt einer Trag. vor der → *párodos* des Chores (Aristot. poet. 13,1452b 22 f.) [9. 471 f.]. Der Begriff *p.* wird jedoch schon vor Aristoteles im technischen Sinne verwendet: Aristophanes bezeichnet in den ›Fröschen‹ den *p.* als ›ersten Teil einer Trag.‹ (Aristoph. Ran. 1120: τὸ πρῶτον τῆς τραγῳδίας μέρος), womit allerdings auch nur die Eröffnungsverse bzw. die einleitende → *rhḗsis* gemeint sein kann [2. 331]. Die Strukturanalyse der griech. Trag. hat deutlich gemacht, daß eine starre, sich an den aristotelischen Bauteilen orientierende Abtrennung der einzelnen Abschnitte der Handlungsentwicklung und dynamischen Struktur (σύστασις τῶν πραγμάτων, *sýstasis tōn pragmátōn*) der Stücke nicht gerecht wird. Dies gilt in bes. Maße für die beiden Teile *p.* und *párodos*, die häufig eine konzeptionelle Einheit darstellen und die man unter dem Begriff »Eingang« zusammenfassen sollte [6]. Im folgenden soll jedoch P. im strikten aristotelischen Sinn behandelt werden.

B. GRIECHISCHE TRAGÖDIE

Die dramatische Funktion des P. besteht darin, die wichtigen Voraussetzungen eines Stücks (Mythos, handelnde Personen, Ort, Zeit, Vorgeschichte) zu exponieren [7]. Als »Erfinder« des P. gilt → Thespis (TrGF I 1 T 6), nachweisbar ist ein P. bei → Phrynichos [1] im Botenbericht des Eunuchen über die persische Niederlage (Hypothesis Aischyl. Pers.). Alle erh. Trag. weisen (mit Ausnahme von Aischylos' ›Persern‹ und ›Hiketiden‹ sowie dem Euripides zugeschriebenen ›Rhesos‹) einen P. auf. P. können durch Auf- und Abtritte von Personen bis zu drei Szenen aufweisen. → Aischylos und → Sophokles bauen einszenige (Aischyl. Ag., Choeph., Prom.; Soph. Ant., El., Phil.) oder dreiszenige P. (Aischyl. Eum., Sept.; Soph. Ai., Trach., Oid. T., Oid. K.). Bei → Euripides finden sich mit einem Übergewicht der zwei Szenen umfassenden Form alle drei Arten [8].

Sprecher des P. (προλογίζων, *prologízōn*) können Personen sein, die an der weiteren Handlung beteiligt sind, oder eine Person, die nur als P.-Sprecher auftritt (Aischyl. Ag.: Wächter; Aischyl. Eum.: Pythia), wie dies bes. bei den euripideischen P.-Göttern der Fall ist (Eur.

Alc.: Apollon, Eur. Hipp.: Aphrodite, Eur. Ion: Hermes, Eur. Bacch.: Dionysos). Sophokles verwendet in den erh. Stücken immer einen dialogischen Beginn, Euripides bevorzugt die einleitende Rede, die teilweise von der eigentlichen Handlung abgesetzt ist. Als Versmaß findet in der Regel der iambische Trimeter Verwendung, teilweise mit lyrischen Einlagen (Eur. Hipp. 58 ff.; Eur. Ion 82 ff.).

C. GRIECHISCHE KOMÖDIE

In den erh. Komödien des → Aristophanes [3] wird in den P., welche nie weniger als 240 Verse umfassen, die die Handlung bestimmende komische Idee entwickelt, die aus der Kritik des Protagonisten an den Zuständen in der Stadt erwächst [5]. Da der Dichter zu Beginn bes. die Aufmerksamkeit des Publikums fesseln muß, sind die P. äußerst reich an komischen Einfällen (z. B. Himmelsritt des Trygaios in Pax 82 ff.) und zeichnen sich durch einen raschen Wechsel der Ereignisse aus. Die für das Verständnis der Handlung nötigen Informationen werden entweder in einem Expositionsmonolog (Ach., Nub.) oder erst später gegeben (Equ. 40 ff.; Vesp. 54 ff.; Pax 50 ff.; Av. 30 ff.). Dadurch wird der Zuschauer zunächst mit einem szenischen Rätsel konfrontiert (vgl. Pax 43 ff.), über das er erst im nachhinein aufgeklärt wird. Wie in der Trag. kann der P. durch Lyrik aufgelockert werden (P.-Chor in Ran. 209 ff., → Monodie des Tereus in Av. 209 ff.).

→ Menandros [4] schließt sich in seiner P.-Technik eng an Euripides an. In einem Expositionsmonolog, der entweder das Stück einleitet (Dysk., Sam.) oder teilweise nach einer Schauspielerszene steht (Aspis 100 ff.) und von Gottheiten gesprochen werden kann (Dysk., Aspis, Pk.), werden die Zuschauer über die den *dramatis personae* unbekannten Voraussetzungen informiert, die zur → Anagnorisis (»Wiedererkennung«) und zu einem guten Ende führen werden.

D. RÖMISCHES DRAMA

Über die Funktion des P. in der röm. Trag. der republikanischen Zeit läßt sich aufgrund des Erhaltungszustands keine gesicherte Aussage machen. Der Vergleich der einleitenden Verse von → Ennius' und Euripides' ›Medea‹ zeigt, daß der röm. Dichter sich möglichst eng an das griech. Original anschloß, allerdings einige myth. oder etym. Erklärungen einfügte. In den Komödien des → Plautus [1. 190 ff.] finden sich 15 P. im Umfang von 2–152 Versen. Teilweise werden Autor und Titel der griech. Vorlage genannt, teilweise die Vorgesch. des Stücks referiert. Wie in den Komödien des Menandros findet sich auch der Expositionsmonolog, der auf eine dialogische Szene folgt (Cist., Mil.). P.-Sprecher (*prologus*) kann eine Person des Stücks sein (Amph., Cist., Merc., Mil.), P.-Götter (Aul., Cas., Cist, Rud.; im *Trinummus* als Dialog, in der *Cistellaria* gibt es eine doppelte Exposition: 120 ff. Lena, 149 ff. Auxilium) oder ein eigens eingeführter *prologus* (Asin., Capt., Cas., Men., Poen., Pseud., Truc., Vid.). Im Gegensatz zu Plautus stellt → Terentius [4. 265 f.] seinen Stücken immer einen handlungsunabhängigen P. voran, der von

einem P.-Sprecher vorgetragen wird und sich mit lit. Fragen und lit. Polemik befaßt. → Seneca setzt P. in erster Linie als stimmungschaffendes Element ein. Exponiert werden nicht so sehr Mythos, Ort, Zeit und Personen, sondern die das dramatische Geschehen bestimmende Atmosphäre. Es finden sich P. von Göttern (Herc. f.), von Personen des Stücks (Tro., Med., Oed.) und von Unterweltsgestalten (Schatten des Tantalus bzw. Thyestes in Thy. bzw. Ag.). Eine Besonderheit liegt in der *Phaedra* vor, in der in zwei Szenen die Welt der beiden Protagonisten exponiert wird (1–84 Jagdlied des Hippolytus; 85 ff. Phaedra – Amme).

Zum P. in anderen Gattungen → Prooimion.

1 J. BLÄNSDORF, Plautus, in: E. LEFÈVRE (Hrsg.), Das röm. Drama, 1978, 135–222 2 K. J. DOVER (ed.), Aristophanes, Frogs, 1993 (mit Komm.) 3 N. HOLZBERG, Menander. Unt. zur dramatischen Technik, 1974 4 H. JUHNKE, Terenz, in: E. LEFÈVRE (Hrsg.), Das röm. Drama, 1978, 223–307 5 K.-D. KOCH, Kritische Idee und komisches Thema, ²1968 6 W. NESTLE, Die Struktur des Eingangs in der att. Trag., 1930 (Ndr. 1967) 7 M. PFISTER, Das Drama, 1977, 67–148 8 H. W. SCHMIDT, Die Struktur des Eingangs in der griech. Trag., in: W. JENS (Hrsg.), die Bauformen der griech. Trag., 1971, 1–46 9 O. TAPLIN, The Stagecraft of Aeschylus, 1977.
B. Z.

Promachos und **Echephron** (Πρόμαχος; Ἐχέφρων). Söhne des → Herakles und der Psophis, Tochter des sikanischen Herrschers → Eryx [2], die Herakles gemeinsam mit den Zwillingsbrüdern P. und E. in der Obhut seines Freundes Lykortas in Phegia zurückläßt. P. und E. sollen Phegia nach dem mütterlichen Namen in Psophis umbenannt haben und werden als Begründer des Tempels der Aphrodite von Eryx (Paus. 8,24,1 f.; Steph. Byz. s. v. Φήγεια) erwähnt. Paus. 8,24,6 f. spricht ihnen eigene Heroenheiligtümer zu. SU. EI.

Promagistratur

s. Magistratus (C.4.); Proconsul; Propraetor

Promanteia (προμαντεία). In Anerkennung bes. Verdienste zuerst im 5. Jh. v. Chr. von → Delphoi an Städte (Plut. Perikles 21,2) und seit Beginn des 4. Jh. auch an Personen (Syll.³ 155; FdD 3,4,9) verliehenes Privileg des Vorranges bei der Befragung des Apollon-Orakels (vgl. Hdt. 1,54 zur – wohl unhistor. – *p.* des → Kroisos). Die *p.* wurde seit dem 4. Jh. v. Chr. häufig zusammen mit anderen polit. Privilegien verliehen, v. a. der → *proxenía* (Inschr. vom 5. bis 1. Jh. v. Chr. u. a. in FdD 3,1–6). Die *p.* in Delphi verweist sowohl auf den starken Andrang, der zeitweise beim delphischen Orakel herrschte als auch auf die polit. Bed., die es bis in hell. Zeit hatte; die *p.* ist aber auch für → Didyma und Korope (Thessalien) belegt.

→ Apollon; Orakel

K. LATTE, s. v. P., RE Suppl. 9, 1237–1239 · G. ROUX, Une querelle de préséance à Delphes: Les promanties des Tarentins et des Thouriens, in: ZPE 80, 1990, 23–29. C. F.

Promantis (πρόμαντις). Griech. Bezeichnung für Frauen oder Männer, die als Sprecher eines Gottes → Orakel erteilen. In → Delphoi (vgl. → Apollon) ist *p.* häufig Syn. für die → Pythia [1] (u. a. Hdt. 7,141; Paus. 3,4,3 ff.). Die Bezeichnung *p.* wird in lit. Quellen auch für prophetische Personen anderer Orakel gebraucht, so z. B. in Patara/Lykien (Hdt. 1,182) und am Kopaïs-See/Theben (Hdt. 8,135).

Mit dem Begriff *p.* lassen sich keine spezifischen Formen von → Divination in Verbindung bringen [1. 224 ff.]; lit. Zeugnisse verweisen jedoch verschiedentlich auf rauschhafte Zustände, in denen die *p.* Orakel – gelegentlich in Hexametern als Zeichen des göttlichen Enthusiasmos – erteilen (Paus. 10,33,11: Dionysosorakel in Amphykleia/Phokis; Lukian. bis accusatus 1).

→ Prophet

1 J. FONTENROSE, The Delphic Oracle, 1978
2 B. GLADIGOW, s. v. Intoxikation, rituelle, HrwG 3, 298–301.   C. F.

Promathidas (Προμαθίδας). Griech. Lokalhistoriker aus Herakleia [7] am Pontos. Als Quelle des → Apollonios [2] von Rhodos (vgl. FGrH 430 T 1) ist er vor ca. 250 v. Chr. zu datieren; verm. wurde er auch von → Nymphis und → Memnon [5] benutzt. Aus seinem Werk ›Über Herakleia‹ sind einige, die mythische Zeit betreffende Fr. erh.

FGrH 430 mit Komm. · P. DESIDERI, Studi di storiografia eracleota, in: Studi Classici e Orientali 16, 1967, 366–416.
                                                                K. MEI.

Promea. Zusammen mit der Nims als wasserreicher Nebenfluß der Sauer (→ Sura), in die sie unterhalb von Echternach mündet, von Auson. Mos. 354 erwähnt, h. die Prüm (Rheinland-Pfalz). Die Gebiete, welche der P. durchläuft, waren in röm. Zeit dicht besiedelt.

J. STEINHAUSEN, Arch. Siedlungskunde des Trierer Landes, 1936, 324 f. · P. GOESSLER, s. v. P., RE 23, 650 f.   R.A. WI.

Prometheia (Προμήθεια). Att. Fest unbekannten Datums zu Ehren des → Prometheus, an welchem Fackelläufe stattfanden, die von dessen Altar in der Akademie (→ Akademeia) über den Kerameikos zu einem uns nicht überlieferten Ziel führten (Paus. 1,30,2; Schol. Aristoph. Ran. 135). Nach dem Vorbild der P. wurde an den Hephaistia (→ Hephaistos II.) der Fackellauf 421/20 v. Chr. eingeführt oder neu geregelt (IG I³ 82,32–35). Jede Phyle stellte eine Mannschaft und einen Gymnasiarchen (Isaios 7,36) für den musischen Agon der Männer- und Knabenchöre (IG II² 1138; Ps.-Xen. Ath. pol. 3,4), als deren Aufführungskosten 12 Minen angegeben werden (Lys. 21,3).

DEUBNER, 211 f. · L. ECKHART, s. v. Prometheus, RE 23.1, 654 f.   JO. S.

Prometheus (Προμηθεύς).

A. ETYMOLOGIE   B. GENEALOGIE   C. MYTHOS
D. LITERARISCHE BEARBEITUNGEN   E. KULT
F. ANTIKE IKONOGRAPHIE   G. REZEPTION

A. ETYMOLOGIE

Der Name P. ist genuin griech. und bedeutet soviel wie »der Vorbedenker« aus πρό- und μηθ-/μαθ- (aus idg. *mendh-/*men-, »denken«).

B. GENEALOGIE

Als Vater des P. gilt allg. der Titan → Iapetos, als Mutter die Okeanide → Klymene [1] (Hes. theog. 507) oder → Gaia/→ Themis (Aischyl. Prom. 3). Abweichend davon werden als seine Eltern der Gigant → Eurymedon [1] und → Hera (Euphorion fr. 134 MEINEKE) oder das Paar → Uranos und Klymene (Theon, schol. Arat. 254) genannt. Die Brüder des P. sind Menoitios, → Atlas [2] und Epimetheus (Hes. theog. 509–512) sowie der aitolische Dryas (Hyg. fab. 137) und der arkadische → Buphagos (Paus. 8,14,6). P. hat einen Sohn → Deukalion (Apoll. Rhod. 3,1085), an einer Stelle ist auch von einer möglichen Tochter Protogeneia die Rede (schol. Pind. O. 9,64). Verschiedene Gemahlinnen sind überl.: Klymene (schol. Hom. Od. 10,2), Asia (Hdt. 4,45), → Hesione [1] (Aischyl. Prom. 560), Kelaino (Tzetz. ad Lykophr. 132), Axiothea (Tzetz. ad Lykophr. 1283), → Pandora (schol. Apoll. Rhod. 3,1086), Pryneia (schol. Hom. Od. 10,2) und → Pyrrha [1] (schol. Apoll. Rhod. 3,1086). Letztere soll von P. den Sohn Hellen geboren haben, wodurch dieser zum Halbbruder des Deukalion würde und nicht, wie üblich, zu dessen Sohn.

C. MYTHOS

Auf den Opferbetrug des P. wird nach Darstellung des → Hesiodos (Hes. theog. 507–616; Hes. erg. 42–105) die griech. rituelle Opferordnung zurückgeführt (→ Opfer III.), nach der die Knochen und wertlosen Bestandteile des Opfertieres den Göttern dargebracht wurden, während die nutzbaren Teile (Fleisch) den Menschen zukamen: Um → Zeus auf die Probe zu stellen, teilt P. das Opfertier in zwei Teile, wobei der größere innen aus Knochen und Wertlosem, außen aus Fett besteht. Zeus erkennt den Betrug und wählt wissentlich den größeren, aber schlechteren Haufen, verweigert jedoch zur Strafe den Menschen das → Feuer. Dieses entwendet daraufhin P. den Göttern und bringt es in einem → Narthex-Stengel den Menschen (Hes. erg. 50–52; Apollod. 1,45), die seine Schützlinge sind und nach anderen Quellen zusammen mit den Tieren seine Schöpfung darstellen (Plat. Prot. 320e; Apollod. 1,45; Paus. 10,4,3; Ail. nat. 1,53).

Zur Strafe läßt Zeus → Pandora von → Hephaistos und → Athena erschaffen (Hes. theog. 570–577) und sendet sie mit einem Gefäß, das alle menschlichen Plagen (Krankheit, Tod usw.) enthält, dem Epimetheus, der sie gegen den Rat des P. von den Göttern annimmt. Nach Öffnung des Gefäßes ergießt sich alles bisher unbekannte Leid über die Menschen. P. selbst wird für sein eigenmächtiges Handeln auf Geheiß des Zeus von Hephaistos zur Strafe am Kaukasus festgeschmiedet (Hes. theog. 521–523; Apoll. Rhod. 2,1247), wo ihn ein Adler täglich aufsucht und von seiner Leber frißt, die sich stets erneuert (Hes. theog. 521–525; Apollod. 1,45). Erst durch → Herakles [1], der den Adler tötet, wird P. von seinen Leiden erlöst und befreit (Paus. 5,11,6; Apollod. 2,119). Aus Dankbarkeit weist P. ihm einen Weg zur Erlangung der Hesperiden-Äpfel (Apollod. 2,120; Strab. 4,1,7). Später tauscht P. die eigene Sterblichkeit gegen die Unsterblichkeit des → Chiron, der aufgrund einer Verwundung ein qualvolles Leben führt und sich nach dem Tod sehnt (Apollod. 2,85). Bei der Geburt Athenas aus dem Kopf des Zeus werden wechselweise Hephaistos oder P. als Geburtshelfer erwähnt (Eur. Ion 455; Apollod. 1,20). Die Nähe des P. zu Hephaistos zeigt sich auch in einem gemeinsamen Altar in der athenischen Akademie (schol. Soph. Oid. K. 56).

D. Literarische Bearbeitungen

Hesiod (theog. 507–616; erg. 42–105) stellt den P. als listigen und betrügerischen Charakter dar, der sich in seiner → Hybris mehrfach mit Zeus zu messen versucht (Opferbetrug und Feuerraub), aber stets unterliegt und durch sein frevlerisches Handeln letztlich selbst verantwortlich für das durch Pandora repräsentierte Unglück der Menschen ist, als deren Fürsprecher er auftritt. Die Konzeption von Aischylos' Trag. ›Der gefesselte P.‹ (zur Echtheitsfrage s. → Aischylos B.5.) weicht von der hesiodeischen Darstellung in einigen wichtigen Punkten ab: Indem Aischylos P. zum Sohn der Gaia/Themis macht, wird er durch die Verschiebung der Abstammung auf die gleiche genealogische Stufe mit dem Zeus-Vater → Kronos gestellt und somit gegenüber dem jungen Herrscher Zeus durch sein höheres Alter aufgewertet. Durch seine Mutter gelangt er in den Besitz seherischer Fähigkeiten und weiß von der Prophezeiung der Themis (vgl. Pind. I. 8,27), derzufolge Zeus von seinem Sohn aus der Verbindung mit → Thetis gestürzt werden soll. Diese Grundkonstellation begründet das Spannungsverhältnis zwischen P. und Zeus, welches dem Drama zugrundeliegt: Trotz früherer Loyalität gegenüber Zeus im Titanenkampf (Aischyl. Prom. 216–225) bestraft der junge Herrscher den P. einerseits für den zum Wohle der Menschen begangenen Feuerdiebstahl, andererseits benötigt er das Wissen um den prophezeiten Sturz, das P. ihm nach Art eines Faustpfandes vorenthält. Bei Aischylos, der im Gegensatz zu Hesiod den Opferbetrug bewußt ausläßt, wird P. nicht als hybrider Frevler, sondern als Wohltäter, Menschenfreund und Kulturbringer (Aischyl. Prom. 442–506 u.ö.) dargestellt, der (sowie auch Io) ein Opfer des willkürlich waltenden Zeus wird [1. 1–21; 2. 657–664; 666–681; 3. 134–147].

→ Platons P. ist kein widerspenstiger Rebell, sondern Diener der Götter am Menschen: So erzählt Protagoras (Plat. Prot. 320c–322a) [4. 172–180, bes. 177f.], P. habe notgedrungen Feuer und Einsichtsvermögen geraubt. Denn von den Göttern beauftragt, alle von ihnen geschaffenen Lebewesen mit Eigenschaften auszustatten, mußte er, weil Epimetheus für den Menschen keine Eigenschaft übriggelassen hatte, → Athena und → Hephaistos bestehlen. Feuer und Einsichtsvermögen (ausdrücklich ausgenommen ist die Staatskunst) sind auch in Plat. Phil. 16c miteinander verknüpft, die P. hier jedoch als Gabe der Götter (nicht durch Raub) den Menschen bringt. In Plat. polit. 274c scheint P. sogar rechtmäßiger Besitzer des Feuers zu sein. Auch im Schlußmythos von Plat. Gorg. 523d führt P. einen Auftrag des Zeus an den Menschen aus: Zur Verbesserung ihrer Moral nimmt er ihnen das Vorauswissen des Todes.

→ Lukianos stellt P. als geistreichen, redegewandten Verteidiger seiner selbst dar: Im satirischen Dialog ›P.‹ widerlegt er die bekannten drei Anklagepunkte (Opferbetrug: Kap. 7, Menschenerschaffung: 11, Feuerraub: 18) vor Hephaistos und Hermes, wobei er seine Apologie mit komisch-ironischen Argumenten und Homer- und Hesiodzitaten schmückt. Hermes bezeichnet ihn so auch als »echten Sophisten«, als der er auch im 1. ›Götterdialog‹ Lukians in Auseinandersetzung mit Zeus agiert.

E. Kult

In der Athener Akademie (FGrH 244 F 147 und 336 F 4; Soph. Oid. K. 54–56, → Akademeia) war P. ein Altar geweiht, an dem die Fackelläufe der → Promḗtheia ihren Ausgang nahmen (Paus. 1,30,2), ebenso später wohl auch die der Hephaisteia (seit 421/20) und → Panathḗnaia. Das Ziel des Wettlaufes der drei Gymnasiarchen (Isaios 7,36) ist wie der Zeitpunkt des Festes unbekannt, doch führte die Strecke durch den → Kerameikos, das Viertel der Handwerker (bes. der Schmiede und Töpfer), als deren Patron P. (oder Prómēthos) galt. Kern der kultischen Läufe dürfte wohl eine rituelle Feuererneuerung gewesen sein. Im lokrischen Opus [1] soll ein Grab des P. verehrt worden sein (Pind. O. 9; Paus. 2,19,8), in Panopeus ein Standbild (Paus. 10,4,4), und in Theben sollen ein P. und sein Sohn Mysterien begründet haben (Paus. 9,25,6) [2. 654–657].

F. Antike Ikonographie

Die Bestrafung des P. – eines der Hauptmotive der Ikonographie des P.-Mythos, das sich auch im etr. und röm. Bereich häufig findet – ist bereits auf den frühesten Abb. aus der Mitte des 7. Jh. v. Chr. dargestellt (z.B. spartanisches Elfenbeinrelief, Athen, NM 15354). Üblicherweise wird P. nackt und bärtig, kniend oder sitzend, mit auf den Rücken gebundenen Armen und einem über ihm fliegenden Adler, der seine Leber frißt, abgebildet. Darstellungen der Befreiung des P. durch Herakles (häufig unter Beteiligung von Göttern) finden sich ab dem E. des 7. Jh. v. Chr. (z.B. protoattischer Skyphos, Athen, NM 16384). Während ein beliebtes Motiv der att. rf. Vasenmalerei aus der 2. H. des 5. Jh. v. Chr. die Feuerübergabe durch P. an Satyrn ist, gibt es dagegen nur eine gesicherte Darstellung des Raubes des Feuers und der Weitergabe durch P. an Menschen (ca. 220 n. Chr.: Sarkophag, Paris, LV Ma 355). Erst seit dem Hell. finden sich dann auch Abb., die P. als Schöpfer des

Menschen – häufig in Verbindung mit der Göttin Minerva – zeigen. Dieses Motiv hält sich bis ins 3. Jh. n. Chr. [5].

G. Rezeption

Die Renaissance entdeckt P. neu und sieht in ihm den schöpferisch begabten Künstler (BOCCACCIO, Genealogia Deorum, 1373). In den folgenden Jh. wird er zum Symbol des wiss.-technischen Fortschritts der Menschheit im Kampf gegen göttliche bzw. kirchliche Grenzen (G. BRUNO, ›Cabala del cavallo Pegaseo‹, 1585; CALDERÓN, ›La Estatua de Prometeo‹, 1679; F. BACON, ›De sapientia veterum‹, 1691); in dieser Rolle wird er aber auch zunehmend kritisiert im Zusammenhang mit Kritik an fehlerhaften Entwicklungen der modernen menschlichen Zivilisation (J. J. ROUSSEAU, Discours sur les sciences et les arts, 1750; M. SHELLEY, Frankenstein, 1818). Die Aufklärung berief sich auf P. in seiner Auflehnung gegen Zeus (VOLTAIRE, Pandore, 1740) als gottgleich schaffenden Künstler (SHAFTESBURY, Soliloquy, 1710). Ganz in dieser Trad. ist P. dem jungen GOETHE (Dramenfr., 1773; Ode, 1774) die Symbolfigur des freischaffenden Künstler-Bürgers der neuen Zeit, der sich gegen obrigkeitliche Bevormundung auflehnt. In seinem späteren Festspiel ›Pandora‹ (1808) teilt er die Figur in den Tatmenschen P. und den Träumer Epimetheus [6. 21–24].

In der Romantik wird P. verehrt als Archeget des stolzen Menschen, der sich seines Wertes bewußt ist (z. B. BYRON, 1816; P. SHELLEY, Prometheus Unbound, 1820). Christen berufen sich auf ihn als den Vorgänger Christi (E. QUINET, 1838), Atheisten als Kämpfer gegen den mit Zeus gleichgesetzten christl. Gott (F. V. SALLET, 1835; L. MÉNARD, 1843). Das P.-Thema ist um die Jh.-Wende sehr beliebt und wird satirisch oder gesellschaftskritisch umgedeutet (A. GIDE, Le Prométhée mal enchaîné, 1899: P. verläßt seinen Felsen und promeniert über einen Pariser Boulevard; C. SPITTELER, P. und Epimetheus, 1880; P. der Dulder, 1924: P. als selbstbezogener Einsiedler im Gebirge).

Auch die Ideologien des 19. und 20. Jh. bedienten sich der Symbolfigur P. [7]. Für K. MARX ist er ›der vornehmste Heilige und Märtyrer im philos. Kalender‹ [8. 263]. Für F. NIETZSCHE ist die P.-Sage ›ein ursprüngliches Eigenthum der gesamten arischen Völkergemeinde‹ [9. 68 f.; 10]. A. HITLER mythisiert den »Arier« als ›P. der Menschheit‹ [11. 285]. So finden sich auch in der bildenden NS-Kunst zahlreiche P.-Darstellungen (P.-Statuen von A. BREKER 1934 u. 1937). Neuere Interpretationen der P.-Figur stellen wieder mehr den aufständischen prometheischen Menschen in den Vordergrund (C. ORFF, Oper ›P.‹, 1968; H. MÜLLER, ›P.‹, 1969; H. M. ENZENSBERGER, ›Der kurze Sommer der Anarchie‹, 1972) [12].

1 M. GRIFFITH (ed.), Aeschylus. Prometheus Bound, 1983
2 W. KRAUS, L. ECKHART, s. v. P., RE 23.1, 653–730
3 A. LESKY, Die tragische Dichtung der Hellenen, ³1972
4 B. MANUWALD, Platon. Protagoras (dt. Übers. und Komm.), 1999 5 J.-R. GISLER, s. v. P., LIMC 7.1, 531–553

6 E. LÄMMERT, Die Entfesselung des P., in: W. WUNDERLICH (Hrsg.), Lit. Symbolfiguren, 1989, 17–36 7 B. VAUPEL, P. im Kreuzfeuer der Ideologien, in: E. PANKOW, G. PETERS (Hrsg.), P. Mythos der Kultur, 1999, 161–176 8 K. MARX, F. ENGELS, Werke. Erg.-Bd. 1, 1968 9 F. NIETZSCHE, Sämtliche Werke (Kritische Studienausgabe in 15 Bd.), Bd. 1, 1980 10 P. PÜTZ, »Arischer« Frevel und »semitische« Sünde, in: E. PANKOW (s. [7]), 145–160 11 A. HITLER, Mein Kampf. Jubiläumsausgabe, 1939 12 R. TROUSSON, Le thème de Prométhée dans la littérature européenne, Bd. 2, 1964.   DNP-G. K.

Promona (Πρωμόνα). Stadt in Dalmatia (App. Ill. 34; 72–77; Strab. 7,5,5: Πρώμονα; Tab. Peut. 6,1; Geogr. Rav. 211; CIL III 14969²: *pagani Promonenses*), beim h. Tepljù, ca. 40 km nordwestl. von Šibenik an der Route Šibenik – Knin, am Fuß des Promina (1148 m). Dalmatae und andere Illyrii eroberten im J. 51 v. Chr. die liburnische Festung P. Um P. den → Liburni zurückzugeben, intervenierte Caesar vergebens. 34 v. Chr. nahmen Agrippa [1] und der nachmalige Augustus P. den Dalmatae unter ihrem einheimischen Führer Versus endgültig ab. In der Festung P. wurden Auxiliartruppen (→ auxilia) stationiert (*cohors I Lucensium* zu Anf. der Kaiserzeit, *cohors I milliaria Delmatarum* unter den Severn), während sich im nahegelegenen → Burnum ein Legionslager befand. Inschr.: CIL III 6419; 14969².

J. J. WILKES, Dalmatia, 1969 · G. VEITH, Die Feldzüge des C. Iulius Caesar Octavianus in Illyrien …, 1914 · M. ŠAŠEL KOS, Appian and Dio on the Illyrian War of Octavian, in: Živa antika 47, 1997, 187–198 · Dies., Caesar, Illyricum and the Hinterland of Aquileia, in: G. URSO (Hrsg.), L'ultimo Cesar, 2000, 277–304.   PI. CA./Ü: E. N.

Promotus. Flavius P., evtl. *comes Africae* vor 386 n. Chr., 386–391 *magister militum*; besiegte als *magister peditum per Thracias* 386 die → Greuthungi an der unteren Donau, 388–391 *magister equitum*. P. führte 388 die Reiterei gegen Magnus → Maximus [7], wurde 389 Consul und befreite 391 → Theodosius I. aus einer schwierigen mil. Lage. Sein heftiger Konflikt mit → Rufinus [3] führte zu Tätlichkeiten im → *consistorium* und noch 391 wohl auch zum Tod des P. in Thrakien in einem angeblich von Rufinus veranlaßten Hinterhalt. Seine beiden Söhne wurden zusammen mit den Kindern des Theodosius aufgezogen. PLRE 1, 750–751.

K. G.-A.

Promunturium, Promontorium
(»Vorgebirge«, »Kap«).

[1] Promontorium Cantium (τὸ Κάντιον). Landspitze im äußersten SO von Britannia gegenüber der Mündung des Rheins, eine Landmarke für Seeleute und Geographen, h. South Foreland/Kent (vgl. Caes. Gall. 5,13,1; 14,1; 22,1; Diod. 5,21,3; Strab. 1,4,3; 4,3,3; 5,1). *Cantium* dürfte kelt. »Ecke« bedeuten [1]. Die exponierte Lage im äußersten SO der Insel gab den → Cantiaci ihren Namen, der sich auch auf das im 6. Jh. hier entstehende Königreich Kent übertrug.

1 A. L. F. Rivet, C. Smith, The Place-Names of Roman Britain, 1979, 300.

A. Detsicas, The Cantiaci, 1983. M.TO./Ü: I.S.

[2] Promunturium Hesperium. Vorgebirge an der Westküste Afrikas, angeblich den → *insulae Gorgades* gegenüber. Belegstellen: Mela 3,99; Plin. nat. 6,197; 6,199; 6,201; Sol. 56,10; Mart. Cap. 6,702 (*Hesperu ceras*); Plin. nat. 5,10 (*promunturium Hesperu*); Ptol. 4,6,7 (Ἑσπέρου bzw. Ἑσπερίου κέρας). Die Identifikation mit dem Kap Verde ist unsicher. Das bei Hanno [1], periplus 14 (GGM I 10) erwähnte *Hespéru kéras* – ein *kólpos* (»Bucht«), kein *akrōtérion* (»Vorgebirge«) – hat mit dem P. Hesperium nichts zu tun, es sei denn, man nimmt an, die späteren Autoren haben »Hanno« mißverstanden.

S. Gsell, Histoire ancienne de l'Afrique du Nord I, ³1921, 496, 504. W.HU.

[3] Promunturium Lacinium. Kap an der Ostküste von Bruttium (→ Bruttii), 11 km südöstl. von Kroton, h. Capo Colonna. Hier stand ein Heiligtum der Hera (Strab. 6,1,11: τὸ Λακίνιον Ἥρας ἱερόν; Liv. 24,3,3; Dion. Hal. ant. 1,51; Diod. 4,24,7; vgl. den Bezug des h. ON zur Säulenarchitektur), ein extraurbanes Heiligtum mit kultischer Beziehung zur Seefahrt. Obgleich die arch. Spuren nicht über das 7. Jh. v. Chr. zurückreichen, steht der Ursprung des Heiligtums wohl mit den Fahrten des → Herakles [1] in Verbindung (Serv. Aen. 3,552), ist also sicher früher anzusetzen. Der Kult der Iuno Lacinia weist Verbindungen zum Hirtenleben auf. Hannibal [4] ließ hier 205 v. Chr. eine Br.-Säule mit einer punisch-griech. Bilingue aufstellen (Pol. 3,33,18; Liv. 28,46,16).

G. Maddoli, I culti di Crotone, in: Crotone (Atti del 23. Convegno di Studi sulla Magna Grecia 1983), 1986, 315–328 · R. Spadea, Il tesoro di Hera, in: BA 88, 1994, 1–34 · M. Giangiulio, Tra mare e terra. L'orizonte religioso del paesaggio costiero, in: F. Prontera (Hrsg.), La Magna Grecia e il mare, 1996, 255f. · R. Spadea, I santuari di Hera a Crotone, in: J. de la Genière (Hrsg.), Hera. Images, espaces, cultes. Actes du Colloque International de Lille 1993, 1997, 235–259 · BTCGI 4, 409–419.
A.MU./Ü: J.W.MA.

[4] Promunturium Pyrenaei. Name der beiden äußersten Kaps im Osten bzw. Westen der → Pyrene [2] (Pyrenäen).

(1) Das Ostkap (Plin. nat. 3,30; 4,110; 118; Liv. 26,19,11; Mela 2,84; Avien. 472: *Pyrenae iugum*; 565: *Pyrenaeum iugum*; 533: *Pyrenae vertex*) ist identisch mit dem h. Cap Béar, wo ein Tempel der Venus stand (Strab. 4,1,3; Plin. nat. 3,22).

(2) Das Westkap (Plin. nat. 3,30; 37,37; Avien. 158: *Veneris iugum*; Ptol. 2,6,10; 2,7,2: ἄκρον bzw. ἀκροτήριον Πυρήνης) ist identisch mit dem h. Cabo Higuer bei Oyarzun am → Okeanos, wo ebenfalls ein Tempel der Venus stand. Zahlreiche Gruben zeugen hier von ant. Silber- und Kupferabbau.

R. Grosse, s. v. P. P., RE 24, 12f. · Schulten, Landeskunde I, 172–184. P.B.

Pronaos s. Tempel

Pronnoi (Πρῶννοι). Eine der vier Städte auf → Kephallenia, im SO der Insel auf einer Felshöhe südl. des h. Dorfes Póros. 375 v. Chr. trat P. dem → Attischen Seebund bei (StV 257); 218 v. Chr. wurde es von Philippos [7] V. im Bundesgenossenkrieg [2] vergeblich belagert (Pol. 5,3,4). Seit dem Fund eines reichen Fürstengrabs aus myk. Zeit nahe P. wird die Gegend arch. intensiv untersucht [1. 217; 2]. Inschr.: [1. 219–225]; Mz.: BMC Peloponnesus 89; RPC 272.

1 D. Strauch, Aus der Arbeit am Inschr.-Corpus der Ion. Inseln, in: Chiron 27, 1997, 209–254 2 Archaeological Reports 45, 1998/1999, 43f. D.S.

Pronoe (Προνόη).
[1] Nach Hes. theog. 261 eine der → Nereiden.

Preller/Robert I, 556.

[2] Weissagende lykische Naiade. Nachdem P. dem → Kaunos [1] den Tod seiner Schwester → Byblis berichtet hat, nimmt sie ihn zum Mann und überträgt ihm die Herrschaft. Beider Sohn ist Aigialos (Konon FGrH 26 F 1,2). NI.JO.

Pronomos (Πρόνομος). Hervorragendster der thebanischen Auleten (Anth. Plan. 16,28), Auloslehrer des Alkibiades [3] (Athen. 4,184d). Spielte als erster mehrere Tonarten auf dem gleichen Aulos (Paus. 9,12,5; vgl. Athen. 14,631e). Gesichtsausdruck und Körperbewegung erhöhten die Wirkung seines Spiels (Paus. 9,12,6). Ein Vasenbild von ca. 400 v. Chr. zeigt P. beim Spiel (Deutung des Bildes umstritten [1. 186–187; 2]). Noch 369 begleitete das Spielen seiner Melodien den Bau Messenes (Paus. 4,27,7).

1 Pickard-Cambridge/Gould/Lewis 2 C. Calame, Quand regarder, c'est énoncer: le vase de P. et le masque, in: Cahiers d'Archéologie Romande 36, 1987, 79–88.
RO.HA.

Pronomos-Maler. Einer der bedeutendsten att. rf. Vasenmaler des ausgehenden 5. Jh. v. Chr. Der Name des Malers ist auf den Thebaner → Pronomos zurückzuführen, einen zeitgenössischen Musiker, der auf einem der Hauptwerke des P.-M., dem Krater Neapel, NM 3240, dargestellt ist. Zusammen mit dem → Talos-Maler und dem Suessula-Maler war der P.-M. führend in der Generation der Vasenmaler, die auf den → Meidias-Maler, den größten athenischen Vasenmaler aus der Zeit um 420 v. Chr., folgten. Er bemalte hauptsächlich große Gefäßformen (Kratere, Peliken, Hydrien u. a.). Seine Darstellungsthemen übernahm er aus dem Bereich des Theaters oder von den zeitgenössischen Werken der großen Kunst, v. a. der Wandmalerei. Beliebte Mythen seiner Vasenbilder sind die → Gigantomachie, die Zusammenstöße der Götter, aber auch die dionysische Welt; er setzt damit die Themen der Parthenon-Skulpturen fort, zu vergleichen sind auch die thematischen Parallelen im zeitgenössischen attischen Theater z. B. des Euripides. Vielfältige Stoffe und Schmuck aus aufgesetztem Gold oder weißer Farbe kennzeichnen die Gestalten, die auch durch wechselnd starke Pinselstriche bereichert werden. Die Kompositionen bestehen aus vielen Figuren, die in verschiedenen Ebenen angeordnet sind, so daß der Eindruck von Räumlichkeit bes. ins Auge fällt, ein Kennzeichen, das auf die großformatige Malerei hinweist. Um den P.-M. bildete sich ein relativ großer Kreis von weniger bedeutenden Vasenmalern, die seine Technik übernahmen.

BEAZLEY, ARV² 1335–1338 · BEAZLEY, Paralipomena 480f. · BEAZLEY, Addenda² 182 · E. SIMON, Die griech. Vasen, ²1981, 153–157, Taf. 228f., 232, 233 · J. BOARDMAN, Athenian Red Figure Vases. The Classical Period, 1989, 167f., Abb. 323, 326–238 · M. ROBERTSON, The Art of Vase Painting in Classical Athens, 1992, 255f., Abb. 260, 263 u.ö.   S. DR.

Pronuba. Beiname der → Iuno (Verg. Aen. 4,166), der diese als Hochzeitsgöttin ausweist (vgl. Iuno Iuga); Iuno P. wurde bei der Einholung der Auspizien sowie der eigentlichen Vermählung angerufen.   L. K.

Pronuntiatio

[1] (rhet.) s. Actio [1]

[2] (juristisch). Wörtlich »Bekanntmachung«, bezeichnet p. im röm. Recht jede richterliche Entscheidung über die streitige Sache selbst (etwa Dig. 42,1,1). Die engere Bedeutung ergibt sich aus der Besonderheit des röm. Prozeßrechts, grundsätzlich nur eine → *condemnatio pecuniaria* (Verurteilung zur Zahlung einer Geldsumme) zuzulassen. Gleichwohl gab es bestimmte Klagen, die auf Sachleistung gerichtet sein konnten, sog. *actiones arbitrariae* (s. → *actio* [2]). Um diese Leistung zu erreichen, wurde der Beklagte durch die p. – also eine Art von Zwischenurteil – aufgefordert, das Verlangte herauszugeben. Kam er dem nach, wurde er im endgültigen Urteil freigesprochen, anderenfalls zur Zahlung einer vom Richter geschätzten Summe verurteilt.

M. KASER, K. HACKL, Das röm. Zivilprozeßrecht, ²1996, 273, 338.   C. PA.

Prooimion I. BEGRIFF II. GRIECHISCHE LITERATUR III. RÖMISCHE LITERATUR

I. BEGRIFF

Griech. προοίμιον, (Trag.:) φροίμιον (= p.), lat. *prooemium, prohoemium* (= *pm.*): 1) Götterhymnus (als Eröffnung), 2) Eingangsteil eines Gedichts, 3) Anfang einer Rede, 4) Einleitung.

Etym. wird *prooímion* (schon in der Ant. [8. 19]) zu οἴμη (*oímē*, »Gesang, Erzählung«, Hom. Od. 8,74; 8,481; 22,347) und zu οἶμος (*oímos*, »Streifen«, Hom. Il. 11,24; »Weg« = »Gesang«, Hom. h. 4,451) gestellt [4. s. v. οἴμη].

II. GRIECHISCHE LITERATUR

1) In der griech. Dichtung kennt man die hexametrischen sog. ›Homerischen Hymnen‹ von unterschiedlicher Länge [1. 10] auf Götter als *prooímia*, welche die → Rhapsoden dem Vortrag epischer Dichtung voranschickten (Thuk. 3,104; → Hymnos I. B.). Sokrates dichtete ein p. auf Apollon (Plat. Phaid. 60d).

2) Terpandros verfaßte (Plut. mor. 1132d) p., die der erste Teil des kitharodischen → *nómos* [3] waren. Hierher gehören die – oft hymnische Götteranrufungen bietenden – Eingangsteile lyrischer Gedichte; so bezeichnet Pindaros den prächtigen Anfang von Pind. P. 1,1–28 als p. [10. 57f.]. Aristot. rhet. 1415a 16–18 kennt als Beispiele für die Funktion des rhet. p. (s.u.) die Anfänge von Epen; diese bieten ja (wie auch die Lehrgedichte bes. des Hesiodos [12] und des Parmenides) neben dem → Musenanruf eine thematische Ankündigung des Folgenden [3. 18].

3) In der griech. Prosa fordert Plat. leg. 722c 6–723b 6, den polit. Gesetzen müßte ein p. mit derselben Kraft wie den Reden vorangehen, damit man das Gesetz geneigt (εὐμενῶς, *eumenõs*) und dadurch gelehriger annehme; das p. dient hier der Überzeugung eines unphilos. Menge [6. 38–70]. Offensichtlich war das p. (seit Korax [3. 19]) Gegenstand der rhet. Theorie geworden (vgl. Isokr. or. 4,13). Für Aristot. rhet. 1414b 19–1416a 3 ist das p. ›der Anfang der Rede, wie in der Dichtung der → Prolog und beim Flötenblasen das Vorspiel; ... gleichsam eine Wegbereitung (ὁδοποίησις, *hodopoíēsis*: Bild des Weges!) für das Folgende‹ (vgl. bes. 1415a 22–25); weiter soll das p. die Hörer wohlgesinnt (εὔνους, *eúnus*) stimmen (ebd. 1415a 34–36; so auch Anaximenes 29,1–7). In der späteren rhet. Theorie (Hermog. de inventione 1 und Apsines Rhetor 1,1–39) bleibt das p. mit diesen Funktionen ein fester Teil der Rede [8. 21–23]. Att. Rednern, vor allem → Demosthenes [2] (s. dort B.), werden Slgg. von P. auf Vorrat zugeschrieben [8. 24]. Elemente dieser rhet. p. sind noch in der byz. Lit. nachweisbar [9]. Zum Typ des rhet. p. gehören auch die Historiker-P. des Hekataios [3] von Milet (FGrH 1, Fr. 1a), Herodotos, Thukydides, Ephoros und Diodoros (vor jedem Buch), Dion. Hal. ant. 1,1–8 (voll entfaltet); in ihnen erscheinen die Person des Autors, Ziele und Methoden, Größe des Gegenstandes, auch das Bemühen um Unparteilichkeit. Lukianos [1] fordert später (de historia conscribenda 52–54) vom Historiker-P. das Wecken der Aufmerksamkeit und der Wißbegierde.

4) Aus byz. Zeit ist p. als Bezeichnung der ausführlichen Einleitung des Eustathios zu seinem Pindar-Komm. überliefert [9].

III. RÖMISCHE LITERATUR

1) Eine der Bed. von p. (= Götterhymnos, s.o. I.) entsprechende Verwendung von *pm.* ist in Bezug zur röm. Lit. nicht gegeben. 2) In der röm. Dichtung sind die *prooemia* der Epen und Lehrgedichte an den griech. (s.o. I.2.) orientiert, können aber Variationen aufweisen: Im Annalen-*pm.* des Ennius geht der von Hesiods

›Theogonie‹ und von Kallimachos' ›Aitia‹ herkommenden Musenweihe der Traum der Metempsychose Homers voran [15. 46–113]. Lucretius formt jeweils zweigeteilte (hymnische) Außen- und (kürzere) Binnen-*pm.* [5. 8–10; 14. 98]: Nach Aussagen über die Bedeutung Epikurs liest man Hinweise auf das Folgende; das *pm.* des ersten Buches leitet einen Götter-Hymnus auf Venus (1–49) ein. In Vergils ›Georgica‹ findet man im *pm.* zum 1. B. neben den Themen der vier B. Anrufungen von Göttern, mit ihnen auch des Augustus, im *pm.* zum mittleren, 3. B. aber ein in hell. Trad. stehendes dichterisches Programm [15. 172–176; 2]. Ihnen steht Ovids Germanicus-*pm.* (Ov. fast. 1,1–26) nahe [11. 2446]. Das *pm.* von Vergils ›Aeneis‹ bietet (wie die *p.* des griech. Epos) neben der Musenanrufung die göttliche Motivation des Geschehens. Dagegen vermeidet Lucanus im *pm.* anfangs (1,1–32) jede Erwähnung von Göttlichem, nicht jedoch im Lob Neros (1,33–66).

3) In der Prosa der rhet. Theorie wird (Rhet. Her. 1,6; Cic. inv. 1,20–26; de orat. 2,315–325) das Lehnwort *pm.* durch die lat. Begriffe → *exordium, initium orationis* und *principium* (Beginn, Eingang der Rede, Anfang) verdrängt, obwohl die aristotelischen Ziele – den Hörer am Beginn der Rede wohlwollend (→ *captatio benevolentiae*), gespannt und aufnahmebereit zu machen – weiter gelten [7. 29–30]. Quintilian (inst. 4,1,1–5) beharrt auf dem Begriff *pm.* und erwähnt seine möglichen Ableitungen von *oímē* und *oímos.*

Die röm. Geschichtsschreiber folgen variierend der griech. Tradition. Der Autor von [Caes.] Gall. 8 (vgl. → Hirtius) rechtfertigt seinen Einschub; → Sallustius schafft aus dem *pm.* und den Exkursen ein Deutungskontinuum seiner krit. Sicht Roms. Livius [III 2] hält sich enger an die Trad. [13]; als Bezeichnung seiner einführenden Sätze ist das lat. Wort *praefatio*, mit dem Quint. inst. 4,1,74 nur die Vorrede eines Unterabschnittes bezeichnet, überl.; Binnen-*pm.* dienen der Gliederung des riesigen Werkes. Tacitus sieht in den *pm.* zu Agr., hist. und ann. die *veritas* (Zuverlässigkeit) der histor. Darstellung durch den Mangel an *libertas* (→ Freiheit) in Rom gefährdet.

4) → Cicero (s. D.2.–3.) verlangt bei der Rede eine enge organische Verbindung des *principium* mit dem Folgenden und setzt dem das *pm.* der Kitharoden als etwas Angeheftetes (*afjictum*) entgegen (Cic. de orat. 2,325) [7. 30f.]. Das *pm.* zu *De oratore* ist auf das Folgende hin komponiert; die *pm.* zu seinen späten philos. Schriften werden aber sehr selbständig. Cicero verfaßte ein *volumen prohoemiorum,* ein Buch mit austauschbaren *pm.* (verwendete dabei dasselbe *pm.* zweimal, Cic. Att. 16,6,4): Einleitungen, in denen er allg. über die Philos. und ihre Bed. schrieb.

→ Epos; Geschichtsschreibung II.–III.; Hymnos; Rhapsoden; Rhetorik

1 R. Böhme, Das P., 1937 2 G. B. Conte, Proems in the Middle, in: YClS 29, 1992, 147–159 3 M. Costantini, J. Lallot, Le προοίμιον est-il un proème?, in: M. Costantini u. a. (Hrsg.), Le texte et ses représentations, 1987, 13–27 4 Frisk 5 M. Gale, Lucretius 4,1–25 and the Proems of the De rerum natura, in: PCPhS 40, 1994, 1–17 6 H. Görgemanns, Beitr. zur Interpretation von Platons Nomoi, 1960 7 Ch. Guittard, Note sur *prooemium* en latin, in: s. [3], 29–35 8 H. Hunger, P., 1964 9 A. Kambylis (ed.), Eustathios von Thessalonike, Prooimion zum Pindarkomm., 1991 10 O. Kollmann, Das P. der ersten pythischen Ode Pindars, 1989 11 J. Kroymann, s. v. P., LAW 2445 f. 12 A. Lenz, Das Proöm des frühen griech. Epos, 1980 13 J. Moles, Livy's Preface, in: PCPhS 39, 1993, 141–168 14 K. Sier, Rel. und Philos. im ersten Proömium des Lukrez, in: A&A 44, 1998, 97–106 15 W. Suerbaum, Unt. zur Selbstdarstellung älterer röm. Dichter, 1968.

H. A. G.

Propaganda. Als fester Terminus läßt sich P. erstmals im Zusammenhang mit der Gründung der *Congregatio de Propaganda Fide* unter Papst Gregor XV. im J. 1622 zur Verbreitung des christl. Glaubens belegen. Lat. *propagare* bezieht sich dagegen – ausgehend von einem landwirtschaftlichen Grundkontext verschiedener Wortbildungen mit *propag-* für »vermehren«, »fortpflanzen« – auf die räumliche und zeitliche Ausdehnung, während dem mod. Begriff P. generell *persuasio/persuadere* am nächsten zu kommen scheint. In seiner Anwendung auf die Ant. entbehrt er nicht der Problematik (zur Forsch.-Gesch. [9. 168ff.]), ersichtlich an einer Fülle mod. Definitionen: von der offenen oder versteckten (auch manipulativen) Beeinflussung der öffentlichen Meinung und des Verhaltens seitens einer »Zentrale« zur pol. Sinnstiftung bis hin zu jeglicher Form von Werbung für die eigene Sache (das Spektrum bei [11; 12; 13. 3–27]). Zur Differenzierung können Unterscheidungen von P. (agitatorisch bzw. integrativ, nach innen bzw. außen gerichtet, horizontal bzw. vertikal) hilfreich sein [5].

Als »Medien« der P. wurden in der Ant. historiographische Werke, Mythen in verschiedenen dichterischen Genera, polit. Pamphlete und Reden, Gerüchte, Inschr. (Titulaturen, Graffiti), Bauten, Vasen, Gemälde und Porträts, Feste, Prozessionen und Spenden sowie – aufgrund der Notwendigkeit ihrer Nutzung und der großen Zahl – v. a. Mz. ([9]; differenziert [6], skeptisch [2]) in Anspruch genommen. Da mod. P.-Techniken fehlten und andere ges. Rahmenbedingungen, etwa der Meinungsbildung, vorherrschten, kann kaum von einer P.-Maschinerie gesprochen werden (so etwa [4; 9. 168, Anm. 10], anders [16; 19. 13]). Man hat oft weder von den Initiatoren und Zielgruppen, schon gar nicht von der Wirkung der P. die notwendige Detailkenntnis (vgl. allerdings [14]); gleiches gilt für den jeweiligen Grad der Lesefähigkeit [7. 175–284] und für das Verständnis der Bildsymbolik. Eine strikt intentionale Interpretation, z. B. der augusteischen Dichtung oder kaiserlicher Bauten, wird den ant. Zeugnissen und ihrem teilweise auch ostentativen, die Selbstdarstellung betonenden Charakter kaum gerecht.

In Griechenland gab es zu allen Zeiten Versuche der »Meinungsmache«: Hierzu zählen die diversen Proklamationen der → Freiheit der Griechen – angefangen beim Kampf gegen die Perser (→ Perserkriege E.;

→ Barbaren) oder bei der Initiative der Spartaner am Anf. des 4. Jh. v. Chr. bis zu den hell. Königen (zur Rezeption durch Rom [15]) – ebenso wie die Agitation zwischen → Demosthenes und → Isokrates um die athenische Politik gegenüber → Philippos [4] II. Integrativ wirken konnten die spartanische → Agoge oder die verschiedenen athenischen Feste (→ Panathenaia), die allerdings auch bei den Mitgliedern des Attisch-Delischen Seebundes einen nachhaltigen Eindruck hinterließen (weitere Aspekte bei [10]). Ähnlich verhält es sich mit den in Athen aufgeführten Tragödien und Komödien, in denen Mythen umgeformt [1] bzw. Zeitgeschehen verarbeitet wurden, wobei man hier freilich nicht von einer staatlichen Lenkung ausgehen kann. Eine neue Dimension ist erreicht worden, als mit → Kallisthenes [1] ein Hofhistoriograph von Alexandros [4] d. Gr. beauftragt wurde, die königliche Sicht der Ereignisse für die Präsentation vor der griech. Öffentlichkeit aufzuzeichnen; nach seiner Hinrichtung wurde auffallenderweise kein Nachfolger eingesetzt, doch bildete sich an den Höfen in der Folgezeit schon bald eine entsprechende Trad. heraus (Belege bei [8]).

Auch für Rom lassen sich prominente Beispiele geben: Im 3. Jh. v. Chr. stand die Verbindung der sicher älteren Sagen von → Aineias [1]/Aeneas und → Romulus auch im Dienste der geistigen Auseinandersetzung mit den griech. Städten Unteritaliens und Siziliens [3. 149f.]. In der ausgehenden Republik konnten die → tresviri monetales, v. a. aus den aufsteigenden *gentes*, mit Hilfe von Symbolen und Mz.-Legenden auf sich und ihre (konstruierte) Familiengesch. aufmerksam machen, was aber bei weitem nicht von allen genutzt wurde [3. 17ff.]; mit → Caesar bzw. seinen Anhängern verband sich dann das erste Porträt eines lebenden Römers auf stadtröm. Mz. [18]. Für die Macht der → Rhetorik in der tagespolit. Auseinandersetzung läßt sich auf → Ciceros *Philippicae* verweisen, die (ähnlich wie Caesars → *commentarii* über die Feldzüge in Gallien) das Vorgehen rechtfertigen sollten. Offen muß bleiben, inwieweit die von Caesar 59 v. Chr. durchgesetzte Publikation der *acta urbis* (→ Acta 3.) später der Beeinflussung diente [17]. Einzigartig sind dem Quellenbefund zufolge die zahlreichen Pamphlete, mittels derer in der Auseinandersetzung zwischen M. → Antonius [I 9] und → Augustus agitiert wurde [3; 4]. Letzterer setzte seine Erneuerung der *res publica* mit Hilfe zahlreicher »Medien« um, wobei manche Initiative, etwa die *Res Gestae*, nicht fortgesetzt wurde; eine am Hof situierte historiographische Produktion liegt, zumal aus senatorischer Feder, nicht vor; allein an → Nikolaos [3] von Damaskos wäre zu denken. Relevant sind noch zahlreiche Graffiti aus → Pompeii, mit denen auf Kandidaten für die lokalen Wahlen verwiesen wurde; es handelt sich dabei aber nicht um eine → Werbung im Sinne von Wahlplakaten, sondern eher um Hinweise auf den sozialen Status bzw. die Kundmachung von Unterstützung [7. 215f.].

1 J. N. Bremmer, Myth as P., in: ZPE 117, 1997, 9–17 2 M. H. Crawford, Roman Imperial Coin Types and the Formation of Public Opinion, in: C. N. L. Brooke u. a. (Hrsg.), Studies in Numismatic Method, 1983, 47–64 3 J. DeRose Evans, The Art of Persuasion. Political Propaganda from Aeneas to Brutus, 1992 4 F. Dunand, Fête, trad., propagande, in: J. Vercoutter (Hrsg.), Livre du centenaire 1880–1980 de l'Institut français d'Archéologie orientale du Caire, 1980, 287–301 5 J. Ellul, Propagandes, 1962 6 C. Howgego, Ancient History from Coins, 1995, 62–87 7 W. V. Harris, Ancient Literacy, 1989 8 B. Meissner, Historiker zw. Polis und Königshof, 1992 9 H. W. Ritter, Zur Beurteilung der Caesarischen und Augusteischen Mz.-P., in: K. Christ, E. Gabba (Hrsg.), Röm. Gesch. und Zeitgesch. in der dt. und it. Alt.wissenschaft während des 19. u. 20. Jh., Bd. 1, 1989, 165–182 10 B. Smarczyk, Unt. zur Religionspolitik und polit. P. Athens im Delisch-Attischen Seebund, 1990 11 M. Sordi (Hrsg.), P. e persuasione occulta nell'antichità, 1974 12 Dies. (Hrsg.), Storiografia e p., 1975 13 Dies. (Hrsg.), I canali della p. nel mondo antico, 1976 14 J. Szidat, Zur Wirkung und Aufnahme der Mz.-P. (Iul. Misop. 355d), in: MH 38, 1981, 22–33 15 J. J. Walsh, Flamininus and the P. of Liberation, in: Historia 45, 1996, 344–363 16 G. Weber, Dichtung und höfische Ges., 1993 17 P. White, Julius Caesar and the Publication of Acta in Late Republican Rome, in: Chiron 27, 1997, 73–84 18 Z. Yavetz, Julius Caesar and His Public Image, 1983, 214–227 und 252–255 19 P. Zanker, Augustus und die Macht der Bilder, 1987.   GR. WE.

Propemptikon (προπεμπτικόν, sc. μέλος/ *mélos*, ᾆσμα/ *áisma*). Ein Gedicht, das einem abreisenden Freund oder Verwandten die besten Wünsche für eine glückliche Fahrt übers Meer (εὔπλοια, *eúploia*) überbringt. In der Spätant. gibt es auch den προπεμπτικὸς λόγος (*propemptikós lógos*), eine in Prosa abgefaßte Rede, deren Topoi von den Rhetoren festgelegt und aufgelistet wurden (z. B. Menandros Rhetor 3,395–99 Spengel); zu ihnen gehören das Gebet für eine sichere Reise und Rückkehr, die Gefahren der Seereise, das Lob des Zielorts, die Klage darüber, daß man vom abfahrenden Freund verlassen wird und die Bitte an diesen, nicht fortzugehen. Doch sollte man diese spätere Systematisierung nicht in frühere Dichtung hineinlesen.

Die ersten Beispiele sind Sappho fr. 5 Voigt, Thgn. 691–692; vgl. in der att. Tragödie Eur. Iph. T. 1123–1136 und Eur. Hel. 1451–1511. Belege in der hell. Dichtung sind Kall. fr. 196,400, Theokr. 7,52–89, Dioskorides Anth. Pal. 12,171, Meleagros Anth. Pal. 12,52, möglicherweise → Erinna 404 SH. Aus der röm. Dichtung ist das P. des → Helvius [I 3] Cinna an Asinius Pollio nicht erh., jedoch der zugehörige Komm. des → Hyginus. Überliefert sind z. B. Hor. carm. 1,3; 3,27, sowie Prop. 1,8 und Stat. silv. 3,2 (dessen Titel in den Hss. ist der früheste Beleg für *p.* zur Bezeichnung eines Gedichts). Beispiele aus der Prosa finden sich unter den Reden des → Himerios (or. 10; 12; 15; 36 Colonna). Hor. epod. 10 ist die Umkehrung eines P., indem es Maevius Schiffbruch wünscht (vgl. Hipponax *115 IEG). Das Trio ›Soave sia il vento‹ in Mozarts Oper *Così fan tutte* ist ein schönes Beispiel für ein mod. P. P.

F. CAIRNS, Generic Composition in Greek and Roman
Poetry, 1972 · R. KANNICHT, Euripides Helena, Bd. 2,
1969, 374 f. (Komm.) · D. A. RUSSELL, N. G. WILSON (ed.),
Menander Rhetor, 1981 (mit engl. Übers. und Komm.).

E. R./Ü: T. H.

Propertius

[1] P., Sextus. Der röm. Elegiendichter Properz.
I. BIOGRAPHIE II. GEDANKENGANG DER GEDICHTE
III. LITERARISCHE FORM IV. NACHLEBEN

I. BIOGRAPHIE

P. wurde um die Mitte des 1. Jh. v. Chr. im umbri-
schen *Asisium* (h. Assisi) geb. (der Name des Geburtsor-
tes wurde von LACHMANN aufgrund von Prop. 4,1,125
durch Konjektur erschlossen, durch zahlreiche in der
Gegend gefundene Inschr. der Familie der Propertii bestätigt). In die Jugendzeit fallen der frühe Tod des Vaters
(4,1,127 f.), der Perusinische Krieg (1,21 f.; 2,1,29;
→ Perusia) sowie die Beschlagnahmung eines großen
Teils des familiären Besitzes bei den Landenteignungen
des Jahres 40 v. Chr. (4,1,129 f.) durch den späteren
→ Augustus. Aus der vagen Angabe, daß er ›bald darauf‹
(4,1,131) die Männertoga angelegt habe (üblich zw.
dem 15. und 18. Lebensjahr) ergibt sich das ungefähre
Geburtsdatum. Der Heranwachsende erhielt in Rom
die standesübliche rhet. Ausbildung, seine Neigung zur
Dichtkunst hielt ihn jedoch von einer Anwalts- und
Politikerkarriere ab (4,1,133 f.).

Im Zentrum der Dichtung des P. stehen die Begeg-
nungen mit Cynthia (wirklicher Name nach Apul. apol.
10: Hostia). Die Liebe zu ihr ist Hauptthema einer ersten
Slg. von → Elegien, die P. unter dem Titel *Monobiblos*
herausbrachte (erschienen vor 28 v. Chr., da die Weihung des Palatinischen Apollotempels erst in 2,31 gewürdigt wird). Ihr Erfolg verschaffte P. den Zugang
zum Kreis um → Maecenas [2], an den das Einleitungs-
gedicht des 2. B. gerichtet ist (erschienen nach 26, da in
2,34,91 auf den Selbstmord des → Cornelius [II 18] Gallus angespielt wird). B. 3 (erschienen nach 23, da in 3,18
der Tod von Augustus' Neffen → Claudius [II 42] Marcellus beklagt wird) schließt mit einer Gedichtgruppe
(3,22–24), in der motivische Rückbezüge zu 1,1 auf-
fallen – Indiz dafür, daß P. die zunächst separat veröffentlichten B. 1–3 nachträglich noch einmal überarbeitet und zu einer Gesamtausgabe zusammengefaßt hat.
Im 4. B. (erschienen nach 16, da in 4,11,65 das in dieses
Jahr fallende Konsulat des P. Cornelius Scipio erwähnt
wird) wendet sich P. der Darstellung von Ursprungssa-
gen röm. Feste und Örtlichkeiten zu. Über sein weiteres
Leben ist nichts bekannt. Die Erwähnung eines Nachkommen beim jüngeren Plinius [2] (epist. 6,15; 9,22)
deutet darauf hin, daß er geheiratet und Kinder gehabt
hat. Da Ovid ihn in seiner *Ars amatoria* in den – nach ant.
Konvention wohl nur Verstorbene aufführenden – Katalog der Dichter aufnimmt, die ein gebildetes Mädchen
gelesen haben sollte (Ov. ars 3,333), war er 1 n. Chr.
wohl bereits verstorben.

II. GEDANKENGANG DER GEDICHTE

Das erotische Abhängigkeitsverhältnis (*servitium amoris*) zu Cynthia sucht P. zunächst dadurch zu rechtfertigen, daß es nach → Catullus' [1] Vorbild zu einem
lebenslang gültigen Treuebund idealisiert. Da Cynthia
jedoch weder fähig noch gewillt ist, diesem Ideal zu
entsprechen, löst er sich allmählich wieder von ihr, und
seine Vorstellung idealer Liebe verwandelt sich zurück
in die konventionelle der treuen ehelichen Liebe (3,12;
3,22,39–42; 4,3; bes. 4,11). Seine Liebe hält ihn auch
von allem polit. Engagement ab. Doch dann drängt ihn
Maecenas, röm. Themen (Gesch., Taten des Octavian-
→ Augustus) dichterisch zu gestalten. P. lehnt das zunächst unter Verweis auf seine dafür nicht ausreichende
Begabung ab (2,1; 3,1; 3,3), feiert dann aber immerhin
Vorhaben des Augustus (den geplanten Partherfeldzug),
ohne den Bereich der Liebesdichtung zu verlassen (2,10;
3,4). Doch nehmen seine Vorbehalte gegen das neue
Regime allmählich ab, was sich am deutlichsten an den
sukzessiven Behandlungen des Actium-Themas zeigt
(2,15,41–44; 2,16,37–42; 3,11,69–72; 4,6). Die aitiologischen Gedichte des 4. B. dokumentieren dann patrio-
tisches Engagement.

Sein Dichten stellt P. zunächst als bloße Begleiter-
scheinung seiner Liebe hin: Es dient der Liebeswerbung,
ist entlastender Ausdruck für seinen Liebesschmerz und
soll als Liebeslehre auch anderen die Möglichkeit geben,
aus seinen Liebeserfahrungen zu lernen (1,7; 1,9). Doch
zugleich reiht er sich in die Reihe der großen röm.
Liebesdichter ein (2,34,85–94). Diesem gewachsenen
Selbstbewußtsein gibt er im hesiodeischen Bild der Musenweihe feierlichen Ausdruck (3,1; 3,3; vgl. 2,1).

III. LITERARISCHE FORM
A. VORBILDER B. GRUPPIERUNG, ABGRENZUNG
UND BINNENGLIEDERUNG DER GEDICHTE
C. SPRACHSTIL

A. VORBILDER

Wichtigstes Vorbild war sicherlich, wenn auch nicht
mehr nachweisbar, → Cornelius [II 18] Gallus, der –
nach ersten Ansätzen bei → Catullus [1] – mit seinen
Amores jene poetische Gattungsform begründet hatte,
die man h. als »subjektive Liebeselegie« bezeichnet
(→ Elegie II.). Neben Catull und Gallus (in 2,34,87 bzw.
91 genannt) ist gelegentlich auch das griech. erotische
→ Epigramm Vorbild, während → Kallimachos [3] und
→ Philitas [1], auf die P. sich vom 2. B. an wiederholt
beruft, wohl nur ganz allgemein für die Ablehnung des
Epos und des hohen Stils stehen. Im 4. B. repräsentiert
Kallimachos die Trad. aitiologischer Elegiendichtung.

B. GRUPPIERUNG, ABGRENZUNG UND
BINNENGLIEDERUNG DER GEDICHTE

Innerhalb der B. fallen immer wieder kleinere Gruppen von thematisch aufeinander bezogenen Elegien auf.
Hier stellt sich öfters die Frage, ob die betreffenden Gedichte nicht eher als ein einziges, wenn auch scharf ge-
gliedertes Gedicht zu betrachten seien, bei auffallend

deutlich untergliederten Gedichten umgekehrt, ob sie nicht eher als Folge zweier oder mehrerer verschiedener, eng aufeinander bezogener Gedichte aufgefaßt werden sollten. Die hsl. Überl. läßt das in der Regel im Unklaren.

C. SPRACHSTIL

Was die Sprachmittel betrifft, so greift P. – im Gegensatz etwa zu → Tibullus' streng auswählendem Verfahren – mit größter Unbefangenheit auf alles zurück, was ihm die lit. Trad. und der zeitgenössische Sprachgebrauch bieten (Gräzismen, Prägungen Catulls und Vergils, Umgangssprachliches oder Fachsprachliches); er wagt außerdem immer wieder kühnste Neuerungen im Bereich von Wortgebrauch und Syntax. Das Ergebnis sind Sprachgebilde eines stark changierenden Stils. Funktional betrachtet sind für den Stil des P. charakteristisch (nach [2]): bei der Darstellung eine starke Tendenz zur Verdichtung, bes. mit Hilfe des Stilmittels der Anspielung, wobei u. a. die Myth. eine wichtige Rolle spielt, auch eine Tendenz zu Konkretheit und Anschaulichkeit; in der Expressivität ein deutliches Bemühen, dem Leser die Gefühlslage, in der sich der Sprecher gerade befindet, zu suggerieren und gelegentlich sogar eine Gefühlsentwicklung vorzuführen; und schließlich auch eine starke appellative Tendenz (intensive Hinwendung zum fiktiven Adressaten in Anrede, Frage, Bitte, Forderung u. ä.m.). Man hat in diesem Zusammenhang vom »dialogischen Charakter« der Properzischen Elegie gesprochen [4].

IV. NACHLEBEN

P. wurde schnell in die Reihe der großen röm. Liebesdichter eingeordnet. Bereits → Ovidius spielt in seinen *Amores* immer wieder auf ihn an. Pompejanische Graffiti bezeugen die allg. Bekanntheit seines Werkes, die Übernahme von sprachlichen Wendungen und Junkturen durch spätere Dichter die Wertschätzung, die er in lit. Kreisen bis in die Spätant. hinein genoß. Die Textüberl. beruht jedoch, wie es scheint, auf nur zwei Hss., die beide erh. sind (N: Neapolitanus = Guelferbytanus Gudianus 224; A: Leidensis Vossianus 38).

Eine lit. Nachwirkung beginnt erst wieder mit der neulat. Humanistenpoesie des 15. Jh. Für die Folgezeit sind hier zu nennen: in der Renaissance RONSARD, der in seinen *Amours* (1552) und *Amours diverses* (1578) immer wieder properzische Motive verarbeitet; in der Zeit der Frz. Revolution André CHÉNIER (1762–1794), dann GOETHE, der sich in seinen ›Röm. Elegien‹ (1788–90) v. a. P. zum Vorbild nahm, und schließlich Ezra POUND, dessen Übertragungen einiger properzischer Elegien eine erregte Debatte über die Freiheiten dichterischen Übersetzens auslösten (*Homage to Sextus Propertius*, 1919; am ausführlichsten zur Wirkungsgesch.: [3]).

Die philol. Beschäftigung mit P. setzt mit RONSARDS Freund MURETUS (1526–1585) sowie Julius Caesar SCALIGER (1484–1558) ein und war zunächst fast ausschließlich von der Bemühung um den schlecht überl. Text, die schwer verständliche Sprache und die seltsam unlogisch erscheinende Komposition vieler Elegien bestimmt. Das hat dazu geführt, daß die Athetesen-, Konjektur- und Umstellungswut des 19. Jh. P. bes. schlimm mitgespielt hat (extremes Beispiel: LACHMANNS P.-Ausgabe von 1816). Zwar sind die betreffenden Fragen auch h. noch längst nicht abschließend geklärt, jedoch sind ins Zentrum der wiss. Beschäftigung mit P. inzwischen mehr und mehr die literaturwiss., psychologischen und histor.-soziologischen Fragen getreten, welche das Werk uns aufgibt

→ Augustus; Cornelius [II 18] Gallus; Elegie II.; Kallimachos [3]; Maecenas [2]; Ovidius; Philitas [1]; Tibullus; ELEGIE

1 A. DIETERICH, Die Widmungselegie des letzten B. des P., in: RhM 55, 1900, 191–221 **2** K. BÜHLER, Sprachtheorie, 1934 (Ndr. 1982), 24–33 **3** A. LA PENNA, L'integrazione difficile. Un profilo di Properzio, 1977, 250–299 **4** H. TRÄNKLE, Die Sprachkunst des Properz und die Trad. der lat. Dichtersprache, 1960.

ED.: P. FEDELI, 1984.
KOMM.: M. ROTHSTEIN, 2 Bde., 1920, 1924 · H. E. BUTLER, E. A. BARBER, 1933 · W. A. CAMPS, 4 Bde., 1961–1967 · P. J. ENK, 4 Bde., 1946, 1962 · E. PASOLI, 1966 · P. FEDELI (Ed. mit Komm.), B. 1: 1980, B. 3: 1985, B. 4: 1965.
FORSCH.-BER.: W. R. NETHERCUT, Recent Scholarship on P., in: ANRW II 30.3, 1983, 1813–1857.
GESAMTDARSTELLUNGEN: J. P. BOUCHER, Études sur Properce, 1965, ²1980 (grundlegend) · M. HUBBARD, P., 1974 · G. LUCK, The Latin Love Elegy, 1969, 111–140 · W. STROH, Die röm. Liebeselegie als werbende Dichtung, 1971, 9–109 · R. O. A. M. LYNE, The Latin Love Poets, 1980, 82–148 · N. HOLZBERG, Die röm. Liebeselegie, 1990, 27–60 (²2001).
EINZELASPEKTE: E. BURCK, Zur Komposition des vierten B. des P., in: WS 79, 1966, 405–427 · J. L. BUTRICA, The Manuscript Trad. of P. (= Phoenix Suppl. 17), 1984 · G. CATANZARO, Amore e matrimonio nelle elegie di Properzio, in: F. SANTUCCI (Hrsg.), Assisi per il bimillenario della morte di Properzio, Atti della Accademia Properziana del Subasio Ser. 6; 12, 1986, 161–187 · G. D'ANNA, L'evoluzione della poetica properziana, ebd., 53–74 · J. T. DAVIS, Dramatic Pairings in the Elegies of P. and Ovid, 1977 · P. FEDELI, 'P. monobiblos': Struttura e motivi, in: ANRW II 30.3, 1983, 1858–1922 · E. FOULON, La mort et l'au-delà chez Properce, in: REL 74, 1996, 138–150 · W. HERING, Die Monobiblos als Gedichtbuch, in: Acta Classica 9, 1973, 69–75 · K. JÄGER, Zweigliedrige Gedichte und Gedichtpaare bei Properz und in Ovids Amores, Diss. Tübingen, 1967 · H. JUHNKE, Zum Aufbau des 2. und 3. B. des P., in: Hermes 99, 1971, 91–125 · E. LEFÈVRE, P. Ludibundus. Elemente des Humors in seinen Elegien, 1966 · K. MORGAN, Ovid's Art of Imitation. P. in the Amores (= Mnemosyne Suppl. 47), 1977 · K. NEUMEISTER, Die Überwindung der elegischen Liebe bei Properz (B. I–III), 1983 · G. PETERSMANN, Themenführung und Motiventfaltung in der Monobiblos des Properz, 1980 · E. REITZENSTEIN, Wirklichkeitsbild und Gefühlsentwicklung bei Properz, 1936 · J. P. SULLIVAN, Ezra Pound and S. P., 1964 · H.-P. STAHL, P.: 'Love' and 'War'. Individual and State under Augustus, 1985 · H. TRÄNKLE (s. [4]).   CH. N. u. K. NE.

[2] C. P. Postumus. Senator wohl der augusteischen Zeit; seine Laufbahn enthält viele Merkmale, die auf die Frühphase der augusteischen Ordnung hinweisen, als es gelegentlich schwierig war, die niederen senatorischen Ämter zu besetzen: *IIIvir capitalis* und im folgenden J. *pro triumviro*; *quaestor*; *praetor*; als *praetor designatus* wurde er durch Senatsbeschluß in das *collegium* der *curatores viarum* entsandt (vgl. [1. 281–293]). Als Praetor übernahm er die Rechtsprechung der Aedilen. Schließlich war er Proconsul in einer unbekannten Provinz. PIR² P 1010.

1 W. Eck, Die Verwaltung des röm. Reiches, Bd. 1, 1995.
                                                             W. E.

Prophet I. Einleitung
II. Mesopotamien, Syrien-Palästina, Altes Testament III. Ägypten
IV. Griechenland und Rom
V. Christentum VI. Islam

I. Einleitung

Der Begriff P. hat als Fremdwort über die griech. Bibelübersetzung Eingang in zahlreiche Sprachen gefunden. Die Septuaginta übersetzt mit *prophḗtēs* in der Regel das hebr. Subst. *nābī'*, das etym. mit akkadisch *nabû(m)* = »Berufener« zusammenhängt. Seither hat sich ein sehr viel weiterer Gebrauch durchgesetzt. Zur Präzisierung bietet es sich an, Ciceros Unterscheidung zw. induktiver und intuitiver Mantik aufzunehmen (*genus artificiosum*, *genus naturale*: Cic. div. 1,11,34; 2,26f.) und nur die Vertreter der letzteren als P. zu bezeichnen: P. sind dann – unabhängig von ihren Selbstbezeichnungen – Menschen, die durch Audition, Vision, Traum o.ä. Offenbarungen einer Gottheit empfangen und von ihr beauftragt werden, diese Kunde anderen mitzuteilen [9].

II. Mesopotamien, Syrien-Palästina, Altes Testament

Für diese Verwendung sind seit dem 2. Jt. v. Chr. zahlreiche Beispiele (hauptsächlich Orakel und Verweise auf solche oder auf P. in Briefen, Inschr., Verwaltungstexten usw.) überl. Die wichtigsten stammen aus dem altbabylonischen → Mari (18. Jh. v. Chr. [10. Bd. 2. 84–93]) und dem neuassyrischen Ninive (7. Jh. v. Chr.; → Ninos [2] [5; 6; 10. Bd. 2. 56–65, 79–82]), v. a. aber aus → Juda und Israel; hinzu kommen die Inschr. des Zakkur von Ḥamat (um 800 v. Chr., [4. Nr. 202; 10. Bd. 1. 626–628]), diejenigen aus Deir ʿAllā (um 700 v. Chr. [2; 10. Bd. 2. 138–148]) u. a.

Während die außerbiblischen Texte jeweils Momentaufnahmen gestatten, bietet das AT ein wesentlich komplexeres Bild, das überdies tiefgreifende gesch. Wandlungen erkennen läßt. Einzelgestalten – wie der »Seher« und »Gottesmann« Samuel (1 Sam 9), wie Ahia (1 Kg 11; 14) oder → Elias [1] (1 Kg 17–19; 21; 2 Kg 1) – stehen neben Gruppen wie den »Propheten-Schülern« um Elisa (2 Kg 4,38ff.; vgl. 9,1–10); P. im Dienste des Königshofes (2 Sam 7; 12; 1 Kg 18,19; 18,40; 22) oder des Tempels (Jer 26,7f.; 29,8f.) neben zeitweise von Gott ergriffenen Laien (z. B. Am 7,10–17); Männer ne-

ben Frauen wie Hulda (2 Kg 22,14–20) oder Noadja (Neh 6,14). Einen ersten Einschnitt markieren die P. des 8. Jh. v. Chr., insofern Amos und Hosea im Nordreich sowie Micha und → Jesaja in Juda (unwiderrufliches) Unheil nicht mehr nur gegen Einzelpersonen, sondern gegen König(tum), Tempel und Volk künden. Vom Untergang → Samarias (720 v. Chr.) und → Jerusalems (586 v. Chr.) bestätigt, begann man ihre Worte zu sammeln und im Lichte der jeweiligen Gegenwart zu P.-Büchern unter ihrem Namen fortzuschreiben. Nach dem Untergang Judas wandelte sich die Botschaft der P. in der ausgehenden Exils- (s. Jes 40–55; Ez 36f. u.a.) und beginnenden Perserzeit (s. Hag; Sach 1–8) in die Ankündigung von Heil. Deren bescheidene Verwirklichung setzte umso größere Hoffnungen für das Ende der Zeiten nach dem erwarteten Weltgericht frei. Während dieser Strom der Prophetie in die Apokalyptik (→ Apokalypsen) mündete (vgl. Joel 2–4; Jes 24–27; Sach 9–14), verkümmerte das prophetische Charisma zusehends (Ps 74,9; 1 Makk 4,46; 9,27). P. erscheinen nun nur noch als Lehrer der Tora (→ Pentateuch), als »P. wie → Mose« (Dt 18,9–22), der unerreichbares Vorbild alles Prophetischen geworden ist (Dt 34,10).

Für zahlreiche Einzelzüge at. Prophetie findet sich Vergleichsmaterial in den außerbiblischen Quellen, z. B. für die Einführung der Gottesworte mit der Botenformel und damit für ein Selbstverständnis der P. als Gottesboten, für die strukturelle Zweiteiligkeit von Prophetenworten, für prophet. Erhörungsorakel und Beistandszusagen an den König, für Unheilsansagen gegen Feindvölker, für den Offenbarungsempfang durch Träume, Visionen, Ekstase usw. Von den anderen altorientalischen Kulturen unterscheidet sich die Prophetie in Israel v. a. (1) in der Radikalität der Unheilsankündigungen gegen das eigene Volk, (2) in der ausdrücklichen Begründung des Unheils mit prophet. Kritik vornehmlich an sozialen und rel. Zuständen und (3) in der Trad.-Bildung durch bewußte Slg. von P.-Worten, durch aktualisierende Fortschreibungen und durch »prophetische P.-Auslegung« [8].

1 E. Ben Zvi, M. H. Floyd (Hrsg.), Writings and Speech in Israelite and Ancient Near Eastern Prophecy, 2000 2 J. Hoftijzer, G. van der Kooij, Aramaic Texts from Deir Alla, 1976 3 J. Jeremias, Das Proprium der at. Prophetie, in: Ders., Hosea und Amos (Forsch. zum AT 13), 1996, 20–33 4 KAI 5 K. Koch, Die Profeten, Bd. 1 (Assyrische Zeit), Bd. 2 (Babylonisch-persische Zeit), 1995, 1980 6 M. Nissinen, References to Prophecy in Neo-Assyrian Sources, 1998 7 S. Parpola, Assyrian Prophecies, 1997 8 A. Schmitt, Prophetischer Gottesbescheid in Mari und Israel, 1982 9 O. H. Steck, Die P.-Bücher und ihr theologisches Zeugnis, 1996 10 TUAT 11 M. Weippert, Aspekte israelitischer Prophetie im Lichte verwandter Erscheinungen des Alten Orients, in: G. Mauer (Hrsg.), FS K. Deller, 1988, 287–319.   M. K.

III. Ägypten

In der äg. Kultur wird die Bezeichnung »P.« (*ḥm-nṯr*) für einen hohen → Priester gebraucht. Hier sollen demgegenüber Phänomene behandelt werden, die konkret mit Zukunftsvorhersagen zu tun haben. Nachdem Versuche, bestimmte äg. Literaturwerke in engem Bezug zur at. Prophetie zu deuten [4], als gescheitert gelten müssen [2. 15], ist eine klarere Begriffsbestimmung nötig. Bezeugt ist die polit. Prophezeiung im Interesse eines Herrschers, der als Erretter stilisiert wird (Prophezeiung des Neferti, [3]). In ihr scheint ein sich versenkendes Nachdenken über den Zustand des Landes ausreichender Auslöser für die Vision zu sein. In späterer Zeit (1. Jt. v. Chr.) finden sich auch etliche weniger konkrete, eher eschatologische Werke. Die ›Prophezeiung des Lamms des Bokchoris‹ [5. 91 f.] (Stoßrichtung gegen die Assyrer) läßt ein Lamm zu Wort kommen, die Art der Inspiration ist im fr. Textanfang nicht erh. Das nur in griech. Übers. erh. ›Töpferorakel‹ (gegen die Griechen und Alexandreia gerichtet) zeigt einen Töpfer, dessen Werkstatt zerstört wurde, als durch Hermes inspirierten P. Sowohl Lamm als auch Töpfer sterben am Ende ihrer Rede. Für die Siedlung Dair al-Madīna ist im NR die Existenz einer »weisen Frau« als Zukunftsdeuterin gesichert [5. 85], über ihre Techniken und Inspirationsquellen ist nichts bekannt.

→ Divination; Orakel

1 I. Shirun-Grumach, Offenbarung, Orakel und Königsnovelle, 1993 2 E. Blumenthal, Die Prophezeiung des Neferti, in: ZÄS 109, 1982, 1–27 3 W. Helck, Die Prophezeiung des Nfr.tj, 1970 4 G. Lanczkowski, Altäg. Prophetismus, 1960 5 A. von Lieven, Divination in Äg., in: Altoriental. Forsch. 26, 1999, 77–126.   JO. QU.

IV. Griechenland und Rom

Griech. προφήτης/prophḗtēs (= p.), wörtlich »Sprecher(in) (einer Gottheit)«. Er bzw. sie (Plat. Phaidr. 244a bezeichnet die → Pythia [1] in → Delphoi als προφῆτις/prophḗtis; ebenso im spätant. → Didyma: Iambl. de myst. 3,11; SEG 30,1286; vgl. [2. 814–816]) deutet oder verkündet den Willen der Götter. Grundsätzlich fungiert ein p. nur als »Verwalter« eines → Orakels (Hdt. 8,36 f.; 9,93), während → mántis für den normalen Seher steht (zur Unterscheidung vgl. Plat. Charm. 173c). Die Tätigkeit des p. scheint sich mit der des prómantis zu überschneiden; zumindest wurden auf die Pythia sowohl die Bezeichnung prophḗtis als auch prómantis angewandt (Hdt. 6,66; 7,41; ebenso 2,55 zu den Priesterinnen in Dodona). In Delphoi waren in der Blütezeit des Orakels zwei Prophetinnen tätig, im 2. Jh. n. Chr. hingegen nur noch eine (Plut. mor. 414b). In → Dodona gab es schon in homer. Zeit (Hom. Il. 16,234 f.) die in ihren Aufgaben verwandten → Sélloi. Sie hatten offensichtlich die »redende« Eiche des Zeus, die in früheren Erzählungen noch für sich selbst sprechen kann (Aischyl. fr. 20 Radt; Apoll. Rhod. 1,527), zu deuten. In späterer Zeit waren hingegen drei betagte prophḗtai tätig (Hdt. 2,55; Strab. 7,7,12). P. gab es bei allen berühmten → Orakeln (mit Karte) der griech. Welt (Übersicht: [1; 2]), so auch am Ptoion (IG VII 4135; 4147; 4155), in Klaros (OGIS 530; SEG 26,1288; 33,964) und Didyma (IDidyma 202–306;

SEG 27,731; 37,962; 964–971; 973–975; 977). Auch Dichter bezeichneten metaphorisch ihre Tätigkeit mit diesem Begriff (zuerst bei Pind. fr. 150; Pind. Paian 6,6); vgl. lat. → vates.

Nach der maked. Eroberung Äg. bürgerte sich im 3. Jh. v. Chr. aus noch ungeklärten Gründen der Gebrauch des Begriffes p. als Übers. für lokale Priesterschaften ein (SEG 27, 1031; 42, 1555); in dieser Zeit findet sich auch ein p. des Orakels des Zeus-Ammon in Libyen ([Plat.] Alk. 2,149b–150a; SEG 33,1056). Vielleicht unter dem äg. Einfluß übersetzte die Septuaginta hebr. nābī' in der Regel mit p. (s.o. I.). Dieser Wortgebrauch wurde von den Autoren des NT übernommen für Menschen, die von Gott eingegebene Botschaften verkünden. Anders als in klass. Zeit weiß der nt. P. auch um die Vergangenheit (Jo 4,19) oder sieht in das Innere der Menschen (Lk 7,39; s.u. V.).

Im Gegensatz zu der griech. und zu anderen ant. Rel. ist P. in Rom kein objektsprachlicher Begriff, der auf Kultfunktionäre der röm. Rel. als Titel angewendet worden wäre. »Seherische« bzw. »prophetische« Fähigkeiten wurden allerdings immer wieder in der röm. Rel.-Gesch. einzelnen, unabhängig von der öffentlichen Rel. auftretenden Personen zugesprochen; diese wurden als → vates (s. dort weitere Einzelheiten) bezeichnet. Am nächsten kamen diesem alternativen rel. Spezialisten im Bereich der von der Elite organisierten öffentlichen Rel. die → quindecimviri sacris faciundis als die Bewahrer der → Sibyllini Libri, ohne daß die Qualität des »Prophetischen« in seiner jüdisch-christl. geprägten Bed. den Charakter dieser Priesterschaft hinreichend trifft.

→ Divination

1 E. Fascher, Προφήτης, 1927 2 M. C. van de Kolff, s. v. Prophetes/Prophetis, RE 23.1, 797–816.

H. Krämer u. a., s. v. Prophetes, ThWB 6, 781–863 (vgl. ThWB 10.2, 1250–1254).   J.B./Ü: S.KR.

V. Christentum

Das Christentum entstand in einem jüd. Umfeld, in dem mit P. und prophetischer Begabung gerechnet wurde (Phil. quis rerum divinarum heres sit 259; Ios. bell. Iud. 3,400–402; 1 Q pHab 2,2 f.). Iohannes der Täufer wurde als P. betrachtet, der in at. Trad. stand (Mt 3,1–12 und Par.; Ios. ant. Iud. 18,116–119). Alle → Evangelien sprechen nicht nur davon, daß → Jesus von manchen Zeitgenossen als P. angesehen wurde (Mk 8,28 und Par.), sondern auch, daß er dazu durch Wort und Tat Anlaß bot (Mk 6,4 und Par.). Bis h. ist seine Deutung als P. einer der Hauptzugänge zur Erforschung des histor. Jesus [2].

Prophetische Rede entspringt nach frühchristl. Verständnis nicht dem menschlichen Willen, sondern stammt von Gott und wird durch den Heiligen Geist veranlaßt (2 Petr 1,21). Für → Paulus [2] ist Prophetie eine der wichtigsten Gnadengaben (charísmata) des Geistes Gottes. Diesem kommt gerade in der gottesdienstlichen Versammlung der Gemeinde bes. Bed. zu (1 Kor

14,5). Auch → Frauen treten hier als Prophetinnen auf (1 Kor 11,5). In der Apostelgeschichte gehören P. zu den Leitern der Gemeinde (Apg 13,1–3; vgl. auch Agabos: Apg 11,27f. und die vier Töchter des Philippos: Apg 21,9). Die Offenbarung enthält die ausführlichsten Prophetien des NT (Apk 1,3). Bes. oft kommt der Begriff P. bei → Matthaios vor: Ein P. ist zwar bes. begabt, muß aber umso kritischer geprüft werden. Maßstab dafür, ob er ein richtiger oder falscher P. ist, sind letztlich nicht seine Prophetien, sondern die Früchte seines Lebenswandels (Mt 7,15–23). In der → *Didaché* findet sich dasselbe Kriterium; allerdings dürfen die Prophetien selbst überhaupt nicht mehr überprüft werden, um nicht die unvergebbare Sünde wider den Heiligen Geist zu begehen (Didache 11,7; 11,10).

Mit der zunehmenden Institutionalisierung der Kirche trat die Prophetie in den Hintergrund. Im → Montanismus waren P. und vor allem Prophetinnen hingegen von zentraler Bed. In der übrigen Christenheit führte dies zu großer Skepsis gegenüber der Prophetie (Tert. de ieiunio 1; Eus. HE 5,16,4; 5,19,2).

1 G. DAUTZENBERG, Urchristl. Prophetie, 1975
2 E. P. SANDERS, Sohn Gottes. Eine histor. Biographie Jesu, 1996 3 M. WÜNSCHE, Der Ausgang der urchristl. Prophetie in der frühkatholischen Kirche, 1997.   P. WI.

VI. ISLAM

Die Prophetologie im → Koran bildet das Kernstück von → Mohammeds (Muḥammad) Geschichtsbild und seines Selbstverständnisses im Verhältnis zu den anderen monotheistischen Religionsgemeinschaften, als deren Erbe er sich betrachtete. Die umfassendste Bezeichnung für den P. ist im Koran der von Allah (Gott) an verschiedene Völker (*qaum* bzw. *umma*) gesandte Bote (*rasūl*), der sich an diese in ihrer jeweiligen Sprache mit der identischen Botschaft der wahren, urspr. Rel. des einen Gottes wendet, die allerdings immer wieder verfälscht werde [1]. Zu den P. zählen neben vielen Gestalten aus der → Bibel (s.u.) auch die koranischen P. und Mahner Hūd, Šuʿaib und Ṣāliḥ, die an vorislamische autochthone Trad. anknüpften und deren Botschaft sich an altarabische Völker richtete [2]. Mohammed verstand sich zunächst als der speziell für die → Araber bestimmte Bote (wenn auch mit Erlösungsanspruch für alle Menschen: *ḏikr li'l-ʿālamīn*); in seinen Verkündigungen verwendete er deshalb ausdrücklich die Dichterkoine *ʿarabiyya* und bediente sich außerdem derselben Stilform (Reimprosa), wie sie von vorislamischen Sehern (*kuhhān*) verwendet wurde, grenzte sich aber explizit von ihnen ab (Koran, Sure 69,40–43).

Eingeschränkter im Gebrauch ist der Begriff *nabī*, (vgl. hebr. *nābīʾ*, aram. *nᵉbīʾ*), der im Koran nur auf Personen aus dem biblischen Trad.-Kreis angewandt wird und wohl erst aus medinensischer Zeit (nach 622 n. Chr.) stammt, als Mohammed über die Juden Medinas (→ Yaṯrib) nähere Kenntnisse über die anderen monotheistischen Rel. und deren Prophetologie bekam. Zu den P. werden neben den erwähnten arab. P. und

Mohammed selbst u. a. Nūḥ (Noah), Lūṭ (Lot), Ibrāhīm (Abraham), Ismāʿīl (Ismael), Mūsā (Mose), Hārūn (Aaron), Iliās (Elia), Yūnus (Jona) und ʿĪsa (Jesus) aus der biblischen Überl. gezählt, später kamen aus der nachkoranischen Trad. noch zahlreiche hinzu, um die sich viele Legenden rankten und die in der Gattung der sog. *qiṣaṣ al-anbiyāʾ* (»Geschichten über die Propheten«) [3] ihren Niederschlag fanden. Sie und der Koran spiegeln oftmals apokryphe und häretische jüd. und christl. Trad. wieder (Kindheitsgesch. Jesu, Apostelakten; → Neutestamentliche Apokryphen) und vermitteln uns somit ein Bild von dem Christentum und Judentum, wie Mohammed sie kennenlernte. Auffallend ist, daß bis auf Jona keine der Personen, die die → Bibel als P. bezeichnet, im Koran erscheint, hingegen Könige wie → Salomo und → David [1] dazu gerechnet werden. Bes. Bedeutung wird → Abraham [1] beigemessen, da er als erster Verkünder der wahren Rel. und als Gründer des Kaʿba-Kultes (→ Kaaba) gilt, ansonsten werden noch → Moses [1] und → Jesus hervorgehoben, da sie jeweils Empfänger von hl. Schriften (Tora bzw. Evangelium) waren; als letzter in der Reihe der P. und als »Siegel der Prophetie« (Beglaubiger bzw. Ende der P.) wird Mohammed angesehen.

Zum Charakter der Prophetie und ihrem Verhältnis zur Divination (*kihāna*) gab es schon bald umfangreiche Überlegungen, die sich in der lit. Gattung der »Zeichen der Prophetie« (*dalāʾil an-nubūwa*) niederschlugen; hierzu gehört u. a. eine Typologie des P., die sich an apokryphen Biographien Jesu und Mohammeds orientiert [4]. Mit dem Wesen prophetischer Offenbarung wiederum befaßten sich arab. Philosophen wie Ibn Sīnā (Avicenna) und Ibn Rušd (Averroes), aber auch der jüd. Maimonides; dank ihrer Übers. ins Lateinische übten ihre Vorstellungen im europ. MA großen Einfluß aus [5]. Die schiitische (→ Schiiten) und ismailitische (→ Ismael, Ismaeliten) Lehre kennt schließlich eine eigene Prophetologie, in der die → Imame eine den P. vergleichbare Funktion erfüllen.

→ Islam; Koran; Mohammed

1 A. J. WENSINCK, CH. PELLAT, s. v. Rasūl, EI²
2 R. B. SERJEANT, Hud and Other Pre-Islamic Prophets of Hadramawt, in: Le Muséon 6, 1954, 121–179
3 W. M. THACKSTON, The Tales of the Prophets of al-Kisāʾī, 1978 4 T. FAHD, s. v. Nubuwwa, EI² 5 B. DECKER, Die Entwicklung der Lehre der prophetischen Offenbarung von Wilhelm von Auxerre bis zu Thomas von Aquin, Diss. Breslau 1940.

T. FAHD, La divination arabe, 1966 (Ndr. 1987) · H. HALM, Die Schia, 1988 · J. HOROVITZ, Koranische Unt., 1926 · R. PARET, Mohammed und der Koran, ⁷1991 · T. RAHMAN, Prophecy in Islam, 1958 · H. SPEYER, Die biblischen Erzählungen im Koran, 1931 · J. WANSBROUGH, Quranic Studies, 1977.   I. T.-N.

Prophthasia (Προφθασία, Strab. 11,8,9; 15,2,8; Ptol. 6,19,4; 8,25,8 N.; Isidoros von Charax, Stathmoí Parthikoí 16 = GGM 1,253: Φρά in Ἀναύων χώρα, die sonst nicht bekannt ist; Plin. nat. 6,61: P.). Evtl. die von Alexandros [4] d.Gr. wohl 330 v. Chr. derart umbenannte Stadt Φράδα/ *Phráda* (Charax von Pergamon FGrH 103 F 20) in der Landschaft → Drangiana, allg. mit dem h. Farāh in Afghanistan identifiziert.

H. Treidler, s. v. P. (2), RE 23, 817–822 · J. Schmidt, s. v. Phrada, RE 20, 738 f.   B. B. u. E. O.

Propontis (Προποντίς). Das Meer zw. dem Pontos Euxeinos (Schwarzes Meer) im NO (→ Bosporos [1]) und dem Aigaion Pelagos (Ägäis) im SW (→ Hellespontos), zw. Thrakia im Norden und Mysia im Süden, größte L (von Kallipolis bis Nikomedeia) 252 km, größte Br 74 km, h. Marmara Denizi, das Marmarameer. Die P. ist durch einen frühquartären Grabenbruch entstanden. Den größten Teil der Meeresgrundfläche (ca. 11 500 km²) bildet die auf 200 m abgesenkte Landoberfläche, auf der die Inseln aufsitzen (vgl. die Liste der Inseln bei Plin. nat. 5,151; → Prokonnesos, Ophiusa, Halone, → Prote, Elaia, Chalkitis, Pityodes). Durchschnitten wird diese Platte in West-Ost-Richtung durch einen Grabenbruch bis in 1355 m Tiefe, der sich östl. in den Golf von Nikomedeia fortsetzt. Während die europ. Küste einige Strandseen aufweist und arm ist an Zuflüssen und Naturhäfen (vgl. → Byzantion, → Selymbria, → Perinthos, → Bisanthe), ist die asiat. Küste stark gegliedert und hat mehrere Zuflüsse (→ Aisepos, → Rhyndakos, → Granikos) sowie gute Naturhäfen (vgl. → Kalchedon, → Nikomedeia, → Kios, → Kyzikos). Die kühle Strömung aus dem Schwarzen Meer macht die heißen Sommer erträglich, im Winter ist die See stürmisch und kalt. Erstmals lit. erwähnt ist die P. bei Aischyl. Pers. 875–877 als Eingang zum Pontos Euxeinos (vgl. auch Steph. Byz. s. v. Π. und Apul. de mundo 6: *vestibulum*; ferner Hdt. 4,85,4; Pol. 4,39–42; Apoll. Rhod. 1,936 ff.; Strab. 2,5,22; 13,1,1–11; Plin. nat. 4,76; Dionysios [28] von Byzantion 3,6; 15,6; Amm. 22,8,5–7; Ptol. 5,2,1 f.). Bed. war die P. als Schiffahrtsstraße für die Griechen (→ Argonautai, mit Karte; → Kolonisation IV., mit Karte), die ihr Getreide von der Nordküste des Pontos Euxeinos bezogen; sie war aber auch selbst von wirtschaftlichem Interesse, da ihre Gewässer, speziell an den Meerengen, fischreich waren und die Küstengebiete reichlich Getreide und Holz lieferten. Durch die Verlegung der kaiserlichen Residenz vom Westen nach Byzantion (dann → Konstantinopolis) 328/330 n. Chr. gewann die P. bes. handelspolit. Bed.

W.-D. Hütteroth, Türkei, 1982, 64–70 · E. Olshausen, Einführung in die Historische Geogr. der Alten Welt, 1991, 171–176.   E. O. u. V. S.

Proportion I. Architektur II. Plastik III. Musik IV. Mathematik

I. Architektur

Mod. t. t. in der arch. Bauforsch., der im Rahmen einer Baubeschreibung das Verhältnis zweier Strecken zueinander oder das Seitenverhältnis einer rechteckigen Fläche im mathematisch-terminologischen Sinne eines Bruches bzw. einer Division (x:y) beschreibt. Grundlage der Ermittlung von P. an einem Bauwerk ist dessen detaillierte Vermessung, für die bes. die deutschsprachige arch. Bauforsch. seit dem späten 19. Jh. (u. a. W. Dörpfeld; K. Koldewey; O. Puchstein) zunehmend präzise und allgemeinverbindliche Erhebungs- und Beurteilungsverfahren entwickelt hat.

Inwieweit einzelne, von der mod. Forsch. beobachtete bzw. aus einem Bauwerk herausgemessene P. tatsächlich eine ant. Bed. hatten, also absichtsvoll angewandt worden sind, bleibt umstritten. Anders als Angaben für einzelne Maße finden sich in ant. Bauurkunden im allg. keine Hinweise auf einen gestalterischen Umgang mit P. Dennoch kann aufgrund regelhafter Anwendung als gesichert gelten, daß einzelne, formal grundlegende »Leit«-P., etwa im Bereich der Grundrisse und Frontaufrisse beim Tempelbau, bewußt verwendet wurden (→ Tempel); ein Beleg für eine solche ant. Relevanz von P. ist zudem der ihnen innewohnende »relative« Beschreibungsansatz, der – als Ausgangspunkt komparatistischer Formformulierungen wie »größer als x«, »breiter als y«, »höher als z« usw. – in der Debatte um öffentliche Großbauprojekte, z. B. im demokratischen Athen des 5. Jh. v. Chr., eine bedeutende Rolle gespielt haben wird (→ Bauwesen). In der Ant. bekannt, jedoch hinsichtlich der Anwendung in der Architektur in der Forsch. umstritten ist der »Goldene Schnitt« (*sectio aurea*), ein Verhältnis, bei dem die Teilung einer Strecke in zwei Abschnitte in der Weise erfolgt, daß sich die ganze Strecke zu ihrem größeren Abschnitt wie dieser zu ihrem kleineren Abschnitt verhält (AB : AE = AE : EB). Die dadurch gegebenen Maßverhältnisse sind seit der Renaissance in Kunst und Ästhetik von Bed., in der ant. Architektur jedoch – jenseits der generell problematischen Nachmessung – nicht explizit bezeugt.

Ein Problem liegt darin, daß sich im Sinne der oben skizzierten Methodik jedwede Strecke zu jeder anderen in ein Verhältnis setzen und diese P. als Parameter einer Baubeschreibung heranziehen läßt, jenseits der Frage der ant. Bauintention. Ein zweites, nicht minder gravierendes Problem ist ebenfalls methodischer Natur und durch die mod. Nachmessung bedingt, die wegen des Fehlens anderer Quellen die einzige sachliche Grundlage für die P.-Analyse eines Bauwerks bildet: Oft sind Einzelmaße aufgrund der Befundumstände – etwa wegen fehlender Kantengenauigkeit durch Verwitterung, aber auch aufgrund von Fugenklaffungen, Verschiebungen sowie nachant. Ergänzungen und Anastylosis-Maßnahmen – nur unzureichend genau feststellbar. Hinzu tritt das Phänomen, daß P., die mit großer Wahrscheinlichkeit einstmals planerische Bed. hatten (Tempel-→ Stylobat, Achsweiten der Tempelringhalle, Vermaßung wichtiger kleinerer Bauglieder wie etwa der → Metopen [1] und → Triglyphen; Säulenaufrisse), im mod. Maßbefund, selbst wenn er auf der Vermaßung ant., noch erkennbarer Meßpunkte basiert, mit bisweilen überraschender Ungenauigkeit anzutreffen sind –

ein Umstand, der bes. im Bereich der griech. Tempel-architektur zu Kontroversen um grundlegende Fragen der ant. Bauplanung und Baukonzeption geführt hat.

P.-Analysen von typologisch in sich relativ starren Baumustern wie z. B. dem dorischen Ringhallentempel oder von im weitesten Sinne gestalterisch »normierten« baulichen Details bleiben gleichwohl ein geeignetes Mittel der Formanalyse und der relativen Datierung. Keinen Bezug zu der in den Quellen dokumentierten ant. Bau- und Lebensrealität haben verschiedene Versuche der irrationalen oder eskapistischen Erklärung von P., die seit den 1950er-Jahren verschiedentlich unternommen wurden; bes. die anthroposophisch, pythagoreisch oder anderweitig philosophisch verklärten und mythisierten Tempel von Paestum (→ Poseidonia), aber auch der → Parthenon auf der Athener Akropolis haben hierzu herausgefordert.

→ PROPORTIONSLEHRE

J. J. COULTON, Towards Understanding Doric Design: The Stylobate and Intercolumnations, in: Papers of the British School at Athens 69, 1974, 61–84 • Ders., Towards Understanding Doric Temple Design: General Considerations, in: Papers of the British School at Athens 70, 1975, 59–99 • CH. HÖCKER, Planung und Konzeption der klass. Ringhallentempel von Agrigent, 1993, 59–67, 203 mit Anm. 262 (Lit.) • Ders., H.-TH. CARSTENSEN, Rez. zu R. SCHNEIDER-BERRENBERG, Sie bauten ein Abbild der Seele, in: Hephaistos 10, 1991, 155–162 • W. KOENIGS, Maße und Proportionen in der griech. Baukunst, in: H. BECK et al. (Hrsg.), Polyklet. Der Bildhauer der griech. Klassik, Ausst.-Kat. Frankfurt a. M. 1990, 121–134 • D. MERTENS, Der Tempel von Segesta und die Tempelbaukunst des griech. Westens in klass. Zeit, 1984, 150–153 • W. MÜLLER-WIENER, Griech. Bauwesen der Ant., 1988, 217, s. v. P. • H. RIEMANN, Hauptphasen in der Plangestaltung des dorischen Peripteraltempels, in: G. E. MYLONAS (Hrsg.), Studies Presented to D. M. Robinson, Bd. 1, 1951, 295–308 • F. W. SCHLIKKER, Hell. Vorstellungen von der Schönheit des Bauwerks nach Vitruv, 1940, 34–40, 50–55.   C. HÖ.

II. PLASTIK

Zwei Voraussetzungen bestimmen den Umgang mit P. in der ant. Skulptur: (1) Das griech. und das röm. Längenmaßsystem war derart vom menschlichen Körper abgeleitet (→ Maße II.), daß die Einheiten »Fingerbreite«, »Handbreite«, »Spanne«, »Fuß«, »Elle« und »Klafter« seit dem 6. Jh. v. Chr. in einem einheitlich geregelten proportionalen Verhältnis zueinander standen. (2) Im Mittelpunkt des bildnerischen Interesses stand in allen Epochen der ant. Skulptur die Darstellung des Menschen. Damit waren die P. des menschlichen Körpers seit den Anfängen der großplastischen → Statue in der Mitte des 7. Jh. v. Chr. ein zentrales Problem des Bildhauers, zumal die aufrecht stehende männliche und weibliche Statue (Kuros, Kore) das wichtigste Thema der archa. Skulptur war. Die ältesten Werke orientierten sich eng an äg. Maß- und P.-Systemen (sog. »1. und 2. Kanon der äg. Plastik«) [4], was in der Folge rasch modifiziert wurde; doch die äg. Relationen der Maße wurden beibehalten.

Diese Voraussetzungen müssen früh zu einer praktischen und theoretischen Auseinandersetzung mit Regeln der Entwurfs- und Ausführungsprinzipien geführt haben. Doch Schriftquellen sind nicht überl., und die P.-Analyse der erh. archa. Bildwerke liefert nur allg. Ergebnisse, z. B. daß das Ausgangsmaß der Statue 6; 6,5; 7 oder 7,5 Kopfhöhen betragen konnte. Doch die Feinanalyse bleibt in der Forsch. umstritten. Sie wird häufig durch den Erhaltungszustand der Werke erschwert und dadurch, daß die tatsächlichen Maße nicht notwendig den Entwurfsgrößen entsprechen müssen.

Der Begriff der συμμετρία/symmetría (»gutes, richtiges Maßverhältnis«, so dann auch lat. symmetria; vgl. → Kunsttheorie), der in der Forsch. zutreffend mit P. gleichgesetzt wird, ist anscheinend eine Neubildung des 5. Jh. v. Chr. Den Höhepunkt intensiver Beschäftigung mit dem richtigen und vollkommenen Entwurf der → Statue sah die ant. Kunstkritik und entsprechend die mod. Forsch. beim Bildhauer → Polykleitos [1], der auch eine – einst erh. – Schrift mit dem Titel Kanṓn (wörtlich: »Richtscheit« oder »Maßstab«; übertragen: »Richtschnur«, »Leitlinie«) verfaßte. Sie muß sich u. a. mit den angemessenen P., die auf Zahlenverhältnissen aufbauen, befaßt haben.

Das einzige erh. Zeugnis, das sich ausdrücklich mit der Proportionierung des Menschen befaßt, findet sich bei Vitruv (3,1,2–8). Seine Angaben sind so ausführlich, daß sich die Figur rekonstruieren läßt [3. 36–39]. Als Quelle nennt Vitruv die antiqui pictores et stauarii, die »alten Maler und Bildhauer«, die sich aber nicht konkret wiedererkennen lassen. Immerhin wird deutlich, was ohnehin zu erwarten gewesen wäre: Die → Malerei und die übrigen Kunstgattungen arbeiteten mit den gleichen Fragen nach den richtigen P. Die große Mehrheit kaiserzeitlicher Kopien der verlorenen griech. plastischen Originale ist für die Rekonstruktion von P. unergiebig, da sie ohne den Anspruch maßstäblich exakter Wiedergabe des Vorbilds in rascher Serienproduktion entstanden (→ Kopienwesen). Das Thema der richtigen P. der menschlichen Figur bleibt in der nachant. Kunst bis in die Neuzeit hinein ein zentrales Anliegen [3].

→ PROPORTIONSLEHRE

1 H. BECK et al. (Hrsg.), Polyklet. Der Bildhauer der griech. Klassik. Ausst.-Kat. Frankfurt a. M. 1990 (darin bes.: H. PHILIPP, Zu Polyklets Schrift ›Kanon‹, 135–155; E. BERGER, Zum Kanon Polyklets, 156–184) 2 E. BERGER, Körpergliederung und Funktion des Oxforder Jünglings, in: H. BECK, P. C. BOL (Hrsg.), Polykletforsch., 1993, 9–39 3 E. BERGER et al., Der Entwurf des Künstlers, 1992 4 H. KYRIELEIS, Der große Kuros von Samos, 1996 5 M. SCHRAMM, W. KAMBARTEL, s. v. P., HWdPh 7, 1989, 1482–1508.   DI. WI.

III. MUSIK

Wird Musik als Gebiet verstanden, in dem nach der »Zusammensetzung« (harmonía, arabisch ta'līf) gefragt wird, scheint die Frage nach Verhältnissen im Sinne von P. bereits vorbereitet. Denn in der griech. → Mathematik umfaßt »Zahl« den Bereich der positiven ganzen Zahlen, während rationale und irrationale Zahlen als P.-Verhältnisse von Zahlen oder Größen gelten. Wichtiger Ausgangspunkt ist die aus der Folge 1, 2, 3, 4 bestehende »Vierheit« (*tetraktýs*), da sie als Summe von 1 + 2 + 3 + 4 die perfekte Zahl 10 bildet. Aus den vier Zahlen lassen sich durch entsprechende Saitenteilung mit der P.-Form $\frac{n}{n+1}$ die ersten drei Intervalle Oktave ($\frac{1}{2}$), Quinte ($\frac{2}{3}$) und Quarte ($\frac{3}{4}$) sowie (als Differenz zw. Quinte und Quarte) der Ganzton ($\frac{8}{9} = \frac{2}{3} : \frac{3}{4}$) ableiten.

Aufgrund der Relation von Teil und Ganzem ist zu fragen, in welcher Weise kleinere P. (Intervalle) in größeren enthalten sind. Als eine Annäherung wird in Betracht gezogen, daß 7 Oktaven und 12 Quinten wiederum beinahe den gleichen Ausgangston bilden:

$$\left(\tfrac{2}{3}\right)^{12} : \left(\tfrac{1}{2}\right)^{7} = \tfrac{524288}{531441}.$$

Geom. Größen lassen sich als Addition bzw. Subtraktion von Saiten verstehen, während die genauere Tonbestimmung nur möglich ist durch Zahlenverhältnisse mit den Operationen Multiplikation und Division. Diese P., das sog. »pythagoreische Komma«, entspricht etwa einem Achtelton, also einem Intervall, das deutlich kleiner ist als das kleinste noch verwendete. Dieses Komma gilt als interessant, weil es auch dann vorkommt, wenn der Überschuß von 6 Ganztönen über einer Oktave ($\frac{8}{9}$)^6 : ($\frac{1}{2}$) berechnet wird.

Solche an der *tetraktýs* orientierten Berechnungen, denen ganz unterschiedliche P.-Formen zu Grunde liegen, haben ihren Ausgangspunkt in der Annahme, der Bereich positiver Zahlen bilde die »ewigen« (intelligiblen) Konstituenten der Welt (→ Pythagoreische Schule). Es geht demnach nicht um das Wissen einzelner Fächer – Musik, Arithmetik, Geometrie –, die aufeinander bezogen arbeiten, sondern um Basiswissen, das die mit Zahlen und Größen hantierende Musik anschaulich repräsentiert.

Eine fachbezogene Terminologie entsteht, wenn das Resultat einer applizierten P. für den Fall der Musik den eigenen Begriff »Intervall« (*diástēma*) erhält [2. 37–62]. Allerdings kann das spezifische Fachvokabular fehlen, wenn das Gewicht nicht auf den Begriffen, sondern auf den Operationen liegt: Im Rahmen arab. autochthoner Musiklehre zeigt Ibn al-Munaǧǧim (gest. 912) die Operationen zur Erzeugung von Intervallen, ohne diesen Begriff (*diástēma*, arab. *buʿd*) zu gebrauchen [6. 43–111]. Andererseits kann al-Fārābī (gest. 950), der Sachverhalte arab. Musik aus griech. Perspektive anspricht, eine ganze P.-Lehre unterschiedlicher Zeitmaße für die Belange der → Rhythmik entwickeln [6. 201].

Ob Zahlen wie im Pythagoreismus (→ Pythagoras [2]) als intelligible Faktoren einer Weltstrukturierung aufgefaßt werden, ist nicht primär ein lösbares, sondern ein notwendigerweise zu tolerierendes Problem. Sonst kommt das Bündnis von Musik, Zahl und P. hinsichtlich → Ethos (vgl. [3]) oder von Architektur, P. und Musik ([8; 1]) ebensowenig in den Blick wie der Anteil von P. an *languages*, also an Verständigungsweisen aufgrund eines bestimmten Vokabulars sowie bestimmter Algorithmen und Regeln, zu denen J. E. MURDOCH [5] auch eine *language of p.* zählt.

→ Mathematik IV.A.; Musik IV. F.; Tontheorie

IV. MATHEMATIK
Zur P. in der ant. Mathematik vgl. → Eudoxos; → Eukleides [3]; → Mathematik IV.A.

1 G. BINDING, Die neue Kathedrale. Rationalität und Illusion, in: G. WIELAND (Hrsg.), Aufbruch – Wandel – Erneuerung. Beiträge zur »Renaissance« des 12. Jahrhunderts (9. Blaubeurer Symposium 1992), 1995, 211–235 2 O. BUSCH, Logos syntheseos. Die euklidische »Sectio canonis«, Aristoxenos und die Rolle der Mathematik in der ant. Musiktheorie, 1998 3 E. KAZEMI, Die bewegte Seele. Das spätant. Buch über das Wesen der Musik (Kitāb ʿunsur al-mūsīqī von Paulos/Būlos in arab. Übers. vor dem Hintergrund der griech. Ethoslehre (The Science of Music in Islam 5), 1999 4 B. MÜNXELHAUS, Pythagoras musicus. Zur Rezeption der pythagoreischen Musiktheorie als quadrivialer Wiss. im lat. MA, 1976 5 J. E. MURDOCH, From Social into Intellectual Factors: an Aspect of the University Character of Late Mediaeval Learning, in: Ders., E. D. SYLLA (Hrsg.), The Cultural Context of Mediaeval Learning (Proc. of the First International Colloquium on Philosophy, Science, and Theology in the Middle Ages 1973 = Boston Studies in the Philosophy of Science 26), 1975, 271–348 6 E. NEUBAUER, Arab. Musiktheorie von den Anfängen bis zum 6./12. Jh. Stud., Übers. und Texte in Faksimile (The Science of Music in Islam 3), 1998 7 M. SCHRAMM, s. v. P., HWdPh 7, 1989, 1482–1505 8 O. VON SIMSON, The Gothic Cathedral. Origins of Gothic Architecture and the Medieval Concept of Order, ²1962. MA. HA.

Propositio s. Partes orationis

Propraetor (urspr. *pro praetore*, »an Stelle eines → *praetor*«, z. B. ILLRP 342; *SC* bei Cic. fam. 8,8,8; griech. ἀντιστράτηγος/*antistrátēgos*) hieß in Rom ein Amtsträger, der Aufgaben und Kompetenzen eines → *praetor* hatte, ohne förmlich *praetor* zu sein. P. wurde man zunächst durch Verlängerung (→ *prorogatio*) eines praetorischen Kommandos (erstmals 241 v. Chr.: InscrIt XIII 1, p. 76f.; häufig seit dem 2. → Punischen Krieg) oder durch Betrauung eines amtlosen Bürgers (→ *privatus*) mit praetor. → *imperium* (Liv. 23,34,14f.; 29,13,6; mehr bei [1. 24–36]). Seit Cornelius [I 90] Sulla gingen alle *praetores* nach dem städt. Amtsjahr für ein Jahr als *p.* in eine Prov., wie es von Fall zu Fall schon vorher gehalten wurde (vgl. Cic. leg. 1,53; ILS 7272). Vereinzelt wurden *quaestores pro praetore* als Statthalter entsandt (z. B. Cn. Calpurnius [I 13] Piso nach Spanien: ILS 875; Sall. Catil. 19,1). Seit dem 2. Punischen Krieg hatte man gelegentlich den Feldherren *legati* (→ *legatus*) mit praetor. *imperium* beigegeben [2. 284f.], 67 v. Chr. erhielten die Legaten des Cn. Pompeius [I 3] im Seeräuberkrieg praetor. *imperia* (App. Mithr. 431f.; Syll.³ 750), ebenso 59 v. Chr. Caesars Legat T. Labienus [3] (Caes. Gall. 1,21,2) und später manche Unterfeldherren der Bürgerkriege (z. B.

ILS 5319; 8891; weiteres [3. 24 f.]). Dementsprechend wurden seit 27 v. Chr. die Statthalter der sog. kaiserlichen Provinzen *legati Augusti pro praetore* genannt (Cass. Dio 53,13,5; oft inschr.).

Starb ein Statthalter im Amt oder verließ er die Prov., so übernahm der zugeordnete → *quaestor* (z. B. IDélos 1603; Sall. Iug. 103,4) oder ein *legatus* (z. B. Sall. Iug. 36,4) stellvertretend als *p.* das Kommando. In der Kaiserzeit hatten die *quaestores* und Legaten der Statthalter der Senatsprovinzen (vgl. → *proconsul*) in der Regel praetor. *imperium* (*quaestor pro praetore*: z. B. ILS 911; 943; 981; *legatus pro praetore*: z. B. ILS 942; 1026; 1104; 4051). → Praetor; Proconsul

1 W. F. JASHEMSKI, Origins and History of the Proconsular and the Propraetorian Imperium to 27 B. C., 1950
2 W. KUNKEL, R. WITTMANN, Staatsordnung und Staatspraxis der röm. Republik, Bd. 2, 1995, 284–287
3 B. E. THOMASSON, Legatus, 1991.   W. K.

Propyläen s. Toranlagen

Proquaestor (urspr. *pro quaestore*, »an Stelle eines → *quaestor*«; griech. ἀντιταμίας/ *antitamías*) hieß der Promagistrat, der in der späten Republik in röm. Provinzen an Stelle des gewählten → *quaestor* Verwaltungsaufgaben übernahm:

1) Bei Tod oder vorzeitigem Ausscheiden des *quaestor* ernannte der Statthalter ein Mitglied seines Stabs (meist einen → *legatus*) zum *p.*, z. B. Cn. Cornelius [I 25] Dolabella 80 v. Chr. den C. Verres (Cic. Verr. 2,1,41; 2,1,90).

2) Aus Mangel an *quaestores* wurden diese nicht selten nach dem städt. Amtsjahr als *p.* in eine Provinz entsandt (z. B. P. Sestius 62 v. Chr. nach Macedonia: Cic. fam. 5,6) oder dort als *p.* in ihrer Position belassen (L. Antonius [I 4] 50 v. Chr. in Asia: Cic. fam. 2,18; P. Cornelius [I 55] Lentulus 43 v. Chr. in Asia: Cic. fam. 12,15), manchmal für mehrere Jahre (z. B. C. Cassius [I 10] Longinus 53–51 in Syria) und in der Funktion des Statthalters (*p. pro praetore*: abgekürzt Cic. fam. 12,15; RRC 517,4–6; griech.: ILS 8775; Ios. ant. Iud. 14,235). Der Titel *p.* findet sich vereinzelt noch im 1. Jh. n. Chr. (ILS 928; 1002); danach begegnet Wiederholung der Quaestur, aber ohne bes. Titel (ILS 8842; CIL X 4580). → Propraetor; Quaestor   W. K.

Prorogatio. Dem Mangel an Oberbeamten begegnete man in Rom seit dem 2. → Samnitenkrieg (327–304 v. Chr.), indem man das → *imperium* einzelner Consuln oder Praetoren für den Bereich außerhalb der Stadt (einzige Ausnahme: Frontin. aqu. 1,7) über die reguläre Amtszeit hinaus mit zeitl. oder sachl. Befristung durch *p.* förmlich verlängerte. Die *p.* wurde zunächst auf Anregung des Senats von der Volksversammlung (Liv. 8,23,12; 10,22,9 u. ö.), später im allg. routinemäßig allein vom Senat im Rahmen der Provinzverteilung beschlossen (z. B. Liv. 31,8,9 f.; 35,20,6; 35,20,11; generalisierend: Pol. 6,15,6). Der so bestellte Promagistrat führte

anfangs die urspr. Amtsbezeichnung weiter, hieß aber seit der 2. H. des 2. Jh. v. Chr. → *proconsul* bzw. → *propraetor* (ILS 5812 bzw. ILLRP 342,6). Er hatte in seinem Amtsbereich uneingeschränkte Amtsgewalt und dieselbe Zahl Lictoren (zwölf bzw. sechs) wie der ordentliche Magistrat, konnte auch triumphieren (für den Tag des → Triumphes erhielt er ein städt. *imperium*: Liv. 45,35,4). Auch die seit dem 2. → Punischen Krieg (218– 201 v. Chr.) verliehenen »außerordentlichen« *imperia* konnten prorogiert werden.

Von der *p.* machte man zunächst sparsam in mil. Notlagen (erstmals 326 v. Chr.: Liv. 8,23,11 f.; 8,26,7; für die Praetur zuerst 241: Val. Max. 2,8,2), dann vermehrt im 2. Punischen Krieg (auch mehrere Jahre nacheinander) Gebrauch. Im 2. Jh. v. Chr. wurde dann v. a. der Bedarf an Provinzstatthaltern durch *p.* gesichert. Nachdem schon zw. 120 und 90 v. Chr. öfter Praetoren nach ihrem städt. Amtsjahr für mindestens ein weiteres J. (meist *pro consule*) eine Prov. leiteten, bekleideten seit Cornelius [I 90] Sullas Neuordnung (81 v. Chr.) alle Oberbeamten nach dem städt. Amtsjahr ohne bes. Verlängerung eine Promagistratur, die aber nochmals vom Senat durch *p.* verlängert werden konnte (z. B. Cic. ad Q. fr. 1,1,1–4), manchmal über viele J. (z. B. für Q. Caecilius [I 31] Metellus Pius 79–71 v. Chr.; L. Licinius [I 26] Lucullus 72–67). Caesars Beschränkung der Promagistratur auf 1–2 J. (Cass. Dio 43,25,3: 46 v. Chr.) hatte im Bürgerkrieg keinen Bestand. Vereinzelt ist *p.* noch in der frühen Kaiserzeit bezeugt (z. B. Tac. ann. 1,80,1; 3,58,1; ILS 992). → Magistratus (C.4.); Proconsul; Propraetor; Provincia

MOMMSEN, Staatsrecht 1, 636–645 • H. KLOFT, s. v. P., RE Suppl. 15, 444–463 • W. KUNKEL, R. WITTMANN, Staatsordnung und Staatspraxis der röm. Republik, Bd. 2, 1995, 15–18.   W. K.

Prorrhesis (πρόρρησις, wörtlich »Verkündigung«). Die *p.* ist urspr. ein Kampfmittel des Bluträchers (→ Blutrache) gegen den der Bluttat Bezichtigten. Wird jemand von einem, der nach dem Gesetz Drakons zur Blutrache berechtigt ist (IG I³ 104,20–33; Demosth. or. 42,57), öffentlich als Mörder (→ Mord) angesprochen, hat er sich bis zum Blutprozeß (→ *phónos*) von der Agora und allen geheiligten Stätten fernzuhalten. Insgesamt gab es drei Gelegenheiten zur *p.*: am Grab des Ermordeten, auf der Agora und durch den → Basileus (C.) (Aristot. Ath. pol. 57,2). Nur die letzte hat die Konsequenz, daß der Zuwiderhandelnde der → *apagōgḗ* (»Schnellgericht«) unterlag.

D. M. MACDOWELL, Athenian Homicide Law, 1963, 17–26.   G. T.

Prorsa (*Prosa* Tert. nat. 2,11) wurde als ein Aspekt der röm. Geburtsgöttin → Carmentis verehrt. Varro (antiquitates fr. 103 CARDAUNS) erklärt den Namen durch die vorwärts gewandte Lage des Kindes bei der → Geburt. Neben P. sind auch → Porrima und Antevorta Gegenstücke zu → Postverta, jedoch mit anderer Deutung.

RADKE, 263.   K. SCHL.

Prosarhythmus. Die bes. von → Gorgias [2] im späten 5. Jh. v. Chr. entwickelte Kunstprosa brachte die inhaltlich-syntaktische Gliederung des Textes möglichst genau mit der rhythmisch-klanglichen in Übereinstimmung. Dem dienten die Parallelisierung der Kola (→ Kolon) und Kommata, längeren und kürzeren Satzabschnitten, nach Länge (Isokolie), Stellung (Parisosis) und Umfang und Form der Einzelwörter (Isoptosis) sowie die Markierung der Abschnittsgrenzen [6] durch Assonanz oder Homoioteleuton. Dieses und die Vermeidung des Hiats deuten auf einen Wettbewerb mit der Poesie um die psychagogische Wirkung. → Isokrates (im 4. Jh. v. Chr.) formte daraus den Periodenstil [30]. → Thrasymachos fügte dieser inneren Rhythmisierung einer Satzperiode das Element hinzu, das man gemeinhin als P. bezeichnet (fr. 12–17 RADERMACHER). Aristoteles (rhet. 1408b 21–1410b 5) faßt dessen Sinn und Zweck folgendermaßen zusammen [21. 31–44]: Die Prosarede soll rhythmisch [21. 19–30] sein, aber nicht wie die Poesie dieselben Metren wiederholen, sondern bestimmte, numerisch (d. h. nach den Quantitäten) fixierte Silbenfolgen zur Begrenzung ihrer Abschnitte einsetzen (zu den einzelnen Metren s. → Metrik mit Tabellen). Der Dactylus sei dafür zu erhaben, der Iambus ähnele der ungeregelten Sprache (vgl. die »prosaischen« Iamben des Asopodoros bei Athen. 10,445b), und der Trochäus wirke lasziv. Besser sei der Päon, und zwar der *a maiore* (‒ ⏑ ⏑ ⏑) für den Anfang, der *a minore* (⏑ ⏑ ⏑ ‒) für den Schluß. Seine Quantitäten stehen im Verhältnis 1:1,5, nicht wie bei den von der (Sprechvers-)Dichtung bevorzugten Metra 1:2 (Iambus, Trochäus) oder 1:1 (Dactylus).

In der klass. att. Prosa läßt sich die Beachtung dieser Vorschriften nicht nachweisen. Allerdings beobachtet man gelegentlich neben der inneren Rhythmisierung des Periodenstils und der »gorgianischen« Diktion Elemente einer »numerischen« Rhythmisierung, etwa die Vermeidung der Abfolge dreier Kürzen bei → Demosthenes [2] und seine Vorliebe für den Creticus (Dion. Hal. comp. 25), der mit einer aufgelösten Länge zu Aristoteles' Päon wird. Stilmittel werden eben stets freier verwendet, als es eine Doktrin vorsieht. Nach NORDEN [16. 914] häufen sich Elemente der späteren Klauseltechnik (d. h. der rhythmischen Gestaltung des Satzortes Kolonende) bei Demosthenes.

Der andere Text zur Theorie des P. in Ciceros *Orator* (168–236, v. a. 204–233 [11. 257]) wird durch kurze Parallelen aus grammatisch-rhet. Lit. [16. 926–960] ergänzt. Er bezeugt die Fortbildung der aristotelischen Theorie und behandelt das Kolon- oder Satzende [21. 57–102], den Katalog der geeigneten Metren, etwa des Creticus und des von Cicero Choreus genannten Trochäus in der Form dreier Kürzen, sowie die standardisierte Praxis, die seit dem 2. Jh. v. Chr. ins Lateinische übertragen wurde [16. 173]. Die Reste hell. Kunstprosa und kaiserzeitliche Prosatexte lassen die wohl im 3. Jh. v. Chr. erfolgte Standardisierung erkennen: Doppelter Creticus, doppelter Trochäus und Creticus + Trochäus. Durch Auflösung von Längen sind mehrere Varianten möglich. Andere Typen (Quint. inst. 9,4,97; Caesius Bassus GL 6,308–312) sind selten. Cicero (s. o.) und Dionysios von Halikarnassos (comp. 25) heben den Creticus beim Vergleich des P. mit Poesie und ungeregelter Prosa hervor.

Beispiele hell. Klauselpraxis liefern u. a. die Fr. des Hegesias (3. Jh. v. Chr.) und die große Inschr. des Königs Antiochos [16] von Kommagene (1. Jh. v. Chr. [16. 134–149]). Diese Technik paßte zum Periodenstil wie zur kleinteiligen Diktion (Hegesias, Seneca), bei der die metrische Rhythmisierung einen so großen Teil des Textes erfaßt, daß sich eine poetische, durchgehend nach Metren rhythmisierte Diktion (ἔμμετρος λέξις/ *émmetros léxis*, Theon, Progymnasmata p. 71 Sp.) ergibt. Das tadelten seit dem 1. Jh. v. Chr. die Attizisten (→ Attizismus) bei den sog. Asianern (z. B. Cic. Brut. 51; 325; Cic. orat. 170; 230; Strab. 14,1,41; Quint. inst. 12,10,17). Wie sehr man, geschult durch lautes Lesen, auf Klauseln achtete, zeigen Beispiele bei Cicero [16. 931–936; 3. 294 f.]. Die Wahl der Klauseltypen sowie ihre Verwendung nur an den Satz- oder auch an den Kolonenden [13. 149–154, 308 f.] konnte, wie ihre ethische Wertung, gattungsbedingt oder individuell sein (Dion. Hal. de Demosthene 43; ähnlich Quint. inst. 9,4,65 f.). Gehäufte Trochäen, meist in aufgelöster Form, begegnen z. B. bei Poseidonios (fr. 253 EDELSTEIN-KIDD), also einem Stück »asianischer« Prosa (vgl. Cic. orat. 230).

Bedeutende Prosaautoren wie Cicero [21. 161–173], Seneca oder Dion [I 3] von Prusa gebrauchten die Klauseln sehr frei. Der erste Satz der Schrift Senecas über die *Vita beata* (das glückliche Leben) zeigt zunächst zwei der kanonischen Klauseln und endet mit dem Molossus *cālīgānt*, der aus drei Längen besteht, die hier auf das Dunkel des Unwissens deuten. Andere wie Polybios, Strabon oder Sallust, die, wie z. B. die Hiatvermeidung zeigt, durchaus stilistische Ambitionen hatten, vermieden ihren Gebrauch gänzlich. Auch bei Tacitus fehlen die kanonischen Klauseln, doch gab er dem ersten, auf die halbmythische Königszeit bezogenen Satz der ›Annalen‹ den in der Prosa gerade verpönten Rhythmus des *versus heroicus* (des epischen Hexameters). Andere, z. B Plutarch, zeigen maßvollen Klauselgebrauch [23]. Die gehobene griech. und lat. Prosa kannte Klauseln bis tief ins 4. Jh. n. Chr., auch in lit. stilisierten Vorreden von Gesetzen [2. 16–22] oder Fachlit. Der P. war im Deklamationsbetrieb vieldiskutiert (z. B. Lukian. Demonax 11; Philostr. soph. 2,5 [11. 562]). Auch christl. Autoren wie Cyprianus oder Lactantius beherrschten diese Technik. Dabei zeigte sich auf lat. Seite schon früh (z. B. bei Apuleius) eine Berücksichtigung der Wortakzente [22. 188].

Der im 2. Jh. n. Chr. einsetzende Schwund der Quantitäten in der Aussprache und der parallele Wandel des Wortakzentes aus einem musikalischen in einen dynamischen änderten an der Klauseltechnik in gehobener Lit. zunächst so wenig wie an der alten Verstechnik. Die

Quantitätsunterschiede mußte man lernen – im Griech. leichter als im Lat. aus dem Schriftbild (Aug. de musica 2,1 f.). W. MEYER [14] entdeckte eine in der griech. Lit. von der Mitte des 4. bis ins 16. Jh. befolgte Konvention: Zw. den beiden letzten akzentuierten Silben am Satz- oder Kolonende steht eine gerade Zahl unbetonter Silben, und der Abschnitt kann mit einer betonten oder mit einer bzw. zwei auf den letzten Wortakzent folgenden unbetonten Silben schließen. Synesios liefert die frühesten Belege, doch scheint es Vorstufen schon im 3. Jh. n. Chr. gegeben zu haben. Auch an lat. Vorbilder hat man gedacht [9. 37f.]. Aus dem 3. Jh. n. Chr. stammen die ersten akzentuierenden Verse volkstümlicher griech. Dichtung, und gleichzeitig nahm die Regulierung einzelner Wortakzente in quantitierenden Versen zu [5. 194]; ähnliches gibt es in gleichzeitigen lat. Texten [28].

Der Sinn dieser anfangs von Klassizisten wie Libanios [9. 55] nicht befolgten Regel besteht, ähnlich wie im Fall der quantitierenden Klausel, in der Vermeidung eines alternierenden Rhythmus, der für die silbenzählende, akzentuierende Sprechversdichtung spätant.-byz. Zeit charakteristisch ist. Wie bei der quantitierenden Klausel (Dion. Hal. comp. 25) können sich aber Übereinstimmungen mit Einzelformen gesungener Dichtung ergeben. Die neue Technik gestattete, weil die Ersetzung einer Länge durch zwei Kürzen wegfiel, weniger Variationen als die ant., und es gab Moden, welche die Variationsbreite noch weiter einschränkten. So verwandte man in der Schule von → Gaza im 6. und 7. Jh. vorwiegend den akzentuierten Doppeldactylus [9. 73]. Die Zuordnung der Klauseln zu Abschnitten möglichst gleicher Länge ist weniger ausgeprägt als in der älteren Technik.

Für diese langlebige Konvention ist keine zeitgenössische Lehre überliefert [12. 219f.], weil man nur ant. Formen einer Theorie würdigte (Ioseph Rhakendytes 3 p. 543 WALZ; Sud. 1 467 s. v. Ἰωάννης ὁ Δαμασκηνός). Unter den ant. Klauseln genügen sowohl der doppelte Creticus als auch der Creticus + Trochäus dem Meyerschen Gesetz (s. o.), wenn die jeweils ersten Silben einen Wortakzent tragen. Im Fall des Doppeltrochäus muß neben der ersten auch die letzte Silbe akzentuiert sein [4]. Daß jedenfalls quantitierende Poesie seit dem 2. oder 3. Jh. n. Chr. skandierend vorgetragen wurde, zeigt u. a. die Beobachtung C. HOEGS, daß auf Papyri der Kaiserzeit gelegentlich falsche Wortakzente auf den Längen des Dactylus erscheinen oder akzentuierte Kürzen die vom Versmaß geforderten Längen ersetzen [5. 189]. Galt das auch für die quantitierenden Klauseln, erklärt sich die Entstehung ihrer akzentuierenden Nachfahren. Die Erweiterung des Bestandes auf solche, die vier unbetonte Silben zw. den beiden letzten betonten aufweisen, ergibt sich dann aus der Vermeidung des alternierenden Rhythmus. Strukturwörter wie z. B. καί konnten als betont oder unbetont behandelt werden.

Augustinus, der die traditionelle Klauseltechnik beherrschte, verweist auf die geschwundenen Quantitätsunterschiede im gesprochenen Latein (Aug. de catechizandis rudibus 2,3; Aug. doctr. christ. 4,10,24; [3]). Er verfaßte gegen die Donatisten ein akzentuierendes Gedicht sowie Gemeindepredigten, in denen Kola meist paarweise durch End- oder Binnenreim verbunden sind und in Klauseln enden, die dem Meyerschen Gesetz entsprechen. Ob das auch für Augustinus' quantitierende Klauseln gilt [16. 948], ist deshalb ungewiß, weil sich die Übereinstimmung zuweilen auch aus der lat. Wortbetonung von selbst ergibt (s. o.).

Der lat. Wortakzent bewahrte wohl stets ein dynamisches Element, das zu einem Vers-Iktus in Beziehung stehen und mit dem Schwinden der Quantitätsunterschiede aktiviert werden konnte [27. 530f.; 15. 59–70]. Schon Marius → Plotius [II 5] Sacerdos (3. Jh. n. Chr.) wählte in seiner auf quantitierenden Klauseln bezogenen Lehre (GL 6,492–495) die Beispiele so, daß sie den Regeln des *cursus* der späteren ma. Stilkunde (*ars dictaminis*) entsprechen [14. 101–122]. Diese erkannte drei Typen akzentuierter Klauseln an: den *cursus velox, planus* und *tardus*, daneben gelegentlich die Klausel vom Typ *esse videatur*. Die Klauseln müssen auf zwei Wörter verteilt sein, wobei der *planus* als zweites ein dreisilbiges, der *cursus velox* und *tardus* ein viersilbiges Wort haben sollen [15. 2f., 148–154]. Der *velox* ist die akzentuierende Nachbildung eines Creticus mit folgendem Doppeltrochäus, der *planus* des Creticus + Trochäus, der *tardus* des Doppelcreticus. Alle drei vermeiden den alternierenden Rhythmus wie die Meyersche Regel. Ammianus Marcellinus, dessen Muttersprache das Griech. war, verwandte diese drei Klauseltypen, Hieronymus diese neben den quantitierenden [24. 496], ähnlich wie der Grieche Themistios [9. 51].

→ Metrik; Rhetorik; Rhythmus; RHYTHMUS

1 H. AILI, The Prose Rhythm of Sallust and Livy, 1979 2 L. ALEXANDER, The Preface to Luke's Gospel, 1993 3 M. BANNIARD, La cité de la parole: Saint Augustin entre la théorie et la pratique de la communication latinophone, in: Journal des Savants, 1995, 283–306 4 H. CICHOCKA, La posizione dell' accento nella clausula degli storici, in: Koinonia 6, 1982, 129–145 5 A. DIHLE, Die Anfänge der griech. akzentuierenden Verskunst, in: Hermes 82, 1954, 182–199 6 E. FRAENKEL, Kolon und Satz, in: Ders., Kleine Beiträge zur Klass. Philol., Bd. 1, 1964, 73–139 7 A. W. DE GROOT, A Handbook of Antique Prose-Rhythm, 1919 8 R. G. HALL, S. M. OBERHELMAN, A New Statistical Analysis of Accentual Prose Rhythms in Imperial Latin Authors, in: CPh 79, 1984, 114–130 9 W. HÖRANDNER, Der P. in der rhet. Lit. der Byzantiner, 1981 10 T. JANSON, Prose Rhythm in Medieval Latin, 1975 11 G. A. KENNEDY, The Art of Rhetoric in the Roman World: 300 B. C. – 300 A.D., 1972 12 C. KLOCK, Untersuchungen zu Stil und Rhythmus bei Gregor von Nyssa, 1987 13 A. D. LEEMAN, Orationis Ratio, Bd. 1–3, 1963 14 W. MEYER, Der accentuirte Satzschluss in der griech. Prosa vom IV. bis XVI. Jh., 1891 (= Ders., Ges. Abh. zur mittellat. Rhythmik, Bd. 2, 1905, 202–235) 15 M. G. NICOLAU, L'origine du »Cursus« rhythmique, 1930 16 NORDEN, Kunstprosa

17 S. M. OBERHELMAN, R. G. HALL, Meter in Accentual Clausulae of Late Imperial Latin Prose, in: CPh 80, 1985, 214–227 18 Dies., Rhythmical Clausulae in the Codex Theodosianus and the Leges Novellae ad Theodosianum Pertinentes, in: CQ 35, 1985, 201–214 19 S. M. OBERHELMAN, The Cursus in Late Imperial Latin Prose: A Reconsideration of Methodology, in: CPh 83, 1988, 136–149 20 Ders., The History and Development of the Cursus Mixtus in Latin Literature, in: CQ 38, 1988, 228–242 21 A. PRIMMER, Cicero numerosus, 1968 22 F. REGEN, Rez. Jean Beaujeu, Apulée. Opuscules philosophiques et fragments, in: GGA 299, 1977, 186–227 23 F. H. SANDBACH, Rhythm and Authenticity in Plutarch's Moralia, in: CQ 33, 1939, 194–203 24 J. H. D. SCOURFIELD, Jerome, Letters 1 and 107, in: CQ 37, 1987, 496 25 O. SKUTSCH, Bemerkungen zu Iktus und Akzent, in: Glotta 63, 1985, 183–185 26 Ders., Noch einmal Iktus und Akzent, in: Glotta 65, 1987, 128 f. 27 W. SUCHIER, Die Entstehung des mittellat. und roman. Verssystems, in: Romanistisches Jahrbuch 3, 1950, 529–563 28 K. THRAEDE, Beitr. zur Datier. Commodians, in: JbAC 2, 1959, 90–114 29 A. WERBER, Der Satzschlußrhythmus des Tacitus, Diss. Tübingen 1962 30 F. ZUCKER, Der Stil des Gorgias nach seiner inneren Form, 1956. A. DI.

Proschion (Πρόσχιον, Ethnikon Πρόσχειος). Ort in Aitolia, westl. von → Pleuron in der Nähe des Acheloos [1] (Thuk. 3,102,5; 106,1). Nach Strab. 10,2,6 hatten Aitoloi → Pylene an einen höheren Ort verlegt und in P. (Athen. 9,411a) umbenannt. P. dürfte in der Nähe des h. Etoliko gelegen haben, kann aber nicht sicher lokalisiert werden. Bewohner werden in hell. Inschr. erwähnt: IG IV² 1,95,38; IG IX I² 1,11; 137; IG XI 4, 1075. SEG 41, 528; FdD III 4, 213; 362; BCH 85, 1961, 79.

C. ANTONETTI, Les Étoliens, 1990, 278–281. K. F.

Proscriptiones s. Proskriptionen

Proseilemmenitai (Προσειλημμενῖται). Bewohner der Landschaft Proseilemmene in der Grenzzone zw. → Lykaonia und → Galatia, urspr. Teil der Phrygia Megale, zw. Karaca Dağ, Paşa Dağı und Tuz Gölü (Tatta Limne); 25/4 v. Chr. als *regio attributa* (»angegliedertes Gebiet«) dem Stadtgebiet von Ankyra zugeordnet, in antoninischer Zeit (E. 2./Anf. 3. Jh. n. Chr.) als die Stadtgemeinde → Kinna organisiert (Ptol. 5,4,10; [1. 56 f., 59 f.], unrichtig [2. 55, 148]).

1 K. STROBEL, Galatien und seine Grenzregionen, in: E. SCHWERTHEIM (Hrsg.), Forsch. in Galatien, 1994, 29–65 2 S. MITCHELL, Anatolia, Bd. 1, 1993. K. ST.

Proselyten (προσήλυτος, »Hinzugekommener«; lat. *proselytus*). Die griech. Bezeichnung *p.* ist erstmals als Übers. des biblischen Begriffs *gēr* (der im Land Israel ansässige und bes. Rechtsstatus genießende »Fremde«) in der → Septuaginta belegt [8. 40–45; 9. 51 ff.]. Gegen Ende der Epoche des Zweiten Tempels (1. Jh. n. Chr.) bezeichnet *prosélytos* dann hauptsächlich den zum → Judentum Konvertierten (Ios. c. Ap. 2,28) [4. 60 ff.], der

innerhalb der jüd. Gemeinschaft fast dieselben Rechte besaß wie ein Jude von Geburt [1. 60–123]. Die Bedingungen für einen (gemäß der → Halakha, dem Religionsgesetz) gültigen Übertritt zum Judentum waren Darbringung eines Opfers, Tauchbad und (für Männer) die Beschneidung (babylon. Talmud bYev 46); Bindungen (Familie, *éthnos*) aus der Zeit vor der Konversion galten als aufgehoben (bYev 62a; bGit 39a).

Die Voraussetzung für das Proselytentum bildet ein in der hell. Epoche vollzogener Wandel im Selbstverständnis des Judentums: Angehörige anderer Völker konnten jetzt durch die Übernahme bestimmter rel. Riten (→ Ritual) Mitglieder des jüd. Volkes werden [7. 159 ff.]. In hell.-röm. Zeit verweisen sowohl jüd. [1. 174–226] wie auch andere Quellen [2] darauf, daß es eine Vielzahl von Übertritten gegeben haben muß. Außergewöhnliches Beispiel ist die Konversion des Königshauses von → Adiabene (Ios. ant. Iud. 20,2,3–4). Das tatsächliche Ausmaß und bes. die Frage, ob und ab wann es eine aktive jüd. Missionsbewegung gegeben hat (pro: [2. 290 ff.]; contra: [9; 6. 117]), sind umstritten – so auch, ob die Vertreibungen von Juden aus Rom 139 v. Chr. und 19 n. Chr. als Reaktion des röm. Staates auf solche Bestrebungen zu verstehen sind [6. 106 ff.]. Nicht sicher zu beantworten ist ebenfalls die Frage, ob es trotz der röm. Gesetzgebung gegen P. (Kastrations- oder Beschneidungsverbot unter Kaiser → Hadrianus, SHA Hadr. 14,2; [6. 103 f.]; Verbot der Beschneidung unter → Antoninus [1] Pius, Modestinus, Dig. 48,8,11; Verbot, P. zu werben, unter → Septimius Severus, SHA Sept. Sev. 17; Cod. Theod. 16,8,1: unter Constantinus I. im J. 329; 16,8,7: unter Constantinus II. im J. 353) noch eine nennenswerte Zahl von P. gab bzw. ob sogar evtl. auf die Beschneidung als Voraussetzung für einen gültigen Übertritt zum Judentum verzichtet wurde [7. 169; 5. 44 ff.].

Neben den P. gab es ferner die sog. »Gottesfürchtigen« (θεοσεβεῖς/theosebeís, σεβόμενοι/sebómenoi, φοβούμενοι/phobúmenoi, lat. *metuentes*), eine in sich nicht einheitliche Gruppe von »Sympathisanten« mit dem jüd. Glauben, die sich – ohne formal zu konvertieren – mehr oder weniger eng an jüd. Riten (z. B. Einhalten des → Šabbat, Verzicht auf Schweinefleisch), den Synagogengottesdienst (→ Synagoge) bzw. eine jüd. Gemeinde anschlossen ([2. 342–382; 5. 48 ff.; 8]; vgl. Apg 10,22).

1 B. J. BAMBERGER, Proselytism in the Talmudic Period, ²1968 2 L. H. FELDMAN, Jew and Gentile in the Ancient World: Attitudes and Interactions from Alexander to Justinian, 1993 3 J. J. COLLINS, A Symbol of Otherness: Circumcision and Salvation in the First Century, in: J. NEUSNER, E. S. FRERICHS (Hrsg.), »To See Ourselves as Others See Us«. Christians, Jews, and »Others« in Late Antiquity, 1985, 163–186 4 M. GOODMAN, Mission and Conversion: Proselytizing in the Religious History of the Roman Empire, 1994 5 J. REYNOLDS, R. TANNENBAUM, Jews and God-Fearers at Aphrodisias. Greek Inscriptions with Commentary, 1987 6 P. SCHÄFER, Judeophobia: Attitudes towards the Jews in the Ancient World, 1997 7 SCHÜRER 3.1, 150–176 8 B. WANDER, Gottesfürchtige und

Sympathisanten. Studien zum heidnischen Umfeld von Diaspora-Synagogen, 1998 **9** E. Will, C. Orrieux, »Proselytisme Juif«? Histoire d'une erreur, 1992.   I. WA.

Proserpina. Röm. Gottheit; von Cic. nat. deor. 2,66 erklärt als diejenige, die von den Griechen → Persephone genannt wird.

A. Theologie B. Kunst C. Kult

A. Theologie

Die Herleitung des Namens P. von lat. *(pro-)serpere*, »(hervor-)schlängeln«, bei Varro steht allgemein im Zusammenhang mit der allegorischen Deutung der P. als »Getreidekeim« (*frumenta germinantia*) und als »unterer Teil der Erde« (*terrae inferior pars*) sowie mit der daraus abgeleiteten Assoziation mit anderen Gottheiten (z.B. Luna, Diana, Tellus, Vesta: Varr. ling. 5,68; Varr. antiquitates fr. 28, 167, 268 Cardauns). Das ist nicht »Volksetymologie« (anders: [4. 229; 11. 265]), sondern stoische Sprachwiss. und Theologie (→ Stoizismus). Mythos und Funktionen entsprechen denjenigen der Persephone und werden von Varro (ebd. fr. 271 Cardauns) in → Eleusis [1] verortet; die lat. Etymologisierung kann insofern als Aneignung griech. Rel. im Rahmen röm. Theologie aufgefaßt werden.

B. Kunst

In Rom ist das Mythem des P.-Raubs seit ca. 100 n. Chr. Bestandteil der bildlichen und inschr. Ausstattung von Grabbauten, Urnen, Sarkophagen ([6. 55–116; 17. bes. 425–433]; frühester Sarkophag [7. Nr. 12]: um 120 n. Chr.). Durch Individualisierung der Gesichtszüge auf den Bildern bzw. durch Verwendung des Raub-Motivs in den Inschr. kann das Mythem direkt mit der bestatteten Person verknüpft sein (vgl. [7. Nr. 19, 46]: je 3. Jh. n. Chr.; Grab der Vibia [7. Nr. 31]: 4. Jh.; Beischrift: *abreptio Vibies et discensio*, »Raub der V. und Entschwinden«). Ob die Reliefs und Inschr. im Grab der Haterii (1. Viertel 2. Jh. n. Chr., → Haterius) zu Recht auf die eleusinischen → Mysteria bezogen wurden [14. Nr. 1, 3, 5, 7, 9, 43], ist nicht sicher.

Das Epos *De raptu Proserpinae* (um 400 n. Chr.) des → Claudianus [2] behandelt den Kultgründungsmythos von Eleusis; das Prooemium beschreibt (V. 1–19) die Epiphanie der eleusinischen Gottheiten und enthält Mysterienterminologie. Insofern könnte dieses Werk durch die Zerstörung des Heiligtums durch Alarich im J. 395/6 n. Chr. (mit-)angeregt worden sein (andere Deutungen: [1; 4] u.a.).

C. Kult

In der Pl.-Form *aiser śic śeuc* im etr. *Liber Linteus* (Redaktion um 400 v. Chr.) wurden → Demeter und Kore vermutet [12]. Ein Kult der → Persephone mit Hades ist in Etr. nicht gesichert: Votivinschr. sind nicht bekannt [13. Nr. Ta 7.63–64 und Vs 7.14–15]; die Zuweisung von Heiligtümern beruht auf unsicheren Kriterien. Die Unterweltsszenen in zwei etr. Gräbern ([9. Nr. 7f.]: 4. Jh. v. Chr.; Beischriften: *Phersipnai/-ei*; *Aita/Eita*) sind nicht Beleg für Kult (anders [8]; ähnlich [10. 323]),

sondern für die Verarbeitung griech. Mythen. Die früher (vgl. [3. 292; 10. 323]) angenommene Bed. des Etr. bei der Vermittlung des Namens P. aus dem Griech. ins Lat. wird jetzt relativiert; die Form *Prosepnai* auf einem Spiegel aus Orbetello ([9. Nr. 12]: 4. Jh. v. Chr.) kann als lat. Dativ aufgefaßt werden [16. 112–114].

In Rom ist P. in Fluchtexten belegt (CIL I 2520: vor 40 v. Chr.; → Defixio). Ein Altar des → Dis Pater und der P. am → Tarentum auf dem Marsfeld ist lit. im Zusammenhang mit der Gründung der *ludi Tarentini* (→ *saeculum*) überl. (Val. Max. 2,4,5; vgl. Fest. p. 441 L.; [2. 74–117]); eine angenommene Darstellung der Kultstätte auf domitianischen Prägungen ([15. Abb. 5f.]: 88 n. Chr.) ist nicht gesichert. Das Toponym *Tarentum* kann als Hinweis auf den Überl.-Weg der dort lokalisierten Kulte gedeutet werden (anders [5. 182] mit Lit.). Ebenfalls lit. für Dis Pater und P. bezeugt ist das Ritual des *mundus patet* (Macr. Sat. 1,16,17; → *mundus*).

In den röm. Provinzen ist P. als Kultgottheit in Votivinschr. bes. in Spanien (CIL II 143–145, 461, 462, 1044) und den Donauprovinzen (CIL III 5796, 7656, 11923, 12646; [7. Nr. 2]) nachgewiesen; Heiligtümer und Kultbilder sind inschr. in Vibo Valentia/Kalabrien und auf Malta bezeugt (CIL X 39, 7494).

→ Ceres; Persephone

1 A. Cameron, Claudian, 1970 **2** F. Coarelli, Il Campo Marzio, 1997 **3** C. De Simone, Die griech. Entlehnungen im Etr., Bd. 2, 1970 **4** T. Duc, Le ›De raptu Proserpinae‹ de Claudien, 1994 **5** V. Hinz, Der Kult von Demeter und Kore auf Sizilien und in der Magna Graecia, 1998 **6** R. Lindner, Der Raub der P. in der ant. Kunst, 1984 **7** Dies., s.v. Hades/Pluto, LIMC 4, 399–406 Taf. 228–236 **8** I. Krauskopf, s.v. Phersipnai, in: M. Cristofani (Hrsg.), Dizionario della civiltà etrusca, 1985, 218 **9** E. Mavleev, s.v. Persephone/Phersipnai, LIMC 7, 329–332 Taf. 271 **10** Pfiffig **11** Radke **12** H. Rix, Etr. *aiseras*, in: R. Stiehl, H. E. Stier (Hrsg.), Beitr. zur Alten Gesch. und deren Nachleben, Bd. 1, 1969, 280–292 **13** ET **14** F. Sinn, K. F. Freyberger, Vatikanische Mus. Kat. der Skulpturen. Bd. 1,2: Die Ausstattung des Hateriergrabes, 1996 **15** F. Coarelli, s.v. Dis Pater et P., ara, LTUR 2, 19 **16** R. Wachter, Altlat. Inschr., 1987 **17** H. Wrede, Die Ausstattung stadtröm. Grabtempel und der Übergang zur Körperbestattung, in: MDAI(R) 85, 1978, 411–433.

M. HAA.

Prosimetrum. Bezeichnung für eine Vielzahl von klass., ma., der Renaissance zugehörenden und sogar modernen Texten, die eine Verbindung von Prosa und Vers aufweisen. Der Begriff selbst, offensichtlich eine Wortprägung aus *prosa* (*oratio*) und *metrum*, ist mittelalterlich. Die früheste bekannte Verwendung findet sich in den *Rationes dictandi* von Hugo von Bologna (frühes 12. Jh.), der den Begriff als einen Zweig der Dichtung versteht, den er die »Mischform« (*mixtum*) nennt. Über diesen Konsens hinaus bleiben die Definitionen umstritten. Eine Kernfrage ist das Verhältnis von ma. P. und der »Menippeischen → Satire« der klass. Zeit. Obwohl diese beiden höchst flexiblen Bezeichnungen manchmal verwechselt werden, ist *p.* die weitergefaßte Kategorie, weil es sich nur auf die Form bezieht. In ma. und späterer Zeit reicht *p.* so weit, daß es philos. allegorisierende Werke, erzählende Texte der Biographie und der Historiographie, Reiseberichte und autobiographische Werke wie Briefe mit einschließt. Die »Menippeische Satire«, nach ihrem angeblichen Urheber, dem Kyniker Menippos [4] von Gadara, benannt, ist die bedeutendste Manifestation des *p.* in der Ant. Obwohl kein ant. Gattungsbegriff und nicht leicht definierbar, entwickelte sie sich offensichtlich aus frühen kynischen Texten (→ Kynismus), die eine Mischung aus Prosa und Vers gebrauchten, und aus den → Diatriben des Bion [1]. Diese wie auch immer genannte Mischform scheint für ihren Teil neben der hexametrischen Satire den anderen Zweig röm. Satire auszumachen (vgl. Quint. inst. 10,1,95). Vielfalt, Wandlungsfähigkeit und → Parodie waren für die Gattung offensichtlich von zentraler Bed., und es sind genau diese Eigenschaften, die Definitionen erschweren.

→ Varro war der Pionier der gemischten Form der Satire im Lateinischen. Unglücklicherweise sind nur Titel und Fr. seiner *Saturae Menippeae* (Gell. 2,18,7) erhalten. → Senecas *Apocolocyntosis*, eine polit. Satire, geschrieben zu Beginn von Neros Herrschaft (Mitte 1. Jh. n. Chr.), ist die einzige ant. »Menippeische Satire«, die praktisch unbeschädigt erh. ist. → Petronius [5] scheint in seinen umfangreichen *Satyrica*, von denen wir nur die B. 14–16 vollständig besitzen, die Gattung in Richtung des Romans zu entwickeln [2; 3; 5]. Griech. Beispiele aus derselben oder etwas späteren Zeit sind die Fr. von Erzählungen mit satirischen und erotischen Elementen, die den *Satyrica* ähneln: manche der Dialoge des Lukianos [1] im 2. Jh. und die *Caesares (Symposium)* des Iulianus [11] Apostata im 4. Jh., ebenfalls im 4. Jh. → Tiberianus, der als Wiederbeleber des Varro angesehen wurde [9]. In der Spätant. ist die Mischform aus Prosa und Dichtung bes. durch → Martianus Capella (5. Jh.) in *De Nuptiis Mercurii et Philologiae* vertreten, einer Enzyklopädie der sieben freien Künste, und durch → Boëthius (6. Jh.) in *De Consolatione Philosophiae*, einem Dialog mit der Philos.; beide verwendeten weibliche Personifikationen [10]. Diese Werke und die früher entstandenen »Menippeischen Satiren« des Seneca und Petronius übten großen Einfluß auf zahlreiche Schriftsteller in Westeuropa aus, die seit dem 8. Jh. bis in die Renaissance (darunter Dantes *Vita Nuova*) und später [12–15] eine Reihe prosimetrischer Kompositionen verfaßten. Man kann die Trad. des *p.* bis in die Gegenwart beobachten, z. B. in den *Alice*-Büchern von Lewis CARROLL [16].

Ein zentraler Forsch.-Standpunkt besagt, daß das Verhältnis zw. Prosa und Dichtung ausgewogen sein muß [12]. Die Gedichte mögen originell sein oder auch nicht, aber sie müssen eher funktional sein denn rein losgelöste Zitate. Im Idealfall setzen die Passagen in Vers, ob Zitat, Adaptation oder Original, die Handlung der Prosateile fort. Reiche Interaktion ist möglich: Bei den Satirikern werden Prosa und Dichtung manchmal parodistisch gebraucht, um einander zu untergraben

und um den Status des Erzählers zu destabilisieren. Dies ist in Senecas *Apocolocyntosis* und Petronius' *Satyrica* offensichtlich. Diese Wirkung ist nicht auf satirische Beispiele von *prosimetra* beschränkt. Ein klass. Fall ist Boëthius' *Consolatio*, wo die allegorische Figur der *Philosophia* mit einer Autorität spricht, die durch ihre Gedichte gesteigert, mit dem Fortschreiten des Werkes aber durch eben diese untergraben wird.

1 J. C. RELIHAN, Ancient Menippean Satire, 1993 **2** U. KNOCHE, Die röm. Satire, ³1971 **3** M. COFFEY, Roman Satire, ²1989 **4** P. T. EDEN (ed.), Seneca, Apocolocyntosis, 1984 (mit engl. Übers. und Komm.) **5** J. P. SULLIVAN, The Satyricon of Petronius: A Literary Study, 1968 **6** P. G. WALSH, The Roman Novel, 1970 **7** N. W. SLATER, Reading Petronius, 1990 **8** G.-B. CONTE The Hidden Author. An Interpretation of Petronius' Satyrica, 1996 **9** P. PARSONS, A Greek Satyricon?, in: BICS 18, 1971, 53–68 **10** C. J. McDONOUGH, The Verse of Martianus Capella, 1968 **11** G. O'DALY, The Poetry of Boethius, 1991 **12** P. DRONKE, Verse with Prose from Petronius to Dante, 1994 **13** B. PABST, P., 1994 **14** W. SCOTT BLANCHARD, Scholar's Bedlam: Menippean Satire in the Renaissance, 1995 **15** I. A. R. DE SMET, Menippean Satire and the Republic of Letters 1581–1655, 1996 **16** N. FRYE, Anatomy of Criticism, 1957. SU. B./Ü: TH. G.

Prosklesis (πρόσκλησις), die Ladung, das »Rufen zum Gericht«. Sie geschah in Athen durch privaten Akt, indem der Kläger dem Beklagten die Klageschrift (→ *énklēma*) und den Tag, an dem er sich beim Gerichtsmagistrat einzufinden hatte, zur Kenntnis brachte. Die *p.* hatte vor ein oder zwei Ladungszeugen (→ *klētér*) zu erfolgen, die bei Nichterscheinen des Beklagten als Voraussetzung für ein Säumnisurteil die ordnungsgemäße *p.* bestätigten, bei falschem Zeugnis mit → *pseudoklēteías graphē* (»Klage wegen Falschaussage«) hafteten.

A. R. W. HARRISON, The Law of Athens, Bd. 2, 1971, 85–88. G. T.

Proskriptionen (lat. *proscriptiones*, Sg. *proscriptio*, wörtlich »allg. Bekanntmachung«). Seit → Cornelius [I 90] Sulla v. a. die öffentl. Erklärung der Ächtung in Form von Tafeln, die die Namen polit. und persönlicher Gegner des bzw. der Machthaber in Bürgerkriegszeiten trugen.

Im Nov. 82 v. Chr. begann die von L. Cornelius [I 90] Sulla veranlaßte Verfolgung seiner Feinde in Rom und Italien. Dem anfänglich willkürlichen Morden, in dem sich auch die Rach- und Habsucht einzelner austobte, wurde mit mehrfach nachgebesserten Ächtungslisten begegnet. Legalisiert wurde der sullanische Rachefeldzug, ›Urbild grausamer Gewaltsamkeit‹ [1. 176], mittels verschiedener Gesetze, z. B. durch eine *lex Cornelia de proscriptione*: Die Geächteten galten bis zum 1. Juni 81 v. Chr. als vogelfrei, ihr Vermögen wurde konfisziert und versteigert. Ihre Söhne und Enkel wurden vom → *cursus honorum* ausgeschlossen (durch eine *lex Antonia* im J. 49 v. Chr. wieder aufgehoben), Prämien wurden ausgelobt und die → Todesstrafe auch denjenigen angedroht, die Proskribierten beistehen wollten. 4700 Menschen, darunter mindestens 40 Senatoren und 1600 Ritter (→ *equites Romani*), die das polit. Geschehen der vergangenen Jahre geprägt hatten, fielen den P. zum Opfer.

Die Erinnerung an den Terror der sullanischen Bluttafeln ließ die Zeitgenossen beim Ausbruch des Bürgerkrieges zwischen Caesar und Pompeius [I 3] 49 v. Chr. ein neues Morden befürchten. Doch C. Iulius → Caesar war kein zweiter Sulla und propagierte eine Politik der → *clementia*. Anders dagegen sein Adoptivsohn Octavianus (→ Augustus), der im Triumvirat zusammen mit M. → Antonius [I 9] und M. → Aemilius [I 12] Lepidus auf der Basis der *lex Titia* vom 27.11.43 v. Chr. neue P. vornahm, um persönliche und polit. Gegner zu liquidieren sowie Geld für den Krieg gegen die Caesarmörder zu beschaffen. 300 Senatoren, unter ihnen M. Tullius → Cicero, und 2000 Ritter wurden getötet.

1 A. HEUSS, Röm. Gesch., ⁴1976.

J. BLEICKEN, Zwischen Republik und Prinzipat, 1990 · H. BENGTSON, Zu den P. der Triumvirn, 1972 · F. HINARD, Les proscriptions de la Rome républicaine, 1985. L. d. L.

Proskynesis (προσκύνησις). Ant. Gestus der Verehrung, eine Art Kußhand (vgl. Lukian. Demosthenus enkomion 49; Apul. apol. 56; Min. Fel. 2,4), der oft in Verbindung mit bestimmten Körperhaltungen oder -bewegungen (Drehung, Verneigung usw.) vollzogen wurde (Plut. Marcellus 6,11 f.; Plut. Numa 14,4; [9. 142 f.]). Der Begriff *p.* (Aristot. rhet. 1361a 36) ist abgeleitet von *proskynein*, »zuküssen« (Aischyl. Prom. 936 f.) und entspricht inhaltlich lat. *adorare* und *venerari* (Plin. nat. 28,2,25; Hier. adversus Rufinum. 1,19; Nep. Conon 3,3; [10. 157 f., 171, 181 f.; 9. 140 f.]). Die *p.* wurde in der griech.-röm. Ant. nur Gottheiten erwiesen (Hipponax fr. 37 DIEHL; Aristoph. Plut. 771–773; Soph. Phil. 657; Soph. El. 1375), bes. Sonne und Mond (Plat. leg. 887e; Plut. Artaxerxes 29,12; Lukian. de saltatione 17; Herodian. 4,15,1), Himmel und Erde (Aischyl. Pers. 499; Soph. Oid. K. 1654 f.; Soph. Phil. 533; 1407) sowie chthonischen Mächten (Plat. rep. 469a-b). Im Alten Orient (z. B. in Assyrien [3. 117 f.¹⁵⁴; 7] oder → Mari; vgl. [5]), v. a. aber im achaimenidischen Iran (→ Achaimenidai; vgl. z. B. Hdt. 3,86; 7,13; 8,118; Xen. Kyr. 8,3,12–14; Plut. Artaxerxes 11,4; Plut. Themistokles 27; vgl. [9. 137 ff.]), wurde die *p.* auch vor dem (nicht als göttlich betrachteten) Herrscher vollzogen. Die *p.* war für Perser niederen Standes (vgl. z. B. Hdt. 1,134; Plut. Aristeides 5,7) sowie für Unterworfene und griech. Bittsteller (Hdt. 7,136) mit einem Fußfall (*prospíptein*) verbunden, für pers. Große (»Schatzhausrelief« aus Persepolis: [1; 2; 4]; anders [6], der an das Zurückhalten des Atems durch die Chiliarchen denkt) und geachtete Hellenen mit einer Verneigung (*[epi]kýptein*: Plut. Artaxerxes 22,8; Ail. var. 1,21). Diese Gesten sind vom »Küssen« (*philein*: Hdt. 1,134) als unmittelbarer Berührung unter Gleichgestellten oder nahezu Gleichge-

stellten zu unterscheiden und auch von der *p.* zu trennen, die von den Griechen als nur den Göttern zukommend betrachtet und gegenüber Menschen prinzipiell abgelehnt wurde (Hdt. 7,136; Xen. an. 3,2,13; Isokr. 4,151; Plut. Artaxerxes 22,8: [4. 138] gegen [6], der die *p.* als Niederfallen und Küssen des Bodens vor dem Herrscher interpretiert). Die den Persern von griech. Autoren unterstellte Verehrung des → Großkönigs als Gott (*theós* oder *daímōn*; Aischyl. Pers. 157; Aristot. mund. 398a 22; Isokr. 4,151) mag hier eine ihrer Ursachen haben.

Als → Alexandros [4] d.Gr. versuchte, die *p.* im Zeremoniell einzuführen, richtete sich der maked.-griech. Widerstand einerseits gegen diese Neuerung, da der Gestus nur Göttern zukomme (Arr. an. 4,11,2 f.), andererseits gegen die Verbindung von *p.* und (tiefer) Verneigung (Arr. an. 4,12,2; Plut. Alexandros 74,2). Seit hell. Zeit wurde die *p.* von Orientalen und anderen auch vor ihren (nun vergöttlichten) Herrschern bzw. röm. Kaisern – meist in Verbindung mit einem Fußfall – ausgeführt (histor. Beispiele: Demetrios [8] II. vor Phraates [2] II.; Tigranes vor Pompeius [I 3]; Tiridates vor Nero; Decebalus vor Traianus; Peroz [1] I. vor dem Khan der → Hephthalitai; Poseid. FGrH 87 F 5; Cass. Dio 36,52,3; 62,23,3; 63,2,4; 68,9,6; Prok. BP 1,3,19 f.; vgl. [9. 154 ff.]). Zur *p.* im NT vgl. [8. 172 ff.].
→ Herrscher; Kaiserkult; Kuß (B.)

1 F. ALTHEIM, P., in: Paideia 5, 1950, 307–309
2 E. J. BICKERMAN, À propos d'un passage de Chares de Mytilène, in: PdP 18, 1963, 241–255 3 P. CALMEYER: Zur Genese altiranischer Motive XI: »Eingewebte Bildchen« von Städten, in: AMI, N. F. 25, 1992, 95–124
4 J. K. CHOKSY, Gesture in Ancient Iran and Central Asia II: P. and the Bent Forefinger, in: Bull. of the Asia Institute, N. S. 4, 1990, 201–207 5 J. M. DURAND, in: Notices assyriologiques brèves et utilitaires 1990/1, Nr. 24
6 H. GABELMANN, Ant. Audienz- und Tribunalszenen, 1984
7 B. GOLDMANN, Some Assyrian Gestures, in: Bull. of the Asia Institute, N. S. 4, 1990, 41–49 8 J. HORST, Proskynein, 1932 9 F. VON SACHSEN-MEININGEN, P. in Iran, in: F. ALTHEIM u. a., Gesch. der Hunnen, Bd. 2, 1960, 125–166
10 C. SITTL, Die Gebärden der Griechen und Römer, 1890.
J. W.

Prosodie I. PROSŌIDÍA (Προσῳδία)
II. PROSODIE ALS SONDERBEREICH DER METRIK
III. PROSODIE ALS TEILGEBIET DER LAUTLEHRE

I. PROSŌIDÍA (Προσῳδία)

P. bezeichnete urspr. den die Instrumentalmusik »begleitenden Gesang«, der bes. in der Tonhöhe auf das Instrument abgestimmt war. Daher verwendeten griech. Grammatiker (vgl. z. B. S. Emp. adv. math. 1,113) den Begriff als t.t. (meist im Plur.) zunächst für die Tonhöhenakzente (τόνοι/*tónoi*), sodann zugleich auch für die Quantitäten (χρόνοι/*chrónoi*) und die Spiritus (πνεύματα/*pneúmata*); sie bezeichneten mit P. also v. a. Erscheinungen, die die Laute bzw. Phoneme überlagern, bisweilen auch nur die entsprechenden graphischen Zeichen. Ins Lat. wurde P. als Lehnübers. *accentus* übernommen, doch bleibt strittig, welche Art von Akz. damit für das Lat. gemeint ist.

II. Prosodie als Sonderbereich der Metrik

Erst zu Beginn der Neuzeit erfuhr der ant. Begriff der P. durch die Humanisten eine inhaltliche Erweiterung: P. wurde, da sie die Quantität der Silben im Vers behandelte, auch (wenngleich nicht ausschließlich) als »Verslehre« aufgefaßt. Daran anknüpfend wird h. üblicherweise unter P. der Sonderbereich der → Metrik verstanden, der phonetische bzw. phonologische Erscheinungen erörtert, die die Versstruktur bestimmen. In diesem Sinne definiert P. Maas P. als ›Sprachwiss. vom metrischen Standpunkt aus‹. Erscheinungen, die in der P. erörtert werden, decken oder überschneiden sich daher vielfach mit solchen, die auch Gegenstand der → Lautlehre (Phonetik und Phonologie) sind.

Die griech. Versstruktur (und die größtenteils deren Vorbild folgende lat.) beruht auf dem geordneten Wechsel von langen und kurzen Silben, d. h. auf quantitierendem Prinzip. Allein durch diesen in der Sprache angelegten, in der Rede bzw. im Vortrag realisierten »binären Kontrast« kommt der Versrhythmus zustande, ein Sachverhalt, dessen Bed. erst Fr. Nietzsche (1871) dem Verständnis voll erschlossen hat.

Daher steht das Problem der Quantität der Silben im Mittelpunkt der P. So kontrovers die Definition der Silbe ist, so wenig kann es zweifelhaft sein, daß lange und kurze Silben als Grundeinheiten des Verses zu betrachten sind. Dabei konstituiert das Vorhandensein oder Fehlen des Merkmals »Länge« den Unterschied von akustisch-auditiv prominenten und nichtprominenten Silben: die Silben sind entweder markiert oder nichtmarkiert. Eine bes. Schwierigkeit besteht darin, daß die Länge eines Vok. im Griech. nicht immer, im Lat. (wenigstens im Druck) überhaupt nicht durch entsprechende graphische Zeichen bzw. Grapheme bezeichnet wird. Nicht selten ist dann die P. für uns die einzige Quelle zur Feststellung der Quantitätsverhältnisse.

Eine Silbe gilt als »naturlang« (φύσει/*phýsei, naturā*), wenn sie einen langen Vok. oder Diphthong enthält, als positionslang (θέσει/*thései, positione*), wenn sie einen kurzen Vok. enthält und zw. diesem und dem nächsten mehr als ein Kons. erscheint. Eine Silbe gilt als kurz, wenn sie einen kurzen Vok. enthält und zw. diesem und dem nächsten nicht mehr als ein Kons. erscheint. Dabei ist zu beachten, daß griech. /h/ und lat. /h/ nicht als Kons. zählen, lat. <qu> nur als *ein* Kons. gewertet wird, d. h. phonologisch als /kʷ/ zu interpretieren ist. Einen Sonderfall stellt die Kons.-Folge *muta cum liquida* dar, d. h. Okklusiv mit nachfolgendem Nasalkons., Lateral oder Vibranten. Sie wird unterschiedlich gewertet: häufig hat sie die Geltung nur *eines* Kons., »macht« mithin »keine Position«, doch finden sich nicht selten Abweichungen von dieser Regel. So wird im Griech. stimmhafter Okklusiv mit nachfolgendem Nasalkons. stets,

mit nachfolgendem Lateral meist zweikonsonantisch gewertet.

In Wörtern, deren Silbenquantitäten sich dem Vers nicht fügen, kann metrische Dehnung auftreten: eine kurze Silbe wird unter Verszwang lang gemessen (griech. θυγατέρος – ⌣ ⌣ ⌣ statt ⌣ ⌣ ⌣ ⌣; διογενής – ⌣ ⌣ – statt ⌣ ⌣ ⌣ –; lat. *Italiam* – ⌣ ⌣ – statt ⌣ ⌣ ⌣ –). Ebenfalls unter Verszwang kommt es zur Synizese (griech. συνίζησις »Zusammenfallen«): zwei im Wortinneren aufeinanderfolgende, jedoch verschiedenen Silben angehörige Vok. werden bisweilen in *einer* Silbe so vereinigt, daß sie einen steigenden Diphthong bilden (griech. Πηληιάδεω – – ⌣ ⌣ – statt – – ⌣ ⌣ ⌣ –; lat. stets *deinde* – ⌣ statt ⌣ – ⌣, *antehac* – – statt ⌣ – ⌣). Für die altlat. szenische Dichtung bedeutsam ist die von F. Skutsch (1892) erkannte Jambenkürzung (*brevis brevians*): eine lange Silbe kann, wenn ihr eine kurze voraufgeht (⌣ –), als kurz gewertet werden (⌣ ⌣), wenn der Wortakzent auf die ihr unmittelbar voraufgehende oder folgende Silbe fällt (*bónis* ⌣́ ⌣ statt ⌣́ –, *magistratus* ⌣ ⌣ ⌣́ ⌣ statt ⌣ ⌣ –́ ⌣).

Das andere Problem, dem sich die P. zuwendet, ist der Hiat (lat. *hiatus* »Auseinanderklaffen«, byz.-griech. χασμῳδία/*chasmōidía*), bes. der äußere Hiat: das Zusammenstoßen von wortauslautendem und wortanlautendem Vokal im Satzzusammenhang, eine Erscheinung, die phonetisch bzw. phonologisch gesehen dem vokalischen → Sandhi zuzuordnen ist.

Der Hiat wurde, da man ihn offenbar als dem Redefluß hinderlich empfand, weitgehend gemieden (sog. Hiatusscheu). Der Hiatvermeidung dient die Elision (lat. *elisio* »Ausstoßung«): Unterdrückung bzw. Ausfall eines kurzen Auslautvok. vor Anlautvok. Im Griech. ist die Elision häufig, unterliegt allerdings verschiedenartigen Sonderregelungen (z. B. τηλόθ᾽ ἐόντας statt τηλόθι ἐόντας, oder ἀλλ᾽ ὁ statt ἀλλὰ ὁ). Im Lat. tritt sie so nur bei Vok. gleicher Qualität auf (z. B. *decor᾽ alta*, üblicherweise als *decorͅ alta* notiert, statt *decora alta*). Sonst findet im Lat. Synaloephe (griech. συναλοιφή) statt, »Verschmelzung« des nach gängiger Auffassung nur schwach artikulierten Auslautvok. mit dem Anlautvok. (z. B. *pectorͅ ab imo, atquͅ aurea*). Betroffen sind davon auch auf /-m/ auslautende Silben (z. B. *noctͅ illam, monstrͅ horrendum*). Mitunter findet sich Hiatkürzung (sog. *correptio epica*): Kürzung eines auslautenden langen Vok. oder Diphthongs vor anlautendem Vok. (griech. πλάγχθη ἐπεί – ⌣ ⌣ – statt – – – ⌣; lat. *si me amas* – ⌣ ⌣ – statt – – – –).

III. Prosodie als Teilgebiet der Lautlehre

In rein sprachwiss. Sinne verstanden wird P. von Vertretern des Prager Linguistenkreises (so N. S. Trubeckoj, R. Jakobson) und ihm verpflichteter Richtungen. P. (oder Prosodik) ist für sie das Teilgebiet der → Lautlehre (Phonetik und Phonologie), das diejenigen phonetischen bzw. phonologischen Erscheinungen beschreibt, die die Laute bzw. Phoneme eines Wortes überlagern oder auch die Wortgrenze überschreiten, die sog. prosodischen Elemente (Eigenschaften). Zu diesen

zählen u. a. Quantität (Dauer), Tonhöhenakzent, Druck-
oder Intensitätsakzent, oft auch Pause und Sprech-
tempo.
→ Akzent; Aussprache; Lautlehre; Metrik; Sandhi
METRIK

ALLG.: W.S.ALLEN, Accent and Rhythm, Prosodic
Features of Latin and Greek, 1973.
GRIECH.: A.M.DEVINE, L.D.STEVENS, The Prosody of
Greek Speech, 1994 · P.MAAS, Griech. Metrik, ³1929
(¹1923; engl.: Greek Metre, ²1966) · C.M. J. SICKING,
Griech. Verslehre, 1993 · B. SNELL, Griech. Metrik, ⁵1997
(= ⁴1982) · M. WEST, Greek Metre, 1982.
LAT.: H.DREXLER, Einführung in die röm. Metrik, ⁵1993 ·
J.W.HALPORN, M.OSTWALD, Lat. Metrik, ³1983 ·
E. PULGRAM, Latin-Romance Phonology, Prosodics and
Metrics, 1975 · F. SKUTSCH, Forsch. zur lat. Gramm. und
Metrik, Bd. 1, 1892.   C.H.

Prosodion (προσόδιον, dor. ποθόδιον sc. μέλος). Das *p.*
ist eine Kategorie der lyrischen Dichtung, bes. der
Chorlyrik, und wird allg. als »Prozessionslied« verstanden [2. 30f.]. Etym. könnte *p.* ebenso gut »beitragend«
bedeuten. Eine bei den späten Lexikographen belegte
Form προσῴδιον (»Begleitlied«?) geht vielleicht auf das
3. Jh. v.Chr. zurück (IG XI 120,49). Die vom *p.* begleitete → Prozession konnte zu einem Altar oder Tempel hin- (Prokl. in Phot. bibl. 320a 18) oder von ihm
fortführen (schol. Dion. Thrax 451,17 HILGARD). Die
Gattung ist vom 7. bis zum 2. Jh. v.Chr. bezeugt. In
ihrer Entwicklung lassen sich zwei Phasen unterscheiden.
(1) Klass. Phase: Frühe Vertreter waren → Klonas von
Tegea (Ps.-Plut. de musica 1132c) und → Eumelos von
Korinth (Paus. 4,33,2). *Prosódia* wurden in die hell. Ausgaben des → Pindaros (2 B.) und des → Bakchylides aufgenommen. Fr. pindarischer *p.* lassen sich in POxy. 1792
(= fr. 52m, o-p, s, u-v MAEHLER) erkennen [1]; Pind.
paian 6,123–183 erschien auch unter den *p.* [7]. Pronomos von Theben schrieb ein *p.* für Delos (Paus.
9,12,5). Ein anon. Fr. ist in SLG 460 erkennbar [6].
(2) Nachklass. Phase: Im 4. Jh. v.Chr. wurden *p.* bei
den eretrischen Artemisia (IG XII 9,189,13 = LSCG 92)
und in hell. Zeit bei den thespischen Museia (IG VII
1690, 1773), den delphischen Soteria (FdD III 4,356,16
[4. 419f.]; vgl. Syll.³ 450; CID 3,2) und auf Delos (IDélos
1497) aufgeführt. Ob diese hell. Beispiele organischer
Bestandteil des → Rituals oder agonale Stücke waren,
die evtl. nicht mehr während der Prozession aufgeführt
wurden, ist unklar; möglicherweise letzteres, da gewöhnlich zwei Dichter erwähnt werden (vgl. [5. 2438]).
Einige erh. Fr. weisen eine einfache Struktur auf, die
zur Aufführung während einer Prozession paßt: z.B.
Pind. fr. 52p, v; fr. 89 (vielleicht für ständige Wiederholung bei der Aufführung gedacht). Andere (wie z.B.
Pind. fr. 52 s, u), die keine solche Struktur haben, wurden vielleicht aufgrund einer Ähnlichkeit mit den agon-
nalen *p.* der nachklass. Phase als *p.* klassifiziert. Die Gattung ist bes. mit Delos verbunden (Eumelos, Pronomos,
Pind. fr. 52m, fr. 89; schol. Pind. 3,197,1 DRACHMANN;
IDélos 1497; Poll. 1,38).

1 G.-B. D'ALESSIO, Pindaric Prosodia and the Classification
of Pindaric Papyrus Fragments, in: ZPE 118, 1997, 23–60
2 H. FÄRBER, Die Lyrik in der Kunsttheorie der Ant., 1936
3 R. MUTH, s. v. P., RE 23, 856–865 4 G. NACHTERGAEL,
Les Galates en Grèce et les Soteria de Delphes, 1977
5 E. REISCH, s. v. Chorikoi agones, RE 3, 2431–2438
6 I. C. RUTHERFORD, The Nightingale's Refrain. P. Oxy.
2625 = SLG 460, in: ZPE 107, 1995, 39–43 7 Ders., For the
Aeginetans ... a P.: An Unnoticed Title at Pindar, Paean 6
and Its Significance for the Poem, in: ZPE 118, 1997, 1–22.
I.RU./Ü: T.H.

Prosopites (Προσωπῖτις, Προσωπίτης). Gebiet im sw
Nildelta, zw. dem Arm von → Kanobos und einem an-
deren Wasserlauf gelegen (nach Hdt. 2,41 eine Insel),
verm. das Gebiet des 4. unteräg. Gaues, nach Hdt. 2,165
Siedlungsraum der Hermotybier. Hier gab es neben der
Hauptstadt → Nikiu noch mehrere Städte, u.a. Atar-
bechis, wo Aphrodite (= Hathor) verehrt wurde und
Sammelbestattungen von Rindern stattfanden (Hdt.
2,41; Strab. 17,1,20). Äg. Bezeichnung und Lage dieser
Stadt (bei Kaum Abī Billū?) sind nicht gesichert. In Prosopis wurden 454 v. Chr. die athen. Hilfstruppen beim
Aufstand des → Inaros von → Megabyzos [2] eingeschlossen und vernichtet (Thuk. 1,109).

1 H. KEES, s. v. Prosopis, P., RE 23, 867f. 2 A. B. LLOYD,
Herodotus, Book II, Commentary 1–98, 1976, 186–189
3 A. CALDERINI, s. v. P., Dizionario dei nomi geografici e
topografici dell' Egitto greco-romano, Bd. 4.2, 1984,
194f.   K. J.-W.

Prosopopoiie s. Personifikation (I. A.)

Prospalta (Πρόσπαλτα). Att. Mesogeia-Demos, Phyle
Akamantis, ab 224/3 v.Chr. Ptolemaïs, mit fünf *buleu-
taí*, bei Enneapyrgi nordwestl. von Kalivia Kuvaras, dem
FO mehrerer Grabinschr. von *Prospáltioi* (IG II² 7306;
7311; [2. 129, 129²]), lokalisiert. Pausanias erwähnt ein
Heiligtum der Demeter und Kore in P. (Paus. 1,31,1).
IG II² 4817 (FO: Hagios Petros) ist verm. aus → Myr-
rhinus hierher verschleppt, wo der Kult der Artemis Ko-
lainis bezeugt ist [1. 9ff.]. → Eupolis kritisiert Perikles'
Kriegspolitik in der Komödie *Prospáltioi* (die Einwohner
P.s galten als prozeßsüchtig; Etym. m. s. v. δρυαχαρνεῦ).

1 J. KIRCHNER, S. DOW, Inschr. vom att. Lande, in: MDAI(A)
62, 1937, 1–12 2 J. S. TRAILL, Demos and Trittys, 1986, 63,
132 mit Anm. 27.

TRAILL, Attica, 48, 62, 67, 112 Nr. 123, Tab. 5, 13 ·
WHITEHEAD, 7, 111 Anm. 129, 224, 329.   H. LO.

Prosper Tiro (ca. 390–nach 455), ein asketisch orientierter Laie aus Aquitania, der der südgallischen christl.
Klosterbewegung (vgl. → Mönchtum C.2.) sehr nahe
stand. Seine eigene *conversio* (»Bekehrung«) erfolgte
wohl im ersten Drittel des 4. Jh. In diesem Zusammenhang dürfte das P. zugeschriebene ›Gedicht an die Gattin‹ (*Poema ad uxorem*) stehen [1], das in 74 V. die Darstellung der Nichtigkeit der Welt mit der Aufforderung

verbindet, dieser zu entsagen. Ebenfalls in die frühere Lebensphase des P. gehört sein Engagement für die Lehre des → Augustinus gegen pelagianistische Tendenzen (vgl. → Pelagius [4]), gerade in Südgallien. Einem an Augustinus gerichteten Brief (vgl. Aug. epist. 225) folgte 429/430 das *Carmen de ingratis* (›Gedicht über die der Gnade nicht Teilhaftigen‹), in dem der Lehre des Augustinus entsprechend die zuvorkommende Gnade Gottes gepriesen wird [2]. Die Autorschaft P.s für das im gleichen Zusammenhang stehende *Carmen de divina providentia* (›Über die göttliche Vorsehung‹) in 876 Hexametern ist umstritten. Am Vorbild der *Confessiones* des Augustinus orientiert ist auch die P. gelegentlich zugeschriebene *Confessio* (ca. 410?). P.s andauernde enge Beziehung zu Augustinus' Lehren bezeugt seine ca. 450 verfertigte Blütenlese Augustinischer Sentenzen (*Liber sententiarum ex operibus S. Augustini delibatarum*), der er eine Versifikation in elegischen Distichen als 2. B. folgen ließ. Die Verbindung einer auf 2 B. verteilten Prosa- und Versversion wurde vorbildstiftend. Hrabanus Maurus beruft sich in *De laudibus sanctae crucis* explizit darauf. Ebenso fertigte P. mit der *Expositio Psalmorum* (Ps 100-150) ein Exzerpt aus dem Psalmenkomm. des Augustinus an. Trotzdem ist seit den 30er Jahren des 5. Jh. eine Umorientierung des P. erkennbar, die mit einer Distanzierung von der → Prädestinationslehre des Augustinus einherging. In diesem Zusammenhang steht das Werk, in dem er den universellen Heilswillen Gottes betont (*De vocatione omnium gentium*).

Seit ca. 435 gehörte P. zur Kanzlei Leos [3] d. Gr. (Gennadius, De viris illustribus 85) und spielte gerade mit Blick auf die Ansprüche der gallischen Bischöfe eine Rolle bei Leos Ausbau und Propagierung der röm. Primatsdoktrin. Bes. wirkte P. durch sein Geschichtswerk, die *Epitome chronicon* (›Weltchronik‹), mit der er (in ihrer letzten Fassung) die erste Fortsetzung der Chronik des → Hieronymus von Adam bis zur Eroberung Roms durch die Vandalen 455 verfaßte. Für die Zeit bis 412 exzerpierte er Hieronymus, stellte dann aber aus eigener Beobachtung Zeitgesch. dar. Die Chronik fand Fortsetzer: → Marius [II 22] von Aventicum und → Victor Tonnenensis fügten eine Fortsetzung für die Jahre 445-581 bzw. 444-567 an. Mit ihrem zeitgesch. Teil dient die Chronik als Quelle z. B. für die *Historia Gothorum* des → Isidorus [9], die *Chronica maiora* und die *Historia ecclesiastica gentis Anglorum* des → Beda Venerabilis sowie die *Historia Romana* des → Paulus [4] Diaconus. → Geschichtsschreibung IV. B.

1 CSEL 30,2,344   2 CH. T. HUEGELMEYER, Carmen de ingratis S. Prosperi Aquitani, 1962 (engl. Übers. und Komm.).

ED.: PL 51 · P. CALLENS, Expositio psalmorum. Liber sententiarum (CCL 68A), 1972 · TH. MOMMSEN, Chronica minora I (= MGH AA IX), 1882, 385-485.
LIT.: S. MUHLBERGER, The Fifth-Century Chroniclers, 1990.   U. E.

Prostas s. Haus (II. B. 2.)

Prostates (προστάτης, Pl. προστάται/*prostátai*), eine Person, die »vorne steht«, entweder als Führer (z. B. Aischyl. Suppl. 963 f.) oder als Beschützer (z. B. Aischyl. Sept. 408). Die beiden Inhalte konvergieren, wenn Kyros [2] zum *p.* wird, der die Perser vom Joch der Meder befreit (Hdt. 1,127,1), oder Megabazos [1] sich wegen des Verhaltens der Stadt Myrkinos sorgt, falls Histiaios [1] dort *p.* wird (Hdt. 5,23,2). Wenn die Spartaner zur Zeit des Kroisos (Mitte 6. Jh. v. Chr.) als *p.* Griechenlands gelten (Hdt. 1,69,2), drückt dies keine Führungsposition aus; wenn sie nach dem → Peloponnesischen Krieg ebenso bezeichnet werden (Xen. hell. 3,1,3), deutet dies nun auf Herrschaft in Griechenland. Polybios (12,13,3) beschreibt Demetrios [4] von Phaleron in dessen Zeit als Herrscher in Athen als *p. patrías* (»*p.* des Vaterlands«).

Weitere spezielle Bed.: Thukydides unterscheidet zw. Oligarchen und *p.* des → *démos* [1], die zwar Führer einer volksnahen Gruppierung sind, selbst aber nicht notwendigerweise zum gemeinen Volk gehören (z. B. Thuk. 3,82,1); die aristotelische *Athenaíōn politeía* kennt *p.* in beiden → Parteien (z. B. 28).

Ein → *métoikos* mußte einen Bürger als *p.* haben, in Athen (Aristoph. Pax 684) ebenso wie anderswo (Lys. 31,9; Lykurg. in Leocratem 145). In vielen Staaten, bes. in NW-Griechenland und in der → Magna Graecia, war *p.* der Titel eines Beamten, der in der Volksversammlung den Vorsitz führte (z. B. IG IX 1, 682 = [1. Nr. 319]: Korkyra [1]; IMagn 72: Syrakusai) oder das Heer befehligte (Thuk. 2,80,5: bei den Chaones). In Knidos wurden Beschlußanträge von einer Kommission von *p.* eingebracht (z. B. IKnidos Bd. 41, 603 = Syll.³ 187).

P. und verwandte Wörter konnten im Zusammenhang mit der Kontrolle des Heiligtums von Olympia durch Elis (Xen. hell. 3,2,31) und der von den Phokern beanspruchten Aufsicht über das Heiligtum von Delphoi (Diod. 16,23,5; 24,5) verwendet werden. Nach dem Tod Alexandros' [4] d.Gr. wird Krateros [1] als *p.* (»Vormund«) des → Arridaios [4] erwähnt (Arr. FGrH 156 F 1,3).

In röm. Kontext erscheint *p.* als das griech. Äquivalent zum lat. *patronus* (z. B. Plut. Marius 5,7; OGIS 549,6).

1 C. MICHEL, Recueil d'inscriptions grecques, 1900 (Ndr. 1976).   P. J. R.

Prostiman (προστιμᾶν), das »zusätzliche Schätzen« auf Antrag des Klägers. Im Prozeß wegen Diebstahls (→ *klopé*) hatte in Athen das Gericht die Möglichkeit, zusätzlich zur Geldbuße eine Ehrenstrafe zu verhängen. Der Dieb wurde fünf Tage und Nächte in den Stock eingeschlossen und an den Pranger gestellt (Lys. 10,15; Demosth. or. 24,114 und 146). Verm. geschah das *p.* in einer dritten Abstimmung, nachdem die Geschworenen bereits über die Schuld und die Geldbuße abgestimmt hatten.

A. R. W. HARRISON, The Law of Athens, Bd. 2, 1971, 177 ·
D. COHEN, Theft in Athenian Law, 1983, 62.   G. T.

Prostitution

I. ALTER ORIENT   II. KLASSISCHE ANTIKE

I. ALTER ORIENT

Die relativ wenigen, zeitlich, räumlich und ihrem Kontext nach unterschiedlichen Erwähnungen von P. im Alten Orient sind zu lückenhaft, als daß sie zu einer in sich geschlossenen Darstellung führen könnten. P. hatte einen akzeptierten Platz in den altorientalischen Gesellschaften.

Aus dem AT ist auf die Prostituierte (=Pr.) Rahab zu verweisen, die die Späher Josuas in ihrem Haus verbirgt (Jos 2). Die Gesch. geht davon aus, daß sie trotz ihres »Berufs« nicht aus der Ges. ausgestoßen, sondern weiterhin Mitglied ihres Familienverbandes war.

Für Mesopot. sind aus zweisprachigen sumerisch-akkadischen Vokabularen und Synonymenlisten, lit. Texten und Rechtsurkunden eine Reihe von Termini deskriptiver Art wie »die Üppige«, »die Abgeschlossene«, »(gewerbliche) Beischläferin« usw. für Pr. bekannt. Pr. werden v. a. in den Vokabularen neben anderen Frauenklassen genannt, über deren Eigenschaft als Pr. in der Altorientalistik kontrovers diskutiert wird [6]. Es kann davon ausgegangen werden, daß vielfach Sklaverei, Armut und Rechtlosigkeit zum Schicksal der P. geführt haben. Das Revier der Pr. bildeten Schenken, Häfen, Plätze, Gassen und der Schatten der Stadtmauer. Assyrische Rechtsnormen verbieten einer Pr., sich zu verschleiern (TUAT 1, 87 f. § 40). Über die erbrechtliche Sicherstellung der Kinder von Pr. informieren Rechtsurkunden sowie mittelassyr. Rechtsnormen (13. Jh. v. Chr.), wonach die Kinder einer Pr. den Brüdern ihrer Mutter gleichzustellen sind (TUAT 1, 91 § 49). Texte aus dem 14. Jh. v. Chr. lassen erkennen, daß Mädchen im Kindesalter adoptiert werden konnten, um später als Pr. zu arbeiten, aber nicht als Sklavin verkauft werden durften.

Die ambivalente Stellung der Pr. in der Ges. ist der Schicksalsbestimmung des Enkidu im → Gilgamesch-Epos zu entnehmen: Sie hat kein eigenes Haus, schläft in den Ruinen am Rande der Stadt, Betrunkene bespeien ihr Gewand und schlagen sie. Aber sie wird auch von den Angesehenen der Ges. begehrt und reichlich belohnt [3]. Die Fluchformeln assyr. Königsinschr. apostrophieren P. als schandbares Schicksal einer Frau.

Die Tatsache, daß → Ištar, die als Göttin u. a. auch das weite Feld der Sexualität repräsentiert, in der lit. Überl. des 1. Jt. v. Chr. als Schutzherrin der Pr. gilt und sich in lit. Texten selbst als solche apostrophiert, gibt etwas von der Einstellung der mesopot. Kultur zur Sexualität wieder. Es sind wohl die daraus abgeleiteten Vorstellungen von einer organisierten Tempel-P., die Herodot (1,199; vgl. Iust. 18,5,4) von dem ›häßlichsten Brauch der Babylonier‹ sprechen lassen, wonach jede Frau sich einmal in ihrem Leben im Heiligtum der Aphrodite (d. h. der Ištar) einem beliebigen Fremden hinzugeben hatte. Es spricht vieles dafür, daß dieser Bericht in den Bereich der Anekdotik gehört [6]; s. dazu unten II.D. Lit. Texte belegen männliche homosexuelle P. für das alte Mesopotamien [1; 5].

1 J. BOTTÉRO, H. PETSCHOW, s. v. Homosexualität, RLA 4, 459–468 2 V. HAAS, Babylonischer Liebesgarten, 1999 3 W. G. LAMBERT, P., in: V. HAAS (Hrsg.), Außenseiter und Randgruppen, 1992, 127–157 4 G. LEICK, Sex and Eroticism in Mesopotamian Lit., 1994 5 S. MAUL, kurgarrû und assinu und ihr Schicksal in der babylon. Ges., in: V. HAAS (Hrsg.), Außenseiter und Randgruppen, 1992, 159–171 · 6 G. WILHELM, Marginalien zu Hdt., Klio 199, in: T. ABUSCH et al. (Hrsg.), FS W. L. Moran, 1990, 505–524.
V. H.

II. KLASSISCHE ANTIKE

A. DEFINITION   B. GRIECHENLAND   C. ROM
D. »SAKRALE PROSTITUTION«

A. DEFINITION

Das Substantiv P., das in ant. Texten nicht belegt ist, ist abgeleitet vom lat. Verb prostituere (wörtl. »draußen auf der Straße stehen«, d. h. »sich zum Verkehr anbieten«, Plaut. Pseud. 178). Als Prostituierte (= Pr.) werden Personen bezeichnet, die sich zumeist gegen Bezahlung vielen beliebigen Kunden zu deren sexueller Befriedigung zur Verfügung stellen. Die ant. Begriffe für Pr. sind vielfältig und mitunter vulgär, so etwa griech. σποδησιλαύρα/spodēsilaúra (»Gossenfegerin«) oder lat. lupa (»Wölfin«) oder scortum (»Fell«); sie beziehen sich in der Regel auf Frauen und betonen teils deren Käuflichkeit (διώβολον/dióbolon: »Zwei-Obolen-Frau«; πόρνη/pórnē, von πέρνημι/pérnēmi, »verkaufen«; lat. meretrix, von merere, »verdienen«), teils deren allgemeine Verfügbarkeit (δῆμος/dêmos oder κοινή/koinē: »Gemeine«; lat. publica: »Öffentliche«); einige Begriffe beziehen sich auch auf den Ort, an dem sich Pr. gewöhnlich aufhielten (γεφυρίς/gephyrís: »Brückensteherin«; prostituta: »die auf der Straße steht«). Während zu → Hetairai (ἑταίρα/hetaíra: »Gefährtin«; lat. amica: »Freundin«) eine längerfristige und persönliche Verbindung gesucht wurde, war das Verhältnis zu Pr. unverbindlich und kurzfristig.

B. GRIECHENLAND

Bereits → Archilochos kennt die P. gegen monetäre Entlohnung (Ail. var. 4,14; vgl. auch Alk. fr. 2,8 LOBEL-PAGE). In klass. Zeit war Korinth für seine Pr. berühmt. In Athen wurden v. a. im Peiraieus, im Vorort Skiron und im Kerameikos verschiedene Formen von P. praktiziert (Aristoph. Pax 165 mit schol.; Alki. epist. 3,5,1; Suda s. v. Kerameikoi; Xen. mem. 2,2,4). Neben der Straßen-P. gab es → Bordelle. Der Besuch eines Bordells war in Athen sehr billig (Aristoph. Vesp. 500; Philemon fr. 4 KOCK 2; Eubulos fr. 67 K.-A.), stand selbst Sklaven frei und galt keineswegs als anrüchig; allein übertrieben häufige Besuche im Bordell gaben Anlaß zur Verspottung. Die vorab ausgemachte Bezahlung war Grundbedingung der P. Das Geld definierte den promiskuitiven und anonymen Verkehr, durch den sich Pr.

von begehrten Knaben (→ Päderastie) und Hetairai unterschieden, welche nach der aristokratischen Ethik des Gabentausches von den Wohlhabenden Zuwendungen bezogen. Das im Bordell ausgegebene Geld erhielten meist die Zuhälter (πορνοβοσκοί/*pornoboskoí*), die in der Mittleren und der Neuen → Komödie als geldgierige Schurken charakterisiert werden. In den Bordellen arbeiteten Sklavinnen, die in den Quellen meist anonym bleiben; sie waren von den Zuhältern abhängig, ein sozialer Aufstieg scheint kaum möglich gewesen zu sein. In einer griech. Gerichtsrede (Mitte 4. Jh. v. Chr.) wird das Leben einer Pr. ausführlich dargestellt: → Neaira [6] war angeklagt, weil sie sich als Athenerin ausgab und mit einem Athener verheiratet war (Demosth. or. 59); umfassende Informationen über alle Aspekte des Lebens von Hetairai und Pr. der klass. Zeit bietet außerdem Athenaios (Athen. 13).

Wie die weiblichen Pr. wurden auch die männlichen ausnahmslos von Männern aufgesucht (Aischin. Tim. 40). Die meisten der männlichen Pr. waren wohl ebenfalls Sklaven; sie waren registriert und zahlten eine »Hurensteuer« (πορνικὸν τέλος/*pornikón télos*: Aischin. Tim. 119); ob dies auch für weibliche Pr. galt, ist nicht sicher, jedoch wahrscheinlich. Ein Gesetz, das angeblich von Solon stammte, verbot Athener Bürgern, die sich prostituiert hatten, vor der Volksversammlung zu sprechen, ein Amt zu bekleiden und am bürgerlichen Leben teilzunehmen; bei Verstößen drohte die Todesstrafe (Demosth. or. 22,30; Aischin. Tim. 21; vgl. auch → *hetairéseos graphé*).

C. ROM

Seit ca. 200 v. Chr. sind überwiegend weibliche Pr. in lit., epigraphischen und papyrologischen Quellen bezeugt. Die P. erscheint darin als fester Bestandteil des urbanen und mil. Lebens. Orte der P. waren Straßen, Grabdenkmäler, Kneipen und Bordelle insbes. der → Subura Roms (Mart. 1,34,8; 6,66,1–2; vgl. 2,17) und außerdem die Militärlager (Liv. per. 57). Die meisten Pr. waren Sklavinnen (Dion. Chrys. 7,133 f.), die häufig aus dem Osten kamen; hier wurden in großer Zahl junge Frauen versklavt, um als Pr. nach Rom gebracht zu werden (Iuv. 3,62–66; Sen. contr. 1,2,3). Im Jahr 19 n. Chr. erging ein Senatsbeschluß, der Frauen aus dem → *ordo equester* die P. verbot (Tac. ann. 2,85; vgl. Suet. Tib. 35,2). Auch Angehörige der niederen Schichten und Sklaven suchten Bordelle auf, da der Preis meist niedrig war. Zahlreiche Graffiti aus Pompeii geben Namen und Preise von männlichen und weiblichen Pr. an und wurden verm. von diesen selbst oder ihren Zuhältern als Werbung an die Hauswände geschrieben (CIL IV 4023; IV 4150; vgl. außerdem Mart. 9,4,1). Zuhälter sind häufig bezeugt (Plaut. Pseud. 182; Iuv. 6,127; Dion. Chrys. 7,133 f.). Moralische Vorbehalte gegenüber dem Besuch von Pr. finden sich in den Quellen nicht, sofern ein gewisses Maß gewahrt blieb.

Durch die Ehe- und Sittengesetzgebung des → Augustus wurden Eheschließungen von freien Bürgern, bes. von Angehörigen des Senatorenstandes, mit Pr.

verboten (Ulp. epit. 13,1–2; → *adulterium*). Auch gesetzgeberische Maßnahmen der Folgezeit suchten den sozialen Aufstieg von Pr. zu verhindern, indem diesen Erbschaften (Suet. Dom. 8,3; Ulp. Dig. 29,1,41,1) verwehrt wurden. Derartige Bestimmungen führten zu einer genauen juristischen Definition der P. (Ulp. Dig. 23,2,43,1–3). Seit dem frühen 1. Jh. galt beim Verkauf einer Sklavin die Nebenabrede, daß die Frau nicht zur P. gezwungen werden dürfe (Ulp. Dig. 37,14,7). Dies galt jedoch nur für Sklavinnen, die nicht ohnehin schon als Pr. arbeiteten. Zahlreiche überl. Iurisconsulte und Kaiserreskripte lassen auf häufige Verstöße gegen diese Klausel schließen. Septimius Severus zählte es zu den Aufgaben des Stadtpräfekten (→ *praefectus urbi*), derart mißbrauchte Sklavinnen zu schützen (Ulp. Dig. 1,12,1,8). Seit Caligula (37–41 n. Chr.) wurde P. besteuert (Suet. Cal. 40); zahlreiche Inschr. und Pap. zeugen davon, daß diese Steuer von Männern und Frauen auch in den Prov. bis ins 6. Jh. erhoben wurde. P. blieb auch unter den christl. Kaisern durchgängig legal.

D. »SAKRALE PROSTITUTION«

Umstritten ist die Historizität der sog. »sakralen P.«, bei der sich Tempelsklavinnen (*hierodúlai*) in Heiligtümern gegen Geld zu Ehren einer Gottheit prostituierten. Nach Aussage ant. Autoren gab es solche Pr. sowohl in orientalischen als auch in griech. Kulten, bes. im Tempel der → Aphrodite in Korinth (Strab. 8,6,20; 12,3,36; Athen. 13,573 f. mit einem längeren Zitat von Pindar, fr. 122, der die Weihung von hundert jungen Frauen an Aphrodite durch den Korinther Xenophon rühmt), doch PIRENNE-DELFORGE [7] bestreitet h., daß eine sakrale P. orientalischer Prägung in Korinth jemals existiert habe. Auch für den Kult der Aphrodite vom Eryx [1] auf Sizilien, der bis nach Rom wirkte, werden Hierodulen angenommen (Strab. 6,2,6; Ov. fast. 4,865 ff.; vgl. Diod. 4,83).

→ Homosexualität; Sexualität

1 J. N. DAVIDSON, Courtesans and Fishcakes. The Consuming Passions of Classical Athens, 1997 2 K. DOVER, Greek Homosexuality, 1978 3 W. FAUTH, Sakrale P. im Vorderen Orient und im Mittelmeerraum, in: JbAC 31, 1988, 24–39 4 R. FLEMMING, Quae Corpore Quaestum Facit: The Sexual Economy of Female P. in the Roman Empire, in: JRS 89, 1999, 38–61 5 D. M. HALPERIN, The Democratic Body: P. and Citizenship in Classical Athens, in: Ders., One Hundred Years of Homosexuality, 1990, 88–112 6 TH. A. J. MCGINN, P. and Julio-Claudian Legislation, 1986 7 V. PIRENNE-DELFORGE, L'Aphrodite grecque, 1994, 116 ff. 8 C. REINSBERG, Ehe, Hetärentum und Knabenliebe im ant. Griechenland, 1989 9 B. E. STUMPP, P. in der röm. Ant., 1998. E. HA.

Prostylos. Durch Vitr. 3,2,3 überl. architektonischer Fachterminus, der eine der von Vitr. aufgelisteten Tempelformen bezeichnet (→ Tempel). Der P. ist gemäß Vitruvs Beschreibung ein Antentempel (→ Ante) mit einer Säulenreihe vor dem Pronaos (→ Cella). Eine erweiterte Variante des P. ist der → Amphiprostylos.

W. MÜLLER-WIENER, Griech. Bauwesen in der Ant., 1988, 217 s. v. P. C. HÖ.

Prosymnos (Πρόσυμνος; *Prosumnus* bei Arnob. 5,28, fälschlich *Pólymnos* bei Paus. 2,37,5). Gottheit im Gefolge des → Dionysos. Bei Lerna zeigt P. dem Gott den Weg in die Unterwelt, als dieser seine Mutter → Semele aus dem Hades zurückführen will (Paus. ebd.). Der weitere Mythos bringt P. in homoerotische Beziehung zu Dionysos: Bei Clem. Alex. Protreptikos 2,34 (vgl. Arnob. 5,28) verspricht P., den Weg zu zeigen, wenn sich der Gott ihm zum Liebesgenuß hingebe. Dieser verspricht es, sobald er zurückgekehrt sei, doch P. stirbt vorher. Um sein Versprechen dennoch einzulösen, schnitzt Dionysos das Abbild eines → Phallos, pflanzt ihn auf den Grabhügel und setzt sich darauf, um sich (bzw. P.) zu befriedigen (Varianten bei Nonnos Abbas 37,1 u. a. [1]). Der Mythos soll offenbar das Mitführen eines Phallosbildes im Ritus der Phallosprozessionen im Dionysoskult erklären (vgl. Hdt. 2,49; [2]).

1 G. Türk, s. v. Polymnos, RE 21, 1773 f. 2 M. C. van der Kolf, s. v. P., RE 23, 905–907.   L. K.

Protagonistes (πρωταγωνιστής, »Erster im Wettstreit«, bes. »erster Schauspieler, Hauptdarsteller«). Als t. t. nur selten und spät belegt; weil aber schon Aristoteles [6] (Aristot. poet. 1449a 18 und pol. 1338b 30) das abgeleitete Vb. πρωταγωνιστεῖν/*prōtagōnisteín* im übertragenen Sinn (»im Vordergrund stehen«) verwendet, dürfte das Wort *p.* aus dem 5. Jh. v. Chr. stammen. Im dramatischen Wettbewerb hing viel vom Können des *p.* ab. → Aischylos [1] übernahm noch persönlich den führenden Part seiner Trag., → Sophokles verzichtete früh zugunsten professioneller Schauspieler, denen er Rollen auf den Leib schrieb (TrGF 4, testimonium 1,6 und 1,42). Seit 447 v. Chr. gab es an den → Dionysia einen gesonderten Agon (→ Wettbewerbe, künstlerische) der trag. *prōtagōnistaí*; damit hatte sich die mimetische Darstellung neben dem Dichtertext verselbständigt. Es lag nahe, daß man in der Folgezeit dazu überging, die *p.* den Dichtern zuzulosen (Hesych. = Suda s. v. νέμησις ὑποκριτῶν); im 4. Jh. v. Chr. erhielt jeder *p.* nur noch ein Stück aller konkurrierenden Dichter [1. 91 f.].

Die Zeit der großen Schauspieler war das 4./3. Jh. v. Chr., als überall in der griechischsprachigen Welt → Theater entstanden. *P.* stellten eigene Truppen zusammen und zogen von Fest zu Fest; sie boten oft Reprisen der Klassiker und glänzten mit einem ausgesuchten Repertoire. So spezialisierte sich → Theodoros auf Frauenrollen (z. B. die Antigone: Demosth. or. 19,246); Nikostratos wurde für seine Botenberichte gepriesen (Eubulos, fr. 134: PCG 5,268); ein *p.* aus Tegea rühmt sich seiner Siege als trag. Schauspieler und als Ringer [2]. Am Ruhm und Reichtum der *p.* hatten die untergeordneten Spieler keinen Anteil, wie das Schicksal des *tritagōnistés* (»dritten Schauspielers«) Aischines lehrt (Demosth. or. 19,200; Aischin. epist. 21,1). Leider sind mehr Anekdoten über eitle Allüren und Extravaganzen von *p.* überl. als Nachrichten zu ihrem Künstlertum.
→ Tragödie

1 Mette 2 I. E. Stefanis, Dionysiakoi Technitai, 1988, Nr. 3003 mit Abb. 15.

P. Ghiron-Bistagne, Recherches sur les acteurs dans la Grèce antique, 1976 · M. Kaimio, The P. in Greek Tragedy, in: Arctos 27, 1993, 19–33 · Pickard-Cambridge/Gould/Lewis · G. M. Sifakis, The One-Actor Rule in Greek Tragedy, in: A. Griffiths (Hrsg.), Stage Directions. FS E. W. Handley, 1995, 13–24.
                                                                H.-D. B.

Protagoras (Πρωταγόρας).
[1] P. von Abdera. Der erste Sophist, 5. Jh. v. Chr., Begründer des *Homo-mensura*-Satzes, nur aus Platons gleichnamigem Dialog und aus Diogenes Laertios bekannt.

A. Leben   B. Werke   C. Lehre

A. Leben
Die Lebensdaten des P. sind unsicher: Platon läßt ihn in dem nach ihm benannten Dialog ›P.‹ (Plat. Prot. 317c = 80 A 5 DK) sagen, er könne der Vater aller Anwesenden sein, also auch des Sokrates (* 469/8 v. Chr.); demnach müßte P. spätestens 490 v. Chr. geboren sein. Wenn er 70 J. gelebt hat (Plat. Men. 91e = 80 A 8 DK), wäre er etwa 420 v. Chr. gestorben – zeitlich kein Widerspruch zum Zeugnis des Apollodoros (80 A 1 DK = Diog. Laert. 9,56), der die *akmḗ* (im Sinne von Höhepunkt der Bekanntheit, nicht des Alters von 40 J.) des P. in die 84. Ol. (444–441 v. Chr.) legt: Eben damals (444/3 v. Chr.) machte Perikles P. zum Gesetzgeber der panhellenischen Kolonie → Thurioi in Süditalien (Diog. Laert. 9,50 = 80 A 1 DK). Eine Anklage wegen Asebie (→ *asébeia*), die nach verschiedenen Zeugnissen in Athen gegen ihn erhoben wurde (80 A 1, A 2, A 3, A 12, A 23 DK) und ihn zwang, die Stadt zu verlassen, ist offensichtlich später zu datieren. Falls P. zu dem Zeitpunkt, an dem → Eupolis ihn in seinen ›Schmeichlern‹ auf die Bühne brachte (422/1 v. Chr.), auch selbst in Athen war, konnte er entweder trotz dieser Anklage dorthin zurückkehren, oder (wenn man den Tod in das J. 420 v. Chr. datiert) die Asebieklage wurde kurz nach der Aufführung des Eupolis-Stücks erhoben; dies würde auch die Verbindung erklären, die Sextos Empeirikos (80 A 12 DK) zw. der Verurteilung wegen Gottlosigkeit herstellt, der P. habe entkommen wollen, und seinem Tod infolge eines Schiffsbruchs.

Jedenfalls hat sich P. nicht ständig in Athen aufgehalten: Platons ›Hippias maior‹ (282 d-e) verweist auf einen Aufenthalt des betagten P. in Sizilien; im ›P.‹ ist er gerade seit zwei Tagen in Athen, wo er zuvor schon mindestens einmal gewesen sein muß (vgl. Plat. Prot. 310b-e).

P. war laut Platon der erste, der als »Sophist« (*sophistḗs*) bezeichnet wurde (Plat. Prot. 317b). Im Zusammenhang mit der beruflichen Praxis der Sophisten stehen auch alle Neuerungen, die ihm Diog. Laert. 9,51–53 zuschreibt.

B. Werke

Bei Diog. Laert. 9,55 ist ein Werkkatalog des P. überl. (laut [7. Kap. 2] aber nur eine Liste von Themen, die P. in den ›Antilogien‹ behandelt habe), nach [7. Kap. 2] zu ergänzen durch die Abh. ›Über die Götter‹ (Diog. Laert. 9,54). Dazu kommt eine (bei Diogenes nicht genannte) Schrift, die Platon [1] mit dem Titel ›Die Wahrheit‹ (Ἀλήθεια/*Alḗtheia*, Plat. Tht. 161c) und Sextos Empeirikos unter dem Titel ›Niederringende Reden‹ (*Kataballontes* <*lógoi*>, 80 B 1 DK) erwähnt [7. 25–27]. Eine weitere Abh. ›Über das Sein‹ (80 B 2 DK) wird von einigen Forschern dem letztgenannten Werk, von [7] dagegen den ›Antilogien‹ zugerechnet. Die ›Große Rede‹ (Μέγας λόγος/*Mégas lógos*) stellt in den erh. Fr. (80 B 3 DK) die Bed. des Zusammenhanges von Begabung (φύσις/*phýsis*) und Übung (ἄσκησις/*áskēsis*) für den Lehrenden heraus und fordert einen Lernbeginn im jugendlichen Alter. Möglicherweise ist auch die von Platon (Phaidr. 267c) angeführte ὀρθοέπεια (*orthoépeia*, die »Richtigkeit des Stils«) ein eigener Werktitel.

C. Lehre

Hauptzeuge der philos. Lehre des P. ist Platon in seinen Dialogen P. (darin eine lange Rede des P.) und ›Theaitetos‹. Die geringe Zahl der Text-Fr. und das Fehlen unabhängiger Quellen machen es schwer, seine Verläßlichkeit einzuschätzen. Platon kann den Mythos, den er den Sophisten im P. vortragen läßt (Prot. 320c–322d), durchaus aus dem von Diogenes Laertios aufgelisteten Werk ›Vom Urzustand des Menschen‹ entlehnt haben. Liest man diesen Mythos als Metapher der anschließenden theoretischen Gedankenentwicklung, so erkennt man den dezidiert antiplatonischen Charakter der in ihm exponierten Lehre – und das spricht für seine inhaltliche Authentizität [10].

Die prominenteste mit P. verknüpfte Aussage, der sog. *Homo-mensura*-Satz (πάντων χρημάτων μέτρον ἐστὶν ἄνθρωπος: »Der Mensch ist das Maß aller Dinge«) ist in übereinstimmenden Formulierungen mehrfach überl. (Plat. Tht. 152a; S. Emp. math. 7,60 = 80 B 1 DK; Diog. Laert. 9,51). Seine Übers. ist umstritten (vgl. [8. 188–192; 11. Nr. 83 z. St.]). Trotz anderer Vorschläge [6; 7. 96–113] bleibt die gängige Auffassung dieses Fr. die von Platon im ›Theaitetos‹ (152a–160e) vorgegebene, d. h. die eines radikalen erkenntnistheoretischen Relativismus, der sich auf die Wahrheit der individuellen Sinneserfahrung stützt. Die platonische Darstellung bringt diese These in die Nähe einer von Grund auf veränderlich gedachten, sog. heraklitischen Naturauffassung. Eine genaue Analyse der Argumentationsstruktur des platonischen Dialogs [9] wie auch der sog. »Verteidigung des P.« (Tht. 166a–167d, vgl. [11. 106–109]) läßt allerdings den Schluß zu, daß diese Doktrin des P. lediglich sein Hauptanliegen unterstützen sollte: die Beherrschung der Redekunst.

→ Atheismus; Rhetorik; Skeptizismus; Sophistik

Ed.: **1** Diels/Kranz, Nr. 80 **2** M. Untersteiner, Sofisti. Testimonianze e frammenti, Bd. 1, ²1961, 14–117 (Ergänzungen zu Diels/Kranz) **3** M. Gronewald (Hrsg.), Ein neues P.-Fr., in: ZPE 2, 1968, 1–2.
Lit.: **4** H. Gomperz, Sophistik und Rhet., 1912 (Ndr. 1965), 126–278 **5** W. Nestle, Vom Mythos zum Logos, ²1942 (Ndr. 1975), 264–306 **6** E. Dupréel, Les Sophistes, 1948, 13–58 **7** M. Untersteiner (ed.), I sofisti, Kap. 1–3, ²1967 (Ndr. 1996; engl. 1954) **8** Guthrie, Bd. 3, 63–68, 181–192, 234f., 262–269 **9** M. Narcy, À qui la parole? Platon et Aristote face à P., in: B. Cassin (Hrsg.), Positions de la sophistique, 1986, 78–81 **10** Ders., Le contrat social: d'un mythe moderne à l'ancienne sophistique, in: Philosophie 28, 1990, 41–45 **11** Ders., Platon. Théétète, ²1995, 100–121.
Bibliogr.: **12** G. B. Kerferd, H. Flashar, s. v. P., GGPh² 2.1, 1998, 117–123. MI. NA./Ü: B. v. R.

[2] Verfaßte nach Klaudios Ptolemaios [65], in dessen Trad. er stand (Tzetz. chil. 7,647) [1. 45], und lange vor → Markianos [2. 921], dessen Hauptvorlage er war, im 2./3. Jh. n. Chr. eine *Geōmetría*, d. h. ›Erdvermessung‹ (γεωμετρία, Phot. 188, p. 145b, 16–26), bzw. *Geōgraphía tḗs oikuménēs*, »Geogr. der → Oikumene« (γεωγραφία τῆς οἰκουμένης, Markianos, peripl. maris externi 2,5 = GGM 1, 543), erh. sind nur 5 Fr. (außer den oben genannten: Markianos ebd. 1,1; 2,2; 38 = GGM 1, 510; 542; 559). In B. 6 bot P., z. T. nach Autopsie, δοξολογούμενα/*doxologúmena* (»Wundersames«) der → Oikumene. Zu den Küsten von Kleinasien, Libyen und Europa gab er – außer zu den nördl. Küsten von Europa – Entfernungen in Stadien nach den Angaben des Ptolemaios in Graden an; sie boten oft den Maximal- und Minimalwert, was Markianos (2,5,9; 13 = GGM 1, 543; 545f.) übernahm. Auch der anon. ›Geogr. Entwurf‹, *Hypotýpōsis geōgraphías* (GGM 2, 494–511), dürfte auf ihn zurückgehen.

→ Geographie; Paradoxographoi; Periegetes

1 A. Miller, The Trad. of the Minor Greek Geographers, 1952 **2** F. Gisinger, s. v. P. (5), RE 23, 921–923. H. A. G.

Protarchos (Πρώταρχος).

[1] Komödiendichter aus Thespiai, der im 1. Jh. v. Chr. einmal an den Soteria von Akraiphia siegte und Sohn oder Vater des Ependichters Protogenes war; sonst ist nichts bekannt.

PCG VII, 1989, 583. H.-G. NE.

[2] P. aus Bargilia. Lehrer des Demetrios [21] Lakon (Strab. 14,20; 2. Jh. v. Chr.), vielleicht in Milet. Daß er epikureisches Schuloberhaupt des »Gartens« (→ *kḗpos*) war, ist unwahrscheinlich.

W. Aly, s. v. P. (5), RE 23, 924 · M. Erler, in: GGPh² 4.1, 256–257. T. D./Ü: J. DE.

[3] Tragiker aus Theben, nach 85 v. Chr. an den Amphiaraia und Rhomaia in Oropos (DID A 6) erfolgreich.
B. Z.

[4] 51/50 v. Chr. als *syngenḗs* (→ Hoftitel) und → *dioikētḗs* von ganz Ägypten bezeugt.

L. Mooren, The Aulic Titulature in Ptolemaic Egypt, 1975, 139f. Nr. 0175. W. A.

[5] Kameenschneider der hell. Zeit, signierte zwei Sard-
onyx-Kameen mit jeweils weißen Figuren auf braunem
Grund. Während auf dem Kameo mit Aphrodite und
dem ihr zufliegenden Eros auch die Inschr. erhaben geschnitten ist (Boston, MFA), erscheint sie auf dem zweiten (mit dem auf einem Löwen reitenden und kithara-
spielenden Eros) vertieft (Florenz, AM). Aufgrund stilistischer und ikonographischer Merkmale hat sich eine
hell. Datier. durchgesetzt.
→ Steinschneidekunst

ZAZOFF, AG, 207f., Anm. 88, 89, Taf. 54, 5.6.   S. MI.

Protasekretis (πρωτασηκρήτις). Byz. Amtsbezeich-
nung, 6.–12. Jh. n. Chr., für den Vorsteher der kaiserl.
Sekretäre (Sing. ἀσηκρήτις/*asēkrḗtis*, aus lat. *a secretis*).
ODB 3, 1742.   F. T.

Prote (Πρωτή). Von → Sphakteria abgesehen einzige
Insel vor der messenischen Westküste (Skyl. 45; Plin.
nat. 4,55; Ptol. 3,16,23; Steph. Byz. s. v. Π.; Ethnikon:
Πρωταῖος), h. immer noch Proti, die an ihrer Südseite
mit ihrem kleinen, nach Westen geöffneten Hafen den
Seereisenden auf dem Weg nach Norden Schutz vor
den → Etesien (vgl. Pol. 5,5,3; 6) bot; vgl. die zahlreichen Inschr. an der felsigen Ostküste der Insel mit der
Bitte um gute Fahrt (IG V 1, 1533–1588; SEG 11,1005–
1024a; 14,337–345; 6. Jh. v. Chr. bis in spätant. Zeit).
425 v. Chr. spielte P. während des → Peloponnesischen
Krieges in den Kämpfen um Sphakteria als Ankerplatz
für die Flotte der Athener mit 40 Schiffen eine Rolle;
die Insel war damals unbewohnt (Thuk. 4,13,3). In hell.
Zeit aber befand sich im Zentrum der Insel eine kleine
befestigte Siedlung (Strab. 8,3,23). Nachgewiesen ist im
Norden ein ant. Leuchtturm, ebenso ein Turm beim
Hafen.

E. MEYER, Pylos und Navarino, in: MH 8, 1951, 119–136 ·
F. BÖLTE, E. MEYER, s. v. P. (3), RE 23, 925–927 ·
N. VALMIN, Ét. topographiques sur la Messénie ancienne,
1930, 141–145.   E. O. u. V. S.

Proteas (Πρωτέας). Sohn des Andronikos, Makedone,
wohl mit P., dem Sohn der → Lanike, der Amme Alexandros' [4] d. Gr., zu identifizieren. Er sammelte 334/3
v. Chr. auf Befehl des Antipatros [1] in Euboia und auf
der Peloponnes Schiffe zum Schutz der Inseln und des
Festlandes. Im Frühsommer 333 gelang es ihm, ein persisches Vorkommando unter → Datames bei der Insel
Siphnos zu überraschen und acht der zehn Schiffe zu
kapern (Arr. an. 2,2,4–5). P. legte dabei in zwei Nacht-
fahrten über 120 Seemeilen zurück, eine einmalige Leistung in der griech. Flottengeschichte. Die Tat des P.
erschütterte die pers. Position in der Ägäis und verrät
indirekt, daß Alexandros in Griechenland mit mehr
Loyalität rechnen konnte als allgemein angenommen
[1. 326ff.]. P. wurde später abberufen und traf 332 mit
einem Fünfzigruderer in Tyros ein (Arr. an. 2,20,2).
Von seinen weiteren Taten sind nur die Trinkleistungen
bekannt, die er als *hetaíros* (→ *hetaíroi*) des Königs vollbrachte (Athen. 4,129a; Ail. var. 12,26).

1 G. WIRTH, Der Kampfverband des P. Spekulationen zu
den Begleitumständen der Laufbahn Alexanders, 1989.
W. W.

Protesilaos (Πρωτεσίλαος, lat. *Protesilaus*; etwa »Erster
im Volke«, vgl. Hom. Il. 2,702; [2. 938]; myth. Ausdeutung durch seinen Tod vor Troia bei Eust. Hom. Il.
2,700 p. 325; bei Hdt. 9,116 Πρωτεσίλεως). Sohn des
Iphikles (Hom. Il. 2,704–707) oder des Aktor (Hes. fr.
199,6 M.-W.); als Mutter werden Astyoche (Eust. Il.
2,698 p. 323) oder Diomedeia (Hyg. fab. 103) genannt;
wie sein Bruder Podarkes [1] (Hom. ebd.) Freier der
→ Helene [1] (Hes. fr. 199,5 M.-W.). Anführer des
Kontingents der Phthiotis mit 40 Schiffen aus den Städten Phylake, Pyrasos, Iton, Andron und Pteleos [3. 661–
668].

Wiewohl das Epos schon die unglücksbehaftete Liebe des P. kannte (allerdings unter dem Namen Polydora
statt Laodameia [2]: Kypria PEG I fr. 26), ist dort eher
sein Tod vor Troia thematisiert (nach einem Orakel, daß
der erste, der troischen Boden betrete, als erster fallen
müsse: »Überwindung des Anfangs«), nach den Kypria
durch → Hektor (PEG p. 42 = Prokl. chrestomathia 80;
Scholia II 2,701: Aineias). Ausführlich gestaltet wird die
treue Liebe der → Laodameia [2] erst im ›P.‹ des Euripides [1] (TGF fr. 647–657), faßbar bei schol. Aristeid.
p. 671 sowie Hyg. fab. 103 und 104: P. darf auf seine
Bitte hin seine Gattin noch einmal in seiner Gestalt als
Lebender aufsuchen; Laodameia, die ein Wachsbild ihres Mannes geformt hat, begleitet ihn, auf seine Bitte
(Eust. Hom. Il. 2,700 p. 325) oder aus freien Stücken
(Verg. Aen. 6,447f.; Ov. epist. 13,163f.) in den → Hades zurück. Andere dramatische Gestaltungen des Stoffes sind nur bruchstückhaft erh. (Anaxandrides, PCG II
fr. 41–42; ›Protesilaudamia‹ des Laevius, FPL fr. 13–19
BLÄNSDORF).

Grab und Kult des P. befanden sich auf der thraki-
schen Chersonnesos [1] im dortigen Elaius ([1. 554] zur
Lokalisierung; Thuk. 8,102), ein Heiligtum in seiner
Vaterstadt Phylake erwähnt Pindar (I. 1,83 mit schol.).
Irritierend ist die Nachricht bei Konon (FGrH 26 F
1,13), P. habe Aithilla, die Tochter des Priamos, als
Kriegsgefangene aus Troia geführt und sei zum Gründer
von Skione geworden.

1 F. CANCIANI, s. v. P., LIMC 7.1, 554–560; LIMC 7.2,
430–432 2 G. RADKE, s. v. P., RE 23, 932–940 3 E. VISSER,
Homers Katalog der Schiffe, 1997.   JO. S.

Proteus (Πρωτεύς). Meergott, Hirt der Robben des
→ Poseidon, bisweilen auch dessen Sohn. P. besitzt die
für Meergötter typischen Merkmale des Greisenalters
(→ *hálios gérōn*: Hom. Od. 4,349), der Sehergabe und der
Verwandlungsfähigkeit (vgl. den Ringkampf des Herakles mit → Nereus oder → Triton und des Peleus mit
→ Thetis). In Hom. Od. 4,349–570 hält P. mit den
Robben auf der äg. Insel Pharos Mittagsruhe; mit Hilfe
von P.' Tochter Eidothea überwältigt Menelaos [1] den
Gott, der sich in verschiedene Gestalten verwandelt,
und entlockt ihm Weissagungen. Dieser Stoff lag Ais-

chylos' Satyrspiel ›P.‹ zugrunde; vgl. auch Lukians 4. ›Meergöttergespräch‹. Die homerische Erzählung ist in Verg. georg. 4,387–529 adaptiert, wo → Aristaios [1] P. fesselt und befragt. Zu P. als Seher vgl. noch Ov. met. 11,221–223; 11,249–256 und Sil. 7,419–493. Rationalistische Deutungen machen P. zum gerechten und gastfreundlichen äg. König, der → Helene [1] während des Troianischen Krieges beherbergt (Hdt. 2,112–120; Eur. Hel. 1–67; vgl. Stesich. fr. 16 PMG). Nach einer anderen, evtl. älteren Trad., die in unterschiedlicher Weise mit der äg. Version vermittelt wird, ist P. in der thrakischen Chalkidike beheimatet (Pallene/Torone: Lykophr. 115–131; Kall. fr. 254,5 SH; Konon FGrH 26 F 1,32; Verg. georg. 4,390f.; Apollod. 2,105). Gattinnen und Nachkommen des P. variieren je nach Version. P.' Vielgestaltigkeit ist sprichwörtlich geworden (vgl. den Beinamen des Kynikers → Peregrinos).

H. HERTER, s. v. P., RE 23, 940–975 • N. ICARD-GIANOLIO, s. v. P., LIMC 7.1, 560f. • S. WEST, in: A. HEUBECK et al., A Commentary on Homer's Odyssey, Bd. 1, 1988, 217f.
A. A.

Prothesis (πρόθεσις, zuerst [1. 22B], 6. Jh. v. Chr.; lit. zuerst Plat. leg. 947b 3; 959e 5). Bezeichnung für die Aufbahrung von Verstorbenen, die in Griechenland seit ältester Zeit unentbehrlicher Teil jeder → Bestattung war. Der oder die Tote lag dabei auf einer → klínē, meist von einem Bahrtuch (φᾶρος/pháros) bedeckt, und wurde von den Angehörigen sowie fremden Trauernden beweint und beklagt. P.-Szenen werden in den homer. Epen beschrieben (bes. Hom. Il. 18,352–355; 24,719–776). Die rituelle Trauergestik wird in Bildern bes. der attischen Keramik häufig dargestellt (vgl. [6]), relativ schematisch auf geom. Amphoren und Krateren [2], differenzierter und pathetischer auf den sf. Tafeln (pínakes; dazu [4]) sowie sf. und (vereinzelt noch) rf. lutrophóroi (→ lutrophóros). In klass. Zeit war die p. in Athen auf das Haus beschränkt und dauerte nur einen Tag, angeblich aufgrund eines Solonischen Gesetzes (Ps.-Demosth. or. 43,62 = Sol. fr. 109 RUSCHENBUSCH). → Bestattung; Tod; Totenkult

1 F. HALBHERR (ed.), Inscr. Creticae, Bd. 4, 1950
2 G. AHLBERG, P. and Ekphora in Greek Geometric Art, 1971, 25–219 3 M. ANDRONIKOS, Totenkult (ArchHom 3), 1968, W 7–9, 43–50 4 J. BOARDMAN, Painted Funerary Plaques and Some Remarks on P., in: ABSA 50, 1955, 51–66 5 D. C. KURTZ, J. BOARDMAN, Thanatos, 1985, 63–65, 71f. 6 W. ZSCHIETZSCHMANN, Die Darstellungen der P. in der griech. Kunst, in: MDAI(A) 53, 1928, 17–47.
W. K.

Prothoos (Πρόθοος).
[1] Sohn des → Agrios [1], der unter Mithilfe seiner Brüder dem Onkel → Oineus die Königsherrschaft über → Kalydon entreißt und dem Vater übergibt, später jedoch für diese Tat mit seinen Brüdern von → Diomedes [1] und → Alkmaion [1] getötet wird (Apollod. 1,77f.).
[2] Sohn des → Thestios, der nach Paus. 8,45,6 zusammen mit seinem Bruder → Kometes [2] an einem Giebel

des von Skopas erbauten Tempels der Athene Alea in Tegea als Teilnehmer an der kalydonischen Jagd (→ Meleagros) abgebildet war.
[3] Sohn des → Tenthredon, der beim Zug gegen Troia als Anführer der Magnetes 40 Schiffe befehligt (Hom. Il. 2,756; Apollod. epit. 3,14). Nach der Eroberung Troias erleidet P. gemeinsam mit → Meges am Kaphereus, dem Vorgebirge Euboias [1], Schiffbruch und kommt zu Tode (Apollod. 6,15a; schol. Lykophr. 902) oder gelangt nach schol. Lykophr. 899 mit → Eurypylos [1] und → Guneus nach Libyen und siedelt sich dort an.
SU.EI.

Prothyron (πρόθυρον). Die Eingangshalle des griech. → Hauses in Form eines überdachten, auf den Hof führenden Vorraumes, der die Verbindung von Privatbereich und Öffentlichkeit markiert und somit (da das *p.* auch Passanten als Unterstand oder Treffpunkt dienen konnte) als kommunikativ verbindendes Element genutzt wurde. Bisweilen war das *p.* sogar mit Bänken ausgestattet. Das *p.* konnte nach Innen durch eine meist zweiflügelige Holztür verschlossen werden. Zahlreiche *próthyra* haben sich an den Häusern von Olynthos erhalten.

W. HOEPFNER, E. L. SCHWANDNER, Haus und Stadt im klass. Griechenland, ²1994, 355, s. v. P.
C. HÖ.

Prothytes (Προθύτης). Thebaner, führender antimaked. Politiker, der 335 v. Chr. im Vertrauen auf athen. Hilfe den Abfall Thebens von Makedonien förderte. Der rasch gegen Theben vorrückende Alexandros [4] d. Gr. (Diod. 17,8,2) forderte vergeblich seine Auslieferung (Plut. Alexandros 11,7). Bei der verlustreichen Verteidigung der Stadt (Arr. an. 1,8,1–8; Diod. 17,14,1; Plut. Alexandros 11,12) kam er wohl um.
W. ED.

Proto-Hattisch s. Hattisch

Prototigridisch s. Protoeuphratisch

Protobestiarios (πρωτοβεστιάριος, lat. *protovestiarius*). Aufseher der Kleiderkammer des byz. Kaisers, 5.–15. Jh., zweites Eunuchenamt nach dem → *parakoimōmenos*. ODB 3, 1749.
F. T.

Protoeuphratisch, Prototigridisch. Die von LANDSBERGER [5] aufgestellte und von SALONEN [7; 8] für das Protoeuphratische (= P.-E.) ausgebaute These zweier vorgesch., präsumerischer und -semitischer Sprachen in Südbabylonien (P.-E.) und Nordbabylonien, Assyrien, Obermesopot. und Syrien (Prototigridisch; = P.-T.) beruht auf vier Postulaten: 1) Das → Sumerische kennt fast nur einsilbige Basen; mehrsilbige Basen sind daher meist entlehnt. 2) Die Sumerer sind nach Babylonien eingewandert. 3) Götternamen wie Ištar, Dagan und Adad sind nicht semitisch. 4) Wir können alte geogr. Namen in Babylonien nicht etymologisieren.

Die Argumente 1) und 3) sind definitiv falsch [1; 2], 2) ist unbewiesen und unwahrscheinlich. Lediglich 4) gilt auch h. noch, doch ist zu bedenken, daß geogr. Namen im Laufe der Zeit ihre Gestalt stark verändern können, so daß selbst Namen aus bekannten Sprachen kaum mehr verstanden werden; systematische Unt. dazu fehlen. Daß die südbabylon. Zivilisation aus einer ethno-linguistisch heterogenen Bevölkerung entstanden ist [4], die außer in geogr. Namen ihre Spuren vielleicht auch im → Keilschrift-System [3] hinterlassen hat, ist daher z.Z. nur eine unbewiesene, wenn auch nicht völlig unplausible These. Im postulierten Gebiet des P.-T. dürften dagegen schon in vorgesch. Zeit überwiegend → Semiten gelebt haben.

1 K. van der Toorn (Hrsg.), Dictionary of Deities and Demons in the Bible, 1995, s.v. Astarte, Dagon, Hadad 203–213, 407–413, 716–726 2 D.O. Edzard, The Sumerian Language, in: J.M. Sasson, Civilisations of the Ancient Near East, 1995, 2109 f. 3 R.K. Englund, Texts from the Late Uruk Period, in: P. Attinger, M. Wäfler (Hrsg.), Mesopotamien – Späturukzeit und Frühdyn. Zeit, 1998, 80 f. 4 G. Komoróczy, Das Rätsel der sumer. Sprache als Problem der Frühgesch. Vorderasiens, in: B. Hruška (Hrsg.), FS Lubor Matouš, 1978, 225–252 5 B. Landsberger, Mezopotamya'da Medeniyetin Doğusu (Dil ve Tarih-Coğrafya Fakültesi Dergisi 2), 1944, 419–429 (dt. Zusammenfassung ebd. 431–437; engl. Übers. in: Sources and Monographs on the Ancient Near East 1/2, 1974, 8–12) 6 G. Rubio, On the Alleged »Pre-Sumerian Substratum«, in: JCS 51, 2000, 1–16 (mit ausführlicher Bibliogr.) 7 A. Salonen, Zum Aufbau der Substrate im Sumer., in: Studia Orientalia 37/3, 1968, 3–12 8 Ders., Die Fußbekleidung der alten Mesopotamier, 1969, 97–117 9 Ders., Vögel und Vogelfang im alten Mesopot., 1973, 7–11.   M.S.

Protogenes (Πρωτογένης). Hell. Maler und Bronzebildner von Athleten- und Kriegerstatuen (Plin. nat. 34,91; 35,101–106) aus Kaunos, zusammen mit anderen führenden Meistern der Alexanderzeit als Vollender der Malerei gerühmt (Cic. Brut. 18,70). Seine Schaffensperiode, etwa zw. 330 und 290 v. Chr., ist nur durch Kombination histor. Daten und Personen aus oft anekdotisch gefärbten Schriftquellen (z.B. Plut. Demetrios 22) erschließbar. Angeblich kam er erst im fortgeschrittenen Alter zur Tafelmalerei und hatte daher nur ein kleines Œuvre. Zuvor habe er ein kärgliches Leben als Schiffsmaler gefristet (nur bei Plin. nat. 35,101 f. aus unsicherer Quelle überl.). Zudem habe erst die Bewunderung des mit ihm künstlerisch wetteifernden Zeitgenossen → Apelles [4] zu Ansehen und Steigerung seines Marktwertes geführt (Plin. nat. 35,88). P. lebte wohl schon länger auf → Rhodos im Umkreis der dortigen, in dieser Epoche blühenden, vielseitigen Künstlergemeinde, als es verm. zu einer Begegnung mit Apelles kam (Plin. nat. 35,81 ff.).

Am bekanntesten von seinen sämtlich verlorenen Werken war das in vielen ant. Anekdoten gerühmte, weil sehr außergewöhnliche Bild des rhodischen Gründungsheros Ialysos mit seinem Hund (z.B. Gell. 15,31),

das später als Kriegsbeute nach Rom kam. Nachklänge davon zeigen Werke hell.-etr. Kleinkunst. Schriftlich überl. sind zudem Porträts von Herrschern (darunter solche der Antigoniden und Alexanders des Großen), von Dichtern und anderen wichtigen Persönlichkeiten sowie Mythen- und Schiffsbilder in Heiligtümern oder öffentlichen Gebäuden auf Rhodos und andernorts (z.B. Paus. 1,3,5). Realismus, Akribie, Liebe zum Detail sowie die sorgfältige Technik beim aus mehrfachen Schichten bestehenden Farbauftrag führten zu der legendär langen Arbeitszeit, die P. investierte. Er verfaßte theoretische Schriften zur Wahl der Figurenschemata und trat auch damit in den Rang des universell begabten → Künstlers. In seiner Heimatstadt wurden die Reste einer Statuenweihung mit dem Namen P. gefunden, die mit gutem Grund P. selbst zugeschrieben werden und von seinem allgemeinen Ansehen zeugen.

→ Malerei

C. Isik, C. Marek, Das Monument des P. in Kaunos, 1997, 1, 65–74 · N. J. Koch, Techne und Erfindung in der klass. Malerei, 2000 · P. Moreno, Elementi di pittura ellenistica, in: L'Italie méridionale et les premières expériences de la peinture hellénistique, 1998, 7–67 · R. Robert, Apelle et Protogène, in: M.-Ch. Villanueva Puig (Hrsg.), Céramique et peinture grecques, 1999, 233–244 · I. Scheibler, Griech. Malerei der Ant., 1994.   N.H.

Protokoll s. Zeremoniell

Protokorinthische Vasenmalerei. Bedeutende Vasengattung des 7. Jh. v. Chr., die mit → Sikyon verbunden wurde, bis H. Payne [5] sie → Korinthos zuwies; die Einteilung der P. V. durch Payne hat h. noch Gültigkeit, allerdings wurden Chronologie und z. T. Terminologie verändert. Die Datier. der P. V. beruht v. a. auf den überl. Gründungsdaten griech. Städte in Unteritalien und Sizilien. Die weite Verbreitung der P. V. wie auch ihr orientalisierender Charakter erklären sich durch die Handelsbeziehungen von Korinth. Die Gefäße der P. V. zeigen im allg. gute Töpferarbeit und Brenntechnik. Im folgenden wird die Chronologie von C. W. Neeft verwendet:

»Frühprotokorinthisch« (FPK; 715–685 v. Chr.): Bemalt werden v. a. → Aryballos [2], Kotyle, Oinochoe und → Pyxis. Die in Aussparungstechnik gefertigten Bilder zeigen geom. und orientalisierende Motive (etwa Voluten). Auf eine zunächst rein ornamentale Verzierung folgen bald Tierbilder (Vögel, Rehe).

»Mittelprotokorinthisch I« (MPK I; nach [5] 1. sf. Stil; 685–665 v. Chr.): Im MPK I wird der sf. Stil (→ Schwarzfigurige Vasenmalerei) entwickelt, bevorzugt werden immer noch ornamentale Bilder, ferner Tiere und Jagdszenen.

»Mittelprotokorinthisch II« (MPK II; nach [5] 2. sf. Stil; 665–645 v. Chr.): Im MPK II entstehen die ersten Mythenbilder (z.B. Kampf des Zeus mit »Kentaur«; Aryballos Boston, MFA 95.12). Auf Kotylen und Oinochoen begegnen monumental angelegte Bilder (meist Tiere).

Gefäßformen der protokorinthischen Keramik

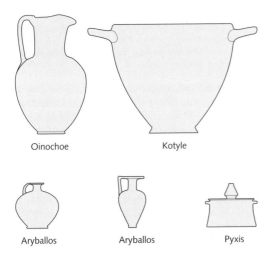

Oinochoe   Kotyle

Aryballos   Aryballos   Pyxis

Relativer Maßstab der Aryballoi und der Pyxis : 2:1

»Spätprotokorinthisch« (SPK; 645–630 v. Chr.): Das SPK zeichnet sich durch reiche Polychromie und große Erzählfreude der sehr qualitätvollen Maler aus, unter denen v. a. der → Chigi-Maler zu nennen ist. Es entstehen aber auch Vasen mit reiner Tierfriesbemalung. Eine neue Verzierungstechnik ist die Ritzzeichnung auf schwarzem Tongrund (Black Polychrome Style).

Auf die P. V. folgt der »Übergangsstil« (Transitional Style; 630–620/615 v. Chr.), in dem [5] die Verbindung zw. der P. V. und der → Korinthischen Vasenmalerei erkannte. Als Bemalung überwiegen sehr qualitätvolle Tierfriese.

Eine Leitform der P. V. bildet der Aryballos, dessen Entwicklung vom bauchigen Typus (FPK) über eine ovoide Form (MPK) hin zur birnenförmigen (SPK) gut zu verfolgen ist. Eher selten sind in der P. V. plastische Gefäße. Inschr. begegnen kaum, sind jedoch mit Alphabeten, myth. Beinamen oder Weih-Inschr. recht variantenreich. Im Unterschied zur att. → schwarzfigurigen Vasenmalerei des 7. Jh. v. Chr. ist die P. V. eine vorwiegend miniaturistische Gattung, die mit ihrer reichen Bilderfülle und hohen Qualität besticht.

→ Gefäße, Gefäßformen

1 AMYX, CVP, 364–375 2 AMYX, Addenda, 9–29
3 J. BOARDMAN, Early Greek Vase Painting, 1998, 85–88
4 C. W. NEEFT, Protocorinthian Subgeometric Aryballoi, 1987 5 H. PAYNE, P. V., 1933.   M. ST.

Protonotarios (πρωτονοτάριος, lat. *protonotarius*). Vorsteher der *notarii* (griech. *notárioi*) in byz. Behörden, v. a. als »Staatssekretär« des *logothétēs tu drómu* (→ *logothétēs*), 9.–12. Jh.

R. GUILLAND, Les logothètes, in: REByz 29, 1971, 5–115, hier 38–40 · ODB 3, 1746.   F. T.

Protopraepositus s. Praepositus sacri cubiculi

Protos Heuretes (πρῶτος εὑρετής, lat. *primus inventor*). Häufige, seit dem 5. Jh. v. Chr. topisch gebrauchte Bezeichnung für einen (oder mehrere) »Erfinder« (*heuretḗs*) bestimmter Gegenstände bzw. Techniken, der durch die Verbindung von *heurḗmata* (»Erfindungen«) mit seinem Namen als deren erster (*prótos*) Urheber gilt. Das früheste Zeugnis für diese Verwendung findet sich in der → Phoronis aus dem 7./6. Jh. v. Chr. (fr. 2 BERNABÉ): οἳ πρῶτοι τέχνην πολυμήτιος Ἡφαίστοιο εὗρον (›die <idäischen Daktylen> erfanden als erste die Kunst des erfindungsreichen Hephaistos <d. h. die Schmiedekunst>‹). Obgleich in der Forsch. das Konzept des *p. h.* vielfach teleologisch als Reflex auf ein wachsendes histor. Bewußtsein und die Herausbildung eines Persönlichkeitsgefühls seit dem 6. Jh. v. Chr. gedeutet wurde [1. 21–25; 3. 160–166], lassen sich Spuren des *p. h.* bereits früher finden (v. a. in der Prometheus-Gestalt bei Hes. theog. 556 f.; Hes. erg. 50–52). Zudem werden über die seit dem 6. Jh. auftretenden Erfindertypen zeitgleich rel.-, philos.- und kulturgesch. Konzeptualisierungen deutlich, die keinerlei Entwicklungsschema erkennen lassen [2. 1191–1211]. Drei Gruppen können unterschieden werden:

1. Göttliche und heroische Erfinder. Als Ausdruck kultischer Verehrung wird die Autorität der Gottheit durch die Zuschreibung möglichst vieler *heurḗmata* etwa im → Hymnos erhöht (so wird Athene in Hom. h. 5, 10–15 neben der Unterweisung in häusliche Arbeiten auch die Erfindung des Streitwagens zugeschrieben). Die lokale Verankerung solcher erfindungsreicher Götter und → Heroen führt zum Städtelob und zeigt die polit. Dimension des *p. h.*, in deren Folge es zu inflationären *heurḗmata*-Häufungen kommt (vgl. z. B. die Stilisierung von Prometheus zum Erfinder ›aller Künste‹ (πᾶσαι τέχναι, Aischyl. Prom. 506; [1. 66–84]).

2. Histor. Erfinder sind seit dem späten 7. Jh. v. Chr. bezeugt [2. 1180–1191]. Mit der ion. Naturphilos. (→ Vorsokratiker) und der Herausbildung der Fachwiss. im 5. und 4. Jh. wird das Suchen nach Erfindungen im Gegensatz zum »Auffinden« göttlicher *heurḗmata* systematisiert: ›Nicht gleich zu Beginn haben die Götter den Menschen alles gezeigt, sondern suchend (ζητοῦντες) finden sie (ἐφευρίσκουσιν) mit der Zeit Besseres hinzu‹ (Xenophan. fr. 18 KIRK-RAVEN-SCHOFIELD). Die sophistische → Kulturentstehungstheorie entwickelt aus dem *zḗtēsis-heúresis-* (»Suche-Finde«- bzw. »Problem-Lösung«-)Modell die sog. »Theorie der Erfindungen« [3. 166 f.]; in der Enkomion-Lit. wird es eine zentrale Frage, was der Gepriesene als »einziger oder erster« (μόνος ἢ πρῶτος) getan hat (Aristot. rhet. 1368a).

3. Völker und Städte (v. a. in der Geschichtsschreibung und Ethnographie) [3. 177–180]. Die Anerkennung der Priorität nichtgriech. Völker (v. a. der Ägypter) führte einerseits zu einer histor. Relativierung griech. *heurḗmata* (bei → Herodotos [1]), legte andererseits den Grundstein für eine ideologische Verengung

und Instrumentalisierung des *p.h.* etwa in der Auseinandersetzung von altgläubigen und christl. Griechen, wie sie u. a. bei Tatianos (or. 1,1) faßbar ist.

Der *p.h.* wird seit dem späten 5. Jh. v. Chr. zum lit. Topos. In allen Lit.-Gattungen erscheinen Erfinder teils positiv als *sōtḗres, euergétai* (»Heilbringer, Wohltäter«), teils negativ konnotiert (v. a. in Satire, Diatribe, Komödie). Ihre *heurḗmata* sind von Beginn an ausgereift, so daß Erfinder nicht nur die »ersten«, sondern gleichzeitig die »besten« sind. Rivalitäten zw. Erfindern lassen sich teils aus polit. oder ideologischer Vereinnahmung, teils aus Gattungskonventionen, teils aus der unterschiedlichen Überl.-Lage erklären.

Die wichtigste Quelle für die *p.h.* sind die sog. *heurḗmata*-Kataloge (Περὶ εὑρημάτων). In dieser seit dem 4. Jh. v. Chr. bezeugten und wohl aus der Geschichtsschreibung (v. a. → Ephoros) und dem → Peripatos hervorgegangenen Lit.-Gattung [1. 143–151] wurde katalogartig das Wissen über die *p.h.* gesammelt, wobei die Autoren weniger auf histor. Richtigkeit als auf eine möglichst umfassende Nennung kulturell relevanter Erfindungen und ihrer Erfinder bedacht waren [3. 182–186]. Beispiele solcher Heurematographie finden sich u. a. bei Plinius (nat. 7,191–215), Hyginus (fab. 274; 277) oder Tatianos (or. 1,1) [4; 5].

Die Trad. der *heurḗmata*-Kataloge setzt sich im MA (Gottfried von Viterbo) und der Renaissance mit Polidoro Virgilios ›De inventoribus rerum‹ fort [6. 533]. Zu Einflüssen des *p.h.* auf den dichterischen Genie-Begriff vgl. [7. 1–8, 11–31].

1 A. Kleingünther, ΠΡΩΤΟΣ ΕΥΡΕΤΗΣ (Philologus Suppl. 26.1), 1933 2 K. Thraede, s. v. Erfinder, RAC 5, 1179–1278 3 Ders., Das Lob des Erfinders. Bemerkungen zur Analyse der Heuremata-Kataloge, in: RhM 105, 1962, 158–186 4 P. Eichholtz, De scriptoribus περὶ εὑρημάτων, 1867 5 M. Kremmer, De catalogis heurematum, 1890 6 Curtius 7 P. Murray, Genius. The History of an Idea, 1989, bes. 9–31.

PEG I, 118f. · G. S. Kirk, J. E. Raven, M. Schofield, Die vorsokratischen Philosophen, 1994.   M. B.

Protosinaitische Schrift.

Die ältesten Zeugnisse der semitischen → Alphabet-Schrift stammen aus Ägypten, dem Sinai und Syrien/Palaestina. Die frühen Inschr. aus dem Sinai werden protosinaitisch genannt. Bisher sind 31 sichere und etwa 15 zweifelhafte protosinait. Inschr. bekannt. Sie werden ins 17./16. Jh. oder 19./18. Jh. v. Chr. datiert. Zum gegenwärtigen Zeitpunkt können die protosinait. Inschr. nicht als entziffert gelten: Nur etwa die Hälfte der noch betont piktographischen Schriftzeichen und eine Handvoll Wortformen (z. B. *b'lt*, »Herrin« und *m'hb*, »Geliebter«) sind sicher zu identifizieren. Die Gesamtzahl der Schriftzeichen ist sicher höher als 22 (Zeicheninventar des phöniz. Alphabets), da für die Phoneme /h/ und /ḫ/ und wohl auch für /š/ und /t/ unterschiedliche Zeichen zur Verfügung standen. Die Sprache der protosinait. Inschr. ist wie die der anderen frühen semit. Alphabet-Inschr. wahrscheinlich nw-semitisch.
→ Schrift

1 W. F. Albright, The Proto-Sinaitic Inscriptions and Their Decipherment, 1966 2 B. E. Colless, The Proto-Alphabetic Inscriptions of Sinai, in: Abr-Nahrain 28, 1990, 1–52 3 J. Naveh, Early History of the Alphabet, 1987 4 D. Pardee, s. v. Proto-Sinaitic, The Oxford Encyclopedia of Archaeology in the Near East, Bd. 4, 1997, 35f. 5 B. Sass, The Genesis of the Alphabet and Its Development in the 2nd Millennium B. C., 1988.   J. Tr.

Protostrator (πρωτοστράτωρ). Byz. Amtsbezeichnung, 8.–15. Jh. n. Chr., für den Vorsteher der kaiserlichen Stallknechte (»Marschall«), der den Kaiser beim Ausritt begleitete. Die einflußreiche Position in der Nähe des Kaisers galt als günstig für weiteren Aufstieg.

R. Guilland, Recherches sur les institutions byzantines, Bd. 1, 1967, 478–497 · ODB 3, 1748f.   F. T.

Protreptik I. Definition und Entstehung II. Griechisch III. Römisch IV. Christlich

I. Definition und Entstehung

Unter »P.« wird hier eine Lit.-Gattung verstanden, die den Leser vom Wert eines Fachgebietes zu überzeugen sucht, ihn begeistern und bewegen will, sich diesem »zuzuwenden« (προτρέπειν, *protrépein*, »hinwenden zu etwas«). Es geht meistens um die Philos., sekundär auch um andere Fächer (s. u. II.). Zugrunde liegt das Adj. προτρεπτικός (*protreptikós*, »werbend«); προτρεπτικὸς λόγος (*protreptikós lógos*, »Werberede, Werbeschrift«), der *Protreptikós* (= Pr.). Die mod. Prägung »die P.« kann sich auf Platon berufen, der einmal von προτρεπτικὴ σοφία (*protreptikḗ sophía*, »Geschick für die Werbung«) spricht (Plat. Euthyd. 278c).

Von der P. ist die Paränese zu unterscheiden, die allg. Mahnung zu sinnvoller Lebensführung und Regeln dafür. Natürlich gibt es Berührungen (→ Prodikos, Erzählung von der Lebenswahl des Herakles bei Xen. mem. 2,1,21–34; → Kebes, »Pinax«). Die P. als Gattung entstand in der Zeit der → Sophistik (5. Jh. v. Chr.). Deren Kurse lagen außerhalb des herkömmlichen Unterrichtssystems; deshalb war Werbung um Schüler nötig. In persönlichen Gesprächen machten sie den Nutzen ihres Unterrichts klar; ein parodistisches Bild davon bietet Platon (Plat. Prot. 316c–328d; Plat. Gorg. 456a–457c; Plat. Euthyd. 273c–277c, bes. 275a 1; Plat. Tht. 166d–167d). Auch ihre *epideíxeis* (öffentliche Vorträge) hatten werbende Funktion. Protreptische Motive sind in einige erh. Texten eingebaut (→ *Dissoí Lógoi*, der *Erōtikós* des Ps.-Demosthenes). Wesentliche Elemente der P. sind: Vorführung der Kunst (*epídeixis*), Hinweis auf ihre Trad., auf den Nutzen für das Leben (ἀρετή/*aretḗ*, »Leistungsfähigkeit«, »Tugend«; εὐπραγία/*eupragía*, »Wohlergehen«), auf die Hilflosigkeit ohne sie (ἀπορία/*aporía*), Verteidigung gegen ablehnende oder konkurrierende Meinungen, Erörterung über die Möglichkeit des Lernens (»Lehrbarkeit der Tugend«). Diese Motive wurden von → Sokrates aufgegriffen und umgestaltet; sie finden sich in der Dialog-Lit. der Sokratiker, z. B. im ›Alkibiades‹ des → Aischines [1] von Sphettos und bei

Platon (z. B. Plat. Euthyd. 278e–282d), wo sie wesentlich zur Gestaltung der Dialoge beitragen [7]. Die P. für ein Lehrgebiet erweist sich gleichzeitig als P. zur *aretḗ*. Sokrates wurde vorgeworfen, er habe zwar wirksame P. getrieben, aber nicht zum versprochenen Ziel der *aretḗ* führen können (Xen. mem. 1,4,1; Ps.-Platon, ›Kleitophon‹). Auch in den Reden des → Isokrates spielen protrept. Motive eine Rolle (bes. in der Antidosis-Rede); er wirbt für sein rhet. Ausbildungsprogramm und setzt es von dem der platonischen Akademie ab.

II. GRIECHISCH

Schriften unter dem Titel *Protreptikós* sind zuerst für → Antisthenes [1] (Diog. Laert. 6,1 und 16) und → Aristippos [3] (ebd. 2,85) bezeugt. Ps.-Isokr. ad Demonicum 3 deutet auf protrept. Schriften konkurrierender Schulen hin.

Höchst einflußreich wurde dann der *Pr.* des → Aristoteles [6] (etwa 353–350 v. Chr. entstanden). Von ihm sind Teile erh., die in den *Pr.* des → Iamblichos [2] eingearbeitet sind [3; 4]. Die Schrift war an den kyprischen König Themison gerichtet, aber gleichzeitig eine öffentliche Werbung für das Bildungsprogramm der Akademie (→ *Akadḗmeia*), der Aristoteles damals angehörte, im Kontrast zu dem rhet.-lebenspraktischen Programm des → Isokrates. Philos. ist danach die in der Natur begründete Erfüllung des Menschseins und so der Weg zum Glück. Theoretische Erkenntnis ist ein Wert an sich; sie ist aber auch für die Praxis unentbehrlich, etwa in der Politik. Es ist durchaus möglich, ja relativ leicht, diese Stufe zu erreichen. Ein formallogisches Argument kommt hinzu: Wer gegen das Philosophieren argumentiert, betreibt schon damit Philos.; dem Philosophieren kann man also gar nicht ausweichen (in heutiger Terminologie ein »reflexives Argument«, das auf einen performativen Widerspruch hinweist).

In der Nachfolge des aristotelischen *Pr.* stehen weitere philos. Werbeschriften. Im platonischen Corpus ist die *Epinomís* des → Philippos [29] von Opus erh., wo werbend eine Philos. dargestellt wird, die in einer Astralreligion gipfelt [5]. Verloren sind die *Pr.* des → Demetrios [4] von Phaleron (vgl. Diog. Laert. 5,81), → Theophrastos (ebd. 5,49; 5,50), des → Chamaileon (fr. 3–6 WEHRLI: Betonung der Musik), des Kynikers → Monimos (Diog. Laert. 6,83); ferner die *Pr.* aus der Stoa: von → Kleanthes [2] (ebd. 7,91 und 175), → Persaios [2] von Kition (ebd. 7,36), → Ariston [7] von Chios (7,163). Von → Musonius Rufus sind Fr. 3 und 8 HENSE vergleichbar. → Chrysippos schrieb eine Abh. Περὶ τοῦ προτρέπεσθαι (›Über das Werben‹, SVF III p. 203), ebenso → Poseidonios (fr. 1–3 KIDD). Auch → Epikuros verfaßte einen (verlorenen) *Pr.* (Diog. Laert. 10,28); sein (erh.) ›Brief an Menoikeus‹ greift Themen des aristotelischen *Pr.* auf [2. 105]. Es fällt auf, wenn ein Philosoph keine protreptischen Reden zu halten pflegt (M. Aur. 1,7 über Rusticus).

Der Begriff P. wird auch einfach für ethisch-erzieherische Beeinflussung gebraucht. So in der Stoa (Diog. Laert. 7,84) im Zusammenhang mit den καθήκοντα

(*kathḗkonta*, »Pflichtenlehre«): bei Poseidonios als Teilgebiet der Ethik (Sen. epist. 95,65; vgl. Clem. Al. paedagogus 1,1,1), bei → Philon [9] von Larisa [11] als erste Aufgabe des Ethikers als Seelenarzt (Stob. 2,7,2, p. 40 W.-H., vgl. Epikt. 3,23,33 f. W.-H., dazu [18]), bei → Eudoros (Stob. 2,7,2, p. 43 f. W.-H.).

Seit dem Ende des Hell. ging die Produktivität der Gattung zurück. Der Begriff wurde von der Rhet. in Anspruch genommen als eine Art der symbuleutischen Rede (Einzelheiten: [13. 326–332]); z. B. nennt Lesbonax zwei deklamatorische Feldherrnreden *protreptikoí*. Der *pr.* wird sogar zur Deklamationsaufgabe für Schüler (Vortrag in einem Epheben-Wettbewerb: IG II/III² 2, Nr. 2119,231; Aufzeichnung eines solchen: ebd. 2291a; Datier.: E. 2. Jh. n. Chr.) [16. 565]. Eine Trivialisierung zeigt sich auch bei → Lukianos, wo die Gattung parodiert wird [17. 126–129].

Ein wichtiges Sammelwerk ist der *Pr.* des → Iamblichos [2] (4. Jh. n. Chr.), der eine große Darstellung der pythagoreischen Philos. eröffnet. Iamblichos verwertete darin alte Texte, in denen er pythagoreischen Geist zu finden glaubte: platonische Dialoge, den *Pr.* des Aristoteles, einen Text der Sophistenzeit (→ *Anonymus Iamblichi*); eingerahmt von wirklich pythagoreischen Texten: → Archytas [1], die ›Goldenen Worte‹, pythagoreische Symbola (»Rätselsprüche«; → Pythagoreische Schule).

Themistios (or. 9; 24) empfiehlt die Pflege der Philos. in *protreptikoí* an den Prinzen Valentinianus und die Stadt Nikomedeia. Es entstehen auch *Pr.* für andere Fächer: Medizin (Galenos, Προτρεπτικὸς ἐπ᾽ ἰατρικήν/ ›Werbung für die Heilkunst‹, nur Einleitung erh.), Mathematik (Ps.-Hippokr. epist. 22). Plutarchos (*Praecepta gerendae reipublicae*/›Regeln für die polit. Tätigkeit‹ und *De unius in republica domina*/›Über die Monarchie‹) setzt *pr.* zur Politik voraus.

III. RÖMISCH

→ Ennius (3.–2. Jh. v. Chr.) verfaßte einen *Protrepticus* (Enn. fr. var. 30 VAHLEN). Bedeutender war Ciceros heute verlorener Dialog *Hortensius*, 46/5 v. Chr. verfaßt [10]. Es ist unklar, ob Cicero selbst ihn einen *Pr.* genannt hat, aber sein Charakter (Aufforderung zur Philos. und Bestreitung von Einwänden) sowie die Anlehnung an Aristoteles (Beispiel: das reflexive Argument) ist klar. Er bildet den Auftakt zu einer systematischen Darstellung der Philos. Die Titelfigur, Hortensius, wird nach anfänglichem Widerstand für die Philos. gewonnen. Der Einfluß dieser Schrift war groß, berühmt ihre Wirkung auf Augustinus (Aug. conf. 3,4).

Augustus verfaßte *Hortationes ad philosophiam* (›Mahnungen zur Philos.‹: Suet. Aug. 85), → Seneca *Exhortationes* (Lact. inst. 1,7,13) [15. 53–152]. Von → Ausonius ist ein *Liber protrepticus ad nepotem* (›Werbeschrift an den Enkel‹) in Hexametern erh. (Auson. epist. 22), eine Ermunterung zu Schule und Lit. Die *Paraenesis didascalica* (›Ermunterung zum Unterricht‹) des → Ennodius leitet zum Studium der Rhet. an. Die existentielle Dringlichkeit der P. ist hier verschwunden. Sie lebt eher

in der *Consolatio philosophiae* (ȿTröstung der Philos.ȼ) des
→ Boëthius weiter [12. 29–32].

IV. CHRISTLICH

Die frühchristl. Lit. hat protrept. Züge, wie sich
überhaupt die Motivik der Bekehrung zum Christentum an diejenige zur Philos. anlehnt. Die klass. Form
zeigt sich aber nur in dem Dialog *Octavius* des → Minucius Felix, der sich an Cicero (u. a. an den Schluß des
Hortensius?) anschließt [17]. → Lactantius, der die *Pr.* des
Cicero und Seneca gut kennt, beendet seine *Divinae institutiones* (Lact. inst. 7,27) mit einem zusammenfassenden *Pr.* zum Christentum. Clemens [3] von Alexandreia
beginnt seine theologische Trilogie mit einem *Pr.* (vgl.
auch Clem. Al. paedagogus 1,1,1). Origenes rief während einer Christenverfolgung mit seinem Εἰς μαρτύρι-
ον προτρεπτικός (*Eis martýrion protreptikós*) zur Bereitschaft auf, für den Glauben zu leiden. Seinen Unterricht
in Caesarea eröffnete er mit einem regelrechten *Pr.* zur
Philos. (Gregorios Thaumaturgos, Panegyrikos 6,76f.;
78: προτρέπων φιλοσοφεῖν).

→ Philosophie

1 K. BERGER, Hell. Gattungen im Neuen Testament, in:
ANRW II 25.2, 1984, 1031–1432, hier 1138–1145
2 E. BIGNONE, L'Aristotele perduto e la formazione
filosofica di Epicuro, ²1973 3 I. DÜRING, Aristotle's
Protrepticus, 1961 4 Ders. (ed.), Aristoteles, Pr., 1969,
²1993 (mit dt. Übers. und Komm.) 5 B. EINARSON,
Aristotle's Protrepticus and the Structure of the Epinomis,
in: TAPhA 67, 1936, 261–285 6 A. J. FESTUGIÈRE, Les trois
»Protreptiques« de Platon: Euthydème, Phédon, Epinomis,
1973 7 K. GAISER, P. und Paränese bei Platon, 1959 8 Ders.,
s. v. P., HWdPh 7, 1540 f. 9 W. GERHÄUSSER, Der Pr. des
Poseidonios, 1912 10 A. GRILLI, M. Tullii Ciceronis
Hortensius, 1962 11 W. GÖRLER, s. v. P., in: GGPh² 4.2, 926
12 J. GRUBER, Komm. zu Boethius' De consolatione
philosophiae, 1978 13 P. HARTLICH, De exhortationum a
Graecis Romanisque scriptorum historia et indole
(Leipziger Studien 11), 1889 14 M. D. JORDAN, Ancient
Philosophic Protreptic, in: Rhetorica 4, 1986, 309–333
15 M. LAUSBERG, Unt. zu Senecas Fragmenten, 1970
16 MARROU 17 C. SCHÄUBLIN, Konversionen in ant.
Dialogen?, in: Ders. (Hrsg.), Catalepton. FS. Wyss, 1985,
117–131 18 E. G. SCHMIDT, Die drei Arten des
Philosophierens, in: Philologus 106, 1962, 14–28
19 B. R. SUCHLA, s. v. Pr., Lex. der ant. christl. Lit.,
1998, 522 f.   H. GÖ.

Proverbium s. Sprichwort

Providence-Maler. Att. rf. und wgr. Vasenmaler, den
J. D. BEAZLEY nach dem Aufbewahrungsort einer großen rf. Strickhenkelamphora mit einer Apollondarstel-
lung in der Rhode Island School of Design (15.005) so
genannt hat. Er war Schüler des → Berliner-Malers und
arbeitete vorwiegend auf rf. Nolanischen Amphoren
und Lekythen (→ Gefäßformen Abb. A 5 und E 3); einige kleinere Lekythen versah er auch mit wgr. Dekor.
Verfolgungsszenen und Götterbilder waren seine bevorzugten Themen, aber auf vereinzelten Schalen,
Hydrien oder Stamnoi gab er auch myth. Themen wieder.

Über 170 Vasen sind dem P.-M. zugeschrieben; seine
Tätigkeit ist in vier Phasen gegliedert: Früh (480–470
v. Chr.), mittlere Zeit (470–465), Spät I (465–460) und
Spät II (nach 460). Er und einige andere Vasenmaler
einschließlich seines Schülers, des Oionokles-Malers,
die sich auf Nolanische Amphoren und Lekythoi spezialisiert hatten, benutzen auf ihren Vasen dieselben
Lieblingsnamen (→ Lieblingsinschriften), z. B. Glaukon
und Hippon. Der P.-M. ist der beste dieser Gruppe.
Auch wenn der körperliche Habitus seiner Figuren archa. Anmutung bewahrt – dies insbesondere bei seinen
flüchtenden Frauen, die sich mit der Regung eiliger
Hast bewegen –, so sind doch alle anderen Aspekte seines Zeichenstils »early classical«.

BEAZLEY, ARV², 635–646, 1663, 1702 · BEAZLEY,
Paralipomena, 400 f. · BEAZLEY, Addenda², 273 ·
E. PAPOUTSAKI-SERBETI, O Zographos tes Providence,
1983 · M. ROBERTSON, The Art of Vase-Painting in
Classical Athens, 1992, 174–178.   J. O.

Providentia. Röm. Gottheit, einerseits »vorausschau-
ende Fürsorge« des Kaisers über Rom und die Römer
(*P. Augusta*), andererseits die »Vorsehung« der Götter
über den Kaiser (*P. deorum*). Sie ist praktisch nur aus Mz.
und Inschr. bekannt. Die Konzeption der *p.* ist von der
philos. Auseinandersetzung (v. a. → Ciceros) mit der
stoischen πρόνοια (*prónoia*) beeinflußt [1. 31–65]. Frühestes Zeugnis des P.-Kults ist der Altar der *P. Augusta* in
der Nähe der → Ara Pacis Augustae [2. 425 f.]. Dieser
bestand sicher 19 n. Chr., evtl. schon 14 n. Chr. [3]. Tiberius ließ Mz. mit der Abb. eines Altars und der Beischrift PROVIDENT(ia) prägen (BMCRE 1,141 Nr. 146–
150; RIC 1,94 f. Nr. 6]: Die *P.* sollte seine Nachfolge
legitimieren und die Kontinuität der Herrschaft garantieren [3. 564]. Die zahlreichen Mz.-Prägungen unter
den folgenden Kaisern bestätigen die zentrale Rolle des
Konzepts [4. 565]. Der *P. Augusta* wurde bes. dann geopfert, wenn eine Gefahr für das Kaiserhaus abgewen-
det worden war: z. B. nach dem Sturz des Seianus
(→ Aelius [II 19]; CIL III 12036; XI 4170), nach der Ermordung der → Agrippina [3] (CIL VI 2042a 14), nach
Aufdeckung der Pisonischen Verschwörung (→ Calpurnius [II 13]; CIL VI 2044d 3). Die den Kaiser leitende
p. (oder *P.*) *deorum* wird zuerst bei Plin. paneg. 10,4
erwähnt. Ein Opfer der *fratres* → *Arvales* an *P. deorum* ist
aus dem Jahr 183 n. Chr. bekannt (CIL VI 2099 III 18).

Seit Traianus sind Mz.-Darstellungen der personifizierten *P.* bekannt: einerseits der *P. Augusta*, stehend,
mit Szepter und Globus, den Insignien absoluter Herrschaft, auch mit Füllhorn (BMCRE 3,119 Nr. 607–611);
andererseits der *P. deorum*, z. B. als Adler, der Hadrianus
das Szepter übergibt (BMCRE 3,417 Nr. 1203).

→ Personifikation; Prädestinationslehre

1 J.-P. MARTIN, P. deorum, 1982 2 J. SCHEID, Romulus et
ses frères, 1990 3 E. POLITO, s. v. P., LIMC 7.1, 562–567
4 W. EISENHUT, s. v. P., RE Suppl. 14, 562–565.   K. SCHL.

Provincia   A. Wortbedeutung
B. Republikanische Zeit
C. Kaiserzeit   D. Spätantike

A. Wortbedeutung

Die etym. Verknüpfung von lat. *p.* (»Provinz«) mit (*pro-*)*vincere*, »(vorher) besiegen«, bei Festus (253: *p. appellantur quod populus Romanus eas provicit, i.e. ante vicit*) ist wenig glaubwürdig und dürfte auf einer Volksetym. beruhen. Auch Isidorus' Erklärung, *provinciae* seien die »fern« (*procul*) von It. gelegenen, überseeischen Herrschaftsbezirke gewesen, ist nicht überzeugender (Isid. orig. 14,5,19: *procul positas regiones provincias appellaverunt*). Am wahrscheinlichsten ist der Anschluß an urgerm. **fro*, »Herr« (so [1. 377f.]).

Der Sinn des Wortes ist hingegen von Beginn an einigermaßen sicher. *P.* bezeichnet den räumlichen und sachlichen Kompetenzbereich eines röm. (zumindest urspr. mit → *imperium* ausgestatteten) → *magistratus*, z. B. Italia als *p.* der *consules* oder die *p. urbana* bzw. *peregrina* als »Zuständigkeitsbereiche« der → *praetores* in der Rechtsprechung (vgl. [2. 999 f.]). Erst mit der Einrichtung mil. Kommandos als »Geschäftsbereiche« von Praetoren in auswärtigen Gebieten (227 v. Chr. erste röm. »Provinzen« in Sizilien und Sardinien) gewann das Wort einen vorwiegend top. Inhalt, den es auch behielt: ein geogr. abgegrenzter auswärtiger Kommandobereich unter einem röm. Magistrat oder Promagistrat.

B. Republikanische Zeit

Zur Sicherstellung magistratischer Präsenz in den nach dem 1. → Punischen Krieg gewonnenen Gebieten Sizilien (241 v. Chr.) und später Sardinien (238 v. Chr.) wurde 241 eine zweite Praetorenstelle eingerichtet. 227 folgten zwei weitere Praeturen, deren Inhaber die ersten »richtigen« Statthalter in den *p.* wurden, während der 241 geschaffenen zweiten Praetur nun normalerweise die Gerichtsbarkeit zwischen Römern und Fremden in Rom oblag (→ *praetor peregrinus*). 198 schuf man erneut zwei Praeturen für die beiden neuen *p.* in Spanien, doch in der Folgezeit war der Senat aus innenpolit. Rücksichten zunehmend weniger geneigt, weitere *p.* (und damit neue Praeturen) zu schaffen. War es aber unumgänglich – wie in Macedonia und Africa nach dem 3. → Makedonischen Krieg bzw. nach dem 3. Punischen Krieg oder in Asia nach dem Aufstand des → Aristonikos [4] –, behalf man sich mit Promagistraten (→ *proconsul*; → *propraetor*), die seit C. → Sempronius Gracchus (123/2 v. Chr.) durch den Senat bestellt wurden. Erst in der letzten Generation der Republik nahm dann die Zahl der regulären *p.*, wiederum aus innenpolit. Rücksichten, dramatisch zu. Cornelius [I 90] Sulla hatte noch versucht, die zu seiner Zeit existierenden 10 *p.* den 10 Magistraten mit *imperium* (zwei Consuln und acht Praetoren) jeweils nach ihrem Amtsjahr in Rom als Kommandobereiche zuzuweisen, doch brach das System binnen kurzem auch wegen der Zunahme der *p.* (Creta, Cyprus, Bithynia et Pontus, Syria, Gallia) zusammen. Eine *lex Pompeia de provinciis* von 53 v. Chr. machte die Übernahme einer *p.* für alle röm. Magistrate nach Ablauf ihrer Amtszeit obligatorisch und legte nunmehr ein Intervall von fünf J. zwischen Magistratur und Statthalterschaft fest.

Das röm. Personal in den *p.* war sehr begrenzt: Neben dem Statthalter gab es wohl seit Beginn einen → *quaestor* zur Einziehung der Steuern und für die Besoldung des Militärs, mehrere Legaten (→ *legatus*) als Vertreter des Statthalters und eine größere Gruppe von Verwandten, polit. Freunden und Sachverständigen (*cohors amicorum*), daneben Bürokräfte (*scribae*), Lictoren und anderes untergeordnetes Personal. Nahezu in allen *p.* stand Militär, das auch für vielerlei zivile Aufgaben eingesetzt werden konnte.

Die Hauptlast der Verwaltung in den *p.* lag bei den einheimischen Gemeinden, deren Beziehungen zu Rom in Verträgen (→ *foedus*), Senatsbeschlüssen und in der *lex provinciae* geregelt waren, die häufig nach der Provinzialisierung vom Feldherrn und einer Senatskommission erlassen wurde und den territorialen Umfang, die Besteuerung, die lokale Verwaltung und die Rechtsprechung der *p.* in einer von *p.* zu *p.* ganz unterschiedlichen Weise regeln konnte.

Hauptaufgabe des Statthalters war die Wahrung des Friedens in der *p.*, die Rechtsprechung in einer nicht genau definierten Reihe von Fällen, die er in einem → *edictum* [1] benennen konnte und derentwegen er periodisch alle Teile der *p.* bereisen sollte, sowie die Durchsetzung der Steuerzahlung. Direkte Steuern wurden zuerst an den Quaestor, dann an Steuerpächter (→ *publicani*) gezahlt, indirekte immer an Steuerpächter (→ Steuern).

C. Kaiserzeit

Nach einem schon seit Pompeius [I 3] immer wieder praktizierten Modell bekam 27 v. Chr. → Augustus eine *p.* vom Senat verliehen, die nahezu alle röm. Grenzprov. umfaßte, in denen die meisten Legionen standen (→ *legio* mit Karte). Für diese Prov. ernannte der Princeps Unterstatthalter im Rang eines → *propraetor* (*legati Augusti pro praetore*), die er je nach Zahl der Legionen in der jeweiligen *p.* aus der Gruppe der ehemaligen Praetoren oder Consuln nahm und die meist für drei J., gelegentlich auch viel länger, im Amt blieben. In kleinere, mil. unbedeutende *p.* wurden ritterliche Praefekten (→ *praefectus*), später → *procuratores* geschickt (z. B. Pontius [II 7] Pilatus). Der Senat bestimmte in den restlichen *p.*, die nach dem alten Muster verwaltet wurden, die Statthalter im Rang eines → *proconsul* für ein J. durch das Los. Africa und Asia wurden durch Consulare, die übrigen durch Praetorier verwaltet. Alle Statthalter wurden ab der Zeit des Augustus bezahlt, die beiden consularen Proconsuln mit 1 Mio Sesterzen im Jahr.

Begleitung und Hilfspersonal hatten sich nicht wesentlich verändert, in einigen kaiserl. *p.* gab es jedoch zur Entlastung des Statthalters bei der Rechtsprechung nunmehr *legati iuridici* (→ *iuridicus*), und die Zahl der *legati* in senatorischen *p.* wurde nun auf drei in consularen und einen in praetorischen *p.* festgelegt. Die Steuern in den kaiserlichen *p.* wurden von → *procuratores* verwaltet.

Die Aufgaben des Statthalters wurden – auch in den senatorischen *p.* – durch Dienstanweisungen (*mandata*) des Kaisers bestimmt. V. a. in den befriedeten Binnenprov. nahmen die Rechtsprechung und die Kommunalaufsicht nunmehr die wichtigste Rolle dabei ein, wie z. B. die Briefe des Plinius [2] an Traianus aus seiner *p.* Bithynia-Pontus zeigen (Plin. epist. 10). Viele *p.* waren nunmehr in Konvente (*conventus*) eingeteilt, um die Rechtsprechung zu erleichtern. Wichtig für die innere Verwaltung waren auch die fast überall eingerichteten Provinziallandtage (s. → *concilium* (3.), griech. *koinón*), die neben der Pflege der Loyalität zum Kaiser (→ Kaiserkult) eine nicht geringe Rolle auch bei der Verteilung der Steuern spielten.

D. SPÄTANTIKE

Nach den Wirren des 3. Jh. n. Chr. reorganisierte → Diocletianus (mit Karte) die Verwaltung der *p.* von Grund auf. Er hob den Unterschied zwischen senatorischen und kaiserlichen *p.* auf und teilte fast alle *p.* zwei- oder dreifach, so daß es im J. 313 n. Chr. 95 *p.* (→ *Laterculus Veronensis*) und schließlich im 5. Jh. 114 *p.* gab (vgl. die *Notitia dignitatum*). Sie waren anfangs auf 12, später auf 14 Diözesen (→ *dioíkēsis* II.) verteilt (vgl. → Diocletianus mit Tabelle und Karte). Einige *p.* unterstanden noch einem Proconsul, die meisten einem → *consularis* oder → *praeses*. Zu den Aufgaben der Statthalter war nunmehr die Eintreibung der Steuern hinzugekommen (vgl. [3. 193 ff.]), während ihnen alle mil. Kompetenzen entzogen waren. Über die üppig besetzten Büros (*officia*) der Statthalter der *p.* unterrichtet die → *Notitia dignitatum*; die Qualität der Verwaltung aber scheint durch die Zunahme des Personals nicht gestiegen zu sein.

1 WALDE/HOFMANN, Bd. 2 **2** G. WESENBERG, s. v. P., RE 23, 995–1029 **3** A. GIARDINA, F. GRELLE, La tavola di Trinitapoli, una nuova costituzione di Valentiniano I, in: F. GRELLE, A. GIARDINA, Canosa Romana, 1993.

W. ECK, Die Verwaltung des röm. Reiches in der hohen Kaiserzeit, Bd. 2, 1997 · Ders. (Hrsg.), Lokale Autonomie und röm. Ordnungsmacht in den kaiserztl. P. vom 1. bis 3. Jh., 1999 · F. JACQUES, J. SCHEID, Rom und das Reich in der hohen Kaiserzeit, 1998, 174 ff. · A. LINTOTT, Imperium Romanum, 1993. H. GA.

Provinz s. Provincia

Provocatio (von lat. *provocare*, »hervor-, herbeirufen«). *P.* bezeichnet das Recht eines jeden röm. Bürgers, gegen die magistratische Zwangsgewalt (→ *coercitio*), die Leib oder Leben bedroht, das Volk anzurufen (*p. ad populum*). *P.* galt in der röm. Republik als Bastion bürgerlicher Freiheit (Cic. de orat. 2,199). In den → Ständekämpfen polit. Mittel gegen die Willkür patrizischer Imperiumsträger (Consul, Praetor), wurde die *p.* 300 v. Chr. durch die *lex Valeria* rechtlich sanktioniert. Sie sollte wohl eine Verhandlung vor dem Volk herbeifüh-

ren (vgl. [6] gegen [1]). Ihre Mißachtung galt jedoch nur als *improbe factum* (»Ungehörigkeit«) und unterlag damit nicht einer eigentlichen Bestrafung; doch lief der betroffene Magistrat Gefahr, nach seiner Amtszeit zur Rechenschaft gezogen zu werden [1].

Zunächst war *p.* auf stadtröm. Gebiet (*domi*) beschränkt, im 2. Jh. v. Chr. wurde sie dann auf den Bereich außerhalb des → *pomerium* (*militiae*), bes. die Provinzen, ausgedehnt. Im mil. Bereich hat es *p.* dagegen nicht gegeben [2]. Das *ius provocationis* (Provokationsrecht) wurde auch Fremden verliehen (*lex Acilia repetundarum*: CIL I² 583). Im → Prinzipat stand auf Mißbrauch magistratischer Koerzition die Todesstrafe (Paul. 5,26,1; Dig. 48,6,7).

1 W. KUNKEL, Die Magistratur, 1995 **2** L. DE LIBERO, Bürgerrecht und Provokation, in: TH. HANTOS, G. A. LEHMANN (Hrsg.), Althistor. Kolloquium – FS J. Bleicken, 1998, 135–152 **3** M. HUMBERT, Le tribunal de la plèbe et le tribunal du peuple, in: MEFRA 100, 1988, 431–503 **4** A. W. LINTOTT, P. From the Struggle of the Orders to the Principate, in: ANRW I 2, 1972, 226–267 **6** J. MARTIN, Die Provokation in der klass. und späten Republik, in: Hermes 98, 1970, 72–96. L. d. L.

Proxenia, Proxenos (προξενία, πρόξενος). Der Begriff *p.* bezeichnet die Funktion eines »Staatsgastfreundes« (*próxenos*), d. h. die Vertretung eines griech. Gemeinwesens in einem anderen »Staat« durch einen Bürger der fremden Gemeinschaft. Sie ist eine spezifisch griech. Institution, die auf den Schutz des Fremden (→ *xénoi*; → Fremdenrecht III.) zurückgeht und erstmals in einem Beschluß des »Volkes« (*dámos*) von Kerkyra aus dem späten 7. Jh. v. Chr. bezeugt ist (ML 4). Im 5. Jh. v. Chr. wurde die *p.* darüber hinaus zu einem athen. Herrschaftsinstrument im → Attisch-Delischen Seebund, wo die *próxenoi* athen. Interessen vertraten, gegebenenfalls über antiathen. Aktionen berichteten und hierfür Auszeichnungen und bes. Schutz erhielten (IG I³ 18; 19; 27; 91; 92; [1. 49 f.]). Zahlreiche Zeugnisse aus dem 4. Jh. v. Chr. belegen die weite Verbreitung der Institution der *p.* und ihre polit. (Xen. hell. 6,1,4) und wirtschaftliche Rolle (Ps.-Demosth. or. 52,10; IG II² 176).

In hell. Zeit wurde die *p.* v. a. ein wichtiges Bindeglied zwischen Herrschern und Poleis. Allerdings zeichnete sich im 3. und verstärkt im 2. Jh. v. Chr. eine Entwicklung zur Konvention diplomatischer Höflichkeit ab (SEG 43, 227). Als Mittel der »Außenpolitik« griech. Gemeinwesen verlor die *p.* ihre Bed. im Imperium Romanum.

→ Dipomatie; Fremdenrecht (III.); Gastfreundschaft (II.); Xenoi

1 W. SCHULLER, Die Herrschaft der Athener im ersten Attischen Seebund, 1974.

F. GSCHNITZER, s. v. Proxenos, RE Suppl. 13, 629–730 · CH. MAREK, Die Proxenie, 1984. K.-W. WEL.

Proximus (»der nächste«) hieß in den spätant. kaiserlichen *scrinia* (→ *scrinium*) der dem *magister* nächststehende Beamte. Die Dienstzeit der *proximi* wurde nach und nach auf ein Jahr begrenzt. Seit ca. 380 n. Chr. gehörten die *p.* zu den *viri spectabiles* (→ *spectabilis*), seit 400 erhielten sie beim Ausscheiden Senatorenrang mit gewissen Privilegien wie der Befreiung von der aufwendigen Praetur. In der frühen Kaiserzeit gab es Freigelassene des Kaisers mit dem Titel *p.* in unterschiedlichen Verwaltungsämtern; sie konnten zum → *procurator* aufsteigen.

R. DELMAIRE, Les institutions du Bas-Empire romain de Constantin à Justinien, 1995, 23; 68.   K. G.-A.

Prozeßeid s. Sacramentum

Prozeßformel s. Formula; Legis actio

Prozession I. DEFINITION
II. GRIECHISCH-RÖMISCHE ANTIKE
III. CHRISTENTUM IV. SÄKULARE PROZESSIONEN

I. DEFINITION

Eine P. (griech. πομπή/*pompḗ*, lat. *pompa*) läßt sich definieren als Handlung einer Gruppe von in formalisierter und geordneter Abfolge »(voran)schreitender« (lat. *procedere*) Personen. Zwei Typen formalisierter P. können unterschieden werden: solche, die in unregelmäßigen Abständen, und solche, die zeitlich periodisiert stattfinden.

II. GRIECHISCH-RÖMISCHE ANTIKE
A. UNREGELMÄSSIG STATTFINDENDE PROZESSIONEN

Unregelmäßig stattfindende P. markierten in der klass. Ant. ritualisierte Ereignisse unterschiedlicher sozialer Gruppen von der → Familie über lokal und regional organisierte rel. oder soziale Verbände bis zu der polit. organisierten Gemeinschaft des Stadtstaates.

1. FAMILIE 2. POLITISCHE GEMEINSCHAFT

1. FAMILIE

Hochzeiten enthielten im Anschluß an das Hochzeitsfest sowohl in der griech. als auch in der röm. Welt eine P. vom Haus der Braut zu dem des Bräutigams (→ Hochzeitsbräuche). Als wichtiger Bestandteil der Zeremonie war sie häufig auf att. Vasen dargestellt [1]; in Griechenland wurde das Brautpaar vom besten Freund des Bräutigams, der Mutter der Braut, Dienern und Musikanten, die den → *hymenaíos* [2] begleiteten, in Rom von drei jungen Knaben geleitet.

Auch zu → Bestattungen (→ Totenkult) gehörte eine P., mit der der Verstorbene das Geleit zum Friedhof erhielt (zu Rom: [2]). Das Ausmaß an Luxus, das bei solchen P. annehmbar war, wurde zuweilen aus polit. Gründen eingeschränkt; so soll zuerst Solon (Plut. Solon 21) nach 600 v. Chr. Auswüchsen von Seiten der Aristokratie bei Begräbnissen Beschränkungen aufer-

legt haben. Ähnliche Beschränkungen finden sich gelegentlich auch sonst (LSCG 77C; 97; LSCG, Suppl. 31; LSAM 16).

2. POLITISCHE GEMEINSCHAFT

Für gelegentlich stattfindende P. der polit. Gemeinschaft waren häufig die Magistrate verantwortlich. So zogen die röm. → Consuln bei Amtsantritt mit den → Equites und Vertretern des Senatorenstandes zum → Capitolium. Dort brachten sie dem → Iuppiter Optimus Maximus ihre Gelübde dar, setzten sich auf die → *sella curulis* und leiteten eine Senatssitzung (z. B. Ov. Pont. 4,9,3–38). Eine P. im größtmöglichen Stil veranstalteten röm. Feldherrn, wenn sie im → Triumph-Zug durch die Porta Triumphalis, um den Palatin, über das Forum und hinauf zum Capitolinus zogen, wo sie Iuppiter Optimus Maximus opferten [3. 94–131]. In der P. wurden Gefangene (die danach hingerichtet wurden), befreite röm. Kriegsgefangene, Beute, das Heer und Opfertiere mitgeführt (vgl. Plut. Aemilius Paullus 32–34 über den Triumphzug des Jahres 167 v. Chr.). Bei der Ankunft von Königen oder Kaisern in einer Stadt begrüßte normalerweise eine P. der führenden Beamten und anderer öffentlicher Repräsentanten den Herrscher (z. B. Plin. paneg. 22 f.; [4. 17–89]).

B. REGELMÄSSIG STATTFINDENDE PROZESSIONEN

Regelmäßig stattfindende P. waren im → Kalender der jeweiligen Stadt als Teil von ritualisierten Jahressequenzen und von Festen zu Ehren von Göttern und Herrschern verankert. Der Ablauf solcher Feste war sorgfältig geregelt, um ihr bes. Wesen zum Ausdruck zu bringen. Eine idealisierte Form der P. an den → Panathḗnaia ist auf dem Fries dargestellt, der die *cella* des → Parthenon umläuft. Für die P., die vermutlich den → Ptolemaia in Alexandreia zuzuordnen sind (Kallixeinos FGrH 627 F 2 bei Athen. 5,196a–203b), sowie zu der P. im Verlauf der *ludi Romani* (Fabius Pictor bei Dion. Hal. ant. 7,72) liegen ausführliche lit. Berichte vor [5. 254–268; 3. 258–270]. In der griech. Welt gab es gewöhnlich durch spezielle Namen bezeichnete Kultfunktionäre, die während der rel. P. die heiligen Geräte trugen (*kanephóroi, hydrophóroi, liknophóroi, kistophóroi,* → *pastophóroi*). In Rom war es üblicher, Götterbilder in einer P. von ihren Tempeln zum Circus oder zum Theater zu tragen. Bei einer P. im Rahmen des → *sellisternium* wurden ihre Throne mitgeführt, beim → *lectisternium* ihre Liegen.

Die Wegstrecke bei regelmäßig veranstalteten P. war genau festgelegt. Sie konnte vom Stadtzentrum zu einem außerhalb liegenden Heiligtum führen: z. B. die Straße zw. Ephesos und dem Heiligtum der Artemis (Xenophon von Ephesos 1,2), der 20 km lange Weg zwischen Miletos und Didyma [6. 37] oder die 30 km lange »Heilige Straße« zw. Athen und Eleusis (z. B. Plut. Alkibiades 34,3–6; → Mysteria). Die P.-Route konnte aber auch bedeutende Stätten innerhalb einer Stadt verbinden, z. B. bei der Panathenäen-P. in Athen (→ Panathḗnaia) oder bei den Artemisia in Ephesos [7]. Eine P.

endete üblicherweise mit einem blutigen → Opfer an einem Altar oder vor dem Heiligtum der geehrten Gottheit, wie überhaupt die P. integraler Bestandteil der ant. → Festkultur war [5. 253 f.]. Die Bed. von P. im Leben ant. Städte unterstreicht die christl. Begrifflichkeit für die Vermeidung des Bösen: ›dem Teufel und seiner Prozession (*pompa diaboli*) entsagen‹ [8].

→ Fest, Festkultur; Ludi; Ritual

1 J. H. OAKLEY, R. H. SINOS, The Wedding in Ancient Athens, 1993 2 S. PRICE, From Noble Funerals to Divine Cult: The Consecration of Roman Emperors, in: Ders., D. CANNADINE (Hrsg.), Rituals of Royalty, 1987, 56–105 3 H. S. VERSNEL, Triumphus, 1970 4 S. MacCORMACK, Art and Ceremony in Late Antiquity, 1981 5 F. BERNSTEIN, Ludi publici, 1998 6 S. PRICE, Religions of the Ancient Greeks, 1999 7 G. M. ROGERS, The Sacred Identity of Ephesos, 1991 8 G. BINDER, »Pompa diaboli« – Das Heidenspektakel und die Christenmoral, in: Ders., B. EFFE (Hrsg.), Das ant. Theater (Bochumer alt.wiss. Colloquium 33), 1998, 115–147.

F. BÖMER, s. v. Pompa, RE 21.2, 1878–1994 · F. GRAF, »Pompai« in Greece: Some Considerations about Space and Ritual in the Greek Polis, in: R. HÄGG (Hrsg.), The Role of Rel. in the Early Greek Polis, 1996, 55–65 · S. PRICE, Rituals and Power, 1984, 110–112 · S. WEINSTOCK, Divus Julius, 1971, 282–286 · G. WISSOWA, Rel. und Kultus der Römer, ²1912, 449–467.   SI. PR./Ü: PE. R.

III. CHRISTENTUM

P. größeren Maßstabs kommen im Christentum erst im 4. Jh. mit der staatlichen Tolerierung und Förderung auf. Sie bedeuten eine Weiterentwicklung der z. T. schon vorkonstantinischen Praxis der Stationsgottesdienste (vom Bischof geleitete Liturgien der Stadtgemeinde außerhalb der Hauptkirche an einer sog. *statio*: Kirche, Grab, Platz). Trotz der scharfen Verurteilungen paganer P. als *pompae diaboli* (»Teufelsumzüge«) und einer klaren, auch terminologischen Abgrenzung (meist λιτή/*litė́* bzw. *litania* anstelle der klass. Termini πομπή/ *pompḗ* und *pompa*) [2. 206–209] knüpfen die öffentlichen P. der Christen zum Teil an vorchristl. Trad. an (z. B. die in Gallien im 5. Jh. eingeführten *Rogationes* an die → *Ambarvalia*; die *Litania maior* am 24./25. April an die → *Robigalia* [6; 11. 424]). Die P. schritt in der Regel von einer Sammelstelle (*collecta*) zu einem oder mehreren Haltepunkten (*stationes*), wo Wortgottesdienste und/oder (meist am Zielpunkt) eine Eucharistiefeier gehalten wurden. Der Zug war geprägt von (teils antiphonischem) Psalmen- und Hymnengesang, Gebeten, mitgeführten Fackeln oder Kerzen und gelegentlich auch Kultgegenständen (Reliquiaren, Palmzweige, Evangeliaren).

Das früheste Zeugnis für öffentliche christl. P. in der → *Peregrinatio ad loca sancta* der Egeria (wohl 381–384) belegt die Verankerung der P. im sich entwickelnden Kirchenjahr: In Jerusalem fanden P. statt an Epiphanie (6. Jan.), am Samstag vor dem Palmsonntag, am Palmsonntag (Palm-P.), Gründonnerstag, Karfreitag und -samstag, Ostern und Pfingsten. Die P. dienten dabei dem historisierenden Nachvollzug der in den Evangelien geschilderten Ereignisse [2. 45–104].

Auch in Rom, wo die P. ebenfalls vor dem Hintergrund des Wallfahrtsbetriebs (→ Pilgerschaft) zu sehen sind, wurden die Feste des liturgischen Jahres mit P. ausgestaltet: neben Karfreitag und Ostern die Mittwoche und Freitage der vorweihnachtlichen Bußzeit, Marienfeste, das Fest der Reinigung bzw. Darstellung im Tempel (vgl. Lk 2,22–40) am 2. Febr. (Lichter-P.), Märtyrerfeste. Insgesamt häuften sich im 7. und 8. Jh. die volkstümlichen P. in Rom, die teilweise von den Armen der Stadt angeführt wurden [2. 105–166].

Vielleicht wurden die P. in Rom im 6. Jh. – für die Zeit davor ist hier keine P. belegt – unter dem Einfluß des reichen P.-Wesens in Konstantinopel eingeführt. Dort sind P. an den Festen des Kirchenjahres allerdings erst spät in den Quellen erwähnt; dagegen sind (wie vereinzelt auch andernorts) zahlreiche P. zu bes. Anlässen bezeugt: P. zur Überführung von → Reliquien und zu Kirchweihen, Bitt-P. bei Unheil (mit Dank- und Gedenk-P. an den Jahrestagen), bei Erdbeben, Dürre, Krieg, P. als kirchenpolit. Machtdemonstrationen im Streit um → Arianismus und → Monophysitismus, P. aus polit. Anlässen (Tod eines Kaisers, Krönungs-P.). Die polit. Bed. der kirchlichen P. zeigt sich auch darin, daß der Praefekt (*éparchos*) der Stadt ab dem 5. Jh. an der Spitze schritt [2. 167–228; 9]. Das P.-Wesen mit seinen Wechselgesängen (Antiphonen) wird in manchen Quellen (z. B. Soz. 3,20) auf die Praxis in Antiocheia [1] zurückgeführt, der Heimat des Iohannes [4] Chrysostomos, in dessen Episkopat (ab 398) die ersten bekannten P. in der Hauptstadt fallen.

Über die Anfänge des P.-Wesens in Antiocheia kann man jedoch aufgrund der spärlichen und späten Quellen nur spekulieren [3]. Die Hinweise auf P. in anderen Regionen (Alexandreia [4], Gallien [11. 424], Ravenna [10] u. a.) erlauben jedenfalls den Schluß, daß öffentl. P. im Christentum im 5./6. Jh. eine ähnliche Bed. erlangten wie in vorchristl. Zeit.

Neben den großen Stadt- und Flur-P. kannte das ant. Christentum auch P. kleineren Maßstabs [7]: P. im Zusammenhang mit der Eucharistiefeier (Einzug des Zelebranten mit Assistenten, Gaben-P., Kommunion-P., Evangelien-P.), P. in der Tauffeier (P. der Täuflinge in weißen Gewändern vom Baptisterium zur Eucharistiefeier in die Kirche) und die Beerdigungs-P. Gerade der Leichenzug konnte jedoch, wie etwa der detaillierte Bericht des → Gregorios [2] von Nyssa über die Bestattung seiner Schwester zeigt (*Vita Macrinae iunioris*), im Falle von besonderen Verstorbenen zur Volks-P. werden [12. 187–235].

→ Pilgerschaft

1 T. BAILEY, The Processions of Sarum and the Western Church, 1971 2 J. F. BALDOVIN, The Urban Character of Christian Worship, 1987 3 A. BAUMSTARK, Das Kirchenjahr in Antiocheia zw. 512 und 518, in: RQA 11, 1897, 31–66 und 13, 1899, 503–523 4 H. BRAKMANN, ΣΥΝΑΞΙΣ ΚΑΘΟΛΙΚΗ in Alexandreia, in: JbAC 30, 1987, 74–89

5 A. Chavasse, La liturgie de la ville de Rome du Ve au VIIIe siècle, 1993 **6** G. Debruyne, L'origine des processions de la Chandeleur et des Rogations, in: Rev. bénédictine 34, 1922, 14–26 **7** M. Férotin (Hrsg.), Monumenta Ecclesiae Liturgica 5, 1904 **8** S. Felbecker, Die P., 1995 **9** R. Janin, Les processions religieuses de Byzance, in: REByz 24, 1966, 68–89 **10** M. Mazzotti, Itinerari processionali ravennati, in: Felix Ravenna 109/110, 1975, 141–156 **11** W. Pax, s. v. Bittp., RAC 2, 1954, 422–429 **12** A. C. Rush, Death and Burial in Christian Antiquity, 1941 **13** R. F. Taft, The Great Entrance, 1975. AN. M.

IV. Säkulare Prozessionen

Zu säkularen P. der Spätant. s. [2], speziell zu nicht-rel. P. im byz. Hofzeremoniell s. [1].

1 A. Cameron, The Byzantine Book of Ceremonies, in: D. Cannadine, S. Price (Hrsg.), Rituals of Royalty, 1987, 106–136 **2** M. McCormick, Eternal Victory. Triumphal Rulership in Late Antiquity, Byzantium, and the Early Medieval West, 1986. SI. PR.

Prozeßrecht I. Alter Orient II. Pharaonisches Ägypten III. Jüdisches Recht IV. Griechisch-römische Antike

I. Alter Orient

Eine Epoche, in der sich fast nur der Stärkere sein Recht zu nehmen vermochte, ist selbst in den bis in die Mitte des 3. Jt. zurückführenden → Keilschriftrechten nicht festzustellen [7]. Allerdings ist v. a. den altbabylonischen Briefen und einigen Regelungen des *Codex Ḫammurapi* zu entnehmen, daß die Selbsthilfe eine wichtige, rechtlich anerkannte Rolle spielte [8]; ferner wird für das → hethitische Recht kontrollierte Selbsthilfe vermutet [5].

Die Verbreitung des Wortes »Richter« (DI.KU₅/ *dajjānum*) seit der altakkadischen Zeit (24./22. Jh.) zeigt, daß es überall Rechtsprechung gegeben hat. Der diesbezügliche Kenntnisstand ist nach Quellen wie Vorarbeiten unterschiedlich (neusumerisch/altbabylonisch (21./17. Jh.): [4; 2]; altassyrisch (20./19. Jh.): [14]; neuassyrisch (1. H. 1. Jt.): [9]; spätbabylonisch (6./5. Jh.): [12. 125]; hethitisch (16.–13. Jh.): [5] (→ Hethitisches Recht C.); Nuzi (ca. 1460–1330): [6]). Eine direkt wie indirekt erreichbare Gerichtsbarkeit des Königs bzw. Stadtfürsten ist für alle Epochen belegt oder anzunehmen (grundsätzlich nicht im Sinn einer Rechtsmittelinstanz); dies gilt sicherlich auch – faktisch oder kraft Delegation – für die Funktionäre (z. B. neusumer. der »Königsbote«, lú-kin-gi₄-a-lugala). Z. T. handelt es sich um »Sondergerichtsbarkeit«, z. B. in Lehenssachen o. ä. [2. 250 ff.; 11]. Eine Tempelgerichtsbarkeit ist nicht nachweisbar [2. 233–239], ebenso wenig neusumer. (gegen [4. 31 f.]); der Tempel ist die übliche Eidstätte. Neben den Richtern/Richtern des Königs gibt es lokale Gerichte wie »das Stadtviertel« (altbabylon. *bābtum*), »die Stadt (und die Ältesten)« (altbabylon. *ālum u šībūtum*), »die Versammlung« (alt-/neubabylon. *puḫrum*) oder »das Handelsamt« (altassyr./altbabylon. *kārum*), welche z. T.

zusammen mit den Richtern oder mit Magistraten Recht sprechen. Schon die langwierige → Schreiber-Schulung im »Tafelhaus« sorgt dafür, daß es stets kundige Richter herausgehobenen Standes gibt. Die Aufgaben der einzelnen Verfahrensbeteiligten lassen sich nicht immer eindeutig bestimmen (z. B. neusumer. maškim, »Kommissär«); auch die Gerichtsorganisation variiert im einzelnen.

Zur Verfahrenseinleitung wendet man sich an die Richter (z. B. [4. 59–62; 2. 304–311]). Erkenntnismittel sind »Sachverständige« (neusumer./altbabylon.; d. h. zur Meinungsbildung beitragende Personen, mitunter zum Gericht gehörend), beeidete und unbeeidete Zeugenaussagen, Parteiaussagen unter Eid und Urkundenbeweise (z. B. [4. 62 f.; 2. 326–339]). Das Ordal ist, soweit bezeugt, kein Beweis innerhalb des Prozesses (z. B. [4. 62; 2. 334; 1]). Zwingende Beweisregeln sind nicht ersichtlich. Verfahren werden protokolliert (z. B. [4; 6. 8]), ferner gibt es gesonderte Untersuchungsprotokolle (z. B. [18]). Die sorgfältige und sachbezogene Vorgehensweise der Richter ist erkennbar. Das Urteil entscheidet in der Sache oder erkennt auf prozeßentscheidenden Eid; es ist wohl bereits altbabylon. (vielleicht noch nicht neusumer.) verbindlich, unbeschadet einer Annahme seitens der Parteien [2. 366–377]. In jedem Fall steht damit das Bestehen oder Nichtbestehen des geltend gemachten Anspruchs fest, und der Berechtigte kann sich mit sozialer Billigung um die Durchsetzung bemühen [8]. Gelegentlich gibt es Hinweise auf Gerichtskosten (z. B. [2. 361]).

Ein Anspruch des Gemeinwesens auf Ahndung von Delikten unter Privatpersonen ist nicht festzustellen. Der »Staat« beschränkt sich darauf, die seine unmittelbaren Interessen beeinträchtigenden Handlungen – wie Unbotmäßigkeit gegenüber seiner Gewalt, Hochverrat oder Religionsfrevel – zu verfolgen (gegen z. B. [13]). Verm. ist der Täter häufig ohne bes. Verfahren bestraft worden. Vereinzelte Belege, die man als »Strafprozesse« im eigentlichen Sinn ansprechen kann, zeigen keine grundlegende Besonderheit gegenüber dem »Zivilprozeß (z. B. [15; 3]); das gleiche gilt für vereinzelt faßbare »Verwaltungsverfahren« [4. 139–145]. (Als »Strafrecht« wird in der wiss. Lit. gewöhnlich der Inbegriff aller Delikte verstanden, deren Folgen nach heutigem Empfinden »Strafen« sind, s. z. B. [10].)

→ Strafe, Strafrecht

1 G. Cardascia, L'ordalie fluviale dans la Mésopotamie ancienne, in: Rev. historique de droit français et étranger 71, 1993, 119–184, 269–288 **2** E. Dombradi, Die Darstellung des Rechtsaustrags in den altbabylon. Prozeßurkunden, 1996 **3** J. Durand, Une condamnation à mort à l'époque d'Ur III, in: RAssyr 71, 1977, 125–136 **4** A. Falkenstein, Die neusumer. Gerichtsurkunden, 1956 f. **5** R. Haase, Zum hethit. P., in: ZA N. F. 23, 1965, 55–57 **6** R. E. Hayden, Court Procedure at Nuzi, Diss. Brandeis, 1962 **7** J. Hengstl, Zu möglichen Spuren archa. Rechtsdenkens in den lit. Quellen Mesopotamiens, in: G. Wesener (Hrsg.), FS A. Kränzlein, 1986, 11–19 **8** Ders., Zur »zivilrechtlichen« Exekution in altbabylon. Zeit, in:

J. ZLINSZKY (Hrsg.), Questions de responsabilité, 1993, 151–165 **9** R. JAS, Neo-Assyrian Judicial Procedures, 1996 **10** S. LAFONT, Femmes, droit et justice dans l'antiquité orientale, 1999 **11** W. F. LEEMANS, King Hammurabi as Judge, in: H. ANKUM (Hrsg.), Symbolae M. David, Bd. 2, 1968, 107–129 **12** J. OELSNER, Recht in hell. Babylonien, in: M. J. GELLER, H. MAEHLER (Hrsg.), Legal Documents of the Hellenistic World, 1995, 106–148 **13** E. OTTO, Zur Stellung der Frau in den ältesten Rechtstexten des AT (Ex 20,14; 22,15 f.) – wider die hermeneutische Naivität im Umgang mit dem AT, in: Ders., Kontinuum und Proprium, 1996, 30–48 **14** K. R. VEENHOF, Private Summons and Arbitration among the Old Assyrian Traders, in: M. MORI (Hrsg.), FS Prince Takahito Mikasa, 1991, 437–459 **15** E. WEIDNER, Hochverrat gegen Nebukadnezar II. Ein Großwürdenträger vor dem Königsgericht, in: AfO 17, 1954–6, 1–9 **16** R. WERNER, Hethit. Gerichtsprotokolle, 1967. JO. HE.

II. PHARAONISCHES ÄGYPTEN

Die Quellenlage ist ungleichmäßig. Aus dem AR gibt es lediglich Hinweise z. B. in den Amtstiteln der Wesire (»Vorsteher der sechs Gerichtshäuser«, *jmj-rꜣ ḥwt-wrt 6*; insgesamt 17 Belege für 5./6. Dyn.) oder in Urkunden (z. B. Prozeß »vor den Ministerialen« *m-bꜣḥ srw*; ab 4. Dyn. belegt). Aus dem MR ist nicht mehr bekannt. Prozeßurkunden sind allein aus dem NR erhalten. Das Justizwesen der Spätzeit (1. Jt. v. Chr.) ist wiederum fast nur in einer Amtsbezeichnung, »Richterkollegium« (*wpjjw*), belegt (vgl. [11. XI f.]). Die Perserzeit kennt achäm. Institutionen [9. 34; 12]. Recht sprechen neben den Mitgliedern (*srw*) des königlichen Gerichtshofs, *djadjat* (*ḏꜣḏꜣt*; belegt AR–13. Dyn.), und der lokalen Kollegialgerichte, *qenbet* (*qnbt*; belegt 11.–25. Dyn.), der Pharao und an Festtagen die Götter (19. Dyn. – röm. Epoche). Ferner werden zu allen Zeiten Funktionäre (*zꜣb, sḏmw*) bis hin zum Wesir (*tꜣtj*) streitschlichtend oder -entscheidend tätig. Zur Rechtsprechung des Pharao ist wenig bekannt (z. B. [8. 235–244]). Bei der – v. a. bei Eigentumsstreitigkeiten angerufenen – Gottesgerichtsbarkeit verkündet der Gott die Wahrheit wohl durch Rückgabe einer in zwei Fassungen eingereichten streitentscheidenden Fragestellung oder durch das »Barkenorakel« [8. 107–141; 2. 73–82]; ferner gibt es vielleicht Verhöre durch die Götter [6] und Ordale [1]. Über die *qenbet*, deren Verfahren und Organisation unterrichtet v. a. das reiche Material aus Dair al-Madīna [8; 2].

Die Prozeßeinleitung erfolgt oft durch Eingaben an Beamte und Weiterverweisung oder bei Audienzen. Gerichtliche Erkenntnismittel sind Augenschein, Zeugen, Urkunden und Parteieid. Das Urteil weist einer Partei einen Reinigungseid zu oder entscheidet unmittelbar. Die Sachentscheidung bedingt die Unterwerfung seitens der Parteien. Zur Vollstreckung ist nichts Näheres bekannt; sie kann Eigentum und Kinder umfassen. Staatliche Hilfestellung ist offenbar möglich. Rechtsschutz kann vorab vertraglich beschränkt werden, und Rangniedrige sind zweifellos kaum gegen Höhergestellte vorgegangen. Die Gerichtsbarkeit wird ergänzt durch den Rechtsschutz in Form von Verwün-

schungen [3]. Der Prozeß wiederum kann – wie in anderen Rechtsordnungen – der Feststellung fiktiver Rechte dienen (z. B. [10. 62]).

Selbsthilfe als rechtlich anerkanntes Mittel privater Rechtsverfolgung ist für das ant. Äg. nicht festzustellen. Die Allgegenwart der Verwaltungsorgane hat dem wohl vorgebeugt, und entsprechend ist kaum zu entscheiden, wann Funktionäre sich der Verfolgung von Delikten unter Privatpersonen annehmen und wann sie einem staatlichen Strafanspruch folgen: »Strafgerichtsbarkeit« kann man in den Fällen annehmen, welche weder der Gottesgerichtsbarkeit noch den Kollegialgerichten unterworfen sind (vgl. [8. 187–234]). Auch Rechtsprechungskompetenz und Verwaltungszuständigkeit gehen ineinander über, selbst bei der *qenbet*. Das altäg. Justizwesen lebt in der Beamtenkognition und einer besonderen Gerichtsbarkeit für Nationalägypter (*laokrítai*) über das Ende dieser Epoche hinaus [13].

→ Ägyptisches Recht; Demotisches Recht

1 S. ALLAM, Sur l'ordalie en Égypte pharaonique, in: Journ. of the Economic and Social History of the Orient 34, 1991, 361–364 **2** Ders., Das Verfahrensrecht in der altäg. Arbeitersiedlung von Deir el-Medine, 1973 **3** J. ASSMANN, When Justice Fails: Jurisdiction and Imprecation in Ancient Egypt and the Near East, in: JEA 78, 1992, 149–162 **4** W. BOOCHS, Altäg. Zivilrecht, 1999, 112–117 **5** Ders., Strafrechtliche Aspekte im altäg. Recht, 1993 **6** F. DE CENIVAL, Le papyrus Dodgson. Une interrogation aux portes des dieux?, in: Rev. d'Égyptologie 38, 1987, 3–11 **7** G. HUSSON, D. VALBELLE, L'État et les Institutions en Égypte des premiers pharaons aux empereurs romains, 1992, 125–138 **8** A. G. MCDOWELL, Jurisdiction in the Workmen's Community of Deir el-Medîna, 1990 **9** E. SEIDL, Äg. Rechtsgesch. der Saiten- und Perserzeit, ²1956, 29–44 **10** Ders., Einführung in die äg. Rechtsgesch. bis zum Ende des NR I, ²1957, 21–31, 32–40, 62 **11** G. VITTMANN, Der demotische Pap. Rylands 9, 1998 **12** J. WIESEHÖFER, Prtrk, rb h.ylꜣ und mrꜣ. Zur Verwaltung Südäg.s in achaim. Zeit, in: AchHist 6, 1991, 305–309 **13** H. J. WOLFF, Das Justizwesen der Ptolemäer, ²1970. JO. HE. u. O. WI.

III. JÜDISCHES RECHT

Die Tora (→ Jüdisches Recht A.; zum talmudischen P. s. [3]) erlaubt, die Entwicklung des P. von der Stammesstruktur bis zum Hell. nachzuzeichnen. Selbsthilfe ist in bestimmtem Rahmen ein legales Mittel zur Rechtsdurchsetzung [2. 36 f., 67 f.; 3. 93–98]. Urspr. liegt die Gerichtsbarkeit bei der Familie (Gn 38,24 – Belege in Auswahl), dann bei den Sippenältesten bzw. Stammesführern (Nm 11,16 f.), letzteres auch noch unter den – ebenfalls anrufbaren (2 Sam 15,2–4) – Königen (2 Sam 14,7). Während des Exodus ist Moses zunächst einziger Richter (Ex 18,25); später sind ihm nur noch bedeutende Fälle vorzulegen (Dt 1,13). Die Einrichtung »öffentlicher« Gerichte entspricht göttlichem Gebot (Dt 16,18–19). Nach der Besiedlung Kanaans werden Ortsgerichte geschaffen (Dt 22,18, auch später belegt, s. Jdt 6,16; [1. 9–16]); für wichtige Fälle sind die Priester und der »Richter« in Jerusalem zuständig (Dt 17,8 f.). Der

Richter Samuel bestimmt drei Gerichtsstädte (1 Sam 7,16), später setzt der König Josaphat in jedem Ort Richter und in Jerusalem ein Obergericht mit König und Hohepriester ein (2 Chr 19,5–11). Das Bemühen um Gerechtigkeit ist deutlich (2 Chr 19,6; vgl. auch Salomo als Richter). Eine Eigenheit des jüd. P. ist die Bestimmung von Asylstädten in Verbindung mit Gerichtsverfahren für → Tötungsdelikte (Dt 19,1–12) [4. 116–157]. Verfahren werden durch den Verletzten gewöhnlich mündlich, später wohl auch schriftlich (Hiob 31,35f.) eingeleitet.

Nach den Urkunden aus jüd. Gemeinschaften unter Fremdherrschaft entspricht das prozessuale Verhalten dem der nichtjüd. Umgebung; man wendet sich an die üblichen Richter [7] oder Funktionäre [6; 8] bzw. in dem für das ptolem. Äg. überlieferten jüd. → políteuma – in vielleicht traditioneller Weise – an dessen Würdenträger: Dort sind wie in der Tora die Ältesten (presbýteroi) auch Richter (krítai) [1. 9–16].

Die Verhandlung ist mündlich. Beweismittel sind Zeugen, u.U. Reinigungseid (Ex 22,9f.), Sachbeweis (Ex 22,12) und Ordal (Ex 22,7f.) [2. 70f.; 3. 113f.; 5. 266f.]. Die genaue Bed. von Urkunden im Prozeß ist mangels Belegen ungewiß [2. 71]. Es gibt strenge Beweisregeln, z.B. sind zwei Zeugen (wohl nur in Strafsachen) zur Überführung nötig (Dt 9,15); Frauen und Sklaven sind – vom Talmud auf früher zu schließen – zeugnisunfähig. Die (jüd.-)aram. Urkunden aus → Elephantine kennen Beweisverzichte [8. 86] wie das äg. P. (s.o. II.). Die Vollstreckung folgt gewöhnlich unmittelbar dem Urteilsspruch (Dt 25,2); bei der Vollstreckung eines Todesurteils sollen die Zeugen den ersten Stein werfen und die Gemeinschaft teilnehmen (Dt 17,7). Der besondere rel. Hintergrund des → jüdischen Rechts macht das Urteil verbindlich (vgl. 2 Chr 19,6) und die Ahndung von Delikten zu einem Anliegen der Gemeinschaft im Sinne eines öffentlichen Strafanspruchs [5. 254–265].

1 J. COWEY, K. MARESCH, Urkunden aus dem politeuma der Juden von Herakleopolis (im Druck) 2 Z. W. FALK, Hebrew Law in Biblical Times, 1964, bes. 56–72 3 Ders., Introduction to Jewish Law of the Second Commonwealth, Bd. 1, 1972, 93–143 4 J. CHR. GERTZ, Die Gerichtsorganisation Israels im deuteronomistischen Gesetz, 1994 5 S. E. LOEWENSTAMM, Law, in: B. MAZAR (Hrsg.), The World History of the Jewish People, Bd. 1.3, 1971, 231–267 (265–267) 6 J. WIESEHÖFER, Prtrk, rb h.yl' und mr'. Zur Verwaltung Südäg.s in achaim. Zeit, in: AchHist 6, 1991, 305–309 7 D. NÖRR, Prozessuales aus dem Babatha-Archiv, in: M. HUMBERT (Hrsg.), Mélanges A. Magdelain, 1998, 317–341 8 R. YARON, Introduction to the Law of the Aramaic Papyri, 1961, bes. 27–35. JO. HE.

IV. GRIECHISCH-RÖMISCHE ANTIKE
A. BEGRIFF B. GRIECHENLAND C. ROM

A. BEGRIFF
Der griech.-röm. wie der gesamten Ant. ist eine eigene, vom materiellen Recht unterscheidbare Katego-

rie »P.« fremd. Während man h. den materiellen »subjektiven« Rechten (wie Eigentum oder Ansprüchen) ihre Durchsetzung vor Gericht gegenüberstellt, fielen beide Materien von der Frühzeit an bis weit ins 19. Jh. in eins zusammen. Die für die Ant. charakteristische Gleichsetzung des (subjektiven) Rechts mit der gerichtlichen Durchsetzbarkeit einer Rechtsposition faßt man h. üblicherweise unter dem Begriff »aktionenrechtliches Denken« zusammen – damit den röm.-rechtlichen Begriff der → actio [2] (»Klage«) aufgreifend. Am höchsten entwickelt ist der Katalog von actiones in dem vom Praetor aufgestellten → edictum [1]. Was dort als Rechtsschutzverheißung in der jeweiligen → formula niedergeschrieben ist, hat erst WINDSCHEID 1856 geschieden [1]: Seitdem prägt der materiellrechtliche Anspruch das Rechtsverständnis. Davon ist der Justizgewährungsanspruch, der den Zugang vor Gericht eröffnet, strikt zu unterscheiden.

Der neuartige Begriff P. kennzeichnet also die Summe all derjenigen Vorschriften, die sich auf das Verfahren beziehen, mittels dessen Rechtspositionen vor einem neutralen Dritten, dem Richter, durchgesetzt werden. Ob dieser vom Staat bestellt oder eine (geachtete) Privatperson ist, ob die zur Entscheidung notwendigen Tatsachen oder Meinungen von Amts wegen erforscht werden oder ob ihre Beibringung den Parteien überlassen ist, ob schließlich die Richterbank mit einem oder mehreren Richtern besetzt ist oder ob gar die Entscheidungsfunktion, wie im Falle des röm. Legisaktionen- (→ legis actio) und Formularprozesses auf mehrere, hintereinander tätige Personen verteilt wird, ändert nichts an der Grundfunktion eines jeden P.: Im wesentlichen reguliert es den Verfahrensgang, in dem sich zwei Parteien (darunter auch, wie im Falle des Strafprozesses, der Staat) um eine Rechtsposition (einschließlich des staatlichen Straf-Anspruchs) streiten und zu diesem Zweck einem neutralen Entscheider die erforderlichen Informationen (selbst oder durch andere) verschaffen, damit dieser eine dem Recht entsprechende Lösung des Streites finden kann. Was dabei unter »Recht« zu verstehen ist, darf ebenfalls nicht mit mod. Maß gemessen werden; neben oder gar statt streng rechtlicher Erwägungen kann die Entscheidung auch von sozialen Fakten (Ansehen oder Hilfebedürftigkeit) der jeweiligen Parteien abhängen.

B. GRIECHENLAND
Von den Institutionen des griech. P. wissen wir vornehmlich durch Aristot. Ath. pol. 63–69, von seiner praktischen Gestalt dagegen hauptsächlich aus den überl. att. Gerichtsreden (insbes. → Demosthenes [2], → Isokrates, → Lysias [1]; vgl. auch → logográphos). Das att. P. entwickelte sich vom König als Richter (→ árchontes I.) über den königlichen Beamtenrichter (→ thesmothétai) bis zum demokratisch organisierten Volksgerichtshof (mit einem entscheidenden Durchbruch zur Geschworenenverfassung, wohl durch Solon, Anf. 6. Jh. v. Chr., → dikastérion). In Athen wurde schließlich allmorgendlich ein komplizierter Mechanismus zur

Auswahl der für den jeweiligen Tag zuständigen Gerichte und Richter in Gang gesetzt. So sollten die Richter unparteilich und unbestechlich und die Urteile »richtig« sein. Mit den Regeln über die Zuteilung fester Redezeiten an die Parteien sowie über die strikt anon. Abstimmung der Richter beim Endurteil ergibt sich hieraus ein solides Grundgerüst für jedes P. Als unweigerliche Folge der Profanisierung verliert die Richtigkeitsgewähr für das von den Parteien Vorgetragene ihren essentiellen Rang bei der Bildung von P., wie der Bedeutungsverlust des → Eides (Plat. leg. 948b–e) ebenso belegt wie die Tatsache, daß in Athen die → Rhetorik für die Urteilsfindung wesentlich bedeutsamer war als stringente juristische Argumentation. Vgl. auch → Attisches Recht C.

C. ROM

Am Beginn der Entwicklung des röm. Rechts steht die ausdrückliche Normierung prozessualer Geschehensabläufe für das Legisaktionenverfahren in den ersten drei der Zwölf Tafeln (5. Jh. v. Chr., → *Tabulae duodecim*). Demnach hat es schon hier die Zweiteilung in Rechtsfrage und Ermittlung der Fakten gegeben: Während letzteres einem Privatmann überlassen wurde, war die Festlegung der Rechtsfrage einem Jurisdiktionsmagistrat (→ *aedilis*, → *praetor*) vorbehalten. Nach der Verfeinerung dieser Rollenverteilung im Formularverfahren wurde sie etwa seit Beginn des Prinzipats (E. des 1. Jh. v. Chr.) allmählich durch den beamtenähnlichen Einzelrichter (s. → *cognitio*) abgelöst. Auch im Bereich des Strafrechts verdrängte der Einzelrichter das aufwendigere Gerichtsverfahren der → *quaestiones* mit Sonderzuständigkeiten für bestimmte Delikte und einem vielköpfigen Richtergremium. Aus einigen neueren Inschr.-Funden von lokalen Gesetzen (insbes. der → *lex Irnitana*) können wir schließen, daß man sich offenbar bei dem in den Prov. praktizierten P. am stadtröm. Modell als Vorbild orientierte und dies auf die lokalen Gegebenheiten übertragen und an sie angepaßt hat. Auch in Rom gab es verfahrensmäßige Vorkehrungen, für die richterliche Neutralität: Der → Praetor hatte eine Richterliste, aus der die Parteien den ihnen gemeinsam genehmen Richter zu erwählen hatten. Während sich der erste Abschnitt des Verfahrens (*in iure*, d. h. vor dem Praetor) in der Öffentlichkeit abspielte, fand der zweite *apud iudicem*, vor dem Richter, in dessen Privathaus statt. Demgemäß war der erste Abschnitt von rechtlichen Erwägungen dominiert, während der zweite der Beweiserhebung und ihrer Würdigung diente und somit auch in Rom rhet. Darstellungen Raum ließ. Im Strafrecht konnte zum Zwecke größerer Rechtlichkeitsgewähr unter mehreren in Frage kommenden Anklägern (s. → *delator*) der am besten geeignete ausgewählt werden; bekanntestes Zeugnis für ein derartiges Verfahren (→ *divinatio*) ist → Ciceros erste Rede gegen → Verres, mit der er den der Befangenheit verdächtigen Konkurrenten Caecilius [I 33] ausschaltete. Da schon das Verfahren vor dem Praetor stark am (materiellen) Recht ausgerichtet war, gab es für die eigentliche Urteilsfin-

dung (→ *iudicium*) im röm. P. weniger ausgefeilte Vorschriften als im griech. P.

In der Spätant. wurde das Verfahren allein einem verbeamteten Richter (z. B. dem *proconsul* der Prov.) übertragen, der die Kognition eigenverantwortlich durchführte. Die Rechtsfindung war damit letzten Endes allein dem Herrscher überantwortet – ein Grunddatum, das in Kontinentaleuropa erst im 18./19. Jh. durch den Ruf nach einer Laienbeteiligung (Geschworene, Jury) am Gerichtsverfahren wieder in Frage gestellt worden ist.

→ Quaestio; STRAFRECHT

1 B. WINDSCHEID, Die Actio des röm. Civilrechts, vom Standpunkte des heutigen Rechts, 1856.

GRIECH.: A. BISCARDI, Diritto greco antico, 1982 · A. R. W. HARRISON, The Law of Athens, 2 Bde., 1968–71 · D. M. MACDOWELL, The Law of Athens, 1978 · S. TODD, The Shape of Athenian Law, 1993
RÖM.: K. HACKL, Der Zivilprozeß des frühen Prinzipats in den Provinzen, in: ZRG 114, 1997, 141–159 · M. KASER, K. HACKL, Das röm. Zivilprozeßrecht, ²1996 · W. KUNKEL, Unt. zur Entwicklung des röm. Kriminalverfahrens in vorsullanischer Zeit, 1962 · L. S. MARUOTTI, Aspetti della »giurisdizione civile« del »praefectus urbi« nell'età Severiana, in: Labeo 39, 1993, 174–233 · D. SIMON, Unt. zum justinianischen Zivilprozeß, 1969 · W. SIMSHÄUSER, Stadtröm. Verfahrensrecht im Spiegel der lex Irnitana, in: ZRG 109, 1992, 163–208 · A. STEINWENTER, Die Streitbeendigung durch Urteil …, ²1971. C. PA.

Prudentius. Lat. christl. Dichter (348/349 bis nach 405); stammte aus einer wohlhabenden christl. Familie in Spanien und unterzog sich dem obligatorischen Rhet.-Studium, um danach als Anwalt tätig zu werden. Er war zweimal Provinzstatthalter und zuletzt ein hoher Beamter in der kaiserlichen Zentralverwaltung. Im nachhinein betrachtete er diese weltliche Karriere jedoch als vertane Zeit und beschloß in seinem 57. Lebensjahr, den verbleibenden Teil seines an christl. Verdiensten armen Lebens damit zu verbringen, wenigstens mit seiner Stimme Gott zu preisen (Prud. praef.). Im J. 405 edierte er seine Werke (vielleicht ohne die *Psychomachia*, sicher ohne das *Dittochaeon*). Ebenso wie in der *praefatio* betont P. auch im Epilog zu dieser Edition die enge existentielle Verbindung zw. seiner dichterischen Tätigkeit und seiner gottgewollten Erlösung.

Die Gedicht-Slg. selbst ist in Form und Inhalt von reicher Vielfalt. Generell gilt, daß P. aussagestarke Gebilde mit komplexer Struktur und vielfältiger thematischer Verarbeitung schafft. Charakteristisch ist für ihn die Verbindung von ausgefeilter klass. Verskunst (z. T. komplizierter lyrischer Versmaße, weswegen er auch → *Horatius Christianus* genannt wird) und Sprache (angelehnt an Vergil, Ovid u. a.) mit christl. Theologie (bes. → Ambrosius). Das hierbei entwickelte hohe Maß an Originalität und Innovation macht ihn zum wohl größten spätant. christl. Dichter. Im *Cathemerinon Liber* (›Tagebuch‹), einem Zyklus von Gedichten in lyrischen Versmaßen, wird eine christl. Gattung für ein gebildetes

Lesepublikum geschaffen, die bis dahin zumeist nur in der → Liturgie existiert hatte, nämlich Hymnen, die zu verschiedenen Tageszeiten oder kirchlichen Anlässen gesungen werden (vgl. → Hymnos III.). Die reiche allegorische Bildlichkeit dieser »Erlebnislyrik« zielt darauf, zu erweisen, daß alle Erscheinungen dieser Welt von der heilswirkenden Gegenwart Gottes durchdrungen sind und auf diese verweisen. Einen weiteren Zyklus lyrischer Gedichte bildet der *Peristephanon Liber* (›Über die Märtyrer-Kronen‹). Mit der Schilderung des heldenhaften Leidens verschiedener männlicher und weiblicher Märtyrer erschließt P. hierin der christl. Poesie einen völlig neuen Stoffbereich.

Auf bes. anspruchsvollem intellektuellen Niveau befinden sich die beiden hexametrischen Lehrdichtungen, *Apotheosis* und *Hamartigenia*. Im ersten behandelt P. das gottmenschliche Wesen Jesu Christi und seine Stellung in der → Trinität, indem er in sechs Widerlegungen drei wesentliche christologische Irrlehren als verfehlt zu erweisen sucht (→ Häresie). Durch die Verbindung von antihäretischer Polemik, dogmatischen Erörterungen und bekenntnishaft preisender Hymnik schafft P. eine an Christen gerichtete paraliturgische Erbauungs-Lit. Dasselbe gilt auch von der *Hamartigenia*, die sich im wesentlichen gegen die markionitische (→ Markion) Annahme des Dualismus eines guten und eines bösen Gottes wendet. Dabei porträtiert P. den Teufel mythisierend als halbmenschlichen → Dämon, was für die spätere praktische Frömmigkeit von immenser Bed. ist.

Die *Psychomachia* (›Seelenkampf‹) ist das wirkungsmächtigste Werk des P., das als Einzelwerk im MA gattungskonstituierende Bed. erlangte und auch die bildende Kunst beeinflußte. Als ein christl.-allegorisches → Epos schildert es, bes. unter Verwendung Vergilischer Diktion, den paarweisen Kampf der sieben Hauptlaster gegen die sieben Haupttugenden. In seiner 2 B. umfassenden Kampfschrift *Contra Symmachum* präsentiert P. in Hexametern christl. (teilweise von Ambrosius übernommene) Gegenargumente gegen diesen hohen kaiserlichen Beamten, der 384 n.Chr. in einer Bittschrift des Senats an die Kaiser für die Stärkung der alten Rel. gegen das Christentum plädiert hatte. Schließlich wurde der Slg. von P.' Werken nachträglich noch sein *Dittochaeon* hinzugefügt, 48 vierzeilige Epigramme zu je 24 Bildern aus dem AT und NT.

→ Allegorie; Allegorische Dichtung; Hymnos, Hymnus; Lehrgedicht; Literatur VI.B.; Märtyrerliteratur; Symmachus

Ed.: J.Bergman, CSEL 61, 1926 · M.Lavarenne, 4 Bde., ²1955–1961 (mit franz. Übers.).
Lit.: M. van Assendelft, 1967 (Komm. zu cathemerinon 1, 2, 5, 6) · C.Fabian, Dogma und Dichtung, 1988 · R.Herzog, Die allegorische Dichtkunst des P., 1966 · J.S.Norman, Metamorphoses of an Allegory. The Iconography of the Psychomachia in Medieval Art, 1988 · R.Palla, Hamartigenia, 1981 (Komm. mit ital. Übers.) · M.Roberts, Poetry and the Cult of the Martyrs, 1993.
K.P.

Prüfzeichen s. Münzprüfung

Prusa, Prusa ad Olympum (Προῦσα, Προῦσα πρὸς Ὀλύμπῳ τῷ ὄρει). Stadt in → Bithynia, am Nordhang des mysischen Olympos [13] (Strab. 12,4,3), h. Bursa. Als Gründer werden ein Prusias, der gegen → Kroisos gekämpft haben soll (Strab. l.c.), der bithynische König Prusias [1] I.(Arr. FGrH 156 F 29) und Hannibal [4] (Plin. nat. 5,148; [1. 1103f.] datiert danach die Gründung auf 188 oder 187 v.Chr.) genannt. Die Mz. zeigen die offizielle Trad. der Gründung durch Prusias I., der so einen städtischen Mittelpunkt für die fruchtbare Beckenlandschaft (Bursa Ovası) geschaffen hatte; eine Mitwirkung Hannibals ist nicht ausgeschlossen. Prusias I. hatte das bithynische Gebiet mit dem Gewinn von → Kios und Myrleia (→ Apameia [1]) 202 v.Chr. nach SW über Nikaia [5] hinaus bis zum Olympos [13] und zum → Rhyndakos ausgedehnt; durch die Gründung von P. wurde diese territoriale Ausdehnung abgesichert [2. 32f.]. Das Territorium von P. war im Süden durch das Gebirge gegenüber Mysia und Phrygia Epiktetos begrenzt, sonst durch die Stadtgebiete von Nikaia [5], Prusias am Meer (→ Kios) und Myrleia; mit dieser Stadt lag P. oft im Streit. Eine ältere Besiedlung der Sinterterrassen des Stadtgebietes ist unzureichend bekannt. Noch im 1./2. Jh. n.Chr. z.Z. des Dion [I 3] Chrysostomos hatte ein Teil der Bürger seinen Wohnsitz außerhalb der Stadt in der fruchtbaren Region (Dion Chrys. or. 45). 2 km nordwestl. lagen in der Ant. berühmte heiße Quellen (Therma Basilika). Wichtige Produkte waren Oliven, Wein, Früchte und Brotgetreide; die Holzwirtschaft der Bergregion war bedeutend.

P. war seit 74 v.Chr. Teil der röm Prov. Bithynia; durch die *lex Pompeia* 63/2 v.Chr. wurde es eine der 12 autonomen Stadtgemeinden von Bithynia. Die Stellung der Stadt war nicht herausragend. Heftige Konflikte zw. Volk und Dekurionen (→ *decurio* [1]) sind für den Anf. des 2. Jh. n.Chr. belegt (Dion Chrys. or. 48). Dion bemühte sich wie bereits sein Großvater ohne Erfolg darum, für P. den Status einer *civitas libera* zu erreichen; schließlich wurde P. durch Dions Bemühungen, der die Stadt mit neuem Glanz auszustatten suchte, wenigstens zum *conventus*/»Gerichtsstätte« (Dion Chrys. or. 40; 44f.; 47). Die Familie Dions gehörte über mehrere Generationen zur Führungsschicht der Stadt. Plinius [2] d. J. überprüfte die Finanzprobleme und das fragwürdige Finanzgebaren in P. unmittelbar nach seiner Ankunft in → *Bithynia et Pontus*; er bat Kaiser Traianus, den Neubau eines Bades anstelle des alten, abbruchreifen zu gestatten (Plin. epist. 10,17a; 17b; 23; 70). Wohl 256 n.Chr. wurde P. von einer Invasion der → Goti betroffen (Zos. 1,35,2). Als Bistum ist P. seit 325 n.Chr. belegt. 351 war P. Verbannungsort des → Vetranio. Im 5. Jh. wurden kriegsgefangene → Hunni in der Ebene von P. angesiedelt (Soz. 9,5). 1326–1376/7 war Bursa Residenzstadt des Osmanischen Reiches.

1 C. HABICHT, s. v. Prusias (1), RE 23, 1086–1107
2 K. STROBEL, Galatien und seine Grenzregionen, in:
E. SCHWERTHEIM (Hrsg.), Forsch. in Galatien (Asia Minor
Stud. 12), 1994, 29–65.

F. K. DÖRNER, s. v. P., RE 23, 1071–1086 · SNG
Deutschland, Slg. von Aulock, H. 1, 1957, 867–884 ·
T. CORSTEN, Kat. der bithynischen Mz. der Slg. des Inst. für
Alt.kunde der Univ. zu Köln, Bd. 2, 1996, Nr. 210–213 ·
M. U. ANABOLU, Olympos Dağı eteklerindeki P. (Bursa)
sikkesindeki therme ile ilişikli olarak, in: Belleten 59, 1995,
583 f.   K. ST.

Prusias (Προυσίας).

[1] P. I., »der Lahme«, Sohn des → Ziaëlas und ca.
230–182 v. Chr. König von → Bithynia. P. unterstützte
Rhodos nach dem Erdbeben von 227 (Pol. 5,90,1) und
kämpfte im Bund mit ihm gegen Byzantion, konnte
aber seine Eroberungen nicht halten (Pol. 4,47–52). 216
vernichtete er die keltischen Aigosagen (Pol. 5,111;
[1. 43]). Seine Politik wurde von der Freundschaft mit
Makedonia und der Feindschaft gegenüber Pergamon
geprägt. Im 1. → Makedonischen Krieg bekämpfte er
im Einverständnis mit Philippos [7] V. Attalos [4] I. und
trat 205 dem Frieden von Phoinike bei (Liv. 29,12,14).
Von Philippos erhielt der König 202 Myrleia sowie das
zerstörte Kios, das er wieder aufbaute und nach sich P.
[3] benannte. Im Krieg des Antiochos [5] III. gegen
Rom blieb P. neutral, da er von den Scipionen seines
Besitzes versichert wurde (Pol. 21,11; Liv. 37,25,4–10).
Trotzdem forderte der Senat 189 die Rückgabe von
Phrygia (→ Phryges, Phrygia) an Eumenes [3] II. In dem
folgenden Krieg gegen Eumenes (188–183) führte der
zu P. geflohene → Hannibal [4] erfolgreich die bithy-
nische Flotte, doch mußte P. schließlich Phrygia abtreten und Hannibal fallenlassen. P. ist der Gründer von
→ Prusa am (bithynischen) Olympos.
→ Bithynia

1 K. STROBEL, Die Galater, Bd. 1, 1996.

[2] P. II., »der Jäger«, Sohn von P. [1], König von
→ Bithynia 182–149 v. Chr. Entgegen der traditionellen
bithynischen Politik unterstützte er 181–179 zunächst
→ Eumenes [3] II. gegen → Pharnakes [1] I. (Pol. 25,2).
P. erhielt Ehrungen von den Aitoloi in Delphoi und in
Aptara auf Kreta (Syll.³ 632; OGIS 341). Er heiratete
Apame, die Schwester des → Perseus [2] von Makedonien, blieb jedoch im 3. → Makedonischen Krieg zunächst neutral und wurde schließlich Freund und Bundesgenosse der Römer. 167 trat er in auffällig serviler
Weise vor dem röm. Senat auf (Pol. 30,18; vgl. Liv.
45,44,4–21).
Nachdem P. bereits gegen Eumenes intrigiert hatte,
brach er einen Krieg gegen Attalos [5] II. vom Zaun
(156–154), konnte aber → Pergamon nicht einnehmen
und begnügte sich mit der strategisch sinnlosen Verwüstung der pergamenischen Heiligtümer. Schließlich
mußte er auf Druck Roms sogar Kriegsentschädigung
zahlen (Pol. 33,13).

Verhaßt bei seinen Untertanen, wollte P. seinen
Sohn und späteren Nachfolger → Nikomedes [4] II. beseitigen, um einem Sohn aus zweiter Ehe den Thron zu
verschaffen. Der rechtzeitig gewarnte Nikomedes erhob sich mit Hilfe Attalos' II. gegen seinen Vater, der
sich in Nikomedeia zu verteidigen versuchte. Als die
Stadtbewohner Nikomedes die Tore öffneten, floh P. in
den Zeustempel, wo er umgebracht wurde (App. Mithr.
4–7; Iust. 34,4,1). Die vernichtende Charakteristik des
P. bei Polybios (36,15) erscheint berechtigt.

J. D. GAUGER, s. v. Bithynien, KWdH, 96–100, bes. 98 ff. ·
CH. HABICHT, s. v. P. (1–2), RE 23, 1086–1127 ·
B. F. HARRIS, Bithynia, in: ANRW II 7.2, 1980, 857–901, bes.
861–864 · K. STROBEL, Galatien und seine Grenzregionen,
in: E. SCHWERTHEIM (Hrsg.), Forsch. in Galatien (Asia
Minor Stud. 12), 1994, 29–65, bes. 29 ff., 41 ff. ·
H. WALDMANN, Die hell. Staatenwelt im 3. und 2. Jh.
v. Chr., TAVO B V 3–4, 1983–1985.   M. SCH.

[3] P. am Hypios (Προυσιάς, lat. *Prusias ad Hypium*).
Stadt im Osten von → Bithynia, urspr. Name Kieros; im
Hügelvorland des Gebirges Hypios [2] am Nordrand des
Beckens von Düzce gelegen, h. Konuralp. Das Stadtgebiet erstreckte sich über den Akropolis-Hügel und das
umliegende Gelände. P. wurde wohl – wie Herakleia
[7] – von Megara [1] aus unter Beteiligung boiotischer
Kolonisten gegr. In der Folge war P. Teil des Macht-
bereichs von Herakleia. → Zipoites nahm P. 282/1
v. Chr. Herakleia ab, 280/279 gab sein Sohn Nikomedes
[2] die Stadt beim Bündnisschluß mit Herakleia wieder
heraus; 278/7 war P. als Teil der hegemonialen Sym-
machie von Herakleia Mitglied der antiseleukidischen
Allianz (sog. Nördliche Liga; Memnon FGrH 434 F
9,3 f.; 11,2 f.; [1. 201–214]). Prusias [1] I. gewann P.
196/190 endgültig im Krieg gegen Herakleia und gründete sie als »P. am Hypios« neu [2. 1096 f.]. Seit 74
v. Chr. Teil der röm. Prov. Bithynia, wurde die Stadt
durch die *lex Pompeia* 63/2 v. Chr. zu einer der 12 autonomen Stadtgemeinden, in die sich die Prov. gliederte. Das Territorium von P. war im Süden durch die
versumpften Teile des Beckens von Düzce gegenüber
den freien → Mariandynoi begrenzt und umfaßte im
Norden das Gebiet bis zur Küste einschließlich der beiden Verkehrswege dorthin, d. h. den Lauf des Hypios [1]
und den Landweg nach Dia [6]; im Osten grenzte es an
Herakleia [1. 194–196 mit Anm. 152]. Nach der Mitte
des 3. Jh. n. Chr. wurde der Akropolis-Hügel unter
Spolienverwendung neu ummauert. Als Bistum ist P.
seit 325 n. Chr. bis ins 12. Jh. belegt. Anf. des 5. Jh. wurde P. Teil der neuen Prov. Honorias.

1 K. STROBEL, Die Galater, Bd. 1, 1996 2 CH. HABICHT, s. v.
P. (1), RE 23, 1086–1107.

W. AMELING, Die Inschr. von P. ad Hypium (IK 27), 1985 ·
TH. CORSTEN, Kat. der bithynischen Mz. der Slg. des Inst.
für Altertumskunde der Univ. zu Köln, Bd. 2, 1996, Nr.
214 f. · K. I. L. SOMMER, Cius or P.?, in: NC 156, 1996,
149–155 · SNG Deutschland, Slg. von Aulock, H. 1, 1957,
885–916 · F. K. DÖRNER, s. v. P. (5), RE 23, 1128–1148 ·

L. ROBERT, À travers de l'Asie Mineure, 1980, 11–106 ·
K. BELKE, Paphlagonien und Honorias (TIB 9), 1996,
264–266. K. ST.

Prylis

[1] (Πρύλις). Myth. Seher aus Lesbos, der bei Lykophr.
219–223 apostrophiert wird. P. ist Sohn der Nymphe
Issa und des → Hermes (V. 219 in der boiotischen Namensform Kadmos genannt) und durch diesen Urenkel
des → Atlas [2]. Durch Geschenke des → Palamedes [1]
veranlaßt, kündet P. den Griechen frühzeitig den möglichen Weg zur Einnahme Troias und rät zum Bau des
hölzernen Pferdes. Er wird daher V. 222 ›Mitvernichter
der Blutsverwandten‹ genannt, denn die Troianer stammen über → Dardanos [1] ebenfalls von Atlas ab (schol.
Lykophr. 219–221). NI. JO.

[2] (πρύλις). Laut Aristot. fr. 519 ROSE ein kyprischer
Waffentanz und Syn. für → pyrrhíchē (vgl. Hesych. s. v.
π.): Die p. sei zuerst von Achilleus [1] am Scheiterhaufen
des Patroklos aufgeführt worden. In Kall. h. 1,52 ff. tanzen sie die → Kureten, in 3,240 ff. die → Amazonen.

H. L. LORIMER, ΠΡΥΛΙΣ and ΠΡΥΛΕΕΣ, in: CQ 32, 1938,
129–132 · G. RADKE, s. v. P., RE 23.1, 1152–1154. A. A.

Prytaneia

(πρυτανεία). In Athen (auch in Milet und
Ilion) wurden die Gerichtsgebühren, die von beiden
Prozeßparteien im voraus zu erlegen waren, aber der
obsiegenden Partei von der unterlegenen letztlich vergütet wurden, p. genannt. Die p. waren in den meisten
Privatprozessen zu zahlen (in Erbschaftssachen war jedoch die → parakatabolḗ vorgesehen), in öffentlichen
Prozessen zumeist die παράστασις (parástasis). Die p.
betrug 3 Drachmen bei einem Streitwert zw. 100 und
1000 Drachmen, darüber 30 Drachmen, darunter war
keine p. zu entrichten. Ob sich das Wort vom Amt des
→ Prytanen [1. 809] oder vom → Prytaneion als Gerichtsstätte [2. 92] (vgl. → phónos) herleitet, ist ungewiß.
Im 5. und 4. Jh. v. Chr. dienten die Einkünfte jedenfalls
als Beitrag zur Besoldung der Geschworenen. Zu Formen der Gerichtsgebühren in anderen Poleis s. [3].

1 F. GSCHNITZER, s. v. Prytanis, RE Suppl. 13, 730–816,
808 f. 2 A. R. W. HARRISON, The Law of Athens, Bd. 2,
1971, 92–94 3 IPArk, 228–232. G. T.

Prytaneion

(πρυτανεῖον). Amtsgebäude der prytáneis
(→ Prytanen), meist in der Nähe des → Buleuterion im
Zentrum der griech. → Polis (→ Agora; vgl. etwa
→ Athenai; → Messene; → Priene) und vorgeblich von
hohem Alter (vgl. Thuk. 2,15,2). Als Standort des
Staatsherdes, häufig mit stets brennender Flamme, war
das P. sakrales Zentrum der Polis und Mittelpunkt zahl-
reicher Kulthandlungen (→ Hestia). Nach den → Per-
serkriegen mußten die »verunreinigten« Feuer gelöscht
und im P. von Delphi neu entzündet werden (Plut.
Aristeides 20,4 f.). Die Teilnahme an den Mahlzeiten im
P. (→ sítēsis) galt als hohe Ehre, v. a. wenn sie – etwa für

→ Olympioniken oder bes. Verdienste – lebenslang gewährt wurde (Plat. apol. 36d).
→ Versammlungsbauten

F. GSCHNITZER, s. v. Prytanis, RE Suppl. 13, 1974, 801–808 ·
S. MILLER, The P., 1978. W. ED.

Prytanen

(πρυτάνεις, Sing. πρύτανις/prýtanis,
»Vorsteher, Erster«).
I. EINSTELLIGE HÖCHSTMAGISTRATE
II. KOLLEGIALE PRYTANIE

I. EINSTELLIGE HÖCHSTMAGISTRATE

Bezeichnung für Inhaber höchster Macht bzw.
Amtsgewalt. Die urspr. Bed. »Herrscher« kommt noch
in den epischen Namen Prýtanis (Hom. Il. 5,678) und in
dem Appellativum für Zeus bei Aischylos (Prom. 169)
sowie in der auf röm. Kaiser und Kaiserin bezogenen
Verbform (prytaneúein; Phil. in Flaccum 126; Prok. HA
17,27) zum Ausdruck. Im Zuge der Institutionalisierung
der Polis-Organe und im Verlauf der Großen → Kolonisation (IV.) der Griechen entstand in vielen Gemeinwesen im Küstengebiet West- und Südwestkleinasiens
und auf den vorgelagerten Inseln sowie in Korinthos
wie auch in den Alexandrischen Kolonien im Ionischen
Meer und auf dem gegenüberliegenden Festland und –
wohl durch korinthische Vermittlung – im griech. Westen das einstellige eponyme und in der Regel auf ein
Jahr beschränkte Amt des prýtanis (die prytaneía), das zu
den ältesten Leitungsinstanzen der frühen → Polis zählte. Der prýtanis hatte umfangreiche Funktionen wie in
anderen Poleis die → árchontes [1], → dēmiurgoí [2] oder
sonstige Höchstmagistrate (Aristot. pol. 1305a 17 f.;
1322b 29). Infolge von Ausdifferenzierung und Spezialisierung verlor das Amt generell wesentliche Funktionen, doch blieben der Titel und der hohe Rang sowie
sakrale und zeremonielle Pflichten und z. T. – wie in
Mytilene – gewisse Aufgaben in der Rechtspflege bestehen (IG XII Suppl. 114, Z. 25; Stob. 44,21,1).

II. KOLLEGIALE PRYTANIE

Die kollegiale Prytanie (prytaneía) unterscheidet sich
in wesentlichen Punkten von der einstelligen. Es gab
magistratische und buleutische Kollegien, deren Funktionen z. T. schwer voneinander zu trennen sind.

Im klass. Athen stellte jede der zehn kleisthenischen
Phylen (→ Kleisthenes [2]; → Attika mit Karte) für den
Rat der 500 (→ bulḗ) eine Gruppe von 50 P., die in einer
durch → Los (I. A.) bestimmten Reihenfolge den ge-
schäftsführenden Ausschuß (Prytanie) des Rates bildeten. Dabei amtierten die vier ersten Prytanien je 36, die
übrigen je 35 Tage (Aristot. Ath. pol. 43,2; [1. 16–30]).
Die Prytanien wurden wohl nicht von Kleisthenes [2]
konstituiert, existierten aber vor 450 v. Chr. (IG I³ 10;
der in IG I³ 4 aus dem J. 485/4 v. Chr. erwähnte prýtanis
war wohl Vorsitzender des Schatzmeisterkollegiums).
Die P. sollten jederzeit erreichbar sein und in der Tholos, ihrem Amtslokal (s. auch → prytaneíon, → Versammlungsbauten, speisen, wo ihr täglich neu ausgelos-
ter Vorsitzender (epistátēs) auch nachts ständig mit ei-

nem Drittel der P. anwesend sein sollte, deren Einteilung jedoch verm. nicht auf den top. Phylen-Dritteln (→ trittýes) basierte [2. 161ff.].

Hauptaufgaben der athen. P. waren Vorbereitung, Einberufung und Leitung der Tagungen des Rates (→ bulḗ) und der Volksversammlung (→ ekklēsía). Seit dem frühen 4. Jh. v. Chr. übernahmen jeweils neun ad hoc ausgeloste próhedroi (→ próhedros; je einer aus jeder Phyle mit Ausnahme derjeniger, die gerade die P. stellte) die Leitung von Rat und Volksversammlung, doch blieb den P. die Vorbereitung und Einberufung der Tagungen (Aristot. Ath. pol. 44,2). Andererseits hatten im 5. Jh. durch die athen. Hegemonie im → Attisch-Delischen Seebund und durch die aus der Entwicklung der attischen Demokratie resultierende breitere Lagerung der Macht die Aufgaben der P. erheblich zugenommen, so daß sie weitere Verwaltungs- und Kontrollfunktionen ausübten und selbst für ihre Amtsführung rechenschaftspflichtig waren (→ dokimasía, → eúthynai). Mit der Erhöhung der Zahl der Phylen (→ phylḗ [1]) auf 12 bzw. 13 (307/6 und 229/8 v. Chr.) änderten sich die Zahl der Prytanien und deren Amtszeiten. Neue Änderungen ergaben sich durch Reduzierung und erneute Erhöhung der Phylenzahl 201/200 v. Chr. und unter Kaiser Hadrianus.

In Miletos sind ältere und jüngere P.-Kollegien zu differenzieren. Erstere sind wohl noch in dem athen. Miletdekret (IG I³ 21, Z. 65) Mitte des 5. Jh. v. Chr. genannt [3. 504f.], während sich das noch vor 437/6 eingeführte jüngere P.-System an der kleisthenischen Phylenordnung der Athener orientierte [4. 322f.]. In hell. Zeit waren die milesischen P. kein Ratsausschuß, sondern ein jeweils für kurze Zeit fungierendes Beamtenkollegium [5]. In der Kaiserzeit führten sie offenbar nicht den Vorsitz in Rat und Volksversammlung.

In Rhodos bekleideten die P. das angesehenste Amt (Liv. 42,45,4). Sie konnten den Verlauf der Rats- und Volksversammlungen entscheidend beeinflussen (Pol. 22,5,10; 27,3,3–5). In Samos konnten nach der Neugründung des Gemeinwesens die P. ähnlichen Einfluß ausüben. Das urspr. Verbreitungsgebiet der P. erweiterte sich in hell. Zeit in den von Alexandros [4] d. Gr. und den → Diadochen gegr. Städten noch erheblich.

→ Prytaneion; Phyle [2]

1 P. J. RHODES, The Athenian Boule, 1972
2 G. R. STANTON, The Trittyes of Kleisthenes, in: Chiron 24, 1994, 160–207 3 CHR. KOCH, Volksbeschlüsse in Seebundangelegenheiten, 1991 4 N. F. JONES, Public Organization in Ancient Greece, 1987 5 H. MÜLLER, Milesische Volksbeschlüsse, 1976.

F. GSCHNITZER, s. v. Prytanis, RE Suppl. 13, 730–815 · Ders., P., in: Innsbrucker Beitr. zur Kulturwiss. 18, 1974, 75–88. K.-W. WEL.

Prytanis (Πρύτανις).

[1] Mythischer König von Sparta, angeblich Sohn des Eurypon (Hdt. 8,131), der als Stammvater des Hauses der → Eurypontidai galt. Der Stammbaum ist aber

ebenso wie der der → Agiadai vor dem 6. Jh. v. Chr. fiktiv. K.-W. WEL.

[2] König des → Regnum Bosporanum 310–309 v. Chr., jüngster Sohn des → Pairisades [1] I., kämpfte nach dem Tod seines Bruders → Satyros II. gegen seinen ältesten Bruder Eumelos [4] (Diod. 20,22–24). Nach dem Sieg des letzteren floh er nach Kepos [1], wo er getötet wurde.

V. F. GAJDUKEVIČ, Das Bosporanische Reich, 1971, 77, 85. I. v. B.

[3] Peripatetiker des 3. Jh. v. Chr., Sohn des Astykleides von Karystos. Verf. nicht erh. Tischgespräche (Plut. symp. 612d). Ein athenisches Dekret von 226 v. Chr. ehrt ihn für eine erfolgreiche Gesandtschaft zu Antigonos [3] Doson (vgl. [1]); wenige Jahre später schuf er eine Verfassung für Megalopolis (Pol. 5,93,8).

1 L. MORETTI, Inscrizioni storiche ellenistiche, Bd. 1, 1967, Nr. 28. H. G.

Ps.- s. Personen jeweils unter dem zweiten Namensteil (Ausnahmen: → Pseudo-Clementinen; → Pseudo-Kallisthenes; → Pseudo-Longinos).

Psalmen I. ALTES TESTAMENT, JUDENTUM II. CHRISTENTUM

I. ALTES TESTAMENT, JUDENTUM

Das Ps.-Buch (von griech. ψαλμός/psalmós für hebr. mizmōr, »Saitenspiel«; lat. psalmus; Titel, der sich in der Überschrift von 57 Ps. findet; hebr. tᵉhillīm, »Lobgesänge«), auch Psalter genannt (vgl. ψαλτήριον/psaltḗrion als Überschrift im Cod. Alexandrinus, 5. Jh.) enthält 150 einzelne Lieder und gehört nach jüd. Trad. zum dritten Kanonteil, zu den sog. Kᵉtubīm (»Schriften«); in der christl. Trad. stehen die Ps. vor den prophetischen Schriften. Da die → Septuaginta im Gegensatz zum masoretischen Text (→ Masora) die Ps 9 und 10 bzw. Ps 114 und 115 des masoretischen Textes zu einer Überl.-Einheit zusammennimmt, Ps 115 und Ps 147 aber als zwei einzelne Lieder auffaßt, herrschen zwei unterschiedliche Zählweisen vor. In der jüngeren exegetischen Lit. hat sich die Zählung des masoretischen Textes durchgesetzt. Der Psalter, der durch die Addition mehrerer Einzelsammlungen (z. B. 1. Davidspsalter: Pss 3–41; 2. Davidspsalter: Pss 51–72; Asaf-Ps.: Pss 74–82; Korach-Ps.: Pss 42/43; 49; Wallfahrts-Ps.: Pss 120–134; Jahwe-Königslieder: Pss 93; 95–99; vgl. die Existenz von Dubletten, z. B. Ps 14 = 53; 40,14–18 = 70) sukzessiv gewachsen ist, kann in der vorliegenden Endfassung aufgrund von vier Doxologien (41,14; 72,18f.; 89,53; 106,48) in fünf B. eingeteilt werden (1–41; 42–72; 73–89; 90–106; 107–150).

Angeregt durch die Arbeiten von H. GUNKEL (1862–1932) und S. MOWINCKEL (1884–1965) spielte im 20. Jh. die form- und gattungsgesch. Interpretation der Ps. eine vorherrschende Rolle. Die wichtigsten Gattungen sind die »Klagelieder des Einzelnen« (z. B. 3; 5; 6; 7; 9/10; 12;

13; 17; 22 u.ö.; nach der Terminologie von H.-J. KRAUS »Gebetslieder«), die »Klagelieder des Volkes« (44; 60; 74; 79; 80 u.ö.), »Danklieder« (18; 30; 31; 32; 66; 116 u.ö.; nach der Terminologie WESTERMANNS »berichtende Lob-Ps.«; nach KRAUS zu den Gebetsliedern zu zählen), »Vertrauenslieder« (z.B. Ps 4; 23; nach KRAUS zu den Gebetsliedern zu zählen) und »Hymnen« oder »Loblieder« (z.B. 29; 65; 100; 111; 113; 145–150; nach WESTERMANN »beschreibende Lob-Ps.«), die wiederum in »Schöpfungs-« (8; 19A; 104), »Zions-« (z.B. 46; 48; 76; 84) oder »Jahwe-Königs-Hymnen« (93; 95–99) ausdifferenziert werden können. Daneben sind noch die »Königslieder« (2; 20; 21; 45; 72; 110), »Weisheits-« (37; 49; 73; 139) und »Tora-Ps.« (1; 19B; 119) sowie die sog. »Tempeleinlaßliturgien« (15; 24) zu nennen. Die einzelnen Lieder hatten einen ganz unterschiedlichen »Sitz im Leben«: Neben dem Tempelkult ist v.a. die private Frömmigkeit zu nennen (»geistliche Lieder«).

Die jüngere Forschung (vgl. v.a. die Arbeiten von E. ZENGER und N. LOHFINK) lenkt ihr Augenmerk auf die kanonische Gestalt des Ps.-Buches und fragt nach den Zusammenhängen zw. einzelnen Ps. oder nach dem Aussagegehalt von Ps.-Gruppen, wie er durch Stichwortbezüge und bewußte Wiederaufnahmen einzelner Motive gegeben wird, sowie nach der Rezeptions- und Wirkungsgesch. einzelner Ps. Die Verkettung der Einzel-Ps. macht es wahrscheinlich, daß der Psalter urspr. nicht – wie früher häufig angenommen – »das Gesangbuch des Zweiten Tempels« darstellte, sondern vielmehr eine Art Meditationsbuch, das in privaten Zirkeln gelesen und rezitiert wurde. Nachdem die Ps. im Gottesdienst der frühen Synagoge zunächst keine Rolle gespielt hatten (vgl. lediglich das ägypt. Hallel Ps 113–118), fanden diese in nachtalmudischer Zeit (ab ca. 6. Jh. n.Chr.) auch Eingang in die synagogale Liturgie, wo ihnen h. als poetische Ausschmückung des Gottesdienstes eine wichtige Funktion zukommt.

Außerhalb des Ps.-Buches sind im AT nur wenige psalmenartige Lieder überl. (vgl. z.B. Ex 15; 1 Sam 2,1–10; Jes 38,10–20; Dan 3,52–88). Die Ps. gehören zu den Texten der Hebräischen Bibel, die im NT und in den Schriften von → Qumran am häufigsten zitiert werden. Wegen ihrer elementaren, bildhaften Sprache voller existentieller Bezüge wurde die Gattung bis in die mod. Lyrik (z.B. P. CELAN, B. BRECHT, I. BACHMANN) hinein aufgegriffen und weiterentwickelt.

→ Bibel; Psalmodie; Septuaginta

F.L. HOSSFELD, E. ZENGER, Die Ps. I: Ps. 1–50 (Neue Echter Bibel 29), 1993 · Dies., Ps. 51–100, 2000 · H.-J. KRAUS, Ps. 1–59 (Biblischer Komm. 15), ⁶1989 · J. MAIER, Zur Verwendung der Ps. in der synagogalen Liturgie (Wochentag und Sabbat), in: H. BECKER, R. KACZYNSKI (Hrsg.), Liturgie und Dichtung (Pietas Liturgica 1), 1983, 55–90 · G. RAVASI, Il libro dei salmi, 3 Bde., ⁵1991 (Lit.) · K. SEYBOLD, Die Ps. Eine Einführung, ²1991 · C. WESTERMANN, Lob und Klage in den Ps., ¹1977 (Orig.-Titel: Das Loben Gottes in den Ps.).   B.E.

II. CHRISTENTUM

Wie in der Frühzeit stehen die Ps. in den christl. Kirchen bis h. in Liturgie und privatem Gebet in hohem Ansehen, im Umfang des Gebrauchs sogar mehr als im synagogalen Judentum. Schon im Gottesdienst der Urkirche dienten sie für Schriftlesung und Gesang, im 2./3. Jh. bes. als Ersatz für zeitweilig der → Häresie verdächtige Hymnen (vgl. z.B. Johannesakten 94–96 sowie Clem. Al. strom. 6,88–90); dadurch wurden sie zunehmend selbst zum → Gebet in verschiedenen gottesdienstlichen Kontexten, bes. (aber nicht exklusiv) im → Mönchtum in der Tagzeitenliturgie (Stundengebet; vgl. die frühen Mönchsregeln des Ostens und Westens), sowie zu christl. Privatgebet und -meditation. Teils wurden anlaß- und situationsbezogene Ps. ausgewählt, teils alle Ps. fortlaufend (currente psalterio) gebetet.

Die Ps. werden seit dem 3. Jh. n.Chr. mit variierender Hermeneutik (vorwiegend allegorisch und typologisch) ausgelegt und »christologisiert« durch ihr Verständnis als »Stimme Christi« und »Stimme der Kirche auf Christus hin« (vox Christi resp. vox ecclesiae ad Christum; so bes. bei Augustinus). In der → Liturgie geschah eine christl. Aktualisierung außerdem durch die Einfügung von sog. Antiphonen, Psalmtiteln und -orationen und abschließenden Lobpreisungen (Schlußdoxologien). Lat. Übers. stammen v.a. von → Hieronymus (vgl. auch → Vulgata): das Psalterium iuxta Hebraeos (um 392/3), das Psalterium Gallicanum (389–92), das sich bis in die jüngste Zeit durchsetzte, daneben das Psalterium Romanum (altlat. Text). Als Psalterium werden nicht nur das Buch der Ps. bezeichnet, sondern auch separat überl. Ps.-Ausgaben; diese begegnen im Judentum seit dem 3. Jh. v.Chr. Seit dem frühen Christentum wurden sie aus dem urspr. bibl. Kontext herausgelöst und v.a. zu liturgischen Zwecken verwendet. Die Organisation der Psalterien (Hss. ab dem 5. Jh. erh.) orientiert sich zumeist an der bibl. Psalmenfolge, teils (seit dem MA sogar überwiegend) an der Abfolge des liturgischen Gebrauchs (an den Festen orientiertes psalterium feriatum). Die hohe Wertschätzung der Ps. schlägt sich seit der ausgehenden Spätant. (ältester Cod.: Verona, Bibl. Capitolare I; 6./7. Jh.) das ganze MA hindurch auch in der → Buchmalerei nieder; seit dem 8. Jh. gehören Psalterien zu den am meisten illustrierten bibl. B. Berühmte Beispiele der Karolingerzeit sind der Utrechter und Stuttgarter Psalter (Utrecht, UB Nr. 32; Stuttgart, Württ. Landesbibl., Bibl. Fol. 23; beide um 820/30) und das St. Galler Psalterium Aureum (Stiftsbibl., cod. 22). Byz. Ps.-Illustrationen begegnen seit dem 9. Jh.

→ Psalmodie

1 H. AUF DER MAUR, Das Psalmenverständnis des Ambrosius, 1977 2 B. FISCHER, Die Ps. als Stimme der Kirche, 1982 3 H.-J. KRAUS, Ps., 3 Bde., ⁶1989 (Komm.) 4 V. LEROQUAIS, Les psautiers manuscrits latins des bibliothèques publiques de France, 3 Bde., 1940/41 (bes. Bd. I, 5–85) 5 M.-J. RONDEAU, Les commentaires patristiques du Psautier, 2 Bde., 1982/85 6 R. TAFT, The

Liturgy of the Hours in East and West, 1986 = La Liturgie des Heures en orient et en occident, 1991 **7** P.-P. VERBRAKEN, Oraisons sur les cent cinquante psaumes, 1967.

M. KLÖ.

Psalmodie I. BEGRIFF
II. JÜDISCHER KULTURBEREICH
III. CHRISTLICHER KULTURBEREICH

I. BEGRIFF

Ps. (griech. ψαλμῳδία/*psalmōidía*, lat. *psalmodia*) bezeichnet den gesungenen Vortrag von → Psalmen, als mittellat. t.t. einen bestimmten Psalmton (ein Rezitationsmuster). In der Musikwiss. wird Ps. auch allgemeiner als Sammelbezeichnung für musikalische Gattungen verwendet, deren Texte maßgeblich dem Psalter (→ Psalmen) entnommen sind. Dabei weitet sich das Bedeutungsfeld von Ps., wenn berücksichtigt wird, daß der Psalter modellbildend als wichtigster produktiver Faktor für die Entstehung liturgischer Poesie gilt.

II. JÜDISCHER KULTURBEREICH

Im Tempel hatten Psalmen – als Kultmusik, die durch professionelle Sänger (die → Leviten) und mit Instrumentalbegleitung ausgeführt wurde – ihren Platz beim täglichen Opfer und bei bestimmten Festen. Im Synagogengottesdienst etablierten sich einfache Rezitationsmodelle, die der hemistichischen poetischen Struktur der meisten Psalmverse (*parallelismus membrorum*) entsprechen. Die Kontinuität der Ps. zw. Tempel und Synagoge ist umstritten [1; 2].

Während die Festsetzung des liturgischen Ortes bestimmter Psalmen erst im Traktat Soferim (8. Jh.) belegt ist, handeln rabbinische Quellen ab dem 2./3. Jh. über Wechselgesang zw. Solist und Gruppe bei der Rezitation von Psalmen (mSuk 3,10 und bSuk 38b). Allerdings steht dabei nicht der musikalische Effekt des Wechselgesangs im Vordergrund, sondern die halakhische Gültigkeit verschiedener Möglichkeiten der Textaufteilung auf Vorbeter und Gemeinde. In der talmudischen Lit. (mSot 5,4 mit Differenzierungen in tSot 6,2, ySot V,6, bSot 30b und Mekh Shirta 1) wird der biblische Prototyp für responsoriales Singen, das sog. Meereslied (Ex 15), anhand des liturgisch relevanten Hallel (Rezitation der Ps 113–118 an bestimmten Festtagen) bzw. des *S̆ᵉma* (zweimal täglich zu rezitierendes Hauptgebet, bestehend aus Dt 6,4–9 etc.) diskutiert: ›Die Rabbanan lehrten: An jenem Tag trug Rabbi Aqiba vor: Als die Israeliten aus dem Meer stiegen, wünschten sie, ein Lied zu singen. Wie sangen sie das Lied? Wie ein Erwachsener beim Vorlesen des Hallel, und sie werfen nach ihm die Anfänge der Abschnitte ein. (…) R. Eliezer, Sohn R. Jose des Galiläers sagt: Wie ein Minderjähriger beim Lesen des Hallel, wobei sie alles nachsprechen, was er sagt. (…) R. Nehemya sagt: Wie ein Vorbeter das S̆ᵉma in der Synagoge vorträgt, indem er mit dem Anfang beginnt, und sie antworten nach ihm.‹ [3. 302–317]. Der Text impliziert Formen der Responsion mit Wiederholung von ganzen Versen, Halbversen oder eines gleichbleibenden Rufs (z. B. Halleluja nach dem Modell

von Ps 136) [4]. Doch richtet sich das eigentliche Interesse an diesem Lied par excellence, das Teil der schriftlichen Offenbarung ist, auf die Frage kollektiver Inspiration und die Bed. des Singens als einer kultischen Handlung [5].

Daß die Präfiguration für psalmodischen Wechselgesang (sowohl auf jüdischer wie auf christl. Seite) in Ex 15 gesehen wird, schlägt sich in hebr. und syr. Quellen nieder in der Zentrierung auf die Wurzel *ᶜ-n-h*, »entgegnen«, wofür in den griech.-lat. Quellen – vermittelt wohl auch durch die Beschreibung des Therapeutenkults bei Philon [12] von Alexandreia (De vita contemplativa 11,83–88) – der Terminus ἀντίφωνον/*antíphōnon*, lat. *antiphona* eintritt [6]. Auch sonst wird Gesang oft mit Verben umschrieben, die auf stimmliche Modulationen zielen, ohne die Grenzen zum gesprochenen Wort festzulegen.

→ Kultus; Liturgie; PSALMODIE

1 I. ELBOGEN, Der jüd. Gottesdienst in seiner gesch. Entwicklung, ²1931 (Ndr. 1995) **2** J. W. MACKINNON, On the Question of Psalmody in the Ancient Synagogue, in: Early Music History 6, 1986, 159–191 **3** H. ZIMMERMANN, Tora und Shira. Unt. zur Musikauffassung des rabbinischen Judentums, 2000 **4** H. AVENARY, Formal Structure of Psalms and Canticles in Early Jewish and Christian Chant, in: Musica Disciplina 7, 1953, 1–13 **5** K. E. GRÖZINGER, Musik und Gesang in der Theologie der frühen jüdischen Lit., 1982 **6** M. HAAS, Zur Ps. der christl. Frühzeit, in: Schweizer Jb. für Musikwiss. N. F. 2, 1982, 29–51.   H. ZI.

III. CHRISTLICHER KULTURBEREICH

Für die Ausbreitung der Ps. ist deren Einbettung in den Kult von Jerusalem wesentlich (→ Liturgie II. A.). Sie können durch armenische und georgische Quellen etwa ab dem 5. Jh. rekonstruiert werden [1].

Die Einheiten des Psalters werden in der hsl. Trad. durch Überschriften sowie in der exegetischen Arbeit seit der christl. Frühzeit durch bes. Eigenschaften charakterisiert. Eine Einheit ist dann nicht unbedingt ein »Psalm«, sondern kann z. B. → Ode (*ōidḗ*), → *hymnus* oder *canticum* heißen. Ein → *kontákion* des → Romanos wird durch das Akrostichon als *psalmós* bezeichnet [2. 473] und beginnt mit Ps 83,1 und 5, wobei in LXX Ps 83 *psalmós* genannt wird. Die Hymne heißt »Psalm«, zitiert ihr Modell und trägt dessen Namen.

Gesangsarten sind durch die Bibel, die verbindliche Offenbarung, nur unklar vorgegeben und bedürfen daher der Legitimation. Modell dafür kann die Vision sein: Ignatios [1] von Antiocheia (PG 67,692) *sieht* Engel, die einander zusingen, womit eine Begründung für Antiphonie gegeben ist. Romanos schafft Kontakia durch Offenbarung: Die Gottesmutter (*Theotókos*) läßt ihn die Schriftrolle mit dem Prototypen eines Kontakions *essen* (vgl. Ez 2, [3. 228–240; 4]). Gregorius [3] I. begründet das später *cantus Gregorianus* genannte Idiom nicht selber, sondern *hört* – der ikonographischen Trad. zufolge – einer Taube zu, die ihm die Gesänge ins Ohr flüstert.

Ps. gilt als »Gesang«, wird aber oft mit *verba dicendi* umschrieben, die Modalitäten von »Singen« angeben:

Psalmodie

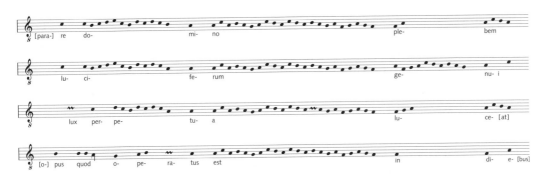

Abb. 1 Ausschnitte aus sog. »altrömischen« Gradualia: Die Phrase über [domi]no, [lucife]rum, [perpetu]a und [operatus] est ist wortwörtlich (Note für Note) gleich.

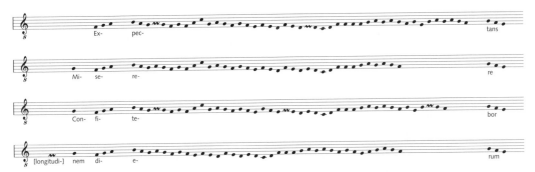

Abb. 2 Ausschnitte aus sog. »altrömischen« Offertoria: Die Phrase über [Ex]pec[tans], [Mise]re[re], [Confi]te[bor] und [di]e[rum] ist dem Sinn nach »gleich«, unterscheidet sich aber im Vergleich Note für Note.

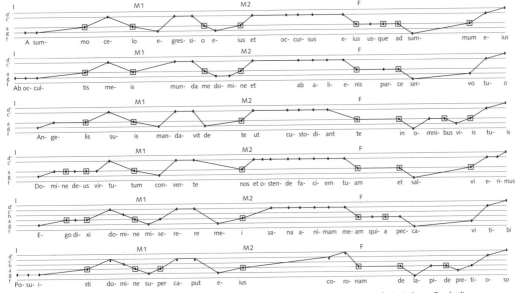

Abb. 3 Eine hypothetische Annahme für gleiche Faktoren im Produktionsschema einiger sog. »altrömischer« Gradualia.

»schreien«, »rufen« (*kraugázein*), »jubilieren«, »loben«, »psallieren« [5; 6].

Die Ps. kann aus Akklamationen bestehen (Kyrie, Alleluia) oder Akklamationen enthalten (Amen). Akklamationen werden ihrerseits mit einem spezifischen, auf die biblische apokalyptische Lit. zurückreichenden Inventar beschrieben, z. B. werden sie »einmütig« (*una voce*) gesungen, dauern (als Lobpreis) »endlos« (*sine fine*), wobei einer dem anderen zusingt (*alter ad alterum*) [6. 44–47].

Aufzeichnungen der Ps. mit allen ihren Formen beginnen im MA erst ab der 1. H. des 9. Jh., in Byzanz ab dem 10. Jh. Viele der erh. Melodien sind viel älter und wurden mündlich überl. [7; 8]. Sänger benutzten bestimmte Wendungen und Formeln, die schriftlich zum Ton für Ton Gleichen redigiert werden (Abb. 1) oder die auch geschrieben noch Unterschiede erkennen lassen (Abb. 2). Welche Gedächtnisleistung eine mündliche Überl. benötigt, ist Gegenstand der Forsch. [9]. Zur Frage steht, wie Sänger Schemata lernen und benutzen. Abb. 3 zeigt eine Reduktion von sechs sog. altröm. Gradualia. Pro Silbe ist nur der erste Ton berücksichtigt, wobei sich für Wortenden bzw. Sinneinschnitte eine Achse auf *a*, für betonte Silben zwei Achsen auf *g* und *c* (nur in Segment F eine auf *f*) ergeben. Dabei ist ein Schema zu vermuten, das die Subschemata I, M1, M2 und F organisiert [10].

Zum liturgischen Ort der Ps. in Messe und Offizium sowie zu den einzelnen musikalischen Gattungen (Graduale, Alleluia etc.) und typischen Vortragsarten (Antiphon, Responsorium) s. [11; 12].

→ PSALMODIE

1 A. RENOUX, HIEROSOLYMITANA. Aperçu bibliographique des publications depuis 1960, in: Archiv für Liturgiewissenschaft 23, 1981, 1–29, 149–175 2 P. MAAS, C. A. TRYPANIS, Sancti Romani Melodi cantica, 1963 3 H. WENZEL, Hören und Sehen, Schrift und Bild, Kultur und Gedächtnis im MA, 1995 4 M. CARPENTER, The Paper that Romanos Swallowed, in: Speculum 7, 1932, 3–22, 553–555 5 A. EKENBERG, Cur cantatur? Die Funktion des liturgischen Gesanges nach den Autoren der Karolingerzeit, 1987 6 R. HAMMERSTEIN, Die Musik der Engel. Unt. zur Musikanschauung des MA, 1962 7 L. TREITLER, Homer and Gregory: The Transmission of Epic Poetry and Plainchant, in: The Musical Quarterly 60, 1974, 333–372 8 Ders., The »Unwritten« and »Written Transmission« of Medieval Chant and the Start-up of Musical Notation, in: The Journ. of Musicology 10, 1992, 131–191 9 D. RUBIN, Memory in Oral Tradtions. The Cognitive Psychology of Epic, Ballads, and Counting-out Rhymes, 1995 10 M. HAAS, Musik und Sprache – Musik als Sprache. Notizen aus der musikwiss. Prov., in: Schweizer Jb. für Musikwiss. N. F. 2, 2001 11 H. SEIDEL, J. DYER, L. FINSCHER, s. v. Psalm, MGG² Bd. 7, 1853–1900 12 A. A. HÄUSSLING, s. v. Ps., Psalmtöne, LThK² Bd. 8, 701–704. MA. HA.

Psalterium

[1] s. Psalmen
[2] s. Liturgische Handschriften (A.2.)
[3] s. Musikinstrumente (V. A.2.)

Psamathe (Ψαμάθη, Ψαμάθα, Ψαμάθεια).

[1] Nereide (Hes. theog. 260; Apollod. 1,12). Von → Aiakos Mutter des → Phokos [1] (Hes. theog. 1004 f.; Pind. N. 5,13). Wie ihre Schwester → Thetis sich der Ehe mit → Peleus widersetzt, so entzieht sich Ps. der Ehe mit Aiakos durch Verwandlung in eine Robbe (Apollod. 3,158). Nach Eur. Hel. 6–14 wird sie später Frau des → Proteus und von ihm Mutter von Theoklymenos und Theonoë. Weil Peleus ihren Sohn Phokos tötet, schickt sie einen reißenden Wolf gegen seine Herden. Auf Bitte der Thetis versteinert Ps. das Ungeheuer, oder es wird von Thetis selbst versteinert (Ov. met. 11,346–406; schol. Lykophr. 175; vgl. Antoninus Liberalis 38).

[2] Tochter des argivischen Königs Krotopos, von → Apollon Mutter des → Linos. Ps. setzt Linos aus, der von Hunden zerrissen wird. Apollon schickt darauf eine Seuche und ein Untier, das von Koroibos [1] besiegt wird (Paus. 1,43,7–8; Konon FGrH 26 fr. 1,19; vgl. Stat. Theb. 1,557 ff.; Ov. Ib. 575). Kallimachos erzählte die Linos-Gesch. im 1. B. der Aitia (Kall. fr. 26–31). Nach anderen Überl. ist Linos Sohn des Apollon und einer Muse.

O. HÖFER, s. v. Ps., ROSCHER 3.2, 3194–3197 · G. RADKE, s. v. Ps., RE 46, 1298–1303 · A.-V. SZABADOS, s. v. Ps., LIMC 7.1, 568. K. WA.

Psammetichos (Ψαμμήτιχος). Griech. Namensform

mehrerer äg. Herrscher libyscher Herkunft, äg. *Psmtk*.
[1] **Ps. I.** 1. König der 26. Dyn. (664–610 v. Chr.), Sohn des → Necho [1] I., zunächst Vasall der Assyrer, zu denen er vor einem nubischen Angriff floh (Hdt. 2,152). Nach der Vertreibung der Nubier durch die Assyrer konnte er sich bis ca. 657 zum Herrscher von ganz Unteräg. machen, wohl mit Hilfe griech. und karischer (→ Kares) Söldner (Hdt. 2,151 f.). Ps. schloß ein Bündnis mit → Gyges [1] von Lydien und konnte sich auch bald aus der assyr. Oberherrschaft befreien. Oberäg. wurde mit diplomatischen Mitteln gewonnen: Ps. setzt 656 seine Tochter Nitokris als »Gottesgemahlin« des → Amun in Theben ein; alle hohen Würdenträger blieben im Amt, mußten aber von Ps. bestimmte Nachfolger akzeptieren. Nach dem Rückzug der Assyrer aus dem syrisch-palaestinischen Raum stießen die Ägypter (nach 655) dorthin vor (Hdt. 2,157). Von der (diplomat.) Abwehr der → Skythai (zw. 637 und 625) [1. 147] berichtet Hdt. 1,105. Ps. versuchte (vergeblich), die sinkende Macht der Assyrer gegen die zunehmende der Chaldäer zu unterstützen. Im Inneren beseitigte Ps. die feudalen Verhältnisse, wie sie sich über vier Jh. entwickelt hatten, unter dem Vorwand einer »Rückkehr zur Vergangenheit«. Die unter der nubischen Vorherrschaft (ca. 750–664) eingeführte Politik der Restauration (»Archaismus«) wurde beibehalten, in vielen Bereichen orientierte man sich an Vorbildern viel älterer Epochen. Allerdings lagen alle administrativen Zentren nun im Norden, Äg. war zum Mittelmeer hin orientiert, Oberäg. reine Prov. ohne polit. Einfluß.

[2] Ps. II. 3. König der 26. Dyn. (595–589), Sohn des → Necho [2] II., unternahm 593 einen Feldzug nach Nubien, der mindestens bis zum 3. Nilkatarakt führte und durch verschiedene Quellen bezeugt ist (Hdt. 2,161, mehrere Stelen, Inschr. griech. und karischer Söldner in Abu Simbel). 592 führte er eine Expedition unklaren Charakters nach Palaestina. Die griech. Gesandtschaft an Ps., die Olympischen Spiele betreffend (Hdt. 2,160), ist wohl unhistorisch [1. 165–167].

[3] Ps. III. 6. König der 26. Dyn., Sohn des → Amasis [2], regierte 526–525 für nur einige Monate. Er wurde im Mai 525 von → Kambyses [2] II. bei → Pelusion geschlagen und später nach einem Aufstandsversuch von ihm getötet (Hdt. 3,15).

[4] »Ps. IV.« Vater des Libyerfürsten → Inaros (Hdt. 7,7), der 463–454 in Unteräg. den Aufstand gegen die Perserherrschaft anführe.

[5] »Ps. V.« Libyerfürst des Westdeltas, vielleicht der Urenkel von Ps. [4] IV., sandte Philochoros zufolge 445/4 v. Chr. 30000 Scheffel Getreide nach Athen (FGrH 3 B 328).

[6] »Ps. VI.« Nach Diod. 14,35,3–5 gab es im Jahr 400 v. Chr. an der Nildeltaküste einen König Ps. als Regenten, der ein Nachkomme des »berühmten Ps.« (= Ps. [1] I.) war.

Es gibt einige wenige Kleinobjekte mit dem Königsnamen Ps., die nicht mit Ps. I.–III. zu verbinden sind. Es ist aber unsicher, welchen der drei anderen Ps. sie zuzuordnen sind.

1 A. B. LLOYD, Herodotus, Book II, Commentary, 1988
2 T. SCHNEIDER, Lex. der Pharaonen, 1996, 310–314
3 A. SPALINGER, s. v. Ps., LÄ 4, 1164–1176.   K. J.-W.

Psammuthis (Ψάμμουθις). Herrscher der 29. Dyn., äg. *P3-š(rj-n) Mwt*, Gegenkönig des → Akoris [2] (verm. 393–392 oder 391–390), v. a. in Theben bezeugt.

J. D. RAY, Ps. and Hakoris, in: JEA 72, 1986, 149–156.   K. J.-W.

Psaon (Ψάων) von Plataiai, Verf. einer Universalgesch. in Fortsetzung des → Diyllos (Diod. 21,5). Sie beginnt somit 297/6 v. Chr., ihr Endpunkt ist unbekannt: Nur 3 Fr. sind erh. (FGrH 78 mit Komm.).   K. MEI.

Psaphis (Ψαφίς). Nur bei Strab. 9,1,22 erwähnter, zu → Oropos gehöriger Ort, in dessen Nähe sich das Haupttheiligtum des → Amphiaraos befand. Zur Lokalisierung vgl. [1].

1 FOSSEY, 38–40.   P. F.

Psaumis s. Olympioniken

Pselkis (Ψέλκις, Ψέλχις; lat. *Pselcis*, äg. *Pr-srqt*; h. *ad-Dakka*). 107 km südl. von Aswān auf der linken Nilseite gelegener Ort mit dem → Thot von Pnubs geweihten Tempel, Blöcke aus dem NR, Bau aus ptolem. (Ptolemaios [7] IV. und Arsinoë [II 4] III., Ptolemaios [11] VII. und Kleopatra [II 6] III. sowie weitere ptolem. Könige

dargestellt und erwähnt) und aus röm. Zeit (Augustus, Tiberius), Kapelle des meroitischen Königs Ergamenes (meroit. Arqamani). Ein gemeinsamer Bau bestand aus Tempelteilen von ptolem. bzw. röm. und meroit. Herrschern (auch in → Philai) und bezeugt einerseits die gute Beziehung zw. den Reichen, ist aber auch Demonstration der Anwesenheit beider Seiten. Die ungewöhnliche Nord-Süd-Ausrichtung des Tempels spielt vielleicht auf die Rolle des Thot, der das erzürnte Sonnenauge aus Nubien heimholt, an. Griech., meroit. und demotische Graffiti belegen die rel. Bedeutung. Ps. war in röm. Zeit wichtiger Grenzort (hier ist bereits Einfluß der meroit. Kultur zu erkennen). Beim Feldzug des röm. *praefectus Aegypti* Petronius [3] gegen Meroe 23 v. Chr. erobert (Strab. 17,1,54; Plin. nat. 6,181), wurde es zwei Jahre später wieder meroitisch. Siedlung und Gräberfeld (meroit., röm.) sind noch unerforscht.
→ Meroë; Nubien

K.-H. PRIESE, Orte des mittleren Niltals in der Überl. bis zum Ende des christl. MA, in: Meroitica 7, 1984, 484–497 · G. ROEDER, Die griech. und lat. Inschr. von Dakke, bearb. von W. RUPPEL (Der Tempel von Dakke 3), 1930.   A. LO.

Psellos (Ψελλός). Byz. Literat, Jurist und Politiker, geb. um 1018 n. Chr. als Konstantinos Ps. in → Konstantinopolis. Ob es sich bei Ps. (zu ψελλίζειν/*psellízein*, »lispeln«) um einen persönlichen Beinamen oder einen Familiennamen handelt, ist unklar. Ps. war seit 1041 Beamter am Kaiserhof, wurde 1043 kaiserlicher Privatsekretär, erwarb schnell großen Ruf als Lehrer und erhielt um 1045 den Titel Philosophen-»Consul« (ὕπατος τῶν φιλοσόφων/*hýpatos tōn philosóphōn*). Als »Astrologe und Heide« verdächtigt, fiel er 1055 in Ungnade, gab seine Ämter auf und wurde unter dem Namen Michael Mönch. Ps. zog sich in ein Kloster nach Bithynia zurück, kehrte aber bald wieder an den Hof zurück und wirkte dort unter verschiedenen Kaisern als Berater. Sein Todesjahr ist umstritten, ist aber sicher nicht viel später als 1078 anzunehmen.

Ps. war die überragende intellektuelle Gestalt seiner Zeit, ein universal gebildeter Polyhistor und äußerst fruchtbarer Schriftsteller von großer Wirkung auf die kulturelle Renaissance des 11. Jh. n. Chr. Seine Werke sind überwiegend in einer stark archaisierenden, wenn auch nicht streng den klass. Regeln folgenden Sprache abgefaßt, doch bedient er sich z. B. in Briefen gelegentlich auch einer einfacheren Sprachform.

Unter den Schriften des Ps. steht das von 976 bis um 1075 reichende Geschichtswerk Χρονογραφία/*Chronographía* an erster Stelle. Das Hauptgewicht der Darstellung liegt auf der inneren Gesch. und den Vorgängen am Kaiserhof, wichtige außenpolit. Vorgänge wie etwa die jahrelangen Kriege (976–1018) gegen die Bulgaroi (→ Bulgarisches Reich) unter Basileios [6] II. werden mit keinem Wort erwähnt; in der Zeit ab 1041 treten die eigenen Erlebnisse des Autors in den Vordergrund, das Werk nimmt streckenweise den Charakter einer → Autobiographie an, in der Ps. seine Bed. als Politiker und kaiserlicher Berater stark übertrieben darstellt.

Viele Schriften des Ps. sind zu didaktischen Zwecken als Kompendien vorhandenen Wissens und teilweise in Versform verfaßt. In seinen philos. Schriften befaßte sich Ps. mit dem Werk des → Aristoteles [6] und machte → Platon [1] und die Neuplatoniker (→ Neuplatonismus) wieder in Byzanz bekannt. Großes Interesse brachte Ps. den Naturwiss. entgegen, bes. der → Astronomie. Seine Denkweise ist dabei nach den Maßstäben seiner Zeit von großer Rationalität, »abergläubische« Vorstellungen werden mehrfach in seinen Werken abgelehnt; die lange Ps. zugeschriebenen Werke über den Dämonenglauben, v. a. die Schrift *De operatione daemonorum*, stammen nicht von ihm. Auch das Ps. zugeschriebene Hdb. des Quadriviums von Arithmetik, Geometrie, Musik und Astronomie ist, da bereits am Anf. des 11. Jh. entstanden, nicht sein Werk. Ps. verfaßte auch ein medizinisches Lehrgedicht von 1373 V. und eine Reihe kleinerer medizinischer Schriften (vgl. [26]).

Unter seinen theologischen Werken sind zu nennen exegetische Schriften zu verschiedenen B. der Bibel, eine Predigt auf Symeon Metaphrastes sowie eine Vita des hl. Auxentios (die meisten ediert in [3; 9; 15], zu Auxentios vgl. auch [20]). An juristischen Werken verfaßte Ps. eine Σύνοψις τῶν νόμων/*Sýnopsis tōn nómōn* in Versen sowie eine Abh. über die juristische Terminologie.

Zu seinen philol. Schriften gehören Allegorien zu → Homeros [1], eine Iliasparaphrase und kleinere lexikographische Werke. Ferner schrieb Ps. zahlreiche rhet. Werke wie Enkomia, Progymnasmata, Satiren und Gelegenheitsgedichte. Von zeitgesch. Bed. sind v. a. seine Grabreden, u. a. auf den Patriarchen Michael Kerullarios, sowie viele seiner etwa 500 überl. Briefe.

Die große Bed. und das reiche Werk des Ps. sind der Grund dafür, daß ihm zahlreiche anon. oder von anderen Autoren stammende Werke zugeschrieben wurden. Gleichzeitig ist eine Anzahl von kleineren echten Schriften h. noch unediert (zur Bibliogr. vgl. bes. [16; 18; 28]).

ED.: CHRONOGRAPHIE: 1 E. RENAULD, 1926–1928 2 S. IMPELLIZERI, 1984.
ANDERE WERKE: 3 E. KURTZ, F. DREXL, Scripta minora, Bd. 1, 1936 4 P. GALIGANI, Il *De lapidum virtutibus* di Michele Psello, 1980 5 M. D. SPADARO, In Mariam sclerenam, 1984 6 A. R. LITTLEWOOD, Oratoria minora, 1985 7 A. R. DYCK, The Essays on Euripides and George of Pisidia and on Heliodorus and Achilles Tatius, 1986 8 U. CRISCUOLO, Autobiografia. Encomio per la madre, 1989 9 P. GAUTIER, Theologica, Bd. 1, 1989 10 D. J. O'MEARA, Philosophica minora, Bd. 2, 1989 11 J. M. DUFFY, Philosophica minora, Bd. 1, 1992 12 G. I. WESTERINK, Poemata, 1992 13 G. T. DENNIS, Orationes panegyricae, 1993 14 Ders., Orationes forenses et Acta, 1994 15 E. A. FISHER, Orationes, 1994.
LIT.: 16 H.-G. BECK, Kirche und theologische Lit., 1959, 539–541 (Zusammenstellung der Werke) 17 KRUMBACHER, 441–444 18 HUNGER, Literatur 1, 372–382 19 G. BÖHLIG,

Unt. zum rhet. Sprachgebrauch der Byzantiner. Mit bes. Berücksichtigung der Schriften des Michael Ps., 1956 20 P. P. JOANNOU, Démonologie populaire – démonologie critique au XIᵉ siècle. La vie inédite de S. Auxence par M. Ps., 1971 21 E. KRIARAS, s. v. Ps., RE Suppl. 11, 1124–1182 22 V. TIFTIXOGLU s. v. Ps., Michael (Konstantinos), LMA 7, 1995, 304 f. (mit Werkübersicht) 23 J. N. LJUBARSKIJ, Michail Psell, 1978 24 A. KAZHDAN, s. v. Ps., Michael, ODB 3, 1754–1755 25 G. MORAVCSIK, Byzantinoturcica, Bd. 1, ²1958, 437–441 26 R. VOLK, Der medizinische Inhalt der Schriften des Michael Ps., 1990 27 G. WEISS, Oström. Beamte im Spiegel der Schriften des Michael Ps., 1973.
AL.B.

Psenamun

[1] Ca. 80–35 v. Chr., Vater des Ps. [2], war vor 50/49 Hoherpriester des Ptah (→ Phthas) in Memphis, danach hatte er weitere Priesterämter inne. PP III/IX 5375.
[2] Sohn von Ps. [1], geb. ca. 42 v. Chr., letzter Hoherpriester des Ptah und anderer Götter, empfing die meisten seiner Titel 28/7. P. starb nach 23 v. Chr. PP III/IX 5375 a.   W.A.

Psenobastis. Vater des Petimuthes, hoher Beamter in Semabehdet (17. unteräg. Gau). Ps.' Sohn war General Kleopatras [II 6] III. bei der Einnahme von Ptolemais/ Akko im J. 103/2 v. Chr. und wurde vielleicht später in der Thebais eingesetzt. Die Aufzählung der zahlreichen von Petimuthes und gleicherweise von Ps. ausgeübten polit., mil. und rel. Funktionen [1] ist beispielhaft für das im 2. Jh. v. Chr. erheblich gewachsene Selbstbewußtsein äg. Amtsträger in ptolem. Diensten.

1 J. QUAEGEBEUR, Inscriptions in: E. VAN'T DACK u. a. (Hrsg.), The Judean-Syrian-Egyptian Conflict of 103–101 B. C., 1989, 88–108.   W.A.

Psenptah

[1] s. Nesysti [3]
[2] Sohn des → Petobastis [2], Vater des → Petobastis [3], Hoherpriester des Ptah (→ Phthas) zu Memphis. Ps. heiratete ca. 122 v. Chr. eine – evtl. mit der herrschenden Dyn. der → Ptolemaier verwandte – Berenike; er starb 103.

W. HUSS, Die Herkunft der Kleopatra Philopator, in: Aegyptus 70, 1990, 191–203, hier: 199 f. · E. A. E. REYMOND, From the Records of a Priestly Family from Memphis, 1981, 116 f. Nr. 16 · J. QUAEGEBEUR, The Genealogy of the Memphite High Priest Family in the Hellenistic Period, in: D. J. CRAWFORD u. a., Studies on Ptolemaic Memphis, 1980, 69 Nr. 23.

[3] Geb. am 4. 11. 90 v. Chr. als Sohn des → Petobastis [3], Hoherpriester des Ptah (→ Phthas) zu Memphis. Ps. krönte 76 Ptolemaios [18] XII. in Alexandreia, weshalb er von ihm zum »Propheten Pharaos« ernannt wurde. Ein späterer Gegenbesuch des Königs zeigt, wie in der späten → Ptolemaier-Zeit die Beziehungen der Könige zu den Priestern in Memphis enger wurden. Ps. war Vater dreier Töchter, und erst nach Bitten zu Imhotep wurde → Petobastis [4] geboren. Ps. starb am 14. 6. 41;

auf einer Stele (London, BM 1026 [886]) ist ein langer, recht individueller Lebensbericht erhalten.

HÖLBL, 258 f. · J. QUAEGEBEUR, The Genealogy of the Memphite High Priest Family in the Hellenistic Period, in: D. J. CRAWFORD u. a., Studies on Ptolemaic Memphis, 1980, 69 Nr. 27; 77 · D. J. THOMPSON, Memphis under the Ptolemies, 1988, 138 f.   W. A.

Psephisma (ψήφισμα, Pl. ψηφίσματα/*psēphísmata*) bedeutet wörtl. eine Entscheidung, die durch Abstimmung mit »Stimmsteinen« (*psēphoi*) getroffen wurde, im Gegensatz zur Abstimmung durch Handaufheben (→ *cheirotonía*). Im üblichen griech. Sprachgebrauch wurde jedoch, ungeachtet der jeweiligen Abstimmungsmethode, *ps.* für Beschlüsse und *cheirotonía* für → Wahlen verwendet. *Ps.* ist das am weitesten verbreitete Wort für »Dekret« (*dógma* ist häufig in diesem Sinne gebraucht; *gnṓmē* meint gewöhnlich »Vorschlag«, manchmal aber auch – v. a. in NW-Kleinasien und auf den angrenzenden Inseln – »Dekret«, z. B. IK Ilion 1 = Syll.³ 330; es finden sich auch *hádos*, *rhḗtra* und *tethmós*). Jede Art von Versammlung konnte ihre Entscheidungen in Form eines *ps.* ausdrücken. In beinahe allen griech. Staaten bildete die Volksversammlung (→ *ekklēsía*) das höchste Entscheidungsgremium, dessen *ps.* eine Vorentscheidung (*probúleuma*) des Rates (→ *bulḗ*) voranzugehen hatte.

In Athen betrachtete man im späten 5. Jh. v. Chr. das *ps.* als der Sphäre des → *nómos* [1] (»(beliebige) Sitte«) zugehörig, im Gegensatz zur *phýsis*, dem »unwandelbaren Natur(gesetz)«. Als Gegenreaktion stellten die Athener am E. des 5. Jh. eine zeitgemäße Slg. der *nómoi* zusammen und wandten im 4. Jh. unterschiedliche Verfahren an, um einerseits Gesetze (*nómoi*) zu erlassen, die dauerhaft und allg. gültig sein und zur Sphäre der *phýsis* gehören sollten, und andererseits »Beschlüsse« (*ps.*) zu fassen, die kurzlebig sein und Einzelfälle regeln sollten. In ähnlicher Weise betrachtete es Aristoteles [6] als einen Fehler der extremen → *dēmokratía*, daß die *ps.* des Volkes regierten und nicht der *nómos* (Aristot. pol. 4,1292a 1–38; vgl. [Aristot.] Ath. pol. 41,2).

M. H. HANSEN, Nomos and Ps. in the Fourth-Century Athens, in: GRBS 19, 1978, 315–330 (= Ders., The Athenian Ecclesia, 1983, 161–177) · Ders., Did the Athenian Ecclesia Legislate after 403/2?, in: GRBS 20, 1979, 27–53 (= Ders., The Athenian Ecclesia, 1983, 179–206 · F. QUASS, Nomos und Ps., 1971 · P. J. RHODES, D. M. LEWIS, The Decrees of the Greek City States, 1997.   P. J. R.

Pseudepigraphie I. ALLGEMEIN II. CHRISTLICH

I. ALLGEMEIN
In vielen frühen Kulturen wird ein Vorrang der göttlichen vor der menschlichen Urheberschaft (Vorstellung von Gott als Erstem Erfinder) angenommen [1]. Das begründet P. als älteste Form der Schriftstellerei: Ein Gott oder ein göttlicher Mensch der mythischen Urzeit gilt als Verf. Diese Form war im Orient verbreitet, in Spuren aber auch in Griechenland (so z. B. bei Gesetzen, → Orakeln, → Orphik).

Mit dem Aufkommen von Künstlersignaturen und der Angabe des eigenen Namens (Orthonymität) seit Hesiod sind verschiedene Arten von P. bezeugt: Neben der Fälschung mit außerlit. Zielsetzung (etwa Besitz- oder Herrschaftsansprüche) und der seltenen Mystifikation gibt es zahlreiche lit. Erfindungen im Gewand von Pseudepigraphen (= Ps.). Da die ant. Lit. weit mehr als die christl. und die neuzeitliche auf die stilistische Form Wert legte, verzichteten die Gesch.-Schreiber weitgehend auf Urkundlichkeit zugunsten eines einheitlichen Stils. Deshalb schrieben sie die Reden und Briefe histor. Personen, auch Urkunden und Inschr., in ihrem eigenen Stil um und erfanden zur Verlebendigung entsprechende neue Dokumente. Die Rhetorenschule verfaßte zahlreiche P. als Übungsstücke (→ Progymnasmata) und bildete ihre Schüler aus, in jedem Stil eines anerkannten Schriftstellers zu schreiben (vom 4. Jh. v. Chr. bis in die Spätant.; vgl. den → Briefroman). Dazu kamen frei erfundene Gespräche histor. Personen, die bisweilen unter dem Namen eines Hauptunterredners umliefen. Ferner führte die Wahl eines frei erfundenen Decknamens (Pseudonyms) zur P. (→ Lygdamus; die sechs Verf. der → Historia Augusta; → Salvianus verwendete für sich den Namen Timotheos, → Vincentius von Lerinum den Namen Peregrinus).

Kanzleiarbeiten galten offiziell als Werk des jeweiligen Herrschers oder Papstes (Ghostwriter). In den Philosophen- und Ärzteschulen (bes. bei Peripatetikern, Sokratikern, Pythagoreern; s. → Pythagoreische Pseudepigraphen) liefen Schülerarbeiten unter dem Namen des Schulgründers. Andere Ps. sind infolge irriger Zuweisungen in den Bibl. v. a. Alexandreias [1] und Pergamons [1] entstanden. Zu Irrtümern gaben die zahlreichen Homonymen, schließlich auch Abschreibefehler Anlaß. Anon. Schriften hat man nicht selten dem Archegeten der jeweiligen lit. Gattung zugesprochen (für Rom: → Cato [1], → Varro, → Probus [3], → Seneca d. J., → Quintilianus [1]).   WO. SP.

II. CHRISTLICH
Wie im alten Israel und im frühen Judentum war der Begriff der geistigen Autorschaft im Christentum des 1. Jh. wenig ausgeprägt. Mit Ausnahme der sieben heute meist als echt anerkannten Briefe des → Paulus [2] und der Apk waren die nt. Schriften urspr. wohl anonym (so wohl auch die → Evangelien) oder unter falschem Namen in Umlauf. Aufgrund der Vorstellung, daß die Wahrheit am Anfang als ganze offenbart wurde, lassen die Ps. die Autoritäten der Frühzeit zu späteren Themen sprechen: Paulus (v. a. Briefe, u. a. Briefwechsel mit → Seneca d. J.), die Apostel als einzelne (Briefe) oder als Gesamtkollegium (v. a. → Kirchenordnungen), → Dionysios [54] Areopagites (Apg 17,34), den stadtröm. Bischof → Clemens [1], später auch → Athanasios (Thema Trinität) und → Augustinus (Thema Gnade). Jesus selbst werden viele Einzelsprüche zugeschrieben, aber nur eine einzige Schrift (Briefwechsel mit König Abgar von Edessa: Eus. HE 1,13).

Die Zuschreibung sollte der Schrift Ansehen und Autorität verschaffen, die sie unter dem Namen des eigentlichen Verf. nicht erlangt hätte. Umstrittene Schriften wurden manchmal unter anerkannte Namen »gerettet« (so z.B. Schriften des → Theodoretos von Kyrrhos unter den Namen von → Iustinos [6]; Jo 7,53–8,11 stammt möglicherweise aus dem Hebräerevangelium, vgl. Eus. HE 3,39,17). Dennoch hat selbst der Name eines Apostels oder Apostelschülers die Aufnahme in den nt. → Kanon [1] oft nicht gesichert (→ Barnabasbrief; → Apostelväter; → Neutestamentliche Apokryphen).

Je leichtgläubiger und ungebildeter die Adressaten, desto einfacher war die Täuschung möglich. Sie geschieht bald durch bloßen falschen Verfassernamen und Absendeort (1 Petr 1,1; 5,13), bald auch durch raffinierte detailreiche fingierte Settings (1 und 2 Tim; Tit), Stilimitation, Augenzeugenschaft (»Wir«-Stil: 2 Petr 1,16–19), Rückdatierung (Prophezeiung der zur Abfassungszeit gegenwärtigen → Häresien für die Zukunft), Visionen (Begegnung mit dem Auferstandenen), Bücherfunde, Erweiterung von echten Schriften durch gefälschte Stücke (Briefe des → Ignatios [1] von Antiocheia). Wie 2 Thess 2,2 warnen die → Apostolischen Konstitutionen (4. Jh.) vor Gegenfälschungen und leiten – ›grotesk und doch zugleich folgerichtig‹ [3. 35] – dazu an, auf den Inhalt, nicht auf die Autorennamen zu achten (4,16,1). In der Tat erregen Fälschungen dort Anstoß, wo sie »häretischen« Inhalt boten (so etwa die »feministischen« → Paulusakten; → Thekla). Die Zuschreibung des Hebr an Paulus wird wegen des paulinischen Inhalts geduldet (Origenes bei Eus. HE 6,25,11–14); zudem hätten Schüler oft im Namen des Lehrers geschrieben (Tert. adv. Marcionem 4,5,4).

Der bewußten P. liegt möglicherweise eine Trad. zugrunde, die Lüge als »nützliches Heilmittel« (*phármakon chrēsimon*; Plat. rep. 382c) rechtfertigt (Clem. Al. strom. 7,53,2f.; 6,124,3; Orig. contra Celsum 4,19; Ioh. Chrys. de sacerdotio 1,8 u.a.; oft mit Verweis auf at. Beispiele von List und Lüge). Nur ein einziger altchristl. Text theoretisiert P.: Auf den Vorwurf, die sozial- und kleruskritischen »Vier Bücher des Timotheus an die Kirche« verfaßt zu haben, beschreibt → Salvianus [1] von Marseille (epist. 9) Intention und Vorgehen des »Zeitgenossen«, der die Schrift aus Bescheidenheit unter einem Pseudonym verfaßt habe; die Homonymität mit dem Paulusschüler → Timotheos sei nicht beabsichtigt. Zudem gehe es um den Inhalt einer Schrift, nicht um den Verfassernamen (9,4f.).

→ Apokryphe Literatur; Neutestamentliche Apokryphen; Verfasser; FÄLSCHUNGEN   M.HE.

1 K. THRAEDE, s. v. Erfinder II (geistesgeschichtlich), RAC 5, 1962, 1191–1278 2 W. SPEYER, Die lit. Fälschung im heidnischen und christl. Alt., 1971, 25–27 3 N. BROX, Falsche Verf.-Angaben. Zur Erklärung der frühchristl. P., 1975.

N. BROX (Hrsg.), P. in der heidnischen und jüdisch-christl. Ant., 1977 · K. VON FRITZ (Hrsg.), Pseudepigrapha I, 1972 · P. LEHMANN, Pseudo-ant. Lit. des MA, 1927 · D. G. MEADE, Pseudonymity and Canon (WUNT 39), 1986 · P. POKORNÝ, s. v. P. I. Altes und Neues Testament, TRE 27, 1997, 645–655 · J. A. SINT, Pseudonymität im Alt., 1960.   WO. SP. u. M. HE.

Pseudo- s. jeweils auch unter dem zweiten Namensteil

Pseudo-Clementinen. Bezeichnung einer Gruppe von Schriften, die traditionell → Clemens [1] von Rom (1. Jh. n. Chr.) zugeschrieben werden: die *Homilíai* (›Predigten‹; in der original griech. Fassung überl.) und die *Recognitiones* (›Wiedererkennungsszenen‹; lediglich in der lat. Übers. des Rufinus [6] von Aquileia und einer syr. Übers. erh.); beide Werke wurden verm. in Syrien im 4. Jh. n. Chr. verfaßt. Diesen hinzugefügt wurden (griech.) der Brief des Petrus an Johannes, der Bericht über die Antwort des Johannes und der Brief des Clemens an Johannes, der in den uns bekannten Hss. den *Homilíai* vorangestellt ist.

Die *Homilíai* und die *Recognitiones* handeln vom Leben des Clemens, des Nachfolgers des Petrus als Bischof von Rom, und seiner Familie. Da die Inhalte beider Schriften weitgehend identisch und Übereinstimmungen, auch wortwörtliche, zahlreich sind, wurde in der Forsch. spekuliert, ob beide von einer oder mehreren gemeinsamen Quellen abhängen. Die beiden Werke bilden ein Paar und standen in Beziehung zum judaisierenden Christentum. Beide verwenden Topoi des ant. griech. → Romans: die Motive von Reise, Schiffbruch, Gefangennahme durch Piraten und Wiedervereinigung am Schluß (mit der Familie statt der Geliebten). Die Handlung beginnt mit einem Traum von Clemens' Mutter, sie verläßt die Stadt mit ihren Zwillingssöhnen; alle Familienmitglieder – einschließlich des Vaters, der seinerseits auf der Suche nach ihnen abreist – erleben getrennt voneinander lange und verwickelte Abenteuer. Clemens begibt sich auf die Suche nach der Wahrheit und befaßt sich (mit geringem Erfolg) mit allen philos. Schulen, bis zur entscheidenden Begegnung mit Petrus, dem er bei seinen Reisen folgen wird. Er beteiligt sich auch an der Widerlegung des → Simon Magus. In der Schlußphase erkennen und finden alle Familienmitglieder einander wieder; nach Überwindung oftmals erniedrigender Schwierigkeiten durchleben sie eine Bekehrung zum Christentum, die von der Taufe gekrönt wird. Die romanhaften Themen der Suche und der Wiedererkennung sind nach christl. Muster neu interpretiert, vielleicht um eine stärkere emotionale Wirkung auf die Leser zu erzielen, sehr wahrscheinlich ein direkter Einfluß aus der *Historia Apollonii Regis Tyri*.
→ Clemens [1] von Rom; Pseudepigraphie; Roman IV.

B. REHM, G. STRECKER (ed.), Die Pseudoklementinen, Bd. 1, Homilien, ³1992 · B. REHM, F. PASCHKE (ed.), Die Pseudoklementinen, Bd. 2, Rekognitionen in Rufins Übersetzung, 1965 · B. E. PERRY, The Ancient Romances, 1967, 285–293 · R. PERVO, The Ancient Novel Becomes

Christian, in: G. SCHMELING (Hrsg.), The Novel in the
Ancient World, 1996, 16.　　　　　M. FU./Ü: TH. G.

Pseudo-Kallisthenes. Ein Teil der hsl. Überlieferung
nennt für das Werk, das heute allg. als ›Alexanderroman‹
bekannt ist, irrtümlich → Kallisthenes, den Hofhistori-
ker Alexandros’ [4] d. Gr., als Autor. Vom Alexanderroman – einer »Biographie« Alexanders des Großen, in
der sich histor. und phantastische Angaben vermengen
– sind zahlreiche Fassungen unterschiedlicher Datier.
überl. Die Datier. der ältesten Fassung ist unsicher; der
einzige *terminus ante quem* ist die lat. Übers. des → Iulius
[IV 23] Valerius (*cos.* 338 n. Chr.). Weniger umstritten ist
der Ort der Abfassung, verm. Ägypten. Im Alexanderroman sind Elemente der Historiographie, der mündlichen Trad. und der utopischen Lit. verflochten, er zeigt
aber auch deutliche Parallelen zur Biographie
sowie frühchristl. Texten. Das Werk hatte großen Erfolg
im MA, vor allem dank der lat. Übers. des Archipres-
byters Leo (Mitte des 9. Jh.).

→ Alexanderhistoriker; Alexanderroman

> R. STONEMAN, The Alexander Romance. From History to
> Fiction, in: J. R. MORGAN, R. STONEMAN, Greek Fiction.
> The Greek Novel in Context, 1994, 117–129.
>
> 　　　　　　　　　　　　　　M. FU./Ü: TH. G.

Pseudo-Longinos (auch: *Auctor Perí hýpsus*).
A. VERFASSER　B. DATIERUNG
C. DIE ABHANDLUNG »ÜBER DAS ERHABENE«
D. DER BEGRIFF DES ERHABENEN
E. NACHWIRKUNG

A. VERFASSER

Da die Schrift Περὶ ὕψους (*Perí hýpsus*, ›Über das Er-
habene‹, oft lat. als *De sublimi* zitiert) in ant. Quellen
nicht genannt wird, sind Datier. und Name des Verf.
hypothetisch. F. ROBORTELLO wies sie in der *ed. princeps*
(Basel 1554) nach seiner wichtigsten Hs. dem Dionysios
Longinos zu. Für den Philosophen Kassios → Longinos
(Dionysios wurde als sein griech. Geburtsname verstan-
den) sprachen dessen rhet. Ruf und die platonisierende
Färbung der Abh. 1808 stellte G. AMATI jedoch ihre
Zuschreibung an einen ›Dionysios oder Longinos‹
(Διονυσίου ἢ Λογγίνου) im Codex Vaticanus 285 fest.
Der Kopist, der das Werk anonym vorfand, hatte es
wohl im Zweifel zwei der berühmtesten ant. Rhetoren
zugewiesen: → Dionysios [18] von Halikarnassos bzw.
Kassios Longinos. Keine der seither versuchten weite-
ren Autorenbenennungen (Plutarchos, Dion [I 3] von
Prusa, Hermagoras, Ailios Theon usw.) ist zufrieden-
stellend.

B. DATIERUNG

Für die ungefähre Datier. der Schrift in die 1. H. des
1. Jh. n. Chr. sprechen folgende Argumente: (1) Sie beginnt mit heftiger Polemik gegen → Caecilius [III 5]
von Kale Akte (Beginn der Kaiserzeit), einen Freund des
strengen Attizisten Dionysios [18] von Halikarnassos;
(2) zahlreiche implizite polemische Äußerungen gegen

Dionysios von Halikarnassos; (3) keiner der zitierten
Autoren ist nachaugusteisch; (4) die Vorstellung einer
pax universalis (τῆς οἰκουμένης εἰρήνη, 44,6) sowie die
Polemik gegen den Niedergang der Beredsamkeit und
die Verderbtheit der Sitten weisen über die Mitte des
1. Jh. n. Chr. hinaus, doch wird der Vesuvausbruch von
79 n. Chr. unter den außergewöhnlichen Naturereig-
nissen (35,4) nicht erwähnt; (5) die überraschende Ähnlichkeit mit Passagen bei Philon [12] von Alexandreia
(Philon, De aeternitate mundi 5,19) und das Genesis-
Zitat (Ios. ant. Iud. praef. 3) lassen einen Hintergrund in
der hell.-jüd. Kultur (oder deren genaue Kenntnis) vermuten.

C. DIE ABHANDLUNG »ÜBER DAS ERHABENE«

Trotz der vielen großen Lücken, die über den Text
verstreut sind und seinen urspr. Umfang auf wenig
mehr als die Hälfte reduziert haben, ist seine Struktur
klar erkennbar. Die Gesamtaussage der Schrift ist in
Kap. 8 zusammengefaßt; es gibt fünf Quellen des Erhabenen (ὕψος, *hýpsos*): (1) »das Streben nach gehobe-
nen Gedanken« (τὸ ἀδρεπήβολον), (2) »eine heftige und
begeisterte Leidenschaft« (τὸ σφοδρὸν καὶ ἐνθουσιαστι-
κὸν πάθος), (3) »eine bes. Kompetenz in der Bildung
von Figuren« (ἥ τε ποιὰ τῶν σχημάτων πλάσις), (4) »eine
edle Ausdrucksweise« (ἡ γενναία φράσις), (5) »die würdevolle und gehobene Anordnung der Worte« (ἡ ἐν
ἀξιώματι καὶ διάρσει σύνθεσις). Die beiden ersten
Quellen sind angeborene Fähigkeiten (das horazische
ingenium, Hor. ars 409 f.), die letzten drei lassen sich lernen (ebd. 9–42). Mit Ausnahme des Pathos (πάθος), dessen Behandlung verm. einer Lücke zum Opfer fiel, sind
sie in den nachfolgenden Kapiteln (9–42) ausgeführt.

D. DER BEGRIFF DES ERHABENEN

Laut Longinos besteht das Erhabene ›in der Größe
und Vorzüglichkeit der Rede‹ (1,3); es ist also ein Stil –
der Stil par excellence –, der, ›wenn er im rechten Augenblick hervorbricht, alles zersprengt‹ (1,4; Beispiel:
Demosthenes [2]); weiterhin sei es die natürliche Begabung desjenigen, ›der würdevolle Gedanken hat‹
(9,4), ›der Widerhall einer großen Empfindung‹ (9,2).

Der Begriff *hýpsos* findet sich auch bei Dionysios [18]
von Halikarnassos; dieser benennt die drei *charaktḗres tḗs
léxeōs*/*genera dicendi* (*grave, medium, tenue*; Dion. Hal. de
Demosthene 35) zu »Harmonien« um: den ersten zur
»erhabenen« (*hypsilḗ*), den zweiten zur »schlichten«
(*ischnḗ*), den dritten zur »mittleren« (*mésē*). Dionysios
erklärt im ›Demosthenes‹ weiterhin, wie der »erhabene«
Stil (den er auch als den »strengen« bezeichnet) auf die
»Erschütterung des Geistes«, der »schlichte« (später der
»elegante«) Stil dagegen auf dessen »Besänftigung« ab-
zielt und der erste somit zum *páthos* führt, der zweite
zum *éthos*. Ps.-L. dagegen wischt die traditionelle Einteilung in drei Stilarten – die er jedoch voraussetzt –
beiseite: Der einzige Stil, der eine monographische Behandlung verdient, ist derjenige, der von einem erhabenen Geist inspiriert ist; nicht berücksichtigt werden
rhet. oder lit. Werke, die v. a. auf Kunstfertigkeit (*téchnē*)

und Annehmlichkeit gründen. Die Sprache gehört nach stoischer Auffassung zur Natur, und die Lit. muß sich im Kosmos verwirklichen, dessen Teil sie ist und dessen überragende Schönheit sie unserem Verständnis zuführen muß (35,3).

In impliziter Replik auf den Aphrodite-Hymnos der → Sappho, den Dionysios wiedergibt und kommentiert (Dion. Hal. comp. 23,10–17 AUJAC-LEBEL = fr. 1 DIEHL) und dessen anmutige Schönheit er als Beispiel des annehmlichen Stils hervorhebt, reproduziert und kommentiert Longinos in Kap. 10 die berühmte sapphische Ode φαίνεταί μοι κῆνος (fr. 2 DIEHL, 31; → Sappho C.). Mit der Wahl dieses Gedichts tradiert Ps.-L. eine Sappho präromantischen Zuschnitts, die großen Leidenschaften verfallen ist. So läßt sich die oft betonte revolutionäre Kraft des longinischen *hýpsos* qualifizieren: Es entspricht dem Wesen nach dem *grave dicendi genus*, wobei die pathetischen Töne akzentuiert werden. Seine Behandlung fasziniert durch eine gehobene, äußerst elaborierte, fast barocke Schreibweise, die selbst erhaben ist.

E. NACHWIRKUNG

Das Nachleben der Schrift begann erst mit der frz. Übers. durch BOILEAU (1674), der sich des Ps.-L. als Paladins der Klassiker in der → QUERELLE DES ANCIENS ET DES MODERNES bediente. Der Text wurde daher im England des 18. Jh. rezipiert und in antiaristotelischem Sinne interpretiert: BURKE stellt in ›A Philosophical Enquiry into the Origin of Our Ideas of the Sublime and the Beautiful‹ (1757) das »Erhabene« (dessen dominierendes Prinzip der Schrecken ist) dem »Schönen« (das mit der Liebe verbunden ist) gegenüber: das Erhabene, der Schrecken, sei mit *thánatos* (Tod) verbunden, das Schöne, die Liebe, mit *erōs*.

KANT gelangte über die ›Beobachtungen über das Gefühl des Schönen und Erhabenen‹ (1764) zur definitiven Theoretisierung: In der ›Kritik der Urteilskraft‹ analysiert er das Erhabene als »Mathematisch-Erhabenes«, zu dem die Natur als Größe gehört, und als »Dynamisch-Erhabenes«, in welchem sie als Macht verstanden wird (Buch 2, Analytik des Erhabenen, §§ 23–29). Mit dieser humanistischen Erinnerung an die Würde des Menschen, der auch in der Niederlage noch groß ist, nahm KANT die humanistisch-klass. Interpretation des Erhabenen wieder auf, welche durch die präromantische Interpretation BURKES verdunkelt worden war, der *hýpsos* und *phóbos* zusammenfallen und damit das Erhabene zu einer Art Schwindelgefühl werden ließ, das durch die Faszination des Leeren anziehend wirkte und das »Ich« in seinem Abgrund zerstörte. KANTS Gedanken wurden von HEGEL in der ›Ästhetik‹ zurückgewiesen: Im Erhabenen sieht er die Haupteigenschaft der symbolischen Kunst, d. h. die erste der drei Stufen ihrer dialektischen Entwicklung (Vorlesungen über die Ästhetik, Teil II, Kap. 2: Die Symbolik der Erhabenheit).

Durch die Ambiguität des Begriffs fasziniert das »Erhabene« auch den mod. Leser, der in ihm das Antidot zu einer aristotelischen »Normalisierung« findet.

→ Ästhetik; Literaturtheorie; POETIK

ED., ÜBERS., KOMM.: R. BRANDT (ed.), Ps.-L., Vom Erhabenen, 1966 (mit Komm.) · F. DONADI, Pseudo-Longino, Del Sublime, 1991 (it. Übers. und Komm.) · H. LEBÈGUE (ed.), Du Sublime, 1935 (mit frz. Übers.) · C. M. MAZZUCCHI, Dionisio Longino, Del Sublime, 1992 (it. Übers. und Komm.) · W. RHŶS ROBERTS, Longinus, On the Sublime, 1899 (²1907; Ndr. 1983; mit engl. Übers.) · A. ROSTAGNI (ed.), Anonimo, Del Sublime, 1945 (mit it. Übers.) · D. A. RUSSELL, L., On the Sublime, ²1970 (mit Komm.) · R. VON SCHELIHA (ed.), Die Schrift vom Erhabenen, 1938 (mit dt. Übers.) · O. SCHÖNBERGER (ed.), Vom Erhabenen 1988 (dt. Übers.).

LIT.: E. BURKE, A Philosophical Enquiry into the Origin of Our Ideas of the Sublime and Beautiful, London 1757, (²1759) · W. BÜHLER, Beitr. zur Erklärung der Schrift vom Erhabenen, 1964 · F. DONADI, Lettura del De compositione verborum di Dionigi d'Alicarnasso, 2000 · P. DONINI, Il sublime contro la storia nell'ultimo capitolo del Περὶ ὕψους, in: PdP 24, 1969, 190–202 · M. FERRARIO, Ricerche intorno al trattato del Sublime, in: RIL 106, 1972, 765–843 · G. M. A. GRUBE, The Greek and Roman Critics, 1965 · M. FUHRMANN, Die Dichtungstheorie der Ant., 1992 · M. HEATH, Longinus, On Sublimity, in: PCPhS 48, 1999, 43–74 · S. JÄKEL, Beobachtungen zum ambivalenten Denken bei Ps.-L. in seinem Buch Peri Hypsous, in: Acta antiqua Scientiarum Hungaricae 39, 1999, 147–158 · CH. KREIS (Hrsg.), Das Erhabene, 1989 · E. MATELLI, Struttura e stile del περὶ ὕψους, in: Aevum 61, 1967, 137–247 · A. MICHEL, Rhétorique et poétique: la théorie du sublime de Platon aux modernes, in: REL 54, 1976, 278–307 · S. H. MONK, The Sublime. A Study of Critical Theories in XVIII Century in England, 1935, ²1960 · G. W. MOST, Sublime degli antichi, sublime dei moderni, in: Studi di estetica 12.1–2 = N. S. 4/5, 1984 (Atti del convegno su »Il Sublime«, Bologna), 1984, 113–129 · R. NEUBERGER-DONATH, Longini de sublimitate lexicon, 1988 · A. ROSTAGNI, Il »Sublime« nella storia dell'estetica antica, in: ASNP 1935, 99–119 (=Scritti minori, Bd. 1, 1955, 447–518) · L. RUSSO (Hrsg.), Da Longino a Longino. I luoghi del sublime, 1987 · F. WEHRLI, Der erhabene und der schlichte Stil, in: O. GIGON (Hrsg.), Phyllobolia. FS P. von der Mühll, 1946, 9–35.   F. D./Ü: T. H.

Pseudochalkidische Vasenmalerei. Die etwa 70 Gefäße der sf. Ps. V. des 6. Jh. v. Chr. wurden erstmals von A. RUMPF zusammengestellt. Die Ps. V. lehnt sich eng an die → chalkidische Vasenmalerei an, weist aber auch Einflüsse der att. → schwarzfigurigen und der → korinthischen Vasenmalerei auf. Unterschiede zur chalkid. Vasenmalerei zeigen sich zudem in der Tonbeschaffenheit der Gefäße und durch eine Inschr. im ionischen → Alphabet [1. 155]. Innerhalb der Ps. V. lassen sich die Polyphem-Gruppe [1. 158; 2. 109–116] und die Memnon-Gruppe [1. 140–158; 2. 116–119] unterscheiden. Der älteren und umfangreicheren Polyphem-Gruppe (um 540–520 v. Chr.) werden v. a. Halsamphoren und Oinochoen zugeschrieben; Mythenbilder sind selten (Herakles, Hephaistos [1. 158]), Tiergruppen häufig. Zur etwa 12 Vasen umfassenden Memnon-Gruppe gehören neben einer Oinochoe nur Halsamphoren (um 530/520 v. Chr.). Neben einer bedeutenden Amphora mit Odysseus und Kirke [1. 140–145] erscheinen v. a.

Tiere, Reiter oder auch eine Wagenfahrt. Die FO der Memnon-Gruppe beschränken sich auf It. (Etrurien, Sizilien), Gefäße der Polyphem-Gruppe wurden auch in Frankreich (Marseille, Vix) und Spanien gefunden.

1 F. CANCIANI, Eine neue Amphora aus Vulci und das Problem der ps. Vasen, in: JDAI 95, 1980, 140–162
2 M. IOZZO, La ceramica »calcidese«, 1994, 104–119.

J. BOARDMAN, Early Greek Vase Painting, 1998, 218–219.
M. ST.

Pseudodipteros. Bei Vitruv (3,2,6; 3,8–9) überl. architektonischer Fachterminus, der eine der dort aufgelisteten Tempelformen markiert (→ Tempel). Der Typus des Ps. ist laut Vitruv (7 praef. 12) von dem Architekten → Hermogenes [4] am Artemistempel von Magnesia [2] am Maiandros ausgebildet worden, und zwar durch Weglassung der inneren Säulenreihe eines → Dipteros. Charakteristisch ist der dadurch ungewöhnlich weite Umgang (griech. pterón) um die Cella. In diesem Sinne als Ps. gilt darüber hinaus u. a. der ebenfalls der Artemis geweihte Tempel von Sardeis. In Rom läßt sich der Venus-und-Roma-Tempel als Ps. auffassen.

→ Dipteros (mit Abb.)

W. MÜLLER-WIENER, Griech. Bauwesen in der Ant., 1988, 148 · NASH 2, 496f.
C. HÖ.

Pseudokleteias graphe (ψευδοκλητείας γραφή). In Athen wurde die Ladung zu einem Prozeß (→ prósklēsis) privat in Anwesenheit von Ladungszeugen (→ klētér) durchgeführt. Wer trotz ordnungsgemäß bezeugter Ladung nicht zum Termin vor dem Gerichtsmagistrat erschien, wurde in Abwesenheit verurteilt. Konnte er Entschuldigungsgründe nachweisen, war Wiederaufnahme (→ anadikía) möglich; hatte der Kläger falsche klētéres hinzugezogen, konnte sie jeder beliebige Bürger (s. → graphé) mit ps. g. verfolgen. Zuständig waren die → thesmothétai, der Verfolger mußte eine Gebühr (παράστασις, parástasis) bezahlen (Aristot. Ath. pol.

59,3; vgl. Demosth. or. 53,15; Poll. 8,44). Nach Verurteilung der klētéres konnte der zu Unrecht Verurteilte gegen den betrügerischen Kläger eine Privatklage, die → kakotechniṓn díkē, wegen blábē (»Vermögensschädigung«, → blábēs díkē) erheben. Als Popularklage war die ps. g. konzipiert, weil der in Abwesenheit Verurteilte u.U. seinen Status verlor und damit nicht selbst klagen konnte [2. 198], nicht aber wegen des Angriffs auf die staatliche Rechtspflege [1. 1362]. Die zu verhängende Strafe unterlag der Schätzung des Gerichts (s. → timētós agṓn), dreimalige Verurteilung zog → atimía (Ehrlosigkeit) nach sich. Ob das zu Unrecht ergangene Säumnisurteil nach erfolgreicher ps. g. in einem eigenen Verfahren noch förmlich aufzuheben war [1. 1363], ist strittig [2. 198].

1 E. BERNEKER, s. v. P. g., RE 23.2, 1362f.
2 A. R. W. HARRISON, The Law of Athens, Bd. 2, 1981, 85, 198f.
G. T.

Pseudomartyrion dike (ψευδομαρτυριῶν δίκη), aus mehreren griech. Rechtsordnungen als »Klage wegen falschen Zeugnisses« überliefert. Es haftete nur eine Person, die vor Gericht eine von einer Prozeßpartei vorformulierte Behauptung in der Regel unbeeidet bestätigt (→ martyría), nicht aber, wer sich außergerichtlich »freigeschworen« hatte (→ exōmosía). Zu dieser Privatklage (→ díkē) war der Beweisgegner legitimiert; der verurteilte Beklagte oder der abgewiesene Kläger des Ursprungsprozesses verlangte eine am Schaden (→ blábēs díkē), den er durch den Zeugen erlitten hatte, orientierte Geldbuße ([2. 144; 3]; IPArk p. 242), aber auch eine siegreiche Prozeßpartei konnte durch ps. d. ihre Ehre wiederherstellen [6. 258–262]. »Reiner Strafcharakter« [1. 1366] kam der ps. d. nicht zu.

In Athen mußte eine Prozeßpartei ihre Absicht, eine ps. d. zu erheben, durch ἐπίσκηψις (epískēpsis) anmelden, bevor die Geschworenen zur Abstimmung schritten (Aristot. Ath. pol. 68,4; IG II² 1258, Z. 14 und 20 [1. 1367f.]). Die Zeugnistäfelchen wurden aufbewahrt

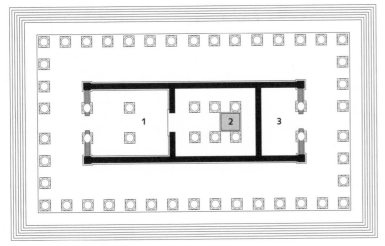

Pseudodipteros:
Magnesia [2] am Maiandros,
Tempel der Artemis
Leukophryene, 2. H. 2. Jh. v. Chr.
(schematischer Grundriß).

1 Pronaos
2 Cella mit Kultbildbasis
3 Opisthodom

und allenfalls die Vollstreckung der Todesstrafe ausgesetzt. Die *ps. d.* wurde beim Gerichtsmagistrat des Ursprungsprozesses eingebracht (nur eine *ps. d.*, die ihren Ursprung vor dem Areopag hatte, ging an die *thesmothétai*, Aristot. Ath. pol. 59,5 f.). In welchen Fällen eine Verurteilung des Zeugen in einer *ps. d.* neben der dem Kläger zugesprochenen Geldbuße (→ *timētós agōn*) auch die Wiederaufnahme des Ursprungsprozesses ermöglichte (→ *anadikía*), ist umstritten. Der Kläger riskierte bei Abweisung seiner *ps. d.* die → *epōbelía* (Prozeßstrafe), ein Zeuge mit der dritten Verurteilung die → *atimía* (Ehrverlust), weshalb die Zeugnispflicht nach zweimaliger Verurteilung entfiel. Zur Haftung der Prozeßpartei neben dem Zeugen s. → *kakotechníon díkē*. Einen Sonderfall bildete die *ps. d.* gegen eine → *diamartyría* (»Entscheidungszeugnis«) [1. 1372–1375; 2. 124–131; 6. 136–138].

Aus anderen griech. Poleis sind von E. 4. Jh. – 3. Jh. v. Chr. abweichende Details der *ps. d.* bekannt. Im Rechtsgewährungsvertrag zwischen Stymphalos und Demetrias/Sikyon (IPArk 17,1–14) war die *ps. d.* als »Zw.-Verfahren« vor die Hauptverhandlung eingeschoben und konnte die Sachentscheidung bereits vorwegnehmen (IPArk p. 241). Andere Lösungen in StV III 558 I A (Delphi-Pellana) und [4. 366, 19 ff.] (Lokroi) [1. 1375–1378].

Auf ähnlichen Prinzipien wie in Athen beruhte die in PHalensis 1, 24–78 (*Dikaiōmata*, Alexandreia, Mitte 3. Jh. v. Chr., hrsg. 1913) überlieferte *ps. d.* Das Zeugnis wurde erst nach dem Urteil des Ursprungsprozesses angefochten, jedoch konnte die Verurteilung der Zeugen das erste Urteil beseitigen. Prozeßpartei und Zeugen hafteten gemeinsam [1. 1378–1383].

1 E. BERNEKER, s. v. Ps.d., RE 23.2, 1364–1385
2 A. R. W. HARRISON, The Law of Athens, Bd. 2, 1981
3 G. THÜR, Der Streit über den Status des Werkstättenleiters Milyas (Dem. or. 29), in: RIDA³ 19, 1972, 149–180, hier: 155–160 (= Ders., in: U. SCHINDEL (Hrsg.), Demosthenes, 1987, 407–412) 4 SCHWYZER, Dial. 5 S. TODD, The Purpose of Evidence in Athenian Courts, in: CARTLEDGE/MILLETT/TODD, 36–38 6 Ders., The Shape of Athenian Law, 1993. G. T.

Pseudoperipteros. Bei Vitruv (4,8,6) überl. architektonischer Fachterminus, der ital.-röm. → Tempel bezeichnet, deren seitliche Säulen der Vorhalle sich als der Kernmauer vorgeblendete Halbsäulen um die Cella herum fortsetzen und somit einen »unechten« Säulenkranz ohne einen wirklichen Umgang (griech. *pterón*) formen (→ Peripteros). Bekannteste Beispiele sind die *Maison Carrée* in Nîmes (→ Nemausus [2]) und der ionische Tempel am Forum Boarium in Rom.

CH. BALTY, Ét. sur la Maison Carrée de Nîmes, 1960 (zum Typus) · R. AMY, P. GROS, La Maison Carrée de Nîmes (Gallia Suppl. 38), 1979. C. HÖ.

Psi (sprachwissenschaftlich). Der Buchstabe Ψ wird in den ostgriech. Alphabeten zur Bezeichnung der Lautfolge *ps*, in den westgriech. (griech. Festland mit Ausnahme von Attika und Korinth, außerdem Euboia sowie Rhodos) für *kh* gebraucht. Als »Zusatzzeichen« zum griech. Ur-Alphabet (→ Alphabet C.) fehlt er den archa. südgriech. (Kreta, Melos, Thera) sowie einigen ostgriech. Alphabeten; für *ps* wird (wie auch in den westgriech. Alphabeten) ΦΣ geschrieben [1. 144; 2. 35 f.]. Über das Alphabet von Euboia ist Ψ mit dem Lautwert *kh* ins etr. Alphabet (mit dort umstrittenem Lautwert; → Etruskisch) gelangt.

Im Inlaut entsteht *ps* aus der Folge von »Labial + *s*« (Fut. γράψω < *$grap^h$-sō zu γράφω; σκέψις < *$skep$-si- < *$skep$-ti-; ὄψομαι < *$_2ok^w$-se/o-) [1. 328 f.; 3. 77, 95]. Im Anlaut erscheint es in einer Reihe von Wörtern. Nur ausnahmsweise ist hierbei ein idg. Anschluß möglich: ψυχή »Hauch, Atem« zur Wz. *$b^h es$- »blasen« in altind. *bhastrā*- (F.) »Schlauch, (Blase-)Balg« [4. Bd. 2, 1142]; ψεῦδος »Lüge« zu armen. *sowt* »lügnerisch« [5. 61] u. a. → Alphabet; Etruskisch; P (sprachwissenschaftlich); X (sprachwissenschaftlich)

1 SCHWYZER, Gramm. 2 LSAG 3 RIX, HGG 4 FRISK
5 G. KLINGENSCHMITT, Das altarmenische Verbum, 1982.
GE. ME.

Psiax (Ψίαξ, in der Signatur: ΦΣΙΑΧΣ). Att. Vasenmaler der Übergangszeit zw. sf. und rf. Technik, die er beide beherrscht; tätig ca. 525–505 v. Chr. Seine Malersignatur ist auf zwei rf. Alabastra erh., die zugleich vom Töpfer Hilinos signiert sind. RICHTER hat Ps. mit dem nach einer Töpfersignatur benannten »Menon-Maler« identifiziert; sein Werk umfaßt h. ca. 50 Vasen. Außer für Hilinos und Menon hat Ps. auch für den Töpfer Andokides (→ Andokides [2]) gearbeitet, dessen Signatur auf einer sf. und einer biliguen Amphora (Madrid, Museo Arqueológico 1008) des Ps. erh. ist. In der Werkstatt des Andokides wurde wahrscheinlich die rf. Technik erfunden, und Ps. spielte zumindest bei deren früher Entwicklung eine wichtige Rolle. In derselben Werkstatt hat zeitweise auch der sf. → Antimenes-Maler gearbeitet, der Ps. stilistisch nahe verwandt ist.

Passend zu seiner zierlichen Zeichenweise bevorzugt Ps. kleine Gefäße, die er mit Figuren und Ornamenten von großem Charme bemalt, darunter vier Teller mit je einer eleganten Einzelfigur im Zentrum. Ps.' Werk umfaßt aber auch Amphoren, Hydrien und Kelchkratere, deren große Figuren sich eher durch vornehme Zurückhaltung auszeichnen als durch Kraft und Vitalität. Obwohl er auch mit den neuen perspektivischen Möglichkeiten, die in der rf. Technik entwickelt wurden, experimentiert hat (v. a. auf den Schalen), kultivierte er doch lieber die spätarcha. Zierlichkeit und dekorative Wirkung seiner Vasenbilder. Dabei erweist er sich als ungewöhnlich versiert in verschiedenen Maltechniken: bei schwarzen Figuren auf weißem und korallenrotem Grund sowie der »Six-Technik«, bei der die Figuren mit Mattfarben (weiß, braun, rot) und Ritzung auf den

schwarzen Glanzton aufgetragen wurden. Seine The-
menwahl ist konventionell mit einer Vorliebe für Gespannszenen und Bogenschützen.

→ Bilingue Vasen; Gefäße, Gefäßformen; Rotfigurige
Vasenmalerei; Schwarzfigurige Vasenmalerei

BEAZLEY, ABV 292–295 · BEAZLEY, ARV² 6–9, 1617f. ·
BEAZLEY, Paralipomena 127f., 321 · BEAZLEY, Addenda²
76f., 150f. · G. M. A. RICHTER, The Menon-Painter = Ps.,
in: AJA 38, 1934, 547–554 · B. COHEN, Attic Bilingual
Vases and Their Painters, 1978, 195–239, 276–287 ·
J. R. MERTENS, Some New Vases by Ps., in: AK 22, 1979,
22–37 · M. B. MOORE, Attic Red-Figured and
White-Ground Pottery (Agora 30), 1997, 83f.   H. M.

Psilose. Unter dem mod. Begriff Ps. versteht man
den in einer Reihe griech. Dial. schon in vorhistor.
Zeit erfolgten Verlust von anlautendem /h-/ (Graphem:
Spiritus asper '), genauer den Ersatz desselben durch Ø
(graphisches Zeichen: Spiritus lenis '), im Gegensatz zu
seiner Bewahrung im → Attischen. Ps. weisen auf: das
kleinasiat. → Ionische (ἑκατόν, ὕστερον), das → Aiolische (homer. ἄμυδις; lesbisch ἔκοτον, ὅττι), teilweise das
→ Dorisch-Nordwestgriechische, so das Zentralkreti-
sche (ἑκατόν, ὅτι) und das Elische (ἑκατόν, ὅπωρ). Ps.
generell als Bezeichnung für den Verlust von anlautendem /h-/ zu verwenden, ist zwar unüblich, ließe sich
aber der Sache nach rechtfertigen (z. B. für hell.-griech.
ὅλος/'holos/ > /'olos/, etwa 200 n. Chr. abgeschlossen,
noch ngr. ὅλος/'olos/.

Als t. t. ist ψίλωσις/*psílōsis* »Entblößung« (: ψιλόω)
erst byz. und führt auf die schon bei ant. Grammatikern bezeugte Auffassung von [h] als πνεῦμα/*pneúma*
(»Atemstoß«) zurück: Mit πνεῦμα ψιλόν/*pneúma psilón*
(»spiritus lenis«) wurde das Nichtvorhandensein des ver-
deutlichend πνεῦμα δασύ/*pneúma dasý* (»spiritus asper«)
genannten [h] bezeichnet.

→ H (sprachwissenschaftlich)

C. D. BUCK, Greek Dialects, 1955, 52–55 · M. LEJEUNE,
Phonétique historique du mycénien et du grec ancien, 1972,
92f., 281f. · SCHWYZER, Gramm., 220–222 · W. S. ALLEN,
Vox Graeca, ³1987, 52–56.   C. H.

Psophis (Ψωφίς). Stadt im NW von Arkadia an der
Mündung des Aroanios (h. Nusaitiko) in den Eryman-
thos [2] (Pol. 4,70,3ff.; Paus. 8,24,1–14; Ptol. 3,16,19;
Mela 2,43; Plin. nat. 4,20; Steph. Byz. s. v. Ψ.), beim h.
Ps. Aus Ps. stammte der für seine Einfachheit gerühmte
Bauer Aglaos z. Z. des → Gyges [1] (Paus. 8,24,13f.;
Plin. nat. 7,151; Val. Max. 7,1,2). 219 v. Chr. wurde die
Stadt von Philippos [7] V. erobert und dem Achaiischen
Bund (→ Achaioi, Achaia, mit Karte) übergeben (Pol.
4,70,3ff.). Ps. prägte Silber-Mz. im 5. Jh. v. Chr., Kup-
fer-Mz. noch in der Severerzeit (HN 453). Gut erh.
Mauerring, Theater [1].

1 G. PAPANDREOU, Recherches archéologiques et
topographiques dans l'éparchie de Kalavryta, in: Praktika
1920, 130–146.

F. CARINCI, s. v. Arcadia, EAA 2. Suppl. 1, 1994, 330f. ·
JOST, 53–60.   Y. L.

Psyche (Ψυχή).
[1] Weibliche Hauptfigur der in den ›Metamorphosen‹
des Apuleius (→ Ap(p)uleius [III]) eingebetteten Novelle ›Amor und Ps.‹ (Apul. met. 4,28–6,24).

Ps., eine Königstochter, wird wegen ihrer außerordentlichen Schönheit von aller Welt als eine neue
→ Venus verehrt. Deshalb mißachtet und erzürnt, sendet die wahre Göttin Venus ihren Sohn Cupido/Amor
(→ Eros [1]) zur Bestrafung Ps.s aus, der sich jedoch in
diese verliebt. Da Ps.s Außergewöhnlichkeit es unmöglich macht, einen Gatten für sie zu finden, befragt ihr
Vater das Orakel des milesischen Apollon, und Ps. wird
gemäß dessen düsteren Anweisungen auf einem Berg-
gipfel einem vermeintlichen Ungeheuer ausgesetzt.
Von dort durch Winde entrückt, gelangt sie in einen
prächtigen Palast, wo sie nachts von einem Gemahl besucht wird, den sie jedoch nicht sehen darf. Nach einiger Zeit wird die naive Ps. von ihren beiden mißgün-
stigen Schwestern dazu verleitet, ihren Gemahl zu ent-
decken. Sie erkennt in ihm den Gott Cupido/Amor,
verliebt sich in ihn, verletzt ihn jedoch unabsichtlich mit
heißem Lampenöl. Amor erwacht, sieht sich erkannt
und verläßt Ps. Er flieht zu seiner Mutter, die auf die
Nachricht von einer irdischen Schwiegertochter mit
Zorn reagiert. Die schwangere Ps. irrt auf der Suche
nach Amor durch die Welt; sie gelangt zum Palast der
Venus, die sie sehr ungnädig aufnimmt und ihr verschiedene gefährliche Aufgaben stellt, zuletzt sogar einen Gang in die Unterwelt (→ Katabasis). Mit über-
natürlicher Hilfe gelingt es Ps., alle Prüfungen zu bestehen; schließlich besänftigt → Iuppiter auf Intervention Amors den Zorn der Venus. Die Götter beschließen
die offizielle Hochzeit von Amor und der vergöttlichten Ps., denen bald darauf die Tochter Voluptas (»Lust,
Wonne«) geboren wird.

Die Deutung der Erzählung ist umstritten (symbolische, philos., rel., lit. Interpretation; vgl. [7]), und damit
auch der Zusammenhang der nur bei Apuleius als myth.
Figur belegten Ps. mit der → Personifikation der Seele
(griech. ψυχή), die in bildlichen Darstellungen schon
seit hell. Zeit häufiger in Verbindung mit Eros erscheint
[5]. Neben der Interpretation der Ps. als Allegorie der
menschlichen Seele, die sich bereits in der Spätant. findet (Fulg. mythologiae 3,6), gibt es in der mod. Forsch.
eine Vielzahl von Auslegungen [1; 3; 5. 585; 7; 8], bis
hin zur Auffassung der Gesch. als einer bloß zur Unterhaltung dienenden »hell.« Erzählung [3. 1436f.]. Über
den Märchencharakter herrscht jedoch weitgehend Einigkeit (→ Märchen IV.). Die Nachwirkung der Gesch.
von Amor und Ps. in der Lit. (z. B. J. DE LA FONTAINE
1669, H. VON HOFMANNSTHAL) und der bildenden
Kunst (z. B. RAFFAEL 1517/18; VAN DYCK 1639/40, CA-
NOVA 1787–93) ist beträchtlich [2; 4].

→ Ap(p)uleius [III.]; Roman; Seelenlehre

1 G. BINDER, R. MERKELBACH (Hrsg.), Amor und Ps., 1968 **2** FRENZEL, s.v. Amor und Ps., 41–44 (mit weiterer Lit.) **3** R. HELM, s.v. Ps., RE 23,2, 1434–1438 **4** HUNGER, Mythologie, 358–360 **5** N. ICARD-GIANOLIO, s.v. Ps., LIMC 7.1, 569–585 (mit weiterer Lit.) **6** C. C. SCHLAM, Cupid and Psyche, in: Groningen Colloquia on the Novel 5, 1993, 63–73 **7** M. ZIMMERMAN et al. (Hrsg.), Aspects of Apuleius' Golden Ass, Bd. 2: Cupid and Psyche, 1998 **8** N. HOLZBERG, Der ant. Roman, ²2001, 109–112. NI. JO.

[2] s. Seelenlehre

Psychologie s. Seelenlehre

Psychostasia s. Seelenwägung

Psychotherapie s. Geisteskrankheiten

Psykter (ὁ ψυκτήρ). Gefäß aus Ton oder Br. zum Kühlhalten von Wein. Vereinzelt dienten diesem Zweck im 6. Jh. v. Chr. doppelwandige Kratere und Amphoren. Um 530 v. Chr. wurde in Athen ein pilzförmiger Ps. erfunden (→ Gefäße, Gefäßformen, Abb. C 8), den in der Folge zahlreiche rf. Werkstätten herstellten (→ Oltos, → Euphronios [2], → Euthymides). Als seine Vorformen können sf. Kannen und Amphoren mit zylindrischem Hohlfuß gelten. Der Typus hielt sich bis ca. 470 v. Chr. (→ Pan-Maler). Bildliche Darstellungen zeigen ihn meist im → Krater stehend, der offensichtlich die Kühlmasse enthielt, während aus dem Ps. der Wein geschöpft wurde.

S. DROUGOU, Der att. Ps., 1975 · C. ISLER-KERÉNYI, Dal ginnasio al simposio, in: Quaderni Ticinesi 16, 1987, 47–85 · K. VIERNEISEL, Ps. für den kühlen Wein, in: Ders. (Hrsg.), Kunst der Schale – Kultur des Trinkens, 1990, 259–264. I.S.

Psylloi (Ψύλλοι, lat. *Psylli*).
[1] Libyscher Stamm, der an der Großen Syrte siedelte (Hekat. FGrH 1 F 332). Östl. Nachbarn waren die → Nasamones, südl. die → Garamantes. Zu Anf. des 5. Jh. v. Chr. wurden die Ps. infolge einer Dürrekatastrophe zum Verlassen ihrer Wohnsitze gezwungen. Während der Suche nach neuen Wohnsitzen wurden sie im Kampf mit anderen Stämmen weithin aufgerieben. Ihr bisheriges Gebiet besetzten die Nasamones (Hdt. 4,173; Plin. nat. 7,14; Gell. 16,11,3–8). In der folgenden Zeit gab es offensichtlich nur noch versprengte Reste des einst bed. Stammes (vgl. Nikandros von Kolophon FGrH 271–272 F 29; Strab. 2,5,33; 13,1,14; 17,1,44; 17,3,23; Plin. nat. 5,27; Ptol. 4,4,10). Die Ps. galten als Menschen, die gegen Schlangengifte gefeit waren; ihre Hilfe bei Schlangenbissen war allg. geschätzt [1. 133¹].
[2] In Indien gab es anscheinend einen Stamm gleichen Namens (Ail. nat. 16,37).

1 S. GSELL, Histoire ancienne de l'Afrique du Nord, Bd. 1, ³1921 (Ndr. 1972).

J. DESANGES, Cat. des tribus africaines ..., 1962, 133 Anm. 5, 155 f. · H. TREIDLER, s.v. Ps., RE 23, 1464–1476. W.HU.

Psyttaleia (Ψυττάλεια). Felsinsel in der Meerenge zw. Salamis [1] und der Bucht von → Peiraieus (1,5 km L, 400 m Br, 51 m H), h. Psittalia. Die unbewohnte Insel war dem → Pan geweiht (Aischyl. Pers. 447ff.; Paus. 1,36,2). Am Vorabend der Schlacht von Salamis 480 v. Chr. ließ → Xerxes hier Truppen landen, die aber von den Griechen (unter Aristeides [1]?) bezwungen wurden; Fundamentreste eines Siegesmonuments sind erh. Vgl. Plut. Aristeides 9; Hdt. 8,76,1; 95; Aristodemos FGrH 104 F 1; Strab. 9,1,14; Plin. nat. 4,62; Steph. Byz. s.v. Ψ.

E. MEYER, s.v. Ps., RE Suppl. 14, 566–571 · P. W. HAIDER, s.v. Ps., in: LAUFFER, Griechenland, 572f. · E. CURTIUS, J. A. KAUPERT, A. MILCHHÖFER, Karten von Attika 7, 1868, 29–31. A.KÜ.

Ptah s. Phthas

Ptelea (Πτελέα; Demotikon Πτελεάσιος). Kleiner att. Asty-Demos, Phyle Oineis, mit einem *buleutḗs*. Lage unsicher, im Kephisos-Tal beim h. Aigaleo nördl. der Hl. Straße [2. 49] oder bei Aspropirgos (ehemals Kalívia Chasiotika) [1]; IG II² 4927. Die Komödie *Hḗrōs* des Menandros [4] spielt in P. (vgl. [3]).

1 E. MEYER, s.v. P., RE 23, 1478 **2** TRAILL, Attica, 49, 70, 112 Nr. 124, Tab. 6 **3** WHITEHEAD, 341. H.LO.

Pteleon (Πτελεόν).
[1] Befestigte Ortschaft am Nordende der Bucht von Erythrai [2], nicht sicher lokalisierbar (Plin. nat. 5,117; Steph. Byz. s.v. Π.). Als Mitglied im → Attisch-Delischen Seebund (ATL 1,390 f.; 486; 2,82) war P. zeitweise selbständig, grundsätzlich aber abhängig von Erythrai. Von Thuk. (8,24,2; 8,31,2) wird P. im Zusammenhang mit dem Seekrieg in den Gewässern um Miletos [2] und Chios im Winter 412/1 v. Chr. erwähnt (→ Peloponnesischer Krieg).

J. KEIL, P. (2), RE 23, 1481. E.O.u.V.S.

[2] Boiot. Küstenort bei Plin. nat. 4,26, falls keine Verschreibung für Eleon vorliegt; vielleicht identisch mit dem bei Thuk. 5,18,7 gemeinsam mit der ostlokrischen Insel Atalante erwähnten P.; eine Gleichsetzung mit P. [3] erscheint jedoch fraglich. P.F.
[3] Stadt in der Achaia → Phthiotis (Hom. Il. 2,697; Liv. 42,67,9; Strab. 9,5,8; bei Plin. nat. 4,29 nur noch Gebietsbezeichnung; Steph. Byz. s.v. Π. Inschr.: IG IX 2,97–99, Ethnikon inschr. Πτελεεύς) an einer tiefen Bucht vor dem Eingang in den Golf von Volo mit Resten von neolithischer Zeit bis ins MA beim h. P. 192 v. Chr. landete hier Antiochos [5] III. mit seiner Flotte (Liv. 35,43,4). 171 v. Chr. wurde P. von den Römern zerstört und war bis ins MA verlassen.

E. Kirsten, s. v. P. (3), RE 23, 1481–1483 ·
E. Hanschmann, F. Hild, s. v. Pteleos, in: Lauffer,
Griechenland, 573 f. · Philippson/Kirsten I, 206 f. ·
F. Stählin, Das hellenische Thessalien, 1924, 181 · TIB 1,
241 · E. Vischer, Homers Kat. der Schiffe, 1997, 667.
HE. KR.

Pterelaos (Πτερέλαος, Πτερέλας, Πτερέλεως, Pterela).
Myth. König der → Teleboai. Die genaue Genealogie ist
schon in der Ant. umstritten, doch ist P. jedenfalls mit
→ Hippothoe [3] und Taphios verwandt und stammt
von Poseidon ab. Von diesem erhält er ein goldenes
Haar, das ihn unsterblich macht (→ Nisos [1]). Als
→ Amphitryon mit → Kephalos [1], Kreon u. a. (Apollod. 2,51–60) gegen P. zieht, um die Söhne → Elektryons zu rächen, widersteht P. ihm ein Jahr lang, bis seine
Tochter → Komaitho [1] ihm aus Liebe zu Amphitryon
(oder Kephalos) das Haar abschneidet: Nun stirbt P.,
Amphitryon nimmt seinen Schild und den Poseidon-
becher (Plaut. Amph. 404–415) und erschlägt auch Komaitho (Paus. 9,10,4; Hdt. 5,59). Aus unglücklicher Liebe zu P. soll sich Kephalos als erster vom leukadischen
Felsen gestürzt haben (Strab. 10,2,9).

G. Radke, s. v. P., RE 13, 1491–1496.   HE. B.

Pteria (Πτερία) s. Kerkenes Dağı

Pteron s. Tempel

Ptoiodoros (Πτωιόδωρος, in Hss. Πτοιόδωρος).
[1] Exilthebaner, im J. 425/4 v. Chr. der Rädelsführer
einer kombinierten athenischen Aktion gegen → Siphai
und → Delion [1], durch die die oligarchische Regierung des Boiotischen Bundes gestürzt werden sollte
(Thuk. 4,76,2 f.). Das Unternehmen scheiterte kläglich.

R. J. Buck, Boiotia and the Boiotian League, 432–371
B.C., 1994, 16–18.

[2] Einflußreicher und begüterter Politiker aus Megara,
kam ca. 360 v. Chr. mit dem verbannten → Dion [I 1]
von Syrakus in Kontakt (Plut. Dion 17,9 f.). Kurz vor
343 versuchte er als einer der führenden Oligarchen,
dem Makedonen → Philippos [4] II. Megara in die Hände zu spielen (Demosth. or. 19,295).

H.-J. Gehrke, Stasis, 1985, 110.   HA. BE.

Ptoion (Πτώιον, Πτῷον, Πτῶν). Gebirge in Nordost-
Boiotia, östl. der → Kopais bis zum Golf von Euboia
(vgl. → Boiotia, Karte), Höhen im Osten bis 781 m (Pe-
talás), im Westen das Hauptmassiv mit 725 m (Hagia
Pelagia). Westl. unterhalb hiervon, bei der Kreuzung
wichtiger Paßwege an der starken Quelle Perdikovrysi
im Gebiet von → Akraiphia, lag das Heiligtum des
Apollon Ptoios, dessen Orakel als untrüglich galt (Paus.
9,23,7). Ptoios war der Name eines griech. Lokalheros,
der hier von → Apollon verdrängt wurde und ca. 1 km
westl. auf dem Kastraki bei Akraiphia ein Heiligtum
erhielt, das zeitweilig Haupttheiligtum dieser Polis war

(zahlreiche Dreifuß-Weihungen, Inschr.: [4. 11]; zwei
Terrassen sind erkennbar, die untere für Ptoios, die
obere für eine bislang noch nicht identifizierte weibliche Gottheit: schmaler Tempel des 4. Jh. v. Chr. über
einem Bau aus dem 7./6. Jh.; Kult nachweisbar 7.–4. Jh.
v. Chr. [3. 56 ff.; 4. 14–17]). Oberhalb des Apollon-
Heiligtums lag die neolithisch-helladische Siedlung mit
myk. Burg, die in archa. Zeit aufgegeben wurde. Von
archa. bis zum Ende der klass. Zeit übte → Thebai über
die Region (auf verschiedenen Gipfeln des P. Bauten
eines Festungssystems [1. 264–287; 2. 1572–1575]) und
das Heiligtum (Hdt. 8,135,1; Strab. 9,2,34) Kontrolle
aus, nach deren Ende Akraiphia das Heiligtum zunächst
zusammen mit dem Boiotischen Bund (→ Boiotia, mit
Karte), später alleine übernahm; gleichzeitig kam es zum
Niedergang des Kultes auf dem Kastraki, Ptoios wurde
wohl in das große Heiligtum zurückgeführt.

Das Heiligtum des Apollon Ptoios ist auf drei Terrassen gelegen, oben stand ein dorischer Peripteros mit
8 × 13 Säulen (E. 4. Jh. auf Fundamenten eines archa.
Tempels), die Orakelstätte befand sich in der östl. gelegenen Quellgrotte, wo durch Priester Orakel erteilt
wurden; Nebengebäude sind hier und auf den unteren
Ebenen nachgewiesen. Die überregionale Bed. des Heiligtums zumindest in archa. Zeit ist aus der großen Zahl
von Kuroi und Dreifüßen ersichtlich (Mus. Theben,
Athen NM), auch Weihungen der → Alkmaionidai und
des Hipparchos [1] sind belegt [3. 65 ff.]; in hell. Zeit
war es anscheinend offizielles Bundesorakel [3. 70].
Auch Athena Pronaia besaß hier einen Kult [3. 59].
Beim Heiligtum fanden die durch Amphiktyonenbe-
schluß von 228–226 v. Chr. (IG VII 4135) nachweisba-
ren, nur in musischen Agonen ausgeführten fünfjährli-
chen Ptoia statt, welche vielleicht ältere Spiele auch mit
gymnischen und hippischen Agonen ersetzten [3. 70 ff.;
4. 20 f.]. Nach völligem Niedergang in der frühen Kaiserzeit als Πτώια καὶ Καισάρεια/Ptóia kai Kaisáreia erneuert (IG VII 2712), wurden sie bis zum Anf. des 3. Jh.
n. Chr. abgehalten. Die Stelle des Heiligtums nahm in
byz. Zeit das Kloster Hagia Pelagia ein, welches während der türk. Herrschaft auf den Gipfel verlegt wurde.
Belege: Hdt. 8,135; Paus. 9,23,5–7; Inschr. zusammengestellt bei [3. 53].

1 S. Lauffer, Kopais. Unt. zur histor. Landeskunde
Mittelgriechenlands, Bd. 1, 1986 2 Ders., s. v. P., RE 23,
1506–1578 3 Schachter 1, 52–73 4 Schachter 3, 11–21.

J. Ducat, Les Kouroi du P., 1971 (hier auch XIII f. arch.
Ber.; danach: BCH 104, 1980, 73–81; 119, 1995, 655–660;
120, 1996, 853–864; 121, 1997, 756 f.) · Fossey, 271–273 ·
P. Guillon, Les trépieds du P., 1943 · N. D. Papachatzis,
Παυσανίου Ελλάδος Περιήγησις, Bd. 5, ²1981, 151–155.
M. FE.

Ptolemäische Kursive s. Schriftstile

Ptolemaia (Πτολεμαῖα). Als Element des → Herrscher-
kults zu Ehren von Ptolemaios [1] I. Soter und dessen
Nachfolgern gefeiertes Fest. Die ersten P. wurden nach

dem Tod des → Ptolemaios 282 v. Chr. von → Ptolemaios [3] II. Philadelphos in Alexandreia wohl im Jahr 282 unter Teilnahme von *theōroí* (→ *theōría*) aus Athen eingerichtet (SEG 38,60; [1. 132f.]; zur Datier. [2. 50–56]). Seit 279 v. Chr. wurden sie als alle vier Jahre stattfindendes Fest gefeiert; eine Einladung zur Teilnahme erging u. a. an den Nesiotenbund (→ Nesiotai [2]; Syll.³ 390). Zahlreiche griech. *póleis* entsandten von nun an ständig *theōroí* (262/1 v. Chr. aus Delphoi, SEG 18,241 = FdD III 4,357; 243/2 v. Chr. von Xanthos, SEG 36,1218, und Samos, SEG 1,366). Die alexandrinischen P. sind bis 211/0 v. Chr. bezeugt.

Das Fest stand auf einer Stufe mit den Spielen in → Olympia und umfaßte athletische, musische sowie Reiterwettkämpfe. Das ausführliche Portrait bei Kallixeinos (abgekürzt bei Athen. 5,196a–203b = FGrH 627 F 2), das sich wahrscheinlich auf die P. von 275/4 bezieht (Komm.: [3]; Datier. und Identifizierung: [4]), beschreibt ein prächtiges Fest mit 6000 Teilnehmern, 2000 geopferten Tieren und dem abschließenden Vorbeizug eines Heeres von 80800 Mann.

P. wurden auch andernorts eingerichtet, sowohl innerhalb (Hiera Nesos) als auch in den von den Ptolemaiern abhängigen griech. *póleis* außerhalb Äg. In Athen feierte man die P. von 224 bis ca. 83 v. Chr. (z. B. SEG 43,66–68); auf Delos veranstaltete der Nesiotenbund ebenfalls P. [5. 531–533]. P. sind eindeutig ebenfalls auf Lesbos (Eresos und Methymna) und in Erythrai bezeugt.

1 CH. HABICHT, Athen. Die Gesch. der Stadt in hell. Zeit, 1995 2 B. DREYER, Der Beginn der Freiheitsphase Athens 287 v. Chr. und das Datum der Panathenäen und P. im Kalliasdekret, in: ZPE 111, 1996, 45–67 3 E. E. RICE, The Grand Procession of Ptolemy Philadelphus, 1983 4 V. FOERTMEYER, The Dating of the Pompe of Ptolemy II Philadelphus, in: Historia 37, 1988, 90–104 5 PH. BRUNEAU, Recherches sur les cultes de Délos, 1970.

H. VOLKMANN, s. v. P., RE 23.2, 1578–1590 • P. M. FRASER, Bibliography of Graeco-Roman Egypt. Greek Inscriptions 1959, in: JEA 46, 1960, 97–103 (bes. 97). SI. PR.

Ptolemaier (οἱ Πτολεμαϊκοὶ δυνάστεῖς/*hoi Ptolemaïkoí dynasteís*, Strab. 2,5,12).
Hell. Dyn., die sich nach dem Tod des → Alexandros [4] d. Gr. in Ägypten etablierte und dort bis zur Errichtung der röm. Prov. durch → Augustus herrschte; nach ihrem Gründer, Ptolemaios [1] I., als »P.« oder nach dessen Vater → Lagos [1] als »Lagiden« (Λαγίδαι) bezeichnet.

Die Ambitionen gerade der ersten P. waren nicht auf Äg. beschränkt, sondern galten dem ganzen Alexanderreich (vgl. → Ptolemaios [6] III.; → Hellenistische Staatenwelt) und weiten Teilen der Ägäis (→ Aigeion pelagos); ptolem. Außenbesitzungen gab es in der Ägäis und (teilweise bis ins Binnenland hinein) in der → Kyrenaia, an den Küsten Kleinasiens und in → Koile Syria. Wichtiger Außenbesitz war auch → Kypros (Zypern). Bis auf Kypros und die Kyrenaia gingen die meisten dieser Besitzungen spätestens im 2. Jh. v. Chr. verloren. Seit dem »Tag von Eleusis« (s. → Popillius [I 2] Laenas) Anf. Juli

168 v. Chr. waren die P. in unterschiedlichem, aber doch stetig wachsendem Maß von röm. Entscheidungen abhängig.

Die P. herrschten in Äg. mittels der eingewanderten griech. Oberschicht, waren aber trotzdem immer darauf angewiesen, die äg. Vorstellungen vom → Herrscher (II.) zu erfüllen. Alle Könige trugen den dynastischen Namen Ptolemaios; ihre Zählung ist mod. und teilweise umstritten; in der Ant. wurden die P. nach ihren Bei- oder Kultnamen unterschieden [1]; vgl. Stemma.

1 H. HEINEN, Der Sohn des 6. Ptolemäers im Sommer 145, in: APF Beih. 3, 1997, 449–460.

R. BAGNALL, The Administration of the Ptolemaic Possessions outside Egypt, 1976 • E. BEVAN, A History of Egypt under the Ptolemaic Dynasty, 1927 • A. BOUCHÉ-LECLERQ, Histoire des Lagides, Bde. 1–4, 1903–1907 • P. M. FRASER, Ptolemaic Alexandria, 1972 • HÖLBL • W. HUSS, Der maked. König und die äg. Priester, 1994 • L. KOENEN, The Ptolemaic King as Religious Figure, in: A. BULLOCH u. a. (Hrsg.), Images and Ideologies, 1993, 25–115 • H. KYRIELEIS, Bildnisse der Ptolemäer, 1975 • A. LAMPELA, Rome and the Ptolemies of Egypt 273–80 B. C., 1998 • A. LARONDE, Cyrène et la Libye hellénistique, 1987 • O. MØRKHOLM, Early Hellenistic Coinage, 1991 • PRÉAUX • C. PRÉAUX, Le monde hellénistique, 2 Bde., 1978 (²1987–1988) • ROSTOVTZEFF, Hellenistic World • H. A. RUPPRECHT, Kleine Einführung in die Papyruskunde, 1994 • SAMUEL • T. C. SKEAT, The Reign of the Ptolemies, ²1969 • R. R. R. SMITH, Hellenistic Royal Portraits, 1988 • I. N. SVORONOS, Τὰ νομίσματα τοῦ κράτους τῶν Πτολεμαίων, Bd. 1–4, 1904 • D. J. THOMPSON, Memphis under the Ptolemies, 1988 • WILL. W. A.

Ptolemaion. Mod. Bezeichnung für verschiedene Bauten der Ptolemaier-Dynastie, die dem Herrscherkult dienten; als erstes P. gilt ein von Ptolemaios [3] II. unmittelbar neben dem Grab Alexandros' [4] d. Gr. errichteter Bau (von Ptolemaios [7] IV. dann mit dem Alexandergrab zu einem zusammenhängenden Mausoleumskomplex verschmolzen). Weitere P. entstanden u. a. in Athen (Gymnasion), Limyra (?) und Rhodos (Temenos).

J. BORCHARDT, Ein P. in Limyra, in: RA 1991, 309–322 • WILL, Bd. 1, 329. C. HÖ.

Ptolemaios (Πτολεμαῖος). PN mit der Bed. »kriegerisch« (nicht: »feindlich«), zum ersten Mal in Hom. Il. 4,228 belegt; im 5. und 4. Jh. v. Chr. kommt der Name in Makedonien vor, von wo er noch im 4. Jh. nach Thessalien gelangte (IG IX 2, 598). Der Name wird mit der Dyn. der Lagiden prominent und viel getragen, nicht nur in Äg., wo er anfangs vielleicht die Solidarität mit der Dyn. dokumentierte, sondern auch anderswo. Es gibt zahlreiche Verformungen und Umbildungen. → Ptolemaier

O. MASSON, Quand le nom Πτολεμαῖος était à la mode, in: ZPE 98, 1993, 157–167. W. A.

Die Dynastie der Ptolemaier

∞ = Legitime Ehe
(∞) = Illegitime Ehe (aus griech. Sicht)
Kleopatra = Regentschaft

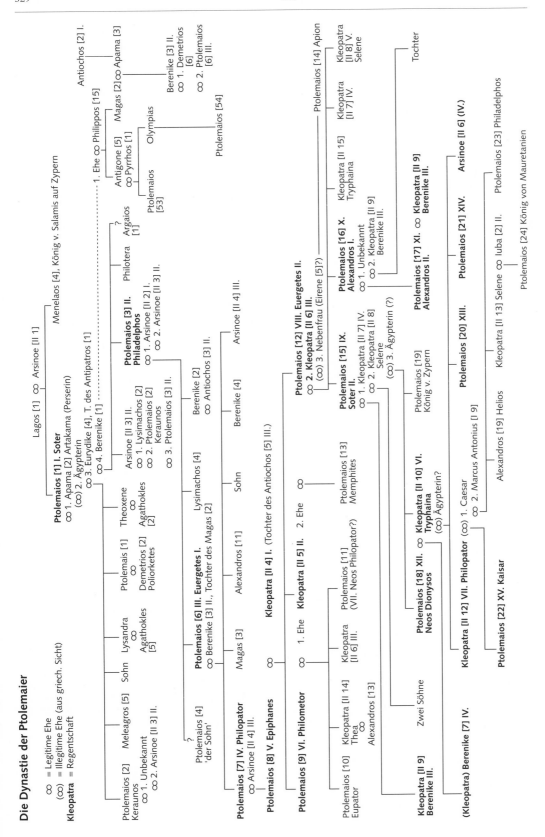

I. Dynastie der hellenistischen Könige in
Ägypten (P. [1–24])
II. Ptolemaioi in hellenistisch-ägyptischen
Diensten (P. [25–48])
III. Ptolemaioi in anderen hellenistischen
Staaten (P. [49–59])
IV. Literarisch tätige Personen (P. [60–69])

Berühmte Personen: P. [1] I. Soter, P. [6] III. Euergetes; der Sohn Caesars P. [22]; der Naturwissenschaft-
ler Klaudios P. [65].

I. Dynastie der hellenistischen Könige
in Ägypten

[1] P. I. Soter (Σωτήρ). Begründer der Dyn. der → Ptolemaier. Geb. 367/6 v.Chr. als Sohn des → Lagos [1]
(die Legende nennt Philippos [4] II. als Vater, Curt.
9,8,22; Paus. 1,6,2) und der Arsinoë [II 1], über die P.
angeblich von Amyntas [1] abstammte. Damit gehörte
er zu den → Herakleidai (Theokr. 17,27), was ihm Konkurrenz mit Antigoniden und Seleukiden erlaubte. Seine Heiraten spiegeln die Gesch. seiner Zeit: 1. die Per-
serin Apama [2] (324 in Susa), 2. eine Ägypterin (323/2),
3. Eurydike [4] im J. 321, 4. Berenike [1] im J. 317.
Folgende Kinder sind bekannt: P. [2] Keraunos, Meleagros [5], Argaios [1], → Lysandra, Ptolemais [1], Theo-
xene, Arsinoë [II 3], P. [3] II. (vgl. Stemma oben).
  P. wuchs als Page am maked. Königshof von → Philippos [4] II. in Pella auf, war kurze Zeit verbannt (Plut.
Alexandros 10,4; Arr. an. 3,6,5); nahm an den meisten
Unternehmungen des Alexandros [4] d.Gr. teil, wurde
330 → *sōmatophýlax* (Arr. an. 3,27,5), leitete 329 den
Krieg gegen → Bessos (ebd. 3,29,7–3,30,3) und zeichnete sich weiter in der Nähe Alexanders aus, weshalb er
324 zum *edéatros* (ein nach pers. Muster gestaltetes, maked. Hofamt) ernannt wurde. P. schlug 323 in Babylon
die Verteilung der Satrapien vor (Iust. 15,2,12; Curt.
10,6,15) und erhielt Äg. (ausführliche Diskussion der
P. betreffenden Ergebnisse der Teilung von Babylon,
von → Triparadeisos und des Friedens von 311 bei
[1. 146ff.]), wo er → Kleomenes [7] beseitigte. P. be-
mächtigte sich 322 der Leiche Alexanders, die vorerst in
Memphis beigesetzt wurde (vgl. Diod. 18,26–28; Paus.
1,6,3).
  P. begann 322/1 eine expansionistische Politik; er
besetzte Kyrene (→ Ophellas [2]) und kämpfte 321 mit
Unterstützung einiger Stadtkönige auf Zypern/→ Kypros (Arrian, FGrH 156 F 10,6); beide Gebiete waren in
der Folgezeit zentral für die ptolem. Herrschaft. P. war
an allen → Diadochenkriegen beteiligt, zuerst gegen
→ Perdikkas [4], dessen Versuch, in Äg. einzudringen,
scheiterte. Bei der Neuverteilung des ehemaligen Alex-
anderreichs in → Triparadeisos unter den Diadochen
(321) lehnte P. die Reichsverwaltung ab, wurde in seinen Gebieten (Äg. und Zypern) bestätigt, drang danach
aber in → Koile Syria ein, das zusammen mit Phönizien
319 zum ersten Mal ptolem. Vorfeld wurde. 317/6 war
P. an der Vernichtung des → Eumenes [1] beteiligt,

nahm aber 316 den aus Babylon vertriebenen → Seleukos I. auf, da sich die Gefahr durch Antigonos [1] Monophthalmos immer deutlicher abzeichnete. Im Krieg
gegen Antigonos verlor P. ab 315 zuerst den größten
Teil Syriens, gewann aber ab 313 Zypern (→ Menelaos
[4], → Nikokreon [2]). 314/3 kam → Miletos [2] in seine Hand [2. 14,5f.], womit das ptolem. Engagement in
Kleinasien begann. P. siegte 312 in der Schlacht von
Gaza (Diod. 19,80–84; [3. 55ff.; 4. 147ff.]) über Demetrios [2] und eroberte damit praktisch ganz Syrien
zurück, was ihm die Möglichkeit gab, Seleukos bei der
Rückgewinnung Babyloniens zu unterstützen. Syrien
ging im Frieden von 311 verloren, die anderen Außenbesitzungen P.' wurden bestätigt.
  Ab 310 führte P. wieder Krieg, vielleicht mit der
Absicht, das Gesamtreich zu gewinnen; er konnte 309
größere Partien im kleinasiatischen Küstenbereich
(Pamphylien, Karien, Lykien, v.a. Kos) in seine Hand
bringen, mischte sich 309/8 in den griech. Befreiungs-
krieg (→ Polemaios [1]), verlor aber die dort gewon-
nenen Positionen bis 303. Im ägäischen Krieg gegen
Antigonos verlor P. 306 die Schlacht von Salamis [2]
und damit Zypern, was ihn aber nicht daran hinderte, in
Reaktion auf den Universalanspruch des Antigonos im
Spätsommer/Herbst des J. den Königstitel anzunehmen
(PKöln VI 247 mit [5. 4ff.]). E. Oktober 306 scheiterte
Antigonos' Angriff auf Äg.; P. unterstützte Rhodos ge-
gen Demetrios [2] so wirksam, daß er dort den Titel
Sōtḗr (»Retter«) erhielt. 302 nahm P. an der Koalition
gegen Antigonos teil, die ohne seine Beteiligung 301 bei
→ Ipsos siegte. P. entschied damals den Streit mit Seleukos um Koile Syria für sich (Quelle der → Syrischen
Kriege) und konnte wohl auch seine kleinasiat. Terri-
torien erweitern.
  In der Folge knüpfte P. dynastische Verbindungen
mit Lysimachos [2] und dessen Sohn Agathokles [5], mit
Agathokles [2] von Syrakus, 296 sogar mit Demetrios [2]
Poliorketes, 294 mit → Pyrrhos [3], dem er auf den maked. Thron half. Magas [2] hatte 298 die → Kyrenaia
eingenommen, Probleme mit Zypern wurden 294 gelöst; in diesen Jahren versuchte P., in Griechenland und
der Ägäis einzugreifen, weshalb er Athen gegen die
Makedonen unterstützte und dem sog. Nesiotenbund
(→ *Nēsiōtai* [2]) vorstand. P. war 288 auch an der Koalition gegen Demetrios beteiligt.
  P. nutzte die Lage Äg.s, die er immer zu verteidigen
verstand und mit einem Vorfeld von Außenbesitzungen
sicherte; von hier aus betrieb er eine Politik, die sich
niemals nur auf die Erhaltung äg. Souveränität beschränkte, sondern auch weitergehende Ansprüche verfolgte.
  In Äg. behielt P. die alten Verwaltungsstrukturen
weitgehend bei (→ *nomós* [2]), allerdings gibt es nur wenige Pap. aus seiner Zeit. Er mußte hier versuchen, den
äg. und den griech. Teil der Bevölkerung zufriedenzustellen. P. knüpfte an Alexandros [4] d.Gr. an, weshalb
er vielleicht auch 313 (?) → Alexandreia [1] zur Hauptstadt machte und einen Kult des Alexandros mit ep-

onymem Priester gründete. → Bibliothek und → Museion sollten die Hinwendung zur griech. Kultur zeigen, und in Oberägypten wurde Ptolemais [3] als griech. Polis gegründet, die ein Gegengewicht zu Theben bilden sollte. Trotzdem verlor Memphis nie seine Bed. P. bemühte sich sehr um die äg. Priesterschaft: So ließ er sich 305/4 (verm. am 6.1.304) nach äg. Ritus krönen und versuchte – wie schon vor 306 als → Satrap –, als König die Rolle des → Pharao auszufüllen.

Als P. am 27.1.282 starb, war die Thronfolge zu Gunsten P.' [3] II. geregelt; der ältere Ptolemaios [2] Keraunos hatte mit seiner Mutter schon das Land verlassen. Ob P. II. schon 285 zum Mitregenten ernannt wurde, ist allerdings unsicher.

P. war Verf. einer Alexander-Gesch. (PP VI 16942; Ptolemaios Lagu FGrH 138), die von → Arrianos ausführlich benutzt wurde (Arr. an. 1,2,7; 6,2,4) und praktisch nur durch diesen bekannt ist. Der Zeitpunkt der Abfassung ist unbekannt (im Streit um das Erbe Alexanders? nach der Annahme des Königstitels? während der – fraglichen – Mitregentschaft nach 285?); sicher scheint nur, daß P. nach → Kleitarchos [2] schrieb. Dokumente hat er wohl kaum benutzt, Exkurse scheinen selten gewesen zu sein. Indem sich P. offenbar auf die polit. und mil. Aspekte konzentrierte und das Wirken von → póthos und → týchē hintanstellte (bietet P. einen »rationalen« Alexander?), wollte er ein bestimmtes Königsbild vermitteln – d.h. P. formte die Darstellung Alexanders nach eigenen Interessen, was seine Glaubwürdigkeit einschränkt.

→ Alexanderhistoriker; Alexandros [4] (mit Karte); Diadochen und Epigonen (mit Karte); Diadochenkriege; Hellenistische Staatenwelt (mit Karte); Ptolemaier (mit Stemma)

1 K. ZIMMERMANN, Libyen, 1999 2 WELLES 3 J. K. WINNICKI, Militäroperationen von P. I. und Seleukos I. in Syrien in den J. 312–311 v. Chr. (I), in: AncSoc 20, 1989, 55–92 4 J. K. WINNICKI, Militäroperationen von P. I. und Seleukos I. in Syrien in den J. 312–311 v. Chr. (II), in: AncSoc 22, 1991, 147–201 5 G. A. LEHMANN, Das neue Kölner Historiker-Fr. (PKöln Nr. 247), in: ZPE 72, 1988, 1–17.

BERVE 2, 329–335, Nr. 668 · A. B. BOSWORTH, A Historical Comm. on Arrian's History of Alexander Bd. 1, 1980, 22–34 · W. M. ELLIS, Ptolemy of Egypt, 1994 · R. A. HAZZARD, Did Ptolemy I. Get His Surname from the Rhodians in 304?, in: ZPE 93, 1992, 52–56 · HECKEL, 222–227, Nr. 3 · P. PÉDECH, Historiens compagnons d'Alexandre, 1984 · J. ROISMAN, Ptolemy and His Rivals in the History of Alexander, in: CQ 34, 1984, 273–385 · J. SEIBERT, Unt. zur Gesch. P.' I., 1969 (Rezension: E. OLSHAUSEN, in: Gnomon 48, 1976, 466–477) · Ders., Das Zeitalter der Diadochen, 1983, 59–63; 222ff.   W. A.

[2] P. Keraunos (Κεραυνός, »Blitz«). Sohn des P. [1] I. und der Eurydike [4], wurde von der Thronfolge ausgeschlossen, von → Seleukos I. aufgenommen, ermordete diesen jedoch 281 v. Chr. einige Monate nach dessen Sieg über Lysimachos [2] bei Kurupedion (App. Syr.

62, 329f.; 334). Vom Heer des Ermordeten zum König ausgerufen, besiegte P. Antigonos [2], schloß mit → Antiochos [2] I. Frieden, gewann über die Heirat mit Lysimachos' Witwe Arsinoë [II 3], von deren Söhnen er zwei töten ließ, Stadt und Festung Kassandreia und fiel bereits 279 im Kampf gegen die in den Balkan eingedrungenen Kelten (Memnon FGrH 434 F 8 (12); Iust. 17,2,4–15; 24,1,1–5,7).

H. HEINEN, Unt. zur hell. Gesch. des 3. Jh., 1972, 3–17; 50–94 · HÖLBL, 32–69 · A. MEHL, Seleukos Nikator und sein Reich, 1986, 285; 318–321.   A. ME.

[3] P. II. Philadelphos (Φιλάδελφος). P. wurde 308 als Sohn des P. [1] I. und der Berenike [1] auf Kos geboren. Seit dem 2. Jh. v. Chr. trug er zur Unterscheidung den Beinamen → Philadelphos, der vorher nur Arsinoë [II 3] zukam. P. heiratete 285/1 Arsinoë [II 2]; gemeinsame Kinder sind P. [6] III., Lysimachos [4] und Berenike [2]; zwischen 279 und 274 heiratete er seine Schwester Arsinoë [II 3] (→ Geschwisterehe); die Ehe blieb wohl kinderlos. Unklar ist die Abstammung P.' [4].

Anfang 282 wurde P. zum → Pharao gekrönt, doch änderte er seine Jahreszählung bald so, als sei er bereits am 4. Hathyr 285 zum Mitregenten des P. [1] geworden; das mag zur Abwehr anderer Ansprüche erfolgt sein (z. B. des P. [2] Keraunos; vgl. [1. 140ff.]). Der später eingeführte Kult seines Vaters als *Theós Sōtḗr*, seiner Eltern als *Theoí Sōtḗres* (→ *Sōtḗr*) und das penteterische Fest der → Ptolemaia dienten der Erinnerung und Legitimierung. P. gründete nicht nur einen Kult für sich und seine Frau Arsinoë [II 3] als *Theoí Adelphoí*, sondern auch einen Kult seiner Frau allein als *Theá Philádelphos*, ferner einen Kult seiner Schwester Philotera. Unter P. wurde das Priestertum für Alexandros [4] d. Gr. mit dem dynastischen Kult der → Ptolemaier verbunden.

Wie sein Vater hatte auch P. expansionistische Ziele in der Außenpolitik (zu unterschiedlichen Zeiten betont z. B. bei Theokr. 17,86–91; OGIS 54). Im syr. Erbfolgekrieg von 280/79 zog er Vorteile aus dem Tod → Seleukos' I. und übernahm – meist kampflos – zahlreiche Positionen in Kleinasien (Ionien, Karien, Lykien, Pamphylien, Westkilikien). P. sicherte auch Stützpunkte in Äthiopien (→ Nubien; wegen Gold und Elefanten); 275 ging eine Expedition nach Unternubien, um Gold zu suchen (Agatharchides fr. 20 BURSTEIN; Diod. 1,37,5; 3,12; zu Ansprüchen auf dieses Gebiet [2. Bd. 2, 120, Z. 12ff.]). P. dehnte 278–274 seinen Einfluß in Arabien aus, wobei er versuchte, den → Karawanenhandel von Petra [1] nach Alexandreia [1] zu ziehen. Ein erster Rückschlag war 275 der Abfall des → Magas [2], der sich mit → Antiochos [2] I. verbündet hatte (Kyrene-Krise). P. bot sich damals die Möglichkeit, sich nach der Niederschlagung eines Aufstandes keltischer Söldner (wie die anderen hell. Könige, vgl. → Pergamon C. 2.) als Galatersieger zu stilisieren (Paus. 1,7,2f.; Kall. h. 4,171ff.; 175ff.; → Kelten III. B.). In die Zeit nach der Bewältigung der Kyrene-Krise gehört die große Feier der Ptolemaia von 275/4 (Kallixeinos von Rhodos FGrH 627 F 2 mit [3. 90ff.]).

Der 1. → Syrische Krieg (274–271), in dem nach anfänglichen Erfolgen (Einnahme von Damaskos, Polyain. 4,15) die seleukid. Offensive scheiterte, endete ohne große Veränderungen. P.' Einsatz für Athen im → Chremonideïschen Krieg (267–261) gegen Antigonos [2] scheiterte in Attika (vgl. → Patroklos [2]); die meisten ägäischen, v. a. aber kleinasiatischen Besitzungen blieben jedoch in P.' Hand. In diesen Kontext gehört wohl die Mitregentschaft des P. [4] (267–259). Von 260 bis 253 führte P. als Verbündeter des → Eumenes [2] den 2. Syrischen Krieg. Nach der Schlacht von Sardeis erweiterte sich sein Besitz in Ionien und Karien, doch wendete sich das Blatt, als eine große Koalition gegen P. zustande kam, dessen »Sohn«, P. [4], in Kleinasien abfiel. Wohl 255 verlor P. die Schlacht von Kos gegen → Antigonos [2] (zum Datum vgl. [4. 416–419]), mit dem er 254 einen Sonderfrieden schloß. 253 folgte der Frieden mit Antiochos [3], der daraufhin seine Gattin → Laodike [II 3] verstieß und → Berenike [2], die Tochter des P., heiratete. Dieser Frieden gab P. die Möglichkeit, in Griechenland indirekt gegen Antigonos zu wirken (z. B. Plut. Aratos 9–15); er gewann teilweise Einfluß auf die Kykladen zurück – trotz der ca. 245 zu datierenden Niederlage bei Andros.

Der Ausbau der ptolem. Herrschaft in Äg. fällt in P.' Regierung, was auch durch die einsetzende papyrologische Überl. bestätigt wird. P. schuf die neue Gerichtsbarkeit durch die Kollegien der → laokrítai und → chrēmatistaí; Land wurde an Kleruchen (→ klērúchoi II.) vergeben. Außerdem wurde durch die Trockenlegung des Moeris-Sees im → Fajum neues Land gewonnen, das an Kleruchen und die Inhaber von dōreaí (vom König gegebenes Land) ging und auf dem landwirtschaftl. Experimente zur Steigerung und Diversifizierung der Erträge durchgeführt wurden. P. ließ einen Nil-Suez-Kanal und Städte am Roten Meer und in Palaestina zur Sicherung der Kommunikation und ptolem. Präsenz bauen. 259/8 wurden Steuergesetze (PRevenueLaws = SB 1) zur Verbesserung des Steuereinkommens erlassen (Staatsmerkantilismus war jedoch damit nicht bezweckt). Demselben Zweck dienten → Kataster des äg. Landes, das zu Steuerzwecken genutzt wurde, und schließlich die Schaffung eines geschlossenen Umlaufraumes der eigenen Währung, der durch Pflichtumtausch garantiert werden sollte (258/7; PCZ 59021). Ergebnis dieser Politik waren hohe Einnahmen (Porphyrios von Tyros FGrH 260 F 42 mit Zahlen; App. pr. 10), die P.' expansive Außenpolitik möglich und ihn zum ersten großen Bauherrn der Dyn. machten. P. starb am 27. oder 28.1.246. Zu Portraits vgl. [5].

1 R. A. HAZZARD, The Regnal Years of Ptolemy II. Philadelphos, in: Phoenix 41, 1987, 140–158 2 K. SETHE, Hieroglyphische Urkunden der griech.-röm. Zeit, Bd. 1–3, 1904–1916 3 V. FOERTMEYER, The Dating of the Pompe of Ptolemy II. Philadelphus, in: Historia 37, 1988, 90–104 4 B. DREYER, Unt. zur Gesch. des spätklass. Athen, 1999 5 A. LINFERT, Neue Ptolemäer. P. II. und Arsinoë II., in: MDAI(A) 102, 1987, 279–282.

J. BINGEN, Le papyrus Revenue Laws, 1978 · R. JOHANNESEN, Ptolemy Philadelphus and Scientific Agriculture, in: CPh 18, 1923, 156–161 · B. J. MÜLLER, Ptolemaeus II. Philadelphus als Gesetzgeber, 1968 · H. LAUBSCHER, Ein ptolem. Gallierdenkmal, in: AK 30, 1987, 131–154 · G. WEBER, Dichtung und höfische Ges., 1993.

[4] P., »der Sohn« (ὁ υἱός/ho hyiós). Von 268/7–259/8 v. Chr. ist P. als Sohn P. [3] II. und als sein Mitregent in den Datier. erwähnt ([1. inv. 2440; 2. col. 1, 1–4], wo die Tilgung das Ende der Mitregentschaft anzeigen kann). Um 262 war er zusammen mit philoi des Königs in Miletos (WELLES 14, 8–14). Zw. 261 und 246 v. Chr. fiel P. zusammen mit → Timarchos von P. II. ab (Pomp. Trog. Prologi 26); er ist wohl identisch mit dem P., dessen Geliebte Eirene [3] von Thrakern in Ephesos umgebracht wurde (Athen. 13,593a-b).

Schwierig ist P.' Einordnung in die Dyn. der → Ptolemaier: [3] hält ihn für einen Sohn des Lysimachos [2] und der Arsinoë [II 3], identifiziert ihn also mit P. [51]. Es fehlt dann aber die Erklärung für seine Erhebung zum Mitregenten zum o.g. Datum; ferner muß man eine Aussöhnung mit P. II. vor 257/6 annehmen, außerdem eine Belehnung mit Königsland (dōreá) in Kleinasien, ein neues hohes Kommando (aber keine Mitregentschaft), schließlich einen erneuten Abfall, aber Verbleib der dōreá in der Familie (in der Inschr. von Telmissos ist nur von P. [51], dem Sohn des Lysimachos, die Rede). Athenaios bezeichnet P. direkt als Sohn P.' II. Er ist jedoch nicht als Sohn P.' II. und der Arsinoë [II 3] zu betrachten, da nach Paus. 1,7,3 und Theokr. 17,128–134 dieses Paar keine Kinder hatte. Es bleibt also nur, ihn für einen unehelichen Sohn P.' II. oder einen weiteren Sohn aus der Ehe mit Arsinoë [II 2] zu halten.

1 H. CADELL (ed.), Papyrus de la Sorbonne, Part I, Nr. 1–68, 1966 2 B. P. GRENFELL (ed.), Revenue Laws of Ptolemy Philadelphus, 1896 (Neu-Ed.: J. BINGEN, in: SB, Beih. 1, 1952) 3 W. HUSS, P. der Sohn, in: ZPE 121, 1998, 229–250.

W. A. TUNNY, Ptolemy »the Son« Reconsidered: Are There Too Many Ptolemies?, in: ZPE 131, 2000, 83–92.

[5] P. Andromachu (Ἀνδρομάχου). Die biographische Slg. PHaun 6 frg. 1 enthält die frg. Biographie eines Πτολεμαῖ]ος [ἐπ]ίκλησιν Ἀνδρομάχου (»P. mit Beinamen ›des Andromachos‹«; im Text des Papyrus Πτολεμαιο() ἐπίκλησιν Ἀνδρομάχου); man kann den Genitiv kaum anders denn als Vatersangabe verstehen. P. war also vielleicht der Sohn des Andromachos [1], dann 251/0 v. Chr. zusammen mit → Bilistiche eponymer Alexanderpriester. Die Biographien in PHaun 6 betreffen allerdings nur Angehörige der ptolem. Dyn., und P. wird vor P. [6] III. genannt. Über seine Beziehung zur Dyn. läßt sich nur spekulieren, aber vielleicht ist er mit dem P. aus [2. Nr. 3] identisch ([1. 242 ff.] identifiziert ihn mit P. [4], »dem Sohn«). P. hatte mit der Einnahme von Ainos (246?) zu tun und wurde vielleicht in Ephesos umgebracht. PP VI 14544.

1 W. Huss, P. der Sohn, in: ZPE 121, 1998, 229–250
2 J. Crampa (ed.), The Greek Inscriptions 1 (Labraunda
5,3,1), 1969.

Hölbl 49 · C. Ravazzolo, Studi Ellenistici VIII, 1996,
131 ff.

[6] P. III. Euergetes I. (Εὐεργέτης).

(Εὐεργέτης). Wurde um 284
v. Chr. als Sohn P.' [3] II. und der Arsinoë [II 2] am 5.
Dios geb., aber nach 259 als Sohn der Arsinoë [II 3]
ausgegeben. Kurz vor 250 wurde P. mit Berenike [3]
verlobt, die er Anf. Jan. 246 heiratete; kleine Kinder der
beiden werden schon E. 245/Anf. 244 erwähnt (IPhilae
4: [1. I 90 f.]); namentlich sind bekannt: P. [7] IV., Berenike [4], Arsinoë [II 4], Magas [3].

Am 25. Dios 246 bestieg P. den äg. Thron, worauf
sofort der 3. → Syrische Krieg (246–241) ausbrach (vgl.
→ Berenike [2]). P. drang mit Heer und Flotte in Syrien
ein und bis nach Babylon vor, wo ihm die Susiane, Persis, Medien, Baktrien huldigten (OGIS 54, 18 f.; App.
Syr. 346; Polyain. 8,50); lit. wichtig zum Feldzug sind
FGrH 160 (P. als Autor?) und Kallimachos (fr. 110 Pf.).
Schon im Sommer 245 mußte sich P., wenn auch mit
großer Beute, zurückziehen: Als Grund kommen vielleicht ein Krieg mit Makedonien (Schlacht von Andros 245?) oder innere Unruhen (seditio domestica: Iust.
27,1,9; FGrH 260 F 43) in Frage. Trotzdem scheiterte ein
seleukidischer Angriff auf Äg. 242/1; 241 wurde ein für
P. vorteilhafter Friede geschlossen (Iust. 27,2,9) – weite
Gebiete Kleinasiens (Seleukeia, Kilikien, Pamphylien,
Karien, Teile Ioniens, das hellespontische Thrakien)
blieben ptolem., hinzu kam ein Bündnis mit → Ziaëlas
[2. 25, Z. 23].

In Griechenland verfolgte P. eine anti-maked. Politik, zuerst in Koalition mit den → Achaioi, deren hē-
gemon (→ hēgemonía) er 243 war (Plut. Aratos 24,4); aus
demselben Grund setzte sich P. für die Befreiung
Athens ein, wo 224/3 die Phyle Ptolemais [10] mit dem
Demos → Berenikidai gegründet wurde. 229/8 unterstützte er die Aitoler gegen Antigonos [3] ([3. 47 f.]). P.
konnte als anfangs Neutraler den Konflikt zw. Sparta
und Achaia nicht verhindern, stellte sich 226 auf die
Seite Spartas (Plut. Kleomenes 22,4–10), mußte aber die
Kooperation aufkündigen (Pol. 2,63,1; wegen Antiochos [5] III.?); auch seine Versuche, mit den → Aitoloi
zu koalieren, scheiterten letztlich 222 in der Schlacht bei
Sellasia.

Durch Städtegründungen versuchte P., in der → Kyrenaia seine Stellung zu stärken [4. 382 ff.] sowie die
Südgrenze Äg.s und die Verbindung zum Roten Meer
zu sichern. 229/8 wurde die Gaustrategie eingerichtet
(Columbia Pap., Zenon Pap. [8. 120]), das Nebeneinander ziviler und mil. Stellen entfiel. P. fuhr auf dem
Weg des Dynastiekultes fort; das Kanobos-Dekret von
239/8 ist wichtig für die Haltung der äg. Priesterschaft
[5. 124 ff.; 6. Nr. 8–10; 7. 99–105], die hier versuchte,
hell. Königsideale äg. zu interpretieren. P. starb nach
dem 5.2.221 (vgl. Pol. 2,71,3).

1 J. Bingen, IPhilae I 4, un moment d'un règne, d'un temple
et d'un culte, in: B. Kramer u. a. (Hrsg.), Akten des 21.
Intern. Papyrologenkongreß, 1997, 88–97 2 Welles
3 Ch. Habicht, Athen in hell. Zeit, 1994 4 A. Laronde,
Cyrène et la Libye hellénistique, 1987 5 UPZ, Bd. 2
6 A. Bernand, La prose sur pierre, 1992 7 Hölbl 8 W. L.
Westermann u. a. (ed.), Zenon Pap. II = Columbia Pap.,
Bd. 4, 1940 (= APF, Beih. 3).

B. Beyer-Rothoff, Unt. zur Außenpolitik P. III., 1993 ·
Ch. Habicht, Stud. zur Gesch. Athens in hell. Zeit, 1982,
105–112 · H. Hauben, L'expédition de Ptolémée III en
Orient et la sédition domestique de 245 av. J.-C.: quelques
mises au point, in: APF 36, 1990, 529–37 · B. McGing,
Revolt Egyptian Style: Internal Opposition to Ptolemaic
Rule, in: APF 43, 1997, 273–314 · W. Peremans, Sur la
domestica seditio de Justin (XXVII,1,9), in: AC 50, 1981,
628–636.
Portrait: P. T. Craddack, A Portrait of an Early Ptolemy
in: JEA 77, 1991, 186–189 · H. Laubscher, Ein Ptolemäer
als Hermes, in: H. Froning (Hrsg.), Kotinos. FS E. Simon,
1992, 317–322.

[7] P. IV. Philopator (Φιλοπάτωρ).

(Φιλοπάτωρ). Wurde 245 oder
244 v. Chr. [1. I 96] als Sohn P.' [6] III. und der → Berenike [3] geboren. Den Beinamen erhielt er bereits vor
seiner Thronbesteigung [4. 407], die zw. dem 5. und
16.2.221 erfolgte. P. stand zunächst unter dem Einfluß
des → Agathokles [6] und des → Sosibios, die die Familie des P. als möglichen Ansatzpunkt einer Opposition beseitigten (s. → Berenike [3], → Lysimachos [4],
→ Magas [3]). P. heiratete Arsinoë [II 4] vor dem Herbst
220; P. [8] V. ist ihr Sohn. Seit 217 wurden P. und Arsinoë als Theoí Philopátores verehrt. Unter P. wurde der
Kult der verstorbenen ptolem. Könige so erweitert, daß
er die ganze Dyn. umfaßte.

E. 221 griff Antiochos [5] III. Syrien an, konnte aber
diesen 4. → Syrischen Krieg erst 219 fortsetzen, als er
Seleukeia und Koile Syrien eroberte (Pol. 5,42; 5,59–
62). Unter dem Anschein eines Waffenstillstandes rü-
stete P. seit E. 219 (Pol. 5,63,8–10); wohl aus Geldman-
gel wurden hauptsächlich Ägypter in das Heer eingegliedert, was Polybios (5,107) für den Sündenfall der
ptolem. Gesch. hält – langfristig wohl zu Recht. P. besiegte mit diesem Heer am 13.6.217 [2. 165[641]] bei
→ Rhaphia die Armee des Antiochos (Pol. 5,79–86).
Der Friedensschluß vom Oktober 217 brachte P. zwar
die meisten alten Gebiete zurück, entsprach aber nicht
dem mil. Erfolg – vielleicht suchte P. ein Gleichgewicht. Zur Wirkung des Erfolges vgl. das Priesterdekret
vom 15.11.217, in dem als Geste an die Ägypter der Sieg
den Theoí sótēres Sarapis und Isis zugeschrieben wird.

Trotz oder vielleicht wegen dieses Erfolges gab es
Aufstände im Nil-Delta und in der Thebais; die → Do-
dekaschoinos geriet unter äthiopische Verwaltung: Diese Probleme sollten weit über P.' Regierung hinaus wirken. In Äg. verdrängte eine Inflation das Silbergeld fast
ganz durch Kupfer, so daß P.' außen-polit. Engagement
nach 217 abnahm. Er versuchte, in Griechenland eine
vermittelnde Rolle zu spielen (z. B. Pol. 5,100,9), konnte aber Verluste an Antiochos in Kleinasien nicht mehr
verhindern.

P. starb im Juli/August 204 (am 17. Mecheir; vgl. [3. 268ff.]). Polybios und der größte Teil der ant. Lit. beurteilen ihn negativ, da er seine Privatvergnügungen über die Politik gestellt habe (Pol. 5,34; 14,11f.; cf. JACOBY, Komm. FGrH II p. 592 zu Nr. 161, P. von Megalopolis).

→ Diadochen und Epigonen;
Hellenistische Staatenwelt; Syrische Kriege

1 J. BINGEN, IPhilae I 4, un moment d'un règne, d'un temple et d'un culte, in: B. KRAMER u. a. (Hrsg.), Akten des 21. Intern. Papyrologenkongresses, 1997 2 L. KOENEN, Die Adaption äg. Königsideologie am Ptolemäerhof, in: E. VAN'T DACK u. a. (Hrsg.), Egypt and the Hellenistic World, 1985, 143–190 3 K. ABEL, Polybios B. 14: Res Aegypti, in: Historia 32, 1983, 268–286 4 B. P. GRENFELL, A. S. HUNT (Hrsg.), The Tebtunis Pap., Bd. 2, 1907.

E. GALILI, Raphia, 217 B.C.E., Revisited, in: Scripta classica Israelica 3, 1976/7, 52–126 · H. HUSS, Unt. zur Außenpolitik P.' IV., 1976 · L. LANCIERS, Die Vergöttlichung und die Ehe des P. IV und der Arsinoë III, in: APF 34, 1988, 27–32 · G. MARASCO, La valutazione di Tolemeo IV Filopatore nella storiografia greca, in: Sileno 5/6, 1979/80, 159–182 · W. PEREMANS, Ptolémée IV et les Égyptiens, in: J. BINGEN u. a. (Hrsg.), Le monde grec, FS C. Preaux, 1975, 393–402 · H. J. THISSEN, Stud. zum Raphia-Dekret, 1966.

[8] P. V. Epiphanes (Ἐπιφανής). Wurde am 9.10.210 v. Chr. als Sohn von P. [7] IV. und Arsinoë [II 4] geb. [1. 194,1]; er wurde schon am 29.11.205 Mitregent des Vaters (OGIS 90, 47). Seine Alleinherrschaft ist zuerst am 8.9.204 bezeugt. Beim Tod P.' IV. war Arsinoë, die wohl herrschen sollte, umgebracht und ihr Tod verheimlicht worden (vgl. Pol. 15,25). Für P. regierten zuerst Agathokles [6] und → Sosibios, die im Herbst 202 von → Tlepolemos gestürzt wurden, auf den Aristomenes [2] folgte. Diese raschen Wechsel zeigen nicht nur den Kampf unterschiedlicher Adelsgruppierungen, zu deren Befriedung das System der Hofrangtitel (→ Hoftitel B.2.) ausgebaut und verfestigt wurde, sondern hatten auch einen außenpolit. Hintergrund: Im Winter 203/2 hatten Antiochos [5] III. und Philippos [7] V. einen Vertrag geschlossen, das Reich des jungen P. zu teilen (StV III 547).

Im Mai 202 begann Antiochos den 5. → Syrischen Krieg, der bald ins ptolem. Syrien hineingetragen wurde, während Philippos gegen die europäischen und kleinasiatischen Besitzungen der Lagiden (= Ptolemaier) vorging. Nach wechselnden Erfolgen fiel bis 200/199 Koile Syria an Antiochos, der 199 eben noch am Einmarsch in Äg. gehindert wurde; ab 197 brach die ptolem. Herrschaft in Kleinasien zusammen und wurde durch die seleukidische ersetzt, nachdem Philippos schon im Frühjahr/Sommer 200 ptolem. Besitzungen in Thrakien erobert hatte (Liv. 31,16,3).

Um jetzt einen handlungsfähigen König zu haben, wurde P. als Theós → epiphanés am 26.3.196 [2. 73ff.] in Memphis feierlich gekrönt. Das damals erlassene Priesterdekret (sog. Rosettana; s. [4]) zeigt eine gegenüber

früheren Dekreten deutlich verschlechterte Lage des Königs. Bis 192 verlor Aristomenes seine Macht, → Polykrates [5] stieg auf (Pol. 28,55,3ff.; Diod. 28,14; Plut. mor. 71 c/d).

Schon im Herbst 196 hatte P.' überraschende Verlobung mit Kleopatra [II 4] das Ende des Krieges besiegelt (Pol. 18,51,10; Liv. 33,40,3); im Frieden von 195 verlor er bis auf Zypern (→ Kypros) und Kyrene alle Außenbesitzungen. Von der 194/3 erfolgten Hochzeit erwartete P. nach späterer Legitimationspropaganda Koile Syria als Mitgift (Pol. 28,20,9), das er aber nie wirklich erhielt (Liv. 35,13,4; Porphyrios von Tyros FGrH 260 F 47); Kinder: Ptolemaios [9] VI., Kleopatra [II 5] II., P. [12] VIII. Wegen seiner Einigung mit dem Seleukiden Antiochos nahm Rom 191 ein Angebot P.' zur Unterstützung gegen Antiochos nicht an (Liv. 36,4,1ff.; cf. 37,3,9ff.), und P. profitierte auch nicht vom Frieden von Apameia [2] (188 v. Chr.). Ersatzweise suchte er diplomatischen Einfluß in Griechenland, v. a. in Verbindung zum Achaiischen Bund (Pol. 22,3,5ff.; 22,9; → Achaioi mit Karte).

Der auswärtige Niedergang war von Aufständen im Inneren begleitet, von denen ein wichtiger bereits 197/6 beendet war, ein anderer aber erst 186 (→ Anchwennefer), worauf eine weitreichende Amnestie folgte [3. 34]. Zur Sicherung des Landes richtete P. die Epistrategie ein, d. h. ein übergeordnetes mil. Kommando, das später mit der Strategie der am meisten gefährdeten Thebais gekoppelt war. Zahlreiche Priestersynoden zeugen von seinem Bemühen um die äg. Bevölkerung.

Seit 182 (→ Aristomenes [2]) sollte ein neuer Syr. Krieg gegen die Seleukiden vorbereitet und mit dem Vermögen der Oberschicht finanziert werden – weshalb P. ermordet wurde (Diod. 29, 29; Porphyrios von Tyros FGrH 260 F 48); das letzte datierte Zeugnis stammt vom 20.5.180.

→ Diadochen und Epigonen; Syrische Kriege

1 UPZ, Bd. 2 2 L. KOENEN, Eine agonistische Inschr., 1977 3 M.-TH. LENGER, Corpus des ordonnances des Ptolémées (Ndr. mit Suppl.), 1980 4 W. SPIEGELBERG (ed.), Der demotische Text der Priesterdekrete von Kanopus und Memphis (Rosettana), 1922 (Ndr. 1990; mit dt. Übers.).

[9] P. VI. Philometor (Φιλομήτωρ). Als Sohn P.' [8] V. und der Kleopatra [II 4] zw. Jan. und Okt. 186 v. Chr. geb. [1. 117–120]; von 181 bis 176 regierte er als Mündel seiner Mutter (seit 180 als Theós → Epiphanés, ab 179/8 als → Philomḗtōr), danach unter → Eulaios [2] und → Lenaios. Vor dem 15.4.175 heiratete er Kleopatra [II 5]; Kinder: P. [10] Eupator, P. [11] Neos Philopator, Kleopatra [II 6] und [II 14].

170/169 begann der 6. → Syrische Krieg, weshalb zw. dem 5.10. und 12.11.170 eine Samtherrschaft mit seiner Frau und P. [12] VIII. ausgerufen und P. Ende 170 für mündig erklärt wurde. 169/8 hatte → Antiochos [6] IV. große Erfolge und versuchte, seinen Neffen P. VI. als Mündel zu behandeln. Schon E. 169 wurden die Regenten gestürzt und durch → Komanos [2] und

→ Kineas [3] ersetzt, und die Alexandriner setzten auf eine Herrschaft P.' VIII. und Kleopatras [II 5] (Pol. 29,23,4; Porphyrios von Tyros FGrH 260 F 2,7). Eine Versöhnung im Winter 169/8 verschlechterte die Lage für Antiochos, der 168 wieder erfolgreich in Äg. eindrang, aber im Juli am »Tag von Eleusis« durch eine röm. Armee unter C. → Popillius [I 2] Laenas aufgehalten wurde (Pol. 29,27).

Von da an wuchs die ptolem. Abhängigkeit von Rom. Schwierigkeiten der Samtherrschaft endeten im Okt. 164 mit einer Vertreibung P.', der röm. Unterstützung suchte. Schließlich wurde aber P. VIII. vertrieben und P. im Juli 163 zurückgerufen (Pol. 31,27,14; Diod. 31,17c; 20). P. VIII. erhielt die → Kyrenaia (Pol. 31,10, 5; Diod. 31,17f.). 163/2 und 162/1 versuchte P. VIII. mit Hilfe Roms, Zypern (→ Kypros) in seine Macht zu bekommen, blieb aber trotz röm. Unterstützung zunächst erfolglos (Pol. 31,10,6–9; 31,20). 154 kam es zu einem Angriff des P. VIII. auf Zypern, der – u. a. mit kretischer Hilfe [2. 77–97] – abgeschlagen wurde; P. bot P. VIII. damals sogar eine Verlobung mit seiner Tochter Kleopatra [II 14] Thea an (Pol. 39,7,6). Roms Unterstützung für P. VIII. war wieder nur nominell (Pol. 33,11); zur Sicherung Zyperns durch P. s. → Ptolemaios [10].

Obwohl Demetrios [7] I. von Syrien mit P.' Hilfe aus Rom entkommen war (Pol. 31,11–14), unterstützte P. den syrischen, von Rom geförderten Thronprätendenten Alexandros [13], u. a. indem er ihm 150 v. Chr. seine Tochter Kleopatra [II 14] Thea zur Gattin gab. 147 begab sich P. nach Syrien, vorgeblich, um Alexandros gegen Demetrios [8] zu helfen, wohl aber, um → Koile Syria wieder zu erobern. P. schloß sich an Demetrios an, gab jetzt auch ihm Kleopatra [II 14] zur Frau und wurde im Juni in Antiocheia [1] zum König Asiens ausgerufen (Ios. ant. Iud. 13,113; cf. Pol. 39,7,1). Er führte Doppeldatierungen zum Zeichen der neuen Ära als König Äg.s und Asiens ein, brach 146 endgültig mit Alexandros [13] und starb nach einem Sieg über ihn im Juli 145. Der Tod P.' brachte de facto das Ende der ptolem. Ambitionen auf Syrien.

In Äg., das in diesen J. eine hohe Inflation erlebte, hatte es um 165 den ersten Aufstand gegeben (s. Dionysios [6]); 164 wurde im → Fajum und der Thebais gekämpft, weshalb P. im August 163 Philanthropa erließ (»Wohltätigkeitserlaß«; in der Regel Amnestie und Schuldenerlaß) [4. Bd. 7. 313]. Gegen die Landflucht (*anachōrēsis*) wurden harte Maßnahmen zur Zwangsbebauung beschlossen (SB 12821), aber dann großenteils wieder zurückgenommen [3. 110]; der → Idios Logos zur Nutzung von Ödland wurde eingeführt. P. baute die Grenzgebiete aus, u. a. durch Städtegründungen in der Thebais (→ Boëthos [1]); die Ostgrenze suchte er durch jüdische Siedler zu festigen, denen er den Bau eines Tempels in → Leontopolis [2] erlaubte (Ios. bell. Iud. 1,33; 7,421; Ios. ant. Iud. 12,386f.) – ein deutlich anti-seleukidischer Akt.

→ Syrische Kriege

1 J. D. RAY, Observations on the Archive of Hor, in: JEA 64, 1978, 113–120 2 M. HOLLEAUX, Études d'épigraphie et d'histoire grecques III, 1942 3 UPZ, Bd. 1 4 B. KRAMER u. a. (ed.), Kölner Papyri, Bd. 3, 1980.

L. AMANTINI, Tolemeo VI Filometore re di Siria?, in: RIL 108, 1974, 511–529 · O. MØRKHOLM, Antiochus IV. of Syria, 1966, 64ff. · W. OTTO, Zur Gesch. der Zeit des 6. Ptolemäers, 1934 · N. SEKUNDA, Seleucid and Ptolemaic Reformed Armies 168–145 B.C., Bd. 2, 1995.

[10] P. Eupator (Εὐπάτωρ). Sohn des P. [9] VI. und der Kleopatra [II 5], geb. am 15.10.166 (?) v. Chr. [1. 119]; 158/7 eponymer Alexanderpriester. P. wurde nach dem 3.2.152 [4. Bd. 3. 144] und vor dem 5.4.152 [3. III 16] Mitregent und als solcher – nicht als selbständiger König – mit Andromachos [3] nach → Kypros (Zypern) geschickt, weil P. [12] VIII. zu dieser Zeit versuchte, sich der Insel zu bemächtigen. Zu P.' Tod, der vor dem 31.8.152 erfolgte (P.dem.Tur. Botti 5), vgl. APF 7,241.

1 J. D. RAY, Observations on the Archive of Hor, in: JEA 64, 1978, 113–120 2 B. KRAMER u. a. (ed.), Kölner Papyri, Bd. 3, 1980; Bd. 7, 1991 3 C. H. ROBERTS, E. G. TURNER (ed.), Catalogue of the Greek Papyri in the John Rylands Library, 1952 4 B. KRAMER u. a. (ed.), Kölner Papyri, Bd. 3, 1980.

W. HUSS, P. Eupator, in: Proc. of the XXth International Congress of Papyrologists 1994, 555–561 · P. SCHUBERT, Une attestation de Ptolémée Eupator régnant?, in: ZPE 94, 1992, 119–122.

[11] (P. Neos Philopator/Νέος Φιλοπάτωρ). Sohn des P. [9] VI. und der Kleopatra [II 5], vor 152 v. Chr. geb. [1. 16], von P. [12] VIII. 145 ermordet (Iust. 38,8,2–4; Oros. 5,10,7; vgl. Ios. c. Ap. 2,51; [2. VIII 350] mit Komm. könnte für einen späteren Zeitpunkt seines Todes sprechen). W. OTTO [3. 128⁴] glaubte, er sei 145 kurzfristig von seinem Vater zum Mitregenten ernannt worden und habe kurze Zeit selbständig regiert, weshalb er ihn als P. VII. in die Königsliste einfügte; seine Voraussetzungen haben sich aber als unhaltbar erwiesen; es gab keinen P. VII. als Herrscher.

1 C. H. ROBERTS, E. G. TURNER (ed.), Catalogue of the Greek Papyri in the John Rylands Library, 1952
2 B. KRAMER u. a. (ed.), Kölner Papyri, Bd. 3, 1980
3 W. OTTO, Zur Gesch. der Zeit des 6. Ptolemäers, 1934.

M. CHAUVEAU, Un été 145, in: BIAO 90, 1990, 135–168 · H. HEINEN, Der Sohn des 6. Ptolemäers im Sommer 145, in: APF Beih. 3, 1997, 449–460.

[12] P. VIII. Euergetes II. (Εὐεργέτης, »Wohltäter«, so ab 164 v. Chr.; auch polemisch *Kakergétēs*, »Übeltäter«: Menekles von Barka FGrH 270 F 9; *Phýskōn*, »Dickwanst«; *Tryphốn* nach dem Herrscherideal der *tryphế*, des ostentativen Aufwands) wurde ca. 182/1 als Sohn P.' [8] V. und Kleopatras [II 4] geboren. Zur Samtherrschaft mit P. VI. und Kleopatra [II 5] und deren Auflösung vgl. → P. [9] VI.

In der → Kyrenaia, die ihm 163 bei der Teilung des Ptolemaier-Reiches übertragen worden war, gab es Widerstand gegen P. (vgl. → P. [39] Sympetesis). Rom gewährte P. mehrfach Unterstützung, war jedoch nicht bereit, für ihn einen Krieg gegen Äg. zu führen. P. machte schon 162/1 Rom zu seinem Erben (SEG 9,7), veröffentlichte das Testament aber erst nach einem Attentat auf ihn 156/5. Nach 154 begann P. in der → Kyrenaia große Bauprogramme; P. unternahm keine weiteren Versuche, → Kypros oder Äg. unter seine Herrschaft zu bringen.

Nach dem Tod seines Bruders P.' VI. wurde P. noch im Juli 145 von den *populares* (Iust. 38,8,5) zurückgerufen und heiratete bald seine Schwester Kleopatra [II 5], die Mitregentin blieb. Noch vor dem 8.8.145 wurde er in Alexandreia als Herrscher anerkannt. Daraufhin rächte er sich zuerst an den Anhängern von P. [11], den er als mögliche Konkurrenten töten ließ, schließlich sogar am *dēmos* (vielleicht hat hier die Überl. von P.' Judenhaß ihren Ursprung; Ios. c. Ap. 2,50–55). Erst im J. 144 gab es einen großen Philanthropa-Erlaß (Amnestien) [1. 41–43]. 141/0 heiratete P. – zusätzlich zu seiner Ehe mit Kleopatra [II 5] – in aller Form seine Stieftochter Kleopatra [II 6]; aus dieser Ehe gingen P. [15] IX., P. [16] X., Kleopatra [II 7; II 8; II 11] hervor; mit einer anderen Frau hatte er den Sohn P. [14] Apion. Da Kleopatra [II 6] ohne h. ersichtlichen Grund staatsrechtlich auf derselben Stufe wie ihre Mutter Kleopatra [II 5] stand, lag hier ein großes Konfliktpotential, das zuerst 140/139 im Putsch des → Galestes offen zutage trat. 139 versuchte P., sich den indigenen Teil der Bevölkerung zu sichern [1. 47].

Im November 132 brach der Krieg zw. den Anhängern des P. und der Kleopatra [II 5] aus, im Herbst 131 war P. bereits aus Alexandreia vertrieben, aber noch in Äg.; er mußte nach Kypros fliehen, war aber im Frühj. 130 wieder in Memphis. Die Ägypter, die jetzt in höhere Ämter kamen, hielten weitgehend zu P., obgleich sich → Harsiesis zum Pharao hatte ausrufen lassen. Da eine Koalition Kleopatras [II 5] mit den → Seleukiden im Frühjahr 128 bei Pelusion scheiterte, konnte P. 127/6 Alexandreia einnehmen und zu Strafmaßnahmen schreiten (PTeb. 3, 700; Val. Max. 9,2, ext. 5). Die Dreier-Regierung wurde ohne erkennbaren Grund wiederhergestellt, aber erst durch den großen Erlaß von 118, in dem den Tempeln bedeutende Zugeständnisse gemacht wurden, kehrte etwas Sicherheit wieder [1. 53, 54f.]. P. starb am 28.6.116 [2. Bd. 7. 9,3f.].

Sieht man vom Eingreifen in Syrien ab, wo P. 129/8 Alexandros [14], 124 Antiochos [10] unterstützte, kann man feststellen, daß er durch die dynastischen Probleme an einer ausgreifenden Außenpolitik gehindert wurde. P. schrieb 24 B. *Hypomnēmata* (FGrH 234).

→ Euergetes

1 M.-TH. LENGER, Corpus des ordonnances des Ptolémées, 1980 (Ndr. mit Suppl.) 2 MARQUIS DE ROCHEMONTEIX, E. CHASSINAT, Le temple d'Edfou, 1932, ²1984ff.

H. HEINEN, Die Tryphé des P. VIII. Euergetes II., in: Ders. (Hrsg.), Althistor. Studien. FS H. Bengtson, 1983, 116–130 · E. LANCIERS, Die Alleinherrschaft des P. VIII. im

J. 164/163 und der Name Euergetes, in: Proc. of the 18th International Congress of Papyrology (Athen 1986), 1988, Bd. 2, 405–433 · E. LANCIERS, in: Simblos: Scritti di Storia Antica, Bd. 1, 1995, 33ff. · PP VI 16945 · C. PRÉAUX, La signification de l'époque d'Euergète II, in: Actes du Vᵉ Congrès International du Papyrologie (Oxford 1937), 1938, 345–354 · W. OTTO, H. BENGTSON, Zur Gesch. des Niedergangs des Ptolemäerreiches, 1938.

[13] P. Memphites (Μεμφίτης). Sohn des P. [12] VIII. und der Kleopatra [II 5], wohl 144/3 v. Chr. in Memphis geb. Als Kleopatra 131 versuchte, P.' Vater aus Alexandreia zu vertreiben, wurde P. zunächst nach Kyrene gebracht; von dort lockte sein Vater ihn, bevor er zu seinem Nachfolger aufgebaut werden konnte, nach Zypern (→ Kypros; Iust. 38,8,1–15). Obwohl P. von seiner Mutter abrückte (IDélos 1530: kurzzeitig Mitregent?), wurde er wohl noch 131 (vgl. Liv. per. 59) von seinem Vater getötet. P. wurde bei der Versöhnung der Eltern im J. 118 nachträglich als *Néos* → *Philopátōr* (!) anerkannt (P. dem. Berlin 3101; Pavia 1120). P. ist vielleicht identisch mit Ptolemaeus Cyprius (PP VI 14556).

M. CHAUVEAU, Un été 145, in: BIAO 90, 1990, 135–168, bes. 154ff. · Ders., Un été 145. Post-Scriptum, in: BIAO 91, 1991, 129–134.

[14] P. Apion (Ἀπίων). Wurde als Sohn P.' [12] VIII. und vielleicht der Eirene [5] nach 154 v. Chr. geb. Sein Vater vermachte ihm testamentarisch die → Kyrenaia (Iust. 39,5,2), doch regierte er bis wenigstens 108 P. [15] IX. [1. 337 Nr. 209]: P. ist dort selbst sicher erst im J. 100 bezeugt (SEG 3, 378 B 8f.). Als P. 96 starb, vermachte er sein Herrschaftsgebiet (die *agri Apionis*, Cic. leg. agr. 2,5,1) den Römern (vgl. etwa Sall. hist. 2,42; App. Mithr. 600) – vielleicht als Gegenleistung für Hilfe bei der Thronbesteigung –, erklärte aber die Städte für frei (SEG 9, 3; Liv. per. 70). Erst 74 richtete Rom in dieser ehemals bedeutenden ptolem. Außenbesitzung eine Prov. ein (→ Creta et Cyrenae).

1 G. PUGLIESE CARATELLI, G. OLIVERIO, Supplemento epigrafico cirenaico, in: ASAA 1961/62.

A. LARONDE, Cyrène et la Libye hellénistique, 1987, 445f.

[15] P. IX. Philometor Soter II. (Φιλομήτωρ Σωτήρ; weitere Beinamen: *Láthyros*/»Kichererbse«, *Phýskon*/ »Fettwanst«). Wurde verm. am 18.2.142 v. Chr. [1. 290] als ältester Sohn P.' [12] VIII. und der Kleopatra [II 6] geboren. Die Abstammung von Kleopatra [II 5] (so [2. 31ff.]) ist unwahrscheinlich (s. [3. 19; 4. 429]). 135/4 war er Alexanderpriester und wurde kurz vor dem Tod seines Vaters Statthalter auf Zypern (→ Kypros), weil seine Mutter die Herrschaft an P. [16] X. übertragen wollte; das Heer und die Alexandriner bevorzugten allerdings P. (Paus. 1,9,1f.; Iust. 39,3,2; Porphyrios von Tyros FGrH 260 F 2,8). Im Okt. 116 gab es eine kurze Samtherrschaft mit Kleopatra [II 5] und [II 6] (vgl. PRyl.dem. III 20); etwa in diese Zeit fällt die Scheidung von Kleopatra [II 7] und die Hochzeit mit Kleopatra

[II 8]. Aus der ersten Ehe stammen Kleopatra [II 9], aus der zweiten zwei Söhne. Von 116–107 konnte P.' Mutter Kleopatra [II 6] ihre Vorherrschaft behaupten; es gab mehrmals Differenzen, aber es ist fraglich, ob P. jemals formell von der Macht ausgeschlossen wurde [5. 12].

Im Sept./Okt. 107 kam es zum Bruch mit der Mutter, die P. [16] X. zum Mitregenten machte. P. floh nach Zypern, ließ aber Frau und Kinder zurück (Iust. 39,4; Paus. 1,9,2; Porphyrios von Tyros FGrH 260 F 2,8). Vor den Truppen der Mutter flüchtete er kurzzeitig nach Seleukeia (PAmherst 1150; Diod. 34/5, 39a; Pomp. Trog. prologi 39; Iust. 39,4,2; 6), kehrte aber bald nach Zypern zurück; Anf. 103 half er Antiochos [11] gegen den von seiner Mutter unterstützten Alexandros [16], doch mißlang E. 103/Anf. 102 sein Versuch, wieder nach Äg. einzudringen. 94 griff er wieder gegen Antiochos [12] in die seleukidischen Streitigkeiten ein (Ios. ant. Iud. 13,370). Als P. [16] X. 88 vertrieben wurde, kehrte er vor dem Mai nach Äg. zurück, war am 1.11.88 in Memphis, brachte die aufständische Thebais unter seine Kontrolle ([6. 12]; vgl. Paus. 1,9,3), verlor aber wohl einen Teil Unternubiens. Wegen des Testamentes seines Bruders P. [16] X. konnte er keine ausgreifende Außenpolitik betreiben und lehnte daher 87/6 Hilfe für Cornelius [I 90] Sulla ab (Plut. Lucullus 2 f.; App. Mithr. 131 f.). P. starb E. Dez. 81 [7. 145].

1 D. Thompson, Memphis under the Ptolemies, 1988 2 S. Cauville, D. Devauchelle, Le temple d'Edfou, in: Rev. d'Égyptologie 35, 1984, 31–55 3 E. van't Dack u. a., The Judaean-Syrian-Egyptian Conflict of 103–101 B. C., 1989 4 Ders., Apollodoros et Helenos: deux *tropheís* de Ptolémée X Alexandre I, in: M. Geerard (Hrsg.), Opes Atticae (Sacris erudiri 31), 1989/90, 429–441 5 O. Mørkholm, Ptolemaic Coins and Chronology, in: ANSMusN 20, 1975, 7–24 6 Mitteis/Wilcken 7 E. Bernard, Poème et chanson, in: ZPE 88, 1991, 103–105.

L. Michaelidou-Nicolaou, Prosopography of Ptolemaic Cyprus, 1976, 105 ff., Nr. 67 · D. J. Thompson, Pausanias and Protocol: The Succession to Euergetes II, in: L. Criscuolo, G. Geraci (Hrsg.), Egitto e storia antica, 1989, 693–701.

[16] P. X. Alexandros I. Theos Philometor (Ἀλέξανδρος Θεὸς Φιλομήτωρ). Jüngerer Sohn P.' [12] VIII. und Kleopatras [II 6], der den Alexander-Namen aus programmatischen Gründen behielt. Seine Mutter wollte ihn 116 v. Chr. zum Mitregenten machen, was jedoch mißlang; P. wurde daher 116 Stratege auf Zypern/→ Kypros (Iust. 39,3; Paus. 1,9,1; Porphyrios von Tyros FGrH 260 F 2,8) und nannte sich ab 114 König [1. 100f.]. Von Okt. 110 bis Febr. 109 amtierte er als Mitregent seiner Mutter [2. 1018], mußte aber nach Zypern zurückkehren und war erst im Herbst 107 nach der Vertreibung von P. [15] IX. endgültig Mitregent seiner Mutter, an deren Unternehmungen er teilnahm. 103 zog er mit einem Heer nach Damaskos, war dann am 20.2.102 in Pelusion beim Heer, wo er eine Invasion P.' IX. verhinderte [3. 83f., Nr. 1].

Im Oktober 101 ließ P. Kleopatra [II 6] umbringen (Iust. 39,4; Pomp. Trog. prol. 39; Paus. 1,9,3; Poseid. FGrH 87 F 26). Er heiratete nun Kleopatra [II 9], mit der er eine Tochter hatte (Porphyrios von Tyros FGrH 260 F 2,8), und gab Erlasse zugunsten der Priesterschaft heraus; trotzdem gab es im J. 91 Unruhen im Süden [4. 549f.; 5. 296ff.]. P. wurde 88 wegen angeblich judenfreundlicher Haltung von den Alexandrinern vertrieben (Porphyrios von Tyros FGrH 260 F 2,9; Iust. 39,5,1), konnte sich noch bis Okt. 88 in Äg. halten, floh aber nach einer verlorenen Schlacht nach Myra. Dort sammelte P. Truppen und Geld, mußte aber als Preis für die röm. Unterstützung ein Testament zugunsten Roms abfassen (Cic. leg. agr. 1,1,2,41f.; anders [6. 214ff.]). Bei Zypern verlor er noch 88 in einer Schlacht gegen → Chaireas das Leben. Rom reagierte einstweilen nicht auf das Testament. PP III/IX 5253; VI 14555 (= 14556).

1 I. Nicolaou, O. Mørkholm, Paphos, Bd. 1: A Ptolemaic Coin Hoard, 1976 2 PSI, Bd. 9 3 E. van't Dack u. a., The Judaean-Syrian-Egyptian Conflict of 103–101 B. C., 1989 4 C. Préaux, Esquisse d'une histoire des révolutions égyptiennes sous les Lagides, in: Chronique d'Égypte 11, 1936, 522–552 5 B. McGing, Revolt in Egyptian Style: Internal Opposition to Ptolemaic Rule, in: APF 43, 1997, 273–314 6 D. C. Braund, Royal Wills and Rome, in: PBSR 51, 1983, 16–57, bes. 24–28.

E. Badian, The Testament of Ptolemy Alexander, in: RhM 110, 1967, 178–192 · I. Michaelidou-Nicolaou, Prosopography of Ptolemaic Cyprus, 1976, 103 f., Nr. 60.

[17] P. XI. Alexandros II. (Ἀλέξανδρος). Wurde als Sohn des P. [16] X. (App. Mithr. 93; App. civ. 1,476) wohl vor 105 v. Chr. geb. und 103 mit seinen Geschwistern nach Kos gebracht (Ios. ant. Iud. 13,349). P. wurde 100 *in absentia* als Mitregent aufgeführt und als Stiefsohn von Kleopatra [II 9] legitimiert (P. Tor. Botti 34; 36; 37), blieb aber in Kos, wo er 88 an → Mithradates [6] VI. ausgeliefert wurde. Er konnte von diesem zu Cornelius [I 90] Sulla flüchten und blieb in Rom, wo ihn Sulla 80 zum König der Alexandriner bestimmte. P. heiratete seine inzwischen verwitwete Stiefmutter Kleopatra [II 9], ließ sie nach 18 Tagen (POxy. 2222) umbringen und wurde daraufhin selbst von den Alexandrinern ermordet (Porphyrios von Tyros FGrH 260 F 2,10f.; Pomp. Trog. prol. 39; App. civ. 1,477).

E. Bloedow, Beitr. zur Gesch. P.' XII., 1963, 11 ff. · E. van't Dack u. a., The Judaean-Syrian Egyptian Conflict of 103–1 B. C., 1989, 150ff.

[18] P. XII. (Theos) Neos Dionysos (Θεὸς Νέος Διόνυσος; andere Namen: *Philopátōr Philádelphos*; *Aulētḗs*, PP VI 17044). Wurde zw. 115 und 107 v. Chr. als Sohn P.' [15] IX. und Kleopatras [II 8] oder eher einer äg. Mutter geboren (SEG 9,5; Cic. Sest. 57; Porphyrios von Tyros FGrH 260 F 2,12, dagegen Pomp. Trog. prologi 39; Paus. 1,9,3; Cic. leg. agr. 2,42); 103 wurde er nach Kos gebracht, wo er 88 zusammen mit weiteren Enkeln der Kleopatra [II 6] in die Hände Mithradates' [6] VI.

geriet, mit dessen Tochter er vor 84 verlobt wurde (App. Mithr. 536). Als sein Vater starb, holten die Alexandriner ihn aus Syrien und machten ihn vor dem 11.9.80 (BGU 1292) zum König. P. heiratete seine Schwester Kleopatra [II 10], mit der er eine Tochter hatte, Berenike [7]. Am 26.3.76 wurde er von → Psenptah [3] nach äg. Ritus gekrönt und bemühte sich danach um die Unterstützung äg. Priester. Er heiratete eine Ägypterin (Kinder aus dieser Ehe: Kleopatra [II 12], P. [20] XIII., P. [21] XIV. und Arsinoë [II 6]), nicht lange nach der Geburt von Kleopatra [II 12] fiel Kleopatra [II 10] in Ungnade.

Wegen seiner Abkunft von einer Ägypterin, sicher aber wegen des Testamentes seines Onkels P. [16] X. war die Anerkennung von P.' Herrschaft durch Rom ein dauerndes Problem. Seleukidische Ansprüche auf Äg. wurden 75 vom röm. Senat abgewiesen (Cic. Verr. 2,2,76), aber 65 wurde die Einziehung Äg.s diskutiert (Plut. Crassus 13,2) und 64/3 wollte → Servilius Rullus das Land an röm. Veteranen verteilen (Cic. leg. agr. 2,41; 44). P. unterstützte → Pompeius [I 3] im Osten (Ios. ant. Iud. 14,35; App. Mithr. 557; Plin. nat. 33,136), aber ohne sofortige Gegenleistung. Erst 59 wurde P. als *socius et amicus populi Romani* (→ *amicitia*; → *socius*) anerkannt, wofür er Pompeius und Caesar 6000 Talente versprach, die teilweise bei → Rabirius [3] Postumus geliehen waren (Cic. Rab. Post. 5; Att. 2,16,2; Suet. Iul. 54,3). Nachdem seine Politik der Steuererhöhungen seit 63 Aufstände hervorgerufen hatte (App. Mithr. 557; BGU VIII 1815; vgl. Diod. 1,838 f. zur Stimmung), nutzte er seinen Erfolg für eine große Amnestie [1. 71].

Als Rom 58 Zypern (→ Cyprus) einzog, kam es zu Krawallen in Alexandreia [1], durch die P. nach dem 7. Sept. verjagt wurde (Strab. 17,1,11; Liv. per. 104; Dion Chrys. 32,70; Plut. Pompeius 49,10; Cass. Dio 39,12,2; Porphyrios von Tyros FGrH 260 F 2,14; zu Äg. s. → Berenike [7] und Kleopatra [II 10]). P. ging nach Rom, wo er 57, vielleicht nach einem Umweg über Zypern (Plut. Cato minor 35,4ff.), ankam und versuchte, mit Hilfe des Pompeius seine Rückkehr nach Äg. zu erreichen (Cic. fam. 1,1,1; 1,5b,2; Strab. 17,1,11; Cass. Dio 39,14,3). Die »äg. Frage« war in Rom zu einem innenpolit. Problem geworden, da nicht nur die weitere Zahlung versprochener Gelder durch P., sondern auch Verschiebungen im senatorischen Machtgefüge von ihrer Lösung abhingen; alexandrinische Einwände (→ Dion [I 2]) wurden nicht berücksichtigt. Nach längeren, erfolglosen Verhandlungen (Cic. fam. 1,1–5; Cass. Dio 39,12,3; 15,2) reiste P., ohne Hilfe erhalten zu haben, nach Ephesos. Erst 55 fand sich A. Gabinius [I 2] durch Vermittlung des Pompeius sowie durch Bestechung durch P. zu dem umstrittenen Unternehmen bereit (Cic. Rab. Post. 19; 21; 30f.; Strab. 17,1,11; Plut. Antonius 3,4; App. Syr. 257f.; Cass. Dio 39,55ff.).

Im März/April 55 war P. wieder an der Macht (BGU 1820), Gabinius zog sich zurück, ließ aber einen Teil seiner Truppen als → *auxilia* in Äg. zurück (Caes. civ. 3,4,4; 103,5; 110,2), die von P. zur Niederschlagung kleinerer Revolten benutzt wurden. P.' weitere Politik ist durch Rache und Geldbedarf gekennzeichnet (Cass. Dio 39,58). Als P. im Febr./März 51 an einer Krankheit starb, hatte er Kleopatra [II 12] und P. [20] XIII. testamentarisch zu Nachfolgern eingesetzt, ein Expl. des Testamentes nach Rom geschickt, wo Pompeius es aufbewahrte (Caes. civ. 3,108,4ff.; Bell. Alex. 33,1): Ägypten war damit faktisch Klientelstaat Roms geworden, aber Rom sollte das Testament und damit die Unabhängigkeit Ägyptens garantieren.

1 M.-TH. LENGER, Corpus des ordonnances des Ptolémées (Ndr. mit Suppl.), 1980.

E. BLOEDOW, Beitr. zur Gesch. P.' XII., 1963 • C. KLODT, Ciceros Rede pro Rabirio Postumo, 1992 • E. OLSHAUSEN, Rom und Ägypten von 116–51 v. Chr., 1963, 22 ff. • M. SIANI-DAVIES, Ptolemy XII. Auletes and the Romans, in: Historia 46, 1997, 306–340 • H. SONNABEND, Fremdbild und Politik, 1986.

[19] Wurde zw. 115 und 107 v. Chr. als Sohn P.' [15] IX. geb. (Pomp. Trog. prologi 40); seine Mutter war dessen Schwester Kleopatra [II 8] oder eine Ägypterin [1. 203]. 103 wurde er zusammen mit weiteren ptolem. Prinzen von seiner Großmutter Kleopatra [II 6] nach Kos gebracht (Ios. ant. Iud. 13, 349; App. Mithr. 93), wo er wohl bis zum Ausbruch des 1. → Mithradatischen Krieges blieb. Er wurde dort von Mithradates [6] VI. gefangen, an den pontischen Hof gebracht und wohl noch vor 84 mit Nysa, einer Tochter des Königs, verlobt (App. Mithr. 536). Nach dem Tod seines Vaters wurde P. im J. 80 von den Alexandrinern zum König von Zypern gemacht, doch blieb seine Stellung immer prekär, da Rom ihn nie zum *socius et amicus populi Romani* (→ *socius*; → *amicitia*) erklärte (Cic. Sest. 57; Cic. dom. 20; 52). Clodius [I 4] brachte 59 – angeblich aus persönlicher Feindschaft (Strab. 14,6,6; App. civ. 2,85; Cass. Dio 38,30,5) – ein Gesetz ein, Reich und Schatz des P. für Rom einzuziehen (Vell. 2,45,4f.; Liv. per. 104; Flor. epit. 1,44). Porcius [I 1] Cato, mit der Ausführung dieses Gesetzes beauftragt, bot P. ein Priesteramt in Paphos an, doch zog P. im J. 58 den Selbstmord vor, nachdem er vergeblich versucht hatte, sein Vermögen zu retten. PP VI 14559.

1 W. HUSS, Die Herkunft der Kleopatra Philopator, in: Aegyptus 70, 1990, 191–203.

W. OTTO, H. BENGTSON, Zur Gesch. des Niedergangs des Ptolemäerreiches. Ein Beitr. zur Regierungszeit des 8. und 9. Polemäers (ABAW N.F., H. 17), 1938, 177 Anm. 1 • E. OLSHAUSEN, Rom und Ägypten von 116–51, 1963 • HÖLBL, 325, Anm. 166.

[20] P. XIII. wurde 61 v. Chr. (App. civ. 2,354) als ältester Sohn P.' [18] XII. und verm. einer Ägypterin geboren; im Mai 52 wurde er mit seinen Geschwistern als *Theós Néos* → *Philádelphos* geehrt (OGIS 741). Nach dem Testament seines Vaters wurde er im J. 51 zusammen mit seiner Schwester → Kleopatra [II 12] zum König gemacht (wohl keine Geschwisterehe, sondern Samtherrschaft; Caes. civ. 3,108,2; Strab. 17,1,11). Bald wurde er von Kleopatra entmachtet, aber am 27.10.50 [1. 73] hatte sich seine Partei durchgesetzt. Die eigentliche Macht lag bei → Achillas, → Potheinos und → Theodotos. Zw. Juni und August 49 kam es zum Bruch, Kleopatra wurde vertrieben; P. wurde im Oktober 49 vom Gegensenat der Pompeianer (→ Pompeius [I 3]) in Thessalonike als äg. König anerkannt (Lucan. 5,58ff.), nachdem er vorher Pompeius mil. unterstützt hatte; er wurde unter die Obhut (*tutela*) seines *hospes* und *patronus* Pompeius gestellt (Ampelius 35; Eutr. 6,21), wie es vielleicht dem Testament seines Vaters entsprach. Im Sommer 48 wehrte P. einen Angriff seiner Schwester Kleopatra bei → Pelusion ab (Caes. civ. 3,103,2; Liv. per. 111; Plut. Caesar 48; Zon. 10,10); als Pompeius nach der verlorenen Schlacht von → Pharsalos unter Berufung auf alte Bindungen nach Alexandreia kam (Caes. civ. 3,103,3; Plut. Pompeius 77,1; Cass. Dio 42,3,2), deckte P. dessen vom Staatsrat beschlossene Ermordung. → Caesar forderte und erreichte eine scheinbare Versöhnung der Geschwister (Caes. civ. 3,107,2; 3,109,1; Plut. Caesar 49; Cass. Dio 42,35), doch wurde das von den jeweiligen Anhängern nicht akzeptiert. P. wurde von Caesar als Geisel festgehalten (Caes. civ. 3,109,3ff.; Cass. Dio 42,42; Plut. Caesar 49) und erst freigelassen, als Caesar sich eine Spaltung seiner Gegner erhoffte, die ein Heer von ca. 20000 Mann gegen ihn gesammelt hatten, doch übernahm P. selbst den Oberbefehl (Bell. Alex. 23f.; Cass. Dio 42,42), verlor eine Schlacht und fand dabei am 14.1.47 den Tod (Bell. Alex. 28–31; Liv. per. 114).

1 M.-TH. LENGER, Corpus des ordonnances des Ptolémées (Ndr. mit Suppl.), 1980.

H. HEINEN, Rom und Ägypten von 51 bis 47 v. Chr., 1966 · L. M. RICKETTS, The Administration of Ptolemaic Egypt under Cleopatra VII., Diss. Minnesota 1980 · L. CRISCUOLO, La successione a Tolemeo Aulete ed i pretesi matrimoni di Cleopatra VII con i fratelli, in: L. CRISCUOLO, G. GERACI (Hrsg.), Egitto e storia antica, 1989, 325–339.

[21] P. XIV. Als Sohn P.' [18] XII. ca. 59 v. Chr. geboren (Ios. ant. Iud. 15,89), wurde P. mit seinen Geschwistern am 31.5.52 als *Theós Néos* → *Philádelphos* geehrt (OGIS 741). → Caesar gab ihm und Arsinoë [II 6] im Okt. 48 die Herrschaft über Zypern (→ Kypros/ → Cyprus; Cass. Dio 42,35,5). Nach dem Tod P.' [20] XIII. wurde er von Caesar in angeblicher Einhaltung des Testaments P.' XII. zum (formellen) Mitregenten → Kleopatras [II 12], vielleicht auch zu ihrem Gatten bestimmt und hieß fortan *Theós* → *Philopátōr Philádelphos* (Bell. Alex. 33,1f.; Suet. Iul. 35,1; Strab. 17,1,11; Cass. Dio 42,44,2f.). Von Juni 46 bis April 44 war er mit Kleopatra in Rom, wo beide zu *reges socii et amici populi Romani* erklärt wurden (Cass. Dio 43,27,3). Am 26.7.44 wird er noch erwähnt (POxy. 1629); kurz danach ließ ihn Kleopatra ermorden (Porphyrios von Tyros FGrH 260 F 2,16f.; Ios. ant. Iud. 15,99; Ios. c. Ap. 2,58).

E. VAN'T DACK, Ptolemaica Selecta, 1988, 177–185; 229–246 · L. CRISCUOLO, La successione a Tolemeo Aulete ed i pretesi matrimoni di Cleopatra VII con i fratelli, in:

L. CRISCUOLO, G. GERACI (Hrsg.), Egitto e storia antica, 1989, 325–339, bes. 334ff. · H. HEINEN, Rom und Ägypten von 51 bis 47 v. Chr., 1966, 177–183.

[22] P. XV. Kaisar (Καῖσαρ), von den Alexandrinern mit dem Spitznamen *Kaisárion* (»Caesarchen«) versehen (Plut. Caesar 49,10; Cass. Dio 49,41,1; Zon. 10,10 p. 366; lat. *Caesarion*). Als Sohn der → Kleopatra [II 12] am 23.6.47 v. Chr. geboren (Serapeumstele Paris, LV 335); der Name soll die vermeintliche Vaterschaft → Caesars betonen, die allerdings u. a. von seiten des → Augustus immer bestritten wurde (Suet. Iul. 52,2f.). Nach dem Tod P.' [21] XIV. wurde P. Mitregent Kleopatras [II 12] und als solcher 43 von Cornelius [I 29] Dolabella anerkannt (Cass. Dio 47,31,5). P. führte die Titel → *Philopátōr* und → *Philomḗtōr* (seit PRyl IV 582 [1]), was die Gründung einer neuen, ptolem.-röm. Dyn. dokumentieren sollte. Nach 37/6 wird er in den (erh.) Urkunden nicht mehr genannt, erhielt jedoch im J. 34 in Analogie zu seiner Mutter den Titel eines »Königs der Könige« (CIL III 7232) und teilte nominell die Erweiterung ihrer Macht (Plut. Antonius 54,6; Cass. Dio 49,41,1f.); gleichzeitig wurde P. von Antonius [I 9] als Sohn → Caesars anerkannt (so auch Antonius' Testament). Im J. 31 oder 30, jedenfalls nach der Schlacht von Actium (→ Aktion), wurde P. für volljährig erklärt (Cass. Dio 51,6,1; Plut. Antonius 71,3). Nach dem Tod seiner Mutter Kleopatra versuchte er, über Äthiopien nach Indien zu fliehen (Plut. Antonius 81,4; Cass. Dio 51,15,5; vgl. Oros. 6,19,13), wurde aber aufgegriffen und auf Befehl des Octavianus [1] (→ Augustus) getötet (Suet. Aug. 17,5; Plut. Antonius 81,4; 82,1; Cass. Dio 51,15,5).

1 C. H. ROBERTS, E. G. TURNER (ed.), Catalogue of the Greek Papyri in the John Rylands Library, 1952.

J. DEININGER, Kaisarion. Bemerkungen zum alexandrinischen Scherznamen für P. XV., in: ZPE 131, 2000, 221–226 · H. HEINEN, Cäsar und Kaisarion, in: Historia 18, 1969, 181–203 · Ders., Eine Darstellung des vergöttlichten Iulius Caesar auf einer äg. Stele? Beobachtungen zu einem mißverstandenen Denkmal (SB I 1570 = IGFay. I 14), in: P. KNEISSL (Hrsg.), Imperium Romanum. FS K. Christ, 1998, 334–345 · TH. SCHRAPEL, Das Reich der Kleopatra, 1996.

[23] P. Philadelphos (Φιλάδελφος). 36 v. Chr. als Sohn der → Kleopatra [II 12] und des M. → Antonius [I 9] geboren (Liv. per. 132; Cass. Dio 49,32,4); er wurde im J. 34 mit dem Titel »König der Könige« im maked. Ornat zum König von Phönizien, Syrien, Kilikien (Plut. Antonius 54,7) und aller Länder zwischen Euphrat und Hellespont (Cass. Dio 49,41,3; cf. Liv. per. 131) gekrönt. 30 v. Chr. wurde P. von → Augustus nach Rom gebracht; danach ist er in den Quellen nicht mehr erwähnt, wurde aber wohl mit seinen Stiefgeschwistern unter → Octavia [2] u. a. von Nikolaos [3] erzogen (Cass. Dio 51,15,6f.; Plut. Antonius 87,1; vgl. Suet. Aug. 17,5). PP VI 14563.

TH. SCHRAPEL, Das Reich der Kleopatra, 1996.

[24] (C. Iulius C. f. Fabius) P. Zwischen 19 und 14 v. Chr. als Sohn des → Iuba [2] und der Kleopatra [II 13] Selene geboren, König von → Mauretania, der als Nachfahre der → Ptolemaier geehrt wurde (IG II² 3445), Bruder und vielleicht Gatte der Iulia Drusilla (Tac. hist. 5,9; PIR² D 196), Verwandter des → Caligula (Suet. Cal. 26). P. hielt sich ca. 3 n. Chr. in Athen auf, wohl auch in Xanthos (OGIS 198) und war vor 14 n. Chr. Magistrat in Cartagena (→ Carthago Nova). Von 11 bis 20 n. Chr. münzte er als König mit seinem Vater Iuba, ab 21 wurden seine (Mit-)Regierungsjahre gezählt, seit dem Tod des Iuba [2] im J. 23 war er alleiniger König von Mauretania. P. trug zum röm. Sieg über → Tacfarinas bei und erhielt die → ornamenta triumphalia (Tac. ann. 4,25 f.). Tacitus (ann. 4,23,1) urteilt negativ über seine Regierung, ohne daß wir dies nachvollziehen könnten. Von Kaiser → Caligula wurde P. unter einem Vorwand in Rom verhaftet (Suet. Cal. 26,1; 35,1), dann nach langer Haft (Sen. dial. 9,11,12) im J. 40 n. Chr. hingerichtet (Cass. Dio 59,25,1; Plin. nat. 5,11) – vielleicht wegen Verwicklung in die Verschwörung des Cornelius [II 29] Lentulus Gaetulicus, vielleicht aber auch, weil seine Mz. eine größere Unabhängigkeit gegenüber Rom erkennen lassen als die Prägungen seines Vaters. Nach seinem Tod wurde Mauretania zur röm. Provinz. PIR² P 1025.

M. COLTELLONI-TRANNOY, Le royaume de Maurétanie sous Juba II et Ptolémée, 1997 • S. GSELL, Histoire ancienne de l'Afrique du Nord, Bd. 7, 1928, 277 ff. • J. MAZARD, Corpus nummorum Numidiae Mauretaniaeque, 1955, 375 ff. • D. FISHWICK, The Annexation of Mauretania, in: Historia 20, 1971, 466–487 • Ders., Ptolemy of Mauretania and the Conspiracy of Gaetulicus, in: Historia 25, 1976, 491–494 • D. SALZMANN, Die Mz. der mauretanischen Könige Juba II. und P., in: MDAI(Madrid) 15, 1974, 174–183, bes. 180–182 • K. FITTSCHEN, Die Bildnisse der mauretanischen Könige und ihre stadtröm. Vorbilder, in: MDAI(Madrid) 15, 1974, 156–173 (Portraits).   W. A.

II. PTOLEMAIOI IN
HELLENISTISCH-ÄGYPTISCHEN DIENSTEN

[25] Sohn des Aratokles von Rhodos (?), Bruder des Aristandros (PP VI 14892), próxenos von Olus, 261/260 v. Chr. eponymer Alexanderpriester. PP III/IX 5236.

[26] Sohn des Aeropos, Makedonier (?), 217/6 v. Chr., im J. des Rhaphia-Dekrets (→ Rhaphia), eponymer Alexanderpriester, 202/200 Offizier aitolischer Kavallerie-Einheiten (Pol. 16,18,8). Evtl. Vater des dux inclutus Aeropos, der 198/7 bei Sidon genannt wird (PP VI 15168; FGrH 260 F 46). PP III/IX 5239; VI 15237.

[27] Sohn des Chrysermos, Vater des P. [35], vielleicht eponymer Offizier (PP II/VIII 2022), Freund P.' [7] IV., Gastfreund des → Kleomenes [6], im J. 225/4 eponymer Alexanderpriester. PP III/IX 5238; VI 14624.

L. MOOREN, The Aulic Titulature of Ptolemaic Egypt, 1975, 66 Nr. 019.

[28] Archisōmatophýlax (»Oberleibwächter«) und → dioikētḗs ganz Ägyptens gegen E. des 3. Jh. v. Chr. PP I/VIII 40/1; II 4314.

[29] Sohn des → Thraseas, eines bes. Vertrauten des P. [6] III., und wiederum Vater eines → Thraseas. P. war 219 v. Chr. General P.' [7] IV. in Äg. (Pol. 5,65,3), trat dann aber im Verlauf des 5. → Syrischen Krieges zu Antiochos [5] III. über, was ganz wesentlich zu dessen Erfolg in Iudaea beitrug. Er wurde daraufhin seleukidischer Befehlshaber (stratēgós) und → archiereús in Syria-Phoenicia, und zwar spätestens 199/8 (vielleicht schon 202/1), und amtierte bis mindestens 196/5 (OGIS 230; dazu [1]). An P. ist der Brief des Antiochos gerichtet, der den Juden Religionsfreiheit und speziell Jerusalem Privilegien zusichert ([2]; Ios. ant. Iud. 12,138–144). P. besaß große Ländereien in Syrien, die wohl schon seinem Vater gehörten (SEG 29,1613; 1808), in deren Besitz er also bestätigt worden sein muß. PP II 2174.

1 Y. GRANDJEAN, G. ROUGEMONT (Hrsg.), Collection de l'école française d'Athènes, Inscriptions Nr. 15, Inv. Nr. I 8, in: BCH 96, 1972, 109 ff. **2** E. J. BICKERMANN, La charte séleucide de Jerusalem, in: Rev. des études juives 100, 1935, 4–35.

D. GERA, Ptolemy, Son of Thraseas and the Fifth Syrian War, in: AncSoc 18, 1987, 63–73 • CHR. HABICHT, C. P. JONES, A Hellenistic Inscription from Arsinoë in Cilicia, in: Phoenix 43, 1989, 317–346, bes. 339–346.

[30] Sohn des → Pelops [4], der zw. 210 und 205/4 v. Chr. wegen der Wohltaten seines Vaters von den hoi apó tu gymnasíu geehrt wurde, wohl in Nea Paphos ([1. 139] mit [2]). Er war in irgendeiner Form mit der Verwaltung von → Kypros/Zypern beschäftigt. PP VI 15769.

1 CHR. BLINKENBERG, K. F. KINCH (ed.), Lindos: fouilles et recherches 1902–1914, Bd. 2.1, 1941 **2** T. B. MITFORD, Ptolemy, Son of Pelops, in: JEA 46, 1960, 109–111.

[31] Sohn des → Hagesarchos von → Megale Polis, Vater der → Eirene [4]. P. war eine wichtige Figur unter P. [7] IV., über den er später eine eher negative Geschichte schrieb (FGrH 161). 204 v. Chr. wurde P. von → Agathokles [6] nach Rom gesandt, um den Regierungsantritt P.' [8] V. zu melden (Pol. 15,25,14; dazu [1. 484 f.]). Von 197/6 an war er als Nachfolger des Polykrates [5] → stratēgós von → Kypros/Zypern, evtl. bis 180, evtl. aber auch nur bis 194/3 (abgelöst durch PP VI 15089?). Der bei Polybios (18,55,8) genannte P. ist verm. nicht mit ihm identisch.

1 F. W. WALBANK, A Historical Commentary on Polybius, Bd. 2, 1967.

R. S. BAGNALL, The Administration of the Ptolemaic Possessions outside Egypt, 1976, 255 f. • CH. HABICHT, Athen in hell. Zeit, 1994, 110 • K. HALLOF, CH. MILETA, Samos und P. III. Ein neues Fr. zu dem samischen Volksbeschluß AM 27, 1957, 226 Nr. 59, in: Chiron 27, 1997, 255–285, bes. 274 f. • E. OLSHAUSEN, Prosopographie der hell. Königsgesandten, Bd. 1, 1974, 59 f. Nr. 37.

[32] Sohn des → Sosibios, Bruder des *sōmatophýlax* (→ Hoftitel B.) Sosibios (PP I 12). P. wurde von Agathokles [6] bei der Thronbesteigung P.' [8] V. als Gesandter nach Makedonien zu Philippos [7] V. geschickt, wo er vom Frühjahr 203 bis zum Herbst 202 v. Chr. einen Ehevertrag zw. seinem König und einer Tochter Philippos' V. aushandeln sollte; seine Bitte um Hilfe gegen Antiochos [5] III. blieb erfolglos (Pol. 15,25,13; 16, 22,3).

E. OLSHAUSEN, Prosopographie der hell. Königsgesandten, Bd. 1, 1974, 63 f. Nr. 42.

[33] Sohn des P., Bruder des → Komanos [2] und des → Neon [5], aus Alexandreia, *tōn prṓtōn phílōn* (→ Hoftitel B. 2). P. war wohl 195/4 v. Chr. eponymer Alexanderpriester (PP IX 5240 a), wurde als Gesandter 188/7 *próxenos* von Delphoi, ist im September 187 als Besitzer einer Flotte von Nilschiffen belegt, die er dem Staat zur Verfügung stellte, um eine Offensive des Komanos gegen Aufständische zu unterstützen (PP V 14318). P. ging im Spätsommer 169 als Gesandter P.' [9] VI. zu Antiochos [6] IV. und war 162/1 mit Komanos als Gesandter P.' [12] VIII. in Rom.

H. HAUBEN, The Barges of the Komanos Family, in: AncSoc 19, 1988, 207–211 · E. OLSHAUSEN, Prosopographie der hell. Königsgesandten, Bd. 1, 1974, 61 f. Nr. 39; 77 Nr. 54; 84 Nr. 61.

[34] Sohn des Glaukias (PP II/VIII 2577), Bruder des Apollonios (PP II/VIII 3820; III/IX 7324), Makedone aus dem Gau Herakleopolites; geb. E. des 3. Jh. v. Chr., seit ca. 172 *kátochos* (»<vom Gott> Festgehaltener«) im großen Serapeum (→ Sarapis) von Memphis – genauer: im Astarteion – und für die hl. Zwillinge zuständig (PP III 7336–7350). Erh. ist ein großes Archiv aus den J. 164–154 (UPZ, Bd. 1, 2–105), das Einblick in den Tempelbetrieb, aber auch in die Probleme eines Griechen in einem doch wesentlich äg. Tempel gewährt. PP III/IX 7334.

N. LEWIS, Greeks in Ptolemaic Egypt, 1986, 74 ff. · K. GOUDRIAAN, Ethnicity in Ptolemaic Egypt, 1988, 42 ff. · D. J. THOMPSON, Memphis under the Ptolemies, 1988, 212 ff.

[35] P., genannt Makron (Μάκρων; 2 Makk 10,12; dazu [1. 251 f.]), Sohn des P. [27] [2. 60 f. Nr. 28], Enkel des Makron; aus Alexandreia. 188/7 v. Chr. wurde er als Gesandter P.' [8] V. in Griechenland zum *próxenos* von Delphoi ernannt. P. war → *stratēgós* von → Kypros/Zypern ca. 180–168 (Pol. 27,13,1–4; dazu [3. 311 f.]). Er trat 168 nach dem Sieg Antiochos' [6] IV. zu dem Seleukiden über und wurde zum Statthalter von Koile Syria ernannt; P. beging Selbstmord, als er 163 (angeblich wegen judenfreundlicher Politik) von Antiochos [7] V. abgelöst werden sollte. PP VI 15069.

1 CH. HABICHT, 2. Makkabäerbuch (Jüdische Schriften aus hell.-röm. Zeit I/3), ²1979 2 E. OLSHAUSEN, Prosopographie der hell. Königsgesandten, Bd. 1, 1974

3 F. W. WALBANK, A Historical Comm. on Polybios, Bd. 3, 1979.

L. MOOREN, The Aulic Titulature in Ptolemaic Egypt, 1975, 187 f. Nr. 0350 · E. OLSHAUSEN, s. o. [2], 62 f. Nr. 41.

[36] Ungewöhnlich lang, nämlich von 193 bis ca. 168/7 v. Chr., amtierender *stratēgós* des Arsinoites (falls es sich nicht, was weniger wahrscheinlich ist, um zwei Homonyme handelt, von denen der eine unter P. [8] V., der andere unter P. [9] VI. amtierte, also 193–183 und 176–167).

L. MOOREN, Notes concernant quelques stratèges ptolémaïques, in: AncSoc 1, 1970, 9–24 · J. D. SOSIN, P. Duk. inv 677: Aetos, from Arsinoite Strategos to Eponymous Priest, in: ZPE 116, 1997, 141–146, hier: 142 f.

[37] Sohn des P., aus Alexandreia, 188/7 v. Chr. *próxenos* von Delphoi, 185/4 eponymer Alexanderpriester. PP III/IX 5241; VI 14946.

[38] → *Dioikētḗs* in Äg. zw. 182 und 176 v. Chr. PP VI 14689.

[39] P. Sympetesis (Συμπέτησις). Ägypter, der 162 v. Chr. von P. [12] VIII. anläßlich dessen Romreise mit der »Generalaufsicht« (*epiméleia tōn hólōn*) in der → Kyrenaia betraut wurde. Ein vergleichbares Amt hatte es seit den Zeiten des → Magas [2] nicht gegeben. P. schloß sich einem Aufstand der Kyrenaier an, der vom König trotz einer Niederlage überwunden wurde (Pol. 31,18,6–16).

BENGTSON 3, 157 · A. LARONDE, Cyrène et la Libye hellénistique, 1987, 439 f.

[40] Von spätestens 123/2 bis mindestens 118 v. Chr. → *dioikētḗs* ganz Ägyptens. PP I 42.

[41] Sohn des Kastor, 119/8 v. Chr. letzter namentlich bekannter eponymer Alexanderpriester, bevor der König selbst das Amt übernahm. PP III/IX 5251.

[42] *Tōn phílōn* (→ Hoftitel B.2), *hípparchos* (Reiterführer), Vorgänger des Herakleides [14] als *epistátēs* (»Vorsteher«) von Perithebai ca. 119/117 v. Chr.

L. MOOREN, The Aulic Titulature in Ptolemaic Egypt, 1975, 129 Nr. 0141.

[43] *Syngenḗs* (»Verwandter des Königs«) und → *dioikētḗs* ganz Ägyptens 108–96 v. Chr. PP I/VIII 43.

[44] *Syngenḗs* und *epistratēgós* (→ Hoftitel B. 2) des ganzen Landes mit mil. und ziviler Gewalt, dann – vor Dez. 95 v. Chr. – zum *hypomnēmatográphos* (»Büroleiter«, »Kanzler«) befördert.

L. MOOREN, The Aulic Titulature in Ptolemaic Egypt, 1975, 87 Nr. 047; 172 Nr. 0277.

[45] Als *syngenḗs kai archidikastḗs* (»Verwandter des Königs und Oberrichter«) und Inhaber weiterer Ämter ca. im März 84 v. Chr. bezeugt.

L. MOOREN, The Aulic Titulature in Ptolemaic Egypt, 1975, 169 Nr. 0263a.

[46] → *Dioikētēs* ganz Ägyptens, entweder 78/7 oder 49/8 v. Chr. (in diesem Fall wäre er im Amt von → Potheinos abgelöst worden). PP I/VIII 44.

[47] *Epistratēgós* (→ Hoftitel B. 2) der Thebais in J. 20 v. Chr.; da er schon unter Kleopatra [II 12] VII. im Amt gewesen sein muß, kann seine Laufbahn als Beleg für die Kontinuität der Verwaltung im Übergang von ptolem. zu röm. Herrschaft betrachtet werden. PP VIII 200 a.

[48] (auch *Pa-chrod-ka*). Sohn des → Panas, Bruder des Georgios (PP I 237; 271) und des Peteharsemtheus (PP I 364), Offizier, *stratēgós* und *syngenés* (»Verwandter des Königs«), Inhaber zahlreicher Priesterämter, bezeugt von 13–5 v. Chr. P. stellt mit seinem Vater und seinen Brüdern ein wichtiges Beispiel für die fortdauernde Bed. der unter den letzten Ptolemaiern aufgestiegenen einheimischen Familien in augusteischer Zeit dar. PP I 300; 322.

L. Mooren, The Aulic Titulature in Ptolemaic Egypt, 1975, 126 ff. Nr. 0138.   W. A.

III. Ptolemaioi in anderen hellenistischen Staaten

[49] P. von Aloros. Schwiegersohn des Makedonenkönigs → Amyntas [3] III., erhob sich 369 v. Chr. gegen dessen Nachfolger → Alexandros [3] II., doch konnte der Thebaner → Pelopidas die beiden vorübergehend aussöhnen (Diod. 15,67,4; Plut. Pelopidas 26,4 f.). Im Winter 369/8 wurde Alexandros ermordet, angeblich durch P. und auf Anstiftung seiner Mutter Eurydike [2], die ihren Liebhaber P. auf dem Thron sehen wollte (Diod. 15,71,1; Iust. 7,5,4; Plut. Pelopidas 27,2; schol. Aischin. leg. 29). Dieser wurde tatsächlich Vormund des noch unmündigen → Perdikkas [3] und von diesem 365 beseitigt (Diod. 15,77,5; 16,2,4).

HM 2, 181–185 · E. N. Borza, In the Shadow of Olympus. The Emergence of Macedon, 1990, 190–194.   M. Z.

[50] s. Polemaios [1]

[51] Sohn des Diadochen Lysimachos [2] und der Arsinoë [II 3], war wohl beteiligt an dem tödlichen Komplott gegen seinen Halbbruder Agathokles [5]. Nach dem Tod seines Vaters 281 v. Chr. beanspruchte er gegen P. [2] Keraunos vergeblich die Herrschaft über Makedonien, entkam jedoch im Gegensatz zu seinen Brüdern der Ermordung durch Keraunos und war bis ca. 276 v. Chr. in Makedonien polit. präsent. Wohl erst von Ptolemaios [6] III., nach dem 3. → Syrischen Krieg, erhielt er die Herrschaft über die lykische Stadt Telmissos (OGIS 55 = TAM Bd. 2, 1: 240 v. Chr.; Iust. 24,2,10).

H. Heinen, Unt. zur Gesch. des 3. Jh. v. Chr., 1972, 3 ff. · M. Wörrle, Epigraphische Forsch., in: Chiron 8, 1978, 201–246, hier 217 ff.

[52] Als Enkel des → P. [51] herrschte P. über → Telmissos in Lykien bzw. nur noch über ein begrenztes Gebiet (*ager*: Liv. 37,56,4 f.) bei dieser Stadt. Seine Tochter Berenike wurde 193 v. Chr. Erzpriesterin des Kultes für Laodike [II 6], die Gemahlin des Antiochos [5] III. in Phrygien (OGIS 224). Nach dem röm. Sieg über Antiochos 190 v. Chr. verlor P. wohl seine Herrschaft, trat aber noch 188 als Stifter in Delos auf (IG XI 3, 442 B 94 f. mit Komm. p. 166 f.).

M. Wörrle, Epigraphische Forsch., in: Chiron 8, 1978, 201–246, hier: 222 · Ders., Epigraphische Forsch., in: Chiron 9, 1979, 83–113, hier: 86 f.   A. ME.

[53] Ca. 295–272 v. Chr., Sohn des → Pyrrhos [1] aus der Ehe mit Antigone [5], verwaltete während des It.-Feldzuges seines Vaters (um 280) → Epeiros, eroberte 274 Korkyra, siegte über Antigonos [2] II. (Plut. Pyrrhos 4,6,9,28–30; Iust. 18,1,3; 25,2,4), fiel aber beim Rückzug vom Zug gegen Sparta (Plut. Pyrrhos 30). P. war wohl nicht Vater von P. [54], den sein Halbbruder → Alexandros [10] II. lediglich adoptiert haben soll [1. 588; 2. 64].

[54] Ca. 265–234 v. Chr., Sohn des Molosserkönigs → Alexandros [10] II., Bruder und Nachfolger von → Pyrrhos [2], zunächst unter der Vormundschaft der Mutter Olympias (Iust. 28,1,1; 2,3; vgl. SGDI 1348) [1. 591; 2. 64]. Nach seinem gewaltsamen (?) Tod in Ambrakia (Polyain. 8,52) zerfiel die epirotische Macht endgültig.

→ Epeiros

1 N. G. L. Hammond, Epirus, 1967 2 P. Cabanes, L'Epire de la mort des Pyrrhos à la conquête Romaine, 1976.

L.-M. G.

[55] Sohn des Dorymenes, *stratēgós* des → Antiochos [6] IV. in → Koile Syria und Phoinikien, trat in den jüdischen Unruhen um das Hohepriesteramt für → Menelaos [5] ein und verurteilte dessen Ankläger aus der jüd. → *gerusía* (II.) zum Tode. 167/6 v. Chr. schickte P. in Ausführung von Antiochos' Loyalitätsedikt ein Heer gegen die aufständischen Juden (1 Makk 3,38–40; 2 Makk 4,45–47; 6,8; 8,8 f.).

Th. Fischer, Seleukiden und Makkabäer, 1980, 24; 33–35; 39–41.   A. ME.

[56] Als Antiochos [5] III. kurz vor 200 v. Chr. die Herrschaftsverhältnisse im armenischen Raum neu organisierte, schuf er aus der Landschaft → Kommagene ein eigenes Verwaltungsgebiet und setzte dort den noch sehr jungen Orontiden P. zum Statthalter ein. Dieser erhob sich zwar nach der Schlacht bei Magnesia (190 v. Chr.) nicht gegen seinen Oberherrn, zeigte aber wenig Respekt vor den späteren Seleukiden und gründete um 163 v. Chr. ein eigenes Königreich. Sein Versuch, auch die kappadokische Stadt → Melitene zu erwerben, scheiterte (Diod. 31,19a). P., der noch bis um 130 v. Chr. regiert haben mag, war der Vater des Samos von Kommagene (OGIS 402).

M. Schottky, Media Atropatene und Groß-Armenien, 1989, Index s. v. mit Tafel I.   M. Sch.

[57] Sohn des Abub, *stratēgós* der Ebene von Jericho, ließ 135 v. Chr. bei einer Bewirtung in seiner Burg → Dok seinen Schwiegervater, den → Hasmonäer Simon, den Hohenpriester der Juden, und zwei von dessen drei Söhnen, Mattathias und Judas, ermorden. Der dritte Sohn, Iohannes → Hyrkanos [2], entkam nach Jerusalem und belagerte dann P. in Dagon (Dok). Nachdem Hyrkanos die Belagerung zu Beginn des Sabbatjahres (Okt. 135) aufgehoben hatte, ermordete P. Hyrkanos' Mutter. Sodann floh er zu Zenon Kotylas, dem Beherrscher von Philadelpheia (→ Rabbath Ammon; 1 Makk 16,11–17; Ios. ant. Iud. 13,228–235).

SCHÜRER 1, 199; 200 ff.

[58] Sohn des Mennaios, Fürst von Chalkis am Libanon (→ Libanos [2]), bedrohte um 85 v. Chr. und nochmals um 70 → Damaskos, das der Nabatäer Aretas [3] bzw. die jüdische Königin → Alexandra Salome schützten, erkaufte 63 die Anerkennung seiner Herrschaft von → Pompeius [I 3] Magnus, heiratete 49 die Hasmonäerin (→ Hasmonäer) Alexandra, die Tochter des soeben vergifteten jüdischen Königs Aristobulos [2] II., und griff in den Auseinandersetzungen um die letzten Hasmonäer 42 vergebens Iudaea an. Er starb 40 v. Chr. (Strab. 16,2,10; Ios. ant. Iud. 13,392; 418; 14,39; 126; 297; 330; Ios. bell. Iud. 1,103; 115; 185 f.; 239).

H. SEYRIG, Antiquités Syriennes, Bd. 4, 1958, 115 ·
SCHÜRER 1, 564 f.

[59] Freund und »Minister« (*dioikētḗs*) des → Herodes [1] I. und des → Herodes [3] Archelaos, begünstigte zeitweilig Herodes' Sohn Antipatros [5], verkündete nach Herodes' [1] Tod 4 v. Chr. dessen Testament in Jericho Heer und Volk und brachte Herodes' Staatsakten und Siegelring nach Rom (Ios. ant. Iud. 16,191; 257; 17,195; 228; Ios. bell. Iud. 1,473; 2,24).

A. SCHALIT, König Herodes, 1969, 220–222 · SCHÜRER 1, 311. A. ME.

IV. LITERARISCH TÄTIGE PERSONEN
[60] P. von Alexandreia. Grammatiker des 2. Jh. v. Chr., Schüler des → Hellanikos [2], Gegner des → Aristarchos [4] von Samothrake, deswegen auch ὁ Ἐπιθέτης (*ho Epithḗtēs*, »der Angreifer«) genannt. Neben Komm. und Monographien zu → Homeros (vgl. Suda π 3035 s. v. Π.) ist unter P.' Namen noch die Abh. Περὶ Ἰλιάδος (ⷦÜber die Iliasⷨ) bekannt, worin er sich als Zeuge und Verteidiger der textkritischen Entscheidungen des → Zenodotos von Ephesos erweist. Die Schrift Περὶ στατικῆς ποιήσεως (ⷦÜber die Stasimon-Dichtungⷨ [1. fr. *6]) stammt verm. von Klaudios P. [65].

ED.: **1** F. MONTANARI, I frammenti dei grammatici Agathokles, Hellanikos, Ptolemaios Epithetes, in: SGLG 7, 1988, 75–110.
LIT.: **2** F. MONTANARI, Evoluzioni del coro e movimenti celesti, in: L. DE FINIS, Scena e spettacolo nell' antichità (Atti del convegno internazionale di studio, Trento, 1988, Teatro 7), 1989, 149–163.

[61] Alexandrinischer Grammatiker des 2. Jh. v. Chr., Sohn des Oroandes, auch »Pindarion« genannt, Schüler des → Aristarchos [4] von Samothrake. Neben mehreren stilistischen und mythographischen Werken zu Homer (vgl. Suda π 3034 s. v. Π.) verfaßte P. auch einen Komm. zum 18. B. der Ilias (vgl. schol. Hom. Il. E 136a). Spuren einer theoretischen Auseinandersetzung des P. mit Fragen der sprachlichen Analogie (daher von Apollonios [11] Dyskolos, De coniunctionibus, GG II 1.1, 241,14 ⷦder Analogistⷨ genannt), dabei bes. mit der Definition und Funktion des Kriteriums der Sprachgewohnheit, überl. S. Emp. adv. math. 1,202–208.

1 D. BLANK, Sextus Empiricus, Against the Grammarians (Adversus mathematicos I), 1998, 225–232 (Übers., Einf., Komm.) **2** A. BLAU, De Aristarchi discipulis, 1883, 17–18
3 F. MONTANARI, Il grammatico Tolomeo Pindarione, i poemi omerici e la scrittura, in: Ricerche di filologia classica 1, 1981, 97–114 **4** F. SUSEMIHL, Gesch. der griech. Litt. in der Alexandrinerzeit, Bd. 2, 1892, 155–156.

[62] Griech. Grammatiker der alexandrinischen Trad., zeitweilig Lehrer in Rom, dem frühen 1. Jh. n. Chr. angehörig, wenn man ihn mit Athen. 11,481d und den schol. Hom. Il. 4,423 für den Sohn und nicht den Vater (so Suda π 3036 s. v. Π.) des → Aristonikos [5] hält. Nach seinem Schriftenverzeichnis in der Suda befaßte sich P. vorwiegend mit mythographisch-antiquarischen Fragen; die wenigen erh. Fr. lassen sich größtenteils seinem Werk Εἰς Ὅμηρον (ⷦÜber Homerⷨ, 50 B.) zuweisen.

1 A. BAGORDO, Die ant. Traktate über das Drama, 1998, 65 und 162 **2** A. DIHLE, s. v. P. (79b), RE Suppl. 9, 1306 **3** F. SUSEMIHL, Gesch. der griech. Litt. in der Alexandrinerzeit, Bd. 2, 1892, 215 **4** C. WENDEL, Überl. und Entstehung der Theokrit-Scholien (AAWG N. F. 17.2), 1920, 77–78.

[63] P. aus Askalon. Griech. Grammatiker des frühen 1. Jh. n. Chr., Lehrer in Rom. Von seinen Studien zur Sprachrichtigkeit, Orthographie, Metrik, homer. Textkritik und Philol.-Gesch. (vgl. Suda π 3038 s. v. Π.) ist die Προσῳδία Ὁμηρική (ⷦHomer. Prosodieⷨ, in zwei Ilias und Odyssee gesondert behandelnden Teilen mit je mindestens 2 B.) dank → Herodianos [1], der daraus vielfach zitiert, P.' am besten erschlossenes Werk. Darin erweist er sich als strenger Analogist. Das unter P.' Namen überlieferte Synonymenlexikon Περὶ διαφορᾶς λέξεων (ⷦÜber Wortunterscheidungenⷨ) ist unecht.

ED.: **1** M. BAEGE, De Ptolemaeo Ascalonita, 1882
2 G. HEYLBUT, Ptolemaeus Περὶ διαφορᾶς λέξεων, in: Hermes 22, 1887, 388–410.
LIT.: **3** A. BLAU, De Aristarchi discipulis, 1883, 25–37
4 K. NICKAU, Zur Gesch. der griech. Synonymica: P. und die Epitoma Laurentiana, in: Hermes 118, 1990, 253–256.

[64] P. Chennos aus Alexandreia. Griech. Mythograph und Paradoxograph der 2. H. des 1. Jh. n. Chr., Beiname Χέννος (*Chénnos*, »Wachtel«). Sein am besten erschlossenes Werk ist die Καινὴ ἱστορία (ⷦNeue Gesch.ⷨ, 7 B.), eine fr. überlieferte Slg. von Aitia, Mythen und

Paradoxa. Nur dem Titel nach sind P.' Roman Σφίγξ (›Sphinx‹) und sein Epos Ἀνθόμηρος (›Anti-Homer‹, 24 Gesänge) bekannt. Die Identifizierung des P. mit dem Peripatetiker P. [67] oder dem Platoniker P. [68] ist zweifelhaft [2].

ED.: **1** A. CHATZIS, Der Philosoph und Grammatiker P. Chennos. Leben, Schriftstellerei und Fr., 1914.
LIT.: **2** A. DIHLE, Der Platoniker P., in: Hermes 85, 1957, 314–325 **3** K.-H. TOMBERG, Die Καινὴ ἱστορία des P. Chennos, Diss. Bonn 1968. ST. MA.

[65] Klaudios P. (Κλαύδιος). Bedeutender griech. Astronom des 2. Jh. n. Chr., Verf. grundlegender Schriften zur Astronomie, Astrologie, Geogr., Optik, Harmonik und Mathematik.
I. LEBEN II. WERKE III. WIRKUNGSGESCHICHTE

I. LEBEN

Über das Leben des P. ist wenig Sicheres bekannt. Er lebte in Alexandreia [1] zur Zeit der Kaiser Hadrianus und Antoninus Pius bis unter Marcus [2] Aurelius. Sein astronomisches Hauptwerk, der sog. ›Almagest‹, wurde vor 147 n. Chr. vollendet; darin werden Beobachtungen erwähnt, die zw. März 127 und Februar 141 stattfanden. Die Kanobosinschr. wurde im 10. J. des Antoninus Pius, also 147/8, aufgestellt. Die ›Handlichen Tafeln‹, ›Hypothesen der Planeten‹ und ›Apotelesmatika‹ wurden nach dem ›Almagest‹ geschrieben. Sein spätestes Werk war wahrscheinlich die ›Geographie‹ (zur Chronologie der Schriften s. [40. 834–836]).

II. WERKE

A. ASTRONOMISCHE WERKE
B. ASTROLOGISCHE SCHRIFTEN C. GEOGRAPHIE
D. WEITERE WISSENSCHAFTLICHE WERKE

A. ASTRONOMISCHE WERKE

1. ALMAGEST 2. PHASEN DER FIXSTERNE
3. HANDLICHE TAFELN 4. HYPOTHESEN DER PLANETEN 5. KANOBOSINSCHRIFT
6. ÜBER DAS ANALEMMA 7. PLANISPHAERIUM

1. ALMAGEST

Der ursprüngliche Titel des Werkes war Μαθηματικὴ σύνταξις (*Mathēmatikḗ sýntaxis*, ›Mathematische Zusammenstellung‹). Später wurde es ἡ μεγίστη (*hē megístē*) oder Μεγάλη σύνταξις (*Megálē sýntaxis*) genannt (›Größte‹ bzw. ›Große Zusammenstellung‹); aus *hē megístē* wurde dann im Arabischen ›Almagest‹.

Der (vollständig erh.) ›Almagest‹ in 13 B. ist ein Hdb. der gesamten mathematischen → Astronomie. In B. 1 werden u. a. Gründe dafür angegeben, daß die Erde kugelförmig ist und unbeweglich im Mittelpunkt des Weltalls steht. Um sie bewegt sich die Fixsternsphäre, die die Welt umschließt und in ihrer täglichen Drehung um die Pole sämtliche Himmelskörper mitnimmt. Die Reihenfolge der → Planeten ist: Mond, Merkur, Venus, Sonne, Mars, Jupiter, Saturn. B. 1 enthält auch die

Grundlagen der Sehnentrigonometrie und eine Sehnentafel (zur Trigonometrie bei P. und speziell zur Berechnung seiner Sehnentafel s. [34. 276–286]). In B. 2 werden, ausgehend vom Wert 23°51'50'' für die Schiefe der Ekliptik, Tafeln der Aufgangszeiten für verschiedene Breiten berechnet. B. 3 behandelt die Bewegung der → Sonne, B. 4 und 5 die des → Mondes. B. 6 geht auf die Theorie der → Finsternisse ein. B. 7 und 8 sind den → Fixsternen gewidmet; im Zentrum steht ein Sternkatalog mit 1025 Sternen, die in 48 → Sternbilder eingeteilt werden, wobei jeweils L, Br und Helligkeit angegeben sind. In B. 9–11 werden die Parameter für die Bewegung der einzelnen Planeten bestimmt; sie bewegen sich je auf einem Epizykel, dessen Mittelpunkt jeweils auf einem exzentrischen Kreis um die Erde läuft. B. 12 behandelt die scheinbare Rückläufigkeit und B. 13 die Breitenbewegung der Planeten.

Der ›Almagest‹ beruht zwar auf den Beobachtungen und Schriften des → Hipparchos [6], aber P. hat sie in vielfacher Hinsicht modifiziert und verändert. In der Sonnentheorie stimmt P. mit Hipparchos überein, aber die Mondtheorie des P. ist viel genauer, und seine Planetentheorie ist ganz neu. P. verwendet viele Beobachtungen des Hipparchos, aber in den theoretischen Teilen stützt er sich hauptsächlich auf Lehrsätze, die → Apollonios [13] von Perge aufgestellt hatte. Die frühere Ansicht, P. habe die Längen in seinem Sternkatalog einfach durch Addition von 2°40' aus den Längen des Hipparchos erhalten, ist umstritten (s. [31]). Die Daten der Äquinoktien und Solstitien, die die Grundlage seiner Sonnentheorie bilden, hat P. höchstwahrscheinlich aus eigenen Beobachtungen gewonnen. Sie weisen Fehler von 1 bis 1 ½ Tagen auf, die zu einem systematischen Fehler von etwa 1° in den Sonnentafeln führen. Diesen Fehler, der sich auf die Mond-, Stern- und Planetentafeln überträgt, haben erst die Araber ausgemerzt.

Ed.: [1. Bd. 1]; Übers.: [2] (dt.), [3] (engl.), [4] (frz.). Siehe allg. [49. 1797–1813; 3]; zum mathematischen Inhalt s. [40. 21–261].

2. PHASEN DER FIXSTERNE

Das Werk Φάσεις ἀπλανῶν ἀστέρων (*Pháseis aplanṓn astérōn*, ›Phasen der Fixsterne‹) in zwei B. (von B. 1 sind nur Fr. erh.) enthält Daten für die »Phasen« von 30 → Fixsternen, d. h. für ihre verschiedenen sichtbaren Auf- und Untergänge am Morgen und Abend und die nach allg. Auffassung mit ihnen verbundenen Witterungszeichen. P. hat viele Wetterzeichen aus den Kalendern seiner Vorgänger (→ Euktemon, → Eudoxos [1], → Meton [2]) übernommen.

Ed.: [1. Bd. 2, 1–67]; arab. Fragment aus dem verlorenen B. 1: [6]; zur Überl.: [1. Bd. 2, CL–CLXV]. Siehe allg. [49. 1813–1815; 40. 926–931; 32. 212 f.].

3. HANDLICHE TAFELN

Die Πρόχειροι κανόνες (*Prócheiroi kanónes*, ›Handliche Tafeln‹) gehören zu den wichtigsten astronom. Texten der Ant., weil sie alle Daten enthalten, die man benötigt, um sämtliche astronom. Berechnungen (Planetenpositionen, Finsternisse usw.) bequem auszuführen. In der Einl. erklärt P. Einrichtung und Gebrauch der Tafeln. Die Tafeln selbst sind nur in der Bearbeitung durch → Theon von Alexandreia (um 360 n. Chr.) überl., der aber nichts Wesentliches verändert hat. P. ist für Zusätze und andere Veränderungen gegenüber den Tafeln im ›Almagest‹ verantwortlich; u. a. hat er die Breitenbewegung der Planeten nach einer verbesserten Theorie berechnet (s. [47; 48]).

Das Werk wurde überall benutzt, wo man Astronomie auf der Grundlage des P. betrieb. In der Spätant. und in Byzanz wurden sie ebenso für astronom. Berechnungen verwendet wie bei den Arabern, die durch sie zur Abfassung eigener ähnlicher Tafelwerke angeregt wurden.

Ed.: [1. Bd. 2, 157–185] (Einl.), [7] (Tafeln); zur Überl.: [1. Bd. 2, CXC–CCIII; 40. 976–978]. Siehe allg. [49. 1823–1827; 40. 969–1028].

4. Hypothesen der Planeten

Von den zwei B. Ὑποθέσεις τῶν πλανωμένων (*Hypothéseis tôn planōménōn*, ›Hypothesen der Planeten‹) ist nur der erste Teil von B. 1 auf griech., der gesamte Text aber auf arab. erh. Das Werk will eine anschauliche Vorstellung von der Bewegung der → Planeten vermitteln. Die Theorie des ›Almagest‹ wurde daher vereinfacht, andrerseits aber auch aufgrund neuer Beobachtungen verbessert. Die Theorie der Breitenbewegungen der Planeten ist genauer als im ›Almagest‹ und in den ›Handlichen Tafeln‹. Am E. von B. 1 wird ein Verfahren angegeben, wie die absoluten Abstände der Planeten zu bestimmen sind. B. 2 beginnt mit einer philos. Erörterung über die Gründe der Planetenbewegung. Um diejenigen zu unterstützen, die die Bewegung der Himmelskörper mechanisch (d. h. mit Hilfe eines Planetariums) darstellen wollen, entwickelt P. ein Modell für die Bewegung der Planeten und der Fixsterne, das auf 41 Sphären beruht. Das Werk wurde im späten 9. Jh. durch Ṯābit ibn Qurra ins Arab. und im frühen 14. Jh. durch Kalonymos aus dem Arab. ins Hebräische übersetzt.

Ed. mit dt. Übers.: [1. Bd. 2, 69–145]; Ed. des arab. Textes von B. 1, Teil 2, mit engl. Übers.: [8]; Überl.: [1. Bd. 2, CLXVI–CLXXIV; 8. 3–5; 43. Bd. 6, 94 f.]. Zum Inhalt s. [49. 1816–1818; 33; 8; 40. 900–926].

5. Kanobosinschrift

Diese Inschr. befindet sich auf einer Stele, die P. im 10. Jahr des Kaisers Antoninus Pius in → Kanobos aufstellte; sie besteht hauptsächlich aus Zahlen (Planetenpositionen, mittlere Bewegungen usw.). Die meisten Angaben stimmen mit dem ›Almagest‹ überein; einige sind geringfügig verbessert. Der Schlußabschnitt ist der → Sphärenharmonie gewidmet: Den Planeten werden Saiten einer Lyra zugeordnet.

Ed.: [1. Bd. 2, 147–155]; Überl.: [1. Bd. 2, CLXXV–CLXXIX]. Siehe allg. [49. 1818–1823; 40. 913–917].

6. Über das Analemma

Von der Schrift Περὶ ἀναλήμματος (*Perì analḗmmatos*, ›Über das Analemma‹) sind nur Fr. des griech. Originals in einem → Palimpsest (Mailand, Ambros. Graec. L 99

sup.) sowie die lat. Übers. erh., die Wilhelm von Moerbeke um 1270 aus dem Griech. anfertigte. Das Analemma ist eine geom. ebene Figur, die der Ermittlung gewisser Kreisbögen auf der Sphäre dient. Die Punkte der Kugel werden zunächst senkrecht auf eine Meridianebene projiziert; dann werden andere Ebenen in diese umgeklappt. So können Winkel und Bögen durch Konstruktionen in der Ebene ermittelt oder mit Hilfe der ebenen Trigonometrie berechnet werden.

Ed.: [1. Bd. 2, 187–223] und [9] (mit engl. Übers.). Siehe allg. [49. 1827–1829; 40. 839–856; 34. 286–292].

7. Planisphaerium

Die nur in arab. und lat. Übers. erh. Schrift *Planisphaerium* behandelt die sog. »stereographische Projektion« der Kugel vom Südpol aus auf die Ebene des Äquators. P. bestimmt die Größe der Parallelen zum Äquator und konstruiert die Bildkreise des Horizonts, der Ekliptik und der Parallelen zu ihr. Die Schrift wurde um 900 ins Arab. und im 12. Jh. durch Hermann von Kärnten ins Lat. übersetzt. Die Zusätze und Bemerkungen des spanisch-arab. Astronomen Maslama († 1007) wurden von Hermann und anderen ins Lat. übersetzt (s. [11]).

Auf der Methode der stereographischen Projektion beruht das → Astrolabium, ein astronom. Instrument, das v. a. im MA weit verbreitet war. Die Grundlagen dieses Instruments waren möglicherweise schon dem Hipparchos [6] bekannt; ob P. es schon kannte, ist umstritten.

Arab. Faksimile-Ed. mit engl. Übers.: [10]; lat. Ed.: [1. Bd. 2, 225–259]; zur Überl.: [1. Bd. 2, CLXXX–CLXXXIX; 11. 5–10]. Zum Inhalt s. [49. 1829–1831], zum Planisphaerium und Astrolabium s. [40. 857–879].

B. Astrologische Schriften
1. Apotelesmatika   2. Karpos

1. Apotelesmatika

Ἀποτελεσματικά (*Apotelesmatiká*, ›Astrologische Urteile‹) oder Τετράβιβλος (*Tetrábiblos*, lat. *Quadripartitum*, ein ›Hdb. der Astrologie in 4 Büchern‹), für das der ›Almagest‹ die astronom. Grundlagen liefert, behandelt die Einflüsse der Himmelskörper auf irdische Dinge. P. leitete im Anschluß an frühere *Astrologúmena* aus dem Sternstand Voraussagen für Länder und Menschen ab. B. 1 behandelt den Wert der → Astrologie und andere allg. Fragen, B. 2 die »astrologische Geographie« (d. h. Voraussagen für ganze Völker, Länder und Städte), B. 3 und 4 Voraussagen für einzelne Menschen. Die große Wirkung der *Tetrábiblos* zeigt sich auch in Komm. aus dem 3.–5. Jh. von → Porphyrios, Pancharios, → Proklos [2] und einem anon. Autor ([32. 213–216]). Weiteres s. unter III. C.

Ed.: [1. Bd. 3.1]; Ed. mit engl. Übers.: [12]; Ed. mit Komm.: [13]. Zum Inhalt s. besonders [28. 111–218; 49. 1831–1838; 32. 205–211]. Zur mathematischen Astronomie s. [40. 896–900].

2. KARPOS

Die Schrift Καρπός (*Karpós*, ›Frucht‹; Ed.: [1. Bd. 3.2. 37–61]) besteht aus 100 Thesen, die die fünf Grundbestandteile der Astrologie umfassen sollen; daher die lat. Bezeichnung *Centiloquium* (›Buch der hundert Sätze‹). Das Werk ist sicherlich unecht; viele Ausführungen lassen sich nicht mit der astrologischen Auffassung des P. in den *Apotelesmatiká* vereinbaren [32. 211; 28. 180f.; 49. 1838f.]. Es wurde dreimal ins Arab. übers. und mehrfach komm. [43. Bd. 7, 44–46].

C. GEOGRAPHIE

Die Γεωγραφικὴ ὑφήγησις (*Geōgraphikḗ hyphḗgēsis*, ›Geographie‹, wörtl. ›Geogr. Anleitung‹) in 8 B. enthält – anders als frühere griech. geogr. Schriften – keine Beschreibung der einzelnen Länder, sondern eine Ortsliste, die alle Teile der bewohnten Welt (→ *oikuménē*) umfaßt und die Positionen der Orte in Längen- und Breitengraden angibt. Darüber hinaus ist die ›Geographie‹ die älteste erh. Schrift, in der theoretisch korrekt und klar dargestellt wird, wie die Erde durch Karten (→ Kartographie) abgebildet werden kann. Somit bezeichnet das Werk einen richtungsweisenden Neuanfang in der Gesch. der ant. → Geographie. Es besteht aus drei Teilen: einem theoretischen (B. 1); einem auf die Länder bezogenen Abschnitt mit Positionsangaben für Orte in den drei Erdteilen Europa, Libyen (= Nordafrika), Asien (B. 2–7); schließlich Angaben über den Inhalt der 26 kleineren Karten, in die man die bewohnte Welt teilen kann (B. 8).

B. 1 behandelt nach einer kosmologischen Einl. auf der Grundlage der astronom. Schriften des P. grundsätzliche Fragen der Kartenprojektion. Es wird die Forderung aufgestellt, die Lage jedes Ortes aufgrund seiner Längen- und Breitenkoordinaten zu bestimmen. Angesichts der besonderen Schwierigkeit, die L präzise anzugeben, stützt sich das Werk auf die geogr. Arbeiten des → Marinos [1]. Als Grenzen der bewohnten Welt wird im Norden die Insel → Thule mit der geogr. Br φ=63° angenommen, im Süden die südliche Breitenkreis, für dessen Orte der längste Tag 13 Stunden lang ist, d.h. φ=–16° 25'; die L erstreckt sich über 180° von den »Inseln der Seligen« (→ Makaron Nesoi) im Westen bis nach → China. Während bei Eratosthenes [2] 1° auf dem Äquator 700 Stadien entspricht, geht P. von 500 Stadien aus, also von 180000 Stadien für den Erdumfang. Anstelle der zylindrischen Projektion des Marinos werden zwei verschiedene Projektionen vorgestellt: eine kegelförmige mit dem mittleren Breitenkreis durch die Insel Rhodos (φ=36°; Ptol. Geographia 1,22f.) sowie eine Projektion mit gekrümmten Meridianen mit dem mittleren Breitenkreis durch die Stadt → Syene (φ=23°50'; ebd. 1,23f. Zu den mathematischen Grundlagen der Projektionen s. [40. 880–888]).

In B. 2–7 werden alle nennenswerten geogr. Orte der → *oikuménē* mit Angabe ihrer Längen- und Breitenposition aufgezählt, wobei die Längenpositionen weitgehend auf Schätzungen beruhen; insgesamt etwa 8100

Namen (auch Flußmündungen, Berge usw.): Europa (B. 2–3), Libyen (B. 4), Westasien bis zum Euphrat (B. 5), Mittelasien und Arabien (B. 6), Indien, China, Ceylon (B. 7).

B. 8 beschäftigt sich mit Regionalkarten. Man kann die Karte der bewohnten Welt in 26 kleinere Karten aufteilen, bei denen Längen- und Breitengrade in ein rechteckiges Raster eingetragen werden. Die Grenzen der einzelnen Teilkarten in Br und L werden angegeben. Die Karten selbst sind nicht überl. Den Hauptteil des B. 8 nimmt eine Liste der ›wichtigsten Städte‹ ein. Anders als in B. 2–7 sind hier die Positionen in traditioneller Weise bezeichnet, d.h. durch Angabe der Dauer des längsten Tages und die Zeitdifferenz, bezogen auf den Meridian durch Alexandreia.

Die Koordinatenlisten ermöglichten es, die Weltkarte und die Einzelkarten herzustellen; man vermutet, daß P. solche selbst seinem Werk beigegeben hat. Griech. Hss. sind erst seit dem 13. Jh. erh., und nur in einigen von ihnen werden auch Einzelkarten überl., die allerdings nicht den Vorschriften des P. entsprechen.

Zur Entstehung der ›Geographie‹ und zur Frage, ob P. ihr Karten zugefügt hat, s. [44; 43. Bd. 10, 31–57]. Zur Überl. im byz. Bereich s. [42]. Abdrucke von Karten aus griech. Hss. und Frühdrucken [30; 21; 22].

In einigen Hss. der ›Handlichen Tafeln‹ werden Tab. von ca. 360 ›ausgezeichneten Städten‹ (κανὼν ἐπισήμων πόλεων, *kanṓn episḗmōn póleōn*) mit ihren Breiten- und Längenpositionen überl. (s. [35. 73–81]; Ed. [35. 193–224]). Ähnliche Listen findet man auch in B. 8, 3–28 der ›Geographie‹. Zum Verhältnis dieser Zusammenstellungen s. [41. 681–692].

Allg. zur ›Geographie‹: Ed.: [14], [15. Bd. 2] (B. 4–5, mit lat. Übers.), [16] (nur B. 2,7–B. 3,1), [17] (nur B. 7,1–4,13, mit frz. Übers.); dt. Übers. von B. 1: [18]; engl. Übers.: [19]. Vgl. allg. [41. 692–819; 29; 44]; zur mathematischen Theorie s. [40. 934–940]. M.F.

D. WEITERE WISSENSCHAFTLICHE WERKE

1. HARMONIK 2. OPTIK
3. PERI KRITERIU KAI HEGEMONIKU
4. VERLORENE SCHRIFTEN

1. HARMONIK

Der Traktat Ἁρμονικά/*Harmoniká* ist die systematischste und umfassendste ant. Abh. über die Musiktheorie. P. rezipiert darin sowohl pythagoreische als auch aristoxenische Trad. und – in der Frage, wie die Gültigkeit musikalischer Daten festzustellen sei – ihre jeweils auf Vernunft bzw. Sinneswahrnehmung orientierten Ausrichtungen; beiden Trad. gegenüber kritisch eingestellt, zeigt er einmalige methodologische Gewandtheit in der Ordnung von Tonsystemen und der Klarheit ihrer Darstellung.

P. balanciert Rationalismus und Empirik aus, indem er mathemat. erschlossene Intervalle der Einschätzung des Gehörs unterwirft (1,1–2); deshalb wechseln Kap. über die Berechnung von Intervallen und Tonsystemen mit solchen über die Anfertigung von akustischen Geräten ab. P.' Berechnungen schreiten fort von Konkordanzen (1,5–11) über Tetrachorde (1,12–2,1) und Quart-, Quint- und Oktavspezien (εἴδη/eídē: 2,3) zum »vollständigen System« (σύστημα τέλειον/sýstēma téleion: 2,4–5) und zu den Tonarten (τόνοι/tónoi: 2,6–11; vgl. [50. 17–27]), aus denen das vollständige System besteht; das Werk gipfelt in Analogien des »Gestimmt-Seins« (τὸ ἡρμοσμένον/to hērmosménon) zur Seele (3,3–7) und des vollständigen Systems zum Kosmos (3,8–16). Mathematischer Kern der Harmoniká ist die Reflexion darüber, welche Klassen von → Proportionen zulässig (1,5–7) und für die Konstruktion von Tetrachorden (1,15) brauchbar sind. Zwar ist P. pythagoreisch in seiner Befürwortung von mehrfachen (mn:n) und überteiligen (n+1:n) Proportionen (1,5), doch zeigt er die Schwierigkeiten, die damit verbunden sind – die Undezime (8:3) ist weder mehrfach noch überteilig; nicht jede mehrfache bzw. überteilige Proportion (5:1 bzw. 5:4) erzeugt eine Konsonanz (1,6) – und bietet Lösungen an (1,7). Ferner behandelt er akustische Fragen (1,3–4), Modulation (2,6–8; ein motivierender Faktor bei der Integration der Tonarten in das vollständige System [50. 15]) und die praktische Verwendung der Stimmungen (1,16; 2,1; 2,16). Die Darstellung ist erfüllt von der ›göttlichen Leidenschaft‹ (ἔρως θεῖος/érōs theíos), welche P. dem Thema attestiert (3,3).

→ Porphyrios schrieb einen Komm. zu den Harmoniká (bis 2,7) und → Boëthius paraphrasierte B. 1 in De institutione musica; P. wurde auch in der arab. Musiktheorie genutzt [54; 55]. Die Abh. war Musiktheoretikern der Renaissance wie GAFFURIUS, für den sie ein Schlüsseltext über Stimmungen war (De harmonia instrumentorum musicorum, 1518, 2,16ff.), wohlbekannt. Darüber hinaus erlangte sie neue Bed. als ant., deshalb legitimierende Quelle des syntonischen Diatonisch (1,15 und 2,14), einer Stimmung mit (im Vergleich zum pythagoreischen ditonischen Diatonisch) den Terzen, welche für eine auf Dissonanzbehandlung basierende Theorie der Polyphonie notwendig war (ZARLINO, Istitutioni Harmoniche, 1573, 2,16 und 3,71).

Ed.: [23; 24]; dt. Übers. [24]; engl. Übers. [25; 50]; allg. [49. 1840–1847]. R.O.HA.

2. OPTIK
Erh. ist nur ein Teil einer lat. Übers. aus dem Arab., die Eugen von Sizilien im 12. Jh. anfertigte (De aspectibus; Ed.: [26]; zum Inhalt s. [37; 49. 1847–1853; 40. 892–896]). Von den 5 B. fehlt B. 1 und das E. von B. 5, jedoch konnte der Inhalt größtenteils rekonstruiert werden [37]. B. 1 behandelte die Grundlagen des Sehens, das (wie bei → Eukleides [3]) durch Sehstrahlen geschieht, die vom Auge ausgehen. In B. 2 wird die Rolle von Licht und Farbe beim Sehen dargestellt. P. erläutert u. a. fünf Experimente über das Sehen mit zwei Augen und die dabei auftretenden Sinnestäuschungen. B. 3 und 4 behandeln die Reflexion der Sehstrahlen. In B. 5 beschreibt P. Messungen der Brechung von Luft in Wasser und in Glas sowie von Wasser in Glas, die er selbst mit

einer kreisförmigen Bronzescheibe ausführte, und faßt die Ergebnisse in drei Tab. zusammen. Die Brechungswinkel bilden bei ihm arithmetische Reihen zweiter Ordnung. Ein derartiges experimentelles Vorgehen war für die Ant. ungewöhnlich (vgl. auch → Physik VII.).

3. PERI KRITERIU KAI HEGEMONIKU
Die kleine Schrift Περὶ κριτηρίου καὶ ἡγεμονικοῦ/ Perí kritēríu kai hēgemonikú behandelt in Kap. 1–12 die Vorgänge beim Erkennen der Wahrheit (κριτήριον/ kritērion = Mittel zum Beurteilen und Entscheiden). In Kap. 13–18 stellt P. die Frage nach dem Sitz des »Funktionszentrums« (ἡγεμονικόν/hēgemonikón). Er kommt zu dem Schluß, daß es im Herzen und im Gehirn angesiedelt ist. P. folgt oft Ansichten des → Aristoteles [6] oder der Stoiker (→ Stoizismus), zeigt sich also als Eklektiker.

Ed.: [1. Bd. 3.2, 3–36], allg. zur Schrift s. [49. 1854–1858]. Zu P.' philos. Ansichten s. [28. 66–111].

4. VERLORENE SCHRIFTEN
Die Schrift ›Über das Parallelenpostulat‹ ist verloren. P.' »Beweis« für das Parallelenpostulat des Eukleides [3] wird bei → Proklos [2] ausführlich dargestellt (Ed.: [1. Bd. 2, 266–270]; s. allg. [34. 295–297] mit Hinweis auf den entscheidenden Fehlschluß).

Nur durch ant. Zitate bekannt sind Schriften des P. zur Mechanik und über die Elemente sowie ein Werk, in dem er bewiesen haben soll, daß es nicht mehr als drei Dimensionen gibt (Fr. in [1. Bd. 2, 263–270]). Zahlreiche zumeist astrologische Schriften, die P. v. a. in arab. Texten zugeschrieben werden, sind unecht [43. Bd. 7, 46–49].

III. WIRKUNGSGESCHICHTE
A. ALMAGEST   B. GEOGRAPHIE
C. APOTELESMATIKA

A. ALMAGEST
Der ›Almagest‹ war bis zum E. des 16. Jh. das maßgebliche Lehrbuch der theoretischen Astronomie (zur Überl.-Geschichte s. [1. Bd. 2, XVIII–CXLIX; 3; 36]). Komm. dazu wurden von → Pappos und → Theon von Alexandreia verfaßt. Der griech. Text beruht wesentlich auf 4 Hss. aus dem 9. und 10. Jh., von denen eine (Vat. gr. 1594) den Besitzvermerk des byz. Mathematikers → Leon [10] († nach 869) trägt.

Im arab. Bereich gab es vier verschiedene Fassungen. Während die Übers. ins Arab., die um 800 unter al-Ma'mūn entstand, und diejenige von Isḥāq ibn Ḥunain (um 880) verloren sind, haben sich die Übers. von al-Ḥaǧǧāǧ (827/8) und die Bearbeitung der Fassung von Isḥāq durch Ṯābit ibn Qurra († 901) erh.; ediert ist bisher nur der Sternkatalog [5. Bd. 1]. Der ›Almagest‹ veranlaßte al-Battānī und viele andere arab. Astronomen zu weiterführenden Schriften und Tafelwerken. Sehr verbreitet war eine Redaktion (taḥrīr) des ›Almagest‹ von Naṣīr ad-Dīn aṭ-Ṭūsī (1247), die auf der Isḥāq-Ṯābit-Fassung beruht. Ferner gab es eine syrische (aus der Frühzeit des Islam) und eine hebräische Übers. aus dem Arab. (13. Jh.) sowie eine Übertragung aus dem Arab. ins Sanskrit (1732).

Die wirkungsgesch. bedeutendste lat. Fassung war die Übers. aus dem Arab. durch Gerhard von Cremona (s. [5. Bd. 2]). Dieser begann die Übers. nach der Fassung von al-Ḥaǧǧāǧ, übersetzte die B. 10–13 aber nach einer Isḥāq-Ṯābit-Vorlage. Von Gerhards Übers. sind zwei Fassungen bekannt; die erste wurde vor 1175, die zweite verm. um 1180 abgeschlossen. Daneben gab es auch eine Übers. aus dem Griech., die um 1160 in Süditalien entstand, aber praktisch wirkungslos blieb. Von allen lat. Fassungen ist bisher nur der Sternkatalog in Gerhards Übers. ediert ([5. Bd. 2]).

Im Auftrag von Papst Nikolaus V. fertigte Georg von Trapezunt (1396–1484) eine lat. Übers. nach einer griech. Hs. an (fertiggestellt 1451, gedr. 1528). Da sie fehlerhaft war, verfaßte Johannes Regiomontanus um 1465 mit Hilfe von griech. Hss. des Kardinals Bessarion und von Theons Komm. einen ›Auszug aus dem Almagest‹. Die ›Almagest‹-Hs., die Regiomontanus besessen hatte, war die Vorlage der griech. Erstausgabe dieser Schrift durch Simon Grynaeus (1538).

B. Geographie

Anders als der ›Almagest‹, dessen mathemat. Inhalt immer nur wenigen Spezialisten zugänglich war, hat die ›Geographie‹ des P. die theoretische und die praktische Geogr. bis in die Neuzeit sehr stark beeinflußt.

Eine Übers. der ›Geographie‹ ins Arab. aus dem frühen 9. Jh. ist nicht erh. Es gab arab. Bearbeitungen, die sich auf den arab.-islam. Teil der bewohnten Welt spezialisierten; die älteste derartige Schrift ist das *Kitāb Ṣūrat al-Arḍ* von al-Ḫwārizmī (um 820; Ed. [20]; zu den Beziehungen zw. P. und al-Ḫwārizmī s. [39]). In Westeuropa wurde die ›Geographie‹ erst im 15. Jh. durch die Übers. von Jacobus Angelus aus dem Griech. (um 1406) bekannt (zum Einfluß auf die Entwicklung der europäischen Kartographie s. [30. Teil I.1, 290–415]). Die Humanisten sahen in dem Werk die Anfänge der mathemat. Geogr. bzw. → Kartographie und sorgten für seine Verbreitung in häufig prächtigen und großformatigen Ausgaben, obwohl die geogr. Angaben des P. damals schon überholt waren; die Projektionsmethoden (s. [18. 87–105]) waren richtungsweisend für die mod. Kartographie. Nach der *editio princeps* der Übers. von Jacobus Angelus (Vicenza 1475) folgten in den nächsten 150 Jahren viele weitere Ausgaben der ›Geographie‹ (s. [38]; zu ihrem Bekanntwerden in Europa und zur Nachwirkung s. [44; 43. Bd. 10, 268–282]).

M. F.

C. Apotelesmatika

Dem lat. MA war das Werk unbekannt. Erst das verstärkte naturwiss. Interesse seit dem 12. Jh. brachte mehrere lat. Übers. hervor: eine von Plato Tiburtinus (1138, gedr. 1551), eine ungedruckte anon. (1206) und eine von Aegidius de Thebaldis (13. Jh., gedr. 1493 u.ö.). Die ersten Renaissance-Übers. entstanden zusammen mit den Edd. von Joachim Camerarius (1535, mit lat. Übers. von B. 1 und 2) und Philipp Melanchthon (1553, mit Übers. aller 4 B.). Das verstärkte Interesse zeigen auch mehrere kommentierende Werke: Hier-

onymus Cardanus verfaßt einen Komm. (1554), Ph. Melanchthon ediert eine dem → Proklos [2] zugeschriebene, wohl aus byz. Zeit stammende griech. Paraphrase (1554, danach Leo Allatius 1635), Hieronymus Wolf einen anon., ebenfalls dem Proklos zugewiesenen griech. Komm. zusammen mit der ›Einführung‹ des → Porphyrios (1559) [1. Bd.3.1, LIIIff.]. Da sie sich nicht vorstellen konnten, daß *Syntaxis* und *Apotelesmatiká* aus derselben Feder stammen, schlossen Lucas Gauricus und Pierre Gassendi auf zwei verschiedene Ptolemaioi [45. 232]. Stark benutzt wurde im 15. und 16. Jh. auch das bisweilen mit den *Apotelesmatiká* zusammen gedruckte unechte *Centiloquium* (s. o. II.B. 2.).

Frz. Übers. wurden ab 1640, engl. und dt. jeweils ab 1822, it. erst ab 1982 publ. Nach einer langen Pause seit den beiden lat. Renaissance-Übers. erschienen im J. 1940 zum ersten Mal unabhängig voneinander zwei kritische Edd. des griech. Textes (vgl. Praefatio zur Ed. der *Apotelesmatiká* [1. Bd. 3.1, LII–LIV]).

W. H.

→ Aristoxenos [1]; Astrolabium; Astrologie; Astronomie; Geographie; Kanobos; Kartographie; Mathematik; Mechanik; Musik; Physik (VII. Optik); Planeten; Proportion; Pythagoreische Schule; Geographie; Kartographie; Musiktheorie; Naturwissenschaften

Edd., Übers.:

A. Gesamt-Ed. (mit dt. und lat. Übers.): **1** Claudii Ptolemaei Opera quae exstant omnia, Bd. 1.1–1.2: Syntaxis mathematica, ed. J.L. Heiberg, 1898–1903; Bd. 2: Opera astronomica minora, ed. J.L. Heiberg, 1907; Bd. 3.1: *Apotelesmatiká*, ed. W. Hübner, ²1998; Bd. 3.2: *Perí kritēríu kai hēgemonikú. De iudicandi facultate et animi principatu*, ed. F. Lammert. *Karpós*. Pseudo-Ptolemaei Fructus sive Centiloquium, ed. Ae. Boer, 1952, ²1961. B. Almagest: **2** K. Manitius, Des Claudius Ptolemäus Hdb. der Astronomie, 2 Bde., 1912/13 (dt. Übers.; ²1963 mit Ergänzungen durch O. Neugebauer) **3** G. J. Toomer, Ptolemy's Almagest, 1984 (engl. Übers. und Komm.) **4** N. Halma, Composition mathématique, 2 Bde., Paris 1813–1816 (frz. Übers. und Komm.) **5** P. Kunitzsch, Claudius Ptolemäus, Der Sternkatalog des Almagest. Die arab.-ma. Trad. 1: Die arabischen Übers., 1986 (arab. Text mit dt. Übers.); 2: Die lateinische Übers. Gerhards von Cremona, 1990; 3: Gesamtkonkordanz der Sternkoordinaten, 1991. C. Phaseis: **6** R. Morelon, Fragment arabe du premier livre du Phaseis de Ptolémée, in: JHAS 5, 1981, 3–22. D. Handliche Tafeln: **7** N. Halma, Commentaire de Théon d'Alexandrie sur le livre III de l'Almageste de Ptolemée, 3 Bde., 1822–1825 (griech. Text und frz. Übers.), Ndr. 1990. E. Hypothesen: **8** B.R. Goldstein, The Arabic Version of Ptolemy's Planetary Hypotheses (Transactions of the American Philosophical Society, N.S., Vol. 57.4), 1967. F. Analemma: **9** D.R. Edwards, Ptolemy's *Perí analēmmatos*, Diss. Brown University 1984 (lat. Text, griech. Fr., engl. Übers. und Komm.). G. Planisphaerium: **10** Ch. Anagnostakis, The Arabic Version of Ptolemy's Planisphaerium, Diss. Yale University 1984 (mit engl. Übers. und Komm.) **11** P. Kunitzsch, R. Lorch, Maslama's Notes on Ptolemy's Planisphaerium

and Related Texts (SBAW 1994, H. 2; arab. und lat. Text mit engl. Übers. und Komm.).
H. Apotelesmatika: **12** F. E. Robbins (ed.), Ptolemy, Tetrabiblos, 1940 (Ndr. u. a. 1998 mit engl. Übers.) **13** S. Feraboli (ed.), Claudio Tolomeo, Le previsioni astrologiche (Tetrabiblos), 1985 (²1989; mit it. Übers.).
I. Geographie: **14** C. F. A. Nobbe (ed.), Claudii Ptolemaei Geographica, 3 Bde., 1843–45 (Ndr. 1966) **15** C. Müller (ed.), Claudii Ptolemaei Geographia, 2 Bde., 1883–1901 (griech. und lat.) **16** O. Cuntz, Die Geographie des Ptolemaeus, Galliae Germania Raetia Noricum Pannoniae Illyricum Italia. Hss., Text und Unt., 1923 **17** L. Renou (ed.), La géographie de Ptolémée. L'Inde (B. 7, 1–4), 1925 (mit frz. Übers.) **18** H. von Mžik, Des Klaudios P. Einführung in die darstellende Erdkunde, 1938 (dt. Übers.) **19** E. L. Stevenson (ed.), Claudius Ptolemy, The Geography, 1932 (Ndr. 1991; mit engl. Übers.) **20** H. von Mžik (ed.), Das Kitāb Ṣūrat al-Arḍ des Abū Ǧaʾfar Muhammad ibn Mūsā al-Ḫuwārizmī (arab.), 1926 **21** A. E. Nordenskiöld, Facsimile-Atlas to the Early History of Cartography, 1889 (Ndr. 1973) **22** D. de Lapi (ed.), Claudius Ptolemaeus, Cosmographia, Bologna 1477 (Ndr. 1963).
J. Harmonielehre: **23** I. Düring (ed.), Die Harmonielehre des Klaudios P. (Göteborgs Universitet Årsskrift 36.1), 1930, Ndr. 1980 **24** Ders., Ptolemaios und Porphyrios über die Musik (Göteborgs Universitet Årsskrift 40.1), 1934, Ndr. 1980 (dt. Übers. und Komm.) **25** J. Solomon, Ptolemy, Harmonics (Mnemosyne Suppl. 203), 2000 (engl. Übers. und Komm.).
K. Optik: **26** A. Lejeune, L'Optique de Claude Ptolémée dans la version latine d'après l'arabe de l'émir Eugène de Sicile, 1956 (²1989 mit frz. Übers.) **27** A. M. Smith, Ptolemy's Theory of Visual Perception (Transactions of the American Philosophical Society 86.2), 1996 (engl. Übers. mit Komm.).
Lit.: **28** F. Boll, Stud. über Claudius Ptolemäus, 1894 (= Jbb. für classische Philol., Suppl. 21.2) **29** O. A. Dilke, The Culmination of Greek Cartography in Ptolemy, in: J. B. Harley, D. Woodward (Hrsg.), Cartography in Prehistoric, Ancient, and Medieval Europe and the Mediterranean (The History of Cartography, Bd. 1), 1987, 177–200 **30** J. Fischer (ed.), Claudii Ptolemaei Geographiae codex Urbinas graecus 82 phototypice depictus, Bd. 1.2 und 2, 1932 **31** G. Grasshoff, The History of Ptolemy's Star Catalogue, 1990 **32** Gundel **33** W. Hartner, Mediaeval Views on Cosmic Dimensions and Ptolemy's Kitāb al-manshūrāt, in: Mélanges Alexandre Koyré, Bd. 1, 1964, 254–282 **34** T. L. Heath, A History of Greek Mathematics, Bd. 2, 1921 **35** E. Honigmann, Die sieben Klimata und die ΠΟΛΕΙΣ ΕΠΙΣΗΜΟΙ, 1929 **36** P. Kunitzsch, Der Almagest. Die Syntaxis Mathematica des Claudius Ptolemäus in arab.-lat. Überl., 1974 **37** A. Lejeune, Euclide et Ptolémée. Deux stades de l'optique géométrique grecque, 1948 **38** U. Lindgren, Die Geogr. des Claudius Ptolemaeus in München, in: Archives internationales d'histoire des sciences 35, 1985, 148–239 **39** C. A. Nallino, Al-Khuwarizmi e il suo rifacimento della Geografia di Tolomeo, in: Atti dell'Accademia Nazionale dei Lincei, Classe di Scienze Morali, Storiche e Filologiche, 5. Reihe, 2.1, 1894, 3–53 **40** O. Neugebauer, A History of Ancient Mathematical Astronomy, 3 Bde., 1975 **41** E. Polaschek, s. v. P., Das geogr. Werk, RE Suppl. 10, 680–833 **42** P. Schnabel, Text und Karten des Ptolemäus, 1939

43 F. Sezgin, Gesch. des arab. Schrifttums, Bd. 6, 1978, 83–96; Bd. 7, 1979, 41–48; Bd. 10, 2000 **44** A. Stückelberger, Klaudios P., in: W. Hübner (Hrsg.), Gesch. der Mathematik und der Naturwissenschaften in der Ant., Bd. 2: Geographie, 2000, 180–204 **45** S. J. Tester, A History of Western Astrology, 1987 **46** G. J. Toomer, s. v. Ptolemy, in: Gillispie 11, 1975, 186–206 **47** B. L. van der Waerden, Bemerkungen zu den Handlichen Tafeln des P. (SBAW, Math.-nat. Kl. 23), 1953, 261–272 **48** Ders., Die Handlichen Tafeln des P., in: Osiris 13, 1958, 54–78 **49** K. Ziegler et al., s. v. P. (66), RE 23, 1788–1858.
Lit. zur ›Harmonik‹: **50** A. Barker, P., in: Ders., Greek Musical Writings, Bd. 2, 1989, 270–391 (engl. Übers. und Anm.) **51** Ders., Reason and Perception in P. Harm., in: Harmonia Mundi, 1991, 104–130 **52** F. Levin, πληγή and τάσις in the Harmonics of Klaudios P., in: Hermes 108, 1980, 205–229 **53** J. Raasted, A Neglected Version of the Anecdote about Pythagoras's Hammer Experiment, in: CMA 31a, 1979, 1–9 **54** B. Reinert, Das Problem des pythagoräischen Kommas in der arab. Musiktheorie, in: Asiatische Stud. XXXIII.2, 1979, 199–217 **55** Ders., Die arab. Musiktheorie zw. autochthoner Trad. und griech. Erbe, in: H. Balmer, B. Glaus (Hrsg.), Die Blütezeit der arab. Wiss., 1990, 79–108 **56** L. Richter, s. v. P., NGrove 15, 429 (Bibliogr.).   M. F.

[66] Gehört zur christl.-häretischen Schule des → Valentinianismus. Über sein Leben ist nahezu nichts bekannt, vielleicht ist er mit dem von Iustinos [6] Martys erwähnten P., der um 152 n. Chr. in Rom das Martyrium erlitt, identisch (Iust. Mart. apol. 2,9). Laut Eirenaios [2] lehrten P. und seine Anhänger, der höchste Gott habe als erste → Hypostasen [2] die Aionen (αἰῶνες) »Verstand« (νοῦς, *nus*) und »Wahrheit« (ἀλήθεια, *alḗtheia*) durch zwei (kreative) Geisteszustände, Denken und Wollen, hervorgebracht (adv. haereses 1,1; 1,12,1). Tertullian dagegen meint, P. habe die Aionen nicht als Gedanken und Affekte Gottes, sondern als eigenständige Wesen (*personales substantiae*) außerhalb Gottes verstanden (Tert. adv. Valentinianos 4,2). Eine Rekonstruktion des weiteren kosmogonischen Mythos ist nicht möglich, da das valentinianische System in Eirenaios adv. haereses 1,1–8 nicht von P. stammt, wie meist angenommen wird.

Die einzige sichere Quelle ist P.' ›Brief an Flora‹ (bei Epiphanios adv. haereses 33,3–7). Stilistisch anspruchsvoll und mit philos.-dihäretischer Methodik handelt er über die ersten fünf Bücher des AT. Der Urheber des Gesetzes sei der nur gerechte → *dēmiurgós* [3], der in der Mitte zw. dem vollkommenen, guten Gott-Vater und dem Teufel stehe. Neben dem mittleren Gott seien aber auch Moses und die Ältesten des Volkes für Teile des Gesetzes verantwortlich. Innerhalb der Abschnitte, die der *dēmiurgós* gab, unterscheidet P. ebenfalls dreifach: a) der Dekalog als reine Gesetzgebung, b) die mit Unrecht verbundenen Gesetze (z. B. »Auge um Auge, Zahn um Zahn«), die Christus aufhob, c) Symbolisches oder Typisches, d. h. das Kultgesetz, dem Christus einen geistigen Sinn gab. Kriterium beider Dihäresen sind Worte und Verhalten des Erlösers; mit seinem Erscheinen ist die Epoche der Symbole und Bilder beendet und die Zeit der Wahrheit angebrochen.

Ed.: G. Quispel, Ptolémée: Lettre à Flora, ²1966 (mit frz. Übers. und Komm.) • W. Foerster, Die Gnosis, Bd. 1, ²1995, 204–213 (dt. Übers., engl. 1972).
Lit.: F. F. Fallon, The Law in Philo and Ptolemy, in: Vigiliae Christianae 30, 1976, 45–51 • W. A. Löhr, s. v. P., TRE 27, 699–702 • Ders., La doctrine de Dieu dans la lettre à Flora de Ptolémée, in: RHPhR 75, 1995, 177–191 • G. Lüdemann, Zur Gesch. des ältesten Christentums in Rom, in: ZNTW 70, 1979, 86–114. J.HO.

[67] Peripatetiker des 2. Jh. n. Chr., von S. Emp. adv. math. 1,60 f. für die Ansicht, daß die Grammatik kein Erfahrungswissen (*empeiría*), sondern eine Kunst (*téchnē*) sei, zitiert. Vielleicht derselbe, den Longinos (bei Porph. vita Plotini 20) als ›höchst gebildet‹ (φιλολογώτατος) preist.

A. Dihle, Der Platoniker P., in: Hermes 85, 1957, 314 f. • H. B. Gottschalk, Aristotelian Philosophy in the Roman World from the Time of Cicero to the End of the Second Century AD, in: ANRW II 36.2, 1079–1174 (hier: 1152). H.G.

[68] Weitgehend unbekannter Platoniker aus der Zeit des Mittel- oder frühen Neuplatonismus. Nach Prokl. in Plat. Tim. 1,20,7–9 Diehl sah er in Kleitophon die fehlende vierte Person in Platons ›Timaios‹. Bei Iamblichos finden sich einige Aspekte seiner Seelenlehre (bei Stob. 1,378,1–11. W.-H.). Möglicherweise ist er identisch mit einem P. mit Beinamen »el-Garib«, der eine Biographie mit Testament und ein Schriftenverzeichnis des Aristoteles verfaßte, die sich in der arab. Trad. erh. haben [1].

1 I. Düring, Aristotle in the Ancient Biographical Tradition, 1957.

A. Dihle, Der Platoniker P., in: Hermes 85, 1957, 314–325 • Moraux, Bd. 1, 60–94. M.-L.L.

[69] Sonst unbekannter Autor des Einzeldistichons Anth. Pal. 7,314 (vgl. 313; 315–320), eines der vielen Grabsprüche für den sagenhaften athenischen Menschenfeind → Timon.

GA I.2, 203. M.G.A./Ü: G.K.

Ptolemaïs (Πτολεμαΐς).

[1] Tochter Ptolemaios' [1] I. und der Eurydike [4]; verm. mit einem Nachkommen des Pharao Nektanebos [2] verheiratet; seit 298 v. Chr. verlobt, ab 287 Gattin des → Demetrios [2] Poliorketes. PP VI 14565.

W. Huss, Das Haus des Nektanebis und das Haus des Ptolemaios, in: AncSoc 25, 1994, 111–117 • J. Seibert, Histor. Beitr. zu den dynastischen Verbindungen in hell. Zeit, 1967, 30 ff. 74 f. W.A.

[2] P. aus Kyrene. Die einzige bekannte weibliche ant. Musikgelehrte; lebte wahrscheinlich im 1. Jh. n. Chr. [2. 230]. Drei Auszüge ihrer ›Pythagoreischen Elemente der Musik‹, im Frage-Antwort-Stil kaiserzeitlicher Schulbücher (z. B. der *Eisagōgḗ* des → Bakcheios [2]), sind im ›Hypómnēma zu Ptolemaios' Harmoniká‹ (Methodik-Kap. 1,2) des → Porphyrios (der auch Didymos

[1] exzerpiert) überl. Sie handeln von dem Monochord, von Vernunft und Wahrnehmung als Maßstäben für die musikalische Elementarlehre und erörtern Fehler der Pythagoreer bzw. des → Aristoxenos [1].

1 I. Düring (ed.), Porphyrios, Komm. zur Harmonielehre des Ptolemaios, 1932, 22–26 (Ndr. 1978) 2 A. Barker, Greek Musical Writings, Bd. 2, 1989, 239–242 (engl. Übers.). RO.HA.

[3] In ptolem. Zeit Hauptstadt des thinitischen Gaus, neben → Alexandreia [1] und → Naukratis einzige autonome griech. Stadt in Äg. mit sechs → Prytanen, Rat und Volksversammlung. Von → Ptolemaios [1] I. Soter beim Dorf *P-sj* (koptisch *psoi*) auf dem westl. Nilufer gegründet, h. al-Minšāt, zwischen Sauhāğ und Girgā gelegen. Ptolemaios wurde als Stadtgründer göttlich verehrt, daneben gab es Kulte des Zeus und Dionysos, der Dioskuren, des Asklepios und der Hygieia. Strab. 17,1,42 bezeichnet P. als größte Stadt der Thebais, nicht kleiner als → Memphis. Unter Probus und später um 430 n. Chr. wurde die Stadt von den Blemmyern (→ Blem(m)yes) geplündert. In byz. Zeit war P. Sitz des *dux* der Thebais (mindestens bis 600), aber nicht Bischofssitz, da sich der alte Glaube hier lange hielt. Nach der arab. Eroberung gibt es keine Quellen mehr über P., h. sind nur noch geringe Reste erhalten.

1 A. Calderini, s. v. P., Dizionario dei nomi geografici e topografici dell' Egitto greco-romano, Bd. 4.3, 1986, 210–211 2 G. Plaumann, P. in Oberäg., 1910.

[4] Name eines Kanals, der vom pelusischen Nilarm bei → Bubastis durch das Wādī ṭ-Ṭumailāt bis zum Roten Meer verlief. Die Existenz eines solchen Kanals schon im 2. Jt. v. Chr. (vgl. Strab. 17,1,25; Plin. nat. 6,165 ff.) ist zweifelhaft. Sicher ist, daß Necho [2] II. begann, einen solchen Kanal zu bauen, ihn aber nicht vollendete (Hdt. 2,158; Diod. 1,33; Strab. 17,1,25). Dareios [1] I. nahm die Arbeit wieder auf und führte sie nach dem Zeugnis zeitgenössischer Stelen an versch. Punkten entlang des Kanals auch zu Ende (gegen Strab. und Diod. l.c.). Ptolemaios [3] II. ließ den Kanal (der nach ihm P. hieß) instandsetzen bzw. neu anlegen und gründete an seinem Ausgang ins Rote Meer die Stadt Arsinoë. Auch der röm. Kaiser Traianus und ʿAmr, der arab. Eroberer Äg.s, nahmen wieder einen entsprechenden Kanal in Betrieb. Es ist aber unsicher, ob sein Verlauf zu allen Zeiten derselbe war.

A. B. Lloyd, Herodotus, Book II, Commentary, 1988, 149–158.

[5] Das Dorf Πτολεμαΐς Ὅρμου/*P. Hórmu* (seit Ptolemaios [1] I. bezeugt), am Eingang des → Fajum beim h. al-Lāhūn und Ġurāb gelegen, war als Hafen des arsinoitischen Gaus am Baḥr Yūsuf für den Handel bes. wichtig. Der Ort verfügte auch über Wohnlagen für königliche Beamte und den König selbst. Ein Palast und ein Hafen bei Ġurāb sind auch schon für das NR (1550–1100) belegt. In ptolem. Zeit sind Kulte heiliger Widder und des Krokodilgottes Nepheros bezeugt.

1 A. CALDERINI, s. v. P., Dizionario dei nomi geografici e topografici dell' Egitto greco-romano, Bd. 4.3, 1986, 212–214 2 D. BONNEAU, Ptolémais Hormou dans la documentation papyrologique, in: Chronique d'Égypte 54, 1979, 310–326.   K. J.-W.

[6] **P. therṓn** (Π. θηρῶν). Stadt an der afrikan. Küste (18° 40′), h. Trinkitāt, ca. 135 km südl. von Port Sudan. Erwähnt von griech. Autoren (u. a. Ptol. 4,7,2), der Überl. zufolge von → Ptolemaios [3] II. Philadelphos gegr., arch. bisher nicht nachzuweisen. Das genaue staatsrechtliche Verhältnis zum Mutterland in ptolem. und röm. Zeit ist unklar. P. wird in den Quellen meist mit den Elefantenjagden der Ptolemaier in Verbindung gebracht.

H. TREIDLER, s. v. P. (8), RE 23, 1870–1883.   J. RE.

[7] Ptolem. Gründung auf dem Boden des Hafens der kyrenaiischen Stadt → Barke, h. Tolmeta. In Ps.-Skyl. 108 ist der Ort nur als λιμὴν ὁ κατὰ Βάρκην (limḗn ho katá Bárkēn, »Hafen bei Barke«) bezeichnet.

C. H. KRAELING, P. City of the Libyan Pentapolis, 1962.
                                                         W. HU.

[8] h. Akko, arab. Tall al-Fuḫḫār. Phöniz. Hafenstadt südl. von → Tyros an der Mündung des Baches Belos, der Glassand führt (Plin. nat. 5,19). Wichtiger Umschlagplatz bereits am Ende des 3. Jt. [1]; genannt in den akkadisch geschriebenen Amarna-Briefen (15./ 14. Jh.) als akkâ, in äg. Texten als ʿ-kȝ, in ugaritischen und assyrischen Texten als akkû. Zu Beginn des 1. Jt. gehörte der Ort zu Tyros. Während → Sanherib und → Assurbanipal ihn von Tyros trennten, gehörte er in persischer Zeit wieder dazu. → Ptolemaios [3] II. benannte den von den Griechen Ἄκη/Ἀκή (Ákē/Aké) genannten Ort in P. um, siedelte hell. Kolonisten an und machte ihn zu einer Polis (→ Aristeas-Brief 115). Unter seleukid. Herrschaft (ab 219 v. Chr.) gewann der Stadtstaat eine gewisse Selbständigkeit, was sich an der Prägung von Mz. ohne Herrscherbild zeigt [2]. In der Stadt wurden → Hadad und Atargatis (→ Syria Dea) verehrt [3]. Dort lebten röm. Veteranen (Plin. nat. 5,17), Christen – Paulus verbrachte hier einen Tag (Apg 21,7) – und Juden (Mišna Giṭṭin 1,2; 7,2; Ios. bell. Iud. 2,477).

1 W. G. DEVER, s. v. Akko, The Oxford Encyclopedia of Archaeology in the Near East, 1996, Bd. 1, 54–55 2 E. BIKERMAN, Institutions des Séleucides, 1938, 234 ff. 3 M. AVI-YONAH, Syrian Gods at Ptolemais-Accho, in: IEJ 9, 1959, 1–12.

M. DOTHAN et al., s. v. Akko, NEAEHL 1, 1993, 16–31 · W. HELCK, s. v. Akko, LÄ 1, 116 f.   H. J. N.

[9] Hafenstadt in Ost-Pamphylia, ptolem. Gründung (Strab. 14,4,2). Verm. identisch mit dem Kap Leukotheion (Stadiasmus maris magni 210 f.), h. Kap von Fiğla nahe der Mündung des Kargı Cayı.

J. NOLLÉ, Pamphylische Studien 6–10, in: Chiron 17, 1987, 245 f. Taf. 1.   W. MA.

[10] 13. att. Phyle, im Winter 224/3 v. Chr. zu Ehren Ptolemaios' [6] III. neu geschaffen, in der offiziellen Reihenfolge an siebter, nach Aufhebung der maked. Phylen an fünfter Stelle. Die P. umfaßte zunächst 12 dḗmoi (zwei Asty-, zwei Paralia- und acht? Mesogeia-dḗmoi) aus jeder der vorhandenen phylaí sowie den zu Ehren von Berenike [3] II. neu konstituierten dḗmos Berenikidai als 13. In der Kaiserzeit kamen weitere 12 dḗmoi hinzu.

E. MEYER, s. v. P. (11), RE 23, 1887 · W. K. PRITCHETT, The Tribe P., in: AJPh 63, 1942, 413–432 · TRAILL, Attica, 29 ff., 33, 61 ff., 102, 107, Tab. 13.   H. LO.

Ptychia (Πτυχία). Insel zw. → Korkyra [1] und dem Festland (Thuk. 4,46,3); wohl das h. Vido nördl. der h. Stadt Kerkyra. Belegt auch bei Ptol. 3,13,9 und Plin. nat. 4,53.

E. KIRSTEN, s. v. P., RE 23, 1893 f.   D. S.

Pubertas I. ALTERSSTUFEN II. RECHTSSTELLUNG

I. ALTERSSTUFEN

Der Eintritt der p., der Geschlechtsreife und der damit grundsätzlich verbundenen Mündigkeit (Fest. p. 250 s. v. pubes: puer qui iam generare potest), wurde bei Mädchen mit Vollendung des 12. Lebensjahres angenommen (Cass. Dio 54,16,7), bei Jungen zunächst durch inspectio habitudinis corporis (indagatio corporis) festgestellt. Iustinianus beseitigte schließlich 529 n. Chr. die Erfordernis der indagatio mit Hinweis auf ihre Anstößigkeit (Cod. Iust. 5,60,3). Das Erreichen der p. wurde bei Jungen anläßlich des Festes der Liberalia am 17. März durch Ablegen der insignia pueritiae (»Insignien der Kindheit«) und Anlegen der toga virilis (»Männertoga«) sowie Eintrag in die Bürgerlisten anerkannt und gefeiert (→ Liber, liberalia). Zu den impuberes (»Unmündigen«) gehörten die infantes (meist bis 7 J.) und die impuberes infantia maiores (7–12 J.); unter einem pubertati proximus verstand das röm. Recht (seit Iulianus [1]) einen impubes doli (culpae, iniuriae) capax, d. h. einen bereits deliktfähigen Jungen nach der p. (Ulp. Dig. 44,4,4,26; 47,2,23), unter der plena p. (Inst. Iust. 1,11,4; Dig. 34,1,14,1) den notwendigen Altersunterschied von 18 J. zw. Adoptivvater und -kind.

II. RECHTSSTELLUNG

Die infantes wurden zwar grundsätzlich als geschäfts- und deliktunfähig angesehen, hatten aber die Möglichkeit, durch ihre Sklaven Besitz zu erwerben und Eigentum zu ersitzen; über den Besitzerwerb cum bzw. sine tutoris auctoritate (»mit« bzw. »ohne Ermächtigung durch den Vormund«, s. → tutela) wurde schon unter ant. Juristen gestritten. Die impuberes infantia maiores waren grundsätzlich beschränkt geschäftsfähig und konnten Besitz ohne Zustimmung des Tutors erwerben und verlieren; dagegen war für die Ehe(schließung) und Testierfähigkeit die p. Voraussetzung, für den Erbschaftserwerb die auctoritas tutoris. Die Bed. der p. wurde in nachklass. Zeit deutlich abgeschwächt, impuberes und *minores* wurden einander angeglichen, wobei *minores* alle Personen unter 25 J. waren.

→ Heiratsalter; Jugend; Kind, Kindheit; Lebensalter

1 G. WESENER, s. v. P., RE Suppl. 14, 571–581.   J. W.

Publicani   I. EINLEITUNG
II. AUFGABEN UND FUNKTIONEN
III. DIE SOCIETATES PUBLICORUM   IV. POLITISCHER
EINFLUSS IN DER SPÄTEN REPUBLIK UND IM
PRINZIPAT

I. EINLEITUNG

Die Einziehung der → Steuern und Einkünfte einer Stadt oder eines größeren Gemeinwesens durch das System der Steuerpacht und durch öffentliche Versteigerung war in der Ant. weitverbreitet und begegnet sowohl in den griech. Poleis als auch in den hell. Monarchien. In Rom wurden die öffentlichen Einkünfte als *publica* und diejenigen, die darüber Verträge abschlossen, als *p.* bezeichnet. Einige von ihnen waren eigenständig tätig, andere gehörten unterschiedlich großen *societates* (»Gesellschaften«) an. Die *p.* sind seit dem 3. Jh. v. Chr. belegt, aber ihre große Zeit begann in den letzten Jahrzehnten des 2. Jh. v. Chr., nachdem C. → Sempronius Gracchus 123/2 v. Chr. die Steuereinziehung in der Prov. Asia durch ein Gesetz geregelt hatte.

II. AUFGABEN UND FUNKTIONEN

Die Aktivitäten dieser *p.* hat Polybios für die Mitte des 2. Jh. v. Chr. ausführlich beschrieben (Pol. 6,17); sie nahmen für die Republik vier wichtige Funktionen wahr: Für das späte 3. Jh. v. Chr. ist ihre Mitwirkung bei der Versorgung der Legionen belegt. Livius berichtet, daß 215 v. Chr. 19 in drei *societates* organisierte Personen bereit waren, die Versorgung der Legionen in Spanien zu übernehmen (Liv. 23,48–50).

Die zweite und am besten bekannte ihrer Funktionen war die Einziehung von Steuern und Abgaben; diese umfaßten die direkten, in den Prov. erhobenen Steuern (etwa den Zehnten), ferner die Abgaben für die Nutzung von Weideland und Zölle. Gegen Ende der röm. Republik kam es durchaus vor, daß in einer Prov. die Einziehung aller öffentlichen Einkünfte an eine einzige *societas* vergeben war. Dies war vielleicht in der Prov. Africa der Fall. Dagegen gab es in Sizilien, in Cilicia und auf Zypern mehrere *societates*. Diese trugen den Namen sowohl der Prov. (*societas Asiae*, *societas Bithynica*) als auch der betreffenden Steuern (*societas portus et scripturae Siciliae*). Auf diese Weise wurden erhebliche Summen transferiert: 62 v. Chr. beliefen sich die öffentlichen Einkünfte der Republik insgesamt auf 200 Mio. HS; allein die Einnahmen der Prov. Asia betrugen 40 Mio. HS.

Eine weitere Aufgabe, die manchmal von denselben, manchmal von anderen *societates* ausgeführt wurde, betraf die Bewirtschaftung des öffentl. Eigentums, öffentl. Ländereien, Bergwerke oder Salinen. So beutete eine *societas* von *p.* im 2. Jh. v. Chr. Pech im Wald von Sila in It. aus; andere bewirtschafteten im 1. Jh. v. Chr. Salinen in den Prov. Corsika-Sardinia, Asia und Bithynia (Cic. Brut. 85ff.; Cic. Manil. 17ff.; Cic. leg. agr. 2,40; Strab. 12,3,40). Die vierte große Aufgabe der *p.* war die Durchführung der öffentl. Arbeiten, von denen einige, v. a. kleinere, von einzelnen *p.* gepachtet wurden, so etwa die Reparatur der *via Caecilia* oder die Instandhaltung des Castor-Tempels (Cic. Verr. 2,1,130–138). Neben diesen vier Hauptaufgaben nahmen die *societates* weitere Funktionen wahr; so waren sie etwa für den Transfer von öffentl. Geldern zuständig.

III. DIE SOCIETATES PUBLICORUM

Die Auktionen der Steuern fanden in Rom in der Zeit statt, in der die → *censores* tätig waren, also alle fünf Jahre; dies war die *locatio censoria*. Die Steuereinschätzung ebenso wie die Verwaltung des öffentl. Eigentums gab den *censores* eine herausragende Stellung im polit. System. Allerdings konnten die *censores* keine eigenständige Politik betreiben; sie verwalteten die öffentl. Besitzungen, hatten aber nicht das Recht, sie zu verkaufen. Auch die begrenzte Amtszeit schränkte ihre polit. Möglichkeiten ein; es waren nach dem Rücktritt der *censores* die Consuln und der Senat, die die Einhaltung der Verträge überwachten.

Die Mehrheit der → *equites* waren keine *p.* und umgekehrt waren die wenigsten *p. equites.* Es ist daher falsch, *equites* und *p.* gleichzusetzen. Gegen Ende der Republik war aber eine nicht geringe Anzahl von *equites* finanziell an den großen *societates publicorum* beteiligt und widmete sich sogar deren Verwaltung. Die großen Güter der *p.* stellten dabei für die Republik eine Sicherheit dar. Es ist unklar, wie viele *equites* tatsächlich an der Führung dieser *societates* Anteil hatten, denn manche von ihnen waren zugleich für mehrere Gesellschaften tätig, so etwa Cn. Plancius [1] (Cic. Planc. 23 f.; 32) und C. Rabirius Postumus (Cic. Rab. Post. 4). Nach der Analyse von [2] über die *p.* Siziliens standen insgesamt einige hundert *equites*, die vielleicht einem Zehntel des *ordo equester* entsprachen, an der Spitze dieser *societates*. Die *mancipes*, die die mit der Republik geschlossenen Verträge unterzeichneten und damit die offiziellen Verhandlungspartner auf seiten der *societates* waren, alle *magistri*, die als Direktoren der *societates* in Rom residierten, und die Mehrheit der *promagistri*, der Repräsentanten der *societates* in den Prov., waren in der Tat *equites*. Die *societates* der *p.* waren große Unternehmen, besaßen zahlreiche Gebäude und beschäftigten viele Schreiber, Zöllner sowie Steuereinnehmer, von denen die einen freie, bezahlte Arbeitskräfte, die anderen Sklaven im Besitz der *societates* oder ihrer Teilhaber waren.

Ein Text des Gaius [2] belegt, daß die *societates* der *p.* – soweit sie Steuern einzogen oder öffentliche Besitzungen verwalteten – über Rechte verfügten, die andere private Gesellschaften nicht hatten (Gai. Dig. 3,4,1): Es war ihnen gestattet, eine gemeinsame Kasse sowie gemeinsames Eigentum zu besitzen, das unabhängig vom Vermögen der Teilhaber war, und einen *actor sive syndicus* zu beschäftigen, einen ständigen Rechtsberater, dessen Funktion im einzelnen nicht bekannt ist. Den *socie-*

tates, die bei Tod eines Teilhabers nicht aufgelöst wurden, eigneten zwar viele Merkmale einer sog. »juristischen Person«, aber sie waren keine Aktiengesellschaften; daher ist es wohl nicht zutreffend, in diesem Zusammenhang von Kapitalismus zu sprechen. Es bleibt unklar, seit wann und ob alle *societates* der *p.* diese Privilegien erhielten. Nahezu sicher ist aber, daß *p.*, die nicht den *societates* angehörten und nur kleinere öffentliche Aufgaben übernahmen, diese Privilegien nicht besaßen.

Die *p.* suchten offensichtlich Gewinne aus ihren Gesellschaften zu ziehen; bereits in der Ant. wurden sie wegen mißbräuchlicher Bereicherung kritisiert, was sich auch im NT spiegelt: → Jesus ißt zusammen ›mit Zöllnern und Sündern‹ (in der lat. Bibel: *cum publicanis et peccatoribus*) und stößt sie gerade nicht aus der Gemeinschaft aus (Mk 2,16 u. a.), weshalb er von seinen Gegnern kritisiert wird, und mod. Historiker sind diesem – zweifellos nicht unbegründeten – Urteil oft gefolgt. Aber es ist nicht sicher, daß die Steuerpacht für die Allgemeinheit problematischer war als ein bürokratisches System der Steuereinziehung [2]. Die öffentliche Verwaltung hatte aufgrund der Steuerpacht den Vorteil, im voraus über die künftigen Einnahmen verfügen zu können. Davon abgesehen waren die *p.* nicht die einzigen, die sich auf Kosten der Prov. bereicherten; die senatorischen Provinzstatthalter waren davon ebensowenig ausgenommen wie die → *negotiatores* (Plut. Lucullus 20).

IV. Politischer Einfluss in der
späten Republik und im Prinzipat

Gerade in der nachsullanischen Zeit übten die *p.* aus dem *ordo equester* einen großen Einfluß auf die röm. Politik aus. So hatten 61 v. Chr. die *p.* einen zu hohen Preis für die Steuerpacht der Prov. Asia geboten; sie verlangten daher eine Reduktion der vertraglich vereinbarten jährlichen Zahlungen. Der Senat widersetzte sich dem lange Zeit, doch 59 v. Chr. ließ Caesar ein Gesetz verabschieden, das den verlangten Nachlaß gewährte. Die *societates* nahmen in den folgenden Jahren auch durch publizierte Beschlüsse (*decreta*) Einfluß auf die Politik (Cic. dom. 74). Dies mag erklären, warum Cicero eine so enge Verbindung zwischen dem *ordo equester* und den *p.* herstellte (Cic. Rab. Post. 3 f.; Planc. 23); insgesamt war der Einfluß der *p.* wahrscheinlich aber geringer als in der mod. Forsch. oft angenommen.

Während der Bürgerkriege erlitten die *societates* erhebliche materielle Verluste. So verlangten die Pompeianer von ihnen hohe Vorauszahlungen und konfiszierten hinterlegte Gelder, wie etwa die Beträge, die Cicero nach seiner Statthalterschaft in Ephesos *apud publicanos* deponiert hatte (Caes. civ. 3,3,2; 3,31 f.; App. civ. 4,74; Cic. fam. 5,20,9).

Als die *societates* in der Prinzipatszeit an Bed. verloren, ging auch der Einfluß der *equites* in ihnen deutlich zurück. Allerdings verwendet Tacitus bei seiner Beschreibung der polit. Lage des Imperium Romanum im Jahr 23 n. Chr. im Zusammenhang mit den öffentlichen Einkünften den Begriff *societates equitum Romanorum*

(Tac. ann. 4,6,3). Von Beginn der Herrschaft des Augustus an ist der polit. Einfluß der *societates* nicht mehr wahrnehmbar; ihre finanzielle Macht und die Bed. ihrer Funktionen schwächten sich zunehmend ab. Der Einzug der Steuern in den Prov. ging den *p.* wahrscheinlich sehr schnell verloren, aber sie beschäftigten sich weiterhin mit der Erhebung der indirekten Steuern und mit den → Zöllen. Auch aus der Verwaltung und Bewirtschaftung der öffentl. Besitzungen wurden die *societates* immer mehr verdrängt; kleinere Pächter traten an ihre Stelle. Es gab im 2. Jh. n. Chr. noch einige größere *societates*, aber die Tendenz, Abgaben und Steuern durch die öffentliche Verwaltung einzuziehen, wurde zunehmend stärker.

→ Equites Romani; Steuern; Zoll

1 J. ANDREAU, Intérêts non agricoles des chevaliers romains, in: S. DEMOUGIN et al. (Hrsg.), L'ordre équestre, histoire d'une aristocratie, 1999, 271–290 2 E. BADIAN, Publicans and Sinners, Private Enterprise in the Service of the Roman Republic, 1972 3 P. A. BRUNT, Publicans in the Principate, in: Ders., Roman Imperial Themes, 1990, 354–432 4 Ders., The Equites in the Late Republic, in: Ders., The Fall of the Roman Republic, 1988, 144–193 5 M. R. CIMMA, Ricerche sulle società di publicani, 1981 6 S. DEMOUGIN, L'ordre équestre sous les Julio-Claudiens, 1988 7 H. ENGELMANN, D. KNIBBE (Hrsg.), Das Zollgesetz der Prov. Asia (EA 14), 1989 8 HIRSCHFELD, 81–92, 150–152 9 V. IVANOV, De societatibus vectigalium publicorum populi Romani, 1912 10 F. KNIEP, Societas publicanorum, 1896 11 MAGIE 12 C. NICOLET, Deux remarques sur l'organisation des sociétés de publicains à la fin de la Republique romaine, in: H. VAN EFFENTERRE (Hrsg.), Points de vue sur la fiscalité antique, 1979, 69–95 13 M. I. ROSTOVTZEFF, Gesch. der Staatspacht in der röm. Kaiserzeit bis Diokletian, in: Philologus Ergänzungsband 9, 1902, 331–512 14 G. URÖGDI, s. v. Publicani, RE Suppl. 11, 1184–1208. J. A./Ü: S. EX.

Publicatio bonorum. Die *P.b.* (Vermögenseinziehung) wurde in Rom als Folge eines Strafurteils seit je (vgl. Liv. 2,5,2; 2,8,2; 3,55,7) praktiziert. Die *p.b.* überantwortete urspr. als → *consecratio* (Weihung) den Täter mitsamt seinem Vermögen der Gottheit im Sinne einer Friedloserklärung (wohl Vernichtung der Habe, vielleicht auch Überführung in Tempeleigentum); sie entwickelte sich in späterer republikanischer Zeit (wohl seit 169 v. Chr., vgl. Liv. 43,16,10) zu einer (zwangsläufigen) Nebenstrafe bei der Verurteilung wegen bestimmter Staatsverbrechen, verm. als Ausdruck der beginnenden Bürgerkriegsatmosphäre im 2. Jh. v. Chr., sowie kriegsrechtlicher Vergehen. Seit der Prinzipatszeit löst sich sodann die *p.b.* mehr und mehr von diesen einzelnen Straftatbeständen und wird statt dessen an die Art der Bestrafung wegen (schwerer) Straftaten, also an die Rechtsfolgen, geknüpft (vgl. Dig. 28,3,6,6). Dies geht so weit, daß auch der vor einer Verurteilung ausgeübte → Suizid *ob sceleris conscientiam* (»aus bösem Gewissen über das Verbrechen«) die Vermögenseinziehung nicht verhindert (z. B. Dig. 24,1,32,7) und damit den vom Täter erhofften Erhalt seines Vermögens für seine Hinterbliebenen vereitelt. Einzelne Kaiser haben allerdings hiervon gnadenhalber Ausnahmen gemacht (vgl. Dig. 49,20,7,3).

MOMMSEN, Strafrecht, 1005–1011, 1021–1030 · C. PAULUS, Die Idee der postmortalen Persönlichkeit im röm. Testamentsrecht, 1992, 25 · A. WACKE, Der Selbstmord im röm. Recht und in der Rechtsentwicklung, in: ZRG 97, 1980, 26–77. C. PA.

Publicius (auch *Poblicius, Poplicius, Populicius*). Name einer röm. plebeiischen Familie, seit dem 3. Jh. v. Chr. bekannt, aber polit. nicht bedeutend. In der späten Republik wurde der Name gerne von Staatssklaven (*servi publici*) nach der Freilassung als Zeichen ihres früheren Standes angenommen.

SCHULZE, 216; 414; 456; 518. K.-L. E.

I. REPUBLIKANISCHE ZEIT

[I 1] P., Q. War zw. 69 und 66 v. Chr. Praetor, danach verm. Statthalter der Prov. Asia (Cic. Cluent. 126; Cic. ad Q. fr. 1,2,14?; MRR 2,143; 150). J. BA.

[I 2] P. Bibulus, C. Soll 209 v. Chr. als Volkstribun mit demagogischem Talent versucht haben, M. Claudius [I 11] Marcellus sein 4. Konsulat entziehen zu lassen. Dieser habe sich erfolgreich verteidigt und sogar die Wiederwahl erreicht (Liv. 27,20,10–21,4; Plut. Marcellus 27,2–7) [1]. P.' Anschuldigungen zielen nicht allein auf den Consul, sondern auf die → *nobiles* insgesamt. Sie sind nicht besser beglaubigt als die sicher erfundenen Attacken des Q. Baebius [I 8] Herennius des J. 217 [2] und erlauben es nicht, P. als Fürsprecher enttäuschter Massen [3] zu identifizieren. Die nur antiquarisch überl. *lex Publicia*, die es → *clientes* verbot, ihren → *patroni* zum Saturnalienfest mehr als Kerzen zu schenken (Macr. Sat. 1,7,33), kann – gegen den mod. Forsch.-Konsens [4] – nicht aus P.' Tribunat stammen, weil sie sich auf eine Ausnahmebestimmung der *lex Cincia* (→ Cincius [3]) vom J. 204 bezieht, also jünger ist [5].

→ Sumptus

1 W. KUNKEL, Staatsordnung und Staatspraxis der röm. Republik, 1995, 255 Anm. 13 2 T. SCHMITT, Hannibals Siegeszug, 1991, 196, 313 3 R. FEIG-VISHNIA, State, Society and Popular Leaders in Mid-Republican Rome 241–167 B. C., 1996, 93–94, 103 4 E. BALTRUSCH, Regimen morum, 1989, 61–63 5 P. F. GIRARD, Gesch. und System des röm. Rechtes, Bd. 1, 1908, 1028³. TA. S.

[I 3] P. Malleolus. Wurde 101 v. Chr. als angeblich erster röm. Muttermörder zum Tode verurteilt und in einem Sack ins Meer versenkt (Liv. per. 68; Rhet. Her. 1,23; Oros. 5,16,23). K.-L. E.

[I 4] P. Malleolus, C. War um 96(?) v. Chr. Münzmeister (RRC 335) und wurde im J. 80 als Quaestor in Cilicia ermordet. C. → Verres unterschlug als Vormund des Sohnes seinen Besitz in Cilicia (Cic. Verr. 2,1,41; 2,1,90–93). MRR 2,450; 458. J. BA.

[I 5] P. Malleolus, M. Baute in der mit seinem Bruder L. gemeinsam bekleideten Ädilität (um 240 v. Chr.) – das Datum ist widersprüchlich überl. [1] – aus Strafgeldern für Mißbrauch des → *ager publicus* den → *clivus P.*, die erste befahrbare Straße vom Forum Boarium zum Aventin in Rom, und einen Tempel für Flora, der zu Ehren auch Spiele eingerichtet wurden (→ Floralia; Varro ling. 5,158; Ov. fast. 5,279–294; Fest. p. 276). 232 v. Chr. kämpfte er als Consul auf Sardinia und Corsica (Zon. 8,18,13).

1 F. BÖMER, Rez. MRR, in: BJ 154, 1954, 188–190 2 H. WILD, Unt. zur Innenpolitik des Gaius Flaminius, Diss. München 1994, 55–59. TA. S.

II. KAISERZEIT

[II 1] P. Certus. Senator unter → Domitianus [1]; → *praefectus* [2] *aerarii Saturni* im J. 96/7 n. Chr. Anf. 97 wurde P. im Senat von → Plinius [2] wegen seiner Delatorentätigkeit angegriffen (→ *delator*), jedoch nicht offiziell angeklagt. Nach Plin. epist. 9,13,23 verlor er deswegen sein Amt und erhielt im Gegensatz zu seinem Kollegen Bittius Proculus auch nicht den Konsulat. Doch kann dies eine selbstgerechte Erklärung des Plinius sein, da P. an einer Krankheit starb, Bittius Proculus jedoch den Konsulat erst 99 erhielt [1. 449³⁶].

1 W. ECK, Ein Militärdiplom trajanischer Zeit, in: Kölner Jahrbuch 26, 1993, 445–450.

[II 2] C. Quinctius Certus P. Marcellus. Senator; vielleicht Sohn von P. [II 1]. *Cos. suff.* im J. 120 n. Chr.; Augur; Legat von Germania superior zw. 121 und 129. Statthalter von Syria zw. ca. 130 und 135; von dort aus nahm er an der Niederwerfung des → Bar Kochba-Aufstandes teil, wozu er Syrien verließ; doch könnten seine Truppen zu diesem Zweck auch in Arabia zum Einsatz gekommen sein. Nach dem Ende des Aufstandes erhielt er die Triumphalinsignien (AE 1934, 231; [1. 76ff. bes. 85]). Möglicherweise ließ er in Aquileia ein Monument aus Anlaß dieses Sieges errichten, unter dem die Inschr. AE 1934, 231 eingemeißelt wurde. PIR² P 1042.

1 W. ECK, The Bar Kokhba Revolt: The Roman Point of View, in: JRS 89, 1999, 76–89.

[II 3] C. P. Proculeianus. Ritter, der aus Ravenna stammte und aus der Centurionenlaufbahn heraus in die procuratorische Laufbahn überwechselte. Bekannt sind seine Procuraturen in Pannonia und Achaia (wohl Anf. 3. Jh. n. Chr.). PIR² P 1043. W. E.

Publicola s. Poblicola

Publilia. Aus verm. ritterlicher Familie; wurde E. 46 v. Chr. (Cic. fam. 4,14,1–3) wegen ihres Erbes von ihrem Treuhänder → Cicero geheiratet. Die Ehe war kurz und unglücklich: Cicero trug sie wegen des großen Altersunterschieds Spott ein, und das junge Mädchen wurde von ihm gemieden, weil er sie verdächtigte, den Tod seiner Tochter → Tullia nicht genügend zu betrauern (Plut. Cicero 41; Cass. Dio 46,18,3 f.).

M. GELZER, Cicero, 1969, 288; 292 f.   J. BA.

Publilius

I. REPUBLIKANISCHE ZEIT

[I 1] P. Ein naher Verwandter (Bruder?) von Ciceros zweiter Frau → Publilia, der daher öfter in Ciceros Briefen an T. Pomponius [I 5] Atticus erscheint.   J. BA.

[I 2] P., Volero. Volkstribun 472 und 471 v. Chr. (MRR 1, 29 f.). 472 soll P. ein Gesetz eingebracht haben, das die Wahl der Volkstribunen statt in den von den Patriziern mit ihren Klienten dominierten *comitia curiata* in den *comitia tributa* (→ comitia) vorsah. Es scheiterte angeblich zunächst am Widerstand der Patrizier, wurde dann aber im folgenden J. nach langem Streit (in ermüdender Länge bei Dion. Hal. ant. 9,41–49) v. a. durch Initiative von P.' Kollegen C. Laetorius durchgebracht (Liv. 2,56 f.; Dion. Hal. ebd.; zur Kritik an der annalistischen Überl. [1. 89–92] mit weiterer Lit.).

1 D. FLACH, Die Gesetze der frühen röm. Republik, 1994.

[I 3] P. Philo, Q. Consul 339, 327, 320, 315 v. Chr., der bedeutendste Vertreter seiner *gens*. Nach Livius (8,12,4–17) triumphierte P. als *cos. I* über die → Latini (vgl. InscrIt 13,1,68 f.), wurde dann, als der Senat – verärgert über die Amtsführung des Mitconsuls Ti. Aemilius [I 23] Mamercinus – diesen zur Ernennung eines Dictators aufforderte, von letzterem hierzu ernannt und brachte in diesem Amt die sog. *leges Publiliae Philonis* durch. Nach Livius umfaßten sie insgesamt drei Bestimmungen: Erstens sollten *plebiscita* für das gesamte röm. Volk verbindlich sein, zweitens war die Zustimmung des Senats zu Gesetzesbeschlüssen der *comitia centuriata* (→ comitia) vor der Beschlußfassung zu erteilen und drittens mußte mindestens einer der beiden Censores Plebeier sein. Mag auch P.' Diktatur unhistor. sein (so z. B. [1. 477 f.]), so gilt dies nicht zwangsläufig auch für seine *leges*. Von ihnen werden die letzten beiden im allg. für histor. gehalten (vgl. [2. 109–113]), während das erste (wie auch das entsprechende Gesetz im Rahmen der *leges Horatiae Valeriae* aus dem J. 449) in der Forsch. mehrheitlich als Rückprojektion der prinzipiell inhaltsgleichen *lex Hortensia* (→ Hortensius [I 4]) von 287 angesehen wird (so z. B. [2. 163–168]; anders [3. 277 f.]: alle drei *leges* als Etappen einer in der *lex Hortensia* endenden Entwicklung).

336 bekleidete P. als erster Plebeier die Praetur (Liv. 8,15,9), 332 war er Censor (Liv. 8,17,11: Einschreibung von Neubürgern nach dem Latinerkrieg und Schaffung der zwei neuen *tribus Maenia* und *Scaptia*). Als *cos. II* belagerte P. 327 Neapolis [2], erhielt für 326 eine Verlängerung des Kommandos – was den Beginn der Praxis der → prorogatio bezeichnet. Er erreichte die Übergabe der Stadt, wofür ihm ein zweiter Triumph zugestanden wurde (Liv. 8,22,8–23,12; 25,5–26,7; InscrIt 13,1,70 f.). 320 bekleidete er nach der röm. Niederlage bei → Caudium sein drittes Konsulat, doch sind die mil. Erfolge,

die Livius (9,12,9–15,2) ihm für dieses J. zuweist, verm. eher in das J. 315 zu datieren [4. 229; 233 f.], in dem er letztmalig Consul war (wieder – wie im J. 320 – mit dem ihm polit. nahestehenden L. Papirius [I 15] Cursor als Kollegen). Im Gefolge des Prozesses gegen C. Maenius [I 3] wurde auch P. angeklagt, jedoch freigesprochen (Liv. 9,26,21). Unklar bleibt, ob die bei Gai. inst. 3,127 und 4,22 genannte *lex Publilia de sponsu* P. zuzuschreiben ist (zur Datier. vgl. [5. 473]).

1 BELOCH, RG 2 HÖLKESKAMP 3 T. J. CORNELL, The Beginnings of Rome, 1995 4 E. T. SALMON, Samnium and the Samnites, 1967 5 ROTONDI.

E. SIENA, La politica democratica di Quinto Publilio Filone, in: Studi Romani 5, 1956, 509–522 • R. DEVELIN, The Practice of Politics at Rome 366–167 B. C., 1985, Index, s. v. P.   C. MÜ.

[I 4] P. Syrus. Prominentester Vertreter der Schauspieler-Mimographen des 1. Jh. v. Chr., d. h. P. war als Mime wie auch als Mimograph tätig (→ Mimos). Er stammte aus Syrien, verm. Antiocheia [1], und gelangte als junger Sklave um 83 v. Chr. nach Italien. Nachdem ihm aufgrund seiner Talente und seines Witzes die Freiheit geschenkt worden war, fing er an, Mimen zu verfassen, in denen er selbst auftrat, und erlangte dabei in den Städten Italiens solchen Ruhm, daß ihn Caesar nach Rom kommen ließ, wo er 46 v. Chr. in einem Stegreifwettstreit über den bislang führenden → Laberius [I 4] triumphierte und fortan den ersten Rang auf der röm. Mimenbühne behauptete (Gell. 17,14; Macr. Sat. 2,7,6 ff.); den Gipfel seines Ruhmes erreichte er nach Hier. chron. 1974 im Jahr 43 v. Chr.

Von P.' Mimen sind nur zwei Titel (*Murmurco*, ›Der Brummer‹, und *Putatores*, ›Die Baumbeschneider‹) mit insgesamt vier Fr.-Z. erh. Nachhaltige Wirkung erzielte P. durch seine Sentenzen, die in aller Munde waren (Gell. 17,14,3), das Lob der Gebildeten fanden (Sen. contr. 7,3,8; Sen. dial. 9,11,8 u. ö.) und zudem manchen reizten, es P. mit selbstverfertigten Sprüchen gleichzutun, so etwa → Petronius (55,6). Auf P.' Sentenzen – die verm. kurz nach seinem Tod im 1. Jh. v. Chr. in einer knapp 700 Einzelverse umfassenden Slg. zusammengestellt wurden, in der wohl auch fremdes Material im Stil des P. Aufnahme fand – beruht auch seine eigentliche Bed. und Nachwirkung: Nachdem sie in die Schulen gelangt waren (Hier. epist. 107,8), wurden sie noch bis in das 19. Jh. hinein zu erbaulicher Lektüre und moralischer Belehrung herangezogen.

→ Laberius [I 4]; Mimos II.

ED.: CRF ³ 1898, 368–370 • M. BONARIA, Romani Mimi, 1965, 78; 130–132 (mit Komm.) • W. MEYER, 1880 • H. BECKBY, 1969 (mit dt. Übers.).
LIT.: F. GIANCOTTI, Mimo e gnome, 1967 • E. J. JORY, P. Syrus and the Element of Competition in the Theatre of the Republic, in: N. HORSFALL (Hrsg.), Vir bonus discendi peritus. FS O. Skutsch, 1988, 73–81 • H. LEPPIN, Histrionen, 1992 • R. RIEKS, Mimus und Atellane, in: E. LEFÈVRE (Hrsg.), Das Röm. Drama, 1978, 348–377 •

SCHANZ/HOSIUS I[4], 259–262 • E. SCHWEITZER, Stud. zu P. Syrus, Diss. Wien 1967 • O. SKUTSCH, s.v. P. (28)., RE 23, 1920–1928.   LO. BE.

II. KAISERZEIT

[II 1] L. P. Celsus. Senator, der zu den engeren Vertrauten des Kaisers Traianus gehört haben muß. *Cos. suff.* im J. 102 n. Chr., *cos. II ord.* im J. 113. Traianus ließ ihm in Rom auf Senatsbeschluß eine Statue errichten; worin seine Verdienste bestanden, ist unbekannt. Mit Hadrianus war er schon während Traianus' Regierungszeit verfeindet; Anf. des J. 118 wurde er auf Senatsbeschluß, angeblich gegen den Willen Hadrians, wegen einer Verschwörung hingerichtet (Cass. Dio 69,2,5; HA Hadr. 7,2). Sein Name wurde in den öffentl. Inschr. eradiert, sein Vermögen eingezogen (vgl. AE 1975, 232). PIR[2] P 1049.

[II 2] L. P. Celsus Patruinus. Nachkomme von P. [II 1]. Er erreichte einen Suffektkonsulat (wohl im 3. Jh. n. Chr.) und wurde *curator* von Canusium (CIL IX 688). Seine → *origo* dürfte Herdonia gewesen sein (vgl. auch L. P(ublilius) D(…) Patruinus, *vir clarissimus*, der in CIL IX 686 (bei Herdonia) bezeugt ist). PIR[2] P 1050, 1051.   W. E.

[II 3] P. Optatianus Porfyrius. Dichter und Beamter unter Constantinus [1] I. (Name mit f gesichert durch das Text-Bild-Arrangement in P.' carm. 21). Geb. um 265 n. Chr., möglicherweise in Africa. P. bekleidete mehrere Ämter, eindeutig belegt sind das Amt des Stadtpraefekten 329 und 333 sowie das Prokonsulat von Achaia. Letzteres muß entweder vor seine (von P. in carm. 2,31 f. selbst erwähnte) Verbannung datiert werden oder bald danach. Als Zeitpunkt der Rehabilitierung werden die Vicennalia (20jähriges Herrscherjubiläum) des → Constantinus I. im Juli 325 angesehen, Beginn und Ursache des Exils sind ungewiß. Das Todesdatum wird vor 335 gesetzt, da die Tricennalia Constantinus' in P.' Werk keinerlei Erwähnung finden.

Als Dichter tritt P. v. a. als Begründer der sog. Gittergedichte hervor (→ Figurengedichte). Das in den Hss. als *Panegyricus Constantini* überl. Corpus besteht aus 27 Gedichten sowie zwei fingierten Briefen – der erste enthält die Widmung der *carmina* an Constantinus, der zweite stellt das Antwortschreiben des Kaisers dar. Die h. zur Gattung der »visuellen Poesie« gerechneten Gedichte zeichnen sich formal durch die virtuose Ausgestaltung aus (Verwendung von → Akrostichon, Mesostichon und Telestichon; farblich hervorgehobene Buchstaben geben geom. Figuren, Kürzel und Symbole wieder). Inhaltlich zeigen die *carmina* unzählige Anklänge an ältere Autoren (Vergil, Horaz, Ovid, Silius Italicus, Lucan, Statius usw.). Reiche Rezeption fand P.' Werk v. a. im Früh-MA, als Gelehrte wie Alkuin oder Hrabanus Maurus die von P. begründete Gedichtform nicht nur nachahmten, sondern auch weiterentwickelten.

→ Figurengedichte

ED.: G. POLARA, Publilii Optatiani Porfyrii carmina, 2 Bde., 1973 (mit Komm.).
LIT.: U. ERNST, Carmen figuratum, 1991, 95–142.   SE. P.

[II 4] L. P. Probatus. Senator in der Mitte des 3. Jh. n. Chr., der eine rein zivile Laufbahn absolvierte; *cos. suff.* Er dürfte aus der Stadt Nola stammen; auf dem Vesuv besaß er eine Villa, in der er von Nola mit einer Statue geehrt wurde. PIR[2] P 1055.

[II 5] P. Sabinus (Tac. hist. 2,92,1 und 3,36,2: *Publium* bzw. *Publilium*). P. wurde von Vitellius wegen seiner Freundschaft mit Caecina [II 1] Alienus zum *praef. praet.* ernannt; als Caecina von Vitellius abfiel, wurde P. durch Alfenus [3] Varus ersetzt. PIR[2] P 1056.   W. E.

Publius. Häufiges röm. → Praenomen mit der Sigle *P.*; ältester Beleg *Poplio-* (CIL I[2] 4, 2832a; ca. 500 v. Chr.; → Lapis Satricanus), danach griech. Πόπλιος. Der Name gehört etym. zu *populus* (»Heer« > »Volk«). Die Herleitung aus dem Etr. muß abgelehnt werden, denn das seltene etr. *Puplie* wurde aus einer ital. Sprache übernommen. Die Umbildung von *poplico-* zu *pūblico-* (nach *pūbēs*) wurde auch auf das Praen. und sein Derivat, das Gent. *Pūblīlius*, übertragen.

LEUMANN, 117 § 130.II.B. • SALOMIES, 45 f. • D. H. STEINBAUER, Neues Hdb. des Etr., 1999, 456.   D. ST.

[1] Griechisch schreibender Tragiker aus Rom, belegte ca. 85 v. Chr. an den Serapieia von Tanagra den 2. Platz (DID A 7, TrGF I 163).   B. Z.

Pucinum. Kastell im Gebiet der → Carni in Istria bei Aquileia an einer Bucht des → Ionios Kolpos an der Quelle des → Timavus (Plin. nat. 14,60; vgl. 3,127; 17,31; h. Timavo) – verm. im NW von Tergeste beim h. Duino oder beim h. Prosecco, einem Dorf, das für seinen dunkelroten Wein noch h. bekannt ist. P. lag in der Nähe eines felsigen Hügels, an dem ein für seine Heilkraft berühmter Wein wuchs; Livia [2] führte ihr hohes Alter (sie wurde 86 J. alt) auf den ausschließlichen Genuß dieses Weins zurück (Plin. nat. 14,60). Die Lokalisierung dieses Weinbergs ist umstritten, da der h. Timavo zw. Aquileia und Tergeste in den Golf von Panzano fließt, während er nach Strab. 5,1,8 (Τίμαυον) und Mela 11,61 ein Delta hatte, also doch wohl ein Mündungsarm des h. Isonzo war.

L. BOSIO, Le strade romane della Venetia e della Histria, 1991, 213–223, 254 • V. VEDALDI IASBEZ, La Venetia orientale e l'Histria (Studi e richerche sulla Gallia Cisalpina 5), 1994, 391–393.   PI. CA./Ü: E. N.

Pudens

[1] Proconsul der Prov. Lycia-Pamphylia, frühestens unter Marcus [2] Aurelius und Lucius Verus. Eine Identifizierung ist nicht möglich. PIR[2] P 1064.
[2] P., für den auch das Praen. *Aulus* überl. ist. Freund des Dichters Martialis [1], der aus Umbrien stammte und es bis zum Primipilat brachte. Zu Möglichkeiten der

Identifizierung vgl. PIR² P 1069. Doch kann in der Inschr. aus Sarsina [1. 264] als Praen. kaum *[Au]lus* ergänzt werden (vgl. [2. 303]).

1 G. SUSINI, Documenti epigrafici di storia Sarsinate, in: RAL 10, 1955, 235–286 2 M. KAJAVA, Rez. zu PIR² Bd. 6, in: Arctos 32, 1998, 301–303. W. E.

Pudicitia. → Personifikation der weiblichen Keuschheit, in Rom mit organisiertem Kult als *P. Patricia* und *P. Plebeia* von Vereinigungen verheirateter Frauen aus den Reihen der → *patricii* bzw. der Plebeier (→ *plebs*) verehrt. Eine Statue der *P. Patricia*, ikonographisch vielleicht der → Fortuna Muliebris angeglichen, und ein Altar sollen um 330 v. Chr. nach einem Prozeß gegen patrizische Frauen wegen Giftmordes an ihren Männern in der Nähe des Tempels des → Hercules am Forum Boarium aufgestellt worden sein (Fest. 270; 282 L.). Der Kult der *P. Plebeia* wurde angeblich 296 v. Chr. von einer Verginia nach deren Heirat mit dem Plebeier L. Volumnius (*cos.* 296) und Ausschluß vom Kult der *P. Patricia* im Haus des Volumnius am Vicus Longus nahe des Tempels der → Fortuna Bonae Spei eingerichtet (Liv. 10,23,1–10). Beide Kultanlagen wurden in augusteischer Zeit restauriert (Prop. 2,6,25 f.), diejenige der *P. Plebeia* vielleicht von → Livia [2], die der *P. Patricia* von → Iulia [6]; einen Kult für P. initiierte → Augustus zur Unterstützung seiner Sittengesetzgebung (Suet. Aug. 34,1). Möglicherweise → Domitianus [1] ließ das Heiligtum der *P. Plebeia* wiederherstellen (Mart. 6,7,1 f.). Livia wurde als erste Kaiserin mit P. assoziiert (Val. Max. 6,1 praef.); Kaiserinnen von → Plotina (RIC II 298 Nr. 733; vgl. CIL VIII 993) bis Crispina (RIC III 399 Nr. 285) ehrten P. mit ihren Mz.-Prägungen.
→ Sondergötter

1 N. BOËLS-JANSSEN, La vie religieuse des matrones dans la Rome antique, 1993, 51–56 2 H.-F. MÜLLER, Vita, P., Libertas in: TAPhA 128, 1998, 224–233 3 R. PALMER, Roman Shrines of Female Chastity in: Rivista storica dell'antichità 4, 1974, 113–159 4 R. VOLLKOMMER, s. v. P., LIMC 7.1, 589–592. D. WAR.

Pudor. Als die soziale Kategorie des menschlichen »Schamgefühls« ist *p.* seit den frühen lit. Belegen (z. B. Plaut. Epid. 166) Element des röm. Wertediskurses, erscheint aber offenbar erst mit den intensivierten Moraldiskursen augusteischer Zeit – in Nachbildung der griech. → *Aidōs* – als Appellativum und Person. Bei den Dichtern mag die Nennung von P. bisweilen → Pudicitia mitevozieren (Serv. auct. Aen. 4,27; Hor. carm. saec. 57; [1. 89]): Anders als die Personifikation der weiblichen Keuschheit wurde P. zwar nicht offiziell kultisch verehrt, seine Zusammenstellung mit Copia, → Fides, → Honos, → Pax, Veritas und → Virtus (Hor. carm. 1,24,6 f.; Hor. carm. saec. 57–60), mit → Maiestas und Metus (Ov. fast. 5,29) oder mit → Mens Bona (Ov. am. 1,2,31 f.) illustriert aber die Problematik einer strikten Scheidung zw. Kultpersonifikationen und Personi-

fikationen menschlichen Sozialverhaltens ohne öffentlichen Kult [1. 87–92].
→ Personifikation

1 D. FEENEY, Literature and Rel. at Rome, 1998. A. BEN.

Pudput. Stadt der Africa Proconsularis (→ Afrika [3]), 3 km nördl. von Bir Bou Rekba, h. Souk el-Abiod (Itin. Anton. 52,4; 56,6; 58,3: *Pupput* bzw. *Putput* der Hs. P; Tab. Peut. 6,2: P.; Geogr. Rav. 88,43: *Pulpud*; Guido, Geographia 132,64: *Pulpite*). Der verm. punisch beeinflußte Ort war seit Commodus (176–192 n. Chr.) *colonia* (CIL VIII Suppl. 4, 24092 f.: *Pupput*; 24095: *colonia Puppit(anorum)*). P. war Vaterstadt des Juristen P. Salvius Iulianus [1] (CIL VIII Suppl. 4, 24094). Für das J. 484 n. Chr. ist ein *episcopus Puppitanus* bezeugt (CIL VIII Suppl. 4, 24091). Weitere Inschr.: CIL VIII Suppl. 4, 24096 f.; AE 1995, 1656.

AATun 050, Bl. 37, Nr. 14 · H. TREIDLER, s. v. P., RE 23, 1947 f. W. HU.

Puer, pueri. P. dient in der lat. Sprache 1.) zur Bezeichnung männlicher Sklaven jeden Alters (so auch griech. παῖς/*pais*), 2.) zur Unterscheidung des freien männlichen Kindes vom weiblichen (*puella*) und 3.) zur Angabe der Altersstufe (Dig. 50,16,204). Nach Festus (307) benannten »die Alten« (*antiqui*) ihre Sklaven als Marcipor, Quintipor usw., um das Herrenverhältnis des Marcus bzw. Quintus am jeweiligen *por* = *puer* auszudrücken. Der Sklave blieb bis zu seiner Freilassung immer *p.*, weil seine körperliche Entwicklung anders als beim freien Kind nicht zur rechtlichen Mündigkeit führte (Sen. epist. 47,7). Eine Terminologie für Sklavenkinder fehlt im Lat. [3. 16]. Eine besondere Gruppe stellen die *pueri delicati* (»Lustknaben«) dar, in der Regel Sklaven, häufig im Haus des Herrn geboren (lat. *verna*, Pl. *vernae*) und z. T. längst vor der Pubertät zu erotischen Diensten herangezogen [3. 307–312] (→ Homosexualität III. B.).

Der Freie erreichte nach der *infantia* (bis zum 7. Lebensjahr) mit der *pueritia* bereits eine beschränkte Prozeß- und Geschäftsfähigkeit. Das Knabenalter (*aetas puerilis*) endete mit dem Beginn der Pubertät und der Anlegung der Männertoga (*toga virilis*; seit dem 6. Jh. n. Chr. das 14. Lebensjahr; vorher schwankend). Damit gewann der *adulescens* die volle Geschäfts- und Prozeßfähigkeit, das Heiratsrecht und das Recht zum Militärdienst (jedoch noch nicht das Recht zur Bekleidung von öffentlichen Ämtern [2]).
→ Jugend; Kind, Kindheit; Lebensalter; Pubertas

1 J. MAURIN, Remarques sur la notion des »puer« à l'époque classique, in: Bull. de l'Assoc. G. Budé 1975, 221–230 2 E. EYBEN, Die Einteilung des menschlichen Lebens im röm. Alt., in: RhM 116, 1973, 150–190 3 E. HERRMANN-OTTO, Ex ancilla natus, 1994. W. ED.

Pueri patrimi s. Amphithaleis paides

Pugillares (oder *pugillaria*, meist: »Notizbuch«). Lat. Subst., abgeleitet von *pugillus*, dem Deminutivum von *pugnus* (»Faust, geschlossene Hand«); die Etym. betont, daß es sich um einen Gegenstand von so geringen Ausmaßen handelt, daß er darin Platz findet. In lat. Texten ist der Begriff *p.* ein Schriftträger von geringer Größe; bisweilen erscheint er als Syn. für *libellus* oder *codicillus* (»kleine Hs.«). Dabei handelte es sich meist um aneinander befestigte Wachs- oder Holztäfelchen (wie diejenigen aus dem britannischen Vindolanda, vgl. [3]) oder Pergamentblätter (*p. membranei*, Mart. 14,7). Ant. Autoren schrieben auf *p.* kurze Texte (Konzepte und Notizen verschiedener Art, Briefe), außerdem Entwürfe oder erste Fassungen eines Werkes. Bisweilen enthielten *p.* auch ein lit. Werk oder Teile davon (Mart. 14,184: ein *Homerus in pugillaribus membraneis*, eine Homer-Ed. – in Auszügen? –, in ein Pergament-»Heft« kopiert). Zur Frage, ob man in diesen Pergament-»Heftchen« eine rudimentäre Form des Buches sehen kann, aus welcher sich dann später der → Codex (I. B.) entwickelte, vgl. [2].

1 A. Hug, s. v. P., RE 23, 2515 f. 2 C. H. Roberts, T. C. Skeat, The Birth of the Codex, 1983, 15–23 (Ndr. 1985) 3 V. Naas, Réflexions sur la méthode de travail de Pline l'ancien, in: RPh 70, 1996, 324–328 4 P. Degni, Usi delle tavolette lignee e cerate nel mondo greco e romano, 1998. T. D./Ü: CH. SCH.

Pugio s. Bewaffnung

Pulcheria
[1] Tochter des Kaisers → Theodosius I. und der → Flacilla, geb. 377/8, gest. 385/6 n. Chr. Die Grabrede des → Gregorios [2] von Nyssa ist erh. (Greg. Nyss. or. 9,1,459–472). PLRE 1, 755. H. L.
[2] Tochter des Kaisers → Arcadius und seiner Gattin Eudoxia (→ Aelia [4]), geb. 399, gest. Juli 453, Enkelin → Theodosius' I. Sie erzog nach dem Tod des Vaters (408) ihren 401 geb. Bruder → Theodosius II., machte sich im J. 414 zur Augusta (→ Kaiserfrauen) und beeinflußte als asketisch lebende, gelehrte und kirchenpolit. engagierte Mitregentin die kaiserliche Politik mit ›harter Hand‹ [1. 124], wenn auch meist im Hintergrund. Sie trug zum Sturz des Konstantinopler Bischofs → Nestorios im J. 431 (Synode von Ephesos) bei, setzte gegen Bischof → Kyrillos [2] von Alexandreia [1] die Union von 433 durch (vgl. [1. 132 f., 140]) und behauptete sich auch gegen dessen Nachfolger → Dioskoros [1], indem sie im stillen gegen dessen Sieg auf der »Räubersynode« in Ephesos (449) opponierte. Nach dem Tod des Theodosius (28.7.450) trat sie, da kein männlicher Erbe der Dyn. vorhanden war, an die Spitze des Reiches, ging mit dem General → Marcianus [6] aus polit. Gründen die Ehe ein und erhob ihn zum Kaiser. Sie setzte sich, zusammen mit Papst → Leo [3] I., gegen die kirchenpolit. Macht Alexandreias durch und ermöglichte die für die östliche Kirche so folgenreiche Synode von → Kalchedon (451). In ihrer und des Kaisers Anwesenheit wurde am 25.10.451 die Glaubensformel von Kalchedon angenommen und unterzeichnet (→ Synodos). Das Bild P.s, die auch Stifterin zahlreicher Kirchen war, ist durch die kirchlichen Wirren nach Kalchedon im Osten verdunkelt worden; in der Westkirche stand P. in hohen Ehren.

1 E. Schwartz, Über die Reichskonzilien von Theodosius bis Justinian, in: Ders., Zur Gesch. der alten Kirche und ihres Rechts (Ders., Gesammelte Schriften 4), 1960, 111–158; 124 f.; 139–143 2 C. Angelidi, P. La castità al potere (c. 399–c. 455) (Donne d'Oriente e d'Occidente 5), 1998 (Lit.). S. L.-B.

Pulena. Etr. Gentilname, inschr. auf Sarkophagen des hell. P.-Grabes in Tarquinia überl., darunter die Deckelfigur eines Laris P. mit beschrifteter Buchrolle (→ Buch B.). Sie enthält das *curriculum vitae* des Verstorbenen mit Nennung der Ahnen bis ins 4. Glied zurück, eines Laris Pule Creice (»des Griechen«). Aufgrund der Textformulierung *ancn zich nethsrac* wird Laris P. meist als Verf. eines Buches über die etr. Haruspizin angesehen (→ Haruspices II. C.).
→ Divination

R. Herbig, Die jünger-etr. Steinsarkophage, 1952, 53 Nr. 111 · J. Heurgon, Die Etrusker, 1971, 334–337 · H. Rix, Etr. Texte, Bd. 2, 1991, 47, Ta 1.17–19. F. PR.

Pullaienus. L. Albius P. Pollio. *Cos. suff.* unter → Domitianus [1] im Krisenjahr 90 n. Chr.; er sollte also zu den loyalen Anhängern des Kaisers gehört haben. Proconsul von Asia wohl im J. 104/5. Vielleicht identisch mit dem Eigentümer von Ziegeleien im J. 123. PIR² P 1076. W. E.

Pullaria. Insel im → Ionios Kolpos vor der Südspitze von → Histria (Plin. nat. 3,151; Tab. Peut. 5,39; Geogr. Rav. 5,24). P. ist entweder mit dem h. Lošinj (Kroatien) oder mit den Brioni-Inseln nordwestl. des ant. Pola zu identifizieren.

J. J. Wilkes, Dalmatia, 1969, 4, 196 · Ders., The Illyrians, 1992, 185. D. S.

Pullius. Röm. Gentilname, in republikanischer Zeit häufig bezeugt. K.-L. E.
[1] Cn. P. Pollio. Senator, der aus Forum Clodii in Etrurien stammte. Nach dem Volkstribunat wurde er *praetor ad aerarium*, eine Funktion, die im J. 23 v. Chr. geschaffen wurde. Später Proconsul in der Narbonensis. *Legatus* oder *comes* von Augustus in der Gallia Comata, dann in der Aquitania, wohl zw. 16 und 13 v. Chr., als Augustus dort die neue Prov.-Ordnung schuf. Während einer Reise als *legatus* nach Athen verstarb er (CIL XI 7553 = ILS 916). PIR² P 1083. W. E.

Pullus. Röm. Cogn., urspr. »Jungtier«, dann auch auf Menschen übertragen (vgl. Hor. sat. 1,3,45; Fest. 284); Namensträger waren L. Iunius [I 27] P. und Q. Numitorius [3] P.

Kajanto, Cognomina, 299. K.-L. E.

Puls s. Polenta

Pulvillus. Röm. Cogn. (»kleines Kissen«) in der Familie der Horatii (→ Horatius [5–6]).

KAJANTO, Cognomina, 348. K.-L.E.

Pulvinar. Lat. »Kissen« oder »Bett«. Auf dem *p.* wird bei der Gründung eines Heiligtums und später am Stiftungstag (→ *natalis templi*) das Götterbild gelagert; nach Serv. georg. 3,533 kann mit *p.* auch der Tempel selbst gemeint sein. Eine zentrale Rolle spielte das *p.* bei der Bewirtung der Götterbilder bzw. der Göttersymbole im röm. Kult, bei Bitt- und Dankfesten und dem → *lectisternium* (*p. suscipere*: Liv. 5,52,6; *cenae ad pulvinaria*: Plin. nat. 32,20). In profaner Bed. bezeichnet das *p.* die Kaiserloge im Circus (Suet. Aug. 45,1; Claud. 4,3; CIL VI 9822).

A. HUG, s. v. P., RE 23.2, 1977f. A. V. S.

Pulydamas (Πουλυδάμας; auch Polydamas/Πολυδάμας) aus Skotussa (Thessalien). Olympiasieger (Ol. 93 = 408 v. Chr.) im → Pankration, von ungewöhnlicher Körpergröße, dessen Taten von der Legende ausgeschmückt wurden (Paus. 6,5,4–9). Sein Kampf mit dem Löwen und sein Auftritt an pers. Königshof, wo er unbewaffnet drei bewaffnete Leibwächter Dareios' II. getötet haben soll, sind auf der Basis seiner angeblich heilkräftigen, von → Lysippos [2] geschaffenen Siegerstatue in → Olympia dargestellt [1. 209ff. und Taf. LV 1–3]. P. unterlag 404 v. Chr. in Olympia dem Promachos aus Pellene (Paus. 7,27,6).

→ Olympia IV.; Olympioniken

1 G. TREU, Olympia, Bd. 3, 1897.

L. MORETTI, Olympionikai, 1957, Nr. 348 · H. TAEUBER, Ein Inschriftenfragment der P.-Basis von Olympia, in: Nikephoros 10, 1997, 235–243. W. D.

Pumbedita (hebr. *pwmbdyt'*). Stadt am → Euphrat in → Babylonien, die sich nach rabbinischer Überl. durch ihr fruchtbares Umland (vgl. bPes 88a) auszeichnete und aufgrund des dortigen Flachsvorkommens einen wichtigen Standort der Textilindustrie darstellte (bGit 27a; bBM 18b). Nach dem Sendschreiben des Rav Šerira Ga'on befand sich dort bereits in der Zeit des Zweiten Tempels (520 v. Chr. – 70 n. Chr.) ein Zentrum des Studiums der Tora (→ Pentateuch). Nach der Zerstörung → Nehardeas durch die Palmyrener (→ Palmyra) im J. 259 n. Chr. erfolgte die Gründung einer Talmudschule, und P. wurde zum geistigen Zentrum des babylon. Judentums. Dabei bestanden enge Beziehungen nach → Tiberias. Bereits in der Mitte des 4. Jh. n. Chr. mußte P. seine Vorrangstellung an → Sura abtreten.

M. BEER, E. BASHAN, s. v. Pumpedita, Encyclopaedia Judaica 13, 1972, 1384–1386. B. E.

Punier s. Phönizier/Punier

Punisch ist die spätere Form des → Phönizischen, das in den phöniz. Kolonien Nordafrikas, insbes. → Karthago, und seinen weit verstreuten Handelsplätzen auf Malta, Sizilien, Sardinien, in Italien, Südfrankreich, Spanien und – auf dem Handelswege verbreitet – fast im gesamten Mittelmeerraum begegnet. Anfangs läßt sich das P. in der Schrift nicht vom Phöniz. differenzieren, doch zeigen sich ca. ab dem 5. Jh. v. Chr. die ersten unterschiedlichen Schriftformen. Die semitischen Pharyngal- und Laryngalkonsonanten werden kaum benutzt und teilweise ausgelassen, im späteren P. – ab 146 v. Chr. bis ca. 6. Jh. n. Chr. (= Neu-P., Vulgär-P.) – werden auch die stimmhaften und stimmlosen Konsonanten verwechselt und *matres lectionis* (verm. unter lat. Einfluß) in dem nun sehr kursiven Schriftduktus eingesetzt. Es sind Weih-, Votiv-, Gedenkinschr. auf Stein, Metall und Ton, darunter ein Opfertarif aus Marseille, *tabulae devotionis* (Karthago), Amphorenstempel, Tonbullen, Stempelsiegel, Ostraka und Mz.-Legenden überliefert. Erwähnenswert sind diverse → Bilinguen, so numidisch-pun. bzw. neu-pun. (Tunesien) und lat.-pun. (Leptis Magna), sowie pun. Inschr. in griech. Schrift (al-Ḥufra bei Cirta Regia). In lat. Transkription zitiert → Plautus im 5. Akt der Komödie *Poenulus* einige pun. Passagen (10 Verse). Als Sprache ist das P. in Nordafrika bis zur islam. Eroberung bezeugt. Elemente des P. zeigen sich noch als Substrat im → Berberischen.

E. LIPIŃSKI, s. v. Langue, DCPP, 254–256 · W. RÖLLIG, Das P. im Röm. Reich, in: G. NEUMANN, J. UNTERMANN (Hrsg.), Die Sprachen im röm. Reich der Kaiserzeit (BJ Beih. 40), 1980, 285–299. C. K.

Punische Archäologie s. Phönizier/Punier IV.

Punische Kriege. Bezeichnung für die drei Kriege zwischen Rom und → Karthago (264–241, 218–202 und 149–146 v. Chr.), die Roms Aufstieg zur mediterranen Weltmacht begründeten und an deren Ende die Zerstörung Karthagos stand.

I. DER 1. PUNISCHE KRIEG (264–241)
II. DER 2. PUNISCHE KRIEG (218–202)
III. DER 3. PUNISCHE KRIEG (149–146)

I. DER 1. PUNISCHE KRIEG (264–241)
Der 1. P. K. entzündete sich an einem Konflikt, in dessen Mittelpunkt → Messana [1] stand. Nach dem Tod des Herrschers über Syrakusai, Agathokles [2], im J. 278 v. Chr. hatten sich dessen entlassene oskische Söldner, die sog. → *Mamertini* (Benennung nach dem Kriegsgott Mars), der Stadt bemächtigt und unternahmen von dort aus Raub- und Plünderungszüge. Nachdem der neue Herrscher von Syrakusai, Hieron [2] II., ihnen am Longanos eine schwere Niederlage beigebracht und mit der Belagerung der Stadt begonnen hatte, wandten sie sich mit einem Hilfegesuch an Rom und, als sich diese Hilfe – u. a. wohl wegen des röm. Feldzugs gegen → Volsinii – verzögerte, auch an Kar-

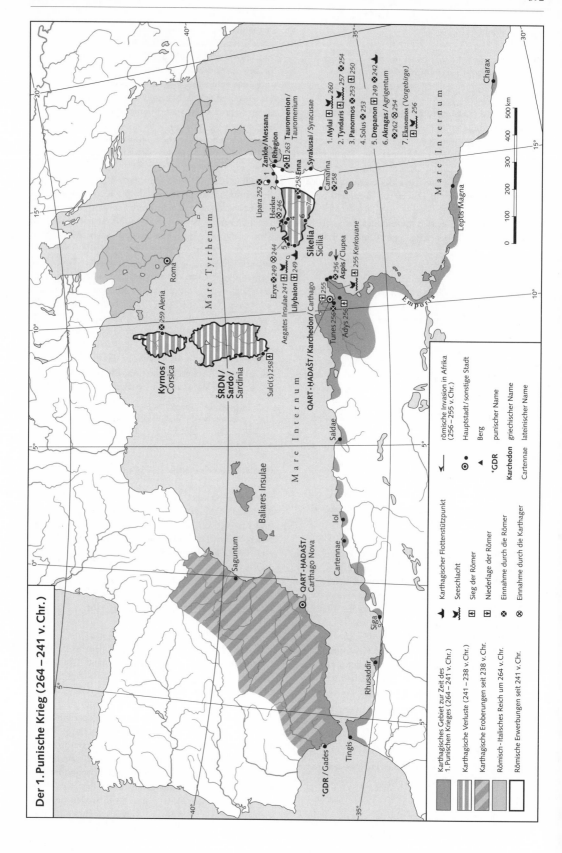

Der 1. Punische Krieg (264 – 241 v. Chr.)

1. Mylai ⊞ ⋙ 260
2. Tyndaris ⊞ ⋙ 257 ⊗ 254
3. Panormos ⊗ 253 ⊞ 250
4. Solus ⊗ 253
5. Drepanon ⊞ ⋙ 249 ⊗ 242
6. Akragas / Agrigentum ⊗ 262 ⊞ 254
7. Eknomos (Vorgebirge) ⊞ ⋙ 256

Zankle / Messana
Rhegion
⊞ 263 Tauromenion / Tauromenium
⊗ 258 Enna
Syrakusai / Syracusae
Camarina ⊗ 258
Solus
Sikelia / Sicilia
Lipara 252 ⊗
Hierkte ⊗ 246
Eryx ⊗ 249 ⊞ 244
Lilybaion / ⋙ 249
Aegates Insulae 241 ⊞
Aspis / Clupea
⊗ 256
⊞ 255 Kerkouane
Tunes 256 ⊗⊙
Adys 256 ⊞
Emporia
Leptis Magna
Charax

Mare Internum

Mare Tyrrhenum
Roma ⊙
⊗ 259 Aleria

Kyrnos / Corsica
ŠRDN / Sardo / Sardinia
Sul(c)is 258 ⊞

Mare Internum

Baliares Insulae

Saldae
Iol
Cartennae

Saguntum
QART-HADAŠT / Carthago Nova ⊙
Siga
Rhusaddir
Tingis
ʿGDR / Gades

QART-HADAŠT / Karchedon / Carthago

0 100 200 300 400 500 km

Karthagisches Gebiet zur Zeit des
1. Punischen Krieges (264 – 241 v. Chr.)
Karthagische Verluste (241 – 238 v. Chr.)
Karthagische Eroberungen seit 238 v. Chr.
Römisch-Italisches Reich um 264 v. Chr.
Römische Erwerbungen seit 241 v. Chr.

Karthagischer Flottenstützpunkt
Seeschlacht
Sieg der Römer
Niederlage der Römer
Einnahme durch die Römer
Einnahme durch die Karthager

römische Invasion in Afrika (256 – 255 v. Chr.)
Hauptstadt / sonstige Stadt
Berg
ʿGDR punischer Name
Karchedon griechischer Name
Cartennae lateinischer Name

thago. Der karthag. Admiral Hannibal [2] legte daraufhin eine Besatzung nach Messana, doch das Erscheinen des röm. Heeres unter dem Consul Ap. Claudius [I 3] Caudex führte zu deren Vertreibung und – nach dem Übersetzen des röm. Heeres nach Sizilien – zum bewaffneten Konflikt zwischen Rom auf der einen und Hieron II. und Karthago auf der anderen Seite (264 v. Chr.).

So schilderte die einzige ant. Primärquelle, Philinos [5] von Akragas, die zum Krieg führende Ereignisfolge (nach [6]). Der unübersichtliche Meinungsstreit, ob Rom von Anfang an auch Karthago als Gegner sah [4; 7; 10] – so mit anachronistischer Begründung schon um 200 v. Chr. Fabius [I 35] Pictor – oder urspr. nur Hieron ins Auge faßte [8; 9; 11], ist damit entschieden. Rom und Karthago sind wohl ›in gutem Glauben an ihr Recht in den Krieg hineingeschlittert‹ [6. 71].

In der 1. Phase des Krieges befreite der Consul M'. → Valerius Messala die *Mamertini* von der karthag.-syrakusischen Belagerung und zwang Hieron, mit Rom Frieden und Bündnis zu schließen (263). Karthago setzte den Krieg allein mit dem Ziel fort, die Vormacht Roms wieder aus Sizilien zu verdrängen. Das analoge röm. Kriegsziel, der karthag. Präsenz auf Sizilien ein Ende zu bereiten, scheint aus der Erfahrung der Gefährdung Italiens durch karthag. Flotten erwachsen zu sein und – angesichts der noch ungefestigten Herrschaft über Süditalien – von dem Ziel bestimmt gewesen zu sein, die röm. Waffen als unbesiegbar zu erweisen [11].

Die erste Folge der Erfahrung der karthag. Überlegenheit zur See war die Aufrüstung der röm. Flotte. 260 errang C. Duilius [1], dem die Erfindung des → *corvus* [1], einer Enterbrücke, zugeschrieben wird, den großen Seesieg bei → Mylai [2], der freilich nicht kriegsentscheidend war. Rom erhöhte den Einsatz und wagte nach dem Seesieg von Eknomos (an der Südküste Siziliens) die Invasion Afrikas (256). Zwei Jahre später verlor dort M. Atilius [I 21] Regulus Heer und Flotte. Der daraufhin unternommene Versuch, die Karthager aus Sizilien zu verdrängen, erzielte zwar anfänglich Erfolge (253 Eroberung von Panormos [3], h. Palermo), doch scheiterten 249 die kombinierten Operationen gegen die karthag. Stützpunkte → Drepanon [4] und → Lilybaion. Hamilkar [3] Barkas verwickelte die Römer von der festen Position am Berg → Eryx [1] aus in einen langwierigen Stellungskrieg. Die Entscheidung zugunsten der Römer fiel erst, nachdem Drepanon eingenommen worden war (242) und C. Lutatius [1] Catulus mit der aus privaten Spenden erbauten Flotte den Seesieg bei den Aegatischen Inseln errungen hatte (241).

Der Friedensvertrag (StV III 493) sah vor, daß Karthago Sizilien »und die Inseln zw. Sizilien und It.« räumen sowie eine Kriegsentschädigung von 3200 Talenten, 1000 sofort, den Rest in 10 Jahresraten, zahlen sollte. Drei Jahre später nutzte Rom den Aufstand der karthag. Söldner (→ Söldnerkrieg) dazu aus, unter fadenscheinigen Vorwänden auch die Räumung Sardiniens und die zusätzliche Zahlung von 1200 Talenten zu erpressen (StV III 497).

II. DER 2. PUNISCHE KRIEG (218–202)

Seit 237 erweiterten → Hamilkar [3] Barkas und seit 229 sein Schwager → Hasdrubal [2] das karthag. Herrschaftsgebiet in Spanien [12]. Rom intervenierte hier erst am Vorabend eines drohenden Keltenkrieges und schloß 226/5 mit Hasdrubal einen Vertrag, der den Karthagern verbot, mit Heeresmacht einen Fluß namens Iberus [1] zu überschreiten, im übrigen ihnen in Spanien freie Hand ließ (StV III 503; die Streitfrage, ob mit diesem Fluß der Iberus/Ebro oder der weiter südl. gelegene Jucar [13] bzw. Segura [12; 15] gemeint ist, wird durch Pol. 3,14,9 zugunsten des Ebro entschieden). Die röm. Absicht war es, Karthago von dem kelt. Vorfeld Norditaliens fernzuhalten, und Hasdrubal konnte auf den Vertrag eingehen, da die Grenzlinie der Erweiterung des karthag. Herrschaftsgebiets in Spanien weiten Spielraum ließ. Andererseits verbot der Vertrag der röm. Seite nicht die Anknüpfung enger Beziehungen zu Gemeinden südlich der Ebrolinie, die nicht unter karthag. Herrschaft standen. Solche Beziehungen kamen mit → Saguntum zustande, wo Rom innere Streitigkeiten schlichtete. Obwohl der Charakter der Beziehungen zw. Saguntum und Rom (formelles Bündnis oder informelle → *amicitia*) nicht mehr zu klären ist, war Rom somit in einem Raum engagiert, in dem es der karthag. Seite freie Hand gelassen hatte.

Aus dieser Konstellation entstand der 2. P. K. Nach dem Tod Hasdrubals (221) unternahm sein Nachfolger → Hannibal [4] einen großen Feldzug, der ihn über den Tagus/Tajo hinausführte (220). Eine diplomatische röm. Intervention, die ihn auf die Achtung der Unabhängigkeit Saguntums und auf den Ebrovertrag festlegen wollte, wies er zurück und eroberte im folgenden Jahr nach achtmonatiger Belagerung Saguntum, ohne daß Rom, das in den 2. Illyrischen Krieg und in mil. Operationen in Norditalien verwickelt war, in Spanien eingriff. Als Hannibal jedoch 218 die Ebrolinie überschritt, stellte Rom in Karthago die ultimative Forderung nach seiner Auslieferung und erklärte nach der karthag. Ablehnung den Krieg. Offizieller Kriegsgrund war der Angriff auf Saguntum, tatsächlicher die Überschreitung der Ebrolinie, die jedoch mit Hasdrubal, nicht mit Karthago selbst vereinbart worden war [16].

Beide Seiten ergriffen noch im Sommer 218 die Offensive. Rom entsandte ein Heer nach Spanien und versammelte auf Sizilien ein weiteres zur Invasion Nordafrikas. Hannibal überschritt im Spätherbst die Alpen (über das Isère- und das Arctal, sodann über einen Nebenpaß des Mont Cenis, den Col de Savine-Coche) und schlug die Römer in Norditalien am Ticino/→ Ticinus und am → Trebia. Gestützt auf das Söldnerreservoir der verbündeten Kelten in Norditalien, überquerte Hannibal im folgenden J. den → Apenninus und errang am Trasimenischen See (→ Lacus Trasumenus) den großen Sieg gegen C. → Flaminius [1], während in Spanien die Brüder P. und Cn. → Cornelius [I 68 und 77] Scipio Erfolge gegen die Karthager erzielten. In Süditalien besiegte Hannibal die Römer in der Vernichtungsschlacht

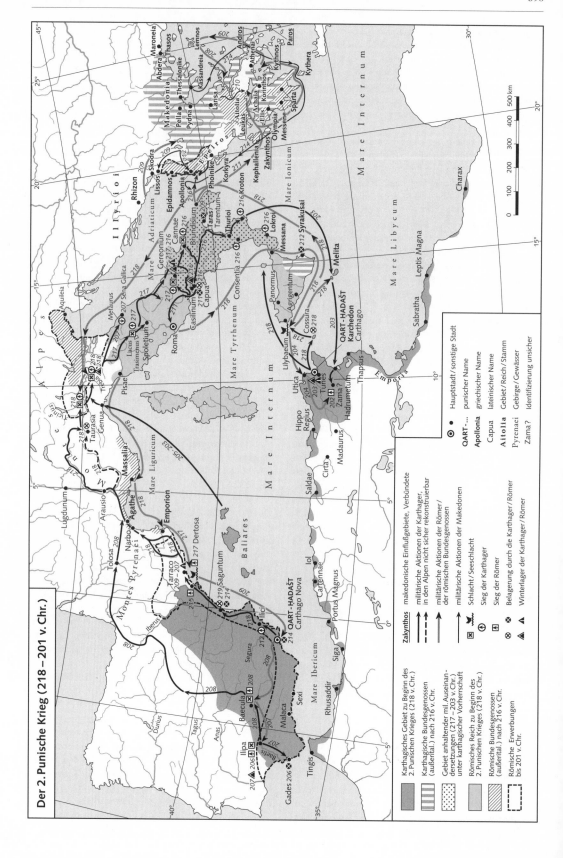

Der 2. Punische Krieg (218–201 v. Chr.)

Karthagisches Gebiet zu Beginn des
2. Punischen Krieges (218 v. Chr.)

Karthagische Bundesgenossen
(außeritalisch) nach 216 v. Chr.

Gebiet anhaltender mil. Auseinandersetzungen (217–203 v. Chr.)
unter karthagischer Vorherrschaft

Römisches Reich zu Beginn des
2. Punischen Krieges (218 v. Chr.)

Römische Bundesgenossen
(außeritalisch) nach 216 v. Chr.

Römische Erwerbungen
bis 201 v. Chr.

makedonische Einflußgebiete, Verbündete

militärische Aktionen der Karthager,
in den Alpen nicht sicher rekonstruierbar

militärische Aktionen der Römer/
der römischen Bundesgenossen

militärische Aktionen der Makedonen

Schlacht / Seeschlacht

Sieg der Karthager

Sieg der Römer

Belagerung durch die Karthager / Römer

Winterlager der Karthager / Römer

Zakynthos   Hauptstadt / sonstige Stadt

QART-...   punischer Name

Apollonia   griechischer Name

Capua   lateinischer Name

Aitolia   Gebiet / Reich / Stamm

Pyrenaei   Gebirge / Gewässer

Zama?   Identifizierung unsicher

von → Cannae (August 216). Capua und andere süd-italische Gemeinden traten auf seine Seite über, 215 schloß er ein Kooperationsabkommen mit → Philippos [7] V. von Makedonien, und auf Sizilien schloß sich ihm Syrakusai an. Die griech. Version des von den Römern erbeuteten Feldherrnvertrags mit Philippos V. (StV III 528) läßt als Kriegsziel die Absicht erkennen, Rom auf eine mittelital. Macht zu beschränken – unter Einbeziehung Süd- und Norditaliens in ein karthag. Bündnissystem.

Die röm. Gegenstrategie verwickelte Hannibal in einen Stellungskrieg (für den Q. → Fabius [I 30] Maximus, genannt *Cunctator*, »der Zauderer«, zum Symbol wurde) und eröffnete zu seiner Isolierung Nebenkriegsschauplätze. 212 wurde Syrakusai von M. Claudius [I 11] Marcellus zurückerobert. Um Philippos V. von It. fernzuhalten, schloß Rom 212 ein Bündnis mit den → Aitoloi (StV III 536) und beteiligte sich mit Flottenkontingenten an deren Krieg gegen Makedonien. In Spanien erlitten die beiden Scipionenbrüder 211 Niederlagen und fanden den Tod. Doch 210–206 gelang es P. → Cornelius [I 71] Scipio, dem gleichnamigen Sohn des gefallenen P. Cornelius [I 68] Scipio, Spanien den Karthagern zu entreißen. In It. eroberten die Römer 211 Capua zurück. Hannibals Entlastungsangriff auf Rom scheiterte. 209 gewannen die Römer Tarentum (→ Taras) zurück, und 207 verlor Hannibals Bruder Hasdrubal [3], der Verstärkungen von Spanien nach It. führte, am Metaurus (zw. Ariminum und Ancona) Schlacht und Leben. 205 schloß Rom Frieden mit Philippos V. (StV III 543), und ein Jahr später setzte P. Cornelius Scipio von Sizilien nach Nordafrika über. Hannibal mußte daraufhin It. verlassen (203) und verlor 202 die Entscheidungsschlacht bei → Zama. Das wehrlose Karthago mußte Frieden schließen (202/1).

Das Friedensinstrument (StV III 548 V) enthält über den faktisch verlorenen karthag. Außenbesitz in Spanien keine Bestimmungen, legt der Stadt Rüstungs- und Souveränitätsbeschränkungen (Auslieferung der Flotte bis auf 10 Einheiten sowie der Kriegselefanten; Verbot, außerhalb Afrikas Krieg zu führen; Kriegsführung innerhalb Afrikas nur mit Zustimmung Roms erlaubt) sowie eine in 50 Jahresraten zahlbare Kriegsentschädigung von 15 000 Talenten auf. Die Minderung der Rechtsstellung Karthagos kommt auch zum Ausdruck in der einseitigen röm. Garantie der Autonomie und des Besitzstandes der Stadt [20]. Der Friede enthielt darüber hinaus die Bestimmung, daß der ehemalige territoriale Besitz des röm. Verbündeten in Nordafrika, des numidischen Königs → Massinissa, in noch festzulegenden Grenzen zurückzugeben sei. Aus dieser Bestimmung entwickelten sich Grenzstreitigkeiten, und Rom kam aufgrund des Friedensvertrags die Rolle des Schiedsrichters zu.

III. DER 3. PUNISCHE KRIEG (149–146)

195 intervenierte Rom mit Erfolg gegen den Umsturzversuch Hannibals [4] zugunsten der karthag. Aristokratie. Bei dieser Gelegenheit kamen Grenzstreitig-keiten mit → Massinissa zur Sprache, ebenso in den J. 193 und 181. Am Vorabend des 3. → Makedonischen Krieges führten karthag. Gesandte in Rom Klage über numid. Übergriffe, der Senat entschied in diesem Fall (172) zugunsten Karthagos und gegen Massinissa, der seinerseits die Friedensregelung von 201 in Frage stellte. 161 griff Massinissa Emporia an, und diesmal entschied Rom gegen den Rechtslage zugunsten des Königs, weil die Stadt einem abtrünnigen Vasallen Massinissas Asyl gewährt hatte. Rom scheint das Auseinanderbrechen des locker gefügten Reiches des 80jährigen Königs befürchtet zu haben. Die Folge war, daß in Karthago die Politik der loyalen Friedenserfüllung diskreditiert war. 154/3 begingen die Karthager ihrerseits Grenzverletzungen, und Rom konnte keine Wiedergutmachung durchsetzen. Dies und Anzeichen innerer Schwäche des Numidischen Reiches (s. → Numidae) riefen in Rom antikarthag. Hetze hervor (vgl. das M. Porcius Cato [1] zugeschriebene Wort, mit dem er nach 153 jede seiner Reden im Senat beendet haben soll: *ceterum censeo Carthaginem esse delendam*, »im übrigen stimme ich dafür, daß Karthago zu zerstören ist«, vgl. Plut. Cato maior 26). Nach der Vertreibung von Parteigängern Massinissas aus Karthago antwortete dieser mit Kriegshandlungen; Karthago eröffnete ohne Autorisierung durch Rom eine Gegenoffensive, und Rom reagierte 149 mit der Kriegserklärung. Deren Ziel war es, Karthagos Machtstellung in Nordafrika zu vernichten – nicht aus Furcht vor der realen Macht der einstigen Rivalin, sondern um durch einen Gewaltschlag die Schwierigkeiten zu beenden, die sich aus der Unhaltbarkeit der Friedensordnung von 201 ergaben (exakt analysiert von [21]).

Die Karthager wollten diesen Krieg abwenden und unterwarfen sich, wurden aber durch die Aufforderung, die Stadt am Meer zu verlassen und sich im Landesinneren anzusiedeln, zum Äußersten getrieben und leisteten drei J. lang erbitterten Widerstand. 146 ließ P. → Cornelius [I 70] Scipio Aemilianus die belagerte Stadt erstürmen und niederbrennen. Die überlebende Bevölkerung wurde versklavt, das karthag. Territorium zur röm. Provinz Africa gemacht.

→ Karthago; Phönizier, Punier; Römisches Reich

1 HUSS 2 J. BLEICKEN, Gesch. der Röm. Republik, ⁵1999 (mit Forsch.-Ber. und Lit.) 3 H. DEVIJVER, E. LIPIŃSKI (Hrsg.), Punic Wars (Studia Phoenicia 10), 1989 4 F. HAMPL, Zur Vorgesch. des ersten und zweiten P. K., in: ANRW I 1, 1972, 412–441 5 B. D. HOYOS, Unplanned Wars. The Origins of the First and Second Punic War, 1998 6 E. RUSCHENBUSCH, Der Ausbruch des 1. P. K., in: Talanta 12/13, 1980/81, 55–76 7 W. HOFFMANN, Das Hilfegesuch der Mamertiner am Vorabend des Ersten P. K., in: Historia 18, 1969, 153–180 8 J. MOLTHAGEN, Der Weg in den 1. P. K., in: Chiron 5, 1975, 89–127 9 Ders., Der Triumph des M.' Valerius Messala und die Anfänge des Ersten P. K., in: Chiron 9, 1979, 53–72 10 K.-W. WELWEI, Hieron II. von Syrakus und der Ausbruch des Ersten P. K., in: Historia 27, 1978, 573–587 11 A. HEUSS, Der Erste P. K. und das Problem des röm. Imperialismus. Zur polit. Beurteilung des Krieges, in: HZ 169, 1949, 457–513 (= Libelli 130, ²1970)

12 P. BARCELÓ, Beobachtungen zur Entstehung der barkidischen Herrschaft in Hispanien, in: [3], 167–185 13 J. CARCOPINO, Le traité d'Hasdrubal et la responsibilité de la deuxième guerre punique, in: REA 55, 1953, 258–293 14 W. HOFFMANN, Die röm. Kriegserklärung an Karthago im J. 218, in: RhM 94, 1951, 69–88 15 P. BARCELÓ, Rom und Hispanien vor Ausbruch des 2. P. K., in: Hermes 124, 1996, 45–57 16 E. RUSCHENBUSCH, Der Beginn des 2. P. K., in: Historia 27, 1978, 232–234 17 K.-H. SCHWARTE, Der Ausbruch des Zweiten P. K. – Rechtsfragen und Überl., 1983 18 K. CHRIST (Hrsg.), Hannibal (Wege der Forsch. 371), 1974 19 J. F. LAZENBY, Hannibal's War. A Military History of the Second Punic War, 1978 20 F. GSCHNITZER, Die Stellung Karthagos nach dem Frieden von 201 v. Chr., in: WS 79, 1966, 276–289 21 W. HOFFMANN, Die röm. Politik des 2. Jh. und das Ende Karthagos, in: Historia 9, 1960, 309–344 22 K.-W. WELWEI, Zum metus Punicus um 150 v. Chr., in: Hermes 117, 1989, 314–320. K. BR.

Punt

[1] Äg. *pwn.t*, ab dem NR durch sprachliche Neuanalyse als *pꜣ-wn.t* aufgefaßt, woraus unter Weglassung des scheinbaren Artikels ein neuer Name *wn.t* kreiert wird, der in einigen Quellen aus griech.-röm. Zeit erscheint. Nach äg. Quellen ein Land im fernen SO; h. meist im Bereich von Būr Sūdān (Port Sudan) [6] oder um Eritrea und das Horn von Afrika [1; 2] gesucht. Im AR könnten Handelsgüter aus P. über Zwischenstationen entlang des Nils nach Äg. gelangt sein, auch direkte Handelsfahrten sind nicht unwahrscheinlich. Im MR und NR lief der Handel per Schiff, wobei die Häfen am Roten Meer am Ausgang des Wādī Ḥammamāt, Wādī Gawāsās und Wādī Ǧāsūs die Hauptrolle spielten [7]. PHarris I 77,11 f. berichtet, wie Güter nach dem Schiffstransport vom Roten Meer auf Eseln nach → Koptos gebracht wurden. Die besten realweltlichen Zeugnisse für Verbindungen Äg.s zu P. stammen aus dem AR und MR, später bezeichnet P. meist ein myth. Land. Die berühmten P.-Reliefs mit Beischriften der Hatschepsut in Dair al-Baḥrī dürften nach sprachlichen Kriterien aus Vorlagen des AR übernommen sein. Aus P. kamen v. a. → Gold, → Elektron, → Myrrhe, → Gummi, → Ebenholz, Affen und Felle exotischer Tiere.

1 C. COZZOLINO, R. FATTOVICH, The Land of *Pwnt*/P.: The Archaeological Perspective, in: Sesto Congresso internazionale di egittologia, Atti, Bd. 2, 1993, 391–405 2 R. FATTOVICH, The Problem of P. in the Light of Recent Field Work in the Eastern Sudan (Beih. zu den Stud. zur altäg. Kultur 4), 1990, 257–272 3 R. HERZOG, P., 1968 4 K. A. KITCHEN, Further Thoughts on P. and Its Neighbours, in: A. LEAKY, J. TAIT (Hrsg.), Stud. on Ancient Egypt in Honour of A. S. Smith, 1999, 173–178 5 A. MANZO, Échanges et contacts le long du Nil et de la mer rouge, 1999 6 G. POSENER, L'or de Pount, in: E. ENDESFELDER u. a. (Hrsg.), Äg. und Kusch, 1977, 337–342 7 A. M. A. H. SAYED, Discovery of the Site of the 12th Dyn. Port at Wādī Gawâsîs on the Red Sea Shore, in: Rev. d'Égyptologie 29, 1977, 138–178. JO. QU.

[2] In der Völkertafel des AT (Gn 10,6) gilt *Pūt* als einer der vier Söhne Hams. Damit wird das Ethnikon *Pūt* als zum Einflußbereich Äg.s im 10. Jh. v. Chr. gehörig gekennzeichnet. In gleicher Weise wird *Pūt* bei Jer 46,9, Ez 27,10; 30,5; 38,5 und Nah 3,9 erwähnt. Eine Identifikation mit P. wird entgegen älteren Annahmen nicht mehr vertreten. Eher wahrscheinlich ist eine Identifizierung mit Libyen/Libyern.

Auch das *Putāayā* (altpersisch; elamisch *Putiyap*; akkadisch *Puṭa*) der Inschr. Dareios' [1] I. von → Naqš-e Rostam bezeichnet Libyer, nicht – wie gelegentlich angenommen – P. [1. 197].

1 R. KENT, Old Persian, 1953. J. RE.

Punzen s. Münzherstellung

Pupienus. M. Clodius P. Maximus, Kaiser 238 n. Chr. P. war zu diesem Zeitpunkt laut Zon. 12,17 schon 74 J. alt, was kaum richtig sein kann. Die Angaben über seine Herkunft und Laufbahn in der → *Historia Augusta* sind weitgehend fiktiv; eine Abstammung aus Volaterrae ist wahrscheinlich (CIL IX 5765, vgl. [1. 170 ff.]). P. war consularischer Statthalter einer der germanischen Prov. (Herodian. 8,6,6; 7,8), Proconsul von Asia (ILS 8839; AE 1975, 791), *cos. ord. II* 234 und *praef. urbi* (Herodian. 7,10,4; 8,8,4), bevor der Senat ihn unter die *XXviri rei publicae curandae* wählte, die It. gegen den aus Pannonien anrückenden → Maximinus [2] Thrax schützen sollten (Zos. 1,14,2; SHA Maximini duo 32,3; SHA Gord. 10,1 f.). Als der Tod der beiden Gordiani (→ Gordianus [1–2]) bekannt wurde, erhob der Senat P. und Balbinus [1] zu gleichberechtigten Kaisern, wobei P. immer an erster Stelle genannt wird. Der junge Gordianus [3] (III.) wurde auf Wunsch der Soldaten und des Volkes zum Caesar ernannt. P. zog gegen Maximinus, der aber vor Aquileia von seinen eigenen Soldaten ermordet wurde (Herodian. 8,1–5). Nach 99tägiger Herrschaft wurden P. und Balbinus von den → Praetorianern ermordet, Nachfolger wurde Gordianus [3] III. P. hatte eine Tochter (CIL VI 31237); ein vermutlicher Sohn, T. Clodius P. Pulcher Maximus, war *cos. suff.* in einem unbekannten Jahr (ILS 1185), ein zweiter, M. P. Africanus, *cos. ord.* 236.

1 R. SYME, Emperors and Biography, 1971.

KIENAST², 191 f. • PIR² C 1179 • RIC 4.2, 173–176. A. B.

Pupius. Röm. Gentilname, vielleicht mit etr. *pupu* zusammenhängend. Die Familie ist polit. sonst unbedeutend, der Adoptivvater des Consuls des J. 61 v. Chr., P. [I 3], ist unbekannt.

SCHULZE, 213. K.-L. E.

I. REPUBLIK

[I 1] Die einzige Quelle über den Schriftsteller P. liefert Horatius (epist. 1,1,67). P. war demnach verm. ein Verf. von Trauerspielen. Er lebte im 1. Jh. v. Chr. Umfang und konkreter Inhalt seiner Dichtung sind unbekannt.

BARDON, Bd. 2, 47 • COURTNEY, 307. M. GÜ.

[I 2] P., L. 185 v. Chr. Aedil. Als Praetor·183 führte er Untersuchungen über den Bacchanalienskandal (→ Bacchanal(ia)) in Apulien durch (Liv. 40,19,10). Möglicherweise war er der gleichnamige Legat, der 154 nach Ligurien zu den Oxybiern entsandt wurde (MRR 1,451).   P. N.

[I 3] P. Piso Frugi, M. Vermutlich Sohn des Calpurnius [I 22] Piso, von einem M. Pupius adoptiert. Geb. um 114 v. Chr., bei M. Licinius [I 10] Crassus und dem Peripatetiker → Staseas von Neapel ausgebildet, zeitweise selbst Lehrer → Ciceros (Cic. Brut. 240; 310; Ascon. 62 C). 83 verdankte er die Quaestur den Cinnanern (→ Cornelius [I 18] Cinna), wechselte zu Cornelius [I 90] Sulla, wurde um 72 Praetor (MRR 2,117; 3,177), erhielt eine spanische Prov. und triumphierte in J. 69 (Cic. Pis. 62; Ascon. 15 C). 67–62 war er Legat des Cn. Pompeius [I 3] im Osten (Ios. ant. Iud. 14,59; Ios. bell. Iud. 1,143 f.). Als Consul 61 provozierte er Cicero und verärgerte die Optimaten durch sein Eintreten für Clodius [I 4], so daß Pompeius' Ziel, die Anerkennung seiner *acta* im Osten, scheiterte und P. daraufhin die Prov. Syria nicht erhielt (Cic. Att. 1,13,2f; 14,1; 16,8 u.ö.). Dies bedeutete das polit. Ende für P. Spätere sichere Nachr. fehlen. Cicero ließ P. (trotz der Vorbehalte gegen dessen Konsulat) im 5. B. seines Dialogs *De finibus bonorum et malorum* (fiktives Datum: 79) die peripatetische Lehre des Antiochos [20] aus Askalon vertreten (Cic. Att. 13,19,4). Der Legat in der Ägäis 49/8 (Ios. ant. Iud. 14,231) und der Besitzer des von Antonius [I 9] 47 bewohnten Hauses können P. oder sein Sohn sein.

I. HOFMANN-LÖBL, Die Calpurnii, 1996, 130–143.   J. BA.

II. KAISERZEIT

[II 1] L. P. Praesens. Ritterlicher *tribunus militum* und *praefectus alae*. → *Procurator* des → Tiberius in Rom zur Kontrolle des Tiberufers, vielleicht im Zusammenhang mit den schweren Tiberüberschwemmungen (vgl. Tac. ann. 1,76; 1,79). *Procurator* von Claudius [III 1] und Nero in der Prov. → Galatia (II.), zu der auch Pamphylia gehörte [1. 24]. Evtl. mit dem P. Praesens identisch, der von Vespasianus in den Senat in die Rangklasse der Praetorier aufgenommen wurde; andererseits spricht sein Alter eher dagegen. PIR² P 1087.

1 S. SAHIN, Die Inschr. von Perge, Bd. 1.   W. E.

Puppen (κόρη/*kórē*, νύμφη/*nýmphē*; lat. *pup[p]a*) wurden in der Ant. aus Holz, Bein, Wachs, Stoff, Ton, Edelmetall u. a. hergestellt und haben sich seit der frühen Brz. bis zum Ausgang der Ant. in sehr großer Zahl erh. Man kannte sowohl P. in menschlicher Form als auch Tier-P. (Gell. 10,12,9) und Spielzeug wie z. B. Mobiliar (Betten, Tische, Stühle) und Haushaltsgegenstände (Geschirr, Kamm, Lampe, Spiegel, Thymiaterion usw.). Bei der Ausstattung der menschlichen P. wurde auf große Sorgfalt geachtet. Die Kleidung war farbig gemustert, die – mitunter porträthaften – Gesichter geschminkt, Haare frisiert, Lippen waren mit roter Farbe bemalt; die P. wurde u. a. mit Schmuck (Diadem, Ringe) ausgestattet. Es gab zwei P.-Arten: solche, die unbeweglich waren, da ihre Extremitäten fest angefügt waren, und die sog. Glieder-P., bei denen die Extremitäten durch Ketten (Petron. 34,8f.) oder durch Fäden in Schulter- und Hüftlöchern verbunden waren und die auf diese Weise bewegt werden konnten. Tier- und Menschenfiguren wurden auch mit Rädern oder einer Plattform verbunden und konnten so gezogen werden. In der bildenden Kunst werden P. zumeist in den Händen von Mädchen dargestellt, v. a. auf att. Grabreliefs ([1. Nr. 0.851, 0.853a, 0.869a, 0.915, 0.918, 1.311, 1.757]; sonstige Beispiele aus dem griech. und röm. Bereich [2. 45, 54–65, 69–72, 83–86]). Beim Eintritt der Kinder in das Erwachsenenalter wurden die P. in Heiligtümern geweiht (vgl. z. B. Pers. 2,70; Anth. Pal. 6,280). Verstorbenen Kindern gab man sie mit ins Grab. Erwachsene erhielten keine P. als Grabbeigaben.

→ Kinderspiele; Puppentheater; Spiele

1 C. W. CLAIRMONT, Classical Attic Tombstone, Bd. 1, 1993 2 M. FITTÀ, Spiele und Spielzeug in der Ant., 1998 (Abb.).

C. BAUCHHENSS, Zwei Terrakotten aus Kleinasien, in: AA 1973, 5–13 · S. LASER, Sport und Spiel (ArchHom. 3), 1987, T 96–98.   R. H.

Puppentheater. Zwei Formen des ant. P. sind nachweisbar: *thaúmata neuróspasta* (θαύματα νευρόσπαστα, »an Fäden gezogene Puppen«; vgl. Hor. sat. 2,7,82: *mobile lignum*) und *thaúmata autómata* (θαύματα αὐτόματα, »sich selbst bewegende Puppen«). Erstere kennen wir vorwiegend aus metaphorischen Zusammenhängen in lit. Quellen; es ist daher schwierig, ihre genaue technische Beschaffenheit zu bestimmen.

I. NEURÓSPASTA (»GLIEDERPUPPEN, FADENPUPPEN«)
II. AUTÓMATA III. MATERIAL
IV. GESELLSCHAFTLICHE BEDEUTUNG

I. NEURÓSPASTA (»GLIEDERPUPPEN, FADENPUPPEN«)

Agálmata neuróspasta (ἀγάλματα νευρόσπαστα) werden erstmals von → Herodotos [1] als Gegenstand eines rel. Dionysos-Rituals der Ägypter erwähnt: ca. 46 cm große männliche Figuren, die getragen und deren Phalloi mit einer Schnur bewegt werden (Hdt. 2,48). Erste Erkenntnisse über das P. lassen sich aus Platons [1] »Höhlengleichnis« gewinnen: Puppenspieler (θαυματοποιοί/*thaumatopoioí*), durch ein Bühnenhaus (παράφραγμα/*paráphragma*) vor den Zuschauern verborgen, führen über der Spielleiste ihre Kunststücke vor, bewegen ihre Puppen und verleihen ihnen ihre Stimme (Plat. rep. 514a 1–515a 3). Platons *thaúmata*, von → Timaios in seinem Platonlexikon (3. Jh. n. Chr.?) mit *neurospásmata* gleichgesetzt, können durch innen verlaufende Fäden (νεῦρα/*neúra*) bewegt werden (Plat. leg. 644d 7–e 4) und erinnern an die im indischen Nationalepos

Mahābhārata erwähnten *sūtraprōta* (Puppen, deren Glieder an Fäden aufgezogen sind). *Neuróspasta* beschreiben ausführlicher Ps.-Aristot. mund. 398b 16 (1. Jh. v. Chr.) und Apul. de mundo 27,351 (2. Jh. n. Chr.): Durch Ziehen eines Fadens können Hals, Augen und Hände bewegt werden. Nach Ps.-Aristoteles ist es möglich, alle diese Glieder mit einem einzigen Faden zu bewegen, Apuleius erwähnt zusätzlich die Möglichkeit des Kopfnickens. Diod. 34,1 berichtet über zwei Meter große und von dem syrischen König → Antiochos [11] IX. (2. Jh. v. Chr.) selbst gespielte *neuróspasta*. Mit ihnen (s. auch Tert. de anima 6,1,20–24; Phil. de opificio mundi 117; Synes. de providentia 1,9,98b-c) vergleichbar sind h. die von unten geführten Puppen aus asiatischen Kulturen wie z. B. die japanischen Bunrakufiguren.

II. AUTÓMATA

Sie werden erstmals von Aristoteles [6] erwähnt und in einem Komm. aus dem 12. Jh. n. Chr. (Ps.-Philop. CAG 14 p. 77f.) zu Aristot. gen. an. 734b als Figuren erklärt, bei denen ein Stück Holz in Bewegung gesetzt wird, dieses dann infolge des ihm eingegebenen Impulses aufgrund einer künstlichen Vorrichtung ein anderes Stück Holz bewegt und jenes wiederum ein anderes, so daß sich schließlich die Figuren von selbst zu bewegen und zu tanzen scheinen. Eine detaillierte Beschreibung von stehenden und fahrenden *autómata* findet sich in der Schrift *Perí automatopoiētikḗs* des → Heron (1. Jh. n. Chr.). Die mittels geeigneter Zuggewichte, Schnüre, Walzen, Hebel und Sternrädchen (→ Automaten) in Bewegung gesetzten Figuren treten in und auf Kästen (τὰ πλίνθια/*plínthia*) auf. Diese haben die Gestalt von Tempeln und Altären und sollten nicht größer als 93 cm sein, damit nicht der Verdacht entstehe, daß jemand im Inneren für das Schauspiel verantwortlich sei (Heron 4,4 SCHMIDT). Für die Wahl und Gestaltung des Stoffes der Stücke war das trag. Theater (→ Tragödie) richtungsweisend. Heron berichtet z. B. von der Aufführung der Nauplios-Sage, an deren Ende selbst der → *deus ex machina* in Gestalt der Athene nicht fehlte (22,4–6).

III. MATERIAL

Für die Herstellung von *neuróspasta* und *autómata* (vgl. → Puppen) wurde wohl in erster Linie Holz verwendet (Aristot. gen. an. 7,54b; Hor. sat. 2,7,80–82; Apul. de mundo 27,351). Die Vergänglichkeit des Materials mag eine Erklärung dafür sein, weshalb keine Puppenspielfiguren erh. sind.

IV. GESELLSCHAFTLICHE BEDEUTUNG

Das P. galt in der Ant. nicht als bedeutende Kunst (Eust. 457,38). Die Puppenspieler standen auf einer Stufe mit Akrobaten, Bauchrednern und anderen Gauklern (→ Unterhaltungskünstler). Sie traten bei öffentlichen Anlässen (z. B. bei den Delischen Spielen im 2. Jh. v. Chr.; IG XI fasc. II 133,80) wie auch bei privaten auf. Ein Spieler (νευροσπάστης/*neurospástēs*) namens Potheinos soll allerdings so populär gewesen sein, daß er sogar im Dionysos-Theater von Athen spielen durfte (Athen. 1,19e).

→ Automaten; Puppen

M. FITTÀ, Spiele und Spielzeug in der Ant., 1998, 83–89 (Abb.) · A. GAHEIS, Gaukler im Alt., 1927 · H. R. PURSCHKE, Die Entwicklung des Puppenspiels in den klass. Ursprungsländern Europas. Ein histor. Überblick, 1984 · U. WAGNER, De mobili ligno (Hor. sat. II, 7,82). Qui fuerint apud veteres ludi scaenici puparum, in: P. NEUKAM (Hrsg.), Anschauung und Anschaulichkeit (Dialog Schule und Wiss., Klass. Sprachen und Literaturen 29), 1995, 131–155.
U. WA.

Puritas s. Virtutes dicendi

Purpur (πορφύρα/*porphýra*; lat. *purpur*) war ein in der Ant. für die Herstellung kostbarer Stoffe und Gewänder verwendeter Farbstoff (→ Färberei), der aus verschiedenen, im Mittelmeer lebenden Schneckenarten (→ Schnecke) gewonnen wurde; Aristoteles hat der P.-Schnecke lange Ausführungen gewidmet (Aristot. hist. an. 546b–547b); die wichtigste ant. Beschreibung der P.-Schnecken und der Herstellung des Farbstoffes findet sich bei Plinius (Plin. nat. 9,124–138).

Wahrscheinlich ist das Verfahren, aus den Meeresschnecken Farbstoff zu gewinnen, zuerst von den → Phöniziern entwickelt worden; in augusteischer Zeit war → Tyros Zentrum der P.-Färberei; der Reichtum der Stadt soll wesentlich auf der Ausübung dieses Gewerbes beruht haben (Strab. 16,2,23). Es existierten in röm. Zeit P.-Färbereien in vielen Küstenregionen des gesamten Mittelmeerraumes. Mit Hilfe von P. konnten verschiedene Farbtöne erzeugt werden, wobei die dunkelrote und die violette Färbung wohl am meisten geschätzt wurde.

Plinius nennt zwei Schneckenarten, die vor allem für die Gewinnung von P. verwendet wurden, *bucinum* und *purpura* (Plin. nat. 9,130); es werden im einzelnen weitere Arten erwähnt, die sich durch Lebensraum und Nahrung unterscheiden (Plin. nat. 9,131). Die P.-Schnecken wurden auf hohem Meer mit Reusen gefangen, wobei einfache Muscheln als Köder dienten; *bucina* wurden an Felsen und Klippen gesammelt. Die günstigste Zeit für den Fang war vor Beginn des Frühlings oder nach Aufgang des Sirius (18. Juli); die Schnecken durften beim Fang nicht sterben, da sonst der P.-Farbstoff verloren gegangen wäre (Aristot. hist. an. 547a).

Während die kleineren Schnecken lebend mit der Schale zerquetscht wurden, entnahm man den größeren Tieren die Drüse, die den Farbstoff enthält; der gewonnene Rohstoff wurde gesalzen, anschließend drei Tage eingeweicht und dann mit Wasser vermischt und zehn Tage mäßig erhitzt; in dieser Zeit konnten alle fremden Bestandteile abgeschöpft werden, so daß der reine Farbstoff gewonnen war. Versuchsweise wurde schließlich Wolle in die Flüssigkeit getaucht, um die Färbung zu beurteilen. In Tyros war es üblich, → Wolle mehrfach zu färben, zuerst mit der Farbe der *pelagiae*, dann mit der der *bucina*; auf diese Weise wurde ein dunkelroter Farbstoff erzielt, der fast schwärzlich wirkte und bes. Glanz hatte.

Die griechischen Längenmaße und ihre Relationen

Längenmaß	δάκτυλος _dáktylos_ Finger	παλαιστή _palaistế_ Handbreite	σπιθαμή _spithamế_ Handspanne	πούς **_pus_** **Fuß**	πῆχυς _pếchys_ Elle	πλέθρον _pléthron_	στάδιον _stádion_
	4 daktyloi	= 1 palaiste					
	12 daktyloi		= 1 spithame				
	16 daktyloi	= 4 palaistai		= 1 pus			
	24 daktyloi	= 6 palaistai	= 2 spithamai	= 1,5 pus	= 1 pechys		
				100 podes		= 1 plethron	
				600 podes		= 6 plethra	= 1 stadion

P. galt in der Ant. als sehr kostbar; der hohe Preis resultierte allein aus der Tatsache, daß 12 000 P.-Schnekken benötigt wurden, um 1,5 Gramm Farbstoff zu erhalten. Für die Spätant. sind Preise für purpurgefärbte Seide und Wolle verschiedener Qualität im Preisedikt von Diocletianus überl. (→ Edictum [3] Diocletiani 24). Purpurgefärbte Textilien waren nur für die reiche Oberschicht erschwinglich und ohne Zweifel eines der wichtigen Statussymbole der Ant. In Rom war P. zudem Rangabzeichen im polit. Bereich (Plin. nat. 9,127: _distinguit ab equite curiam_). Der Triumphator trug während des → Triumphzuges P.-Gewänder; in der Prinzipatszeit, in der nur der → Princeps das Recht hatte, einen Triumph zu feiern, wurde das P.-Gewand zum Ornat des → Imperators und Princeps. Der P.-Mantel blieb dem Princeps vorbehalten, damit war das Anlegen des P. Ausdruck einer Usurpation (Amm. 16,8,4; 16,8,8; 22,9,10–11; 26,6,15). Im 5. Jh. n. Chr. war Privatleuten folgerichtig der Besitz von purpurgefärbten Gewändern strikt untersagt (Cod. Theod. 10,20,18; 10,21,3).

→ Färberei; Farben; Schnecke

1 BLÜMNER, Techn., Bd. 1, 233–248 2 H. BLUM, P. als Statussymbol in der griech. Welt, 1998 3 A. PEKRIDOU-GORECKI, Mode im ant. Griechenland, 1989 4 M. REINHOLD, History of Purple as a Status Symbol in Antiquity, 1970 (=Coll. Latomus 116) 5 G. STEIGERWALD, Die ant. P.färberei nach dem Bericht Plinius' des Älteren in seiner Naturalis historia, in: Traditio 42, 1986, 1–57.   H. SCHN.

Purpurhuhn (Porphyrio porphyrio, πορφυρίων/_porphyríōn_, lat. _porphyrio_). Das bes. prächtige, blaugefärbte P. mit rotem Schnabel und langen, roten Beinen aus der Familie der Rallen war Aristot. hist. an. 7(8),6,595a 12 durch sein eigenartiges Wasserschnappen beim Trinken bekannt (Plin. nat. 10,129: _solus morsu bibit_). Sein Hals ist recht lang (Aristot. hist. an. 2,17,509a 10 f.). Plinius gibt an, daß es seine im Wasser zerteilte Nahrung mit dem Fuß zum Schnabel befördert. Eine gute Beschreibung, angeblich von Aristoteles, bieten dessen Fr. 272 bei Athen. 7,388c-d sowie Dion. ixeutikon 1,29 [1. 17 f.]. Es kam wohl in Syrien und Nordafrika sowie auf den Balearen vor. Seine Eifersucht und Wachsamkeit betont Ail. nat. 3,42 (vgl. 5,28; 7,25; 8,20; 11,15).

1 A. GARZYA (ed.), Dionysius, Ixeutikon, 1963.

KELLER 2, 208 f. · D'ARCY W. THOMPSON, A Glossary of Greek Birds, 1936, Ndr. 1966, 252 f. · LEITNER, 205.
     C. HÜ.

Purpurissum. Kostbare Farbe und Schminke (Plin. nat. 35,44), hergestellt aus der Mischung von erhitztem Purpursaft und Silberton (bzw. -kreide, _creta argentaria_); _p._ fiel umso heller aus, je mehr man von dem Silberton hinzufügte. Als Malerfarbe war _p._ aufgrund seiner lebhaften Farbe sehr geschätzt (Plin. nat. 35,30; 35,44 f.; 35,49). Frauen nutzten _p._ zusammen mit Bleiweiß (_cerussa_) zum Färben von Wangen und Lippen (vgl. Plaut. Most. 258, 261; Plaut. Truc. 290).

→ Farben; Kosmetik   R. H.

Pus (πούς, »Fuß«, lat. → _pes_). Der _p._ ist ein den Proportionen des menschlichen Körpers entnommenes griech. Längenmaß zu 4 παλαισταί (→ _palaistế_, »Handbreite«, lat. → _palmus_) bzw. 16 δάκτυλοι (→ _dáktylos_, »Fingerbreite«, lat. _digitus_). Aufgrund unterschiedlicher regionaler Berechnungen schwankt seine Länge zw. ca. 27 und 35 cm, der attische Fuß liegt bei ca. 30 cm. Der _p._ ist Untereinheit größerer Längenmaße; 100 _pódes_ entsprechen einem πλέθρον (→ _pléthron_), 600 _p._ einem στάδιον (→ _stádion_); vgl. Tabelle oben.

1 F. HULTSCH, Griech. und röm. Metrologie, ²1882, s. Index 2 R. C. A. ROTTLÄNDER, Ant. Längenmaße, 1979. H.-J. S.

Puteal. Von lat. _puteus_ (»Brunnen«) abgeleitete Bezeichnung für die Einfassung von z. T. überdeckelten profanen Ziehbrunnen oder die steinerne Markierung heiliger Blitzmale. P. waren bes. in der neoattischen Kunst des Hell. ein beliebter Träger von Reliefskulptur.

E. BIELEFELD, Ein neuattisches P. in Kopenhagen, in: Gymnasium 70, 1963, 338–356 · K. SCHNEIDER, s. v. P., RE 23, 2034–2036 · O. VIEDEBANTT, s. v. Forum Romanum (46. Das Puteal Libonis), RE Suppl. 4, 511.   C. HÖ.

Puteoli (Ποτίολοι; auch _Dicaearchia_, Δικαιάρχεια, Δικαιαρχία). Die von → Samos aus gegr. Stadt Dikaiarcheia (Hegesandros FHG 4, 421 fr. 44; → Kolonisation, mit Karte), h. Pozzuoli, leitete ihren Namen von ihrem mythischen Gründer Dicarcheus ab (Stat. silv. 2,2,3; 3,1,92; 3,5,75; 5,3,169). Als Hafenstadt diente ihr Kyme [2] (Strab. 5,4,6). 421 v. Chr. von → Samnites besetzt (Liv. 4,44,2), gelangte sie im 2. → Punischen Krieg 214 v. Chr. in röm. Hand (Liv. 24,7,10). Mit der

Deduktion einer *colonia maritima* 194 v. Chr. (Liv.
34,45,1; vgl. ILS 5317) gewann die Stadt bes. Bed. als
Verbindungshafen für Waren, die hier angelandet und
auf dem Landweg nach Rom transportiert wurden; diese Bed. wurde unterstrichen durch die Anlage des nahen
Flottenhafens Portus Iulius 37 v. Chr. (später durch die
Basis in Misenum ersetzt; Cass. Dio 48,50f.; Cassiod.
var. 547f.). Augustus (liber coloniarum 236,11 LACH-
MANN [15]), Nero (Tac. ann. 14,27,1; vgl. ILS 6327) und
die Flavier (CIL X 1650–54; 1789) erneuerten ihren
Kolonialstatus, was Ehrennamen und Ausweitungen
des Stadtgebiets zur Folge hatte. Die Fruchtbarkeit des
vulkanischen, zu den → Campi Phlegraei gehörigen Gebiets (Strab. 5,4,9), die Handwerksproduktion
(Diod. 5,13,2; Gal. 14,9; Plin. nat. 33,162), der rege
Handel im Hafen (Suet. Vesp. 8,3), der bes. für die Getreideversorgung Roms wichtig war (→ *cura annonae*;
Sen. epist. 77,1f.; [16]), und die Thermalquellen (Isid.
orig. 13,13,2) machten P. zu einem der beliebtesten Fe-
rienorte der röm. Aristokratie (SHA Tac. 28,19,5). Ob P.
Mz. geprägt hat, ist umstritten (griech. und oskische
Aufschrift auf einigen Mz.: *Fistelia = P.* (?) [13]). Die
zahlreichen lat. Inschr. aus P. sind für die Kenntnis der
städtischen Institutionen, Bauwerke und der Top. sowie
der Einteilung der Stadt in *regiones* und *vici* wichtig. Viele
Inschr. beziehen sich auf Korporationen von Orientalen
(→ *collegium* [1]), die in den letzten Jh. der Republik in
P. lebten [13].

Bradyseismische Phänomene waren die Ursache dafür, daß seit der Spätant. ganze Stadtteile im Meer ver-
sanken (vgl. CIL X 1690–1692), bis ein heftiges Erdbeben im J. 1538 die gesamte Top. nachhaltig veränderte:
Trotz der Restaurierungsbemühungen unter dem Vizekönig Don Pedro von Aragón gingen viele Monumente verloren. Das Interesse am ant. P. konzentrierte
sich im 16./17. Jh. auf die Unt. der bis 1538 verzeich-
neten Quellen. Die Darstellungen von P. und den Campi Phlegraei förderten die Entstehung regelrechter Führer durch die ant. Stätten von P., bis in der 2. H. des
18. Jh. unter Karl III. von Bourbon systematische Grabungen einsetzten [13]. Der sog. Serapistempel (ein
→ *macellum*), eines der beiden Amphitheater (aus flavischer Zeit, 68–96 n. Chr.), Thermenanlagen und die in
der Ant. als Wunderwerk gefeierte, Anf. des 20. Jh.
überbaute Hafenmole (»Ponte di Caligola«) zählen zu
den prachtvollsten röm. Resten in P.

Zu Anf. des 20. Jh. wuchs das Interesse an Fragen der
institutionellen Gestaltung der griech. Gründung und
der Entwicklung der röm. Kolonie [1] (Rekonstruktion
der Landschaftsgestaltung vor dem Ausbruch des → Vesuvius durch Luftbildarch. [2]) sowie an in P. produzier-
ten oder importierten Waren. Die Villen und Liegenschaften der röm. Aristokratie am Stadtrand oder am
→ Lacus Lucrinus wie auch der Thermenkomplex am
→ Lacus Avernus sind bis h. Objekt intensivster Forsch.
[8; 9; 10]. Derzeit interessiert bes. die Frage nach griech.
Präsenz (aus → Pithekussai?) auf dem Vorgebirge noch
vor der samischen Gründung Dikaiarcheia; arch. läßt

sich Siedlungskontinuität von Dikaiarcheia und P. nicht
nachweisen [3; 5; 7]. Die ungesteuerte Entwicklung der
mod. Stadt hat ant. Reste stark in Mitleidenschaft gezogen (vgl. [4; 6; 11; 12]). Ein Bsp. dafür ist das in den
1950er J. entdeckte, aber ohne arch. Dokumentation
überbaute kaiserzeitliche Forum. Hingegen werden im
ma. Stadtkern seit den frühen 1990er J. Unt. durchgeführt, welche die Struktur der urspr. *colonia maritima* mit
ihren Transformationen bis in die Spätant. wenigstens
ausschnitthaft erkennen lassen. Im Mittelpunkt dieses
Areals ist – nach einem Brand – der vom Dom S. Pro-
culo umschlossene Capitolinische Tempel freigelegt
worden. Ferner haben Forsch. in den ausgedehnten
Nekropolen von P. eine in Campania einzigartige, eng
an stadtröm. Vorbildern orientierte Sepulkralarchitektur
nachgewiesen [17; 18].

1 C. DUBOIS, Pouzzoles antique, 1907 2 R. F. PAGET, Portus
Iulius, in: Vergilius 15, 1969, 25–32 3 R. ADINOLFI,
Dikaiarcheia – P., 1973 4 I Campi Flegrei nell'archeologia e
nella storia (Atti del Convegno Internazionale di Roma
1976), 1977 5 R. ADINOLFI, Ricerca sulla fondazione e sul
periode greco di Dicearchia, in: Puteoli 1, 1977, 7–26
6 P. SOMMELLA, Forma e urbanistica di Pozzuoli romana
(Puteoli 2), 1980, 1–99 7 S. ACCAME, Pitagora e la
fondazione di Dicearchia, in: Miscellanea greca e romana 7,
1980, 2–44 8 E. RAWSON, L'aristocrazia ciceroniana e le sue
proprietà, in: M. I. FINLEY (Hrsg.), La proprietà a Roma,
1980, 97–119 (engl.: Stud. in Roman Property, 1976)
9 G. DI FRAIA, V. GIARDINO, Il lago di Lucrino e il porto
Giulio nel periodo romano, in: Atti 1. Convegno dei gruppi
archeologici della Campania (Pozzuoli 1980), 1981, 103–110
10 M. PAGANO, J. ROUGETET, Le grandi terre dette »Tempio
di Apollo« sul lago Averno, in: Puteoli 12/3, 1988/9,
151–200 11 P. SOMMELLA, Urbanistica romana, 1988,
205–206, 217–218 12 P. AMALFITANO (Hrsg.), I Campi
Flegrei, 1990, 77–159 13 BTCGI 14, 1996, 468
14 P. SOMMELLA, s. v. Pozzuoli, in: EAA 2. Suppl. Bd. 4,
1996, 454–456 15 G. CAMODECA, Tabulae Pompeianae
Sulpiciorum, 1999 16 Ders., P. porto annonario e il
commercio del grano in età imperiale, in: Le ravitaillement
en blé de Rome et des centres urbains des débuts de la
République jusqu'au Haut Empire (Actes du colloque
international, Naples 1991), 1994, 103–128
17 C. GIALANELLA, La topografia di P., in: F. ZEVI (Hrsg.),
P., Bd. 1, 1993, 73–98 18 Dies. u. a., Il Rione Terra alla luce
dei nuovi scavi archeologici, in: Bollettino di Archeologia
22, 1993, 84–110. M. I. G. u. DI. ST./Ü: H. D.

Pyanopsia (Πυανόψια). Attisches, dem → Apollon ge-
widmetes Fest, das am 7. Tag des Monats *Pyanopsión*
(Ende Oktober) gefeiert wurde. Dabei wurde ein Brei
aus Bohnen zubereitet (griech. *pýanos*, »Bohne« und
hépsein, »kochen«, daher auch der Festname), was aitiologisch mit der Heimkehr des → Theseus verknüpft
wurde (Plut. Theseus 10; [2. 150–153]). Eine Knaben-
prozession hängte die *Eiresiónē*, mit Erstlingsgaben be-
hangene und mit Wollbinden geschmückte Ölbaum-
zweige, an die Häuser und den Tempel des Apollon
(schol. Aristoph. Equ. 729 und Plut. 1054). Ferner ist
eine Kuchenspende an Apollon und Artemis überliefert

(IG II² 1367, 9–11). Das Fest wurde vielleicht im ganzen ion. Raum gefeiert, doch nur aus Athen haben sich Nachr. erh. (zum Umzug der *Eiresiōnē* auf Samos s. [4. 116–118]). Dafür spricht die weite Verbreitung des Monatsnamens *Pyanopsiōn*/*Pyanepsiōn* bzw. *Kyanopsiōn*/*Kyanepsiōn* (*pýanos* = *kýamos*: schol. Aristoph. Plut. 1054) im ion. Gebiet (so Kyzikos, Olbia, Keos, Samos, Milet, Priene: [5. Indices; 1. 167]).

1 BURKERT 2 C. CALAME, Thésée et l'imaginaire Athénien, 1990 3 DEUBNER, 198–201 4 NILSSON, Feste 5 SAMUEL.

JO.S.

Pydna (Πύδνα). Griech. Hafenstadt an der Küste der maked. Pieria nördl. des Kaps Atherida (→ Makedonia, mit Karten). P. galt schon im 5. Jh. v. Chr. als zu Makedonia gehörend (Thuk. 1,137,2: ἐς Πύδναν τὴν Ἀλεξάνδρου, gemeint ist hier der Makedonenkönig Alexandros [2]). Im J. 432 v. Chr. wurde P. von den Athenern belagert (Thuk. 1,61,2 f.), im J. 410 schließlich von Archelaos [1] eingenommen, die Bevölkerung der Stadt ca. 4 km von ihrem Hafen entfernt im Landesinneren angesiedelt (Diod. 13,49,1 f.). Der Hafen kam unter maked. Oberhoheit, aber die Gemeinde, ob am alten oder neuen Ort, blieb zunächst formal bis ca. 360 selbständig (IG IV² 94), bis sie dann von den Athenern unter Timotheos erobert wurde (Deinarch. 1,14). Wenig später wurde P. von Philippos [4] II. zurückerobert (Diod. 16,8,3) und blieb weiterhin maked. Nach 338 v. Chr. wurde P. Sitz von Beauftragten des → Korinthischen Bundes (IG II² 329) und Schauplatz des letzten Versuchs der Olympias [1], polit. Einfluß im maked. Königreich auszuüben, als P. von → Kassandros 317/6 nach langer Belagerung eingenommen wurde (Diod. 19,35; 49). Im 3. Jh. v. Chr. galt P. noch als selbständige Gemeinde, die delphische *theōroí* (»Festgesandte«) empfing [1]. Nach der Schlacht zw. → Perseus [2] und den Römern im J. 168 v. Chr. in der Nähe von P. (→ Makedonische Kriege C.) nahm die Stadt maked. Flüchtlinge auf; nach ihrer Eroberung wurde sie von den Römern geplündert (Liv. 44,45,6). In der röm. Prov. Macedonia existierte P. als urbane Siedlung weiter, ihr Status ist unbekannt (Strab. 7 fr. 20; 22; Plin. nat. 4,34; Ptol. 3,13,15). 250 n. Chr. gab es in P. einen Kultverein des Zeus Hypsistos [2. 51 f.]. Zum letzten Mal wird P. lit. zum J. 479 n. Chr. bei Iord. Get. 287 erwähnt, als die Stadt → Theoderich d. Gr. zufiel.

Die Lage des Hafenorts wird auf einem Hügel südl. vom h. Makrigialos vermutet; systematische Grabungen sind bisher nicht durchgeführt worden.

1 A. PLASSART, Liste delphique des théorodoques, in: BCH 45, 1921, 17 Z.55 2 J. R. CORMACK, Zeus Hypsistos at P., in: Mél. helléniques offerts à G. Daux, 1974, 51–55.

N. G. L. HAMMOND, The Battle of P., in: JHS 104, 1984, 31–47 · F. PAPAZOGLOU, Les villes de Macédoine, 1988, 106–108.

MA. ER.

Pygmäen (Πυγμαῖοι; aus πυγμή/*pygmḗ*, »Faust«; also »Fäustlinge« [1]; lat. *Pygmaei*). Zwergvolk, von der ant. Ethnographie meist am Rande der bekannten Welt situiert, so in Afrika (Aristot. hist. an. 8,12,597a), Indien (Ktesias FGrH 688 F 45) und Thrakien (Plin. nat. 4,44). P. ist aber auch genereller Begriff für ungewöhnlich kleinwüchsige Menschen (Aristot. gen. an. 2,8,749a 4–6). Der Mythos läßt die P. von Gaia und Poseidon abstammen (Hes. fr. 150,17–18 MERKELBACH/WEST). Für die heutigen Stämme der Pygmäen in Zentralafrika mag Herodots Bericht von afrikan. Zwergvölkern von Bed. für die Namensgebung sein (2,32: allerdings nicht explizit P. genannt [2]).

Meist ist von den P. im Zusammenhang mit ihrem Kampf gegen die Kraniche die Rede (*geranomachía*), von dem schon Homer weiß (Il. 3,3–6). Nach dieser Erzählung greifen Kraniche regelmäßig die Felder der P. an und bringen Tod und Verderben (Hekat. FGrH 1 F 328a-b). Die P. ihrerseits zerstören die Neste der Kraniche mitsamt deren Jungen (Plin. nat. 7,26). Eine andere Erklärung für den Kampf weiß von einer stolzen P. namens Oinoe, welche der Göttin Hera die Verehrung verweigert. Diese verwandelt sie deswegen in einen häßlichen Kranich und stiftet Streit zw. Kranichen und P. (Antoninus Liberalis 16; Varianten der Gesch. bei Ail. nat. 15,29 und Ov. met. 6,90–92). Das Motiv eines legendären Zwergvolkes wurde von den ant. Autoren variantenreich genutzt: Nach Philostr. imag. 2,22 versuchten die P., den von Herakles [1] getöteten und ihnen anverwandten → Antaios zu rächen. Nachdem sie sich auf die einzelnen Körperteile des schlafenden Herakles verteilt hatten, attackierten sie ihn, wurden aber leicht überwältigt.

Die *Geranomachie* ist dank ihres komisch-epischen Charakters seit der François-Vase (ca. 570 v. Chr.) ein häufiges Motiv in der bildenden Kunst, bes. in der pompeianischen Wandmalerei [3].

1 FRISK, Bd. 2, 619–20, s. v. πυγμή 2 L. L. CAVALLI-SFORZA (Hrsg.), African Pygmies 1986, 364–5 3 V. DASEN, s. v. P., LIMC 7.1, 594–601.

V. DASEN, Dwarfs in Ancient Egypt and Greece, 1993 · P. JANNI, Etnografia e mito. La storia dei Pigmei, 1978.

R.B.

Pygmalion (Πυγμαλίων). Griech. Name, abgeleitet aus πυγμή (*pygmḗ*, »Faust«) [1].

[1] König von Tyros, tötet aus Habgier den Gatten seiner Schwester Elissa bzw. → Dido (Timaios FGrH 566 F 82; Verg. Aen. 1,343–364).

[2] Auch für den kypr. König P. ist phönizische Abstammung bezeugt (Porph. de abstinentia 4,15); durch seine Tochter, die den Ahnherrn der paphischen Priesterkönige → Kinyras heiratet, wird er zum Großvater des → Adonis (Apollod. 3,182). → Philostephanos [1] von Kyrene erzählte von P.s Liebe zu einer Statue der Aphrodite (Clem. Al. protreptikos 57,3) und dem Versuch, sich mit dieser zu vereinigen (Arnob. 6,22). Ovids Erfindung (Ov. met. 10,243–297) macht aus P. einen

Künstler, der, enttäuscht von weiblichen Lastern, die Statue einer idealen Frau schafft und sich in sie verliebt. Venus erfüllt die frommen Bitten und erweckt das Geschöpf zum Leben und zur Liebe; dieser Liebe entspringt Paphos, Kinyras' Mutter. Die Erzählung, Teil des Orpheusliedes und Gegenstück zur vorausgehenden über die Propoitides (Ov. met. 10,238–242: Versteinerung der Verächterinnen der Venus), preist die Macht großer Kunst und großer Liebe (in ungewöhnlich unschuldiger Erotik). Die Wirkungsgesch. setzt mit der ma. moralisierenden Nacherzählungen ein (u. a. *Roman de la Rose*) und kulminiert im 18. Jh. Fast gleichzeitig entstehen E.-M. FALCONETS Skulptur (1763) und J.-J. ROUSSEAUS Monodrama ›P.‹ (1762), in dem sich die Motive des genialen Künstlers und der belebenden Kraft großen Gefühls verbinden. Die folgende Lit. thematisiert die Empfindungen der ins Leben Getretenen (seit ROUSSEAU oft *Galathée* genannt) und die Bildung durch ihren Schöpfer (z. B. K. IMMERMANNS Erzählung ›Der neue P.‹ von 1825; ad absurdum geführt in G. B. SHAWS ›P.‹ von 1912).

1 J.-L. PERPILLOU, P. et Karpalion, in: J.-P. OLIVIER (Hrsg.), Mykenaïka, 1992, 527–532.

A. BLÜHM, P. Die Ikonographie eines Künstlermythos zw. 1500 und 1900, 1988 • A. DINTNER, Der P.-Stoff in der europ. Lit., 1979 • H. DÖRRIE, P. Ein Impuls Ovids und seine Wirkungen bis in die Gegenwart, 1974 • M. MAYER, G. NEUMANN (Hrsg.), P. Die Gesch. des Mythos in der abendländischen Kultur, 1997. B. GY.

Pylades (Πυλάδης, dorische Namensform Πυλάδας, Pind. P. 11,23).
[1] Phokischer Heros, Sohn des → Strophios und der Anaxabia (z. B. Eur. Or. 764 f.; andere Mütter: schol. Eur. Or. 33, Hyg. fab. 117). P. und → Elektra [4] (Eur. Or. 1092; 1207 ff.; Eur. Iph. T. 716 u. a.) sind Eltern des Strophios und des → Medon [4] (Paus. 2,16,7; Hyg. fab. 119 f.) oder Medeon (Steph. Byz. s. v. Μεδεών). P. wächst zusammen mit → Orestes [1] auf; beide galten schon in der Ant. als klassisches Freundespaar (schon nahezu sprichwörtlich: πυλάδαι/*pyládai*, Kall. epigr. 59; Cic. Lael. 24 u. a.). Die Figur des P. ist so eng mit der Sage des Orestes verknüpft, daß sich eine eigenständige Bed. nicht erh. hat. Über sein weiteres Schicksal ist daher auch nichts überl. (außer: Paus. 2,29,9). Den homerischen Epen unbekannt, bei Hesiod nicht genannt, ist die mutmaßlich älteste Erwähnung Pind. P. 11,23. Seine Rolle als Freund und Heros geht verm. auf Stesichoros' *Orésteia* zurück. Im Drama ist er zunächst nur stumme Randfigur (Aischyl. Choeph. 900), bei Euripides tritt P. dann als Gesprächspartner (Eur. Iph. T.) und Berater (Eur. Or.) als eigentlich treibendes Element auf. CA. BI.
[2] Mimischer Tänzer aus Kilikien, wohl von Augustus freigelassen. P. und Bathyllos führten in Rom den → *pantomimus* in erneuerter Form ein, der die Bühne der Kaiserzeit beherrschte. P. bevorzugte tragische Mythenstoffe, die er in pathetischer Manier, prunkvoll, mit wechselnden Masken (Athen. 1,20e) und reicher musikalischer Begleitung vortrug. Inschr. und viele lit. Bezeugungen erinnern an P.; sein Name wurde von späteren Pantomimen übernommen.

E. J. JORY, The Literary Evidence for the Beginnings of Imperial Pantomime, in: BICS 28, 1981, 147–161 • H. LEPPIN, Histrionen, 1992, 284 f. • O. WEINREICH, Epigramm und Pantomimus (Epigrammstudien 1; SHAW), 1948. H.-D. B.

Pylagoras (πυλαγόρας; auch πυλαγόρος, Hdt. 7,213 f. oder πυλάγορος). Bezeichnet wörtl. einen Teilnehmer an den → *Pýlaia* [2]-Treffen, d. h. den Versammlungen der → *amphiktyonía* von Anthela (in der Nähe der Thermopylai) und Delphoi. Jeder der 12 »Stämme« (*éthnē*) der *amphiktyonía* war im Rat durch zwei → *hieromnḗmones* mit Rede- und Abstimmungsrecht vertreten und konnte weitere Vertreter senden, die zwar Rederecht hatten, aber nicht abstimmen durften. Diese letzteren werden in lit. Texten und einigen wenigen Inschr. aus röm. Zeit *pylágoroi* genannt, in Inschr. aus hell. Zeit jedoch *agoratroí*. Es wurde vermutet, daß in der Zeit, als Delphoi unter der Kontrolle der Aitoloi stand, der offizielle Titel *agoratroí* lautete, davor und danach aber *p.* [2]; nach Meinung von [1] war *pylágoros* der athen. Begriff und *agoratrós* der delphische.

1 G. ROUX, L'Amphictionie, Delphes et le temple d' Apollon, 1979, 22–36 2 H. SCHÄFER, s. v. Pylagoros, RE 23, 2084–2091. P. J. R.

Pylai
[1] P. Gadeirides (Πύλαι Γαδειρίδες). Die Meerenge von Gibraltar, der an der engsten Stelle 13 km breite, etwa 60 km lange Sund (Satteltiefe 286 m) zw. Mittelmeer (→ *mare nostrum*) im Osten und → Okeanos im Westen bzw. der Südspitze der spanischen Halbinsel und dem afrikanischen Kontinent. Die ant. Bezeichnungen des Sundes orientieren sich an → Gades (Plin. nat. 3,3; 5; 74; 4,93: *Gaditanum fretum*; Plut. Sertorius 8,1: Γαδειραῖος πορθμός), am Herakles-Tempel in Gades (»Säulen« bzw. besser »Tafeln des Herakles«, vgl. dazu [1]; Artemidoros bei Markianos 7, GGM 1, 575; Strab. 3,5,5 f.; Plin. nat. 2,242) und → Septem am afrikanischen Ufer (h. Ceuta; Geogr. Rav. 4,45: *fretum Septemgaditanum*) sowie an → Tartessos (Avien. 54: *fretum Tartessium*).

1 S. RADT, Komm. zu Strabon, voraussichtlich 2001 (im Druck; zu Strab. 3,5,5 f.).

A. SCHULTEN, Die Straße von Gibraltar, hrsg. von O. JESSEN, 1927, 176–190. P. B.

[2] P. Persides (Πύλαι Περσίδες: Pol. 7,17,6; Arr. an. 3,18,2; vgl. Strab. 15,3,6; auch *Pylae Susidae* genannt: Curt. 5,3,17; vgl. Diod. 17,68,1; Polyain. 4,3,27). Paß westl. von → Persepolis (wohl Tang-e Muḥammad Reżā), den → Alexandros [4] d. Gr. 330 nur mit Mühe einnehmen konnte.

1 J. WIESEHÖFER, Die »dunklen Jh.« der Persis, 1994, 23 f. J. W.

[3] P. Amanikai (Πύλαι Ἀμανικαί). Strandpaß im Süden des → Amanos (Stadiasmus maris magni 156f.; Ἀμανίδες πύλαι, Strab. 14,5,18; 16,2,8; [1. 1355]), h. Karanlık Kapı; in Fundamenten noch erh. röm. Tor an der Straße von Tarsos nach Antiocheia [1] im Osten der Kilikia Pedias.

    1 H. TREIDLER, s. v. Πύλαι Κιλίκιαι, RE Suppl. 9, 1352–1366.

    HILD/HELLENKEMPER, 174.   F.H.

[4] Pylai Zagru (Πύλαι Ζάγρου, »Tor zum Zagros«). Paß im → Zagros-Gebirge (Ptol. 6,2,7), der das mesopot. Tiefland mit → Media verband, allg. identifiziert mit dem tief eingeschnittenen Tal des Dialas (h. Nahr Diyālā), einem linken Zufluß des → Tigris. Nicht sicher ist die Gleichsetzung der P. Z. mit der bei Strab. 11,13,8 erwähnten Medischen Pforte (Μηδικὴ πύλη).

    H. TREIDLER, s. v. Ζάγρου Πύλαι, RE 9 A, 2285–2288 ·
    E. HERZFELD, The Persian Empire, 1968, 11.   E.O.u.V.S.

Pylaia

[1] (Πυλαία, Πυλάη). Beiname der → Demeter in ihrem Heiligtum an den → Thermopylai, wo sie gemeinsam mit ihrer Tochter → Persephone verehrt wurde (Kall. epigr. 39; schol. Hom. Il. 16,174; vgl. Erotianos, Vocum Hippocraticarum Collectio, s. v. Πύλας, p. 74 NACHMANSON).

[2] (Πύλαια). Versammlung der delphischen → Amphiktyonia im Heiligtum der Demeter Amphiktyonis bei den → Thermopylai [1. 175].
→ Torgötter

    1 G. ROUX, Delphi, 1971.   NI.JO.

Pylaimenes (Πυλαιμένης). Sohn des Bisaltes (Apollod. epit. 3,35) oder des Melios (Diktys 2,35), Führer der paphlygonischen Eneter, Verbündeter der Troer (Hom. Il. 2,851; Strab. 12,3,8; Apollod. epit. 3,35), der durch → Menelaos [1] (Hom. Il. 5,576–589), → Patroklos [1] (Nep. Datames 2,2) oder → Achilleus [1] (Diktys 3,5; Hyg. fab. 113) in Troia zu Tode kommt. Ein Epigramm auf den in Troia Gefallenen findet sich bei Aristot. Peplos 54 ROSE. Die Problematik, daß P. trotz des in Hom. Il. 5,576–589 erwähnten Todes an späterer Stelle (Hom. Il. 13,643 f.; 13,658) wieder in Erscheinung tritt und trauernd dem Leichnam seines Sohnes Harpalion folgt, versuchte die ant. Homer-Philol. durch die Annahme einer Homonymie zu erklären oder durch Korrektur bzw. Athetese des Namens zu beseitigen (vgl. ScholiaII 13,643; 658; Eust. zu Hom. Il. 13,659). Nach dem Tod des P. sollen seine Gefolgsleute nach Venetien gezogen sein (Liv. 1,1,2). Die paphlygon. Dynastien leiten ihre Abstammung von P. her (Nep. Datames 2,2; Strab. 12,3,1).   SU.EI.

Pylaios s. Torgötter

Pylene (Πυλήνη). Aitolische Stadt, im Schiffskat. des Homer erwähnt (Hom. Il. 2,639; Stat. Theb. 4,102; Hesych. s. v. Π.; Steph. Byz. s. v. Π.). In vorhell. Zeit wurde P. an einen höheren Ort verlegt und in → Proschion umbenannt.
→ Aitoloi, Aitolia (Karte)

    C. ANTONETTI, Les Étoliens, 1990, 278–280.   K.F.

Pylos (Πύλος).

[1] Das homerische P. P. kann bei Homer sowohl Herrschaftsgebiet als auch -sitz des → Nestor [1] bezeichnen [3. 119–126]. Die – wie konkret auch immer in der realen Top. verifizierbaren – geogr. Angaben bei Homer zum Ort des Palastes führen in Ilias und in Odyssee auf je unterschiedliche Lokalisierungen. In der Nestorerzählung, der sog. *Nestorís* im 11. B. der Ilias (vgl. [2. 296–298] zu Hom. Il. 11,670–762), weisen die Angaben klar auf eine Stätte südlich des Alpheios [1]. In der Odyssee hingegen legen die Seereise des → Telemachos (Hom. Od. 2,431–3,12) und seine Route zu Lande über Pherai (dem h. Kalamata) nach Sparta (Hom. Od. 3,478–4,4; 15,181–192) ein P. im sw Teil der Peloponnes, der Landschaft Messenien, nahe bzw. schließen dies nicht aus (Einwände: Geschwindigkeit myk. Schiffe; myk. Straßensystem über den Taÿgetos: [4. 140–161]).

Die unterschiedlichen Angaben in den beiden Epen führten dazu, daß schon in ant. Komm. verschiedene Orte mit dem P. Nestors identifiziert wurden. Homers Dichtung wurde ganz selbstverständlich als gesch. Quelle angesehen (Thuk. 1,3,1). Strabon (8,3,7) führt aus, daß das P. Nestors mit einem triphylischen (P. [3]), einem messenischen (P. [2]) oder mit einem elischen (P. [4]) gleichgesetzt wurde. Letztere Identifizierung beruht seiner Meinung nach nur auf Lokalinteressen; er präferiert das triphylische P. Pausanias dagegen votiert zum einen für das elische (6,22,6), zum anderen für das messenische P. (4,36,5).

Die arch. Forsch. dieses Jh. erbrachte wichtige Grabungsergebnisse erstens beim h. Kakovatos in Triphylien durch DÖRPFELD und zweitens in Ano Englianos an der Westküste der Peloponnes durch BLEGEN (vgl. P. [2] II.). Von der Top. her bietet sich eine Identifizierung des ersteren mit dem triphylischen P. der Ilias, des zweiten mit dem messenischen der Odyssee an. Vielleicht lagen Homer Nachr. aus verschiedenen Epochen vor, in denen die Lage der Hauptstadt sich verändert hatte; dafür spräche der Einschub in der *Nestorís* (Hom. Il. 11,712), der nur auf das messenische P. zielen kann. Zum anderen braucht der ON P. im Herrschaftsgebiet des Nestor nicht auf eine Stadt beschränkt zu sein, wofür manche ON in den Linear-B-Täfelchen sprechen könnten ([3. 161–213]; dazu kritisch [4. 527–529]). Es ist jedoch nicht zu verkennen, wie vage und ant. Homererklärungen verwandt solche mod. Lokalisierungsversuche bleiben; letztlich verfaßte Homer myth. Gesch.-Schreibung mit allen Freiheiten der dichterischen Gestaltung

([1. 159] zu Hom. Od. 3,4; [4. 529–531]), deren Hintergründe wir aufgrund des spärlichen histor. Materials nur erahnen können (Ausdeutung bei [4. 183–213]).

1 A. Heubeck u. a., A Commentary on Homer's Odyssey, Bd. 1, Introduction and Books I–VIII, 1988
2 J. B. Hainsworth, The Iliad: A Commentary, Bd. 3: Books 9–12, 1993 3 S. Hiller, Studien zur Geogr. des Reiches um P. nach den myk. und homerischen Texten, 1972 4 E. Visser, Homers Katalog der Schiffe, 1997. JO.S.

[2] Stadt und Palast in Messenien (→ Messana [2]).
I. Stadt II. Palast

I. Stadt

Die Stadt lag an der messenischen Westküste (→ Achaioi [1], mit Karte; Strab. 8,3,21; 23; 29; 4,2; [6. 42–57]; Paus. 4,36,1–5; Mela 2,52; Plin. nat. 4,55; Ptol. 3,16,7; Tab. Peut. 7,5) auf dem über einen schmalen Isthmos mit dem nördl. anschließenden Festland verbundenen Felskap (137 m H) im NW der Bucht von Navarino (Ὅρμος Ναουαρίνου) [1. 60–63], h. Paleokastro auf dem h. Koriphasion. P. diente wohl in myk. Zeit, als es der Hauptort Messeniens war, einer Palastanlage beim h. Ano Englianos [2], die von den Ausgräbern mit dem Palast des → Nestor [1] identifiziert wurde (s. u. II.), als Hafenstadt.

Im 2. → Messenischen Krieg wurde P. von → Sparta erobert. Die Spartaner benannten Stadt und Felskap → Koryphasion. Hier errichteten die Athener 425 v. Chr. im → Peloponnesischen Krieg einen Stützpunkt für die 72 Tage dauernde Belagerung und schließliche Gefangennahme von 120 Spartiaten auf der im Süden nur durch einen engen Sund vom Festland getrennten Insel → Sphakteria (Thuk. 4,3–40; [3. 6–29; 4]). 409 v. Chr. gewannen die Spartaner Koryphasion zurück (Diod. 13,64,5–7; Xen. hell. 1,2,18); 365 v. Chr. fiel es an die Neugründung Messene [2] (Diod. 15,77,4). Im 2. Jh. v. Chr. war P. Mitglied im Achaiischen Bund. In der röm. Kaiserzeit beanspruchte die Stadt, Ort der Residenz des Nestor [1] zu sein (eigene Mz. von Septimius Severus bis Geta, HN 433: ΠΥΛΙΩΝ) und dessen Haus und Grab zeigen zu können ([1]; vgl. P. [5]).

Erh. sind teilweise in submyk.-protogeom. Zeit zurückreichende Reste der Stadt- und Akropolismauern, eine Zisterne, Wellenbrecher und Molenreste im Süden. Am Nordfuß des Felskaps befindet sich die stalaktitenbewehrte sog. Höhle des Nestor mit Siedlungs- und Kultspuren seit dem Neolithikum, Schauplatz verschiedener mythischer Ereignisse (s. auch → Neleus [1], → Hermes).

1 M. und R. Higgins, A Geological Companion to Greece and the Aegean, 1996 2 C. Blegen u. a., The Palace of Nestor at P. in Western Messenia, Bde. 1–3, 1966–1973 3 Pritchett 1 4 J. B. Wilson, P. 425. A Historical and Topographical Study of Thucydides' Account of the Campaign, 1979 5 N. Spencer, Heroic Time: Monuments and the Past in Messenia, in: Oxford Journ. of Archaeology 14, 1995, 277–292 6 A. M. Biraschi, Strabone e Omero, in: Dies. (Hrsg.), Strabone e la Grecia, 1994, 25–57.

S. E. Alcock u. a., The P. Regional Archaeological Project I–II, in: Hesperia 66, 1997, 391–494, 549–641 · E. L. Bennett, J. P. Olivier, The P. Tablets Transcribed, 2 Bde., 1973–1976 · J. L. Davis (Hrsg.), Sandy P.: An Archaeological History from Nestor to Navarino, 1998 · F. Kiechle, P. und der pylische Raum in der ant. Trad., in: Historia 9, 1960, 1–67 · E. Meyer, s. v. Messenien, RE Suppl. 15, 201–203 · C. W. Shelmerdine, s. v. P., EAA 2. Suppl. Bd. 4, 1996, 675–678. Y. L. u. E. O.

II. Palast

Der Platz des sog. »Nestor-Palastes« (beim h. Ano Englianos) war seit der Mittleren Brz. besiedelt. Durch wenige Sondagen belegt ist eine ältere Palastanlage mit vielleicht »minoischem Innenhof« und einer weiträumigen Umfassungsmauer. Siedlungsreste an den Hügelhängen unterhalb des Palastes sind bekannt. Im späten 14. Jh. v. Chr. (SH III A/B) wurde ein für das spätbrz. griech. Festland typischer Zentralbau errichtet (s. Lageplan). An der effizienten Kombination von Repräsentations-, Wohn- und Lagerbereichen (im zweistöckigen Hauptgebäude, umrahmt von sekundären Wohnbereichen, Magazinen und Werkstätten im SW- und im NO-Gebäude sowie im nördl. gelegenen sog. Weinmagazin) ist eine bedarfsorientierte Planung des Neubaus klar abzulesen. Dabei stehen neben den reich mit → Fresken und bemalten Fußböden ausgestatteten Repräsentationsräumen die wirtschaftlich genutzten Bereiche im Vordergrund.

Die Lage des Ölmagazins (Lageplan, Nr. 6) mit seinem kontrollierbaren Zugang unmittelbar hinter der zentralen Raumfolge von Innenhof, Vorhalle, Vorraum und Thronsaal zeigt die Bed. des mit natürlichen Essenzen parfümierten Handelsgutes Olivenöl für die Wirtschaft des Palastes. In den beiden Räumen neben dem Propylon wurde das Archiv (Nr. 3) jener → Linear B-Tafeln gefunden, die maßgeblich zur Entzifferung dieser Silbenschrift beigetragen haben. Aus den Texten geht hervor, daß hier die Kontrolle der ein- und ausgehenden Waren stattfand; auch Befehle und Entscheidungen der Zentrale wurden auf den Tontafeln festgehalten. Von weiterreichender Bed. mag sein, daß im NO-Gebäude in die handwerklich genutzten Räume ein kleines Heiligtum integriert war. Kult fand sicher im Hauptsaal statt, neben dem Thron war eine Opferrinne in den Estrich eingelassen.

Dieser »mod.« Palastbau wurde in der Mitte des 13. Jh. v. Chr. verändert, der wirtschaftliche Aspekt drängte noch stärker in den Vordergrund. Westl. und nördl. des Hauptgebäudes wurden neue Lagerräume erstellt, im Osten Werkstätten auf der Fläche zw. sog. Weinmagazin und NO-Gebäude. Das zuvor offene Ensemble freistehender Gebäude wuchs zu einem Konglomerat zusammen. Am gewichtigsten war der Eingriff in die alte Struktur im Bereich der Repräsentationsräume im Ostflügel des Palastes. Deren separate Eingänge an der Ostseite wurden durch zwei mit massiven Quadersteinen vor die Palastfassade gesetzte ummauerte Höfe geschlossen.

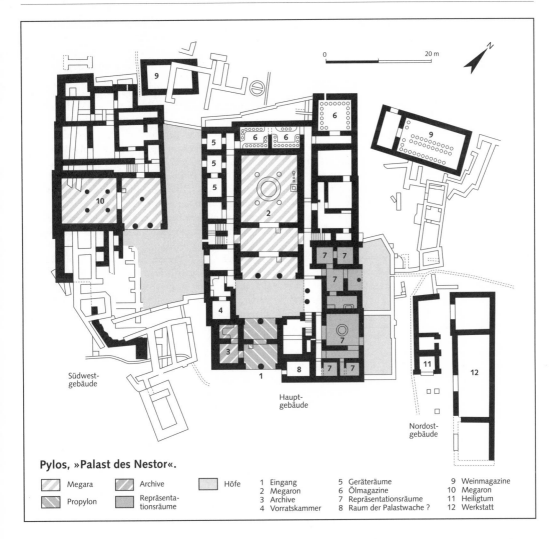

Pylos, »Palast des Nestor«.

Megara		Archive		Höfe	1 Eingang	5 Geräteräume	9 Weinmagazine

Megara · Archive · Höfe

Propylon · Repräsenta-tionsräume

1 Eingang   5 Geräteräume   9 Weinmagazine
2 Megaron   6 Ölmagazine   10 Megaron
3 Archive   7 Repräsentationsräume   11 Heiligtum
4 Vorratskammer   8 Raum der Palastwache ?   12 Werkstatt

Der Befund deutet darauf hin, daß das überregionale Zentrum P. in seiner letzten Phase einen wirtschaftlichen Aufschwung erlebte, der es notwendig machte, die nur wenige Jahrzehnte zuvor realisierte Neuplanung durch kurzfristige Ergänzungen dem gestiegenen Bedarf an Lager- und Produktionsräumen anzupassen. Dann folgte ein jähes Ende um 1200 v.Chr. »Nestors Palast« lag zerstört, der Platz wurde nicht mehr besiedelt; vielleicht lebte die Erinnerung an die einstige Größe in den Epen des → Homeros [1] weiter.

→ Ägäische Koine (mit Karten); Dorische Wanderung (mit Karte); Dunkle Jahrhunderte [1] (mit Karte); Linear B (mit Karte); Mykenische Kultur und Archäologie (mit Karte); Religion

C.W. BLEGEN, M. RAWSON, The Buildings and Their Contents (The Palace of Nestor at P. in Western Messenia 1), 1966 · Dies. u.a., Acropolis and Lower Town, Tholoi, Grave Circle and Chamber Tombs. Discoveries Outside the Citadel (The Palace of Nestor ... 3), 1973 · M.L. LANG, The Frescoes (The Palace of Nestor ... 2), 1969 ·

TH. PALAIMA, C. SHELMERDINE (Hrsg.), P. Comes Alive, 1984 · C. SHELMERDINE, The Perfume Industry of Mycenaean P., 1985.   G.H.

[3] Stadt in → Triphylia beim h. Kokovatos im Süden von Zacharo, von Strabon (8,3,1; 3,14; 3,26) als Residenzstadt des → Nestor [1] angesehen. P. gehörte im 7./6. Jh. v. Chr. zum Gebiet von Lepreon (Strab. 8,3,30).

A.M. BIRASCHI, Strabone e Omero, in: Dies. (Hrsg.), Strabone e la Grecia, 1994, 32–57 · E. MEYER, Neue peloponnesische Wanderungen, 1957, 74–79 · MÜLLER, 838.   Y.L.u.E.O.

[4] Stadt in → Elis [1] (Xen. hell. 7,4,16; 4,26; Diod. 14,17,9; Strab. 8,3,7; 3,27; 3,29; [3. 42–57]; Plin. nat. 4,14) an der Mündung des Ladon [3] in den Peneios, wo der Bergweg von Elis südwärts nach → Olympia führt, beim h. Agrapidochori. Zu Pausanias' Zeit (6,22,5) lag der Ort in Ruinen. Ant. Reste aus geom. bis zur röm. Zeit [1; 2].

1 Chronique des fouilles, in: BCH 92, 1968, 832–834
2 Chronique des fouilles, in: BCH 94, 1970, 1006–1008
3 A. M. BIRASCHI, Strabone e Omero, in: Dies. (Hrsg.),
Strabone e la Grecia, 1994, 25–57.

F. CARINCI, s. v. Elide (1), EAA 2. Suppl. Bd. 2, ²1994,
446 f. · J. COLEMAN, Excavations at P. in Elis (Hesperia
Suppl. 21), 1986.   Y. L. u. E. O.

Pyraichmes (Πυραίχμης). Führer der → Paiones im
Troianischen Krieg, die er als Verbündeter der Troer
diesen aus Amydon als Hilfe zuführt (Hom. Il. 2,848–
850, Apollod. epit. 3,34). Er tötet den → Eudoros [1]
(Timolaos FHG 4,521) und fällt daraufhin durch → Patroklos [1]. P. wird in Troia begraben (Grabepigr. Aristot. peplos 47). Der Umstand, daß auch → Asteropaios,
der Enkel des Flußgottes Axios, als Führer der Paioner
genannt (Hom. Il. 21,140 f.; 21,154–160), aber im Tro-
erkatalog nicht erwähnt wird, obwohl er eine ungleich
größere Rolle in der Ilias spielt, hat ant. und mod. Mythographen zu Erklärungen gereizt (z. B. doppelte Füh-
rerschaft bei Porph. quaestionum Homericarum ad Ilia-
dem pertinentium reliquiae ed. SCHRADER p. 50 oder
auch vermutete Interpolation Hom. Il. 2,848a).   CA. BI.

Pyramide (äg. *mr*, griech. πυραμίς, lat. *pyramis*). Monumentaler Grabbau urspr. des äg. Königs auf quadratischem Grundriß mit im Idealfall plan-dreieckigen Seitenflächen. Die Spitze der P., aus einem eigenen Steinblock gefertigt und oft bes. dekoriert, wird in der Arch.
als Pyramidion (äg. *bnbn.t*) bezeichnet.

I. URSPRUNG UND BEDEUTUNG   II. GESCHICHTE
III. FUNKTION UND KONTEXT   IV. PYRAMIDENBAU
V. NACHWIRKUNG UND REZEPTION

I. URSPRUNG UND BEDEUTUNG

Bei der ersten P., der Stufen-P. des → Djoser in
→ Saqqara (ca. 2700 v. Chr.), zeigen die beiden ältesten
Bauphasen noch die einfache → Mastaba-Form auf ge-
drungen-rechteckigem Grundriß, der dem Umriß der
Grabanlagen der thinitischen Könige (→ Thiniten) in
→ Abydos [2] entspricht; da die Oberbauform dieser
Gräber trotz jüngster Forsch. unklar bleibt, ist die form-
gesch. Abhängigkeit schwer einzuschätzen. Auch von
Mastaba-Oberbauten verdeckte Tumuli über dem
Grabschacht frühdyn. Elitegräber in Saqqara werden als
Ausgangsform der P. diskutiert [1. 1205–1208; 2. 10–34;
3. 39–45]. Der jüngste Versuch, die P.-Form von
hügelförmigen Tempelunterbauten in frühzeitlichen
Kultbezirken herzuleiten, bleibt angesichts der schma-
len arch. Befundlage problematisch [4].

Deutungen der P.-Form als stilisierter myth. Urhü-
gel, als Treppe für den Himmelsaufstieg des Königs, als
Darstellungen der Sonnenstrahlen u. ä. [5] bleiben unterschiedlich plausible Interpretationen und können
sich nicht auf explizite altäg. Aussagen stützen. Die Eigennamen der königl. Grabkomplexe belegen seit der 1.
Dyn. (ca. 3000) den astralen Charakter des königl. Jen-

seitsschicksals, deshalb ist die Annahme astraler Implikationen der P.-Form plausibel; dafür sprechen auch die
außerordentlich genaue Orientierung der Bauten nach
den Himmelsrichtungen und die Ausrichtung ihres Eingangs nach Norden zu den Zirkumpolarsternen (äg.
jḥmw-sk, »die Unvergänglichen«). Daß, wie aus einer
schriftlichen Quelle bekannt ist, König Pepi I. (6. Dyn.,
um 2300; → Phiops [1]) ein P.-Monument in → Heliopolis [1] errichten ließ, deutet auf spezifische solare
Konnotation schon zu dieser Zeit; ab dem MR wird sie
durch die Dekoration der Pyramidia explizit belegt.

II. GESCHICHTE

Die P. der 3. Dynastie (um 2700–2640) wurden als
Stufenbauten in spezieller Schalenbauweise aus klein-
formatigem Steinmaterial errichtet. Gut erhalten und
dokumentiert ist nur die Anlage des Djoser, ein ausgedehnter, langrechteckiger Bezirk, der neben dem Totentempel eine detailliert in steinerne Modellbauten
umgesetzte Anlage für Festrituale (Sedfest) enthielt. In
der ausgehenden 3. Dyn. wurde eine Reihe nichtfu-
nerärer, kleiner Stufen-P. in Oberäg. errichtet (in
Elephantine, Edfu, Hierakonpolis, Naqāda, Abydos,
Zauġat al-Maiyitīn); ihre genaue Funktion bleibt unklar; jedenfalls belegen sie die landesweite Verbreitung
des Königskults [6] (→ Herrscher II.).

Die 4. Dyn. (2640–2500) brachte den entscheidenden Entwicklungsschritt. Nach anfänglicher Anknüpfung an den Formenschatz der älteren Zeit (Stufen-P.
bei Medṭm und Saila) errichtete König Snofru in
Daḥšūr eine erste (die sog. »Knick-P.«) und nach dem
Scheitern dieses Projekts eine weitere P. neuen Typs.
Erstmals wurden die P.-Form mit glatten Seiten – die
später gültige Bautechnik –, die kanonische Form des
Komplexes mit Taltempel, Aufweg und etwa quadratischem P.-Bezirk mit P., Totentempel und kleiner Ri-
tual-P. verwirklicht. Die P. Snofrus erreichen auch das
für die 4. Dyn. charakteristische Riesenformat und sind,
ebenfalls typisch, planmäßig in ausgewählte landschaft-
liche Situationen, die optimale Sichtbarkeit des Monuments über weite Distanz garantierten, plaziert. Auch
der Anlagetypus der Residenznekropole, der das P.-
Grab des Königs mit den Mastaba-Gräbern der Resi-
denzaristokratie in ein einheitliches Planungskonzept
integrierte, wurde hier entwickelt. Die folgenden Anlagen der 4. Dyn., insbes. die des → Cheops in → Giza
(mit 230 × 230 m Fläche bei 147,5 m H die größte P.
überhaupt), entwickelten diese Konzepte fort. Aus unbekanntem Grund ließ König Schepseskaf am Ende der
4. Dyn. irregulär ein Grabmal in Form einer gigantischen Mastaba errichten, allerdings mit für P. typischen
Bestattungs- und Kultanlagen.

Während die P.-Komplexe der 4. Dyn. sprunghafte,
die Einzelbauten individualisierende Entwicklung zeigen, wurden die P. der 5. und 6. Dyn. (um 2500–2200)
in wesentlich kleinerem Format und nach weitgehend
standardisiertem Muster gebaut. Der Akzent lag auf ausgedehnten und reich dekorierten Tempelanlagen. In der
5. Dyn. wurden zusätzlich formal und funktional den

Grab-P. eng verwandte Sonnenheiligtümer (→ Sonnengottheiten) gebaut. Ab dem Ende der 5. Dyn. begann die Beschriftung der vorher völlig undekorierten Bestattungstrakte mit rel. Texten (→ Pyramidentexte). Auch die im Norden residierenden Könige der ersten Zwischenzeit (8. Dyn.; herakleopolitanische 9./10. Dyn.; um 2200–2050) haben nachweislich P. in den Nekropolen von → Memphis gebaut, freilich in entscheidend reduziertem Maßstab. Die Ansicht, die thebanische 11. Dyn. habe nach der Reichseinigung die P.-Form in ihre aus lokaler Formtrad. entwickelten Grabtempel integriert, ist jedoch im Licht des Denkmälerbefunds zu revidieren [7. 27–32].

Die 12. Dyn. (1976–1794) griff die P.-Form mit dem exakten Nachbau eines P.-Komplexes der 6. Dyn. unter → Sesostris I. in al-Lišt wieder auf. Die P. der 12. Dyn. und der 2. Zwischenzeit wurden in den Südausläufern der memphitischen Nekropole (Saqqara-Süd, Daḥšūr, Mazġūna) und im Fajumbereich (al-Lāhūn, Hawara) angelegt. Tiefgreifende morphologische Umgestaltungen, etwa die Einführung labyrinthisch komplizierter Bestattungstrakte und ihre Loslösung von der Bindung an eine bestimmte Orientierung, belegen die Aufnahme neuer rel. Konzepte. Die in der aktuellen Forsch. erst unvollkommen verstandene fundamentale Umgestaltung der Kultanlagen der P.-Bezirke schwankt zwischen archaistischen Rückgriffen und fundamentaler Innovation. Der ausgedehnte Tempelbezirk Amenemhets III. (um 1850) in Hawara, das sog. »Labyrinth«, wird von zahlreichen ant. Autoren beschrieben. Auch die arch. nicht bekannten Königsgräber der 17. Dyn. in → Thebai sowie ein Kultkomplex des Ahmose in Abydos waren mit P. versehen. Das MR brachte auch bautechnische Innovationen, so die Errichtung des P.-Kerns aus Ziegeln oder mit einem Stützgerippe aus Steinmauern.

Während die P.-Form bis zur 18. Dyn. den Gräbern der Könige (manchmal auch der Königinnen) vorbehalten war, ging sie von da ab – parallel zur gänzlichen Neugestaltung der königl. Grabkomplexe zu erneut radikal exklusiver Form – ebenso ausschließlich auf die Gräber nichtkönigl. Personen über. In den Elitefriedhöfen insbes. von Thebai und Saqqara wurde auf oder hinter die Kapelle der tempelähnlichen Grabbauten eine wesentlich verkleinerte, aber deutlich steilere P. gesetzt. Die Grab.-P. waren i.d.R. aus Schlammziegeln gebaut; nur die Pyramidia wurden oft aus Stein gearbeitet und mit Darstellungen, die sich auf die Myth. des Sonnenlaufs bezogen, dekoriert; in der Ostfläche dieser P. befand sich manchmal eine Nische mit Statuette des Grabherrn in Anbetung des Sonnengottes.

Seit König Pije (25. Dyn., 746–715 v.Chr.) übernahmen die kuschitischen Herrscher die P.-Form für die Grabanlagen der Königsfamilie; ausgedehnte P.-Felder liegen um ihre Hauptstädte → Napata (al-Kurrū, Nūrī, Ġabal Barkal) und → Meroë. Morphologisch dienten den P. der Kuschiten die Privatgräber des NR, wie sie auch im äg. kolonisierten Nubien zu sehen waren, nicht

die älteren Königs-P., als Vorbild. Dabei führten die kuschit. P. techn. wie formale Neuerungen ein, etwa getreppte Seitenflächen, Einfassung der P.-Kanten durch Randleisten und Abstumpfung der P.-Spitze.

III. FUNKTION UND KONTEXT

P. waren in Ägypten stets Mittelpunkt einer Kultanlage und daher i.d.R. von ausgedehnten Baukomplexen umgeben. Die ökonomische Ausstattung der Kulte durch Güter im ganzen Land und ihre stabile juristische Absicherung machte insbes. die P.-Komplexe des AR, als der Totenkult des Königs mit dem Kult des Staates identisch war, zu mächtigen und langlebigen Institutionen, die Angelpunkte im System der Staatsverwaltung bildeten. Seit in der 4. Dyn. P. außerhalb der Residenzfriedhöfe angelegt wurden, war es nötig, sog. P.-Städte zu gründen, die die in techn. und kultischer Funktion an der P.-Anlage Beschäftigten beherbergten; eine Palastanlage in der P.-Stadt deutet auf zeitweilige Anwesenheit des Königs. Durch königl. Schutzdekrete privilegiert und daher bes. attraktive Wohnorte, wuchsen nicht wenige P.-Städte zu dauerhaften Siedlungen heran. So geht der Name der Stadt Memphis auf die Bezeichnung der P.-Stadt König Phiops' I. (ca. 2300 v.Chr.) zurück. P.-Städte bildeten daher einen wesentlichen Faktor in der Urbanisation des memphitischen Großraumes.

IV. PYRAMIDENBAU

Der Bau insbes. der monumentalen P. des AR war eine außerordentliche handwerkliche, ingenieurtechn. und logistische Leistung. Ermöglicht wurde sie durch die Akkumulation von praktischem und organisatorischem Wissen wie durch die Heranbildung kompetenter Bauhütten im Verlauf langer, kontinuierlicher Erfahrung mit der Errichtung immer ambitionierterer Monumentalbauten; auch in der Abfolge der P. ist die fortschreitende Beherrschung der techn. Probleme und die Bewältigung immer großartigerer Dimensionen ablesbar. Die alle Kräfte des Landes erfassende und den Projekten des Staates verfügbar machende zentralistische Organisation des administrativen und polit. Systems schuf die ökonomischen und polit. Grundlagen dafür und wurde in der Arbeit an diesen Großprojekten vervollkommnet. Der P.-Bau bildete damit auch einen Schlüsselfaktor in der Entwicklung des frühen äg. Staates.

Während einzelne techn. Probleme mod. Ingenieure, denen äquivalentes Erfahrungswissen fehlt, in Verlegenheit setzen, dokumentiert eine breit gestreute Quellenlage die eingesetzten Verfahren wenigstens im Grundsatz: Bearbeitungsspuren, Werkzeugfunde und z.B. an unfertigen Bauten erhaltene Baurampen zeigen grundlegende Techniken; Wandbilder illustrieren etwa den Transport des Pyramidions oder von Granitsäulen für den P.-Tempel; Löcher für die Meßpfähle um die P. dokumentieren die eingesetzte Aufmaßtechnik; mathematische Papyri enthalten Modellrechnungen für Maße, Steigung und Volumen von P.; schließlich geben Akten kleinerer Bauprojekte Einblick in die organisatorische Handhabung solcher Unternehmungen in pharaonischer Zeit.

V. NACHWIRKUNG UND REZEPTION

Besucherinschr. des NR in den memphitischen P.-Komplexen ebenso wie die Restaurationstätigkeit des Prinzen Chaemwaset, eines Sohnes → Ramses' II., belegen das Interesse späterer Zeit an den Großbauten des AR. Seitdem bilden sie die erste Attraktion jeder Ägyptenreise; die griech. und lat. Autoren verbinden Beschreibungen der P. mit ahistor. Erzählungen (die evtl. in der spätäg. Lit. wurzeln) über ihre Erbauer und mit Spekulationen über den Bauvorgang (z.B. Hdt. 2,124ff.; Diod. 1,63–64). Mit der P. des Cestius [I 4] wurde in augusteischer Zeit in Rom ein Grabmal im äg. Stil errichtet. Als typischste aller äg. Denkmäler nahmen die P. eine Schlüsselrolle in jeder Phase der europäischen Ägyptenrezeption ein und stehen symbolisch für Alter, Rätselhaftigkeit und Autorität der pharaonischen Kultur [8].

→ ÄGYPTOLOGIE

1 R. STADELMANN, D. ARNOLD, s.v. P., LÄ 4, 1205–1272 2 R. STADELMANN, Die äg. P., 1997 3 I.E.S. EDWARDS, The Pyramids of Egypt, 1977 4 D. O'CONNOR, The Earliest Royal Boat Graves, in: Egyptian Archaeology 6, 1995, 3–7 5 M. LEHNER, The Complete Pyramids, 1997 6 S.J. SEIDLMAYER, Town and State in the Early Old Kingdom, in: J. SPENCER (Hrsg.), Aspects of Early Egypt, 1996, 108–127 7 D. ARNOLD, Der Tempel des Königs Mentuhotep von Deir el-Bahari (Arch. Veröffentlichungen des DAI Kairo 8), 1974 8 CH. TIETZE (Hrsg.), Die P., Gesch. – Entdeckung – Faszination, 1999.

W. HELCK, s.v. P., RE 23, 2167–2282. S.S.

Pyramidengrab. Bes. Form des → Grabbaus in der klass. Ant., die in Form und Bestimmung den pharaonischen → Pyramiden Ägyptens folgt. In der klass. Ant. selten, aber immer mit hohem repräsentativen Anspruch verwendet; bekanntestes Beispiel ist die sog. Cestius-Pyramide in Rom vor der Porta San Paolo (als Grabmal des Tribunen und Praetors C. → Cestius [I 4] Epulo, gest. 12 v.Chr., errichtet). Weitere Beispiele v.a. im kleinasiatisch-ägypt. Raum.

F. COARELLI, Rom. Ein arch. Führer, 1975, 307f. · C. RATTÉ, The Pyramid Tomb at Sardeis, in: MDAI(Ist) 42, 1992, 135–161. C.HÖ.

Pyramidentexte s. Totenliteratur

Pyramos (Πύραμος).
[1] Östlichster der drei Flüsse in der Kilikia Pedias (→ Kydnos, → Saros; → Kilikes, Kilikia), schon bei Skyl. 102 erwähnt, h. Ceyhan. Er entspringt in der kappadokischen → Kataonia und mündete in der Ant. mit einem h. toten Arm westl. von → Magarsa nahe der ant. Saros-Mündung, weshalb die beiden Flüsse gelegentlich verwechselt wurden; h. ist die Mündung durch Schwemmlandbildung (diese war schon im Alt. be-

kannt; ein Orakel besagte, daß der P. einst → Kypros erreichen werde: Strab. 1,3,7; 12,2,4) weit nach Osten verschoben. Der Fluß war bis → Mallos hinauf schiffbar, wo er auf einer noch erh. röm. Brücke der in der Tab. Peut. 10,4 bezeugten Küstenstraße überquert werden konnte. Eine weitere röm. Brücke in → Mopsu(h)estia gehörte zur Pilgerstraße des *Itinerarium Burdigalense* (580 MILLER: Mansista).

H. TREIDLER, s.v. P. (1), RE 24, 1–10 · HILD/HELLENKEMPER, 28, Index s.v. P. F.H.

[2] Pyramos und **Thisbe** (lat. *Pyramus*, Θίσβη).
Mythisches Liebespaar, bekannt durch Ov. met. 4,55–166, wo eine der → Minyades die Novelle aus einer Reihe von babylonischen Geschichten wählt: Am Maulbeerbaum vor der Stadt verabreden P. und Th., gegen den Willen ihrer Eltern einander liebend, ein nächtliches Treffen. Eine Löwin verjagt Th. und befleckt ihren Schleier mit Blut; ihn findet P. und ersticht sich aus Kummer über den vermeintlichen Tod der Geliebten, sein Blut verfärbt die Früchte des Baumes. Als Th. zurückkehrt, vereint sie sich mit P. im Tod. Die Früchte bleiben auf ihre Bitten hin dunkel. Während die lat. Lit. (Serv. ecl. 6,22) und die pompejanische Wandmalerei Ovid folgen, kennen späte griech. Autoren (Himerios or. 9,11) eine kilikische Sage von P. und Th. (Verwandlung in Fluß bzw. Quelle). Ein zyprisches Mosaik (P. als Flußgott und eine Pantherin mit Th.s Schleier) macht eine Abhängigkeit der lat. von der kilikischen Trad. wahrscheinlich. Die lit. Rezeption in MA und Renaissance knüpft bald an die rührenden, bald an die burlesken Elemente der ovidischen Novelle an und reicht von moralischer Erzählung (BOCCACCIO) und theologischer Allegorie (*Gesta Romanorum*) bis zur Parodie (SHAKESPEARE, *A Midsummer Night's Dream*). Höhepunkt der Nachwirkung in der bildenden Kunst ist POUSSINS Gemälde von 1651.

P.E. KNOX, Pyramus and Th. in Cyprus, in: HSPh 92, 1989, 315–328 · P. LINANT DE BELLEFONDS, s.v. P. et Th., LIMC 7.1, 604–607 · F. SCHMITT – VON MÜHLENFELS, Pyramus und Th. Rezeptionstypen eines Ovidischen Stoffes in Lit., Kunst und Musik, 1972. B.GY.

Pyrasos (Πύρασος). Stadt der Achaia → Phthiotis (Hom. Il. 2,695) am NO-Rand der Ebene von Halmyros, h. Nea Anchialos. Von prähistor. Zeit bis h. besiedelt, gehörte in histor. Zeit zu → Thebai (Strab. 9,5,14). Arch.: Große christl. Basilika und andere Gebäude.

F. HILD, E. HANSCHMANN, s.v. P., in: LAUFFER, Griechenland, 578f. · P. LAZARIDIS, Βυζαντινὰ καὶ μεσαιωνικὰ μνημεῖα Θεσσαλίας: Νέα Ἀγχίαλος Φθιώτιδες Θῆβαι, in: AD 25, 1970, 286f. · TIB 1, 271 · E. VISSER, Homers Kat. der Schiffe, 1997, 663–665 · K. ZIEGLER, s.v. P. (3), RE 24, 11f. HE.KR. u. E.MEY.

Pyrenäenhalbinsel   I. Vorbemerkung
II. Keltiberische Kultur und Archäologie
III. Iberische Kultur und Archäologie

I. Vorbemerkung

Auf der P. lassen sich im 1. Jt. v. Chr. (späte Brz. und Eisenzeit) mehrere, u. a. durch ihre Sprache voneinander unterschiedene Kulturen erkennen, von denen die des zentralen Hochlandes und des NW bis zur Integration in das röm. Reich zu den prähistor. Kulturen zu rechnen sind. Der SW (→ Tartessos) sowie die Mittelmeerküsten und ihr rund 200 km tiefes Hinterland – Sitz der Iberischen Kulturen – waren dagegen eng mit den mediterranen Hochkulturen verbunden.

II. Keltiberische Kultur und Archäologie

S. hierzu → Hispania (mit Karten);
→ Kelten (mit Karte); → Keltische Archäologie;
→ Keltische Sprachen (mit Karte); → Tartessos.

III. Iberische Kultur und Archäologie
A. Allgemeine Grundlagen
B. Materielle Kultur

A. Allgemeine Grundlagen

Die Iberische Arch. (I. A.) liefert die entscheidenden Daten zur Darstellung der Iber. Kultur (I. K.) [1–5]. Das phöniz.-punisch geprägte Andalusien, d. h. im wesentlichen die ant. Turdetania [6], Erbin des orientalisierenden → Tartessos, wies neben den engen Verbindungen zur I. K. eigene Züge auf. Sprachzeugnisse (→ Hispania II., mit Karte), zum großen Teil erst aus der röm. Eroberungszeit, definieren den geogr. Rahmen. Umrisse der I. K. zeichnen sich seit 600/580 v. Chr. ab, d. h. seit Beginn der Eisenzeit unter westphöniz., später unter griech. Einfluß. Die I. K. lief im frühen röm. Prinzipat aus; epigraphische und numismatische Dokumente brechen ab.

Der Name *Ibēría* [7] geht wahrscheinlich auf die ant. Benennung des Ebro/griech. *Íbēr* (→ Iberus [1]) zurück. *Iberíē* bezeichnet bei Hekataios (FGrH 1 F 44–52) die Mittelmeerküsten zw. Ligurern und Mastienern, bei Hdt. (1,163) das zw. Tartessos und der *Keltikḗ* gelegene Ziel phokäischer Fernfahrten. Seit dem 2. Jh. v. Chr. bezeichnete *Ibēría* die gesamte Halbinsel (Pol. 3,37). Die Erforschung der I. K. setzte am Ende des 19. Jh. ein. Auf P. Paris (1859–1931) geht der erste umfassende Überblick über die hispanische Frühgesch. [8] zurück, ohne dafür den Namen I. K. zu gebrauchen. Ihre zeitlichen und geogr. Konturen zeichneten sich erstmals in den Arbeiten von P. Bosch Gimpera (1891–1974) ab.

Träger der I. K. war eine Vielfalt von Stämmen, die sich zu keiner Zeit als Gemeinschaft gesehen haben. Einzelne arch. »Landschaften« [3] sind das Ergebnis unterschiedlicher brz. Voraussetzungen (Katalonien: transpyrenäische »Urnenfelderkultur«, iber. Levante: »Bronce Valenciano«, iber. SO: »El Argar-Kultur«) sowie unterschiedlicher, peninsularer, westeuropäischer

und mediterraner Einflüsse. Trotzdem schloß sich dieses sich über 1000 km erstreckende Gebiet zu einer kulturellen Einheit zusammen. Verbindendes Element war der seit der ausgehenden Brz. belegte Handel zw. den atlantischen und mediterranen Küsten der Iber. Halbinsel [10], an dem seit dem 10. Jh. v. Chr. (?) westphöniz. Händler auf der Suche nach Erzen beteiligt waren.

Im Zuge dieser Verbindungen [10] fanden Technologien, u. a. Eisenverhüttung und -bearbeitung (→ Eisen), rotierende Töpferscheibe, Gefäße zur Bevorratung und zum Transport (Pithoi und Amphoren), ferner die Weinrebe, die Verwendung von Lehmziegeln und der Wagenbau, Trachtelemente wie Fibeln (→ Nadel) und Gürtelgarnituren Verbreitung. Diese »formative Phase« endete mit dem Auslaufen des westphöniz. Handels im Bereich der hispan. Levante (580/570 v. Chr.) und der Ankunft griech. Händler und ihrer Produkte (erh. ist Keramik), zuerst in Huelva (→ Tartessos), wenig später nach 600 v. Chr., in → Emporiae/Ampurias (L'Escala, Girona) [11; 12]. Scheinbar hat sich die I. K. von der späteren Contestania (im wesentlichen die h. Prov. Alicante) in Richtung Norden auf den Spuren des einstigen westphöniz. Handels [13; 14] ausgedehnt. Erst seit dieser Zeit (gegen 580 v. Chr.) sprechen wir von I. K.

B. Materielle Kultur
1. Siedlungswesen 2. Nekropolen
3. Plastik 4. Kleinkunst und
Kunsthandwerk 5. Keramik

Umrisse eines größten gemeinsamen Nenners der I. K. und eine spezifische Profilbildung zeichnen sich in der Ausbildung eigener Siedlungsformen und einer repräsentativen Großplastik sowie auf dem Gebiet des Luxusgeschirrs ab.

1. Siedlungswesen

Charakteristisch waren befestigte Weiler [15]. Sie wurden in der Regel auf leicht zu verteidigenden Plätzen (Bergkuppen, Abhängen) angelegt (wenige Ausnahmen: z. B. der in der Ebene gelegene stark befestigte Platz Els Vilars/Arbeca, Lleida). Ihr Beginn läßt sich teilweise bis zum E. der Brz. zurückverfolgen, z. B. bei Kleinstsiedlungen im unteren Einzugsbereich des Ebro wie La Ferradura (Ulldecona, Prov. Tarragona), an der spanischen Levanteküste: Puig de Nau (Benicarló, Prov. Castellón) und La Alcudia (Elche, Prov. Alicante) sowie in Oberandalusien Puente Tablas (Prov. Jaén), was auf stabile demographische Verhältnisse verweist. Einzelne Plätze sind als Folge des mediterranen Küstenhandels begreifbar: z. B. Adovesta (Benifallet, Prov. Tarragona) vor der Ebromündung mit Depot westphöniz. Amphoren, der befestigte Platz Alt de Benimaquia (Denia, Prov. Alicante) mit umfangreicher Weinkelter und lokalen Amphoren westphöniz. Form, Peña Negra (Crevillente, Prov. Murcia) mit Gießerei für Bronzewaffen atlantischen Typs und Castellar de Lebrilla (Prov. Murcia) mit Eisenverhüttung für den Export. Ein Teil der Siedlungen wurde im Laufe der frühiber. Zeit aufge-

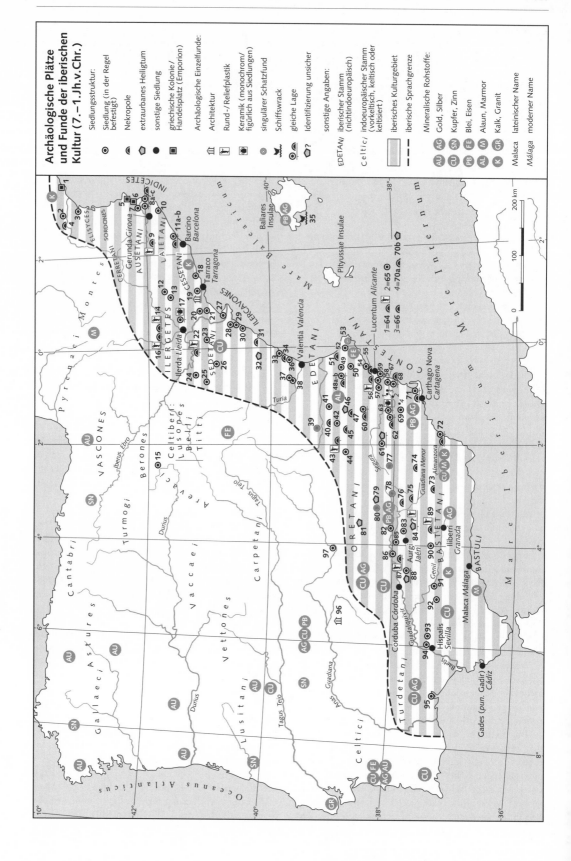

Nr	griech./lat. Name	moderne Gemeinde	moderne Flurbez./Fundort	Provinz
1	**Agathe**	Agde	Ensérune	Hérault
2		Nissan	Pech Macho	Hérault
3		Sigean		Aude
4		Mailhac	Le Cayla/Le Grand Bassin	Aude
5	**Rhode**	Las Rosas		Girona
6	**Emporion**	L'Escala	Ampurias/Empúries	Girona
7		Pontós	Mas Castellar	Girona
8a		Ullastret	Puig de Sant Andreu	Girona
8b		Ullastret	Illa d'en Reixach	Girona
8c		Serra de Daró	Puig de Serra	Girona
9		Malla		Barcelona
10		Lloret del Mar	Puig Castellet	Girona
11a		Cabrera del Mar	Burriac	Barcelona
11b		Cabrera del Mar	Turó dels dos Pins	Barcelona
12		Tornabous	El Molí d'Espígol	Lleida
13		Arbeca	Els Vilars	Lleida
14		Albelda de	Els Castellassos	Huesca
15	**Numantia**	Garray	Garray	Soria
16		Tamarite de Litera	Las Vispesa	Huesca
17		Sidamon	Tossal de les Tenalles	Lleida
18		Calafell	Alorda Park	Tarragona
19		Valls	Fontscaldes	Tarragona
20		El Masroig	El Puig Roig	Tarragona
21		Tivissa	El Castellet de Banyoles	Tarragona
22		Caspe		Tarragona
23		Calaceite	San Antonio	Teruel
24		Azaila	El Cabezo de Alcalá	Teruel
25		Oliete	El Palomar	Teruel
26		Alcorisa	Cabezo de la Guardia	Teruel
27		Camarles	El Bordisal	Tarragona
28		Ulldecona	La Ferradura	Tarragona
29		Alcanar	La Moleta de Remei	Tarragona
30		Benicarló	El Puig de Nau	Castellón
31		Alcalá de Chivert	Solivella	Castellón
32		Zucaina	La Escudilla	Castellón
33		Burriana	Vinarragell	Castellón
34		Vall d'Uxó	Orleyl	Castellón
35		Palma	Illeta de Sec (Mallorca)	Balearen
36	**Arse**/Saguntum	Sagunto		Valencia
37		Olocau	El Puntal dels Llops	Valencia
38		Líria	El Tossal de Sant Miquel	Valencia
39		Abengibre	Albacete	Albacete
40		Hoya Gonzalo	Los Villares	Albacete
41		Ayora	El Castellar de Meca	Valencia
42		Bonete	El Amarejo	Albacete
43		Balazote		Albacete
44		San Pedro	La Quéjola	Albacete
45		Chinchilla/Pozo Cañada	Pozo Moro	Albacete
46		Montealegre del Castillo	Cerro de los Santos	Albacete
47		Montealegre del Castillo	Llano de Nuestra Señora de la Consolación	Albacete
48a		Mogente	La Bastida de les Alcusses	Valencia
48b		Mogente	Corral de Saus	Valencia
49		Albaida	Covalta	Valencia
50		Alcoy	La Serreta	Alicante
51		Oliva		Valencia
52		Denia	L'Alt de Benimaquia	Alicante
53		Javea		Alicante
54		El Campello	Illeta dels Banyets	Alicante
55		La Albufereta de Alicante		Alicante
56		Agost		Alicante
57	Ilici	Crevillente	Peña Negra	Alicante
58		Elche	La Alcudia de Elche	Alicante
59	Alonis ?	Santa Pola	La Picola	Alicante
60		Jumilla	Coimbra del Barranco Ancho	Murcia
61		Caravaca de la Cruz	La Encarnación	Murcia
62		Mula	El Cigarralejo	Murcia
63		Archena		Murcia
64		Redován		Alicante
65		Orihuela	Los Saladares	Alicante
66		San Fulgencio	El Moral	Alicante
67		San Fulgencio	El Oral	Alicante
68		Rojales	El Cabezo Lucero	Alicante
69		Librilla	El Castellar	Murcia
70a		Verdolay, La Alberca	Cabecico del Tesoro	Murcia
70b		Verdolay, La Alberca	Nuestra Señora de la Luz	Murcia
71		Los Nietos		Murcia
72		Villaricos		Almería
73	Baria	Galera	Cerro del Real	Granada
74	Tutugi	Baza	Cerro del Santuario	Granada
75	Basti	Hinojares	Castellones de Ceal	Jaén
76	Tugia	Peal de Becerro	Toya	Jaén
77		Santiago de la Espada		Jaén
78		Mogón	Cerro de los Machuelos	Jaén
79		El Castellar de Santisteban	Los Altos de Sotillo	Jaén
80		Santisteban del Puerto		Jaén
81		Santa Elena	El Collado de los Jardines / Despeñaperros	Jaén
82	Castulo	Linares		Jaén
83		Jaén	Puente Tablas	Jaén
84		Huelma	Cerro de Pajarillo	Jaén
85		Calzalilla	Cerro de la Coronilla	Jaén
86		Marmolejo	Las Calañas	Jaén
87	**Ibolka**/Obulco	Porcuna	Cerillo Blanco	Jaén
88		Baena	Torreparedones	Córdoba
89	Ilurco	Pinos Puente	Cuesta de Velillos	Granada
90		Almedinilla	Cerro de la Cruz	Córdoba
91		Puente Genil	Alhonoz	Sevilla
92	Urso	Osuna		Sevilla
93	Carmo	Carmona		Sevilla
94		La Rinconada	Cerro Macareno	Sevilla
95	**Tartessos ?**/Onuba	Huelva		Huelva
96		Zalamea la Serena	Cancho Roano	Badajoz
97		Alarcos	Ciudad Real	Ciudad Real

geben, zahlreiche Neugründungen in mitteliber. Epoche sprechen für demographisches Wachstum [16]. Erst seit dem Ausgang des 3. Jh. v. Chr. zeichnen sich verstärkt Zerstörungen als Folgen der Barkidischen Kriege und des 2. → Punischen Krieges ab.

Größe und Struktur der Siedlungen unterscheiden sich regional. In der Turdetania (→ Turdetani), der seit der frühen Eisenzeit am stärksten urbanisierten Region Hispaniens, liegen ausgedehnte »Protostädte«, z. B. → Carmo (Carmona, Prov. Sevilla) mit 50 ha, oder → Castulo (Linares, Prov. Jaén) mit 44 ha; die Flächen verringern sich im Bereich der Mittelmeerküsten von Süden nach Norden: z. B. La Alcudia de Elche mit 9,8 ha, → Saguntum (Prov. Valencia) mit 5,7 ha, Puig de Sant Andreu (Ullastret, Prov. Girona) mit 5,2 ha. Daneben stehen die Kleinstsiedlungen und befestigten Plätze im Bereich der von Hirtenkultur geprägten Randregionen, z. B. bei Llíria (Prov. Valencia), Puntal dels Llops (Olocau, Prov. Valencia) mit 0,065 ha, im unteren Aragòn El Taratrato (Alcañiz, Prov. Teruel) mit 0,15 ha, oder Alorda Park (Calafell, Prov. Tarragona) mit 0,3 ha. In Einzelfällen lassen Siedlungsgröße und Distanzen zw. den Oppida (→ Oppidum) territoriale Strukturen erahnen, z. B. der Kranz wohl abhängiger Kleinsiedlungen um den Tossal de Sant Miquel (Llíria, Prov. Valencia, seit dem 5. Jh.) [17], Zusammensiedlungen (→ synoikismós) sind seit dem 6. Jh. in der Campiña von Jaén (Andalusien) [18] zu beobachten, ähnliches in der Region um Elche.

Mehrere gleichzeitige iber. Siedlungs-Typen sind zu unterscheiden: ummauerte Anlagen ohne erkennbare Binnenstrukturen wie etwa Meca (Ayora, Prov. Valencia) oder La Bastida de les Alcusses (Mogente, Prov. Valencia); kleine »geschlossene Siedlungen« unter 0,3 ha, deren Mauern als Rückseiten von Reihenhäusern dienten, die sich zur Straße oder zum »Platz« öffnen (z. B. Puig Castellet/Lloret del Mar, Prov. Girona, oder Castellet de Bernabé/Llíria, Prov. Valencia); parallel zur Ummauerung ausgerichtete Straßensysteme, entweder kreisartig wie in El Molí d'Espigol (Tornabous, Prov. Lleida) oder in Gestalt von *insulae* wie El Oral (San Fulgencio, Prov. Alicante).

Die Häuser einer Siedlung zeichnen sich durch ähnliche Größe und Ausstattung aus [19]. Sie reichen von einzelligen Wohneinheiten (z. B. El Molí d'Espigol/Tornabous, Prov. Lleida, oder Mas Boscà/Badalona, Prov. Barcelona) bis zu mehrräumigen, nach Aktivitäten strukturierten Anlagen (seit dem 5. Jh. z. B. in Siedlungen auf dem Puig de Nau (Benicarló, Castellón), auf dem Tossal de Sant Miquel, auf La Bastida oder in Puente Tablas). Das Ausmaß räumlicher Differenzierung hängt vom Grad der Urbanisierung ab, die im pun. und griech. Einflußbereich (Puig de Sant Andreu bzw. Mas Castellar/Pontós, Prov. Girona) am weitesten fortgeschritten war. Eine Sonderform stellen die multifunktionalen befestigten »Paläste« in der Extremadura dar, z. B. das Palastheiligtum Cancho Roano (Zalamea la Serena, Prov. Badajoz) [20]. In den Oppida fehlten

weitgehend öffentliche Anlagen wie Tempel, Plätze oder Versammlungsräume, dagegen lagen kommunale Einrichtungen vor: Speicher (Moleta de Remei/Alcanar, Prov. Tarragona, Illeta dels Banyets/El Campello, Prov. Alicante) [21], Zisternen (La Bastida) und Backöfen. Gemeinschaftsleistungen sind Befestigungsmauern (→ Befestigungswesen), verm. auch das Geleisestraßennetz der Bergsiedlung Meca [22]. Wenig greifbar sind Fremdeinflüsse; eine Ausnahme bildet der befestigte Hafenplatz der Alcudia de Elche, La Picola (Santa Pola, Alicante), der griech. Plan- und Maßvorstellungen und fortifikatorischen Erkenntnissen folgt [23].

Die iber. Architektur [24] blieb weitgehend traditionellen Formen (→ Befestigung) und Materialien wie Bruchstein und Lehm, auch Lehmziegeln, Stroh und Holz verhaftet. Ihr Beitrag äußert sich im wesentlichen in der »Monumentalisierung« fürstlicher Gräber (s. u. III.B.2.) und im »kunsthandwerklichen« Dekor wie Hohlkehlen, → Astragalen und ion. Kymatien (→ *kymátion*), in der Gestaltung von Fassaden und Torrahmungen u. a. [25] durch Voluten- und Spiralbänder oder Säulen mit iber. interpretierten korinthischen, dorischen und aiolischen Kapitellen.

2. NEKROPOLEN

Die iber. Nekropolen [26] bieten demographische Ausschnitte; Bestattungen sozial unterprivilegierter Gruppen sind unbekannt. Art und Umfang der Grabanlagen lassen, im Gegensatz zu den egalitär wirkenden Oppida, auf eine strukturierte Ges. schließen. Selten sind Siedlungen zusammen mit ihren Friedhöfen erforscht, und wenn, dann nur für einen zeitlichen Ausschnitt (z. B. Puig de Sant Andreu mit der Nekropole Puig de Serra, Ullastret). In Einzelregionen fehlen Belege für Nekropolen während ganzer Epochen (spätiber. Katalonien und Turdetania).

Brandbestattungen waren die übliche Bestattungsform; sie gehen im Norden auf transpyrenäischen (→ »Urnenfelder-Kultur«), im andalusischen Süden z. T. auf semitischen Einfluß zurück (→ Tartessos). Vom iber. NO bis zur hispan. Levante liegt bei Kleinkindern Leichenbestattung vor [27]. In der Regel wird zw. Brandplatz (*ustrinum*) und Grab unterschieden (Ausnahme: z. B. das »Turmgrab« von Pozo Moro mit einer Bustum-Bestattung, wo Brand- und Grabstätte also identisch sind [28; 29]). Nach der Verbrennung wurden die Knochen gesammelt – z. T. gewaschen, zerstückelt, in ein Tuch eingewickelt und teils direkt, teils in einer Urne in eine mit Platten oder Kalk verkleidete Grube gelegt [30]. Dazu dienten bei anspruchsvoller Bestattung attische Kratere, im Bastetanischen hin und wieder skulptierte Steinkisten [31], in Elche und Baza auch Skulpturen (Dama de Baza, Dama de Elche) [32] und Grabpfeiler [33]. Zu den persönlichen Beigaben des Toten zählen Trachtelemente wie Fibeln, Gürtelschnallen und Waffen, zur Ausstattung Geschirr für Speisen und Getränke, daneben begegnen gelegentlich auch Terrakotten, kleine Glasgefäße, griech. Keramik dient dem Zur-Schau-Stellen des Reichtums des Verstorbenen beim Leichenschmaus, wie der Fund zerschlagener att. Trinkgefäße im Grabkontext beweist [34. 55].

Als Grabmarkierungen dienen häufig gestufte, rechteckige Tumuli (→ Tumulus) aus Lehm und Feldstein, die im Bereich des iber. SO zw. 500 v. Chr. und dem Beginn des 4. Jh. durch Skulpturen, Pfeiler und Architektur [36] u. a. hervorgehoben werden konnten. Ferner sind sporadisch Stelen mit anthropomorphen Zügen, im Aragón auch mit ideographischen Ritzverzierungen belegt [37]. Die monumentalen Reste blieben meist ohne nachweisbare Verbindung zur einstigen Bestattung; sie wurden oft bei der Anlage jüngerer Gräber wiederbenutzt. Vielleicht wurden die Grabstätten z. T. mutwillig – durch Revolten? – zerstört [38]. Die Form dieser »Repräsentationsgräber« wurde seit 400 v. Chr. weitgehend aufgegeben und der Akzent stattdessen auf die Grabbeigaben gesetzt. Sie lassen u. a. die soziale Stellung der Verstorbenen erkennen – Waffen für Krieger, oft Lanzen und → Falcaten [39], sporadisch Werkzeug [40]. Neben schlichten Graburnen begegnen seit dem ausgehenden 5. Jh. reiche Schachtgräber (z. B. in Castulo, → Baza), Kammergräber (Tutugi), aus Lehmziegeln aufgemauerte Grabkammern (Castellones del Ceál/Hinojares, Prov. Jaén [41]) oder das → Hypogäum von → Toya (Peal de Becerro, Prov. Jaén) [42].

3. PLASTIK

Der Beginn der iber. Großplastik [43] setzt ein eigenes »orientalisierendes« ikonographisches Repertoire, handwerkliche Trad. der Steinbearbeitung sowie eine Klientel, die Wert auf monumentale Ausdrucksformen legte, voraus. Wichtig ist in diesem Zusammenhang das Grabmal von Pozo Moro (Chinchilla, Prov. Albacete, um 500 v. Chr.) [28; 44], das »orientalisierende« Motive (»Potnia mit Palmettenblüten«, spätethitischer Löwentypus) mit einer iber. Vorstellungswelt verbindet. Gleichzeitig kam griech. Einfluß hinzu. Aus dieser Zeit stammt die erste Reiterstatue aus Los Villares (Hoya Gonzalo, Prov. Albacete) [35] mit lokalen Zügen; das zweite, gleichfalls durch Kontext datierte Reiterbild (um 420 v. Chr) derselben Nekropole belegt abstrakte Formen, die die schematisierenden Tendenzen der jüngeren iber. Plastik bereits andeuten. In diese Epoche gehören Skulpturengruppen – u. a. Monomachien (Darstellungen von Einzelkämpfen) aus der Alcudia von Elche (Prov. Alicante), vom Cerro de Pajarillo (Huelma, Prov. Jaén) [45] und dem Cerrillo Blanco (Porcuna, Prov. Jaén) [46] sowie die bekannte sog. Dama de Elche (eine lebensgroße Frauenbüste aus einem Grab). Das ikonographische Repertoire umfaßt eine reiche mythische Fauna wie u. a. Kentaur, Triton, »Acheloos«, auch Stier und Löwe [47], auf die es sich seit dem 4. Jh. – zusammen mit Weihgaben in Form von Pferdestatuetten und -reliefs [48] sowie der menschlichen Gestalt [49] – reduziert; der Statuenbestand vom Cerro de los Santos (Montealegre de Castillo, Prov. Albacete) [50] und die Gruppe der schematischen Statuetten aus den Heiligtümern von Torreparedones (Castro del Río/Baena, Prov. Córdoba) [51] oder El Cigarralejo (Mula, Prov. Murcia) [21. 99 f.] sind hierfür charakteristisch.

4. KLEINKUNST UND KUNSTHANDWERK

Die Kleinbronzen [53; 54], hauptsächlich nackte und bekleidete Krieger, weibliche Mantelgestalten und Figuren im Opfergestus, Reiter, anatomische Motive und Tiere, konzentrieren sich auf wenige Heiligtümer. Auch sie unterlagen der Entwicklung zur schematischen Wiedergabe; ebenso wie die Terrakotten gehen sie auf durch pun. Handel vermittelte großgriech. Modelle zurück [55].

»Orientalisierende« Form- und Stilelemente prägten die Entwicklung des Goldschmucks, der auf den iber. SO beschränkt blieb [56]. Eine Leitform stellen die Diademe mit dreieckigen Abschlüssen dar, deren mediterranen Ursprung das Exemplar aus dem Schatz von Jávea (4. Jh.) beispielhaft bezeugt (Staubgranulat, Perlfiligran, vegetabilisches Dekor) [57; 58]. Arbeitsgeräte (u. a. Matrizen) eines Juweliers (um 500 v. Chr.) stammen aus einem Grab von Cabezo Lucero (Rojales, Alicante) aus der 1. H. des 4. Jh. [28. 438]. Das Metallgeschirr ergibt ein ähnliches Bild: Becken mit Griffen mit Handappliken »orientalisierender« Trad. [59], Schüsseln aus dem Silberschatz von Abengibre mit Formen aus pun. und att. Repertoire [60] oder die Schalen aus den Schatzfunden von Tivissa und Santisteban, die hell. Formen und Motive mit iber. Elementen (z. B. der applizierten Wolfsmaske) verbinden [61]. Der Thron der sog. Dama de Baza (weibliche Sitzstatue aus einem Grab bei Baza) verweist auf das entwickelte Tischlerhandwerk [62], Wagenreste (Speichenräder) auf das des Wagners [63].

5. KERAMIK

Im Laufe des 6. Jh. setzte sich unter dem Eindruck phöniz. Keramik der Gebrauch der Töpferscheibe durch [64; 65]. Charakteristisch für den Dekor war anfangs die Streifenbemalung, zu der im Laufe des 5. Jh. u. a. Zirkelmuster traten [66]. Figürlich verzierte Keramik [67] kam erst seit dem Ausgang des 3. Jh. auf, mit jeweils regionaler »Handschrift«, häufig in Kombination mit Beischriften und »noblen« Themen wie Jagd, Tanz und Kampf, in Elche/Archena mit emblematischen Darstellungen, z. B. geflügelter Göttin und Adler [68]. Weite Verbreitung fand der zylindrische »Kalathos«, das im Mittelmeerhandel seit dem 3. Jh. bekannteste iber. Gefäß [69]. Eine Sonderrolle spielte die »Graue Ware«, die regional unterschiedliche Gruppen umfaßt (→ Tartessos): so die Graue Katalanische mit der jüngeren Untergruppe der Ampuritanischen Ware [70].

→ Grabbauten; Hispania (mit Karten); Kelten (mit Karte); Keltische Archäologie; Keltische Sprachen (mit Karte); Kolonisation (mit Karte); Nadel; Phönizier, Punier (mit Karte); Tumulus; Waffen; KELTISCH-GERMANISCHE ARCHÄOLOGIE; SPANIEN

1 A. GARCÍA Y BELLIDO, Arte ibérico, in: R. MENÉNDEZ PIDAL (Hrsg.), Historia de España I 3, 1954, 371–675 2 La sociedad ibérica a través de la imagen, Ausst. Albacete u. a. 1992/93 3 C. FERNÁNDEZ CASTRO, Iberia in Prehistory, 1995 4 P. KRUSE (Hrsg.), Die Iberer, Ausst. Bonn u. a. 1998 5 A. RUIZ, M. MOLINOS, The Archaeology of the Iberians, 1998 6 J. FERNÁNDEZ JURADO (Hrsg.), La Andalucía

ibero-turdetana, in: Huelva Arqueológica 14, 1996, passim
7 M. Koch, Tarschisch und Hispanien, 1984, 129
8 P. Paris, Essai sur l'art et l'industrie de l'Espagne primitive,
Bd. 1 und 2, 1903, 1904 **9** M. Ruiz-Gálvez Priego, La
Europa atlántica en la Edad del bronce, 1998, 252
10 G. Ruiz Zapatero, Comercio protohistórico e
innovación tecnologica, in: Gala 1, 1992, 103–116
11 P. Rouillard, Les Grecs et la peninsule Ibérique, 1991,
21–101 **12** A. J. Domínguez Monedero, Los griegos en la
Península Ibérica, 1996 **13** O. Arteaga u. a., La expansión
fenicia por las costas de Cataluña, in: G. del Olmo Lete
(Hrsg.), Los fenicios en la Península Ibérica, Bd. 2, 1986,
303–314 **14** J. de Hoz, Las sociedades paleohispánicas del
área no indoeuropea y la escritura, in: Archivo Español de
Arqueología 66, 1993, 3–29 **15** P. Moret, Les fortifications
ibériques, 1996 **16** F. Burillo Mozota, La crisis del ibérico
antiguo, in: Kalathos 9/10, 1989/90, 95–124 **17** H. Bonet
Rosado, El Tossal de Sant Miquel de Llíria, 1995, 521
18 A. Ruiz, M. Molinos, Sociedad y territorio en el Alto
Guadalquivir entre los siglos VI y IV a.C., in: Huelva
Arqueológica 14, 1996, 11–29, bes. 20 **19** M. C. Belarte
Franco, Arquitectura doméstica i estructura social a la
Catalunya protohistòrica, 1997 **20** M. Almagro Gorbea
u. a., Cancho Roano, in: MDAI(Madrid) 31, 1990, 251–308
21 A. Nünnerich-Asmus, Heiligtümer und
Romanisierung auf der Iber. Halbinsel, 1999
22 S. Broncano Rodríguez, M. M. Alfaro Arregui, Los
caminos de ruedas de la ciudad ibérica de »El Castellar de
Meca« (Ayora, Valencia), in: Excavaciones Arqueológicas
en España 162, 1990 **23** A. Badie u. a., Le site antique de La
Picola à Santa Pola (Alicante, Espagne), 2000 **24** F. Gusi
Jener, Arquitectura del mundo ibérico, 1984
25 M. R. Lucas Pellicer, E. Ruano Ruiz, Sobre la
arquitectura ibérica de Cástulo, in: Archivo Español de
Arquelogía 63, 1980, 43–64 **26** J. Blánquez Pérez,
V. Antona del Val (Hrsg.), Congreso de arqueología
ibérica: Las necrópolis, 1991 **27** F. Gusi Jener (Hrsg.),
Inhumaciones infantiles en el ámbito mediterráneo español
(s. VII a. E. al II d. E.), in: Cuadernos de Prehistoria y
Arqueología Castellonenses 14, 1989 **28** M. Almagro
Gorbea, Pozo Moro. Un monumento funerario ibérico
orientalizante, in: MDAI(Madrid) 24, 1983, 177–293
29 C. Aranegui Gascó u. a., La nécropole iberique de
Cabezo Lucero (Guadamar de Segura, Alicante), 1993, 438
30 C. Mata Perreño, Aproximación al estudio de las
necrópolis ibéricas valencianas, in: J. Padró et al. (Hrsg.), FS
M. Tarradell, 1993, 429–448 **31** R. Olmos Romera, Vaso
griego y caja funeraria en la Bastetania Ibérica, in: FS
C. Fernández Chicarro, 1982, 259–268 **32** T. Chapa,
R. Olmos, Busto de varón hallado en Baza, in: R. Ramos
Fernández et al., La Dama de Elche, 1997, 163–170
33 J. M. García Cano, El pilar estela de Coimbra del
Barranco Ancho (Jumilla, Murcia), in: Revista de Estudios
Ibéricos 1, 1994, 173 **34** J. A. Santos Velasco, Reflexiones
sobre la sociedad ibérica y el registro arqueológico funerario,
in: Archivo Español de Arqueología 67, 1994, 63–70
35 J. Blánquez Pérez, Caballeros y aristócratas del s. V a. C.
en el mundo ibérico, in: R. Olmos Romera, J. A. Santos
Velasco (Hrsg.), Coloquio Internacional: Iconografía
ibérica – iconografía itálica, Rom 1993, 1997, 211–234
36 R. Castelo Ruano, Monumentos funerarios del
Sureste peninsular, 1995 **37** I. Izquierdo, F. Arasa, La
imagen de la memoria, antecedentes, tipología e iconografía
de las estelas, in: Archivo de Prehistoria Levantina 23, 1999,

259–300 **38** T. Chapa Brunet, La destrucción de la
escultura funeraria ibérica, in: Trabajos de Prehistoria 50,
1993, 185–195 **39** F. Quesada Sanz, El armamento
ibérico, 1997 **40** M. Blech, E. Ruano, Los artesanos dentro
de la sociedad ibérica, in: C. Aranegui Gascó (Hrsg.),
Iberos, principes de Occidente (Saguntum Extra 1), 1998,
301–308 **41** T. Chapa Brunet u. a., La necrópolis ibérica de
Los Castellones de Céal (Hinojares, Jaén), 1998
42 A. García y Bellido, La camara sepulcral de Toya, in:
Actas y Memorias de la Sociedad Española de Antropología,
Etnología y Prehistoria, 14, 1935, 67 **43** P. León, La
sculpture des Ibères, 1998, 10 **44** M. Blech, Los inicios de la
iconografía de la escultura ibérica en piedra: Pozo Moro, in:
s. [35], 193–210 **45** M. Molinos u. a., El santuario heróico
de »El Pajarillo«, 1998 **46** I. Negueruela Martínez, Los
monumentos escultóricos ibéricos de Cerrillo Blanco de
Porcuna (Jaén), 1990 **47** T. Chapa Brunet, Influencia
griega en la escultura zoomorfa ibérica (Iberia Graeca 2),
1986 **48** M. Blech, Exvotos figurativos de santuarios de
tradición ibérica, in: V. Salvatierra, C. Risquez (Hrsg.),
De las sociedades agrícolas 1999, 143–174 **49** R. Ruano
Ruiz, La escultura humana de piedra en el mundo ibérico,
1987 **50** M. Bremón, Los exvotos del santuario ibérico del
Cerro de los Santos, 1989 **51** B. Cunliffe,
M. C. Fernández Castro, The Guadajoz Project, 1999
52 M. Blech, E. Ruano Ruiz, Zwei iber. Skulpturen aus
Úbeda la Vieja (Jaén), in: MDAI(Madrid) 33, 1992, 70–101
53 G. Nicolini, Les bronzes figurés des sanctuaires
ibériques, 1969 **54** L. Prados Torreira, Exvotos ibéricos de
bronce del Museo Arqueológico Nacional, 1992
55 M. Blech, Die Terrakotten (Mulva 3), 1993, 109–219
56 A. Perea, Orfebrería prerromana, 1991 **57** Dies.,
Orfebrería peninsular, in: R. Olmos, P. Rouillard
(Hrsg.), Formes archaïques, 1996, 95–109
58 H. G. Niemeyer, Zw. Sichem und Aliseda, in:
E. Acquaro (Hrsg.), FS S. Moscati, Bd. 2, 1996, 881–887
59 F. Teichner, Neue Funde iber. Henkelattaschen mit
stilisierten Handflächen, in: Riv. di Stud. Fenici 22, 1994,
37–49 **60** R. Olmos, A. Perea, Los platos de Abengibre:
una aproximación, in: Huelva Arqueológica 13, 1, 1994,
377–401 **61** O. Jaeggi, Der Hell. auf der Iber. Halbinsel, in:
Iberia Archaeologica, 1, 1999, 86–95 **62** E. Ruano Ruiz, El
mueble ibérico, 1992 **63** M. Fernández-Miranda, R.
Olmos, Las ruedas de Toya, 1986 **64** M. Belén, J. Pereira,
Cerámicas a torno con decoración pintada en Andalucía, in:
Huelva Arqueológica 7, 1985, 307–360 **65** C. Mata
Parreño, H. Bonet Rosado, La cerámica ibérica: ensayo
de tipología, in: J. Juan-Cabanilles (Hrsg.), Estudios de
arqueología ibérica y romana. FS E. Pla Ballester, 1992,
117–173 **66** La cerámica ibérica del s. V a.C. en el País
Valenciano (Recerques del Museu d'Alcoi 6), 1997
67 E. M. Maestro Zaldivar, Cerámica ibérica decorada
con figura humana, 1989 **68** R. Ramos Fernández,
Simbología de la cerámica ibérica de la Alcudia de Elche,
1991 **69** M. J. Conde i Berdós, Les produccions de kálathoi
d'Empuries i la seva difusió mediterrània, in: Cypsela 9,
1991, 141–168 **70** J. Barberà i Farràs u. a., La ceràmica gris
emporitana, 1993.

Karten-Lit.: F. Beltrán Lloris, F. Marco Simón, Atlas
de historia antigua, 1987, bes. Karte 43 • C. Domergue, Les
mines de la Péninsule Ibérique dans l'antiquité romaine,
1990, 590, Abb. 4d, Karte 2.   M. BL.

Pyrenaei Portus. Hafenort an der spanischen NO-Küste, nördl. von Rhode (h. Ciutadella de Roses), wo Cato [1] auf der Fahrt in seine Prov. Hispania Citerior 195 v. Chr. Station machte (Liv. 34,8,5). P. P. entspricht wohl Portus Veneris (h. Port-Vendres am Cap Béar).

J. JANNORAY, s. v. Portus Veneris (1), RE 22, 411–418, bes. 415 f.   P. B.

Pyrene

[1] (Πυρήνη). Stadt iberischen oder phokaiischen Urspr. im Gebiet zw. den Stämmen der Sordi und der Ceretes (Avien. 559), also im äußersten Osten der Pyrenäen (→ P. [2]) bei Rhode. Nach Hdt. 2,33 entsprang dort der Istros [2] (Donau); P. war eine reiche Stadt, von Pylai [1] Gadeirides sieben Tagesreisen entfernt (Avien. 562–565) und oft von Kaufleuten aus → Massalia besucht.

TOVAR 3, 460.

[2] (Πυρήνη, Πυρηναῖα, Πυρηναῖον, lat. *Pyrenaei, Pyrenaeus*), h. Pyrenäen. Angeblich nach der Stadt P. [1] benanntes Gebirge (Avien. 472; 533; 555; 565; anders Strab. 3,2,9 mit Poseidonios und Diod. 5,35: P. sei abzuleiten von πῦρ/*pyr*, »Feuer«, weil wegen der Waldbrände Silber zutage getreten sei; Ableitung von P., der Geliebten des Herakles: Sil. 3,420–441; auch als *Alpes* bezeichnet, vgl. Geogr. Rav. 299,15; Oros. 7,40,8; Sil. 2,333; 435 km in der West-Ost-Erstreckung, gegliedert durch tief eingeschnittene Pässe, maximal 100 km in der Nord-Süd-Erstreckung; die Nordabdachung ist steiler und feuchter (stark bewaldet, vgl. Avien. 555; Plin. nat. 16,71) als die Südabdachung (spärliche Vegetation). Man hielt die P. für das höchste Gebirge Europas (App. Ib. 1). Abgesehen von Plin. nat. 4,110 und Ptol. 2,6,11 richten die meisten ant. Autoren die P. nordsüdl. aus (vgl. Strab. 3,1,3; Mela 2,85). Der wichtigste Paß war die Via Heraclea (Sil. 3,357), die 20 km vom Meer entfernt über den h. Coll de Pertús (290 m H; Itin. Anton. 390,2: *ad Pyreneum*; 397,7: *summo Pyreneo*) führte; → Hannibal [4] zog über ihn im J. 218 v. Chr. (Liv. 21,23 f.). Seit 121 v. Chr. war diese Paßstraße als Via Domitia ausgebaut (Pol. 3,39), später wurde sie in Via Augusta umbenannt (Itin. Anton. 390; 399). An der Paßhöhe errichtete → Pompeius [I 3] im J. 72 v. Chr. ein mit Inschr. versehenes Siegesdenkmal (Plin. nat. 3,18; 7,96; Strab. 3,4,9; Sall. hist. 3,89 M.). Weiter westl. verlief der Paßweg von → Caesaraugusta über den h. Puerto de Somport (1631 m H; Itin. Anton. 452,9: *summo Pyreneo*) nach Benearnum (h. Béarn), noch weiter westl. die Straße von → Pompaelo über den h. Puerto de Roncesvalles (1057 m H; Itin. Anton. 455,7) nach Aquae Terebellicae (h. Dax).

Offensichtlicher als die → Alpes hat der Gebirgsriegel der P. histor. gesehen weniger trennenden, vielmehr vermittelnden Charakter angesichts der Leichtigkeit, mit der er im Osten wie im Westen zur See, aber auch zu Land zu umgehen war. Die wirtschaftliche Bed. der P. (Holz am Nordhang; verschiedene Erzabbaugebiete) war beachtlich.

F. BELTRÁN LLORIS, F. PINA POLO, Die Pyrenäen als Grenze und die geogr. Sichtweise der Römer, in: E. OLSHAUSEN, H. SONNABEND (Hrsg.), Gebirgsland als Lebensraum (Geographica Historica 8), 1996, 203–214 • R. GROSSE, s. v. P. (2), RE 24, 14–18 • SCHULTEN, Landeskunde 1, 172–184 • TIR K/J–31, 1997, 128 f., 150.   P. B.

Pyreneus (Πυρηνεύς). Myth. König aus dem phokischen Daulis, der heuchelnd die → Musen in seinen Palast einlädt, um ein Unwetter abzuwarten. Als er ihnen dort Gewalt antun will, fliehen sie mit Flügeln. Bei der Verfolgung kommt P. um (nur Ov. met. 5,274–93).   S. T.

Pyres (Πύρης, Πύρρος) aus Milet. Laut Athen. 14,620e zusammen mit Alexandros [21] Aitolos und Alexas Vorläufer des → Sotades und Mitbegründer der Ionikologie bzw. Kinaidologie ([1]; Suda Σ 871, s. v. Σωτάδης). Bei dieser Spielart des solomimetischen Gesanges rezitierte der Vortragende sog. Ἰωνικὰ ποιήματα (›Ion. Gedichte‹), unter denen man sich eine Verbindung von ionischer Form und laszivem Inhalt vorstellen muß. Von P.' Werken ist nichts erh., die Datier. ist unsicher (spätes 4./frühes 3. Jh. v. Chr.). Möglicherweise ist er in Theokrits Eidyllion 4,31 erwähnt [2. 246].

→ Pornographie

1 W. KROLL, s. v. Kinaidos, RE 11, 459–462 2 A. MEINEKE, Analecta Alexandrina, 1843.   M. B.

Pyretos (Πυρετός). Der östlichste linke Nebenfluß des Istros [2] (Donau), er entspricht also dem h. Prut. Herodot, der einzige ant. Autor, der den P. erwähnt, hält ihn (Hdt. 4,48) wegen seiner enormen Wasserführung für den wichtigsten Nebenfluß des Istros. Etwa 830 km lang, entspringt er in den Karpathen und durchquert Gebiete, die in der Ant. zu Skythia (dort Πόρατα genannt; → Skythai) gerechnet wurden.

H. TREIDLER, s. v. P. (3), RE 24, 19–22 • TIR L 35 Romula, 1969, 60.   PI. CA./Ü: E. N.

Pyrgi (Πύργοι). Wohl der am häufigsten frequentierte Hafen des ant. → Caere beim h. Santa Severa. Hier ist lit. ein Heiligtum der → Eileithyia (Strab. 5,2,8) bzw. → Leukothea (Ps.-Aristot. lin. insec. 2,1349b; Ail. var. 1,20; Polyain. 5,2,21) bezeugt, möglicherweise mit den Mitte des 20. Jh. ergrabenen Resten bei einer Bucht an der tyrrhenischen Küste identisch: ein *témenos* (hl. Bezirk) mit zwei *archa.* Tempeln (einzelliger Peripteros mit Anten, E. 6. Jh. v. Chr.; Tempel mit säulenbestandenem Pronaos und einem rückwärtigen, in drei *cellae* untergliederten Raum, 1. H. 5. Jh. v. Chr.). Zw. den Tempeln wurden Goldplättchen gefunden, zwei mit etr., eines mit phöniz.-punischen Inschr., die sich alle auf eine Weihung an Uni-Astarte beziehen. An die angrenzende Südmauer des *témenos* war eine Reihe verschiedener Zellen angebaut, die evtl. der sakralen → Prostitution dienten. Weihinschr. bezeugen Kulte der → Uni (Hera), des → Tinia (Zeus), des Thesan (Eos), des Farthan und der phöniz.-punischen → Astarte. Die unterschiedlichen Tempelgrundrisse sind wohl mit der vielfältigen kulturellen Orientierung von Caere zu erklären. Allerdings steht der der griech. Welt gegenüber offenen Haltung am E. des 6. Jh. v. Chr. eine weniger aufgeschlossene in der 1. H. des 5. Jh. gegenüber. Dieser kulturelle Wandel hängt evtl. mit der Niederlage der etr. Flotte im Kampf gegen → Syrakusai vor Kyme [2] 474 v. Chr. zusammen (Revanche-Gedanken in der Kampfszene Kapaneus gegen Zeus, Tydeus und Melanippos auf dem Firstbalken-Hochrelief der Peripteros-Stirnseite?).

In einem weiteren Heiligtum (Bauteile von Altären und Ädikulen, Frg. von Stirnziegeln, Akrotere, anatomische Weihgeschenke) bezeugen Weihinschr. Kulte von Śuri (Apollo als Orakelgott) und Cavatha. Dieser Kultbezirk war vom 6. bis zum 3. Jh. v. Chr. in Benutzung. Die Heiligtümer hatten mit ihrer Lage an der Küste den Charakter regelrechter Hafenanlagen. Sie wurden 384 v. Chr. von Dionysos [1] von Syrakusai unter dem Vorwand der Piratenbekämpfung geplündert. Das Ende der Heiligtümer fällt zusammen mit dem Eindringen der Römer in den *ager Caeretanus* (3. Jh. v. Chr.). Sie annektierten die Hälfte des *ager* (273 v. Chr.) und gründeten dort Kolonien (Castrum Novum, Alsium, Fregenae, P.).

R. Bartacini, M. Pallottino u. a., Notizie degli Scavi di antiquità, 1959, 143–263 · M. Pallottino u. a., Scavi nel santuario etrusco di P., in: Archeologia Classica 16, 1964, 49–117 · M. Pallottino, G. Colonna u. a., P.: scavi del santuario etrusco (1959–1967) (Notizie degli scavi di antiquità 8,24,2), 2 Bde., 1970 · M. Pallottino u. a., Le lamine di P. (Accademia nazionale dei Lincei Quaderno 147), 1970 · Ders. u. a., Die Göttin von P., 1981 · G. Colonna, Altari e sacelli. L'area sud di P. ..., in: Rendiconti della Pontificia Accademia Romana di Archeologia 64, 1991–1992, 63–115 · P.: scavi del santuario etrusco (1969–1971) (Notizie degli scavi di antiquità 8,42/43,2), 1992 (Grabungsber.) · K. W. Weeber, Die Inschr. von P., in: Ant. Welt 16, 1985, 29–37 · B. Frau, I porti ceretani di P. e Castrum Novum, in: A. Maffei (Hrsg.), Caere e il suo territorio da Agylla a Centumcellae, 1990, 319–327 · M. D. Gentili, I santuari di P. e Ponta della Vipera, in: Ebd., 279–284 · F. R. Serra Ridgway, Etruscans, Greeks, Carthaginians. The Sanctuary at P., in: J.-P. Descudres (Hrsg.), Greek Colonists and Native Populations, 1990, 511–530.   GI. C./Ü: H. D.

Pyrgo (Πυργώ). Greise Amme im Hause des → Priamos. Nach Darstellung Vergils erkennt P. die auf Veranlassung Iunos gesandte → Iris, die in Gestalt der Beroë die Troerinnen bei deren Aufenthalt auf Sizilien zur Verbrennung ihrer Schiffe auffordert, als Göttin und erreicht so, daß die vorerst noch zögernden Troerinnen der Aufforderung Folge leisten (Verg. Aen. 5,644–663).
                                                                SU. EI.

Pyrgoi (Πύργοι).
[1] (Hafen von → Caere) s. Pyrgi
[2] Stadt in → Triphylia nördlich der Mündung der → Neda ins Meer (Hdt. 4,148,4; Strab. 8,3,22; Steph. Byz. s. v. Π.), wohl die ant. Fundlage auf dem Hagios

Elias südl. des Bachs von Tholon (verm. der ant. Ἀκίδων/*Akídōn*). Die Identität von Πύργος/*Pýrgos* bei Hdt. 4,148,4 und Pol. 4,77,9 bzw. 4,80,13 mit P. bei Strab. l.c. und Steph. Byz. l.c. ist mit [1] gegen [2] beizubehalten.

1 Müller, 839f. 2 E. Meyer, s. v. P. (2), KlP 4, 1259.
                                                                Y. L. u. E. O.

Pyrgos Lithinos (Πύργος Λίθινος: Ptol. 1,12,8 M.; 6,13,2 N.; wörtl. »steinerner Turm«). Wichtige Station im Pamir an der von Westen über Antiocheia [7] und Baktra nach China führenden → Seidenstraße. Trotz guter Quellenlage – Ptol. basiert auf dem Itinerar des → Marinos [1] von Tyros, dieser auf den Aufzeichnungen des Seidenhändlers Maēs Titianus – ist die Identifizierung noch nicht völlig gelungen; der Ort ist jedoch auf der Karte [2. 6 D2] eingetragen.

1 J. I. Miller, The Spice Trade of the Roman Empire, 1969, 126ff. 2 R. J. A. Talbert (Hrsg.), Barrington Atlas of the Greek and Roman World, 2000.   H. J. N. u. E. O.

Pyrgoteles (Πυργοτέλης). Von Plinius (Plin. nat. 37,8) und Apuleius (Apul. flor. 7) überl. Steinschneider des 4. Jh. v. Chr., der für Alexandros [4] d.Gr. tätig gewesen sein soll und den ant. Quellen zufolge einem Apelles und Lysipp (→ Apelles [4]; → Lysippos [2]) an Ruhm und Können gleichstand (Plin. nat. 7,125). In der Neuzeit wurde der berühmte Name nachträglich als gefälschte Signatur auf ant. Gemmen eingeschnitten; der Gemmenschneider Allessandro Cesari (16. Jh.) nannte sich nach seinem berühmten Vorgänger und signierte seine Arbeiten dementsprechend. Die Namens-Inschr. P. befindet sich klein und kaum lesbar auch auf einem runden gelb-violetten Intaglio (Quarzvarietät zw. Topas und Amethyst) unter der Büste Alexanders, der – für die hell. Zeit typisch – in Anlehnung an Lysimachosmz. als Zeus-Ammon mit Widderhörnern dargestellt ist (Oxford, AM). Während diese Inschr. in der Forsch. einerseits als Signatur des P. anerkannt wird [1. 360; 2. 76ff.], zweifelt man sie andererseits ebenfalls als nachträglich eingeschnitten an [3. 200].
→ Steinschneidekunst

1 J. Boardman, Greek Gems and Finger Rings, 1970 2 M.-L. Vollenweider, in: J. Boardman, M.-L. Vollenweider, Catalogue of the Engraved Gems and Finger Rings in the Ashmolean Museum, Bd. 1: Greek and Etruscan, 1978 3 Zazoff, AG.

H. Brunn, Gesch. der griech. Künstler, Bd. 2, 1859, 629f. · Furtwängler, Bd. 3, 162.   S. MI.

Pyrilampes (Πυριλάμπης). Sohn des Antiphon aus Athen, geb. um 480 v. Chr., war der zweite Ehemann der Periktione, der Mutter → Platons [1], und somit dessen Stiefvater (Plat. Charm. 158a). P. galt als Freund und Anhänger des → Perikles [1] (Plut. Perikles 13). In den 40er Jahren reiste er als Gesandter u. a. nach Persien (Lys. 19,25). Wertvolle Gastgeschenke des → Großkönigs, zu denen wohl auch P.' berühmte Pfauenzucht gehörte, vergrößerten sein ohnehin beträchtliches Vermögen und gesellschaftliches Ansehen (Athen. 9,397c). 425 wurde P. in der Schlacht bei → Delion [1] verwundet und geriet in boiotische Gefangenschaft (Plut. mor. 581d). Sein weiteres Schicksal ist nicht bekannt.

DAVIES 8792 VIII.   E.S.-H.

Pyrilampos (Πυρίλαμπος). Bronzebildner, Sohn des Agias aus Messene. Eine erh. Exedra-Basis mit Signatur des P. wird in das 2. oder 1. Jh. v. Chr. datiert. Unbekannt ist, ob es sich dabei um denselben P. handelt, von dem Pausanias (6,3,13; 6,15,1; 6,16,5) drei Siegerstatuen in Olympia sah.

OVERBECK, Nr. 1565–1567 • LOEWY, Nr. 274 • LIPPOLD, 380 • EAA 6, s. v. P., 1965, 572–573 • G. MADDOLI, Pyrilampes, dimenticato scultore di Sicione, e la cronologia di Pyrilampes di Messene, in: Dialoghi di archeologia 7, 2, 1989, 65–69.   R. N.

Pyriphlegethon s. Phlegethon [2]

Pyrrha (Πύρρα).
[1] In der griech. Mythologie Tochter des Epimetheus (des Bruders des → Prometheus) und der → Pandora, sowie Gattin des → Deukalion. Sie und ihr Gatte überleben als einzige Menschen die von Zeus zur Strafe der Menschen des Bronzenen Zeitalters über die Erde geschickte Sintflut, indem sie auf den Rat des → Prometheus hin ein Boot bauen, auf dem sie neun Tage und neun Nächte umhertreiben. Deukalion und P. erschaffen ein neues Menschengeschlecht (Pind. O. 9,43–56; Ov. met. 1,318–415), da sie – nach der Weisung eines Orakels der Themis – die Gebeine der Mutter Erde (Steine) über ihre Schultern werfen. Aus den Steinen des Deukalion entstehen Männer, aus denen der P. Frauen. Bei Hes. cat. fr. 2, M.-W. ist P. Gattin des Prometheus.
[2] Name des sich auf Skyros unter Frauen versteckenden → Achilleus [1], dessen Sohn Neoptolemos [1] den Spitznamen Pyrrhos (»Rotschopf«) trägt.   S. ZIM.
[3] Stadt auf → Lesbos an der Westküste des Golfs von Kalloni (ant. Euripos), seit der mittleren Brz. besiedelt, aber erst im 5. Jh. v. Chr. histor. greifbar, ohne eine eigenständige polit. Rolle zu spielen. 428 v. Chr. gehörte P. zu den lesbischen Städten, die sich auf Initiative von → Mytilene gegen die Suprematie Athens auflehnten (Thuk. 3,18,1; 25,1). Im J. darauf konnten die Athener die Herrschaft auch über P. zurückgewinnen (Thuk. 3,35,1). In der letzten Phase des → Peloponnesischen Krieges (nach 412 v. Chr.) stand P. unter spartanischer Kontrolle (Thuk. 8,23,2; Diod. 13,100,5). P. trat dem 2. → Attischen Seebund als letzte der lesbischen Städte bei (IG II² 107). Um 370 v. Chr. installierte der aus P. stammende Akademiker Menedemos [4] eine neue Verfassung (Plut. mor. 1126c). Kurzfristig wurde P. 333 v. Chr. von Memnon [3] für die Perser erobert (Diod. 17,29,2). Danach fiel die Stadt unter maked. Herrschaft, gehörte wohl auch dem → Korinthischen Bund an.

Strabon (13,2,2; 4; 1. Jh. v. /n. Chr.) schildert P. als nur noch teilweise bewohnt (Vorstadt mit Hafen). Außer Teilen der Stadtmauer und einer Basilika aus dem 5./6. Jh. n. Chr. keine ant. Überreste. P. soll die Heimat des Epikers → Lesches gewesen sein, und um 600 v. Chr. fand hier der Dichter → Alkaios [4] Asyl.

W. GÜNTHER, s. v. P., in: LAUFFER, Griechenland, 581 f. • R. KOLDEWEY, Die ant. Baureste der Insel Lesbos, 1890, 27 ff. • H. PISTORIUS, Beitr. zur Gesch. von Lesbos im 4. Jh. v. Chr., 1913.   H. SO.

[4] Kleiner Hafenort (πολίχνη / políchnē) in Ionia, 30 Stadien Luftlinie von Miletos [2] (→ Milesia) und 100 Stadien von Herakleia [5] (Strab. 14,1,8) entfernt, beim h. Sarıkemer [1].

1 H. LOHMANN, Die Chora Milets in archa. Zeit, in: V. VON GRAEVE (Hrsg.), Frühes Ionien: Eine Bestandsaufnahme (Güzelçamlı 29.9.–1.10.1999), 2001 (im Druck).   H. LO.

Pyrrhen (Πυρρήν). Att. Komödiendichter des 4. Jh. v. Chr., der einmal an den Lenäen siegte; sonst nichts bekannt.

PCG VII, 1989, 583.   H.-G. NE.

Pyrrhias (Πυρρίας). Aitoler, Bundesstratege 218/7 v. Chr. (Pol. 5,30,2–4; Liv. 27,30,1: 210/9), operierte im sog. → Bundesgenossenkrieg in der westl. Peloponnes gegen die Achaioi, scheiterte aber 217 bei Kyparissia (Pol. 5,30,2–4; 92,2–6; 94,2). Im 1. → Makedonischen Krieg blieb er 209 trotz der Waffenhilfe seines Mitstrategen König Attalos [4] I. von Pergamon dem → Philippos [7] V. bei Lamia unterlegen (Liv. 27,30,1–3). Zu Beginn des 2. Makedonischen Krieges war P. aitolischer Verhandlungsführer in Herakleia [1] bei den pergamenischen und röm. Verbündeten (Liv. 31,46,2).   L.-M. G.

Pyrrhiche (πυρρίχη, lat. pyrrhica). Ein weitverbreiteter und gut dokumentierter ant. Waffentanz. Für hohes Alter sprechen die Ursprungsgeschichten (Dion. Hal. ant. 7,72,7), welche die p. mit den → Kureten (Strab. 10,4,16) und mit → Athenas Tänzen sowohl bei der eigenen Geburt (Lukian. dialogi deorum 13 MACLEOD) als auch beim Sieg über die → Titanen (Dion. Hal. ebd.) in Verbindung bringen; andere Erklärungen leiten p. von Achilleus' Tanz vor dem Scheiterhaufen (pyrá) des Patroklos (Aristot. fr. 519 ROSE), von Pyrrhos' Siegestanz (Archil. fr. 190 BERGK) und Sprung aus dem Troianischen Pferd (→ Neoptolemos [1]; Lukian. de saltatione 9; [1]) oder von griech. Wörtern für »feurig« (schol. Heph. 213 CONSBRUCH; Hesych. s. v. πυρριχίζειν; [15. 52]) ab (pyr = »Feuer«).

In Sparta, wo Knaben ab 5 J. die p. als »Vorübung des Krieges« lernten, wurde sie am längsten und ursprünglichsten gepflegt (Athen. 14,631a; Lukian. de saltatione 10). In Athen, wo eine p. des → Kinesias nachgewiesen ist (Aristoph. Ran. 153), wurde sie zu Ehren der Athena an den → Panathenaia choregisch bestritten (Lys. 21,1 und 4; Isaios 5,36; IG 2,3,2311; [5. Bd. 2, 1338; 14. 402;

10], auch für Agone in Megara, Rhodos und Kleinasien ist sie inschr. belegt (IG 7,190; SEG 32,759; [12. 172–174]). Bei Platon erhält die *p.* mimetische Funktion durch Darstellung von »guten Körpern und Seelen«, um so dem »guten und glücklichen Leben der Bürger« zu dienen (Plat. leg. 815a, 816d). Bei Xenophon ist sie eine Einlage beim Symposion (Xen. an. 6,1,12), ein durch die Vasenmalerei bekannter Brauch [9]; als mimische Unterhaltung blieb sie, zuweilen mit erotischem Einschlag (Anth. Lat. 115), lange erh. (Ios. ant. Iud. 19,104; Heliodoros, Aithiopika 3,10). ›Mit Thyrsosstab statt Speer‹ getanzt wurde die hell. *p.* zu dionysischem → Thiasos (Athen. 14,631a). In Rom diente sie nicht nur als ›taktische Übung‹ (Arist. Quint. 2,6) sondern wurde bei Bestattungen (Herodian. 4,2,9) und Hinrichtungen aufgeführt (Plut. mor. 554b; [13]) und Elefanten beigebracht (Plin. nat. 8,2,5; vgl. Lukian. piscator 36).

Aufführungspraxis der klass. *p.* ist v. a. durch die Vasenmalerei belegt [11]: Getanzt wird sie von Männern oder Frauen, solistisch, paarweise oder chorisch, meistens nackt und zum Aulos (nach Athen. 14,631b gehören zur *p.* ›die schönsten Weisen‹). Ausrüstung ist die des → Hopliten: Helm, Schild, Lanze [8; 2. 62–65]. Die Gesten sind bald defensiv, bald offensiv (Plat. leg. 815a; [3; 7. 74–102]); der Kopf ist häufig nach hinten gedreht [4]. Im Zusammenhang mit dem *p.* genannten metrischen Fuß (˘ ˘) nennen die Scholien zu Hephaistion [4] die Bewegungen des Tanzes »heftig«, »scharf«, »abgekürzt« (213, 298–299, 332 CONSBRUCH). Apuleius erwähnt chorische Manöver der P.-Tänzer (Apul. met. 10,29).

Der Humanist J. C. SCALIGER hat sich in der *p.* versucht, sie (bekleidet) vor Kaiser Maximilian getanzt und, nach eigenen Angaben, »ganz Deutschland« dadurch »in Erstaunen versetzt« (Poetice, 1561, 1,18); noch BYRON hat sie evoziert (Don Juan 3,743–744 McGANN). Neuerdings ist der sozialisierende Aspekt der klass. *p.* als Initiationsritus ins Blickfeld der Wissenschaft gerückt [13; 6].
→ Tanz

1 E. BORTHWICK, Trojan Leap and P. Dance in Eur. Andr. 1129–41, in: JHS 87, 1967, 18–23 2 Ders., Notes on the Plut. De musica and the Cheiron of Pherecrates, in: Hermes 96, 1968, 60–73 3 Ders., Two Notes on Athena as Protectress, in: Hermes 97, 1969, 385–391 4 Ders., P.Oxy. 2738: Athena and the P. Dance, in: Hermes 98, 1970, 318–331 5 S. CASSON, Cat. of the Acropolis Mus., 1921 6 P. CECCARELLI, La p. nell' antichità greco-romana: Studi sulla danza armata, 1998 7 M.-H. DELAVAUD-ROUX, Les danses armées en Grèce antique, 1993 8 W. DOWNES, The Offensive Weapon in the P., in: CR 18, 1904, 101–106 9 A. GOULAKI-VOUTIRA, P. Dance and Female P. Dancers, in: Repertoire Internationale d'Iconographie Musicale 21, 1996, 3–12 10 J.-P. POURSAT, Une base signée du mus. nat. d'Athènes: pyrrhichistes victorieux, in: BCH 91, 1967, 102–110 11 Ders., Les représentations de danse armée dans la céramique attique, in: BCH 92, 1968, 550–615 12 C. ROUECHÉ, Performers and Partisans at Aphrodisias, 1993 13 P. SABBATINI TUMOLESI, Note critiche e filologiche: Pyrricharii, in: PdP 25, 1970, 328–338 14 O. WALTER, Beschreibung der Reliefs im kleinen Akropolischen Mus. in Athen, 1923 15 F. WEEGE, Der Tanz in der Ant., 1926. R.O.HA.

Pyrrhichos (Πύρριχος). Lakedaimonische Binnenstadt der → *períoikoi* im Süden des → Taÿgetos. In der röm. Kaiserzeit gehörte P. zum Bund der → Eleutherolakones (Paus. 3,21,7; 3,25,1–3). Kaiserzeitliche Überreste befinden sich beim h. P. (Villa mit Thermenanlage).

E. S. FORSTER, Southwestern Laconia, in: ABSA 10, 1903/4, 160 · C. LE ROY, s. v. P., PE, 746 · D. MUSTI, M. TORELLI (ed.), Pausania, Guida della Grecia 3, 1991, 262–265, 278 (it.; mit Komm.). Y.L. u. E.O.

Pyrrhon (Πύρρων) aus Elis, ca. 365–ca. 275 v. Chr.; hinterließ keine Schriften. Begleitete Alexandros [4] d. Gr. auf dem Zug nach Indien, wo er die → Gymnosophisten getroffen haben soll (Diog. Laert. 9,61). P. verdankt seine Stellung in der Philosophiegesch. der Tatsache, daß die pyrrhoneischen Skeptiker seit → Ainesidemos sich auf ihn beriefen (→ Skeptizismus). Lange wurde P. als Gründer der pyrrhon. Schule betrachtet. Noch Cicero aber spricht wiederholt von P., → Ariston [7] und → Herillos als Vertretern einer längst aufgegebenen These der völligen Indifferenz der Dinge in der Welt (Cic. fin. 5,23; Tusc. 5,85). Dazu passen auch die frühen Anekdoten über P.'s totale Indifferenz (Diog. Laert. 9,62 ff.); diese These ist nicht skeptisch, sondern dogmatisch, auch wenn schon die Ant. versucht hat, einige dieser Anekdoten skeptisch zu deuten. Die ant. Nachrichten über P. als Skeptiker scheinen vor allem auf P.'s Schüler → Timon zurückzugehen, der seinen eigenen Skeptizismus P. zuschrieb. Timon war Gegner des akademischen Skeptikers → Arkesilaos [5], dessen Skepsis er als von P. entlehnt darzustellen suchte, von dem er aber vermutlich selbst beeinflußt war. Wir haben scharf zw. P. selbst, Timon und den Pyrrhoneern von Ainesidemos ab zu unterscheiden.

Das wichtigste Zeugnis über P.s Skepsis ist ein Aristokles-Fr. bei Eusebios, Pr. Ev. 14,18,2–4. Aristokles behauptet, das wiederzugeben, was Timon sagte, da P. nichts geschrieben habe. Aber er schöpft kaum aus Timon selbst, da der Bericht am Ende auf Ainesidemos verweist. Danach sagt Timon, daß man drei Dinge zu bedenken habe, wenn man glücklich sein will: wie die Dinge der Natur nach sind, wie man folglich ihnen gegenüber eingestellt sein sollte, und was sich aus der richtigen Einstellung ergäbe. Die Fragen haben einen dogmatischen Ton, und die Antwort eines dogmatischen P. ist leicht zu erraten: die Dinge sind von Natur völlig indifferent, folglich muß man ihnen gegenüber ganz indifferent sein, und erst daraus ergibt sich die Seelenruhe (*ataraxía*), die wir suchen. Aber Timon beantwortet die erste Frage, indem er als P.s Antwort hinstellt: die Dinge sind indifferent, unabwägbar und unentscheidbar. Leider ist grammatikalisch nicht klar, ob Timon auch die weiteren Antworten P. selbst zuschreibt; aber schon die erste offenbart einen skeptischen Zug. Es ist unwahrscheinlich, daß Timon P.'s Skeptizismus einfach erfunden hat. Es scheint vielmehr plausibel, daß P. selbst zumindest soviel erklärt hat, daß entweder die Dinge selbst weder gut noch schlecht sind oder wir jedenfalls nicht in der Lage sind, darüber zu entscheiden. Er muß gesagt haben, daß die Dinge nicht mehr (οὐ μᾶλλον) gut als schlecht seien.

Als Schüler des Anaxarchos ist P. unter die Demokriteer (→ Demokritos) einzuordnen. Dadurch ergibt sich eine Fülle von Möglichkeiten, P. skeptisch zu interpretieren, aber unsere Zeugnisse reichen nicht aus, um zw. diesen Interpretationen zu entscheiden.

→ Skeptizismus

Fr.: F. Decleva Caizzi, Pirrone: Testimonianze (Elenchos 5), 1981.
Lit.: R. Bett, Pyrrho, His Antecedents and his Legacy, 2000 · J. Brunschwig, Introduction: The Beginnings of Hellenistic Epistemology, in: K. Algra (Hrsg.), Cambridge History of Hellenistic Philosophy, 1999, 241–251.   M. FR.

Pyrrhos (Πύρρος).

[1] s. Neoptolemos [1]

[2] Bronzebildner aus Athen. Eine mit der Signatur des P. versehene Basis für eine überlebensgroße Statue auf der Athener Akropolis wird um 430–420 v. Chr. datiert und ist mit der Nachricht über eine im Auftrag des Perikles [1] geschaffene Athena Hygieia zu verbinden.

Overbeck, Nr. 904–906; 869 · A. Raubitschek, Dedications from the Athenian Akropolis, 1949, Nr. 166 · L. Guerrini, s. v. P. (3), EAA 6, 1965, 573.   R. N.

[3] König der → Molossoi in → Epeiros 306–302 und 297–272 v. Chr., König von Makedonien 288–284. Geb. 319/8 als Sohn des Aiakides [2] und der Thessalerin Phthia (Plut. Pyrrhos 1,7); als Kind vertrieben, wurde er von → Glaukias [2] erzogen und von ihm 306 nach Epeiros zurückgeführt (ebd. 2,1–3,5). 302 floh P. vor → Kassandros [1. 103–105; 2. 567 f.] zu Demetrios [2] Poliorketes, dem Gatten seiner Schwester Deidameia, welche urspr. dem → Alexandros [5] zugedacht war (ebd. 4,1–3).

Demetrios schickte P., der mit ihm 301 bei → Ipsos gekämpft hatte, als Geisel nach Alexandreia, wo ihn Ptolemaios [1] I. mit seiner Stieftochter Antigone [5] verheiratete und ihn 297 in Epeiros als Mitregenten des Neoptolemos [3] etablierte (ebd. 4,4–5,3; [1. 105–112; 2. 202, 211–214]). Die Geschichte vom Komplott gegen P., das dessen Mord an Neoptolemos motivieren soll (ebd. 5,4–14), ist als romantisch-apologetische Invention kaum glaubwürdig [1. 120 f.]; entscheidend für die Eliminierung des Mitherrschers war die Haltung der epirotischen Aristokratie. Nach dem Tod der Antigone, der Mutter von Ptolemaios [53] und Olympias [1. 680], heiratete P. die Syrakusanerin Lanassa [2], die Korkyra und Leukas mit in die Ehe brachte und ihm den Alexandros [10] gebar, dann auch die Illyrerin Birkenna, die Tochter des → Bardylis [2], die Helenos zur Welt brachte, und eine Tochter des Paeonenkönigs Audoleon (ebd. 9; [1. 124 f., 133 f., 677–679]). Die Polygamie des P. diente der territorialen Ausdehnung und diplomatischen Absicherung seiner Herrschaft.

Seine Unterstützung des Alexandros, des Sohnes des Kassandros, im maked. Thronfolgestreit 295/4 brachte P. zwar u. a. → Ambrakia ein, das er zu seiner Residenz ausbaute, verärgerte aber Demetrios [2] Poliorketes und → Lysimachos [2], die beide nach dem Makedonenthron strebten [1. 126–130; 2. 215 f., 219]. Der Konflikt mit Demetrios eskalierte, als P. in Boiotien 292/1 und in Makedonien 289/8 einfiel, zumal nachdem ihn Lanassa im J. 290 verlassen und Demetrios geheiratet hatte (ebd. 7,3–10; 10; [1. 135–153]). In den Kämpfen erwies sich P. als glänzender Feldherr, wurde 288 zum König von Makedonien ausgerufen (ebd. 11,6–14), dann aber 284 von Lysimachos, mit dem er die Herrschaft teilte, auf

Pyrrhos von Epeiros – Familie und dynastische Beziehungen

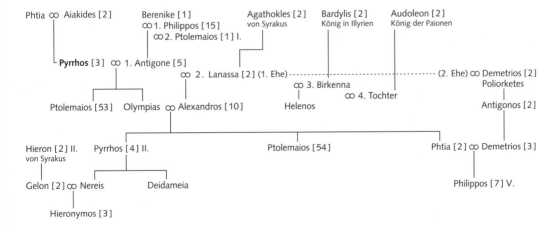

Epeiros zurückgeworfen (ebd. 12,9–13,1; [1. 153–177; 2. 235–238, 242; 3. 227–235]).

Ein neues und willkommenes Betätigungsfeld fand P. 280, als die Tarentiner (→ Taras) ihn gegen Rom zu Hilfe riefen (Plut. Pyrrhos 13,12f.; Iust. 18,1,1f.; [1. 245–251, 280–288]). P. inszenierte das Unternehmen aufwendig (u. a. mit 20 Elefanten) als panhellenischen Krieg eines »neuen Achill« gegen die Nachfahren der Troianer (Plut. Pyrrhos 15,1–16,1; [1. 251–258]). Nach den ersten mil. Erfolgen gegen P. Valerius Laevinus beim lukanischen Herakleia (vgl. Syll.[3] 392) schlossen sich ihm zwar neben weiteren Griechen auch Lucani, Bruttii und Samnites an, doch scheiterten Friedensverhandlungen seines Vertrauten Kineas [2] in Rom an der von Ap. Claudius [I 2] Caecus verkörperten röm. Kompromißlosigkeit (Plut. Pyrrhos 18,1–19,5; Iust. 18,2,7–10; [1. 317–356; 4. 26–36]). Erneute Sondierungen nach einem weiteren, nur schwer errungenen Sieg des P. (daher die sprichwörtlich gewordene Bezeichnung »Pyrrhussieg«) bei Ausculum (Plut. Pyrrhos 21,7–15) blieben erfolglos, weil gleichzeitig Mago [4] über eine karthagisch-röm. Allianz gegen P. verhandelte (Iust. 18,2,1–5; [1. 375–418; 5. 210f.]).

Nun folgte P. 278 einem Hilferuf aus Syrakusai. Dort setzten »royalistische« Kreise angesichts einer drohenden karthagischen Intervention im schwelenden Bürgerkrieg ihre Hoffnungen auf P. als Schwiegersohn des → Agathokles [2]. In Syrakusai zum König ausgerufen und zum *hēgemōn* (»Anführer«; → *hēgemonía*) der Sikelioten ernannt, unterwarf sich P. im raschen Siegeszug das karthag. Westsizilien, scheiterte aber bei der Eroberung von Lilybaion. Da die Sikelioten zu P. auf Distanz gingen, als er seiner Forderung nach massiver Flottenrüstung mit repressiven Mitteln Nachdruck verlieh bzw. den Karthagern den Besitz von Lilybaion konzedieren wollte, und sie zudem vermehrt von den mit Karthago verbündeten → Mamertini angegriffen wurden, zerbrach das Einvernehmen. P. kehrte 275 nach Unteritalien zurück (Plut. Pyrrhos 22–24; Iust. 23,3,1–12; Diod. 22,10; [1. 451–464; 6. 85–90]), erlitt dort aber bei Beneventum eine schwere Niederlage gegen die Römer unter M'. Curius [4]. Angesichts leerer Kassen gab P. auch das tarentinische Unternehmen auf und zog sich 275/4 nach Epeiros zurück (Plut. Pyrrhos 25,2–26,1; [1. 514–536; 4. 38–40]).

In Westmakedonien kämpfte indessen sein Sohn Ptolemaios [53] erfolgreich gegen Antigonos [2] Gonatas. Diesen vertrieb P. 273 aus Makedonien und ließ dabei die Plünderung der Königsgräber in → Aigai [1] durch seine keltischen Söldner zu (Plut. Pyrrhos 26; Diod. 22,11f.; Paus. 1,13,2–3; Iust. 25,3,5–4,3; [1. 553–571; 3. 259–264]). Im Winter 273/2 wandte sich P. mit großem Aufgebot in Begleitung seiner Söhne Ptolemaios und Helenos gegen die Peloponnes und berannte 272 vergeblich → Sparta, um dort → Kleonymos [3] zu inthronisieren (Plut. Pyrrhos 26,11–30,1; Paus. 1,13, 4–8; [1. 572–606; 3. 264–267]). In Argos [II 1], zu dessen Schutz Antigonos auf die Peloponnes kam, wurde P.

von seinen Parteigängern zwar in die Stadt hineingelassen, doch dort fiel er unrühmlich bei schweren Straßenkämpfen (Plut. Pyrrhos 30,2–34,6; Iust. 25,4,6–5,2; [1. 606–626]). P. wurde von Helenos mit Erlaubnis des Siegers bestattet (Plut. Pyrrhos 34,9–11) und fand seine letzte Ruhestätte wohl nicht im Demetertempel zu Argos (Paus. 1,13,8; 2,21,4), sondern im Pyrrheion, seinem befestigten Palast in Ambrakia [1. 627–630].

Seine charismatische Persönlichkeit machte P. zum erfolgreichen Condottiere, der sich nach dem Vorbild der → Diadochen ein Reich aufbauen wollte. Der umtriebige Abenteurer (vgl. Plut. Pyrrhos 13,2f.; 14,4–14; 22,1–3; 26,14f.) ließ sich jedoch zu Unternehmungen hinreißen, die nach den mil. Erfolgen nur mit größtem diplomatischen Geschick eine polit. Konsolidierung erlaubt hätten (vgl. Iust. 25,4,2f.). In der Ant. galt P. als genialer Feldherr (vgl. Iust. 25,5,3–6) und »zweiter Alexander« (vgl. Plut. Pyrrhos 8,2f.; 11,4f.; 11,9; [7. 284f.]).

[4] Enkel von P. [3], König von Epeiros ca. 252–234 v. Chr., nach dem Tod seines Vaters Alexandros [10] zunächst unter der Vormundschaft seiner Mutter Olympias (Iust. 28,1,1), die seine Mätresse Tigris getötet haben soll (Athen. 13,589f.). Sein Bruder Ptolemaios [54] war Mitregent. Durch die Heirat seiner Schwester Phthia mit Demetrios [3] II. wurde das vormals feindliche Makedonien zur Schutzmacht der Epiroten gegen die → Aitoloi (Iust. 28,1,2–4; [3. 322f.]: ca. 240 v. Chr.; [8. 93f.]: ca. 246). Um 233/2 wurde P.' Tochter Nereis mit dem syrakusanischen Thronfolger Gelon [2] verheiratet (Iust. 28,3,4), dem sie 229 den Hieronymos [3] gebar. Nach dem Tod des Bruders Ptolemaios und der Mutter Olympias (Iust. 28,3,1–3) kam 231 beim Epirotenaufstand gegen die Aiakidenherrschaft auch P.' zweite Tochter Deidameia ums Leben (Iust. 28,3,5–8). Damit endete die molossische Monarchie [2. 591f.; 3. 332f.; 8. 97–99].

→ Diadochen und Epigonen; Epeiros; Hellenistische Staatenwelt

1 P. LEVÊQUE, P., 1957 2 N. G. L. HAMMOND, Epirus, 1967 3 HM 3 4 H. HEFTNER, Der Aufstieg Roms, 1997 5 HUSS 6 L. M. HANS, Karthago und Sizilien, 1983 7 A. STEWART, Faces of Power, 1993 8 P. CABANES, L'Epire de la mort de Pyrrhos à la conquête Romaine, 1976.

L.-M. G.

Pythagoras (Πυθαγόρας).

[1] Fingierte Person, angeblich aus Sparta, Sieger bei den Olympischen Spielen 716 v. Chr., nach It. ausgewandert, dort Berater des Königs → Numa Pompilius; diese Konstruktion soll offenbar eine Verbindung zwischen P. [2] und dem röm. Sakralwesen schaffen (Plut. Numa 1,2–3).

F. OLLIER, Pythagore de Sparta, REG 59/60, 1946/7, 139–149. L. K.

[2] Naturphilosoph und charismatischer Lehrer des 6. und frühen 5. Jh. v. Chr., Gründer einer polit.-rel. Lebensgemeinschaft (→ Pythagoreische Schule) in Kroton (Süditalien).

A. VORBEMERKUNG B. LEBEN
C. ERSCHEINUNGSBILD D. LEHRE
E. NACHWIRKUNG

A. VORBEMERKUNG

Leben und Lehren des P. können wegen der verworrenen Überl. bestenfalls annähernd erschlossen werden. Die lit. Quellen – zu den bildlichen Darstellungen vgl. [1], zusätzlich [2; 3; 4] – sind, da P. im Laufe der Zeit von verschiedenen Seiten vereinnahmt wurde (→ Akademeia, → Neupythagoreismus, aber auch Abspaltungen innerhalb der → Pythagoreischen Schule), von Entstellungen und Widersprüchen durchsetzt.

Die aus dem Alt. erh. Abh. entstanden erst ca. 8 Jh. nach P. (Diogenes [17] Laertios, Porphyrios, Iamblichos [2]). Die Zuverlässigkeit ihrer verlorenen Vorlagen – großenteils Autoren des 4. Jh. v. Chr. (u. a. Eudoxos [1], Speusippos, Herakleides [16] Pontikos, Aristoteles [6], Theophrastos, Aristoxenos [1], Dikaiarchos, Timaios von Tauromenion) – unterliegt wegen der bereits in der frühen Akademie einsetzenden platonisierenden Deutung des Pythagoreismus z. T. erheblichen Zweifeln (vgl. [5. 57–83]). Schon bei den ältesten Pythagoreern ist im übrigen mit der Tendenz zu rechnen, alles, auch eigene Erkenntnisse, auf den »Meister« zurückzuführen (vgl. Iambl. v. P. 88; 198; Iambl. de communi mathematica scientia 25, p. 77,22 f. FESTA; das sprichwörtliche αὐτὸς ἔφα (autós épha, ›er selbst hat es gesagt‹) als höchste Legitimation: Cic. nat. deor. 1,10; Diog. Laert. 8,46; vgl. Kall. fr. 61). In den mehr oder weniger zeitgenöss. Zeugnissen überwiegt Polemik (Xenophanes, Herakleitos [1]). Ob P. selbst etwas geschrieben hat, ist trotz gegenteiliger Beteuerungen in der späteren Ant. nicht sicher zu entscheiden (falls ja, wäre das Geschriebene zumindest anfänglich der Geheimhaltung innerhalb der Gruppe unterworfen gewesen; [6]). Die Situation wird zusätzlich kompliziert durch die bes. seit dem Hell. P. untergeschobenen → Pythagoreischen Pseudepigraphen (vgl. [7; 9]; die Briefe jetzt bei [8]; zu den berühmten »Goldenen Versen« [10]).

B. LEBEN

Geb. wohl um 570 als Sohn des → Mnesarchos [1] (erst in späteren Zeugnissen wird Pythais als Mutter genannt: Apollod. FGrH 1064 F 1). Die ant. Quellen berichten von längeren Lehr- und Wanderjahren, die ihn u. a. nach Ägypten geführt und mit verschiedenen oriental. Weisheitslehrern in Verbindung gebracht hätten (Isokr. or. 11,28; Porph. vita Pythagorae 6–8; 12 etc.; vgl. [11]). Auf der Heimatinsel Samos soll er beim Homeriden → Hermodamas zur Schule gegangen sein. Außerdem wird sein enges Verhältnis zu → Pherekydes [1] von Syros hervorgehoben (Neanthes FGrH 84,29 f.; Aristox. fr. 14 WEHRLI), dessen Lehre mit pyth. Auffassungen in der Tat Berührungen aufweist [6. 84]. Zum Ver-

hältnis zur → Orphik vgl. [12], ferner s. u. D. Gemäß Antiphon bei Porph. ebd. 9 soll P. bereits auf Samos mit eigener Lehrtätigkeit begonnen haben (vgl. auch → Zalmoxis). Angeblich aus polit. Gründen (wegen der Tyrannis des → Polykrates [1]: Aristox. fr. 16 WEHRLI) siedelte er wohl um 530 v. Chr. nach → Kroton über, wo er als überzeugender Redner sogleich bed. polit. Einfluß erlangt zu haben scheint (Dikaiarchos fr. 33 WEHRLI, vgl. dazu Antisth. fr. A 187 SSR; [5. 115 mit Anm. 38]). Inwieweit die bekannte Niederlage der Nachbarstadt → Sybaris im J. 510 v. Chr. und die daran anschließende längere Hegemonie Krotons in Unteritalien mit P.' Anwesenheit in Verbindung gebracht werden können, bleibt unsicher (vgl. → Milon [2]). Auch als erfolgreicher Sportlehrer mit eigener Diätetik soll sich P., der angeblich mit → Theano verheiratet war, betätigt haben (Herakl. Pont. fr. 40 WEHRLI; [5. 181 Anm. 111]). Spannungen innerhalb des pyth. Geheimbundes dürften P. um die Jh.-Wende dazu veranlaßt haben, nach → Metapontion umzusiedeln (Aristot. Περὶ τῶν Πυθαγορείων/›Über die Pythagoreer‹ (= de Pyth.) fr. 1 ROSS = 171 GIGON; Aristox. fr. 18 WEHRLI; Dikaiarchos fr. 34 f. WEHRLI; → Kylon [2]). Dort starb er verm. gegen 480 v. Chr. [13. 184].

C. ERSCHEINUNGSBILD

P. trat ähnlich wie später → Empedokles [1] als charismatischer Wundertäter (Thaumaturg) auf. Die Reaktion der Zeitgenossen war entsprechend zwiespältig: Während ihn → Herakleitos [1] als Scharlatan betrachtete, der sich durch gründliche »Erkundigung« und das Studium der Schriften anderer seine eigene »Klugheit« geschaffen habe (22 B 129 DK; vgl. 22 B 81: P. als »Ahnherr der Schwindler«), scheinen ihm seine Anhänger einen Zwischenstatus zwischen Mensch und Gott zuerkannt zu haben (Aristot. de Pyth. fr. 2 ROSS = 156 GIGON; vgl. Iambl. v. P. 143 f.; Hermippos FGrH 1026 F 24). Sichtbares Zeichen seiner Einzigartigkeit soll ein goldener Schenkel gewesen sein, aus dem → Abaris schloß, P. sei der hyperboreische Apollon (Porph. v. Pyth. 28; Iambl. v. P. 92; vgl. schon Aristot. de Pyth. fr. 1 ROSS = 171 GIGON; zur Beziehung des P. zu Apollon s. [14]). Von P.' übernatürlichen Fähigkeiten berichten legendenhafte Anekdoten, die später wohl zunehmend ausgeschmückt wurden, im Kern jedoch alt sein dürften (Hauptquelle: Aristot. de Pyth.): P. wird Macht über wilde Tiere und die Natur, aber auch über die Menschen zugeschrieben, deren psychophysisches Befinden er durch Musik, Dichtung und Zaubersprüche beeinflussen konnte (Porph. ebd. 30; 32 f.; Iambl. v. P. 110–14; vgl. Aristox. fr. 26 WEHRLI); er soll ferner u. a. die Gabe der Bilokation und der Rückerinnerung an frühere Reinkarnationen besessen haben (→ Aithalides [1], → Euphorbos, Hermotimos; vgl. bereits Emp. 31 B 129 DK; [5. 137–145]).

D. LEHRE

1. SEELENLEHRE UND LEBENSVORSCHRIFTEN
2. KOSMOLOGIE, MUSIK UND ZAHLENLEHRE

1. SEELENLEHRE UND LEBENSVORSCHRIFTEN

Zumindest die → Seelenwanderung ist für P. unzweifelhaft bezeugt; evtl. in Anlehnung an Orphiker [15] sowie → Pherekydes [1] von Syros lehrte er, daß die menschliche Seele unsterblich sei und in andere Lebewesen eingehen könne (vgl. schon Xenophan. 21 B 7 DK; Dikaiarchos bei Porph. vita Pythagorae 19 etc.; [5. 120–123]). Vorausgesetzt ist dabei die Verwandtschaft alles Beseelten (Dikaiarchos ebd., der auch die periodische Wiederkehr aller Dinge als Lehre des P. anführt). Von den zahlreichen Lebensvorschriften (s. → Pythagoreische Schule A.) dürften wenigstens die Einschränkungen des Fleischgenusses (bzw. dessen Verbot: die Zeugnisse sind widersprüchlich) und das berühmte Bohnentabu mit der Metempsychoselehre zusammenhängen (zu beidem [5. 180–185], der auf enge Beziehungen zu ant. Mysterienriten hinweist).

2. KOSMOLOGIE, MUSIK UND ZAHLENLEHRE

Wenn P. bei Herakleitos in Verbindung mit Homer, Hesiod und Xenophanes genannt wird (22 B 40 DK), dürfte der (von [5] etwas einseitig betonte) rel. Aspekt wohl nur ein Teil dieser facettenreichen Persönlichkeit gewesen sein. Die Einzelheiten von P.' naturphilos. Spekulationen, seine Bed. für die Entwicklung der griech. Musiktheorie und Mathematik bleiben wegen der Überl.-Probleme (o. A.) allerdings weitgehend unsicher und umstritten. Seine Lehren dürfte er überwiegend in der archa. Form von Weisheitssprüchen vermittelt haben (vgl. u. a. Iambl. v. P. 83; 161; 247).

P. soll das Weltall ›wegen der darin bestehenden Ordnung kósmos genannt haben‹ (Aet. 2,1,1 etc.; vgl. [16. 292–295], ablehnend [5. 77–79]; h. ebenfalls kontrovers die ant. Nachricht, P. habe den Begriff »Philos.« (φιλοσοφία) geprägt: Herakl. Pont. fr. 87f. WEHRLI; Aet. 1,3,8 etc.; vgl. [17], ablehnend [18].) Die durch Aristot. phys. 213b 22–27 für »die Pythagoreer« bezeugte Annahme eines grenzenlosen Leeren (kenón), dessen Einatmung durch den Himmel zur Weltentstehung geführt habe (→ Pythagoreische Schule), läßt sich vielleicht mit [19] bis auf P. zurückführen. Falls dies zutrifft, dann könnten eventuell auch die Identifikation aller Erscheinungen mit Zahlen (s. → Zahlenmystik; [20. 259f.]) und die Erklärung der Weltentstehung durch eine altertümlich anmutende Arithmogonie (dazu [21], der auf Ähnlichkeiten mit einer orphischen Kosmogonie hinweist) bereits mit P. beginnen. Spuren einer noch halb mythischen Kosmologie sind jedenfalls in einigen der zum ältesten Bestand der Überl. gehörenden Sinnsprüchen (akúsmata, auch sýmbola, »Symbole«, genannt) zu fassen (vgl. [22]).

In versch. ant. Quellen wird P. die wohl experimentell untermauerte (→ Hippasos [5]) für die pyth. Zahlenlehre grundlegende Erkenntnis zugeschrieben, daß die konsonanten Intervalle Oktave, Quinte und Quarte in den ersten vier Zahlen enthalten sind (vgl. schon Xenokrates fr. 9 HEINZE = 87 ISNARDI; Gaudentius, Isagoge 11, p. 340f. JAN etc.; [16. 191–201]; auf P.' Lehre von der tetraktýs (»Vierheit«) der Zahlen 1–2–3–4, die addiert 10 ergeben und als Zählsteine – pséphoi – angeordnet das »vollkommene Dreieck« bilden, pflegten die Pythago

rer zu schwören: Aet. 1,3,8; Nikomachos FGrH 1063 F 1,20 etc.; [5. 72, 186–188, 478]; → Zahlenmystik).

Damit in Zusammenhang steht die sog. → Sphärenharmonie, die sich nach der ältesten Überl. auf die Beobachtung gründete, daß große Körper beim Fallen Geräusche erzeugen: Da die Geschwindigkeiten der riesigen (und entsprechend lauten) Gestirnskörper nach pyth. Auffassung den Abständen und diese den konsonanten Zahlenverhältnissen entsprechen, erzeugt ihre Kreisbewegung einen harmonischen Klang (Aristot. cael. 290b 12–29; Aristot. de Pyth. fr. 13 ROSS = 162 GIGON; der »göttliche« P. vermochte diesen konstanten und daher für Durchschnittsmenschen nicht wahrnehmbaren kosmischen Hintergrundklang zu hören: Porph. vita Pythagorae 30f.; Iambl. v. P. 65f.; vgl. [19. 176–178, 183–185]).

Als herausragende mathematische Leistung des P. wird seit Apollodoros (von Kyzikos [4. Jh. v. Chr.]?) die Entdeckung des fundamentalen geometrischen Lehrsatzes $a^2 + b^2 = c^2$ gefeiert (Plut. mor. 1094b; Diog. Laert. 8,12 etc.), der bei den Babyloniern seit langem in Gebrauch war (vgl. [5. 428–30; 23]).

E. NACHWIRKUNG

Daß P. schon zu Lebzeiten und in den ersten Jahrzehnten danach Eindruck gemacht hat, zeigen die Erwähnungen bei Xenophanes, Herakleitos [1] und Empedokles [1] (s.o.), bei Ion von Chios (fr. 92 und 116 LEURINI) und Herodotos (4,95f.). Sein Einfluß über den engeren Kreis des Geheimbundes hinaus ist für die Frühzeit freilich schwer zu bestimmen. Das Verhältnis der Eleaten zu P. wird in der Forsch. kontrovers beurteilt (besonnen [24]). → Demokritos' [1] Interesse belegt der Buchtitel Πυθαγόρης (Pythagórēs, 68 B 0a DK). Über → Philolaos [2] und → Archytas [1] wirkte pyth. Gedankengut nachhaltig auf → Platon [1] ein. Dessen Schüler (mit Ausnahme des Aristoteles) neigten zu einer stark pythagoreisierenden Deutung der platonischen Philos., was für die P.-Überl. schwerwiegende Folgen hatte (s.o. A.). Seit dem 1. Jh. v. Chr. kam es im → Neupythagoreismus zu einer weitgehend platonisch geprägten P.-Renaissance. In der Neuzeit spielte P. u.a. bei der Ausbildung der mod. Naturwiss. eine bedeutende Rolle (GALILEI, COPERNICUS, bes. KEPLER als »dt. P.«). → Pythagoreische Schule

1 V. M. STROCKA, Orpheus und P. in Sparta, in: H. FRONING et al. (Hrsg.), Kotinos: FS E. Simon, 1992, 276–283 (279 mit weiterführender Lit.) 2 B. FREYER-SCHAUENBURG, P. und die Musen?, in: ebd., 323–329 3 J. M. BLÁZQUEZ MARTÍNEZ, G. LÓPEZ MONTEAGUDO, Mosaicos de Asia Minor, in: AEA 59, 1986, 233–252 (hier: 237) 4 G. HAFNER, Der Schönste seines Jh., in: N. BONACASA (Hrsg.), Lo stile severo in Grecia e in Occidente, Studi e materiali (Ist. di Archeologia, Università di Palermo) 9, 1995, 61–72 5 W. BURKERT, Lore and Science in Ancient Pythagoreanism, 1972 (dt.: Weisheit und Wiss., 1963) 6 CH. RIEDWEG, »P. hinterliess keine einzige Schrift« – ein Irrtum?, in: MH 54, 1997, 65–92 7 H. THESLEFF, The Pythagorean Texts of the Hellenistic Period, 1965, 155–186 8 A. STÄDELE, Die Briefe des P. und der Pythagoreer, 1980, 152 f. mit Komm. 186–203 und 353–358 9 B. L. VAN DER WAERDEN, s. v. P.: Die Schriften und Fragmente des P., RE Suppl. 10, 843–864 10 J. C. THOM, The Pythagorean Golden Verses, 1995 11 P. KINGSLEY, From P. to the »Turba Philosophorum«: Egypt and Pythagorean Trad., in: JWI 57, 1994, 1–5 12 R. PARKER, Early Orphism, in: A. POWELL (Hrsg.), The Greek World, 1995, 500–504 13 K. VON FRITZ, s. v. P. (1) A.: P. von Samos, RE 24, 172–209 14 M. GIANGIULIO, Sapienza pitagorica e religiosità apollinea, in: A. C. CASSIO, P. POCCETTI (Hrsg.), Forme di religiosità e tradizioni sapienziali in Magna Grecia, 1994, 9–27 15 G. CASADIO, La metempsicosi tra Orfeo e Pitagora, in: Ph. Borgeaud (Hrsg.), Orphisme et Orphée, 1991, 119–155 16 L. ZHMUD, Wiss., Philos. und Rel. im frühen Pythagoreismus, 1997 17 M. DIXSAUT, Le naturel philosophe, 1985, 45–51 18 W. BURKERT, Platon oder P.?, in: Hermes 88, 1960, 159–177 19 CH. H. KAHN, Pythagorean Philosophy Before Plato, in: A. P. D. MOURELATOS, The Pre-Socratics, 1974 (Ndr. 1993), 183 f. 20 K. VON FRITZ, s. v. P. (1) B.: Pythagoreer, RE 24, 209–268 21 W. BURKERT, Orpheus und die Vorsokratiker, in: A&A 14, 1968, 104–114 22 M. L. WEST, Early Greek Philosophy and the Orient, 1971, 214–218 23 A. PICHOT, Die Geburt der Wiss., 1995, 80–85 und 360 f. 24 A. PETIT, La trad. critique dans le pythagorisme ancien, in: A. THIVEL (Hrsg.), Le miracle grec, 1992, 105–109.

TEXTE (INKL. PS.-EPIGRAPHA): DIELS/KRANZ 1, Nr. 14 und 58 · M. TIMPANARO CARDINI (Hrsg.), Pitagorici: Testimonianze e frammenti, Bd. 1, 1958; Bd. 3, 1964 · STÄDELE (vgl. [8]) · THESLEFF (vgl. [7]) · THOM (vgl. [10]). BIBLIOGR.: L. E. NAVIA, P. An Annotated Bibliography, 1990 GESAMTDARSTELLUNGEN: BURKERT (vgl. [5]) · B. CENTRONE, Introduzione a i Pitagorici, 1996 · K. VON FRITZ et al., s. v. P. (1), RE 24, 172–300, und RE Suppl. 10, 843–864 · GUTHRIE 1, 146–340 · J.-F. MATTÉI, Pythagore et les Pythagoriciens, 1993 · CH. RIEDWEG, P., 2001 (im Druck) · M. SASSI, Tra religione e scienza: Il pensiero pitagorico, in: S. SETTIS (Hrsg.), Storia della Calabria antica, 1988, 565–587 · B. L. VAN DER WAERDEN, Die Pythagoreer, 1979 · ZHMUD (s. [16]). C. RI.

[3] Tyrann von Ephesos um 600 v. Chr. Er unterbrach die Herrschaft der Basiliden. Baton zeichnet ihn in seiner Schrift ›Über die Tyrannen in Ephesos‹ (FGrH 268 F 3; Ail. fr. 48 f. HERCHER = 51 f. DOMINGO-FORASTÉ) als volksfreundlich, habgierig und grausam; für seinen Asylie-Frevel forderte Delphoi den Bau eines Tempels. Die Ausgräber nehmen für diesen verschiedene Grundmauern im Artemision in Anspruch.

H. BERVE, Die Tyrannis bei den Griechen, 1967, 98 f., 577 · L. DE LIBERO, Die archa. Tyrannis, 1996, 367–370. J. CO.

[4] Bronzebildner aus Rhegion, Schüler des → Klearchos [1]. Nach Ausweis der datierbaren Werke arbeitete P. ca. 480–448 v. Chr. Die späte Ansetzung bei Plinius (nat. 34,49) um 420–417 v. Chr. erfolgte, um P. von einem gleichnamigen Bildhauer aus Samos zu trennen, dessen Werke jedoch sehr ähnlich gewesen seien. Verm. handelt es sich um ein und denselben P., der von Samos nach Rhegion ging. P. schuf in Olympia und Delphi Siegerstatuen und ein Wagengespann; auch ein ›Knabe mit Tablett‹ und ein ›Nackter mit Apfel‹ waren Siegerstatuen. In Syrakus stand von P. die Statue eines Hinkenden, wohl die anon. überl. Statue des verwundeten Philoktetes; Vorschläge zur Identifizierung in Kopien haben keine allgemeine Zustimmung gefunden. Unbekannt bleiben die weiteren Werke, so ein auf Python schießender Apollon, Perseus, der Kitharist Kleon in Theben und in Tarent eine Europa auf dem Stier. In Rom befand sich von P. eine Gruppe, die als Sieben gegen Theben zu benennen ist zu der das gesondert genannte Kämpferpaar Eteokles und Polyneikes zu rechnen ist. Die Ant. rühmte an P. die lebensnahe Wiedergabe von Sehnen, Haaren und Adern sowie Fortschritte in Ponderation und Proportion.

OVERBECK, Nr. 333, 489–507 · LOEWY, Nr. 23–24 · LIPPOLD, 124–126 · P. ORLANDINI, s. v. P. (1), EAA 6, 1965, 573–575 · B. S. RIDGWAY, The Severe Style in Greek Sculpture, 1970, 83–84 · A. LINFERT, P. und Lysipp, Xenokrates und Duris, in: Riv. di archeologia 2, 1978, 23–36 · A. STEWART, Greek Sculpture, 1990, 138–139; 237–238; 254–255. R. N.

[5] Nach Plut. Alexandros 73,705c Name des Sehers im Gefolge → Alexandros' [4] d.Gr. auf dessen Zug nach Asien; nach Aristob. bei Arr. an. 7,18,1–5 (= FGrH 139 F 54) und App. civ. 2,152 jedoch → Peithagoras.

BERVE, Bd. 2, Nr. 618. NI. JO.

[6] Griech. Seefahrer und Geograph, *praefectus* des Ptolemaios [3] II. (Plin. nat. 37,24). Nach einer Forschungsfahrt (→ Nearchos [2]) verfaßte P. bald nach 277 v. Chr. [1. 303 f.] eine Schrift Περὶ τῆς Ἐρυθρᾶς θαλάσσης/*Perí tēs Erythrás thalássēs* (»Über das Rote Meer«), in der er (chorographisch und ethnographisch) über Edelsteinvorkommen an der arab. Küste und auf der Insel Topazos, über Tiere dort und Musikinstrumente der Trog(l)odyten (→ Trogodytai) berichtete (Iuba FGrH 275 F 73–76; Athen. 4,82 p. 183f; 14,34 p. 633f–634a; Ail. nat. 17,8). P. wirkte mit seiner neuartigen Schrift anregend auf Euphorion [3] (fr. 32b MEINEKE), → Agatharchides und Iuba [2].

1 F. GISINGER, s. v. P. (10), RE 24, 302–304.

PP 6, 1968, 260 Nr. 16947. H. A. G.

[7] Argiver, Schwager und Schwiegersohn des → Nabis (Liv. 34,25,5; 34,32,11). Kommandant einer spartanischen Besatzung 195 v. Chr. in → Argos [II 1], wo er einen Aufstand des Damokles unterdrückte und sich gegen die Römer behauptete, bevor diese Sparta angriffen und ihn zwangen, Nabis zu Hilfe zu kommen (Liv. 34,25,5–26,8; 34,29,14). P. schlug röm. Angriffe auf Sparta ab, fungierte als Unterhändler zwischen Nabis und → Quinctius [14] Flamininus (Liv. 34,30,4; 34,40–41) und kämpfte 192 gegen den Achaiischen Bund (→ Achaioi mit Karte; Liv. 35,29,12–30,3).

K.-W. WEL.

[8] Freigelassener des Kaisers Nero, der ihn im J. 64 n. Chr. heiratete. Die Geschichte wird von Tacitus (ann. 15,37,4), Cassius Dio (62,28,3; 63,13,2) und Martial (11,6,10) erwähnt, hat also wohl einiges Aufsehen erregt. PIR² P 1107.

W. E.

Pythagoreische Pseudepigraphen. Eine Fülle von Schriften, meist nur fr. überliefert, die vorgeben, aus der erloschenen pythagoreischen Schul-Trad. (→ Pythagoreische Schule) hervorzugehen; sie sind unter dem Namen eines alten Pythagoreers veröffentlicht, aber tatsächlich späteren Ursprungs. Zu unterscheiden sind sie (1) von einigen sehr wenigen echten Fr. des → Philolaos [2] und des → Archytas [1] und (2) vielleicht von einigen pythagoreisierenden Fr., die nicht pseudonym sind, sondern den Versuch hell. Zeit repräsentieren, an pythagoreische Trad. anzuknüpfen, was aber in keinem Einzelfall nachgewiesen ist. Das erh. Material ist nur ein Bruchteil dessen, was in der Spätant. bekannt war und schon damals weitgehend für unecht gehalten wurde (Porph. in Ptol. harmonica p. 236 W.; Iambl. v. P. 2). Pythagoreische Ps. sind für die hell. Zeit belegt; 181 v. Chr. wurde angeblich in Rom das Grab des Numa Pompilius mit einer Slg. zum Teil pythagoreischer Schriften gefunden, die vernichtet wurden (vgl. Liv., 40,29,3–14). Von den tatsächlich überlieferten Schriften, die mit einiger Sicherheit datierbar sind, reicht jedoch die älteste, → Okellos' ›Über die Welt‹, höchstens bis ans E. des 2. Jh. v. Chr. zurück. Der sog. Timaios von Lokroi muß im 1. Jh. n. Chr. entstanden sein; so auch die Kategorienschrift des Ps.-Archytas (→ Archytas [2]). Keiner der erh. Texte läßt sich mit Gewißheit in das frühere 2. oder das 3. Jh. v. Chr. datieren, auch wenn THESLEFF das für ihre Mehrzahl für wahrscheinlich hält. Viele Fr. passen frühestens ins 2. Jh. n. Chr.

Die P.Ps. sind ohne philos. Bed. und beruhen nicht auf sonst für uns verlorener Kenntnis des Pythagoreismus; sie haben jedoch bisweilen histor. Wert. Es gibt offenkundige Verbindungen zw. verschiedenen P.Ps., die verdienten, systematisch untersucht zu werden. Ihre geogr. Herkunft ist unklar; vieles ist sicher italisch, aber in einigen Fällen ist alexandrinischer Ursprung naheliegend. Zahlreiche dieser Schriften verdanken ihre Entstehung sicherlich dem Bedürfnis reicher Bibliotheken und Sammler wie des → Iuba [2] von Mauretanien (Olympiodoros, Prolegomena, 13,13–20) nach alten pythagoreischen Schriften. In vielen Fällen ist mehr oder minder deutlich eine philos. Absicht zu erkennen, im einfachsten Fall der Nachweis pythagoreischer Herkunft für platonische oder aristotelische Lehren. Bei Okellos etwa kann man sich fragen, ob die pythagoreische Herkunft das Vertrauen in die umstrittene aristotelische Lehre von der Ewigkeit der Welt stärken oder gar die strittige Interpretation von Platons ›Timaios‹ beeinflussen sollte.

ED.: H. THESLEFF, The Pythagorean Texts of the Hellenistic Period, 1965.
LIT.: H. THESLEFF, An Introduction to the Pythagorean Writings of the Hellenistic Period, 1961 · W. BURKERT, Zur geistesgesch. Einordnung einiger Pseudopythagorica, in: Pseudepigrapha Bd. 1 (Entretiens 18), 1972, 15–55.   M. FR.

Pythagoreische Schule. Zur problematischen Überlieferungslage → Pythagoras [2] A.

A. ANFÄNGE UND ORGANISATION
B. PROSOPOGRAPHIE (BIS 4. JH. V. CHR.)
C. ANTIPYTHAGOREISCHE AUFSTÄNDE
D. AKUSMATIKER UND MATHEMATIKER
E. PYTHAGOREISMUS IM HELLENISMUS
F. NATURLEHRE UND KOSMOGONIE

A. ANFÄNGE UND ORGANISATION

Die Anfänge der P.Sch. sind in den Quellen legendenhaft verklärt: Bei der Ankunft in → Kroton sollen Pythagoras' Erscheinung und seine Reden so überwältigend gewirkt haben, daß sich ihm eine große Zahl von Krotoniaten sowie einflußreiche Personen aus der Umgebung sogleich anschlossen (Dikaiarchos fr. 33 WEHRLI mit Porph. vita Pythagorae 19; vgl. Nikomachos bei Porph. ebd. 20 und bereits Isokr. or. 11,29). Innerhalb der Schule, zu der nach verbreitetem Zeugnis auch Frauen Zugang hatten (→ Myia, → Phintys, → Theano), scheint zw. eigentlichen Pythagoreern und nur lose assoziierten Anhängern (in späteren Quellen häufig Πυθαγορισταί/Pythagoristaí genannt: u. a. Iambl. v. P. 80) unterschieden worden zu sein (vgl. Timaios von Tauromenion FGrH 566 F 13; [1. 192 f.]). Die Zulassung zum inneren Kreis setzte eine längere Probezeit (»fünfjähriges Schweigen«: u. a. Diog. Laert. 8,10) voraus und bedingte eine radikale Änderung der Lebensweise (vgl. Plat. rep. 600b): Unterscheidende Merkmale waren u. a. Gütergemeinschaft und bedingungslose Freundschaftspflege (Timaios l.c.; → Damon [2], → Timycha), Geheimhaltung (Aristot. Περὶ τῶν Πυθαγορείων/›Über die Pythagoreer‹ = de Pyth. fr. 2 ROSS = 156 GIGON; Aristox. Παιδευτικοὶ νόμοι/»Erziehungsgesetze«, fr. 43 WEHRLI; vgl. Isokr. or. 11,29; [2]), ferner zahlreiche Speise- und Verhaltenstabus (= dritte Gruppe der sog. sýmbola oder akúsmata nach Aristot. (?) bei Iambl. v. P. 82–86; vgl. → Pythagoras [2] D.1.) sowie eigene Bestattungsvorschriften (vgl. bereits Hdt. 2,81,2; Hermippos FGrH 1026 F 22 etc.). Viele dieser Eigenheiten rücken die sektenartige [3] pythagoreische → hetairía in die Nähe ant. Mysterienkulte (vgl. schon Hdt. l.c.; allg. [1. 174–192]; → Mysterien C.).

Der aristokratisch geprägte Bund dürfte in den ersten Jahrzehnten erheblichen polit. Einfluß ausgeübt haben (vgl. Aristox. fr. 17; allg. [4. 210–215; 5. 23–49]). Hauptzentrum war zunächst Kroton, doch auch in → Metapontion, → Kaulonia und anderen unter-ital. Städten wird es schon bald Pythagoreer gegeben haben.

B. PROSOPOGRAPHIE (BIS 4. JH. V. CHR.)

a) Zu den frühesten Pythagoreern (bis ca. 450) sind u. a. verm. zu zählen: → Myllias, → Theano, → Mnesarchos [2] und → Myia, die Metapontiner Bro(n)tinos (zus. mit Leon und Bathyllos Adressat der Schrift des Alkmaion [4]), Orestadas und Parm(en)iskos (vgl. Nr. 17 und 20 DK), → Hippasos [5]; unsicher bleibt, wie eng der Athlet → Milon [2] und die krotoniatischen Ärzte → Demokedes und → Alkmaion [4] mit den Pythagoreern verbunden waren.

b) Berühmte Pythagoreer von ca. 450 bis zum Beginn des 4. Jh. v. Chr.: → Archippos [2] und → Lysis, → Philolaos [2], → Eurytos [2], → Archytas [1] von Tarent, → Hiketas [3], → Ekphantos [2] von Syrakus (Nr. 51 DK).

c) Pythagoreer des 4. Jh. v. Chr.: u. a. → Damon [2] und Phintias, Echekrates [2] (s. u. D.), → Kleinias [6], Aresas (Iambl. v. P. 266), → Diodoros [3] von Aspendos und → Lykon [5] (s. u. D.).

Vgl. auch den Katalog der Pythagoreer bei Iambl. v. P. 267 (auf Aristoxenos zurückgehend? [1. 105 Anm. 40]; allg. [6]).

C. ANTIPYTHAGOREISCHE AUFSTÄNDE

Mit Ressentiments von Aristokraten, welche aus dem über 300 (Apollonios FGrH 1064 F 2,254; vgl. Diog. Laert. 8,3; Iust. 20,4,14) oder gar 600 (Iambl. v. P. 29; Diog. Laert. 8,15) Mitglieder umfassenden Geheimbund ausgeschlossen blieben (→ Kylon [2] von Kroton), wird ein erster, lokal begrenzter Aufruhr noch zu Lebzeiten des Pythagoras erklärt, der diesen zum Wegzug nach Metapontion veranlaßt haben soll (Aristox. fr. 18; vgl. Dikaiarchos fr. 34f. WEHRLI; Iust. 20,4,17). Von diesem Aufstand sind wohl die demokratisch motivierten (vgl. bes. Apollonios FGrH 1064 F 2) heftigen Unruhen um die Mitte (oder in der 2. Hälfte: [7]) des 5. Jh. v. Chr. zu unterscheiden, bei denen die Versammlungslokale der polit. konservativen Schule (vgl. Aristox. fr. 33 f. und Apollonios FGrH 1064 F 2,257) in weiten Teilen Unteritaliens zerstört und ihre Anhänger getötet oder vertrieben wurden (Aristox. fr. 18 WEHRLI; Pol. 2,39,1–3; vgl. Dikaiarchos fr. 34, p. 20,14–16 WEHRLI; die beiden Aufstände werden mit Ausnahme des Aristoxenos in den Quellen meist vermengt; vgl. [4. 211–216]). Einige Pythagoreer blieben in Unteritalien (bes. Tarent, → Archippos [2]), andere wanderten nach Griechenland aus (→ Lysis; von einer späteren Rückkehr einer Gruppe von Pythagoreern weiß Apollonios FGrH 1064 F 2,264 zu berichten). Es entstanden neue Zentren des Pythagoreismus u. a. in Phleius (→ Echekrates [2]) und Theben (→ Lysis, → Philolaos [2]).

D. AKUSMATIKER UND MATHEMATIKER

Im Laufe des 5. Jh. (noch vor den verheerenden antipythagoreischen Unruhen oder erst im Gefolge?) kam es offenbar zu einer schulinternen Spaltung zw. Akusmatikern (*akusmatikoí*), die ängstlich an den Regeln, welche sie vom Meister in Spruchform »gehört« hatten (*akúsmata*, auch *sýmbola* genannt), festhielten, und den sog. Mathematikern (*mathēmatikoí*), die auf der Grundlage »wiss.« Betätigung (*mathēmata*) den Pythagoreismus erklärten und weiterentwickelten (vgl. [1. 193–197, 206 f.]). Während die Mathematiker auch die Akusmatiker als echte Pythagoreer anerkannten, wurden sie von diesen als Abtrünnige betrachtet und auf → Hippasos [5] zurückgeführt. Die Mathematiker ihrerseits verwiesen zu ihrer Rechtfertigung auf Pythagoras, der bei seiner Ankunft in It. nur einem Teil der Anhänger (den noch nicht völlig von der Politik beanspruchten begabten Jungen) zusätzlich zu den Anweisungen, was zu tun sei, auch die exakten Begründungen vermitteln konnte, und leiteten sich von diesen ab (Iambl. v. P. 87 f.; Iambl. de communi mathematica scientia 25; von [1. 195–197] auf Aristoteles zurückgeführt). Den Mathematikern zuzurechnen sind wohl u. a. Philolaos [2], Eurytos [2], Archytas [1], → Echekrates [2] (zusammen mit Phanton, Polymnastos, Diokles und Xenophilos: Aristox. fr. 18 f.). Die Linie der Akusmatiker führt im 4. Jh. → Diodoros [3] von Aspendos weiter; vgl. → Lykon [5]. Vermutlich sind auch die seit dem Beginn des 4. Jh. im griech. Mutterland auftauchenden Pythagoristen ›im großen Ganzen‹ (aus Unteritalien) ›vertriebene orthodoxe Akusmatiker‹ ([4. 267]).

E. PYTHAGOREISMUS IM HELLENISMUS

Die Gesch. des Pythagoreismus zw. den »letzten« Vertretern der mathematischen Richtung um Echekrates (Aristox. fr. 18 f.) und der Entstehung des → Neupythagoreismus im 1. Jh. v. Chr. liegt weitgehend im dunkeln. Das Aufblühen ps.-pyth. Schriften (→ Pythagoreische Pseudepigraphen; vgl. [8; 5. 147–159]; die z. T. sicher älteres Material enthaltenden ›Goldenen Verse‹ werden von [9] schon in die 2. H. des 4. Jh. v. Chr. datiert) zeugt von einem ungebrochenen Interesse an Pythagoras. Darauf deuten auch die Titel verlorener Abh. wie Zenons Πυθαγορικά (›Pythagoreisches‹, SVF I 41), Hermippos' Περὶ Πυθαγόρου (›Über Pythagoras‹, FGrH 1026 F 21 f.), Androkydes' Περὶ Πυθαγορικῶν συμβόλων (›Über Pythagoreische Symbole‹, [1. 167]) und die ausgiebige Berücksichtigung des Pythagoras in philos.-gesch. Werken der Zeit hin (u. a. Hippobotos, Satyros, Sotion, Sosikrates).

F. NATURLEHRE UND KOSMOGONIE

Hauptquelle sind die verstreuten Nachr. des Aristoteles [6] (verloren seine beiden Spezial-Abh. zum Thema: [1. 29 mit Anm. 5]), der sich weitgehend, wenn auch kaum ausschließlich (vgl. die Unterscheidung versch. Gruppen in Aristot. metaph. 986a 22 und cael. 300a 16 f.), auf → Philolaos' Buch gestützt haben wird. Da Philolaos in der Überlieferung nirgends als Neuerer bezeichnet wird, scheint die Vermutung von [4. 256] berechtigt, ›daß die in den Philolaos-Fr. enthaltene Lehre ihrem wesentlichen Inhalt, wenn auch nicht ihrer Form nach, älter ist als Philolaos‹.

Die Pythagoreer, welche sich intensiv mit Mathematik beschäftigt und diese weiterentwickelt haben sollen, stellten nach Aristot. metaph. 985b 23–86a 21 (vgl. 1090a 20–35; Aristot. de Pyth. fr. 13 Ross = 162 Gigon) weitgehende Übereinstimmungen zw. den Zahlen und den Phänomenen fest und schlossen daraus auf die Identität der mathematischen mit den kosmischen Prinzipien (s. auch → Zahlenmystik). Aus den »Elementen« (*stoicheía*) Gerade (= unbegrenzt) und Ungerade (= begrenzt) ist danach die Eins zusammengesetzt, aus dieser die Zahl und aus Zahlen alle Dinge, insbes. der Himmel, der – nicht anders als die musikalischen Konsonanzen – als harmonische Zahlenfügung betrachtet wird. Die Weltentstehung fällt mit dem Zusammenfügen der Eins zusammen, was zur Begrenzung des außerhalb des Himmels befindlichen Unbegrenzten führt (Aristot. metaph. 1091a 15–18 mit phys. 203a 7 f.; der Himmel »atmet« das grenzenlose »Leere« ein: Aristot. phys. 213b 22–27; vgl. Aristot. de Pyth. fr. 11 Ross = 166 Gigon). Wie bei Philolaos dürfte mit der Eins das Feuer in der Mitte des Alls (auch »Wache des Zeus« genannt: Aristot. cael. 293 b3) identisch sein, um das herum sich außer den sichtbaren neun Himmelskörpern auch die von den Pythagoreern zur Erreichung der »vollkommenen« Zahl 10 postulierte Gegenerde bewegt (ebd. 293a 20–27; vgl. Aristot. metaph. 986a 6–13). Die Gegenerde spielt auch bei der Erklärung der Mondfinsternis eine Rolle (Aristot. de Pyth. fr. 16 Ross = 170 Gigon). Weitere durch Aristoteles für Pythagoreer bezeugte Lehrmeinungen zu den Kometen und der Milchstraße, zur Seele, zur Ernährung der Lebewesen und zum Wesen der Farbe sind in 58 B 37–43 DK gesammelt.

Vgl. zur Lehre auch → Pythagoras [2] D. und → Zahlenmystik; allg. [4. 242–268; 5. 104–139].

→ Pythagoras [2]; Pythagoreische Pseudepigraphen; Seelenwanderung

1 W. Burkert, Lore and Science in Ancient Pythagoreanism, 1972 (dt.: Weisheit und Wiss., 1963) 2 A. Petit, Le silence pythagoricien, in: C. Lévy, L. Pernot (Hrsg.), Dire l'évidence, 1997, 287–296 3 W. Burkert, Craft Versus Sect, in: B. F. Meyer, E. P. Sanders (Hrsg.), Jewish and Christian Self-Definition, Bd. 3, 1982, 14–22 4 K. von Fritz, s. v. Pythagoras (1) B: Pythagoreer, RE 24, 209–268 5 B. Centrone, Introduzione a i Pitagorici, 1996 6 D. Musti, Pitagorismo, storiografia e politica tra Magna Grecia e Sicilia, in: Aion 11, 1989, 34–39 7 Ders., Le rivolte antipitagoriche e la concezione pitagorica del tempo, in: Quaderni Urbinati 65, 1990, 62–65 8 B. L. van der Waerden, s. v. Pythagoras (1): Die Schriften und Fragmente des P., RE Suppl. 10, 843–864 9 J. C. Thom, The Pythagorean Golden Verses, 1995, 35–58.
                                                                    C. RI.

Pythangelos (Πυθάγγελος). Nur in Aristoph. Ran. 87 erwähnter Tragiker des 5. Jh. v. Chr.   B. Z.

Pytheas (Πυθέας).

[1] P. aus Aigina. Sein Sohn → Lampon [1] schlug nach der Schlacht bei Plataiai (479 v. Chr.) vor, den Leichnam des → Mardonios [1] zu schänden, um Rache für → Leonidas [1] zu nehmen (Hdt. 9,78).

[2] P. aus Aigina, kämpfte in einem Gefecht bei → Skiathos so tapfer, daß er die Bewunderung der siegreichen Perser erregte, die ihn deshalb als Gefangenen höchst ehrenvoll behandelten. In der Schlacht bei → Salamis wurde er befreit und kehrte in seine Heimat zurück. (Hdt. 7,181; 8,92).   E. S.-H.

[3] Athenischer Rhetor des 4. Jh. v. Chr., unterstützte zunächst die Politik des → Demosthenes [2] (Demosth. epist. 3,29), sprach jedoch in der Debatte 324 gegen göttliche Ehren für → Alexandros [4] d. Gr. (Plut. mor. 804b) und gehörte in den → Harpalos-Prozessen 323 zu den Anklägern (Plut. mor. 846c; Phot. bibl. 494 a 36–40). Nach Alexandros' Tod floh P. nach Makedonien (Suda s. v. P.; Plut. Demosthenes 27,1–2) und trat 323/2 im Dienste des → Antipatros [1] in der Peloponnes gegen die Bildung des Hellenenbundes des → Hypereides und → Leosthenes [2] auf. P. (zu seinen Reden OA 2, 311–312) war vor Gericht mehrfach Gegner des → Deinarchos (Deinarch. fr. 5 und 6 Conomis) und des Hypereides (Hyp. fr. 162 Jensen).

Blass, 3.2, 286–288 · Develin, Nr. 2655 · PA 12342.   J. E.

[4] Griech. Seefahrer aus → Massalia, Astronom und Geograph. Sein Werk Περὶ ὠκεανοῦ/ *Perí ōkeanú* (›Über den Ozean‹), der Ber. über seine Entdeckerfahrt nach Norden (→ Himilkon [6]), ist wie die Fahrt selbst zw. die Abfassungszeiten der Γῆς περίοδος/ *Gês períodos* (›Erdumseglung‹) des Eudoxos [1] (vor 342 v. Chr. [1. 37]) und des gleichnamigen Werkes des Dikaiarchos (309–300 v. Chr. [5. 1272]) anzusetzen. Voraussetzung und auch Anregung waren die astronomischen Kenntnisse des P. und sein wiss. Interesse am nördl. Weltmeer neben dem kaufmännischen an den Herkunftsländern von Zinn und Bernstein [1. 31; 4. 317–319]; es fehlten die machtpolit. Implikationen der von Alexandros [4] d. Gr. etwa zur selben Zeit angeordneten Forschungsfahrten (→ Herakleides [8], → Nearchos [2] [1. 31–33; 7. 84 f.]). P. korrigierte die Ansicht des Eudoxos von Himmelspol und Erdachse [1. fr. 1] und bestimmte mit Hilfe des Gnomons (→ *gróma*) den Breitengrad von Massalia [1. 44, 160; 4. 316 f.].

Die Fahrtroute des P. ist nur z. T. rekonstruierbar: Durch die Meerenge von Gibraltar – ihre Blockade durch die Karthager läßt sich nicht belegen [1. 52–54] – gelangte P. nach → Gades und zum *Sacrum Promunturium* (Cabo de San Vicente) [1. fr. 4], erkannte an den Gezeiten des Atlantik (→ Okeanos) den Mond als deren Verursacher [1. fr. 2a, 2b, 3, 7e], folgte der Atlantikküste ([1. fr. 4–6b]; die Mündung des → Liger wird [1. fr. 5; 4. 326] erwähnt) bis zum Kap Kabaion der → Ossismii (Bretagne) und der vorgelagerten Insel Uxisama (Ouessant) [1. fr. 6a, 6b]; er erreichte dann an der Südküste von Britannia [1. 58–61, fr. 7a-e], deren wiss. Entdecker er ist [4. 327], Kap Belerion (Land's End), fuhr wohl die britannische Westküste bis Duncansby im Norden entlang und vielleicht an der Ostküste zurück ([4. 329;

1. 60 f.], anders [5. 1273]). Dabei war er mit astronomisch-geogr. Feststellungen von Sonnenhöhen, Tageslängen und Fluthöhen beschäftigt. Wegen des Ausfahrens der reichgegliederten Küste überschätzte P. die Entfernungen, bes. der NW-Seite. Er stellte so zwar die Inselnatur von Britannia fest und übermittelte als erster den Namen »Britannia« (Βρεττανική, Βρεττανία [1. 133 f.; 4. 327]), meinte aber, daß die britann. Insel sich zw. den von ihm festgestellten Breiten, aber falschen Längen verzerrt von SW nach NO erstrecke, in der Form eines riesigen Dreiecks, das sich mit einem stumpfen Winkel von 120° nach NW hin öffne. Irland (→ Hibernia) setzte er nördl. davon an und → Thule mehr in Richtung auf Scandia; diese (h. identifiziert mit den Shetland-Inseln, Island, Farøer, Mittelnorwegen oder gar Finnland [1. 61]) könnte P. nach sechs nordwärts orientierten Tagesfahrten vom höchsten britann. Norden aus erreicht haben. Für einen Aufenthalt des P. auf Thule im Sommer spräche die Übereinstimmung der Lokalisierung von Thule am nördl. Polarkreis [1. fr. 8c, 12a, 152 f., 187] mit den auf Autopsie hinweisenden Beobachtungen der Mitternachtssonne [1. 61–64, fr. 8a–14] bzw. der kurzen, nur zwei- bzw. dreistündigen Nacht dort [4. 333] (= Schlafstätte der Sonne [1. 13b, 191 f.]).

Nach der Rückkehr aus dem Norden fuhr P. auf den Wegen des Bernsteinhandels (→ Bernstein) die kelt. Nordseeküste entlang [4. 345] bis zu den Mündungen von → Rhenus [2] (Rhein) und → Albis (Elbe) [1. 64]; die Bevölkerung betrachtete er als Skythai, das → Mare Suebicum (Ostsee) war ihm unbekannt [1. fr. 15–18a; 4. 346, 351]. Die Erwähnung des → Tanais (Don) als Endpunkt seiner Reise [1. fr. 8d, 65–67] dürfte als Angabe der (vermuteten) erreichten Länge zu verstehen sein.

P.' große Leistung war die Bestimmung der geogr. Breiten der von ihm erkundeten Länder in Fortentwicklung der astronomischen Methode des Eudoxos. In welchem Verhältnis die in fr. 19 (über die → Aeoli insulae) erwähnte *Períodos gês* (eine Karte?) zu *Perí ōkeanú* steht, ist unklar [1. 206–208]. P.' Angaben [1. fr. 20–23] übernahm weitgehend → Eratosthenes [2] in seiner Auffassung und Karte von NW-Europa; von P. beeinflußt wurden u. a. → Skymnos, → Hipparchos [6], Timaios und → Poseidonios [3]. Dagegen lehnten → Polybios [2], → Artemidoros [3] und → Strabon P. als unglaubwürdig ab [4. 353–359; 6. 4–16]. Daher wurde P.' Thule zu einem Bestandteil utopischer Lit. (→ Antonios [3] Diogenes; [1. 73 f.]). Diese Gegnerschaft hat seine Schrift bis auf wenige Fr. untergehen lassen und seine astronomischen-geogr. Entdeckungen und Bestimmungen [1. 39–47] verdunkelt. Doch wirkten seine Vorstellungen von den nordeurop. Küsten lange nach.
→ Astronomie; Geographie; Kartographie

Ed., Übers.: 1 S. Bianchetti (ed.), Pitea di Massalia, L'Oceano, 1998 (mit Einf., it. Übers., Komm.) 2 Ch. Horst Roseman (ed.), P. of Massalia, On the Ocean 1994 (mit engl. Übers., Komm.) 3 D. Stichtenoth, P. von Marseille, Über das Weltmeer, 1959 (dt. Übers. und Erl.).
Lit.: 4 F. Gisinger, s. v. P. (1), RE 47, 314–366 5 F. Lasserre, s. v. P. (4), KlP 4, 1272–1274 6 H. J. Mette, P. von Massalia, 1952 7 E. Olshausen, Einführung in die histor. Geogr. der Alten Welt, 1991. H.A.G.

[5] Arkader aus Phigaleia, verm. aus hell. Zeit, der in seinem Autoepitaph (vgl. Harmodios von Lepreon, ›im Buch über die Sitten der Einwohner von Phigaleia‹, FGrH 319 F 3, zit. bei Athen. 11,465d) den Wunsch ausdrückt, als rechtschaffener Mann und dazu noch als Besitzer einer gewaltigen Slg. wertvoller Weinkelche in Erinnerung zu bleiben.

FGE, 85 f. M.G.A./Ü: G.K.

Pytheos. Griech. → Architekt und Bildhauer spätklass. Zeit aus Priene (?). Mit ihm in Verbindung gebrachte Gebäude entstanden im 3. Viertel des 4. Jh. v. Chr. und kennzeichnen ihn als einen der wichtigsten und einflußreichsten Architekten seiner Zeit in Kleinasien. Gemeinsam mit → Satyros ist er als Architekt des → Maussolleion in Harlikarnassos überl., über das von beiden Baumeistern eine Schrift verfaßt wurde (Vitr. 7 praef. 12). Zusätzlich soll er als Bildhauer die jenen Bau bekrönende → Quadriga geschaffen haben (Plin. nat. 36,31). Der Rekonstruktion des Maussolleion als eines der Sieben → Weltwunder galt von jeher ein bes. Interesse (zuletzt [1]).

Hauptwerk des P. war der Tempel der Athena in → Priene (Vitr. 1,1,12), zu dem er ebenfalls eine Schrift verfaßte (Vitr. 7 praef. 12). Der Tempel, dessen Erforschung nicht abgeschlossen ist, war ein → Peripteros ionischer Ordnung mit 6×11 Säulen. Wie die auf einer Ante des Tempels angebrachte Inschr. von 334 v. Chr. (CIG 2902) belegt, hatte sich Alexandros [4] d.Gr. bei der Finanzierung des Baus engagiert. Der Tempel gilt allgemein als Paradigma der Architekturauffassung des P. [2], wenngleich gegen solche Interpretation auch Skepsis vorgebracht wurde [3].

Zeitliche Nähe und stilistische Verwandtschaft haben zu dem Vorschlag geführt, auch den Tempel des Zeus Stratio in → Labraunda dem Atelier des P. zuzuschreiben [4]. Daß der Athenatempel in Priene den Entwurf später entstandener Bauten beeinflußte, zeigt sich am deutlichsten an dem mit → Hermogenes [4] in Verbindung gebrachten Tempel des Liber Pater in → Teos. Zusätzlich könnte P. auch für die Stadtplanung von Priene verantwortlich gewesen sein ([5]; dagegen [6]). In seinen Schriften begnügte sich P. anscheinend nicht mit der Erläuterung seiner Bauten, sondern bezog zugleich zu grundsätzlichen Fragen Stellung. Hiernach stellte er vielfältige und hohe Anforderungen an Ausbildung und Kompetenz des Architekten (Vitr. 1,1,12–15), lehnte die dorische Ordnung entschieden ab (Vitr. 4,3,1) und befürwortete statt dessen die ionische Ordnung (→ Säule). Mit solchen Äußerungen wurde P. zu einem Begründer der → Architekturtheorie.

1 K. JEPPESEN, Neue Ergebnisse zur Wiederherstellung des Maussolleions von Halikarnassos, in: MDAI(Ist) 26, 1976, 47–99 2 G. GRUBEN, Die Tempel der Griechen, ³1980, 357–363 3 W. KOENIGS, P. Eine mythische Figur der ant. Baugesch., in: DiskAB 4, 1983, 89–94 4 P. HELLSTRÖM, TH. THIEME, Labraunda I 3. The Temple of Zeus, 1982, 54–56 5 W. HOEPFNER, E. L. SCHWANDNER, Haus und Stadt im klass. Griechenland, ²1994, 310–312 6 W. KOENIGS, Planung und Ausbau der Agora von Priene, in: MDAI(Ist) 43, 1993, 381–398.

J. C. CARTER, P., in: Akt. des 13. internationalen Kongr. für klass. Arch., 1990, 129–136 · H. DRERUP, P. und Satyros, in: JDAI 69, 1954, 1–31 · W. MÜLLER, Architekten in der Welt der Ant., 1989, 191–193 · H. RIEMANN, s. v. P., RE 24, 371–513 · H. SVENSON-EVERS, Die griech. Architekten archaischer und klass. Zeit, 1996, 116–150 (mit weiterer Lit.). H. KN.

Pythermos

Pythermos (Πύθερμος). Lyrischer Dichter aus Teos, vielleicht 6. Jh. v. Chr.; bekannt durch die Erwähnung bei Athen. 14,625c, in einer Erörterung des 3. B. von Herakleides Pontikos' *Perí musikês*: P. habe *skólia* in ion. Tonart gedichtet; auch habe er iambische Verse verfaßt und sei von Ananios oder Hipponax erwähnt worden. Der einzige überl. Vers (Metrum: Phalaeceus) behauptet, daß außer Gold alles nichts sei (910 PMG); er wurde zum Sprichwort und findet sich auch bei Diogenianos, Plutarchos und in der Suda zitiert. E. R./Ü: T. H.

Pythia

[1] (Πυθία). Prophetische Seherin am → Orakel des Apollon Pythios in → Delphoi. Neben der genuinen Benennung als P. charakterisieren Bezeichnungen wie → *mántis* (Aischyl. Eum. 29), → *prómantis* (Hdt. 6,66) oder *prophêtis* (Eur. Ion 42) ihre Funktion. Die Einsetzung der P. erfolgte vielleicht nach einer Periode, in der männliche Priester für die Verkündung der Orakel zuständig waren (Hom. h. 3,393–396; [3. 215]). Die Funktion der P. als einer Seherin ist wohl nicht in der von → Gaia und → Themis geprägten Urzeit des Orakels zu verorten; diese sollte als Mythos aufgefaßt werden [7]. Ihr Name ist wie auch der des Apollon auf die alte Bezeichnung von Delphi als Python (Hom. Il. 2,519; Hom. Od. 8,80) zu beziehen; sekundär ist → Python [1] erst bei Ephoros (FGrH 70 F 31b = Strab. 9,3,12) für den von Apollon erlegten Drachen belegt. Die in der Ant. bevorzugten etym. Erklärungen, die den Konnex mit den Verben *pýthesthai* (»faulen«: Paus. 10,6,5) oder *pynthánesthai* (»forschen«: Plut. de E 2) herstellen wollen, sind wohl sekundär gegenüber der primären Verbindung mit *pythmên* (»Boden«), so daß sich, auch begründet auf der Gleichung Python = Delphi (*delphýs*, »Gebärmutter«), die Bed. »Erdschlund« ergäbe [2. 517–518].

Die P. als Werkzeug des Gottes bleibt meist anon.; namentlich genannt sind Phemonoe als Archegetin (Paus. 10,5,7; auch Lucan. 5,126), Themistokleia (Diog. Laert. 8,8), Aristonike (Hdt. 7,140) und Periallos (Hdt. 6,66), von denen nur Themistokleia sicher authentisch ist. Problematisch ist die Bezeichnung der P. als Themis

auf einer Schale des Kodros-Malers (letztes Viertel 5. Jh. v. Chr.) [3. 205]. Inschr. belegt ist in der späten Kaiserzeit eine Theonike [4. Bd. 1, 36]. Wenig faßbar sind auch die Auswahlkriterien für die Bestellung der P. Für ca. 100 n. Chr. beteuert Plutarch, sie entstamme einer einfachen Bauernfamilie; im Zusammenhang mit der kultischen → Reinheit ist auch ein einwandfreier, keuscher Lebenswandel obligatorisch (Plut. de Pyth. or. 22; vgl. [6. 362 f.]). In der klass. Lit. erscheint die P. als ältere Frau (Aischyl. Eum. 38; Eur. Ion 1324), wofür die Vergewaltigung einer (viel jüngeren) P. als aitiologischer Hintergrund gegeben wird (Diod. 16,26,6).

In der Frühzeit wurde in Delphi wohl nur am siebten Tag des Monats Bysios (Frühlingsanfang) eine Orakelbefragung durchgeführt, später wohl monatlich bis auf die drei Wintermonate, an denen Apollon nicht in Delphi weilte (Plut. mor. 292ef; [5. 80]). So gewinnt auch die von den Delphern verliehene → *promanteía* (Vorrecht bei der Orakelbefragung) große Bed. Plutarch bezeugt, daß in seiner Zeit des Niedergangs des delph. Orakels eine P. ausreichte, in deren Blütezeit jedoch zwei P. Dienst taten, wobei sich zusätzlich eine dritte bereithielt (Plat. de def. or. 8). Ob eine Befragung des Gottes möglich war, wurde zunächst durch ein Präliminarritual geklärt: Die zum Opfer bestimmte Ziege mußte bei der Besprengung mit Wasser zittern und frösteln (ebd. 46). Der Trunk von heiligem Wasser (Paus. 10,24,7) und das Bad in der kastalischen Quelle (schol. Eur. Phoen. 224) durch die P. sind kathartische Prozeduren, die dem mantischen Akt ebenfalls vorauslagen. Zu den rituellen Vorbereitungen gehörte auch ein Räucheropfer aus Lorbeerzweigen (Plut. de Pyth. or. 6). Nach mehreren Opfern und dem Entrichten von Gebühren [5. 83 f.] war dem Besucher die Befragung des Orakels möglich.

Wie sich die mantische Prozedur im einzelnen abspielte und auf welchem Wege die P. in den Stand gesetzt wurde, Sprachwerkzeug des Gottes zu werden, ist strittig. Schon die Lage des Allerheiligsten, in dem die P. auf einem Dreifuß saß [3. 225 f.], ist unklar. Bedeutet das Verb *katabaínein* (»hinabsteigen«) in diesem Zusammenhang zwingend, daß die P. einen tiefer gelegenen Raum betrat, was der arch. Befund keineswegs erhärtet [3. 227 f.; 6. 142–144]? War die P. von den Befragern durch einen Vorhang getrennt, und sprach sie direkt zu den Klienten oder durch den Mund von Priestern, die ihre Antworten metrisch faßten [3. 213–219]? Plutarch berichtet von einer mantischen Session, bei der die P. mit rauher Stimme unzusammenhängend schrie (Plut. de def. or. 51). Dies wird aber als Ausnahmesituation gekennzeichnet: Die Priester hatten die günstige Vorbedeutung (das Zittern des Opfertieres) wegen der Wichtigkeit der Delegation erzwungen, und so begab sich die P. gegen ihren Willen zum mantischen Akt, von dem sie sich nicht mehr erholte. Insgesamt waren also die Antworten der P. sonst klar und zusammenhängend [3. 204–212]. Ein Erdspalt und daraus entweichende Gase waren wohl nicht für die seherische Disposition der P. verantwortlich [3. 197–203]. Psychologisierende Modelle sind höchstens eine Annäherung an diese h. nicht zu klärende Disposition [5. 75, 80; 1. 70–74], die Plutarch mit *enthusiasmós*, »Inspiration«, zu erklären sucht (Plut. de Pyth. or. 7).

In seiner Unt. aller Orakelsprüche Delphis, die er in die Kategorien histor., quasi-histor., legendenhaft und fiktional einteilt (im Gegensatz zur rein chronologischen Ordnung bei [4. Bd. 2]), kommt [3] zu dem Schluß, daß die meisten der als authentisch zu erachtenden Sprüche eine einfache Struktur und Aussage aufweisen und daß die Ambiguität und komplexere Struktur der anderen ein Trugbild darstellen, dem auch Plutarch in der Fragestellung seiner Schrift *De defectu oraculorum* erliegt [3. 233–239]. Bedeutend war das Orakel von Delphi in rel. Fragen, dennoch ist seine polit. Einbindung, die sich z. B. in der Bestechung der P. spiegelt ([2. 521–524] mit Belegen), kaum gänzlich Fiktion.

Strittig ist des weiteren, ob die P. auch an → Losorakeln beteiligt war; dies wird zwar durch zwei prominente Beispiele (Ziehung von 10 Namen als Phylenheroen aus den 100 von Kleisthenes vorgeschlagenen: Aristot. Ath. pol. 21,6; und Erlosung des thessalischen Königs Aleuas bei Plut. mor. 492b) – vielleicht als Ausnahmefall – bezeugt (und auch hier ist die Prozedur nicht eindeutig), war aber kaum gängige Praxis.

→ Delphoi; Divination; Orakel; Prophet

1 E. R. DODDS, The Greeks and the Irrational, 1951
2 W. FAUTH, s. v. P., RE 24, 515–547 3 J. FONTENROSE, The Delphic Oracle, 1978 4 PARKE/WORMELL
5 H. W. PARKE, Greek Oracles, 1967 6 S. SCHRÖDER, Plutarchs Schrift De Pythiae Oraculis, 1990
7 C. SOURVINOU-INWOOD, Myth as History: The Previous Owners of the Delphic Oracle, in: J. BREMMER (Hrsg.), Interpretations of Greek Mythology, 1987, 215–241
8 S. LEVIN, The Old Greek Oracles in Decline, in: ANRW II 18.2, 1989, 1599–1649. JO. S.

[2] (Πύθια/ *Pýthia*, »Pythien«; Spiele, dem Mythos nach von Apollon nach Tötung des Drachen Python eingesetzt). Neben den Olympischen Spielen (→ Olympia IV. Agone) waren die alle vier J. in → Delphoi zu Ehren des → Apollon ausgetragenen P. mit gymnischem, hippischem und musischem Programm die wichtigsten panhellenischen Agone (→ Sportfeste). Der Preis für die Sieger war ein Lorbeerkranz. Die Gründung bzw. Neuorganisation der P. erfolgte im J. 586 v. Chr. nach dem ersten → Heiligen Krieg [1; 2]. Der von den *theōroí* (»Festgesandte«; → *theōría*) in ganz Griechenland ausgerufene Festfriede dauerte ein ganzes Jahr: Der Weg der neun Delegationen spiegelt sich in einer langen Liste ihrer Gastgeber (*theōrodókoi*) in den einzelnen Poleis [3; 4. 79–83]. Ein unter dem Archon Dion 247/6 v. Chr. verfaßter Verwendungsnachweis von Mitteln für die Vorbereitung des Festes nennt zahlreiche Reparaturarbeiten und Maßnahmen im Zusammenhang mit der Herrichtung der Sportstätten [4. 84–87, 99–101; 5], von denen das hoch in den Felsen gelegene Stadion [6] das besterhaltene in Griechenland ist. Während das Gymnasion [7] ebenfalls beim Heiligtum liegt, ist der Hippodrom in einiger Entfernung in der Ebene von → Krisa zu suchen. Die P. fanden im Monat Bukatios (= Januar/Februar) statt und erstreckten sich mit Opfer, Prozession und Festmahl über einen Zeitraum von fünf Tagen. Ihr Ruhm bewirkte, daß nach ihrem Modell isopythische (d. h. nach den Regeln der P. verlaufende) Agone an vielen Orten gefeiert wurden.

→ Pythioniken

1 ST. G. MILLER, The Date of the First Pythiad, in: California Stud. in Classical Antiquity 11, 1979, 127–158
2 K. BRODERSEN, Zur Datier. der ersten Pythien, in: ZPE 82, 1990, 25–31 3 A. PLASSART, Inscriptions de Delphes. La liste des théorodoques, in: BCH 45, 1921, 1–85 4 W. DECKER, Zur Vorbereitung und Organisation griech. Agone, in: Nikephoros 10, 1997, 77–102 5 J. POUILLOUX, Travaux à Delphes à l'occasion du P., in: Ét. Delphiques (BCH Suppl. 4), 1977, 103–123 6 P. AUPERT, Le stade (FdD 2,4,1), 1979
7 J. JANNORAY, Le gymnase (FdD 2,3,1), 1953.

P. AMANDRY, La fête des P., in: Πρακτικὰ τῆς Ἀκαδημίας Ἀθηνῶν 65, 1990, 279–317 ‧ E. MARTI, Delphoi és a Pythia sportversenyei (Delphi und die Pythischen Spiele), 1995. W. D.

Pythias (Πυθιάς).

[1] Nichte und wohl Adoptivtochter des Hermias [1] von Atarneus, Frau des Philosophen → Aristoteles [6], der sie verm. erst nach dem Tod des Hermias 341 v. Chr. heiratete und mit ihr eine Tochter namens P. [2] und einen Sohn namens Nikomachos hatte, nach dem er seine ›Nikomachische Ethik‹ benannte (Diog. Laert. 5,3–4; Strab. 13,1,57). P. starb vor 322 v. Chr.
[2] Tochter des Philosophen Aristoteles [6] und der P. [1]; Frau des Nikanor, eines Vetters ihres Vaters, danach des Prokleus und zuletzt des Arztes Metrodoros.

I. DÜRING, Aristotle in the Ancient Biographical Tradition, 1957, 263–269. J. E.

Pythioi (Πύθιοι). Im Rahmen der nach der Trad. von → Lykurgos [4] eingerichteten polit. Ordnung → Spartas wählte jeder der beiden spartanischen Könige zwei Gesandte, die in ihrem Auftrag die Orakelsprüche des Apollon Pythios in → Delphoi einholten. In den griech. Poleis hießen diese Gesandten für gewöhnlich *theoprópoi* bzw. *theoroí*, der Name P. in Sparta reflektiert die bes. Beziehung zw. dieser Polis und dem delphischen Orakel. Die P. waren berechtigt, in der *skēnḗ dēmosía* auf Kosten des *dḗmos* als Zelt- (*sýskēnoi*) und Mahlgenossen (*sýssitoi*) der Könige zu speisen (Hdt. 6,57,2; Xen. Lak. pol. 15,4f.), sind aber wohl nicht zu den Xen. Lak. pol. 13,1 erwähnten *syskēnúntes* zu zählen, die den König auf Feldzügen begleiteten. Die Auflösung der Institution der P. fiel verm. mit dem Ende des spartan. Königtums nach 222 v. Chr. zusammen. In röm. Zeit hießen spartanische Gesandte nach Delphoi *theoprópoi* (FdD III 1,215, nach 212/3 n. Chr.).

→ Orakel; Theoria

R. Parker, Spartan Rel., in: A. Powell (Hrsg.), Classical Sparta, 1989, 142–172, bes. 154f. · S. Rebenich (ed.), Xenophon, Die Verfassung der Spartaner, 1997, 131f., 141 (mit dt. Übers. und Komm.) · K. Ziegler, s. v. P., RE 24, 550–552.   A. BEN.

Pythion (Πύθιον).

[1] In der Ant. gängige, in der mod. arch. Terminologie wenig gebräuchliche Bezeichnung für verschiedene athenische bzw. attische Apollonheiligtümer: 1. im SO Athens am rechten Ilissos-Ufer (Inschr., Dreifußbasen erh.); 2. Höhlenheiligtum an der NW-Seite der Akropolis im Felsen (zahlreiche Funde; in der ant. Lit. aber meist mit dem Kultnamen *Apóllōn Hypakraíos* bezeichnet); 3. nahe dem Kloster Daphni an der Hl. Straße nach Eleusis (unlokalisiert, aber verm. Herkunftsort zahlreicher im Kloster verbauter ionisch-kaiserzeitlicher Spolien); 4. in Oinoe in der Ebene von Marathon (Inschr.); 5. im att. Demos Ikaria (Inschr., kleiner Tempel bzw. säulenloser Naos).

Travlos, Athen, 568, s. v. P. · Travlos, Attika, 485, s. v. P.
                                                    C. HÖ.

[2] Stadt am Westabhang des Olympos [1] beim h. P. (ehemals Selos), gehörte zur sog. Tripolis der Perrhaibia (→ Perrhaiboi). Sie wurde 171 v. Chr. von Perseus [2] besetzt (Liv. 42,53,6f.; 44,32,9). Hier hielt sich 168 v. Chr. kurz vor der Schlacht von → Pydna Cornelius [I 83] Scipio Nasica auf (Plut. Aemilius 15; Liv. 44,35,15).

G. Lucas, La Tripolis de Perrhébie et ses confins, in: I. Blum (Hrsg.), Top. antique et géographie historique en pays grec, 1992, 93–137 · E. Meyer, s. v. P. (6), RE 24, 562 · TIB 1, 249.   HE. KR.

Pythionike (Πυθιονίκη). Berühmte, wahrscheinlich athenische Hetäre (→ *hetaírai*), von Komikern verspottet (Athen. 8,339). Sie wurde ca. 329 v. Chr. von → Harpalos nach Babylon berufen, wo sie ihm eine Tochter gebar (Plut. Phokion 22,1) und von ihm mit erbeuteten Schätzen überschüttet wurde (Diod. 17, 108,5). Nach ihrem Tod ließ Harpalos sie als Aphrodite P. vergotten. Ihre Grabmäler in Babylon und Athen werden oft (meistens mit Entrüstung) erwähnt (so Athen. 13,594d–595c; Paus. 1,37,5; Plut. Phokion 22, 1–2). Sie kosteten angeblich über 200 Talente (Theop. bei Athen. l.c.).   E. B.

Pythioniken (Πυθιονῖκαι/*Pythioníkai*, »Sieger bei den Pythischen Spielen«). Die Sieger in → Olympia waren in vielen Fällen auch bei den → Pythia [2] erfolgreich [1]. Eine Liste der P. wurde von Aristoteles [6] gemeinsam mit seinem Verwandten Kallisthenes [1] erstellt [2. 139–144; 3]. Teile der ihnen dafür errichteten Ehreninschr. haben sich erh. (FdD 2,1; 2,400; [2. 141–144]). Zwölf der Oden des → Pindaros [2] sind P. gewidmet. In → Delphoi wurden wichtige → *anathémata* gefunden, etwa der vom sizilischen Tyrannen Polyzalos

gestiftete »Wagenlenker« [4. Nr. 13] oder das Weihgeschenk des Daochos, unter dessen Vorfahren die drei Brüder Hagias, Telemachos und Agelaos neben Heerführern und Staatsmännern als erfolgreiche Athleten dargestellt sind [4. Nr. 43–45]. Ein berühmter P. (in den Disziplinen Pentathlon, Stadion) war Phayllos aus Kroton, dem in Delphoi eine Statue errichtet worden war, ohne daß er je Olympiasieger gewesen wäre (Paus. 10,9,2). Nach Hdt. 8,47 hat er mit einem von ihm ausgerüsteten Schiff auf griech. Seite an der Seeschlacht von → Salamis [1] teilgenommen.

1 L. Moretti, Olympionikai, 1957 2 St. G. Miller, The Date of the First Pythiad, in: California Stud. in Classical Antiquity 11, 1979, 127–158 3 J. Bousquet, Delphes et les »pythioniques« d'Aristote, in: Ders., Ét. sur les comptes de Delphes, 1988, 97–101 4 J. Ebert, Epigramme auf Sieger an gymnischen und hippischen Agonen, 1972.
                                                    W. D.

Pythios (Πύθιος). Reicher Lyder, Sohn des Atys, wohl aus altlydischem Dynastengeschlecht. P. nimmt nach der Erzählung Herodots → Xerxes in → Kelainai (Phrygien) gastlich auf und nennt diesem die Summe seines Vermögens, um es ihm zu schenken. Xerxes lehnt ab, stockt P.' Vermögen vielmehr noch zu einer runden Summe auf. Als P. um Freigabe seines ältesten Sohnes vom Kriegsdienst bittet, läßt Xerxes diesen mitten durchhauen und die beiden Hälften rechts und links des Weges legen; dazwischen zieht er mit seinem ganzen Heer hindurch. Im Hethitischen diente dieses Ritual zur Reinigung des geschlagenen (!) Heeres [1. 60f.] (Hdt. 7,27; 29; 38f.).

1 G. Wilhelm, Menschenopfer, in: RlA 8, 1993–1997.
                                                    PE. HÖ.

Pythische Spiele s. Pythia [2]

Pythodoris (Πυθοδωρίς).

[1] P. Philometor (Π. Φιλομήτωρ). Tochter des Asiarchen Pythodoros [4] aus Tralleis und der Antonia [2]; nach der Scheidung des → Polemon [4] I. von → Dynamis wurde P. dessen Gemahlin (um 12 v. Chr.). Sie hatten drei Kinder, von denen Zenon und Antonia [7] Tryphaena namentlich bekannt sind (IGR 4,144). Als Polemon 8 v. Chr. starb, erbte P. sein Reich, war also Herrscherin von → Pontos, → Kolchis und des → Regnum Bosporanum (Strab. 12,3,29). Als im letzteren Dynamis ihre Ansprüche anmeldete, überließ → Augustus dieser das Bosporanische Reich und bestätigte P. im J. 3/2 v. Chr. als Königin von Pontos unter der Bedingung, daß sie den König von → Kappadokia ehelichte (Strab. 12,3,31). Ihre Residenzstadt wurde nun Sebasteia, das frühere Kabeiros-Diospolis (→ Kabeira; Strab. 12,3,31). P.' Regierung stützte sich auf Rom und die griech. Städte. Ihren Mann, der 17 n. Chr. starb, überlebte sie um mehrere Jahre.

R. D. Sullivan, Dynasts in Pontus, in: ANRW II 7.2, 913–930, hier: 920–922 · S. J. Saprykin, Pontijskoe carstvo, 1996, 319–330.   I. v. B.

[2] Verm. Enkelin von P. [1]. Durch zwei Inschr. bekannte thrakische Königin in der 1. H. des 1. Jh. n. Chr. (IGR 1, 1503 = IGBulg 1², 399, vgl. IGBulg 5, 5140; IGR 1, 777 = OGIS 378), die mehrheitlich als Tochter des → Kotys [I 9] und der → Antonia [7] Tryphaena und als Gattin des → Rhoimetalkes [2] II. aufgefaßt wird ([1] und [2]; anders zuletzt: [3. 25–49; 4. 459–467]).

1 PIR² P 1115 und Stemma 22 2 G. GAGGERO, Nouvelles considérations sur les dynastes du Ier siècle de notre ère, in: Pulpudeva 3, 1980, 305–317 3 S. Ju. SAPRYKIN, Iz istorii Pontijskogo carstva Polemonidov, in: VDI 1993.2 4 M. TAČEVA, The Last Thracian Independent Dynasty of the Rhascuporids, in: A. FOL (Hrsg.), Studia in honorem G. Mihailov, 1995.   U. P.

Pythodoros (Πυθόδωρος).

[1] Athener, stellte nach [Aristot.] Ath. pol. 29,1–2 (vgl. Thuk. 8,67,1) im J. 411 v. Chr. in der Volksversammlung den Antrag, weitere 20 »Vorberater« (*próbuloi*) zu wählen, die Vorschläge zur Rettung des Staates ausarbeiten sollten. Er bereitete damit den Weg für die oligarchische Verfassung der 400 (→ *tetrakósioi*). Diog. Laert. 9,54 (= DIELS/KRANZ 80 A 1) nennt ihn als Ankläger des → Protagoras [1]. P. ist evtl. identisch mit dem Archonten von 404/3, dessen Amtszeit nach Wiederherstellung der Demokratie als Jahr ohne namengebenden Archonten (sog. *anarchía*) betrachtet wurde (Xen. hell. 2,3,1) [1. 275–277].

1 M. CHAMBERS, Aristoteles. Staat der Athener, 1990.

[2] Sohn des Isolochos, Schüler des → Zenon von Elea (Plat. Alk. 1,119a; vgl. Plat. Parm. 126a ff., wo er die Rolle des Gewährsmannes für die Unterredung zw. Zenon und Sokrates hat). 432/1 v. Chr. war P. *árchōn*, 426/5 als Nachfolger des → Laches [1] *stratēgós* in Sizilien (→ Peloponnesischer Krieg). Nach seiner Rückkehr wurde er 424 wegen Bestechung verbannt (Thuk. 2,2,1; 3,115,2; 4,2,2; 4,65,3). Es ist unklar, ob er später zurückkehren durfte.

J. MORRISON, The Place of Protagoras in Athenian Public Life (460–415 B. C.), in: CQ 35, 1941, 1–16, bes. 3 f. • J. A. DAVISON, Protagras, Democritus, and Anaxagoras, in: CQ 47, 1953, 33–45.   W. S.

[3] Sohn des Chairemon aus Nysa, eines Mitgliedes im Stab des Statthalters von Asia, C. Cassius [I 1] (Syll.³ 741,I), und einflußreichen Römerfreunds. P. flüchtete bei Ausbruch des 1. → Mithradatischen Krieges 89 v. Chr. mit seinem Bruder nach Rhodos, worauf Mithradates [6] VI. ein Kopfgeld von 40 bzw. 20 Talenten für seine Ergreifung bzw. Tötung aussetzte (Syll.³ 741,II/III = WELLES 73–74). Er siedelte später nach Tralleis um.   K.-L. E.

[4] Wohl Sohn von P. [3] und nicht identisch mit diesem, geb. in Nysa, wohnhaft in Tralleis, gehörte zu den führenden Persönlichkeiten der Prov. Asia (Strab. 14,1,42; unklar ist, ob er oder P. [3] der bei Cic. Flacc. 52, datiert 59 v. Chr., als *nobilis* aus Tralleis erwähnte P.

ist). Sicher ist für ihn nur folgendes bezeugt: Seine Freundschaft zu Pompeius [I 3] kostete ihn um 48–44 v. Chr. sein Vermögen, doch hinterließ er wieder Besitz im gleichen Umfang. Eines seiner Kinder war → Pythodoris [1], die Frau der röm. Klientelkönige → Polemon [4] I. und Archelaos [7]. Daß seine Frau Antonia (IK 24,1,614) Antonia [2], die Tochter des Triumvirn Antonius [I 9], war, ist Spekulation. Weitere Kinder P.' könnten bei Agathias 2,17 und in IK 13,615 genannt sein. PIR² P 1116.   J. BA.

Pythokles (Πυθοκλῆς).

[1] Athenischer Rhetor, Sohn des Pythodoros aus dem Demos Kedoi (ca. 380–318 v. Chr.), mehrfach (Syn-)Trierarch (IG II² 1615,12; 1622,314), ein Gegner des → Demosthenes [2] nach 343, sprach 338/7 erfolglos dagegen, daß dieser den → *epitáphios* auf die Gefallenen von Chaironeia hielt (Demosth. or. 18,285), wurde 318 eventuell als Anhänger → Phokions hingerichtet (Plut. Phokion 35,5).

DAVIES, 485 • DEVELIN, Nr. 2682 • LGPN 2, s. v. P. (17).   J. E.

[2] Schüler des → Epikuros. Über P. ist wenig bekannt: Geb. um 324 v. Chr. in Lampsakos, begegnete P. Epikuros bei dessen Aufenthalt in der Stadt. Im J. 292/1 war P. noch am Leben. Nach der Abfahrt des Epikuros nach Athen 307/6 blieb P. in Lampsakos, lehrte Philos. und pflegte den Briefwechsel mit seinem Meister. Dieser widmete ihm einen Brief über Himmelserscheinungen (Πρὸς Πυθοκλέα, ›An P.‹, erh. bei Diog. Laert. 10,84–16).

M. ERLER, in: GGPh², 4.1, 76–77.   T. D./Ü: J. DE.

Python (Πύθων).

[1] Ein ungeheurer Drache, den → Apollon bei → Delphoi mit seinen Pfeilen tötet. Die älteste Fassung der Gesch. bietet Hom. h. 3,300–374: Apollon besiegt eine Drachin, die in der Nähe von Delphoi ihr Unwesen treibt und der → Hera ihren Sohn → Typhon in Obhut gegeben hat. Nach ihrem verfaulenden (πύθεσθαι/*pýthesthai*) Leichnam erhalten der Ort und der Gott den Beinamen *Pythṓ* (vgl. auch den Namen der delphischen Seherin → *Pythía* [1]). Nach Eur. Iph. T. 1245–1252 ist der Drache männlich und bewacht das Orakel. Später wird P. zum Namen dieses Drachen (Athen. 15,701c; Plut. Pelopidas 16,375c). Es findet sich aber auch die Namensvariante *Delphýnēs* (Apoll. Rhod. 2,706; schol. Eur. Phoen. 232; 233; Nonn. Dion. 13,28). Das ungeheure Monster (Claud. carm. 2,1–4) wird auch als Sohn der Erde bezeichnet (Ov. met. 1,438–447; Hyg. fab. 140). Nach einigen Ber. ist P. vor dem Kampf mit Apollon Inhaber des delphischen Orakels (Hyg. fab. 140; Schol. Pind. P. hypothesis). Zur Begründung der Tötung wird erzählt, P. habe die schwangere → Leto verfolgt (Hyg. fab. 140) und der neugeborene Apollon seine Mutter dann gerächt. So ist der Gott nach vielen Ber. zum Zeitpunkt des Kampfes noch sehr jung (Eur.

Iph. T. 1250; Apoll. Rhod. 2,707); bildliche Darstellungen zeigen ihn als Säugling auf dem Arm seiner Mutter [1]. Nach Paus. 2,7,7 ist auch Apollons Schwester Artemis an dem Kampf beteiligt ([1]). Apollon soll P. unter dem → Omphalos [1] begraben (Varro ling. 7,17) oder den delphischen Dreifuß (→ trípus) mit der Haut des Drachen überzogen und die Gebeine darin aufbewahrt haben (Serv. Aen. 6,347; 3,92; 3,360). Zur Feier des Sieges stiftet Apollon die Pythischen Spiele, die → Pythia [2] (schol. Pind. P. hypoth., Ov. met. 1,445–447). Plutarch (qu. Gr. 293c) führt auch das delphische Fest → Septerion auf diesen Kampf zurück. Auch die Programmusik des Nómos Pythikós (→ Nomos [3]) leitet sich aus dem → Drachenkampf her. Der Mythos vom Sieg des Sonnengottes über den Erdsohn bzw. einer Ordnung stiftenden Gottheit über eine Kraft des Chaos als Beginn einer Epoche hat viele Entsprechungen in der griech. und orientalischen Myth. [2].

1 L. KAHL, s. v. P., LIMC 7.1, 609–610 2 J. FONTENROSE, P. A Study of Delphic Myth and Its Origins, 1959.   T. J.

[2] Laut Athen. 13,586d und 595e Verf. eines Satyrspiels Agén (›Anführer‹), das entweder während des Indienfeldzugs von → Alexandros [4] d.Gr. am Fluß Hydaspes oder nach der Flucht des → Harpalos in Ekbatana aufgeführt wurde (326/4 v. Chr.). Das Stück behandelt keinen myth. Stoff, vielmehr steht im Zentrum Alexandros' Vertrauter → Harpalos, der unter dem Namen Pallides (der Mann aus dem Phallos-Geschlecht) auftritt; hinter dem Titelhelden Agen verbirgt sich wohl Alexandros selbst. Der erste Teil des einzigen erh. Fr. (TrGF I 91) stammt aus dem Prolog, der zweite Teil enthält einen Dialog.
→ Satyrspiel

I. GALLO, Ricerche sul teatro greco, 1992, 111, 120f. •
B. GAULY u. a. (Hrsg.), Musa tragica, 1991, 194–197 •
R. KRUMEICH, N. PECHSTEIN, B. SEIDENSTICKER (Hrsg.), Das griech. Satyrspiel, 1999, 593–601.   B. Z.

[3] P. aus Ainos, Schüler des → Platon [1] (Philod. Historiae Academiae col. 6,15–20 GAISER; Diog. Laert. 3,46), ermordete mit seinem Bruder → Herakleides [4] 359 v. Chr. den Odrysenkönig → Kotys [I 1] I. (Demosth. or. 23,119; 23,163) und floh daraufhin nach Athen. Dort wurden die Brüder als Tyrannenmörder geehrt (Plut. mor. 542e-f; 816e) und erhielten das Bürgerrecht [1. Nr. 76 T 52]. P. engagierte sich angeblich nach 352 v. Chr. im Dienst von → Philippos [4] II.

1 M. J. OSBORNE, Naturalization in Athens, 4 Bde. 1983–1985.

K. GAISER, Philodems Academica, 1988 • K. TRAMPEDACH, Platon, die Akademie und die zeitgenöss. Politik, 1994, 90–92.   J. E.

[4] P. aus Byzantion. Schüler des Isokrates, bedeutender Redner, seit Frühjahr 346 v. Chr. im Dienst Philippos' [4] II. von Makedonien nachweisbar, trat als dessen Gesandter wohl mehrmals in Athen auf: vielleicht im Herbst 346 [2], sicher im Frühjahr 343, um den – von den Rednern um Demosthenes [2] angeblich fehlinterpretierten – Frieden von 346 als »verbesserungsfähig« zu verteidigen (Ps.-Demosth. 7,20–23 vom J. 342), und verm. nochmals gegen 340 [3. 52–54]. Sein Rededuell mit Demosthenes (Demosth. or. 18,136; epist. 2,10; Plut. Demosthenes 9,1) machte P. sehr bekannt; daher wurde er öfter mit dem Platoniker Leon [7] aus Byzanz (freilich einem Gegner Philipps) verwechselt und mit dem Platoniker P. [3] aus Ainos sowie dem Verf. des Satyrspiels Agén, P. [2] aus Katane, identifiziert. Andererseits wird vermutet, P. sei der Verf. von Ps.-Demosth. 12 [5. 714].

1 A. SCHAEFER, Demosthenes, Bd. 2.1, 1885, 157; Bd. 2.2, 1887, 296,2, 332, 342, 375–380, 549,4 2 E. MEYER, KS 2, 124–128 3 M. POHLENZ, Philipps Schreiben an Athen, in: Hermes 64, 1929, 52–62 4 F. R. WÜST, Philipp II. von Makedonien und Griechenland, 1938, 64f., 69–77 5 HM 2, 479,1., 483f., 489–495, 516, 714.   H. H. S.

[5] Paestanischer Vasenmaler (ca. 360–330 v. Chr.), neben → Asteas der zweite signierende Vasenmaler Unteritaliens. P. besitzt ein großes Repertoire an myth. Themen (Alkmene auf dem Scheiterhaufen, Geburt der Helena, Kadmos und der Drache, Orestes, Odysseus und die Sirenen), deren Hauptgestalten er oft namentlich bezeichnet. Weitere Schwerpunkte auf seinen Vasenbildern sind dionysische Themen und Symposiumszenen. Zu seinen bevorzugten Gefäßformen gehören Glockenkrater und Halsamphora, deren Seiten er vornehmlich mit je zwei Gestalten (z.B. Dionysos-Satyr oder Dionysos-Pan, zwei Manteljünglinge etc.) füllt, seltener sind Hydria, Lekythos und Schale. P. zeichnet sich aus durch Detailreichtum hinsichtlich Kleidung, landschaftlichen Elementen oder Gegenständen (Klinen) und mitunter heftig agierenden Gestalten; häufig sind gleichfalls in Büsten hinter Geländelinien auftauchende Personen.
→ Paestanische Vasen

TRENDALL, Paestum 136–172, Taf. 92–117f. •
A. D. TRENDALL, Red Figure Vases of South Italy and Sicily, 1989, 202–203 • CVA Deutschland, Bd. 71, Würzburg (4. Bearbeitung von G. GÜNTNER), 1999, 51 Taf. 45.   R. H.

[6] P. begann 257 v. Chr. in Athribis als Vorsteher des logeutḗrion (als Rechnungskommissar), wurde 255 Vorsteher der königlichen Bank des Gaus Arsinoites in Krokodilopolis, wo er bis 237 im Amt bezeugt ist. Durch die engen Geschäftsbeziehungen seiner Bank mit dem Gut des Apollonios [1] ist zwar nicht er als Person, aber die Tätigkeit seiner Stelle gut bekannt.   W. A.

[7] s. Töpfer

Pyxis (ἡ πυξίς). Büchse, runder Behälter mit Deckel; die hell. Bezeichnung ist abzuleiten von πύξος/pýxos (»Buchsbaumholz«), aus dem Pyxiden häufig gedrechselt wurden; die ältere att. Bezeichnung ist wahrscheinlich κυλιχνίς/kylichnís. Erh. sind P. vorwiegend als Keramik, seltener in Holz, Alabaster, Metall oder Elfenbein. P. dienten u. a. zur Aufbewahrung von → Kosmetika und Schmuck, sie gehörten also zum Leben der Frau und tragen im rf. Stil bevorzugt Frauengemachszenen; entsprechend beliebt sind sie als Grabbeigabe für Frauen. Die Formgesch. beginnt in geom. Zeit mit großen, flachen P. wohl anderen Verwendungszwecks. In Korinth wurden seit dem 7. Jh. v. Chr. neue Formen entwickelt (→ korinthische Vasenmalerei), und im sf. Stil des 6. Jh. v. Chr. kommen u. a. Dreifuß-P. und nikosthenische P. (→ Gefäße, Abb. E 10) auf. In klass.

Zeit dominiert ein Typus (A) mit konkaver steiler Wandung (→ Gefäße, Abb. E 11) neben einem zweiten (B) mit Stülpdeckel. Ähnliche, aber höher proportionierte Formen entstanden noch in hell. Zeit.

A. RIETH, Die Entwicklung der Drechseltechnik, in: AA 1940, 616–634 · S. R. ROBERTS, The Attic Pyxis, 1978 · C. MERCATI, Le pissidi attiche figurate, in: Annali della Facoltà di lettere e filosofia di Perugia. Studi classici 24, 1986/7, 105–137 · B. BOHEN, Die geom. Pyxiden (Kerameikos 13), 1988 · Z. KOTITSA, Hell. Tonpyxiden, 1996.   I. S.

Q

Q (sprachwissenschaftlich). Der Buchstabe Q bezeichnet im Lat. gemäß klass. Orthographie in Verbindung mit U einen monophonematischen, stimmlosen und mit Lippenrundung zu artikulierenden velaren Verschlußlaut (→ Labiovelar), der die Kontinuante des uridg. Phonems k^w (*quis, neque* < *$k^w$is, ne-k^we*) bzw. der Phonemfolge ku/ku (*equus* < *$₂ékuos$*) darstellt [1. 148]. In frühlat. Orthographie (7./6. Jh. v. Chr.) bezeichnet Q hingegen nach zeitgenössischem griech. (und etr.) Vorbild einen beliebigen Velar (*g, k, qu*) vor »dunklem« Vok. *o* bzw. *u* (*QOI*, CIL I² 4: »qui«; *EQO*, CIL I² 474: »ego«); für *k* steht es vereinzelt auch später (*MERQURIO* CIL I² 992). Zum Etr. vgl. *KACRIQU* (ET Ta 3.1); zum Griech. vgl. λεϙυθος (IG 14,865), Γλαυϙος (SGDI 5296). Während im Lat. also die Buchstaben C und Q zum Ausdruck einer phonologischen Korrelation genutzt wurden, blieb Qoppa im Griech. (und Etr.) Allograph zu Kappa und wurde deshalb im Laufe des 6. Jh. aufgegeben [2. 33 f.].

Uridg. k^w, im Lat. regelmäßig als k^w <QU> fortgesetzt, wurde vor Kons. (einschließlich i) früh, vor *o* und *u* in histor. Zeit zu *k* entrundet (*vōx -cis* < *$uōk^w$-s; socius* < *sok^wios* < *sok^wijo-; colo* < *$k^wolō$* < *$k^wel₂-e/o$-* [1. 137, 148]). Im Griech. war uridg. k^w noch in myk. Zeit als ein eigens bezeichnetes Phonem erh. (*qe-to-ro-* ~ τετρα- < *k^wetr-), außer neben *u*, wo es wie im alphabetischen Griech. als *k* erscheint (*qo-u-ko-ro* »βουκόλος« < *g^wou-$k^wol₂$-o-). Sonst ist es in späterer Zeit vor i durch σ(σ), vor *e* und *i* durch τ (ὄσσε < *ok^wie < *$₂ok^wi₂$; τίς < *k^wis; πέντε, äol. πέμπε < *$pénk^we$), vor *a* und *o*, im Äol. auch vor *e*, durch π vertreten, vgl. → P (sprachwissenschaftlich) [3. 293–295; 4. 75, 86 f.]. Für die Wiedergabe des Reflexes von k^w vor i erscheint in Mantineia ein eigenes Zeichen И (ИΣ »τίς«) [2. 40], → Arkadisch.
→ K (sprachwissenschaftlich)

1 LEUMANN 2 LSAG 3 SCHWYZER, Gramm. 4 RIX, HGG.
                                                                          GE. ME.

Q. Abkürzung des röm. Vornamens → Quintus; in der Formel → SPQR (*SenatusPopulusQueRomanus*) für *Que* (=nachgestelltes »und«); in Inschr. häufig für das Relativpronomen *qui, quae, quod* (z. B. *Q[ui] I[nfra]S[cripti]S[unt]* = »die Endunterzeichneten«) und für → *Quaestor*. Auf Mz. selten, meist für Quinquennales, die Fünfjahresfeier kaiserlicher Herrschaft. In Mss. steht Q als Zahlzeichen für 500 000.

H. CHANTRAINE, s. v. Q, RE 24, 1963, 621–623.   W. ED.

Qadesch (*Qadeš, Kadeš*). Ort in Mittelsyrien, südl. von Ḥimṣ, h. Tall Nabī Mand, strategisch wichtig gelegen an der Schnittstelle zw. der äg. und mittanischen bzw. hethitischen Einflußsphäre. Im 15. Jh. versuchte Thutmosis III., den Ort zu erobern [2. 94–98]. Bedeutsam als Ort einer Schlacht zw. dem hethit. Herrscher Muwattalli II. (1290–1272 v. Chr.) und → Ramses II. im Jahr 1275 v. Chr. Anlaß war der Abfall Amurrus von Ḥattusa zu Äg. Durch den Erfolg der Hethiter in der Schlacht wurde die Expansionspolitik Ramses' II. in Syrien endgültig gestoppt. Das Verhältnis zw. den beiden Großmächten wurde schließlich 1258 durch einen Friedensvertrag zw. Ḥattusili II. (bisher »III.«, 1265–1240) und Ramses II. geregelt, der in hethit. (in akkadischer Sprache) und äg. Version vorliegt (TUAT 1. 143–153; [1]) (Kopie des Vertrages im UNO-Hauptquartier in New York ausgestellt). Dabei vermittelt die äg. Version den Eindruck eines überwältigenden Sieges, der Ḥattusili II. untertänigst um einen Friedensvertrag nachsuchen läßt. Die hethit. Version der Vertragspräambel dagegen läßt – zusammen mit den Klauseln des Vertrages selbst und unterstützender Evidenz aus ugaritischen Quellen – einen paritätischen Vertrag erkennen. Auch das spätere Verhältnis zw. beiden Großreichen ist nur auf dieser Grundlage verständlich. Im Endeffekt konnte keine der beiden Seiten territoriale Vorteile für sich verbuchen.
→ Ägypten; Hattusa II.; Staatsvertrag

1 E. EDEL, Der Vertrag zw. Ramses II. von Äg. und Hattusili III. von Ḥatti, 1997 (Textausgabe) 2 H. KLENGEL, Syria 3000 to 300 B. C., 1992 3 A. KUSCHKE, s. v. Q./Q.-Schlacht, LÄ 5, 27–37.
                                                                          J. RE.

Qaṣr al-Ḥair al-Ġarbī. Omajjadischer Landsitz in der syr. Wüste, ca. 65 km sw von → Palmyra an der alten Karawanenroute nach → Damaskos. Die vom Kalifen Hišām (724–743 n. Chr.) errichtete Anlage umfaßt einen Palast, ein Bad, eine inschr. ins J. 109 nach der Hedschra (727 n. Chr.) datierte Karawanserei, einen Garten sowie eine mit Kanälen durchzogene, landwirtschaftliche Nutzfläche, die von einem Wasserreservoir sowie dem 16 km entfernten röm. Staudamm al-Harbaqa (1. Jh. n. Chr.) versorgt wurde. Die Oase war schon unter den Römern und Ġassāniden besiedelt. Ein Turmbau aus byz. Zeit wurde in den Palastkomplex einbezogen. Reiche Stuckfunde sowie zwei Bodenfresken.
→ Omajjaden

> D. SCHLUMBERGER, Les fouilles de Qasr el-Hair el-Gharbi (1936–1938); Rapport préliminaire, in: Syria 20/3–4, 1939, 195–238, 324–373 · K. A. C. CRESWELL, J. W. ALLAN, A Short Account of Early Muslim Architecture, 1989, 135–146. J.GO.

Qaṣr al-Ḥair aš-Šarqī. Omajjadischer Landsitz in der syrischen Wüste, ca. 100 km nö von → Palmyra an der Kreuzung alter Karawanenrouten gelegen; vom Kalifen Hišām (724–743 n. Chr.) gegr., in früh-abbāsidischer Zeit vollendet und mit Unterbrechungen bis ins 14. Jh. besiedelt. Von zwei rechteckigen Anlagen besaß die größere Anlage (167 × 167 m) mit 4 axialen Toren – nach einer Inschr. aus dem Jahr 110 nach der Hedschra (728/29 n. Chr.) als »Stadt« (arab. *madīna*) bezeichnet – Wohneinheiten, öffentliche und gewerbliche Gebäude sowie eine Moschee um eine zentrale Freifläche. Die kleinere (70 × 70 m) wird von GRABAR als Karawanserei gedeutet.
→ Omajjaden

> O. GRABAR, R. HOLOD, J. KNUDSTAD, W. TROUSDALE, City in the Desert: Qasr al-Hayr East, 2 Bde., 1978 · K. A. C. CRESWELL, J. W. ALLAN, A Short Account of Early Muslim Architecture, 1989, 149–64. J.GO.

Qaṣr al-Ḥallābāt. Röm.-byz. Kastell an der *via Traiana Nova*, ca. 55 km östl. von ʿAmmān gelegen. Das wahrscheinlich schon von Traianus (98–117 n. Chr.) an Stelle einer nabatäischen Siedlung gegründete *castellum* wurde nach inschr. Zeugnissen um 212 n. Chr. unter Caracalla (188–217 n. Chr.) als Grenzbefestigung ausgebaut und 529 n. Chr. unter Iustinianus I. (527–565 n. Chr.) restauriert. Der Bau mit viereckigen Ecktürmen wird allg. in severische (1. H. 2. Jh. n. Chr.), von KENNEDY in byz. Zeit datiert. In die Anlage integriert ist das ältere Lager. Unter den → Omajjaden wurde Q. als vornehmer Landsitz mit Mosaiken, Fresken und Stuckdekor ausgebaut. Neben dem Kastell wurde eine kleine Moschee errichtet sowie 2 km entfernt der Badekomplex Hammām as-Saraḫ.

> G. BISHEH, Qasr al-Ḥallābāt: A Summary of the 1984 and 1985 Excavations, in: AfO 33, 1986, 158–162 · D. L. KENNEDY, Archaeological Explorations on the Roman Frontier in North-East Jordan, 1982, 17–63 · K. A. C.

CRESWELL, J. W. ALLAN, A Short Account of Early Muslim Architecture, 1989, 105–107. J.GO.

Qaṣr-e Abū Naṣr (»Alt-*Šīrāz*«, h. *Mādar-e Sulaimān*), 7 km sö von Šīrāz (Fars); im wesentlichen spätsāsānidische und frühislamische Anlage (5.–9. Jh.). Drei achäm. Steinportale, die schon im 19. Jh. bei Reisenden große Aufmerksamkeit erregten, erwiesen sich als Teile des Dareios-Palastes von → Persepolis, die zur Ausschmückung viel späterer Gebäude nach Q. geholt worden waren (und inzwischen an ihren ursprüngl. Platz zurückgebracht worden sind). In achäm. Zeit ist Q. vermutlich mit dem Tirazziš bzw. Šīrāz der Persepolis-Täfelchen zu identifizieren. Im spätsāsānid. Fort fand man neben Keramik, Mz. (darunter auch einige parthische) und Schmuck mehr als 500 gesiegelte Tonbullen und Stempelsiegel aus Halbedelsteinen; sie trugen häufig mittelpersische Beischriften, die wichtige Informationen zu Wirtschaft und Ges. der spätsāsānid. Zeit liefern.

> 1 R. N. FRYE (Hrsg.), Sasanian Remains from Qasr-i Abu Nasr: Seals, Sealings, and Coins, 1973 **2** D. S. WHITCOMB, Before the Roses and Nightingales. Excavations at Qasr-i Abu Nasr, Old Shiraz, 1985 **3** H. KOCH, Verwaltung und Wirtschaft im pers. Kernland z.Z. der Achämeniden, 1990, 41 ff. **4** R. GYSELEN, La géographie administrative de l'Empire sassanide, 1989. J. W.

Qaṣr-e Šīrīn. Nach Šīrīn (→ Schirin), der christl. Gemahlin des Sāsāniden Ḫusrau II. (→ Chosroes [6]; 591–628), benannter Platz in der iranischen Prov. Īlām nahe der irakischen Grenze, in islam. Zeit wichtiger Ort an der Handels- und Pilgerstraße von Hamadān nach Baghdad. Am östl. Stadtrand befinden sich ein großes Feuerheiligtum (?) (Čahār Tāq) und nördl. davon, auf einer 8 m hohen Terrasse, eine dem Ḫusrau II. zugeschriebene Palastanlage (ʿImārat-e Ḫusrau) von 370 × 190 m Größe. Die gesamte Anlage hat man sich in der Ant. in einer Parklandschaft (→ *parádeisos*) zu denken.

> 1 P. SCHWARZ, Iran im MA nach den arab. Geographen, 1896–1936, 689 ff. **2** K. SCHIPPMANN, Die iran. Feuerheiligtümer, 1971, 282–291. J. W.

Qataban (*Qatabān*). Vorislamisches Volk im südwestl. Arabien, vorwiegend inschr. bekannt. Es erscheint in den ant. Quellen als *Kattabaneís* (Κατταβανεῖς bzw. ἡ Κατταβανία, Strab. 16,4,4), *Kottabanoí* (Κατταβανοί, Ptol. 6,7,24) bzw. *Catapani* (Plin. nat. 6,153). Das Siedlungsgebiet der Q. erstreckte sich laut Eratosth. bei Strab. l. c. auf das ganze Hinterland von → Saba bis zur Meerenge, die Inschr. bezeugen hingegen eine Begrenzung auf das Wādī Baihān: ein Widerspruch, der wohl aus den unterschiedlichen Gruppierungskriterien der Quellen resultiert. Auch die Chronologie der Q. ist umstritten; einige Forscher setzen den Beginn ihrer Hegemonialstellung im 6. Jh. v. Chr. an, andere zwei Jh. später; ab dem 4. Jh. n. Chr. sind die Q. nicht mehr inschr. bezeugt. An ihrer Spitze stand ein König, der allerdings seine Macht mit Clanführern zu teilen hatte. Hauptstadt war das ummauerte Thumna (Θούμνα)/ Timnaʿ im Wādī Baihān, aus dem u. a. eine Stele mit Marktregeln erh. ist. Kunst und Mz. der Q. standen stark unter griech. Einfluß (Imitation von att. Eulenmünzen).

A. F. L. BEESTON, s. v. Ḳatabān, EI² 1, 746a · J. PIRENNE, Le royaume Sud-Arabe de Qataban et sa datation d'après l'archéologie et les sources classiques jusqu'au Periple de la Mer Erythree (Bibliothèque du Muséon 48), 1961 · K. SCHIPPMANN, Gesch. der alt-südarab. Reiche, 1998, 52 f.   I. T.-N.

Qohelet

Qohelet (wörtl. »Versammlungsleiter« von hebr. *qāhāl*; LXX: Ἐκκλησιαστής/*Ekklēsiastḗs*; das biblische Buch Prediger). Von einem ersten Redaktor dem → Salomo zugeschriebene (Prd 1,1; 1,12), jedoch im 3. Jh. v. Chr. in Palaestina (Jerusalem?) entstandene hebr. Weisheitsschrift. In Abgrenzung gegen den Erkenntnisoptimismus der trad. Weisheit (→ Weisheitsliteratur) und die Identifizierung von Weisheit und Tora sowie gegen das Interesse am Kult in der Weisheit der priesterlichen Kreise am Jerusalemer Tempel [1] entwirft Q. eine Lehre, die vom Skepsis in bezug auf das menschliche Erkenntnisvermögen (Prd 3,10 f.), von Zurückhaltung gegenüber dem Kult (Prd 4,17–5,6) und vom Aufruf zur Lebensfreude, d. h. zum Ergreifen der von Gott gegebenen Gelegenheiten zum Genuß (Prd 3,12 f.), geprägt ist. Dabei nimmt er Motive der hell. Popularphilos. [2] und der altoriental. Symposiastik [3] auf. Q.s Position war schon in der Ant. umstritten: Zusätze eines zweiten Redaktors (v. a. Prd 12,12–14) geben dem Werk einen »orthodoxen« Rahmen, Weish 2,1–9 ist evtl. gegen Q. gerichtete Polemik, die Kanonizität (→ Kanon V.) wurde diskutiert (vgl. bShab 30b).

1 A. LANGE, In Diskussion mit dem Tempel, in: A. SCHOORS (Hrsg.), Q. in the Context of Wisdom, 1998, 113–159 2 R. BRAUN, Kohelet und die frühhell. Popularphilos., 1973 3 C. UEHLINGER, Q. im Horizont mesopot., levantinischer und ägypt. Weisheitslit. der pers. und hell. Zeit, in: L. SCHWIENHORST-SCHÖNBERGER (Hrsg.), Das Buch Kohelet, 1997, 155–235.

KOMM.: T. KRÜGER, 2000 · A. LAUHA, 1978 · W. ZIMMERLI, 1962.
LIT.: M. V. FOX, Q. and His Contradictions, 1989 · D. MICHEL, Q., 1988.   ST. KR.

Quadi

Quadi (Κούαδοι, Κουάδοι). Die erstmals bei Tac. ann. 2,63,6 erwähnten Q. gehörten zu den → Suebi (Elbgermanen). Sie wanderten nach 9 v. Chr. zusammen mit den → Marcomanni vom Main nach Osten (Südmähren, Niederösterreich nördl. der Donau, Südslowakei). Ab 19 n. Chr. erstreckte sich das Herrschaftsgebiet *inter Marum et Cusum*, d. h. zw. der h. March und dem *regnum Vannianum* (→ Vannius). Bis zu den Markomannenkriegen lebten sie weitgehend in friedlicher Koexistenz mit Rom mit wachsender Abhängigkeit von Rom und ausgeprägter → Romanisierung der Oberschicht [1]. Nach

ihrer Teilnahme an den Markomannenkriegen kam es im 3./4. Jh. zu weiteren mil. Auseinandersetzungen mit Rom, die ab 357 n. Chr. eskalierten. Zur Zeit des Valentinianus I. fielen sie 374 in die pannonischen Prov. ein. 406 zogen Teile der Q. mit den Alanoi und Vandali nach Gallien und Spanien. Die Zurückbleibenden kamen unter die Herrschaft der → Hunni und wurden in der 2. H. des 5. Jh. von den → Ostgoten unterworfen.

1 J. PEŠKA, Das Königsgrab von Mušov in Südmähren, in: L. WAMSER u. a. (Hrsg.), Die Römer zw. Alpen und Nordmeer, 2000, 201–205.

U.-B. DITTRICH, Die Beziehungen Roms zu den Sarmaten und Quaden im 4. Jh. n. Chr., 1984 · L. F. PITTS, Relations between Rome and the German »Kings« on the Middle Danube, in: JRS 79, 1989, 45–58 · TIR, Castra Regina, 69–71.   G. H. W.

Quadragesima

Quadragesima (sc. *pars*). Die *q.* (τεσσαρακοστή/*tessarakostḗ*, »ein Vierzigstel«) ist eine Abgabe in Höhe von 2½ % des deklarierten Wertes von Handelswaren; sie wurde an der röm. Reichsgrenze oder an Zollgrenzen im Reichsinneren erhoben. V. a. sind hiermit die Ein- und Ausfuhrzölle in den Zollbezirken Asia, Gallia und Hispania gemeint, doch kann *q.* schon relativ früh den → Zoll schlechthin bezeichnen (Quint. decl. 359). Während in Asia der Zollbezirk wohl nur diese eine Prov. umfaßte (ILS 1330; *q. portuum Asiae*: ILS 1862), reichte der gallische bis zum Rhein und an die Alpen (*q. Galliarum*: ILS 1347; 1409–1411; 1560–1566; 1854; 9035; vgl. die *q. Bithyniae, Ponti, Paphlagoniae*: ILS 1330); der hispanische betraf die gesamte iberische Halbinsel.

Die überkommene Pacht durch große Ges. (*societates publicorum*; → *publicani*) mit Hauptsitz in Rom wurde seit dem 1. Jh. weitgehend durch Einzelpächter (*conductores*) ersetzt, vielleicht infolge eines zurückgehenden Interesses der Kapitaleigner, da die Ausbeutungsmöglichkeiten geringer geworden waren. In Gallia herrschte wohl bis in die Antoninenzeit das alte System, wie aus der Erwähnung der *mancipes* hervorzugehen scheint (CIL VIII 11813 = ILS 1410). Zw. Marcus Aurelius und Septimius Severus wurden die *conductores* dann durch kaiserliche Prokuratoren ersetzt. Die Verhältnisse in der Spätant. sind unklar: Die Juristen sprechen nur von Pacht, doch fehlen die Inschr., die über das System Auskunft geben könnten. Die Kontrollkompetenz der Zöllner (τελῶναι/*telṓnai*, lat. *portitores*) machte diese zu weithin verhaßten Menschen. Das Funktionieren der Zolleinnahme in Asia zeigt das neu gefundene ›Zollgesetz von Asia für Einfuhr und Ausfuhr zu Land und Wasser‹ [1], das 75 v. Chr. zuerst erlassen und nach vielfältigen Veränderungen schließlich unter Nero in der vorliegenden Form publiziert wurde.

→ Portorium; Zoll

1 H. ENGELMANN, D. KNIBBE, Das Zollgesetz der Prov. Asia. Eine neue Inschr. aus Ephesos, in: EA 14, 1989 2 J. FRANCE, Administration et fiscalité douanières sous le règne d'Auguste: La date de la création de la Quadragesima Galliarum, in: MEFRA 105, 1993, 895–927 3 S. DE LAET,

Portorium, Étude sur l'organisation douanière chez les Romains, surtout à l'époque du Haut-Empire, 1949 **4** A. LIPOLD, s. v. *q.*, RE 24, 647–649 **5** F. VITTINGHOFF, s. v. portorium, RE 22, 346–399. H. GA.

Quadrans. Viertel des röm. → As (Varro ling. 5,171; Volusianus Maecianus 15,24; Prisc. de figuris numerorum 11; weitere Erwähnungen in der Lit. der Republik: [1. 657f.]). Der Q. entspricht damit beim As des Libralstandards (→ Libra [1]) 3 → *unciae*. Die gegossenen Mz. dieses Wertes im röm. und ital. → Aes grave (ab ca. 280 v. Chr.) tragen als Wertzeichen drei Kugeln. Bei Dezimalteilung des As entspricht der Q. ³⁄₁₀ As [1. 659]. Bei einigen Italikern hieß der Q. zunächst → Terruncius (Plin. nat. 33,45). Die Bezeichnung Q. setzte sich erst im 2. Jh. v. Chr. allgemein durch, als unter griech. Einfluß nicht mehr mit Mehrfachen der kleineren, sondern mit Brüchen der größeren Einheit gerechnet wurde. Im Griech. entspricht er dem → Tetras als ¼ As [1. 651 f.].

Der Q. (ab 217/215 v. Chr. erstmals geprägt) erscheint in der röm. Reihe in allen Stufen der Reduktion der Bronze-Mz. bis herab zum Semuncialfuß (ab 91 v. Chr.) (→ Semunzialstandard). In diesem ist er das kleinste Nominal (Plut. Cicero 29), seine Prägung wird um 86 v. Chr. eingestellt. Es kommen verschiedene Typen vor, immer mit 3 Punkten als Wertzeichen.

Dann erscheinen Quadrantes erst wieder im ca. 19 v. Chr. eingeführten Bronze-Mz.-System des Augustus als kleinstes Nominal (→ *senatus consultum*). Sie bestanden zunächst aus reinem Kupfer, später traten Verunreinigungen auf. Die Messingprägung unter Nero blieb Episode [3. 63–66]. Die Prägung der Q. erfolgte nur in größeren Intervallen und in eher bescheidenem Umfang. Sie deckte kaum den Bedarf, v. a. nicht in den Prov. Der größte Teil der Q. war in Rom und Mittel- bis Süditalien im Umlauf [3. 56]. In Rom ersetzten die *tesserae* (→ Eintritts- und Erkennungsmarken) das fehlende Kleingeld. Im röm. Germanien fehlen Q. in den Funden fast ganz, dafür kommen geviertelte Asse und keltische Klein-Mz. vor (→ Kleingeldmangel). Im Osten gab es lokale Kleinbronze-Mz. (kaiserzeitliche Q.: [2; 3; 6]).

Auf den Q. des Augustus fehlt jeder Hinweis auf den Princeps. Mit Caligula erscheint die Kaisertitulatur [5], mit Traian der Kaiserkopf auf den Q. Die Bergwerks-Mz. des Traian (→ Metalla [2]) waren nach Größe und Gewicht ebenfalls Q. Bei einigen Mz. des Hadrian ist die Unterscheidung zum → Semis unsicher. Die letzten Q. wurden unter Antoninus [1] Pius (138–161) geprägt, die jüngsten nennen sein 4. Konsulat (145 n. Chr., 148 n. Chr.?). Die bis auf das SC unbeschrifteten, sog. »anonymen« Q. mit verschiedenen Göttern auf dem Av. und ihren Symbolen auf dem Rv. gehören überwiegend in die Zeit von Hadrian bis Antoninus Pius (117–161 n. Chr.) [2. 218–231; 7. 18f.]. Sie stehen wohl in Verbindung mit kaiserlichen Geldspenden (→ *congiarium*) und Festspielen, bes. zur 900-Jahrfeier Roms 147 n. Chr. [7. 16–19].

Die Lit. der Kaiserzeit nennt den Q. als kleinstes Nominal (Petron. 43,1; Gai. inst. 1,122; Plut. Cicero 29,5 auf seine Zeit bezogen?), als Eintrittspreis für die Bäder (Hor. sat. 1,3,137; Sen. epist. 86,9; Iuv. sat. 6,447; Mart. 3,30,4), im Sinn einer kleinen Geldsumme (Hor. sat. 2,3,93; Iuv. 7,8; Mart. 2,44,9; 5,32,1; 7,10,12), 100 Q. sprichwörtlich als Entlohnung (→ *sportula*) des Klienten (Iuv. 1,120f.; Mart. 1,59,1; 3,7,1; 6,88,4; 10,70,13f.; 10,75,11). Im NT (Mk 12,42; Mt 5,26) κοδράντης/ → *kodrántēs* bzw. in der Vulgata rückübersetzt als Q.; doppeltes → Lepton (zur falschen Gleichsetzung mit dem Schekel [1. 663]).

Der Begriff Q. wurde auch für verschiedene Maßeinheiten gebraucht, v. a. als Gewicht, wobei der Q. ein Viertel des röm. Pfundes bzw. 3 Unzen bedeutet, das entspricht 81,86 g; in der Lit. in Rezepten erwähnt [1. 653] sowie als Metallgewicht (Mart. 11,105, bes. vermerkt auf Schalen und Weihgeschenken: CIL III 4806; X 1598; X 7939; XIII 3183,29; XIII 10036,27; XIV 21 mit p. 481; SEG 9,176). Zahlreiche Gewichtsstücke sind erh. (aufgeführt bei [1. 653]). Weiter (alle Belege [1. 664–666]) findet sich der Q. als Flächenmaß (¼ des → *iugerum*, d. h. 630,83 m²), als Hohlmaß (¼ des → Sextarius bzw. 3 → *cyathi* = 0,1265 l), als Viertel in der Zeitrechnung und im Erbrecht, wenn das ganze Erbe als As bezeichnet wurde, schließlich in Anlehnung daran als Viertel einer Schuldsumme.

1 H. CHANTRAINE, s. v. q., RE 24, 649–667 **2** J. VAN HEESCH, Studie over de Semis en de Quadrans van Domitianus tot en met Antoninus Pius, 1979 **3** C. E. KING, Quadrantes from the River Tiber, in: NC 1975, 56–90 **4** SCHRÖTTER 539f. **5** A. U. STYLOW, Die Quadranten des Caligula als Propaganda-Mz., in: Chiron 1971, 285–290 **6** M. TAMEANKO, The Quadrans and Semis Denominations, in: Journ. of the Soc. for Ancient Numismatics 1993, 86–93 **7** R. WEIGEL, The Anonymous Quadrantes Reconsidered, Annotazioni Numismatiche, Suppl. 11, 1998. DI. K.

Quadrantal. Das *q.* (Kubikfuß) ist Grundeinheit der röm. → Hohlmaße für Flüssiges, maßidentisch mit der → *amphora* [2], entsprechend 2 *urnae*, 8 *congii*, 48 *sextarii*, 96 *heminae*, 192 *quartarii* usw. (vgl. Tabelle). Auf Wasser geeicht entspricht das *q.* 80 *librae* (1 *libra* = 327,45 g), also 26,2 l. Normiert wurde das *q.* wahrscheinlich im späten 3. Jh. v. Chr. durch eine *lex Silia de mensuris et ponderibus* (Fest. 288).

H. CHANTRAINE, s. v. *q.*, RE 24, 667–672 · F. HULTSCH, Griech. und röm. Metrologie, ²1882, s. Index. H.-J. S.

Quadrantalfuß. In ant. Quellen nicht bezeugte Reduktionsstufe des → Aes grave seit ca. 214 v. Chr., wonach der → As mit ca. 83 g nur noch ein Viertel des ursprünglichen Pfundgewichtes (vgl. → Münzfüße B.; → Libra [1]) hatte [2].

1 H. CHANTRAINE, s. v. Q., RE 24, 672f. **2** RRC p. 43, 153 f., 596. GE. S.

Die römischen Hohlmaße und ihre Relationen

Hohlmaß	acetabulum	quartarius	hemina	sextarius	congius	quadrantal / amphora	culleus
Liter	0,068	0,136	0,273	0, 546	3,275	**26,2**	524
					160 congii	**= 20 quadrantales/ amphorae**	= 1 culleus
		192 quartarii	= 96 heminae	= 48 sextarii	= 8 congii	**= 1 quadrantal/ amphora**	
		= 24 quartarii	= 12 heminae	= 6 sextarii	= 1 congius		
		= 4 quartarii	= 2 heminae	= 1 sextarius			
	4 acetabula	= 2 quartarii	= 1 hemina				

Quadration (Κοδρατίων). Rhetor des 2. Jh. n. Chr., Schüler des → Favorinus, Lehrer des Sophisten → Varus aus Perge (Philostr. soph. 2,6 p. 250 K.), Freund des P. Ailios → Aristeides [3] (47,22; 50,63 ff. K.). Verm. identisch mit L. → Statius Quadratus (cos. 142). C.W.

Quadratschrift. Als Q. (kʿtāḇ mʿrubbāʿ) wird der Schriftduktus bezeichnet, in dem hebr. und aram. jüdische Schriften geschrieben sind. Die Q. entwickelte sich aus dem aram. Q.-Duktus (im babylonischen Talmud kʿtāḇ aššūrī, d. h. assyr. Duktus), den die Juden nach Aussage des babylon. Talmuds (Aboda Zara 10a) in der nachexilischen Zeit aus der babylon. Gefangenschaft mit nach Palaestina brachten, wohingegen aus der paläohebr. Schrift der samaritanische Duktus entstand. Die ersten Dokumente in Q. sind Fr. der biblischen Bücher Ex und 1 Sam aus → Qumran (2. Jh. v. Chr.), der Nash-Pap. und später Mosaik-, Grab- bzw. Ossuar-Inschr. (1.–2. Jh. n. Chr.). Im weitesten Sinne können auch zwei andere kontemporäre Schriftarten Palaestinas als Q. bezeichnet werden, die samaritanische und die christl.-palaestinisch-aram. Letztere entstand aus der syr. → Estrangelā. Beide Schriften wurden verm. künstlich der aram. Q. angepaßt.
→ Alphabet; Aramäisch; Hebräisch

J. NAVEH, Early History of the Alphabet: An Introduction to West Semitic Epigraphy and Palaeography, ²1987 • E. TOV, Der Text der Hebr. Bibel, 1997, 178–180. C.K.

Quadratum incusum. Mod. t. t. für die Eintiefung auf dem Rv. früher griech., kleinasiatischer und persischer Mz. Ursprünglich der Abdruck des Sporns, der das Metallstück bei der Prägung festhielt, wurde das Q. i. teilweise schon Ende 7. Jh. v. Chr. sorgfältiger gestaltet: quadratisch (Chios), rechteckig (pers. Dareikos), dreieckig (Chalkis), zusammengesetzt aus mehreren gleichen oder verschiedenen Punzen (Kyme, Samos, Milet). Das Feld ist sehr oft gegliedert, diagonal (Athen), kreuzförmig (Himera, Teos, Ephesos), geteilt in Kassetten (maked. Stämme, Kyzikos), geachtelt (Aigina), sternförmig (Selinus), als Swastika (Korinth), sog. Windmühlenschema (Kyzikos) oder mit ornamentaler Umrandung (Himera).
    Z. T. wird schon um die Mitte des 6. Jh. v. Chr. die Mitte des Q. i. von bildlichem Schmuck eingenommen

(Athen, Ephesos, Knidos, Syrakus, Zankle), der rasch die gesamte Fläche des Rv. ausfüllt. Anderswo, bes. in Nordgriechenland, bleibt das Q. i. bis gegen E. des 5. Jh. gebräuchlich, wird zur Zierform umgestaltet (Akanthos, Delphoi, Korkyra, Knossos), von Schrift umgeben (Akanthos), oder ein Beamtenname wird in das Balkenkreuz gesetzt (Chios). Allmählich treten auch hier Bilder in das Q. i. ein und lösen es auf (Abdera, Mende, Maroneia). In konservativen Prägungen hält sich das Q. i. bis kurz vor Alexandros [4] d. Gr. (Aigina; Elektron von Kyzikos und Phokaia; Byzanz, Kalchedon, persische Reichs-Mz.). Nach dem Verschwinden des Q. i. wird um das Rv.-Bild der vertiefte erhabene Rahmen z. T. noch lange beibehalten (Athener »Eulen« bis E. 4. Jh., Rhodos und Lykien bis 1. Jh. v. Chr.).

1 H. CHANTRAINE, s. v. Q. i., RE 24, 675–677 2 SCHRÖTTER, 540 f. 3 F. DE VILLENOISY, Le carré creux des monnaies grecques, in: RN 1909, 449–457. DI.K.

Quadratus. Von der angeblich an Kaiser → Hadrianus gerichteten, wohl ältesten christl. → Apologie des Q. (Κοδρᾶτος) überliefert Eus. HE 4,3,1 f. ein Fr.: Noch bis in Q.' Zeiten hätten von → Jesus Geheilte und Auferweckte gelebt. Weitere Nachrichten über Q., der vielleicht mit dem kleinasiat. Propheten Q. (Eus. HE 3,37; 5,17) identisch ist, beruhen auf Eusebios. M.HE.

Quadriburgium

[1] Spätant. Kastelltyp. Die hohe Wehrmauer von meist quadratischem Umriß mit Seitenlängen zw. 15 und 40 m wird außen durch quadratische oder rechteckige Eck- und Zwischentürme geschützt; innen sind Mannschaftskasematten angelehnt. Der Innenhof enthält eine unterirdische Zisterne.
→ Befestigungswesen III. B.; Limes

S. JOHNSON, Late Roman Fortifications, 1983, 27, 253 ff. H.KU.

[2] Ortschaft, verm. die Fundlage auf dem Dorfhügel von Qualburg links des Niederrheins. Römerzeitliche Nutzung vom 1. bis mindestens ins 4. Jh. n. Chr. Für den Anf. des 2. Jh. n. Chr. ist eine kleine mil. Anlage (evtl. Station von → beneficiarii, CIL XIII 8700), wohl nach dem → Bataveraufstand angelegt, nachgewiesen. Um 250 n. Chr. wurde Q. durch den numerus Ursarien-

sium zu einer größeren Befestigung ausgebaut. Verm. 275/6 wurde die Ortschaft bei Germaneneinfällen zerstört, jedoch unter Probus wieder aufgebaut. Constantinus [1] gab sie als mil. Anlage auf, unter Iulianus [11] wurde sie nach den Germaneneinfällen 352/356 erneut ausgebaut (Amm. 18,2,4f.) und wohl bis ins 5. Jh. besetzt.

P. Goessler, s. v. Q. (1), RE 24, 678–680 · H. G. Horn, in: J. E. Bogaers, C. B. Rüger (Hrsg.), Der niedergermanische Limes, 1974, 96–98 Nr. 24 · M. Gechter, Bedburg-Hau-Qualburg, in: H. G. Horn (Hrsg.), Die Römer in Nordrhein-Westfalen, 1987, 347 f.   R.A. WI.

[3] Lagerplatz der *equites sagittarii* in *Pannonia I* (Not. dign. occ. 34,6,17), genaue Lage unbekannt. Die Identifizierung mit h. Lébény-Barátföldpuszta (ant. Quadrata) läßt sich nicht sichern.

J. Fitz (Hrsg.), Der röm. Limes in Ungarn, 1976, 19.

[4] Militärstation in Pannonia Inferior (Valeria), Standort eines *tribunus cohortis* (Not. dign. occ. 33,60: *Quadriborgium*). Die Gleichsetzung mit h. Pilismarót in Ungarn ist nicht überzeugend.

TIR L 34 Budapest, 1968, 94.   J.BU.

Quadriformis (»Viergestaltig«, auch Quadrifrons, »viergestirnt«). Beiname des → Ianus, dessen nach vier Seiten blickende Statue nach der Eroberung von → Falerii [1] 241 v. Chr. nach Rom gebracht worden sein soll (Serv. Aen. 7,607; Macr. Sat. 1,9,13). Unter Domitian kam sie auf das Forum Transitorium (Mart. 10,28,5 f.); auf einem As Hadrians findet sich eine Abbildung des Kultbildes [1. 621 Nr. 21]. Varro symbolisiert kosmologisch als *quadrifrons* die *quattuor partes mundi* (»die vierfache Ausrichtung der Welt«, fr. 234 Cardauns) [2. 63].

1 E. Simon, s. v. Ianus, LIMC 5.1, 618–623; 5.2, 421 f.
2 K. Thraede, Merkwürdiger Janus, in: H. Cancik u. a. (Hrsg.), Gesch. – Trad. – Reflexion, Bd. 2, 1996, 55–76.
          JO.S.

Quadrifrons s. Triumphbogen

Quadriga (τετραορία/*tetraoría*, τέθριππον/*téthrippon*; lat. meist im Pl. *quadrigae*). Viergespann, der mit vier nebeneinander laufenden Pferden bespannte zweirädrige Wagen, der stehend gelenkt wurde, nach ant. Trad. von Trochilos oder Erichthonios [1] (Verg. georg. 3,113, vgl. Plin. nat. 7,202) erfunden. In den homerischen Epen werden Viergespanne recht selten erwähnt (z. B. Hom. Il. 8,185; 11,699), tauchen dann aber in der lit. Überl. z. B. bei myth. Wettfahrten (Oinomaos und Pelops, vgl. Philostr. imag. 1,17 und 30) häufiger auf und werden als repräsentatives Fahrzeug der Götter aufgeführt (Zeus/Iuppiter, Helios/Sol, Apollon, Poseidon/Neptun, Nike/Victoria etc.), das diese zur Ausfahrt z. B. zum Gigantenkampf verwenden, sowie als Gefährt von Heroen (z. B. Bellerophon, Amphiaraos, Hippolytos, Hektor).

In der geom. Kunst sind Q. in der Vasenmalerei und (vereinzelt) in der Glyptik dargestellt, wobei ein kriegerischer Aspekt durch den auf dem Wagenkasten neben dem Lenker stehenden bewaffneten Kämpfer anklingt. Dies verdeutlichen bes. die zahlreichen kyprischen Terrakotten des 7. Jh. v. Chr. mit Krieger und Lenker als Besatzung. In der archa. Zeit verlor die Q. diesen Aspekt und wurde mehr bei sportlichen Wettkämpfen eingesetzt, so z. B. bei den Olympischen Spielen (→ Olympia IV.), in deren Wettkampfprogramm das Rennen mit dem Viergespann 680 v. Chr. aufgenommen wurde. Ab der archa. Zeit sind Reste von Q. in der Skulptur erh. (z. B. in der Giebelgruppe vom Apollontempel in Delphi), daneben wurden Q. als Siegesmonumente (Hdt. 5,77) bes. nach siegreichen Wagenrennen (Hdt. 6,103) in Heiligtümer gestellt (am bekanntesten die Statuengruppe des Wagenlenkers von Delphi; → Weihung). Nicht unerwähnt bleiben sollen hier die Apobatenreliefs (→ *apobátēs*) mit dem von der Q. ab- bzw. aufspringenden Athleten. In der Spätklassik wird die Q. des weiteren Teil des Grabschmucks (→ Maussolleion von Halikarnassos, vgl. Plin. nat. 36,31) und im Hell. des Gebäudeschmucks (Pergamonaltar).

In Rom wurde die Q. myth.-histor. Trad. nach schon von → Romulus [1] (Tert. de spectaculis 9) verwendet; man bediente sich der Q. ansonsten bei Rennen im → Circus und bes. in → Triumphzügen, wo vier weiße Pferde den Wagen des Triumphators zogen (vgl. Plut. Camillus 7). Angeblich nahm man dafür auch vier Hirsche (SHA Aurelian. 33,3; [1. 400[196]]) oder Elefanten. Die bereits im Hell. aufkommende Sitte, Q. als Ehrenmonumente aufzustellen (allerdings allein mit der Person des Geehrten auf dem Wagenkasten), wurde auch in der röm. Kaiserzeit gepflegt, nicht nur für den Kaiser, sondern auch für Privatpersonen (Iuv. 7,125–126). In der röm. Kunst ist die Q. ein häufiges Motiv, bes. auf Gemmen und Mz., in Circusdarstellungen, auf Sarkophagen usw.; daneben erscheint sie als bekrönender Abschluß von → Triumphbögen oder als → Akroter an Tempeln.

→ Bigae; Circus (I. B., II. D.-E.); Hippodromos [1]; Pferd (IV. C. und E.); Wagen; Reiterstandbild; Rosse von San Marco

1 E. Merten (ed.), Historia Augusta. Röm. Herrschergestalten, 1985.

G. Hafner, Viergespanne in Vorderansicht, 1938 · E. Künzl, Der röm. Triumph. Siegesfeiern im ant. Rom, 1988 · K. Tancke, Wagenrennen, in: JDAI 105, 1990, 95–127 · J. H. Crouwel, Chariots and Other Wheeled Vehicles in Iron Age Greece, 1992 · K. Schauenburg, Zirkusrennen und verwandte Darstellungen (ASR 5,2,3; Die stadtröm. Eroten-Sarkophage), 1995.   R.H.

Quadrigatus. Letzte Serie der röm.-kampanischen → Didrachmen des unterital. Münzfußes vor Einführung des → Denarius (Liv. zu 216 v. Chr.: 22,52,3; 22,54,2; 22,58,4 f.) mit Ianuskopf auf dem Av. und Iuppiter in der → Quadriga auf dem Rv. Das Sollgewicht lag bei 6 → Scripula von 1,137 g. Der Q. wurde gleichzeitig mit den neuen Bronze-Mz. vom Libralstandard (mit denen er den Ianuskopf auf dem Av. gemein hatte) ca. 235 v.Chr. [4. 708] oder 225 v.Chr. [2. 146] (oder schon 250 v.Chr.? [3]) eingeführt und bis ca. 212 zuerst in Rom und dann auch in Sizilien (Beizeichen Ähre) und in mil. Münzstätten in It. geprägt. Seltener sind halbe Didrachmen, ganze und halbe goldene → Statere mit denselben Darstellungen. Die Q.-Prägung war äußerst umfangreich und vielfältig. Gegen E. wurden die Q. immer schlechter mit schwindendem Silberanteil ausgeprägt (vgl. Zonaras 8,26 zum J. 217; Liv. 22,37,1 ff. zum J. 216).

Q. hießen zeitgenössisch wohl auch die Denare des 2. Jh. v.Chr. mit Iuppiter in der Quadriga auf dem Rv. im Gegensatz zum → Bigatus mit Diana in der Hirschbiga (Plin. nat. 33,45; Paul. Fest. 98).

1 A. ALFÖLDI, Zur röm. Münzprägung im zweiten punischen Kriege, in: JNG 15, 1965, 33–47 2 RRC, 103–105 3 A. CUTRONI TUSA, Il quadrigato in Sicilia, in: M. CACCAMO CALTABIANO (Hrsg.), La Sicilia tra l'Egitto e Roma, 1995, 465–473 4 R. THOMSEN, s.v. Q., RE 24, 686–708 5 Ders., Early Roman Coinage, 1957–1961, passim.   DI.K.

Quadrunx (auch Quatrunx). Mod. Bezeichnung des röm. Vierunzenstückes bei dezimaler Teilung des → As. Gegossene Quadrunces gibt es aus Ariminum, Asculum Apulum, Hatria und Luceria, geprägte aus Atella, Calatia, Capua, Larinum, Luceria, Rhegion und Theate Apulum [1].

1 H. CHANTRAINE, s.v. Q., RE 24, 708–710 2 SCHRÖTTER, s.v. Q., 543.   GE.S.

Quadruplator. Als *q.* (Fest. 309; Ps.-Ascon. in Cic. div. in Caec. 24) wird in Rom der Ankläger in einem öffentlichen Strafverfahren bezeichnet, bes. derjenige, der aus Gewinnsucht Anklage erhebt. Der Ausdruck *q.* wird insoweit gleichbedeutend mit → *delator* und → *index* [1] verwendet. Der Name ist wohl darauf zurückzuführen, daß die *quadruplatores* als Ankläger bei solchen Delikten auftraten, bei denen die Verurteilung auf das *quadruplum* (Vierfache) des verletzten Interesses erfolgte. Q. heißt ferner der Zollpächter, der vom Zoll den vierten Teil erhält (Sidon. epist. 5,7,3).

J. G. CAMIÑAS, Sobre los »quadruplatores«, in: SDHI 50, 1984, 461–473 · G. WESENER, s.v. Q., RE 24, 710–711 · J. S. A. ZIJLSTRA, De delatores te Rome aan Tiberius' regering, 1967, 33–52.   GU.WE.

Quadrussis. Wert von 4 Assen (→ *as*), mod. Bezeichnung, als Konjektur schon lange abgelehnt, ant. *quattussis*, *quadrassis*, seit dem 1. Jh. n.Chr. inschr. als *quattus*, *quadtus* für Preisangaben (CIL IV 1679; VIII 25902, III 19; XI 5717). Ob es eine Mz. dieses Wertes gab, ist fraglich; sie entspräche dem → Sestertius. Allenfalls die Sesterzen der Flottenpraefekten des Marcus Antonius [I 9] könnten wegen ihres Wertzeichens Δ (=4), das neben HS für

Sesterz verwendet wird, als Q. bezeichnet werden. Die Preisangabe mit Q. anstelle von Sesterz ist ein Zeichen für die Verbreitung der As-Rechnung. Die griech. Übers. ist τετρασσάριον/*tetrassárion* (mit Nebenformen). Die Benennung der leichteren Barren des → Aes signatum in der älteren numismatischen Lit. als Q. ist falsch, da diese nicht zu festen Gewichten hergestellt wurden.

H. CHANTRAINE, s.v. Q., RE 24, 711–714.   DI.K.

Quadruviae s. Biviae

Quaesitor (»Untersucher«) kann in allg. lat. Sprachgebrauch jeder Vorsitzende einer Geschworenenbank (→ *quaestio*) in Strafverfahren heißen, meist jedoch im Unterschied zu dem auf ein Jahr bestellten ständigen Vorsitzenden (*praetor, iudex quaestionis*) der für einen einzelnen Prozeß bestimmte Vorsitzende gemeint [1, Bd. 2. 223⁴; 2. 48–50]. Auch er besitzt kein Stimmrecht [2. 16²⁹] und ist an den Beschluß des Gremiums gebunden, dem er vorsitzt. Eine rechtstechnische Verbindung des *q.* zu den altertümlichen *quaestores parricidii* (→ *parricidium*) ist umstritten, wird jedoch von [2. 44 f., 132] angenommen, der in den letzteren die Mitglieder oder eben die Vorsitzenden einer *quaestio* im frühen Kriminalverfahren sieht.
→ Crimen; Quaestor

1 MOMMSEN, Staatsrecht 2 W. KUNKEL, Unt. zur Entwicklung des röm. Kriminalverfahrens, 1962.   W.ED.

Quaestio   A. WORTBEDEUTUNG
B. ENTSTEHUNG   C. VERFAHRENSABLAUF
D. NIEDERGANG DER QUAESTIO

A. WORTBEDEUTUNG

Q. (wörtlich »Frage«) bezeichnet in der röm. Rechtssprache allg. einerseits den Prozeß selbst, dann aber auch das Verhör, insbes. die peinliche Frage, die → Folter (→ *q. per tormenta*). In einer engeren technischen Bed. meint *q.* das Strafverfahren der späten Republik und des Prinzipats, bei dem eine Richterbank aus Senatoren unter magistratischer Leitung tagte, aber auch diesen Geschworenengerichtshof selbst. Solche Gerichte waren durch Gesetze – am wichtigsten die *leges Corneliae* des Cornelius [I 90] Sulla (zw. 81 und 79 v.Chr.) und die *leges Iuliae* des Augustus (soweit datierbar 18/7 v.Chr.) – immer nur für eine bestimmte Verbrechensgruppe eingerichtet: für Totschlag, Giftmischerei und andere gegen die öffentliche Sicherheit gerichtete Verbrechen die *q. de sicariis et veneficis* (→ *homicidium*), für Majestätsverbrechen die *q. de maiestate* (→ *maiestas*) und für Erpressungen von Beamten die *q. de repetundis* (→ *repetundarum crimen*) – um nur die bekanntesten zu nennen.

B. ENTSTEHUNG

Entstanden sind diese ständigen Gerichtshöfe (*quaestiones perpetuae*) aus fallweise eingesetzten Senatsausschüssen (*q. extraordinariae*), die im Bereich der polit.

Verbrechen das schwerfällige Komitialverfahren (→ *co-mitia*) und im Bereich der allg. Kriminalität das private Kapitalverfahren und seine Ergänzung durch die beginnende öffentliche Strafverfolgung der *tres viri capitales* ersetzten [1; 2]. Nach älterer, aber auch heute noch vertretener Auffassung [3; 4] soll zunächst der Magistrat im Rahmen der Koerzitionsgewalt Strafen verhängt haben, gegen die der röm. Bürger mittels → *provocatio ad populum* die *comitia* habe anrufen können. In diesem Komitialprozeß, der wohl nur für polit. Straftaten verwendet wurde, war der Magistrat jedoch verm. nicht Richter, sondern Ankläger [2]. Verbrechen, die sich gegen den einzelnen richteten, hätten schon wegen ihrer großen Zahl die zeitlichen Möglichkeiten der *comitia* völlig überfordert. Sie wurden von den unmittelbar Betroffenen in einem Verfahren verfolgt, das im wesentlichen dem Sakramentsprozeß (→ *legis actio*) entsprach. Motor dieses Verfahrens war das Rachebedürfnis des Verletzten, dem der Täter auch ausgeliefert wurde, wenn seine Schuld ausgesprochen wurde. Erst die zunehmenden Schwierigkeiten, die sich aus dem Wachstum Roms und der Bildung einer Großstadtkriminalität für Ausforschung und Verfolgung von Verbrechern durch Private ergaben, ließen daneben eine von Amts wegen ermittelnde Polizeigerichtsbarkeit auf den Plan treten, die der Praetor gegenüber kleinen Leuten durch ein Hilfsorgan, die *tres viri capitales* (→ *tres viri*), ausübte. Bei jenen Fällen, die breiteres Aufsehen erregten, wurden dagegen *q. extraordinariae* gebildet, und bei diesen liegt der Ursprung des Quaestionenverfahrens gegen angesehene Bürger.

C. VERFAHRENSABLAUF

Die Einleitung des Verfahrens einer *q.* zeigt noch deutlich die Nähe zur privaten Strafverfolgung. Wohl galt, bezeichnenderweise mit Ausnahme gerade der ältesten *q. de repetundis* (→ *repetundarum crimen*), das Prinzip der Popularanklage; jeder war also zur Anklage befugt (daher *iudicium publicum*, »öffentliches Gerichtsverfahren«), bevorzugt jedoch der unmittelbar Verletzte. Auch war es zunächst regelmäßig Sache des Anklägers, den Beschuldigten vor den Magistrat zu laden; erst gegen Ende der Republik wurde die amtliche Ladung üblich. Auf die Ladung folgte die → *interrogatio legibus*, die Frage des Anklägers an den Beschuldigten, ob er sich schuldig bekenne. Bejahte er, konnte gegen ihn sofort ein Strafausspruch ergehen, der vollstreckt werden konnte. Verneinte er jedoch, so hatte der Magistrat zu entscheiden, ob ein Verfahren vor der *q.* stattfinden sollte (→ *receptio nominis*). Die Vorbereitung der mündlichen Verhandlung und die Verhandlung selbst war ähnlich wie im mod. angelsächsischen Strafverfahren der Initiative der Parteien überlassen. Vor allem war die *inquisitio*, die Lieferung der nötigen Beweise, Sache des Anklägers, der freilich insofern Vorteile gegenüber dem Zivilprozeß genoß, als er eine bestimmte Zahl von Zeugen zur Aussage verpflichten konnte.

Auf die Auswahl der Richter (*sortitio* und *electio iudicum*) folgte die Verhandlung selbst mit den Vorträgen der Parteien und der Beweisaufnahme. Der vorsitzende Magistrat war schon durch die Unkenntnis des Prozeßstoffes auf die formale Leitung der Verhandlung beschränkt, die die Richter als stumme Zuhörer verfolgten. Er hatte auch die Verhandlung mit der Aufforderung an die Richter, ein Urteil zu fällen (*mittere in consilium*), zu schließen. Dieses mit einfacher Mehrheit zustandegekommene Urteil betraf nur die Schuld (*fecisse* oder *non fecisse videri*, ob die Tat bewiesen sei). Die Strafe ergab sich in der Regel aus dem Gesetz, das die *q.* eingerichtet hatte, doch wurde die → Todesstrafe kaum vollzogen, sondern durch Duldung der Flucht praktisch in → *exilium* (Exil) umgewandelt.

D. NIEDERGANG DER QUAESTIO

Die *q.* wurde nicht ausdrücklich beseitigt, sondern durch konkurrierende Einrichtungen während des Prinzipats allmählich verdrängt. Dies geschah bei polit. Prozessen durch das Senatsgericht des Kaisers, bei der allg. Verbrechensbekämpfung durch die → *cognitio extraordinaria* des → *praefectus urbi* (Stadtpraefekten), die anknüpfend an die Schnelljustiz der *tresviri* wesentlich effizienter war als die *q.* mit ihrem umständlichen Verfahren unter der Leitung unerfahrener und unfähiger Praetoren und mit korruptionsanfälligen und inkompetenten Laienrichtern. Am längsten hielt sich die *q.* bezeichnenderweise bei weniger wichtigen Delikten, z.B. beim → *adulterium* (Ehebruch). Den Juristen des 3. Jh. n. Chr. war sie noch bekannt.

→ Folter; Iudex; Praetor; Prozeßrecht

1 W. KUNKEL, Unt. zur Entwicklung des Kriminalverfahrens in vorsullanischer Zeit, 1962 2 Ders., s. v. Q., RE 24, 720–786 3 MOMMSEN, Strafrecht 4 B. SANTALUCIA, Diritto e processo penale nell'antica Roma, ²1998.

A. H. M. JONES, The Criminal Courts of the Roman Republic and Principate, 1972 • A. GUARINO, Punti di vista: I Romani, quei criminali, in: Labeo 39, 1993, 234–238.

A. VÖ.

Quaestio lance et licio (wörtl. »Suche mit Schüssel und Schnur«). Im röm. Recht eine förmliche Haussuchung (beschrieben bei Fest. 104; Gai. inst. 3,192,193; Gell. 11,18,9; 16,10,8), die den »überführten Dieb« zum *fur manifestus* machte; sie war schon im 2. Jh. v. Chr. außer Übung. Das Ritual, bei dem der Suchende nackt und mit *lanx* und *licium* aufzutreten hatte, war bereits den Alten nicht mehr verständlich (Gai. l.c.: *res tota ridicula*, »eine ganz lächerliche Sache«). Trotz vielfältiger Deutungsversuche (Geräte zur Mitnahme aufgefundenen Diebesgutes; magisch-sakrale Relikte einer Opferhandlung und neuestens [1. 177]: Hohl- und Bandmaß zur Erfassung des Diebesgutes) ist der Sinn wohl nicht mehr zu ermitteln.

1 D. FLACH, Die Gesetze der frühen röm. Republik, 1994, 176–179.

J. G. WOLF, Lanx und licium. Das Ritual der Haussuchung im altröm. Recht, in: D. LIEBS (Hrsg.), Sympotica F. Wieacker, 1970, 59–79 • F. HORAK, s. v. Q. lance et licio, RE 24.1, 788–801.

C. E.

Quaestio per tormentum, die Befragung auf der → Folter, war im röm. Strafverfahren, wie schon die umfangreiche Überl. in Dig. 48,18 und Cod. Iust. 9,41 zeigt, ein wichtiges Beweismittel. In der Republik und im Prinzipat wurden ihr regelmäßig nur Sklaven, freie röm. Bürger hingegen lediglich in Ausnahmefällen unterzogen. Augustus wollte sie nicht als erstes Beweismittel zulassen und Hadrian (2. Jh. n. Chr.) sogar erst dann, wenn der Verdacht mit anderen Beweismitteln erhärtet war. Außerdem betont Hadrian, daß vorher über die Behauptung des Angeklagten, kein Sklave zu sein, entschieden werden muß. Anfang des 3. Jh. n. Chr. sollte die *q.p.t.* nach Iulius [IV 16] Paulus allein der Aufklärung schwerer Verbrechen dienen (Dig. 48,18,22), und Ulpian sprach ihr absolute Beweiskaft ab (Dig. 48,18,1,23). Schon in dieser Zeit zeigten sich jedoch Anzeichen einer Tendenzumkehr. Seit dem 4. Jh. n. Chr. wurden auch freie Römer ganz allg. der *q.p.t.* unterzogen. Ihre immer breitere Anwendung wurde durch christl. Einflüsse nicht gemildert, sondern setzte sich bis zur Aufklärung fort.

P. CERAMI, Tormenta pro poena adhibita, in: Annali del Seminario giuridico dell' Università di Palermo 41, 1991, 31–50 · U. VINCENTI, La condizione del testimone nel diritto processuale criminale romano di età tardo imperiale, in: Accademia Romanistica Constantiniana. Atti 8. Convegno, 1990, 309–324 · W. WALDSTEIN, s. v. Q.p.t., RE 24, 786 f.   A. VÖ.

Quaestor (Pl. *quaestores*, von *quaerere*, »fragen«, »untersuchen«; die etym. Bed. hat keine Verbindung zum Amtsbereich als Kassenbeamter, vgl. → *mastroí*). Unterste Stufe des → *cursus honorum*.

I. QUAESTORES PARRICIDII II. QUAESTOR ALS MAGISTRAT III. QUAESTOR SACRI PALATII

I. QUAESTORES PARRICIDII

Q. parricidii (in den Zwölftafeln/→ *tabulae duodecim* erwähnt: Pomponius Dig. 1,2,2,23) waren im frühen Rom mit der Unt. von Kapitalverbrechen befaßt (Paul. Fest., s. v. *parricidi q.*, p. 247 L.), wohl kaum als ständiges Organ staatl. Strafverfolgung, sondern als Richter oder Leiter eines Geschworenengerichts im Rahmen privater Rechtsverfolgung [1. 43 f.] (→ *quaestio*; → *quaesitor*; → Strafe, Strafrecht). Trotz der Identifizierung in ant. Texten (Zon. 7,13,3; evtl. auch Varro ling. 5,81; dagegen unterschieden von Pomponius Dig. 1,2,2,22 f.) und mod. Darstellungen haben sie schwerlich etwas mit den magistratischen *q.* (s.u. II.) zu tun [2. 359–362; 1. 44; 4. 511 f.].

II. QUAESTOR ALS MAGISTRAT

A. REPUBLIKANISCHE ZEIT B. KAISERZEIT C. STÄDTE

A. REPUBLIKANISCHE ZEIT

Ant. Aussagen, daß es *q.* schon in der Königszeit (Tac. ann. 11,22,4; Ulp. Dig. 1,13,1 pr.) oder seit dem Anf. der Republik (Plut. Publicola 12,3) gegeben habe, beruhen verm. auf Spekulation. Eher glaubhaft ist, daß seit 447 v. Chr. zwei *q.* als ordentliche Jahresbeamte vom Volk gewählt (Tac. ann. 11,22,4) und mit der Verwaltung der Staatskasse (→ *aerarium*) betraut wurden. Seit 421 traten zwei *q.* hinzu (Liv. 4,43,3 f.), die den Oberbeamten im Feld als Verwalter der Kriegskasse und Besorger des Nachschubs zur Seite standen. Im 3. Jh. v. Chr. wurde die Zahl noch einmal verdoppelt (Liv. per. 15 in Verbindung mit Tac. ann. 11,22,5), möglicherweise in zwei Schritten, indem zuerst 267 v. Chr. zwei Stellen für Verwaltungsaufgaben in It., nach dem 1. → Punischen Krieg zwei weitere für die Prov. Sicilia und Sardinia geschaffen wurden [3. 93 f.; 4. 513]. Die Vermehrung der Prov. im 2. Jh. v. Chr. führte wahrscheinlich zu einer weiteren Zunahme der Zahl der *q.* [4. 513], die aber nicht bezeugt ist. → Cornelius [I 90] Sulla erhöhte sie auf 82 v. Chr. sie auf 20 (Tac. ann. 11,22,6), was etwa dem wirklichen Bedarf entsprach. Dagegen verfolgte → Caesar mit der Steigerung auf 40 Stellen die Absicht, viele verdiente Parteigänger zu belohnen (Cass. Dio 43,47,2; 43,51,3). → Augustus kehrte dauerhaft zur Zahl von 20 *q.* zurück.

Die *q.* hatten kein → *imperium*, daher auch keine → *lictores*. Voraussetzung für die Wahl waren in älterer Zeit zehn J. Militärdienst (Pol. 6,19,4), seit Sulla ein Mindestalter von 30 J. (die alte Annahme bestätigt durch [5]). Der Senat legte jährlich die Amtsbereiche (s. → *provincia*) fest, die dann am Tag des Amtsantritts (5. Dezember) durch → Los (nur ausnahmsweise/außerhalb des Losverfahrens, *extra sortem*) verteilt wurden (Cic. Mur. 18; Cic. ad Q. fr. 1,1,11; zum Tag: Cic. Catil. 4,15). Die angesehenste Stellung hatten die zwei *q. urbani*, die – unterstützt von ihrem Hilfspersonal (bes. den → *scribae*) – die Staatskasse nach Anordnung des Senats verwalteten und das Staatsarchiv (mit → *census*-Listen, Verträgen, Gesetzestexten, Senatsbeschlüssen) beaufsichtigten. Je ein *q.* (nur in Sizilien zwei) war den Provinzstatthaltern beigegeben. Von den sog. ital. *q.* sind nur der *q. Ostiensis* (zuständig u. a. für Hafen und Getreidezufuhr: Cic. Sest. 39) und die wohl nur gelegentlich vergebene *aquaria provincia* (Cic. Vatin. 12 mit schol. Bob. ad locum) zur Kontrolle der Wasserversorgung einigermaßen kenntlich, während der Aufgabenbereich *calles* (Wege und Triften, Tac. ann. 4,27,2) sowie die *Gallica provincia* (Suet. Claud. 24,2) nicht sicher geklärt sind. Auch die Aufgaben der in der späten Republik den Consuln zugeordneten *q.* (zuerst einer, seit 38 v. Chr. zwei für jeden Consul: Cass. Dio 48,43,1) sind unbekannt.

B. KAISERZEIT

→ Augustus setzte das Mindestalter für die Quaestur auf 25 J. herab (Cass. Dio 52,20,1 f.). Bei den Aufgaben kam es zu zahlreichen Veränderungen. Schon seit 27 v. Chr. gab es Provinzial-*q.* nur noch in den sog. Senatsprov. (Gai. inst. 1,6). Die ital. *q.* wurden 44 n. Chr. endgültig abgeschafft (Cass. Dio 60,24,3). Die *q. urbani* verloren nach mehreren Änderungen 56 n. Chr. die Leitung der Staatskasse (Tac. ann. 13,28,3), behielten aber wohl die Aufsicht über das → Archiv (B.3.). Bes. angesehen waren die beiden *q. Augusti* bzw. *q. principis* (seit Augustus: ILS 196; 928; 972), die vom Kaiser für die Wahl bindend vorgeschlagen wurden (*candidati principis*; vgl. bes. [6]) und u. a. dessen Anträge und Mitteilungen im Senat zu verlesen hatten (Ulp. Dig. 1,13,1,2; Tac. ann. 16,27,1 u.ö.). Nachdem den (angehenden) *q.* schon im 1. Jh. n. Chr. die Abhaltung von Gladiatoren-Spielen auferlegt worden war (→ *munus* III.; Tac. ann. 11,22,2; Suet. Dom. 4,1), wurde unter → Constantinus [1] I. die Ausrichtung von Spielen Hauptaufgabe des Amtes.

C. STÄDTE

In vielen ital. und außerital. Städten (s. → *municipium*) waren zwei (oder vereinzelt mehr: ILLRP 535; 554; 593) *q.* als Unterbeamte (teilweise auch als Träger eines → *munus* II.: Dig. 50,4,18,2) mit der Verwaltung der lokalen Finanzen befaßt (allg. Aufgabenstellung z. B. in der → *Lex Irnitana*, Kap. 20; vgl. sonst [7. 329f.]).

III. QUAESTOR SACRI PALATII

Unter → Constantinus [1] I. (Zos. 5,32,6) und seinen Söhnen entstand – vielleicht in Anlehnung an die Aufgaben der *q. Augusti* [8. 153–155; 9. 58f.] – das Hofamt des *q. sacri palatii* (so AE 1934, 159; Cod. Theod. 1,1,5; *q. aulae*: ILS 2948; oft einfach *q.*). Dieser gewann rasch an Bed., war seit 372 n. Chr. → *spectabilis*, um 380 → *illustris vir* (Cod. Theod. 6,9,1–2) und war *ex officio* (»von Amts wegen«) Mitglied des kaiserlichen Rats (→ *consistorium*: vgl. Amm. 28,1,25; Symm. epist. 1,23,3; Nov. 75; 104). Das Amt existierte sowohl im Ost- als auch im Westteil des Reiches, anscheinend auch am → Hof (D.) der *Caesares* (Amm. 14,7,12; 20,9,5).

Bei den Aufgaben ist eine Entwicklung festzustellen: Anfangs war der *q. sacri palatii* allg. Repräsentant und Sprachrohr des Kaisers (Rut. Nam. 1,172), manchmal als Gesandter, v. a. aber als Verf. bzw. Redaktor der kaiserlichen → *constitutiones*, Reskripte (→ *rescriptum*) und Briefe. Insofern überschnitten sich seine Aufgaben mit denen der Leiter der Büros der Hofverwaltung (→ *scrinium*: vgl. [8. 159–164]), aus deren Personal er auch seine Helfer rekrutierte (Not. dign. or. 12; Not. dign. occ. 10). Wegen der erforderlichen rhet.-stilistischen Qualifikation wurden zunächst auch Literaten wie → Ausonius und Nicomachus → Flavianus [2] mit dem Amt betraut. Die zunehmende Berufung von Juristen seit dem 5. Jh. n. Chr. war Folge einer veränderten Ausrichtung des Amtes. Neben der Redaktion und Publikation der Gesetze (Not. dign. or. 12: *leges dictandae*) oblag dem *q. sacri palatii* die Entgegennahme und Bearbeitung der an den Kaiser gerichteten Bittschriften (*preces*), im östl. Reichsteil auch die Führung des → *laterculum minus* (Cod. Iust. 1,30,1–2) sowie seit 440 n. Chr. die Beteiligung an Appellationsprozessen (Cod. Iust. 7,62,32). Wegen ihrer juristischen Kompetenz waren amtierende und ehemalige *q.* (*ex quaestore*) maßgeblich an den spätant. Rechtskodifikationen (→ *codex* II.C.) beteiligt (vgl. Cod. Theod. Novellae 1,7 und die bestimmende Rolle des → Tribonianus unter Iustinianus [1] I.).

Im Westen wurde das Amt in die Verwaltung der Ostgotenkönige (vgl. → Cassiodorus), im Osten in die byz. Verwaltung übernommen.

→ Magistratus; Propraetor

1 W. KUNKEL, Unt. zur Entwicklung des röm. Kriminalverfahrens in vorsullanischer Zeit, 1962 2 K. LATTE, The Origin of the Roman Quaestorship, in: Ders., KS, 1968, 359–366 3 W. V. HARRIS, The Development of the Quaestorship, 267–81 B. C., in: CQ n. s. 26, 1976, 92–106 4 W. KUNKEL, R. WITTMANN, Staatsordnung und Staatspraxis der röm. Republik, Bd. 2, 1995, 510–531 5 F. X. RYAN, The Minimum Age for the Quaestorship in the Late Republic, in: MH 53, 1996, 37–43 6 M. CÉBEILLAC, Les *quaestores principis et candidati* aux Ier et IIème siècles de l'empire, 1973 7 LIEBENAM 8 J. HARRIES, The Roman Imperial Q. from Constantine to Theodosius II, in: JRS 78, 1988, 148–172 9 R. DELMAIRE, Les institutions du bas-empire romain de Constantin à Justinien, Bd. 1: Les institutions civiles palatines, 1995.

W. K.

Qualle (zoologisch: Meduse). Die schwimmende Geschlechtsform der Polypen aus dem Unterstamm der Nesseltiere (Cnidaria) innerhalb der Hohltiere. Aristot. hist. an. 4,6,531a 32–b 17 beschreibt die durch ihre Nesselfäden brennende ἀκαλήφη/*akalḗphē* sc. θαλασσία/*thalassía* »Brennessel« (Nessel-Q.) bzw. damit syn. die κνίδη/*knídē* (ebd. 5,16,548a 22–27) recht gut (die von Athen. 3,90a-b angeführten Komikerstellen bezeichnen mit der *akalḗphē* aber nicht das Nesseltier, sondern die Brennessel). Lat. entspricht der *cnide* die *urtica marina* (Plin. nat. 32,146). Nach Aristot. zählen die Q. zu den schalenlosen Weichtieren. Im Rahmen der *scala naturae* bei Aristot. hist. an. 7(8),1,588b 20 stehen sie mit ihrem fleischigen Körper am Übergang von den Pflanzen zum Tier. Sie sitzen teils an Steine angeheftet, teils schwimmen sie umher, ohne daß der hier zugrundeliegende Generationswechsel erkannt wurde. In die – in der Mitte der Unterseite befindliche – Mundöffnung wird lebende Nahrung, z. B. kleine Fische, durch die Tentakeln eingeführt (vgl. dazu Plin. nat. 9,147). Daß Nahrungsrückstände ausgeschieden werden, glaubt Aristoteles nicht (hist. an. 4,6,531b 8f.), aber er beschreibt (hist. an. 7(8),2,590a 29f.) eine entsprechende Öffnung auf der Oberseite (vgl. Plin. nat. 9,147: *excrementa per summa tenui fistula reddi*, ›die Exkremente an der oberen Stelle durch eine dünne Röhre ausstoßen‹).

Die kleinere der beiden bei Aristoteles erwähnten Unterarten (hist. an. 4,6,531b 10f.) soll im Winter eßbar sein. Nach Plut. mor. 670d untersagten die Pythagoreer ihren Verzehr. Laut Plin. nat. 31,95 wurde sie auch zur Fischbrühe (*allex*) verwendet. In Wein getrunken, soll die *urtica marina* auch gegen Steinleiden helfen (Plin. nat. 9,102).

KELLER 2, 575f.

C. HÜ.

Quartarius (griech. τέταρτον/*tétarton*, »Viertel«). Der *q.* war ein röm. → Hohlmaß für Flüssiges und Trockenes zu ¼ → *sextarius*, entsprechend 2 *acetabula* bzw. 3 *cyathi*. Auf Wasser geeicht entspricht die *q.* 0,136 l.
→ Acetabulum; Cyathus

> 1 H. CHANTRAINE, s. v. *q.*, RE 24, 830–834 2 F. HULTSCH, Griech. und röm. Metrologie, ²1882, s. Index.   H.-J.S.

Quartinus. Titus (?) Q. war ein Freund des Kaisers → Severus Alexander mit consularischem Rang. Nach dem gescheiterten, gegen → Maximinus [2] Thrax gerichteten Usurpationsversuch des → Magnus [2] 235 n. Chr. am Rhein wurde Q. von östl. Truppenteilen zum Gegenkaiser erhoben, wenig später aber auf Betreiben von Macedo [2] ermordet (Herodian. 7,1,4–11; SHA Maximini duo 11,2; fiktiv: SHA trig. tyr. 32).

> KIENAST ²1996, 186f. • X. LORIOT, Les premières années de la grande crise du IIIᵉ siècle: De l'avènement de Maximin le Thrace (235) à la mort de Gordien III (244), in: ANRW II 2, 1975, 657–787, hier: 672f.; PIR Q 9; T 211.   T.F.

Quartuncia. Mod. Bezeichnung des Viertelunzenstücks, in der Ant. lat. → *sicilicus* und nicht allein auf das Münzwesen beschränkt, sondern allgemein der vierte Teil vom Zwölftel eines Ganzen (=¹⁄₄₈). Die Q. ist der kleinste, stets in Br. geprägte Wert im → Semilibralstandard mit Av. behelmter Romakopf, Rv. Prora (»Schiffsvorderteil«), ohne Wertzeichen (Münzstätte Rom, 217–215 v. Chr., RRC 38/8), in Brundisium mit Av. Kopf des Poseidon, Rv. Taras auf Delphin und Wertzeichen C, in Graxa (Apulien) mit Av. Kammuschel, Rv. Delphin und Wertzeichen Ↄ.

> H. CHANTRAINE, s. v. Q., RE 24, 835 f. • SCHRÖTTER, s. v. Q., 542 f.; s. v. Sicilicus, 631.   GE.S.

Quartunzialstandard. Letzte Reduktionsstufe der röm. Bronze-Mz. mit einem → As von nur noch ¼ Unze (→ *uncia*) = ca. 6,8 g, erstmals Mitte des 1. Jh. v. Chr. bei den Bronze-Mz. der Quaestoren auf Sizilien, ebenso u. a. in Paestum und Rhegion. Diese Reduktionen müssen jedoch nicht immer offiziell gewesen sein. Die schwereren Messing-Mz. der Flottenpraefekten des Marcus Antonius [I 9] lassen sich eher nur vage dem Q. zuweisen [1. 86f.; 3. 88, Anm. 114]. Auch für einige lokale Prägungen im griech. Osten könnte man den Q. annehmen. Die kaiserzeitlichen Messing-Mz. von Augustus bis Anf. 3. Jh. (→ Sestertius, → Dupondius) orientieren sich mit ca. 1 bzw. ½ Unze Gewicht am Q., der kupferne As ist schwerer. Nero ließ 64 n. Chr. für kurze Zeit auch As, → Semis und → Quadrans in Messing nach dem Q. prägen.

> 1 M. AMANDRY, Le monnayage en bronze de Bibulus, Atratinus et Capito III, in: SNR 1990, 65–102 2 H. CHANTRAINE, s. v. Q., RE 24, 837 f. 3 R. MARTINI, Monetazione bronzea romana tardo-repubblicana, 1988.   DI. K.

Quaternio (»Vierer, Vierzahl«). Mod. Benennung des vierfachen → Aureus, auch als → Medaillon bezeichnet. Die Stücke sind sehr selten und wegen des im 3. Jh. n. Chr. schwankenden → Münzfußes nicht immer eindeutig zu definieren.

Nachzuweisen sind *quaterniones* für Augustus (2 v. Chr.–4 n. Chr., Münzstätte Lugdunum (h. Lyon), RIC 1,204; 205), Domitianus (88 n. Chr., Rom, RIC 2,108, dort als fünf *aurei* bezeichnet), Commodus (188/9 n. Chr., Rom, RIC 3,184; 185, beide als Medaillons bezeichnet), Severus Alexander (222 n. Chr., Rom, RIC 4.2,15; 317 mit Iulia [9] Mamaea, beide als Medaillons bezeichnet) und Philippus [2] Arabs (248 n. Chr., Rom, RIC 4.3,11, als Medaillon bezeichnet). Von Gallienus sind Q. in größerer Zahl erhalten [1. 841 f.].

Q. können erschlossen werden für Postumus, Victorinus, Tetricus I., Claudius [III 2] II., Tacitus, Annius [II 4] Florianus, Probus sowie Carus [I 3] und seine Söhne [1. 843 f.]. Multipla im Wert von vier *aurei* wurden während der ersten und zweiten Tetrarchie (z. B. ca. 295–305 n. Chr., Trier, RIC 6,35; 1.5.305–25.7.306 n. Chr., Trier, RIC 6,617) und unter Licinius (320 n. Chr., Nikomedeia, RIC 7,37) geprägt.

Ein Silbermedaillon des Valerianus und Gallienus mit den Büsten der Kaiser auf dem Av. und der Legende QVATERNIO in drei Zeilen auf dem Rv. (253 n. Chr., RIC 5.1,2) ist möglicherweise ein vierfacher → Denarius [1. 845] oder ein Probeabschlag für einen goldenen Q. [2].

> 1 H. CHANTRAINE, s. v. Q., RE 24, 838–845 2 SCHRÖTTER, s. v. Q., 543.   GE.S.

Quattuorviri. Beamtencollegien in Rom, It. und dem Westen des röm. Reiches, die aus vier (*quattuor*) Personen (*viri*) bestanden und unterschiedliche Aufgaben versehen konnten.

I. ROM   II. RÖMISCHES BÜRGERGEBIET IN ITALIEN
III. MUNIZIPIEN IN ITALIEN UND IM WESTEN

I. ROM

1) Das Collegium der *q. viarum curandarum* (anfangs wohl *q. viis in urbe purgandis* genannt) hatte die Aufgabe, für die Reinhaltung der Straßen innerhalb der Stadtmauern zu sorgen. Sie gehörten zu den »Zwanzigmännern« (→ *vigintiviri*), einer Gruppe von Ämtern, die junge Senatoren vor der ersten Magistratur des → *cursus honorum* bekleideten. Ihre Aufgabe läßt sie als Hilfsbeamte der → *aediles* erscheinen. Sie wurden vom Volk gewählt, verfügten wohl über Staatssklaven als Hilfspersonal und über einen → *viator*. Das Collegium wurde wohl im 1. Jh. v. Chr. (z.Z. Caesars?) geschaffen und bestand bis in das 3. Jh. n. Chr.

2) Die üblicherweise aus drei Beamten bestehenden und gleichfalls zu den *vigintiviri* gehörigen → *tresviri monetales* und *capitales* wurden unter Caesar auf vier Personen aufgestockt. Sie wurden damit kurzzeitig zu *q.*, was schon Augustus wieder rückgängig machte.

II. Römisches Bürgergebiet in Italien

In den noch nicht städtisch organisierten Bürgergebieten Italiens, den ländlichen → *tribus*, übten Praefekten als Vertreter des → *praetor* die Rechtsprechung aus (s. → *praefectus iure dicundo*; vgl. Fest. 262). Als Capua 211 v. Chr. als Gemeinde aufgelöst wurde, kamen seine Bürger unter die Jurisdiktion von vier vom röm. Volk gewählten *praefecti Capuam Cumas* [1. 29–31]. Mit der Einrichtung einer *colonia* (→ *coloniae*) in Capua durch Caesar (59 v. Chr.) verloren sie ihre Funktion und wurden in augusteischer Zeit aufgelöst.

III. Munizipien in Italien und im Westen

In den Bürger- und latinischen Munizipien (s. → *municipium*) Italiens und der westl. Reichshälfte finden sich neben den → *duoviri* und → *aediles* auch *q.*, die aus diesen zwei Collegien zusammengesetzt waren, teils mit der Qualifikation *iure dicundo* (um Recht zu sprechen) bzw. *aedilicia potestate* (mit aedilizischer Kompetenz). *Duoviri* und *aediles* waren tendenziell eher in *coloniae* belegt, während die *q.* v. a. in *municipia* erscheinen, doch ist diese Trennung keine allg. Regel [1. 120–128; 2. 71f.; 164]. Die Bezeichnung als *q.* entstand wohl im Gefolge der Umwandlung bislang latinischer und verbündeter Gemeinden in *municipia* nach dem → Bundesgenossenkrieg [3].

1 H. Galsterer, Herrschaft und Verwaltung im republikan. Italien, 1976 2 A. N. Sherwin-White, The Roman Citizenship, ²1973 3 G. Wesener, s. v. Q., RE 24, 849–857.

H. GA.

Quecksilber (ἄργυρος χυτός/*árgyros chytós*, ἀργύριον ὕδωρ/*argýrion hýdōr*, lat. *argentum vivum*). Zuerst bei Aristot. an. 1,3,406b 19 erwähnt. Theophr. de lapidibus 60 [1. 80] berichtet über die damals übliche künstliche Herstellung in einem Kupfergefäß durch Zerreiben von Zinnober (κιννάβαρ/*kinnábar*) mit Essig (ὄξος/*óxos*). Wegen seiner im Alt. schon erkannten Giftigkeit wurde es medizinisch nicht verwendet, um so häufiger aber in der → Alchemie zur Trennung von Gold und Silber und zur Vergoldung von Schmuck.

1 D. E. Eichholz (ed.), Theophrastus De lapidibus, 1965.

F. Rex, Q., in: Gmelins Handbuch der anorganischen Chemie, 34, ⁸1960, 1.80. C. HÜ.

Quelle (Quellgottheiten). Im griech. und röm. Kulturraum wurden weithin die → Nymphai als Schutzpatroninnen der Q. wie auch anderer Naturheiligtümer verehrt; in ihrer Eigenschaft als Wassergottheiten wurden sie in Griechenland auch unter dem Namen → Naiades angerufen. Griech. Q.-Nymphen wurden zum Teil als Töchter von → Flußgöttern (→ Acheloos; → Kephis(s)os) angesehen. Q. standen auch unter dem Schutz von → Apollon und → Artemis [7. 201–216]. Dem → Hercules geweiht waren Q., bes. Thermal-Q., in Sizilien, It., Dakien, Gallien sowie bereits im klass. Griechenland (Aristoph. Nub. 1051). Trotz solcher weiträumiger Gemeinsamkeiten wies der ant. Q.-Kult

jedoch auch eine Vielzahl regionaler Besonderheiten auf. So überwiegen im röm. Gallien und Germanien Q.-Götter und -Götterpaare, wie Apollon (vielfach dem kelt. → Grannus gleichgesetzt) und seine Partnerin → Sirona. In Britannien standen Q. dagegen hauptsächlich unter dem Schutz weiblicher Lokalgottheiten: Coventina, Arnemetia und → Sulis Minerva, die über → Aquae [III 7] Sulis (h. Bath, die heißesten Q. in Britannien) herrschte und die der auch in It. als Heil- (Minerva Medica) und Q.-Göttin verehrten → Minerva gleichgesetzt wurde [11]. Daß Apollon in Britannien nur auf einer an einer Q. stehenden Weihung [4. Nr. 1665], bezeichnenderweise von einem Soldaten aus Germania Superior, genannt wird, zeigt, daß der Q.-Kult in Britannien und Gallien keinesfalls gemeinsame Wurzeln besaß. Im Gegensatz zu Gallien finden sich in britannischen Q.-Heiligtümern nur wenige Weihegaben in Form von Körpergliedern (→ Weihung).

Ausgrabungen haben vielfach, z. B. in Vicarello [3. 273–296] nahe Rom, in Bourbonne-les-Bains [10] und Aquae Sulis, in Q. versenkte Opfergaben zu Tage gefördert. Schriftlich bezeugt sind Kränze anläßlich der Fontanalia, des Festes des röm. Q.-Gottes Fons am 13. Oktober (Varro ling. 6,22), das Blut eines Opfertieres (Hor. carm. 3,13), Würfel (Suet. Tib. 14,3), Wasser und Milch (Serv. ecl. 7,21). Weit verbreitet war das wohl auf ital. Wurzeln zurückgehende Münzopfer [10]. Oft wurden Votivgaben auch neben Q. deponiert, wie z. B. an der Seine-Q. (→ Sequana). Häufig verbunden mit heiligen Q. waren → Orakel, so in Nord-It. (Suet. Tib. 14,3), im griech. [9. 107] und german. Kulturraum [1. 14f.]. Wie die Q. waren in Griechenland, Sizilien, Kleinasien und Syrien auch Fische heilig, die in mit Q.-Wasser gespeisten heiligen Teichen schwammen; sie wurden manchmal mit Goldketten und -ohrringen geschmückt [6. 977f.]. Der Kult der unzerstörbaren Q. lebte vielfach in christianisierter (Cassiod. var. 8,33) und islamisierter Form fort.

→ Heiligtum; Quellfunde

1 H. Beck, s. v. Brunnen III. Religiöses, RGA 4, 1981, 11–16 2 C. Bourgeois, Divona, 2 Bde., 1991–1992 3 R. Chevallier (Hrsg.), Les eaux thermales et les cultes des eaux en Gaule et dans les provinces voisines (Caesarodunum 26), 1992 4 R. G. Collingwood u. a. (Hrsg.), The Roman Inscriptions of Britain. I.Inscriptions on Stone, ²1995 5 J. H. Croon, Hot Springs and Healing Gods, in: Mnemosyne Ser. 4, 20, 1967, 225–246 6 J. Engemann, s. v. Fisch, Fischer, Fischfang, RAC 7, 1969, 959–1097 7 R. Ginouvès u. a. (Hrsg.), L'eau, la santé et la maladie dans le monde grec, 1994 8 Z. Kádár, Heilgötter in den Donauprovinzen, in: ANRW II 18.2, 1989, 1038–1061 9 F. Muthmann, Mutter und Q., 1975 10 E. Sauer, The Augustan Army Spa at Bourbonne-les-Bains, in: A. Goldsworthy, I. Haynes (Hrsg.), The Roman Army as a Community, 1999, 52–79 11 E. Sauer, Minerva as a Healing Goddess, in: Oxford Journal of Archaeology 15, 1996, 63–93. E. SA.

Quellfunde. Wie im griech.-röm. Bereich kommt den Q. in den kelt. und german. Kulturen neben den Gewässer- oder Moorfunden eine besondere Bed. zu. Arch. Belege dafür sind v. a. der kelt. Thermalquellfund von Dux (Duchov) in Nordböhmen aus dem späten 4. Jh. v. Chr. und die german. Funde aus den Brodelquellen von Bad Pyrmont in Niedersachsen vom 1.– 4. Jh. n. Chr. In beiden Komplexen dominieren mit Hunderten von Exemplaren die Fibeln (→ Nadel; z. T. mit Benutzungsspuren). Die Q. werden als Opfergaben im Rahmen eines Fruchtbarkeitskultes interpretiert.
→ Germanische Archäologie; Hortfunde;
Keltische Archäologie; Quelle

V. KRUTA, The Treasure of Duchov, in: S. MOSCATI (Hrsg.), The Celts, 1991, 295 · K. MOTYKOVÁ, s. v. Dux, RGA 6, 311–315 · W.-R. TEEGEN, Stud. zu dem kaiserzeitlichen Quellopferfund von Bad Pyrmont, 1999.   V. P.

Querela inofficiosi testamenti. »Beschwerde wegen pflichtwidrigen Testaments«. War nach röm. Recht ein nächster Angehöriger des Erblassers wirksam enterbt (→ Erbrecht III. E.) oder zu weniger als einem Viertel seines gesetzlichen Erbteils (s. → *intestatus*) eingesetzt und hatte er dieses Viertel auch nicht durch Vermächtnis (→ *legatum*, → *fideicommissum*) oder Schenkung auf den Todesfall (→ *donatio mortis causa*) erhalten, so konnte er mit der *q. i. t.* gegen den Testamentserben auf Aufhebung des Testaments vor den → *centumviri* oder auf dem Wege der → *cognitio extra ordinem* klagen. Die *q. i. t.* hatte Erfolg, wenn die Entscheidung des Erblassers nicht durch bes. Gründe gerechtfertigt war; fehlten diese Gründe, so wurde angenommen, daß der Erblasser bei Testamentserrichtung nicht im Vollbesitz seiner geistigen Kräfte war (*color insaniae*), und das Testament wurde im ganzen aufgehoben, so daß der Kläger nicht nur ein Viertel, sondern seinen ganzen Intestaterbteil erhielt. Der erste bekannte Fall ist Val. Max. 7,7,2 (52 v. Chr.). Bei Pflichtteilsbeeinträchtigung durch Schenkung an Dritte konnte der Beeinträchtigte unter ähnlichen Voraussetzungen gegen den Beschenkten mit der *q. i. t.* klagen (Dig. 31,87,3), was später als *querela inofficiosi donationis* (Beschwerde wegen pflichtwidriger Schenkung) bezeichnet wurde. Iustinianus gewährte die *q. i. t.* nur bei vollständiger Übergehung; in anderen Fällen konnte der Übergangene auf Pflichtteilsergänzung klagen (Cod. Iust. 3,28,30; 528 n. Chr.).
→ Pflichtteil

1 HONSELL/MAYER-MALY/SELB, 465–468 2 KASER, RPR, Bd. 1, 709–713; Bd. 2, 518–522 3 M. KASER, K. HACKL, Das röm. Zivilprozeßrecht, ²1996, 458 4 F. v. WOESS, Das röm. Erbrecht und die Erbanwärter, 1911 5 G. WESENER, s. v. Querela, RE 24, 857–866.   U. M.

Querela non numeratae pecuniae. »Beschwerde wegen der unterbliebenen Geldauszahlung«, im röm. Recht eine Fortentwicklung der entsprechenden Einrede (→ *exceptio*). Mit dieser *querela* konnte der Schuldner die Geltung eines abstrakten Schuldversprechens (→ *stipulatio*) beseitigen, wenn er die *stipulatio* in Erwartung einer Darlehensauszahlung eingegangen war, die Geldzahlung selbst dann aber unterblieben war. Die *q. n. n. p.* gehörte – wie schon die *exceptio non numeratae pecuniae* seit E. des 2. Jh. n. Chr. – zu den Erleichterungen, die im Verfahren der → *cognitio extraordinaria* von den röm. Kaisern Kreditschuldnern gewährt wurden (vgl. Cod. Iust. 4,30,4 aus der Zeit Caracallas, nach 211 n. Chr.). Erhob der Schuldner die *q. n. n. p.*, mußte der Gläubiger beweisen, daß er das Darlehen ausgezahlt hatte. *Q.* und *exceptio* konnte der Schuldner nur innerhalb einer Ausschlußfrist von 5, seit Iustinianus (6. Jh.) von 2 J. geltend machen (Inst. Iust. 3,21).

M. R. CIMMA, De non numerata pecunia, 1984, 60–62; 166–169 und passim · H. TROFIMOFF, La cause dans l'exception non numeratae pecuniae, in: RIDA 33, 1986, 209–261.   G. S.

Querolus sive Aulularia. Lat. Komödie eines aus Gallien stammenden Autors vom frühen 5. Jh. n. Chr., wenn der Adressat Rutilius mit → Rutilius Namatianus identisch ist, wozu auch die latent antichristl. Tendenz des Stückes paßt. Für eine Rezitation beim Gelage bestimmt, setzt der in rhythmischer Prosa abgefaßte Q. ein Verständnis von → Plautus und → Terentius als Prosaautoren voraus. Die Plautinische Komödie *Aulularia*, auf die sich der Prolog beruft, liegt dem Q. bis hin zu gleichen Personen und Namen zugrunde, der Stoff des verborgenen Schatzes wird aber in Gesamtstruktur und Detail ganz verschieden gestaltet, wobei eine stärkere Prävalenz des diatribisch-satirischen Elements und eine weniger auf vordergründige Komik bedachte Personengestaltung auffällt. Das MA hat das Stück unter dem Namen des Plautus rezipiert und geschätzt, wofür eine Reihe von karolingischen Hss., hoch-ma. Florilegien und eine Bearbeitung durch Vitalis von Blois (wohl 12. Jh.) zeugen.

ED.: G. RANSTRAND, 1951 · F. CORSARO, 1964 · W. EMRICH, 1965 · C. JACQUEMARD-LE SAOS, 1994. FORSCH.-BER: D. FOGAZZA, in: Lustrum 19, 1976, 280–282 · G. LANA, in: Bollettino di Studi latini 15, 1985, 114–121 · D. LASSANDRO, E. ROMANO, in: Bollettino di Studi latini 21, 1991, 26–51.
LIT.: W. SÜSS, Über das Drama Q., in: RhM 91, 1942, 59–122 · G. RANSTRAND, Q.-Stud., 1951 · F. CORSARO, Q., 1965 · K. GAISER, Menanders Hydria, 1977, 322–385 · I. LANA, Analisi del Q., 1979 · J. KÜPPERS, Zum Q. und seiner Datierung, in: Philologus 123, 1979, 303–323 · Ders., Die spätant. Prosakomödie »Q. s. A.« und das Problem ihrer Vorlagen, in: Philologus 133, 1989, 82–103.   P. L. S.

Querquetulanae virae. Schutznymphen eines Eichenhains (*querquetum virescens*) nahe der Porta Querquetulana in Rom im Bereich der Servianischen Mauer auf dem → *Caelius mons* [1] zw. Porta Capena und Porta Caelimontana (Plin. nat. 16,37; Fest. 314 L; Varro ling. 5,49: *Lares Querquetulani*). Nach der nicht unbestrittenen Ansicht von [1. 365] sind die drei Q. v. auf einem spätrepublikanischen Denar dargestellt (vgl. [3. 187 Nr. 1148]). Die Identifikation des *Querquetulanus mons* mit dem *Caelius mons* (Tac. ann. 4,65) ist ebenfalls umstritten [2. 443 f.].

1 B. BORGHESI, Œvres I, 1862 2 A. DUBOURDIEAU, Les origines et le développement du cult des Pénates à Rome, 1989 3 E. A. SYDENHAM, The Coinage of the Roman Republic, ²1952.

S. B. PLATNER, TH. ASHBY, A Topographical Dictionary of Ancient Rome, 1929, 413 · L. BUZETTI, s. v. Porta Querquetulana, LTUR 3, 330 · F. COARELLI, s. v. Querquetulanus Mons, LTUR 4, 179.   M. M. MO./Ü: H. D.

Quies. → Personifikation der Ruhe, deren rel. Verehrung ausschließlich durch die Erwähnung eines Heiligtums der Q. (*fanum Quietis*) an der via Labicana belegt wird (Liv. 4,41,8). Die Aufschrift *Quies Augustorum* findet sich auf Mz. des Diocletianus und Maximianus nach ihrer Abdankung 305 n. Chr. und ist eher mit ihrem erleichterten Rücktritt von den Amtsgeschäften zu verbinden, als daß sie tatsächliche rel. Praxis widerspiegelt.

R. VOLLKOMMER, s. v. Q., LIMC 7.1, 612; 7.2, 489.   JO. S.

Quietus. Imperator Caesar T. Fulvius Iunius Q. Pius Felix Augustus, jüngerer Sohn des Fulvius → Macrianus [2], der unter → Valerianus als Militärtribun diente (SHA trig. tyr. 12,10; Zon. 12,24 D.). Vom Vater zusammen mit seinem Bruder vor dem 17.9.260 n. Chr. zum Augustus erhoben (RIC 5,2,582 f.; SHA Gall. 1,3–5; SHA trig. tyr. 12,10–12), blieb er mit dem Praetorianerpraefekten → Ballista im Osten zurück. Nach der Niederlage von Vater und Bruder gegen → Aureolus in Illyrien wurde auch Q. im Herbst 261 n. Chr. von den Einwohnern in Emesa eingeschlossen und dort getötet.

KIENAST ²1996, 226 · PIR² F 547 · PLRE, 757 f.   T. F.

Quinar (lat. *quinarius* »Fünfer«). Silberne Mz. im Wert von 5 → Assen (in Br. → Quincussis), ab ca. 141 v. Chr. acht Asse, immer in Verbindung mit dem → Denarius von 10, ab 141 v. Chr. 16 Assen genannt (Varro ling. 5,173; Prisc. 6,66; Volusius Maecianus 44–47; Plin. nat. 33,44 f. mit falscher Datier.), demnach auch zusammen mit dem Denar um 214–211 v. Chr. entstanden als dessen Halbstück. Er war eine Silber-Mz. und wog als halber Denar ¹⁄₁₄₄ röm. Pfund (→ Libra [1]) = 2,27 g. Die Bilder entsprechen dem Denar: Av. Roma-Kopf, dahinter Wertzahl V/Rv. reitende Dioskuren. Im Vergleich zum Denar wurde der Q. nur wenig geprägt und die Prägung bereits um 207 [2. 34 f., 628] oder 200 v. Chr. eingestellt. Ausnahme ist die kleine Emission um 179–170 [2. Nr. 156/2].

Der → Victoriatus, ursprünglich ¾ des Denars wert, war ab den 170er Jahren v. Chr. nicht mehr geprägt worden. Die weiter umlaufenden, immer stärker abgegriffenen Victoriati waren bereits um 101 v. Chr. offensichtlich nur noch einen halben Denar wert, wie die Rechnungen bei Cato (agr. 15,1) nahelegen und wie es Volusius Maecianus (45) eindeutig sagt. Als Ersatz für

diese Mz. wurden ab ca. 101 [2. Nr. 326/2] oder 104 v. Chr. [1. 882 f.] wieder Q. mit den Typen des Victoriatus: Av. Kopf des Iuppiter/Rv. Victoria an Tropaion und Wertmarke Q geprägt. Sie wogen entsprechend den auf ¹⁄₈₄ Pfund reduzierten Denaren ¹⁄₁₆₈ röm. Pfund = 1,94 g. Diese Mz. hießen im allgemeinen Sprachgebrauch nun Victoriatus (Varro ling. 10,41; Plin. nat. 33,46; Cic. Font. 19; noch CIL VIII 8938 = ILS 5078, um 300 n. Chr.). Plinius (l. c.) verbindet ihre Einführung mit einer *lex Clodia* [1. 881–883]. Griech. hieß der Q. wie der frühere Victoriatus τροπαϊκόν/*tropaïkón* nach dem Münzbild des → Tropaion ([1. 883 f.; 6. 157]; IG IX 2,549; IGR IV 1342, um 150 n. Chr.).

Der Q. wurde wesentlich seltener als der Denar geprägt, das Bild bes. des Av. variiert (Köpfe von Apollon oder Victoria). Der Q. lief bes. in der Poebene (Gallia cisalpina) um, wo schon der Victoriatus eine wichtige Rolle gespielt hatte; er entsprach den einheimischen Mz., leichten Nachprägungen der Drachmen von → Massalia. Funde des 1. Jh. v. Chr. aus der Poebene und Ligurien enthalten große Mengen von Q. Die Prägung des Q. erfolgte z. T. für Ausgaben in diesem Gebiet: für die Kolonisierungen des Marius [I 1], die Umsetzung der *leges agrariae* des Saturninus von 100 v. Chr., für Lieferungen und Rekrutierungen 90/89 und für dort konzentrierte marianische Truppen 82 v. Chr. [2. 629 f.]. Um 81 endet die Q.-Prägung wieder [2. Nr. 373].

Ab 48/7 [2. Nr. 452/3] bis 31 v. Chr. [2. Nr. 546/8] wurde der Q. wiederum geprägt, sporadisch und seltener als der Denar, mit wechselnden Münzbildern, dabei häufig Victoria auf dem Rv., gelegentlich auch ihre Büste auf dem Av. Die Bezeichnung des halben → Aureus dieser Zeit als Gold-Q. ist mod. [1. 885]. In der Kaiserzeit wurden silberne Q. unter den meisten Kaisern von Augustus bis Decius (249–251 n. Chr.) geprägt, goldene Q. bis Diocletian [1. 887–892]. Die Emissionen sind jedoch klein und sporadisch. Das Rv.-Bild bleibt die Victoria, erst ab Hadrian erscheinen zunehmend andere Motive. Die Q. beider Metalle sind sehr häufig datiert und wohl zu Regierungsjubiläen und zur Übernahme des Konsulats geprägt worden [1. 892 f.].

1 H. CHANTRAINE, s. v. Q., RE 24, 879–894 2 RRC 3 C. H. V. SUTHERLAND, Gold and Silver Quinarii under the Julio-Claudians, in: NC 1985, 246–249 4 R. THOMSEN, Early Roman Coinage, 1957–1961 5 H. ZEHNACKER, Le quinaire-victoriat et la surévalution du denier, in: Actes du 8ème congrès international de numismatique New York-Washington 1973, 1976, 383–393 6 B. KEIL, »Metrologicum«, Straßburg i. E., in: Hermes 1909, 157.
DI. K.

Quinctilius. Name einer röm. patrizischen Familie, vom Praen. *Quintus* abgeleitet, inschr. u. hsl. auch *Quintilius*. Nach annalist. Trad. gehörte die Familie zu den ältesten Roms und soll unter König Tullus Hostilius nach Rom gekommen sein (Dion. Hal. ant. 3,29,7; vgl. Liv. 1,30,2, dort aber *Quinctii*); bekannt sind ein *cos.* 453 v. Chr. und ein Consulartribun 403, ohne daß weitere

Nachr. vorliegen. In histor. Zeit sind Angehörige seit dem Ende des 3. Jh. bekannt (mit dem erblichen Cogn. Varus), ohne dauerhaft in die Nobilität zu gelangen. Das prominenteste Mitglied ist P. Q. [II 7] Varus (*cos. ord.* 13 v. Chr.). Die Familie endet unter Kaiser Commodus (HA Comm. 4,9).   K.-L. E.

I. Republikanische Zeit

[I 1] **Q. Varus** (das Cogn. nur in der spätant. Komm.-Tradition), röm. Ritter aus Cremona (Porph. Hor. comm. zu ars 438), war wahrscheinlich von Jugend an mit dem Dichter → Vergilius, später auch mit → Horatius [7] befreundet. Horaz (ars 438–444) rühmt Q.' Fähigkeit zu entschiedener lit. Kritik und richtet, als Q. 23 v. Chr. stirbt (Hier. chron. p. 165 HELM), ein Trostgedicht an Vergil (Hor. carm. 1,24). In Vergils Gedichten ist Q. dagegen nicht erwähnt (Verg. ecl. 6,7; 6,10; 6,12; 9,20f. beziehen sich wohl auf P. → Alfenus [4] Varus). Der im 10. Jh. bezeugte *fundus Quintiliolus* bei Tivoli hat (entgegen verbreiteter Meinung) wohl nichts mit diesem Q. zu tun [1. 227].

1 R. G. M. NISBET, M. HUBBARD, A Commentary on Horace: Odes, Book 1, 1970, 227; 279.   W. K.

[I 2] **Q. Varus, P.** War 203 v. Chr. Praetor (Liv. 29,38,4). Damals soll er zusammen mit dem *procos.* M. Cornelius [I 13] Cethegus im Insubrerland Mago [5] eine schwere Schlacht geliefert haben: Liv. 30,18 zeigt nicht nur in vielen Einzelheiten das Kolorit fiktiver Schlachtengemälde, sondern steht auch im Zusammenhang mit einer → Valerius Antias zuzuweisenden Gesamtauffassung von der damaligen Kriegslage, die bessere Quellen widerlegen [1]. Aus diesem Ber. einen hist. Kern herauszuschälen [2] ist methodisch verfehlt. Q. ist vielleicht mit einem 169 verstorbenen gleichnamigen *flamen Martialis* identisch (Liv. 44,18,7).
→ Annalistik

1 D.-A. KUKOFKA, Süditalien im Zweiten Punischen Krieg, 1990, 102; 130–133; 149[88] 2 J. SEIBERT, Hannibal, 1993, 448 mit Anm. 62.   TA. S.

[I 3] **Q. Varus, Sex.** Wurde 49 v. Chr. als *qu.* des J. nach der Eroberung → Corfiniums von Caesar begnadigt (Caes. civ. 1,23,1–3). Er ging nach Africa, wo er die bei Corfinium übergelaufenen und nun unter C. → Scribonius Curio dienenden Soldaten zurückzugewinnen suchte (Caes. civ. 2,28). Verm. ist er mit dem Q. Varus identisch, der sich als überzeugter Aristokrat nach der Niederlage der Caesarmörder 42 bei Philippi von einem Freigelassenen töten ließ (Vell. 2,71,3). Die Identität mit dem Catull. 10 und 22 erwähnten Varus ist unwahrscheinlich.   J. BA.

II. Kaiserzeit

[II 1] **Sex. Q. Condianus.** Senator; aus → Alexandreia [2] Troas stammend. Enkel von Q. [II 4], Vater von Q. [II 3], Bruder von Q. [II 6]. *Cos. ord.* mit seinem Bruder im J. 151 n. Chr. Unter → Marcus [2] Aurelius wurden die Brüder nach Achaia gesandt, um Streitigkeiten in Athen und vielleicht auch in anderen Städten Achaias zu schlichten, verm. trugen sie den Titel *correctores* (vgl. [1. Nr. 184, E 21, 25, 29, 40, 42, 84]). Es kam zu heftigen Auseinandersetzungen mit Ti. Claudius [II 10] Herodes Atticus, die schließlich zu einem Prozeß vor dem Kaiser in Sirmium führten (Philostr. soph. 2,1,10–2,9,2). Die Brüder begleiteten Marcus Aurelius 175 in den Osten. Sie gehörten offensichtlich zu seinen persönlichen Vertrauten. Unter → Commodus wurden sie hingerichtet, angeblich wegen ihres Reichtums und Prestiges (Cass. Dio 72,5,3 f.). Beide galten als Muster brüderlicher Verbundenheit und Eintracht; selbst ein (nicht erh.) Buch über Landwirtschaft verfaßten sie gemeinsam. PIR[2] Q 21.
→ Metus

1 J. H. OLIVER, Greek Constitutions, 1989.

[II 2] **Sex. Q. Condianus.** Sohn von Q. [II 6], *cos. ord.* im J. 180 n. Chr. Auf ihn und seinen Cousin (?) ist wohl die Nachricht bei Cass. Dio 71,33,1 zu beziehen; danach wäre ihnen der Sarmatenkrieg anvertraut worden, den sie aber nicht vollenden konnten; welche genaue Funktion sie dabei hatten, ist umstritten. Als → Commodus Q.' Familie vernichtete, hielt dieser sich in Syrien auf; auf die Nachricht hin floh er – ob er sich tatsächlich retten konnte, ist unbekannt (Cass. Dio 72,6 f.). PIR[2] Q 22.

[II 3] **(Sex.) Q. Maximus.** Sohn von Q. [II 1]. *Cos. ord.* 172 n. Chr. Zu seinem Auftrag gegen die Sarmaten s. Q. [II 2]. Mit seinem Vater im J. 183 umgekommen. PIR[2] Q 24.

[II 4] **Sex. Q. Valerius Maximus.** Aus Alexandreia [2] Troas stammend, wo er munizipale Ämter übernahm. Von Nerva in den Senatorenstand aufgenommen; Quaestor von Pontus-Bithynien; auf dieses Amt weist auch Plinius (epist. 8,24,8) hin; Tribunus plebis, Praetor. Als Legat in Sondermission nach Achaia gesandt, um in den *civitates liberae* die innere Ordnung wiederherzustellen. Aus diesem Anlaß schrieb Plinius an ihn epist. 8,24. Sein Sohn ist verm. Q. [II 5]. PIR[2] Q 25.

[II 5] **Sex. Q. Valerius Maximus.** Wohl Sohn von Q. [II 4]. Nach einer kurzen senatorischen Laufbahn scheint er bereits nach einer *legatio* unter dem Proconsul von Achaia gest. zu sein; CIL XIV 2609 ist aller Wahrscheinlichkeit nach seine Grabinschrift. Seine Söhne dürften Q. [II 1] und Q. [II 6] sein. PIR[2] Q 26.

[II 6] **Sex. Q. Valerius Maximus.** Wohl Sohn von Q. [II 5] und Bruder von Q. [II 1]. *Cos. ord.* 151 n. Chr. Proconsul von Asia 168/9 oder 169/170, wenn AE 1976, 652 sich auf ihn bezieht. Seine weiteren Aufgaben entsprachen denen seines Bruders, mit dem zusammen er um 183 durch → Commodus getötet wurde; s. Q. [II 1]. Sein Sohn ist wohl Q. [II 2]. PIR[2] Q 27.

[II 7] **P. Q. Varus.** Senator, berühmt durch die Niederlage der Römer 9 n. Chr. gegen germanische Truppen unter Führung des → Arminius (sog. »Schlacht im Teutoburger Wald«). Sohn von Sex. Q. [I 3] Varus.

Quaestor des Augustus, wohl im J. 23 v. Chr., als sich der Princeps in den Osten begab und Q. ihn begleitete; schon dies zeigt die enge Verbindung zu Augustus. 13 v. Chr. cos. ord. zusammen mit Tiberius, Augustus' Stiefsohn. Verheiratet mit einer Tochter des → Agrippa [1], als dessen Schwiegersohn Q. in der Leichenrede des Augustus auf Agrippa bezeichnet wird (PKöln 6,249 [8]). Proconsul von Africa um 8/7 v. Chr. Danach Legat in Syrien 7–4 v. Chr. Als → Herodes [1] d.Gr. im J. 5 v. Chr. ein Gerichtsverfahren gegen seinen Sohn → Antipatros [5] wegen Hochverrats durchführte, nahm Q. daran teil; Antipatros wurde zum Tod verurteilt. Als kurz darauf Herodes starb, hatte Q. Aufstände in Iudaea niederzuschlagen, die u. a. durch das Vorgehen seines Procurators → Sabinus [II 1] ausgelöst worden waren. Dabei wurden → Sepphoris und → Emmaus [1] zerstört. → Archelaos [10], den ältesten Sohn Herodes d.Gr., unterstützte er bei der Nachfolge in der Herrschaft in Iudaea. Kurz darauf verließ Q. Syrien, angeblich als reicher Mann, nachdem er es arm betreten hatte (Vell. 2,117,2); doch ist diese Nachricht eher auf die insgesamt negative Charakterisierung zurückzuführen, die 9 n. Chr. über ihn verbreitet wurde.

Im J. 6 oder 7 n. Chr. wurde Q. consularer Legat in Germanien, während gleichzeitig Tiberius den pannonischen Aufstand niederzukämpfen hatte. Zu kriegerischen Auseinandersetzungen mit den rechtsrheinischen Germanen kam es damals offensichtlich nicht, zumal auch Marbod (→ Maroboduus) in Böhmen sich ruhig verhielt. Q. tat, was offensichtlich geboten war: Er zog mit seinen Legionen durch das german. Gebiet zw. Rhein und Elbe und agierte als röm. Repräsentant. Später wurde, sicher von offizieller Seite, der Vorwurf gegen ihn erhoben, er habe Germanien zu sehr wie eine Prov. behandelt, indem er Tribute erhob und Gericht hielt (Reflex der Vorwürfe bei Vell. 2,117,3 f.; Cass. Dio 56,18,3 f.; Flor. epit. 2,30,31); dadurch seien die Germanen zum Aufstand getrieben worden. Doch war das rechtsrheinische Gebiet seit 7 v. Chr. fest in röm. Hand und die permanenten Militärlager wie die bei Haltern oder Waldgirmes entwickelten bereits den Charakter städtischer Lebensformen; sie waren wohl sogar speziell auf dieses Ziel hin angelegt und entsprechend ausgebaut worden [1. 285 ff.; 2. 337 ff.]. Somit war es nur natürlich, daß Q. im eroberten Germanien die Ausgestaltung der Prov. vorantrieb. In dieser Zeit hat Q. auf zahlreiche Mz. seinen Namen zusätzlich einprägen lassen; diese Mz. können als → Donativum, das durch ihn ausgegeben wurde, angesehen werden; doch ist die Deutung nicht sicher (vgl. [3. 13 ff.; 4. 148 f.; 5. 47 ff.]). Auch in Syrien hatte Q. bereits so gehandelt (RPC I Nr. 4393; 4451).

Im J. 9 n. Chr. wurde er von einer Verschwörung german. Stämme (Cherusci, Marsi [2], Bructeri, Chatti) unter Führung von → Arminius überrascht. Warnungen soll er nicht beachtet haben. Er ließ sich auf unwegsames Gelände locken, wo sein Heer (auch wegen des Trosses und des Regens) nicht genügend Entfal-

tungsmöglichkeiten hatte. Drei Legionen und zahlreiche Hilfstruppen wurden in mehrere Tage dauernden Kämpfen vernichtet; Q. selbst tötete sich mit dem Schwert wie viele seiner Offiziere. In Rom wurde die Niederlage allein mit seinem Namen verbunden: clades Variana (z. B. Sen. epist. 47,10; Plin. nat. 7,150; Tac. ann. 1,10,4; 12,27,3). Sprichwörtlich wurde Quintili Vare, legiones redde! (»Q. Varus, gib die Legionen zurück!«, Suet. Aug. 23,2). CIL XIII 8648 = ILS 2244 ist dagegen nicht als Kritik an Q. anzusehen; hier wird vom Blickpunkt des röm. Heeres aus formuliert, daß Q. derjenige war, gegen den Krieg geführt wurde (vgl. zusammenfassend [6. 14 ff.]), ein Zeichen für die polit. Diskussion in Rom. Ein Teil des über lange Wegstrecken ausgedehnten Schlachtfeldes wurde bei → Kalkriese entdeckt; zuletzt dazu zusammenfassend [7].

Q. war außer mit der Agrippatochter auch mit → Claudia [II 11] Pulchra, einer Verwandten des Augustus, verheiratet; ihr Sohn ist Q. [II 8]. Q.' Schwestern hatten in bedeutende senatorische Familien eingeheiratet, was insgesamt seine herausragende Stellung in der augusteischen Führungsschicht bezeugt. PIR² Q 30. → Metus

1 D. WALTER, A. WIGG, Ein Töpferofen im augusteischen Lager Lahnau-Waldgirmes, in: Germania 75, 1997, 285–297 2 S. VON SCHNURBEIN et al., Ein spätaugusteisches Militärlager in Lahnau-Waldgirmes, in: Germania 73, 1995, 337–367 3 M. A. SPEIDEL, H. W. DOPPLER, Kaiser, Kommandeure und Kleingeld. Vier neue Gegenstempel aus Zurzach und Baden und ihr Beitr. zur Gesch. (Veröffentlichungen der Ges. pro Vindonissa), 1992, 5–16 4 R. WOLTERS, C. Numonius Vala und Drusus. Zur Auflösung zweier Kontermarken augusteischer Zeit, in: Germania 73, 1995, 145–150 5 F. BERGER, Kalkriese, Bd. 1, 1996 6 H. V. PETRIKOVITS, s. v. Clades Variana, in: RGA 5, 1984, 14–20 7 W. SCHLÜTER, R. WIEGELS (Hrsg.), Rom, Germanien und die Ausgrabungen in Kalkriese, 1999 8 B. KRAMER (Hrsg.), Kölner Papyri, Bd. 6, 1987.

E. DABROWA, The Governors of Roman Syria, 1998, 22–24 · W. JOHN, s. v. Q. (20), RE 24, 907–984 · SYME, AA, 313–328 · THOMASSON, Fasti Africani, 22 f.

[II 8] Q. Varus. Sohn von Q. [II 7] und → Claudia [II 11] Pulchra, durch die er mit der domus Augusta verwandtschaftlich verbunden war. Wohl Mitglied des Senats, obwohl dies bei Tacitus (ann. 4,66) nicht erwähnt wird. Die Niederlage seines Vaters hat also verm. seine Stellung in der senatorischen Ges. nicht völlig zerstört. Er war offensichtlich mit Iulia → Livilla [2] verlobt, der jüngsten Tochter des Germanicus [2] (Sen. contr. 1,3,10), doch kam die Heirat nicht zustande. 27 n. Chr. von Domitius [III 1] Afer erfolglos angeklagt. PIR² Q 29.
W. E.

Quinctius. Name einer röm. patrizischen Familie, abgeleitet vom Vornamen → Quintus (vergleichbar Sextus/Sextius usw.), inschr. und hsl. häufig auch Quintius. Die Herkunft der Familie ist unbekannt; für das hohe Alter spricht ihre Verbindung mit der Feier der → Lupercalia (Ov. fast. 2,378, dort *Quintilii*) und das in diesen Zusammenhang gehörende seltene Praen. der Familie → Kaeso (s. Q. [I 1]). Livius zählt sie zu den Familien, die unter König Tullus Hostilius aus Alba nach Rom einwanderten (1,32,2; Dion. Hal. 3,29,7 nennt die *Quinctilii*). In der Obermagistratur erscheinen die *Quinctii* im 5. und 4. Jh. v. Chr zahlreich mit Beinamen *Cincinnatus* und *Capitolinus*; wohl die *Capitolini* setzen sich in den Familien der *Crispini* (nach der Haarfrisur benannt) und den *Flaminini* (die Herkunft von einem der → *flamines* bezeichnend) fort ([1] mit revidiertem Stammbaum). Am Ende des 2. Jh. verlieren die Quinctii an polit. Bed., existieren aber bis in die Kaiserzeit.

1 E. BADIAN, The Family and Early Career of T. Q. Flamininus, in: JRS 61, 1971, 102–111 2 MÜNZER, 114–122. K.-L. E.

I. REPUBLIKANISCHE ZEIT

[I 1] Q., Kaeso. Sohn von Q. [I 7]. Nach Livius (3,11,6–13,9; vgl. Dion. Hal. ant. 10,6,1–8,5; Val. Max. 4,4,7; Vir. ill. 17,1) trug ihm im J. 461 v. Chr. in gespannter innerer Lage sein aggressives Auftreten gegenüber der *plebs* eine Anklage des *tr. pl.* A. Verginius ein. Zudem von einem M. Volscius Fictor fälschlich (Cogn. *Fictor*, »Erdichter«) bezichtigt, seinen Bruder tödlich verletzt zu haben, ging Q. vor dem Gerichtstag ins Exil. Als Volscius 458 von Q.' Vater während dessen Diktatur wegen Falschaussage verurteilt wurde (Liv. 3,24,3–5; 3,29,6f.), war Q. nach Liv. 3,25,3 bereits tot (anders Cic. dom. 86, vgl. [1. 416–422]).

1 R. M. OGILVIE, A Commentary on Livy Books 1–5, 1965.

A. W. LINTOTT, The Tradition of Violence ..., in: Historia 19, 1970, 12–29, bes. 25. C. MÜ.

[I 2] Q., L. Popularer Politiker, wie Q. [I 3] plebeischer Herkunft. Als *tr. pl.* 74 v. Chr. (MRR 2,103) betrieb er die Wiederherstellung der von P. Cornelius [I 90] Sulla eingeschränkten tribunizischen Befugnisse. Nachdem Q. erfolglos → Abbius Oppianicus im von A. Cluentius [2] initiierten Prozeß verteidigt hatte, untergrub er Sullas Gerichtssystem durch die Anklage und Verurteilung der senatorischen Jury samt ihrem Vorsitzenden C. Iunius [I 1] durch den Vorwurf der Bestechlichkeit. Im Krieg gegen Spartacus war Q. ohne Glück Legat (? MRR 2,125). Als Praetor 68 (MRR 2,138) versuchte er, die Ablösung von L. Licinius [I 26] Lucullus in Kleinasien durchzusetzen. Cicero (Cluent. 94; 103; 109–112) schildert ihn (postum? [1. 287]) als arroganten Demagogen; so ist Q. kaum sein 51 verwundeter *amicus* L. Q. (Cic. Att. 7,9,1).

[I 3] Q., P., aus Lanuvium? [2. 590]. 81 v. Chr. verteidigte Cicero ihn gegen Schuldforderungen von Q.' Verwandtem Sex. Naevius; im Prozeß trat Q. formal als Kläger auf (Cic. Quinct. *passim*) und siegte vermutlich [3].

1 SYME, RP I 2 SYME, RP 2 3 B. KÜBLER, Der Process des Q. und C. Aquilius Gallus, in: ZRG 14, 1893, 54–87. JÖ. F.

[I 4] Q. Atta, T. Einer der Hauptvertreter der röm. Nationalkomödie, der → *togata* (vgl. etwa Hor. epist. 2,1,79ff.), nach Hier. chron. p. 152 H. geb. 77 v. Chr. Bei den Grammatikern sind Fr. von 12 Stücken, daneben von Epigrammen überl.; seine Charakterdarstellung wurde von Varro der des → Terentius an die Seite gestellt (Charisius p. 315 BARWICK), vgl. auch Fronto p. 57,1 ff. N. (zu den Frauenrollen).
→ Togata

FR. (MIT KOMM.): A. DAVIAULT, Comoedia togata, 1981, 47–51, 253–261 (vgl. aber A. S. GRATWICK, in: Gnomon 52, 1982, 725–733) • A. LÓPEZ LÓPEZ, Fabularum togatarum fragmenta, 1983, 27ff., 151–158, 267f. • T. GUARDÍ, Fabula togata, 1985, 19f., 89–100, 173–184. P. L. S.

[I 5] Q. Capitolinus Barbatus, T. Bruder von Q. [I 7]. *Cos.* 471, 468, 465, 446, 443 und 439; Interrex 444 v. Chr. (MRR 1,30; 32f.; 51; 53; 56). Die Überl. weist Q. verschiedene mil. Erfolge zu – als *cos. II* einen Sieg über die → Volsci und die Einnahme → Antiums, als *cos. III* einen Sieg über die → Aequi am Algidus, als *cos. IV* einen Sieg über die Aequi und Volsci bei Corbio (Liv. 2,64,3–65,7; 3,2,6–3,8; 3,66,1–70,15; Dion. Hal. ant. 9,57,2–58,8; 9,61,2–6); sie zeichnet Q. aber als einen Mann, der durch seinen auf Ausgleich bedachten Charakter in den inneren Auseinandersetzungen mehrfach vermittelnd wirkte (v. a. Liv. 2,56,15; 2,57,1 f.; 2,58,3 f.; 2,60,1–3; 4,10,8 f.; Dion. Hal. ant. 9,50,1 f.). Daß statt Q. seinem gleichnamigen Sohn Q. [I 6] die Konsulate von 446, 443 und 439 zuzuweisen sind, ist aufgrund des zeitlichen Abstandes zu den früheren nicht auszuschließen, doch sprechen die übereinstimmend für Q. überl. Iterationszahlen wie auch die Tatsache, daß sich für den Sohn (*cos.* 421) ein ähnlich langer Abstand zw. den Konsulaten ergäbe, dagegen.

[I 6] Q. Capitolinus Barbatus, T. Sohn von Q. [I 5]. *Cos.* 421 und Consulartribun 405 v. Chr. (MRR 1,69f.; 80; InscrIt 13,1,26–29; 96; 376f.; 380f.), in beiden J. jedoch ohne durch bes. Leistungen hervorzutreten.

[I 7] Q. Cincinnatus, L. Der Überl. nach *cos. suff.* 460 und zweimaliger Dictator 458 und 439 v. Chr. (MRR 1,37; 39; 56; InscrIt 13,1,24; 92f.; 95; 360–63), eine der bekanntesten Gestalten der frühen röm. Republik. Livius zufolge (3,26,1–3,29,4; vgl. Dion. Hal. ant. 10, 24,1–10,25,3) wurde er 458 v. Chr. nach der Einschließung eines röm. Heeres durch die → Aequi am Algidus von der Nachricht seiner Ernennung zum Dictator von der Feldarbeit weggerufen, verwandelte innerhalb kürzester Zeit die bedrohliche Situation in einen Sieg, feierte einen → Triumph und kehrte danach (so explizit Dion. Hal. ant. 10,25,3) zur Feldarbeit zurück. Neben der Tatsache, daß Livius selbst für die folgenden J. weitere Einfälle der Aequi verzeichnet, die kaum zu deren gravierender Niederlage passen, spricht gegen die Historizität der Überl. auch, daß sie Q. offenkundig v. a. als *exemplum* (»Beispiel«) altröm. *virtus* (→ Tugend) präsentieren möchte. Dieses gipfelt in der später vielfach aufgegriffenen Szene von Q.' Wegberufung vom Feld

(z. B. Cic. fin. 2,12; Pers. 1,73–75; Colum. 1 praef. 13; Flor. epit. 1,5; Cass. Dio fr. 23,2; Eutr. 1,17; Veg. mil. 1,3: vgl. auch Fest. 307), die aus dem Kontext durchaus gelöst werden konnte und von Dion. Hal. ant. 10,17,3 f. ein erstes Mal schon für Q.' Suffektkonsulat 460 angeführt wird, von Cicero (Cato 56) dagegen in Q.' zweite Diktatur verlegt wird, zu der er angeblich während der Umtriebe der Sp. Maelius [2] berufen wurde. Anzuzweifeln ist auch das Suffektkonsulat von 460. In diesem Zusammenhang gehört auch die Nachricht, Q. habe, weil sich sein Sohn Q. [I 1] der Gerichtsverhandlung entzog, durch Verlust der Kautionssume einen beträchtlichen Teil seines Vermögens eingebüßt (Liv. 3,13; 26,8; Dion. Hal. ant. 10,8,4; Val. Max. 4,4,7). Der Passus dient offenkundig zur Vorbereitung der Szene von Q.' Wegberufung von der Feldarbeit. Insgesamt ist Q. als eine Gestalt der röm. Überl. anzusehen, der ein histor. Kern wohl nicht abzusprechen ist, die aber als moralisches *exemplum* in der annalistischen Trad. vielfach ausgeschmückt wurde.

R. M. OGILVIE, A Commentary on Livy, Books 1–5, 1965, Index, s. v. Q.

[I 8] Q. Cincinnatus, L. Sohn von Q. [I 7]; Consulartribun 438 und 425 v. Chr. (MRR 1,57 f.; 67; InscrIt 13,1,95 f.; 370 f.; 374 f.), nach Livius (4,17,9; 4,18,5) 437 *mag. equitum* des Dictators Aemilius [I 21] Mamercinus, der im Vorjahr Q.' Kollege im Konsulartribunat gewesen war. Ein drittes Konsulartribunat des Q. bezeugen Livius und der Chronograph von 354 für 420, während die *Fasti Capitolini* für dieses J. einen Cincinnatus II., d. h. seinen Bruder Q. [I 9], anführen (vgl. InscrIt 13,1,26 f.; 376 f.). Bei Diod. 12,77,1 erscheint Q. in einem zweiten, für das J. 428 eingefügten Consulnpaar, das wohl interpoliert ist [1. 9].

1 BELOCH, RG.

[I 9] Q. Cincinnatus Pennus (hsl. Poenus), T. Sohn von Q. [I 7]. *Cos. I* 431, *cos. II* 428, Konsulartribun 426 und 420 (?) v. Chr. (MRR 1,63; 65–67; 70 f.; InscrIt 13,1,26 f.; 95 f.; 372–377). Nach Livius (4,26,1–29,4) ernannte er als *cos. I* seinen Schwiegervater A. Postumius [I 17] Tubertus zum Dictator, an dessen Sieg über die Aequi und Volsci Q. trotz schwerer Verwundung großen Anteil hatte. Als Konsulartribun 426 erlitt er in den Kämpfen gegen → Veii und → Fidenae zunächst eine Niederlage, war dann aber an der Einnahme von Fidenae unter dem Dictator Aemilius [I 21] beteiligt (Liv. 4,31,1–4; 4,32,8–34,3). Die Angabe bei Liv. 4,31,1 (vgl. auch 4,30,15), daß Q. in diesem J. sein Konsulartribunat *ex consulatu* (d. h. im Anschluß an sein Konsulat) angetreten habe, könnte aus einer Vermischung unterschiedlicher annalistischer Trad. im Ber. des Livius resultieren. 423 soll Q. wegen schlechter Kriegsführung gegen Veii angeklagt, doch aufgrund seiner früheren Verdienste und mit Rücksicht auf seinen Vater freigesprochen worden sein (Liv. 4,40,4; 4,41,11 f.). Zu seinem zweiten Konsulartribunat 420 vgl. Q. [I 8].

R. M. OGILVIE, A Commentary on Livy, Books 1–5, 1965, Index s. v. Q. (mit S. 565 f.).

[I 10] Q. Pennus (hsl. Poenus) Capitolinus Crispinus, T. Die mod. Forsch. zu den *Fasti* führt Q. als Dictator und Triumphator über die Gallier 361, *mag. equitum* 360 und *cos.* 354 und 351 v. Chr. an (MRR 1,120 f.; 124; 126 f.; 2,611; InscrIt 13,1,68 f.; 105; 400 f.; 404 f.), doch ergeben sich beträchtliche Unsicherheiten für die Überl. (dazu [1]). So ist die nur aus der unvollständigen Angabe von Q.' *cognomina* in den *Fasti Capitolini* zu seiner Diktatur 361 (IncrIt 13,1,34 f.; CIL I² 20) erschlossene Identität des *cos.* 354 mit dem von 351 keineswegs zwingend, und auch die Überl. zu Q.' Diktatur, mit der die Quellen mehrheitlich den Zweikampf des Manlius [I 12] verknüpfen (vgl. Liv. 6,42,5 f. bereits mit Hinweis auf die unsichere Datier.), ist durchaus widersprüchlich.

1 K.-J. HÖLKESKAMP, T. Q., Consul 354, II 351 (?), in: Historia 37, 1988, 379–382.   C. MÜ.

[I 11] Q. Crispinus, L. War wohl Sohn von [I 12] und Praetor von Hispania citerior 186 v. Chr. Dort kämpfte er bis 184 gegen die → Celtiberi und → Lusitani und triumphierte über sie (Liv. 39,30–31; 39,42,2–4). Q. war 183 Mitglied der Dreierkommission zur Gründung der Kolonien → Mutina und → Parma [1] (Liv. 39,55,7–8).

P. N.

[I 12] Q. Crispinus, T. Im 2. → Punischen Krieg 213–212 v. Chr. im Heer vor Syrakus belegt (Liv. 24,39,12 f.; 25,26,4–6). Ein Zweikampf mit dem Campaner Badius vor Capua (Liv. 25,18,3–15) ist erst sekundär mit seinem Namen verbunden. 209 war er Praetor (Liv. 27,6,12), 208 Consul. Ein rasch abgebrochener Feldzug gegen Lokroi [2] ist Fiktion (Liv. 27,25,11–14). Zw. Venusia und Bantia entkam er schwer verwundet einem punischen Überfall, bei dem sein Kollege M. Claudius [I 11] Marcellus getötet wurde (Pol. 10,32 mit [2. 242–245]). Q. vereitelte Hannibals Plan, mit Hilfe von Marcellus' Siegel Salapia zu täuschen und zu erobern (Pol. 10,33,8; Liv. 27,28,4–12). In Tarent erlag er nach der Ernennung eines Wahldictators seinen Verletzungen (Liv. 27,33, 6–7).

1 D.-A. KUKOFKA, Südit. im Zweiten Pun. Krieg, 1990, 75⁶⁰; 111–121 2 F. W. WALBANK, A Historical Commentary on Polybius 2, 1967.

[I 13] Q. Flamininus, L. Bruder des Q. [I 14], soll nach verbreitetem Forschungskonsens 213 v. Chr. Augur geworden sein (Liv. 25,2,2; [1]). Demnach wäre er älter als T. Q. (geb. ca. 228), der ihn 198 in der Karriere überholt hätte. Darüber aber schweigen die nicht wenigen Quellen. Außerdem fehlt eine Erklärung dafür, warum der jüngere Bruder den Namen des Vaters trägt. Die Probleme lösen sich, wenn man den Augur für einen sonst nicht bekannten Verwandten und L. als T.' jüngeren Bruder ansieht, der 201 als curulischer Aedil erstmals und dann 199 als Praetor belegt ist. 198–194 nahm er am Feldzug seines Bruders in Griechenland teil. Er erscheint als dessen *legatus* oder als Inhaber eines Kommandos (propraetorisches *imperium*?) für Flotte und Küstenschutz (Liv. 32,16,2; 33,17,2; [2]): 198 war er siegreich auf Euboia, erreichte ein Bündnis mit den Achaiern, scheiterte aber bei der Belagerung von Korinth (Liv. 32,16-17,3; 19-23). 197 begleitete er seinen Bruder zu → Nabis und eroberte dann nach erfolglosen Bündnisverhandlungen mit den Akarnanen Leukas (ILS 14), worauf sich diese unterwarfen (Liv. 33,16-17). 195 verheerte er im Krieg gegen Nabis die Küste der Peloponnes und trug zur Eroberung von → Gytheion bei (Liv. 34,29). 194 leitete er die Rückführung des röm. Heeres nach It. (Liv. 34,50,11). 192 kämpfte er als Consul in Oberitalien – widersprüchliche Berichte bei Liv. 35,21,7-8; 35,22,3-4; 35,40,2-4 – und führte die Aushebungen für den Krieg gegen Antiochos [5] III. durch, an dem er vielleicht 191 als *legatus* teilnahm (Liv. 36,1,8; [3]). 184 strich ihn Cato als Censor wegen Mißbrauchs seiner Amtsgewalt [3] aus der Senatsliste, was sein Ansehen in der Öffentlichkeit nicht minderte (Plut. Flamininus 18-19). Er starb im J. 170 (Liv. 43,11,13).

1 MÜNZER, 119 2 B. SCHLEUSSNER, Die Legaten der röm. Republik, 1978, 112[42] · W. KUNKEL, Staatsordnung und Staatspraxis der röm. Republik, 1995, 284-285; 377[256] 3 GRUEN, Rome, 214[47] 4 MOMMSEN, Staatsrecht, Bd. 2, 378 mit Anm. 8. TA.S.

[I 14] T. Q. Flamininus. Röm. Feldherr, siegte 197 v.Chr. bei → Kynoskephalai gegen Philippos [7] V.

Aus patrizischer Familie, geb. um 228 v.Chr., bereits 198 *cos*. Nach dem Militärtribunat (208) im Stab des M. Claudius [I 11] Marcellus diente er 206 als Quaestor in Tarent bei seinem Onkel Kaeso Q. Claudus Flamininus, dessen propraetorisches *imperium* er nach dessen Tod 206/5 kommissarisch übernahm; seit 201 Mitglied einer Senatskommission zur Versorgung von Veteranen des 2. → Punischen Kriegs (→ *decemviri* [3] *agris assignandis*), wirkte er 200 als → *tresvir* an der Wiederbegründung der Kolonie → Venusia mit [1. 106-110]. Schon als ca. 30jähriger zum Consul gewählt, erhielt Q. den Oberbefehl im 2. → Makedonischen Krieg gegen Philippos [7] V. und führte ihn gemeinsam mit seinem Bruder L. Q. [I 13], der mit propraetorischem *imperium* die Flotte kommandierte. Nach der zunächst schleppenden Kriegführung seit 200 begann nun 198 mit Q. eine dynamische Phase: Er warb um das Vertrauen der neutral gebliebenen griech. Staaten, indem er die latent makedonenfeindlichen Kräfte unterstützte (vgl. Plut. Flamininus 2,3; 2,5) und bereits 198 mit Hilfe des → Aristainos den Achaiischen Bund (→ Achaioi mit Karte) und 197, unterstützt von → Attalos [4] I., auch die Boiotoi für Bündnisse mit Rom gewinnen konnte [2. 38f., 45, 51]. Diplomatische Verhandlungen mit dem so isolierten Philippos zog er 198/7 durch die Forderung nach Freigabe der griech. Städte in die Länge, bis ihm der röm. Senat den Oberbefehl verlängert hatte [3. 350-353]. Im Juni 197 kam es unter wesentlicher Mitwirkung der → Aitoloi zur schnellen mil. Entscheidung

beim thessalischen → Kynoskephalai [4. 127-142]. Die Griechen feierten Q. als glorreichen »Aeneiden« und prägten sogar Goldmünzen mit seinem Porträt (Plut. Flamininus 12,5-12; 16,5-17,1; [5. 19-26]).

Q.' mit diplomatischen Mitteln erstrebte Neuordnung Griechenlands, die von vielen Zeitgenossen, ant. Autoren und mod. Forschern als Ausdruck seines → Philhellenismus gepriesen wurde [3. 344-349, 362f.; 6. 58-132], gipfelte in der Freiheitsproklamation für die griech. Poleis 196 bei den Isthmischen Spielen (→ Isthmia; Pol. 18,46; Plut. Flamininus 10,4-7; [3. 354-358]), womit er eine bis ins 4. Jh. v.Chr. zurückgehende Trad. aufgriff (→ Freiheit). Neben dieser Freiheitsparole, die Q. 195 einen Feldzug gegen → Nabis zur Befreiung von → Argos ermöglichte und schon bald auch für die Griechen in Kleinasien angemahnt wurde (was notwendig zum Konflikt mit dem Seleukiden Antiochos [5] III. führte), wurde v.a. die Propagierung röm. Treue und Zuverlässigkeit (vgl. Syll.³ 593; [7. 32-46; 8]) für die polit. Zukunft bedeutend, da Q. den Romfreunden unbedingten Rückhalt zu signalisieren schien, was von diesen in den ständigen innenpolit. Konflikten genutzt wurde, wie z.B. die Affäre um den Tod des → Brachylles zeigt (vgl. [2. 54-87]). Epigraphische Dokumente bezeugen das Bemühen griech. Städte, durch Vermittlung des Q. Rückhalt bei den Römern gegen tatsächliche oder vermeintliche Bedrohung zu gewinnen, z.B. eben gegen Antiochos (vgl. Syll.³ 591; [6. 133]), dessen Übergreifen auf den Balkan seit 196 nach dem Niedergang der maked. Macht allg. befürchtet wurde. Q. blieb noch bis 194 in Griechenland, um den Frieden mit Philippos zu regeln und Rom als Garantie- und Ordnungsmacht zu etablieren, und zog sich dann mit dem röm. Heer zurück.

In Q.' dreitägigem Triumph 194 in Rom (Liv. 34,52; Plut. Flamininus 14) fiel eine Gruppe Freigelassener bes. auf: im Hannibalkrieg versklavte Römer, die von den Achaiern freigekauft und Q. geschenkt worden waren (Plut. Flamininus 13,5-9). Im Frühj. 193 versuchte Q. vergeblich, die Aitoler vom mil. Bündnis mit Antiochos abzuhalten [2. 70-72], nach Ausbruch des Krieges gegen den Seleukiden 192 blieb er als Legat bis 191 in Griechenland. Nach seiner Rückkehr genoß er in Rom, wo er 189 Censor wurde (Plut. Flamininus 18,1), den Ruf eines »Ostexperten«, den griech. Gesandte – so 182 sein Freund → Deinokrates [2] – gern um Vermittlung baten. Als Leiter einer Senatsdelegation nach Bithynia (Pol. 23,5,1), die 183 zw. → Prusias [1] I. und → Eumenes [3] II. vermitteln sollte, forderte Q. die Auslieferung des von Prusias aufgenommenen polit. Flüchtlings → Hannibal [4] und bewirkte so dessen Freitod. Grund für diese Forderung war jedoch weder übermäßiger Ehrgeiz (so Plut. Flamininus 20,2f; 21,1) noch die Befreiung Roms von dessen ärgstem Feind (vgl. Liv. 39,51,2; Nep. Hann. 12), sondern eher die Absicht, den anhaltenden, mit der Gefährlichkeit Hannibals begründeten Wünschen der Attaliden nach erneuter mil. Intervention der Römer in Kleinasien das Hauptargument

zu entziehen [9. 129]. Q.' Interesse an massiver Einflußnahme auf die maked. Politik blieb bestehen: In der
Hofintrige um → Demetrios [5] soll Q. den in Rom
beliebten maked. Prinzen bei dessen Besuch 182 hofiert,
gegen seinen Bruder → Perseus [2] aufgewiegelt und
ihm 181/0 einen geheimen Brief geschickt haben, der
zum Hauptindiz für ein hochverräterisches Komplott
wurde und 180 zur Hinrichtung des Demetrios führte
(Pol. 23,3,7f; Liv. 40,11,1ff.; 23,7f.), doch bleibt die
Rolle des Q. dabei unklar. Danach lebte er offenbar
zurückgezogen; er starb 174 (vgl. Plut. Flamininus
21,15). Die viertägigen Trauerfeierlichkeiten, die sein
Sohn prunkvoll ausrichtete, blieben wegen der aufwendigen Gladiatorenspiele in Erinnerung (Liv. 41,28,11).
→ Makedonische Kriege (B.); Philippos [7] V.

1 E. BADIAN, The Family and Early Career of T.Q.F., in:
JRS 61, 1971, 102–111 2 J. DEININGER, Der polit.
Widerstand gegen Rom in Griechenland 217–86 v. Chr.,
1971 3 J.J. WALSH, F. and the Propaganda of Liberation, in:
Historia 45, 1996, 344–363 4 A.M. ECKSTEIN, T.Q.F. and
the Campaign against Philipp in 198 B.C., in: Phoenix 30,
1976, 119–142 5 M.R.-ALFÖLDY, Der Stater des T.Q.F.,
in: NZ 98, 1984, 19–26 6 J.L. FERRARY, Philhellénisme et
impérialisme, 1988 7 D. ARMSTRONG, J.J. WALSH, SIG 593.
The Letter of Flamininus to Chyretiae, in: CPh 81, 1986,
32–46 8 E.S. GRUEN, Greek Πίστις and Roman Fides, in:
Athenaeum 60, 1982, 50–68 9 L.-M. GÜNTHER, T.Q.F. –
Griechenfreund aus Gefühl oder Kalkül?, in:
K.-J. HÖLKESKAMP, E. STEIN-HÖLKESKAMP (Hrsg.), Von
Romulus zu Augustus, 2000, 120–130.   L.-M. G.

[I 15] Q. Flamininus, T. War wahrscheinlich der Sohn
von Q. [I 13] oder [I 14]. Er wurde 167 v. Chr. Augur
und führte im gleichen J. eine Delegation zum thrakischen König → Kotys [I 3], um dessen Sohn und die
anderen thrakischen Geiseln zurückzubringen (Liv.
45,42,11). Nach der Praetur spätestens 153 war Q. 150
Consul (MRR 1,456) und starb wohl bald danach.

[I 16] Q. Flamininus, T. Sohn von Q. [I 15], war spätestens 126 v. Chr. Praetor in Sicilia (Strab. 6,2,11; MRR
1,508). Consul 123. Über seine Haltung zum Volkstribunat des C. → Sempronius Gracchus ist nichts bekannt.   P.N.

[I 17] Q. Scapula, T. Röm. Ritter, beim Kriegsaus-
bruch in Spanien 46 v. Chr. treibende Kraft unter den
Pompeianern (Cass. Dio 43,29,3). Nach der Niederlage
von Munda im März 45 tötete sich Q. in Corduba (Bell.
Hisp. 33).   JÖ.F.

II. KAISERZEIT

[II 1] C. Q. Atticus. Cos. suff. E. des J. 69 n. Chr. Beim
Heranrücken des flavischen Heeres erließ er Edikte zugunsten des Kaisers Vespasianus. Zusammen mit Flavius
[II 40] Sabinus, dem Bruder Vespasianus', wurde er auf
dem → Capitolium von den Anhängern des → Vitellius
belagert. Als er nach Gefangennahme durch die Vitel-
lianer die Schuld am Brand des Capitols auf sich nahm,
wurde er verschont, weil er damit Vitellius von diesem
schweren Vorwurf befreite (Tac. hist. 3,73–75). PIR²
Q 39.

[II 2] T. Q. Crispinus Sulpicianus. Aus altrepublika-
nischer, patrizischer Familie stammend [1. 229]; triumvir
monetalis; cos. ord. 9 v.Chr. zusammen mit Nero Claudius [II 24] Drusus, dem Stiefsohn des → Augustus; unter Q. wurde die lex Quinctia über die röm. Wasserleitungen verabschiedet (Front. aqu. 129,1). Des Ehe-
bruchs mit Iulia [6], Augustus' Tochter, beschuldigt,
wurde er im J. 2 v. Chr. verurteilt. Bei Vell. 2,100,5 wird
er höchst negativ charakterisiert. PIR² Q 44.

1 SYME, AA, 57.

[II 3] T. Q. Crispinus Valerianus. Bruder von Q.
[II 2]; Praetor 2 v.Chr., cos. suff. 2 n.Chr. Das Schicksal
seines Bruders hat somit seine Laufbahn nicht behindert.
P. war curator locorum publicorum iudicandorum (CIL VI
1266 = ILS 5959; CIL VI 40883); zur Funktion des Amtes
vgl. [1. 284 ff.]). Auch ist er als einer der → Arvales fratres
von 14–27 n. Chr. bezeugt. PIR² Q 45.

1 W. ECK, Cura viarum und cura operum publicorum als
kollegiale Ämter im Prinzipat, in: R. FREI-STOLBA,
M. A. SPEIDEL (Hrsg.), Die Verwaltung des röm. Reiches in
der Hohen Kaiserzeit, Bd. 1, 1995, 281–294.   W.E.

Quincunx. Der q. (quinque unciae; griech. πεντόγκιον/
pentónkion) war eine röm. Maßeinheit zu 5/12 eines größeren Ganzen, auch im Sinne von 5 % bei Zinsen oder
Erbschaften. Als Gewichtsstück entspricht er 5/12 libra =
136,4 g, als Flächenmaß 5/12 → iugerum = 1051 m², als
Hohlmaß 5/12 → sextarius = 0,23 l. Aufgrund ihrer abweichenden Stellung im sonst üblichen Duodezi-
malsystem sind Gewichtsstücke dieser Wertstufe außerordentlich selten. Die aus röm. Zeit belegten Expl. tragen das Wertzeichen IIII (CIL XIII 10030,36) oder V, die
Stücke aus byz. Zeit Γ-E. Der q. als Bronze-Mz. findet
sich im duodezimal aufgebauten System Mittel- und
Südit.s sowie Siziliens relativ häufig. Im übertragenen
Sinn bezeichnet q. auch die Anordnung der fünf Augen
auf einem Würfel bzw. im Landbau das System der in
schräger Linie angepflanzten Bäume oder Sträucher.

1 H. CHANTRAINE, s.v. Q., RE 24, 1107–1112
2 F. HULTSCH, Griech. und röm. Metrologie, ²1882, s.
Index.   H.-J.S.

Quincussis. Röm. Mz. zu 5 → As, mod. Kunstwort in
Analogie zu → Quadrussis. Als gegossene Mz. (→ Aes
grave) jeweils mit Wertzeichen V: Rom ca. 225 v.Chr.,
Gewicht ca. 1400 g (As vom Libralfuß, vgl. → Libra
[1]), Av. Ianuskopf, Rv. Prora (»Schiffsvorderteil«) (zur
Echtheit: [1]); Rom ca. 213 v. Chr., Gewicht 365 g (As
vom → Quadrantalfuß); Av. Diana oder Ilia, Rv. Prora
[3. 32]; Etrurien, Gewicht 748 und 707 g (etr. As von
151,6 g), Av. Rad, Rv. Anker [2. 265]. Die ältere numismatische Lit. bezeichnete die schweren röm. mit
Bildern geschmückten Bronzebarren (→ Aes signatum)
als Q., doch sind diese nicht auf ein bestimmtes Gewicht
ausgebracht.

1 P. CALABRIA, Il q. ritrovato, in: Riv. Italiana di
Numismatica 91, 1989, 67–71 2 E. J. HAEBERLIN, Aes grave,

1910 3 G. Fallani, Rilievi ed osservazioni, in: R. Margolis, H. Voegtli, Numismatics – Witness to History, 1986, 31–39. Dl. K.

Quindecimviri sacris faciundis. Das → *collegium* der »fünfzehn Männer für die Abhaltung von hl. Handlungen«, eine der drei (Varro bei Aug. civ. 6,3; Cic. har. resp. 18; nat. deor. 3,5; leg. 2,20) bzw. vier (Cass. Dio 53,1,5) großen röm. Priesterschaften – neben den → *pontifices*, den → *augures* und den seit augusteischer Zeit hierzu zählenden → *septemviri epulonum* –, soll nach der Trad. von → Tarquinius Superbus als *duoviri sacris faciundis* (d. h. aus 2 Mitgliedern bestehend) gegründet worden sein (Dion. Hal. ant. 4,62; Serv. Aen. 6,73). Ihre Zahl wurde 367 v. Chr. auf 10 *decemviri* (fünf Patrizier und fünf Plebeier: Liv. 6,57,12 und 42,2), nach Sulla auf 15 (erster Beleg: 51 v. Chr., Cic. fam. 8,4,1), unter Caesar auf 16 Mitglieder (ohne Namensangleichung) erhöht; seit augusteischer Zeit war ihre Zahl noch höher (Cass. Dio 42,51,4; 43,51,9; 51,20,3). Die Ernennung erfolgte zuerst durch → *cooptatio*, seit 103 v. Chr. durch Wahl der 17 → *tribus* (Cic. leg. agr. 2,18; Vell. 2,12,3), in der Kaiserzeit in der Praxis durch kaiserliche Beförderung. Als Vorsteher fungierten jährlich wechselnde *magistri*: fünf unter Augustus (CIL I², p. 29), eine Mehrzahl noch unter Tiberius (Tac. ann. 6,12), später nur einer. Der Kaiser war stets Mitglied des *collegiums*; war er auch *magister*, dann stand ihm ein *promagister* zur Seite. Die *q.s.f.* führten eigene Aufzeichnungen [1; 2]. Zu den Mitgliedern des *collegiums* (Prosopographie: [3; 4; 5]) gehörten u. a. M. → Porcius [I 7] Cato, Ciceros Schwiegersohn P. → Cornelius [I 29] Dolabella, M. Vipsanius Agrippa, der Historiker → Tacitus und noch im vierten Jh. n. Chr. Vettius Agorius Praetextatus (CIL VI 1779).

Zu den Aufgaben der *q.s.f.* gehörten Kulthandlungen für die *Graeco ritu* (nach griech. Ritus), d. h. *capite aperto* (»mit unverhülltem Haupt«) [6], verehrten Götter der röm. Staatsreligion (s. u.; Varro ling. 7,88; Liv. 25,12,13; ILS 5050,90) sowie – als *Sibyllae interpretes* (Cic. nat. deor. 3,5; div. 1,4; Liv. 10,8,2; [1; 7]) – die Auslegung der → *Sibyllini libri*. Diese Bücher, eine Spruch-Slg. in griech. Hexametern, enthielten *fata et remedia Romana* (Serv. Aen. 6,72; Serv. auct. 2,140; Lucan. 1,599; Plin. nat. 11,105; Granius Licinianus 35,1), d. h. dunkle (*latebra obscuritatis*: Cic. div. 2,111) Andeutungen und Androhungen (*praedicta vatium*: Cic. leg. 2,30; har. resp. 18) göttlichen Zornes, aber auch vage Handlungsanweisungen (Varro rust. 1,1,3; Liv. 10,47,6 f.), um die Gottheit bzw. mehrere Götter zu besänftigen und die → *pax deorum* wiederherzustellen (*procuratio*). Diese Bücher wurden im Keller des Iuppiter-Tempels auf dem röm. Capitol beherbergt, 83 v. Chr. während eines Feuers vernichtet und nach einigen Jahren wiederhergestellt (Dion. Hal. ant. 4,62,5 f.); Augustus ließ sie 12 v. Chr. in den palatinischen Apollon-Tempel verlegen (Suet. Aug. 31). Ihr Inhalt war geheim (Cic. leg. 2,30; Lact. inst. 1,6,13): Selbst die *q.s.f.* konnten sie nur nach Senatsbeschluß einsehen (*libros adire, inspicere*: Cic. div. 1,97; 2,112; Liv. 22,36,6).

Dieser Beschluß erfolgte nur, wenn bes. schreckliche Vorzeichen (→ *prodigium*) gemeldet wurden (z. B. Liv. 22,9,8; 27,37,11–15) oder wenn sich Katastrophen – Niederlagen im Krieg, Pestilenzen oder Erdbeben – ereigneten. Die *q.s.f.* suchten einen Spruch aus, der sich auf die gegebene Gefahr bezog, unterwarfen den Text einer oft polit. gefärbten (Cic. div. 2,110) Auslegung, gaben ein schriftliches Gutachten ab (Liv. 42,2,7), und einer sprach *pro collegio* im Senat (Frontin. aqu. 7,5). Die entgültige Entscheidung stand dem Senat allein zu; da dieser nicht selten über dieselbe Sache auch → *pontifices* und → *haruspices* zu Rate zog, stellten die vorgenommenen Sühneriten [8] oft eine Verschmelzung verschiedener Empfehlungen dar. Nach Konsultation der Sibyllinischen Bücher schlugen die *q.s.f.* mehrmals die Einführung von fremden Kulten vor, über die sie dann eine gewisse Aufsicht ausübten (z. B. → Apollon, Aesculapius/→ Asklepios, → Dis Pater und → Proserpina, → Mater magna, deren Priester sogar *sacerdotes XVvirales* heißen konnten (CIL IX 981), und empfahlen die Einrichtung neuer rel. Rituale (z. B. → *lectisternia, supplicationes, ludi* [9]). Bes. nahe standen sie Apollon (Liv. 10,8,2; Obseq. 47; Tib. 2,5,1), dessen Zeichen Delphin und Dreifuß ihr Emblem war (Serv. auct. 3,332; der Dreifuß auf Mz. zuerst 65 v. Chr. belegt: RRC 439; [10. 134 f.]). Hervorzuheben ist ihre Mitwirkung bei der Ansage und Veranstaltung der *ludi saeculares* (→ Saeculum) [2].

→ Priester; Sibyllini libri

1 J. Scheid, Les livres Sibyllins et les archives des quindécimvirs, in: C. Moatti (Hrsg.), La mémoire perdue: recherches sur l'administration romaine, 1998, 11–26 2 G. Liberman, Les documents sacerdotaux du collège »sacris faciundis«, in: [1], 65–74 3 G. J. Szemler, The Priests of the Roman Republic, 1972 4 M. W. Hoffman Lewis, The Official Priests of Rome under the Julio-Claudians, 1955 5 L. Schumacher, Die vier hohen röm. Priesterkollegien, 69–235 n. Chr., in: ANRW II 16.1, 1973, 655–819 6 J. Scheid, Graeco ritu: A Typically Roman Way of Honoring the Gods, in: HSPh 97, 1995, 15–31 7 L. Breglia Pulci Doria, Oracoli Sibillini tra rituali e propaganda, 1983 8 L. Wülker, Die gesch. Entwicklung des Prodigienwesens bei den Römern, 1903 9 F. Bernstein, Ludi publici, 1998 10 A. V. Siebert, Instrumenta sacra (RGVV 44), 1999.

J. Gagè, Apollon romain, 1955 · G. Radke, s. v. Q., RE 24, 1114–1148 · G. Wissowa, Rel. und Kultus der Römer, ²1912, 534–543. J. Li.

Quinquatrus. Der Name (pl.) zweier bei der stadtröm. Bevölkerung (v. a. bei den Handwerkern) populärer Feste (Plaut. Mil. 692; Plin. nat. 35,143; Suet. Aug. 71,3), der vom 19.–23. März begangenen Q. *maiores* (Beiname nur in Varro ling. 6,17) und der vom 13.–15. Juni gefeierten Q. *minusculae* (Liv. 9,30,5–10). Manche ant. Erklärer (zitiert bei Varro ling. 6,14) deuten Q. als Bezeichnung der Dauer von fünf (lat. *quinque*) Tagen. Tatsächlich handelt es sich aber um den fünften Tag nach den Iden [1. 406–408], vielleicht um den fünften

dies nefastus oder *ater*, »schwarzen Tag« [2]. Charisius'
(1,81,20 ff. KEIL) falsche Herleitung von unbezeugtem
quinquari, »reinigen«, orientiert sich an der schon ant.
den Q. *maiores* zugeschriebenen Funktion, der Reinigung der Waffen zur Eröffnung der alljährlichen
Kriegssaison; als Indiz hierfür gilt häufig, daß das entsprechend als Reinigung der Kriegsposaunen gedeutete
→ *Tubilustrium* am 23. März abgehalten wurde. Die Interpretation dieser *feriae* als urspr. »Kriegsfeste« ist aber in
Frage gestellt worden [3. 23–25; 4. 218 f.]. Die ant.
Deutung der Q. *maiores* als Fest für → Mars (InscrIt.
13,2,173; Fest. 134,3–6 L.) entscheidet das Problem
nicht eindeutig. In der Kaiserzeit war die Bezeichnung
Quinquatria gebräuchlicher ([5. Nr. 117 Col. II,1]; Suet.
Dom. 4,4; vgl. [4. 263 f.]). Die in augusteischer Zeit no-
tierte Verbindung (InscrIt. 13,2,427) der Q. mit den
→ Salii und der für uns obskuren mil. Organisation der
celeres tribunum (→ *tribunus*) könnte auf einen Ursprung
in archa. Zeit hindeuten [6. 89 f.]. Die Q. *maiores* galten
auch als der → Minerva heilig (Ov. fast. 3,809–848),
deren röm. Tempel auf dem → Mons Aventinus am ersten Tag der Q. *maiores* des Jahres 241 v. Chr. gegründet
wurde [7. 109–112]. Die Rolle der Göttin beim *Tubi-*
lustrium (Ov. fast. 3,849 f.) reflektiert ihre verm. schon
frühzeitige Einbeziehung in ein Fest, das urspr. wohl
Mars allein gegolten hatte. Minervas Verbindung mit
Mars brachte schon die röm. Antiquare in Erklärungs-
notstand und führte zu der Assoziation mit → Nerio
(Gell. 13,23).

Die Q. *minusculae* waren das Fest der *tibicines* (Flöten-
bzw. Tibiabläser, Ov. fast. 6,651–710; Liv. 9,30,5–10;
Varro ling. 6,17). Die ant. Deutung (Ov. fast. 6,693–710;
Fest. 134,3–6 L.) des Festes als aus den Q. *maiores* entwickelt ist im Lichte von Minervas früher Verbindung
mit den Q. *minusculae* nicht unplausibel. Anderen gelten
diese dagegen als mit → Iuppiter verbunden [8].

→ Fasti; Kalender

1 WALDE/HOFMANN, Bd. 2 2 J. WACKERNAGEL, Dies ater,
in: ARW 22, 1923/4, 215 f. 3 J. RÜPKE, Domi Militiae, 1990
4 Ders., Kalender und Öffentlichkeit, 1995 5 R. FINK
(Hrsg.), Roman Military Records on Papyrus, 1971
6 A. ALFÖLDI, Der frühröm. Reiteradel und seine
Ehrenabzeichen, 1952 7 A. ZIOLKOWSKI, The Temples of
Mid-Republican Rome, 1992 8 O. HENTSCHEL, s. v. Q., RE
24, 1160–1162. C. R. P.

Quinquegentiani. Berberischer, in der Großen Ka-
bylei (h. Algerien) zw. Rusuccuru und Saldae (?) siedelnder Stammesverband, der von Maximianus [1] endgültig unterworfen wurde. Belege: Paneg. 7,8,6; Eutr.
9,22 f.; Aur. Vict. Caes. 39,22; Oros. 7,25,4; 7,25,8;
Iord. historia Romana 297; 300; Get. 110; Zon. 12,31.
Inschr.: CIL VIII 1, 2615; 2, 8836; 8924; 9010 (?); AE
1985, 902 (?).

J. DESANGES, Cat. des tribus africaines ..., 1962, 67 ·
L. GALAND, Les Quinquegentanei, in: Bull. d'archéologie
algérienne 4, 1970, 297–299 · H. TREIDLER, s. v. Q.,
RE 24, 1148 f. W. HU.

Quinquevirale iudicium. »Fünfmännergericht«, von
Gratianus 376 n. Chr. (Cod. Theod. 9,1,13) zur Versöhnung des Senats in der Zeit nach → Maximinus [3] geschaffenes Collegium, dessen Mitglieder zur Vermeidung von Parteilichkeit durch Los zu ermitteln waren,
und das die Praefekten in Kapitalsachen (in allen Strafsachen?) gegen Senatoren beiziehen mußten. Es wurde
von Honorius 423 (Cod. Theod 2,1,12) bekräftigt und
so in die *lex Romana Visigothorum* (→ Volksrechte) übernommen. Es blieb auf den Westen beschränkt. Von den
vom *q.i.* verhandelten Prozessen steht nur der wegen
Zauberei gegen Basilius und Praetextatus (510/511;
Cassiod. var. 4, 22–23) außer Zweifel. Hingegen ist die
Mitwirkung des *q.i.* im Verfahren gegen den *praef. praet.*
Galliarum Arvandus (469; Sidon. epist. 1,7) und insbes.
in demjenigen gegen → Boëthius (523/524; Anon. Va-
lesianus 14, 85–87) heftig umstritten.

A. FLACH, Das i.q. im Werdegang senatorischer
Strafgerichtsbarkeit, in: ZRG 113, 1996, 358–376 ·
U. VINCENTI, La partecipazione del senato
all'amministrazione della giustizia nei secoli III–VI DC
(Oriente e Occidente), 1992. C. E.

Quinqueviri. Collegien von fünf (*quinque*) Männern
(*viri*) unterhalb der Magistratsebene (→ *magistratus*), die
in Rom und It. vielfach *ad hoc* zur Regelung öffentl.
Angelegenheiten eingesetzt wurden. Von Dauer waren
nur das Collegium der *q. cis Tiberim*, die im Auftrag der
→ *tresviri capitales*, dann der → *aediles* als Nachtwache
dienten und in dieser Funktion auch in ital. → *municipia*
als *q.* erscheinen, wie auch das → *quinquevirale iudicium*
aus fünf Senatoren, das seit 376 n. Chr. bei Kapitalklagen
gegen Senatoren unter dem Vorsitz des → *praefectus urbi*
als Gericht fungierte.

→ Quinquevirale iudicium

A. VON PREMERSTEIN, Stadtröm. und municipale Q., in: FS
O. Hirschfeld, 1903, 234–242 · G. WESENER, s. v. Q., RE
24, 1166–1170. H. GA.

Quintilianus (oder *Quintillianus*, selten *Quinctil[l]ia-*
nus). Röm. Cogn., vom Vornamen → *Quintus* abgeleitet, in der Kaiserzeit weitverbreitet.

1 DEGRASSI, FCIR, 264 2 KAJANTO, Cognomina, 174.
K.-L. E.

[1] Lat. Redelehrer des letzten Drittels des 1. Jh. n. Chr.
und erster öffentlich besoldeter Rhetorikprofessor in
Rom.

I. BIOGRAPHIE II. WERK
III. INSTITUTIO ORATORIA
IV. NACHWIRKUNG

I. BIOGRAPHIE

M. Fabius Q. stammte aus dem nordspanischen
→ Calagurris [2] (h. Calahorra). Sein Vater war rhet. zumindest geübt (Quint. inst. 9,3,73); ob er – und evtl.
sogar schon der Großvater – auch Rhetor war, bleibt
offen: Ein Q., der deklamierte, ist zweimal bei Seneca

d. Ä. erwähnt (Sen. contr. 10 praef. 2; 10,4,19). Geburts- und Todesjahr lassen sich nur annähernd bestimmen: Als »ganz junger Mann« (*adulescentulus*) »verehrte« Q. (Quint. inst. 5,7,7) den schon alten → Domitius [III 1] Afer (gest. 59 n. Chr.) und wurde dann Zeuge seines Verfalls (ebd. 12,11,3). Als alter Mann schrieb er, in der Zeit Domitians (gest. 96), seine *Institutio oratoria* (›Rhet.-Lehrbuch‹). Diese und ähnliche Indizien führen auf ein Geburtsjahr um 35 n. Chr. – und einen Romaufenthalt in seiner Jugend – sowie ein Todesjahr um 100. Q. soll Schüler des → Remmius [2] Palaemon gewesen sein (Schol. Iuv. 6,452). Unter den Rednern, die er in seiner Jugend hörte, bewunderte er neben Domitius Afer bes. → Servilius Nonianus (Quint. inst. 10,1,102). Für einige Zeit kehrte Q. nach Spanien zurück; Kaiser Galba brachte ihn 68 wieder nach Rom (Hier. chron. 186 HELM).

Bald darauf muß er angefangen haben, als Rhetor zu lehren. Unter Vespasian wurde er als erster – oder einer der ersten – Redelehrer Roms vom Staat besoldet (Hier. chron. 190 HELM mit Suet. Vesp. 18). Zu seinen Schülern gehörte → Plinius [2] d. J. (Plin. epist. 2,14,9; 6,2,3). Auch als Anwalt trat Q. hervor (Quint. inst. 4,1,19; 7,2,24; 9,2,73 f.). Flavius [II 16] Clemens verschaffte ihm die → *ornamenta consularia* (Auson. gratiarum actio 7,31; vgl. Iuv. 7,197). Dessen Söhne, Domitians Großneffen, wurden vom Kaiser Q. zur Erziehung anvertraut (Quint. inst. 4, praef. 2). Seiner Stellung entsprach sein Besitz (Iuv. 7,188 f.). Die junge Frau, die er im Alter geheiratet hatte, starb früh, ebenso seine beiden Söhne (ebd. 6, praef.).

II. WERK

Was Q. vor der *Institutio* veröffentlicht hat – eine Rede (Quint. inst. 7,2,24) und eine Abh. *De causis corruptae eloquentiae* (›Über die Gründe des Verfalls der Beredsamkeit‹; ebd. 6 praef. 3; 8,6,76) – ist verloren, ebenso die nicht von ihm autorisierten Vorlesungsmitschriften (ebd. praef. 7; 7,2,24). Unter seinem Namen überl. sind aber zwei Slgg. von Deklamationen (→ *declamationes*). Die sog. *Declamationes maiores* stammen sicher nicht von Q. Jedoch tragen die sog. *Declamationes minores*, ein Corpus von ganz oder teilweise ausgearbeiteten Übungsreden (→ Progymnasmata) mit Erläuterungen, das Gepräge der Q.-Schule und könnten aus Q.' Nachlaß herausgegeben sein.

III. INSTITUTIO ORATORIA

Q. läßt in seinem ›Rhet. Lehrbuch‹ den griech. Grundlagen der Redekunst volle Gerechtigkeit widerfahren und würdigt bes. Demosthenes [2], Isokrates, Platon [1], Aristoteles [6], Hermagoras [1] und auch die Dichter – hier bes. Homer und Menandros [4] – nach Gebühr. Nicht alle hat er selbst gelesen, z. B. kennt er Apollodoros [8] von Pergamon und Theodoros von Gadara nur aus röm. Autoren (Quint. inst. 3,1,18; 2,15,21; 4,1,23). Beherrscht wird Q.' Darstellung aber von der Praxis und Theorie der Römer. Von alles überragender Bed. sind hier die Reden und rhet. Schriften → Ciceros (ebd. 12,1,19). Nächst Cicero zitiert Q. am

häufigsten → Vergilius; in seinem Unterricht spielt die Dichtung eine große Rolle, bes. im Hinblick auf die → *elocutio* (»Rede«). Öfter – und zumeist kritisch – bezieht sich Q. auf Cornelius → Celsus [7]; hochgeschätzt – aber selten zitiert – hat er → Verginius Flavus (7,4,40). Die Frage nach den Quellen ist dadurch erschwert, daß Q. prinzipiell keine lebenden Autoren mit Namen nennt (3,1,21). Durchbrochen hat er dieses Prinzip lediglich, um Kaiser Domitian zu schmeicheln (10,1,91).

Das 1. B. ist, wie er selbst ankündigt (praef. 21 f.), Q.' originellster Beitrag zur Rhet. [4]. Die Ausbildung des Redners wird als ein Prozeß dargestellt, der schon in der frühen Kindheit beginnen soll. Dabei wird zwar zuerst an Begabung gedacht, aber deren Bed. wird insofern relativiert, als nach Q.' Auffassung die Zahl der wirklich Unbegabten gering ist. Die von Q. entworfene Erziehung ist leistungsorientiert, aber auch kindgemäß. Prügel sind verpönt (1,3,14–17). Begonnen wird mit Griech. (1,1,12–14). Der Hauptteil des B. behandelt die Gramm. (zu der auch die Orthographie gehört), doch bekennt sich Q. zur → *enkýklios paideía* und spricht bes. vom Wert der Musik und der Mathematik (1,10).

B. 2 behandelt zunächst den Fortgang der Ausbildung, die ersten Übungen, die erste Lektüre (Livius, Cicero; gewarnt wird vor »Alten« wie Cato und den Gracchen), den richtigen Umgang mit der Deklamation (2,10; vgl. → *actio* [1], → *phōnaskoí*). Hieraus erwächst die Erörterung der Kardinalfrage, ob man überhaupt die Lehren der → Rhetorik kennen müsse, um ein tüchtiger Redner zu sein. Q. nimmt sich drei Themen vor: *de arte, de artifice, de opere* (›über die Redekunst, den Redner und die gute Rede‹, 2,14,5). Das erste ist der Hauptgegenstand der *Institutio*, die beiden anderen werden erst im 12. B. abgehandelt. Q. bekennt sich zur sittlichen Fundierung der Rhet. (2,15,33); im 12. B. nimmt er diese Gedanken wieder auf. Die Frage, welche Sachkompetenz die Redner haben müsse, beantwortet Q. wie schon Gorgias bei Platon (Plat. Gorg. 456): Der Redner werde sich beim Fachmann informieren und dann über die Sache besser sprechen als der Fachmann selbst (Quint. inst. 2,21,16).

Inventio (»Argumentation«, B. 3–7): Das 3. B. behandelt die Gesch. und die Einteilung der Rhet., danach grundlegende Probleme der *causa* (des »Gegenstandes«), so die Lehre von den → *status*. Dies Thema wird später in B. 7 im einzelnen entfaltet. Q.' Lehren sind weitgehend auf die *declamationes* zugeschnitten [2]. B. 4 ist den Redeteilen (→ *partes orationis*) vor der → *argumentatio*, B. 5 der Argumentation selbst, B. 6 der *peroratio* (Schluß) und den Emotionen gewidmet, mit einem Kapitel über das Komische (6,3) nach dem Vorbild Ciceros (de orat. 2,233–289).

Elocutio (»Formulierung«, B. 8–11): Die B. 8 und 9 bieten eine systematische Darstellung des Redeschmucks, getrennt nach → »Figuren« und → »Tropen«. B. 10 handelt vom Erwerb und der Einübung einer guten Ausdrucksweise, die dem Redner dann auch beim Extemporieren (Quint. inst. 10,7) zu Gebote steht. Das berühmte Kap. 10,1 ist eine chronologisch und nach Gattungen geordnete Aufzählung, in der Autoren ästhetisch, z. T. moralisch bewertet und zur Lektüre empfohlen werden. Nicht zuletzt notiert Q. Rangunterschiede zw. Griechen und Römern. In der Redekunst kommen die Römer den Griechen gleich (10,1,105). Im 11. B. schreibt Q. zunächst über das *apte dicere*; er behandelt die »Angemessenheit« unter den Aspekten des Nützlichen (*quid expediat*) und des Schicklichen (*quid deceat*). Bes. liegt ihm das Verhalten des Redners selbst am Herzen; dieser solle sich zurückhaltend und bescheiden geben. Ein Abschnitt über die → *memoria* schließt sich an. Q. hält wenig von Mnemotechnik, viel von Auswendiglernen. Am Schluß des Buches geht es um den Vortrag der Rede (→ *actio* [1]). Dieser – Q. gliedert in Stimmführung und Gestik (→ *gestus*; [3]) – sei wichtiger als alles andere. Q. kommt in diesem Zusammenhang – wie auch sonst – auf die Nähe des Redners zum Schauspieler (→ *histrio*, → *hypokritēs*) zu sprechen; er warnt aber eindringlich davor, die Grenze zu überschreiten (11,3,181).

Officia oratoris (»Pflichten des Redners«, B. 12): Q. entfaltet zunächst den Gedanken, daß der Redner ein *vir bonus* sein müsse. Dabei beruft er sich auf die Definition des älteren Cato [1], wonach der *orator* als *vir bonus dicendi peritus* (›ein anständig-angesehener Mann, der zu sprechen weiß‹) bestimmt sei. Q. begründet dies philos.: Da der Mensch durch die Natur – und so auch durch die Vorsehung – mit Redefähigkeit ausgestattet sei, müsse diese Fähigkeit auch guten Zwecken dienen. Obwohl der *vir bonus* nur eine gute Sache vertrete, könne er nicht auf rhet. Bildung verzichten und allein der Wahrheit vertrauen, zumal er die Wahrheit oft – aus ehrenhaften Gründen! – verhehlen müsse. In der griech. Philos., wie sie sich entwickelt hat, sieht Q. keine vorbildliche Sachwalterin der Rede-Inhalte. Deshalb soll sein Redner kein Philosoph sein. Was ihm vorschwebt, ist ein Weiser eigenen Typs (12,2,7), kein stiller Denker, sondern ein weltoffener Bürger. Dieser muß sich zwar bei den Philosophen kundig machen, aber selbständig urteilen, ohne Rücksicht auf Schulgrenzen. So kann Q. den Wunsch aussprechen, daß die von der Redekunst preisgegebenen, von der Philos. usurpierten Güter dereinst wieder Eigentum der Redekunst sein mögen.

Nächst der Philos. ist laut Q. das Recht der Bereich, den der Redner aus eigenem Studium genau kennen muß (12,3). Die Tätigkeit auf dem Forum solle in der Jugend beginnen (12,6). Verzicht auf Bezahlung sei dabei erstrebenswert, doch dürfe man in beengten Verhältnissen auch materiellen Dank annehmen (12,7). Daß nur jene Art des Redens »natürlich« sei, die der Umgangssprache ganz nahe kommt, ist eine These, die Q. ablehnt; für ihn ist auch die kunstvoll gestaltete Rede etwas Natürliches. Darum ist er auch bereit, dem Zeitgeschmack Zugeständnisse zu machen (12,10,44–48).

Q.' *Institutio* läßt sich charakterisieren als eine Zusammenfassung und Komplettierung der Schriften Ciceros, in der zugleich die gewandelte histor. Situation

ihren Ausdruck findet. Wenn ihr Autor so war, wie er uns in seinem Werk entgegentritt, dann verkörperte er alle Tugenden eines Sachwalters der Redekunst und Lehrers: umfassende Kenntnis der lit. Trad., gesunden Menschenverstand gepaart mit Scharfsinn, Erfahrung, Anstand, Bescheidenheit und Menschenfreundlichkeit. Was er lehrte, konnte er selbst: Seine Prosa ist ein Muster an Klarheit, sein Lat. eine glückliche Verbindung Ciceronischer und nachklass. Ausdrucksmittel.

IV. NACHWIRKUNG

Q.' Nachwirkung wird für uns nach dem Lob Martials (2,90,1 f.) erst in der Spätant. faßbar. → Lactantius [1] zeigt in den *Divinae institutiones* Kenntnis der *Institutio oratoria* [4. xliiif.]. → Hieronymus kannte und schätzte das Werk; bes. deutlich zeigen dies seine Ratschläge für → Laeta [2] (epist. 107). Unter den Rhetoren schöpft am meisten → Iulius [IV 24] Victor aus Q. Zu Beginn des MA greift → Cassiodorus auf ihn zurück, namentlich in *De artibus ac disciplinis liberalium litterarum*. Auch in die *Etymologiae* des → Isidorus [9] von Sevilla fließt Q.' Werk – vielleicht durch andere vermittelt – ein. Um die Mitte des 9. Jh. bittet Servatus Lupus von Ferrières den Bischof von York um ein Exemplar der *Institutio* und bekommt es (epist. 62,3 und 103,4 MARSHALL). Aus der Zeit vom 9. bis 12. Jh. sind mehrere Hss. erh., einige mit Lücken. Bernhard von Chartres (12. Jh.) berücksichtigt im Unterricht die beiden ersten B. der *Institutio*, wie aus der Darstellung seines Schülers Johannes von Salisbury hervorgeht (Metalogicus 1,24), der ebenfalls mit Q.' Werk wohlvertraut ist. Die Zitate bei Vinzenz von Beauvais (13. Jh.) hingegen stammen aus einem Florilegium [5. 33–35]. It. Humanisten – namentlich PETRARCA (Familiarium rerum libri 24,7 ROSSI) – schätzen Q., schon bevor POGGIO 1416 in St. Gallen einen vollständigen Text findet und abschreibt. Gedanken des Q. werden aufgenommen von Enea Silvio de' PICCOLOMINI (*De liberorum educatione*), Rudolph AGRICOLA (*De inventione dialectica*), ERASMUS (*De pueris instituendis, De duplici copia verborum ac rerum*), MELANCHTHON (Rhet.-Lehrbücher) und vielen anderen. Q.' Werk bleibt Bildungsgut auch in den folgenden Jh. Es wird geschätzt und benutzt z. B. von Ben JONSON (*Discoveries*, gedr. 1641), Alexander POPE (*Essay on Criticism*, 1709), Jean-Baptiste DU BOS (*Réflexions critiques sur la poésie et sur la peinture*, 1719), FRIEDRICH D. GR. [6. 283–287], GOETHE [6. 288–312]. Seine Wirkung geht mit der Verfehmung der Rhet. im 19. Jh. zurück, doch bleibt Q. eine respektierte Größe bis heute.

→ Elucutio; Inventio; Officia oratoris; Rhetorik; RHETORIK

1 J. ADAMIETZ, Quintilians Institutio oratoria, in: ANRW II 32.4, 1986, 2226–2271 2 J. DINGEL, Scholastica materia, 1988 3 U. MAIER-EICHHORN, Die Gestikulation in Quintilians Rhet., 1989 4 F. H. COLSON, Institutio oratoria, liber I, 1924 5 B. L. ULLMAN, Classical Authors in the Medieval Florilegia, in: CPh 27, 1932, 1–42 6 O. SEEL, Quintilian oder Die Kunst des Redens und Schweigens, 1977.

Ed.: *Institutio*: M. Winterbottom, 1970 · J. Cousin, 1975–1980. *Declamationes maiores*: L. Håkanson, 1982. *Declamationes minores*: M. Winterbottom, 1984 · D. R. Shackleton Bailey, 1989.   J. D.

Quintilla ist trotz Vermischung mit der Überl. über → Priskilla wohl nicht mit dieser identisch, sondern eine selbständige montanistische (→ Montanismus) Prophetin, verm. des 3. Jh. n. Chr. [1. 152, 167 f.], deren Anhänger Quintillianer genannt wurden. Von ihr und nicht von Priskilla stammt wohl der Bericht bei Epiphanios [1] von Salamis (Panarion 48,1,2 f.), Christus sei ihr im Schlaf in Frauengestalt und strahlendem Gewand erschienen und habe ihr die Herabkunft des himmlischen Jerusalem im phrygischen Pepuza geoffenbart.

1 C. Trevett, Montanism. Gender, Authority and the New Prophecy, 1996.   M. HE.

Quintillus. Imp. Caes. M. Aurelius Claudius Q. Aug., Bruder des → Claudius [III 2] II. Gothicus. Nach dessen Tod im August 270 n. Chr. wurde Q. zum Kaiser ausgerufen, doch nach wenigen Wochen von den Soldaten in Aquileia getötet (Eutr. 9,12; [Aur. Vict.] epit. Caes. 34,5; Hier. chron. p. 222 Helm; Zos. 1,47).

Kienast², 233 · PIR² A 1480 · PLRE 1, 759 (Nr. 1).   A. B.

Quintinus war → *magister equitum per Gallias* unter Magnus → Maximus [7], der ihm 387 n. Chr. seinen Sohn Victor anvertraute. Q. fiel 388 bei einem gegen den Rat des → Nannienus bei Neuß unternommenen Vorstoß auf rechtsrheinisches Gebiet.

PLRE 1, 760 · P. Richardot, Un dèsastre romain peu connu sur le Rhin, in: Riv. storica dell' antichità 25, 1995, 111–130.   K. G.-A.

Quintipor Clodius. Verf. von → Palliaten aus spätrepublikanischer Zeit, von denen wir nur aus der Polemik Varros (bei Non. p. 168,719 L.) wissen.

Lit.: M. Brožek, De Quintipore Clodio meliori famae restituendo, in: Eos 56, 1966, 115–118.   P. L. S.

Quintus.

[1] Häufiger röm. Vorname (→ Praenomen); Sigle: Q.; griech. Κόιντος. Er ist mit dem Ordinale *quintus*, »fünfter«, identisch – im → Oskisch-Umbrischen steht dafür *Pompo* u. ä., mit Gent. *Pomponius, Pompeius, Pontius*. Wie andere sog. »Numeralpraenomina« konnte der einstige Individualname in der Frühzeit Kindern nach der Reihenfolge der Geburt gegeben werden. Keinesfalls darf Q. von *quīntīlis*, »Juli«, abgeleitet werden, da der → Monatsname seinerseits schon Derivat von *quīntus* ist. Zu Q., genauer zu seinem Deminutivum, ist das Gent. *Quīntilius* gebildet. Schreibungen mit *Quinct-* stellen sekundär (nur graphisch?) die Beziehung zum Kardinale *quīnque* her.

Salomies, 46, 111–114.   D. St.

[2] Arzt, wirkte zw. 120 und 145 n. Chr., Schüler des → Marinos [2] und nach dem Urteil des → Galenos (CMG 5,8,1, S. 70) der größte Arzt seiner Zeit. Er praktizierte in Rom, wobei sich Unabhängigkeit im Denken mit Schroffheit im Benehmen paarte (Gal. CMG 5,10,2,2, p. 207; 5,4,2, p. 100). Sein Erfolg schürte Haß unter seinen Konkurrenten und trug ihm den Vorwurf des Patientenmordes ein, so daß er sich gezwungen sah, Rom zu verlassen und in seine Heimat Kleinasien zurückzukehren (CMG 5,8,1, p. 70). Da er nichts Schriftliches hinterließ, mußte Galen beträchtliche Umstände auf sich nehmen, um sich über Q.' Lehre bei dessen Schülern Aiphikianos, Antigenes, Lykos, → Numisianos und → Satyros zu informieren.

Q. war Hippokratiker (→ Hippokrates [6]), obwohl seine Ansichten nicht immer von den zeitgenössischen Hippokratikern geteilt wurden: Galen zitiert seine Standpunkte hauptsächlich, um sie zurückzuweisen. Q. kommentierte die hippokratischen Aphorismen, Epidemienbücher und das *Prorrhētikón*, diskutierte sogar einige Varianten (CMG 5,9,2, S. 128) und widersprach jenen, die glaubten, Hippokrates habe die Medizin auf der Grundlage der vier aristotelischen Qualitäten erklärt [1. 17; 2. 64–70]. Er war berühmt für seine Geschicklichkeit im Umgang mit Arzneimitteln (auch wenn Satyros schockiert war, wie unbekümmert er Ersatzmittel benutzte, wenn bestimmte Heilmittel nicht zur Verfügung standen). Galen sah in ihm den wahren Erben der alexandrinischen Anatomie, wie sie ihm über seinen Lehrer Marinos vermittelt worden war. Q. führte Sektionen durch, sogar Vivisektionen (Gal. administrationes anatomicae 12,7), sezierte die Hoden einer lebenden Ziege, die er zwecks Imitation der menschlichen Körperhaltung aufrecht auf die Hinterläufe stellte. Wie Marinos legte er großen Wert auf → Anatomie als eine der Grundlagen der Medizin, was er an seine Schüler und über diese an Galen weitergab.

1 M. D. Grmek, D. Gourevitch, L'école médicale de Q. et Numisianos (MPalerne 8), 1988, 43–60 2 Smith, bes. 64–70, 130–133.   V. N./Ü: L. v. R.-B.

[3] Q. (Κόιντος) von Smyrna. Verm. 3. Jh. n. Chr. (die Datier. ist umstritten: vgl. [1. Bd. 1, xix–xxii] mit Lit.), Verf. des griech. Epos Τὰ μεθ᾽ Ὅμηρον (*Posthomerica*, ›Nachhomer. Ereignisse‹) in 14 B. und 8772 Versen (zur Zahl der B. vgl. [7. 9; 13. 365⁵]). Der Name des Dichters ist durch die Homerscholien, Eustathios [4] und Tzetzes (bei letzterem als *Smyrnaíos* bezeichnet) bezeugt; die Herkunft aus Smyrna gründet sich auf den autobiographischen Passus 12,306–313, wo Q. sich in hesiodeischer (vgl. Hes. Theog. 22–23) und kallimacheischer (vgl. Kall. Aitia fr. 2) Manier als »Hirten« beschreibt, könnte jedoch auch poetische Fiktion sein (Smyrna galt als Homers »Heimat«). Über Q.' berufliche Tätigkeit ist nichts bekannt; er war gewiß ein Gelehrter: Die geogr. und mythographischen Angaben, die sich bes. auf die Küsten Kariens und Lykiens beziehen, scheinen eher der lit. Überl. als eigener Erfahrung zu entstammen.

Der Titel (der durch schol. Hom. Il. 2,220 und Eust. ad Hom. Il. p. 5,38 = I 9,7 VAN DER VALK bezeugt ist) hat programmatische Bed.: Die *Posthomerica* erzählen von den Ereignissen nach → Hektors Tod, in der Absicht, die Lücke zw. ›Ilias‹ und ›Odyssee‹ zu füllen. In der Gesamtstruktur läßt sich die Gruppierung der Bücher zu 5 + 4 + 5 erkennen. Die ersten fünf B. sind Achilleus gewidmet; die B. 6–9 stellen eine Folge von Schlachten dar, die B. 10–14 kehren zur »monographischen« Struktur zurück. Trotz dieser gesuchten »Makrostruktur« erscheint das Epos als eine Reihe von mehr oder weniger unabhängigen Einzelerzählungen (*lógoi*); die kompositorische Einheit der einzelnen B. und die Kompaktheit der B. 6–8 hat zu der Vermutung geführt, das Werk sei unvollständig ([7. 8] mit Lit.). Zu Einheit bzw. zum Charakter von Einzelgesängen [7; 13].

Q. gibt an, die Inspiration der → Musen erhalten zu haben, als er noch »bartlos« war (12,309); im Lauf des Werks ist eine fortschreitende künstlerische Reifung feststellbar: Die originellsten Gleichnisse und Passagen finden sich in den letzten B. ([1. Bd.1. xi] mit Lit.), auch wenn ein schulmeisterhaftes Gepräge in der Abfolge »typischer Szenen« offenkundig ist (Schlacht, Gesandtschaft, Bestattung, Leichenspiele, Beschreibung der Waffen, Sturm). Populärmoral findet sich bes. in den zahlreichen Reden und »Sentenzen« (auf dem Rand der Ed. Aldina von 1504/05 verzeichnet). Die Charaktere sind im Kontrast zueinander gezeichnet: Dem Wahnsinn der Penthesilea entspricht die Mäßigung des Memnon (B. 1–2), dessen Heroismus der Antiheroismus des → Thersites [14]; Kraft und List sind bei den Spielen einander gegenübergestellt (B. 4), aufrichtiger Mut und windungsreiche Intelligenz haben ihre Paradigmata in Aias bzw. Odysseus (B. 5). Neoptolemos, der Homers Achilleus als Protagonist ersetzt, verkörpert durch seine Tüchtigkeit, seine Sohnestugenden und seine Mäßigung das heroische Ideal (B. 5). Der vorbildliche Mut, auch gegen das Schicksal, wird durch → Sinon und → Laokoon personifiziert. Über allem schwebt eine göttliche Gerechtigkeit, auf die der Tod des Paris (ebenfalls ein idealisierter Heros) zurückgeht, sowie die Einnahme Trojas und der Sturm bei der Rückfahrt. Deutlich treten einige stoische Vorstellungen hervor: die Allmacht des → Schicksals, die Existenz des unsterblichen → Aion, der den Wagen des Zeus geschmiedet hat (12,194), das ›unsterbliche Leben‹, das der Seele der Großen und der Weisen zusteht (vgl. 14,185–209 [1. Bd.1. xviii]).

Die didaktischen Exkurse (Astronomie, Medizin, Geographie und Myth.) beruhen auf lit. Kenntnissen und scheinen an ein mittelmäßig gebildetes Publikum gerichtet zu sein. Der Einfluß der Rhet. zeigt sich bei rhet. Mitteln wie Hyperbel, emphatischem Epitheton, der Suche nach Kontrast und Symmetrie, eindrucksvollen Szenen (B. 14: Seesturm), *ekphráseis*. Einige Aspekte des Makabren erinnern an die *Pharsalia* des → Lucanus. Die Beherrschung der rhet. Mittel zeigt sich v.a. in den langen Reden zu traditionellen epischen Anlässen (Aufforderung zum Kampf, Beleidigung, Totenklage, Ruhmesrede, Invektive, Tröstung, Empfangsrede).

Das Vokabular des Q. ist als homerisierende *Koiné* bezeichnet worden [1. Bd.1. xli], in der die Begriffe für Realien unbestimmt gebraucht werden; die Bemühung, das Vorbild zu variieren und Monotonie zu vermeiden, ist nicht immer gelungen.

Schwer zu bestimmen sind die Quellen des Q., z.B. die Kenntnis des → epischen Zyklus ([9. 436]; ablehnend [1. Bd.1, xxviii–xxix]). Q. hat sich der → Mythographie als Raster bedient (zahlreiche Übereinstimmungen mit der ›Bibliothek‹ des (Ps.-)→ Apollodoros [7]), auf dem er dann Episoden aus verschiedenen Quellen (Trag., hell. Lit., bes. → Apollonios [2] Rhodios) aneinandergereiht hat. Berührungspunkte gibt es auch mit dem Roman des Diktys (→ Dictys Cretensis), auch wenn sich kaum sagen läßt, ob sie aus gemeinsamen lit. Quellen oder derselben Schulbildung hervorgehen.

Umstritten ist die intertextuelle Beziehung zu lat. Texten [8] (v.a. Vergil, aber auch Ovids ›Metamorphosen‹ und die ›Troerinnen‹ des Seneca). Die Entsprechungen sind durch gemeinsame griech. Quellen erklärt worden [15], doch zeigen stilistische und inhaltliche Berührungspunkte eine direkte Beziehung an [8], bes. für die B. 12–13 (thematische Übereinstimmung mit dem zweiten Buch von Vergils ›Aeneis‹, der → *Iliupersis*).

→ Epos; Troianischer Sagenkreis

ED., ÜBERS., KOMM.: 1 F. VIAN, 3 Bde., 1963, 1966, 1969 2 G. POMPELLA, 3 Bde., 1979, 1987, 1993 (mit ital. Übers.) 3 A.S. WAY, The Fall of Troy, 1913, Ndr. 1984 (mit engl. Übers.) 4 J. DONNER, Die Fortsetzung der Ilias, 1866–1867, Ndr. 1921 (dt. Übers.) 5 M. CAMPBELL, A Commentary on Quintus Smirnaeus Posthomerica XII, 1981 6 A. JAMES, K. LEE, A Commentary on Q. of Smyrna, Posthomerica V, 2000.
LIT.: 7 W. APPEL, Grundsätzliche Bemerkungen zu den »Posthomerica« und Q. Smirnaeus, in: Prometheus, 20.1, 1994, 1–13 8 G. D'IPPOLITO, s.v. Quinto Smirneo, in: EV 4, 376–380 9 A. DIHLE, Die griech. und lat. Lit. der Kaiserzeit, 1989, 435–436 10 L. FERRARI, Osservazioni su Quinto Smirneo, 1963 11 P.I. KAKRIDIS, Κόιντος Σμυρναῖος, 1962 12 R. KEYDELL, s.v. Q. von Smyrna, RE 24, 1271–1296 13 P. SCHENK, Handlungsstruktur und Komposition in den ›Posthomerica‹ des Q. Smyrneus, in: RhM, 140, 1997, 363–385 14 P. SCHUBERT, Thersite et Penthésilée dans la ›Suite d'Homère‹ de Q. de Smyrne, in: Phoenix 50.2, 1996, 111–117 15 F. VIAN, Recherches sur les ›Posthomerica‹ de Q. de Smyrne, 1959 (mit älterer Lit.) 16 Ders., Histoire de la trad. manuscrite de Q. de Smyrne, 1959.

S. FO./Ü: T.H.

[4] (Κοίντος). Unter diesem Praenomen ist nur ein Epigramm aus dem Philippos-Kranz erhalten: die Weihung eines Tritonhorns an Apollon (Phoibos Akreitas) durch einen alten Reusenfischer namens Damis (Anth. Pal. 6,230); von einigen Hrsg. wird es dem → Maecius [II 7] (Quintus) zugeschrieben.

GA II 1,370–373; 2,403.   M.G.A./Ü: G.K.

Quirinalis. Röm. Cogn., vom Wohnsitz auf dem → Mons Quirinalis, erscheint erst in der Kaiserzeit.

1 DEGRASSI, FCIR, 265 2 KAJANTO, Cognomina, 184.

K.-L.E.

Quirinius. Cognomen des P. → Sulpicius Q. (*cos.* 12 n. Chr.).

K.-L.E.

Quirinus

[1] Röm. Gott.

A. NAME B. HERKUNFT UND FUNKTION C. KULT

A. NAME

Die Etym. des Namens (Q. von *co-uir-inus* wie → *Quirites* von *co-uirites*, »die Gesamtheit der Bürger«) macht seinen Träger zum Beschützer der röm. Bürgerschaft. Alter und Bed. des Q. sind belegt durch die Erwähnung seines *flamen* (→ *flamines*) an vierter Stelle der bei Fest. 299f. L. überl. Priesterhierarchie (→ *rex sacrorum*). Gleichwohl bleibt sein Wesen im Dunkeln: Seine Herkunft ist mit der Gründung der Stadt Rom und der ersten röm. Bürgerschaft verbunden; doch da man den vergöttlichten → Romulus [1] verm. seit dem 3. Jh. v. Chr. mit Q. gleichsetzte, wurde die urspr. Identität des Gottes verwischt.

B. HERKUNFT UND FUNKTION

Die Namen der drei *flamines maiores* (*Dialis, Martialis, Quirinalis*) haben dazu geführt, daß man in den Göttern → Iuppiter, → Mars und Q. (denen diese namentlich zugeordnet waren) eine alte Trias erblickte, welche in der Folge durch die kapitolinische Trias (Iuppiter, → Iuno und → Minerva) ersetzt worden sein soll [1. 23]. Doch hat sich die Interpretation dieser »Ur-Trias« im Laufe des 20. Jh. gewandelt. So herrschte in der 1. H. des Jh. ein dualistisches Modell der Besiedlung Roms vor (vgl. [2. 1306, 1309–1312]): In der röm. Frühzeit (→ Roma I.) brachten die → Latini vom Palatin und »Romulus« ihre Götter ein, unter denen Iuppiter den höchsten Rang innehatte, die → Sabini dagegen vom Quirinal, dem »Hügel des Q.«, die ihrigen, darunter den Q.; der lit. Trad. nach stamme außerdem → Numa Pompilius aus Cures, von dessen Namen einige ant. Etym. den des Q. ableiten. Bei diesem Modell bleibt die Frage nach Mars, dem legendären Vater des Romulus, offen. Für manche Historiker war Mars der latinische Gott, Q. der sabinische, während Iuppiter über dem Ganzen stand. G. DUMÉZIL [3] schlug eine völlig andere Interpretation der Göttertrias vor: Entsprechend seiner globalen Hypothese einer funktionellen Dreiteilung in den indeur. Gesellschaften sah er in Q. den Gott der materiellen Prosperität, welcher das Leben der Bürgerschaft ermöglichte. Durch die eisenzeitlichen Funde der letzten Jahrzehnte in Latium läßt sich jedoch die Annahme einer gemischten Besiedlung Roms in der Frühzeit rehabilitieren; dies stützt auch die These von der topographischen Verwurzelung der verschiedenen Kulte in den einzelnen Regionen Roms (vgl. [4; 5. 73–80]).

In histor. Zeit ist Q. der Gott der polit. Organisation der röm. Bürger in einer ihrer Abteilungen, der → *curiae*, deren Name (*co-uiria*) die Beziehung zum Gott deutlich anzeigt. In diesem Sinne läßt sich auch die Assimilation des divinisierten Stadtgründers Romulus an Q. besser verstehen. Das Verhältnis von Q. zu Mars, bes. beider Rolle als Kriegsgott, wurde schon in der Ant. diskutiert (Liv. 5,52,7; Dion. Hal. ant. 2,48,2; Fest. 238 L.; vgl. [2. 1306–1309]; → Salii [2]). Eine Kompetenzverteilung führt Servius an (Serv. Aen. 6,859f.; vgl. 1,292): Q. sei ein Mars, der den Frieden bewahre und im Innern der Stadt verehrt werde, während der Kriegsgott Mars einen Kult außerhalb der Stadt erhalte. [6] sieht in Q. jedoch einen Gott, der erst nach der Entstehung der *urbs* in Erscheinung getreten sei, um ihren Schutz (*custodia*) sicherzustellen, in Mars dagegen den Beschützer des *ager Romanus*, auf dem Krieg oft notwendig war; Q. sei somit nicht, wie [3] meinte, der Beschützer des Viehs und der Felder, der das materielle Leben der Römer sicherstelle, da er die *urbs* nicht verlasse.

C. KULT

Q. hatte mehrere Heiligtümer in Rom: Sein Haupttempel stand auf dem → Mons Quirinalis, in der Nachbarschaft von Heiligtümern sabinischer Gottheiten ([7. 139–144; 8]; vgl. [9]). Das Fest des Gottes, die Quirinalia am 17. Februar, fiel auf denselben Tag wie das Fest der → Fornacalia, doch wurden die beiden nicht vermengt; die Quirinalia, welche keinen agrarischen Charakter aufweisen, waren ein Fest der *curiae*.

1 G. WISSOWA, Rel. und Kultus der Römer, ²1912 2 C. KOCH, s. v. Q., RE 24, 1306–1321 3 DUMÉZIL 4 C. AMPOLO, La nascita della città, in: A. MOMIGLIANO, A. SCHIAVONE (Hrsg.), Storia di Roma, Bd. 1, 1988, 153–180 5 T. J. CORNELL, The Beginnings of Rome, 1995 6 A. MAGDELAIN, De la royauté et du droit de Romulus à Sabinus, 1995 7 A. ZIOLKOWSKI, The Temples of Mid-Republican Rome, 1992 8 F. COARELLI, s. v. Q., aedes, LTUR 4, 185–187 9 Ders., s. v. Q., sacellum, LTUR 4, 187.

A. DU.

[2] (Κυρῖνος). Sophist aus Nikomedeia, geb. um 170 (?) n. Chr., Schüler des → Hadrianos [1], dessen Werk er wohl herausgab (vgl. Philostr. soph. 2,29,621). Philostratos [5–8] preist seine kraftvolle Redekunst und seine Uneigennützigkeit und Bescheidenheit als *advocatus fisci* (verm. unter Septimius Severus und in einer östl. Prov.); Philostratos zitiert Bonmots, aber keine Reden, und erwähnt, daß Q. im Alter von 70 gestorben sei. PIR Q 55. → Zweite Sophistik

E. BO./Ü: G. K.

[3] Nur aus Libanios bekannter Rhetor des 4. Jh. n. Chr. aus Antiocheia. Er bekleidete hohe Verwaltungsämter, war wahrscheinlich Statthalter in Lykien, Pamphylien und auf Zypern (Lib. epist. 366), das Amt eines *praefectus Galliarum* lehnte er 355 ab (386,6f.). Sein Sohn Honoratus studierte bei Libanios (300, 310, 366). 363 zog sich Q. auf seine Güter in Kilikien zurück und starb dort etwa ein Jahr später (1243; 1303; 1327).

PLRE 1, Quirinus

M. W.

Quirites. *Populus Romanus Q.* (oder, später, *Quiritium*) ist die offizielle Bezeichnung der röm. Bürgerschaft. Sie enthält den Namen der Stadt (*Romanus*) und den des → *populus* (Q.), wie auch im Falle von → Ardea (*Ardeates Rutuli*) und → Lavinium (*Laurentes Lavinates*), wo der Name der Stadt neben dem des dort siedelnden Volks steht. Der Sing. *Quiris* ist nur in altertümlichen Formeln erh. (Fest. 304: *ollus Quiris*).

Umstritten ist weiterhin die etym. Herleitung des Begriffes. Die Römer selbst wollten Q. nicht von dem Gott → Quirinus und dem Quirinal (→ Mons Quirinalis) trennen und führten die Doppelbezeichnung auf den Zusammenschluß der sabinischen Gemeinde (→ Sabini) auf dem Quirinal mit der Palatin-Stadt Rom zurück (Fest. 304). Zu dieser sabinischen Etym. könnten der Name der sabin. Stadt → Cures ebenso wie der der dort und anderwärts belegten *Iuno Curis* oder *Quiris* passen (Ableitung von *Cures* bereits bei Varro ling. 5,51; vgl. auch Varro bei Dion. Hal. ant. 2,48 und [1]). Andere leiten das Wort von **co-uirites* ab, was »alle Männer« oder »Gesamtgemeinde« bedeuten könnte [2. 147 ff.].

1 W. Eisenhut, s. v. Quiris, Q., Curis, Cur(r)itis, RE 24, 1324–1333 2 P. Kretschmer, Lat. *Q.* und *quiritare*, in: Glotta 10, 1920, 147–157 3 A. Prosdocimi, Curia, Q. e il sistema di Quirino, in: Ostraka 5, 1996, 243–319.   H. GA.

Quitte. Die Gleichsetzung der »kydonischen Äpfel« (μῆλα κυδώνια/*méla kydónia*) oder der lat. *mala cotonea* – it. *cotogna* bezeichnet die Q. – mit der Q. (Cydonia oblonga) ist zumindest zweifelhaft. Die in den Beschreibungen seit Alkman (fr. 90 Bergk) und Stesichoros (fr. 27 Bergk) genannten Merkmale der Früchte (Wohlgeruch, Eignung zur Herstellung von Konfitüren und der Vergleich ihrer runden Form mit weiblichen Brüsten) können sich auch auf andere Apfelsorten beziehen. Auch die Vorschrift des Solon (Plut. mor. 138d 1; qu. R. 65 = mor. 279e-f), eine Braut solle zur Erzielung eines guten Eindrucks bei der ersten Begegnung diesen Apfel vor Betreten des Brautgemachs roh verzehren, paßt, jedenfalls nach mod. Standard, nicht zu der in diesem Zustand ungenießbaren Q. Dennoch wurde der schön blühende und ansprechend geformte Früchte bietende Q.-Baum wohl im 7. Jh. v. Chr. aus Kreta, der Heimat der Kydonen, eingeführt. Die Q. war der Aphrodite heilig. Das Münzbild von Melos (vgl. μῆλον/*mélon*, »Apfel«; [1. 139, Abb. 266]) symbolisiert durch die Q. die Beziehung der Stadt zur Liebesgöttin.

1 H. Baumann, Die griech. Pflanzenwelt, 1982, 139 und 142.

V. Hehn (ed. O. Schrader), Kulturpflanzen und Haustiere, [8]1911 (Ndr. 1963), 248–251.   C. HÜ.

Quiza. Stadt der → Mauretania Caesariensis, nordöstl. von Portus [5] Magnus am rechten Ufer des Oued Chelif (Plin. nat. 5,19: *Q. Cenitana*; Ptol. 4,2,3: Κούϊζα κολωνία; Itin. Anton. 13,9: *Q. municipium*), h. El-Benian. Für das J. 128 n. Chr. sind *duumviri* bezeugt (CIL VIII 2, 9697); außerdem ist ein *disp(unctor) reip(ublicae) Q(uizensium)* erwähnt (»Rechnungsprüfer der Stadt Q.«, CIL VIII 2, 9699). Inschr: CIL VIII 2, 9697–9703; Suppl. 3, 21514 f. Bedeutende Ruinen sind erh.

AAAlg, Bl. 11, Nr. 2 · P. Cadenat, Q. et Mina …, in: Libyca 2, 1954, 243–248 · H. Treidler, s. v. Q., RE 24, 1333.   W. HU.

Qumesch s. Komisene

Qumran I. Fundgeschichte
II. Siedlung III. Umgebung
IV. Wesen und Funktion der Siedlung

I. Fundgeschichte

Die am NW-Ufer des Toten Meers, ca. 20 km südöstl. von → Jerusalem gelegene Siedlung von Q. erhielt ihren Namen vom Wādī Q., an dessen Ende sie liegt. Nachdem Beduinen 1947 in nahegelegenen Höhlen die ersten Schriftrollen entdeckten, wurde in den J. 1951–1956 [11; 28; 29; 30; 31] in insgesamt fünf Kampagnen die Siedlung von Q. selbst ausgegraben. Bis in die jüngste Zeit wurden Nachgrabungen und Surveys vorgenommen [5; 18; 24; 26]. Die Anlage von Ḥirbat Q. besteht im wesentlichen aus drei Komponenten: dem 100 × 80 m messenden Gebäudekomplex, drei Friedhöfen und zahlreichen teils künstlichen, teils natürlichen, in der näheren und weiteren Umgebung gelegenen Höhlen.

II. Siedlung

Die früheste Besiedlung von Ḥirbat Q. stammt aus vorexilischer Zeit (Eisenzeit II). Das rechteckige, mit einem Vorhof und einer großen, runden Zisterne versehene Gebäude (vgl. Lageplan) ähnelt israelitischen Festungen aus der Negev- und der jüdischen Wüste. Die Keramik datiert vom 8. bis Anf. des 6. Jh. v. Chr. Diese Einordnung wird durch einen *lmlk*-Siegelabdruck (*lmlk* = »für den König«) und ein paläohebräisches Ostrakon, dessen Schrift in das späte 7. oder frühe 6. Jh. v. Chr. datiert, bestätigt. Die eisenzeitliche Anlage könnte Teil eines von Usia (790–740) errichteten Festungsrings gewesen sein und wird Jos 15,61 (vgl. 3 Q15 IV 13; V 2.5.13) *sᵉkakā* genannt [1].

Seine intensivste Besiedlung hat Ḥirbat Q. in griech.-röm. Zeit erfahren. Nach Murabbaʿat 45,6 wurde der Ort in dieser Epoche *mᵉṣad ḥasîdîn* (aram., »Festung der Frommen«) genannt. Phase Ia ist wegen ihrer kurzen Dauer sowie der wenigen und kaum von den Funden der folgenden Strata zu unterscheidenden Keramik nur schwer zu datieren. Im wesentlichen wurden die älteren Baureste genutzt und der eisenzeitlichen zwei weitere Zisternen hinzugefügt. Phase Ib wurde urspr. in die Regierungszeit des → Hyrkanos [2] I. (135/4–104 v. Chr.) datiert [29], was für Phase Ia einen Ansatz in der Zeit Jonathans (160–142 v. Chr.) oder Simons (142–135/4 v. Chr.) ergäbe. Eine Neuinterpretation des numismatischen und keramischen Befunds macht jedoch für den Baubeginn (Phase Ia) eine Datier-

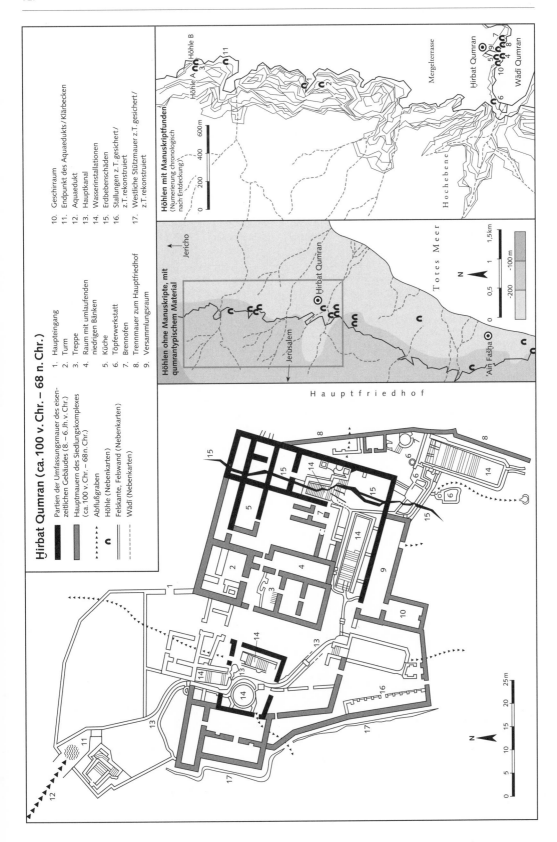

Ḫirbat Qumran (ca. 100 v. Chr. – 68 n. Chr.)

Partien der Umfassungsmauer des eisenzeitlichen Gebäudes (8. – 6. Jh. v. Chr.)

Hauptmauern des Siedlungskomplexes (ca. 100 v. Chr. – 68 n. Chr.)

▸▸▸▸ Abflußgraben

C Höhle (Nebenkarten)

Felskante, Felswand (Nebenkarten)

Wādi (Nebenkarten)

1. Haupteingang
2. Turm
3. Treppe
4. Raum mit umlaufenden niedrigen Bänken
5. Küche
6. Töpferwerkstatt
7. Brennofen
8. Trennmauer zum Hauptfriedhof
9. Versammlungsraum
10. Geschirrraum
11. Endpunkt des Aquaedukts / Klärbecken
12. Aquaedukt
13. Hauptkanal
14. Wasserinstallationen
15. Erdbebenschäden
16. Stallungen z.T. gesichert / z.T. rekonstruiert
17. Westliche Stützmauer z.T. gesichert / z.T. rekonstruiert

Höhlen mit Manuskriptfunden (Numerierung chronologisch nach Entdeckung)

Höhlen ohne Manuskripte, mit qumrantypischem Material

Haupt friedhof

Totes Meer

Jericho

Jerusalem

Ḫirbat Qumran

ʿAin Faṣḫa

Hochebene

Mergelterrasse

Höhle A   Höhle B

Ḫirbat Qumran

Wādi Qumran

in die Zeit Hyrkanos' I. und für den Beginn von Phase Ib in die Regierungszeit des → Alexandros [16] Iannaios (103–76 v. Chr.) wahrscheinlicher [3; 27]. Die Anlage wuchs jetzt zu ihrer größten Ausdehnung von etwa 100 × 80 m heran. Sie bestand aus einem Hauptgebäude mit einem massiven Turm (Lageplan Nr. 2), Innenhof und Gemeinschaftsräumen; südl. davon lag ein großer Versammlungsraum (Nr. 9), der auch als Speisesaal diente, mit einem Anbau, in dem mehr als 1000 Stücke Geschirr gefunden wurden (Nr. 10). Südöstl. des Versammlungraums befanden sich zwei Töpfereien (Nr. 6) und ein Brennofen (Nr. 7). Ein westl. des zentralen Innenhofs liegendes Gebäude bestand aus einem weiteren Innenhof und Vorratsräumen. Zwischen den beiden Gebäuden lagen die drei Zisternen aus Phase Ia und Werkstätten. Zusätzlich fanden sich weitere Zisternen und mehrere *miqwaʾot* (rel. Bäder) sowie eine komplexe Wasserinstallation (Nr. 14). In der Umgebung der Gebäude traten Tierknochen (meist von Schafen oder Ziegen, aber auch Rindern) zu Tage. Das Ende von Phase Ib wird durch Erdbebenschäden und Brandspuren markiert. DE VAUX [29] hat sie im Kontext des großen Erdbebens von 31 v. Chr. interpretiert (Ios. ant. Iud. 15,5,2–122; Ios. bell. Iud. 1,19,3–370). MAGNESS [17] hat jedoch aufgrund einer Reevaluation des numismatischen Befunds gezeigt, daß der Brand erst im J. 9/8 v. Chr. anzusetzen ist.

Der Münzbefund zeigt, daß es erst unter → Herodes [3] Archelaos (4 v.–6 n. Chr.) zu einem Wiederaufbau der Siedlung kam (Phase II). Aufbau und Gebäude veränderten sich kaum. Aus dieser Zeit stammen die berühmt gewordenen Tintenfässer und der sog. »Schreibtisch«. Der Umfang des großen Versammlungsraumes im Süden der Anlage legt nahe, daß die Population der Siedlung in den Phasen Ib und II ca. 200 Personen umfaßte. Daß die jüngsten Mz. von Phase II in das 3. J. des 1. jüd. Krieges datieren (68 n. Chr.), während die ältesten röm. Mz. aus den J. 67–68 n. Chr. stammen, und daß in dieser Zeit röm. Truppen in Jericho stationiert waren (Ios. ant. Iud. 4,8,7, § 433), läßt vermuten, daß die Siedlung von Q. im J. 68 n. Chr. von röm. Truppen zerstört wurde. Anschließend wurde ein kleiner Teil der Siedlung als röm. Garnison wieder aufgebaut (Phase III). Weil die jüngsten Mz. aus dieser Phase 72–73 n. Chr. datieren, dürfte die Garnison nach der Eroberung der Festung → Masada wieder abgezogen worden sein. Ausweislich von Münzfunden aus dem 2. jüd. Krieg wurden die Ruinen in dieser Zeit von jüd. Widerstandsgruppen als Versteck genutzt.

III. UMGEBUNG

In unmittelbarer Nähe des Gebäudekomplexes liegen ein Haupt- (ca. 1100 Gräber) und zwei Nebenfriedhöfe (jeweils 15–30 Gräber), wobei die Nebenfriedhöfe nach jüngsten Unt. jüngeren Datums und beduinischer Herkunft sind [32]. Insgesamt wurden 51 Gräber [21; 26; 29] geöffnet. Die Köpfe der Bestatteten sind jeweils nach Süden ausgerichtet. Die Toten selbst liegen in den 1,2–2 m tiefen Gräbern unter der östl. Wand in einer von Steinplatten bedeckten Höhlung. Einige Gräber enthielten mehr als ein Skelett. Während man urspr., von einigen Ausnahmen am Rande des Hauptfriedhofs abgesehen, auf diesem nur männliche Skelette vermutete [29], haben neuerliche anthropologische Unt. der Skelette gezeigt, daß Frauen und Kinder nicht nur auf den Nebenfriedhöfen bestattet wurden. Grab 24 barg sogar ein männliches und ein weibliches Skelett [21]. Alle jüngst nachuntersuchten Skelette gehören zu Individuen, die ihren Lebensunterhalt nicht durch körperliche Arbeit erworben haben [21]. Friedhöfe mit dem gleichen Grabtypus fanden sich nicht nur in ʿAin al-Ġuwair, Ḥiyām as-Saġā, Jericho (Tall as-Sulṭān) und im h. Süd-Jerusalem (Bait Ṣafāfā) [1; 2; 9; 13; 22; 33], sondern sind auch aus dem 1.–2. Jh. n. Chr. aus nabatä. Gebiet bekannt (Ḥirbat Qaisūn, al-Faifāʾ und evtl. Ḥirbat Sākina sowie al-Ḥadīṭa) [19; 20]. Im Unterschied zu den Anlagen von Q. fanden sich in einigen wenigen der Gräber von Ḥirbat Qaisūn Grabbeigaben (Schmuck und Urkunden) sowie fünf Grabsteine. Bei seinen Ausgrabungen in der Umgebung von Q. fand DE VAUX ca. 40 einst bewohnte Höhlen, wobei die Keramiken von 27 Höhlen dem Keramikensemble von Q. entsprechen und mit einiger Wahrscheinlichkeit dort hergestellt wurden [29. 54f.]. In elf dieser Höhlen wurden – meist von Beduinen und seltener von Archäologen – die Hss. von Q. gefunden (→ Totes Meer, Textfunde; → Essener). Einige Höhlen sind künstlich in die Mergel-Terrassen des Wādī Q. geschlagen worden (z. B. 4 Q; 5 Q; 7 Q; 8 Q; 9 Q; 10 Q). Bei späteren Ausgrabungen wurden weitere Höhlen und der Rest eines Zeltes gefunden ([18] und H. ESHEL in [24]), was zeigt, daß die eigentlichen Wohnquartiere im wesentlichen Höhlen und Zelte waren. Neben dem Keramikbefund belegen auch ein jüngst in Q. gefundenes Ostrakon [5] und ein Fr., das die Umsetzung von Vorschriften aus den Gemeinderegeln (1 QS; 4 QSᵃ⁻ʲ; 4 QDᵃ⁻ʰ; 5 QD; 6 QD) von Q. dokumentiert (zu 4 Q477 s. [8]), den Zusammenhang von Höhlen und Siedlung.

ʿAin Fašḫa: Etwa 3 km südl. von Q. fand man bei ʿAin Fašḫa einen Hof mit Werkstätten: ein Gebäude, dem sich südl. ein Pferch und ein Schuppen und nördl. Becken in einer Umfriedung anschlossen.

IV. WESEN UND FUNKTION DER SIEDLUNG

Der Siedlungszusammenhang von Q. wurde als mil. Festung [7; 10], *villa rustica* [6], als in einer hasmonäischen *villa* errichtete essenische Kultanlage [12], essenische Feinledergerberei und Schriftrollenmanufaktur [27], Schulungszentrum einer zadokidischen Splittergruppe [25] (→ Zadokiden) oder als befestigte Zollstation mit dazugehöriger Raststätte und angegliederter Sterbeklinik [4] interpretiert. Demgegenüber weist das überaus konservative Keramikensemble [16] und die – z. B. im Vergleich zu den hasmonäisch-herodianischen *villae* von Jericho deutlich auf die Reinheitsbedürfnisse einer rel. Gemeinschaft ausgerichtete – Wasseranlage [17] den Siedlungszusammenhang von Q. klar als Zentrum einer rel. Gemeinschaft aus, welche zumindest ei-

nen Teil der Höhlen als Wohnungen und Bibliothek nutzte. Die durch 4 Q477 bezeugte Umsetzung der Gemeinderegeln in der Siedlung von Q. spricht dabei für den essenischen Charakter (→ Essener) dieser Siedlung (so die Mehrheitsmeinung, bes. [27; 29]). Die Friedhöfe von ʿAin al-Ġuwair, Ḥiyām as-Saġā und Jericho machen weitere essenische Siedlungen in der Umgebung von Q. wahrscheinlich, die Funde von Bait Ṣafāfā sprechen für eine essenische Siedlung in Jerusalem. Die nabatä. Parallelen könnten für einen nabatä. Kultureinfluß auf die essenische Bewegung evtl. durch Mitglieder aus der nabatä. Diaspora sprechen, was durch die nabatä. Hss. 4 Q235 und 4 Q343 bestätigt werden könnte.
→ Essener; Totes Meer (Textfunde, mit Karte)

1 P. BAR-ADON, Another Settlement of the Judean Desert Sect at En-el-Ghuweir on the Shores of the Dead Sea, in: BASO 227, 1977, 1–25 2 C. M. BENNETT, Tombs of the Roman Period, in: K. M. KENYON (Hrsg.), Excavations at Jericho, Bd. 2, 1965, 516–545 3 PH. R. CALLAWAY, The History of the Q. Community, 1988 4 L. CANSDALE, Q. and the Essenes, 1997 5 F. M. CROSS, E. ESHEL, Ostraca from Khirbet Qumrân, in: IEJ 47, 1997, 17–28 6 R. DONCEEL, P. DONCEEL-VOÛTE, The Archaeology of Khirbet Q., in: M. O. WISE u. a. (Hrsg.), Methods of Investigation of the Dead Sea Scrolls and the Khirbet Q. Site, 1994, 1–38 7 G. R. DRIVER, The Judean Scrolls, 1965 8 E. ESHEL, 4Q477: The Rebukes by the Overseer, in: Journ. of Jewish Stud. 45, 1994, 111–122 9 H. ESHEL, Z. GREENHUT, Ḥiam El-Sagha, a Cemetery of the Q. Type, in: RBi 100, 1993, 252–259 10 N. GOLB, Q., 1994 11 L. HARDING, R. DE VAUX, G. M. CRAWFOOT, H. J. PLENDERLEITH, The Archaeological Finds, in: DJD 1, 1955, 3–40 12 J.-B. HUMBERT, L'Espace Sacré à Q., in: RBi 101, 1994, 161–211 13 K. M. KENYON, Excavations at Jericho, Bd. 3, 1981, 173 f. 14 E.-M. LAPEROUSSAZ, Qoumrân, 1976 15 J. MAGNESS, The Community at Q. in Light of Its Pottery, in: s. [6], 39–50 16 Dies., A Villa at Khirbet Q.?, in: Rev. de Q. 16, 1993/4, 397–419 17 Dies., The Chronology of the Settlement at Q. in the Herodian Period, in: Dead Sea Discoveries 2, 1995, 58–65 18 J. PATRICH, Khirbet Q. and the Manuscript Finds of the Judaean Wilderness, in: s. [6], 73–95 19 K. D. POLITIS, The Nabataean Cemetery at Khirbet Qazone, in: Near Eastern Archaeology 62.2, 1999, 128 20 Ders., Rescue Excavations at the Nabataean Cemetery at Khirbet Qazone 1996–1997, in: Annual of the Department of Antiquities of Jordan 42, 1998, 611–614 21 O. RÖHRER-ERTL, F. ROHRHIRSCH, D. HAHN, Über die Gräberfelder von Khirbet Q., insbes. die Funde der Campagne 1956. 1: Anthropologische Datenvorlage und Erstauswertung aufgrund der Coll. Kurth, in: Rev. de Q. 19, 1999/2000, 3–46 22 D. RESHEF, P. SMITH, Two Skeletal Remains from Ḥiam el-Sagha, in: RBi 100, 1993, 260–269 23 F. ROHRHIRSCH, Wissenschaftstheorie und Q., 1996 24 A. ROITMAN (Hrsg.), A Day at Q., 1997 25 L. H. SCHIFFMAN, Reclaiming the Dead Sea Scrolls, 1994 26 S. H. STECKOLL, Preliminary Excavation Report, in: Rev. de Q. 6, 1967–1969, 323–344 27 H. STEGEMANN, Die Essener, Q., Johannes der Täufer und Jesus, ⁴1994 28 R. DE VAUX, Archéologie, in: DJD 3.1, 1962, 3–36 29 Ders., Archaeology and the Dead Sea Scrolls, 1973 30 Ders., Fouilles de Khirbet Qumrân et de Aïn Feshkha, Bd. 1, 1994 31 Ders., Die Ausgrabungen von Q. und En Feschcha, Bd.

1a, 1996 32 J. E. ZIAS, The Cemeteries of Q. and Celibacy: Confusion Laid to Rest?, in: Dead Sea Discoveries 7, 2000, 220–253 33 B. ZISSU, »Q. Type« Graves in Jerusalem: Archaeological Evidence for an Essene Community?, in: Dead Sea Discoveries 5, 1998, 158–171. AR. L.

Qumranaramäisch. Als Q. (=Hasmonäisch) wird das → Aramäische bezeichnet, in dem die aram. Textzeugnisse von → Qumran abgefaßt wurden (1. Jh. v. bis 2. Jh. n. Chr.), die in ihrer Sprache jedoch nicht völlig einheitlich sind. Q. hat den Charakter einer standardisierten Literatursprache, die teilweise später in den aram. → Bibelübersetzungen (Targum Onqelos, Targum Jonathan) wieder auftaucht (Pronomina, Infinitive), weist aber noch sprachliche Eigentümlichkeiten auf, die sich an das → Reichsaramäische und Bibelaram. anlehnen. Im Q. zeigen sich die ersten Anzeichen für die Entwicklung zu den späteren westaram. Dialekten, insbes. dem christl.-palästin.-aram. (→ Palästinisch-Aramäisch), so in Orthographie (Trend zur Pleneschreibung) und Morphologie. Q. ist noch fast frei von griech. und lat. Fremdwörtern, doch kristallisiert sich deutlich das hebr. Substrat bei Lehnwörtern und in der Nominalbildung heraus, das später typisch für das Westaram. wird.

An Texten liegen Übers. der Bücher Hiob, Tobit und Henoch, ein Genesis-Apokryphon, das Testament Levi u. a. vor. Sprachlich gehören dazu auch die Dokumente (Papyri) aus Naḥal Ḥever, Wādī Sayyāl und Wādī Murabbaʿat. Eine Gesamtdarstellung des Q. existiert nicht.
→ Aramäisch; Nabatäisch; Palmyrenisch; Papyrus

K. BEYER, Die aram. Texte vom Toten Meer, Bd. 1 und 2, 1984/1994 · J. A. FITZMYER, The Dead Sea Scrolls. Major Publications and Tools for Study, 1977 · J. T. MILIK, Discoveries in the Judaean Desert, Bd. 1, 1955. C. K.

Quod idola dii non sint (»Daß die Bilder keine Götter sind«). Eine → Cyprianus [2] zugeschriebene, aber von Lactantius [1] abhängige rhythmisch durchgearbeitete apologetische Skizze etwa aus der Mitte des 4. Jh. n. Chr. Inhalt: 1–7: Ablehnung des Götterkults, der nicht Ursache von Roms Größe sei, als Dämonenblendwerk; 8–9: Aufweis des einen Gottes; 10–14: Sendung, Wirken, Leiden und Auferstehung Christi; 15: Aufruf zur Nachfolge. Hauptquellen bilden → Minucius [II 1] Felix und → Tertullianus, *Apologeticum* (dazu *De spectaculis*), hinzu kommen Lactantius (*Divinae institutiones*, *De ira dei*, *Epitome*), Cyprianus (Titel nach *Ad Fortunatum* 1, Schluß nach *Ad Demetrianum*), auch Paganes, z. B. Vergiliana. Die »Apologie im Taschenformat« galt seit Hieronymus (epist. 70,5,2, lobend) und Augustinus bis ins 20. Jh. als Werk Cyprians.
→ Apologien

ED.: W. HARTEL, CSEL 3.1, 19–31.
LIT.: E. HECK, Pseudo-Cyprian, Q. und Lactanz, Epitome divinarum institutionum, in: M. WACHT (Hrsg.), Panchaia, FS K. Thraede, 1995, 148–155 · A. WLOSOK, in: HLL § 481.3. E. HE.

Quodvultdeus. Geb. gegen E. 4. Jh., 417–421 Diakon und gegen 437 (gemäß [5] bereits 432/3) Bischof von Karthago. Er veranlaßte → Augustinus (Aug. epist. 221; 223) zur Abfassung von De haeresibus (Q. gewidmet). Nach der Eroberung Karthagos durch → Geisericus (439) wurde Q. infolge seiner Proteste gegen dessen Religionspolitik nach Campania verbannt (Victor von Vita 1,15 CSEL 7), wo er starb (Grab h. im Dom von Neapel). Ihm werden h. mindestens 13 ps.-augustinische Predigten zugeschrieben (dazu [3. 13–16]) sowie die exegetische Schrift De promissionibus et praedicationibus dei, die unter dem Namen des → Prosper Tiro überl. ist (gegen Q.' Autorschaft [4]).

ED.: 1 R. BRAUN, CCL 60, 1976 2 Ders., SChr, 1964, 101–102 3 A. V. NAZZARO, Q., Promesse e predizioni di dio, 1989 (mit it. Übers. und Komm.).
LIT.: 4 M. SIMONETTI, La produzione letteraria latina fra Romani e barbari (sec. V–VIII), 1986, 35 f. 5 W. STROBL, Notitiolae Quodvultdeanae, in: Vigiliae Christianae 52, 1998, 193–203. T. FU.

Qusae s. Kusae

Quṣair ʿAmra. Omajjadischer Badekomplex in der jordanischen Wüste, ca. 50 km östl. von ʿAmmān. Von der urspr. Anlage haben sich nur das Bad, die dreischiffige Audienzhalle und ein Brunnenhaus erh. Einzigartig ist die in der spätant. Trad. stehende flächendeckende Freskenmalerei in Bad und Audienzhalle. Neben höfischen Motiven werden auch handwerkliche Tätigkeiten und in der Kuppel des Caldariums ein Sternenhimmel gezeigt. Herausragend sind die Darstellungen von sechs durch Beischriften bekannten Herrschern (»die besiegten Gegner des Islam«) und des thronenden → Kalifen. Die wahrscheinlich als privater Rückzugsort genutzte Anlage wird allgemein dem Kalifen al-Walīd I. (705–715 n. Chr.) zugeschrieben.
→ Omajjaden

A. MUSIL, Kusejr ʿAmra, 2 Bde., 1907 · M. ALMAGRO, L. CABALLECO, J. ZOZAYA, A. ALMAGRO, Qusayr ʿAmra. Residencia y baños omeyas en el deserto de Jordania, 1975 · K. A. C. CRESWELL, J. W. ALLAN, A Short Account of Early Muslim Architecture, 1989, 105–117. J. GO.

R

R (sprachwissenschaftlich). Der Buchstabe bezeichnet im Griech. und Lat. einen stimmhaften alveolaren Vibranten (»gerolltes Zungenspitzen-R«); aspiriertes r in ῥ θρ φρ χρ (vgl. lat. rhetor, armen. xṙetor für griech. ῥήτωρ, lat. Trhaso für griech. Θράσων) war jedoch stimmlos [1. 39 f.; 2. 32; 3. 65, 204]. In griech. und lat. Erbwörtern geht r auf uridg. r zurück (griech. τρεῖς, lat. trēs < uridg. *tréi̯es »drei«). Im Anlaut ist griech. ῥ- auf sr- oder u̯r- zurückführbar, wofür im Lat. fr- bzw. r- erscheint (griech. ῥῖγος, lat. frīgus »Kälte« < *srīg- zu poln. śryż »Treibeis«; griech. ῥάδιξ »Ast«, lat. rādix »Wurzel« < *u̯rād-). Für ῥ- steht im Inlaut ρρ (ῥήγνυμι »breche«, περιρραγής »ringsum gebrochen«). Anlautendes unaspiriertes r- fehlt dem Griech.: lat. ruber < *(r̥)rudʰró- »rot« entspricht griech. ἐρυθρός, dessen anlautendes ἐ- entweder aus (regelmäßigem) Vokalvorschlag vor r- resultiert oder aber Reflex von uridg. r̥ ist (→ Laryngal). Die Geminate rr geht im lesb. und thessal. Griech. auf rj sowie inlautendes sr (lesb. φθέρρω »verderbe«, χέρρας Akk. Pl. »Hände« < *pʰtʰer-i̯ō, *kʰesr-as gegenüber ion.-att. φθείρω, χεῖρας) zurück, im Att. – wie auch im Lat. – auf rs (att. κόρρη, ion. κόρση »Schläfe«, lat. terra »Erde« < *ters-ā) [4. 309 f., 322 f.; 5. 61, 78; 6. 140, 210], im Lat. daneben in der Kompositionsfuge auf dr, nr (arripio < ad-r-, irrumpo < in-r-). Lat. r entsteht neu durch den sog. → Rhotazismus aus intervok. s (klassisch-lat. iūrat »schwört« < altlat. iouesat) sowie durch Dissim. von l – l zu l – r, n – n zu r – n (vulgāris »gewöhnlich« < *u̯olg-āli-, simulācrum »Götterbild« < *simolā-klo-, carmen »Lied« < *kan-men) [6. 180, 231 f.]. Griech. ρ in Lw. wird im Lat.

durch r wiedergegeben (griech. κρατήρ, lat. crater) [3. 65].

Uridg. r̥ ist im Griech. als ρα oder (urspr. nur vor Vok.) αρ reflektiert, im Äol. jedoch als ρο oder ορ. Im Lat. erscheint r̥ als or oder ur (griech. homer. κραδίη, att. καρδία, lat. cor Gen. cord-is »Herz« < *k̑r̥d-, äol. στροτός, ion.-att. στρατός »Heer« < *str̥-to-, lat. curro »laufe« < *kurs-ō < *kr̥s-ō) [3. 342–344; 4. 65; 5. 142].

1 W. ALLEN, Vox Graeca, ²1974 2 Ders., Vox Latina, 1965 3 F. BIVILLE, Les emprunts du latin au grec, Bd. 1, 1990 4 SCHWYZER, Gramm. 5 RIX, HGG 6 LEUMANN. GE. ME.

R. Abkürzung für Romanus (→ SPQR), für Roma und in der Verbindung mit publicus für res (→ res publica); selten Abkürzung für das Cogn. → Rufus. Auf kaiserzeitlichen Mz. steht R häufig für restitutor, den »Wiederhersteller« (des Reiches, der Reichseinheit etc.).

A. CALDERINI, Epigrafia, 1974, 321–323 · H. COHEN, J. C. EGBERT, R. CAGNAT, Coin-Inscriptions and Epigraphical Abbreviations of Imperial Rome, 1978, 71–74. W. ED.

Rabbath Ammon (Rabbath bnē ʿAmmōn, LXX Ῥαββά; Pol. Ῥαβατάμανα; assyrisch bīt ammāna; seit der Mitte des 3. Jh. v. Chr. Philadelpheia; h. ʿAmmān).

I. BIS ZUR PERSERZEIT

Hauptstadt der Ammoniter (→ Ammon [2]); älteste Siedlungsspuren stammen aus dem Neolithikum (7./6. Jt. v. Chr.). Früheste bedeutende Reste mit reichen Gräbern auf der Zitadelle datieren in die mittlere

Brz. (1. H. des 2. Jt. v. Chr.); seitdem durchgängig besiedelt. Im 9. Jh. v. Chr. war R. A. Teil einer Koalition von Kleinstaaten, die das assyr. Vordringen zu verhindern suchten (Reste einer Stadtmauer mit Tor aus dieser Zeit), Ammon wurde jedoch unter Tiglatpileser III. (744–724) zu einem assyr. Vasallenstaat. Auch in der neubabylonischen und persischen Zeit (6.–4. Jh.) blieb es unter fremder Kontrolle.   H. J. N.

II. SEIT DEM HELLENISMUS

Nach der Eroberung der Levante durch Alexandros [4] d. Gr. (333–331) erfolgten Wiederaufbau und Umbenennung der Stadt in Philadelpheia durch Ptolemaios [3] II. Philadelphos (285–247 v. Chr.). Seit der Eroberung durch Pompeius [I 3] (64 v. Chr.) war sie Teil des röm. Reiches und profitierte von der Verbindung mit der → Dekapolis und (seit dem 2. Jh. n. Chr.) von der Lage an der Via Nova Traiana. Straßennetz und einige Bauten (Theater, Herculestempel auf der Zitadelle) des mod. Amman gehen auf das 2. Jh. n. Chr. zurück. Als Bischofssitz in byz. Zeit mit zahlreichen Kirchen blieb die Stadt auch noch in frühislam. Zeit, inzw. in Amman umbenannt, von lokaler Bed. für die mittlere Levante.

M. BURDAJEWICZ, A. SEGAL, s. v. Rabbath-Ammon, The New Encyclopedia of Archaeological Excavations in the Holy Land, Bd. 4, 1243–1252 · R. H. DORNEMANN, s. v. Amman, Oxford Encyclopedia of Archaeology in the Near Eastern, Bd. 1, 98–102.   T. L.

Rabbi (hebr. »mein Meister«; griech. ῥαββί, lat. *rabbi*). Vor 70 v. Chr. nur als persönliche Anrede belegt (vgl. Jo 1,38), im ant. → Judentum Titel der meisten palästinischen Gelehrten. R. ersetzt häufig den Namen des Patriarchen → Jehuda ha-Nasi, dem die Redaktion der Mischna (→ Rabbinische Literatur) zugeschrieben wird. Die babylon. → Amoräer wurden, sprachlich bedingt, mit *Rab* bezeichnet. Der Pl. »Rabbinen« führt beide Gruppen als Verf. der rabbin. Lit. zusammen. In ant. Inschr. bezeichnet *Rab* geehrte Männer, die oft nicht der rabbin. Bewegung angehörten. Im angloamerikanischen Sprachraum benennt R. heute auch den mod. Gemeinderabbiner.

Der Ausspruch in Tosefta Ed 3,4 (2. H. 2. Jh. n. Chr.) ›Wer Schüler hat, die selbst wieder Schüler haben, den nennt man R.; sind seine Schüler vergessen, nennt man ihn Rabban; sind auch die Schüler seiner Schüler schon vergessen, nennt man ihn beim (bloßen) Namen‹ zeigt, daß R. als Titel erst nach der Konstituierung des rabbin. Judentums (nach der Tempelzerstörung, 70 n. Chr.) aufkam und ein neues Selbstverständnis demonstriert, das die Rabbinen von den Pharisäern (→ Pharisaioi) trennt. Das in der rabbin. Lit. mehrfach beschworene und bis in die Mod. oft angeführte Argument der Kontinuität der mündlichen Überl., die seit dem 2. Jh. v. Chr. durch namentlich genannte Lehrer-Schüler-Verhältnisse dokumentiert sei, muß als legitimierende Geschichtsschreibung im Zuge einer späteren rabbin. Normierung des Judentums verstanden werden. Die sog. »Synode von Iamnia« (→ Jabne, nach 70 bis ca. 135 n. Chr.) war eher

eine lose Ansammlung von Gelehrten als eine bewußte Institution in Nachfolge der priesterlichen Herrschaft; eine Autorisierung durch die röm. Machthaber ist für diese Zeit auszuschließen. Die rabbin. Bewegung war zunächst klein (max. 150–200 Gelehrte je Generation), ein Einfluß auf das allg. Leben ist vor dem Bar-Kochba-Aufstand (132 n. Chr.; → Bar Kochba) kaum nachzuweisen; dies zeigen auch die nicht praxis-bezogenen Inhalte der als früh zu datierenden Teile der Mischna.

In der Ant. war der R. Rechtsgelehrter und Richter, der in Zivil- und Strafrecht sowie in Fragen rel. Rechts autoritativ entschied. Sofern sie keine Funktionen am Hof des Patriarchen oder → Exilarchen innehatten, lebten die meisten Rabbinen von Landwirtschaft oder Handwerk, da der Verdienst aus Toragelehrsamkeit verpönt war. Der R. war nicht Leiter der jüd. Gemeinde und hatte auch keine Funktion im Synagogengottesdienst. Er widmete sich dem Studium und der Lehre der in → Bibel und Mischna dokumentierten Gesetze und ihrer hermeneutisch geregelten Auslegung (→ Halakha), teilweise auch der Bibelauslegung (Midrasch; → Haggada). Bes. die Lehre stand im Mittelpunkt der rabbin. Selbstdarstellung, dabei »diente« der Schüler meist im Haus des Gelehrten und empfing so neben inhaltlichem Wissen auch Ethik und Lebensart. Die Ausbildung wurde mit der Ordination abgeschlossen, die zum Richteramt befähigte. In der Spätant. trat neben das persönliche Lehrhaus einzelner Gelehrter in Babylonien die rabbin. Akademie unter Leitung eines → Gaon, die in zwei jährlichen Studienmonaten eine größere Zahl von Gelehrten zum Talmudstudium versammelte. Auch im MA war der R. v. a. noch Rechts- und Bibelgelehrter, dem in der Gemeinde zunehmend Funktionen wie die Überwachung der Speisegesetze und die Entscheidung sowie Durchführung von Personenstandsfragen übertragen wurden.

C. HEZSER, The Social Structure of the Rabbinic Movement in Roman Palestine, 1997 · S. SCHWARZFUCHS, A Concise History of the Rabbinate, 1993 · G. STEMBERGER, Die Umformung des palästinischen Judentums nach 70: Der Aufstieg der Rabbinen, in: A. OPPENHEIMER (Hrsg.), Jüd. Gesch. in hell.-röm. Zeit, 1999, 85–99.   E. H.

Rabbinische Literatur   I. DEFINITION
II. MISCHNA   III. TOSEFTA   IV. TALMUD
V. MIDRASCH   VI. BEDEUTUNG IM JUDENTUM

I. DEFINITION

Sammelbezeichnung für die Lit. des rabbinischen → Judentums (70 n. Chr. bis 1040), die traditionell als »mündliche Tora« (*tōrā šæ-b-ᶜ-ᶜal-pæ*) und dem → Mose [1] bereits am Berg Sinai offenbart gilt (mAb 1,1). Inhaltlich unterscheidet man zw. → Halakha, d. h. gesetzlich-rechtlicher Überl., und → Haggada, die narrative Elemente enthält. Die wesentlichen Lit.-Werke dieses Überlieferungscorpus sind Mischna, Tosefta, Talmud, verschiedene Midrasch-Werke und die → Targume.

Die r.L. ist keine Autoren-Lit., sondern eine Sammel-Lit., in der Einzel-Überl., die verm. zunächst mündlich tradiert wurden, in einem jahrhundertelangen komplexen Prozeß zu größeren Lit.-Werken kompiliert wurden. Dementsprechend ist zw. der Datier. von Einzel-Überl. und der des betreffenden Werkes zu unterscheiden.

II. MISCHNA

Der Terminus »Mischna« (hebr. »Lehre«, vgl. *šanā*, »wiederholen, lernen«) bezeichnet die erste autoritative Gesetzes-Slg. des nachbiblischen Judentums, die vom Patriarchen → Jehuda ha-Nasi ca. 200 n. Chr. aus älteren Materialien zusammengestellt worden sein soll (vgl. das Schreiben des → Gaon Šerira aus dem 10. Jh.). Die Mischna gliedert sich in sechs »Ordnungen« (hebr. *sedær*, Pl. *s'darīm*), die wiederum aus einzelnen Traktaten (hebr. *massækæt*) bestehen und nochmals in mehrere Kap. gegliedert sind.

1) Die erste Ordnung, *Zera'īm* (»Samen«), behandelt Gesetze, die mit Landwirtschaft und Ackerbau zusammenhängen, z.B. Vorschriften über die verschiedenen agrarischen Abgaben, die Verzehntung des landwirtschaftlichen Ertrags, das Sabbatjahr sowie die unzulässige Vermischung von Gewächsen oder Tieren verschiedener Gattungen bzw. den aus diesen gewonnenen Produkten (*Kila'īm*; vgl. Lv 19,19; Dtn 22,9–11). Der erste Traktat *B'rakōt* (»Segenssprüche«), in dem sich auch Ausführungen zum Gebet und zur Ordnung des Gottesdienstes finden, ist hier eingeordnet, da vor dem Verzehr von Früchten und anderen agrarischen Erzeugnissen verschiedene Segenssprüche gesprochen werden. 2) Die zweite Ordnung, *Mō'ēd* (»Festzeit«), behandelt – neben den verschiedenen Vorschriften für den → Sabbat – → Pesaḥ, Versöhnungstag, Laubhüttenfest, Neujahr, Purim und Fastentage sowie verschiedene Wallfahrten und das Verhalten an Festtagen im allg. 3) Die dritte Ordnung, *Našīm* (»Frauen«), ist dem Familienrecht gewidmet, wobei das gesamte Heirats- und Scheidungsrecht sowie das Erbrecht verhandelt werden. 4) Die vierte Ordnung, *Neziqīn* (»Beschädigungen«), enthält das Schadens- und Strafrecht. Neben den Vorschriften über Gerichtsprozesse, Schwüre, verschiedene Strafen und den Bestimmungen über die Zeugenschaft finden sich hier auch Regelungen für den Umgang mit Nichtjuden (vgl. den Traktat *'Aboda Zara*, »Götzendienst«). 5) Die fünfte Ordnung, *Qodašīm* (»Heiliges«), stellt im wesentlichen die Bestimmungen über die verschiedenen Opfer und die Schlachtung von nicht zum Opfer bestimmten Tieren sowie die Regelungen über die Auslösung der Erstgeburt beim Priester durch ein Substitut (vgl. Ex 13,2; 12f.; Lv 27,26f.; Nm 8,16ff.; 18,15ff.; Dtn 15,19ff.) zusammen. Der Aufbau und die Einrichtung des Tempels werden im Traktat *Middōt* (»Maße«) behandelt. 6) Die sechste und letzte Ordnung schließlich, der Traktat *Ṭoharot* (»Reinheiten«), ist den Reinheitsvorschriften gewidmet. Neben der Verunreinigung diverser Gefäße aus verschiedenen Materialien sind in diesem Zusammenhang die Unreinheit durch einen Leichnam oder durch Aussatz sowie die Unreinheit der Frau während der → Menstruation und nach der Geburt erläutert. Der Traktat *Miqwa'ot* (»Tauchbäder«) behandelt die Vorschriften für die Reinigung unrein gewordener Personen.

III. TOSEFTA

Die Tosefta (wörtl. »Hinzufügung, Ergänzung«) ist eine Slg. von Überl. aus den ersten beiden nachchristl. Jh. (»tannaitisch«, → Tannaiten). Ihr Aufbau in sechs Ordnungen, die wiederum aus einzelnen Traktaten bestehen, entspricht dem der Mischna. Allerdings ist die Tosefta ungefähr viermal so umfangreich wie diese. Im Hinblick auf das Verhältnis zur Mischna wird diskutiert, ob es sich hier um gleichsam »nicht-kanonisches« Material handelt, das bei der Redigierung der Mischna nicht aufgenommen wurde, oder ob die Tosefta eine Art Komm. zur Mischna darstellt. Verm. muß diese Frage für jeden Traktat einzeln geklärt werden.

IV. TALMUD

Die einzelnen Aussagen der Mischna bilden den Ausgangspunkt für weitere Überl. und Diskussionen. Das Ergebnis dieser Tätigkeit ist die sog. Gemara (hebr. *gāmar*, »abschließen«), die zusammen mit der Mischna den Talmud (vgl. hebr. *lāmad*, »lernen«) bildet. Da es in rabbinischer Zeit zwei Zentren jüd. Gelehrsamkeit gab (Palästina und Babylonien), entstanden zwei verschiedene Talmudim: der Palästinische (= Jerusalemer) und der Babylonische Talmud. Der Aufbau der Talmudim entspricht im wesentlichen dem der Mischna mit ihren Ordnungen und Traktaten. Da das Material aber häufig eher assoziativ verknüpft wurde und neben der eigentlichen Interpretation zur Mischna weitere Auslegungen zur → Bibel, Erzählungen und Beispielgeschichten eingefügt wurden, geben die Überschriften der einzelnen Traktate nur einen groben Anhaltspunkt zur inhaltlichen Orientierung.

Der Palästin. Talmud, der hauptsächlich in palästin. Aram. verfaßt ist, hat seine Endgestalt wohl um 450 n. Chr. in → Tiberias erh.; Überl. aus anderen Zentren des Mischna-Studiums wie → Sepphoris und → Caesarea [2] wurden dabei aufgenommen. Den Anlaß für die Fixierung der Überl. bildete verm. das Ende des jüd. Patriarchates und die damit einhergehenden polit. Unsicherheiten. Der Großteil der Überl. beschäftigt sich mit gesetzlichen Bestimmungen (»Halakha«), der Rest ist Haggada. Die Ordnungen *Qodašīm* und *Ṭoharot* sowie andere einzelne Traktate (z.B. *'Abōt* und *'Eduyot* u.a.) fehlen, da sie entweder verloren gegangen oder gar nicht kommentiert wurden. Der Erstdruck des Werkes entstand 1523/4 in der Druckerei Daniel BOMBERGs in Venedig.

Der Babylon. Talmud – v.a. in ostaram. Sprache verfaßt – ist mit ca. 6000 S. Umfang in der üblichen Druckausgabe weitaus umfangreicher als der palästin. Talmud. Da es in Babylonien keine eigenen Lit.-Werke gab, in denen die Haggada zusammengestellt wurde, enthält er auch in weitaus größerem Umfang als der Jerusalemer Talmud haggadische Überl.; lediglich ein Drittel des

Werkes ist halakhischen Fragen gewidmet. Auch hier fehlt die Kommentierung ganzer Ordnungen (z. B. *Zeraʿīm* außer *Bʿrakot* oder *Toharot* außer *Niddā*). Gerade im Hinblick auf die landwirtschaftlichen Gesetze, die in *Zeraʿim* überl. sind, mag dies seinen Grund darin haben, daß die agrarischen Bestimmungen in der → Diaspora keine Gültigkeit hatten. Für die anderen Traktate freilich muß die Antwort offen bleiben. Der babylon. Talmud erhielt seine definitive Endgestalt wohl erst im 8. Jh. n. Chr. Da die babylon. Diaspora weitaus größere Bed. für das damalige Judentum hatte als Palaestina (vgl. auch die ersten Responsen; → Responsion), erlangte der babylon. Talmud im Laufe der Zeit kanonische Bed. Das gesamte Werk wurde erstmals von Daniel Bomberg in Venedig 1520–1523 gedruckt.

V. Midrasch

Da der Terminus Midrasch (Pl. Midraschim; von hebr. *dāraš*, »suchen, fragen«; vgl. Esr 7,10: »das Gesetz Gottes erforschen«; Jes 34,16: »im Buch Gottes nachforschen«) neben dem eigentlichen Akt der Schriftauslegung (mAvot 1,17) auch dessen Ergebnis, nämlich eine einzelne Auslegung bzw. ein lit. Sammelwerk – bestehend aus einer Vielzahl von Einzelauslegungen – bezeichnen kann, wird eine Reihe weiterer Einzelwerke der r. L. unter diesem Begriff zusammengefaßt. Dabei sind verschiedene Gruppen bzw. Gattungen zu unterscheiden: In den halakhischen Midraschim liegt der Schwerpunkt auf der Behandlung gesetzlicher Fragen; als wichtigste Vertreter sind hier die *Mekhilta de Rabbi Jišmael* (kursorische Auslegung eines Großteils von Ex), *Sifra* (zu Lv), *Sifre Numeri* (zu Nm) und *Sifre Deuteronomium* (zum Dtn) zu nennen. Die haggadischen Midraschim dagegen, zu denen die Mehrzahl der Werke der Midrasch-Lit. gehört, enthalten v. a. Textdeutungen narrativer Art. Diese werden in formaler Hinsicht noch einmal in Auslegungs- und Predigtmidraschim unterschieden: Auslegungsmidraschim – wie z. B. *Genesis Rabba* oder *Klagelieder Rabba* – kommentieren den biblischen Text des entsprechenden Buches kursorisch Vers für Vers. Die sog. Predigt- oder Homilienmidraschim dagegen – u. a. *Leviticus Rabba*, *Pesiqta de Rab Kahana*, *Pesiqta Rabbati*, *Tanchuma*, *Deuteronomium Rabba*, *Exodus Rabba* oder *Numeri Rabba* – behandeln lediglich jeweils die ersten Verse der Sabbat- und Festperikopen, die im Synagogengottesdienst gelesen wurden. Die Datier. dieses Materials ist äußerst schwierig und z. T. auch umstritten. Zu den frühesten Midraschim zählen wohl die halakhischen Midraschim, die wahrscheinlich im 3. Jh. entstanden, dann folgten – um die wichtigsten zu nennen – *Genesis* und *Klagelieder Rabba* (ca. 400 n. Chr.), *Leviticus Rabba*, *Rut Rabba* und *Pesiqta de Rav Kahane* sowie erste *Tanchuma*-Slgg. (um 500), der Midrasch zum HL (Mitte 6. Jh.) und *Pesiqta Rabbati* (6./7. Jh.). Manche Midraschim wie z. B. der Midrasch zu den Pss oder Teile von *Ester Rabba* dürften erst im MA entstanden sein.

VI. Bedeutung im Judentum

Die r. L. gibt einen Einblick in fast alle Bereiche jüd. Lebens in der Spätant. und belegt eindrucksvoll, wie das synagogale Judentum in den Jahrhunderten nach der Tempelzerstörung 70 n. Chr. die durch die Herrschaft der Römer und das immer mächtiger werdende Christentum verursachten Herausforderungen zu bewältigen versuchte. Wenn sowohl einerseits geltendes Recht als auch andererseits zahlreiche Bestimmungen über den nicht mehr bestehenden Tempel und Tempelkult trad. werden, so kann die r. L. als Spiegel des Selbst- und Wirklichkeitsverständnisses des synagogalen Judentums verstanden werden: An die Stelle des Opferkultes, der Sühne für das Volk erwirkte und so eine geradezu lebensschaffende und -erhaltende Funktion hatte, tritt die Auslegung und das Tun der Tora (bMen 110a; Avot de Rabbi Natan A § 4 [11a]). Das Studium der Opfervorschriften und der Tempelordnungen gilt als Substitut des Opfers, so daß die Beschäftigung mit der Lehre zum eigentlichen Fundament des Judentums wird. Zu den zentralen theologischen Aussagen gehört darüber hinaus die Zusage der bleibenden Gegenwart Gottes bei seinem Volk (→ Šekinah/Šʿkinā), der baldigen Erlösung von der röm. Fremdherrschaft und der Rückführung der Exilierten. Zahlreiche haggadische Trad. haben auch in Werke verschiedener Kirchenväter (v. a. → Origenes [2]; → Hieronymos; → Ephraem; → Aphrahat) Eingang gefunden; neben einer direkten Übernahme dieser Überl. ist mit der Möglichkeit gemeinsamer Trad. zu rechnen.
→ Judentum; Literatur IV.

D. Boyarin, Intertextuality and the Reading of Midrash, 1994 · G. Stemberger, Einl. in Talmud und Midrasch, ⁸1992 · Ders., Der Talmud. Einführungen, Texte, Erläuterungen, 1982 · Ders., Midrasch. Vom Umgang der Rabbinen mit der Bibel. Einführung. Texte. Erläuterungen, 1989 · E. E. Urbach, The Sages. Their Conceptions and Beliefs, 1979.   B. E.

Rabbulā, Rabulas. Bischof von → Edessa [2] (412–435 oder 436 n. Chr.). Einzelheiten zu seinem Leben sind aus einem syrischen Panegyrikos sowie sonstigen, vereinzelt in den Quellen (z. B. der → Edessenischen Chronik) anzutreffenden Notizen bekannt. Als Kind begüterter Eltern in Qinnasrīn (Chalkis) geb., wurde R. griech. erzogen und kam zum Christentum durch die Bischöfe Eusebios von Qinnasrīn und → Akakios [3] von Beroia (Aleppo). Durch den Einfluß des letzteren wurde er im J. 412 zum Bischof von Edessa gewählt. In seinen *Kanónes* (»Richtlinien«; syr. erh.) suchte er das Leben von Klerikern und Mönchen zu regeln. Unklar ist, ob er am Konzil von Ephesos (431) anwesend war, doch brachte ihn seine anschließende Unterstützung des → Kyrillos [2] von Alexandreia in Konflikt mit der Schule von Edessa und Ibas/→ Hībā, der ihm als Bischof nachfolgte. R. bildet eine Ausnahmeerscheinung, da er sowohl griech. als auch syr. schrieb. Es sind jedoch nur einige Texte auf Syr. erh.

Ed.: G. Bickell, Ausgewählte Schriften der Syr. Kirchenväter …, 1874, 166–243 (dt. Übers.) · M. Geerard, CPG 3, 1974, Nr. 6490–6497 · A. Vööbus (ed.), Syriac and Arabic Documents Regarding Legislation

Relative to Syrian Asceticism, 1960, 78–86 (mit engl. Übers. und Komm.).
LIT.: G. G. BLUM, Rabbula von Edessa. Der Christ, der Bischof, der Theologe, 1969 • F. GRAFFIN, s. v. Rabboula, Dictionnaire de Spiritualité ascétique et mystique 13, 1988, 12–14.   S. BR./Ü: A. SCH.

Rabe. Der urspr. in ganz Europa und in Äg. (Ail. nat. 2,48; in Äg. kleiner nach Aristot. hist. an. 9(8),28, 606a 23 f.) verbreitete, mindestens bussardgroße Kolk-R., Corvus corax (κόραξ/*kórax*, offenbar abgeleitet von *korós*, »schwarz«; der Jungvogel κορακῖνος/*korakínos* z. B. bei Aristoph. Equ. 1053; lat. *corvus*), ist der größte europäische Singvogel mit dem charakteristischen Ruf »korrk« bzw. »rrab«, sonst aber sehr variabler Stimme (64 Laute nach Fulg. 1,13, zit. bei Thomas von Cantimpré 5,31, [1. 191]). In Äg. kommen h. nur die kleineren Arten (vgl. Aristot. l.c.) Wüsten-R. (Corvus ruficollis) und Borsten-R. (C. rhipidurus) vor.

Aristoteles kennt das Verhalten des R. sehr gut: Das Weibchen legt mehr als zwei Eier, nämlich 4–5 (Aristot. hist. an. 8(9),31,618b 13; Plin. nat. 10,32), brütet 20 Tage (richtig!) und wirft angeblich die Jungen aus dem Nest (Aristot. hist. an. 6,6,563a 32–b 3), läßt sich vom Milan (ἰκτῖνος/*iktínos*) die Beute abnehmen (ebd. 8(9),1,609a 20–23; Plin. nat. 10,203), hackt dem Stier und dem Esel die Augen aus (Aristot. hist. an. 8(9),1,609b 5), hilft dem Fuchs gegen den feindlichen Habicht (ebd. 8(9),1,609b 32; Plin. nat. 10,205) und lebt wie die → Krähe das ganze Jahr in Stadtnähe (Aristot. hist. an. 8(9),23,617b 13). Bei Nahrungsmangel bewohnt nur ein Paar eine Gegend. Auch bei den Römern galt der gefräßige (Aisop. 124 PERRY; Aischyl. Suppl. 751; Hor. epist. 1,16,48) Aasvertilger (Macr. Sat. 7,5,11) als Vorankünder von Unheil (u. a. Liv. 21,62,4 und 24,10,6; Aisop. 162 und 236 PERRY; Ail. nat. 1,48; Cic. div. 1,12 und 85,2,16; Hor. carm. 3,27,11).

Als dem → Apollon heilig (Fulg. 1,13) war der R. auch Wetterprophet (Aristot. fr. 241,7; Lucr. 5,1085 f.; Verg. georg. 1,381 f. und 410 f.; Plin. nat. 18,362). Anekdoten ranken sich um seine Klugheit und Hilfsbereitschaft (Hdt. 4,15; Liv. 7,26; Plin. nat. 7,174 und 10,121–125; Curt. 4,7,15). Man verwünschte Mitmenschen mit der Redewendung ἐς κόρακας, d. h. »(geh) zum Teufel« (Aristoph., z. B. Vesp. 51 und 982; Nub. 789; Alexis bei Athen. 13,610e), oder schwor beim R. (Aristoph. Av. 1611). Die sprichwörtliche Schwärze (Aisop. 338 PERRY; Petron. 43; Mart. 1,53,8) wurde als Strafe für seine Geschwätzigkeit erklärt (Ov. met. 2,535–541; vgl. Pind. O. 2,156). Ein weißer R. war trotz des angeblichen Pigmentausfalls im Alter (Aristot. hist. an. 3,12,519a 5 f.; Aristot. col. 6,799b 1 f.) ein Topos der Unmöglichkeit (Anth. Pal. 11,436; Iuv. 7,202). Sein hohes Lebensalter (3600 J. bei Hes. fr. 171 RZACH und Plin. nat. 7,153; vgl. Sen. benef. 2,29,1 und Macr. sat. 7,5,11) ist fabulös.

Volksmedizinisch empfiehlt Plin. nat. 29,109 f. Hirn, Blut oder Ei zur Schwärzung der Haare; sein Kot sei gut gegen Zahnschmerzen (ebd. 30,26; Ail. nat. 1,48) und Husten der Kinder (Plin. nat. 30,137). Ein Relief eines

spätant. Sarkophags aus Trier zeigt die Arche Noah und einen Raben, den dieser während der Sintflut (Gn 8,6 f.) zur Erkundung ausschickte [2. 290, 262–264]. Auf Mz. [3. Taf. 1,1; 2,29; 5,23; 5,26] und Gemmen [3. Taf. 21,5–14; 23,22] spielt der R. nur eine dekorative Rolle.
→ Augures

1 H. BOESE (ed.), Thomas Cantimpratensis, Liber de natura rerum, 1973 2 TOYNBEE 3 F. IMHOOF-BLUMER, O. KELLER, Tier- und Pflanzenbilder auf Mz. und Gemmen des klass. Alt., 1889 (Ndr. 1972).

KELLER 2,92–109 • D' ARCY W. THOMPSON, A Glossary of Greek Birds, 1936 (Ndr. 1966), 159–164.   C. HÜ.

Rabirius. Lat. Gentilname.

[1] R., C. Begüterter röm. Ritter mit Grundbesitz in Apulia und Campania. Er beteiligte sich 100 v. Chr. an der Ermordung des *tr. pl.* L. Appuleius [I 11] Saturninus, weshalb er wohl später mit einem Senatssitz belohnt wurde; 89 war er im Stab des Cn. Pompeius [I 8] Strabo (ILLRP 515). Nachdem er als Anhänger des Senats schon mehrfach von den Popularen angegriffen worden war, wurde er 63 wegen der Ermordung des Appuleius angeklagt, wofür das archa. Verfahren einer Hochverratsklage (→ *perduellio*) vor → *duoviri perduellionis* gewählt wurde (einer war → Caesar). R. wurde zum Tode verurteilt und appellierte an die Volksversammlung, vor der → Cicero ihn gegen den Ankläger T. Labienus [3] verteidigte (Rede Cic. Rab. perd.). Die Versammmlung wurde durch den Praetor Q. Caecilius [I 22] Metellus Celer durch das Aufziehen der Kriegsflagge auf dem → Ianiculum abgebrochen; Labienus initiierte vielleicht einen weiteren Prozeß, ohne daß es zu einer Verurteilung kam, da die Ankläger ihr Ziel, die Fähigkeit des Senats zur Erklärung des → Notstandes vor den Auseinandersetzungen mit → Catilina zu behindern, erreicht sahen.

W. B. TYRRELL, A Legal and Historical Commentary to Cicero's oratio pro C. Rabirio perduellionis reo, 1978.
                                                       K.-L. E.

[2] R., C. Anerkannter Epiker der augusteischen Zeit (vgl. [5. 83–89]; Zeugnisse: Ov. Pont. 4,16,5; Vell. 2,36,3; Quint. inst. 10,90), dessen Gedicht u. a. den Tod des → Antonius [I 9] nach → Aktion in pathetischer Manier behandelt hat; seine Wirkung überdauerte das 1. Jh. n. Chr. nicht, wie die fünf erh. Fr. andeuten. Die verbreitete Zuschreibung von Pap.-Fr. *De bello Actiaco* an R. (Ed. [1. 334–340; 2. 430–438; 3; 5. 95–100]) ist [5. 89–92] erneut vertreten worden.
→ Carmen de bello Aegyptiaco

ED.: 1 COURTNEY, 332 f. 2 FPL BLÄNSDORF, 301–303 3 H. W. BENARIO, The 'Carmen de bello Actiaco', in: ANRW II 30.3, 1983, 1656–1662 (mit engl. Übers.).
LIT.: 4 A. TRAGLIA, Gaio Rabirio, in: Cultura e scuola 26 (102), 1987, 47–54 5 G. ZECCHINI, Il Carmen de bello Actiaco, 1987.   P. L. S.

[3] R. Postumus, C. Röm. Ritter und Finanzier, Adoptivsohn und Erbe von R. [1], leiblicher Sohn des *pu-*

blicanus C. Curtius (Cic. Rab. Post. 3; 47). R. gab dem vertriebenen Ptolemaios [18] XII. seit 58 v. Chr. große Darlehen, bes. zur Bestechung von Caesar, Crassus und Pompeius. Bei der Heimkehr des Königs im J. 55 wurde R. zum → *dioikētḗs* von Äg. ernannt; er begann, aus Staatsgeldern seine Kredite und die von A. Gabinius [I 2] verlangte Belohnung einzutreiben (Cic. Rab. Post. 22; 40). Schon 54 revoltierten die Alexandriner (vom König ermutigt?) gegen das harte Regime. R. floh nach Rom, wo C. Memmius [I 4] ihn auf Herausgabe der Gelder des zuvor verurteilten Gabinius [I 2] verklagte; Hauptziel der Anklage war Caesar, der R. Bargeld vorschoß (Rab. Post. 39; 41–43). Die Verteidigung durch Cicero (Rab. Post.) war wohl erfolglos. Im Bürgerkrieg hielt R. zu Caesar: 47(?) erscheint ein *procos. Asiae* Postumus (CIL I² 773), 46 sicherte R. Caesars Nachschub in Africa (Bell. Afr. 8,1; 26,4), und »Postumius«, ein Vertrauter des Dictators (Cic. fam. 6,12,2), half nach dessen Tod im Juli 44, die Spiele Octavians (→ Augustus) auszurichten (Cic. Att. 15,2,3).   JÖ. F.

Rabocentus. Fürst der aufständischen → Bessi, der 57 v. Chr. vom maked. Statthalter L. Calpurnius [I 19] Piso Caesoninus im Auftrag des thrakischen Königs → Kotys [I 5] ermordet wurde (Cic. Pis. 84).   U. P.

Rabuleius. Frührepublikanische röm. *gens*, der R. [1] – falls histor. – und R. [2] zuzurechnen sein dürften, doch ist die Überl. bei Dion. Hal. (R. [1]: *tr.pl.*, R. [2]: Patrizier) widersprüchlich. Sieht man mit [1. 29] R. [1] als unhistor. an, liegt es nahe, die *gens Rabuleia* als patrizisch zu betrachten, doch ist plebeiische Abstammung nicht ausgeschlossen.

1 F. MÜNZER, s. v. R. (1), RE IA, 29.

[1] Nach Dion. Hal. ant. 8,72,1 ff. versuchte R. als *tr.pl.* 486 v. Chr., im Streit um das Ackergesetz des Cassius [I 19] zw. diesem und dessen Mitconsul Verginius zu vermitteln (vgl. o.).

[2] Als Mitglied des zweiten Collegiums der *decemviri* [1] von 450 v. Chr (MRR 1,46–48) soll R. 449 in deren zweitem (gesetzwidrigem) Amtsjahr mit zwei Kollegen gegen die Sabiner geschickt worden sein (Liv. 3,41,9; Dion. Hal. ant. 11,23,1). Dion. Hal. ant. 10,58,4 impliziert, daß R. Patrizier war, doch ist es möglich, daß R. (wie Antonius [I 13] Merenda) Plebeier war, mithin das zweite Collegium paritätisch besetzt war (vgl. MRR 1,47 Anm. 1).   C. MÜ.

Rache

(τιμωρία/ *timōría*, τίσις/ *tísis*; lat. *ultio*, → *vindicta*, *poena*).
A. SOZIALE VORAUSSETZUNGEN B. HISTORISCHE ENTWICKLUNG IN GRIECHENLAND UND ROM

A. SOZIALE VORAUSSETZUNGEN

R., in menschlicher Gemeinschaftsbildung regelmäßig ein zentrales Element sozialer Beziehungen, begegnet in der griech.-röm. Gesch. in spezifischen Aus-prägungen, die in beiden Kulturkreisen sehr ähnlich sind. Die R. gehört in den allg. Rahmen einer Erwiderungsmoral, die den wechselseitigen Austausch zwischen Individuen und Gruppen in positiver wie negativer Hinsicht prägt (Gabentausch; → Euergetismus). Unter diesen Voraussetzungen wurde es in Griechenland in gleicher Weise als gerecht empfunden, sich an denen, die einem Schlechtes getan hatten, zu rächen, wie den Wohltätern wiederum Gutes zu erweisen (Aristot. rhet. Alex. 1422a 36 ff.; vgl. auch Xen. mem. 2,6,35), und Theognis bedauert ausdrücklich, daß er sich nicht an denen zu rächen vermag, die ihm den Besitz nahmen (Thgn. 341–350).

Die Ausübung von R. war jeweils die Pflicht bestimmter Personen oder Personengruppen, die mit dem Geschädigten in einem näheren Verhältnis – → Verwandtschaft, → Freundschaft, → Gastfreundschaft – standen. Gerade wegen der Verbindung von R. und familialer Solidarität, bes. in den Vater-Sohn-Beziehungen, gab es eine Erblichkeit dieser Verpflichtung und generell, auf Grund der durch R.-Akte provozierten Gegen-R., eine Tendenz zu Permanenz und Unaufhörlichkeit.

Die bereits hierin liegende Gefährdung sozialen Zusammenlebens jenseits der »R.-Gemeinschaften« wurde noch verstärkt durch die Gegenstände und Bereiche, um die es bei der R. ging. Dabei handelte es sich weniger um den Schaden bzw. das zugefügte Unrecht als solches (vornehmlich Tötungs- und Sexualdelikte sowie Körperverletzung) als vielmehr um den Verlust der Ehre, der nach R. verlangte; das Unrecht wurde in der Regel als – oft demonstrative – Kränkung wahrgenommen. Dieser Akt der Kränkung rief Emotionen wie Zorn und Wut (ὀργή/ *orgḗ*, lat. *ira, furor*) hervor, die nur durch R. zu überwinden waren; nur durch R. konnte die Ehre wiederhergestellt werden, die wiederum für die soziale Stellung maßgeblich war. Hinzu kam, besonders in der griech. Welt, eine starke Tendenz, die zugefügte Tat durch ein »Mehr an R.« zu überbieten, so daß schon die bloße Talion (→ *talio*) eine Einschränkung bedeutete.

B. HISTORISCHE ENTWICKLUNG IN GRIECHENLAND UND ROM

In den Epen Homers wird eine ausgeprägte R.-Mentalität sichtbar, die die Handlung beider Dichtungen in hohem Maß bestimmt; der Groll des Achilleus kann als eine Ersatzhandlung für den Verzicht auf die R. an Agamemnon aufgefaßt werden, die R. an Hektor wiederum ist maßlos; auch Odysseus nimmt R. an den Freiern, die seine Habe verpraßten und um seine Frau warben (Hom. Il. 24,33–54; Od. 22,45–67; 411–416). Angesichts der aus R. resultierenden Belastungen des Gemeinschaftslebens hat man in Griechenland und Rom – wie auch in anderen Ethnien – schon recht früh Wege zur Eingrenzung des Phänomens gesucht, etwa durch Ausgleichsleistungen wie die Entrichtung eines Wergeldes (Hom. Il. 9,632–636; 18,497–500). Die zunehmende Verschriftlichung und Institutionalisierung des Rechts seit dem 7. Jh. v. Chr. bedeutete deshalb auch eine wachsende Reglementierung des Systems der R., so etwa in der genauen Begrenzung der zur R. verpflichteten bzw. legitimierten Gruppen (IG I³ 104,13 ff.; 4,79 ff.) und in der Formalisierung der Wege der R.-Ausübung.

Die Lösungen waren strukturell sehr ähnlich: Der wichtigste und in der Gemeinschaft (→ *pólis* bzw. → *res publica*) als legitim angesehene Weg war der Rechtsweg, der Prozeß (→ Prozeßrecht). Dieser ersetzte die R. also nicht, aber er erlaubte ihren geregelten, die Gemeinschaft möglichst wenig belastenden Vollzug. Das attische Rechtssystem der klass. Zeit (5./4. Jh. v. Chr.) zeigt dies nicht anders als der röm. Quaestionenprozeß (→ *quaestio*), mit dem man sich »auf dem Forum« rächen konnte. In Rom hat der Prozeß der Institutionalisierung allerdings viel längere Zeit in Anspruch genommen und ist erst mit Cornelius [I 90] Sullas Reformen (in Sexualdelikten erst unter Augustus) fest etabliert worden: Die aristokratische *res publica* griff in die Ehrenhändel viel weniger ein als die demokratische *pólis*.

Entscheidend war, daß Recht und Rechtsverfahren die R. nicht beseitigten oder perhorreszierten, sondern geradezu integrierten. Dies konnte zweifellos die soziale Kohärenz stärken, aber nicht verhindern, daß R. weiterhin auch sozialer Sprengstoff blieb: R. und → Gerechtigkeit blieben verbunden, zum Teil auch im philos. Diskurs; die sozialen Normen von Erwiderung und Vergeltung als Ausdruck von Ehre blieben stark; auch reguläres polit. Handeln, individuell wie in festen Gruppen (→ *hetairía* [2], → *factio*), blieb von Ethos, Vollzug und Ritus der R. geprägt, die sich gerade in Krisenzeiten unkontrolliert entfalten konnte. Gerade in der → *stásis* war polit. Handeln vom Verlangen nach R. geprägt (Thuk. 3,82,7; Lys. 18,18). Noch Augustus konnte den Sieg über Cassius [I 10] und Iunius [I 10] Brutus als R. an den Mördern Caesars stilisieren (R. Gest. div. Aug. 2) und dem Mars → Ultor (Mars der Rächer) einen Tempel weihen (Ov. fast. 5,571–577). Erst in der Prinzipatszeit zeichnete sich eine massive Veränderung ab, die durch die Zentralisierung der Macht und den Einfluß philos., bes. stoischer Vorstellungen (→ Stoizismus) auch im röm. Recht bedingt war.

→ Atimia; Poena; Poine; Prozeßrecht; Strafe, Strafrecht; Talio; Time; Vindicta

1 H.-J. Gehrke, Die Griechen und die R. Ein Versuch in histor. Psychologie, in: Saeculum 38, 1987, 121–149 2 L. Gernet, Anthropologie de la Grèce ancienne, 1968 3 R. Verdier u. a. (Hrsg.), La vengeance. Études d'ethnologie, d'histoire et de philosophie, 4 Bde., 1980–1988. H.-J.G.

Rachgoun. Die der Mündung des Wādī Tafna (lat. *Siga*) in West-Algerien vorgelagerte kleine Insel R. trägt die ausgedehnte Nekropole der mauretanisch-punischen Stadt → Siga sowie, an der Südseite, eine kleine pun. Kaufmanns-Siedlung des 7.–5. Jh. v. Chr.; nach den Funden bestanden bes. enge Verbindungen zu den phöniz. Faktoreien an der span. Südküste.

→ Syphax

S. Lancel, É. Lipiński, s. v. R., DCPP, 369 · G. Vuillemot, Reconnaissances aux Échelles puniques d'Oranie, 1965. H.G.N.

Racilius. Ital. Gentilname. Bekannt durch L.R., 73–71 v. Chr. Helfer des C. Verres auf Sizilien (Cic. Verr. 2,2,31). Ein gleichnamiger Volkstribun von 56 (sein Sohn?) agierte im Senatsinteresse gegen P. Clodius [I 4] (Cic. fam. 1,7,2; Cic. ad Q. fr. 2,1,2; Cic. Planc. 77 mit scholia Bobiensia 165 f. Stangl); wohl derselbe R. verschwor sich 48 gegen Q. Cassius [I 16] Longinus in Spanien und wurde exekutiert (Bell. Alex. 53,3; 55,2). JÖ.F.

Rad s. Landtransport; Wagen

Radagaisus (Ῥοδογάϊσος). Gotischer König, überquerte 405 n. Chr. die Donau und fiel in It. ein (Zos. 5,26,3; Oros. 7,37,4–17; [1. 206–217; 2. Bd. 3,1, 200 f.]). Er teilte das Heer in drei Gruppen (Chron. min. 1,652), eine Gruppe gelangte vielleicht nach Gallien [2. Bd. 3,2, 22 f.]. Während er Florenz belagerte, wurde er → Stilicho abgedrängt (Paulinus, Vita Ambrosii, Kap. 50), bei Fiesole eingeschlossen, gefangengenommen und hingerichtet (23.8.406: Chron. min. 1,299). Die Überlebenden traten offenbar auf die röm. Seite über [3. 213]. PLRE 2, 934.

1 M. Cesa, Röm. Heer und barbarische Föderaten, in: BJ 193, 1993, 203–217 2 F. Paschoud (ed.), Zosime, Histoire nouvelle, Bd. 3,1, 1986; Bd. 3,2, 1989 (mit franz. Übers.) 3 P. Heather, Goths and Romans, 1991. WE.LÜ.

Radamistus (Ῥοδομίστος). Der Sohn des Ibererkönigs → Pharasmanes [1] I. stürzte 51 n. Chr. im Einverständnis mit seinem Vater und unter Duldung der Römer seinen Onkel, Schwager und Schwiegervater → Mithradates [20] vom armenischen Thron. Trotz grausamer Regierung konnte sich R. nicht gegen den von parthischer Seite nominierten → Tiridates I. halten und mußte sich im J. 54 nach → Iberia [1] zurückziehen. Seine schwangere Gattin → Zenobia, die R. zunächst auf der Flucht mitschleppte, dann verwundete und in den Araxes warf, wurde gerettet und zu Tiridates gebracht. Sie scheint einen Sohn geboren zu haben, der später von Tiridates eine Landschenkung erhielt. R. selbst wurde einige J. später von seinem Vater als angeblicher Verräter hingerichtet. PIR² R 7.

M. Schottky, Dunkle Punkte in der armenischen Königsliste, in: AMI 27, 1994, 223–235, bes. 223–225. M.SCH.

Radius (wörtl. »Stab«).

[1] (κερκίς/*kerkís*). Das Gerät, mit dem beim Weben (→ Textilherstellung) der Einschlagfaden in das geöffnete »Fach« eingeführt wurde, die Fäden der Kette also getrennt wurden, war urspr. wohl ein länglicher Stab, um den der Einschlagfaden gewickelt war. Später wurde dazu das Webschiffchen benützt, das den Namen über-

nahm. Die im Schiffchen befindliche Spule hieß πηνίον/*pēníon*, πήνη/*pḗnē*, lat. *panus (cula), panuvellium* [1. Bd. 1, 151ff.; 2. 192ff.].

    1 BLÜMNER, Techn. 2 R. J. FORBES, Stud. in Ancient Technology, Bd. 4, 1956 (²1964).

[2] Das Stäbchen, mit dem Mathematiker und Astronomen auf dem → Abacus zeichneten; es diente auch zum Messen und Demonstrieren (Cic. Tusc. 5,64; Verg. ecl. 3,41; Aen. 6,850).

[3] Am häufigsten bezeichnet *r.* die Speiche des Rades (→ Landtransport mit Abb.).   W.H.GR.

[4] Eine der drei von Vergil (georg. 2,85f.) genannten Olivenarten (beschrieben auch von Cato agr. 6,1f.; Varro rust. 1,24,1; Plin. nat. 15,4; 13; 20; Colum. 5,3,3; vgl. [1. 103ff.]).

    1 V. HEHN, O. SCHRADER, Kulturpflanzen und Haustiere, ⁸1911 (Ndr. 1963).   K.Z.

Raeda s. Wagen

Raeti, Raetia   I. ETHNOGRAPHIE DER RAETI II. DIE RÖMISCHE PROVINZ RAETIA

I. ETHNOGRAPHIE DER RAETI

Die älteste, indirekt überl. Nachricht über die R. stammt von Cato [1], der den raetischen Wein lobt (Serv. georg. 2,95; Plin. nat. 14,16; 67; Strab. 4,6,8; Suet. Aug. 77); dieser stammte, wie aus Plin. l.c. erschließbar ist, aus der Gegend von Verona. Mehrmals findet sich bei ant. Historiographen der Hinweis, bei den R. handle es sich um Etrusci, die, nachdem sie von den vordringenden Kelten aus Oberit. vertrieben worden waren, unter ihrem namengebenden Ahnherrn Raetus die Alpen erobert und den Stamm der R. begründet hätten (Plin. nat. 3,24). Allerdings ist es bisher nicht gelungen, einen Stamm der R. histor., arch. oder sprachgesch. eindeutig zu identifizieren. Vielmehr scheinen die R. in unterschiedliche Stämme zu zerfallen. Nach den lit. und inschr. Quellen siedelten die R. in den Zentralalpen zw. Lago Maggiore und Piave, Bodensee und dem Unterinntal. Aus kaiserzeitlichen Inschr. lassen sich die Namen mehrerer in diesem Gebiet lebender Stämme gewinnen [1].

Seit dem 13. Jh. v. Chr. zeichnet sich in dem genannten Raum eine ethnische Konsolidierung ab, die mit einer Blüte des Kupfererzbaus in den Alpen in Verbindung stand. Die sechs hier arch. faßbaren Kulturgruppen (Alpenrheintal-Gruppe; alpine → Golaseccakultur bzw. → Lepontii; Valcamonica-Gruppe; Angarano-Garda- bzw. Magrè-Gruppe; Inntal-Gruppe; und Laugen-Melaun- bzw. Fritzens-Sanzeno-Gruppe [2. 11 mit Abb. 4]) weisen Ähnlichkeiten in materieller Kultur, Trachtelementen, Bewaffnung, Siedlungsweise, Bestattungssitten und Kult auf. Nach dem Ausgreifen der → Etrusci in die Poebene im 6. Jh. nehmen die mediterranen Einflüsse in den alpinen Kulturgruppen zu. In den beiden westl. Gruppen (Alpenrheintal-Gruppe; al-

pine Golasecca-Gruppe) sind ab dem 4. Jh. v. Chr. starke Einflüsse kelt. Kultur (→ Kelten II., → Keltische Archäologie) faßbar. Schriftliche Zeugnisse, v. a. Votiv-Inschr. und Grabstelen [3], zeigen, daß der Raum sprachlich keineswegs einheitlich war; es lassen sich sowohl indeur. (kelt.) als auch etr. Elemente feststellen. Ungeklärt ist bisher die Herkunft und die Bed. des Namens R. sowie die Frage, nach welchen Merkmalen eine Zuordnung verschiedener ethnischer Einheiten zu den R. erfolgte. Eine Namensübertragung von einem Stamm auf die gesamte Gruppierung kann nicht ausgeschlossen werden, wahrscheinlicher ist jedoch die Theorie einer zumindest von außen angenommenen kult. Gemeinsamkeit – die Verehrung einer Göttin Reitia – als Grund für die Bezeichnung. Anscheinend ist der Name eine Erfindung der südl. angrenzenden Nachbarn und beruht weniger auf einem kulturellen und/oder polit. Selbstverständnis der alpinen Stämme.

II. DIE RÖMISCHE PROVINZ RAETIA

Als Landesname wird *Raetia* erstmals bei Vell. 2,39,104 erwähnt. Im Verlauf des Alpenfeldzugs des Drusus (→ Claudius [II 24]) und des → Tiberius im J. 15 v. Chr. wurden die Stämme der Alpen sowie des nördl. Alpenvorlands von den Römern unterworfen (Plin. nat. 3,136f., vgl. CIL V 7817) und wohl zunächst einer Militärverwaltung unter einem Praefekten (*pra*[*efe(ctus)*] *Raetis Vindolicis valli*[*s P*]*oeninae et levis armatur(ae)*, CIL IX 3044) unterstellt. Unmittelbar nach der Okkupation begann die Erschließung durch Straßen. Neben der Nord-Süd-Hauptader, der → Via Claudia, die die neu eroberten Gebiete mit Oberit. verband, entstand als erste wichtige Kunststraße im Alpenvorland die West-Ost-Achse von Brigantium (Bregenz) über Cambodunum (Kempten), Epfach, Gauting, Andechs, Seebruck nach Iuvavum (Salzburg), lange Zeit die wichtigste Verkehrsroute zw. den Rhein- und Donauprov. [4. 50].

Möglicherweise unter Tiberius, jedenfalls vor Mitte des 1. Jh. n. Chr., erfolgte die Einrichtung der röm. Prov. *Raetia et Vindelicia* (*et vallis Poenina*, bis Claudius) [4. 69–73]. Die nördl. Prov.-Grenze wurde bis zur Donau vorgeschoben. Zu dem ca. 80000 km² umfassenden Gebiet gehörten die Südostschweiz, Vorarlberg, Tirol, große Bereiche der Zentralalpen und das Alpenvorland zw. Bodensee, Donau und dem Inn. Im Osten grenzte jenseits des Inn → Noricum an, im Norden das freie Germanien, im Westen die Prov. Germania Superior (→ Germani [1] II.) und im Süden Italien. Seit flavischer Zeit (2. H. 1. Jh. n. Chr.) wurde die Grenze weiter nach Norden über die Donau vorgeschoben und die Grenzlinie durch eine mit röm. → auxilia besetzte Kastell-Kette mil. gesichert. Im 3. Jh. befestigte man die Nordgrenze, den raetischen Limes (→ Limes IV.), durch eine Steinmauer (»Teufelsmauer«). Die urspr. von einem ritterlichen *procurator Augusti* verwaltete Prov. unterstand nach einem evtl. administrativen Anschluß an die Germania Superior zw. 172 und ca. 180 n. Chr. einem senatorischen Offizier im Range eines *legatus Augusti pro praetore*. Dieser vereinte die zivile Statthalterschaft

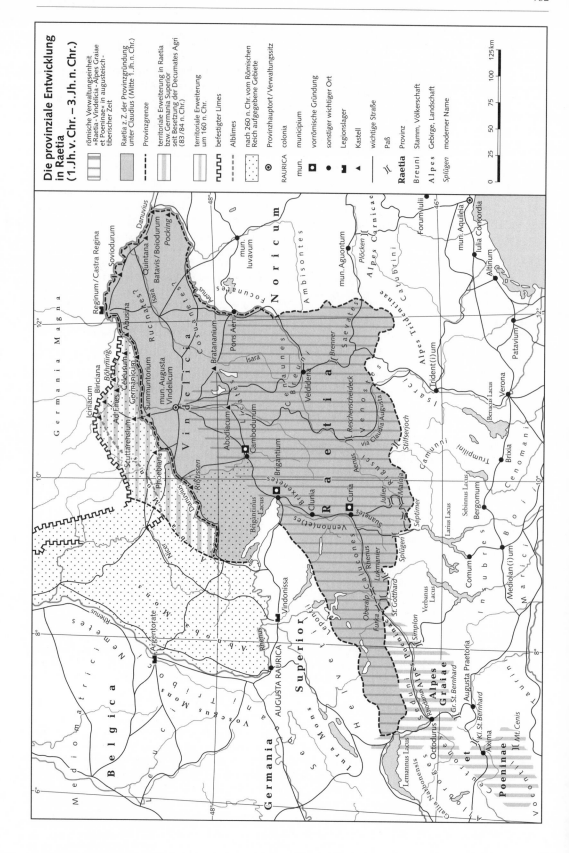

Die provinziale Entwicklung in Raetia (1. Jh. v. Chr. – 3. Jh. n. Chr.)

römische Verwaltungseinheit »Raetia-Vindelicia-Alpes Graiae et Poeninae« in augusteisch-tiberischer Zeit

Provinzgrenze

Raetia z. Z. der Provinzgründung unter Claudius (Mitte 1. Jh. n. Chr.)

territoriale Erweiterung in Raetia bzw. Germania Superior seit Besetzung der Decumates Agri (83/84 n. Chr.)

territoriale Erweiterung um 160 n. Chr.

befestigter Limes

Ablimes

nach 260 n. Chr. vom Römischen Reich aufgegebene Gebiete

Provinzhauptort/Verwaltungssitz

RAURICA colonia

mun. municipium

vorrömische Gründung

sonstiger wichtiger Ort

Legionslager

Kastell

wichtige Straße

Paß

Raetia Provinz

Breuni Stamm, Völkerschaft

Alpes Gebirge, Landschaft

Splügen moderner Name

0 25 50 75 100 125 km

mit dem Kommando über die seit ca. Mitte der 70er J. des 2. Jh. n. Chr. im Zuge der Markomannenkriege (→ Marcomanni) in → Regina Castra (Regensburg) stationierte *legio III Italica*. Diese Einheit bildete bis in die Spätant. das mil. Rückgrat der Prov. Raetia.

Unser Wissen über die Raumordnung in der Prov. ist aufgrund des dürftigen Quellenbestands sehr gering. Dennoch ist davon auszugehen, daß auch in Raetia das Prov.-Gebiet aufgeteilt war in Selbstverwaltungseinheiten unterschiedlichen Rechts (Stadtgemeinden), kaiserliche Domänendistrikte, Militärterritorien und wohl auch provinzunmittelbare, gemeindelose Regionen. In welchem Maße dabei vorröm. Strukturen übernommen wurden, ist unklar. Städtisch orientierte Gebietskörperschaften gab es wohl in Curia (Chur), Brigantium, Cambodunum und sicher in Augusta [7] Vindelicum (Augsburg). Cambodunum könnte im 1. Jh. n. Chr. Vorort der Prov. gewesen sein; zumindest seit E. des 1. Jh. war Augusta [7] als Prov.-Hauptstadt Sitz der zivilen Verwaltung, seit der Stationierung der Legion war Regina Castra mil. Hauptort. Mitte des 3. Jh. ging das Gebiet nördl. der Donau an die → Alamanni verloren. Wie ein jüngerer Inschr.-Fund aus Augsburg [5] deutlich macht, gehörte Raetia um 260 kurzzeitig zum sog. Gallischen Sonderreich unter Postumus [3], bevor es um 265 durch → Gallienus wieder für die Zentralmacht zurückerobert werden konnte [6]. Die Nord- und Westgrenze orientierte sich seit der 2. H. des 3. Jh. an Donau, Iller und Rhein. Im Lauf des 4. Jh. (nach 297, vor ca. 370) wurde die Prov. geteilt in die westl. *Raetia I* mit dem Hauptort Curia (zumindest seit Mitte des 5. Jh. auch Bischofssitz) und die östl. *Raetia II* mit Augusta [7] als Hauptstadt. Beide Prov. hatten je einen eigenen zivilen Statthalter (*praeses*), blieben aber in mil. Hinsicht einem Kommando unterstellt (*dux Raetiae primae et secundae*, Not. dign. occ. 35,13, Sitz in Augusta [7]). Die trennende Nord-Süd-Grenze verlief entlang der Linie Isny, Arlberg, Münstertal, Stilfser Joch [7]. Im 5. Jh. n. Chr. geriet Raetia zunehmend in den Einflußbereich der Alamanni. Nach dem E. des weström. Reichs (476/80 n. Chr.) kamen weite Bereiche unter die Herrschaft der → Ostgoten (Theoderich), wobei romanische Elemente in regional sehr unterschiedlich ausgeprägter Weise tradiert wurden. Das Gebiet der *Raetia I* wurde zum Zentrum des sich herausbildenden Stammes der → Baiovarii.

→ Alpes; Limes IV. (mit Karte)

1 R. FREI-STOLBA, Die Räter in den ant. Quellen, in: ARGE ALP (Hrsg.), Die Räter. I Reti, 1992, 657–671 2 P. GLEIRSCHER, Die Räter, 1991 3 S. SCHUMACHER, Die rät. Inschr., 1992 4 K. DIETZ, Okkupation und Frühzeit, in: W. CZYSZ u. a. (Hrsg.), Die Römer in Bayern, 1995, 18–99 5 L. BAKKER, Der Siegesaltar aus Augusta Vindelicum/ Augsburg von 260 n. Chr., in: E. SCHALLMAYER (Hrsg.), Niederbieber, Postumus und der Limesfall (Saalburg-Schriften 3), 1996, 7–13 (mit Lit.) 6 E. SCHALLMAYER, Germanien und Raetien im 3. Jh. n. Chr., in: Ders. (Hrsg.), Der Augsburger Siegesaltar

(Saalburg-Schriften 2), 1995, 7–12 7 TH. FISCHER, Spätzeit und Ende, in: W. CZYSZ u. a. (Hrsg.), Die Römer in Bayern, 1995, 361.

K. DIETZ, Einrichtung und Verwaltung der Prov. Rätien bis auf Kaiser Mark Aurel, in: Bayerisches Landesamt für Denkmalpflege (Hrsg.), Die Römer in Schwaben, 1985, 82–86 · Ders., Die Prov. Rätien im 4. Jh. n. Chr., in: Ebd., 257–261 · Ders., Das Ende der Römerherrschaft in Rätien, in: Ebd., 287–289 · R. ROLLINGER, Raetiam autem et Vindelicos ... subiunxit provincias. Oder: Wann wurde Raetien ... als röm. Prov. eingerichtet?, in: Ders., P. W. HAIDER (Hrsg.), Althistor. Stud. im Spannungsfeld zw. Universalgesch. und Wissenschaftsgesch. FS F. Hampl, 2001, 267–315 · F. SCHÖN, Der Beginn der röm. Herrschaft in Rätien, 1986 · R. VON USLAR, Zu Rätern und Kelten in den mittleren Alpen, in: BRGK 77, 1996, 155–213 · W. ZANIER, Der Alpenfeldzug 15 v. Chr. und die augustische Okkupation in Süddeutschland, in: L. WAMSER (Hrsg.), Die Römer zw. Alpen und Nordmeer, Ausst.-Kat. Rosenheim, 2000, 11–17. G. H. W.

KARTEN-LIT.: W. CZYSZ u. a., Die Römer in Bayern, 1995, bes. Abb. 9, 10, 12, 16, 98 · W. DRACK, R. FELLMANN, Die Römer in der Schweiz, 1988, Abb. 12 · J. GARBSCH, Der spätröm. Donau-Iller-Rhein-Limes (KS zur röm. Besetzungsgesch. Südwestdeutschlands 6), 1970, Abb. 2 und Beilage · R. J. A. TALBERT (Hrsg.), Barrington Atlas of the Greek and Roman World, 2000, 12, 18, 19, 20, 39 f. · L. WAMSER (Hrsg.), Die Römer zw. Alpen und Nordmeer, Ausst.-Kat. Rosenheim 2000, Abb. 13, 45, 49, 56, 173, 177, 180. F. SCH.

Rätisch nennt man die Sprache einer Gruppe von ca. 100 kurzen Inschr., fast alle auf kleinen Votivgegenständen aus Horn oder Br., geschrieben in Varianten des nord-etr. Alphabets, die beiderseits von Etsch und Eisack zw. Brenner und Verona gefunden wurden [1]. Das PN-Repertoire wird durch Belege auf lat. Inschr. ergänzt, in einem Areal, das die Umgebung von Brescia und das Ogliotal miteinschließt. Daß – wie schon in ant. Zeit beobachtet (Liv. 5,33,11), aber immer wieder bestritten [2] wurde – die Sprache dem Etr. nahesteht, hat H. RIX durch eine erschöpfende Studie zur Gewißheit gemacht [3].

→ Italien, Sprachen (mit Karte und Übersicht)

ED.: 1 S. SCHUMACHER (vollständig).
FORSCHUNGSGESCH.: 2 S. SCHUMACHER, Die r. Inschr., 1992, 19–108 3 H. RIX, R. und Etr., 1998. J. U.

Rätsel I. DEFINITION
II. ALTER ORIENT
III. KLASSISCHE ANTIKE

I. DEFINITION

a) R. nennt man eine verschlüsselte, der uneigentlichen Rede der → Metapher verwandte Formulierung, die eine Frage darstellt; sie setzt zu ihrer Beantwortung (= Lösung) Erinnerung und Phantasie der Angesprochenen voraus, ja provoziert diese Fähigkeiten; meist hilft dabei ein Analogieschluß [1. 261]. Wer das Rätsel stellt, ist im Wissen überlegen; so kann der Person bzw.

Instanz, die das R. stellt (z. B. dem Seher oder dem Orakel), von den Angesprochenen Autorität zugestanden
werden; andererseits strebt der Ratende, durch Lösung
des R. seine Ebenbürtigkeit im Wissen zu erweisen.
Dieses Element des Wettkampfes [2. 145] tritt bes. beim
»Halsrätsel« [2. 132 f.] zutage: Das Leben eines Schuldig-
gesprochenen hängt davon ab, daß er den Richtern ein
für sie unlösbares R. stellt; andererseits kann die Lösung
eines R. das Leben und Glück des Ratenden bedeuten
(z. B. beim Orakel oder bei der Brautwerbung) [3. 59–
63]. Das R. ist an keine soziale Schicht gebunden; man
spricht heute von Kunst- und Volks-R. [2. 147], letzteres findet in der R.-Forsch. bes. Interesse [4. 73 f. und
passim; 2. 137; 1. 191–223; 5]; andererseits ist schon in
der Ant. das R. als Gesellschaftsspiel gebildeter Schichten nachweisbar (s.u. III.). Weil die Lösung des R. stets
überrascht, ist es lit. Formen verwandt, die eine Pointe
enthalten können: dem → Apophthegma, → Aphoris-
mos, → Epigramm, Anagramm [1. 181–190], auch der
→ Gnome. Wegen der dem R. innewohnenden Kräfte
dient es in der Lit. – ähnlich der Metapher [1. 1 f., 135–
146] – zur Fokussierung des Publikumsinteresses.

b) Mit R. bezeichnet man weiter auch ein noch der
Erklärung harrendes Phänomen.

Das R. ist auch in außereurop. Kulturen nachweisbar, z. B. in Afrika [4. 125], Japan und Java [1. 147–161;
163–180], und deshalb ein allg. Phänomen menschlicher
Kultur, bei dem neben histor. Einflüssen [4. 74–87]
auch spontane Entstehung angenommen werden kann.

1 W. EISMANN, P. GRZYBEK (Hrsg.), Semiotische Stud.
zum R., 1987 2 A. JOLLES, Einfache Formen, ²1958
3 P. PUCCI, Enigma Segreto Oracolo, 1996 (neueste Lit.)
4 W. SCHULTZ, s. v. R., RE I A, 62–125 5 V. SCHUPP, s. v.
R., in: W. KILLY (Hrsg.), Literaturlexikon 14, 1993,
240–265.   H. A. G.

II. ALTER ORIENT
A. BEGRIFF   B. QUELLEN
C. SITUATIVER FUNKTIONSRAHMEN

A. BEGRIFF
Weder in sumerischer, noch in akkadischer Sprache
ist eine Bezeichnung für R. bekannt bzw. gesichert.
Vielleicht verbirgt sich hinter dem sumer. a-da, das v. a.
im Lexem a-da-min (»a-da zw. zwei«, Streitgespräch;
vgl. die provenzalische Tenzone) belegt ist, ein sumer.
Terminus für R. [5. 18]. R. im Sumer. können mit ki-
búr-bi, »seine Lösung«, welches vor der Antwort steht,
gekennzeichnet werden.

B. QUELLEN
R. wurden in Slgg. zusammengefaßt. Zwei Slgg. in
sumer. und eine in akkad. Sprache sind bekannt. Eine
der ältesten R.-Slgg. (24. Jh. v. Chr.) mit noch 31 erh.
R. in sumer. Sprache stammt aus Lagaš; die R., deren
Antwort ein Städtename ist, zeigen den Aufbau: ›Ihr
Kanal …, ihr Stadtgott …, ihr Fisch …, ihre Schlange
…‹ [4]. Eine weitere Slg. (18. Jh. v. Chr.) mit 25 R. ist in
Texten aus Ur und Nippur belegt, z. B.: ›Ein offenes

Haus, ein geschlossenes Haus, er sieht es, doch es bleibt
geschlossen. Seine Lösung: ein Tauber‹ [6. 17–35]. Eine
akkad. Slg. von sechs R. unbekannter Herkunft stammt
aus dem 18. Jh. v. Chr., z. B.: ›Es ist ein hoher Turm, es
ist hoch, einen Schatten besitzt es nicht: die strahlende
Sonne‹ [7. Nr. 53]. Vereinzelt fanden sumer. R. Eingang
in andere Genres der sumer. Schul-Lit. (wie lexikalische → Listen, → Sprichwort-Slgg. [1]). R. als geistiger
Wettstreit sind in der sumer. Sage ›Enmerkar und der
Herr von Aratta‹ belegt [3. 105].

C. SITUATIVER FUNKTIONSRAHMEN
R. gehörten zum Schulcurriculum. Sie dienten der
Unterhaltung; in narrativem Kontext wurden sie zur
Hervorhebung klimaktischer Momente eingesetzt.
→ Schreiber; Sprichwort

1 B. ALSTER, The Instructions of Šuruppak, 1974, 94 f.
2 Ders., Stud. in Sumerian Proverbs, 1975, 17 f. 3 Ders., An
Aspect of »Enmerkar and the Lord of Aratta«, in: RAssyr 67,
1973, 105 4 R. D. BIGGS, Presargonic Riddles from Lagasch,
in: JCS 32, 1973, 26–33 5 M. CIVIL, Sumerian Riddles: A
Corpus, in: Aula Orientalis 5, 1987, 17–35 6 J. VAN DIJK,
Texts from the Iraq Museum 9, Nr. 53.   BA. BÖ.

III. KLASSISCHE ANTIKE
A. ALLGEMEIN   B. GRIECHISCHE LITERATUR
C. LATEINISCHE LITERATUR

A. ALLGEMEIN
Die griech. archaische Erzählform αἶνος (→ aínos [2])
kann als »dunkle Rede« das R. umfassen; das etym. verwandte αἴνιγμα (aínigma), lat. aenigma, bezeichnet speziell das R. (zuerst bei Pind. fr. 177d). Weiter im Bed.-
Umfang ist γρῖφος (gríphos), »Reuse«, »Fischernetz« [3.
s. v.], das übertragen für »dunkle Rede« verwendet wird
(zuerst bei Aristoph. Vesp. 20), wohl weil man sich im
Flechtwerk der Formulierung verfängt [6. 88], lat. griphus, Lehnübers. ist scirpus (Gell. 12,6,1–3) [6. 116;
4. 144 f.]. In der LXX (Ri 14) steht πρόβλημα (próblēma)
für R.

B. GRIECHISCHE LITERATUR
Rätselhafte myth. Gestalten und Sachverhalte wie
z. B. die Chimaira (Hom. Il. 6,179) und die 350 Rinder
des Helios (= Anzahl der Tage des Mondjahres; Hom.
Od. 12,127–130) mögen auf R. zurückgehen [6. 90],
haben aber im griech. Epos die lit. Aufgabe, das Stau-
nenswerte an der mythischen Welt vor Augen zu führen. Damit beginnt in der griech. Lit. die auch von der
rhet. Theorie aufgenommene Funktion des R. als Tro-
pos (→ Tropen). Aristoteles ordnet das R. der → Metapher zu (Aristot. rhet. 1405a 37–1405b 6; 1394b 33–
1395a 2).

R. im Kern des lit. Aufbauplans findet man z. B. in
Tragödien des → Sophokles, so in den ›Trachinierinnen‹
(Soph. Trach. 1159–1163); vor allem ist → Oidipus (in
Soph. Oid. T.) als der nach der erfolgreichen Lösung des
R. der → Sphinx scheiternde Rätsellöser bekannt.

Zu den vom Autor geformten, auch von anderen
übernommenen und in lit.-argumentative Zusammen-

hänge integrierten R. gehören z. B. Hesiods R. vom Zurückbleiben der → *elpís* (»Hoffnung«) im Vorratsgefäß der Pandora (Hes. erg. 96–100) und die R. einzelner Autoren in der R.-Slg. des Athenaios [3] (10,69–88, 448b–459b). Nach einer ersten Spur des Sphinx-Rätsels (bei Pind. fr. 177d) wird es bei Soph. Oid. T. 33–39 ein wichtiger Ausgangspunkt der Trag.; die ausgeführte Form lesen wir u. a. bei Athen. 10,83,456b = Anth. Pal. 14,64. Das Floh-R., das Homer nicht lösen kann, dient Herakl. fr. 22 B 56 DK als Beweis für die Blindheit der Menschen gegenüber Sichtbarem [5. 20–23].

Geschichtsschreiber berichten über den Einfluß von → Orakeln auf polit. Entscheidungen, bes. von Sprüchen der delphischen → Pythia [1], deren häufige Verrätselungen ihrer Würde entsprächen. Die richtige Lösung der Orakel-R. war von existentieller Bed. So hatte der Lyderkönig → Kroisos selbst in einer Art Wettkampf der Pythia ein R. gestellt, welches sie löste (Hdt. 1,47); er selbst aber scheiterte bei der Lösung des Orakel-R. (Hdt. 1,53; 71,1) und im Krieg gegen Kyros. Themistokles dagegen war beim R.-Lösen (Hdt. 7,141; 143) und in der Politik erfolgreich [4. 139].

Theoretische Überlegungen zum R. sind uns aus hell. Zeit überliefert. Aristoteles definiert am Beispiel des Schröpfkopf-R. (Aristot. poet. 1458a 25–29) das *aínigma*: ›Man meint zwar etwas, was es wirklich gibt, verbindet aber Unmögliches‹; das aber ist nur ›im übertragenen Sprachgebrauch (*metaphorá*) möglich‹. Bei seinem Schüler → Klearchos [6] aus Soloi ist das R. (*gríphos*; vgl. Athen. 10,69,448c) ›eine im Spiel gestellte Lösungsaufgabe (παιστικὸν πρόβλημα); sie schreibt vor, durch Suchen mit dem Verstand (τῇ διανοίᾳ) <die Lösung> der vorgelegten Frage (τὸ προβληθέν) zu finden, sie ist mit dem Ziel der Ehrung oder Bestrafung formuliert.‹ Nach den Ausführungen des → Athenaios [3] in seiner R.-Slg. (l.c.) wurde das R. als geistreiches Gesellschaftsspiel geübt (Athen. 10,69,448e; 10,86,457c-f; 10,88,458f–459b) – was bes. die auf der Sprache basierenden R. zeigen (10,87,458) –, aber doch als der Philos. nahe eingeschätzt; schon die Alten hätten darin einen Erweis von Bildung gesehen (10,86,457e). Eben dahin gehören auch die in der R.-Slg. der Epigramme von B. 14 der → *Anthologia* [1] *Palatina* neben arithmetischen Problemen und Orakeln überlieferten 53 R. (dazu wenige in B. 9). Hinzu kommen 81 von [2] gesammelte R.; ihre schlichten Lösungen stammen hauptsächlich aus dem Bereich des täglichen Lebens – hier können Volks-R. zugrunde liegen (z. B. 14,40 und 41: Tag und Nacht; 52: Wein; 56 und 108: Spiegel) –, aber doch auch aus der Myth. (z. B. 18: Hektor und Achilleus; 32 und 33: Herakles und Nessos) [1. 33–50]. Im NT (1 Kor 13,12) ist *aínigma* Metapher für die noch unvollkommene Erkenntnis.

C. LATEINISCHE LITERATUR

Röm. Ursprungs mögen die R. vom *terminus* (»Grenzstein«; Gell. 12,6,1–3) sowie von Eis und Wasser (Diomedes und Pompeius, GL 1,462,17–24 und 5,311,5–12) sein; röm. Brauch des R.-Wettkampfes auf

dem Markt mit Geldeinsatz mag Petron. 58 zeigen [6. 116f.], doch ist der griech. Einfluß vorherrschend. Wesentlich für den lit. Aufbauplan ist bei Liv. 1,56,12 der Erfolg des → Iunius [I 4] Brutus beim Lösen des Orakel-R. der Pythia (vgl. II.B.). Von den Autoren geformt oder aus der Trad. übernommen und integriert sind z. B. die R. im Hirtenwettstreit (Verg. ecl. 3,104–107), die von Numa als R. verstandene Forderung Iuppiters (Ov. fast. 3,339–346), das R. des Antiochus (→ Historia Apollonii regis Tyrii 4) und die zehn auch bei → Symphosius überlieferten R., die (Hist. Apoll. 42–43, SCHMELING) Tarsia ihrem Vater stellt. Theoretische Überlegungen zum R. finden sich u. a. bei Diomedes und Pompeius am Beispiel des R. von Eis und Wasser (s. o.); die Vorrede des Ausonius zum *griphus ternarii numeri* (Auson. 15 GREEN) zeigt, daß er unter *griphus* nicht »R.«, sondern »knifflig-geistreiches Spiel (mit der Zahl 3)« verstand. Elemente solchen Spiels finden sich in der R.-Slg. des Symphosius, wenn auch diese R. noch stärker als die in der *Anthologia Palatina* Dingen des täglichen Lebens gewidmet sind. Symphosius hat über Adhelmus von Malmesbury stark in das MA gewirkt [6. 120–122].

1 F. BUFFIÈRE (ed.), Anthologie grecque, Anthologie Palatine (Livres 13–15), 1970 (mit frz. Übers.) 2 E. COUGNY (ed.), Epigrammatum Anthologia Palatina cum Planudeis et appendice nova, Bd. 3, 1890, 563–585 3 FRISK 4 A. JOLLES, Einfache Formen, ²1958 5 P. PUCCI, Enigma Segreto Oracolo, 1996 (neueste Lit.) 6 W. SCHULTZ, s. v. R., RE I A, 62–125 7 V. SCHUPP, s. v. R., in: W. KILLY (Hrsg.), Literaturlexikon 14, 1993, 240–265.   H.A.G.

Räuberbanden   A. POLITIK, LITERATUR UND RECHT   B. PROBLEME DER DEFINITION C. POLITISCHE DESINTEGRATION UND BANDITENTUM   D. TOPOGRAPHIE DES BANDITENTUMS   E. IMPERIUM ROMANUM F. LEGITIMATIONSSTRATEGIEN G. CHRISTLICHE WAHRNEHMUNG

A. POLITIK, LITERATUR UND RECHT

Das kollektive Sozialverhalten, das im Griech. als λῃστεία/*lēisteía* und im Lat. als *latrocinium* (wörtl. »Räuberei«) bezeichnet wurde, schloß den Raubüberfall auf dem Land wie auch die Piraterie auf dem Meer (→ Seeraub) ein; es war eine Form persönlicher Machtausübung, die von der legitimen polit. Macht im ant. Mittelmeerraum definiert wurde und zugleich in Opposition zu dieser stand. Von der archa. Zeit bis zur Spätant. war die Gesch. des Banditentums durch die wechselhaften Abgrenzungen und Beziehungen zw. der legalen polit. Macht einerseits und der ungesetzlichen, gewaltsamen Machtausübung andererseits gekennzeichnet. Diese komplexe Gesch. spiegelt sich in allen Gattungen der ant. Lit. wider, sowohl in der Historiographie als auch in fiktionalen Texten. Im röm. Recht wurde der *latro* (»Bandit, Räuber«) als eine eindeutige, aber schwer faßbare Bedrohung für das Gemeinwesen definiert

(Dig. 49,15,24; 50,16,118). Es war nicht das tatsächliche Ausmaß der Bedrohung, sondern gerade das Element von polit. Gegnerschaft, das den Räuber kennzeichnete. Die Existenz einer Bande (*factio*) und die organisierte Machtausübung, die sich dem Gemeinwesen entzog, galten als die wichtigsten Merkmale, die Räuber von gewöhnlichen Dieben unterschieden (Dig. 48,19,11,2).

Die Banden waren unterschiedlich groß; kleine Gruppen bestanden aus dem Hauptmann und einigen Gefährten, im Höchstfall ein paar Dutzend Männern (z.B. Apul. met. 3,28–7,12), andererseits befehligten Piratenanführer große Flotten und beherrschten ganze Regionen des Mittelmeeres: so die sog. kilikischen Piraten, die lange Jahrzehnte eine Schreckensherrschaft im östlichen Mittelmeerraum ausübten, bis Pompeius [I 3] 67 v. Chr. ein außerordentliches *imperium* gegen sie erhielt (Plut. Pompeius 24–25). Ein weiteres Beispiel für Banditen, die über ganze Landschaften geboten, sind die Isaurier, Herren der Hochebene des sö Anatolien, die Ammianus Marcellinus beschrieb (Amm. 14,2; 19,13; 27,9,6–7; vgl. zu Lydios dem Isaurier, der in der Regierungszeit des Probus [1] Kremna besetzt hatte, Zos. 1,69f.).

B. PROBLEME DER DEFINITION

Es ist – gerade in Grenzbereichen – sehr schwierig, das ant. Banditentum genau zu bestimmen. Bisweilen wurden in einer Situation, in der die polit. Macht zerfiel, die Träger dieser Macht als Räuber definiert, so etwa die ehemaligen röm. Soldaten in Raetia und Noricum im 6. Jh. n. Chr. (Eugippius, Vita S. Severini, 4,1; 10,2). Auch die → Bagauden im spätröm. Gallien sind rechtlich, polit. und sozial schwer einzuordnen; sie waren wohl kaum Sozialrebellen oder einfache Kriminelle, sondern eher regionale Gruppierungen, die im Zerfallsprozeß des Imperium Romanum eine gewisse Unabhängigkeit zu erlangen suchten. Doch auch auf dem Höhepunkt röm. Macht gab es Soldaten, die das röm. Heer verließen, die Grenze zur Illegalität überschritten und das Leben eines Banditen begannen; dies gilt für den Thraker → Spartacus der 1. H. des 1. Jh. v. Chr. (App. civ. 1,116) ebenso wie für → Tacfarinas aus Nordafrika im frühen 1. Jh. n. Chr. (Tac. ann. 2,52,1). Umgekehrt war es in der Spätant. möglich, Banditen zur Verteidigung der Grenzen des Imperium Romanum einzusetzen. So erhielt der Germane Charietto unter Iulianus [11] ein hohes mil. Kommando am Rhein (Amm. 17,10,5; 27,1,5; Zos. 3,7); im 4. Jh. n. Chr. war die Macht Roms an dieser Grenze immer noch so groß, daß ein Bandit wie er in das reguläre Heer integriert werden konnte.

C. POLITISCHE DESINTEGRATION UND BANDITENTUM

Je weniger die ant. Gemeinwesen in der Lage waren, in ihrem jeweiligen Machtbereich das Gewaltmonopol durchzusetzen, desto mehr nahmen sie Zuflucht zu »Banditen« und Anführern, die eigenmächtig Herrschaft über ein Gebiet ausübten. Insbes. nach dem → Peloponnesischen Krieg wurden von den Poleis auf entfernten Kriegsschauplätzen R. mil. eingesetzt (Xen. hell. 4,8,35). Dieser Vorgang – die durch eine Schwächung der Poleis bedingte Ausbreitung von Banditentum und Piraterie – wiederholte sich während der → Diadochenkriege und vor allem während des Niederganges des Reichs der → Seleukiden im 2. Jh. v. Chr. Sowohl Demetrios [2] Poliorketes als auch Lykon, ein Feldherr des → Lysimachos, akzeptierten während der Belagerung von Ephesos 287 v. Chr. die Unterstützung von Piraten. Etwa zur selben Zeit förderte Agathokles [2] von Syrakus die Raubzüge von »Barbaren« in Unteritalien durch Stellung von Piratenschiffen (Diod. 21,4).

Die durch die röm. Expansion forcierte Destabilisierung der hell. Monarchien begünstigte den Aufstieg der Piraterie im östlichen Mittelmeerraum. Die Piraten nutzten einerseits die Schwäche des Seleukidenreiches und von → Rhodos aus, andererseits stärkte sich dadurch indirekt die Position der Römer, denen sie zudem Sklaven in großer Zahl lieferten (→ Sklaverei). Die Unterdrückung der Piraterie durch Rom stand in engem Zusammenhang mit der Einrichtung von röm. Prov. im östlichen Mittelmeerraum. Es waren zw. 102 und 67 v. Chr. mehrere außerordentliche Kommandos mit großen Befugnissen notwendig, um erfolgreich gegen die Piraten vorgehen zu können (→ Seeraub).

Weite Gebiete des ant. Mittelmeerraums entzogen sich jeglicher polit. Kontrolle; somit waren die Träger der legitimen Macht immer auch gezwungen, Absprachen mit Banditen zu treffen. In den unruhigen Zeiten während des → Peloponnesischen Kriegs und danach operierten Banditen relativ ungehindert in manchen Teilen Griechenlands. Thukydides stellte fest, daß in einigen griech. Gemeinschaften Räuberei und Piraterie als gewinnbringende und ehrenhafte Tätigkeiten angesehen seien (Thuk. 1,5), und Aristoteles [6] zählte im 4. Jh. v. Chr. das Banditentum zu den normalen Lebensweisen (*bíoi*), um sich den Unterhalt zu verschaffen (Aristot. pol. 1256a-b). Diese autonomen Räume konnten auch bewußt von konkurrierenden Mächten geschaffen werden, wenn sie wünschten, das Ausmaß an innerem Chaos für ihre Gegner zu erhöhen.

Ein klass. Beispiel hierfür ist die bewußte Destabilisierung der hell. Königreiche im östlichen Mittelmeerraum durch Rom im 2. Jh. v. Chr.; diese röm. Politik hatte den Aufstieg unabhängiger und gewalttätiger Anführer auf seleukidischem Gebiet, meist an der kilikischen Küste, zur Folge. Schließlich entzogen sich die Banden jedweder Kontrolle, nachdem sie urspr. von den konkurrierenden Gruppen innerhalb des Seleukidenreiches unterstützt worden waren. Wahrscheinlich war der Usurpator Diodotos → Tryphon in Kilikien (→ Kilikes) der erste dieser lokalen Machthaber (Strab. 14,5,2: in Korakesion). Ihre wirtschaftliche Grundlage fanden die Banditen in systematisch geplanten, gewalttätigen Unternehmungen, Plünderungen und ausgedehnten Menschenraubzügen, u. a. für den Sklavenhandel (→ Sklaverei).

D. Topographie des Banditentums

Solche Zustände eines extremen Niedergangs polit. Macht waren jedoch keine notwendige Voraussetzung für die Verbreitung des Banditentums. Selbst in Zeiten des Friedens und der Stabilität operierten R. in solchen Gebieten, die sich einer ständigen polit. Kontrolle entzogen. Gerade das gebirgige Hochland bot Banditen ebenso wie polit. Gegnern die Möglichkeit, sich zu behaupten, z. B. in Aitolien auf dem griech. Festland oder im Landesinneren von Kreta. In Anatolien konnte das gesamte südliche Hochland, insbes. das Taurusgebirge, bis zur Spätant. nie wirklich unterworfen werden. Auch die Hochländer von Syrien und der Libanon leisteten erfolgreich Widerstand gegen jegliche polit. Vereinnahmung. Auch in flachen Küstengebieten gab es schwer zugängliche Landstriche, die Rebellen und Räubern Schutz boten: In den Sümpfen des Nildeltas konnte Amyrtaios [1], der »König der Sümpfe«, im 5. Jh. v. Chr. seine Unabhängigkeit vom persischen Großkönig bewahren (Thuk. 1,110), und die Revolte der βουκόλοι/ bukóloi im späten 2. Jh. n. Chr. ging ebenfalls vom Nildelta aus (Cass. Dio 72,4).

E. Imperium Romanum

R. machten zeitweise weite Gebiete im Imperium Romanum unsicher und stellten eine Gefahr für Reisende dar; so konnte es vorkommen, daß röm. Bürger selbst in It. auf einer → Reise plötzlich verschwanden (Plin. epist. 6,25). In Nordafrika wurde Nonius Datus auf dem Weg nach Saldae von Räubern überfallen (ILS 5795). Zahlreiche Grab-Inschr. aus fast allen Prov. des Imperium Romanum erwähnen, daß der Verstorbene von Räubern ermordet wurde (interfectus a latronibus: ILS 2646; 8504; vgl. außerdem ILS 5112; 8505 f.).

Obwohl das Banditentum weit verbreitet war, liegt die Gesch. der ant. R. weitgehend im dunkeln; nur in wenigen Einzelfällen besitzen wir genauere Informationen. So gibt Cassius Dio einen ausführlichen Bericht über → Bulla Felix, der im späten 2. Jh. n. Chr. Hauptmann einer Bande in Mittelitalien war (Cass. Dio 77,10). Derartige Berichte sind allerdings stark von einer ideologischen Sicht des ländlichen Raums geprägt. Die Beziehungen zwischen Banditentum, lokaler Ges. und polit. Herrschaft werden bes. eindrücklich von Iosephos in seiner Beschreibung der Situation in Galilaea zu Beginn des Krieges mit Rom (66–72 n. Chr.) dargestellt (Ios. bell. Iud. 2,585–594; 2,614–631).

F. Legitimationsstrategien

Wie das Gespräch zwischen Alexandros [4] d. Gr. und einem gefangenen Piratenhauptmann veranschaulicht, waren Banditen und Piraten durchaus in der Lage, ihr Verhalten zu rechtfertigen; als Alexander den Piraten wegen seiner Raubüberfälle und Plünderungen tadelte, konterte dieser, er täte nur das, was auch Alexander tue, nur daß Alexander es in derart großem Maßstab mache, daß er dafür gerühmt werde. Augustinus kam zu der Auffassung, Gemeinwesen ohne Gerechtigkeit seien nicht viel mehr als R. im Großen und R. nichts anderes als Gemeinwesen im Kleinen (Aug. civ. 4,4). Daß R. Macht ausübten und in mancher Hinsicht einem Gemeinwesen glichen, machte es möglich, die üblichen Bezeichnungen für Banditen, Räuber und Piraten als polit. Schlagworte zu verwenden und gegen illegale (oder als illegal betrachtete) Machthaber zu richten. Folgerichtig konnten die Athener einen »Barbaren« wie Philippos [4] II. von Makedonien als Räuber beschimpfen (Demosth. or. 10,34). Ebenso wurden in Rom diejenigen, die illegal Macht auszuüben suchten – von L. Sergius → Catilina und M. → Antonius [I 9] in der späten Republik bis hin zu den Usurpatoren im 3. und 4. Jh. n. Chr. – von ihren Gegnern als Räuber (latrones) bezeichnet.

Es bestand die Vorstellung, daß R. charakteristisch seien für einen frühen Zustand der Ges., so etwa vor der Gründung Roms (Liv. 1,4,9; 1,5,3). Rom war nach Meinung ant. Historiker aus einem frühgesch. Chaos entstanden, in dem Räuberei die Regel war. Gleichzeitig konnte das Banditentum idealisiert und als Ort unverdorbener, freier, »barbarischer« Primitivität dargestellt werden, in der die Anführer tapfere und gerechte Männer waren. In der Gesch.-Schreibung wie auch in fiktionalen Texten, etwa im → Roman, gibt es Schilderungen des »edlen Räubers«, gerühmt für sein egalitäres Verhalten und für seine gerechte Aufteilung von Raub und Beute. Damit konnte der Mythos des Räubers auch kritisch gegen die legitime Macht gerichtet werden: Der edle Räuber verkörpert dabei den guten Herrscher, den gegenwärtigen Herrscher den Banditen. So wird erzählt, daß der ital. Räuber Bulla Felix nach seiner Gefangennahme die Frechheit besaß, die Frage des röm. Praefekten Papinianus, warum er zum Räuber geworden sei, mit der Gegenfrage zu beantworten, warum dieser Praetorianerpraefekt geworden sei – womit angedeutet ist, daß hier kein wirklicher Unterschied bestehe (Cass. Dio 77,10). Im frühen Prinzipat, als Rom die Ordnung im Mittelmeerraum wiederhergestellte, waren die Banditen zu einer »zahmen« Bedrohung geworden. Im Roman konnten Räuber und Piraten als typische Verbrecher dargestellt werden. Die Vorstellung des Räubers als eine gegen das Gemeinwesen gerichtete, chaotische und amoralische Kraft konnte sich auch den weitverbreiteten Glauben zunutze machen, daß Banditen dunkle und böse Geister anbeteten (Plut. Pompeius 24,5).

G. Christliche Wahrnehmung

In der christl. Lit. der Spätant., bes. in den Heiligenviten, wurden Piraten und Räuber mit → Dämonen oder teuflischen Mächten gleichgesetzt. Der christl. Gebrauch des Bildes des Räubers unterschied sich hierin nur geringfügig von den Wertungen früherer, nichtchristl. Texte: Unerwünschte Leute wie etwa Ketzer wurden als »Räuber« gebrandmarkt; umgekehrt sah man in der Fähigkeit eines Heiligen, den Räuber als Inbegriff des Bösen zu bekehren, einen Beweis seiner Heiligkeit.

1 M. CLAVEL-LÉVÊQUE, Brigandage et piraterie: représentations idéologiques et pratiques impérialistes au dernier siècle de la république, in: DHA 4, 1978, 17–31 2 A. GIARDINA, Banditi e santi: un aspetto del folklore gallico tra tarda antichità e medioevo, in: Athenaeum 61, 1983, 374–389 3 T. GRÜNEWALD, Räuber, Rebellen, Rivalen, Rächer: Studien zu Latrones im röm. Reich, 1999 4 K. HOPWOOD, Policing the Hinterland: Rough Cilicia and Isauria, in: S. MITCHEL (Hrsg.), Armies and Frontiers in Roman and Byzantine Anatolia, 1983, 173–187 5 R. MACMULLEN, The Roman Concept Robber-Pretender, in: RIDA Ser. 3, 10, 1963, 221–225 6 A. MILAN, Ricerche sul latrocinium in Livio, I: Latro nelle fonti preaugustee, in: Atti dell'istituto Veneto di scienze, lettere ed arti, 1846, 138; 179 f.; 171–197 7 B. D. SHAW, Bandit Highlands and Lowland Peace: The Mountains of Isauria-Cicilia, in: Journal of Economic and Social History of the Orient, 33, 1990, 199–233; 238–270 8 Ders., Bandits in the Roman Empire, in: Past & Present 105, 1984, 3–52 9 P. DE SOUZA, Piracy in the Graeco-Roman World, 2000 10 R. VAN DAM, Leadership and Community in Late Antique Gaul, 1985 11 A. J. L. VAN HOOFF, Ancient Robbers; Reflections Behind the Facts, in: AncSoc 19, 1988, 105–124 12 J. WINKLER, Lollianos and the Desperados, in: JHS 100, 1980, 155–181.   B. D. S./Ü: A. H.

Rafael (wörtl. »Gott heilt«, griech. Ραφαήλ; vgl. den PN in 1 Chr 26,7). In der jüd. Angelologie einer der vier bzw. sieben Erzengel, denen eine bes. Rolle innerhalb der Engelshierarchie zukommt, da sie vor Gottes Thron lobend preisen (äthHen 9,1; 20,3; 40,9). Dem Namen entsprechend ist R. der Engel des Heilens (vgl. hebr. *rāfāʾ*, »heilen«), ›der über alle Krankheit und alle Plage der Menschenkinder‹ gesetzt ist (äthHen 40,9). Er spielt in der Tobit-Erzählung eine bed. Rolle, da er als Reisebegleiter Tobias hilft, den Dämon Asmodaios zu vertreiben und Tobias' erblindeten Vater zu heilen. Als Sieger über einen Dämon fungiert R. auch 1 Hen 10,4. Sein Name erscheint darüber hinaus auch in griech. und kopt. Zaubertexten (PGM 35,2/4).
→ Gabriel; Michael [1]; Sandalfon

M. MACH, s. v. R., in: K. VAN DER TOORN, u. a. (Hrsg.), Dictionary of the Deities and Demons in the Bible, 1995, 1300 (Lit.) • J. MICHL, s. v. Engel VIII. (Raphael), RAC 5, 252–254.   B. E.

Raga s. Rhagai

Ragonius
[1] L. R. Quintianus. *Cos. ord.* 289 n. Chr., verm. nur für die ersten zwei Monate des Jahres [1. 275 ff.]. Er war Nachkomme von L. Ragonius Venustus, *cos. ord.* 240 sowie von R. [2] und R. [3]. PIR² R 15.

1 W. ECK, Probleme der Konsularfasten, in: ZPE 118, 1997, 275–280.

[2] L. R. Urinatius Larcius Quintianus. Senator, wohl aus Opitergium stammend, vgl. [1. 265 ff., 293]. Seine Laufbahn führte ihn über den Iuridikat in Apulien zum Prokonsulat von Sardinien, wohl unter Marcus Aurelius; als Legionslegat wurde er von Commodus mit → *dona militaria* ausgezeichnet; schließlich wurde er *cos. suff.* unter Commodus. Sein Sohn ist R. [3]. PIR² R 17.

1 G. ALFÖLDY, Städte, Eliten und Ges. in der Gallia Cisalpina, 1999.

[3] L. R. Urinatius Tuscenius Quintianus. Sohn von R. [2], Vater des *cos. ord.* von 240 n. Chr. (vgl. R. [1]). Von seinen Ämtern ist nur der Suffektkonsulat bekannt. PIR² R 18.   W. E.

Ragusa (lat. *Ragusium*, griech. Ῥαούσιον, slav. *Dubrovnik*; zum Namen vgl. [1]), Stadt an der dalmatischen Küste. Die Anfänge der später so berühmten Handelsstadt und Rivalin Venedigs an der Adria lagen schon z. Z. des Humanismus für die Historiker von R. im dunkeln, so daß sie zu verschiedenen Ursprungslegenden nach Art der ant. Aitiologie griffen (vgl. die Darstellungen bei [2; 3; 4]). Legendenhaft ausgeschmückt ist bereits der Bericht des → Konstantinos [1] Porphyrogennetos (Konst. de administrando imperio 29). Die hier und auch noch in der neueren Lit. (z. B. [5], vgl. so auch → Epidaurum) vertretene Ansicht, R. sei einfach die Nachfolgesiedlung des alten Epidaurum (it. *Ragusa vecchia*, slav. *Civdat* < lat. *civitatem*, ca. 20 km südöstl. von R. gelegen; *Epitaurum id est Ragusium* beim Geogr. Rav. 4,16), ist im Licht der neueren Ausgrabungen zu revidieren (vgl. [6]): Demnach bestanden an der Stelle des späteren R. schon im 6. Jh. n. Chr. eine Basilika und eine Festung. Ob dies allerdings ausreicht, diese Siedlung schon als »wichtiges Zentrum« [6] zu bezeichnen, ist nicht sicher. Es dürfte, wie auch im Falle Venedigs, wohl ein komplexer Prozeß der Stadtwerdung vorliegen, bei dem die Flucht der röm. Bevölkerung (um 600 n. Chr.) aus dem alten Epidaurum und dem balkanischen Binnenland vor → Slaven und → Avaren, die auch sonst für die dalmatische Küste bezeugt ist, nur eine Komponente darstellt; vielleicht ist auch die spätere Nachr. [4. 18] von it. Beteiligung nicht ohne histor. Kern.

Die slav. Siedlung Dubrovnik unterhalb des Berges Srj war bis ins hohe MA vom eigentlichen R. getrennt, der romanische Dial. blieb bis ins späte MA erh. R. blieb, wie die anderen Küstenstädte auch, zumindest nominell bei Byzanz (→ Byzantion, → Konstantinopolis) und wurde im J. 866/876 vergeblich von den Arabern belagert. Teil des → Themas Dalmatien, verfügte es seit 1022 über einen eigenen Erzbischof (vorher war R. Bistum der Erzdiözese Split) und gehörte E. des 12. Jh. kurzfristig zum Normannenreich. Von 1205 bis 1358 unterstand es Venedig; danach war R. unabhängige Republik unter ungarischer, dann osmanischer Oberhoheit bis 1808.

1 G. SCHRAMM, Eroberer und Eingesessene, 1981, 331–334 2 B. KREKIĆ, Dubrovnik (Raguse) au Moyen Age, 1961 3 F. W. CARTER, Dubrovnik (R.). A Classic City-State, 1972 4 S. M. STUARD, A State of Deference: R./Dubrovnik

in the Medieval Centuries, 1993 **5** A. Kazhdan, B. Krekić, s. v. Dubrovnik, ODB 1, 665 **6** B. Krekić, s. v. R. (Ž. Rapanić), LMA 7, 399–401 **7** L. Steindorff, Die dalmatischen Städte im 12. Jh., 1984 **8** R. Katičić, Lit. und Geistesgesch. des kroatischen Frühmittelalters, 1999, 230–237. J. N.

Rammius. Q. R. Martialis. Ritter, von dessen Ämtern nur die *praefectura vigilum* zw. 111 und 113 n. Chr. sowie die *praefectura Aegypti* zw. 117 und 119 bezeugt ist. Er hatte in Äg. noch mit den Nachwehen des Aufstandes der Juden zu kämpfen. PIR² R 20. W. E.

Ramnes, Titi(ens)es und Luceres (so Liv. 1,36,2, jedoch in 1,13,8 und Cic. rep. 2,20,36: R(h)amnenses) sind die etr. (Varro ling. 5,55; dazu [1. 218, 581]) Namen der drei von → Romulus [1] eingerichteten (nach Dion. Hal. ant. 4,14,2 und Gell. noct. Att. 15,27: nach Geschlechtern geordneten) → *tribus*, die sich in je 10 → *curiae* gliedern und so die erste Gliederung des röm. Volkes und Heeres bildeten (30×10 Ritter, 30×100 Fußsoldaten: Varro ling. 5,89; Liv. 1,13,8). Die Herleitung der Bezeichnung R. von Romulus (und Tities/Titienses von Titus Tatius, dessen sabinischen Mitkönig) durch Ennius (bei Varro ling. 5,55, vgl. Liv. 1,13,8) ist fiktiv. Ebenso spekulativ ist die Gleichsetzung der R. mit der latinischen, der Tities mit der sabinischen und der Luceres mit der etr. Bevölkerung Roms (vgl. [2. 39–45]). Die Namen leben seit der Verwendung des Begriffs *tribus* für lokale Bezirke Roms (Liv. 1,43,13; Dion. Hal. ant. 4,14f.) und des *ager Romanus* (Servius → Tullius) weiter als Bezeichnung für die angeblich von → Tarquinius Priscus gebildeten sechs Reitercenturien der R., *Tities, Luceres priores* bzw. *posteriores* (»frühere« bzw. »spätere«; Liv. 1,36,2 f.; 1,36,7 f.; zum gesellschafts-polit. Hintergrund s. [3. 117–120]; → *centuria*). Sie sollen das Recht der ersten Abstimmung (*sex suffragia*) in den → *comitia centuriata* besitzen (zur Historizität vgl. bes. [4. 176–205]).

1 Schulze 2 U. von Lübtow, Das röm. Volk. Sein Staat und sein Recht, 1955 3 B. Linke, Von der Verwandtschaft zum Staat, 1995 4 M. Stemmler, Eques Romanus – Reiter und Ritter, 1997 5 L. Holzapfel, Die drei ältesten röm. Tribus, in: Klio 1, 1901, 228–255. W. ED.

Ramses. Name von elf Pharaonen, äg. *Rˁ-msj-sw* (»→ Re (der Sonnengott) hat ihn geboren«), babylonisch *Rīamašeša* vokalisiert, griech. durch Ῥαμέσσης u. ä. wiedergegeben.

[1] R. I. (Thronname *Mn-pḥtj-Rˁ*). Der Begründer der 19. Dyn. (ca. 1292–1290 v. Chr.) stammt aus nichtköniglicher Familie (aus dem Ostdelta?) und war hoher Offizier, bevor er von seinem Vorgänger → Haremhab zum Wesir und Thronfolger ernannt wurde. Sein Sohn → Sethos I. wurde wohl sogleich als Nachfolger bestimmt.

[2] R. II. (*Wsr-mȝˁt-Rˁ Stp.n-Rˁ*), Sohn → Sethos' I., 3. König der 19. Dyn., ca. 1279–1213, noch zu Lebzeiten seines Vaters gekrönt (aber nicht formeller Mitregent). In den ersten beiden Jahrzehnten unternahm R. II. in Fortsetzung der expansiven Politik seines Vaters mehrere Feldzüge nach Vorderasien. Im J. 5 nach seinem Regierungsantritt kam es zur Schlacht bei → Qadesch gegen die Hethiter, die in zahlreichen Inschr. und Pap. als großer Erfolg gefeiert wird, obwohl sie allenfalls unentschieden endete. Im J. 21 schlossen R. II. und Ḫattusili II. (bisher »III.«), dessen entthronter Vorgänger ins äg. Exil ging, einen Friedensvertrag, von dem eine akkadische und eine äg. Version erh. sind. Im J. 34 heiratete R. II. eine Tochter Ḫattusilis, später eine weitere. Zu diesen Vorgängen ist eine umfangreiche Korrespondenz der Königshöfe in akkad. Sprache überl. Von Feldzügen gegen Nubien, Libyen und Kämpfen mit den »Seevölkern« (→ Seevölkerwanderung) berichten die Quellen dagegen nur summarisch. Gegen die vordringenden Libyer ließ R. II. eine Kette von Festungen bauen.

Innenpolit. ist er v. a. als größter Bauherr der äg. Gesch. bekannt. Zunächst ließ er die Projekte seines Vaters vollenden; auch die schon von Sethos I. geplante neue Residenz im Ostdelta wurde von R. fertiggestellt und nach ihm benannt (»Haus des R.«). Auch sonst entfaltete R. in Äg. und Nubien eine ausgedehnte Bautätigkeit, oft in monumentalen Dimensionen; es gibt kaum einen größeren Ort ohne Baudenkmal von ihm. Er ließ unzählige Königsstatuen herstellen und usurpierte dazu viele Statuen seiner Vorgänger. R. hatte 7 Hauptgemahlinnen und mindestens 45 Söhne und 40 Töchter. Er starb im 67. Regierungsjahr im Alter von über 80 J. Seine Mumie (in der 21. Dyn. mehrfach umgebettet) ist erh. Sein Totentempel (»Ramesseum«) diente R. III. als Vorbild für seinen eigenen, er wird meist mit dem bei Diod. 1,47–49 beschriebenen »Grabmal des Osymandias« gleichgesetzt (Osymandias könnte eine Entstellung des Thronnamens *Wsr-mȝˁt-Rˁ* sein). Macht und Reichtum des *rex Rhamses* (verm. R. II.) werden noch dem Germanicus [2] auf seiner Ägyptenreise geschildert (Tac. ann. 2,60).

[3] R. III. (*Wsr-mȝˁt-Rˁ Mrj-Jmn*) ca. 1183–1152, Sohn des Sethnacht, des Begründers der 20. Dyn. Er versuchte in vielerlei Hinsicht, R. II. zu kopieren, sogar seine Söhne trugen dieselben Namen wie die des R. II. Im ersten Drittel seiner Regierungszeit errang R. große Siege gegen Libyer (J. 5 und 11) und »Seevölker« (J. 8), die in Äg. einzudringen versuchten. Zahlreiche Gefangene wurden geschlossen im Land angesiedelt und dienten im äg. Heer als Söldner. Kriege gegen Nubien und Vorderasien sind nicht sicher bezeugt. Auch R. war ein bedeutender Bauherr, v. a. in → Thebai. Sein Totentempel in Medīnat Habu war bis in die 21. Dyn. das Zentrum des thebanischen Westufers. R. wies den großen Tempeln des Landes Güter, Personal und Landbesitz in riesigem Ausmaß zu, viele ließ er befestigen. In den letzten J. seiner Herrschaft kam es in Oberäg. zu Versorgungsschwierigkeiten und Unruhen, verm. als Folge mil. Niederlagen. R. starb in seinem 33. Regierungsjahr, vielleicht als Opfer einer Haremsverschwörung, von der mehrere Pap. berichten. Er war der letzte bedeutende Pharao des NR; seine Mumie ist gut erh.

Die auf R. III. folgenden Könige der 20. Dyn. hießen alle gleichfalls R. Unter ihnen verlor Äg. seine Besitzungen in Vorderasien und Nubien. Im Inneren kam es zu Hunger, Korruption und Unruhen. Ursächlich dafür dürfte letztlich das Vordringen äußerer Feinde nach Äg. sein, worüber es in den Quellen aber nur Andeutungen gibt.

[4] R. IV. (*Hq3-m3ʿt-Rʿ*, ca. 1152–1145) plante noch einmal Bauvorhaben größten Stils (eine Steinbruchexpedition mit 8400 Mann ist bezeugt), die aber größtenteils nicht realisiert wurden. Sein Totentempel in Theben war noch im 9. Jh. v. Chr. in Betrieb, der Plan seines Grabes ist auf einem Pap. erh.

[5] R. V. (*Wsr-m3ʿt-Rʿ Shpr.n-Rʿ*, ca. 1145–1142). Unter ihm drangen Invasoren bis nach Oberäg. vor; in → Elephantine wurde ein Bestechungsskandal bekannt. Der König starb an Pocken, wie seine Mumie zeigt.

[6] R. VI. (*Nb-m3ʿt-Rʿ Mrj-Jmn*, ca. 1142–1134) ließ sich als Sieger über die Libyer darstellen, aber spätestens in seiner Regierungszeit endete die äg. Herrschaft über Palaestina. Sein riesiges Grab in Theben ist reich dekoriert und gut erh.

[7-8] Über R. VII. (*Wsr-m3ʿt-Rʿ Mrj-Jmn Stp.n-Rʿ*, ca. 1134–1126) und VIII. (*Wsr-m3ʿt-Rʿ 3h-n-Jmn*, ca. 1126–1125) ist wenig bekannt.

[9] R. IX. (*Nfr-k3-Rʿ Stp.n-Rʿ*, ca. 1125–1107). Unter ihm sind in den J. 8–15 Libyer und »Ausländer« (als Feinde) in Theben bezeugt. Im Anschluß daran (J. 16–18) kam es zu Prozessen gegen Grab- und Tempelräuber, die in zahlreichen Pap. überl. sind.

[10] R. X. (*Hpr-m3ʿt-Rʿ Stp.n-Rʿ*, ca. 1107–1103). Unter ihm sind wieder fremde Truppen in Theben belegt.

[11] R. XI. (*Mn-m3ʿt-Rʿ Stp.n-Pth*, ca. 1103–1070). In der ersten Zeit seiner Herrschaft war der Vizekönig von Kusch eine Art Militärdiktator von Oberäg., aber im J. 17 wurde er nach einem größeren Krieg nach → Nubien vertrieben; der Kampf gegen ihn wurde noch ca. 10 J. fortgesetzt. In Theben kam es wieder zu Grabräuberprozessen. Ab dem J. 19 wurde ganz Äg. von libyschen Militärführern kontrolliert, die zwar R. XI. noch formal respektierten, aber (vorübergehend) eine neue Zeitrechnung einführten, die den Bruch mit dem alten Regime deutlich macht. Nach seinem Tod übernahmen sie auch offiziell die Herrschaft.

→ Ägypten

A.-P. ZIVIE et al., s. v. R., LÄ 5, 100–128 · TH. SCHNEIDER, s. v. R., Lex. der Pharaonen, ²1996, 352–375.
Zu R. II.: K. A. KITCHEN, Pharaoh Triumphant, 1982.
Zu R. III.: P. GRANDET, Ramsès III, Histoire d'un règne, 1993.
Zu R. IV.: A. J. PEDEN, The Reign of Ramesses IV, 1994.
K. J.-W.

Randgruppen A. BEGRIFF
B. FORSCHUNGSGESCHICHTE
C. EINZELNE RANDGRUPPEN

A. BEGRIFF

Die Soziologie beschäftigt sich seit den 20er Jahren des 20. Jh. (Schule von Chicago) mit dem Phänomen der R. Im deutschsprachigen Raum ist der Begriff seit den 60er Jahren wiss. eingeführt. Unter R. werden Minderheiten verstanden, ›die von der Mehrheit als außerhalb der sozialen Normalität stehend betrachtet werden, also einen sozialen Außenseiterstatus haben... Gruppen, die sozial deklassiert sind und/oder sozial verachtet werden. Ein wesentlicher Teil von ihnen lebt in Armut‹ [3. 666]. Bevölkerungsgruppen, deren Werte, Normen, Verhalten und/oder äußere Erscheinung von der Bevölkerungsmehrheit abweichen, sind sozialen Vorurteilen und Stigmatisierungen ausgesetzt [33. 236]. Daraus ergibt sich, daß weder Geschlecht noch Lebensalter generell eine Zugehörigkeit zu R. begründet; Frauen, Kinder und Alte bleiben hier daher ebenso außer Betracht wie die soziale Unterschicht. Von dieser haben sich Angehörige der Oberschicht stets tendenziell abgegrenzt; Werktätige, im speziellen Lohnempfänger wurden verachtet, wobei einzelne Berufsgruppen auch an den ges. Rand gedrängt wurden. Von einer Randständigkeit aller → Künstler und Handwerker (→ Handwerk V.G.) im Alt. sollte allerdings nicht ausgegangen werden [42]. Wegen des ungenauen und unspezifischen Begriffes rückt ein Teil der soziologischen Forsch. und bes. die praxisorientierte Sozialarbeit davon ab [22. 459] oder steht ihm sehr kritisch gegenüber [6].

Die Soziologie thematisiert verstärkt das Verhältnis zwischen ges. Mehrheit und R., den Prozeß der Ausgliederung einzelner R. und die Strategien der herrschenden Gruppen oder der Mehrheit zur Sicherung der Geltung des herrschenden Wert- und Normensystems. Dabei ist auch zu berücksichtigen, daß viele vermeintliche R. eher desorganisierte und desintegrierte Aggregate sind. Da Ausgrenzung, Marginalisierung und Stigmatisierung als ein universelles Phänomen der Menschheitsgesch. angesehen werden können, das nach konkreten histor. und ges. Verhältnissen unterschiedliche Formen annimmt und für verschiedene Bevölkerungsgruppen und Individuen verschiedene Konsequenzen hat [6. 17], müssen R. für einzelne Kulturen und Epochen gesondert bearbeitet werden.

B. FORSCHUNGSGESCHICHTE

In der Altertumswiss. hat unter dem Einfluß der Soziologie und der vergleichbaren Arbeitsrichtung in Mediävistik und Frühneuzeitforschung [8; 14; 15; 18] erst mit zeitlicher Verzögerung eine intensivere Beschäftigung mit R. eingesetzt, wiewohl einzelne Phänomene oder die Diskriminierung bestimmter Personengruppen (Prostituierte, Fahrendes Volk) schon lange diskutiert wurden. Da Sozialgesch., Rechtsgesch., Medizingesch., Arch. und andere Disziplinen an der Aufarbeitung der R.-Probleme beteiligt sind, ist inter/trans–disziplinäre

Zusammenarbeit geboten. Eine erste zusammenfassende Publikation ist nach vereinzelten Vorarbeiten 1988 vorgelegt worden [43; 44]. Eine ähnliche Veröffentlichung liegt für den Alten Orient vor [12]. Zuletzt ist dieses Thema für die westliche Spätant. mit zeitübergreifenden Ausblicken bearbeitet worden [26]. Die R.-Forschung hat sich im Bereich der histor. Wiss. als tragfähiges operatives Konzept erwiesen und ist vor allem für die röm. Welt auch popularisiert worden [41. 31–35].

C. Einzelne Randgruppen

Wenn im folgenden einzelne R. gesondert herausgehoben werden, entspricht dies vielfach dem ant. klassifikatorischen Denken und auch dem mod. Forschungsstand. Ein durchdachtes Konzept von R. hat das Alt. jedoch nicht entworfen. Die Aufzählung einzelner Personengruppen bedeutet nicht, daß von jedem Individuum durch Gruppenzugehörigkeit *eo ipso* auch Randständigkeit behauptet werden kann bzw. wahrgenommen wurde. Ferner muß festgehalten werden, daß für viele R.-Angehörige die Grenzen zur Mehrheitsges. durchlässig waren, wie auch dauerhafte (z.B. bei Körperbehinderten) und zeitlich sowie räumlich beschränkte R.-Zugehörigkeit (z.B. bei Fremden und ethnischen Minoritäten) zu differenzieren sind.

In der Ant. begründeten folgende Eigenschaften eine Marginalisierung: 1) Nichtzugehörigkeit zum staatlichen Rechts- und Kultverband; 2) Nichtzugehörigkeit zur Normfamilie; 3) Ausübung infamer Berufe und Tätigkeiten, die aber ges. notwendig und toleriert waren, somit keinen Verboten unterlagen; 4) kriminelle Aktivitäten bes. gegen Eigentum und Besitz, die der strafrechtlichen Verfolgung unterlagen; 5) Ausübung nichtseßhafter, nichtagrarischer Lebens- und Wirtschaftsweisen; 6) abweichendes (deviantes), z.T. provokantes Verhalten gegenüber den herrschenden Normen und der Mehrheits-Ges.; 7) Bettelei; 8) Behinderung und Krankheit. Nicht selten kamen mehrere dieser Faktoren zusammen, was die Marginalisierung noch verstärkte; individuelle Armut hatte denselben Effekt. Ges. und Staat gingen mit Verachtung und sozialer Ausgrenzung, rechtlicher Diskriminierung und Kriminalisierung dagegen vor.

Im einzelnen entsprachen bestimmte Personengruppen diesen genannten Eigenschaften: 1) zuerst sind die Fremden zu nennen, soweit sie in ihrem Umfeld sozial nicht integriert waren [47; Lit. in: 21. 565–573]. Migranten aus dem Osten schlug in Rom eine Welle der Ablehnung entgegen (vgl. Iuv. 3,61–125), doch bot sich ebenso die Möglichkeit von Integration und sozioökonomischem Aufstieg in der fremden Ges. [36]. Zu diesen Gruppen zählten auch die Verbannten und Flüchtenden, darunter Sklaven und Kolonen (→ *colonatus*); auch die Anachoresis (→ Landflucht) in Äg. gehört in diesen Zusammenhang [25. 16–33; 26. 151–162]. Unter den rel. Minderheiten kann auf Christen in paganer Umgebung und Juden in der Diaspora [27; 32; 49] verwiesen werden. 2) Kinder aus nicht vollgültiger

Ehe (→ *nóthos*) wurden im klass. Athen marginalisiert. In Gemeinschaft mit kynischen Philosophen (→ Kynismus), Gauklern, Sklaven, Armen und Kranken wurden sie auf das Kynosarges-Gymnasion außerhalb des eigentlichen Stadtgebietes beschränkt [28. 199–208]. Im röm. Bereich war der → *spurius* ebenso mannigfachen Beschränkungen unterworfen (keine Aufnahme in das offizielle Geburtsverzeichnis, Zurücksetzung bei der Aufnahme zum → *decurio*), doch konnte durchaus ges. Akzeptanz erworben werden. Witwen und Waisen [19], wiewohl nicht selten in sozialökonomisch trister Situation, sollten nicht generell zu R. gezählt werden, da sie im Familienverband integriert blieben und von Seiten des Staates schützende Regelungen ergriffen wurden.

3) → Prostitution von Männern und Frauen war Ursache von sozialer Ausgrenzung insbes. dann, wenn diese zur Bestreitung des Lebensunterhaltes ausgeübt wurde [5; 23; 38. 296–341; 26. 200–233]. Der männliche homosexuelle Prostituierte unterlag zumindest im Athen des 5./4. Jh. v. Chr. der → *atimía* (»Aberkennung der Ehrenrechte«), was den Ausschluß von staatlichen und sakralen Ämtern bedeutete sowie das Verbot, als öffentlicher Redner aufzutreten, Herold oder Advokat zu werden oder überhaupt die Agora zu betreten (Aischin. Tim. 19 ff.). Diesem Umfeld sind auch die Kuppler (lat. *lenones*) zuzuordnen. Berufe, die ihre Existenz aus dem gewaltsamen oder natürlichen Tod herleiteten, waren mit Restriktionen verbunden: Henker (lat. *carnifices*) wurden von der Wohnbevölkerung räumlich abgesondert. Bestattungsunternehmer (lat. *vespillones*, *libitinarii*) übten ein schmutziges Gewerbe aus, doch ist es bezeichnend, daß ein Freigelassener wie Trimalchio im Roman des → Petronius [5] den *libitinarius* ganz anders einstuft (Petron. 38,14: *honesta negotiatio*). Es sagt viel aus, wenn Iuvenalis Mörder, Matrosen, Diebe, flüchtige Sklaven, Henker und Hersteller von Totenbahren in eine Gruppe zusammenwirft (Iuv. 8,173–175) In der röm. Welt waren mit *turpitudo* (»Ehrlosigkeit«) ferner Bühnenkünstler wie Musiker und Schauspieler [4; 24; 26. 233–250], → Unterhaltungskünstler (Gaukler, Possenreißer, Akrobaten), → Gladiatoren [26. 250–258; 29; 48] und Tierkämpfer (*bestiarii*) behaftet. Berufsathleten [16] und Wagenlenker [17] können ebenfalls dazu gerechnet werden, wiewohl sie sich berufliches und soziales Prestige erwerben konnten, und die rechtlichen Vorschriften einen gewissen Spielraum gewährten. Auch die mit *missio ignominiosa* unehrenhaft entlassenen Soldaten waren Diskriminierungen unterworfen.

4) Diebe und Viehdiebe traten in der Regel als Einzeltäter auf [26. 289–365], während Räuber (*latrones*, vgl. [11; 25. 101–141; 26. 367–417; 35; 39. 190–202]) gewöhnlich in größeren Gruppen agierten, die auch ein mil. Eingreifen des Staates erforderten. Piraten [1; 37] können aufgrund ihres mil. und ökonomischen Potentials keineswegs als sozial deklassiert angesehen werden und fanden stets offene Grenzen zur Legalität (→ Seeraub). Wahrsagerei, Hexerei und → Magie standen oft unter Strafe [26. 259–286]. Strafgefangene waren in ih-

ren Rechten äußerst eingeschränkt [20; 26. 419–474].
5) Hirten [26. 143–151; 40. 276, 280] und Bergbewohner [9] lebten in gesonderten Lebensräumen am Rande der städtisch-agrarischen Ges. mit fließendem Übergang zur Räuberei. Wanderarbeiter [25. 142–177; 26. 138–151] und Hausierer (*circitores*) teilten sich die Ablehnung von niedriger Arbeit und Kleinkrämerei.

6) Schon in Athen galten einzelne Philosophen als Außenseiter [34. 68–71], die auch mit Verfolgung konfrontiert waren. Die Kyniker [13. 172–181] haben sich selbst durch Auftreten, Kleidung und Sprache als Widerpart der herrschenden Ges.-Strukturen hervorgetan (→ Kynismus, → Diogenes [14]). 7) Als Sondergruppe der Armen können jene Bettler angesehen werden, die zur Bestreitung ihres Lebensunterhaltes ausschließlich auf fremde Mildtätigkeit angewiesen waren und sowohl in Städten wie auch unterwegs auf dem Lande anzutreffen waren [30. 68–74; 26. 33–132]. 8) Körperlich Behinderte unterlagen vielfachen Ausgrenzungen [7], konnten allerdings durch Berufstätigkeit ihre ges. Anerkennung sichern [10]. An → Zwergen hat man sich ebenso wie an behinderten Gauklern gerne belustigt [45; 46]. Auch krankhafter Alkoholismus konnte zur Randständigkeit führen [2; 50] (→ Rauschmittel).
→ Armut; Bettelei; Freigelassene; Prostitution; Räuberbanden; Sklaverei

1 L. CASSON, Piracy, in: M. GRANT, R. KITZINGER (Hrsg.), Civilisation of the Ancient Mediterranean, Bd. 2, 1988, 837–844 2 J. H. D'ARMS, Heavy Drinking and Drunkenness in the Roman World, in: O. MURRAY, M. TECUSAN (Hrsg.), In vino veritas, 1995, 304–317 3 H. DRECHSLER, W. HILLIGEN, F. NEUMANN (Hrsg.), Ges. und Staat. Lex. der Politik, ⁹1995 4 M. DUCOS, La condition des acteurs à Rome, données juridiques et sociales, in: J. BLÄNSDORF (Hrsg.), Theater und Ges. im Imperium Romanum, 1990, 19–33 5 C. EDWARDS, Unspeakable Professions: Public Performance and Prostitution in Ancient Rome, in: J. P. HALLETT, M. B. SKINNER (Hrsg.), Roman Sexualities, 1997, 66–95 6 K. GAHLEITNER, Leben am Rand. Zur subjektiven Verarbeitung benachteiligter Lebenslagen, 1996 7 R. GARLAND, The Eye of the Beholder. Deformity and Disability in the Graeco-Roman World, 1995 8 B. GEREMEK, Der Außenseiter, in: J. LE GOFF (Hrsg.), Der Mensch des MA, 1990, 374–401 9 H. GRASSL, Bergbewohner im Spannungsfeld von Theorie und Erfahrung der Ant., in: E. OLSHAUSEN, Stuttgarter Kolloquium zur histor. Geogr. des Alt. 5, 1996, 189–196 10 Ders., Behinderung und Arbeit, in: Eirene 26, 1989, 49–57 11 TH. GRÜNEWALD, Räuber, Rebellen, Rivalen, Rächer: Studien zu Latrones im Röm. Reich, 1999 12 V. HAAS (Hrsg.), Außenseiter und R. Beiträge zu einer Sozialgesch. des Alten Orients, 1992 13 J. HAHN, Der Philosoph und die Ges., 1989 14 B.-U. HERGEMÖLLER et al., s. v. R., LMA 7, 433–438 15 Ders. (Hrsg.), R. der spätma. Ges., ²1994 16 G. HORSMANN, Die Bescholtenheit der Berufssportler im röm. Recht, in: Nikephoros 7, 1994, 207–227 17 Ders., Die Wagenlenker der röm. Kaiserzeit. Unt. zu ihrer sozialen Stellung, 1998 18 B. KIRCHGÄSSNER, F. REUTER (Hrsg.), Städtische R. und Minderheiten, 1986 19 J. U. KRAUSE, Witwen und Waisen im röm. Reich, Bd. 1–4, 1994/95 20 Ders., Gefängnisse im Röm. Reich, 1996

21 Ders. et al., Bibliogr. zur röm. Sozialgesch., Bd. 2, Schichten, Konflikte, rel. Gruppen, materielle Kultur, 1998 22 D. KREFT, I. MIELENZ, Wörterbuch Soziale Arbeit, ⁴1996 23 W. A. KRENKEL, Prostitution, in: s. [1], 1291–1297 24 H. LEPPIN, Histrionen. Unt. zur sozialen Stellung von Bühnenkünstlern im Westen des Röm. Reiches zur Zeit der Republik und des Prinzipats, 1992 25 P. McKECHNIE, Outsiders in the Greek Cities in the Fourth Century BC, 1989 26 V. NERI, I marginali nell' occidente tardoantico, 1998 27 K. L. NOETHLICHS, Das Judentum und der röm. Staat: Minderheitenpolitik im ant. Rom, 1996 28 D. OGDEN, Greek Bastardy in the Classical and Hellenistic Periods, 1996 29 W. PIETSCH, Gladiatoren – Stars oder Geächtete?, in: P. SCHERRER, Steine und Wege, FS D. Knibbe, 1999, 373–378 30 M. PRELL, Sozialökonomische Unt. zur Armut im ant. Rom, 1997 31 J. M. RAINER, Zum Problem der Atimie als Verlust der bürgerlichen Rechte insbes. bei männlichen homosexuellen Prostituierten, in: RIDA, 3ᵉ Série 33, 1986, 89–114 32 P. SCHÄFER, Judeophobia. Attitudes Towards the Jews in the Ancient World, 1997 33 B. SCHÄFERS (Hrsg.), Grundbegriffe der Soziologie, ⁵1998 34 P. SCHOLZ, Der Philosoph und die Politik, 1998 35 B. D. SHAW, Der Bandit, in: A. GIARDINA (Hrsg.), Der Mensch der röm. Ant., 1991, 337–381 36 H. SONNABEND, Zur sozialen und rechtlichen Situation von Migranten aus dem Osten im Rom der späten Republik und frühen Kaiserzeit, in: A. GESTRICH, Histor. Wanderungsbewegungen. Migration in Ant., MA und Neuzeit, 1991, 37–49 37 P. DE SOUZA, Piracy in the Graeco-Roman World, 1999 38 B. E. STUMPP, Prostitution in der röm. Ant., ²1998 39 J. SÜNSKES THOMPSON, Aufstände und Protestaktionen im Imperium Romanum, 1990 40 G. VOLPE, Contadini, pastori e mercanti nell' Apulia tardoantica, 1996 41 K. W. WEEBER, s. v. Außenseiter, in: Ders., Alltag im Alten Rom: ein Lex., 1995, 31–35 42 I. WEILER, »Künstler-Handwerker« im Alt. – Randseiter der ant. Ges.?, in: G. ERATH, Komos. FS Th. Lorenz, 1997, 149–154 43 Ders., Zur Gesch. sozialer R. in der Alten Welt, in: E. WEBER, Röm. Gesch., Alt.kunde und Epigraphik. FS A. Betz, 1985, 659–672 44 Ders. (Hrsg.), Soziale R. und Außenseiter im Alt., 1988 45 Ders., Überlegungen zu Zwergen und Behinderten in der ant. Unterhaltungskultur, in: Grazer Beiträge 21, 1995, 121–145 46 Ders., Physiognomik und Kulturanthropologie. Überlegungen zu behinderten Gauklern, in: G. DRESER, G. RATHMAYR (Hrsg.), Mensch – Ges. – Wiss., 1999, 191–210 47 Ders., Fremde als stigmatisierte R. in Ges.-Systemen der Alten Welt, in: Klio 71, 1989, 51–59 48 TH. WIEDEMANN, Emperors and Gladiators, 1992 49 Z. YAVETZ, Judenfeindschaft in der Ant., 1997 50 P. ZANKER, Die Trunkene Alte, 1989.

H. GR.

Ranius

[1] C. R. Castus. Senator, dessen Gent. auch Granius lauten könnte. Legat des Proconsuls von Asia 126/7 n. Chr., PIR² R 23. Vielleicht identisch mit dem *cos. suff.* Castus des Jahres 142 [1], der in Fr. S der Fasti Ostienses genannt ist [2].

1 W. ECK, P. WEISS, Tusidius Campester, cos. suff. unter Antoninus Pius und die Fasti Ostienses zum J. 141/2, in: ZPE 134, 2001 (im Druck) 2 FO² 52.

[2] L. R. Optatus. Senator; seine Laufbahn ist durch CIL VI 1507 (vgl. Addenda in CIL VI Suppl. VIII 3, p. 4707) und XII 3170 bekannt. Nach der Praetur wurde er u. a. *iuridicus* von *Asturia et Calaecia, procos. provinciae Narbonensis* und schließlich *cos. suff.*, wohl unter Septimius Severus. PIR² R 24.

[3] Q. R. Terentius Honoratianus Festus. Nachkomme von R. [2]. Nach der Praetur wurde er *praefectus aerarii militaris*, Legat des Proconsuls von Lycia-Pamphylia, Legionslegat und schließlich Proconsul von Lycia-Pamphylia, verm. in den ersten Jahrzehnten des 3. Jh. PIR² R 25.   W. E.

Rankenornament s. Ornament

Ranunculus (βατράχιον/*batráchion* = σέλινον ἄγριον/ *sélinon ágrion* bei Dioskurides), Hahnenfuß. Zu der weit verbreiteten Familie der Ranunculaceae gehören in Griechenland und It. über 100 Arten. Der Name der Pflanze scheint wegen ihrer Vorliebe für feuchte Standorte von »Frosch« (βάτραχος/*bátrachos*, lat. *rana*) abgeleitet zu sein. Dioskurides (2,175 WELLMANN = 2,206 BERENDES) und Plinius (nat. 25,172f.) beschreiben das Aussehen von vier h. kaum bestimmbaren Arten. Aufgelegte Blätter und Stengel sollen eine ätzende Wirkung haben und daher Aussatz (*lépra*), Krätze (*psóra*) und Brandmale (*stígmata*) beseitigen sowie bei Haarausfall (*alōpekía*) helfen. Wegen der angeblichen Heilung von geschwollenen Drüsen (*strumae*) heißt der Hahnenfuß nach den Kräuterkundigen (*herbarii*) bei Plinius (nat. 25,174) auch *strumus*. Die gekaute Wurzel wurde gegen Zahnschmerzen sowie (getrocknet und geschnitten) als Niesmittel verordnet.

H. STADLER, s. v. R., RE I A, 230–232.   C. HÜ.

Rapidum. Stadt der → Mauretania (III. B.) Caesariensis, etwa 24 km westl. von Auzia am Limes (→ Limes VIII. C., mit Karte), h. Sour Djouab (Itin. Anton. 30,7: *Rapidi*; 38,9: *Rapido castra*). 122 n. Chr. gründete → Hadrianus bei R. ein *castrum* (CIL VIII Suppl. 3, 20833). Im J. 167 errichteten die *veterani et pagani consistentes aput R.* (»Veteranen und Bauern bei R.«) die Mauer der an das *castrum* angrenzenden Stadt (CIL VIII Suppl. 3, 20834f.). Nach Zerstörungen baute → Diocletianus R., damals → *municipium*, wieder auf (CIL VIII Suppl. 3, 20836). Bed. Ruinen in Stadt und Lager sind erh. Inschr.: CIL VIII 2, 9195–9226; Suppl. 3, 20829–20844; 22548–22550; AE 1975, 953; 1992, 1910–1924; 1994, 1901.

AAAlg, Bl. 14, Nr. 96 · J.-P. LAPORTE, R., in: Bull. de la Soc. Nationale des Antiquaires de France, 1983, 253–267 · Ders., R., 1989 · M. LEGLAY, Reliefs, inscriptions et stèles de R., in: MEFRA 63, 1951, 53–91 und Taf. I–VIII.   W. HU.

Rapina. Der Raub im röm. Recht, urspr. im → *furtum* (»Diebstahl«) enthalten, dann ein (vom → Praetor selbständig geschaffenes) Delikt, verfolgbar mit *actio vi bo-*

norum raptorum (»Klage wegen gewaltsam geraubter Güter«) auf das Vierfache, nach Jahresfrist auf das Einfache. Der überlieferte Ediktstext (Dig. 48,7,2 pr.) umfaßt Bandendelikt (*dolo malo hominibus armatis coactisve damnum datum*, »vorsätzliche Schadenszufügung durch bewaffnete und zusammengerottete Leute«) und Raub (*bona rapta*, wörtlich Raubgut). Ob schon das Edikt des → Licinius [I 27] Lucullus (1. Jh. v. Chr.) beides enthielt, oder ob der Raub davon unabhängig geregelt war, und die Zusammenfassung später (bei Iustinian, 6. Jh. n. Chr.?) erfolgte, ist umstritten. Die Raubklage galt im 1.–3. Jh. n. Chr. überwiegend als mit sachverfolgenden Klagen kumulierbare → *actio [2] poenalis* (private Strafklage), später als Straf- und Ersatzfunktion vereinigende → *actio [2] mixta* (gemischte Klage, Inst. Iust. 4,2). Mit ihr konkurriert die kriminelle Ahndung als *crimen* → *vis* (»Gewaltverbrechen«, Dig. 48,7,1,2).

1 U. EBERT, Die Gesch. des Edikts de hominibus armatis coactisve, 1968 2 M. BALZARINI, Ricerche in tema di danno violento e rapina, 1969 3 L. VACCA, Ricerche in tema di actio vi bonorum raptorum, 1972.   C. E.

Rapinium. Kleine Anlegestelle (*positio*, Itin. Maritimum 498,6f.) an der Küste von Etruria zw. → Centumcellae und → Graviscae, h. Bagni Sant' Agostino.
       G. U./Ü: J. W. MA.

Raptus. Im röm. Recht Entführung (i. d. R. einer Frau) zu sexuellen Zwecken (auch bei beabsichtigter Ehe). In republikanischer Zeit → *iniuria* (privatrechtliches Delikt), später wahrscheinlich als *crimen* → *vis* (Gewaltverbrechen) verfolgt. Neuregelung durch Constantinus d. Gr. (Cod. Theod. 9,24,1) mit Todesstrafe für alle Beteiligten, für die einwilligende Frau als Mittäterin; selbst die widerstrebende verliert das Erbrecht nach ihren Eltern (Anf. 4. Jh.). Iustinianus (Cod. Iust. 9,13,1) beseitigt im 6. Jh. die Bestrafung der Entführten und spricht ihr (bei fehlender Einwilligung) zudem das Vermögen des Täters zu.

1 S. PULIATTI, La dicotomia vir-mulier e la disciplina del ratto nelle fonti legislative tardo-imperiali, in: SDHI 61, 1995, 471–529 2 F. GORIA, s. v. Ratto (diritto romano), Enciclopedia del Diritto 27, 1987, 707–725.   C. E.

Raqqa (*ar-Raqqa*). Mod. syrische Provinzhauptstadt an der Mündung des Balīḫ in den → Euphrates. Zur Gesch. bis zum 4. Jh. s. → Nikephorion. Seit 638/9 ist der Ort arabisch. Nach der Errichtung von ar-Rāfiqa westl. von R. durch den Kalifen al-Manṣūr (772) kam es zu einem großartigen Ausbau durch Hārūn ar-Rašīd und einer zeitweisen Verlegung (796–808) der abbasidischen Residenz, die erst später R. genannt und noch erweitert wurde. Von Saladin 1182 zerstört, danach unter ayyubidischer Herrschaft. Arch. Unt. konzentrieren sich auf islam. Überreste; die byz. Stadtbefestigung ist in Sondagen erfaßt. Nö des mod. R. liegt der brz. Fundort Tall Bīˁa/Tuttul mit einem spätröm. Friedhof und einem Kloster (6. Jh.), verm. Dēr Zakkai.

A. Hausleiter, Raqqa e Heraqla, in: F. M. Fales, Siria –
Guida all'archeologia e ai monumenti, 1997, 209–211 ·
M. al-Khalaf, K. Kohlmeyer, Unt. zu ar-Raqqa –
Nikephorion/Callinicum, in: MDAI(Dam) 2, 1985,
133–162 · M. Meineke, s. v. al-Raḳḳa, EI 8, 404–414 ·
K. Toueir, s. v. Raqqa, ar-, The Oxford Encyclopedia of
Archaeology in the Near East, Bd. 4, 404–407.   AR. HA.

Rarus. Sonst unbekannter Verf. eines sentenzhaften
Epigramms (von der *Anthologia Planudea* Palladas zugeschrieben): Ein untreuer Freund ist mehr zu fürchten als
ein offener Feind (Anth. Pal. 10,121). Das Motiv ist weit
verbreitet (vgl. z. B. Anth. Pal. 10,36; 95; 11,390; auch
schon Thgn. 91 f.).   M. G. A./Ü: G. K.

Ras Šamra s. Ugarit

Raschep s. Rešep

Rasiermesser (ξυρόν/*xyrón*; lat. *novacula, cultellus, culter
tonsorius*). Zum Rasieren des → Bartes und Abschneiden
des Kopfhaares z. B. bei → Trauer diente seit frühgriech.
Zeit das R., das in zahlreichen Expl. überl. ist. Seine
Länge konnte weit über 20 cm betragen; als Materialien
für die Klinge dienten Eisen und Br., für den Griff Br.,
Elfenbein, Holz. Das R. ist in unterschiedlichen Formen belegt: So konnte es spatel- oder halbmondförmig,
lang und schmal mit gerader oder geschwungener Klinge, breit und abgerundet oder breit und dreieckig sein.
Der Griff wurde vielfach mit Tierprotomen oder Ornamenten verziert. Nach seinem Gebrauch verwahrte
man es in einem Etui (ξυροδόκη/*xyrodókē*, ξυροθήκη/
xyrothḗkē; [*curva*] *theca*, vgl. Mart. 11,58,9; Petron. 94,14)
oder hängte es mittels einer am Griffende angebrachten
Öse auf. R. sind vornehmlich aus Grabfunden bekannt,
doch gelangten sie ebenso als Weihgabe in Heiligtümer,
vgl. Anth. Pal. 6,61.
→ Barbier; Haartracht; Messer

Sp. Marinatos, Haar- und Barttracht (ArchHom 1,2),
1967, 31–34 · J. Garbsch, Zu neuen Funden in Bayern, in:
Bayerische Vorgeschichtsbl. 40, 1975, 68–89 ·
E. Ohlshausen, Eros mit dem Barbiermesser, in: AA 1979,
17–24 · V. Bianco Peroni, I rasoi nell'Italia continentale
(Prähistor. Bronzefunde 8,2), 1979 · G. C. Boon, Razor
and Toilet-Knife, in: Britannia 22, 1991, 21–32 ·
C. Weber, Die R. in Südosteuropa (Prähistor. Bronzefunde
8,5), 1996.   R. H.

Ratae. Röm. Kastell in Britannia, vor 50 n. Chr. an der
Stelle einer eisenzeitlichen Siedlung am h. Soar errichtet
und ca. 20 J. gehalten. Darüber und über dem Kastell-
vicus entwickelte sich der Kernbereich einer blühenden
Stadt (Itin. Anton. 477,4; Ptol. 2,3,20: Ῥάγε; CIL VII
1169; vgl. CIL XVI 160), h. Leicester [1. 52 f.]. Schon vor
100 n. Chr. war R. Hauptort der Coritani oder Coriel-
tavi [2]. Forum und Basilika entstanden unter Hadrianus
(117–138 n. Chr.), die Thermenanlage ca. 150 n. Chr.
Teile der Bäder blieben als der h. sog. Jewry Wall erh.
[3]. Befestigungen wurden vor 200 n. Chr. hinzugefügt.

Im späten 4. Jh. ging das urbane Leben zurück, wurde
aber nach 700 n. Chr. neu belebt.

1 M. Todd, The Coritani, ²1991 2 J. S. Wacher, The
Towns of Roman Britain, ²1995 3 K. M. Kenyon,
Excavations at the Jewry Wall Site, 1948.

M. Hebditch, J. E. Mellor, Britannia, Bd. 3, 1974, 1–83.
                                             M. TO./Ü: I. S.

Ratespiele aus der Ant. sind nur in geringer Zahl bekannt (→ Rätsel). Um zu ermitteln, wer beginnen durfte, wurde gern das Spiel *capita aut navia* gewählt. Benannt ist dieses nach den altröm. Mz. mit dem Kopf des
→ Ianus (*capita*) und Schiffsschnabel (*navia*, wohl ein Pl.
in Parallele zu *capita*). Man warf eine Mz. in die Luft: Zu
raten war (wie beim h. »Kopf oder Zahl«), welches Bild
oben lag. Ein R. für zwei Spieler war *Par-Impar*
(ἀρτιάζειν/*artiázein* oder ποσίνδα/*posínda*): Der erste
hält in der rechten Hand eine Anzahl kleinerer Gegenstände (→ Astragale, Bohnen, Nüsse o. ä.) und zeigt seinem Mitspieler die geschlossene Faust; dieser muß erraten, ob sich in der Faust eine gerade (*par*) oder ungerade (*impar*) Anzahl der Gegenstände befindet; dann ist
der zweite Spieler an der Reihe. Wer richtig rät, erhält
die in der Hand verborgenen Gegenstände. Das Spiel
endet, wenn einer der beiden keine Nuß, Bohne usw.
mehr hat, die er einsetzen kann. Das Spiel wurde von
Kindern (Hor. sat. 2,3,248; Aristoph. Plut. 1057; Ov.
nux 79) und Erwachsenen gespielt (Aristoph. Plut. 816;
Suet. Aug. 71,4), die allerdings Mz. als Einsatz nahmen.

Ein weiteres beliebtes Spiel war *micare digitis* (διὰ δακ-
τύλων κλῆρος/*diá daktýlōn klḗros*; auch λαχμός/*lachmós*,
so Nonn. Dion. 33,77–78), das h. meist Morra genannt
wird. Es wurde ebenfalls von zwei Personen gespielt,
die gleichzeitig die rechte Hand mit einigen, allen oder
keinem Finger emporschnellen ließen und zur selben
Zeit die richtige Anzahl der ausgestreckten Finger des
anderen zu erraten versuchten. Auf griech. Darstellungen halten die beiden Spieler gemeinsam einen Stab in
den Händen; derjenige, der die richtige Anzahl erriet,
durfte wohl auf dem Stab vorrücken.

K. Ohlert, Rätsel und Gesellschaftsspiele der alten
Griechen, ²1912 · K. Schauenburg, Erotenspiele, in: Ant.
Welt 7.3, 1976, 40 f. · H. A. Cahn, Morra: Drei Silene beim
Knobeln, in: H. Froning (Hrsg.), Kotinos. FS E. Simon,
1992, 214–217.   R. H.

Rathaus s. Versammlungsbauten

Ratiaria. Röm. Kolonie in Moesia Superior, später
Hauptstadt der Dacia Ripensis (→ Dakoi, mit Karte), h.
Arčar (Kr. Vidin, Bulgarien). Die Siedlung lag am rechten Donau-Ufer an der wichtigen Straße von Singidu-
num nach Oescus und weiter ostwärts. R. war Lager der
legio XIII Gemina und Hafen einer Flußflotte (Not. dign.
or. 42,43). Belegt ist eine Waffenfabrik (Not. dign. or.
11,38). Arch. Funde, Inschr. und Mz.

V. Velkov, R. Eine röm. Stadt in Bulgarien, in: Eirene 5,
1966, 155–175 · TIR K 34 Sofia, 1976, 107.   J. BU.

Ratiocinatio s. Status

Rationalis s. rationibus, a

Rationalität A. DEFINITION B. »VOM MYTHOS
ZUM LOGOS« C. SOPHISTIK UND SOKRATIK
D. PLATON UND ARISTOTELES
E. HELLENISTISCHE UND RÖMISCHE PHILOSOPHIE
F. CHRISTLICHE REZEPTION

A. DEFINITION

Das ant. Verständnis von R. ist auf keinen einzelnen
griech. oder lat. Terminus festgelegt und ist zunächst
von der mod. Begrifflichkeit zu unterscheiden. Durch
Technik, Wirtschafts- und Verwaltungsstrukturen geprägt, tendiert das mod. allg. und wiss. Bewußtsein dazu, die »Zweckrationalität« (die auf die Mittel im Hinblick auf bestimmte Zwecke gerichtete R.) mit R.
überhaupt gleichzusetzen. Nach M. WEBERS soziologischer Unterscheidung zw. zweckrationalem, wertratio-
nalem, affektivem und traditionellem Handeln ist den
mod. Menschen die Zweck-R. deren selbstverständ-
lichste Form geworden. Dieses rein formale Verständnis
von R. wird auch oft als eine methodisch oder inhaltlich
vereinfachte und verkürzte Fassung von R. kritisiert.
Die Kritik führt zu neueren Differenzierungs- und Re-
habilitierungsversuchen in Hinblick etwa auf die Be-
deutsamkeit von Sprache und von Gesch. [21; 23; 44].
In allen diesen Versionen aber unterscheidet sich das
mod. philos. Verständnis von R. (nach HEGEL) von dem
ant. dadurch, daß es sich auf ein menschliches Vermögen, nicht auf das Wesen von Dingen bezieht. Die ant.
Bedeutungen von R. weisen jedoch nicht nur auf das
spezifisch menschliche Vermögen des Denkens, das
auch werthafte, affektive oder traditionelle Elemente
einschließt, sondern auch auf die ontologische Struktur
des Kosmos.

Die verschiedenen ant. R.-Formen lassen sich wiederum teilweise nach der aristotelischen Dreiteilung
gliedern: theoretisches Wissen (*theōría, sophía, epistếmē,
nus, nóēsis*), praktisches Wissen (*práxis, phrónēsis*) und
technische Herstellung (*téchnē, poíēsis*). Die Theorie
(→ Physik, → Mathematik, → Metaphysik) hat das Ewige, Notwendige zum Gegenstand; Praktisches und
technisches Wissen hingegen das Veränderliche. Seit
Platon wird ferner zw. Vernunft oder intuitivem Wissen
(*nóēsis*, lat. *intellectus*) und Verstand oder diskursivem
Erkennen (*diánoia*, lat. *ratio*) unterschieden. Die mod.
Differenzierung zw. Wiss. und Philos. besteht in der
Ant. nicht.

B. »VOM MYTHOS ZUM LOGOS«

Der histor. Übergang »vom Mythos zum Logos«
(nach NESTLES [37] Formel) ist vielfältig und nicht so
linear wie früher in der Forsch. angenommen [33]. Es
wurde in den letzten Jahren hervorgehoben, daß verschiedene R.-Formen auch dem mythischen Denken
zugrundeliegen, wenn sie auch nicht thematisiert oder
reflektiert werden. R. als philos. Entdeckung ist zwar

die Infragestellung mythischer Denkformen, wie sie
noch bei Homer und Hesiod zu finden sind, bleibt jedoch teilweise auf das Erbe der rel. Trad. angewiesen.
Die ersten griech. Philosophen (die sog. → Vorsokratiker) fragen wie die Dichter nach dem Anfang und dem
Sein (*to on*) im Ganzen (*to hólon*) als dem Göttlichen (*to
theíon*). Außerdem stützen sich diese Philosophen auf
bestehende lit. Formen (v. a. auf das Lehrgedicht) und
damit auf eine Mischung von Mythos und Argumentation [17]. Allg. ist die Metaphorik der philos. Sprache,
die zu ihrer Begrifflichkeit wesentlich gehört, in der
dichterischen Trad. verwurzelt. So zeugt etwa die häufige Verwendung der Lichtmetapher von der Bindung
des ant. Denkens an die sichtbare Natur, wie sie auch in
der griech. Dichtung und Kunst dargestellt wird (Herakl. 22 B 6 DK; Plat. Phaidr. 250d; Aristot. metaph.
980a 25). Anstatt von einer Opposition muß man eher
von einer wechselseitigen Befruchtung von Mythos
und Logos sprechen. Immerhin unterscheidet sich der
Logos vom Mythos durch die Aufforderung, argumentativ Rechenschaft abzulegen.

Theōría, das bewundernd-forschende Schauen, typischerweise das Beobachten der Sternenkonstellationen,
ist Selbstzweck und gilt als die höchste menschliche Tätigkeit (Aristot. protreptikos fr. 6; Cic. Tusc. 5,3,8–9).
Die kosmische R. als Weltordnung besteht vor allem in
der Regelmäßigkeit der Sternenbewegungen und Planeten, und in der Zweckmäßigkeit der Struktur von
Lebewesen. Zur Erklärung dieser Prozesse werden Analogien zu menschlichen polit. Erfahrungen wie Gerechtigkeit und Krieg, oder zu den Künsten (*téchnai*) herangezogen [47].

Bei den Vorsokratikern hat der Mensch noch keine
Sonderstellung; es wird eine Entsprechung von Welt-
vernunft als Makrokosmos und Menschenvernunft als
Mikrokosmos angenommen (Demokr. 68 B 34 DK;
Aristot. phys. 252b 26). Bei Herakleitos ist der → *lógos*
ein Gemeinsames, demgegenüber jede Vereinzelung etwas Unwahres ist (Herakl. 22 B 2; 50 DK; Plat. Phaid.
90c). Nach den Eleaten (Parmenides, Zenon) deckt die
rein begriffliche Erkenntnis die Identität von Denken
und Sein auf. Zudem ist die → Mathematik als nicht-
empirische, rationale Wiss. für die Griechen die Wiss.
schlechthin. Daher das Bemühen der Pythagoreer
(→ Pythagoreische Schule) um ein rein mathematisch
formuliertes System. Dieser Totalitätsgedanke wird jedoch meist von einem gewissen Bewußtsein der Grenzen menschlichen Wissens begleitet. Die Entdeckung
der irrationalen Zahlen etwa hatte die Einschränkung
des rein rationalen Weltbildes zur Folge [3]. Ein bedeutendes Verdienst der rationalen Denkart besteht gerade
in der Unterscheidung von Erkennbarem und Nichter-
kennbarem (Herakl. 22 B 28 DK; Alkmaion 24 B 1 DK).
Ferner wirkt auf den Philosophen der klass. Zeit
(5./4. Jh. v. Chr.) die Einsicht in die Unsicherheit der
menschlichen Lage (*conditio humana*) wie sie in den
griech. Schriftstellern von Homer bis Euripides und
Thukydides thematisiert wird. Die orphisch-pythago-

reische Bewegung etwa bringt durch ihren Dualismus von Seele und Körper den Begriff von Schuld und Erlösung, und damit das Problem des Bösen, zur Sprache (→ Orphik) [14].

Außerhalb der Philos. wird ebenfalls ein R.-Begriff entwickelt, etwa in der Medizin. Die in den hippokratischen Schriften (→ Hippokrates [6]) enthaltenen Analysen der natürlichen Ursachen der Krankheiten führen zur Ablehnung bestimmter abergläubischer Vorstellungen. Diese Beobachtungsmethode ist aber nicht theoriefrei, sondern teilweise mit spekulativen Verallgemeinerungen verbunden. Mit Aristoteles beginnt die systematische, empirische – obwohl wiederum nicht theoriefreie – wiss. Forsch. in Anatomie und Physiologie, die dann in der hell. Periode weiterentwickelt wird.

C. SOPHISTIK UND SOKRATIK

Erst von den Sophisten wird dem Menschen die Fähigkeit zur Erkenntnis des Wesens der Dinge ausdrücklich abgesprochen (Gorg. Helena 82 B 11 DK, § 13). Damit wird das Interesse auf die menschlich-praktischen Zwecke und insbes. auf die rhet. Bildung gelenkt. Insofern steht die Sophistik am Anfang der Aufklärungsbewegung und pädagogischen Revolution des 5. Jh. v. Chr. Wesentlich zur sophistischen Infragestellung herkömmlicher moralischer Ansichten gehört die große Debatte dieser Zeit über Natur (*phýsis*) und Konvention (*nómos*). Die damalige wiss. und moralische Krise sowie die Vorarbeiten der Sophisten über die Sprache ermöglichen die Selbstbesinnung des → Sokrates und deren unbefangenes Fragen nach dem guten, das heißt dem tugendhaften und glücklichen Leben (*aretḗ, eudaimonía*; → Tugend; → Glück). Die sokratische Methode von Frage und Antwort ist ethisch sowie logisch motiviert: Gemeint ist das Bloßlegen dünkelhafter, falscher Kenntnisse und die Aufforderung zur gemeinsamen Suche nach wirklichem Wissen (Plat. Men. 84a-c; Plat. Tht. 148d–151d). Die Möglichkeit des rechten Lebens beruht auf im Gespräch erlangter ethischer Einsicht. R. ist für die meisten philos. Schulen nach Sokrates nicht nur Merkmal eines klaren und kohärenten Diskurses, sondern auch Grundlage der angestrebten Lebensform als Selbstsorge (*therapeía psychḗs*) [24].

D. PLATON UND ARISTOTELES

Die vorsokratische Verbindung von Sein, Denken und Sprache wird seit Sokrates durch das Handeln ergänzt. Insofern werden Kosmologie und Theologie untrennbar mit Ethik verbunden: Der Mensch soll den Kosmos nicht nur erkennen, sondern auch nachahmen. Nach der platonischen und aristotelischen (sowie der stoischen) Schule gipfelt der als begrenzt, lebendig und teleologisch aufgefaßte Kosmos im Geistigen (→ Kosmologie; → Welt; → Theologie) [30]. Das mechanistische, nicht-teleologische Weltbild der Atomisten (vgl. → Leukippos [5], Demokrits [1]) bleibt in der Ant. eine recht minoritäre Denkart, nach der die R. des Kosmos emphatisch eingeschränkt ist: Für die Kollision der sich in der unendlichen Leere bewegenden Atome ist der Zufall verantwortlich.

Nach Platon betrifft das Handeln weniger das wahre Wesen als das Sprechen und Denken (*lógos*): Nur kraft der Sprache wird den Menschen die Transzendenz der Tugend bekannt (Plat. rep. 473a); nur in der Sprache ist außerdem die höchste Verwirklichung der Tugend möglich. Auch aus diesem Grund ist → Tugend Wissen (Plat. Phaid. 68c–69c). Sprache und Denken sollen demnach notwendig zur Annahme der Transzendenz der Ideen (→ Ideenlehre) und zur Begründung der Ethik führen. Die Bindung des Denkens an die Sprache bedeutet für Platon wie für Aristoteles zugleich die Bindung an die durch die Sprache gegebene Welt der Gemeinschaft (→ Sprachtheorie). Daher Platons Psychologie der Affekte, die von Aristoteles fortgesetzt wird. Bei Platon besteht noch keine Vernunftanthropologie wie etwa im Stoizismus: Das denkende Bewußtsein ist nur der höchste Teil, nicht das Ganze der Seele (→ Psychologie). Platons R.-Begriff abstrahiert nicht von der Erfahrung, sondern geht im Gegenteil aus den Kräften menschlichen Strebens hervor (*érōs*: Plat. symp. 209e-212a; Plat. Phaidr. 250d). R. ist für Platon schließlich Bedingung wahrhafter polit. Ordnung: Wissen allein gibt der Herrschaft Legitimität (→ Politische Philosophie).

Aristoteles seinerseits unterscheidet grundsätzlich zw. theoretischer und praktischer Vernunft, zwischen Ontologie (oder Metaphysik) und Ethik (eth. Eud. 1217b 2–1218a 38), und markiert damit die Wahl zw. zwei verschiedenen Lebensweisen, dem geistigen Leben (*bíos theōrētikós*, lat. *vita contemplativa*) und dem aktiven Leben (*bíos praktikós*, lat. *vita activa*). Das theoretische Wissen (*theōría*) ist ein Ziel an sich und erfolgt durch deduktiven Schluß; das praktische Wissen (*phrónēsis*) hingegen ist auf die Handlung gerichtet und vollzieht sich durch einzelne Entscheidungen (Aristot. eth. Nic. 1140b 1–7; → praktische Philosophie; [21]). Zur aristotelischen Klassifizierung verschiedener Wissensgebiete gehört die Formalisierung der Logik; daher die spätere, hell. Dreiteilung der Philos. in → Logik, → Physik und → Ethik.

E. HELLENISTISCHE UND RÖMISCHE PHILOSOPHIE

Im Hell. machen die Logik und die einzelnen Wiss. (z. B. Geometrie und → Astronomie) große Fortschritte. Bei den eher praktisch orientierten Römern wird vor allem die Ethik übernommen. In Rom wird die materialistische Weltauffassung und das apolitische Lebensideal eines Epikuros nur mit großer Einschränkung rezipiert (bedeutende Ausnahme: → Lucretius [III 1]), mit Eifer hingegen der stoische Begriff der R. (*ratio, sapientia*) als → Tugend (Cicero, Seneca, Marcus [2] Aurelius). Nach diesem Begriff ist es Ziel des menschlichen Lebens, natur-, das heißt vernunftgemäß zu leben. Rationale → Kosmologie ist notwendige Voraussetzung des guten Lebens (M. Aur. 10,6). Der absolute Stellenwert der Vernunft im → Stoizismus bedeutet eine bei Platon und Aristoteles nicht vorhandene Entwertung der Affekte als bloßer Störungen der Seele (Cic. fin. 3, 75–76). Zum glücklichen Leben ist die Tugend (*virtus*) das einzig Wertvolle; Freisein besteht in vollkommener Selbstbeherrschung und Gemütsruhe (→ *ataraxía*, lat. *tranquillitas animi*). Aus dieser strengen Affektenlehre entsteht eine reiche Lit. der Selbstsorge, die die spätere Moral- und → Popularphilosophie tief prägt.

F. CHRISTLICHE REZEPTION

Die komplexe Beziehung zw. antiker Philos. und christl. Offenbarung beginnt bereits mit dem von Paulus formulierten Kontrast zw. der Weisheit der Welt und der Weisheit Gottes (1 Kor 1,18–25; 2,6–9; Kol 2,8 f.). Philons [12] und Origenes' allegorischer Interpretationsmethode samt deren Enthistorisierung der biblischen Texte kommt eine wichtige vermittelnde Rolle zur fruchtbaren Aufnahme der griech.-röm. Philos. im Christentum zu (Aug. doctr. christ. 2,60). Die Aneignung wichtiger Elemente der stoischen Ethik gehört ebenfalls zum Annäherungsprozeß. Durch die Vermittlung der neuplatonischen Begriffe des *nus* und *lógos* wird die christl. Gotteserfahrung in neuplatonischen Kategorien vollzogen (Plot. 1,6; 6,9): Bei Plotinos werden die ewigen platonischen Ideen zu Gedanken einer Urvernunft, bei Augustinus zu Gedanken im Geist Gottes. Durch diese Verlagerung und Neubegründung der Intelligibilität des Seins auf den unendlichen *intellectus* Gottes wird die griech. R. zugleich durch den Begriff des unerforschlichen Willen des allmächtigen Gottes eingeschränkt. Von Bed. für das MA ist ferner Boëthius' lat. Übers. der Unterscheidung zw. dem höheren intuitiven Wissensvermögen (*intellectus, intelligentia*) und dem diskursiven Erkennen (*ratio, ratiocinatio*). Überhaupt erzielt die Höherbewertung der *vita contemplativa* gegenüber der *vita activa* nachhaltige Wirkung. Indem andererseits die Philos. primär in den Dienst der → Theologie gestellt wird, wird sie v. a. als logische, konzeptuelle Analyse verstanden. Die Philos. wird – sei es als Vorstufe der Theologie oder als selbständige Disziplin – von ihrer praktischen Dimension und Zielsetzung weitgehend abgelöst und meist nicht mehr als Lebensform aufgefaßt [25. 379–391]. Darin ist zum Teil die Verschärfung des Problems vom Verhältnis zw. Theorie und Praxis in der Philos. begründet.

→ Erkenntnistheorie; Intellekt; Logik; Logos

1 A. H. ARMSTRONG, Plotinus's Doctrine of the Infinite and Christian Thought, in: Downside Review 73, 1955, 47–58 2 Ders., Hellenic and Christian Studies, 1990 3 P. AUBENQUE, La découverte grecque des limites de la rationalité, in: [35], 407–417 4 J. BARNES et al. (Hrsg.), Science and Speculation, 1982 5 R. BODÉUS, Aristote et la théologie des vivants immortels, 1992 (engl. Übers. 2000) 6 H. BOEDER, Der frühgriech. Wortgebrauch von Logos und Aletheia, in: Archiv für Begriffsgesch., 1959, 82–112 7 R. BRAGUE, La sagesse du monde, 1999 8 L. BRISSON, Philos. du mythe, 1996 (dt. Übers. 1996) 9 J. BRUNSCHWIG u. a. (Hrsg.), Le savoir grec, 1996 (dt. Übers. 2000) 10 W. BURKERT, Weisheit und Wiss., 1963 11 R. BUXTON (Hrsg.), From Myth to Reason?, 1999 12 P. COURCELLE, Connais-toi toi-même, 3 Bde., 1974/1975 13 TH. DE KONINCK, La »pensée de la pensée« chez Aristote, in: Ders., G. PLANTY-BONJOUR (Hrsg.), La question du Dieu selon Aristote et Hegel, 1991, 69–151 14 E. R. DODDS, The Ancient Concept of Progress..., 1951 (dt. 1977) 15 Ders., The Greeks and the Irrational, 1973 (dt. 1991) 16 G. R. F. FERRARI, Logos, in: S. SETTIS (Hrsg.), I Greci, 1997, 1103–1116 17 H. FRÄNKEL, Dichtung und Philos. des frühen Griechentums, ²1962 18 Ders., Wege und Formen frühgriech. Denkens, ³1968 19 K. VON FRITZ, Grundprobleme der Gesch. der ant. Wiss., 1971 20 M. FREDE, Die stoische Logik, 1974 21 H.-G. GADAMER, Praktisches Wissen, in: Ders., Gesammelte Werke, Bd. 5, 1985, 230–248 22 L. GERSON, God and Greek Philosophy, 1991 23 J. HABERMAS, Theorie des kommunikativen Handelns, 2 Bde., 1981 24 P. HADOT, Exercices spirituels et philos. antique, ³1993 (dt. Übers. 1991) 25 Ders., Qu'est-ce que la philos. antique, 1995 (dt. Übers. 1999) 26 F. HEINIMANN, Nomos und Physis, 1945 (Ndr. 1978 u.ö.) 27 M. HENGEL, Judentum und Hell., ³1988 28 G. B. KERFERD, The Sophistic Movement, 1981 29 P. KOSLOWSKI (Hrsg.), Gnosis und Mystik in der Gesch. der Philos., 1988 30 H. J. KRÄMER, Der Ursprung der Geistesmetaphysik, 1964 31 Ders., Platonismus und hell. Philos., 1971 32 Y. LAFRANCE, La théorie platonicienne de la Doxa, 1981 33 A. LAKS, G. W. MOST (Hrsg.), Studies on the Derveni Papyrus, 1997 34 G. E. R. LLOYD, Methods and Problems in Greek Science, 1990 35 J.-F. MATTEI (Hrsg.), La naissance de la raison en Grèce, 1990 36 G. W. MOST, From Logos to Mythos, in: [11], 25–49 37 W. NESTLE, Vom Mythos zum Logos, ²1942 38 J. PÉPIN, Mythe et allégorie, 1958 39 Ders., Idées grecques sur l'homme et sur Dieu, 1971 40 J. RIST, Eros und Psyche, 1964 41 L. ROBIN, La pensée grecque et les origines de l'esprit scientifique, 1923 42 C. ROWE, God, Man and Nature, in: Eranos Jb., 1974, 255–291 43 Ders., One and the Many in Greek Rel., in: ebd. 1976, 37–67 44 H. SCHNÄDELBACH (Hrsg.), R., 1984 45 Ders., R.typen, in: Ders., Philos. in der mod. Kultur, 2000, 256–291 46 B. SNELL, Die Entdeckung des Geistes, ²1946 47 F. SOLMSEN, Nature as Craftsman in Greek Thought, in: Journ. of the History of Ideas 24, 1963, 473–496 48 Ders., Intellectual Experiments of the Greek Enlightenment, 1975 49 TH. A. SZLEZÁK, Platon und Aristoteles in der Nuslehre Plotins, 1979 50 P. A. VANDER WAERDT (Hrsg.), The Socratic Movement, 1994 51 J. P. VERNANT, Mythe et pensée chez les Grecs, ³1985 52 P. VIDAL-NAQUET, La raison grecque et la cité, in: Ders., Le chasseur noir, 1981 (dt.: Der schwarze Jäger, 1989) 53 G. VLASTOS, Ethics and Physics in Democritus, in: The Philosophical Review 54, 1945, 578–592; 55, 1946, 53–64 (Ndr.: Ders., Studies in Greek Philosophy, Bd. 1: The Presocratics, Hrsg. D. W. GRAHAM, 328–350) 54 Ders., Socrates, Ironist and Moral Philosopher, 1991 55 M. WEBER, Soziologische Grundbegriffe, in: Ders., Ges. Aufsätze zur Wiss.lehre (Hrsg. J. WINCKELMANN), ⁶1985, 541–591 56 W. WIELAND, Die aristotelische Physik, ³1992 57 Ders., Platon und die Formen des Wissens, 1982.

F. R.

Rationen I. ALTER ORIENT II. KLASSISCHE ANTIKE

I. ALTER ORIENT

In der altorientalischen Oikos- oder Palastwirtschaft waren – je nach Region und Epoche – die Mehrheit oder (große) Teile der Bevölkerung in die institutionellen Haushalte von → Tempel und/oder → Palast als direkt Abhängige integriert. Sie wurden durch Natural-R. (Getreide, Öl, Wolle), die das für ihre Reproduktion nötige Existenzminimum garantierten, versorgt.

In Mesopotamien wurden diese Natural-R. durch Zuweisung von Unterhaltsfeldern (ca. 6 ha), die das Existenzminimum einer Familie sicherstellten, partiell supplementiert oder in bestimmten Epochen substituiert. Die R. waren in der Regel nach Status, Geschlecht und Alter differenziert, wobei Männer im arbeitsfähigen Alter (mit ca. 1,6 l Gerste/Tag = ca. 365 kg/Jahr; dies entspricht auch den im Mittelmeerraum gängigen dietarischen Werten) das Doppelte einer arbeitenden Frau erhielten; Kindern und Greisen standen noch geringere R. zu [3].

Ähnliche Verhältnisse lassen sich aus den − im Vergleich zu Mesopotamien weniger zahlreichen − Urkunden aus Nordsyrien erschließen (Ebla 24. Jh.; Alalaḫ 17./15. Jh.; Ugarit 14./13. Jh. v. Chr.). Auch in Äg. wurde die mehrheitlich vom Palast abhängige Bevölkerung durch Natural-R. versorgt [4]. Die kretisch-mykenischen Palastarchive bezeugen vergleichbare Verhältnisse [5; 6].

→ Arbeit; Frau; Lohn; Oikos-Wirtschaft

1 R. DOLCE, C. ZACCAGNINI, Il pane del Re. Accumulo e distribuzione dei cereali nell'Oriente Antico, 1989
2 R. K. ENGLUND, Administrative Timekeeping in Ancient Mesopotamia, in: Journ. of the Economic and Social History of the Orient 31, 1988, 121–185 3 I. J. GELB, The Ancient Mesopotamian Ration System, in: JNES 24, 1965, 230–243 4 M. GUTGESELL, s. v. Löhne, LÄ 3, 1072–1078
5 R. PALMER, Subsistence and Rations at Pylos and Knossos, in: Minos 24, 1989, 88–124 6 ST. HILLER, Dependent Personnel in Mycenean Texts, in: M. HELTZER, E. LIPIŃSKI, Society and Economy in the Eastern Mediterranean, 1988, 53–68 7 H. WAETZOLDT, Compensation of Craft Workers and Officials, in: M. A. POWELL (Hrsg.), Labor in the Ancient Near East, 1987, 117–141.   J. RE.

II. KLASSISCHE ANTIKE
In der griech.-röm. Ant. wurden Lebensmittel-R. v. a. im Bereich des röm. Militärwesens, der Versorgung der städtischen Bevölkerung und der auf Sklavenarbeit beruhenden Gutswirtschaft ausgegeben. Röm. Soldaten erhielten im 2. Jh. v. Chr. pro Monat ⅔ médimnos Weizen (ca. 36 kg; Pol. 6,39). An die → plebs urbana in Rom wurden zu ermäßigtem Preis, nach 58 v. Chr. kostenlos 5 modii Weizen (etwa 33 kg) verteilt (Sall. hist. 3,48,19); in augusteischer Zeit wurde die Zahl der Empfänger auf 200 000 festgesetzt. Die R. für die Sklaven auf großen Gütern richteten sich bei Cato [1] nach der Schwere der Arbeit und dem jeweiligen Kalorienbedarf; im Sommer, zur Zeit der Feldarbeiten, wurde mehr Getreide ausgegeben als im Winter; die körperlich arbeitenden Sklaven erhielten mehr Getreide als der → vilicus oder ein Hirte; arbeitende Sklaven im Winter: 4 modii (26 kg); im Sommer: 4 ½ modii (30 kg); vilicus/vilica: 3 modii (20 kg) (Cato agr. 56). Ferner gehörten zur Ernährung der Sklaven auch → Wein, Oliven, Öl und → Salz (1 modius im Jahr; vgl. ebd. 58).   H. SCHN.

Rationibus, a. Leiter der zentralen Finanzverwaltung der röm. Kaiser sowie dessen Untergebene. In der zunächst privat organisierten Finanzverwaltung des → Princeps, die sich bereits unter Augustus entwickelte, leitete ursprünglich ein → Freigelassener das gesamte Einnahmen- und Ausgabenwesen. Unter Tiberius ist für ihn zum ersten Mal die Funktionsbezeichnung a r. bezeugt; doch wurden verm. bereits die Freigelassenen, die für Augustus das breviarium totius imperii führten (Suet. Aug. 101,4), so genannt. Die sachliche Bed. des Bereichs verlieh seinem Leiter erhebliches Gewicht, was v. a. bei dem claudischen Freigelassenen → Antonius [II 10] Pallas deutlich wird. Spätestens seit Domitianus [1], als der Freigelassene Ti. → Iulius [II 1] im Amt des a r. in den Ritterstand erhoben wurde, ging die Funktion auf ritterliche Amtsinhaber über, die zunächst den Rang eines → ducenarius, unter Marcus Aurelius eines trecenarius erhielten und im 3. Jh. n. Chr. den Rangtitel vir → perfectissimus führten. E. des 2. Jh. kam die Bezeichnung rationalis auf, die im 3. Jh. häufiger wird. Zu unterscheiden vom a r. ist der procurator summae rei bzw. summarum, der in der 2. H. des 2. Jh. als sein Helfer eingesetzt war. Das Amt des rationalis ging in der Spätant. in dem des → comes rei privatae auf, nur in den Diözesen lebte der Titel rationalis weiter (der wichtigste war der rationalis Aegypti); das Amt des procurator summarum wurde zu dem des → comes sacrarum largitionum umgewandelt.

W. ALPERS, Das nachrepublikanische Finanzsystem, 1995 •
R. DELMAIRE, Largesses sacrées et res privata. L'aerarium impérial et son administration du IVe au VIe siècle, 1989 •
W. ECK, Die Bed. der claudischen Regierungszeit für die administrative Entwicklung des röm. Reiches, in: Ders., Die Verwaltung des röm. Reiches in der Hohen Kaiserzeit 2, 1997, 147–165, bes. 151 ff. • JONES, LRE 411–437 •
P. R. C. WEAVER, Familia Caesaris, 1972, 259 ff., 282 ff.
                                              W. E. u. K. G.-A.

Ratomagus. Hauptort der → Veliocasses, h. Rouen, durch Sequana (Seine) und Autura (h. Eure) mit Liger (Loire) und der inneren → Gallia verbunden, im 2. Jh. n. Chr. bed. Hafen für Ausfuhren nach → Britannia (Amm. 15,11,12; Itin. Anton. 382,3; 384,1; Ptol. 2,8,8: Ῥατόμαγος; Tab. Peut. 2,2 f.; CIL XIII 3475: Ratumagus vicus; Notitia Galliarum 2,2: civitas Rotomagensium; Not. dign. occ. 37,10; 37,21: Rotomagus). Die Veliocasses wurden urspr. zur Gallia → Belgica (Caes. Gall. 2,4), seit Augustus zur → Lugdunensis gerechnet (Plin. nat. 4,107). Seit → Diocletianus war R. Hauptort der Prov. Lugdunensis II. Arch. Reste: Amphitheater, Theater, Thermen; Stadtmauer des 4. Jh. n. Chr.

P. HALBOUT u. a., Rouen ville gallo-romaine, in: Archéologia 180/181, 1983, 94–104 • M. MANGARD, s. v. Rotomagus, PE, 772 f. • I. ROGERET, Seine-Maritime (Carte archéologique de la Gaule 76), 1998 •
G. SENNEQUIER, Rouen gallo-romain et Mérovingien, 1970 • M. WEIDEMANN, Kulturgesch. der Merowingerzeit nach den Werken Gregors von Tours, Bd. 2, 1982, 90 • TIR M 31 Paris, 1975, 156.   Y. L.

Ratsversammlungen dienten in ant. Ges. mit zunehmender Komplexität dazu, Konflikte zu mindern und zu regeln, um gemeinsames Handeln zu ermöglichen. Unabhängig von der jeweiligen Verfassungsform unterstützten R., deren Mitglieder in der Regel aus wirtschaftlich mächtigen und sozial angesehenen Kreisen stammten, den → Herrscher bei der Entscheidungsfindung (vgl. → basileús, → gerusía; den röm. Senat der Königszeit), bildeten in der Aristokratie den Konsens unter Gleichrangigen (→ Áreios págos; → senatus) und bereiteten in Demokratien bzw. Republiken die Beschlüsse der Volksversammlungen (vgl. → ekklēsía; → comitia; → Versammlungen) vor (→ bulḗ). R. trafen sich in geregelter Form und an bestimmten Plätzen (→ Versammlungsbauten). Eine bes. Form der R. waren die Zusammenkünfte der Repräsentanten überregionaler ethnischer Verbände (→ amphiktyonía; → koinón; → Staatenbünde) an meist kultisch bedeutsamen Orten (→ Delphoi; → Dodona; → Panionion) und politischer Bünde (→ Attischer Seebund; → Korinthischer Bund; → Peloponnesischer Bund), deren Leitungsgremien (→ synhédrion) zugleich berieten und Beschlüsse trafen.
→ Versammlungen   W. ED.

Ratte. Die griech.-röm. Ant. hat zw. → Maus und R. nicht unterschieden. Daß es aber im damaligen Mittelmeerraum und auch im nicht-mediterranen Europa bereits R. gab, haben v. a. Knochenfunde und Unt. der Jahre seit etwa 1975 gezeigt. Nach heutigem Forsch.-Stand kann hier folgendes als erwiesen gelten:

a) Die aus Asien stammende Haus-R. (Rattus rattus L.) war spätestens seit dem Hell. oder der frühen Kaiserzeit im mediterranen Raum vorhanden ([1. 132; 2. 62–63]; für ein deutlich höheres Alter der Haus-R. im Nahen Osten s. [5]). Spätestens unter den früheren Kaisern drang sie aber auch nach Mittel- und NW-Europa vor ([1]; für ein ›wahrscheinlich‹ wesentlich höheres Alter der europ. Haus-R. tritt [4. 265–267] ein). Die äußersten gesicherten Fundorte der Ant. im NW und NO liegen in Britannien und im Freien Germanien.

b) Die ebenfalls im Fernen Osten beheimatete Wander-R. (Rattus norvegicus Berkenhout) ist wohl in Tierbeschreibungen bei Ail. nat. 17,17 und im babylonischen Talmud wiederzuerkennen [6. 277]. Diese Texte beziehen sich auf die Gegend des Kaspischen Meeres und auf Mesopotamien. In Europa liegt ein gesicherter Fund der Wander-R. aus dem spätröm. Kastell von Krefeld-Gellep vor [3. 387].

Für die R. boten ant. Siedlungen mit ihrer mangelhaften Müllbeseitigung und ihren oft in Holzbauweise errichteten Häusern günstige Lebensbedingungen. Damit waren zugleich Voraussetzungen für die Ausbreitung einiger Humankrankheiten (wie der Pest oder des Murinen Fleckfiebers) gegeben, zu deren Infektkette die R. gehört.

1 F. AUDOIN-ROUZEAU, J.-D. VIGNE, La colonisation de l'Europe par le rat noir (Rattus rattus), in: Rev. de Paléobiologie 13, 1994, 125–145 2 J. BOESSNECK, Die Tierwelt des Alten Äg., 1988, 62–63 3 G. SORGE, R. aus dem spätant. Kastell Krefeld-Gellep, in: Provinzialröm. Forsch., FS G. Ulbert, 1995, 387–395 4 M. TEICHERT, Beitr. zur Faunengesch. der Hausratte, Rattus rattus L., in: Zschr. für Arch. 19, 1985, 263–269 5 E. TCHERNOV, Commensal Animals and Human Sedentism in the Middle East, in: J. CLUTTON-BROCK, C. GRIGSON (Hrsg.), Animals and Archaeology 3, 1984, 91–115 6 G. E. THÜRY, Zur Infektkette der Pest in hell.-röm. Zeit, in: P. SCHRÖTER (Hrsg.), FS 75 Jahre Anthropologische Staatsslg. München 1902–1977, 1977, 275–283.   G. TH.

Raub I. ALLGEMEIN
II. ALTER ORIENT
III. GRIECHISCH-RÖMISCH

I. ALLGEMEIN

R. ist die Wegnahme einer fremden beweglichen Sache mit Gewalt gegen einen Menschen oder unter Anwendung von Drohungen mit gegenwärtiger Gefahr für Leib oder Leben in der Absicht, sich die Sache rechtswidrig zuzueignen (§ 249 StGB). Rechtlich ist R. eine Kombination von Diebstahl und Nötigung, im allgemeinen Empfinden wird R. h. als das gegenüber der einfachen Wegnahme schwerere Delikt aufgefaßt, in den ant. Rechtsordnungen und bis ins MA dagegen der (heimliche) Diebstahl für schlimmer als die (offene, gewalttätige) Wegnahme.

II. ALTER ORIENT

»R.« eignet sich daher rechtsgeschichtlich kaum als Charakterisierung. Schon »Diebstahl« ist nicht nur – wie h. (§ 242 StGB) – die Wegnahme einer beweglichen Sache aus fremdem Besitz (Fallagen und Belege im folgenden beispielshalber). Wer eine fremde Sache hat oder verkauft, ohne den rechtmäßigen Erwerb nachweisen zu können, einen Sklaven hehlt, eine fremde Sache oder gar einen Fund behält, eine freie Person raubt oder eine Immobilie an sich zieht, steht einem Dieb gleich (altorientalisch: CH (Codex Ḫammurapi) §§ 9–11, 19; Hethitische Gesetze §§ 45, 86, XXXV [10; 19. 110–131]; jüd.: Ex 22,6–14 [19. 110–131]; altäg.: [2. 114f.]; vgl. auch griech.: [5. 84–86]; → klopḗ).

Gegenüber dem (einfachen) Diebstahl stärker sanktionierte Zueignungsdelikte gab es in allen ant. Rechtsordnungen. Die Qualifikationsmerkmale hingen von den jeweiligen Wertvorstellungen ab. Abgestellt wurde u. a. auf den Status des Geschädigten (altbabylonisch: CH § 8), die Art des Zueignungsobjekts (Menschenraub, jüd.: Ex 21,16; Vieh, hethit. Gesetze: [8. 109]; Staats-/Tempeleigentum altoriental.: CH § 6; altäg.: [1. 148–151, 173–176]), die Begehungsweise (Mauerdurchbruch: altoriental.: CH § 21; nächtlich, jüd.: Ex 22,1; vgl. griech., auf einem öffentlichen Platz: [5. 69–72]), die Offenkundigkeit der Tat (altoriental.: CH § 21; vgl. griech.: [5. 52–61]) oder die Art der Verwertung (jüd.: Ex 21,37; 22,3); Rückgabe als Strafmilderungsgrund [1. 172]). Die Quellen bieten kein über gewisse Grundprinzipien hinausgehendes Bild. Nur zufällige Einzelheiten wurden dokumentiert, da die Verfolgung Sache des Geschädigten war [1. 179–183; 13. 72 f.; 14; 18. 454 f.]. Der Staat griff gundsätzlich nur ein, wenn seine Interessen oder die öffentliche Ordnung berührt waren (s. ferner die Haftung der Region für auf ihrem Gebiet begangene Räubereien [16. 450; 20. 54]).

Räuberei als soziale Erscheinung hat es infolge schlechter Lebensumstände und als Antwort auf staatliche Unterdrückung und Überforderung allzeit gegeben (altoriental.: [20]; altäg.: [17], ferner [4; 12]). Eingehendere Nachrichten und Unt. zum Ausmaß der von (insbesondere gewaltsamen und bandenmäßigen) Zueignungsdelikten ausgehenden Gefahr liegen erst aus dem röm. Reich vor [6; 7]; vgl. → Räuberbanden.   JO. HE.

III. GRIECHISCH-RÖMISCH

R. als ein Diebstahl unter Gewaltanwendung richtet sich wie der Diebstahl gegen das private Eigentum. Deshalb war der R. in der griech.-röm. Ant. meist Gegenstand des Privatstrafrechts: Dem Verletzten (Eigentümer der weggenommenen Sache) blieb es überlassen, den Täter auf eine Buße zu verklagen, soweit er nicht berechtigt war, ihn aus Rache zu töten (so in Rom für den auf frischer Tat ergriffenen Dieb die Zwölftafeln, tab. 8,14, nach Gai. inst. 3,189). Charakteristisch für die Sanktionen in ant. Gesellschaften ist, daß in Athen und im Rom der republikanischen Zeit nicht zw. R. und Diebstahl unterschieden wurde, sondern entweder, wie in Athen, zw. Diebstahl bei Nacht und am Tage (→ klopé) oder, wie in Rom, zw. offenem und heimlichem Diebstahl (→ furtum). Die als bes. strafwürdig angesehenen und vom Staat selbst verfolgten Wegnahmedelikte zeichneten sich nicht durch die Anwendung oder Androhung von Gewalt aus, sondern durch ihr Objekt: v. a. Tempelgüter (→ hierosylía, röm. → sacrilegium). Eine Sonderstellung hatten aber wenigstens in Rom seit dem 1. Jh. v. Chr. Diebstähle durch gewaltbereite Banden (homines armati coactive). Für sie wurde wohl der Begriff → rapina gebräuchlich, und dieses Delikt wurde in der Kaiserzeit dann mit den Gewalttaten verbunden, die nach der lex Cornelia de sicariis et veneficis (»gegen Gift- und Meuchelmörder«) Cornelius [I 90] Sullas (zw. 82 und 79 v. Chr.) in einem öffentlichen Strafverfahren (iudicium publicum, → quaestio) verfolgt wurden. Vom R. als Eigentumsdelikt zu unterscheiden ist der Menschenraub (Entführung). In Athen war die Entführung wohl als Anwendungsfall der → hýbris (II.) Straftat gegen die öffentliche Ordnung, im röm. Reich der → raptus spätestens seit Constantinus [1] d. Gr. (4. Jh. n. Chr.) Kapitalverbrechen.

→ Räuberbanden; Seeraub   G. S.

1 E. D. BEDELL, Criminal Law in the Egyptian Ramesside Period, Diss. Brandeis Univ., 1973 2 W. BOOCHS, Strafrechtliche Aspekte im altäg. Recht, 1993, 109–117 3 G. BUSOLT, Griech. Staatskunde, Bd. 1, ³1920, 537–540 4 R. A. CAMINOS, s. v. Grabräuberprozeß, LÄ 2, 862–866 5 D. COHEN, Theft in Athenian Law, 1983 6 H.-J. DREXHAGE, Eigentumsdelikte im röm. Äg. (1.–3. Jh. n. Chr.): Ein Beitrag zur Wirtschaftsgesch., in: ANRW II,

1988, 10.1, 952–1004 7 TH. GRÜNEWALD, Räuber, Rebellen, Rivalen, Rächer: Stud. zu Latrones im röm. Reich, 1999 8 R. HAASE, Der privatrechtliche Schutz der Person und der einzelnen Vermögensrechte in der hethit. Rechtsslg., Diss. Tübingen, 1961, 109–116 9 B. S. JACKSON, Theft in Early Jewish Law, 1972 10 W. F. LEEMANS, Some Aspects of Theft and Robbery in Old-Babylonian Documents, in: Rivista degli studi Orientali 32, 1957, 661–666 11 D. LORTON, The Treatment of Criminals in Ancient Egypt through the New Kingdom, in: Journ. of the Social and Economic History of the Orient 20, 1977, 2–54 12 T. E. PEET, The Great Tomb-Robberies of the Twentieth Egyptian Dynasty, 1930 13 J. RENGER, Wrongdoing and Its Sanctions, in: Journ. of the Social and Economic History of the Orient 20, 1977, 65–77 14 H.-A. RUPPRECHT, Kleine Einführung in die Papyruskunde, 1994, 151–153 15 Ders., Straftaten und Rechtsschutz nach den griech. Papyri der ptolem. Zeit, in: Symposion 1990, 1991, 139–148 16 E. VON SCHULER, Hethit. Königserlässe als Quellen der Rechtsfindung und ihr Verhältnis zum kodifizierten Recht, in: R. KIENLE u. a. (Hrsg.), FS J. Friedrich, 1959, 435–472 17 L. STÖRK, s. v. Räuber, LÄ 5, 78–83 18 R. TAUBENSCHLAG, The Law of Greco-Roman Egypt in the Light of the Papyri 332 B. C.–640 A. D., ²1955, 452–458 19 R. WESTBROOK, Stud. in Biblical and Cuneiform Law, 1988, 15–30, 110–131 20 C. WILCKE, Diebe, Räuber und Mörder, in: V. HAAS (Hrsg.), Außenseiter und Randgruppen. Beiträge zu einer Sozialgesch. des Alten Orients, 1992, 53–78.   JO. HE.

Rauchopfer s. Opfer

Rauke (εὔζωμον/eúzōmon, lat. eruca), aus der Familie der Cruciferae mit wenigen Arten, v. a. der im Mittelmeergebiet angebauten Öl- oder Senfrauke (Eruca sativa) mit verholztem Stengel (Theophr. h. plant. 7,2,8). Nach Plin. nat. 19,117 gehen die Samen bereits nach drei Tagen auf (vgl. Theophr. h. plant. 7,1,3). Ihre Beliebtheit als Würzpflanze von Speisen trug der R. nach Plin. nat. 20,126 ihren griech. Namen ein (wörtlich »gut für die Suppe«). Roh und mit Zwiebeln genossen, galt sie als ein – nur vom gleichzeitig verzehrten Lattich (→ lactuca [1], Plin. nat. 19,127 und 154 f.) in der Wirkung eingeschränktes – Aphrodisiakum (Dioskurides 2,140 WELLMANN = 2,169 BERENDES, vgl. Ov. rem. 799: erucas salaces, »geile R.«). Gegen das Gift von Skorpion (→ Spinnentiere) und gegen die → Spitzmaus sowie Hautparasiten wurden die Samen verordnet (Plin. nat. 20,125). Aus den Samen mit Essig und Milch verfertigte Pastillen zum Würzen konnte man lange aufbewahren (Dioskurides l. c.).

F. ORTH, s. v. R., RE I A, 287.   C. HÜ.

Raum I. TERMINOLOGIE
II. GESCHICHTE UND NACHWIRKUNG

I. TERMINOLOGIE

Unter der Voraussetzung, daß wir den Begriff »Ort, Platz« gewöhnlich in einem relationalen Rahmen gebrauchen, d. h. im Hinblick auf den Platz von etwas, wohingegen wir »Raum« eher im Hinblick auf ein zugrundeliegendes Bezugssystem oder die Gesamtsumme aller Orte verstehen, hatte die griech. Sprache für keines der beiden ein echtes Pendant. Τόπος (*tópos*) und χώρα (*chóra*) konnten (zumindest im alltäglichen Sprachgebrauch) in beiden Bed. benutzt werden, wenn auch *tópos* in philos. Texten tendenziell unserem »Ort, Platz« entspricht (Aristoteles z. B. gebraucht es durchweg, wenn er sich auf seine eigene philos. Konzeption von Ort bezieht, s. u.). Auch κενόν (*kenón*, »Leere«) konnte in gewissen Zusammenhängen R. bezeichnen (z. B. Demokritos: vgl. Simpl. in Aristot. Cael. 294,33), obwohl es öfter speziell den leeren R. oder leere »Gebiete« (Einsprengsel) in einem bestimmten Stoff bezeichnet (vgl. → Topik).

Der erste Versuch zur Festlegung und Artikulation eines Konzeptes von R. machten die hell. Philosophen: Epikuros definierte den R. als ›nicht greifbare Substanz‹ (ἀναφὴς οὐσία, *anaphés usía*; Epik. epist. ad Herodotum 40) und differenzierte zw. dem *kenón* (wenn er leer war) und *tópos* (d. h. »Ort, Platz«), wenn er voll war (S. Emp. adv. math. 10,2). Der Stoiker → Chrysippos [2] definierte R. als ›das, was von Seiendem angefüllt werden kann‹ (Areios Didymos fr. 25); es müsse *tópos* genannt werden, wenn es angefüllt, und *kenón*, wenn es leer sei. Der lat. Sprachgebrauch (bes. Lucretius [III 1]) folgt im allg. diesen hell. Quellen und setzt *locus* für »Ort, Platz«, *spatium* für »R.« und *inane* für »Leere« (in allen seinen Bed.).

II. Geschichte und Nachwirkung

Da R. und Ort miteinander verbundene Vorstellungen sind, sind Theorien über den R. nicht isoliert von Theorien über den Ort zu diskutieren. Alle ant. physikalischen Theorien über Ort und R. hingen davon ab, wie räumliche Bezeichnungen im alltäglichen Denken und Sprechen benutzt wurden. Aristoteles [6] zeigt, daß der allg. Sprachgebrauch verschiedene Möglichkeiten für die Feststellung des Ortes nahelegt (Aristot. phys. 4,1–5): (1) Ort als Ausdehnung (διάστημα, *diástēma*) eines Körpers (was ihn vom Körper »untrennbar« machen und die Unterscheidung von der Materie erschweren würde) oder (2) als ihm zugrundeliegende dreidimensionale Ausdehnung oder (3) als etwas, das ihn umgibt (περιέχον, *periéchon*) [1. 153–191]. Aristoteles meint, Platon habe im ›Timaios‹ als erster eine Theorie von Ort und R. vorgebracht und dazu tendiert, die erste Möglichkeit (die Gleichsetzung von R. und Materie) zu bevorzugen; er erklärt aber auch zu Recht, daß Platons Theorie im Grunde unklar (d. h. nicht eindeutig) ist [1. 72–120]. Die zweite Möglichkeit (Ausdehnung) scheint Aristoteles den Verfechtern des Leeren zuzuschreiben (d. h. Demokritos [1] und seinen Anhängern).

Gegen die erste Möglichkeit (1) spricht nach Aristoteles, daß sich der Ort nicht mit dem darauf befindlichen Körper fortbewegt, sondern selbst bewegungslos bleibt. Gegen die zweite (2) führt er an, daß sie nicht in Betracht ziehe, daß es feste Richtungen im Kosmos gibt und daß alle Elemente ihren naturgegebenen Platz haben. Ort als bloße Ausdehnung (1) wäre isotropisch,

d. h. kein Teil wäre von irgendeinem anderen verschieden; auf dieser Basis wäre die These unmöglich, daß ein bestimmter Ort von Natur aus z. B. zur Erde gehört. Aristoteles selbst entscheidet sich für die dritte Möglichkeit (3) und definiert Ort als ›die erste unbewegliche Grenze des Umgebenden‹ (τὸ τοῦ περιέχοντος πέρας ἀκίνητον πρῶτον, Aristot. phys. 4,4,212a 20). Damit bereitet er der späteren aristotelischen Trad. eine Reihe von Problemen: Wie ist eine solche unbewegliche Grenze oder Oberfläche genau bestimmbar? Wie ist diese Vorstellung von Ort mit der aristotelischen Erklärung der natürlichen → Bewegung zu verbinden? Ist diese Vorstellung nicht nutzlos außer in Kontexten, die die Lage statischer individueller Körper behandeln [1. 192–260]? Zweifel wurden schon früh erhoben: → Theophrastos schlug eine relationale Konzeption von Ort vor (Simpl. in Aristot. phys. 639,13–22) [2], während Straton von Lampsakos die aristotelische Auffassung ganz aufgab zugunsten einer Konzeption von R. als zugrundeliegende dreidimensionale Ausdehnung (Aetios bei Stob. 1,156,5–6 Wachsmuth; ebenso die Stoiker und Epikuros, s. o.). Bei einigen Neuplatonikern (Iamblichos [2], Damaskios, Simplikios) erscheinen metaphysische Vorstellungen von Ort und R., wobei dem Ort eine gestaltende Rolle im Prozeß der → Emanation zugewiesen wird [2. 157–162; 4; 6. 202–219].

Die Hauptpunkte der antiken Diskussionen über Ort und R. drehen sich um eine Anzahl ständig wiederkehrender Fragen: Ist der R. (oder der Ort) eine zugrundeliegende dreidimensionale Ausdehnung (*diástēma*, s. o.: Demokritos [1], Epikuros, Stoizismus, Philoponos) oder eine umgebende Oberfläche (*próton péras*: Aristoteles [6] und seine orthodoxen Nachfolger) oder vielleicht eine Beziehung (Theophrastos, Iamblichos [2]), oder ist er der Materie gleichzusetzen (Platon und eine Anzahl Platoniker)? Ist R. unendlich (Archytas [1] und andere Pythagoreer, Demokritos [1], Epikuros, die meisten Stoiker) oder endlich (Platon, Aristoteles [6], Poseidonios [3])? Ist er unbeweglich (Epikuros, Stoizismus) oder dynamisch (einige Neuplatoniker)? Gibt es einen Raum außerhalb des Kosmos (Pythagoreer, Demokritos, Stoizismus, Epikuros) oder nicht (alle anderen) [6. 125–219]? Die aristotelische Sicht wurde im MA und in der frühen mod. scholastischen Trad. lebhaft diskutiert. Die stoischen und epikureischen Vorstellungen von R. wurden von frühen mod. Denkern wie Patrizi (1529–1597) und Gassendi (1592–1655) als Argumente gegen die Aristoteliker benutzt.

1 K. A. Algra, Concepts of Space in Greek Thought, 1995 2 Ders., Place in Context: On Theophrastus Fr. 21 and 22 Wimmer, in: W. W. Fortenbaugh, D. Gutas (Hrsg.), Theophrastus. His Psychological, Doxographical and Scientific Writings, 1992, 141–165 3 W. Burkert, Konstruktionen des R. und räumliche Kategorien im griech. Denken, in: D. Reichert (Hrsg.), Räumliches Denken, 1996 4 S. Samowitz, The Concept of Place in Late Neoplatonism, 1982 5 D. N. Sedley, Philoponus' Conception of Space, in: R. Sorabji (Hrsg.), Philoponus

and the Rejection of Aristotelian Science, 1987, 140–154
6 R. Sorabji (Hrsg.), Matter, Space and Motion: Theories in Antiquity and Their Sequel, 1988.   K. AL./Ü: E.D.

Rauraci, Raurici. Kelt. Volksstamm, mit den Tulingi und den Latobici Nachbarn der → Helvetii (Caes. Gall. 1,5,4). Die R. wanderten 58 v. Chr. zusammen mit den Helvetii westwärts aus ihrer Heimat aus. Da Munatius [I 4] Plancus 44 v. Chr. im Gebiet der R. die Kolonie Augusta [4] Raurica (h. Augst) gründete, sind ihre Wohnsitze zw. Oberrhein und Jura-Südfuß anzunehmen. Die Angabe bei Caes. Gall. 1,1,4, der zufolge Germani und Helvetii eine gemeinsame Grenze hätten, ist irrig, da so das Gebiet der R. übergangen wird (vgl. dazu [3]). Durch das Stammesgebiet der R. verlief die Straßenverbindung von Raetia an den Rhein: Von Augusta [7] Vindelicorum über Cambodunum [1], Brigantium, Ad Fines (h. Pfyn) erreichte sie das Gebiet der Helvetii, passierte das Legionslager Vindonissa, führte über die Aare-Brücke bei Brugg in das Gebiet der R. und setzte ihren Lauf über Augusta [4] und Basilia auf dem linken Rheinufer nach Argentorate fort [2]. Nach welchem *caput viae* die Meilensteine im Gebiet der R. vermessen worden sind, war bis vor kurzem umstritten: Den Stein von Nieder-Mumpf (CIL XIII 9077 = CIL XVII 2,596) mit der Angabe des *caput viae* AR haben Mommsen und Hirschfeld zu AR(*gentorate*) ergänzt, F. Staehelin und E. Meyer dagegen zu A(*ugusta*) R(*aurica*). 1995 wurden die Frg. von sechs weiteren Meilensteinen gefunden [1], welche das *caput viae* AVG(*usta*) RAVR(*ica*) bestätigen.

1 H. Sütterlin, Miliaria in Augusta Raurica, in: Jahresber. aus Augst 17, 1996, 71–87 **2** G. Walser, Zu den Römerstraßen in der Schweiz, in: MH 54, 1997, 53–61 **3** Ders., Zu Caesars Tendenz in der geogr. Beschreibung Galliens, in: Klio 77, 1995, 217–223.

E. Meyer, Die röm. Schweiz 1940, 305–315 · G. Walser, Röm. Inschr. in der Schweiz 2, 1980, 190–276 · F. Staehelin, Die Schweiz in röm. Zeit, ³1948, 30–32, 115.
                                                                                 G. W.

Rauschmittel   I. Definition   II. Alkohol
III. Pharmaka und Narkotika
IV. Kultisch-rituelle Verwendung

I. Definition
R. sind natürliche (z. B. Bilsenkraut) oder durch technische Modifikation entstandene (z. B. Alkohol) Drogen, in der Ant. fast immer pflanzlichen Ursprungs, deren psychotrope Wirkungen auf das Zentralnervensystem von leicht anregend über optische und akustische Halluzinationen, lustbetonte Empfindungen bis hin zu ekstatischen Zuständen oder gänzlichem Bewußtseins- und Empfindungsverlust reichen können. Die physische und psychische Ausprägung des übersteigerten Gefühlszustandes hängt nicht nur von der Art und Dosis des verwendeten Mittels ab, sondern auch von der Konstitution des Konsumenten und z. T. von äußeren, situativ-kulturellen Umständen. Die Anwendung von R.

läßt sich seit prähistor. Zeit nachweisen und findet sich in praktisch allen Kulturen.

II. Alkohol
Der reine Wirkstoff Alkohol (arab. urspr. »Antimon[pulver]«) war der Ant. unbekannt. Das früheste nachweisbare alkoholhaltige R. ist → Met, ein Gebräu aus Honig und Wasser, später auch mit anderen Bestandteilen angesetzt (vgl. Colum. 12,12; Plin. nat. 14,113 f.). Seit E. des 4. Jt. v. Chr. war im Alten Orient → Bier in verschiedenen Sorten beliebt (Grundstoff meist Gerstenmalz, gebraut ohne Hopfen) [12]. In Griechenland, wo man es seit etwa 700 v. Chr. kannte (ζῦθος/*zýthos*), hat es sich nicht überall durchsetzen können; gleiches gilt für Rom (*zythum, cer(e)visia*).

→ Wein (griech. οἶνος/*oínos* < Ϝοῖνος = lat. *vinum*), gekeltert aus der Weinrebe (Vitis vinifera), wurde bereits, wie aus → Linear-B-Tafeln und Trinkgefäßfunden hervorgeht, zu myk. Zeit genossen. Er war, meist mit Wasser verdünnt (lat. *dilutum*, im Gegensatz zu *merum*, »unvermischter Wein«), das wichtigste R. der klass. Ant. (Alltagsdroge, Grundnahrungsmittel). Hochprozentige Alkoholika gab es mangels geeigneter Destillationsverfahren nicht. Das bei der Gärung entstehende Äthanol – Qualitätsweine hatten einen Alkoholgrad von bis zu 16 % – wirkte enthemmend und meist euphorisierend: So rät Odysseus, die Griechen sollten nicht nüchtern in den Kampf ziehen (Hom. Il. 19,155–170). Die bei starkem Konsum dagegen einschläfernde Wirkung des Alkohols zeigt sich bei Odysseus' Überwältigung des Kyklopen → Polyphemos, dem er ungemischten Wein zu trinken gibt (Hom. Od. 9,345–374). Die positive Wirkung maßvollen Alkoholgenusses wird vielfach beschrieben (z. B. Thgn. 1,475–498; Hor. carm. 1,38; 2,19). In der ersten H. des 4. Jh. v. Chr. etablierte sich die lit. (Sub-)Gattung des »Symposions« (συμπόσιον, »Trinkgelage«, vgl. Platon [1], Xenophon; → Symposion-Literatur), die letzlich auf die positiv-anregende Wirkung des gemeinschaftlichen Alkoholgenusses unter Männern rekurriert und einen neuen Rahmen für die Diskussion verschiedenster Themen schafft.

Auf Alkaios, einen Vertreter der Gelagepoesie, geht der Satz zurück, Wein offenbare Wahrheit (Alk. 66d, vgl. Hor. sat. 1,4,89 und das ma. *in vino veritas*). Die hierin implizierte Gefahr der Enthemmung durch übermäßigen Weingenuß wird seit frühester Zeit thematisiert (Hom. Od. 16,292–294). → Pittakos von Mytilene erließ im 6. Jh. v. Chr. ein Gesetz, daß gewalttätige Betrunkene härter bestraft werden sollen als Nüchterne (Aristot. pol. 2,1274b 13 mit kritischer Haltung dazu). Spätestens seit der Att. → Komödie begegnet dann eine Auseinandersetzung mit der Suchtproblematik, die in Form der psychischen oder physischen Abhängigkeit eng mit dem Konsum von R. verknüpft ist. Selbst wenn bei Aristoph. Thesm. 735–738 der Vorwurf des übermäßigen Weingenusses an die Frauen real nicht gerechtfertigt ist, zeigt er doch, daß man sich des Problems als solchem prinzipiell bewußt war. Der offenbar hohe

Weinkonsum des Aristophaneskonkurrenten Kratinos war gar ein lit. Spielball: Auf entsprechende Anspielungen hin (Aristoph. Equ. 525–536) trat → Kratinos [1] in seinem Stück *Pytínē* selbstironisch als gebrechlicher, trunkener Greis auf (fr. 181–199 EDMONDS). Intensiv befaßte sich die Peripatetische Schule (→ Peripatos) mit dem Thema des Rausches und seiner Folgen (Aristot. probl. 3).

Das Lat. unterscheidet zeitweises Betrunkensein (*ebrietas*) von gewohnheitsmäßigem Trinken (*ebriositas*, vgl. Cic. Tusc. 4,27). Nach h. Schätzung belief sich der Pro-Kopf-Verbrauch eines männlichen Stadtrömers auf 0,8–1 l Wein pro Tag [25. 91], und die Zahl der lit. Reminiszenzen läßt vermuten, daß Alkoholismus [9. 24] in Rom verbreiteter war als bei den Griechen (Plin. nat. 14,137–148; Cic. Phil. 2,62 und 101: Vorwurf der *furiosa vinolentia* (»exzessiven Weingenusses«) an Marcus Antonius [I 9]; s.a. Sen. epist. 83,25; auch Porcius [I 7] Cato Uticensis soll zu (über-)reichlichem Alkoholkonsum geneigt haben, vgl. Mart. 2,89; Plut. Cato Minor 6). Doch auch auf griech. Seite gibt es einschlägige Beispiele wie Alexandros [4] d.Gr., der im Rausch seinen Freund Kleitos ermordete (Curt. 8,1,51 f.). Die Versorgung mit Wein sicherte der gut ausgebaute Fernhandel (→ Handel, mit Karte) im gesamten röm. Imperium, Weinhandel war ein bed. Wirtschaftsfaktor mit erheblichen Umsätzen.

Weine, v.a. Fruchtweine, sind als meist diätetische Pharmaka gegen verschiedene Erkrankungen vielfach bezeugt (Hippokr. de affectionibus 52; Cels. de medicina 3,6,17; Plin. nat. 14,100), Dioskurides verabreicht Wein u.a. sogar bei Vergiftungen durch Schlangenbisse (5,11 WELLMANN). Da Wein vielfach auch als Lösungsmittel für andere Heilmittel diente (z.B. Cels. ebd. 5,20,4), war der Konsum bei Krankheit zuweilen wohl hoch.

III. PHARMAKA UND NARKOTIKA

Zur großen Zahl der in der Ant. bekannten Pharmaka gehören auch einige z.T. hochwirksame R. Als frühestes ist → Mohn (griech. μήκων/*mḗkōn*) in Europa schon prähistor. nachweisbar (bei Pfahlbauten an Schweizer Seen). Im Alten Orient begegnet er in assyr. Schriften [6; 7], die Ägypter kennen ihn seit mindestens 1600 v.Chr. (Papyrus Ebers) [3. 19; 14. 3 f.]; möglicherweise wurde hier auch der → Lotus (Nymphaea spec.) als R. verwendet [4. 12]. Das schmerzstillende Mittel, das Helena den Helden in den Wein mischt (Hom. Od. 4,219–229), hat man mit Mohnextrakten identifiziert [3. 20]. Seit minoischer Zeit wird, wie die Plastik einer »Mohngöttin« um 1500 v.Chr. zeigt [6; 14. 4], der aus unreifen Samenkapseln des Schlafmohns (Papaver somniferum) durch Ritzung gewonnene, dann eingetrocknete Milchsaft, das Rohopium, verwendet (zur Gewinnung vgl. Dioskurides 4,64 WELLMANN). Es enthält über 35 Alkaloide; der Hauptwirkstoff Morphin hat schmerzstillende, sedativ-hypnotische und atemdepressive Wirkung (vgl. z.B. das Schlafmittel bei Dioskurides 4,63 WELLMANN) [23. 175–179].

Opium gehörte zu den wichtigen Heilmitteln der Hippokratiker. Die R. Opium und Wein finden sich als Hauptwirkbestandteile in den Rezeptlisten für den noch bis ins 18. Jh. angewendeten Theriak (Gal. de antidotis 2,1,2). Warnungen vor den Gefahren einer chronischen Verwendung des Opiums fehlen in der ant. Lit. weitgehend.

Gelegentlich sind R. wohl auch als Aphrodisiaka oder der angenehmen Rauschwirkung allein wegen eingenommen worden (Dioskurides 4,73 WELLMANN).

R. wurden bei größeren chirurgischen Eingriffen (→ Chirurgie) auch als Narkotikum verwendet (Dioskurides 4,75 WELLMANN). Neben Wein und Mohn findet sich oft das schon den Mesopotamiern bekannte → Bilsenkraut (Hyoscyamus spec.), dessen wichtigste Alkaloide Scopolamin und Hyoscyamin zunächst Visionen erzeugen, an die sich ein starkes Schlafbedürfnis anschließt. Häufig verwendete man als Narkotikum auch Mandragora, gelegentlich → Schierling (Conium maculatum) und flankierend andere Kräuter wie Taumellolch (Lolium temulentum). Man verabreichte einen Sud oder legte, v.a. in Spätant. und MA, mit R. getränkte Schlafschwämme (Spongia somnifera) auf Mund und Nase des Patienten. Eine kontrollierbare, routinemäßige Narkose, deren Hauptaufgabe h. in der Herbeiführung von Analgesie, Ausschaltung von Bewußtsein und Abwehrreflexen und in der Muskelrelaxation besteht, war wegen der schwankenden Wirkstoffkonzentrationen und aufgrund von Verfälschungen der Ingredienzen jedoch nicht möglich: Der Effekt schwankte zw. Wirkungslosigkeit und tödlicher Vergiftung. Die Toxizität solcher R. war bekannt; beispielsweise verordnet Celsus de med. (5,27,12b) als Gegengift zu Bilsenkraut Weinmet und Eselsmilch (so auch Scribonius Largus 181).

IV. KULTISCH-RITUELLE VERWENDUNG

Die Verwendung von R. in kultisch-rituellem Zusammenhang zwecks Herbeiführung von Ekstase, Visionen u.a. liegt nahe, ist im Einzelfall aber umstritten, so z.B. die Frage, ob im Kult des → Dionysos (der selbst als ekstatisch galt: μαινόμενος/*mainómenos*, Hom. Il. 6,132) und in den Eleusinischen → Mysteria neben Wein tatsächlich der Fliegenpilz (*Amanita muscaria*) Verwendung fand [22. 58; 11. 632]. Auch die Bed. des Mohns im Kult der → Demeter ist, obgleich er ihr als Fruchtbarkeitssymbol zugeordnet war, unklar, ebenso, wodurch die seherische Verzückung der → Pythia [1] im Delphischen → Orakel ausgelöst wurde. Die dort aufsteigenden Dämpfe scheiden als R. aus. Der Umfang der Verwendung von R. zur künstlichen Erzeugung von Träumen bei der Tempelinkubation (→ Inkubation) bleibt ebenfalls ganz im dunkeln [18. 99].

Das Christentum überhöht das R. Wein symbolisch vom Alltagsgetränk zur Sakraldroge (1 Kor 11,28–30); → Paulus [2] verhält sich deutlich rauschablehnend (z.B. Gal 5,21; vgl. Aug. conf. 6,2). Die Kirchenväter verdammten R. später indes nicht durchweg; so erwähnt Isid. orig. 17,9,30 f. neben Mohn und Opium die

schmerzlindernde Wirkung eines Gemisches aus Man-
dragorarinde und Wein.
→ Getränke; Gifte; Kult, Kultus; Pharmakologie;
Wein, Weinbau

1 R. S. ATKINSON, T. B. BOULTON (Hrsg.), The History of
Anaesthesia, 1987 2 J. BERENDES, Die Pharmazie bei den
alten Kulturvölkern, Bd. 2, 1891 (Ndr. 1965) 3 L. BRAND,
Illustrierte Gesch. der Anästhesie, 1997, 1–36
4 W. A. EMBODEN, Narcotic Plants. … Their Origins and
Uses, 1979 5 G. JÜTTNER, s. v. Alkohol, LMA 1, 416 f.
6 P. G. KRITIKOS, S. N. PAPADAKI, The History of the Poppy
and of Opium and Their Expansion in Antiquity in the
Eastern Mediterranean, in: Bull. on Narcotics 19, 1967.3,
17 ff.; 1967.4, 5 ff. 7 A. D. KRIKORIAN, Were the Opium
Poppy and Opium Known in the Ancient Near East?, in:
JHB 8, 1975, 95–114 8 F.-J. KUHLEN, s. v. R., LMA 7, 479 f.
9 J. O. LEIBOWITZ, Studies in the History of Alcoholism, II:
Acute Alcoholism in Ancient Greek and Roman Medicin,
in: British Journal of Addiction to Alcohol & Other Drugs
1967, 62–86 10 L. MILANO (Hrsg.), Drinking in Ancient
Societies, 1994 11 C. RÄTSCH, Enzyklopädie der
psychoaktiven Pflanzen, ²1998 12 W. RÖLLIG, Das Bier im
alten Mesopotamien, 1970 13 E. M. RUPRECHTSBERGER
(Hrsg.), Bier im Alt., 1992 14 H. SCHADEWALDT, Zur
Gesch. einiger Rauschdrogen, in: Materia medica
Nordmark 24.1–2, 1972, 1–31 15 H. SCHELENZ, Gesch. der
Pharmazie, 1904 (Ndr. 1962) 16 A. SCHMIDT, Drogen und
Drogenhandel im Alt., ²1927 17 W. SCHMIDTBAUER, J. VOM
SCHEID, Hdb. der Rauschdrogen, ⁶1981 18 R. SCHMITZ,
Gesch. der Pharmazie, Bd. 1, 1998 19 DERS., F. J. KUHLEN,
Schmerz- und Betäubungsmittel vor 1600, in: Pharmazie in
unserer Zeit 18, 1989, 10–19 20 C. SELTMAN, Wine in the
Ancient World, 1957 21 W. VON SODEN, Trunkenheit im
Babylon.-Assyr. Schrifttum, in: A. BURGMANN (Hrsg.),
Al-bahit. FS J. Henninger 1976, 317–324 22 G. VÖLGER
(Hrsg.), Rausch und Realität: Drogen im Kulturvergleich,
Bd. 1, 1981 23 H. WAGNER, Pharmazeutische Biologie 2:
Drogen und ihre Inhaltsstoffe, ⁵1993 24 K.-W. WEEBER,
Alkoholismus, in: DERS., Alltag im Alten Rom, 1995
25 DERS., Die Weinkultur der Römer, 1993.   CH. S.

Raute (ῥυτή/*rhyté* bei Nik. Alex. 306, πήγανον/*péga-
non* u. a. bei Aristoph. Vesp. 480; lat. *ruta*). Eine etwa 60
Arten umfassende Gattung der Rutaceae im Mittelmeergebiet mit aromatischen, immergrünen (Theophr.
h. plant. 1,9,4) Halbsträuchern. Die Blätter, Früchte und
Wurzeln der Ruta graveolens waren – meist in Kombination mit *menta* (Minze) [1. 62] – beliebtes Speise-
gewürz (z. T. eingelegt in eine Brühe aus Essig und Salz,
vgl. Colum. 12,7,1 f.) und wurden innerlich und äußerlich (v. a. bei Plin. nat. 20,134–143) gegen gynäkologi-
sche Beschwerden ebenso wie gegen Krankheiten im
Kopf (z. B. Augen- und Ohrenschmerzen, Schlafsucht
und Epilepsie) und u. a. im Verdauungsbereich verordnet. Auch als Gegenmittel gegen Bisse von Schlangen
und Skorpionen, gegen die sich das Wiesel durch das
Fressen der R. schützen soll (ein bis ins Hohe MA verbreitetes Motiv, z. B. Thomas von Cantimpré 4,77;
[2. 152]), sowie gegen Stiche von Bienen und Wespen
war die R. bekannt (Plin. nat. 20,132 f.). Sie diente auch
als Tierarzneimittel (z. B. pulverisiert in Öl für Rinder

bei Colum. 6,4,2). Seit dem 4. Jh. v. Chr. kennen wir
viele Vorschriften über den Anbau (durch Saat oder
Einpflanzen von Sproßstücken, Theophr. h. plant.
7,2,1) der mehrere Jahre wachsenden R. (z. B. die Aussaat im Februar bei Colum. 11,3,16 bzw. im Herbst mit
Verpflanzung im März 11,3,38). Beim Jäten sollte man
aber die Haut durch Handschuhe gegen die leicht eine
Entzündung hervorrufende Berührung mit der Pflanze
schützen (Colum. l.c.).

1 G. E. THÜRY, J. WALTHER, Condimenta, 1997 (= Röm.
Küchenpflanzen 1), 62 f., 102–104 2 H. BOESE (ed.),
Thomas Cantimpratensis, Liber de natura rerum, 1973.

H. STADLER, s. v. R., RE I A, 296–300.   C. HÜ.

Ravenna. Hafenstadt im Gebiet der → Boii
am Ionios Kolpos (Adria).
I. GRÜNDUNG UND RÖMISCHE ZEIT
II. BYZANTINISCHE ZEIT

I. GRÜNDUNG UND RÖMISCHE ZEIT

Dem Mythos nach wurde R. von → Thessaloi (Zos.
5,27), tatsächlich aber von → Umbri im 6./5. Jh. v. Chr.
gegr. (Strab. 5,1,2; 5,1,11; 5,2,1: Ῥάουεννα). Charakteristisch für die Top. von R. sind Nähe zum Meer und
Schutz durch die natürlichen geogr. Gegebenheiten –
Sumpfgebiete im Westen und nördl. der Stadt ein kleiner Arm des Padus (Po), die Fossa Asconis (Iord. Get.
29). R. war auf Pfählen erbaut und wurde aufgrund
seiner der Gesundheit zuträglichen Lage gerühmt
(Strab. 5,1,7; Vitr. 1,4,11); allerdings war die Trinkwasserversorgung unzureichend (Mart. 3,56 f.). Erst Kaiser
Traianus (98–117 n. Chr.) ließ eine Wasserleitung errichten, die unter Theoderich renoviert wurde (Excerpta Valesiana 71).

Seit 132 v. Chr. lag R. an der Straße zw. Atria und
Forum Popili, seit augusteischer Zeit bestand auch eine
direkte Verbindung mit → Ariminum (Mela 2,64). 56
v. Chr. hatte R. den Status einer *civitas foederata* (Cic.
Balb. 50), später den eines *municipium, tribus Camilia*.
Entscheidend für die weitere Entwicklung von R. war
der Ausbau des Kriegshafens durch Augustus seit 38
v. Chr. (App. civ. 5,80; Suet. Aug. 49,1; Tac. ann. 4,5,1).
Die Hafenvorstadt war Classis (Prok. BG 2,29,31), deren
Lage h. S. Apollinare in Classe sichert. Plinius [1] d. Ä.
erwähnt einen Leuchtturm (Plin. nat. 36,83). Zw. R.
und Classis lag das Viertel Caesarea (Iord. Get. 29), an
der Stelle der späteren Via S. Lorenzo in Cesarea. Hinzu
kam ein Handelshafen wohl bei S. Maria in Porto fuori.
Die Hafenanlagen von R. hatten Auswirkungen auf die
Sozialstruktur: Inschr. bekannt sind mehrere Seeleute
(*nautae*: CIL XI 135; 138) und Schiffbauer (*faber navalis*:
CIL XI 139), weswegen dem *collegium fabrum* (→ collegium
[1]; CIL XI 126) bes. Bed. zukam. Aus ganz Oberit. wurde Holz für den → Schiffbau auf dem Padus direkt nach
R. transportiert (Vitr. 2,9,16). Für das 4. Jh. n. Chr. ist
eine Leinwandfabrik nachweisbar (Not. dign. occ.
11,63). Auch die städtische Verwaltung wurde durch die

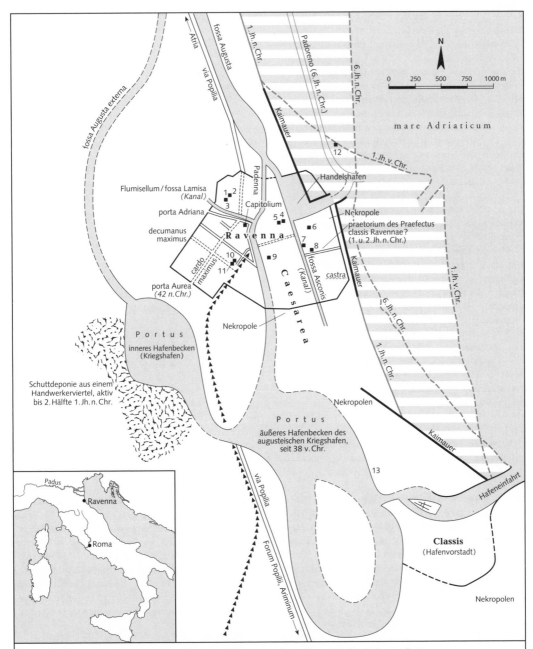

Ravenna, Caesarea, Classis: Stadtentwicklung (1. Jh. v. Chr. – Ende 6. Jh. n. Chr.) und altchristliche Sakral - und Profanbauten (5. – 8. Jh. n. Chr.)

Stadtmauer (ca. 42 n. Chr., claudisch / 5. Jh. n. Chr., z. T. erhalten)	
rekonstruiertes Straßenraster der augusteischen Stadtanlage (sicher / erschlossen)	
Aquaedukt (2. Jh. n. Chr., traianisch, restauriert unter Theoderich)	
Uferlinie (sicher / unsicher)	
Meer, permanent	
Meer, temporär	
Name — Lokalisierung unsicher	
Name ? — Identifizierung unsicher	

Altchristliche Sakral - und Profanbauten (5. – 8. Jh. n. Chr.):

1. S. Crucis (S. Croce)
2. Mausoleum der Galla Placidia
3. S. Vitalis (S. Vitale)
4. Anastasis Gothorum / Dom der Arianer
5. S. Maria in Cosmedin mit Baptisterium der Arianer
6. S. Ioannis Evangelistae (S. Giovanni Evangelista), Basilika
7. S. Salvatoris (Palastkirche S. Apollinare Nuovo)

8. sog. Palast des Theoderich
9. Basilika Apostolorum / Apostel - Basilika (S. Francesco)
10. sog. Baptisterium der Orthodoxen (S. Giovanni in Fonte)
11. Hagia Anastasis / Basilika Ursi(a)na (Don S. Orso)
12. Mausoleum des Theoderich (nicht vollendet)
13. S. Apollinare in Classe (nicht exakt lokalisiert)

Kriegsflotte geprägt: An ihrer Spitze stand – ganz untypisch für *municipia* – ein *magister* (CIL XI 863), wobei es sich wohl um den Flottenkommandanten handelte (Not. dign. occ. 42,7). Ihre sichere Lage empfahl R. für die Internierung Staatsgefangener (z. B. der Sohn des → Arminius, Tac. ann. 1,58, oder → Maroboduus, der bei den Römern Zuflucht gesucht hatte, Tac. ann. 2,63). Vielleicht ist die sichere Lage auch der Grund dafür, daß schon Caesar vor Ausbruch des Bürgerkriegs im J. 49 v. Chr. in R. sein Hauptquartier aufgeschlagen und hier eine Gladiatorenschule hatte errichten lassen (Suet. Iul. 30f.). Keinen Zweifel aber kann es daran geben, daß die Sicherheit, die R. bot, der Grund für die Verlegung der kaiserlichen Residenz nach R. war: Im J. 404 siedelte Honorius [3] mit dem Hof endgültig von Mediolan(i)um [1] nach R. über, das damit *urbs regia* (Iord. Get. 29) wurde.

Mit der Erhebung von R. zur weström. Residenz begann der umfassende Ausbau der Stadt. Dabei spielten zahlreiche Kirchenbauten eine herausragende Rolle: Hagia Anastasis (Plan Nr. 11) als Bischofskirche (Vorgängerbau des h. Doms) mit dem oktogonalen sog. Baptisterium der Orthodoxen; S. Ioannis Evangelistae (Nr. 6); S. Crucis als Palastkirche (Nr. 1), an deren Narthex ein Oratorium angegliedert war; das sog. Mausoleum der → Galla [3] Placidia (Nr. 2) sowie die Basilica Apostolorum (h. S. Francesco; Nr. 9). Die Gelehrten → Aspasios [3] und → Agnellus stammten aus R., Maximianus [3] war hier ab 546 n. Chr. Bischof.

C. HEU.

II. BYZANTINISCHE ZEIT

R. wurde nach dem Ende des weström. Kaisertums 476 n. Chr. Residenzstadt des Königs → Odoacer, 493 der → Ostgoten. Im J. 540 von den Truppen des → Belisarios eingenommen, bildete R. in der Folgezeit einen wichtigen Brückenkopf bei der Rückeroberung Italiens und war danach dessen Verwaltungszentrum. Nach dem Einfall der → Langobardi 568 blieb R. in oström. Hand und wurde Hauptstadt eines 584 erstmals erwähnten → Exarchats. Dieses war durch den Machtverfall des Reichs im 7. Jh. weitgehend auf sich selbst gestellt. Von den aus dem Osten entsandten Exarchen wurden mehrere in R. ermordet, andere versuchten Usurpationen (Eleutherius 619, Olympius 651/2). R. beteiligte sich am ital. Aufstand gegen die byz. Herrschaft von 726, fiel vorübergehend 732, endgültig 751 in die Hand der Langobardi, wurde 756 von den → Franci erobert und dem Papst übergeben.

Von den Bauten der gotischen und oström. Zeit sind in R. u. a. erh.: das Mausoleum → Theoderichs (Oktogon mit monolithischer Kuppel, um 520; Plan Nr. 12) und die Kirchen S. Apollinare Nuovo (um 500, Nr. 7; urspr. arianisch, → Arianismus), S. Vitale (oktogonaler Kuppelbau, eingeweiht 548, Nr. 3) und S. Apollinare in Classe (eingeweiht 549), alle mit bed. Mosaikdekorationen, darunter in S. Vitale den Porträts des Kaisers → Iustinianus [1] I., der Kaiserin → Theodora und des Erzbischofs → Maximianus [3].

AL. B.

F. W. DEICHMANN, R., Hauptstadt des spätant. Abendlandes, Bde. 1.1 und 1.2, 1969; 2.1, 1974; 2.2, 1976; 2.3, 1989; 2.4, 1976; 2.5, 1989; 3, ²1969 • V. MANZELLI, R., 2000 • T. S. BROWN, D. KINNEY, s. v. R., ODB 2, 1773–1775.   C. HEU. u. AL. B.

KARTEN-LIT.: G. BOVINI, R. Kunst und Gesch., 1978 • E. RUSSO, s. v. R., EAA 2. Suppl., 1971–1994; Bd. 4, 1996, 703–718.

Ravenna Papyri. Zur Zeit 61 Stücke umfassende, h. zerstreute Slg. nicht-lit. lat. Texte auf Papyrus aus der Zeit von 433 bis etwa 700 n. Chr., die zum überwiegenden Teil wohl zu einem ravennatischen Archiv gehörten. Die R. P. bilden eine wichtige Quelle zur Sozial-, Wirtschafts- und Verwaltungsgesch. Italiens im Übergang von der Ant. zum MA.

J.-O. TJÄDER, Die nichtlit. Pap. Italiens aus der Zeit 445–700, 2 Bde., 1955, 1982 • Papyrus Erzherzog Rainer. FS zum 100j. Bestehen der Pap.-Slg. der Öst. Nationalbibliothek, Bd. 1, 1983, 161 • R. P. SALOMONS et al., Completio of a Deed of Donation, in: ZPE 123, 1998, 151–157.   H. L.

Ravenna-Annalen (*Chronica Italica* bei [1], besser *Chronicon Constantinopolitanum* (vgl. [7; 8. 41–43]). Urspr. eine in ihrer kalendarischen Grundstruktur auf den *Consularia Constantinopolitana* [1. 197–245] beruhende, in → Konstantinopolis im 4. Jh. n. Chr. für eine bildungsbeflissene Führungsschicht im Umfeld des Hofes lat. verfaßte bzw. ergänzte, einfach informierende Chronik (zu ihrer Bildausstattung vgl. [2; 3; 4]). Eine erste, bis 387 n. Chr. reichende Phase ist überl. in den *Fasti Vindobonenses posteriores* (Cod. Vindobonensis no. 3416, 15. Jh.) und *Fasti Vindobonenses priores* a (bis 403) bzw. einer zunächst griech., dann erneut lat. rückübersetzten alexandrinischen Chronik (→ *Excerpta Barbari*; vgl. auch [2; 3]). Ergänzungen im Westen reichen bis 455 (*Fasti Vindobonenses posteriores* b; vgl. [4]) bzw. beginnen um 455 (*Fasti Vindobonenses priores* b, bis 496; → *Excerpta Valesiana* 2, bis 526) und gehen in individuellen Abschlüssen in der Regel nicht über das J. 573 hinaus. Zu den – neben den je lokal ergänzten Exzerpten – zahlreichen Benutzern dieser für die ausgehende Spätant. wichtigen Informationsquelle vgl. [1. 251f.].

ED.: 1 TH. MOMMSEN, MGH AA 9, 1892, 249–339 (Parallelausgabe der wichtigsten sieben Textzeugen). LIT.: 2 A. BAUER, J. STRZYGOWSKI (ed.), Eine alexandrin. Weltchronik, 1906 3 H. LIETZMANN, KS 1, 1958, 420–429 (¹1937) 4 B. BISCHOFF, W. KOEHLER, Eine illustrierte Ausgabe der spätant. Ravennater Annalen, in: W. KOEHLER (Hrsg.), Medieval Stud. in Memory of A. K. Porter, 1939, 125–138 5 G. WAITZ, Die ravennatischen Annalen, in: Nachr. der Göttinger Ges. der Wiss. 1865, 84–114 6 O. HOLDER-EGGER, Unt. 3: Die Ravennater Annalen, in: Neues Archiv 1, 1876, 214–368 7 O. SEECK, Idacius und die Chronik von Constantinopel, in: Neue Jbb. für Philol. 139, 1889, 601–635 8 S. MUHLBERGER, The Fifth-Century Chroniclers, 1990, 24–47.   P. L. S.

Ravilla. Röm. Cogn. (»grauäugig«), Beiname des L. Cassius [I 17] Longinus R.

KAJANTO, Cognomina, 228.   K.-L. E.

Re (*R*ꜥ), wichtigster Gott des äg. Pantheons. Eigentlich nur Wort für »Sonne« und als Appellativum so noch im Koptischen gebräuchlich, im Griech. als Helios wiedergegeben. Re ist teilweise der von selbst entstandene Gott, teilweise gilt der Urozean Nun als sein Vater. In Heliopolis verbindet er sich mit dem Gott Atum, seine Kinder sind Schu und Tefnut (→ Tefnutlegende). Oft erhält er den Beinamen »→ Horus, der Horizontische« (Harachte).

Die Phasen der Sonne während des Tages werden von den Ägyptern teilweise auf Chepre (Morgen), Re (Mittag) und Atum (Abend) verteilt. Nach einem anderen System wird Re-Harachte in jeder Stunde mit einem anderen Namen angerufen [3], ebenso kann er zu jeder Stunde eine neue Gestalt annehmen. Bes. wichtig ist dabei die Form des Jünglings auf der Lotosblüte (Morgen) und der vierköpfige Widder (Mittag). Re fährt in einer Tages- und einer Nachtbarke über den Himmel. In seinem Gefolge befinden sich u. a. die Wahrnehmungsgottheiten Hu und Sia, die aus dem Blut des Re entstanden sein sollen, als er seinen eigenen Phallus anschnitt. Re zugeordnet sind 7 Kas (→ Ka) und 14 Bas sowie 7 Uräusgöttinnen. Seine Tochter wird als »Sonnenauge« bezeichnet (→ Sothis). Nachts zieht Re mit seinem Gefolge durch die Unterwelt, um für die dort lebenden Götter und Verstorbenen zu sorgen [4]. Erzfeind des Re ist Apopis, der als ungeheure Schlange gedacht wird. Zu seiner Abwehr wurden Ächtungsrituale abgefaßt, die u. a. im Pap. Bremner-Rhind überl. sind. In ihrem einleitenden Spruch, der in zahlreichen Varianten überl. ist [6], wird Apopis als »Nabelschnur des Re« bezeichnet. Diesem obskuren Verwandtschaftsbezug dürfte entsprechen, daß nach Plut. Is. 36 Apopis ein Bruder des Helios war, was auch äg. [8. 206,10 f.] bezeugt ist.

Re gilt als Götterkönig und hatte in mythischer Vorzeit die Herrschaft auch über Äg. selbst inne. Nach dem Mythos von der Vernichtung des Menschengeschlechts revoltierten die Menschen gegen den alt gewordenen Sonnengott, der sich dann von der Erde zurückzog und die Herrschaft anderen Göttern überließ. In einigen Texten wird ihm angesichts seiner Königsherrschaft eine eigene Jahreszählung zugeordnet [9]. Re gilt als Vater der äg. Herrscher, die innerhalb ihrer Titulatur ab der 4. Dyn. (2570–2450 v. Chr.) auch den »Sohn-des-Re«-Namen trugen. Sein wichtigster Kultort lag in → Heliopolis [1]; ein Bericht über seine Vaterschaft an den drei ersten Königen der 5. Dyn. (2450–2290) gibt Sachebu im Delta als Herkunftsort.

Typisch für Re sind spezielle Kultbauten, so im AR die »Sonnenheiligtümer«, die sich architektonisch an den Bautyp der königlichen Totentempel anlehnen. Mutmaßlich aus dem »Benben-Stein« entwickelte sich der → Obelisk als typischer Bauteil im Sonnenkult. Im NR war ein Re-Komplex innerhalb der Totentempel üblich, der sich durch ein spezielles Dekorationsprogramm (arkane Texte vorwiegend kosmologischer Art) auszeichnete [8]. Dem Sonnengott gelten zahlreiche Hymnen sowie das Stundenritual [1]. Seine Dominanz in Äg. zeigt sich in den griech.-sprachigen magischen Papyri, die PGM VII, 518 sogar noch die Namen der beiden Sonnenbarken überliefern.

→ Amun; Sonnengottheiten

1 J. ASSMANN, Liturgische Lieder an den Sonnengott, 1969 2 Ders., R. und Amun, 1983 3 A. GASSE, La litanie des douze noms de Ré-Horakhty, in: BIAO 84, 1984, 189–227 4 E. HORNUNG, Äg. Unterweltsbücher, 1984 5 H. KEES, Der Götterglaube im alten Äg., 1941 6 A. KLASENS, A Magical Statue Base, 1952, 37 7 J. F. QUACK, Zw. Sonne und Mond, in: H. FALK (Hrsg.), Vom Herrscher zur Dyn. (im Druck) 8 S. SAUNERON, Esna III, 1968 9 S. VOSS, Ein liturgisch-kosmographischer Zyklus im Re-Bezirk des Totentempels Ramses III. in Medinet Habu (Stud. zur Altäg. Kultur 23), 1996, 377–396.   JO. QU.

Rea Silvia s. Rhea Silvia

Reate. Neben Amiternum Hauptort der → Sabini an der Via Salaria (Itin. Anton. 306; Tab. Peut. 5,5), h. Rieti. Seit dem 3. Jh. v. Chr. bis mindestens 27 v. Chr. *praefectura* (CIL IX 4677), danach *municipium, tribus Quirina, regio IV* (Strab. 5,3,1: Ῥεᾶτε; Plin. nat. 3,107; 109; Cic. Sest. 80; Cic. Att. 4,8; Suet. Vesp. 2,1). R. wurde durch eine Stadtmauer (*opus polygonale*; 3. Jh. v. Chr.) geschützt. Aus derselben Zeit stammt ein Viadukt (im 1. Jh. n. Chr. restauriert), der die Brücke über den Velinus mit der Mauer verband. Das Forum liegt in der Nähe der h. Piazza Vittorio Emanuele. Dort fand man Statuen, Reliefs und in die Zeit zw. dem 1. und 2. Jh. n. Chr. datierbare Ehreninschr. (CIL IX 4677; 4686). Hier befand sich ein Tempel, der in der Kaiserzeit der → Mater Magna [1] geweiht war (Sil. 8, 414–417). In R. waren die *gens Terentia* und die *gens Vatinia* ansässig. Inschr. bezeugen die Ansiedlung von Veteranen unter Vespasianus (aber keine *colonia*; CIL IX 4683 f.; 4689).

M. TORELLI, Ascesa al senato e rapporti con i territori di origine. Italia: Regio IV, in: Epigrafia e Ordine Senatorio 2 (Tituli 5), 1982, 165–199 • M. C. SPADONI CERRONI, A. M. REGGIANI MASSARINI, R., 1992.   M. M. MO./Ü: H. D.

Rebhuhn. Das mitteleuropäische R. (Perdix perdix) ist in Griechenland durch das felsliebende → Steinhuhn (Alectoris graeca, πέρδιξ/*pérdix*) vertreten. Das in It. vorkommende kleinere R. (das im Gegensatz zum Steinhuhn keinen roten Schnabel hat) beschreibt nur Athen. 9,390b.   C. HÜ.

Rebilus. Röm. Cogn. in der Familie der Caninii (→ Caninius [3–5]), bis in die Kaiserzeit vorkommend.

DEGRASSI, FCIR, 265.   K.-L. E.

Reccared. Westgotenkönig 586–601 n. Chr., Sohn → Leowigilds, veranlaßte 587 den Wechsel der Westgoten zum Katholizismus (Chron. min. 2,218).

D. CLAUDE, Adel, Kirche und Königtum im Westgotenreich, 1971, 77–91 • PLRE 3, 1079 f.   WE. LÜ.

Receptio nominis. Im röm. Strafprozeß (Quaestionenverfahren) die endgültige Annahme einer Anklage (→ delatio nominis) durch den Vorsitzenden der zuständigen → quaestio, d. h. die »Eintragung« in die Liste der bei dem Gerichtshof anhängigen Verfahren. Ist der Beschuldigte bei der ersten Befragung durch den zuständigen Magistrat geständig, so kann dieser sofort die Strafe aussprechen, die r.n. wird dadurch überflüssig. Nur wenn der Beschuldigte bestreitet, erfolgt die r.n. und damit die Vorbereitung der Verhandlung, die nur in seiner Anwesenheit erfolgen kann. Im weiteren Sinn ist daher r.n. auch die Anordnung der öffentlichen Ladung des Beschuldigten zur Vernehmung.

W. KUNKEL, s. v. Quaestio (1), RE 24, 720–786, bes. 755–759 • Ders., Unt. zur Entwicklung des röm. Kriminalverfahrens in vorsullanischer Zeit, 1962 • M. BIANCHINI, Le formalità costitutive del rapporto processuale nel sistema accusatorio romano, 1964 • B. SANTALUCIA, Diritto e processo penale nell'antica Roma, ²1998 (dt. Übers. nach ¹1989: 1997).   Z. VE.

Receptum (substantivisch gebrauchtes Partizip Perfekt von → recipere, »übernehmen«) steht im röm. Recht für »Verpflichtung, Versprechen, Garantie« und wird für drei verschiedene Verpflichtungsgeschäfte verwendet, denen gemeinsam ist, daß sie als sog. pacta praetoria (praetorisch anerkannte Abreden; → pactum D.) – wie das Schuldversprechen (constitutum debiti, s.u.) – nach praetorischem Recht durchzusetzen sind.

1. R. arbitri (r. des Schiedsrichters): Die übernommene Verpflichtung liegt hier darin, einen Streitfall zu entscheiden. Sollte der arbiter sich weigern, seiner Verpflichtung nachzukommen, können sich die Parteien (nur) an den Praetor wenden; ein unmittelbarer, durch Klage und Urteil durchsetzbarer Anspruch entsteht nicht (→ Schiedsgerichtsbarkeit).

2. R. argentarii (r. des Bankiers): Übernahme einer Schuld durch einen »Bankier« (nicht in Stipulationsform, → stipulatio) zugunsten eines seiner Schuldner, die in der Spätant. im constitutum debiti (Schuldversprechen) aufgeht und ökonomisch eine bürgschaftsähnliche Funktion hat.

3. R. nautarum cauponum stabulariorum (r. der Schiffer, Gast- und Stallwirte): Dieses r. hat das ohne bes. Stipulation erbrachte Versprechen der Unversehrtheit der Güter des Kunden zum Gegenstand. Aus der urspr. Garantiehaftung entwickelt sich (vgl. Labeo/Ulp. Dig. 4,9,3,1) eine Haftung nur für mangelhafte → custodia (»Überwachung«). Diese Haftungserleichterung ist über eine → exceptio (»Einrede«) in Fällen der Piraterie oder des Schiffbruchs geltend zu machen. Der Anspruch entsteht alsbald möglicherweise (kritisch [1. 530f.]) auch

ohne ausdrückliche Garantieerklärung durch die bloße Übernahme der Gegenstände und läßt sich mit der Risikobehaftetheit des Vertrags, der Gefahr von Mißbräuchen und dem niedrigen sozialen Ansehen der Schiffer und Wirte erklären.

Alle diese recht unterschiedlichen Fälle wurden im praetorischen Edikt [2. 130–135] unter dem Titel De receptis erfaßt, wohl, weil ihnen in der Regel die Übernahme einer auch moralischen Verbindlichkeit gemein ist.

Wenn ein von den Parteien bestimmter arbiter die Lösung eines Streitfalles übernommen hatte, konnte er vom Praetor zur Erfüllung dieser Zusage gezwungen werden (Ulp. Dig. 4,8,3,2); eine Klage der Streitparteien auf Lösung des Konfliktes war freilich nicht vorgesehen. Gegen den argentarius stand eine actio recepticia, gegen Reeder und Wirte die actio de recepto zur Verfügung. Insbes. die Haftung des Wirtes hat bis in die Moderne Wirkung entfaltet, wie sich etwa an § 701 BGB oder § 970 ABGB zeigt.

1 A. BÜRGE, Fiktion und Wirklichkeit: Soziale und rechtliche Strukturen des röm. Bankwesens, in: ZRG 104, 1987, 465–558, bes. 527–536 2 O. LENEL, Das Edictum perpetuum, ³1927.

CH. H. BRECHT, Zur Haftung der Schiffer im ant. Recht, 1962 • KASER, RPR Bd. 1, 584–586 • A. J. M. MEYER-TERMEER, Die Haftung der Schiffer im griech. und röm. Recht, 1978 • K.-H. ZIEGLER, Das private Schiedsgericht im ant. röm. Recht, 1971 • R. ZIMMERMANN, The Law of Obligations: Roman Foundations of the Civilian Trad., 1996, 513–530.   N. F.

Rechenkunst s. Mathematik (IV.2)

Rechiarius. Suebenkönig in Spanien 448–455 n. Chr., Katholik [2. 21–23], heiratete eine Tochter des Westgotenkönigs → Theoderich I., plünderte Nordspanien 448/9 (Chron. min. 2,25) und schloß 453 und 454 vorübergehend Verträge mit den Römern (Chron. min. 2,27). R.' Expansionspolitik zu Beginn der Regierung → Theoderichs II. (453–466) brachte ihn in Konflikt mit den Westgoten. In dieser Auseinandersetzung wurde R. 455 getötet (Chron. min. 2,29).
→ Suebi

1 PLRE 2, 935 2 R. COLLINS, Early Medieval Spain, 1983.
      WE. LÜ.

Rechimundus s. Remismundus

Recht I. ALLGEMEINES II. HISTORISCHE UND PHILOSOPHISCHE URSPRÜNGE DES RECHTS III. RECHTSKREISE IV. SACHTHEMEN EINER ANTIKEN RECHTSGESCHICHTE

I. ALLGEMEINES

Die wichtigsten Grundlagen für das spätere europäische Rechtsdenken wurden im → jüdischen Recht des AT, im griech. R. als dem praktischen Gegenstück zur

beginnenden philos. Reflexion über die → Gerechtigkeit (→ Vorsokratiker; → GERECHTIGKEIT) und vor allem im röm. R. als der maßgeblichen Autorität für die
Entwicklung einer weltlichen europ. Rechtswiss. seit
dem Spät-MA gelegt (→ REZEPTION). R. ist immer die
Ordnung einer größeren Gemeinschaft zur Bereinigung von Konflikten zw. ihren Gliedern durch dafür
zuständige bes. Einrichtungen, die nach einem überindividuellen, »objektiven« Maßstab handeln. Im jüd. R.
bleibt dieser Maßstab aber Gegenstand der göttlichen
(oder prophetischen; → Prophet) Weisung, während in
Griechenland und Rom das R. weltlichen Charakter
annimmt − sei es als Gegenstand von Gesetzen der
griech. → Polis, sei es als röm. → ius mit seinen Grundlagen im Gesetzes-R. der → civitas (Bürgergemeinde)
und in der Rechtsschöpfung des → Praetors und seiner
Berater.

Jenseits dieses wirkungsgeschichtlich relevanten Zusammenhanges sind die ant. R. ein bes. wichtiger Gegenstand der Beschäftigung mit dem Alt. − spiegeln sich
im R. doch am deutlichsten die kleinen und großen
Probleme des menschlichen Zusammenlebens. Die
Konfliktbereinigung und -vermeidung durch R. drängt
zudem in allen Gesellschaften mit größerer Bevölkerungsdichte (bes. Stadtgesellschaften) zu dauerhafter
Fixierung, also Schriftlichkeit (vgl. → Rechtskodifikation; → Schriftlichkeit/Mündlichkeit; → KODIFIKA
TION). Dadurch haben Zeugnisse des R.-Lebens eine
gute Chance, die Jt. zu überdauern. Tatsächlich besteht
noch ein überaus reicher, keineswegs schon vollständig
ausgewerteter Fundus an ant. Stelen, Tontafeln, Papyri
und anderen Schriftträgern mit Dokumenten über private R.-Geschäfte, Verwaltungsakte und auch Streitentscheidungen.

Ferner ist die Gesetzgebung ein bes. wichtiger Teil
staatlichen Handelns und auch der Selbstdarstellung
staatlicher Autoritäten, v. a. der Herrscher. Deshalb sind
gerade Gesetze teilweise gut überliefert, so v. a. das
→ Corpus iuris des Kaisers → Iustinianus [1] I. (6. Jh.
n. Chr., → DIGESTEN), aber auch z. B. die sog. Codices
Altmesopotamiens, unter denen das R.-»Buch« des
→ Hammurapi (18. Jh. v. Chr.) das bekannteste, aber
keineswegs älteste ist (→ Rechtskodifikation I.). Teilweise wird den »Gesetzen« aus dem Bereich der → Keilschriftrechte allerdings gesetzliche Geltung in ihrer Zeit
abgesprochen und ihnen der Charakter von Propaganda-Lit. zugewiesen (vgl. [1. 51]). In jedem Falle sind die
großen R.-Texte Mesopotamiens ein aufschlußreiches
Zeugnis für die Vorstellungen und Rechtsgrundsätze,
von denen sich nicht nur die Herrscher als oberste Richter leiten ließen, sondern auch die Rechtsprechung und
die Rechtspraxis.

II. HISTORISCHE UND PHILOSOPHISCHE
URSPRÜNGE DES RECHTS

Nicht mehr als Spekulationen über die Zeit vor der
schriftlichen Fixierung rechtlich relevanter Vorgänge
und Texte sind Theorien vom urspr. ›Mutterrecht‹ [2]

und von der Entwicklung des R. aus der Selbsthilfe
(grundlegend [3]) geblieben. Beide Theorien verweisen
aber auf wichtige Grundsachverhalte der Entstehung
von R.: Das theoretische Konstrukt eines → MATRIAR
CHATS beruht auf der Vorstellung, daß R. u. a. mit privater Herrschaft vor und neben dem Staat zu tun hat,
daß einer seiner zentralen Gegenstände die Familienverfassung ist und daß Freiheit und Eigentum in histor.
Sicht aufs engste mit den Entwicklungen der Familie
verbunden sind (s. u. IV. C.). Die Selbsthilfetheorie
knüpft an die mindestens für Griechenland und Rom
zutreffende Beobachtung an, daß alle archa. Bemühungen um das R. beim formalisierten Streit unter den
Mitgliedern der Ges. ansetzten, R. also urspr. → Prozeßrecht ist.

Das jüd. R., die Keilschriftrechte und das Recht des
ant. Äg. zeigen nahezu vom Anf. der Überlieferung an
auch ein anderes Motiv: durch das R. den Schwächeren
gegenüber dem Stärkeren zu schützen. So rühmt sich
der König Urukagina von Lagaš im 24. Jh. v. Chr., Witwen und Waisen vor der Beraubung durch die Reichen
geschützt zu haben [4], und die erh. Prologe der R.-
Aufzeichnungen aus Mesopot. kommen durchweg auf
diesen Topos zurück [1]. In Äg. verkörpert das Prinzip
des → Ma'at als zentraler Bestandteil von Rel. und Gesetz neben der Verbürgung des R. durch Gleichbehandlung ebenso die Zuwendung des R. zu den Hilfsbedürftigen. Die »soziale« Seite des jüd. R. schließlich hat
durch das Zinsverbot (Ex 22,24) sogar noch nachhaltig
das abendländische MA geprägt. R. soll demnach nicht
nur Ordnung, sondern in einem durchaus sozialen Sinne »gerecht« sein.

So sehr der Gedanke materieller Gerechtigkeit auch
die griech. R.-Philos. durchzieht, so wenig war von
ihm in Griechenland im praktischen Rechtsleben zu
spüren: R. war der Inbegriff der positiven Gesetze
(→ nómos I.). Von ihnen aufgrund der Billigkeit (→ BIL
LIGKEIT) abzuweichen, waren die Gerichte nicht befugt
[5. 2517]; ihnen fehlte dafür die intellektuelle Vorraussetzung einer Interpretationskunst, wie sie dann das
röm. R. beispielhaft für das spätere Europa entwickelt
hat (→ interpretatio I.; → RHETORIK, JURISTISCHE). Vielmehr wurden z. B. in Athen die Geschworenen sogar
extra darauf eingeschworen, ausschließlich die Gesetze
buchstäblich anzuwenden (→ Attisches Recht B.). Aber
auch die röm. Vorstellung von R. unterscheidet sich
grundlegend von altoriental. Gerechtigkeitsanschauungen. Zwar beherrschen die materialen Werte Treue
(→ fides) und auf Gleichbehandlung gerichtete Billigkeit
(→ aequitas) die praktische, unmittelbar auf die Entscheidung von R.-Fällen gerichtete röm. Jurisprudenz
(→ iuris prudentia). Hierbei handelt es sich aber gerade
nicht um jene R.-Werte, die dem R. einen »Tropfen
sozialistischen Öls« (im Sinne der berühmten Kritik
GIERKES am Entwurf zum dt. BGB) beimischen. R. war
im Verständnis der Römer Sicherung der Freiheit (→ ius
A. I.). Die Verwendung von Gedanken zum Inhalt des
R. diente daher der Freiheitsethik, nicht der Ethik sozialer Verantwortung.

III. Rechtskreise

Wie in der R.-Vergleichung der Gegenwart üblich, läßt sich das R. des Mittelmeerraumes und Mesopot. in der Ant. nach R.-Kreisen darstellen. Freilich ist die Abgrenzung solcher R.-Kreise schwierig und im einzelnen oft nicht ohne Willkür möglich. So ließe sich aufgrund der im wesentlichen einheitlichen Sprache von einem »griech. R.-Kreis« sprechen, der dann die R.-Gesch. sowohl des klass. Griechenlands als auch der griech. R.-Texte des Hell., v. a. der graeco-äg. Papyri umfassen würde. Käme es allein auf die Sprache an, würde dazu auch das byz. R. gehören; dessen Einbeziehung in den griech. R.-Kreis wäre aber verfehlt, da es fast ganz vom R. des röm. Kaiserreichs geprägt ist. Zeigt schon dies die mangelnde Unterscheidungskraft der Sprache, werden die Zweifel an einem einheitlichen griech. R.-Kreis noch gesteigert, wenn man die weitreichende »Verstaatlichung« des R. und z. B. die grundlegende Änderung des Familienrechts (Verschwinden des → *oíkos* mit den dazugehörigen Eheformen der → *ékdosis* und → *engýēsis*, Wegfall der Institution der Erbtochter, → *epíklēros*) im Ptolemäerreich mit den Zuständen im Athen des 5. Jh. v. Chr. vergleicht. Gerade die Zeit des Hell. ist in der R.-Kultur gleichzeitig durch Elemente der Einheit (→ Rechtskoine) und der Vielfalt (→ Rechtspluralismus) gekennzeichnet. Aber selbst für die griech. Poleis und Kleinstaaten des 5. Jh. v. Chr. ist mit einem mehr oder weniger ausgeprägten R.-Partikularismus zu rechnen. Genauer nachvollziehbar sind freilich wegen der Quellenlage nur die Unterschiede zw. dem → Attischen Recht und dem Stadtrecht von → Gortyn.

Die einzige mod. Gesamtdarstellung der ant. R. im Mittelmeerraum [6] wählt daher den Weg, zunächst nach geogr. Regionen (wie Griechenland, Äg., Alter Orient im Sinne Vorderasiens oder Südarabien) zu differenzieren, teilweise dann aber übergreifende Querschnitte (zu »Hell. und Recht«) oder rel.-kulturell bedingte Ausschnitte (zu Judentum und christl. Orient) gesondert zu behandeln.

Zu den wichtigsten R. der Ant. im mittelmeerisch-vorderasiatischen Raum vor der griech.-röm. Kultur gehören: → Ägyptisches Recht, → Demotisches Recht, → Hethitisches Recht, → Jüdisches Recht und die → Keilschriftrechte. Davon werden üblicherweise das demot. R. dem äg., das hethit. R. dem keilschriftlichen R.-Kreis zugezählt.

Gleichsam ein 900jähriger Epilog zur Gesch. des röm. R. ist die R.-Gesch. des byz. Reiches. Mehr als irgendwo sonst bildete das → *Corpus iuris* (→ DIGESTEN) des Iustinianus [1] aus dem 6. Jh. n. Chr. in Byzanz (→ BYZANZ, I.B.3) die Grundlage des geltenden R. bis zum E. des Reiches 1453. Die wichtigste R.-Quelle für die byz. Praxis, die *Basiliká* (›Basiliken‹, um 900 n. Chr.), waren eine griech. Paraphrase der wichtigsten Teile des *Corpus iuris* (→ *Digesta* und → *Codex Iustinianus*). Die in folgenden Jh. (bis zum 13. Jh.) als Scholien (Anmerkungen) dazu gegebenen Erläuterungen greifen teilweise auf voriustinianische röm. Texte zurück, die in die *Digesta* nicht aufgenommen worden waren [7].

Nicht mehr der Gesch. des ant. Rechts gehört das islam. R. an; wie das westeurop. R. ist es jedoch tief von der Ant. geprägt. So hat es wohl kaum zufällig mit dem jüd. R. die Herkunft aus der Offenbarung Gottes und des Propheten (hier → Mohammed, dort → Moses) gemein. Wie die Römer und unter röm.-byz. Einfluß [6. 48] (→ BYZANZ) haben die Moslems des MA eine professionelle Wiss. von der Auslegung des R. entwickelt, und fast wie eine Renaissance röm. Gepflogenheiten des 1. Jh. n. Chr. (→ Rechtsschulen) wirkt der Schulengegensatz, der sich im 8. Jh. n. Chr. unter Führung des Mālik ibn Anas (daher: Mālikiten) in Medina und des Abū Ḥanīfa (daher: Ḥanafiten) in Bagdad herausgebildet hat und im islam. R. bis in die Gegenwart wirkt.

IV. Sachthemen einer antiken Rechtsgeschichte

A. Recht und Religion   B. Recht und Staat
C. Familie und private Herrschaft
D. Marktverfassung und Warenverkehr

Der Vergleich einzelner Sachthemen über die verschiedenen ant. R.-Kreise hinweg ist noch nicht weit gediehen. Mögliche Forschungsfelder sind:

A. Recht und Religion

Eine der Grundfragen aller archa. R. ist das Verhältnis von R. und → Religion. Beide Bereiche teilen dieselbe kulturelle Funktion: Friedlichkeit in einer größeren Gemeinschaft herzustellen und zu bewahren. Verstöße gegen die Ordnung der Gemeinschaft können gleichermaßen Sünde oder Tabuverletzungen wie Unrechtstaten sein. Die Wahrung der → Gerechtigkeit (→ GERECHTIGKEIT) ist daher ebenso rel. wie rechtliches Gebot. Wegen ihres Gerechtigkeitsbezuges hat die Rel. eine zentrale Gemeinschaftsfunktion, und aus dieser Übereinstimmung mit der Rel. kann R. legitimiert werden. Daher wird die Gerechtigkeit auch als Gottheit personifiziert, so bei den Ägyptern als → Maʼat (Tochter des Sonnengottes), bei den Griechen → Dike und → Themis; der mesopot. »Obergott« → Enlil und später → Marduk verkörpern mit der Ordnung des Kosmos das Vorbild für die menschliche gesellschaftliche Ordnung. Demzufolge ist der mesopot. Stadtfürst zugleich oberster → Priester seines Staates, der äg. → Pharao Stellvertreter Gottes; beide → Herrscher sind dadurch nicht nur zur → Herrschaft legitimiert, sondern auch zur R.-Sprechung und zur Wahrung der gerechten Ordnung verpflichtet. Eine andere urspr. Verknüpfung von R. und Rel. begründet die Verbindlichkeit von R.-Akten durch einzelne Mitglieder der R.-Gemeinschaft: Verträge werden – wiederum schon im alten Orient – durch einen »promissorischen« → Eid r.-beständig, Prozeßhandlungen oder -aussagen durch einen »assertorischen« Eid glaubwürdig.

Durch diese untrennbaren Beziehungen zw. R. und Rel. sind die Priester in der Ant. vielerorts die berufenen Verkünder und Verwalter des R. (→ Priester). Zusätzlich ergibt sich dies daraus, daß R.-Akte einer (schriftlichen oder sonstigen rituellen) Form bedürfen und allein die Priester in der Lage sind, diese den Interessenten zur Verfügung zu stellen. Dieses Expertentum für das R. zeichnet sogar in Rom trotz der frühen Unterscheidung des weltlichen → *ius* vom göttlichen → *fas* die Priester (→ *pontifex*) aus, die dadurch zu Vorläufern der röm. Juristen wurden [8]. In Mesopotamien, wo Streitschlichtung, Gerichtsverfahren und Vertragspraxis seit dem frühen 3. Jt. in Händen professioneller Schreiber bzw. Richter ohne Priesterstatus lagen, waren die Priester neben den Verwaltungsfunktionären zudem als Träger der → Tempelwirtschaft die wichtigsten »Unternehmer« (wohl teilweise neben dem Fürsten), so daß sie auch selbst an der Entwicklung beständiger Wirtschafts- und so auch R.-Beziehungen interessiert waren [9].

Wo sich ein weltlicher Stand von → Schreibern und schreibkundigen Beamten herausgebildet hatte (wie in Äg., Mesopotamien und dann vor allem in der hell. Welt), wurde umgekehrt das R. »säkularisiert«. Aber auch wenn die Gestaltung des R. auf weltliche Instanzen übergegangen war, blieben bes. wichtige Rechtsakte teilweise rel. gebunden, z. B. die Statusänderung von Sklaven durch die Tempelfreilassung in Griechenland [10] (→ Freilassung).

B. RECHT UND STAAT

1. RECHTSBILDUNG OHNE DEN STAAT
2. PRIVATES UND ÖFFENTLICHES STRAFRECHT
3. VERFASSUNGS- UND BÜRGERRECHT
4. VÖLKERRECHT

1. RECHTSBILDUNG OHNE DEN STAAT

Schon in der Ant. ist das R. eng mit dem Staat verbunden. Zu den wichtigsten Quellen für die Kenntnis des ant. R. gehören Urkunden über R.-Geschäfte, z. B. über → Ehe-Verträge, → Freilassungen, → Kauf, → Darlehen, → Pacht oder → Pfand- und andere Sicherungsrechte. Diese Geschäftstypen haben sich offenbar weitgehend in der Praxis entwickelt – unter Wahrung der anerkannten Formen zur Bekräftigung des rechtlichen Willens und unter vielfacher Verwendung des passenden, von einem Priester oder rechtskundigen Schreiber bereitgehaltenen Musters. Bewährten Formularen folgt bereits die Praxis des alten Orients [11] und auch noch diejenige der graeco-äg. Papyri [12], v. a. aber im röm. R. die → *mancipatio* (Übereignung mit Gewährschaftsübernahme) sowie die → *stipulatio* (Schuldversprechen). Jedenfalls ist hiernach keineswegs alles R. staatliches R.

2. PRIVATES UND ÖFFENTLICHES STRAFRECHT

Dies galt in der Ant. sogar für den Bereich, in dem der moderne Staat am stärksten in die Rechtsstellung des Individuums eingriff: für das → Strafrecht. Der ant. Staat beanspruchte kein Strafmonopol. Er unterließ nicht nur ein Eindringen in die Familie mit dem Hausgericht und der Strafgewalt z. B. des röm. → *pater familias* bis hin zum urspr. »R. zur Entscheidung über Leben

und Tod« (*ius vitae necisque*). Auch bei Diebstählen, Räubereien und sogar Körperverletzungen und Tötungen durch jemanden, der außerhalb des Familienverbandes steht, lag die ant. Reaktion vielfach in einem privaten Strafanspruch des Verletzten oder seiner Angehörigen. Beim Staat monopolisiert wurden überall zunächst nur Delikte gegen reine Gemeinschaftsgüter wie Rel.-Frevel (z. B. in Griechenland → *asébeia* und → *hierosylía*) oder Hoch- und Landesverrat (in Rom z. B. → *perduellio*). Den »privaten« → Mord (s. auch → Tötungsdelikte) aber sühnte etwa im röm. Strafverfahren des 5. v. Chr. nach dem Talionsprinzip (→ Talion) nicht der Staat durch Vollstreckung der Todesstrafe, sondern der private Ankläger selbst [13]. Dasselbe Delikt war andererseits wohl schon im 3. Jt. v. Chr. in Mesopotamien Gegenstand öffentlicher Vollstreckung, während die einfache Köperverletzung oder der Diebstahl in beiden R.-Kulturen nur durch Privatstrafe (etwa Bußleistungen in Höhe des Doppelten oder Mehrfachen des Wertes der gestohlenen Sache) geahndet wurde [14. 69, 90, 101 f.].

3. VERFASSUNGS- UND BÜRGERRECHT

Andererseits finden sich in der Ant. Ansätze, den Staat selbst mit seiner Organisation und seinen Befugnissen zum Gegenstand rechtlicher Regelungen zu machen. Am ausgeprägtesten ist der Gedanke einer staatlichen → »Verfassung« in den ant. Republiken, wie dies von → Aristoteles [6] für Athen und von → Polybios [2] und → Cicero für Rom teilweise idealisierend dargestellt wird. Aber auch in den Regierungssystemen Mesopotamiens und Äg. existierten R.-Regeln für den Innenbereich des Staates. Dort werden dem Handeln des Staates und seiner Herrscher durch Normen von »R. und Notwendigkeit« (Mesopotamien) bzw. durch → Ma'at (Äg.) Grenzen gezogen [15], und das wohl bekannteste Dokument des → ägyptischen Rechts, die »Dienstanweisung für den Wesir« aus dem 15. Jh. v. Chr. ist u. a. eine Ordnung von Zuständigkeiten im Staat und eine Art »Richtlinie« der Politik [16].

Eine Besonderheit der Zuordnung des R. zu einem Staat in der Ant. ist die häufiger vorkommende doppelte Loyalität von Bürgern und Untertanen. So wird für das ptolem. Äg. (3.–1. Jh. v. Chr.) ein → Rechtspluralismus beobachtet, weil die Gerichte und Urkundspersonen die sehr verschiedenen R.-Überlieferungen der Bewohner berücksichtigen [5. 2531 f.]. In den Poleis des östlichen Mittelmeerraumes war es schon früher vielfach zu einem »Doppelbürgerrecht« gekommen, wenn sich ein Zuwanderer aus einer anderen *pólis* dauerhaft niederließ (→ *isopoliteía*, → Bürgerrecht). Und für Äg. selbst zeigen die Papyri von Elephantine, daß in einer persisch beherrschten äg. Umwelt Juden nach ihrer eigenen jüd. R.-Ordnung lebten [17]. Diese Beispiele belegen, daß in der Ant. für die Anwendung staatlichen R. noch nicht strikt das Territorialitätsprinzip angewandt wurde. Darin liegt eine gewisse Selbstbeschränkung des staatlichen Machtanspruchs gegenüber herkömmlichen Rechten einzelner Gemeinschaften. Im röm. Reich führte dies bis zur allg. Verleihung des röm. Bürgerrechts (212 n. Chr. durch die *constitutio Antoniniana*) und teilweise noch darüber hinaus zum Nebeneinander von »Reichsrecht« (R. der röm. Bürger) und »Volksrecht« (grundlegend dazu [18]), das aber – wie gerade äg. Urkunden wieder zeigen – bei Bedarf durchaus auch von röm. Bürgern gewählt und auf sie angewandt wurde [12. 136 f., 261 f.].

4. VÖLKERRECHT

Die bei Einhaltung der gebührenden Form r.-begründende Kraft von Verträgen ermöglichte es in der Ant. auch bereits früh, die auswärtigen Beziehungen verbindlich festzulegen. So läßt es sich zwanglos erklären, daß aus der Mitte des 3. Jt. ein Staatsvertrag zw. der mesopot. Stadt → Ebla und einer Stadt (vermutlich) im Ḥabur-Dreieck überliefert ist. Seine Verbindlichkeit ergibt sich aus der abschließenden Anrufung der Götter, die das R. bewahren (dazu [19. 15]). Dieses früheste Beispiel folgt demselben Muster wie noch der berühmte äg.-hethit. Frieden von 1270 v. Chr. (TUAT 2, 135–153; → Qadeš; dazu [20]). Aus den altorientalischen Trad. haben noch Griechen und Römer das Instrument des durch wechselseitigen Schwur bindend gewordenen → Staatsvertrages übernommen (vgl. [19. 26]).

C. FAMILIE UND PRIVATE HERRSCHAFT

Die Entwicklung des Staates führte nicht zu einer vollständigen Umwälzung der vorher bestehenden Herrschaftsverhältnisse. Vielmehr diente der Staat vorstaatlichen Herrschaftsträgern auch als Stütze ihrer Stellung, der er dadurch erst Sicherheit und Dauer verschaffte, daß er sie als R.-Position akzeptierte und definierte. Ein solcher, nunmehr von R. wegen fortbestehender urspr. Herrschaftsbereich war in der Ant. die → Familie. Deren kompakte Resistenz gegenüber dem Eindringen des Staates beruhte vielfach auf ihrer generationenübergreifenden Dauer, die sowohl rel. begründet als auch rechtlich durch das → Erbrecht gesichert war. Zu diesem Zweck traf das R. Vorkehrungen für die Legitimität der Abkunft, und wo legitime Söhne fehlten, wurde dafür die Möglichkeit der → Adoption geschaffen. Ein voll gültiges Testament hat sich hingegen nur im röm. R. entwickelt (→ *testamentum*; → ERBRECHT).

Die Stellung der → Frau im R. ist zwar in den ant. Rechtskreisen durchaus unterschiedlich. Aber allenfalls wird ihr in mesopot. und äg. Herrscherfamilien ausnahmsweise die Stellung einer Thronverweserin zuerkannt. Sonst ist die ant. Familie – mit Abstufungen im einzelnen – patriarchal und ihre Fortsetzung demzufolge patrilinear.

Eng verbunden ist die Herrschaft über eine Familie mit dem Eigentum (→ EIGENTUM): Was die Familie braucht und welche Produktionsmittel sie einsetzen kann, hängt von der Zuordnung unangreifbarer R.-Positionen an Sachen ab. Wenn sie der Familie oder deren Oberhaupt zukommen, ist die Familie als Wirtschaftseinheit einigermaßen autark, wobei es für die innere Herrschaftsstruktur keinen grundlegenden Unterschied zu bedeuten braucht, ob das Eigentum allein dem »Familienvater« gehört (wie im röm. R., → *dominium*) oder ob man es sich als Familienhabe vorstellt. Solange über das Eigentum nicht »nach außen« verfügt werden soll, kann die Bestimmungsbefugnis innerhalb der Familie ohne den Eigentumstitel ausgeübt werden. Eine erhebliche Beschränkung der Familienherrschaft ist hingegen festzustellen, wenn die Familie ihre wirtschaftliche Grundlage durch Vertrag von außen erst schaffen muß: Pachtverhältnisse gehören zu den wichtigsten sozialen Erscheinungen der Ant.; → Pacht und → Pachtverträge (s. auch → *místhōsis*, → *locatio conductio*) nehmen in allen ant. R. daher großen Raum ein, v. a. in Staaten mit ausgedehntem oder gar übergeordnetem Staatseigentum (Mesopotamien, Äg.). Wegen der entscheidenden Bed. des Eigentums für die Familie spielt in der Ant. auch das Ehegüterrecht eine zentrale Rolle: Durch → Eheverträge mußte geregelt werden, was in welcher Weise von der Frau oder ihrer Familie in die neue Familie eingebracht werden sollte.

Bes. deutlich fallen Eigentum und persönliche privatrechtliche Herrschaft bei der Sklavenhaltung zusammen. → Sklaverei hat es in allen ant. R. gegeben. Nicht überall wurden Sklaven – wie in Rom – rechtlich als Sachen nach Art eines Werkzeugs oder eines Lastesels behandelt. Aber schon in Mesopotamien konnten sie verkauft und verpfändet werden. Herrschaftsbefugnisse und privater Nutzen blieben dem Sklavenhalter meist sogar nach der → Freilassung, z. B. durch die Dienstleistungspflichten der Freigelassenen (→ *paramoné*, → *operae libertorum*).

D. MARKTVERFASSUNG UND WARENVERKEHR

Gegenseitige Bindungen der Parteien eines Warentausches sind ebenfalls nicht notwendigerweise von der Existenz eines staatlichen R. abhängig. Meist versuchten ant. R. freilich zur Vermeidung von Konflikten, den → Kauf von Waren als Bargeschäft zu gestalten. Dafür bedurfte es aber eines funktionsfähigen → Marktes. Außerdem blieb auch beim Marktkauf das Problem der Lieferung schlechter oder gar schädlicher Ware zu regeln. Der ant. Staat nahm sich daher durch Gestaltung des rechtlichen Rahmens beider Probleme an, soweit er nicht selbst das Wirtschaftsgeschehen zentral organisierte, wie in → Ägypten (B.) und teilweise in Mesopot. (→ *oikos*-Wirtschaft). Der Herstellung einer Marktverfassung dienten etwa Preisedikte (z. B. → *edictum* [3] *Diocletiani*), vor allem aber Vorschriften zum Rechtsschutz für Fremde und gegenüber Fremden, deren Aufenthalt als Händler vielfach erwünscht war (→ Fremdenrecht). Die Gewährleistung für die Qualität und die rechtliche Sicherheit des Erwerbs gegenüber Dritten (insbes. gegenüber dem wahren Eigentümer bei Verkauf fremder Sachen) war zunächst meist Gegenstand der Vertragspraxis. In den mesopot. R.-Aufzeichnungen spielt die Gewährleistung daher kaum eine Rolle, sehr wohl aber in den überlieferten Kaufurkunden. Später nahm sich

z. B. die Marktpolizei des Problems an (→ *agoranómoi*, → *aediles*).

Schon früh erweiterte die Urkundenpraxis (v. a. in Mesopotamien) die Möglichkeiten für das marktmäßige Handeln durch Einführung des Kredits und der Kreditsicherheit (→ Darlehen): Künftige Leistungen werden zum Gegenstand einer verselbständigten, nicht mehr bloß aus dem »Unrecht« abgeleiteten Haftung, sei es durch die Personalsicherheit der → Bürgschaft, sei es durch das → Pfand als Realsicherheit. Die babylonischen Urkunden der 1. H. des 2. Jt. v. Chr. enthalten bereits reiches Material hierfür [21; 22]. Staatliches und/oder rel. R. nahmen sich häufig des Kreditschuldners durch Schuldenerlasse (s. auch → Verschuldung) oder Sabbatjahre (Dt 15,1–3) an, was freilich Schuldknechtschaft und auch Ausbeutung durch Zinswucher (→ Zins) auf Dauer nicht verhindern konnte.

→ Attisches Recht; Corpus iuris; Gerechtigkeit; Gortyn; Iuris prudentia; Jüdisches Recht; Ius; Keilschriftrechte; Lex; Nomos; Rechtskodifikation; Rechtskoine; Rechtspluralismus; Vulgarrecht; Digesten; Gerechtigkeit; Römisches Recht; Romanistik

1 G. Ries, Prolog und Epilog in Gesetzen des Alt., 1983 2 J. J. Bachofen, Das Mutterrecht, 1861 3 R. von Jhering, Geist des röm. R. auf den verschiedenen Stufen seiner Entwicklung, Bd. 1, 1852, 118–167 4 R. Haase, Die keilschriftlichen R.sammlungen in dt. Fassung, ²1979, 3 5 H. J. Wolff, s. v. R. I (Griech. Recht), LAW 3, 2516–2532 6 W. Selb, Ant. Rechte im Mittelmeerraum, 1993 7 Dulckeit/Schwarz/Waldstein, 321 f. 8 Wieacker, RRG, 310–340 9 A. Schneider, Die Anfänge der Kulturwirtschaft: Die sumerische Tempelstadt, 1920 10 K. D. Albrecht, R.probleme in den Freilassungen der Böotier, Phoker, Dorier, Ost- und Westlokrer, 1978 11 R. Haase, Einführung in das Studium keilschriftlicher R.quellen, 1965 12 Wolff 13 W. Kunkel, Unt. zur Entwicklung des röm. Kriminalverfahrens in vorsullanischer Zeit (ABAW 1961), 97–100, 132 f. 14 V. Korošec, Keilschriftrecht, in: HbdOr, Ergbd. 3, 1964, 49–219 15 J. Renger, Noch einmal: Was war der »Codex Hammurapi« ...?, in: H. J. Gehrke, Rechtskodifizierung und soziale Normen im interkulturellen Vergleich, 1994, 27–59 16 G. Van den Boorn, The Duties of the Vezier, 1988 17 R. Yaron, Introduction to the Law of the Aramaic Papyri, 1961 18 L. Mitteis, Reichsrecht und Volksrecht in den östlichen Provinzen des röm. Kaiserreichs, 1891 19 K.-H. Ziegler, Völkerrechtsgesch., 1994 20 V. Korošec, Hethitische Staatsverträge. Ein Beitrag zu ihrer juristischen Wirkung, 1931 21 P. Koschaker, Babylonisch-assyrisches Bürgschaftsrecht, 1911 22 Ders., neue keilschriftliche Rechtsurkunden aus der El Amarna-Zeit (Abh. Sächs. Akad. der Wiss. 39.5), 1928.

G. S.

Rechtskodifikation I. Alter Orient II. Griechisch-römische Antike

I. Alter Orient

R. im Sinne der zusammenfassenden und abschließenden Regelung eines größeren, mehr oder minder geschlossenen Sachgebiets ist für die vor- und außerröm. Kulturen ungeachtet aller antiken Nachrichten (Ägypten: Diod. 1,95,4 f.; Griechenland: Aristot. Ath. pol. 2,1273a 35 – 1274b 25) oder mod. Diskussionen (»Gesetz des → Ḥammurapi«: [11; 13]; Achämenidenreich: [4; 14; 16]) auszuschließen (s. die Beiträge in [5]; ferner [6; 13]). Das Sammeln, Systematisieren oder Vereinheitlichen von Rechtsvorschriften war kein Anliegen [7]. Eine Ausnahme läßt sich aufgrund des bes. Charakters der Tora (→ Pentateuch) lediglich für das → jüdische Recht vertreten. Rechtssetzung in Form von (auch umfangreicheren) Einzelakten (z. B. Herrscherdekrete; Volksbeschlüsse) hat es natürlich in all diesen Kulturordnungen gegeben. Der Gesetzgebung in den griech. Poleis kommt nach derzeitiger Kenntnis für die Entstehung der R. bes. Bed. zu, da hier die Gesetze erstmals generell niedergeschrieben und publiziert wurden [2; 3; 8; 9; 10; 15]. Die Ursache ist vielleicht im Bedürfnis nach Legitimation zu sehen, welche beim gottgegebenen → Herrscher von vornehrein feststand, in der demokratischen Polis aber eigens zu begründen war (vgl. [6. 246; 8]).

1 J. Assmann, Zur Verschriftung rechtlicher und sozialer Normen im Alten Ägypten, in: [5], 61–85 2 G. Camassa, Verschriftung und Veränderung der Gesetze, in: [5], 97–111 3 H. van Effenterre, Ecrire sur les murs, in: [5], 87–95 4 P. Frei, Die persische Reichsautorisation. Ein Überblick, in: Zschr. für Altorientalische und Biblische Rechtsgesch. 1, 1995, 1–35 5 H.-J. Gehrke (Hrsg.), Rechtskodifizierung und soziale Normen im interkulturellen Vergleich, 1994 6 J. Hengstl, Juristische Literaturübersicht 1993 – 1995 (mit Nachträgen aus der vorausgegangenen Zeit) Teil 2, in: Journ. of Juristic Papyrology 28, 1998, 219–291 (245–247) 7 Ders., Zur Frage von Rechtsvereinheitlichung im frühaltbabylonischen Mesopotamien und im griech.-röm. Äg. – eine rechtsvergleichende Skizze, in: RIDA 40, 1993, 27–55 8 K.-J. Hölkeskamp, (In-)Schrift und Monument. Zum Begriff des Gesetzes im archa. und klass. Griechenland, in: ZPE 132, 2000, 73–96 9 Ders., Schiedsrichter, Gesetzgeber und Gesetzgebung im archa. Griechenland, 1999 10 Ders., Tempel, Agora und Alphabet. Die Entstehungsbedingungen von Gesetzgebung in der archa. Polis, in: [5], 135–164 11 B. Kienast, Die altorientalischen Codices zw. Mündlichkeit und Schriftlichkeit, in: [5], 13–26 12 E. Lévy (Hrsg.), La codification des lois dans l'antiquité. Actes du Colloque de Strasbourg 1997, 2000 13 J. Renger, Noch einmal: Was war der »Kodex« Hammurapi – ein erlassenes Gesetz oder ein Rechtsbuch?, in: [5], 27–59 14 U. Rüterswörden, Die pers. Reichsautorisation der Thora: Fact or Fiction?, in: Zschr. für Altorientalische und Biblische Rechtsgesch. 1, 1995, 47–61 15 R. Thomas, Written in the Stone? Liberty, Equality, Orality and the Codification of Law, in: BICS 40, 1995, 59–74 16 J. Wiesehöfer, »Reichsgesetz« oder »Einzelfallgerechtigkeit«?, in: Zschr. für Altorientalische und Biblische Rechtsgesch. 1, 1995, 36–61.

JO. HE.

II. Griechisch-römische Antike

Obwohl der Ausdruck R. (als »Herstellung eines → *codex*«) selbst der röm. Rechtskultur entlehnt ist, trifft der Begriff kaum eine Erscheinung der Antike. Mit einem mod. Inhalt wurde er erst Anfang des 19. Jh. von BENTHAM versehen (→ KODIFIZIERUNG/KODIFIKATION). Geistesgeschichtlich möglich geworden war dies durch die Überlegungen der Vernunftrechtler im 17. und 18. Jh. zu einer systematischen und rationalen Gesetzgebung. Dennoch betrachtete man auch zu dieser Zeit noch die zusammenfassende Rechtsaufzeichnung des Iustinianus [1] aus dem 6. Jh. n. Chr. (→ Corpus iuris) wegen ihres nahezu erschöpfenden Inhalts als Vorbild. Das Corpus iuris seinerseits steht jedoch selbst am Ende der ant. röm. Rechtsentwicklung und ist in seiner Art ohne Vorgänger in der Antike.

Unter den oben (I.) erwähnten Rechsaufzeichnungen der griech. Poleis ist diejenige von → Gortyn (III.) aus dem 5. Jh. v. Chr. am umfangreichsten überl. Sie zeigt aber, daß die damals verm. relevanten Rechtsfragen keineswegs vollständig erfaßt worden sind. Auch berühmte griech. Gesetzgeber wie → Lykurgos [4] in Sparta, → Solon in Athen, sowie → Charondas und → Zaleukos (wohl etwa 8.–6. Jh. v. Chr.) im griech. Unteritalien und Sizilien haben offenbar keine R. geschaffen, sondern eine Reihe von dringenden Einzelmaßnahmen zur Rechtsreform getroffen.

Durchaus wahrscheinlich ist ein griech. Einfluß und somit eine Vorbildfunktion gerade der Werke dieser »Gesetzgeber« für die → decemviri [1] bei Abfassung der Zwölf Tafeln (→ tabulae duodecim) um die Mitte des 5. Jh. v. Chr. in Rom. Die Zwölf Tafeln waren die einzige derart umfangreiche Gesetzgebung Roms bis zum spätant. Codex Theodosianus (438 n. Chr.; → codex II.). Den inneren Zusammenhang von R. haben aber auch sie nicht. Ihr hohes Ansehen in der späteren lat. Lit. beruht vor allem auf ihrem ehrwürdigen Alter, nicht auf hoher inhaltlicher Qualität oder auch nur wirklich fortbestehender Geltung. Vielmehr wurde das Recht der Zwölf Tafeln im Laufe der Zeit immer mehr durch das praetorische Recht (→ ius) überlagert. Aber auch die abschließende Slg. und Redaktion der magistratischen (praetorischen und aedilizischen) Edikte für die gerichtlichen Verfahren durch Iulianus [1] (ca. 130 n. Chr.) gehört schon deshalb nicht zu den R., weil sie wiederum nur einen Ausschnitt der praktisch durchgeführten Prozesse betraf; z. Z. ihrer Zusammenstellung war das praetor. Recht bereits überlagert von dem im Verfahren der → cognitio angewandten kaiserlichen Recht. Zudem war die Interpretation der Ediktsformeln durch die wiss. Jurisprudenz (→ iuris prudentia) mindestens gleichwertig neben den Ediktstext getreten: Prägend für das röm. Recht war das Juristenrecht. Daher war auch der Codex Theodosianus nur eine Teilkodifikation, weil in ihm ausschließlich Kaisergesetze gesammelt waren, wogegen für das praktische Rechtsleben weiterhin das Juristenrecht (trotz des Niedergangs der produktiven Rechts-Wiss. seit dem 3. Jh. n. Chr.) von zentraler Bedeutung war.

Gerade deshalb läßt sich das Corpus iuris des Iustinianus als eigentliches Urbild der R. betrachten, obwohl es offenbar nicht aus einem urspr. Willen zur Schaffung eines einheitlichen Werkes heraus entstanden ist. Nachdem aber die erneuerte Slg. des Kaiserrechts im Codex Iustinianus (erster Fassung) in kürzester Zeit gut gelungen war, schloß man die für die Praxis und für die Vermittlung eines vollständigeren Bildes vom überl. röm. Recht unerläßliche Slg. des Juristenrechts, die → Digesta, an und ergänzte sie durch die → Institutiones als Lehrbuch mit Gesetzeskraft. Hiermit war binnen weniger Jahre (529–534) die in der bisherigen Gesch. wichtigste und folgenreichste R. entstanden. Die danach von Iustinianus noch im Laufe der Jahre erlassenen → Novellae hat erst das Spät-MA als Teil eines überlieferten Corpus iuris zusammen mit den erwähnten drei anderen Teilen betrachtet.

A. BÜRGE, Röm. Privatrecht, 1999, 63–65, 95–98 · DULCKEIT/SCHWARZ/WALDSTEIN, 303–313 · F. PRINGSHEIM, Some Causes of Codification, in: Ders., Gesammelte Abh., Bd. 2, 1961, 107–113 · P. STEIN, Röm. Recht und Europa, 1996, 61–67 · A. WATSON, Rome of the XII Tables. Persons and Property, 1975, 185 f. · WIEACKER, RRG, 295–307.   G. S.

Rechtskoine. Ebenso wie die → Koine in der griech. Sprach-Gesch. bezeichnet R. ein von der Rechts-Gesch. im Nachhinein analysiertes Phänomen des Hell.: das spontane Zusammenwachsen verschiedener griech. Rechtsvorstellungen, bes. im ptolem. Ägypten. Einrichtungen unterschiedlicher Poleis (→ Polis) verschmolzen dort im Rechtsleben durch die Vermischung der griech. Bevölkerung untereinander [4. 140], ohne daß die Obrigkeit auf eine Einheit hingewirkt hätte (so noch [3. 50 f.]). Als Beispiele hierfür kann man die Technik der Beurkundung (→ Urkunden) anführen oder im Ehegüterrecht den Übergang von der → proíx zur → phernḗ (Mitgift) und die bis in die röm. Zeit feststellbare → Geschwisterehe (in Athen war die Ehe zw. Stiefgeschwistern, die vom selben Vater abstammten, erlaubt, in Sparta zw. solchen von derselben Mutter [4. 140]). Zum Verhältnis der griech. zur einheimischen ägypt. Rechtspraxis (→ Demotisches Recht) vgl. → Rechtspluralismus.

Nicht zu vermengen ist die R. mit der Frage nach der »Einheit des griech. Rechts«. So wie man die scharf zu trennenden griech. Dialekte sprachgesch. auf gemeinsame Grundstrukturen zurückführen kann, sind auch die im Detail sehr unterschiedlichen Rechtsordnungen der einzelnen Poleis miteinander mehr oder weniger eng verwandt. Als Reaktion auf diese von L. MITTEIS [3. 72] begründete, ebenfalls als R. etikettierte Lehre [5. 3 (= 60); 1. 1352] erfolgte von althistor. Seite scharfer Widerspruch (dokumentiert [4. 140; 1. 1351 f.], s. a. [6. 20–22]). Allenfalls im Handelsverkehr des Mittelmeerraums kann man aufgrund der staatenübergreifenden, privaten Vertragsformulare von einer R. sprechen, die freilich von den klass. Poleis bis in die röm. Zeit durchläuft und verm. auch nichtgriech. Elemente einschließt [2. 27–35].

1 E. BERNEKER, s. v. Recht (A. Griech.), KlP 4, 1350–1353
2 É. JAKAB, Praedicere und cavere beim Marktkauf, 1997
3 MITTEIS 4 J. MODRZEJEWSKI, La règle de droit dans
l'Egypte Ptolémaïque, in: Essays in Honor of C. B. Welles
(American Studies in Papyrology 1), 1966, 125–173
5 F. PRINGSHEIM, Ausbreitung und Einfluß des griech.
Rechts (SHAW 1952/1), 1–19 (Ndr. in: E. BERNEKER
(Hrsg.), Zur griech. Rechtsgesch., 1968, 58–76)
6 H. J. WOLFF, Juristische Gräzistik, in: Ders. (Hrsg.),
Symposion 1971, 1975, 1–22.   G. T.

Rechtspluralismus. Auch nach der Eroberung Ägyptens durch Alexandros [4] d. Gr. (331 v. Chr.) lebte die einheimische Bevölkerung weiterhin in ihren angestammten Rechtsvorstellungen, wie sie in Urkunden (→ Demotisches Recht) und vielleicht Gesetzen (→ Codex Hermopolis) überl. sind. Die aus den griech. Söldnern und Einwanderern hervorgegangene Oberschicht des ptolem. Äg. regelte ihre privaten Angelegenheiten nach ihren eigenen, zu einer → Rechtskoine verschmolzenen Vorstellungen. Nur die Griechenstädte → Naukratis, → Alexandreia [1] und → Ptolemais [3] hatten einer → Polis entsprechende Rechtsordnungen, wovon die von Alexandreia teilweise erh. ist (PHalensis 1, *Dikaiṓmata*). Daneben trat das von den ptolem. Königen gesetzte, ebenfalls auf griech. Vorstellungen beruhende Recht. Dieses griff nur punktuell, vor allem im fiskalischen Bereich ein [1]; bekannt, aber nicht selbst überliefert ist eine allg. Norm über die Gerichtsbarkeit (das sog. »große Justizdiágramma«). Da die → Ptolemaier keine Anstalten machten, die Bevölkerungsschichten polit. zusammenzuführen, ergab sich, solange getrennte Gerichte existierten (→ *laokrítai*, Zehnmännergericht: → *dikastḗrion* B., → *chrēmatistaí*), ein eigenartiger R. [4; 6; 3]. Dabei galt für die Zuständigkeit und das anzuwendende Recht nicht das Personalitätsprinzip, sondern die Sprache der dem Rechtsstreit zugrundeliegenden Urkunde (PTebtunis 5, 207–220, 118 v. Chr.) [5. 87–89]. Auch Ägypter errichteten griech. Urkunden, um im Streitfall ein griech. Gericht anrufen zu können, und wurden nach dem Grundsatz der *lex fori* (»Recht des angerufenen Gerichts«) nach griech. Recht beurteilt. Auch für die Rechtsverhältnisse im Imperium Romanum könnte man einen R. denken, der aber in der mod. Rechts-Gesch. nicht unter diesem Begriff abgehandelt wird, sondern nach der bekannten Formel von MITTEIS [2] als das Problem von »Reichsrecht und Volksrecht« (s. dazu → Rechtskoine; → Recht).

1 M. TH. LENGER (Hrsg.), Corpus des Ordonnances des Ptolémées (COrdPtol), ²1980 (Bilan des additions et corrections, 1990) 2 MITTEIS 3 H. A. RUPPRECHT, Kleine Einführung in die Papyruskunde, 1994, 95, 98 f.
4 H. J. WOLFF, Plurality of Laws in Ptolemaic Egypt, in: RIDA³ 7, 1960, 191–223 5 Ders., Das Justizwesen der Ptolemäer, ²1970 6 Ders., The Political Background of the Plurality of Laws in Ptolemaic Egypt, in: R: BAGNAL (Hrsg.), Proc. of the 16th International Congr. of Papyrology, 1981, 313–318.   G. T.

Rechtsschulen I. PRINZIPIELLES
II. RÖMISCHE REPUBLIK UND PRINZIPAT
III. DIE SPÄTE KAISERZEIT

I. PRINZIPIELLES

Recht im Sinne sowohl der Unterweisung künftiger Rechtskundiger als auch der Anhängerschaft an bestimmte Lehrmeinungen kann es nur in einer Rechtskultur geben, die einen professionellen Juristenstand hervorgebracht hat. In der Ant. trifft dies allein für die röm. Welt zu. Nur für Rom kann daher das Phänomen der R. – wie nach der Ant. dann z. B. für das Byz. Reich und die Kultur des Islam sinnvoll erörtert werden.

II. RÖMISCHE REPUBLIK UND PRINZIPAT

Dem republikanischen Rom war ein rechtlich institutionalisierter Rechtsunterricht unbekannt. Die Mitte des 3. Jh. v. Chr. von Tiberius → Coruncanius begonnene öffentliche Rechtsunterweisung (Dig. 1,2,2,35: *profiteri*) bot nur die Möglichkeit, den → *responsa* (Rechtsgutachten) eines erfahrenen Juristen zuzuhören und sie im Zuhörerkreis zu diskutieren (Dig. 1,2,2,5: *disputatio fori*). Ein systematischerer Rechtsunterricht (Dig. 1,2,2,43: *instruere*) begann wohl erst in der 1. H. des 1. Jh. v. Chr. [3. 564 f.]. Am Ende der Republik versammelten Q. → Mucius [I 9] Scaevola Pontifex (Dig. 1,2,2,42) und Servius → Sulpicius Rufus (Dig. 1,2,2,44) große Kreise von Zuhörern (*auditores*) um sich, aus denen namhafte Juristen hervorgingen [3. 615]. Da die Oberschicht weiterhin die Rechtskenntnis monopolisierte, blieb zunächst noch ein schulmäßiger Elementarunterricht (*docere*) verpönt (Cic. or. 144; dazu [1. 69; 7]). Man unterrichtete durch die Praxis, indem man Rechtsgutachten (*responsa*) vor Lernwilligen erteilte (Cic. Brut. 306: *respondendo docere*). Doch wurde im 1. Jh. v. Chr. das Monopol der Adelsjurisprudenz vom Ritterstand (*equites Romani*) gebrochen [3. 595 f.], dem bereits z. B. der bedeutende C. → Aquillius [I 12] Gallus (Praetor 66 v. Chr.) entstammte; im frühen Prinzipat erfolgte eine gewisse Institutionalisierung des Rechtsunterrichts.

Unter Kaiser Tiberius im 1. Jh. n. Chr. entstanden die als *schola* (Plin. epist. 7,24,8) oder *secta* (Dig. 1,2,2,47) bezeichneten R. der Sabinianer oder Cassianer und der Proculianer [5. 56–75]: erstere nach Masurius → Sabinus [II 15] und seinem Schüler → Cassius [II 14] Longinus, letztere nach → Proculus [1] benannt. Pomponius (Dig. 1,2,2,47) führt diese Schulen jedoch schon auf die augusteischen Juristen → Ateius [6] Capito (Vorgänger des Sabinus) und → Antistius [II 3] Labeo (Vorgänger des Proculus), zurück [5. 25–55]. Trotz einer durch die Nachfolge (Dig. 1,2,2,48 und 51 ff.: *successio*) der Schulhäupter belegten Organisation waren beide Schulen keine öffentlichen Unterrichtsanstalten. Der republikanischen Trad. entsprechend gruppierten sich vielmehr Zuhörer um die mit dem kaiserlichen *ius respondendi* (→ *ius*) ausgestatteten Juristen [7]. Daß Cassianer und Proculianer Sektionen des Senats waren [4. 286–311], ist unwahrscheinlich. Der Unterricht blieb unentgeltlich; ausnahmsweise wurde der unvermögende Sabinus von seinen *auditores* unterstützt (Dig. 1,2,2,50), doch durften die Rechtslehrer weder Honorare einklagen (Dig. 50,13,1,5) noch genossen sie Immunität von den öffentlichen *munera* (Opfern für das Gemeinwohl, → *munus, munera*; Vat. 150; dazu [1. 348; 2. 239–242]).

Die zahlreichen Kontroversen (Dig. 1,2,2,48: *dissensiones*) zw. den Schulen betrafen Einzelfragen der Rechtsauslegung und nicht die juristischen Grundbegriffe oder rechtsphilos. Probleme [2. 243–282]. Dennoch waren aus methodischer Sicht die Proculianer rationaler und systematischer, die Sabinianer dagegen traditionalistischer und kasuistischer eingestellt [2. 279 ff.; 6. 1544 ff.]. Noch Anfang des 2. Jh. n. Chr. ist für Rom die Existenz von öffentlicher Lehre und Gutachtertätigkeit im Recht (*stationes ius publice docentium aut respondentium*, Gell. 13,13,1) überliefert.

Die *sectae* der Jurisprudenz starben unter → Hadrianus aus, dessen Justizreformen das → *rescriptum principis* (»kaiserliches Antwortschreiben«) auf Kosten des *responsum* zum Hauptvehikel der Rechtspflege erhoben. Mit → Iuventius [II 2] Celsus, dem letzten Schulhaupt der Proculianer, und Salvius → Iulianus [1], dem der Sabinianer, läßt Pomponius (Dig. 1,2,53) die Aufzählung der Schulmitglieder ausklingen. Erst danach entstand um 160 n. Chr. die von der Rechtspraxis, die sich in den Kaiserkanzleien (*ab* → *epistulis, a* → *libellis*) konzentrierte, losgelöste didaktische Rechts-Lit. Ihr Musterbeispiel, das der sabinianischen Trad. verpflichtete Lehrbuch des → Gaius [2], die *Institutiones*, räumt mit der häufigen Gegenüberstellung von *nostri praeceptores* (»unsere Lehrer«) und *diversae scholae auctores* (»Vertreter der gegnerischen Schule«) dem teilweise ausgeklungenen Schulenstreit viel Platz ein [2. 201–203].

III. DIE SPÄTE KAISERZEIT

In der Spätant. wurde der Rechtsunterricht, ebenso wie der Juristenberuf, verstaatlicht. Die freie Jurisprudenz des Prinzipats zerfiel endgültig in die kaiserliche Bürokratie einerseits und die akademische Katheder-Wiss. andererseits: Der Wiss.-Funktionär bildete den Staatsfunktionär aus [7. 240 f.]. Im Osten ging der Status öffentlicher R. (mit besoldeten Professoren und einem Studentenrecht) an die seit dem 3. Jh. bestehende Schule von Berytos und, nachdem Theodosius II. den Rechtsunterricht »innerhalb privater Wände« 425 verboten hatte (Cod. Theod. 14,9,3 pr.), an die von Konstantinopolis [1. 145, 347, 352]. Gelehrt wurden dort in griech. Sprache mit Hilfe der textexegetischen Methode nach einem fünfjährigen Studienplan (Const. Imperatoriam § 3; Const. Omnem § 1) die *Institutiones* des Gaius (1. J.), der Edikts-Komm. des → Ulpianus (2. J.) und die *responsa* des → Papinianus (3. J.). Das 4. J. war dem Privatstudium der *responsa* des → Iulius [IV 16] Paulus, das 5. J. dem der kaiserlichen *Constitutiones* gewidmet [7. 244 f.; 8. 525 ff.]. Der Studienabschluß war nach einer Constitutio Leos [4] I. von 460 (Cod. Iust. 2,7,11,2) Voraussetzung für die Zulassung zur Advokatur [1. 343 f.; 7. 245 f.].

Im Westen gab es viel bescheidenere – eher auf die Rhet. als den Rechtsunterricht ausgerichtete – R. nur in Rom und verm. in Karthago [1. 344 f.; 8. 514]. Während diese Elementarlehre des Westens die scharfen Begriffskonturen des röm. Rechts verwischte, vermochten die Rechtsprofessoren des Ostens, das Erbe der Prinzipatsjurisprudenz korrekt zu tradieren und neu zu ordnen – eine Voraussetzung für die Kompilation der → *Digesta* des Kaisers → Iustinianus [1] [3. 50, 171–173]. Nach der Vollendung seiner Kompilation verbot der Kaiser im Dezember 533 (Const. Omnem § 7) den Unterricht an den kleineren R. von Alexandreia, Antiocheia und Kaisareia wegen ihres niedrigen Niveaus und Verbreitung der »falschen Lehre« (*doctrina adulterina*). Außerdem modifizierte er auf der Grundlage der Kompilation den Studienplan für die nunmehr allein anerkannten R. von Rom, Konstantinopolis und Berytos: Dort wurden die *Institutiones Iustiniani* im 1. Studienjahr, die *Digesta* im 2. und 3. ebenso wie im Privatstudium im 4. J., der *Codex Iustinianus* im 5. Studienjahr gelernt (Const. Omnem §§ 2–5).

→ Iuris prudentia; Responsa

1 SCHULZ 2 D. LIEBS, R. und Rechtsunterricht im Prinzipat, in: ANRW II 15, 1976, 197–286 3 WIEACKER, RRG 4 J. W. TELLEGEN, Gaius Cassius and the Schola Cassiana, in: ZRG 105, 1988, 263–311 5 R. A. BAUMAN, Lawyers and Politics of the Early Roman Empire, 1989 6 P. STEIN, Interpretation and Legal Reasoning in Roman Law, in: Chicago-Kent Law Review 70, 1995, 1539–1556 7 H. HÜBNER, Rechtsdogmatik und Rechtsgesch., 1997, 231–246 8 H. WIELING, Rechtsstudium in der Spätant., in: O. M. PÉTER (Hrsg.), A bonis bona discere. FS J. Zlinszky, 1998, 513–531.   T.G.

Reciperatio s. Recuperatores

Recipere s. Receptum

Recta. Der röm. Knabe trug beim erstmaligen Anlegen der *toga virilis* als Untergewand die (*tunica*) *recta*, die bei Ritter- und Senatorensöhnen mit dem Rangabzeichen (*latus clavus*) versehen war. R. oder *regilla* hieß die lange, weiße → *tunica* mit engen oberen Ärmeln der röm. Braut, die sie am Vorabend der Hochzeit anzog, in der sie schlief und die sie am Hochzeitstag trug (Plin. nat. 8,194).

→ Kleidung; Toga

BLÜMNER, PrAlt., 336, 350 f. · C. M. WILSON, The Clothing of the Ancient Romans, 1938, 138–145 · D. BALSDON, Die Frau in der röm. Ant., 1979, 203–204.   R.H.

Recto/verso. Die Begriffsbestimmung von *recto* (*r.*) und *verso* (*v.*) war in der Papyrologie nicht immer einfach und unumstritten. Unter *r.* versteht man gewöhnlich die Seite des → Papyrus, auf dem die Fasern horizontal verlaufen, also der innen liegende Teil der Papyrusrolle (→ Rolle), von dem man annimmt, daß er zuerst beschrieben wurde und an der sich auch die Klebung (*kóllēsis*) aufzeigen läßt. Mit *v.* wird dagegen der äußere Teil der Rolle bezeichnet, auf dem die Fasern vertikal verlaufen und der nicht für die Beschriftung gedacht war. In neuerer Zeit wird bei Pap.-Ed. die Faserrichtung mit → für die horizontalen und mit ↓ für die vertikalen Fasern angegeben. Bei Frg. oder Pap.-Blättern ohne Klebung und ohne erkennbare Faserrichtung finden sich die Zeichen ↔ und ↕. Eindeutig dagegen ist die Verwendung der Begriffe *r.* und *v.* bei Hss. in → Codex-Form (und gedruckten Büchern). Bei den »abendländischen«, von links nach rechts laufenden Schriften bezeichnet *r.* die rechte Seite, *v.* die linke; geht die Schrift von rechts nach links, wird also ein Buch »umgekehrt« bzw. »rückwärts« gelesen, sind die Termini entsprechend vertauscht.

E. G. Turner, The Terms R. and V. The Anatomy of the Papyrus Roll, 1978 (it.: »R.« e »v.«. Anatomia del rotolo di papiro, 1994). P. E.

Recuperatores. Von *re-capere*, wörtlich »wieder verschaffen«, wozu die *r.* urspr. im Rahmen völkerrechtlicher Beziehungen (Fest. 342 L.: *reciperatio*) zugunsten röm. Bürger eingesetzt waren: Sie sollten den Bürgern zur Erstattung von (wohl v. a. im Krieg) Verlorenem oder unrechtmäßig Weggenommenem verhelfen. Alsdann entschieden sie zusätzlich im Repetundenverfahren (→ *repetundarum crimen*), in dem es um die Rückerstattung von Gütern ging, welche die röm. Magistrate im Amt erpreßt hatten, bis sie sich allmählich auch im inner-röm. Gerichtswesen als eine bes. Kategorie der Richter im klass. Formularverfahren (→ *formula*) etablierten. Dort bildeten sie einen Gerichtszweig, der sich verfahrenstechnisch durch einen strafferen und daher beschleunigten Prozeßverlauf und inhaltlich dadurch auszeichnete, daß er über Fälle zu entscheiden hatte, an denen im Vergleich zum Einzelrichterverfahren (→ *iudex*) ein stärkeres öffentliches Interesse bestanden haben dürfte – z. B. Freiheitsprozesse, Klagen der → *publicani*, oder bestimmte schwerwiegende Delikte. Demgemäß waren die *r.* erst ab einer gewissen Streitwerthöhe zuständig, und die Parteien mußten sich auf *r.* (in der Regel drei) gerade aus der entsprechenden Richterliste einigen (vgl. → *reiectio*), konnten also nicht übereinstimmend einen Listenfremden zum Richter bestellen.

B. Schmidlin, Das Rekuperatorenverfahren, 1963 · M. Kaser, K. Hackl, Das röm. Zivilprozeßrecht, ²1996, 197 · D. Nörr, Aspekte des röm. Völkerrechts, 1989, 76. C. PA.

Recusatio (wörtlich »Zurückweisung)«. Mit der seit hell. Zeit aus ästhetischen Gründen formulierten »Ablehnung« epischer Großdichtung wurde auch deren affirmativ-panegyrische Funktion obsolet [1]. In Rom findet sich die *r.* zunächst in der neoterischen Dichtung (→ Neoteriker; Catull. 68: [2. 87 f.]). Unter dem Prinzipat des Augustus bekam die hell. Trad. [3] der *r.*, mit künstlerischen Argumenten und topischer Bescheidenheit begründet, besondere Bed. (z. B. Verg. ecl. 6; Hor.

sat. 2,1, [4]; Hor. carm. 1,6 [2. 294]; Prop. 3,3). Der Versuch des Augustus, aber auch des Maecenas [2], eine epische Würdigung der augusteischen Politik zu erlangen, blieb vergebens. Trotz des polit. Drucks hatte eine *r.* offenbar keine spürbaren Folgen für die Autoren [5]. → Literatur V.

1 E.-R. Schwinge, Künstlichkeit von Kunst, 1986, 40–43 2 M. Citroni, Poesia e lettori in Roma antica, 1995 3 W. Wimmel, Kallimachos in Rom, 1960 4 R. O. A. M. Lyne, Horace, 1995, 31–39 5 D. White, Promised Verse, 1993. U. SCH.

Red-Slip-Ware. Mod. t. t. für Keramikgattungen mit rotem Überzug, bes. der phöniz. und zypriotischen Eisenzeit. Die R. ist meist gekennzeichnet durch die Verwendung illitischer Tone (Illit ist ein mineralischer Bestandteil) und Schlicker, die bereits bei niedrigeren Brenntemperaturen (800 bis 1000°C) zu einer Sinterung führen. Farbgebende Komponente sind dabei Eisenoxide. Die Oberfläche ist oft durch eine zusätzliche Politur glänzend verziert. In Spanien wird diese Oberflächentechnik ab dem 7. Jh. v. Chr. unter phöniz. Einfluß in die iberische Keramik übernommen. Auch nordafrikanische und kleinasiatische Keramik der röm. Kaiserzeit weist ähnliche Charakteristika auf, weswegen dafür Bezeichnungen wie *African* und *Sagalassos R.* verwendet wurden.
→ Bichrome Ware; Black-on-Red-Ware; Samaria-Ware; Terra sigillata

E. Gjerstad, The Swedish Cyprus Expedition, Bd. 4.2, 1948, 80–82 · H.-G. Bachmann, Versuch zur Charakterisierung phöniz. Rotschlicker-Keramik von Toscanos mit physikalischen Methoden, in: G. Maass-Lindemann, Toscanos (Madrider Forsch. 6.3), 1982, 225–232 · G. Lehmann, Unt. zur späten Eisenzeit in Syrien und Libanon, 1996, 59–66, 79–81. R. D.

Red-Swan-Gruppe s. Xenon-Gattung

Rede I. Rahmengattung
II. Unselbständige Gattung

I. Rahmengattung
s. Rhetorik

II. Unselbständige Gattung
Wörtliche R. findet sich in den meisten Gattungen der ant. Lit., bes. in → Epos und → Geschichtsschreibung. Von der Möglichkeit »fingierter Mündlichkeit« [1–4] hat bereits Homer Gebrauch gemacht und diese Passagen in den erzählten Zusammenhang eingebettet. Wörtliche R. dient dabei der Personen-Charakterisierung und Dramatisierung, der stilistischen Aufwertung sowie bisweilen der Gliederung des erzählten Stoffes. In der Gesch.-Schreibung offenbart sie gelegentlich die Meinung des Autors (z. B. Tac. Agr. 30–32). Dabei stehen Formen dialogischer, nicht-dialogischer und monologischer [5] R. nebeneinander; möglich ist auch eine

Kollektiv- oder Massen-R. ([6]; s.a. [7]). Diese R.-For-
men heben sich durch Stil, Appellstruktur oder eine bes.
Einleitung in Prosa und Poesie vom Kontext ab. In
→ Tragödie und → Komödie, die die wörtliche R. als
Hauptdarstellungsform auszeichnet, ist diese Abgren-
zung problematisch und bedarf eines besonderen Hin-
weises durch die Inszenierung. Dies betrifft v. a. den
Monolog als *audible thinking* [8].

Grundsätzlich läßt sich derart gestaltete wörtliche R.
als Kleingattung innerhalb narrativ anders gestalteter
Kontexte entsprechend der Terminologie der ant. Rhet.
als *aversio* (μετάβασις/*metábasis*, »Abwendung« des Redners von sich selbst) charakterisieren. Sie ist darin der
digressio, der Abwendung vom Stoff, verwandt (→ Exkurs). Die Abwendung des Redenden von sich selbst
findet bei der *sermocinatio* (*ethopoeia*/ēthopoiía, *imitatio*/mímēsis) statt, in der der Erzähler bzw. Redner die
besondere Redeweise einer Person nachahmt. Dies
kann auch gelegentlich in indirekte R. umgesetzt werden. Einen bes. Charakter erhält die *sermocinatio* durch
die *prosopopoeia* (*prosōpopoiía, fictio personae*), in der meistens abstrakte Begriffe, wie z. B. das Vaterland (Cic.
Cat. 1,7,18; 1,11,27) oder Roma (z. B. Lucan. 1,190–
192) als → Personifikationen sprechen. Kritik an der
Nachahmung in der R. findet sich bei Platon (rep. 392c
6–394d 9), die Aristoteles (poet. 1448a 19–28) aufnimmt
(s. auch Serv. ecl. 3,1). Eine Besonderheit der *sermocinatio* bildet die *percontatio* (*exquisitio, exetasmós*), in der
der Redner in meist ironischer Absicht einen Dialog mit
dem Prozeßgegner oder einer anderen außenstehenden
Figur fingiert. Wörtliche R. innerhalb erzählender
Dichtung oder Prosa wird oft durch eine bes. Eingangs-
oder Ausgangsformel [9] gekennzeichnet, kann aber
auch gleitend, gerade in Affektsituationen, aus der Erzählung hervorbrechen und bisweilen mit ähnlichen
Textsignalen – wie z. B. bei der *digressio* – wieder in sie
zurückgeführt werden (am Beispiel von Symm. rel.
3,8 ff., Prosopopöie der Roma: [10. 466 f.]).

Grundsätzlich sind diese R. in den verschiedenen
rhet. Ausformungen von z. B. Beratungs-, Klage- oder
Zornes-R. bzw. → Invektive (vgl. → *genera causarum*) an
den *genera* der Großgattung orientiert, wobei epideik-
tische R. (*epídeixis*) die Mehrheit bilden. Gerade bei
Monologen begegnet auch das deliberative Moment
(z. B. Hom. Od. 5,465–473; Verg. Aen. 4, 534–552; zur
Unterscheidung einzelner Monologtypen s. [11]). Als
Kleingattung liegt das Redeschema auch Einzelge-
schichten – z. B. in der Liebeselegie (Ov. am. 3,12) –
zugrunde.

→ Dialog; Genera causarum; Personifikation;
Rhetorik; REDEGATTUNGEN

1 P. GOETSCH, Fingierte Mündlichkeit in der Erzählkunst
entwickelter Schriftkulturen, in: Poetica 17, 1985, 202–218,
hier 202 2 M. HELZLE, Der Stil ist der Mensch. Redner und
R. im röm. Epos, 1996 3 T. P. WISEMAN, Clio's Cosmetics,
1979 4 B. EFFE, Entstehung und Funktion personaler
Erzählweisen in der Erzähllit. der Ant., in: Poetica 7, 1975,
135–157 5 U. AUHAGEN, Der Monolog bei Ovid, 1999,
22–33 6 A. W. SCHMITT, Die direkten Reden der Massen in
Lucans Pharsalia, 1995 7 M. ERDMANN, Überredende
Reden in Vergils Aeneis, 2000 8 E. TÖRNQVIST, A Drama of
Souls. Stud. in O'Neill's Super-Naturalistic Technique,
1968, 199 9 U. SANGMEISTER, Die Ankündigung direkter R.
im »nationalen« Epos der Römer, 1978 10 CH. GNILKA, Zur
R. der Roma bei Symmachus rel. 3, in: Hermes 118, 1990,
464–470 11 H. OFFERMANN, Monologe im ant. Epos, Diss.
München, 1968.

V. BERS, Speech in Speech, 1997 • E. FUCHS, Vorteil und
Recht in den R. bei Thukydides, in: Lexis 16, 1998,
87–112 • M. GALAZ, Rhetoric Strategies of Feminine
Speech in Plutarch, in: L. VAN DER STOCKT (Hrsg.),
Rhetorical Theory and Praxis in Plutarch, 2000, 203–209 •
LAUSBERG, §§ 820–829.   U. E.

Redekunst s. Rhetorik

Redemptor (von *redimere*, »wiederkaufen«) bezeichnet
im röm. Recht 1) einen Käufer bzw. Erwerber, insbes.
eine Person, welche Forderungen aufkauft und sich die
Klagen übertragen läßt (→ *cessio*), um sie bei Fälligkeit
einzutreiben und damit Profit zu erzielen (vgl. Anastasius, Cod. Iust. 4,35,22,2), 2) den Loskäufer (aus der
Sklaverei, aus der Gefangenschaft oder von einer Strafe;
vgl. die christl. Bezeichnung r. für Jesus Christus als »Erlöser«), 3) jemanden, der durch Bestechung etwas erlangt,
4) einen Mieter bzw. Pächter, insbes. den Staatspächter,
der als Sachwalter (→ *manceps, conductor*) für eine Päch-
tergesellschaft (*societas vectigalium;* → *publicani*) mit dem
Staat kontrahiert.

HEUMANN/SECKEL, s. v. redimere.   F. ME.

Redistribution. Unter R. wird ein asymmetrischer
Tausch- oder Verteilungsmechanismus verstanden, der
auf dem Einbringen von Gütern in ein Zentrum und
ihrer Verteilung beruht. Es handelt sich um ein wirt-
schaftliches Versorgungs- und polit. Integrationsprinzip,
das in vormarktwirtschaftlichen Gesellschaften Bed.
hatte. Obwohl K. POLANYI (1886–1964), der den Begriff R. in seinen wirtschaftstheoretischen Arbeiten verwendete, durchaus wahrnahm, daß R. auch in kleineren
Gruppen wie institutionalisierten Haushalten oder
Gutsherrschaften Integrationsprinzip sein kann, galt sein
Interesse vor allem den Großraumwirtschaften des Vorderen Orients oder des Alten Äg.; in diesen Fällen war
die R. mit einer zentralisierten bürokratischen Herrschaft verbunden. Das Modell der R. hat daher einen
bes. Einfluß auf die Erforschung der Palast- und Tem-
pelwirtschaften des Alten Mesopotamien ausgeübt; für
die griech.-röm. Ant. hat M. FINLEY jedoch betont, daß
die Wirtschaft nicht auf zentralisierten Macht- und Ver-
teilungszentren, sondern auf dem Privateigentum an
Land und auf dem privaten Handel beruhte.

→ Palast (II. B.); Reziprozität; Tempelwirtschaft

1 K. POLANYI, The Economy as Instituted Process, in: Ders.
et al. (Hrsg.), Trade and Markets in the Early Empires, 1957,
243–270 (dt. in: Ders., Ökonomie und Ges., 1979, 219–244)
2 J. GLEDHILL, M. T. LARSEN, The Polanyi Paradigm and a

Dynamic Analysis of Archaic States, in: C. RENFREW et al. (Hrsg.), Theory and Explanation in Archaeology, 1982 3 FINLEY, Ancient Economy 4 J. RENGER, Wirtschaft und Ges., in: B. HROUDA (Hrsg.), Der Alte Orient, 1991, 187–215. S. v. R.

Rednerbühne. Unter einer R. (griech. βῆμα/bḗma; lat. *rostra*, Pl.) wird ein sehr unterschiedlich ausgeformtes erhöhtes Podium, eine Kanzel (früh-christl. *ámbōn*, lat. *ambo*) oder eine Art Tribüne verstanden, die den Redner über sein Publikum hinaushob und auf diese Weise nicht nur aus akustischer Sicht sinnvoll war, sondern zugleich auch dem hierauf agrierenden Protagonisten im Sinne einer bedeutungsmäßigen »Heraushebung« über die Umgebung Besonderheit verlieh.

Bereits in den archa. griech. Bürgergemeinschaften wird es, wie in allen zum Konsens gezwungenen größeren Siedlerverbünden (→ Polis), Vorrichtungen für eine R. gegeben haben; jedoch sind die Formen von Plätzen und → Versammlungsbauten dieser Zeit ebenso wie überhaupt die Existenz ausgeprägter Baulichkeiten für diese Zwecke unklar. In der Regel traf sich die Bürgerversammlung auf einer Freifläche, und wenn überhaupt, so diente eine Geländeerhebung als gleichsam natürliche R. Im Kontext der Demokratie (→ *dēmokratía*) kam, bes. im Athen des 5. und 4. Jh. v. Chr., dem polit. Redner wie auch dem Prinzip der Debatte eine besondere Rolle zu; als R. diente fortan das Bema, ein zunächst eher unscheinbares, aber baulich gefaßtes Podest, das sich an den Orten erhob, an denen größere Versammlungen tagten: in Athen bes. im Dionysos-Theater am Südabhang der Akropolis, später dann auch in der neugeschaffenen Anlage für die → *ekklēsía* auf der → Pnyx, wo das Bema, nun zusehends repräsentativer gestaltet, das Zentrum der Baulichkeiten markierte (und dies auch während einer generellen Umorientierung der Anlage im 4. Jh. v. Chr. blieb).

In dieser »demokratischen« griech. Trad. stand die R. auch in der röm. Republik, wo sie eine wichtige Rolle im kommunalen Leben einnahm. Wohl alle mittelital. Städte besaßen an zentralem Ort (Forum, Theater) eine R.; ebenso die röm. Kolonien (z. B. Cosa, Paestum). Oftmals konnte auch ein Tempel-Podium als R. hergerichtet werden. Zum Syn. der röm. R. ist die Rostra in Rom auf dem Forum Romanum (→ Forum [III 8]), nahe dem Comitium und der Curia gelegen, geworden. Sie erhielt ihren Namen nach den vom Consul Gaius Maenius [I 3] im J. 338 v. Chr. hier demonstrativ als Siegesmal angebrachten Schiffsschnäbeln, die an den Seesieg vor Antium im Latiner-Krieg erinnerten und die diese R. zu einem zentralen Bestandteil röm. Gesch. und röm. Selbstverständnisses werden ließen, wobei sie im Laufe der Gesch. um weitere Schiffstrophäen ergänzt wurden.

Die R. als prunkvoll-monumentale Architektur ist hingegen sowohl in Griechenland wie auch in Rom nicht mit Demokratie und Republik, sondern mit der Monarchie verbunden; die R. wurde zum zentralen Ort herrscherlicher Repräsentation, zum Ort für Reden und Ansprachen des Kaisers, der Mitglieder der kaiserlichen Familie oder hoher Beamter. Prägend waren hier die hell. Monarchen; ein gut erh. Beispiel für eine repräsentative R. ist das im Kontext der Attalos-Stoa auf der Athener Agora unmittelbar neben dem panathenäischen Weg fast in den architektonischen Formen eines Altars erbaute Bema. Die verschiedenen Um- und Ausbauten der stadtröm. Rostra-Anlage und des Comitium-Komplexes unter Caesar und Augustus (u. a. Versetzung und Neubau der urspr. Anlage sowie der Bau einer zweiten Rostra) sind gleichermaßen als herrscherliche Reverenz an eine (vergangene) Republik wie auch als umfassende Neuformulierung des Staatsverständnisses zu werten.

F. A. BAUER, Stadt, Platz und Denkmal in der Spätant., 1996, 7–79 • A. FRANTZ, The Date of the Phaidros Bema in the Theatre of Dionysos, in: H. A. THOMPSON (Hrsg.), Studies in Athenian Architecture (Hesperia Suppl. 20), 1982, 34–39 • LTUR 4, 212–219, s. v. Rostra • NASH, 272–283, s. v. Rostra • RICHARDSON, 334–337, s. v. Rostra • H. J. SCHALLES, Die hell. Umgestaltung der Athener Agora im 2. Jh. v. Chr., in: Hephaistos 4, 1982, 97–116 • TRAVLOS, Athen, 466–476, s. v. Pnyx • R. B. ULRICH, The Roman Orator and the Sacred Stage, 1994 • P. VERDUCHI, Le tribune rostrate, in: A. M. BIETTI SESTIERI (Hrsg.), Roma. Archeologia nel centro 1, 1985, 29–33 • P. ZANKER, Forum Romanum, 1972. C. HÖ.

Redones. Kelt. Volksstamm in der h. Bretagne (Not. dign. occ. 42,36; Notitia Galliarum 3,3; Ptol. 2,8,2: Ῥήδονες ἢ Ῥηΐδονες; Plin. nat. 4,107: *Rhiedones*; CIL XIII 3151). Caesar (Gall. 2,34; 7,75,4) nennt die R. unter den *civitates maritimae* bzw. *Aremoricae*. Ihr Hauptort war Condate (h. Rennes). In der Spätant. gehörten sie zur Prov. → Lugdunensis III.

G. LERROUX, A. PROVOST, Ille-et-Vilaine (Carte archéologique de la Gaule 35), 1990 • L. PAPE, La Bretagne romaine, 1995. Y. L. u. E. O.

Refinements s. Optical Refinements

Refutatio s. Argumentatio

Regae, Regisvilla (Ῥηγισουίλλα). Kleine Anlegestelle (*positio*, Itin. Maritimum 499,3 f.) an der Küste von Etruria zw. → Graviscae und → Cosa, Residenz des Maleos [3], des Königs der pelasgischen Kolonisten, der später nach Athen zurückkehrte (Strab. 5,2,8). R. war in hell.-röm. Zeit Hafen von → Volci/Vulci (beim h. Montalto di Castro). Der Ort wird bei Le Murelle di Montalto di Castro lokalisiert; dort findet sich eine röm. *villa* aus der Zeit vom 1. bis 5. Jh. n. Chr.

E. TORTORICI, Regisvillae, in: Quaderni Ist. Topografia Antica 9, 1981, 151–165 • D. BRIQUEL, Les Pélasges en Italie, 1984, 261–295. G. U./Ü: J. W. MA.

Regalianus. Imp. Caesar P. C[...] R. Augustus (RIC V/2, 586f.; [1]). Statthalter im Illyricum, wahrscheinlich dakischer Abstammung, wurde im J. 260 n. Chr. nach der Niederwerfung des Ingenuus [1] bei Mursa durch → Aureolus von den Donautruppen zum Gegenkaiser des → Gallienus ausgerufen (SHA trig. tyr. 10,1; Ps.-Aur. Vict. epit. Caes. 32,3; Aur. Vict. Caes. 33,2; Pol. Silv. chronica minora 1,521,45). Er kämpfte gegen die Sarmaten (→ Sarmatai), die bereits seit einiger Zeit die unteren Donauprovinzen bedrohten (SHA trig. tyr. 10,2). Wenig später wurde er von Gallienus besiegt und von den eigenen Soldaten getötet (Aur. Vict. Caes. 33,2). Seine Frau war wahrscheinlich die nur durch Mz. bezeugte → Sulpicia Dryantilla (RIC V/2, 588; [1]).

1 R. Göbl, R. und Dryantilla, 1970.

Kienast², 223f. · PIR² R 36 · PLRE 1, 762 · J. Fitz, Ingenuus et Régalien, 1966 · B. Bleckmann, Die Reichskrise des 3. Jh. in der spätant. und frühbyz. Gesch.-Schreibung, 1991, 237–241. T.F.

Regenbogenschüsselchen. Volkstümliche Bezeichnung für eine keltische Goldmz., die die Form einer kleinen Schüssel hat. Nach dem Volksglauben konnten R. dort gefunden werden, wo ein Regenbogen die Erde berührte. Man hielt die R., die häufig nach starken Regenfällen auf gepflügten Feldern gefunden werden konnten, für Glücksbringer und schrieb ihnen vielfältige Wirkung zu.

Auf dem Av. haben die R. die Abstraktion eines Kopfes oder einen glatten Buckel, zuweilen noch Stern, Hand, Schrift, Ornament, Kreuz oder Vogelkopf. Der Rv. ist hohl, oft ist darauf ein → Torques mit Kugeln darin dargestellt. Die R., die überwiegend den süddeutschen Keltenstämmen und den → Boii zugeschrieben werden und meist in das 1. Jh. v. Chr. datiert werden, kommen als → Statere (Gew. 7–8 g) oder Bruchteile davon vor.

1 K. Castelin, H.-J. Kellner, Die glatten R., in: JNG 13, 1963, 105–130 2 Schrötter, s. v. R., 555 3 B. Ziegaus, Der Münzfund von Sontheim. Ein Schatz keltischer Goldmz. aus dem Unterallgäu, 1993 4 Ders., Der Münzfund von Großbissendorf. Eine numismatisch-histor. Unt. zu den spätkeltischen Goldprägungen in Südbayern, 1995. GE.S.

Regendarius. Spätantiker Beamter im → officium [6] der Praetorianerpraefekten, der für die Ausstellung der Berechtigungsscheine (evectiones) zur Benutzung des → cursus publicus zuständig war (Lyd. mag. 3,4 und 21; Cassiod. var. 11,29). Die Identität des Amtes mit dem des regerendarius, den die → Notitia dignitatum in den Offizien aller Praetorianerpraefekten, des Stadtpraefekten von Rom, der Heermeister und einer Reihe der comites und duces des Westens verzeichnet (Not. dign. or. 2,68; 3,29; Not. dign. occ. 2,52; 3,47; 4,28; 5,280; 25,44; 30,27 u.ö.), ist nicht sicher. Dieser scheint auch Kontrollfunktionen ausgeübt zu haben.

W. Blum, Curiosi und Regendarii, 1969, 62–81, 88–116 · M. Clauss, Magister officiorum, 1980, 48–51 · Jones, LRE, 566, 590–593, 597 · W. G. Sinnigen, Officium of the Urban Prefecture, 1957, 61f. K.P.J.

Reggiostil s. Süditalienische Schrift

Regia. An der → via sacra am Rande des Forum Romanum (→ Forum [III 8]) in Rom gelegener zweiteiliger Baukomplex, der gemäß der ant.-röm. mythisierenden Historiographie vom legendären König → Numa Pompilius als dessen Wohnhaus und Amtssitz errichtet worden sein soll (Ov. fast. 6,263f.; Tac. ann. 15,41; Cass. Dio fr. 1,6,2; Plut. Numa 14; Fest. 346–348; 439; vgl. auch [1. 328]). Der Bau in seiner ausgegrabenen markanten Struktur mit dreiräumigem, zur via sacra hin ausgerichtetem Kernbau und einem Hof-Annex ([2] mit Abb.; verm. war dieser Hof in ant. Quellen mit regium atrium gemeint) entstammt dem späten 6. Jh. v. Chr., mithin der Gründungszeit der röm. Republik; er diente in republikanischer Zeit als Amtssitz des → pontifex maximus, beinhaltete zudem Heiligtümer für → Mars und Ops Consiva (→ Ops [3]) sowie Räume für Kultgerät. Zudem waren hier die Archive der Priester, der → Kalender und die Annalen der Stadt (→ annales maximi) untergebracht.

Ausgrabungen der 1960er Jahre haben gezeigt, daß die markante bauliche Gestalt, die im Grundriß einem etr. Haus ähnelt (→ Acquarossa), von ca. 500 v. Chr. bis in die Spätant. trotz verschiedener Zerstörungen, Um- und Anbauten beibehalten wurde (Neubauten u.a. 3. Jh. v. Chr., 148 v. Chr., 36 v. Chr.); zuvor befanden sich auf dem Terrain zunächst kleine Hütten, die ab dem 7. Jh. v. Chr. entfernt wurden und einem öffentlichen Areal (Heiligtum?) Platz machten. Die gut erh. spätant. Ruinen wurden im MA wie auch im 17. und 18. Jh. unter Benutzung verschiedenster Spolien zu Wohnhäusern umgebaut.

1 Richardson, 328f. 2 LTUR, s. v. R. C.Hö.

Regieanweisung. Ant. Theatertexte waren nur spärlich mit R. versehen; als Texte für die Aufführung (nicht für die Lektüre) enthielten sie selten geschriebene Bühnenanweisungen. Das gesprochene Wort des Schauspielers genügte, das durch explizite oder implizite Anspielungen, sowie durch metrische Variationen die Bühnenhandlungen, Situationen, Bewegungen der Personen oder des Chores anzeigte (vgl. z.B. die verbalen Evozierungen des Fackellichts in »Nachtszenen« oder der Gebrauch von deiktischen Anreden an die Szene betretende Akteure). Ein solches implizites System von R. entspricht in etwa dem mod. Begriff »Bühnenkonvention«.

R. im eigentlichen Sinne sind die παρεπιγραφαί (parepigraphaí; = p.), wörtlich »was daneben, dabei, an der Seite geschrieben ist«; der Begriff bezeichnete als t.t. die in den Hss. von dramatischen Texten zu szenischen Zwecken hinzugeschriebenen Bemerkungen, d. h. die

Ausdrücke, die nicht vom Schauspieler gesprochen werden sollen. Gewöhnlich sind die *p.* als *en eisthései* (»in Einrückung«) überliefert und gehören somit zum Text.

Die *parepigraphaí* finden sich in Komödien-Hss. (z. B. Aristophanes: Ach. 113, 114; Av. 221; Nub. 3, 10, 226; Ran. 311, 313; Menandros: Aspis 93, 467; Dysk. 879; POxy. 211 v. 989, 1003, 1024; vgl. schol. Eur. Or. 1384) häufiger als in Tragödien-Hss. (z. B. Aischylos: Eum. 117; 120; 123; 126; 129; Diktyulkoi 803; Adespota TrGF 649, v. 3, 9, 12, 15, 22, 26). In POxy. 413 und PBerl. 13876 (beide 2. Jh. n. Chr.) finden sich Anweisungen für eine musikalische Begleitung als »bühnentechnische« Kennzeichnung.

Es ist fraglich, ob die *p.* auf die Verf. der Bühnenwerke oder auf spätere Erklärer (Leser, Schauspieler oder Regisseure) zurückgehen. Die meisten scheinen aus dem Zusammenhang gerissen und helfen wenig zum Verständnis des Textes. Auf jeden Fall erlauben sie keine Rückschlüsse auf die Schauspielkunst, eher auf die intendierten Klangwirkungen.

Eine andere Art der R. im eigentlichen Sinne ist die Formel χοροῦ (μέλος)/*chorú* (*mélos*), »(Lied) des Chores«, die in manchen Pap.-Fr. der Neuen Komödie erscheint. Sie befindet sich immer am Beginn einer neuen Szene, weshalb man annimmt, daß sie das die Akteinteilung markierende Intermezzo anzeigt. Eine solche Anweisung dürfte bereits auf den Verf. oder jedenfalls auf zeitgenössische Kopien zurückgehen.

Den griech. *parepigraphaí* entsprechende Zeichen begegnen nur selten in den lat. Hss., wo sie wie Glossen erscheinen (vgl. den Ausdruck *tacitus* im Cod. Laurentianus 37.13 des Seneca oder ähnliche Anweisungen in den Codd. Palatini des Plautus).

→ Komödie; Lesezeichen; Sprecherwechsel; Tragödie

J. ANDRIEU, Le dialogue antique, 1954 · D. BAIN, Actors and Audience. A Study of Asides and Related Conventions on Greek Drama, 1977, 53–54, 132–133 · G. CHANCELLOR, Implicit Stage Directions in Ancient Greek Drama, in: Arethusa 12, 1979, 133–152 · A. M. DALE, Seen and Unseen on the Greek Stage: A Study in Scenic Conventions, in: WS 69, 1956, 96–106 (= Ders., Collected Papers, 1969, 119–129) · V. DI BENEDETTO, E. MADDA, La tragedia sulla scena, 1977 · TH. GELZER, s. v. Aristophanes, RE Suppl. 12, 1551f. · E. A. HAVELOCK, The Oral Composition of Greek Drama, in: Quaderni urbinati 6, 1980, 61–113 (bes. 80–83) · K. HOLZINGER, Über die Parepigraphae zu Aristophanes. Eine Scholienstudie, 1883 · W. J. W. KOSTER, Ad Aristophanis Thesmophoriazusarum fragmenta in PSI 1194 servata de coronide, de parepigrapha, de proceleusmatico, in: Acme 8, 1955, 93–103 · D. L. PAGE, Actors' Interpolation in Greek Tragedy, 1934 · C. F. RUSSO, Aristofane autore di teatro, ²1984, 66–77 · SCHMID/STÄHLIN I 4, 451,11 · W. G. RUTHERFORD, A Chapter in the History of Annotation Being Scholia Aristophanica III, 1905, 113–114 · O. TAPLIN, Χοροῦ and the Structure of Post-Classical Tragedy, in: Liverpool Classical Monthly 1, 1976, 47–50 · Ders., Did Greek Dramatists Write Stage Instructions?, in: PCPhS 203, 1977, 121–132.   V. I. C.

Regifugium. Stadtröm., in mehreren → Fasti verzeichnetes Fest am 24. Februar (InscrIt 13,2 p. 65, 73, 165, 241, 265), das aus einem Opfer des → *rex sacrorum* auf dem *comitium* und seiner anschließender Flucht bestand (Plut. qu. R. 63; [3. 197]). Ovid (fast. 2,685–852) und Ausonius (eclogae 23,13 f. p. 102 GREEN) deuteten das Fest als Erinnerung an die Flucht der Tarquinier aus Rom [1. 198 f.; 2]. Es war aber wohl eher ein Lustrationsritus [5. 98 f.], der als Auflösungsritual in Zusammenhang mit dem röm. Jahresablauf stand, da das Fest auf die Interkalation des vorjulianischen Kalenders folgte (Cens. 20,6; [4. 208, 304–317]; → Kalender).

Das R. fiel auf einen geraden Tag, was für röm. Feste ungewöhnlich ist und eine Parallele zu den Tagen mit dem Charakter QRCF (*quando rex comitiavit fas*) darstellt (24. März und 24. Mai), die jeweils auf ein → *tubilustrium* folgten. Die weitreichendste Deutung geht dahin, daß diese Rituale ein Reflex von ehemals in jedem Monat stattfindenden Riten bei abnehmendem Mond seien ([4. 214–225], dagegen [6]). Andere ant. Fluchtrituale sind die röm. → *Poplifugia* und die att. *Dipoieía* (→ *Buphónia*).

→ Kalender; Lustratio; Ritual

1 A. FELDHERR, Spectacle and Society in Livy's History, 1998 2 A. ROSENBERG, s. v. R., RE I A 1, 469–472 3 H. J. ROSE, The Roman Questions of Plutarch, 1924 4 J. RÜPKE, Kalender und Öffentlichkeit, 1995 5 A. SCHWEGLER, Röm. Gesch., Bd. 2.1, 1856 6 M. SEHLMEYER, Rez. zu [4], in: BMClR 7, 1996, 157–162.
M. SE.

Regillensis. Röm. Cogn. in der Familie der Postumii (→ Postumius [I 13–15]); nach der Trad. dem ersten Träger Postumius wegen seines Sieges 496 v. Chr. in der Schlacht am → Lacus Regillus verliehen.

KAJANTO, Cognomina, 183.   K.-L. E.

Regillus. Röm. Cogn. (Diminutiv von *rex*, »König«), in republikanischer Zeit Beiname in der Familie der Aemilii (→ Aemilius [I 35–36]); in der Kaiserzeit auch in anderen Familien.

1 DEGRASSI, FCIR, 265 2 KAJANTO, Cognomina, 316.
K.-L. E.

Regina Castra. Legionslager an der Donau gegenüber der Mündung des Flusses Regen, h. Regensburg (Tab. Peut. 4,4; Itin. Anton. 250,1: *Regino*; Not. dign. occ. 35,17; Itin. Anton. 259,3; 6: *ad castra*; Meilensteine [1; 2]: *a legione*; CIL V 32909: *D(omo) Regino*; erst ma. überl., aber möglicherweise auf eine kelt. Wz. zurückgehender Name für die zugehörige Zivilsiedlung: *Radaspona*).

Errichtet in den 70er J. des 2. Jh. n. Chr. als Standquartier der *legio III Italica* (CIL III 11965: 179 n. Chr.), war R. C. Nachfolger eines um 166/7 n. Chr. zerstörten, mindestens zweiphasigen ca. 3 km weiter südl. gelegenen Kohortenkastells (Regensburg-Kumpfmühl, errichtet um 80 n. Chr.; mit Zivilsiedlung und evtl. → *mansio*). Größe: 543 × 452 m, das Nordtor (*porta prae-*

toria) sowie Teile der Lagermauer sind sichtbar. Westl. des Lagers erstreckte sich eine Zivilsiedlung (*canabae*), ein kleiner → *vicus* mit Militärstützpunkt lag etwa 3 km donauaufwärts. Mehrere Heiligtümer sind nachgewiesen. Das im 19. Jh. partiell freigelegte Gräberfeld (vom 2. Jh. bis in das frühe MA kontinuierlich belegt) ist mit ca. 6000 errechneten Bestattungen eines der größten bekannten nördl. der Alpen. Im 3. Jh. erfolgten mehrfach Zerstörungen; im 4. Jh. reduzierten sich die Siedlungsaktivitäten auf das Lagerinnere, R. wurde sowohl mil. wie auch zivil genutzt bei zunehmender german. Bevölkerungskomponente. Arch. und inschr. Hinweise (CIL III 5972; [3]) lassen aber an ein Fortleben romanischer Elemente denken. Evtl. bildete eine aus Böhmen zugewanderte Gruppe von Elbgermanen (Friedenhain-Přeštovice-Gruppe) den Kristallisationskern für den Stamm der → *Baiovarii*. Im 6. Jh. n. Chr. war R. Sitz der agilolfingischen Herzöge der Baiern (ohne totale Siedlungsunterbrechung).

1 G. WALSER, Die röm. Straßen und Meilensteine in Rätien, 1983, Nr. 36, 40, 42, 43 2 K. DIETZ, Ein neuer Meilenstein aus dem J. 201 n. Chr. aus Kösching, in: Das Arch. Jahr in Bayern (1985), 1986, 110 f. 3 G. WALDHERR, Martiribus sociata. Überlegungen zur »ältesten« christl. Inschr. Rätiens, in: K. DIETZ u. a. (Hrsg.), Klass. Alt., Spätant. und frühes Christentum. FS A. Lippold, 1993, 553–577.

K. DIETZ, T. FISCHER, An der Grenze des Imperiums: Regensburg zur Römerzeit, in: P. SCHMID (Hrsg.), Gesch. der Stadt Regensburg, 2000, 12–48 · TIR Castra Regina 33 f. · G. WALDHERR, Röm. Regensburg, 2001.   G. H. W.

Regina s. Iuno; Isis

Regina sacrorum s. Rex sacrorum

Regio, regiones. Urspr. theoretisches Gliederungsprinzip der astronomischen und der auguralen (→ *augures*) Praxis (Cic. div. 1,17; 1,30; 2,3; 2,9; Ov. Ib. 38; Cic. nat. deor. 2,19; 2,50), Elemente der Vierteilung Roms durch Servius → *Tullius* (Varro ling. 5,45; 49; 51; 53; Liv. 1,43,13; Plin. nat. 18,13; Paul. Fest. 506,5), die sich auf die → *tribus* übertrug: I. Suburana, II. Esquilina, III. Collina, IV. Palatina (→ Roma III. mit Karte 3).

Augustus teilte die mittlerweile stark gewachsene Stadt in 14 *r.* auf (10–4 v. Chr.; Suet. Aug. 30,1; [2]) und zählte sie ebenfalls durch (von I bis XIV), verteilte sie aber willkürlich auf *r.* innerhalb (II, III, IV, VI, VIII, X, XI, XIII) und *r.* außerhalb der Mauern (I, V, VII, IX, XII, XIV) – wohl in der Absicht, die Organisation zu vereinheitlichen, die öffentlichen Einrichtungen wie Bäder und Theater gleichmäßig zu verteilen, die öffentliche Ordnung zu gewährleisten (*vigiles*) und schließlich den auf kleinere *vici* (»Ortschaften«) verteilten Kult der Lares Augusti zu ordnen [1. 345 f.] (vgl. → Roma III. mit Karte 3). Erst in der Spätant. [4. 444] wurden diese *r.* mit traditionellen ON bezeichnet: I. Porta Capena, II. Caelimontium, III. Isis et Serapis, IV. Templum Pacis, V. Esquiliae, VI. Alta Semita, VII. Via Lata, VIII. Forum Romanum Magnum, IX. Circus Flaminius, X. Palatium, XI. Circus Maximus, XII. Piscina Publica, XIII. Aventinus, XIV. Transtiberim.

Augustus veranlaßte auch die im wesentlichen an geogr. Gegebenheiten, nicht aber durchwegs an gängigen Landschaftsbezeichnungen orientierte Gliederung der ital. Halbinsel in 11 *r.* (Plin. nat. 3,46–138; [3; 5]; → Italia; vgl. auch Karte der Regionen Italiens); ihre Funktion ist – sofern sie nicht durch den → *census* bedingt war – unklar. Sie wurden in unregelmäßiger Folge numeriert und später (außer VIII und XI wegen ihrer generell unerwünschten gallischen Bezüge) mit ethnischen Bezeichnungen versehen: I. Latium et Campania, II. Apulia et Calabria, III. Bruttium et Lucania, IV. Samnium, V. Picenum, VI. Umbria, VII. Etruria, VIII. Aemilia, IX. Liguria, X. Venetia et Histria, XI. Transpadana.

1 A. FRASCHETTI, Roma e il principe, 1990 2 A. VON GERKAN, Grenzen und Größen der vierzehn Regionen Roms, in: BJ 149, 1949, 5–65 3 C. NICOLET, L'origine des r. Italiae augustéennes, in: Cahiers du Centre Gustave Glotz 2, 1991, 73–95 4 S. B. PLATNER, T. ASHBY, A Topographical Dictionary of Ancient Rome, 1929 5 R. THOMSEN, The Italic Regions, 1947.

C. NICOLET, L'inventaire du monde, 1988 · O. ROBINSON, Ancient Rome: City-Planning and Administration, 1992.
A. SA./Ü: J. W. MA.

Regio Zeugitana. Bezeichnung des nördl. Teils der vordiocletianischen Prov. Africa Proconsularis (→ Afrika [3], mit Karte), später der diocletianischen Prov. Africa Proconsularis (→ Diocletianus, mit Karte); sie ist von einem einheimischen Namen abgeleitet (vgl. *mons Ziguensis, pagus Zeugius*; Plin. nat. 5,23; Mart. Cap. 6,669; Isid. orig. 14,5,8; vgl. Solin. 26,2; 27,1). Die Grenze verlief von Tacatua (Takouch an der Nordküste von Tunesien) aus südwärts bis in die Gegend südl. von → Theveste, von dort aus nordöstl. über → Ammaedara, → Althiburus und → Abthugni in die Nähe von → Pudput (an der Ostküste Tunesiens).

AATun 050 · AATun 100 · J. GASCOU, La politique municipale de l'empire romain en Afrique proconsulaire . . . , 1972 · K. ZIEGLER, s. v. Zeugitana regio, RE 10 A, 251.
W. HU.

Regium. Kelt. Stadt auf halbem Weg zw. → Mutina und → Parma (Strab. 5,1,6: Ῥήγιον; Cic. fam. 12,5,3: *R. Lepidi*; Tac. hist. 2,50: *R. Lepidum*; Plin. nat. 3,15; 115; Ptol. 3,1,46: Ῥήγιον Λεπίδιον; Itin. Anton. 99,3; 283,5; 287,7; Tab. Peut. 4,4), h. Reggio nell'Emilia. Seit Anf. des 6. Jh. v. Chr. von → Etrusci übernommen (Inschr.-Funde von Rubiera im SO von R.), entwickelte sich R. im 4. Jh. v. Chr. zu einem landwirtschaftlichen Zentrum. Gegr. wurde das röm. R. als Forum Lepidi 175 v. Chr. mit der Via Aemilia als *decumanus maximus* unter dem 2. Konsulat des Aemilius [I 10] Lepidus (Fest. 332,25 L.), was neueste Grabungen bestätigt haben. R. war erst *municipium*, dann *colonia, tribus Pollia*. Arch.: Aus

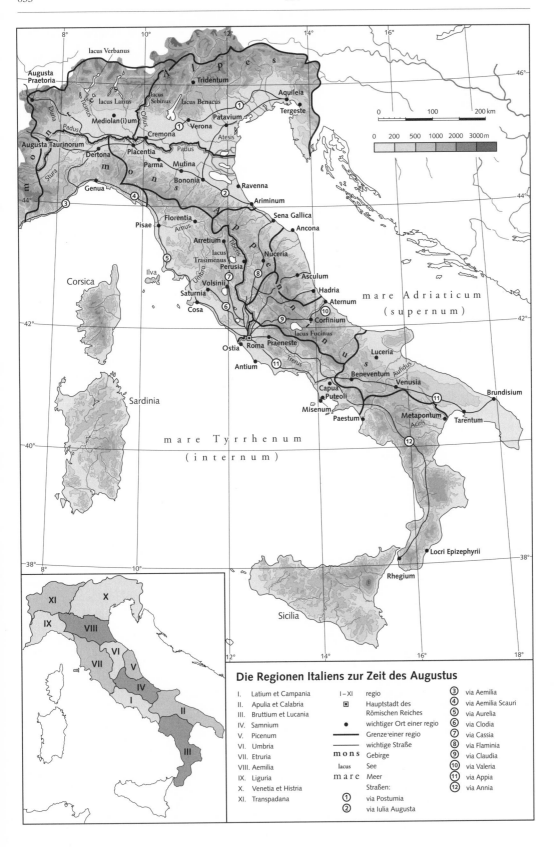

Die Regionen Italiens zur Zeit des Augustus

I. Latium et Campania	**I–XI** regio	③ via Aemilia
II. Apulia et Calabria	▣ Hauptstadt des	④ via Aemilia Scauri
III. Bruttium et Lucania	Römischen Reiches	⑤ via Aurelia
IV. Samnium	• wichtiger Ort einer regio	⑥ via Clodia
V. Picenum	— Grenze einer regio	⑦ via Cassia
VI. Umbria	— wichtige Straße	⑧ via Flaminia
VII. Etruria	**mons** Gebirge	⑨ via Claudia
VIII. Aemilia	lacus See	⑩ via Valeria
IX. Liguria	**mare** Meer	⑪ via Appia
X. Venetia et Histria	Straßen:	⑫ via Annia
XI. Transpadana	① via Postumia	
	② via Iulia Augusta	

der frühen Kaiserzeit stammen eine *domus* mit Mosaiken (Piazza Cavour, Omozzoli-Parisotti-Klinik) und Straßenzüge mit Trachytbelag. Hauptverkehrsader war die Via Aemilia; unregelmäßiger Stadtplan. Belegt sind → Isis- (CIL XI 955) und → Kaiserkult (CIL XI 971).

> G. Ambrosetti u. a. (Hrsg.), Lepidoreggio, 1996.
>
> M.M.MO./Ü: H.D.

Regium atrium s. Regia

Regni (Regini). Kelt. Volksstamm, der in der Gegend von Hampshire und West Sussex siedelte und zum Königreich des → Commius (Mitte des 1. Jh. v. Chr.) und des → Cogidubnus (ein Jh. später) gehörte. Hauptort war Noviomagus (h. Chichester), wo im 1. Jh. n. Chr. ein Neptun- und Minerva-Tempel stand [1. 91]. Bei Noviomagus, 1,6 km westl. von Chichester, befand sich die Anlage von Fishbourne, verm. eine Gouverneursresidenz aus flavischer Zeit (Säulen, Mosaike, Wandmalereien) [2].

> 1 R. G. Collingwood, R. P. Wright, The Roman Inscriptions of Britain, 1965 2 B. W. Cunliffe, Excavations at Fishbourne, 1971.
>
> B. W. Cunliffe, s. v. Fishbourne, PE, 329 · Ders., The R., 1973.
>
> M.TO./Ü: I.S.

Regnum Bosporanum. Das Bosporanische Königreich an der Nordküste des Schwarzen Meers (→ Pontos Euxeinos), dessen Kern die Halbinsel Kerč am sog. Kimmerischen → Bosporos [2] war, genannt *Kimmerikós Bósporos* oder einfach *Bósporos* (Diod. 12,36; 20,22). Vgl. die zwei Karten unten.

I. Die Begründung des Reichs
II. Das Reich unter den Spartokiden
III. Das Reich unter den Römern

I. Die Begründung des Reichs

Um etwa 480 v. Chr. schlossen sich die griech. Städte an der Straße von Kerč unter der Führung von → Pantikapaion zusammen, urspr. wohl als Schutzbund gegen die einheimischen → Skythai. Die erste Dyn. war die der Archaianaktiden, deren Begründer Archaianax verm. aus dem milesischen Adel Pantikapaions stammte; diese Dyn. soll ca. 42 J. regiert haben (Diod. 12,31). Wahrscheinlich führten sie – wie auch die ersten Spartokiden (s.u. II.) – nicht den Königstitel, sondern nannten sich jeweils *árchōn*. Die Poleis verloren damit ihre Eigenständigkeit und ihre typischen Institutionen, besaßen aber auf kommunaler Ebene noch gewisse Kompetenzen. In der 2. H. des 5. Jh. wurden die Städte ausgebaut und stark befestigt. Gleichzeitig erweiterte sich der Handel bes. mit Athen, das gegen E. des 5. Jh. in → Nymphaion [4] eine Faktorei mit einem Geschäftsträger und wohl auch → *klērúchoi* (I.) einrichtete; nach der Schlacht bei → Aigos potamos (405 v. Chr.) wurde Nymphaion wieder in das R. B. eingegliedert. Auch

Verträge über gegenseitige mil. Unterstützung wurden zw. Athen und dem R. B. abgeschlossen (IG II² 653). Während und nach dem → Peloponnesischen Krieg wurden die bosporan. Städte zu den wichtigsten Getreide- und Rohstofflieferanten Athens.

II. Das Reich unter den Spartokiden

Um 438/7 brachten wohl innere Unruhen (Andeutungen in peripl. m. Eux. 77; Isokr. Trapezitikos 5) die Dyn. der Spartokiden in Pantikapaion an die Macht (Diod. 12,31), die bis E. des 2. Jh. v. Chr. regierte. Ihre dynastischen Namen führten oft zur Annahme, → Spartokos I. habe sich als ein Kommandeur thrakischer Söldner erhoben, doch sind die Namen griech. (z. B. Satyros, Leukon) und iranisch (z. B. Pairisades, Kamasarye). Die Spartokiden vergrößerten das bosporan. Gebiet: Theodosia wurde nach großen Anstrengungen von Leukon I. eingenommen (schol. Demosth. 20,33; Harpokr. s. v. *Theodósia*; IOSPE 2,343 wird Leukon als *árchon Bospóru kai Theodosíēs* bezeichnet). Der Friede mit den maiotischen Stämmen wurde durch großzügige Geschenke erkauft (Polyain. 8,55; im 2. Jh. v. Chr. regelmäßige Tributzahlungen: Strab. 12,4,6; Lukian. Toxaris 44). Auf der asiatischen Seite wurde das Königreich der → Sindoi durch Diplomatie und dynastische Ehe angeschlossen (Polyain. 8,55). Von den Stützpunkten Phanagoreia, Hermonassa u. a. unterwarf Leukon in kurzer Zeit das untere Kubangebiet. Die Titulaturen auf Inschr. illustrieren die Erweiterung der Grenzen (Leukon I.: Archon von Bosporos und Theodosia, König der Sinder, Toreten, Dandarier und Psesser; sein Nachfolger → Pairisades [1]: Herrscher der Sinder, aller Maioten, der Thateer und Dosker, IOSPE 2,8). Bei einigen dieser Stämme, z. B. den Thateern, dürfte es sich nur um Vasallen handeln, da diese noch ein eigenes Heer besaßen (Diod. 20,22). Unter Pairisades wurde eine milesische Siedlung als → Gorgippia neu gegründet.

Im 4. Jh. nahmen die Spartokiden neben dem *árchōn*-auch den Königstitel an, allerdings nur in bezug auf die »Barbaren«. Mz. prägten sie zunächst nicht in ihrem Namen, sondern dem der Stadt Pantikapaion. Dennoch wird ihre Herrschaft mit der griech. Tyrannis verglichen (Ail. var. 6,13). Die Könige waren die größten Grundbesitzer, besaßen das Oberkommando über das (Söldner-)Heer, die Kontrolle über die gesamte Wirtschaft und das Rechtswesen und waren Oberpriester des Apollon. Brüder bzw. Söhne des Königs waren oftmals Mitregenten (z. B. IOSPE 2,1; 2,2: *Pairisádēs kai paídes*). Obwohl Pairisades I. die Erbfolge auf den jeweils ältesten Sohn festlegte (Diod. 20,22), kam es zu schweren Auseinandersetzungen, aus denen sein Sohn Eumelos [4] als Sieger hervorging. Dieser strebte eine gemeinsame pontische Politik gegen → Lysimachos [2] an und half im Zuge dieser Politik der abtrünnigen Stadt → Kallatis großzügig. Das gute Verhältnis zu Athen und der intensive Handel wurden fortgesetzt (vgl. mehrere athenische Dekrete für Spartokiden: z. B. Syll.³ 206).

In der 1. H. des 3. Jh. v. Chr. setzte wirtschaftlicher und kultureller Niedergang ein, wohl als Folge äg. Konkurrenz im Getreidehandel, der Kelteneinfälle (→ Kelten III.) und des Niedergangs Athens. Münzemissionen in Gold und Silber fehlen; der Import von Luxuswaren nahm ab. Lit. und epigraphische Quellen sind nun selten; die Namen der Könige sind vorwiegend durch Mz. bekannt, die diese seit der 2. H. des 3. Jh. tragen, sowie durch Ziegelstempel. Erst in der 2. H. des 3. Jh. v. Chr. war die schwere Krise überwunden; als wichtigste Handelspartner erscheinen Delos, Rhodos und südpontische Städte, bes. Sinope. Schon gegen E. des 3. Jh. scheint es erneut zu inneren Unruhen gekommen zu sein (der König → Hygiaion trug nur den *árchōn*-Titel), das 2. Jh. v. Chr. ist wiederum durch wirtschaftliche und polit. Krisen gekennzeichnet: Kriege mit Skythen und Sarmaten sind belegt (zeitweiliger Abfall der asiatischen Stämme: Strab. 11,2,11); auf der Krim expandierte der skythische Staat mit der Hauptstadt Neapolis (beim h. Simferopol).

Nachdem Diophantes, General des Mithradates [6] VI., die Skythen westlich des R. B. besiegt hatte, gab der bosporan. König Pairisades [6] V. seine Herrschaft um 109 v. Chr. freiwillig an den pontischen König ab (Strab. 7,4,4), dem das R. B. hohe Tribute zu zahlen hatte (Strab. 7,4,6). Im ersten der → Mithradatischen Kriege gegen Rom (89–85 v. Chr.) fiel es von Pontos ab, nach dem zweiten (83–82) unterwarf Mithradates es von neuem und unterstellte es seinem Sohn → Machares (App. Mithr. 67), der im J. 70 mit Rom diplomatische Beziehungen aufnahm (Plut. Lucullus 24); am E. des sich in die Länge ziehenden dritten Krieges (73–63) führten der völlige Abbruch jeder Handelsbeziehungen und die hohen Abgaben zu einem Aufstand vieler bosporan. Städte gegen Mithradates (63 v. Chr.).

III. DAS REICH UNTER DEN RÖMERN

Pharnakes [2] von Pontos erhielt nun das R. B. (doch ohne → Phanagoreia) und die → Chersonesos [3] von Rom, wurde aber 47 v. Chr. von Asandros (aus der Spartokidendynastie?) besiegt, der das Reich bis zur Chersonesos ausdehnte. Er führte den Titel *árchōn* und wurde 42 v. Chr. von Rom offiziell bestätigt. Seit Asandros blieben die bosporan. Könige von Rom abhängig und wurden von dort eingesetzt (Strab. 12,3,29), die Städte wurden zu röm. Stützpunkten. Doch schuf die röm. Dominanz Sicherheit vor den iranischen Nachbarn und die Basis für neue Handelskontakte, bes. zu den südpontischen Städten. Ab der 2. H. des 1. Jh. n. Chr. begann allmählich ein wirtschaftlicher und kultureller Aufschwung. Unter Aspurgos wurden die Skythen und Taurer auf der Krim besiegt; er verschwägerte sich mit der thrakischen Königsdyn. und nahm (als Gründer der bosporan. Tiberii-Iulii-Dyn.) vielleicht als erster den Namen Tiberius Iulius an, der jedoch erst bei seinem Sohn belegt ist (IOSPE 4,204). Seit dem 2. Jh. n. Chr. begann der sarmatische Bevölkerungsteil auch in den Städten zu dominieren, auch wenn Griech. als offizielle Sprache beibehalten wurde. 193 n. Chr. konnten das Skythenreich und die Taurer besiegt werden (IOSPE 2,423). Im 2. und 3. Jh. verbreitete sich das Christentum

im R. B.; bosporan. Kleriker nahmen an den Konzilen in Nikaia [5] und Nikomedeia teil (Soz. 4,16).

In der 2. H. des 3. Jh. begann der Niedergang des R. B.: Goten, Heruler und ihre Verbündeten drangen um 250 in das Gebiet der → Maiotis vor und fielen in das Kerngebiet des R. B. ein, das nun Ausgangspunkt ihrer Beutezüge wurde; die skythischen und taurischen Gebiete gingen verloren. Um 276 konnte König Teiranes das R. B. von den Goten und Herulern befreien, in den 60er und 70er J. des 4. Jh. vernichteten die Hunnen (→ Hunni) es endgültig (Iord. Get. 123; 126).

Zur Gesch. s.a. → Chersonesos [3].

→ Pontos; Pontos Euxeinos; Skythai; Spartokos

N. A. FROLOVA, The Coinage of the Kingdom of Bosporus, Bd. 1: A. D. 69–238, 1979; Bd. 2: A. D. 242–341/342, 1983 · V. F. GAJDUKEVIČ, Das Bosporanische Reich, 1971 · M. ROSTOWZEW, Skythien und der Bosporus, Bd. 2 (Historia Einzelschriften 83), 1993 · S. R. TOKHTAS'EV, Iz onomastiki Severnogo Pričernomor'ja II.: Frakijskie imena an Bospore, in: A. K. GAVRILOV (Hrsg.), Etjudy po anticnoj istorii i kul'ture Severnogo Pričernomor'ja, 1992, 178–200 · J. G. VINOGRADOV, Polemon, Chersones i Rim, in: VDI 202, 130–139 · Ders., Die histor. Entwicklung der Poleis des nördlichen Schwarzmeergebietes im 5. Jh. v. Chr., in: Chiron 10, 1980, 63–100 · R. WERNER, Die Dynastie der Spartokiden, in: Historia 4, 1955, 412–444 · A. N. ZOGRAF, Ancient Coinage, Bd. 2: The Ancient Coins from the Northern Black Sea Littoral, 1977.   I. v. B.

KARTEN-LIT.: H. WALDMANN, Östl. Mittelmeerraum und Mesopotamien. Wirtschaft, Kulte und Bildung im Hell. (330–133 v. Chr.) (TAVO B V 5), 1987 (Ausschnitt) · Ders., Vorderer Orient. Die hell. Staatenwelt im 3. Jh. v. Chr. (TAVO B V 3), 1983 (Ausschnitt).

Regnum Tolosanum s. Tolosa

Regula (lat. »Leiste«, »Latte«, auch »Richtschnur«). Bei Vitr. 4,3,4 u.ö. verwendeter architektonischer t.t., der eine mit → Guttae versehene Leiste am → Epistylion (Architrav) eines Bauwerks dorischer Ordnung bezeichnet. Die R. entspricht in ihrer Abmessung der Breite des → Triglyphos und bildet dessen unteren, baulich-strukturell dem Architrav (und nicht dem Fries) zugehörigen Abschluß. Die R. korrespondiert zudem mit den auf dem Fries aufliegenden Blöcken des → Geison.

D. MERTENS, Der Tempel von Segesta und die dorische Tempelbaukunst des griech. Westens in klass. Zeit, 1980, 254, s.v. R. · W. MÜLLER-WIENER, Griech. Bauwesen in der Ant., 1988, 112–120.   C. HÖ.

Regula Magistri (»Magisterregel«). Lat. Mönchsregel des frühen 6. Jh. eines unbekannten Verf., »Magister« genannt. Ursprungsort dürfte It. sein, allerdings wird die *R. M.* auch für Südgallien reklamiert; die älteste Hs. stammt aus It. (Paris, Latinus 12205, um 600). Als umfangreichste lat. Mönchsregel ist sie eine überaus wichtige Quelle für Geistigkeit und Lebensform des spätant. → Mönchtums. Seit der Mitte des 20. Jh. rückte sie in den Mittelpunkt der Regel-Forsch., nachdem A. GENE-

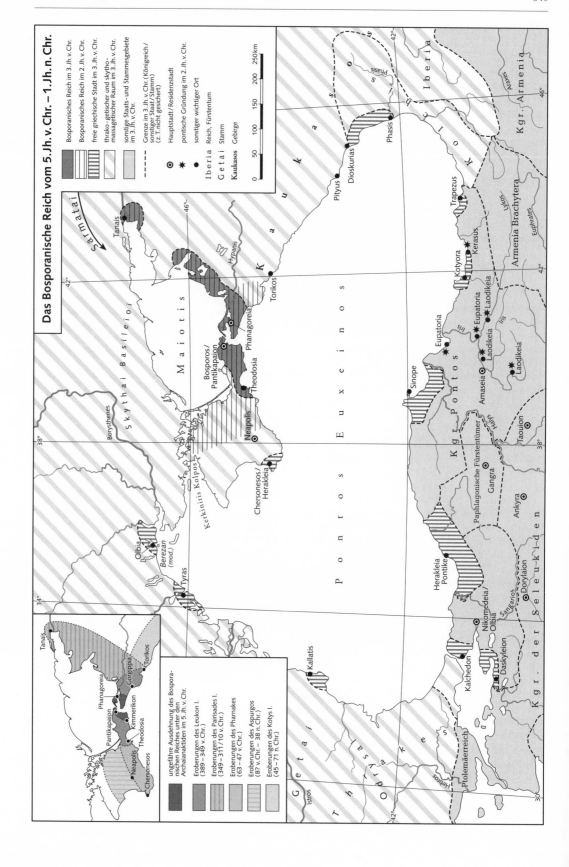

Das Bosporanische Reich vom 5.Jh. v.Chr. – 1.Jh. n.Chr.

Bosporanisches Reich im 3. Jh. v.Chr.
Bosporanisches Reich im 2. Jh. v.Chr.
freie griechische Stadt im 3. Jh. v.Chr.
thrako-getischer und skytho-massagetischer Raum im 3. Jh. v.Chr.
sonstige Staats- und Stammesgebiete im 3. Jh. v.Chr.

Grenze im 3. Jh. v.Chr. (Königreich/sonstiger Staat/Stamm) (z.T. nicht gesichert)
Hauptstadt/Residenzstadt
pontische Gründung im 2. Jh. v.Chr.
sonstiger wichtiger Ort

Iberia   Reich, Fürstentum
Getai   Stamm
Kaukasos Gebirge

0   50 100 150 200 250 km

ungefähre Ausdehnung des Bosporanischen Reiches unter den Archaianaktiden im 5.Jh. v.Chr.
Eroberungen des Leukon I. (389–349 v.Chr.)
Eroberungen des Pairisades I. (349–311/10 v.Chr.)
Eroberungen des Pharnakes (63–47 v.Chr.)
Eroberungen des Aspurgos (8? v.Chr.– 38 n.Chr.)
Eroberungen des Kotys I. (45–71 n.Chr.)

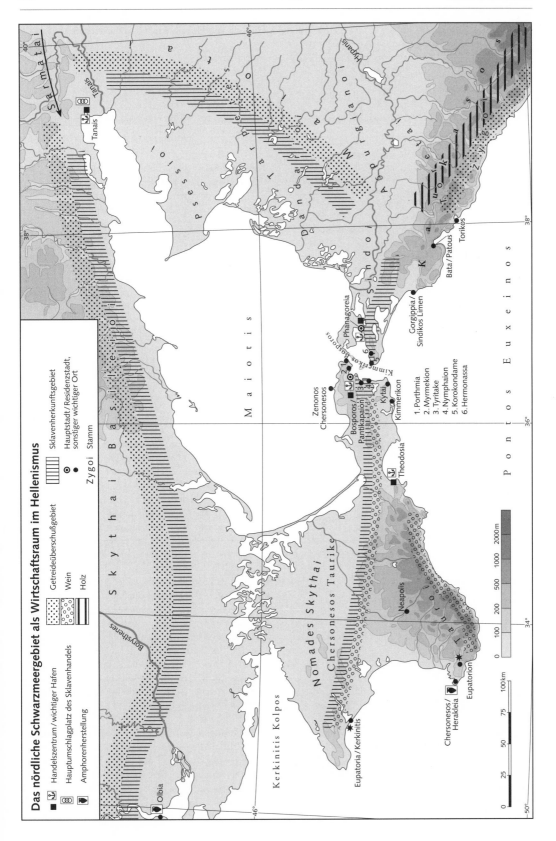

Das nördliche Schwarzmeergebiet als Wirtschaftsraum im Hellenismus

Handelszentrum / wichtiger Hafen
Hauptumschlagplatz des Sklavenhandels
Amphorenherstellung
Getreideüberschußgebiet
Wein
Holz
Sklavenherkunftsgebiet
Hauptstadt / Residenzstadt, sonstiger wichtiger Ort
Zygoi Stamm

1. Porthmia
2. Myrmekion
3. Tyritake
4. Nymphaion
5. Korokondame
6. Hermonassa

Olbia
Tanais
Torikos
Bata / Patous
Gorgippia / Sindikos Limen
Phanagoreia
Zenonos Chersonesos
Bosporos / Pantikapaion
Kytai
Kimmerikon
Theodosia
Neapolis
Chersonesos / Herakleia
Eupatorion
Eupatoria / Kerkinitis

Sarmatai
Pessioi
Maiotis
Skythai Basileioi
Nomades Skythai
Chersonesos Taurike
Borysthenes
Kerkinitis Kolpos
Pontos Euxeinos
Kimmerikos Bosporos
Sindoi
Zygoi
Tanais
Tyras
Hypanis

0 25 50 75 100 km

0 100 200 500 1000 2000 m

STOUT (1888–1969) sie als Vorlage der Regel des → Benedictus ausgemacht hatte. Nach lebhafter Kontroverse und nach intensiver komparatistischer Regel-Forsch. setzte sich diese Verhältnisbestimmung – Benedictus von Nursia abhängig vom »Magister« – weithin durch. Der lat. Text verdient auch sprachgesch. Beachtung.

ED.: A. DE VOGUÉ, La Règle du Maître (SChr 105–106), 1964–65.
ÜBERS.: K. S. FRANK, 1989.
LIT.: P. B. CORBETT, The Latin of the R. M., 1958 · M. DUNN, Mastering Benedict, in: English Historical Review 105, 1990, 567–594 · A. GENESTOUT, La Règle du Maître et la Règle du S. Benoît, in: Rev. d'Ascétique et de Mystique 21, 1940, 51–112 · B. JASPERT, Die Regula Benedicti-R. M.-Kontroverse, ²1977 · A. DE VOGUÉ, Le Maître, 1984 · Ders., A Reply to M. Dunn, in: English Historical Review 107, 1992, 95–103. K.-S. F.

Regulus. Röm. Cogn. (Diminutiv von *rex*, »König«), in republikanischer Zeit in den Familien der Atilii (→ Atilius [I 17–23]) und Livineii (→ Livineius [I 1–2]); in der Kaiserzeit auch in anderen Familien.

1 DEGRASSI, FCIR, 265 2 KAJANTO, Cognomina, 316 f.
K.-L. E.

Reh (Capreolus capreolus). Eine bis nach Südeuropa verbreitete kleine Gattung von Hirschen, deren Lebensweise in der Ant. kaum bekannt war. *Capreolus* bezeichnet bei Columella nicht nur das R. (9,1,1), sondern auch ein zweizinkiges Gartengerät (11,3,46) und die Ranken des Weinstocks (z. B. 4,14,1 und 5,6,26). Das kurze, leicht verzweigte Gehörn, das angeblich nicht abgeworfen wird, erwähnt Plin. nat. 11,124. Wahrscheinlich war bei röm. Schriftstellern *caprea* der übliche lat. Name (z. B. bei Varro rust. 3,3,3; Ov. met. 1,442; Colum. 9 pr.; Hor. carm. 3,15,12: *lasciva caprea*; Plin. nat. 8,228: Fehlen in Nordafrika). Die Deutung der felsgängigen δορκάς/ *dorkás* als R. (statt als → Gazelle) bei Eur. Bacch. 699 und Xen. Kyr. 1,4,7 (vgl. lat. *dorcas* bei Mart. 13,99) ist umstritten. Die Scheu des νεβρός/*nebrós* (sonst für »Hirschkalb«) bei Ail. nat. 7,19 deutet wohl auf die Gazelle hin. Auch der alte Name πρόξ/*prox* (Hom. Od. 17,295; προκάς/*prokás*, Hom. h. 5,71), der bei Aristoteles neben dem Rothirsch (ἔλαφος/*élaphos*) steht (Aristot. hist. an. 2,15,506a 22; angeblich ohne Gallenblase an der Leber: Aristot. part. an. 4,2, 676b 27; Blut enthält keine Fasern für die Gerinnung: Aristot. hist. an. 3,6,515b 34), ist nicht sicher mit dem R. zu identifizieren.

Man kannte die R.-Jagd (mit Hunden: Hom. Od. 17,295; vgl. u. a. Iuv. 14,81; Sil. 10,19; Apul. met. 8,4), hielt R. in → Tiergärten (Varro l. c.; Colum. 9 pr. und 9,1,1; SHA Aur. 10,2) und ließ sie in der Arena töten (Ov. fast. 5,273). Das Fleisch galt (außer bei Hor. sat. 2,4,43) als gut (Iuv. 11,142). R.-Suppen kennt Apicius 8,343 ff. Das Fleisch wurde ebenso wie die inneren Organe und der Kot medizinisch verwendet (vgl. Scribonius Largus 127 und Caelius Aurelianus, Chronicae passiones 1,1,23 und 4,3,70). Nach Plin. nat. 29,67 sollen in

Rehfelle mit Hirschsehnen eingebundene Drachenzähne auf magische Weise die Herren mild stimmen und die Machthaber erbittern. Ambrosius vergleicht in seiner Predigt 6,12 zu Ps 118 (expositio in psalmum 118) Christus mit einem R.
→ Hirsch

KELLER 1, 278 · G. JENNISON, Animals for Show and Pleasure in Ancient Rome, 1937, 131 ff. und 145 f. C. HÜ.

Rei vindicatio (noch im mod. Juristen-Dt. »Vindikation«). Urspr. die – rituelle – Anlegung eines Stabes an eine Sache oder einen Sklaven, im röm. Recht der Prinzipatszeit die Klage des nicht besitzenden quiritischen (dem röm. Bürgerstand angehörenden) Eigentümers gegen den Besitzer auf Feststellung des Eigentums, Herausgabe und notfalls Geldverurteilung.

Die *r. v.* löste die altertümliche dingliche Sakramentsklage (→ *legis actio sacramento in rem*) mit ihrem feierlichen Ritual vor dem Gerichtsherrn (König, Consul, Praetor) ab: Ein Anspruchsteller ergriff die Sache, berührte sie mit einem Stab (*vindicta, festuca,* → *hasta*) und sprach etwa: ›Ich sage, daß dieser Sklave nach dem Recht der Quiriten mein Eigentum ist. Gemäß seiner Rechtslage, sieh selbst, habe ich den Stab angelegt‹. Auch der Gegner ergriff die Sache, berührte sie mit Stab und sprach dieselbe Formel. Nach dem Gebot des Gerichtsherrn, die Sache loszulassen, folgte eine weitere förmliche Rede und Gegenrede, sodann die gegenseitige Herausforderung zum Einsatz des → *sacramentum* (Gai. inst. 4,16). Von Sachen wie einer Säule, einem Schiff oder einer Herde wurde für das Ganze ein Teil zur Durchführung des Rituals vor Gericht gebracht (Gai. inst. 4,17). Derjenige, dessen besseres Recht sich herausstellte, erhielt die Sache (Gai. inst. 4,48).

Mit dem Wandel von einem weiten und unscharfen zu einem engen und scharf umgrenzten Eigentumsbegriff trat an die Stelle der zwei Eigentumsprätendenten die »klass.« *r.v.* mit der einseitigen Eigentumsbehauptung des Klägers. Zum Gegenstand der *r.v.* wurde diese dadurch, daß der Besitzer entweder (a) einen Geldbetrag für den Fall versprach, daß die betreffende Sache dem Kläger gehörte (*agere per sponsionem*), ergänzt durch ein Versprechen der Herausgabe beim Sieg des Klägers aus dem Hauptversprechen (*cautio pro praede litis et vindiciarum*, Gai. inst. 4,91,93–95), oder (b) mittels einer Klageformel, welche die Feststellung des quiritischen Eigentums des Klägers, die Erzwingung der Herausgabe und eine etwaige Geldverurteilung vereinigte (*agere per formulam petitoriam*, Gai. inst. 4,91 f.). Entscheidend für den Erfolg war, daß der Beklagte Besitz hatte. Dessen Anforderungen waren unter den röm. Juristen umstritten. Während Pegasus u. a. einen Interdiktenbesitz verlangte (→ *interdictum*), so daß etwa von einem bloßen Verwahrer nicht vindiziert werden konnte, ließ es Ulpianus genügen, wenn der Beklagte die Sache hatte und herausgeben konnte (Ulp. Dig. 6,1,9). Maßgeblich für den Besitz der Sache war nach den Sabinianern

(→ Rechtsschulen) der Zeitpunkt der Streiteinsetzung (→ *litis contestatio*), nach den Proculianern der Urteilszeitpunkt (Dig. 6,1,36 pr.; 27,1). Ein ehemaliger Besitzer mußte nachweisen, den Besitz ohne Arglist verloren zu haben. Sonst galt er weiterhin als Besitzer (Gai. Dig. 44,2,17). Der unterlegene Beklagte wurde zur »Herstellung« (*restituere*, → *restitutio*) verurteilt, d. h. u. a. zur Herausgabe der Sache und der seit der Streiteinsetzung erzielten und erzielbaren Früchte (Paul. Dig. 6,1,33) sowie zum Ersatz der seitdem an der Sache entstandenen Schäden, gelegentlich ohne Rücksicht auf Verschulden (Ulp. Dig. 6,1,15,3); ansonsten bei Verschulden, wenn z. B. ein Sklave durch gefährliche Gegenden oder ein Schiff bei widrigem Wetter auf Fahrt geschickt worden war (Gai. Dig. 6,1,36,1). Im Rahmen der *formula petitoria*, welcher eine → *exceptio doli* (Arglisteinrede) eingefügt worden war, hatte der Beklagte u. U. umgekehrt das Recht, die Sache wegen gewisser Aufwendungen zurückzubehalten, manchmal (außer bei Schikane, vgl. Cels. Dig. 6,1,38) aber auch nur ein vom Kläger abwendbares Wegnahmerecht (Dig. 6,1,48; 65; 27,5).

KASER, RPR, Bd. 1, 126–131, 432–438 · M. KASER, K. HACKL, Das röm. Zivilprozeßrecht, ²1996, 89–107, 281 f., 333, 346 · K. HACKL, Rez. zu: M. Wimmer, Besitz und Haftung des Vindikationsbeklagten, 1995, in: ZRG 115, 1998, 564–569 · D. LIEBS, Röm. Recht, ⁵1999, 28–31, 178–187.   D. SCH.

Reichsaramäisch. Als R. (Äg.-Aram., Standard-Literarisch-Aram.) wird die Verwaltungs- und Korrespondenzsprache (*lingua franca*) des achäm. Reiches seit Kyros [2] II. (6.–3. Jh. v. Chr.) bezeichnet. Der Begriff steht nicht für einen homogenen aram. Dialekt, sondern für z. T. sehr divergierende dialektale Merkmale. Das R. war über ganz Vorderasien und Äg. verbreitet und wurde für die verschiedenartigsten Textgattungen gebraucht. In einer Kursive (→ Quadratschrift) begegnet das R. auf Papyri und Ostraka, die zumeist in Äg. (Syene, Elephantine/Iēb, Hermopolis Magna, Saqqara) gefunden wurden und oft aus Archiven stammen, z. B. aus der jüd. Militärkolonie → Elephantine. Inhaltlich handelt es sich um Briefe, Verträge, Verwaltungslisten, lit. Werke wie den → Aḥiqar-Palimpsest (der älteste Palimpsest überhaupt) und die Ḥor bar Puneš-Erzählung, eine aram. Version der → Bīsutūn-Inschrift und um einen Papyrus in demot. Schrift.

FO reichsaram. Texte außerhalb Äg.s sind das Wādī ’d-Dāliya in Iudaea (Papyri) und Susa oder Babylon (als Absendeorte der Lederbriefe der Arsames-Korrespondenz; → Arsames [3]). Ferner erscheint das R. auf Ostraka aus Idumaea (Archive) und Mesopotamien (Assur, Babylon, Nippur); Ostraka mit rituellem Inhalt wurden neben Tontafeln in → Persepolis gefunden. Das R. ist in einem stilisierten älteren Duktus auf Stein-Inschriften überl. (u. a. aus Kleinasien), darunter eine lykisch-griech.-aram. → Trilingue (in Xanthos), eine lydisch-aram. → Bilingue (Sardeis), Inschr. aus Nordsyrien, Palaestina, Äg. (Ḥēḫ-Fadl), Arabien (Teima), Pa-

kistan (Taxila), Afghanistan, Indien (→ Aśoka), sowie auf Metall (Gewichte, Mz.-Legenden). Kurze Beischriften und Verwaltungsnotizen treten auf neu- und spätbabylonischen Tontafeln aus Mesopotamien (u. a. Assur, Babylon, Sippar, Larsa, Nippur, Uruk) und Syrien (Neirab) auf. Die Briefe des biblischen Buchs Esra sind in R. verfaßt. Aus dem R. entwickelten sich die mittelpersischen Ideogramme. Ein stark fortgeschrittener und idealisierter Stil des R. zeigt sich später noch im aram. → Targum des Hiob (Qumran), in der offiziellen jüd.-aram. Bibelübersetzung (Targum Onqelos und Jonathan) und in einem großen Teil der Beschwörungstexte aus Mesopotamien (3.–7. Jh. n. Chr.).
→ Aramäisch; Palimpsest; Papyrus; Qumran

M. L. FOLMER, The Aramaic Language in the Achaemenid Period. A Study in Linguistic Variations, 1995 · T. MURAOKA, A Grammar of Egyptian Aramaic, 1998 · B. PORTEN, A. YARDENI, Textbook of Aramaic Documents from Ancient Egypt, Bd. 1–4, 1986–1999 · St. SEGERT, Altaram. Grammatik, 1975.   C. K.

Reichtum
I. DEFINITION
II. GRIECHENLAND
III. ROM   IV. SPÄTANTIKE

I. DEFINITION
In der Ant. wurde R. überwiegend positiv bewertet, da er hohes soziales Ansehen verlieh und Voraussetzung für ein vom Zwang zur körperlichen Arbeit befreites Leben war. Auch die Stellung im polit. System war stark vom Besitz abhängig; viele Städte verlangten für die Zugehörigkeit zum Rat oder die Übernahme von Ämtern den Nachweis eines bestimmten Vermögens. In Rom war die polit. Karriere außerdem mit hohen Aufwendungen für Wahlkämpfe, Spenden und Spiele (→ *munus, munera*) verbunden. R. ermöglichte es, durch Stiftungen, Geschenke, Übernahme der Kosten für öffentliche Bauten oder Verteilung von Nahrungsmitteln in einer Zeit der Knappheit Prestige als Wohltäter zu erwerben (→ Liturgie; → Euergetismus). Gleichzeitig wurden an R. hohe Forderungen gestellt; die Verwendung materiellen R. für Luxuskonsum (→ Luxus), welcher der Gemeinschaft nicht nützte, wurde durchaus kritisiert.

Obgleich die Konzentration von R. auf eine kleine Oberschicht in der polit. Theorie auch als Gefahr für die Ges. gesehen wurde, gab es in der Ant. kaum polit. Bestrebungen, eine auf sozialer Gleichheit aller Menschen beruhende Ges.-Ordnung zu verwirklichen. Für die Bewertung von R. war es nicht unwichtig, wie ein Vermögen erworben worden war. Es gab Formen des Gelderwerbs, die als unehrenhaft galten (Cato agr. praef.; Cic. off. 1,150–151; Dion Chrys. 7,109–132).

R. beruhte weitgehend auf dem Besitz von Ländereien, die markt- und ertragsorientiert bewirtschaftet wurden; neben dem Anbau von → Wein und → Getreide sowie der Erzeugung von Olivenöl (→ Speiseöle) spielte die → Viehwirtschaft eine wichtige Rolle. Auch aus städtischem Immobilienbesitz (→ Vermietung), im Bankgeschäft (→ Banken) und im → Handel konnten hohe Einkünfte erzielt werden. Insgesamt gesehen war R. in der Ant. stets eine relative Größe; mit der wirtschaftlichen Entwicklung und Expansion eines Gemeinwesens wuchsen auch die → privaten Vermögen. So nehmen sich die Vermögen der reichsten Athener der klass. Zeit in Höhe von 100 bis 200 Talenten (= 600000–1,2 Mio Drachmen; vgl. Lys. 19,47 f.) gegenüber dem R. einzelner röm. Senatoren der frühen Prinzipatszeit geradezu bescheiden aus.

Hohes Sozialprestige beruhte nicht allein auf R.; auch freie Geburt, der Besitz des → Bürgerrechtes und die Herkunft aus einer aristokratischen Familie waren für den sozialen Status entscheidend; der R. eines → Freigelassenen stieß ebenso auf Kritik wie die Armut eines Angehörigen einer aristokratischen Familie.

II. GRIECHENLAND

Der → Adel der Epen Homers zeichnet sich neben anderen Eigenschaften auch durch seinen R. aus, der v. a. in großen Viehherden, aber auch aus kostbaren Artefakten besteht: So wird erzählt, daß Odysseus jeweils zwölf Herden von Rindern, Schafen, Schweinen und Ziegen besitzt; sein R. wird als unermeßlich gerühmt (Hom. Od. 14,96–104). Mit Gold, Silber und Elfenbein sind die Räume im Palast des Menelaos ausgestattet, der in der Lage ist, einen großen, aus reinem Silber gefertigten → Krater zu verschenken (Hom. Od. 4,71–75; 4,613–619). In archa. Zeit erklärt der Dichter → Theognis, jeder Mensch ehre den Reichen und verachte den Armen; es gebe für die Menge der Menschen nur eine Tugend, nämlich reich zu sein (Thgn. 621 f.; 699 f.): R. und Armut werden einander immer wieder gegenübergestellt, wobei mit Nachdruck auf die Diskrepanz zw. aristokratischem Rang und Besitz hingewiesen wird; prononciert stellt Theognis fest, viele Schlechte (κακοί/ kakoí) seien reich, viele Gute (ἀγαθοί/ agathoí) aber arm (315). → Solon bekennt zwar seinen Wunsch, Güter zu besitzen, lehnt aber ungerechten R. ab: Ungerechtes Streben nach R. kann für die Polis negative Folgen haben und zu ihrem Sturz führen (Sol. 1,7 f.; 3,5–10). Vollends wird der Wert des R. relativiert, wenn Solon ähnlich wie Theognis darauf verweist, daß der Mensch auf dem Weg zum Hades keine Güter mitnehmen könne (Sol. 14; vgl. Thgn. 719–728).

Spätestens seit dem späten 5. Jh. v. Chr. bestimmte der Gegensatz von reich und arm als Topos das polit. Denken zunehmend. Bereits → Sokrates scheint Armut oder R. an den Bedürfnissen der Menschen gemessen zu haben (Xen. mem. 2,38; Xen. oik. 2,2 ff.). → Platon [1] wies deswegen die Forderung, die Besseren müßten mehr haben als die Schlechteren, zurück (Plat. Gorg. 483d; 508a). In seiner *Politeía* sollten die Wächter der idealen Polis keinen eigenen Besitz haben (Plat. rep. 416d–417b) und die Entstehung von R. und Armut in der Bürgerschaft verhindern (421d–422a; → Utopie). Die timokratische und oligarchische Polis wird wegen der Geldgier der Regierenden kritisiert (ebd. 548a; 550e); die oligarchische Polis besteht aus zwei Städten, aus einer der Armen und einer der Reichen (ebd. 551d).

Bei → Aristoteles [6] dient der Erwerb dazu, die für den → oíkos notwendigen Güter zu beschaffen; ein Streben nach durch die menschlichen Bedürfnisse nicht begrenztem R. wird hingegen als unnatürlich abgelehnt (Aristot. pol. 1256a–1259a). Für die polit. Theorie des Aristoteles ist die Feststellung ausschlaggebend, daß es in allen Städten drei soziale Schichten gibt: die Reichen, die Armen und diejenigen mit einem mittleren Vermögen. Eine Polis, in der nur Arme und Reiche leben, ist somit in Wirklichkeit eine Stadt von Sklaven und Herren, nicht von freien Bürgern. Aus diesem Grund soll die Mitte gestärkt werden; so kann auch am ehesten Konflikt zw. Armen und Reichen, eine → stásis, verhindert werden (ebd. 1295b–1296a). In der aristotelischen Ethik ist R. Voraussetzung der Freigebigkeit, einer wichtigen → Tugend; in diesem Zusammenhang wird der Grundsatz formuliert, R. sei zum Gebrauch da, und Freigebigkeit sei die Fähigkeit, dem richtigen Menschen zur richtigen Zeit den richtigen Betrag zu geben (Aristot. eth. Nic. 1120a–1121a). Die Stoiker (→ Stoizismus) schließlich zählten R. zu den äußeren Gütern (ἀδιάφορα/ adiáphora: vgl. Diog. Laert. 7,104; 7,106).

Das Problem von R. und Armut wurde um 400 v. Chr. u. a. auch von der → Komödie behandelt; hier machte es die lit. Gattung möglich, radikale Lösungen wie das Verbot jeglichen Privateigentums (Aristophanes, *Ekklēsiázusai*) oder ein fiktives Geschehen wie die Heilung des → Plutos (des Gottes des R.) von seiner Blindheit durchzuspielen (Aristophanes, *Plútos*).

Im 5. Jh. v. Chr. konnten reiche Adelsfamilien im demokratischen Athen durchaus noch erheblichen Einfluß auf die Politik ausüben; normalerweise besaßen solche Familien große Güter, einzelne Aristokraten erzielten auch durch die Verpachtung von Bergwerkssklaven hohe Einkünfte (Xen. vect. 4,14 f.; → Sklaverei). In den wirtschaftlich schwierigen Zeiten nach dem → Peloponnesischen Krieg scheinen die großen Vermögen aber stark geschrumpft zu sein (Lys. 19,47 f.; 19,52). Im späten 5. und im 4. Jh. v. Chr. gehörten dann neben Gutsbesitzern wie Phainippos [1] zunehmend auch Besitzer größerer Werkstätten (→ ergastérion) oder von → Banken zu den reichen Athenern. Insgesamt gesehen wurde die Oberschicht Athens durch → Liturgien (→ Choregie und → Trierarchie) sowie durch die → eisphorá finanziell stark belastet (vgl. etwa Isaios 6,60; Aischin. Ctes. 3,222; Deinarch. 1,42; Demosth. or. 18,102–109).

III. ROM

In Rom bestand von der Frühzeit an ein enger Zusammenhang zw. R. und polit. Macht; die wohlhabende polit. Führungsschicht konnte in der Phase der außerital. Expansion überdies ihre Stellung dazu nutzen, neue Chancen zur Bereicherung wahrzunehmen. Durch Beutezüge während der Kriege (→ Kriegsbeute),

Ausplünderung von Prov. und außenpolit. Entscheidungen gegen Bezahlung entstanden Vermögen von bisher nicht bekannter Größe; der Landbesitz blieb die Basis des R. der Senatoren, denen seit dem frühen Prinzipat auch riesige Güter in den Prov. gehörten (→ Großgrundbesitz). Der R. der senatorischen Führungsschicht fand seinen Ausdruck in uneingeschränktem Luxuskonsum, der Speisen und Tafelluxus, prachtvolle Ausgestaltung von Stadthäusern, → Villen und → Gärten, Kleidung und → Reisen wie auch den Kauf von Kunstwerken und den Aufbau von → Bibliotheken einschloß. Unter diesen Voraussetzungen stellte sich die philos. Frage nach dem R. neu; während → Cicero das sozialphilos. Problem des R. in *De officiis* ausführlich erörtert und dabei den Schutz des Eigentums als Aufgabe des Gemeinwesens ansieht (Cic. off. 2,73), formuliert → Seneca d. J. mit der Ablehnung eines nicht lebensnotwendigen Luxus eine kritische Position (Sen. epist. 87). Allerdings wurde das Anwachsen des privaten R. auch mit Hinweis auf die allg. Prosperität im Imperium Romanum gerechtfertigt (Tac. ann. 2,33).

IV. Spätantike

Obwohl in der Spätant. die Senatoren durch die Reformen des → Diocletianus und die Verlegung der kaiserlichen Residenz nach Konstantinopolis ihren polit. Einfluß weitgehend eingebüßt hatten, behielten sie aufgund ihres R. eine starke wirtschaftliche Stellung und hohes Prestige. Die Diskussion über den R. ist in spätant. Texten wesentlich von einer christl. Position geprägt, die unter Berufungen auf das Evangelium (Mk 10,17–331) bereits von → Clemens [3] von Alexandreia formuliert worden war. Nach Clemens, der dem Problem eine eigene Schrift widmete (*Quis dives salvetur*, ›Welcher Reiche wird gerettet werden‹), wird ein Reicher nicht durch Besitz an sich, sondern durch dessen schlechten Gebrauch vom Himmelreich ausgeschlossen; somit ist das Gebot der Nächstenliebe gerade für den Reichen verpflichtend. Demgegenüber forderten die Vertreter des frühen → Mönchstum und eines asketischen Lebensstils die vollständige Aufgabe aller irdischen Güter. Der Hinweis auf die Pflicht der Christen, den Armen Almosen zu geben, machte es aber möglich, Christentum und R. miteinander zu vereinbaren.

→ Armut; Ethik; Geld; Großgrundbesitz; Private Vermögen; Wirtschaft

1 Alföldy, RS 2 Davies 3 J.K.Davies, Wealth and the Power of Wealth in Classical Athens, 1981 4 Duncan-Jones, Economy 5 Finley, Ancient Economy 6 A. Fuks, Social Conflict in Ancient Greece, 1984 7 H. Grassl, Sozialökonomische Vorstellungen in der kaiserzeitlichen griech. Lit. des 1.–3. Jh. n.Chr., 1982 8 F. Gschnitzer, Griech. Sozialgesch., 1981 9 Jones, LRE 10 S. Mratschek-Halfmann, Divites et praepotentes. R. und soziale Stellung in der Lit. der Principatszeit, 1993 11 B. Schefold, Wirtschaftsstile, Bd. 1, 1994 12 H. Schneider, Wirtschaft und Politik. Unt. zur röm. Republik, 1974 13 I. Shatzman, Senatorial Wealth and Roman Politics, 1975 14 P. Veyne, Brot und Spiele: gesellschaftliche Macht und polit. Herrschaft in der Ant., 1988 (Le pain et le cirque, 1976).   S.MR.

Reiectio. Mit *r. civitatis* ist die Aufgabe des Bürgerrechts gemeint, mit *r. iudicis* die Befugnis der Parteien eines Zivil- oder Strafprozesses, eine bestimmte Anzahl von Richtern abzulehnen, die gemäß der Richterliste für die Abhandlung des Falles grundsätzlich in Betracht kommen.

M. Kaser, K. Hackl, Das röm. Zivilprozeßrecht, ²1996, 195, 198.   C.PA.

Reiher (ἐρῳδιός/*erōidiós*, in Hss. häufig ἐρωδιός/*erōdiós*, daneben auch ἀρῳδιός/*arōdiós*, ῥωδιός/*rhōdiós*, ἐρωγάς/*erōgás*, ἐδωλιός/*edōliós*; lat. *ardea* und *ardeola*) aus der Familie der Ardeidae mit mehreren Vogelarten. Die Deutung des nächtlich an Odysseus vorbeifliegenden *erōdión* (Hom. Il. 10,274) als R. ist h. (trotz Ail. nat. 10,37) umstritten. Folgende Arten sind kenntlich [1. 38f.]: 1.) der Grau-R. (Ardea cinerea): ὁ πέλλος ἐρῳδιός/*péllos erōidios* (Aristot. hist. an. 8(9),1,609b 22–25 und 8(9), 18,616b 33–617a 1 = Plin. nat. 10,164: *pelion*); 2.) der Silber-R. (Egretta alba): ὁ λευκὸς ἐρῳδιός/*leukós e.* (Aristot. hist. an. 8(9),1,609b 22 und 8(9),18,617a 2–5 = Plin. nat. 10,164: *leucon*, angeblich mit nur einem Auge); 3.) der Löffler oder Löffel-R. (Platalea leucorodia), der auch als → Pelikan gedeutet wird, mit langem, breitem Schnabel: λευκερῳδιός/*leukerōdiós* (Aristot. hist. an. 7(8),3,593b 2–3), lat. *platea* (Plin. nat. 10,115) bzw. *platalea* (Cic. nat. deor. 2,124), der u. a. von vorverdauten Muscheln lebt ([1. 182]; vgl. Ail. nat. 5,35; Plut. mor. 967c-d u. a.); 4.) die Große Rohrdommel (Botaurus stellaris): ὁ ἀστερίας/*asterías*, auch die »träge« Rohrdommel (ὄκνος/*óknos*) genannt (Aristot. 8(9),1,609b 22f. und 8(9),18,617a 5–7 = Plin. nat. 10,164: *asterias*). Weitere Namen sind den anderen europäischen Arten wie Purpur-R., Brauner Sichler, Nacht- und Seiden-R. nicht zuzuordnen.

Grau-R. und Löffler leben nach Aristot. hist. an. 7(8),3,593b 1f. an Seen und Flüssen. Athen. 9,398d überliefert die von Epicharmos (fr. 49) geprägte Kennzeichnung des auf Fische wie z.B. Aale (Semonides, fr. 8(9) Diehl) lauernden R. als »Langkrummnacken« (μακροκαμπυλαύχην/*makrokampylaúchēn*). Beim Flug steuert der R. – ebenso wie das → Purpurhuhn – (πορφυρίων/*porphyríōn*) nicht mit dem Schwanz, sondern mit den ausgestreckten Beinen (Aristot. de incessu animalium 10,710a 11–15). Elemente der Beschreibung wie z.B. der Federschopf auf dem Kopf (Dionysios, Ixeuticon 2,9: [2. 31]) sind selten. Der Grau-R. soll in Feindschaft mit dem Adler, dem Fuchs und der Haubenlerche (κόρυδος/*kórydos*) leben (Aristot. hist. an. 8(9),1, 609a 25–28), ebenso mit dem Specht (πίπος/*pípos*, ebd. 609a 30f.), aber mit der Krähe (κορώνη/*korṓnē*) befreundet sein (ebd. 610a 8; Ail. nat. 5,48; Plin. nat. 10,207). Als weitere Feinde gelten die Möwe (λάρος/*láros*, Ail. nat. 4,5) und die Spitzmaus (*sorex*, Plin. nat. 10,204).

Einen landeinwärts fliegenden, rufenden R. sah man als Vorzeichen für Sturm und Winter an (Aristot. fr. 253,2; Theophr. de signis 28; Arat. 913, vgl. 972), ebenso einen über die Wolken fliegenden (Verg. georg. 1,363 f.), aber auch einen traurig auf dem Sand stehenden Vogel (Plin. nat. 18,363).

Der R. war dem Poseidon heilig (Alexandros Myndios fr. 15). In mantischer Hinsicht bedeutete er fast immer Positives (Plin. nat. 11,140; Kall. aitia 2 fr. 43,62 PFEIFFER; [3]). Bei Antoninus Liberalis 7,7 werden drei Männer in R. verwandelt. Der R. trug nach Aischyl. fr. 478 METTE Schuld am Tod des Odysseus. Aisop. 156 PERRY erzählt die Fabel vom Wolf, dem ein R. ohne Dank den im Hals steckenden Knochen entfernt. Gute Darstellungen (dazu [6. 204 f.]) finden sich auf ant. Mz. [4. Taf. 6,5 und 8–9] und Gemmen [4. Taf. 22,6 und 9–11, evtl. 14], aber auch auf einem pompeianischen Wandgemälde [5. 234] und z. B. einem Mosaik von Tabgha (u. a. ein Grau-R. mit Schlange [5. 234 und Taf. 118]).

1 LEITNER 2 A. GARZYA (ed.), Dionysii Ixeuticon, 1963 3 W. EHLERS, Die Gründung von Zankle, Diss. phil. Berlin 1933, 37 ff. 4 F. IMHOOF-BLUMER, O. KELLER, Tier- und Pflanzenbilder auf Mz. und Gemmen des klass. Alt., 1889 (Ndr. 1972) 5 TOYNBEE, Tierwelt 6 KELLER 2, 202–207.

D' ARCY W. THOMPSON, A Glossary of Greek Birds, 1936 (Ndr. 1966), 102–104. C. HÜ.

Reii. Kelt.-ligurischer Volksstamm der Gallia → Narbonensis im Gebiet des h. Dépt. Alpes-de-Haute-Provence mit dem Hauptort Alebaece (Plin. nat. 3,36, vgl. Strab. 4,6,4: Ἀλβίοικοι/*Albíoikoi*; Caes. civ. 1,34,4; 56,2; 2,2,6: *Albici*; h. Riez) [1] am Fuß des Hügels Saint-Maxime zw. Forum Iulii (h. Fréjus) und Aquae [III 5] Sextiae (h. Aix-en-Provence), seit Augustus als *colonia Iulia Augusta Apollinaris Reiorum* konstituiert, mit *quattuorviri, aediles, flamen Romae et Augusti* und *pontifex* (vgl. die Inschr. CIL XII 351; 358; 367; 371 f.; 983; [3]). Der Ort nannte sich in der Spätant. R. (Sidon. epist. 9,9) oder R. Apollinarium (Tab. Peut. 3,1). Ant. Überreste: Tempel, Thermen, Stelen [2. 39–43].

1 G. BARRUOL, Un centre administratif et religieux des Alpes du Sud: Riez, in: Archéologia 21, 1968, 20–27 2 P.-A. FÉVRIER, Villes épiscopales de Provence, 1954 3 A. CHASTAGNOL (ed.), Inscriptions latines de Narbonnaise, Bd. 2 (Gallia Suppl. 44.2), 1992.

G. BÉRARD, Alpes-de-Haute-Provence (Carte archéologique de la Gaule 4), 1998. Y. L. u. E. O.

Reinheit I. MESOPOTAMIEN II. ÄGYPTEN III. ALTES TESTAMENT IV. GRIECHISCH-RÖMISCHE ANTIKE

I. MESOPOTAMIEN

Das Prinzip (kultischer) R. wird im Sumerischen durch das Adj. kug, im Akkadischen durch das korrespondierende Adj. *ellu* ausgedrückt. In beiden Wörtern ist auch die Nuance »hell«, »leuchtend« enthalten. Mit sumer. kug bzw. akkad. *ellu* (wenn in textueller Abhängigkeit von kug) werden die Eigenschaften von Gottheiten, Örtlichkeiten (u. a. Tempel), (Kult-)Objekten, Riten bzw. Zeiträumen als zur Sphäre des Göttlichen gehörig bezeichnet, d. h. heißt aber nicht unbedingt, daß sie sich in einem Zustand frei von Kontamination befinden müssen. Insofern ist kug am ehesten mit »heilig« wiederzugeben. Akkad. *ellu* dagegen hat v. a. die Bed. »frei von materieller und immaterieller Kontamination oder Beeinträchtigung« und kann sich sowohl auf kult. R. als auch auf den rechtl. Status von Personen und Sachen (d. h. frei von Ansprüchen) oder Verunreinigung von Materialien beziehen. Reine Materialien haben reinigende Kraft. Mittels kathartischer Riten wird durch → Dämonen oder durch die Verletzung von Ordnung und Tabus hervorgerufene Unreinheit beseitigt (→ Kathartik).

1 Chicago Assyrian Dictionary E, 1958, s. v. *ebbu, ebēbu,* 3–8, s. v. *elēlu,* 80–83, s. v. *ellu,* 102–105 2 K. VAN DER TOORN, La pureté rituelle au Proche Orient ancienne, in: Rev. d'Histoire des Religions 206, 1989, 339–356 3 E. J. WILSON, »Holiness« and »Purity« in Mesopotamia, 1994. J. RE.

II. ÄGYPTEN

Kultische R. spielte in Äg. eine ausgeprägte Rolle. Bereits im AR wurden in Gräbern Inschr. angebracht, in denen Personen davor gewarnt wurden, in Unreinheit einzutreten, wobei diese teilweise noch näher definiert wurde. Neben körperlicher Sauberkeit und Gesundheitszustand spielten auch Speisetabus eine Rolle [2. 4–8]. In den Jenseitstexten gibt v. a. das Totenbuch (→ Totenliteratur) in der Nachschrift etlicher Sprüche an, daß zu ihrer Rezitation bestimmte Gebote eingehalten werden müssen, so geschlechtliche Enthaltsamkeit, Verzicht auf den Genuß von Fisch oder Kleinvieh. Gleichartige Gebote finden sich auch in magischen Texten für Lebende [3. 258–263].

Im »negativen Sündenbekenntnis« des Totenbuchs (Kap. 125) lassen sich neben ethischen Vorschriften auch R.-Gebote rituell-kultischer Art erkennen. Diese dürften ihre Quelle in Vorschriften für → Priester haben. Diese sind in der älteren Zeit nur aus Anspielungen zu entnehmen, z. B. zeigt RAD 75,4–8 ([4], vgl. [9]), daß sich ein Priester vor Eintritt in den Tempel zehn Tage lang reinigen mußte. In Inschr. der griech.-röm. Zeit (ab 332 v. Chr.) überl. sind umfangreichere Anweisungen, keine Personen in den Tempel eintreten zu lassen, die den R.-Anforderungen nicht genügen [6], ebenso Verhaltenskodifizierungen, die moralische und rituelle Gebote aufstellen [5. 144–184]. Derartiges Verhalten mußte bei der Weihe zum Priester in einem Eid beschworen werden, der im ›Buch vom Tempel‹ äg. und in griech. Übers. erh. ist. Dieses Hdb. bietet im Rahmen seiner Dienstanweisungen für die einzelnen Priesterränge weitere Informationen über vorgeschriebene R. Das dortige Verbot, Leder zu tragen, dürfte dem bei griech. Schriftstellern (Hdt. 2,81; Plut. Is. 4) und im ›Gnomon des → Idios Logos‹ überl. Wollverbot für Priester entsprechen. Bes. zu bemerken ist, wie für Priesterinnen Fristen für ihre R. angesetzt werden (im Zusammenhang der Menstruation?). Noch genauere Angaben macht ein weiterer in römerzeitlichen Pap. erh. Text: Neben Tempelrecht kann man ihm v. a. Angaben über Kleidungs- und Schlachtungsvorschriften sowie Speisegebote bes. für die hochrangigen Priester entnehmen [10. 18 f.]. In einem langen Auszug aus → Chairemon [2] gibt Porph. de abstinentia 4,6–8 eine Darlegung des zurückgezogenen, von R.-Geboten und Speisevorschriften bestimmten Lebens der äg. Priester [7], das idealisiert ist, aber sicher auf echt äg. Trad. zurückgeht.

Sofern es für handwerkliche Tätigkeiten nötig war, daß nichtpriesterl. Personen den Tempelbereich betraten, wurden ihnen R.-Vorschriften für bestimmte Fristen gemacht, ebenso wurde die Zugangsberechtigung der breiten Bevölkerung definiert und von R.-Kriterien abhängig gemacht [11].

Im Kult gehörten Reinigungsszenen zum Grundbestand jedes größeren → Rituals. Dabei wurde standardmäßig eine Reinigung durch Wassergüsse und eine durch Weihrauch kombiniert. Die Wassergüsse wurden gerne auf die vier Himmelsrichtungen aufgeteilt und dann den Reinigungsgottheiten (→ Horus, → Seth, → Thot und Dun-anwi) zugeordnet. In knapperen Darstellungen an Tempelwänden konnten sie auf das Paar Horus und Seth beschränkt werden. Aufgrund der Verfemung des → Seth nach Ende des NR wurde er entweder durch Thot oder im kompletten Viererschema durch Geb ersetzt.

Ein umfangreiches Reinigungsritual für den König [12] ist auf mehreren Pap. erh. Es dürfte Teil der Riten bei der Königskrönung sein [9]. Theologisch wird die Reinigung u. a. mit der Reinigung der Sonne und der Gestirnsgötter vor dem Aufgang am Himmel verglichen. Bildliche Darstellungen, wie der König von den Göttern mit Wasserkrügen übergossen wird, sind häufig anzutreffen. Mutmaßlich wurden ähnliche Zeremonien auch bei der Priesterweihe angewandt, woraus sich die Reinigungszeremonien bei der Isis-Weihe (→ Isis) in griech.-röm. Zeit entwickelt haben dürften.

1 B. ALTENMÜLLER-KESTING, Reinigungsriten im äg. Kult, 1968 2 E. EDEL, Unt. zur Phraseologie der äg. Inschr. des AR, in: MDAI(K) 13, 1945, 4–8 3 P. ESCHWEILER, Bildzauber im alten Äg., 1994 4 A. H. GARDINER, Ramesside Administrative Documents, 1948 5 A. GUTBUB, Textes fondamentaux de la théologie de Kom Ombo, 1973 6 H. JUNKER, Vorschriften für den Tempelkult in Philae, in: Analecta Biblica 12, 1959, 151–160 7 P. W. VAN DER HORST, Chaeremon, Egyptian Priest and Stoic Philosopher, 1984 8 D. MEEKS, Pureté et purification en Égypte, in: DB, Suppl. 9, 430–452 9 J. F. QUACK, Königsweihe, Priesterweihe, Isisweihe, in: J. ASSMANN (Hrsg.), Äg. Mysterien (im Druck) 10 Ders., Das Buch vom Tempel und verwandte Texte, in: Archiv für Rel.-Gesch. 2, 2000, 1–20 11 S. SAUNERON, Les fêtes religieuses d'Esna aux dernières siècles du paganisme

(Esna Bd. 5), 1962, 340–349 12 S. SCHOTT, Die Reinigung Pharaos in einem memphischen Tempel (Nachr. der Akad. der Wiss. in Göttingen, Phil.-hist. Kl. 1957), 3.   JO. QU.

III. ALTES TESTAMENT

R.-Konzeptionen werden im AT v. a. in der → Priesterschrift, im Buch Ez und im Dt sichtbar. R. ist Voraussetzung für die Teilnahme am → Kult und damit für die Teilhabe an der im Kult vermittelten und affirmierten Gottesnähe. Die Reinhaltung von Raum, Sachen und Personen wird dabei gerne mit Konzepten der Sakralisierung verbunden. Dabei steht das Oppositionspaar »rein«–»unrein« (tahōr–tāmēʾ) neben der Heiligkeitsaussage (qdš-Piʿel/Nifʿal, und seinem Antonym ḥll-I-Piʿel/ḥl), z. B. in Lv 11,43 ff.; 16,19; vgl. Dt 14,3 ff. In der Spätzeit des AT erscheint R. neben Beschneidung und Torafrömmigkeit als soziales Identitätskriterium. Prinzipiell gelten neben Krankheit, Menstruation und Geburt alle Vergehen gegen die soziale und rel. Ordnung als verunreinigend, ebenso der Verzehr unreiner Tiere (Lv 11, z. B. Fleisch vom → Schwein). In den R.-Ritualen spielen Vögel, Öl, Karmesinfäden und bes. Blut eine prominente Rolle (z. B. Lv 14), wobei aber zw. Eliminationsriten und Reinigungsriten zu unterscheiden ist. Die Verwendung von Vögeln und Blut (→ Sühneriten) weist Gemeinsamkeiten mit (ost-)anatolischen R.-Riten auf, deren Einflüsse auch in Syrien, speziell in Emar spürbar werden.

1 M. DOUGLAS, The Forbidden Animals in Leviticus, in: Journ. for the Study of the Old Testament 59, 1993, 3–23 2 D. E. FLEMING, The Installation of Baal's High Priestess at Emar, 1992 3 B. JANOWSKI, Sühne als Heilsgeschehen. Stud. zur Sühnetheologie der Priesterschrift und zur Wurzel KPR im Alten Orient und im AT, 1982 4 C. KÜHNE, Zum Vor-Opfer im alten Anatolien, in: B. JANOWSKI et al. (Hrsg.), Religionsgesch. Beziehungen zw. Kleinasien, Nordsyrien und dem AT, 1993, 225–283 5 TH. PODELLA, s. v. R., AT, TRE 28, 477–483 6 E. J. WILSON, »Holiness« and »Purity« in Mesopotamia, 1994 7 D. P. WRIGHT, The Disposal of Impurity. Elimination Rites in the Bible and in Hittite and Mesopotamian Lit., 1987.   TH. PO.

IV. GRIECHISCH-RÖMISCHE ANTIKE
s. Kathartik

Reinigungsriten s. Kathartik; Sühneriten

Reis s. Getreide

Reiseliteratur. Unter den Begriff R. fallen heterogene lit. Produkte, die zu – z. T. ihrerseits nicht klar umrissenen – Kategorien wie Reisebericht, Reisebeschreibung (Reiseführer, Reisehandbücher) bzw. Reiseroman gehören. Vorläufer der mod. Reiseführer und -handbücher sind z. B. die griech. peri(h)ēgḗseis (→ periēgḗtēs, vgl. z. B. → Pausanias [8], → Herakleides [18]), und Meereskarten mit Küstenbeschreibung (→ períplus).

Strenggenommen ist ein Reisebericht – ohne Bewertung der ästhetischen Qualität – die Darstellung einer authentischen Reise unter Einbezug autobiogra-
phischer, ethnographischer, naturwiss. etc. Aspekte,
wobei verschiedene Grade von Fiktionalität möglich
sind. Obwohl sich in der Ant. kein Genre »Reisebericht« formiert hat, sind Ansätze und Elemente in verschiedenen lit. Gattungen erkennbar: Während autobiographische Texte wie Briefe (→ Cicero, → Seneca
d. J., → Plinius [2]) Reisen und Bildungsreisen aus subjektiver Sicht beleuchten, beschreibt die Ethnographie
(bzw. ethnographische Exkurse wie Caes. Gall. 6) fremde Völker und Orte.

Lat. Reisegedichte bilden einen markanten Trad.-
Strang: Prägend war das *Iter Brundisinum* (›Reise nach
Brundisium‹) des → Horatius [7] (sat. 1,5), welches das
Iter Siculum des → Lucilius [I 6] zum Vorbild hatte. Spä-
tere Reisegedichte stammen z. B. von → Rutilius [II 5]
Namatianus (*De reditu suo*) und → Prudentius (liber pe-
ristephanon 9). Vorbildhaft wirkte auch → Ausonius'
Mosella (vgl. H. BELLOC, *The Path to Rome*, ¹⁰1902). Im
Anschluß an die ant. Trad. entwickelte sich die neulat.
Gattung der *Hodoeporica* oder *Itinera*, die bis in jüngste
Zeit produktiv ist (z. B. der *Iter ad septentriones* des C. AR-
RIUS NURUS alias H. C. SCHNUR, 1977 erschienen in sei-
nem *Pegasus Claudus*) [2; 3]. Auch → Ovidius' Exilwer-
ke (bes. trist. 1) gaben der R. wichtige Impulse.

Der mod. Begriff Reiseroman ist gekennzeichnet
durch ›Darstellungen von Reisen und Reiserlebnissen
innerhalb einer ep. Großform‹ [1. 384], die das Geschehen dominieren oder als Leitmotiv ständig wieder-
kehren. Dazu zählen in der ant. Lit. zum einen Epen wie
Homers ›Odyssee‹, die *Argonautiká* des Apollonios [2]
Rhodios oder Vergils *Aeneis* (vgl. Caesar als »Tourist« in
Troia und Alexandreia in Lucan. 9–10) sowie die Sagen-
kreise um → Herakles [1], → Theseus und auch → Io;
zum anderen hell.-röm. → Romane (z. B. von → Antonios [3] Diogenes, → Ap(p)uleius [III], → Petronius
[5]; → Alexanderroman). Die Verbreitung des Reise-
romans belegt auch der satirisch-utopische Reisebericht
›Wahre Geschichten‹ (*Alēthḗ diēgḗmata*) des → Lukianos
[1], der eine gänzlich fiktive Reise phantasiert.

In christl. Zeit dominieren Beschreibungen von Pil-
ger- und Missionsreisen, z. B. die Paulus- und Thekla-
Akten (3.–4. Jh., s. → Paulusakten) oder die *Peregrinatio
Aetheriae*; dazu → Sulpicius Severus' *Dialogi*.
→ Peregrinatio ad loca sancta; Pilgerschaft; Reisen

1 F. DEUBZER, s. v. Reisebericht, Reiseroman, in: G. und
I. SCHWEIKLE (Hrsg.), Metzler Lit. Lex., ²1990, 384 f.
2 H. GRUPP, Stud. zum ant. Reisegedicht, Diss. Tübingen
1953 3 H. WIEGAND, Hodoeporica. Zur neulat.
Reisedichtung des 16. Jh., in: P. J. BRENNER (Hrsg.), Der
Reisebericht, 1989, 117–139. C. W.

Reisen I. VORAUSSETZUNGEN UND LOGISTIK
II. ANLASS UND ZWECK
III. INFORMATION FÜR REISENDE

I. VORAUSSETZUNGEN UND LOGISTIK
A. REISEGEBIETE UND ZAHLUNGSMITTEL
B. GEFAHREN DES REISENS C. REISEZEITEN,
REISEDAUER D. REISEGESCHWINDIGKEIT
E. KLEIDUNG UND GEPÄCK F. TRANSPORTMITTEL
G. UNTERKÜNFTE

A. REISEGEBIETE UND ZAHLUNGSMITTEL
R. waren Ausdruck einer für den wirtschaftlichen,
polit. und kulturellen Austausch notwendigen → Mo-
bilität und Bestandteil zivilisatorischer Weiterentwicklung (deshalb Nichtvorhandensein von R. in der stati-
schen Vorstellung vom Goldenen Zeitalter, *aurea aetas*,
Ov. met. 1,94–96; Verg. ecl. 4,31–39). Hauptreisegebiet
der griech.-röm. Ant. war der Mittelmeerraum mit angrenzenden Gebieten; erweitert wurde es im Zuge großer Expansionsbewegungen (griech. → Kolonisation;
Alexanderzug, → Alexandros [4] mit Karte; zum römischen Reich s. → Roma I.), die auch die R.-Intensität
erhöhten. Lit. Quellen und Münzfunde lassen R.-Tä-
tigkeit von Kaufleuten bis nach Indien (→ Indienhandel
mit Karte) und ins nordosteurop., nichtröm. »Barbaren-
land« (*barbaricum*) erkennen; der Anteil solcher R. am
gesamten R.-Verkehr blieb jedoch marginal.

Bei Überschreitung von Grenzen mußten Reisende
→ Zölle (τέλη / *télē*; lat. *portoria*) auf mitgeführte Waren
entrichten. Sie lagen relativ konstant bei 2–2,5 % (bei
Binnengrenzen im Röm. Reich; an Außengrenzen bis
zu 25 %). Manche Straßen und Brücken waren maut-
pflichtig; Durchgangszölle mußten z. B. Reisende nach
→ Delphoi an die Stadt → Krisa bezahlen (Strab. 9,3,4).
Für den Umtausch der eigenen in fremde Währung gab
es überall Geldwechsler; hilfreich war es, auch international anerkannte »Devisen« wie den pers. → Dareikos
oder die att. »Eule« (5./4. Jh. v. Chr.; → Eulenprägung)
dabei zu haben. Großreiche duldeten zwar z. T. regionale und lokale Münzprägungen auf ihrem Territorium,
mit Beständen der jeweiligen Reichswährung war das
R. jedoch am einfachsten. Röm. Mz. wurden auch außerhalb der Reichsgrenzen weithin akzeptiert.

B. GEFAHREN DES REISENS
R. war strapaziös, unsicher und riskant. Sich auf längere Strecken zu begeben, setzte angesichts des erheblichen Gefährdungspotentials eine ziemlich hohe Mo-
tivation voraus. Die Zahl der Seeunfälle durch Sturm,
Auflaufen auf Riffe (vgl. den Schiffbruch des Paulus [2]
Apg 27,41–28,1) oder durch Feuer war hoch. Ebenso
drohte zu allen Zeiten Gefahr durch → Seeraub. In der
Frühzeit galt Piraterie nicht als anstößiger Lebenserwerb
(Hom. Od. 3,72–74; 9,252–255; Thuk. 1,5,1). Aber
auch nach der Ächtung dieses »Berufs« machten Seeräu-
ber das Mittelmeer unsicher (Theophr. char. 25,2); das
Kapern von Handelsschiffen und der Verkauf von
Mannschaft und Passagieren auf Sklavenmärkten waren

ausgesprochen lukrativ (→ Sklaverei). Seebeherrschende Mächte wie Athen im 5. Jh. v. Chr. und Rom in der frühen Kaiserzeit drängten den Seeraub zwar zurück, konnten ihn aber nie ganz unterdrücken.

Unsicher war auch das R. zu Lande. Außerhalb seiner Heimat genoß der Reisende keinen rechtlichen Schutz; er mußte darauf hoffen, daß das göttliche Gebot der Gastfreundschaft respektiert wurde (vgl. aber Plat. leg. 919a; → Gastfreundschaft). Das Institut der → proxenía sicherte ihm allerdings in den meisten griech. Poleis einen Ansprechpartner in der Fremde, den próxenos; an dieses »Konsulat« konnte er sich im Notfall wenden. Die zahlreichen Kriege zw. den griech. Stadtstaaten brachten Risiken im R.-Verkehr mit sich (Notwendigkeit einer schriftlichen Genehmigung zum Betreten einer fremden Stadt: Aristoph. Av. 1213–1216; vgl. Plaut. Capt. 450f.); um sie für die zu den panhellenischen Agonen (→ Sportfeste, → Wettbewerbe, künstlerische) reisenden Athleten, Offiziellen und Zuschauer möglichst gering zu halten, wurde ein befristeter Waffenstillstand (ekecheiría; cessatio pugnae pacticia: Gell. 1,25,8 f.) ausgerufen. Um sich gegen Überfälle durch Räuber (→ Räuberbanden) zu schützen, schloß man sich häufig zu R.-Gesellschaften zusammen oder ließ sich nach Möglichkeit von mehreren Sklaven begleiten (Lukian. dialogi mortuorum 27,2). Auch die → pax Romana (die »röm. Friedensordnung« für die griech.-röm. Welt) bot Reisenden nur bedingten Schutz vor Straßenräubern (Cass. Dio 36,20,1; zu positiv: Vell. 2,126,3; Epikt. 3,13,9). Trotz »Polizeistationen« an den großen Verkehrsadern blieb Wegelagerei stets eine ernste Gefahr (Suet. Aug. 32,1; Suet. Tib. 37,1); interfectus a latronibus, »umgebracht von Räubern«, war eine Formel für Opfer dieser Kriminalität (z. B. Dig. 12,4,5,4; vgl. CIL III 8830: deceptus a latrone). Als beste Vorbeugung gegen Raubüberfälle galt das R. mit wenig Geld (Sen. epist. 14,9; Iuv. 10,19–22; Dion Chrys. 6,60); praktikabel war das freilich nur für diejenigen, die über vermögende Gastfreunde am R.-Ziel verfügten.

C. Reisezeiten, Reisedauer

Aus Sicherheitsgründen reiste man, von dringenden Kurieraufträgen (→ Nachrichtenwesen, → cursus publicus) abgesehen, nur tagsüber. Wo wie in Rom ein Tagesfahrverbot in Städten bestand, dürften die meisten R.-Wagen an der Peripherie gewartet haben, bevor sie nach Einbruch der Dunkelheit ins Stadtzentrum einfuhren (CIL I 593, Z. 56–61; Hor. epist. 1,17,7). See-R. unternahm man zw. Frühling und Herbst; vom 12. November bis zum 5. März ruhte der Schiffsverkehr weitgehend (→ Schiffahrt). Wer freilich unbedingt eine Passage brauchte, fand auch im Winter nach einigem Suchen ein Schiff, dessen Kapitän und Eigner – meist risikofreudige Kaufleute – dem stürmischen Wetter trotzten (Ov. trist. 1,11,3–44; Plin. nat. 2,125). Die Planung von R. zu Land war weniger wetterabhängig, zumal das R. auf den gut ausgebauten Fernverkehrsstraßen des Röm. Reiches (→ Straßen, → viae publicae) außer durch Schneefall in gebirgigen Regionen kaum behindert wurde.

Die Dauer einer R. richtete sich zum einen nach ihrem Zweck; sie schwankte zw. einigen Tagen im Falle von Kurzurlauben von Angehörigen der röm. Oberschicht auf ihren Landsitzen oder Marktbesuchen abgelegen lebender Kleinbauern und mehrmonatigen Geschäfts-R. bzw. noch längeren Bildungs- und Studienaufenthalten. Zum anderen hing die Dauer von See-R. stark von den Windverhältnissen ab. Wer kein eigenes Schiff besaß, mußte überdies gegebenenfalls Wartezeiten in Kauf nehmen, um eine passende und kostengünstige Mitfahrgelegenheit zu bekommen (Quint. inst. 4,2,41). Trotz mancher Unwägbarkeiten war die See-R., wo sich die Alternative überhaupt stellte, die weitaus schnellere und bequemere R.-Möglichkeit.

D. Reisegeschwindigkeit

Zur Reisegeschwindigkeit auf Schiffen (bei guten Wetter- und Windverhältnissen etwa 120 Seemeilen täglich) s. → Schiffahrt (vgl. auch [1. 368ff.; 2. 97ff.]).

Bei R. zu Land war die Geschwindigkeit stark vom Verkehrsmittel abhängig. Mit dem Wagen oder zu Pferd konnte der Normalreisende 60–75 km pro Tag zurücklegen; der weitgehend auf amtlichen Verkehr beschränkte → cursus publicus war schneller. Die Angaben beziehen sich auf gut ausgebaute röm. Fernstraßen und auf Reisende, denen an schnellem Fortkommen lag (dagegen brauchte Horaz mit seiner gemächlichen R.-Ges. knapp zwei Wochen für die 560 km zw. Rom und Brundisium/Brindisi, Hor. sat. 1,5), nicht auf enge, streckenweise einspurige Landverbindungen, wie sie im griech. Raum auch noch in röm. Zeit nicht unüblich waren (Paus. 2,11,3; Ausbau der Verbindungsstraße von Korinthos nach Megara [2] erst unter Kaiser Hadrianus; Paus. 1,44,6). Fußgänger legten je nach Beschaffenheit des Geländes durchschnittlich zw. 30 und 40 km pro Tag zurück; die 37,5 km lange Strecke zw. Athen und Megara war an einem Tag zu bewältigen (Prok. BV 1,17).

E. Kleidung und Gepäck

Der größte Teil der Landreisenden war zu Fuß unterwegs (das lat. viator, »Wanderer«, bezeichnet allerdings häufig den Reisenden schlechthin; Suet. Claud. 25,2). Neben manchen röm. Fernstraßen verlief ein eigens für Fußgänger gebauter Nebenweg. Gegen den Staub und Schmutz der Straße schützte derbe Kleidung, u. a. die chlamýs, ein als Cape gebundenes Wolltuch (→ Kleidung B.3., mit Abb.) bzw. die → paenula, ein mantelartiger Umwurf, oder der in der Kaiserzeit weitverbreitete cucullus (auch cuculla), ein Kapuzenmantel. Als Schutz gegen Sonne und Regen diente ein breitkrempiger Hut. An Gepäck hatte der zu Fuß Reisende nur das Nötigste dabei: persönliche Utensilien, Proviant, Kleidung zum Wechseln und eine Decke als »Bettzeug«. Wer es sich finanziell erlauben konnte, ritt auf einem → Esel, einem → Maultier oder einem → Pferd und ließ sich von einem oder mehreren Sklaven begleiten, die sich um das Gepäck kümmerten. Als Tragtiere waren ebenfalls Esel und Mulis beliebt; sie trugen Lasten von bis zu 100 bzw. 200 kg und waren auch auf den im griech. Raum üblicherweise schmalen, häufig unbefestigten Wegen gut einsetzbar.

F. Transportmittel

Hochgestellte und reiche Persönlichkeiten reisten schon im frühen Griechenland mit von Pferden oder Maultieren gezogenen zwei- oder vierrädrigen Wagen (Soph. Oid. T. 801 ff.). Mit dem Ausbau der Straßen in röm. Zeit nahm diese Form des R. deutlich zu. Der größte R.-Wagen, der neben dem Kutscher mehrere Personen und Gepäck aufnehmen konnte, war die gallische *raeda* (Iuv. 3,10f.; Mart. 3,47,5). In ihr konnte man lesen und schreiben (Cic. Att. 5,17,1); bes. bequem war sie allerdings nicht. Komfortabler war die geräumigere, meist nur für zwei Personen ausgelegte *carruca*, die es auch als »Schlafwagen«-Version gab (Dig. 34,2,13). Für schnelle R. standen das offene *essedum* sowie das *cisium* (Cic. Phil. 2,77), ein leichtes »Cabrio«, zur Verfügung. Alle Typen wurden auch als Mietwagen angeboten (→ Landtransport, mit Abb.). → Sänften und Tragesessel dienten Griechen und Römern als weiteres, v.a. wohl von Frauen der Oberschicht geschätztes Transportmittel (Iuv. 10,35). Die Benutzung der im *cursus publicus* eingesetzten Transportmittel war staatlichen Bediensteten und Boten vorbehalten; Privatpersonen durften diese nur in Ausnahmefällen nutzen (Cod. Theod. 8,5).

Für See-R. nutzte man private Handelsschiffe, die auch Passagiere mitnahmen, ohne daß man auf den meisten Schiffen eine Kajüte hätte buchen können. Mannschaft und Reisende lebten gewöhnlich an Deck. Die Fahrgäste hatten ihren Proviant selbst mit an Bord zu bringen. Eine reine Passagierschiffahrt kannte die Ant. nicht, ebensowenig nach Fahrplan verkehrende Schiffe. Der rege Schiffsverkehr dürfte in der Schiffahrtssaison zu nur kurzen Warteaufenthalten geführt haben; wer bereit war, mehrmals umzusteigen und sich im jeweils erreichten Hafen erneut nach einer Passage umzusehen, war auf Direktverbindungen nicht angewiesen.

G. Unterkünfte

Schon in homer. Zeit ermöglichte ein enges Geflecht wechselseitiger → Gastfreundschaften vornehmen Reisenden eine standesgemäße Unterkunft (Hom. Od. 4,26–36; 24,271–278). Auch in späteren Epochen fanden Angehörige der Oberschicht im allg. in Privathäusern von Bekannten Aufnahme; die Häuser der Wohlhabenden verfügten über mindestens ein Gastzimmer (*xenón*). Diese Gastfreundschaft wurde nicht selten auch Fremden zuteil (Diod. 13,83,1). Zwangscharakter hatte dagegen das *hospitium* für Vertreter der röm. Staatsmacht und ihr Gefolge; sie konnten sich von Amts wegen in Privathäusern »einquartieren« (Plin. nat. 9,26).

Die Zunahme des R.-Verkehrs seit dem 6. Jh. v. Chr. brachte einen Ausbau des kommerziell betriebenen Gastgewerbes mit sich. Gasthäuser (*pandokeía*) lagen v.a. in Hafennähe und an Durchgangsstraßen. Sie boten wenig Komfort – selten mehr als ein Strohbett und ein Nachtgeschirr. Für die Körperreinigung mußte man sich in öffentliche → Bäder begeben; Pensionen mit

Gastronomiebetrieb waren die Ausnahme. Mittellose Reisende übernachteten unterwegs am Straßenrand, in der Stadt in Säulenhallen, Schmieden usw. Festspielorte (s.u. II.B.) verfügten über eine gewisse Kapazität an Schlafplätzen in großen Sälen; Wohlhabende brachten dorthin ihre eigenen Zelte mit (Diod. 14,109,1); ein Großteil der Besucher kampierte unter freiem Himmel.

In röm. Zeit stieg die Zahl der Herbergen (*deversoria*; *stabula*) entsprechend der allg. höheren R.-Frequenz an. In wenig bereisten Gegenden wie Thrakien war es allerdings schwer, ein Gasthaus zu finden (Aristeid. 48,61). An den großen Fernstraßen siedelten sich dagegen oft unmittelbar bei den staatlich betriebenen Raststationen (→ *mansio*) Beherbergungsbetriebe an; sie dort zu betreiben galt bei Großgrundbesitzern als lukrative Nutzung des Bodens (Varro rust. 1,2,23). In den Städten luden Gasthausschilder sowie Werbetafeln mit Hinweisen auf günstige Preise und Annehmlichkeiten Reisende zum Übernachten ein (CIL IV 806f.; CIL X 4104; CIL XII 5732). Viele → Wirtshäuser boten neben Verpflegung auch die Dienste von → Prostituierten an (CIL IX 2689; Dig. 3,2,4,2). Die Bandbreite der Herbergen reichte von (wenigen) vergleichsweise luxuriösen Hotels v.a. in Metropolen und Badeorten (Strab. 17,1,17) bis zu den vielen ausgesprochen schlichten Unterkünften, die feucht (Sidon. epist. 8,11,3, V. 42ff.), voll Ungeziefer und verrußt waren (Hor. sat. 1,5,79–81; Plin. nat. 16,158).

II. Anlass und Zweck
A. Geschäftsreisen
B. Festspieltourismus und Wallfahrten
C. Dienstreisen   D. Forschungsreisen
E. Studienreisen und Tourismus
F. Urlaubsreisen   G. Pilgerreisen

A. Geschäftsreisen

Das Gros des ant. R.-Verkehrs bestand aus Geschäfts-R. Der im Überseehandel engagierte (Groß-) Kaufmann war bezeichnenderweise der auf Schiffen »Mitfahrende« (→ *émporos*). Er fuhr entweder auf einem gecharterten oder seinem eigenen Schiff (früheste Belege: Hom. Od. 2,319f.; 8,158–164; 24,300f.). Nur eine Minderheit der *émporoi* verzichtete auf eine Mitfahrt, indem sie die Ladung Bediensteten anvertrauten. Wegen der schlechten Landverbindungen wurde selbst der regionale → Handel im griech. Raum über Küstenschiffahrt abgewickelt. Das ständige R. gehört zum Berufsbild auch des röm. *mercator* (Hor. ars 117: *mercator vagus*, ›der Kaufmann, der immer unterwegs ist‹). Der Ausbau der Infrastruktur belebte in der Kaiserzeit auch den Binnenhandel enorm, so daß der Umfang der Handels-R. zu Lande stark zunahm, bei denen die Waren auf der Straße mit Wagen und Tragtieren transportiert wurden (→ Landtransport). Röm. Händler pflegten geradezu in den Fußstapfen der → Legionen zu reisen; unmittelbar nach der Eroberung eines Territoriums ergoß sich ein Strom von Handelsreisenden dorthin (Cic.

Font. 11; Tac. ann. 14,31–33). Zu den aus beruflichen Gründen Reisenden zählten auch die Angehörigen ambulanter Gewerbe, darunter Ärzte, Rhetoren, Lehrer, Kunsthandwerker, Schauspieler und Athleten, Musiker, Astrologen und Wanderarbeiter auf dem Lande.

B. FESTSPIELTOURISMUS UND WALLFAHRTEN

Vertreter dieser Berufsgruppen waren auch auf den großen panhellenischen Agonen in Olympia, Korinthos, Delphoi und Nemea präsent (→ Sportfeste), nicht minder auf den stärker regional begrenzten Festversammlungen, deren Zahl in hell.-röm. Zeit noch zunahm. Rund um diese Spiele etablierten sich Messen mit Verkaufsaktivitäten und reichem kulturellem »Rahmen«-Programm (Cic. Tusc. 5,3,9). Die dadurch noch gesteigerte Attraktivität der Festspiele erwies sich in regelrechten periodischen R.-Wellen. Zu Zeiten solcher Veranstaltungen waren neben den Sportlern mit ihren Trainern, Familienangehörigen und Bekannten sowie offiziellen Delegationen Zehntausende von Zuschauern und »Schaustellern« aller Art (darunter Intellektuelle, die aus ihren Werken vortrugen; Diog. Laert. 8,63; Lukian. Herodotos 1–8) unterwegs. Sie alle reisen mit dem Schiff an; am Ort angekommen, ging man zu Fuß weiter (Xen. mem. 3,13,5). Wer mit einem Fuhrwerk reisen wollte, mußte wegen des großen Andrangs Wartezeiten in Kauf nehmen (Lukian. Peregrinos 35). Weder die Mühsal des R. noch das häufig nervenaufreibende Gedränge am Veranstaltungsort (Epikt. 4,4,24; Ail. var. 14,18) tat der Anziehungskraft der Festspiele Abbruch. Andere, noch stärker im Kult verankerte rel. Feste wie die der → Mysteria von Eleusis und Samothrake gaben dem ausgeprägten Festspiel-Tourismus weitere Impulse (Philostr. Ap. 4,17).

Als Wallfahrtsorte im weiteren Sinne zogen auch die Orakel der griech.-röm. Welt Reisende an (→ Orakel, mit Karte; vgl. z.B. Lukianos, *Alexandros*). Die Besucherzahlen blieben hier allerdings vergleichsweise bescheiden. Anders im Falle der Heiligtümer des → Asklepios: Eine nicht geringe Zahl von Kranken und Gebrechlichen war ständig unterwegs, um dort Heilung zu finden. Die bedeutendsten Asklepieia waren in → Epidauros (mit Plan), → Kos und → Pergamon (mit Plan); z.Z. des alle fünf J. in Epidauros stattfindenden Asklepios-Festes stieg die Zahl der Besucher steil an.

C. DIENSTREISEN

Die offiziellen Kontakte innerhalb und außerhalb der griech. Staatenwelt erforderten eine rege diplomatische R.-Tätigkeit. Gesandte (*présbeis*/→ *presbeía*) vertraten die Interessen ihrer Polis auf vielfache Weise; neben »klass.« diplomatischen Aufgaben wie Verhandlungen über Waffenstillstands-, Bündnis- und Rechtshilfeabkommen besuchten sie Feste in offizieller Mission, luden zu Festen ein, konsultierten → Orakel oder wurden als Richter oder Teilnehmer an internationalen Kongressen abgeordnet (Liste der att. und spartanischen Gesandtschaften bei [3. 595–628]). In hell. und röm. Zeit kamen Ehren- und Huldigungsgesandtschaft hin-

zu. Entsprechend hoch war das Aufkommen an Dienst-R., wobei eine Gesandtschaft zw. einem und fünf Delegationsmitglieder hatte. Hinzu kamen ein paar Sklaven und gelegentlich ein Dolmetscher. Die Diplomaten reisten gewöhnlich auf dem schnelleren Seeweg; in Ausnahmefällen durften sie ein Staatsschiff benutzen (Thuk. 8,86,9). Meist stiegen sie bei privaten Gastfreunden oder dem *próxenos* ihrer Polis ab (selten in einem Gasthaus: Aischin. 2,97). In Rom wurde ihnen ein *hospitium publicum* (→ Gastfreundschaft B.) gewährt. Da die → *presbeía* als Ehrenamt galt, erhielten Dienstreisende nur eine Aufwandsentschädigung. Das tägliche R.-Geld lag im 5. Jh. v. Chr. bei 2–3 Drachmen (Aristoph. Ach. 66; 602).

In den hell. Königreichen und in der röm. Kaiserzeit traten Beamte an die Stelle der ehrenamtlichen Gesandten. Mit der Schaffung des → *cursus publicus* entstand ein effizientes »Post«-System (→ Post), das nicht nur amtlichen Kurieren ein schnelles Vorankommen zu Pferd ermöglichte, sondern auch der zivilen und mil. Verwaltung zur Personenbeförderung zur Verfügung stand. Mit bes. Erlaubnisschein (*evectio*) durften auch die von Gemeinden und Prov. an die kaiserliche Verwaltung geschickten Gesandten den *cursus publicus* benutzen (Cod. Theod. 8,5,32). Um »unnötige« Dienst-R. zu verhindern, war die Genehmigungspraxis allerdings recht restriktiv (Dig. 50,7,5,6). In republikanischer Zeit hatten die Gemeinden die R.-Kosten ihrer Gesandtschaften in der Regel selbst zu tragen (Cic. fam. 3,8,2; 3,10,6).

D. FORSCHUNGSREISEN

Gesandtschaften, die in ferne Länder jenseits der Mittelmeerwelt reisten, erweiterten durch ihre Ber. und Ergebnisse den geogr. Horizont der Antike. So lernten die Festlandsgriechen die erste »Welt-Karte« durch die diplomatische Mission des Aristagoras [3] von Milet kennen (Hdt. 5,49,1). Gewöhnlich aber standen kommerzielle Interessen hinter Forschungs- und Entdeckungs-R. In der Argonautensage als Mythos der »Urreise« (→ Argonautai, mit Karte) spiegelt sich diese R.-Motivation ebenso wie in den vielen Entdeckerfahrten der griech. → Kolonisation, in deren Verlauf die Küsten des Schwarzen Meeres (→ Pontos Euxeinos) ebenso erkundet und besiedelt wurden wie die nordafrikan. Küste um → Kyrene und das westl. Mittelmeer bis zur Straße von Gibraltar. Forschungs-R. auf der Suche nach neuen Handelskontakten jenseits der »Säulen des Herakles« (Pylai Gadeirides) blieben lange Zeit den Karthagern vorbehalten (Himilkons [6] Vorstoß in den Nordatlantik um 500 v. Chr.: Plin. nat. 2,169; der → Periplus des Hanno [1] entlang der westafrikan. Küste kurz nach 500 v. Chr.). Erst Pytheas [4] von Massalia durchbrach die karthagische Blockade und umfuhr auf seiner Expedition auf den Spuren der Zinn-Route u. a. Britannien (Diod. 5,21 ff.; Plin. nat. 2,187).

Forschungs-R. nach Persien und Äg. entsprangen im 6. und 5. Jh. v. Chr. dem ethnologischen Interesse v. a. der ionischen Griechen; von individuellen Bildungs-R.

sind diese Einzelunternehmungen (→ Hekataios [3], → Herodotos [1]) nur schwer abzugrenzen. Der Ferne Osten geriet erst mit dem Eroberungszug des Alexandros [4] d.Gr. in den Blick griech. Entdecker. An die Bed. der von Alexander angeordneten Erkundungsexpedition des → Nearchos [2] von der Indus-Mündung bis Mesopotamien (325 v.Chr.; Arr. Ind.) reichten die von hell. Herrschern geförderten Entdeckungs-R. nicht heran (bedeutsam: die des → Eudoxos [3] von Kyzikos; Strab. 2,3,4). Eine systematische Planung lag diesen R. ebensowenig zugrunde wie denen in röm. Zeit; das Hauptmotiv war ökonomischer Natur. Die Erkundung ferner Länder war im Röm. Reich vorrangig eine Folge der mil. Expansion und der R.-Aktivitäten von Kaufleuten. Die Zahl der aus wiss. Interesse Reisenden war gering; die meisten von ihnen waren Griechen.

E. Studienreisen und Tourismus

Sieht man von R. zu Studienaufenthalten an einem Ort ab, die junge Römer der Oberschicht v.a. zu Rhet.- und Phil.-Professoren im griech. Raum unternahmen (Athen, Alexandreia [1], Rhodos usw.; Cic. Att. 12,32,3; Quint. inst. 12,6,7; Medizinstudium in Alexandreia: Gal. 2,220 K.), so läßt sich zw. Bildungs-R. und Tourismus im Alt. keine klare Linie ziehen. Da der Hauptstrom des ant. Tourismus zu den bed. Stätten von Kultur und Gesch. floß, kann man allenfalls hinsichtlich der Intensität des je persönlichen Bildungsinteresses und -erlebnisses auf dem Hintergrund eines in relativ festen Bahnen verlaufenden allg.-touristischen Sightseeing-Programms differenzieren. Die Ant. kannte keinen Massentourismus; der »Normaltourist« war der begüterte Individualreisende, der sich vor Ort gelegentlich mit anderen Touristen zu einer R.-Gruppe zusammenschloß.

Vom 6. Jh. v.Chr. bis zur Spätant. war Äg. das beliebteste touristische Ziel (Aristot. Ath. pol. 11,1; Hdt. 3,139,1). Hauptreiseziele waren dort → Memphis und die → Pyramiden, die Ruinen von → Thebai mit den Königsgräbern (zu Graffiti von Touristen vgl. [4. 25 ff.; 5. 274 ff.]) und seit hell. Zeit, in der der Tourismus insgesamt zunahm, auch Alexandreia [1] (Äg. als Aneinanderreihung touristischer *miracula* z.B. Tac. ann. 2,60 f.).

Ein Höhepunkt von Studien-R. war ›wegen der Bauten und Altertümer‹ (SHA Sept. Sev. 3,7) stets Athen (Bezeugung für das 5. Jh. v.Chr.: FHG 2, 255; kurz nach der sullanischen Eroberung: Cic. Att. 5,10,5). Auch andere bedeutende griech. Städte des Festlandes und Kleinasiens wie Epidauros, Korinthos, Olympia, Delphoi, Smyrna und Ephesos zogen röm. Touristen an (Liv. 45,27 f.). Die an Kunstdenkmälern und einer großen Vergangenheit orientierte Perspektive dieser R. läßt der R.-Führer des → Pausanias [8] erkennen. Ilion/ → Troia profitierte vom Nationalstolz »abstammungsbewußter« röm. Besucher (Strab. 13,1,34 f.; Ov. fast. 6,423; Cass. Dio 78,16,7; → Aineias [1]). Unter den griech. Inseln genoß → Rhodos den Ruf als schönstes und kulturhistor. wichtigstes R.-Ziel (Dion Chrys. 31). Im Westen des Reiches galt Sizilien – auch wegen des

Aetna – als sehenswert. In die nordwestl. Prov. kamen kaum Touristen, wohl aber nach Rom, das zahllose Besucher über seine Stellung als Hauptstadt hinaus mit seinen baulichen Sehenswürdigkeiten und seinem Freizeitangebot (vgl. z.B. → ludi, → munera, → Thermen, → Circus) faszinierte (Mart. liber de spectaculis 3; Amm. 16,10,13–21).

Berühmte Naturphänomene stießen auf deutlich geringeres Interesse der Touristen. Beachtung fanden v.a. große Flüsse und ihre »Geheimnisse« (Nilschwelle, → Nil), der Aetna (→ Aitne [1]) und bedeutende Quellen (Tourismus an der Quelle des → Clitumnus in Umbrien: Plin. epist. 8,8).

F. Urlaubsreisen

Angesichts der mit Bildungs-R. in der Ant. verbundenen Strapazen könnte man diese fast als Spielart des mod. »Aktivurlaubs« bezeichnen. Deutlich weniger R.-Streß verband sich mit den Urlaubsaufenthalten auf Landsitzen am Meer oder in den Bergen, die für große Teile der röm. Oberschicht seit dem 1. Jh. v.Chr. enorme Lebensqualität boten. Viele Landgüter wurden zu herrschaftlichen Residenzen ausgebaut, die fast alle Annehmlichkeiten der Großstadt bereithielten. *Rusticari*, »sich auf dem Landgut aufhalten« (Cic. de orat. 2,22), war ein Synonym für »Urlaub machen«. Die Anreise von Rom dauerte nur wenige Tage. Wegen der Vielzahl der dort gelegenen Villen ist der Golf von Neapel geradezu als Urlaubsregion für reiche Römer anzusehen. Dort lag mit → Baiae auch der berühmteste röm. »Urlaubsort«, aktualisierend häufig als »mondänes Modebad« bezeichnet, weil es dank heißer Quellen auch zu Badekuren einlud (Plin. nat. 31,4 f.; vgl. Strab. 5,4,5; zu den Freizeitvergnügungen dort: Sen. epist. 51,3 f.; Tac. ann. 14,4). Von ähnlich luxuriösem Zuschnitt war der ägypt. Badeort → Kanobos, der nicht nur Urlauber aus dem nahen Alexandreia anzog (Strab. 17,1,17; Iuv. 6,84; Sen. epist. 51,3). Thermal- und Heilbäder von regionaler Bed. lagen in Germanien und Gallien (z.B. Aquae [III 6]/Baden-Baden, Badenweiler, Aquae [III 3] Granni/Aachen).

G. Pilgerreisen

Seit Beginn des 4. Jh. n.Chr. kam mit der *peregrinatio ad loca sancta* (»Pilgerfahrt zu den hl. Stätten«) ein neuer Typus von R. auf. Wichtige Auslöser für die christl. Pilgerbewegung waren die kirchl. Repräsentativbauten des Constantinus [1] und seiner Söhne in Jerusalem sowie die Palästina-R. der Kaisermutter Helena [2] im J. 324. Am Ende des 4. Jh. hatte sich trotz der zunehmenden Gefährdung der Reisenden ein vielfach in Gruppen organisierter Wallfahrtstourismus herausgebildet, dessen Ziele zunächst die Gedächtnisorte des at. und nt. Geschehens waren, der sich aber bald auf Heiligen- und Märtyrergräber in Äg., Syrien und Kleinasien sowie auf Rom ausdehnte (→ Pilgerschaft, mit Karte; früheste Pilgerberichte: die Aufzeichnungen des »Pilgers von Burdigala«, 333; die → *Peregrinatio ad loca sancta* der Egeria, um 400). An den Pilgerrouten entstanden zahlreiche Hospize speziell für christl. Reisende (*xenodocheía*) mit

z. T. Hunderten von Betten; sie dienten zugleich als Krankenstationen.

III. Information für Reisende

Reisenden standen unterschiedliche Informationsquellen zur Verfügung. Als eher langfristige Vorbereitung und Motivationsanreiz für eigene R. dienten lit. R.-Beschreibungen, die wie die ›Historien‹ des → Herodotos [1] Hintergrundwissen vermittelten (→ Reiseliteratur). Stärker praxisorientiert, konkretes kulturkundliches Detailwissen vermittelnde R.-Führer waren spätestens im 4. Jh. v. Chr. verfügbar (z. B. die *Bibliothéke* des → Diodoros [18], eine Darstellung über Städte und Denkmäler Attikas; ausgesprochen produktiv: → Polemon [2] aus Ilion, der im 2. Jh. v. Chr. u. a. über Sparta, Delphoi und Troia schrieb). Der einzige erh. R.-Führer dieser Art ist die »Beschreibung Griechenlands« aus der Feder des → Pausanias [8].

Aus Logbüchern entwickelten sich die später lit. durchgeformten *períploi* (→ *períplus*). Solche Küstenbeschreibungen konnten auch als R.-Handbücher genutzt werden. Hilfreich waren ferner Landkarten (→ Kartographie) und v. a. die → Itinerare mit Verzeichnissen von Stationen, Streckenangaben, Unterkünften, Beschaffenheit der Straßen und Zolltaxen.

Erläuterungen vor Ort erhielten die Reisenden seit alters von Fremdenführern (*periēgētaí*; *exēgētaí*; Plut. mor. 675e; Paus. 5,10,7). In Touristenzentren übten sie ihre Tätigkeit professionell aus (Cic. Verr. 2,4,132). Anderswo boten häufig Priester in Nebentätigkeit ihre Dienste als Führer an (Strab. 17,1,29). Die Urteile über die Qualität der Führungen liegen naturgemäß weit auseinander; Klagen betrafen v. a. allzu routiniertes »Abspulen« von Standardvorträgen und zu weitschweifige Ausführungen (Plut. mor. 395a).

→ Gastfreundschaft; Gastronomie; Landtransport; Periegetes; Pilgerschaft; Post; Proxenia; Reiseliteratur; Schiffahrt; Straßen; Verkehr; Via publica

1 L. CASSON, Die Seefahrer in der Ant., 1979 (engl.: Ships and Seamanship in the Ancient World, 1972) 2 J. ROUGÉ, Recherches sur l'organisation du commerce maritime en Méditerranée sous l'Empire Romain, 1966, 97 ff. 3 D. KIENAST, s. v. Presbeia, RE Suppl. 13, 499–628 4 A. und E. BERNAND, Les inscriptions grecques et latines du colosse de Memnon, 1960 5 L. CASSON, Travel in the Ancient World, 1974.

J. D'ARMS, Romans on the Bay of Naples, 1970 · H. BENDER, Röm. R.verkehr, 1978 · M. CARY, E. H. WARMINGTON, Die Entdeckungen der Ant., 1966 · L. CASSON, R. in der Alten Welt, 1976 · Ders., Travel in the Ancient World, 1974 · O. A. W. DILKE, Roman Maps, 1985 · H. DONNER, Pilgerfahrten ins Hl. Land. Die ältesten Ber. christl. Palästinapilger, 1979 · FRIEDLÄNDER I, 318–490 · W. H. GROSS, Bildungsr. in der röm. Kaiserzeit, in: E. OLSHAUSEN (Hrsg.), Der Mensch in seiner Umwelt, 1983, 47 ff. · H. HALFMANN, Itinera principum. Gesch. und Typologie der Kaiserr. im Röm. Reich, 1986 · O. HÖCKMANN, Ant. Seefahrt, 1985 · E. D. HUNT, Holy Land Pilgrimage in the Later Roman Empire, 1982 · T. KLEBERG, Hôtels, restaurants et cabarets dans l'Antiquité romaine, 1957 · B. KÖTTING, Peregrinatio religiosa. Wallfahrten in der Ant. und das Pilgerwesen in der Alten Kirche, 1950 (Ndr. 1980) · E. OLSHAUSEN, Einführung in die histor. Geogr. der Alten Welt, 1991 · P. STOFFEL, Über die Staatspost, die Ochsengespanne und die requirierten Ochsengespanne. Eine Darstellung des röm. Postwesens, 1994 · J. WILKINSON, Egeria's Travels to the Holy Land, 1971.
K.-W. WEE.

Reiten (Sport; κέλης/*kélēs*). Wenngleich R. zu → Pferd bereits Mitte des 2. Jt. v. Chr. z. B. in Äg. [1] nachgewiesen ist, tritt es als sportliche Disziplin erst in Griechenland auf, wo Reitwettbewerbe angeblich seit 648 v. Chr. bei den Olympischen Spielen (→ Olympia IV.) ausgetragen wurden. Wie das Wagenrennen (→ Circus II., → Hippodromos [1]) war R. eine Domäne des Adels. Unter den 31 überl. Olympiasiegern im R. waren so bekannte Namen wie Hieron [1], der Tyrann von Syrakus [2. Nr. 221, 234] (mit dem Pferd Pherenikos), dem → Pindaros [2] die erste Olympie und Bakchylides seine 5. Ode widmete, sowie Philippos [4] II. von Makedonien [2. Nr. 434]. Die Rennstrecke in Olympia betrug für ausgewachsene Pferde zwei Umläufe des Hippodromos (einschließlich Startstrecke 2624 m) und bei Fohlen (seit 256 v. Chr. in Olympia, in → Delphoi bereits seit 314 v. Chr. im Programm) einen Umlauf (1472 m, s. o.) [3. 104]. Auf Sieg wurde auch dann erkannt, wenn das zuerst ankommende Pferd seinen Reiter abgeworfen hatte, wie es dem Jockey des Pheidolas aus Korinthos erging [4. Nr. 6]. Die letzte Bahn wurde durch ein Trompetensignal angezeigt (Paus. 6,13,9). Von 496 bis 444 v. Chr. war mit der *kálpē* (κάλπη, »Trabrennen«) ein weiterer Reitwettbewerb im Olympischen Programm, bei dem es für den Reiter galt, den letzten Streckenteil neben dem Pferd herzulaufen. Bes. vielseitig waren die Wettbewerbe (darunter Speerwerfen auf ein Ziel vom Pferd aus) im R. in hell. Zt. [5] bei den → Panathenaia (z. B. IG II² 965b), aber auch an den Theseia in Athen [6. 185 f.].

R. ist Motiv der äg. [11] und griech. Kunst (Vasen [7. 188–190]; Plastik: Pferd mit Reiter aus dem Meer von Marathon, Athen, NM 15177) und ebenso der etr. [8. Nr. 21, 44, 74, 155], in der auch eine Disziplin erscheint [8. Nr. 25, 83; 9. 97–106], deren Ausführende in Rom mit *desultores* (»Kunstreiter«) bezeichnet wurden [10. 20–22]. Hierbei galt es, während des Rennens von einem Pferd auf ein anderes, mitgeführtes, überzuwechseln. Auch die röm. Kunst kennt das Thema des R. [12].

→ Pferd; Reitkunst

1 W. DECKER, s. v. R., LÄ 5, 223 f. 2 L. MORETTI, Olympionikai, 1957 3 J. EBERT, Neues zum Hippodrom und zu den hippischen Konkurrenzen in Olympia, in: Nikephoros 2, 1989, 89–107 4 Ders., Griech. Epigramme auf Sieger an gymnischen und hippischen Agonen, 1972, 46–48 5 ST. V. TRACY, The Panathenaic Festival and Games: An Epigraphic Inquiry, in: Nikephoros 4, 1991, 133–153 6 D. BELL, The Horse Race (κέλης) in Ancient Greece from

the Preclassical Period to the First Century B. C., in: Stadion 15, 1989, 167–190 **7** O. Tzachou-Alexandri (Hrsg.), Mind and Body, 1989 **8** S. Steingräber, Etr. Wandmalerei, 1985 **9** J.-P. Thuillier, Les jeux athlétiques dans la civilisation étrusque, 1985 **10** Ders., Sport im ant. Rom, 1999 **11** A. R. Schulman, Egyptian Representations of Horsemen and Riding in the New Kingdom, in: JNES 16, 1957, 263–271 **12** M. Junkelmann, Die Reiter Roms, Bd. 1, 1990. W.D.

Reiterei I. Alter Orient
II. Griechenland III. Rom

I. Alter Orient
A. Entwicklungsgeschichte.
B. Rüstung, taktischer Einsatz

A. Entwicklungsgeschichte
Mit der Entwicklung der Fahrkunst in der 1. H. des 2. Jt. v. Chr. waren auch die methodischen Grundlagen für das Reiten gegeben (→ Pferd III., → Reitkunst). Obwohl der Einsatz berittener Kuriere und Späher bereits ab dem 14./13. Jh. v. Chr. sicher bezeugt ist (Akkadogramm ᴸᵁPETḪALLUM »Reiter« in hethit. Texten; äg. Bildzeugnisse [10]), bildete sich die R. als Waffengattung erst im Verlauf des 9./8. Jh. heraus. Ausschlaggebend hierfür war die Schwierigkeit, reitend zu kämpfen. Denn im Unterschied zum → Streitwagen, der eine Aufgabenteilung zw. Fahrer und Bogenschützen ermöglichte, hatte der kämpfende Reiter beim → Bogenschießen gleichzeitig auch sein Pferd zu beherrschen.

Nach Ausweis der assyrischen Palastreliefs (vgl. bes. [1; 2]) ist die älteste – inschr. ab Tukultī-Ninurta II. (891–884), bildlich ab Assurnasirpal II. (884–859) – greifbare Phase des mil. Reitens noch durch Aufgabenteilung gekennzeichnet: Nach dem Vorbild der Streitwagengespanne bildete man als kleinste taktische Einheit Zweierteams, bei denen das Pferd des Bogenschützen durch den begleitenden Reiter geführt wurde, der mit Schwert und Schild bzw. später mit einem Speer ausgerüstet war. Diese Zweierteams wurden zusammen mit Streitwagen eingesetzt, Mitte des 9. Jh. im Verhältnis 1 : 1, was sich bis zur 2. H. des 8. Jh. immer mehr zugunsten der R. verschob. Die Umwandlung des Zweierteams zu zwei unabhängig voneinander kämpfenden, aber paarweise auftretenden Reitern begegnet erstmals unter Tiglatpileser III. (745–727); doch nötigte dieser Entwicklungsschritt offenbar zunächst zum Verzicht auf den Bogen, da beide Reiter nur den Speer als Angriffswaffe benutzten.

Den Übergang zum selbständigen, berittenen Bogenschützen ermöglichte schließlich ein v. a. auf Reliefs Assurbanipals (669–631) gut sichtbarer, aber bereits z.Z. Sargons II. (722–705) eingeführter Troddelriemen, der – ähnlich einem Martingal an den Zügeln befestigt – durch das Gewicht der Troddel die Anlehnung des Pferdes an das Trensengebiß (und damit die Kontrolle über das Pferd) aufrechterhielt, solange der Reiter mit beiden Händen den Bogen handhaben mußte [5. 136]. Diese

Neuerung sicherte zusammen mit der größeren Beweglichkeit des Reiters (bes. in gebirgigem Gelände) endgültig die Überlegenheit der R. gegenüber dem leichten Streitwagen, dessen mil. Einsatz etwa gleichzeitig obsolet wurde.

Wenngleich die Quellenlage v. a. die assyr. Verhältnisse hervortreten läßt, ist für die zeitgenössischen Staaten Syriens und Kleinasiens nach einschlägigen assyr. sowie einheimischen (at., hieroglyphen-luw., urartäischen) Zeugnissen eine parallele, z. T. sogar rascher verlaufende Entwicklung der R. anzunehmen. Letzteres gilt v. a. für → Urarṭu, dessen für den Streitwageneinsatz wenig geeignete Hochgebirgslandschaft das mil. Reiten bes. begünstigte. Nach Ausweis urart. Inschr. waren bereits um 800 v. Chr. Streitwagen an Feldzügen nur noch in unbedeutender Anzahl beteiligt, während das Aufgebot an R. gut 40% des mobilisierten Gesamtheeres ausmachen konnte [6. 458]. Es ist daher wahrscheinlich, daß Urarṭu eine Schlüsselrolle in der Entstehung und Entwicklung der altoriental. R. einnahm.

Die Tatsache, daß die R. sich entwicklungsgesch. aus dem Streitwageneinsatz ableitet, widerlegt zugleich die früher (z. B. [4. 218 f.]) vertretene These der Übernahme des mil. Reitens von iran. »Reitervölkern«. Zudem ist angesichts des vergleichsweise späten Auftretens der → Kimmerioi und → Skythai in Vorderasien (ab E. 8. bzw. 2. H. 7. Jh.) sowie vielfältiger altoriental. Einflüsse auf die skythische Kultur h. eher anzunehmen, daß sich deren Reiterkriegertum erst im Kontakt mit Urarṭu und Assyrien ausgebildet hat [8. 307–312]. Auch die R. der → Meder, die nach Hdt. 1,73,3 die Kunst des Bogenschießens (zu Pferde) bei den Skythen erlernt haben sollen und in deren Nachfolge (vgl. Strab. 11,13,9) die R. der Perser stand, stand offensichtlich in der altoriental. Trad. (zur pers. R. s. ferner [3. 300–304]). Dasselbe gilt gewiß auch für die R. der Lyder (→ Lydia), die der pers. R. ebenbürtig war (Hdt. 1,27; 1,79 f.) und wohl an die R. der luw. Staaten Kleinasiens (Tabal, Tuwana, Adana; → Kleinasien III. C.; vgl. [11. 121²⁴⁵]) sowie an die wohl nur überl.-bedingt noch nicht greifbare R. der → Phryges anknüpfte.

B. Rüstung, taktischer Einsatz
Der assyr. Reiter saß urspr. auf dem blanken Pferderücken, barfüßig und – abgesehen vom Helm – ohne spezielle Schutzbekleidung. Reitdecke und Stiefel, die bei Gegnern der Assyrer vereinzelt schon im 9. Jh. zu beobachten sind, setzten sich erst ab E. 8. Jh. allg. durch. Panzerhemd und Knieschutz sind seit der 2. H. des 8. Jh. bzw. ab Anf. 7. Jh. bezeugt. Der berittene Bogenschütze des 7. Jh. war zusätzlich mit Kurzschwert und einem kurzen Speer bewaffnet [5. Abb. 78].

Wie beim Streitwagen gehörten die Feindaufklärung, die Sicherung von Rücken und Flanken der eigenen Infanterie sowie v. a. die Verfolgung des geschlagenen Gegners zu den wichtigsten Aufgaben der R. Hingegen eignete sie sich wegen des labilen Gleichgewichts des Reiters, der ohne Steigbügel ritt, weder für den frontalen

Angriff auf gut geordnete Infanterie noch für den Nah-kampf, was auch für die pers. R. des 5./4. Jh. gilt (Xen. hell. 3,4,14; Xen. an. 1,10,13; 3,2,18). Die ebenfalls vom Streitwagen übernommenen Hauptelemente der Kampftaktik bildeten ›Angriff, Wendung und Rückzug‹ (akkadisch *aṣû seḫru u târu*), die daher auch wesentlicher Bestandteil der Ausbildung von Pferd und Reiter waren [7. 84f., Z.173] (vgl. dazu Xen. equ. 7,17; 8,12). Der fluchtartige Rückzug verfolgte insbes. den Zweck, die gegnerischen Reiter in die unmittelbare Nähe der ei-genen Infanterie zu locken (vgl. Hdt. 4,128,3). Das Bo-genschießen zu Pferde wird auf assyr. Reliefs fast durch-weg in Vorwärtsrichtung gezeigt, doch ist das Schießen nach rückwärts (→ »parthischer Schuß«), das Xen. an. 3,3,10 für die pers. R. bezeugt, bildlich bereits z.Z. As-surnasirpals II. (884–859) nachweisbar (vgl. die Abb. [4. 220] sowie allg. [9]).

1 R.D. BARNETT, Assyr. Palastreliefs, 1960 2 Ders., M. FALKNER, The Sculptures of Tiglath-Pileser III, 1962 3 P. HÖGEMANN, Das alte Vorderasien und die Achämeniden, 1992 4 K. JETTMAR, Die frühen Steppenvölker, 1965 5 M.A. LITTAUER, J.H. CROUWEL, Wheeled Vehicles and Ridden Animals in the Ancient Near East, 1979 6 W. MAYER, Politik und Kriegskunst der Assyrer, 1995 7 Ders., Sargons Feldzug gegen Urartu, in: MDOG 115, 1983, 65–132 8 R. ROLLE, Urartu und die Reiternomaden, in: Saeculum 28, 1977, 291–336 9 M. ROSTOVTZEFF, The Parthian Shot, in: AJA 47, 1943, 174–187 10 A.R. SCHULMAN, Egyptian Representations of Horsemen and Riding in the New Kingdom, in: JNES 16, 1957, 263–271 11 F. STARKE, Ausbildung und Training von Streitwagenpferden, 1995.   F.S.

II. GRIECHENLAND

In der Zeit Homers war Pferdezucht ein Luxus, den sich nur der → Adel leisten konnten; dementsprechend waren Pferde auch ein Symbol für den sozialen Rang der → Aristokratia. Im Gegensatz zu den oriental. Rei-chen, bes. Assyrien, wurden Pferde im Krieg – von un-klaren Hinweisen auf eine größere Bed. der Reiter in vor- und protogeometrischer Zeit abgesehen – in Grie-chenland nur verwendet, um zum Kampfplatz zu gelan-gen; gekämpft wurde zu Fuß. Die Darstellungen auf Vasen des frühen 7. Jh. v. Chr. bestätigen diesen Befund für die archa. Zeit [3. 13]: Eine eigentliche R. existierte in aller Regel nicht (anders [6. 21ff.]). Freilich gab es bereits in archa. Zeit auch Regionen, die der Zucht günstige Voraussetzungen boten und in denen der Kampfeinsatz von Pferden verbreitet war. Bes. Thes-salien und Makedonien, aber auch Boiotien und West-griechenland verfügten schon damals wie auch später über berühmte Reitertruppen, von deren Stärke und Organisation wir allerdings nur wenig wissen [6. 29ff.]. Athen oder die Poleis auf der Peloponnes hatten hin-gegen, wenn überhaupt, nur eine kleine R. [2. 1ff.]. Ein für Pferde oftmals ungeeignetes Gelände, die hohen Kosten für die Pferdehaltung, die aufkommende Pha-lanx und die damit verbundene ges. Entwicklung sowie die Hochschätzung der Hopliten, setzten dem Einsatz

der R. enge Grenzen; hinzu kamen wohl auch die schwierige Beherrschbarkeit von Pferden und der un-zureichende Schutz der Tiere während des Kampfes (Xen. equ. 12,8f.).

Athen baute zwischen 480 und 430 v. Chr. eine R. von max. 1200 Mann Sollstärke auf, darunter 200 → hip-potoxótai [2. 39ff.; 5. 9ff.]; die R. wurde von zwei Hipp-archen geführt (Xen. hipp. 1,2; 9,3; Aristot. Ath. pol. 61,4f.). Sie war mit Wurfspeeren bewaffnet (Xen. hipp. 1,21). Xenophon hielt eine sorgfältige Auswahl der Pferde für die R. und eine intensive Ausbildung von Reitern und Pferden als Vorbereitung des mil. Einsatzes für notwendig (Xen. hipp. 1,3ff.; 1,13; 8,1ff.). Im 4. Jh. v. Chr. soll Athen jährlich 40 Talente für den Sold der R. aufgewendet haben (Xen. hipp. 1,19). Wegen der Par-teinahme vieler ihrer reichen Mitglieder für die Tyran-nis der Dreißig (→ *triákonta*) sank das Ansehen der R. nach 403 v. Chr. Boiotien verfügte in der gleichen Epo-che über eine R. von 1100 Mann.

Auch wenn die R. für die Phalangentaktik (→ *phá-lanx*) große Vorteile hatte (Flankenschutz, -angriff, Mo-bilität bei Territorialverteidigung, Aufklärung und Ver-folgung), spielte sie im 5. und frühen 4. Jh. v. Chr. mil. allgemein eine sekundäre, wenn auch häufig nicht zu vernachlässigende Rolle. Erst Philippos [4] II. von Ma-kedonien und Alexandros [4] d. Gr. entwickelten die R. zu einer eigenständigen Waffe [6. 153ff.; 4]. Zwischen 359 und 336 v. Chr. vergrößerte Philippos [4] II. die maked. R. von 600 auf 1800 oder gar 3300 Mann (Diod. 16,4,3; 17,17,4f.); sie wurde aus maked. Adligen und Grundbesitzern rekrutiert. Zum Angriff formierte wohl bereits Philippos die R. zu einem Keil (Ail. taktika 18,4; vgl. Asklepiodotos 7,3; Arr. takt. 16,6), der 338 v. Chr. in der Schlacht bei Chaironeia große Wirkung hatte (Diod. 16,86,3f.). Unter Alexandros wie den → Dia-dochen wurde die schwere R. als Angriffswaffe einge-setzt, deren Schlagkraft oft schlachtentscheidend war; die Reiter dieser schweren R. wurden als → *hetaíroi* be-zeichnet. Die Bewaffnung der Reiter unterschied sich entsprechend ihren Aufgaben: Die Hetairenreiter tru-gen normalerweise Brustplatte, Helm, eine Kavallerie-Sarissa (→ *sárissa*) und ein Schwert [6. 156].
→ Heerwesen; Hippeis; Pferd; Prodromoi

1 J.K. ANDERSON, Ancient Greek Horsemanship, 1961 2 G.R. BUGH, The Horsemen of Athens, 1988 3 P.A.L. GREENHALGH, Early Greek Warfare, 1973 4 HM 2, 408ff. 5 I.G. SPENCE, The Cavalry of Classical Greece, 1993 6 L.J. WORLEY, The Cavalry of Ancient Greece, 1994.
LE.BU.

III. ROM

Nach Livius soll die R. im frühen Rom aus 300 Adli-gen bestanden haben, die in der Lage waren, ein Pferd zu stellen (Liv. 1,13,8); sie bildeten den *ordo equester* (→ *equites Romani*, vgl. Cic. rep. 2,36). Später wurde die R. auf 1800 Mann vergrößert (Liv. 1,43,8f.), die in 18 *centuriae* eingeteilt waren und öffentliche Unterstützung für den Unterhalt ihres Pferdes erhielten (*equites equo publico*). Seit dem späten 3. Jh. v. Chr. gehörten zu jeder

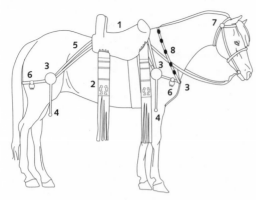

Röm. Pferdegeschirr; Rekonstruktion (1. Jh. n. Chr.).

1 Sattel	5 Riemenschlaufen
2 Sattelgurtbeschläge	6 Anhänger
3 Riemenverteiler	7 Einfache Zierbeschläge
4 Riemenendbeschläge	8 Melonenperlen

→ Legion 300 Reiter (Pol. 2,2,4); die Reitereinheiten, 10 → turmae mit 30 Reitern, unterstanden jeweils einem → decurio (Pol. 6,25,1; vgl. auch Veg. mil. 2,14; zum Sold und den Rationen vgl. Pol. 6,39).

Bereits vor dem 2. Punischen Krieg (E. 3. Jh. v. Chr.) stellten die → socii, die verbündeten ital. Städte und Völker, größere Kontingente an Reitern. Daneben gewann die R. verbündeter Herrscher oder Völker außerhalb It. zunehmend an Bed.: In der Schlacht bei Zama 202 v. Chr. setzte Cornelius [I 71] Scipio Africanus neben der ital. R. auch numidische Reiter unter → Massinissa ein (Liv. 30,33,2; 30,33,13; 30,35,1 f.); die letzte Erwähnung von Reitern der latinischen oder ital. Verbündeten bezieht sich auf den Krieg gegen → Iugurtha (Sall. Iug. 95,1). Bes. geschätzt wurde die numidische und spanische R.; Caesar rekrutierte während der Eroberung Galliens 58–52 v. Chr. gallische und germanische Reiter; bei den Kämpfen um Alesia 52 v. Chr. trugen die german. Reiter entscheidend zum Sieg Caesars bei (Caes. Gall. 1,15,1; 6,4,6; 6,43,1, 7,13,1; 7,34,1; 7,65,4; 7,88). Zum Heer von Iunius [I 10] Brutus und Cassius [I 10] gehörten 42 v. Chr. mehrere Tausend Reiter vor allem aus Gallien, Spanien, Thessalien und Thrakien (App. civ. 4,88).

Augustus gliederte die aus den Prov. stammenden Truppen als → auxilia in das röm. Heer ein; die Einheiten der R. – die alae (→ ala [2]) – bestanden jeweils aus 480–500 Mann und wurden von einem praefectus aus dem ordo equester kommandiert. Die alae miliariae mit einer Stärke von 800–1000 Reitern wurden wahrscheinlich seit der Zeit der Flavier aufgestellt und entwickelten sich zu Eliteeinheiten der R. Andere Einheiten, die cohortes equitatae (→ cohors), bestanden gleichzeitig aus Fußtruppen und Reitern, die in der Schlacht aber wahrscheinlich unabhängig voneinander operierten. Auch in den Legionen gab es Reiter, die aus den Soldaten der Legion rekrutiert wurden und vornehmlich

als Boten, Kundschafter oder als Eskorte dienten. Nach Flavius Iosephos [2] hatte jede Legion der Armee des Titus vor Jerusalem 120 Reiter, wobei unklar ist, ob dies auch für die anderen röm. Legionen zutrifft (Ios. bell. Iud. 3,120). Reiter der Auxiliartruppen konnten auch zum Dienst als Leibwache von ranghohen Amtsträgern in der Prov. abkommandiert werden (equites singulares); der princeps selbst verfügte über eine berittene Leibwache (equites singulares Augusti).

In den ersten beiden Jh. n. Chr. wurde die R. vor der Schlacht auf den Flügeln aufgestellt; ihre taktische Aufgabe bestand darin, die Fußtruppen zu unterstützen und die Flanken der Legionen zu decken. Seit dem 3. Jh. übernahm die R. eine stärker offensive Rolle; Gallienus (253–268) scheint eine bes. Reitertruppe unter einem eigenen Befehlshaber geschaffen zu haben, die zumindest zeitweise in Mediolanum (h. Mailand) stationiert war (Zos. 1,40,1). Unter Diocletianus (284–305) wurde die Zahl der Reiter erhöht; gleichzeitig wurden neue Einheiten geschaffen (vexillationes), die verm. eine Stärke von 500 Mann besaßen und sowohl im Feldheer (→ comitatenses) des Constantinus als auch in den Territorialtruppen (→ limitanei) zum Einsatz kamen. Im späten 3. Jh. waren außerdem entlang der Donaugrenze cunei der R. (cuneus: wörtl. »Keil«) stationiert.

Die Ausrüstung röm. Reiter bestand in der Prinzipatszeit aus → Helm, → Panzer, → Schild, → Schwert und Lanze oder Speer. Neben den regulären Reitereinheiten wurden auch Einheiten von berittenen Bogenschützen und von Kamelreitern (→ dromedarii) aufgestellt; gerade in der Spätant. beruhte die mil. Überlegenheit der röm. R. auf dem Einsatz der Bogenschützen zu Pferde (Prok. BG 1,27,27–29). Im 2. Jh. übernahmen die Römer auch die gepanzerte R., deren Pferde ebenfalls gepanzert waren (catafractarii, → katáphraktoi; clibanarii). Die röm. Reiter verwendeten keine Steigbügel, besaßen aber geschickt konstruierte Sättel, die am Pferd durch mehrere Gurte so befestigt waren, daß sie nicht verrutschen konnten.

Hadrianus, der 128 in Nordafrica stationierte röm. Truppen besuchte, hat die Manöver der Reitereinheiten in einer Ansprache ausführlich gelobt (ILS 2487; 9134). Die Übungen zur Ausbildung der Reiter wurden von Arrianos beschrieben (Arr. takt. 32,3–44).

Bildliche Darstellungen röm. Reiter finden sich auf zahlreichen Grabreliefs von Angehörigen der alae (Köln, RGM: Grabsteine des Romanus und des T. Flavius Bassus, CIL XIII 8305; CIL XIII 8308 = ILS 2512; Bonn, RL: Grabstein des Vonatorix; Mainz, Landesmus.: Grabstein des C. Romanius, CIL XIII 7029; Reiter mit Pfeil und Bogen: Grabsteine des Flavius Proclus und des Maris).
→ Bewaffnung; Heerwesen; Pferd

1 K. DIXON, P. SOUTHERN, The Roman Cavalry, 1992
2 A. HYLAND, Equus: The Horse in the Roman World, 1990
3 Dies., Training in the Roman Cavalry, 1993
4 M. JUNKELMANN, Die Reiter Roms, 3 Bde., 1990–1992
5 L. KEPPIE, The Making of the Roman Army, 1984.

J. CA.

Reitkunst A. Einleitung B. Die »klassische Reitweise« nach Xenophon C. Die altorientalischen Grundlagen

A. Einleitung

Unter R. ist die im Alt. zur mil. Nutzung des → Pferdes (Pf.) entwickelte und bis h. für das europäische Reiten bestimmend gebliebene »klass. Reitweise« zu verstehen. Von anderen (erst neuzeitlich überl. oder entstandenen) Reitweisen unterscheidet sie sich dadurch, daß sie sich in der Ausbildung des Pf. nicht mit bloßer Gewöhnung begnügt, sondern eine systematische, stufenweise gesteigerte Gymnastizierung verfolgt, die auf strikter Beachtung der körperlichen (Exterieur) und psychischen Anlagen (Interieur) des Pf. basiert und auf die Heranbildung eines sich im vollkommenen Gleichgewicht bewegenden Gebrauchs-Pf. zielt, das die Anforderungen des Reiters mit rationellem Krafteinsatz und auf Dauer ohne gesundheitliche Schäden zu erfüllen vermag (bequeme Übersicht der mod. Begrifflichkeit: [1]). Histor. ist der Begriff der R. engstens mit → Xenophons Schrift ›Über die R.‹ (Perí hippikḗs <téchnḗs>) verknüpft, die sich der Ausbildung des Militär-Pf. (ἵππος πολεμιστήριος/híppos polemistérios, Xen. equ. 1,2) widmet. Die Abh. bildet eine methodisch wie didaktisch grundlegende Reitlehre, die von wenigen zeitbedingten Einzelheiten abgesehen bis h. Gültigkeit besitzt.

B. Die »klassische Reitweise« nach Xenophon

Der Xen. equ. 12,14 formulierte Anspruch, nicht nur Richtlinien (hypomnḗmata) und praktische Übungsanleitungen (meletḗmata) zu geben, sondern auch die theoretischen Grundlagen (mathḗmata) zu vermitteln, tritt bereits im ersten Abschnitt des Werkes (Xen. equ. 1–3) deutlich hervor.

Das Kernstück des Werkes bildet die fortgeschrittene Ausbildung des Pf. für den Kriegseinsatz (Campagneschule) und für die Parade (Hohe Schule) (7–11). Die Campagneschule umfaßt zum einen die Ausbildung in der Reitbahn (Kap. 7), deren Darstellung zugleich paradigmatisch den Aufbau einer Reitstunde vorführt (Aufsitzen, korrekter Sitz, Zügelhaltung, Reiten in den gewöhnlichen Gangarten und auf verschiedenen Hufschlägen, Wendungen, Paraden, Tempowechsel, Absitzen in der Reitbahn – ein mod. Pendant hierzu z. B. [1. 316–339]), zum anderen die Ausbildung im Gelände (Kap. 8): Hoch-, Tief-, Grabenspringen und Bergabreiten. In engstem Zusammenhang mit diesen beiden Ausbildungsarten stehen (s. z. B. [4. 1768]) die Ausführungen über die Grundsätze der Pf.-Erziehung (8,9–12), die Hilfengebung und das Verhalten des Reiters (Kap. 9), indem sie – über den für das Reiten zentralen (und im Kriegseinsatz lebenswichtigen) Aspekt der Verständigung zw. Mensch und Tier hinaus – zeigen, daß praktisches Können ohne theoretisches Wissen nicht möglich ist.

Im ersten Teil der Hohen Schule werden zunächst die Voraussetzungen und Grundsätze erläutert (10,1–14), wobei v. a. den erzieherischen Mitteln (Belohnung, Zwanglosigkeit und bes. Verzicht auf Überforderung; 10,12–14) fundamentale Bed. zukommt. Bedeutsamer noch als die knappe, aber alle wesentlichen Merkmale (vgl. [5. 56–59]) enthaltende Beschreibung der außergewöhnlichen Gangarten »Piaffe« (10,15) und »Passage« (10,16f.) selbst ist deren Ableitung aus den Verhaltensweisen des imponierenden Hengstes (10,4–5), da sie beispielhaft verdeutlicht, daß Hohe Schule nicht widernatürliche Künstelei ist, sondern sich auf genaue Naturbeobachtung gründet, darüber hinaus dem kritisch-abwertenden Urteil über das Niveau der ant. R. (z. B. M. A. Littauer bei [3. 191]) den Boden entzieht.

Der zweite Teil (Kap. 11) behandelt die »Schulen über der Erde«, wobei auch hier wieder nicht allein die Beschreibung der Schulsprünge, der »Pesade« (Erhebung der Vorhand des Pf. in äußerster Versammlung, systematisch auf der Piaffe aufbauend; 11,3) und der daraus entwickelten »Kurbette« (11,3 und 11), sondern die in Verbindung damit dargelegte Ausbildungsmethode die R. bes. kennzeichnet. Berühmt (und aufgrund seiner zeitlosen Aktualität noch h. in fast jeder Reitlehre zitiert) ist der 11,6 formulierte Ausbildungsgrundsatz – zugleich Schlüssel zum Verständnis von Xen. equ. wie der R. überhaupt.

C. Die altorientalischen Grundlagen

Zwar stellt sich Xen. equ. 1,1 explizit in die Nachfolge → Simons von Athen (von dessen Schrift über ›Aussehen und Auswahl der Pf.‹ sich Xen. equ. freilich in Systematik und Sachkenntnis grundlegend unterscheidet [6. 9–15]), doch dürfte ungeachtet der lebenslangen Reiterfahrung Xenophons vielmehr dessen Begegnung mit persischen Reitern maßgeblichen Einfluß gehabt haben. Dies darf h. als um so wahrscheinlicher gelten, als sich das altorientalisch-pers. mil. Reiten aus dem Streitwagenfahren ableitet (s. → Reiterei I.) und fast alle wesentlichen Begriffe (z. B. »Durchlässigkeit«, Gehorsam, Versammlung) sowie Grundsätze der R. (planmäßige, stufenweise gesteigerte Gymnastizierung, genaue Dosierung der Anforderungen, Zwanglosigkeit) bereits für die Ausbildung der Streitwagen-Pf. des 2. Jt. v. Chr. bezeugt sind, ebenso etwa die Kenntnis von der Piaffe/Passage und ihre Nutzung für die Parade; vgl. – auch zum erzieherischen Wert der R. für den Menschen – [5] und → Pferd III.

→ Pferd; Reiten; Reiterei; Xenophon

1 K. Albrecht, Die Ausbildung des Dressur-Pf. bis zur Hohen Schule, in: P. Thein (Hrsg.), Hdb. Pferd, 1992, 306–342 2 J. K. Anderson, Ancient Greek Horsemanship, 1961 3 Ders., Xenophon, 1974 4 H. R. Breitenbach, s. v. Xenophon von Athen, RE 9 A 2, 1569–1928 5 F. Starke, Ausbildung und Training von Streitwagenpferden, 1995 6 K. Widra (ed.), Xenophon, Reitkunst (mit dt. Übers.), 1965.
F.S.

Rekrutenausbildung

I. Griechenland
s. → Ephebeia

II. Rom

›Seht Euch die Ausbildung der Legionen (*exercitatio legionum*) an ... Daher rührt der Mut in der Schlacht und die Bereitschaft, Wunden zu empfangen.‹ Cicero bringt hier den traditionellen Stolz der Römer auf ihre mil. Ausbildung zum Ausdruck (Cic. Tusc. 2,37). In der frühen röm. Republik fand die elementare mil. Ausbildung wahrscheinlich auf dem → Campus Martius statt. Als später Bürger rekrutiert wurden, die weit entfernt von Rom lebten, erkannten die Römer den Wert einer systematischen Ausbildung der Soldaten auf den Feldzügen oder im Feldlager. Während seines Kommandos in Spanien 209 v. Chr. stellte P. Cornelius [I 71] Scipio ein eigenes Ausbildungsprogramm auf. Am ersten Tag sollten die Soldaten 30 Stadien in voller Bewaffnung marschieren; am zweiten Tag reinigten sie ihre Waffen und Ausrüstung, am dritten ruhten sie sich aus; am vierten Tag übten sie mit hölzernen Schwertern und mit Speeren, und am fünften begann das Programm von neuem (Pol. 10,20). Auf dieselbe Weise bereitete P. Cornelius [I 70] Scipio Aemilianus seine Männer 134 v. Chr. mittels harter Ausbildung auf die Belagerung Numantias vor, wobei er die Übungen persönlich überwachte (App. Ib. 86). C. Iulius Caesar war ebenfalls dafür bekannt, im Kriege die mil. Disziplin mit großer Strenge durchzusetzen (Suet. Iul. 65). Eindeutig trugen die einzelnen Befehlshaber die Verantwortung dafür, ihre Truppen angemessen auf eine Schlacht vorzubereiten, wobei es schwierig festzustellen ist, wann ein allg. Programm für die mil. Ausbildung entstand und ob es eine Art von Handbuch für die Rekrutenausbildung gab.

Für die Praxis mil. Ausbildung sind wir weitgehend auf die Aussagen des → Vegetius angewiesen, der wahrscheinlich im 4. Jh. n. Chr. schrieb, aber Material aus der späten röm. Republik oder dem frühen Prinzipat verwendete. Er widmet der Rekrutierung und der Ausbildung, deren Bed. er hoch schätzte, einen langen Abschnitt: ›In jeder Schlacht tragen nicht so sehr die Anzahl der Soldaten und die angeborene Tapferkeit als vielmehr das Können und die Übung (*ars et exercitium*) im allg. den Sieg davon‹ (Veg. mil. 1,1,1). Die von Vegetius geschilderte Ausbildung umfaßte das Marschtraining, bei dem es darauf ankam, die Marschordnung einzuhalten, ferner Laufen, Springen und Schwimmen während der Sommermonate, das Tragen schweren Gepäcks sowie das Training an den Waffen. Hierzu benutzten die Rekruten Schilde aus Weidengeflecht und hölzerne Schwerter, die schwerer als echte Waffen waren (Veg. mil. 1,9–11; 1,19). Schon P. Rutilius [I 3] Rufus (*cos.* 105 v. Chr.) hatte Ausbilder aus den Gladiatorenschulen herangezogen, um den Soldaten einen besseren Fechtunterricht erteilen zu lassen (Val. Max. 2,3,2). Die Ausbildung an den Waffen erfolgte an einem 6 Fuß hohen, im Boden festgemachten Pfahl, gegen den der Rekrut wie gegen einen wirklichen Gegner kämpfte, wobei er lernte, eher mit der Schwertspitze zuzustoßen als mit der Klinge zu schlagen (Veg. mil. 1,11). Danach erhielt der Soldat die als *armatura* bezeichneten schweren Waffen; außerdem wurde das Werfen des → *pilum* geübt; dabei waren die benutzten Speere schwerer als die echten Waffen. Es folgten Übungskämpfe zw. einzelnen Soldaten und schließlich Übungen in den Schlachtaufstellungen. Als Ausbilder fungierten *exercitatores* (CIL VI 224 = ILS 2185); die *campidoctores* (»Exerziermeister«) sind erstmals eindeutig unter den → *equites singulares* und den → Praetorianern im späten 2. Jh. n. Chr. nachgewiesen (CIL II 4083 = ILS 2416; CIL VI 533 = ILS 2088). Die Soldaten mußten außerdem eine Ausbildung im Felddienst absolvieren, einen Geländemarsch mit ihrer gesamten Ausrüstung in voller Marschordnung durchführen und den Aufbau von Lagern üben (Veg. mil. 1,21–27). Arch. Material belegt den Aufbau solcher Übungslager in Britannien.

Eine spezielle Ausbildung für die → Reiterei zielte darauf ab, die Pferde zuzureiten und den Soldaten grundlegendes reiterliches Können zu vermitteln. Die Reiter sollten vor allem fähig sein, die Pferde mit Schenkelhilfen zu kontrollieren und gleichzeitig die Waffen zu gebrauchen; dies gilt gerade für die berittenen Bogenschützen. Flavianus Arrianus (→ Arrianos [2]), der zwischen ca. 131 und 137 n. Chr. Statthalter von Cappadocia war, schrieb ein Handbuch über die Ausbildung der Reiterei (*Téchnē taktikḗ*). Die Ausbildung konnte auf dem Übungsplatz des Heeres im Lager stattfinden, es wurden jedoch für diesen Zweck auch Hallen gebaut.

Die Befehlshaber der → Legionen hatten die Aufgabe, für die Einhaltung der mil. Disziplin und die ordentliche Durchführung der Ausbildung zu sorgen. So stellte Cn. Domitius [II 11] Corbulo die Disziplin der in Syrien stationierten röm. Legionen vor dem Feldzug gegen die Parther durch eine extrem strenge Führung wieder her (Tac. ann. 13,35). → Hadrianus gab als *princeps* ein Beispiel, indem er selbst die röm. Legionen in den Prov. besuchte, um den Stand der Ausbildung und die Disziplin zu überprüfen. 124 n. Chr. hielt er an die in Lambaesis in Africa stationierte *legio III Augusta* eine Ansprache, in der er die Durchführung der Manöver ausdrücklich lobte (ILS 2487; 9133–9135; vgl. SHA Hadr. 10).

Tief beeindruckt von der Disziplin der röm. Legionen war auch Iosephos [4] Flavios, der als jüdischer Feldherr während des jüd. Aufstandes 66/67 n. Chr. die röm. Armee aus eigener Erfahrung kannte; v. a. betonte er, daß die Übungsmanöver mit dem Schwung echter Kriegführung durchgeführt wurden (Ios. bell. Iud. 3, 72–76).

→ Ephebeia

1 Y. Le Bohec, L'armée romaine, 1989 2 R. W. Davies, Service in the Roman Army, 1989, 93–124 3 K. R. Dixon, P. Southern, The Roman Cavalry, 1992 4 A. Hyland, Training the Roman Cavalry, 1993 5 L. Keppie, The

Making of the Roman Army, 1984, ²1998
6 G.R. WATSON, The Roman Soldier, 1969.

J.CA./Ü: A.H.

Relegatio. Im röm. Recht die Verbannung, eine mildere Form des → *exilium*; in der röm. Republik vom → *pater familias* (Familienvater) gegen Hausangehörige, vom Senat und von Magistraten verhängt; ferner in der Kaiserzeit eine Standesstrafe ohne Ehrverlust für → *honestiores* (Angehörige der Oberschicht). Es gab verschiedene Grade: *r.* von ½ – 10 J. und *r. perpetua* (dauernde *r.*) auf dem Festland und *r. in insulam* (auf eine Insel). Daneben konnte auch der Aufenthalt an bestimmten Orten untersagt werden. Der Bannbruch wurde mit der jeweils strengeren Form der *r.* geahndet. Das Vermögen der Relegierten wurde seit Hadrian (2. Jh. n. Chr.) nur noch bei dauernder *r.* eingezogen, bei einigen Delikten (z. B. Ehebruch) teilweise. Die *r.* wurde u. a. bei Unzucht, Verleumdung und Zauberei verhängt. Zuständig dafür waren der Kaiser, der Senat, der → *praefectus urbi* und der → *praefectus praetorio* allg., die Provinzstatthalter für ihre Provinzen.

MOMMSEN, Strafrecht, 964–980 • G.KLEINFELLER, s. v. R., RE I A, 564f. • B.SANTALUCIA, Diritto e processo penale nell'antica Roma, ²1998 (dt. Übers. nach ¹1989).   Z.VE.

Relief   I. ÄGYPTEN UND ALTER ORIENT
II. GRIECHENLAND UND ROM

I. ÄGYPTEN UND ALTER ORIENT
A. ÄGYPTEN   B. MESOPOTAMIEN
C. DER WESTLICHE ALTE ORIENT   D. IRAN

A. ÄGYPTEN

Die zweidimensionale Wiedergabe von Einzelszenen und größeren Kompositionen hat in Äg. eine lange Trad., zunächst als Gefäßmalerei, dann als → Wandmalerei und R. (z. B. Narmer-Palette, protodyn. Zeit, um 3100 v.Chr.). Spätestens seit dem AR traten steinerne → Stelen hinzu, errichtet im Zusammenhang mit dem → Totenkult, und in längeren Szenen wurden die Taten der Herrscher auf Wänden von Großbauten und Gräbern abgebildet. Im Bestreben, den Gesamtkontext zu erläutern, wurden auch einzelne (handwerkliche) Tätigkeiten oder Pflanzen und Tiere der Umwelt gezeigt. So ist im Tempelkomplex des Sahure (5. Dyn., 25.–24. Jh. v. Chr.) die Rückkehr der Flotte aus Palaestina dargestellt, und im Grab des Ptahhotep (5. Dyn.) erzählen lange R.-Zyklen u. a. vom Schiffbau. Figürliche Szenen wurden fast immer von langen → Hieroglyphen-Inschr. in R.-Technik begleitet. Themen und Techniken wurden in ptolem. und röm. Zeit beibehalten. Äg. R. sind meist als Flach-R. oder versenktes R. gearbeitet. Auch in Fällen, in denen keine Spuren erh. sind, waren die R. bemalt.

B. MESOPOTAMIEN

Seit dem Auftreten großformatiger Kunst gegen Ende des 4. Jt. v. Chr. gehörten R. aus Stein, später aus Metall und – v. a. im 1. Jt. v. Chr. – aus R.-Ziegeln zum Standardrepertoire des mesopot. Kunsthandwerks. Zunächst auf freistehenden oder angelehnten Stelen angebracht, überzogen R. v. a. im 1. Jt. v. Chr. weite Wandflächen. In älterer Zeit dienten sie zur Verherrlichung des Herrschers (als Siegesmonument oder im Bereich des Kultes), während es sich im 1. Jt. v. a. um erzählende Stein-R. als Verkleidung der Wände neuassyrischer Paläste (Dūr-Šarrukīn; → Kalḫu; → Ninos [2]) oder R. aus getriebenem Kupferblech als Torbeschlag (→ Balāwāt) handelt. Berühmt sind die Darstellungen der Kriegszüge mit der Eroberung fremder Städte (Lachisch) sowie die Löwenjagd-R. des → Assurbanipal aus Ninive. Im Babylon der Zeit → Nebukadnezars [2] (604–562 v.Chr.) bestand der Wandschmuck aus glasierten Ziegeln (→ Babylon; → Ištar-Tor). Aus dem Bereich der Kleinkunst kennen wir v. a. handgroße Terrakotta-R. aus dem 2. Jt. und Elfenbein-R. aus der neuassyr. Zeit (→ Elfenbeinschnitzerei I.). Vom 3. Jt. v. Chr. an und vermehrt im 1. Jt. ließen mesopot. Herrscher Sieges-R. auf Felswänden an wichtigen, z. T. aber auch an unzugänglichen Stellen in den Randgebirgen anbringen.

C. DER WESTLICHE ALTE ORIENT

Aus der hethitischen Zeit sind v. a. Fels-R. bekannt, die an (kultisch) wichtigen Stellen angebracht wurden. Bedeutsam ist v. a. das mit Götterzügen ausgestattete Felsheiligtum von Yazılıkaya bei → Ḫattusa. Gleichfalls in die Großreichszeit (14.–13. Jh. v. Chr.) zu datieren ist der Brauch, Mauern durch davorgesetzte reliefierte Steinplatten (→ Orthostat) zu schützen, der sich in den ersten Jh. des 1. Jt. v. Chr. nach Syrien und Assyrien ausbreitete. Die Darstellungen zeigen den Herrscher, Kriegs- und Jagdszenen sowie Tiere. Wohl auf äg. Einfluß gehen die zahlreichen Grabstelen aus Syrien aus dem 1. Jt. zurück, die den Toten beim Mahle zeigen. Aus dem Bereich Uraṛtu (9.–7. Jh. v. Chr) sind neben Fels- und Bau-R. v. a. zahllose reliefierte, getriebene Bronzebleche bekannt, die einstmals als Schild-, Köcher- oder Gürtelbeschläge dienten.

D. IRAN

Auch im iranischen Gebiet existierte ab dem 3. Jt. v. Chr. eine Trad. von Fels-R. und reliefierten Stelen. Eine umfangreiche Verwendung von R. als Bauschmuck findet sich allerdings erst in den Palästen der → Achaimenidai [2] in → Pasargadai, → Persepolis und → Susa, im letztgenannten Ort aus glasierten R.-Ziegeln nach babylonischem Vorbild. Dargestellt wird der Großkönig mit seinem Hofstaat, endlose Reihen von Würdenträgern und Soldaten sowie lange Zügen von Tributbringern, die in Kleidung und Geschenken nach Herkunft differenziert sind. Aus der gleichen Zeit stammen zahlreiche Fels-R., wie diejenigen über den Felsgräbern der Könige in → Naqš-e Rostam oder das Sieges-R. des Dareios in → Bīsutūn. Die Trad. der Fels-R. setzte sich bei → Parthern und → Sāsāniden fort.

R.S.BIANCHI, Ancient Egyptian R., Statuary, and Monumental Paintings, in: J.SASSON (Hrsg.), Civilizations of the Ancient Near East, Bd. 4, 1995, 2534–2543 •

A. Eggebrecht, Das Alte Äg., 1984 · J. Börker-Klähn, Altvorderasiatische Bildstelen und vergleichbare Felsr., 1982 · A. Spycket, R., Statuary, and Monumental Paintings in Ancient Mesopotamia, in: J. Sasson (Hrsg.), Civilizations of the Ancient Near East, Bd. 4, 1995, 2583–2600 · M. Roaf, Sculptures and Sculptors at Persepolis, 1983 · W. Orthmann, Hethitische R.-Kunst, in: PropKg 14, 1975, 426–432 · M. Salvini, Gesch. und Kultur der Urartäer, 1995, 158–182. H. J. N.

II. Griechenland und Rom

A. Techniken und Anwendungsbereiche
B. Griechische und römische sakrale Reliefs im Bau- und Denkmalverband C. Griechische und römische freistehende Monumente
D. Etruskisch-italische Kunst
E. Profane römische Reliefs
F. Reliefs an Gebrauchsgegenständen
G. Stilistische Entwicklungen

A. Techniken und Anwendungsbereiche

Als R. (τύπος/*týpos*, ἐκτύπωμα/*ektýpōma*; lat. *opus caelatum*) wird ein plastisches Bildwerk bezeichnet, dessen Darstellung an einen flächigen Reliefträger und zugleich Hintergrund gebunden ist. Das griech.-röm. R. ist im Gegensatz zum versenkten R. der äg. Kunst immer erhaben. Je nach dem Grad der Erhebung vom Hintergrund unterscheidet man Flach- und Hoch-R. In der griech.-röm. → Plastik spielt das R. in verschiedenen Formen, Kunstgattungen und Materialien eine wesentliche Rolle. Die Darstellungen sind figürlich, pflanzlich oder gegenständlich, selten abstrakt ornamental. Der handwerkliche Vorgang ist in Stein, Elfenbein und Holz derselbe: Nach Aufritzung der Umrisse wird der Kontur in die gewünschte Tiefe gearbeitet, dann die erhabene R.-Darstellung plastisch ausgestaltet und zuletzt der Zwischenraum bis auf den R.-Grund abgearbeitet. Die R.-Gestaltung kann als Ritzung auch in den R.-Grund eintauchen. Fels-R. sind aus anstehendem Stein gearbeitet. Stückungen von weit hervortretenden Teilen und Ergänzungen in anderen Materialien sind nicht selten. Bei Möbeln und Geräten werden die Darstellungen häufig in durchbrochenem Flach-R. ausgearbeitet und als → Appliken auf den R.-Träger gesetzt. In Metall ausgeführte R. werden ebenfalls als Appliken angesetzt oder mit dem R.-Grund bzw. R.-Träger gegossen. Zier- und Votivbleche aus Bronze, Gold und Silber werden über Modeln getrieben, Details gepunzt. Wie in der ant. → Plastik generell, war auch an R. eine Bemalung sehr viel häufiger angebracht als h. noch nachweisbar ist. Malerei kann bei sehr flachen Teilen die plastische Ausführung ersetzen oder optisch unterstützen (→ Polychromie).

Das R. tritt bereits im 2. Jt. v. Chr. in der minoisch-myk. Kunst auf (→ Minoische Kultur; → Mykenische Kultur). In → Mykenai tragen freistehende Grabplatten r.-artig eingeritzte Darstellungen, während am sog. Löwentor (14. Jh. v. Chr.) ein kräftiger modelliertes Bau-R. angebracht ist. Aus dem minoischen Kreta sind reliefierte Steatitgefäße und getriebene Edelmetallbecher, aber auch R. in Stuck bekannt. In dieselben drei Anwendungsbereiche der Bauplastik, des Geräteschmucks und des eigenständigen Denkmals läßt sich das R. von archa. Zeit an bis in die Spätant. einteilen. In der Sakralarchitektur ist das R. ein wesentlicher Bedeutungsträger, dessen nobilitierende Funktion später an öffentlichen Profanbauten und in der privaten Architektur übernommen wird. Unter den eigenständigen R. sind Grab- und Weih-R. ebenfalls bes. der rel. Sphäre verbunden. Bei Geräten jeglicher Art dient das R. als schmückendes oder kennzeichnendes Bild. Der R.-Kunst sind auch Münzbilder (→ Münzherstellung) und die Abdrücke von → Siegeln zuzurechnen.

B. Griechische und römische sakrale Reliefs im Bau- und Denkmalverband

Am griech. → Tempel findet das R. im 6. Jh. v. Chr. seine kanonischen Anbringungsstellen. Im Giebelfeld (→ Giebel) sitzen im späten 7. Jh. v. Chr. zunächst in Terrakotta, dann in Stein gearbeitete R., häufig mit der Darstellung einer → Gorgo [1]. Die ersten figürlichen Giebelskulpturen lösen sich aber bereits teilweise vom Hintergrund und sind im späten 6. Jh. v. Chr. rundplastisch; dennoch bleibt die optische Wirkung beim Betrachter die einer R.-Darstellung. Die übrige Bauplastik am Tempel ist von urspr. in Terrakotta gefertigten Platten zum Schutz hölzerner Bauglieder abgeleitet und wird immer als R. gearbeitet. In der Gebälkzone sitzen der → Fries und die → Metopen [1]. Der Fries gibt umfangreiche narrative Zusammenhänge in kontinuierender Darstellung wieder (Siphnier-Fries in → Delphoi) oder seltener ein dem Bildformat entsprechendes Ereignis wie Festzüge (→ Parthenon-Fries in Athen). Metopen-R. als rechteckig begrenzte Bildfelder sind hingegen für Einzelszenen geeignet, die anfangs noch nicht thematisch miteinander verbunden sind, im 5. Jh. v. Chr. in der Regel die Taten eines Helden auflisten. In den Kassetten von Marmordecken sitzen R. mit pflanzl. Motiven. In der ionischen Architektur des 6. Jh. v. Chr. finden sich R. an unüblichen Stellen der Wandflächen, an Architraven (→ Epistylion), Pfeilern und selbst umlaufend an → Säulen. Im Hell. werden Säulen gelegentlich mit planen R.-Bildern, den Stylopinakia, versehen. Im Bereich des Daches tragen Antefixe in Marmor oder Terrakotta vorzugsweise pflanzl. R.-Dekor. Daneben findet sich R. seit archa. Zeit zur Hebung der Pracht an verschiedenen anderen Baugliedern wie Brüstungen (Nike-Balustrade, s. → Athenai [1] II. 1.).

In hell. Zeit wird R. an kleinen Altären, an → Putealen und Marmorthronen zu einer unerläßlichen Schmuckform. Entsprechend der jeweiligen Anbringungsstelle sind nun alle stilistischen Möglichkeiten von malerischem Flach-R. bis zu freiplastischem Hoch-R. entwickelt (Zeus-Altar von → Pergamon); sie begegnen weiterhin bis in die röm. Kaiserzeit etwa an monumentalen Basen (sog. Domitius-Ara) und Altären (→ Ara Pacis, Rom) nebeneinander. Die Ara Pacis in Rom führt am Altar und seiner Umfriedung das gesamte Arsenal an stilistischen und funktionalen Möglichkeiten des R. vor.

C. Griechische und römische freistehende Monumente

Das R. als freistehendes Monument ist als Grabstele in der attischen Kunst seit der Archaik verbreitet. Zuerst als flache Profildarstellung auf Pfeilern, entwickelt sich der R.-Stil hin zu einer tiefenräumlichen, nahezu rundplastischen Figurenwiedergabe innerhalb einer architektonisch gerahmten Nische in 4. Jh. v. Chr. Auch die im Format kleineren Weih-R. werden architektonisch gerahmt und bilden einen imaginären Raum. Meist stehen sie frei auf Pfeilern, gelegentlich sind sie beidseitig reliefiert. Formal sind davon die Urkunden-R. (5.–3. Jh. v. Chr.) abgeleitet, die als Bilder die Inschriftenstelen bekrönen. Ein Spezialfall der öffentlichen Beurkundung sind die – bisher nur in zwei Expl. bekannten – metrologischen R., die dem Betrachter die Überprüfung und den Vergleich unterschiedlicher Längenmaße erlaubten. Grab- und Weih-R. sind in allen Qualitätsstufen und Stilformen in Hell. und Kaiserzeit eine der gebräuchlichsten Gattungen der Plastik. Die Darstellungen sind ebenso wie formale Eigenheiten oft lokal standardisiert. Als bes. inhaltliche Gruppe heben sich die sog. Totenmahl-R. heraus. Sie stellen zumeist einen einzelnen Verstorbenen auf einer Kline gelagert dar, zu dessen Füßen die Gattin auf der Kline sitzt. Diener, Dienerinnen und Mobiliar ergänzen das Bild. Die weite Verbreitung hat entsprechende lokale Varianten entstehen lassen.

D. Etruskisch-italische Kunst

In der etr.-ital. Kunst ist R. ebenfalls wesentliches Kennzeichen der Sakralarchitektur. An den vorwiegend in Holz errichteten Tempeln wurden seit der archa. Zeit r.-geschmückte Terrakottaplatten angebracht. An den Stirnenden der Pfetten (den waagerechten tragenden Balken im Dachstuhl) sitzen rechteckige Platten mit myth. Szenen, während an den oberen Wandabschlüssen zu Friesen gereihte Platten sich wiederholende Wagenzüge wiedergeben. In den Giebelfeldern werden bis in hell. Zeit figurenreiche myth. Szenen aus zusammengesetzten Terrakotta-Hoch-R. vorgeführt (Giebel von Telamone, Orbetello). In der etr. Sepulkralkunst ist R. vielfältig angewendet, so in Grabkammern mit aus dem Fels gearbeitetem Mobiliar und Inventar, auf den sog. Cippi mit flachen Profilbildern aus archa. bis frühklass. Zeit und auf Urnenkästen mit myth. Szenen im Hoch-R. des hell. Stils.

E. Profane römische Reliefs

Die röm. Kunst ist seit der spätrepublikanischen Zeit bes. in der Grabplastik von R. geprägt. Das Grab-R. ist häufig in den → Grabbau integriert, der an der Fassade Friese mit Szenen aus dem Leben trägt oder die Grabinhaber in vollplastischen Porträts präsentiert; diese können ganzfigurig sein oder in abgekürzter Form nur die Porträtköpfe nebeneinander setzen, wobei die R.-Tiefe zur Benennung als »Kastengrabsteine« führte. In der frühen Kaiserzeit werden Grabaltäre und Urnen zuneh-

mend dichter mit R. bedeckt, an denen architekton. Elemente, Geräte und Pflanzenschmuck gegenüber figürlichen Darstellungen überwiegen. Ab dem frühen 2. Jh. n. Chr. setzt mit den R.-Sarkophagen (→ Sarkophage) eine der wichtigsten röm. Kunstgattungen ein; im 3. Jh. n. Chr. bedecken R. mit myth. oder zeitgenössischen Bildern vollständig den Sarkophagkasten, der damit vorrangig zum R.-Träger wird.

In der röm. Bauplastik bleibt der Fries in seiner traditionellen Ausstattungsfunktion an Tempeln üblich. Eine neue Bed. erhält das R. hingegen in der öffentlichen Profanarchitektur. Dabei kommen alle bereits im Hell. ausgebildeten R.-Stile zum Einsatz. Die überwiegend figürlichen, aber auch pflanzlichen Darstellungen überziehen in der Form von Friesen, R.-Paneelen, Tondi, Zwickelfeldern neben Bogenöffnungen, Kassettenfüllungen und beinahe rundplastischen Einzelfiguren bald den ganzen Baukörper; Triumph- und Ehrenbögen werden somit zu Trägern von R.-Darstellungen (Traiansbogen in → Beneventum; → Triumphbogen). An Portiken (→ Porticus), an vorgeblendeten Architekturen der → Basiliken und an Bühnengebäuden der → Theater tritt das R. von den Basen bis zur Attika-Zone auf. Als eigene Denkmalgattung für Reliefbilder wird im 2. Jh. n. Chr. die Säule mit spiraligem Friesband erfunden (Traians- und Marc Aurel-Säule, Rom; → Säulenmonumente). Unter den Darstellungen entwickelt sich als eigenes Sujet das sog. histor. Relief mit Szenen aus kriegerischen oder zeremoniellen Ereignissen des Kaiserhauses (z. B. Titusbogen in Rom; Traiansbogen in Benevent).

In der röm. Wohnarchitektur der Kaiserzeit begegnet das R. als ein nobilitierendes Element, das inhaltlich oder formal aus der griech. Kultur abgeleitet ist. Die Anbringungsorte sind auf den Ausstattungseffekt ausgerichtet. Die Gartenperistyle wurden bes. bevorzugt. Schmuckreliefs mit myth. Szenen wurden in Wände eingelassen oder auf Pfeilern im Garten frei aufgestellt, → Oscilla mit beidseitigem R. an Architraven aufgehängt, Basen ebenso wie Marmorkandelaber und monumentale Gefäße aus Marmor mit R. überzogen. Die Themen sind zumeist myth. oder bukolisch, der jeweilige R.-Stil ist entsprechend dem Sujet klassizistisch, hell. oder archaisierend. Anhand stilistischer, thematischer und ikonographischer Wiederholungen ganzer R. oder einzelner Figuren lassen sich Werkstätten lokalisieren, so bei den sog. neuattischen R. aus Athen (1.–2. Jh. n. Chr.). Eine andere Gruppe kleinformatiger R. mit bukolischen Themen und an der Toreutik entwickeltem malerischen Stil gelten als »bukolische R.«; sie werden fälschlich auch als sog. »alexandrinische R.« angesprochen. Im Villengarten sollen diese R. an einen bestimmten Ausschnitt der griech. Kultur erinnern und sind damit der Rundplastik gleichwertig. In den Innenräumen werden höhere Wandzonen und Decken mit Stuckreliefs geschmückt und mit den klassizistischen sog. Campana-Reliefs in Terrakotta verkleidet.

F. Reliefs an Gebrauchsgegenständen

An Gebrauchsgegenständen ist von der archa. Kunst bis zur Spätant. allg. eine Zunahme an R.-Dekor festzustellen. In einigen Gattungen findet das R. eine bes. Ausprägung. An keramischen Gefäßen ist rudimentäre Reliefierung eine seit dem Neolithikum bekannte Praxis. In komplexer Form und bereits auch figürlich begegnet sie eisenzeitlich v. a. auf etr. → Bucchero-Ware und bei Metallgefäßen. Toreutische R.-Gefäße, bei denen die Darstellungen als → *crustae* auf den Gefäßkörper appliziert sind, waren im Hell. weit verbreitet und sind aus der frühen Kaiserzeit auch zahlreich in Silber erh. Zum Relief in der Keramik s. → Reliefkeramik.

Möbel wie → Truhen, → Throne und → Klinen werden v. a. bei sepulkraler oder sakraler Verwendung von der Archaik bis in die Spätant. mit R. aus Elfenbein (→ Elfenbeinschnitzerei) oder Holzschnitzereien in Applikentechnik verziert. In hell. und röm. Zeit werden bes. die Klinenfulcra mit weit vortretenden Bronze- oder Silber-R. versehen. An Prunkwaffen treten R. oft kräftig hervor, bes. an Rüstungen wie → Panzern und → Helmen. Gladiatorenhelme tragen figürliche Aufsätze, für Körperpanzer läßt sich R. v. a. anhand der Wiedergaben in der Marmorplastik feststellen (z. B. Statue des Augustus von Primaporta, Rom, VM). Ebenso werden die verschiedenen Teile von Pferdegeschirr, Wagenteile, Schiffsgerät, Waagen, selbst Wasserhähne und Löffel mit R. geschmückt. In der Spätant. entwickelt sich eine künstlerisch hochwertige R.-Gattung kleinen Formats in den elfenbeinernen Diptychen (→ Diptychon), die als Dokumenthüllen bei festlichen Anlässen versandt wurden.

G. Stilistische Entwicklungen

Am ant. R. sind grundsätzliche stilistische Entwicklungen der Plastik ablesbar. Einige stilistische Phänomene sind jedoch am R. bes. ausgeprägt. Um dem im Volumen reduzierten R. einen rundplastischen Eindruck zu geben, werden schrittweise plastische Verkürzungen und perspektivische Verformungen entwickelt, wie sich exemplarisch an den archa. bis klass. Metopen von Selinunt (→ Selinus) verfolgen läßt. Mit Körperdrehungen vom anfänglichen Profil zu Dreiviertelansichten und unterschiedlich tiefer Schichtung wird im R. der klass. Epoche eine eigene Räumlichkeit geschaffen, die anhand der Grab-R. beobachtet werden kann. Verschiedene Auffassungen vom R.-Grund führen in der weiteren Entwicklung der hell. Zeit einerseits zum Hoch-R., bei dem die fast vollplastischen Formen am Hintergrund lediglich fixiert sind, und andererseits zum Flach-R., bei dem durch differenziertes Eintauchen der Formen in den Hintergrund dieser als vermeintlicher Luftraum erscheinen soll. Die späthell. bukolischen R. z. B. werden dadurch mit malerischen Stilqualitäten versehen. Für das kaiserzeitliche R. liefern Urnen, dann Sarkophage die Leitlinien der stilistischen Möglichkeiten. Phänomene wie der sog. Antoninische Stilwandel, bei dem die plastische Auflösung des R. eine neuartige Expressivität vermittelt, sind v. a. an → Sar-

kophagen zu verfolgen. Außer für Stilfragen bietet das ant. R. als Bildträger konkreter Botschaften für die histor. Forsch. ein in den letzten Jahrzehnten zunehmend genutztes reiches Informationsmaterial.

→ Plastik; Reliefkeramik; Sarkophage

W. Fuchs, Die Vorbilder der neuattischen R., 1959 · A. H. Borbein, Campana-R., 1968 · H. Mielsch, Röm. Stuck-R., 1975 · W. F. Volbach, Elfenbeinarbeiten der Spätant. und des frühen MA, 1976 · E. Pfuhl, H. Möbius, Die ostgriech. Grab-R., 1977–1979 · G. Neumann, Probleme des griech. Weih-R., 1979 · L. Giuliani, Die archa. Metopen von Selinunt, 1979 · C. Reinsberg, Studien zur hell. Toreutik, 1980 · H. Froning, Marmor-Schmuck-R. mit griech. Mythen im 1. Jh. v. Chr., 1981 · G. Koch, H. Sichtermann, Röm. Sarkophage, 1982 · M. Torelli, Typology and Structure of Roman Historical R., 1982 · G. Koeppel, Die histor. R. der röm. Kaiserzeit, 1–9, in: BJ 183, 1983 – 192, 1992 · F. Sinn, Stadtröm. Marmorurnen, 1987 · M. Meyer, Die griech. Urkunden-R., 1989 · E. Rystedt (Hrsg.), Deliciae fictiles. Proceedings of the First International Conference on Central Italic Architectural Terracottas, Rome 1990, 1993 · C. W. Clairmont, Classical Attic Tombstones, 1993–1995 · U. Kreilinger, Röm. Bronzeappliken, 1996 · J. Fabricius, Die hell. Totenmahl-R., 1999 · M. W. Jones, Doric Measure and Architectural Design I: The Evidence of the Relief from Salamis, in: AJA 104, 2000, 73–93.   R. N.

Reliefkeramik   I. Archaische Reliefkeramik
II. Plastische Gefässe
III. Hellenistische Reliefkeramik
IV. »Homerische« Becher
V. Römische Kaiserzeit und Spätantike

Keramik eignet sich durch die Plastizität ihres Rohmaterials gut für Reliefverzierungen, entweder als plastische Umformung der Gefäßwandung selbst oder in Form applizierter Teile. R. ist deshalb in den Gefäßrepertoires aller Zeitalter vertreten. In engerem Sinne bezeichnet die klass. Arch. mit R. aber das in Formschüsseln gefertigte Luxusgeschirr hell. und röm. Zeit. Diese Waren stellen frühe Beispiele keramischer Massenproduktion dar.

I. Archaische Reliefkeramik

Neben brz. Vorläufern findet sich bes. in der griech. Eisenzeit rauhwandige R. In mehreren Landschaften Griechenlands wurden vom späten 8. bis um die Mitte des 6. Jh. v. Chr. Pithoi (→ Pithos [2]) mit Reliefmustern verziert [1; 2; 3]. In Boiotia, auf Tenos und Rhodos beschränkte sich das Relief auf den Hals und die obere Gefäßwandung, während bei Pithoi aus Kreta und Lakonien der ganze Gefäßkörper verziert ist. Regionale Unterschiede zeigen auch die dargestellten Szenen und Ornamente: Auf boiotischen und kykladischen Pithoi überwiegen myth. Szenen, auf rhodischen geom. und lineare Verzierungen. Kretische Pithoi zeigen häufig Tiere, Fabelwesen und rel. Szenen, die lakonischen eher Jagdszenen, Krieger und Wagenprozessionen. Auch attische und korinthische Luteria (→ Labrum)/→ Peri-

rrhanteria des 6. bis 4. Jh. v. Chr. wurden mit typischen
→ Ornamenten in Relief geschmückt [4. 218–220, Taf.
89]. In Etrurien waren → *Bucchero pesante*-Gefäße des
6. Jh. v. Chr. mit Relieffriesen geschmückt (z. B. [5]).

II. PLASTISCHE GEFÄSSE

Zur R. sind von der Definition her auch die unterschiedlichen Gattungen der plastisch gearbeiteten Gefäße zu rechnen, die seit der Brz. im östl. Mittelmeerraum auftreten. Aus geom. Zeit stammen Gefäße in
Form eines Granatapfels [6]. Die orientalisierende Periode ist bes. mit rhodischen, ostgriech. und korinth.
→ Figurengefäßen und einer Gattung kret. Löwen-
schalen vertreten [7; 8; 9]. Sie weisen eine kennzeich-
nende, dem Dekor der jeweiligen archa. Keramik entsprechende Bemalung auf, sind von Gefäßen in anderen
Materialien (Fayence, Stein oder Elfenbein) inspiriert
und werden in das 7. und die 1. H. des 6. Jh. v. Chr.
datiert. Seit dem 5. Jh. v. Chr. wurden in Attika figürliche Rhyta (→ Rhyton) hergestellt [10]; in Tarent erscheinen lokale Versionen erst im 2. Viertel des 4. Jh.
und sind bis in das späte 4. Jh. zu verfolgen [11]. Einige
Tarentiner Rhyta kombinieren die in der Gefäßwandung plastisch herausgearbeitete Figur mit einer Relief-
applizierung in einem Fries. Diese Gattung ist charakteristisch für das Zeitalter, in der rf. Keramik (→ Rotfigurige Vasenmalerei) von → Stempelkeramik und R.
in engerem Sinne ersetzt wurde.

III. HELLENISTISCHE RELIEFKERAMIK

Metallgefäße übten bereits in klass. Zeit großen Einfluß auf das Formenrepertoire des feineren Geschirrs
aus, und diese Tendenz setzte sich im Hell. fort. Dies
zeigt sich bes. in der Anwendung von applizierten plastischen Verzierungselementen für Füße (Masken und
Muscheln) und Henkelansätze von Krügen und Amphoren. Diese wurden in kleinen Matrizen hergestellt
(z. B. [12. 253 Taf. 11,113]: Efeublatt). Auch Reliefmedaillons (Theatermasken, Männer- und Frauenköp-
fe, Liebespaare) wurden vermehrt für die Dekoration
von Trinkschalen, → Phialen und → Pyxis-Deckeln
verwendet. In der att. → Westabhangkeramik findet
sich eine kleine Gruppe von Trinkschalen, die mit einem Porträtkopf des → Ptolemaios [1] I. Soter versehen
sind. Sie werden in die enge Zeitspanne zw. dessen Vergöttlichung (282 v. Chr.) und dem → Chremonide-
ischen Krieg 262/1 v. Chr. datiert und bilden somit einen Fixpunkt der att. hell. Keramikchronologie [13].
Auch unterital. → Calener Vasen der → Schwarz-
firnis-Keramik vom 4. Jh. bis ins 2. Jh. v. Chr. sind manchmal mit Reliefmedaillons versehen [14; 15; 16]. Die
wichtigste Gruppe zeigt die Nymphe → Arethusa [7],
deren Bildnis die Darstellung auf syrakusanischen Mz.-
Prägungen des → Euainetos wieder aufgreift. Die Mz.-
Prägungen waren zu jener Zeit bereits ein Jh. alt. Aber
auch zeitgenössische Themen wurden in der caleni-
schen R. aufgenommen, z. B. Elefanten und Gallier. In
den gleichen Zeitrahmen gehören die etr. und apulischen Relief-Askoi und Gutti (→ Gefäße) der Schwarz-
firnis-Keramik (v. a. der 2. H. des 4. Jh. [17]), die spät-

klass. und hell. → Canosiner Vasen, Gefäße der → Cen-
turipe-Gattung und eine Gruppe von etr. Vasen, die mit
Reliefdekor und durch die Verwendung von Zinn auf
der Oberfläche Silbergefäße imitieren (*vasi argentati*
[18]). Im 3. Jh. v. Chr. fingen kleinasiatische, alexandrinische und bald auch andere mediterrane Werkstätten an, → Lampen in Matrizen zu fertigen. Diese wurden in zunehmendem Maße mit Relief auf den Spiegeln
und Griffen versehen.

Ab etwa 240 v. Chr. wurden in Athen halbkugelför-
mige Reliefbecher hergestellt, die auf der Drehscheibe
in einer Formschüssel entstanden und deren Rand frei
angedreht wurde. In der Lit. werden sie seit O. BENN-
DORF (1883) irrtümlich »Megarische Becher« genannt
[19. 2–3]. Ägypt. Becher dieser Form in Fayence gehen
den tönernen Reliefbechern voraus [20]. ROTROFF vermutet, daß ptolem. Silbergefäße, die als diplomatische
Geschenke Athen erreichten, die att. Produktion der
Reliefbecher inspirierten [19. 11–13]. Att. Becher sind
entweder mit einem vegetabilischen Dekor (in Form
eines Pinienzapfens, schuppenartig oder überkreuz an-
geordneter Blätter und Blumenmuster) oder mit figürlichen Szenen (Rahmenfiguren mit Füllornamenten)
verziert. Ein zentrales Bodenmedaillon zeigt eine Rosette oder Maske.

Außer in Athen, wo die Gattung entstand, wurden
auch in anderen Landschaften des östl. Mittelmeerraumes Reliefbecher dieser Art hergestellt: auf der Peloponnes [21; 22], im Schwarzmeergebiet [23] und Ost-
griechenland (ionische oder »delische« Becher [24]). Die
Reliefbecher blieben während der röm. Herrschaft in
Kleinasien weiterhin beliebt. Bes. in und um Ephesos
fanden sich wichtige Produktionszentren, die entfernte
Absatzmärkte bedienten. Weitere kleinere Klassen wurden etwa zw. 180 und 75 v. Chr. in It. und auf Sizilien
hergestellt [25; 26; 27; 28]. Ein wichtiger Unterschied
zw. den östl. und den ital. Produktionen besteht darin,
daß erstere mit Schwarzfirnis versehen wurden. Die si-
zil. und südital. Becher sind deutlich von östl. Vorbildern abgeleitet. Die ital. Reliefbecher sind manchmal
mit röm. Namensstempeln versehen, die sich wohl auf
Werkstätten beziehen [26]: Popilius, Lapius, Quintius,
Atinius und Herakleides. Eine nicht durch Namens-
stempel gekennzeichnete Werkstatt war in Cosa tätig
[25].

IV. »HOMERISCHE« BECHER

Eine gesonderte Gattung figürlicher Reliefbecher
wird von den sog. »Homer. Bechern« gebildet [29]. Der
Begriff wurde von C. ROBERT geprägt, der sie 1890 mit
Trinkbechern verband, die Nero wegen ihrer Verzierung mit Reliefszenen nach den homer. Epen *Homerii*
genannt haben soll (Suet. Nero 47) [30]. Hauptelement
des Dekorationssystems ist ein szenischer Fries. Umlau-
fende → Eierstab- und Flechtbänder ergänzen das ho-
rizontale Dekorationsschema. Das Bodenmedaillon
wird von einer Blattrosette gebildet. Die Szenen im
Figurenfries greifen jeweils auf eine bestimmte lit.
Vorlage zurück, z. B. den troianischen Sagenkreis, die

griech. Trag., myth. Texte und zeitgenössische Dichtung (z. B. *kinaidológoi*; → Pornographie). Die enge Verbindung zur ant. Lit. wird v. a. durch Beischriften von Personennamen, top. Andeutungen, Inhalts- und Quellenangaben oder sogar Zitate ganzer Verse nahegelegt. Homer. Becher werden zw. das letzte Viertel des 3. Jh. und die Mitte des 2. Jh. v. Chr. datiert. Das Hauptverbreitungs- und Produktionsgebiet umfaßt mit Makedonien und Thessalien vornehmlich den nordgriech. Raum.

V. RÖMISCHE KAISERZEIT UND SPÄTANTIKE

Die griech.-hell. Trad. der R. setzte sich ohne Zäsur in röm. Zeit fort, z. B. in Kleinasien mit flachen Servierplatten, sog. grauen Platten mit reliefiertem Rand und Griff aus Ephesos (1. Jh. v. Chr. bis 1. Jh. n. Chr.) oder einer Gattung glasierter Reliefgefäße gleicher Zeit (→ Glasur). In Korinth findet sich zw. 150 und 300 n. Chr. eine Gattung tiefer Schalen, die in hohen Relieffriesen u. a. die 12 Taten des → Herakles [1] abbilden [31]. Die einzelnen Szenen wurden in Teilmatrizen gefertigt und auf der Gefäßwandung appliziert. Für Italien hat bes. MARABINI MOEVS mit der Übernahme von hell. Reliefmotiven in die Arretiner Keramik eine Kontinuität von hell. bis in röm. Zeit zeigen können (→ *Terra Sigillata*) [25; 32].

In der Spätant. wurden im Osten des röm. Reiches kleine Ampullen mit Reliefdekor versehen (→ Pilgerflasche). Nordafrika kannte zu dieser Zeit eine bedeutende Produktion von R., die sich manchmal eng an Vorbilder aus Silber anlehnt [33].

→ Keramikherstellung; Stempelkeramik; Terra sigillata; Tongefäße

1 J. SCHÄFER, Stud. zu den griech. Reliefpithoi des 8.–6. Jh. v. Chr. aus Kreta, Rhodos, Tenos und Boiotien, 1957 2 L. H. ANDERSON, Relief Pithoi from the Archaic Period of Greek Art, 1975 3 E. SIMANTONI-BOURNIA, La céramique à reliefs au Musée de Chios, 1992 4 B. A. SPARKES, L. TALCOTT, Black and Plain Pottery of the 6th, 5th and 4th Centuries B. C. (Agora 12), 1970 5 R. D. DE PUMA, Nude Dancers: A Group of Bucchero Pesante Oinochoai from Tarquinia, in: J. CHRISTIANSEN, T. MELANDER (Hrsg.), Proceedings of the 3rd Symposium on Greek and Related Pottery Copenhagen 1987, 1988, 130–143 6 S. A. IMMERWAHR, The Pomegranate Vase. Its Origins and Continuity, in: Hesperia 58, 1989, 397–410 7 J. DUCAT, Les vases plastiques rhodiens archaïques en terre cuite, 1966 8 E. WALTER-KARYDI, Die Themen ostionischer figürlicher Salbgefäße, in: Münchener Jb. der bildenden Kunst 36, 1985, 7–16 9 R. HAMPE, Kretische Löwenschale des 7. Jh. v. Chr., 1969 10 H. HOFFMANN, Attic Red-Figured Rhyta, 1962 11 Ders., Tarentine Rhyta, 1966 12 S. I. ROTROFF, Hellenistic Pottery. Athenian and Imported Wheelmade Table Ware and Related Material (Agora 29), 1997 13 Dies., A Ptolemaic Portrait in Athens, in: s. [5], 516–523 14 R. PAGENSTECHER, Die calenische R. (8. Erg.-Heft JDAI), 1909 15 A. GALLATIN, Syracusan Medaillons of the Euainetos Type, 1930 16 R. A. LUNSINGH SCHEURLEER, Euainetos in Amsterdam, in: Mededelingenblad. Vereniging van Vrienden, Allard Pierson Museum Amsterdam 53, 1992, 14–15 17 M.-O. JENTEL, Les gutti et les askoi à reliefs étrusques et apuliens, 1976 18 M. MOLTESEN, A Group of Late-Etruscan Silver-Imitating Vases, in: s. [5], 435–444 19 S. I. ROTROFF, Hellenistic Pottery. Athenian and Imported Moldmade Bowls (Agora 22), 1982 20 R. A. LUNSINGH SCHEURLEER, Faience from Memphis, Egypt: the Bowls, in: s. [5], 558–567 21 G. SIEBERT, Recherches sur les ateliers de bols à reliefs du Péloponnèse à l'époque hellénistique, 1978 22 G. R. EDWARDS, Corinthian Hellenistic Pottery (Corinth 7.3), 1975, 151–187 23 S. A. KOVALENKO, Some Notes on the Production of Hellenistic Mould-Made Relief Ware in the Bosporan Kingdom, in: G. R. TSETSKHLADZE (Hrsg.), New Stud. on the Black Sea Littoral, 1996, 51–57 24 A. LAUMONIER, La céramique hellénistique à reliefs I. Ateliers »ioniens« (Exploration archéologique de Délos 31), 1977 25 M. T. MARABINI MOEVS, Italo-Megarian Ware at Cosa, in: Memoirs of the American Acad. in Rome 34, 1980, 161–227 26 U. HAUSMANN, Phasen und Werkstätten mittelital. Reliefbecher, in: 3. Epistimoniki Synantisi gia tin Ellinistiki Keramiki Thessaloniki 1991, 1994, 275–281 27 P. PUPPO, Le coppe Megaresi in Italia, 1995 28 S. I. ROTROFF, »Megarian Bowls« in Italy and Sicily, in: Journ. of Roman Arch. 9, 1996, 316–320 29 U. SINN, Die homer. Becher. Hell. R. aus Makedonien (MDAI(A) Beih. 7), 1979 30 C. ROBERT, Homer. Becher (50. BWPr), 1890 31 G. JURRIAANS-HELLE, Vier werken van Herakles, in: Mededelingenblad. Vereniging van Vrienden, Allard Pierson Museum Amsterdam 57, 1993, 1–5 32 C. TROSO, Il ceramista aretino Publius Cornelius. La produzione decorata a rilievo, 1991 33 J. W. SALOMONSON, Spätröm. rote Ware mit Reliefverzierung aus nordafrikanischen Werkstätten, in: BABesch 44, 1969, 4–109.

U. HAUSMANN, Hell. Keramik. Eine Brunnenverfüllung nördl. von Bau C und R. verschiedener Fundplätze in Olympia (OlF 27), 1996 · M. HERFORT-KOCH et al. (Hrsg.), Hell. und kaiserzeitliche Keramik des östl. Mittelmeergebietes, 1996.   R. D.

Religion

I. EINLEITUNG II. MESOPOTAMIEN III. ÄGYPTEN IV. ALTES TESTAMENT UND SYRIEN-PALAESTINA V. IRAN VI. MINOISCHE KULTUR VII. MYKENISCHE KULTUR VIII. GRIECHENLAND IX. ETRUSKER UND ITALISCHE KULTUREN X. ROM XI. CHRISTENTUM

I. EINLEITUNG
A. BESTIMMUNG DES BEGRIFFS
B. OBJEKTSPRACHLICHE PERSPEKTIVEN
C. ANWENDBARKEIT DES RELIGIONSBEGRIFFS

A. BESTIMMUNG DES BEGRIFFS

Als substantivistischer Terminus der rel. Selbstbeschreibung bezeichnet »R.« ein System von gemeinsamen Praktiken, individuellen Glaubensvorstellungen, kodifizierten Normen und theologischen Erklärungsmustern, dessen Gültigkeit zumeist auf ein autoritatives Prinzip oder Wesen zurückgeführt wird. Für die R.-Wissenschaft ist der R.-Begriff dagegen eine rein heuristische Kategorie, mit der jene Praktiken, Vorstellungen, Normen und theologischen Konstrukte histor.

untersucht werden, deren inhaltliche Unbestimmtheit eine einheitliche Definition dessen, was R. sei und
durch wen oder was sie sich legitimiere, aber ausschließt
[1].

Sprachl. hat sich der mod. R.-Begriff aus dem lat.
Wort *religio* (s.u. B.) entwickelt; »R.« ist im Frz. seit dem
11., im Engl. seit dem 12., im Dt. seit dem 16. Jh. belegt,
wird aber noch bis in die frühe Neuzeit in der (spät-)ant.
Bed. von »sorgfältiger Verehrung« oder »genauer rel.
Pflichterfüllung« verwendet. Zu einem Abstraktum im
Sinne des mod. R.-Begriffes entwickelt sich R. erst seit
der 1. H. des 17. Jh.; dieser Prozeß setzt sich mit der
weiteren Relativierung des R.-Begriffes als einer kulturell konditionierten Kategorie bis in die Aufklärung
fort [2; 3]. Einen Schritt weiter geht Friedrich SCHLEI-
ERMACHER (1768–1834) mit seiner Definition von R. als
einem »Gefühl schlechthinniger Abhängigkeit« und ihrer Reduktion auf eine verinnerlichte und somit nicht-
soziale, nichtkommunizierbare Glaubenswelt [4]. Diese
Zuspitzung von R. auf die individuelle Gefühlsebene
führt in der Folge bei Theologen und R.-Historikern zu
einer Aufspaltung des R.-Begriffes: rel. »Handeln« gilt
weniger als das rel. »Gefühl«, der »Glaube« wird wichtiger als → Kult und → Ritual (ähnlich schon Sen. epist.
95,50; 110,1; Sen. de superstitione fr. 38–39 HAASE =
71–72 VOTTERO).

B. Objektsprachliche Perspektiven

Einen einheitlichen und abstrakten R.-Begriff kannte die Ant. also genausowenig wie das MA. Unterschiedliche Termini der griech. Sakralsprache bezeichnen verschiedene Aspekte des rel. Bereichs – z. B. ἱερός/*hierós*,
»mit den Göttern verbunden«, »heilig«; ἁγνός/*hagnós*,
»rein«; ἅγιος/*hágios*, »den Göttern geweiht«, »heilig«;
ὅσιος/*hósios*, »fromm« oder »profan«; [5; 6. 2–16] – oder
den Akt der Verehrung (z.B. die Verben σέβεσθαι/
sébesthai, νομίζειν θεούς/*nomízein theús*), die Frömmigkeit (εὐσέβεια/*eusébeia*) und Fürsorge des Menschen für
die Gottheit (εὐλάβεια/*eulábeia*, θεραπεία/*therapeía*, ἐπι-
μέλεια/*epiméleia*, θρησκεία/*thrēskeía*; [7. 402–412; 8]).
Im röm. Bereich findet sich neben dem Adj. → *sacer*
(»den Göttern geweiht«) – zu unterscheiden von → *sanctus* (»unverletzlich«) und *religiosus* (s.u.) [6. 16–23; 9. 54–
70] – eine differenzierte Begrifflichkeit zur Bezeichnung der nach bestimmten Regeln und Formen (*ritus*)
auszuführenden rel. Handlungen (*caerimoniae, religiones,
sacra facere*) und der rechten Einstellung (→ *pietas*), die im
Sich-Bemühen (*cultus*) um die Götter zum Ausdruck
kommt [9. 30–53]. All diese objektsprachlichen Termini bezeichnen Teilbereiche rel. Verhaltens, keiner erreicht die Bed. des mod. R.-Begriffes.

Dies gilt auch für lat. *religio*, umschrieben mit *cultus
pius deorum* (»fromme Verehrung der Götter«) bei Cic.
nat. deor. 1,117, mit *iustitia ergo deos* (»Gerechtigkeit
wider die Götter«) bei Cic. part. 78. *Religio* kann seit
dem 1. Jh. v. Chr. die sorgfältige – in Kontrast zu → *superstitio* als der exzessiven und deshalb »abergläubischen«
– Verrichtung rel. Handlungen bezeichnen; diese wer-
tende Unterteilung »guten« und »schlechten« rel. Han-

delns in den lit. Quellen (z. B. Cic. nat. deor. 2,71; Varro
antiquitates rerum divinarum fr. 47 CARDAUNS; Sen. de
clementia 2,4,1; Sen. epist. 123,16) ist von der moral-
philos. Scheidung rel. Tuns in εὐσέβεια/*eusébeia* und
δεισιδαιμονία/*deisidaimonía* (der griech. Entsprechung
von *superstitio*) in der hell. Philos. beeinflußt (z. B. SVF
III 394, 408–411; Cic. nat. deor. 1,117; [10]). Diese
Scheidung greift die ant. christliche Lit. mit der »wahren« und »falschen Verehrung« (*vera* bzw. *falsa religio*)
auf [3. Bd. 1, 50–82], um sich gleichzeitig als *Christiana religio* gegen den christlichen Neologismus der *Romana
religio* (Tert. apol. 24,1; Acta Cypriani 1,1) abzugrenzen.

Über die Etym. und Bed. von *religio* herrscht in der
Ant. Uneinigkeit: Von *relegere* (»eine Sache noch einmal
sorgfältig durchsehen«) geht Cic. nat. deor. 2,72 aus,
von *religare* (»(sich an den Gott) binden«) Lact. inst. 4,28
(vgl. schon Lucr. 1,931 f.; Liv. 5,23,10). Aus Ciceros
Etym., und unter irriger Gleichsetzung von *religio* und
»R.«, extrapolierte die Forsch. seit dem 19. Jh. ein röm.
Verständnis von R., das sich angeblich als die skrupulöse
Einhaltung ritueller Pflichten, nicht als Ausdruck eines
tieferen rel. Empfindens verstand; der Einfluß des mod.
Dualismus von rel. Handeln und Fühlen ist hier deutlich
sichtbar. Doch läßt sich Ciceros Etym. weder sprachwiss. halten noch war sie für seine Zeitgenossen repräsentativ; die Herausbildung von *religio/religiosus* zu einem t.t. der rel. Sprache ist zudem erst ein Phänomen
des 1. Jh. v. Chr. [11; 12].

C. Anwendbarkeit des Religionsbegriffs

Aufgrund der Tatsache, daß »R.« ein Terminus der
mod. europäischen Selbstbeschreibung rel. Systeme ist,
der als heuristischer Begriff in vielen – ant. wie neuzeitlichen – »fremden« Kulturen kein sprachliches Äquivalent hat, ist die Anwendbarkeit dieses – in einer monotheistischen Trad. entwickelten – R.-Begriffes auf die
polytheistischen Systeme der Ant. in Frage gestellt worden. Tatsächlich suggeriert der mod. R.-Begriff (etwa in
dem Begriff »jüdische R.« oder »christliche R.«) eine
Kohärenz der rel. Handlungen und Vorstellungen, die
in dieser Form in den rel. Panthea der Ant. nicht gegeben war (→ Pantheon). Die daraus resultierende Auflösung des R.-Begriffes in einen allg. Kulturbegriff [13]
wendet sich gegen die Tendenz, mod. europäische Vorstellungen von R. auf die Ant. zu übertragen: So formuliert das Konzept der Polis-R. für Griechenland in
archa. und klass. sowie für Rom in republikan. Zeit, daß
die rel. Institutionen, Gebräuche und Vorstellungen von
den sozio-polit. und kulturellen Verhältnissen der Stadtstaaten (→ Polis) undifferenziert und in diese eingebettet waren ([14; 15. 42–54]; vgl. [16]). Die Marginalisierung des individuellen rel. Empfindens und des persönlichen »Glaubens« zugunsten des gesellschaftlich
relevanten rituellen Handelns in diesem Modell reagiert
auf die entgegengesetzte Gewichtung beider Bereiche
in der früheren Forsch. (s.o.). So liegt mit dieser ritua-
listisch-integrativen Deutung der ant. Religionen in erster Linie eine Kritik an dem speziellen Schleiermach-
erschen R.-Begriff vor, während das gleichzeitige In-

fragestellen kognitiver und emotionaler Aspekte in den ant. Religionen nicht überzeugt [17. 120–125].

Präziser werden die antiken Kulturen durch einen doppelten R.-Begriff erfaßt, der zum einen die enge Verbindung des rel. mit anderen gesellschaftlichen Systemen berücksichtigt, zugleich aber auch der ant. Differenzierung von rel. und »profanen« Bereichen Rechnung trägt [18. 9–16]. Trotz der Probleme, die der mod. europäische R.-Begriff mit sich bringt, läßt sich »R.« als Gegenstand der rel.-gesch. Forsch. also weder mit den auf der objektsprachlichen Ebene vorgegebenen Termini noch durch einen erweiterten »Kultur«-Begriff, sondern nur durch die Gewinnung eines metasprachlichen R.-Begriffes hinreichend erfassen.
→ Monotheismus; Polytheismus

1 B. Saler, Conceptualizing R., 1993 2 P. Biller, Words and the Medieval Notion of »R.«, in: Journal of Ecclesiastical History 36, 1985, 351–369 3 E. Feil, Religio. Die Gesch. eines neuzeitlichen Grundbegriffs, 2 Bde., 1986, 1997 4 H. Firsching, M. Schlegel, Rel. Innerlichkeit und Gesellschaft, in: H. Tyrell u. a. (Hrsg.), R. als Kommunikation, 1998, 31–81 5 W. R. Connor, »Sacred« and »Secular«, in: AncSoc 19, 1988, 161–188 6 A. Dihle, s. v. heilig, RAC 14, 1–63 7 Burkert 8 H. W. Pleket, Religious History as the History of Mentality: the »Believer« as Servant of the Deity in the Greek World, in H. S. Versnel (Hrsg.), Faith, Hope and Worship, 1981, 152–192 9 R. Schilling, Rites, cultes, dieux de Rome, 1979 10 J. Salem, Comment traduire »religio« chez Lucrèce?, in: Les Études Classiques 62, 1994, 3–26 11 G. Lieberg, Considerazioni sull'etimologia e sul significato di »religio«, in: RFIC 102, 1974, 34–57 12 A. Bergmann, Die »Grundbed.« des lat. Wortes R., 1998 13 D. Sabbatucci, Kultur und R., in: HrwG 1, 43–58 14 Ch. Sourvinou-Inwood, What is Polis R.?, in: O. Murray, S. R. F. Price (Hrsg.), The Greek City from Homer to Alexander, 1990, 295–322 (Ndr. in: R. Buxton (Hrsg.), Oxford Readings in Greek Religion, 2000, 13–37) 15 M. Beard, J. North, S. Price, Religions of Rome, 1998, Bd. 1 16 M. Linder, J. Scheid, Quand croire c'est faire. Le problème de la croyance dans la Rome ancienne, in: Archives de sciences sociales des religions 81, 1993, 47–61 17 A. Bendlin, Looking beyond the Civic Compromise: Religious Pluralism in Late Republican Rome, in: E. Bispham, Chr. Smith (Hrsg.), R. in Archaic and Republican Rome and Italy, 2000, 115–135 18 J. Assmann, Ägypten, ²1991.

U. Bianchi u. a. (Hrsg.), The Notion of R. in Comparative Research, 1994 · J. N. Bremmer, »R.«, »Ritual« and the Opposition »Sacred« vs. »Profane«, in: F. Graf (Hrsg.), Ansichten griech. Rituale, 1998, 9–32.   A. Ben.

II. Mesopotamien

A. Götter, Gottesvorstellungen B. Politik und Religion in Babylonien und Assyrien C. Offizieller Kult und individuelle Religiosität

A. Götter, Gottesvorstellungen

Seit der Mitte des 3. Jt. bezeugt die sumerische Textüberl. eine vielgestaltige, mehrere hundert Namen [11]

(erhalten u. a. in Götterlisten [4], die früher Ausdruck von theologischer Systembildung und Reflexion sind; vgl. → Liste) umfassende, anthropomorphe Götterwelt (→ Polytheismus). Sie personifizierte die natürlichen und zivilisatorischen Kräfte, auf denen das Leben Mesopotamiens beruhte. Für das 4. Jt. gibt es zahlreiche Hinweise auf die Repräsentation göttlicher Kräfte in Form von Standarten sowie für thereomorphe Gottesbilder. Die spätere Mythologie läßt derart vorgestellte Gottheiten von anthropomorph gedachten Gottheiten besiegen, die sich die Besiegten daraufhin zu dienstbaren Wesen machen oder zu Bausteinen des Kosmos umgestalten (→ Enūma eliš). Prinzipiell begriff man die Götter als Götter neben anderen Göttern. Ihre Macht war jeweils begrenzt durch den Charakter des Naturphänomens, das sie verkörperten, durch ihre Position im Pantheon, durch Umfang und Bed. der polit. Einheit, die sie repräsentierten. Mythen handeln u. a. von der Erschaffung der Welt, des Menschen und der Zivilisation durch die Götter (→ Mythos II.; → Weltschöpfung; → Kulturentstehungstheorien). Die Ordnung des Kosmos ist von ihnen vorgegeben und wird von ihnen aufrechterhalten. Verstöße dagegen rufen Zorn und Strafe durch die Götter hervor. Der Mensch, der sich oft als Diener (Sklave) einer Gottheit bezeichnet, ist geschaffen, um für sie zu arbeiten und ihr Wohlergehen sicherzustellen (→ Atraḫasis-Mythos). Zur Erklärung gesch. Ereignisse kam es zur Historisierung von Göttern, wie sie sich u. a. in der Überl. vom Raub der Statue des Marduk durch den Hethiterherrscher Mursili I. (ca. 1604–1594 v. Chr., mittlere Chronologie) manifestiert [1].

Jedes der städtischen Zentren Mesopotamiens besaß ein eigenes → Pantheon [1], in der Regel mit einem Gott, seltener einer Göttin, an der Spitze [11]. Die Hierarchie eines solchen Pantheons entsprach der Struktur eines irdischen Hofstaates; darin lag gleichzeitig eine Legitimation des Herrschaftssystems [6. 75–91]. Seit der 1. H. des 3. Jt., bes. aber seit Beginn des 2. Jt. v. Chr., wurde das polit. und kulturelle, und damit auch das rel. Geschehen Mesopotamiens – bis dahin wesentlich bestimmt von sumer. Traditionen – durch das schubweise Seßhaftwerden semitischer → Nomaden geprägt, die ihre lokal nicht gebundenen Götter mit in das mesopot. Kulturland brachten: den → Mondgott Sîn, den → Sonnengott Šamaš, die Göttin des Venussterns → Ištar und den → Wettergott Adad, die unter den gleichen Namen auch in anderen semit. R. verehrt wurden. Im Zusammenleben und Zusammenwachsen der Seßhaften mit den Zugewanderten verschmolzen die rel. Vorstellungen beider durch Konkurrenz, Überlagerung, Verdrängung und Umbildung in synkretistischer Weise. Neben einer zunehmenden Reduktion auf wenige zentrale Gottesgestalten sind v. a. im 1. Jt. monotheistische Tendenzen zu beobachten [12]. Ferner kam es zur Neuorganisation der Priesterschaft und Änderungen im Kult.

B. Politik und Religion in Babylonien und Assyrien

Als Folge der Expansion des Stadtstaates → Babylon zu einem Territorialstaat unter → Ḥammurapi wurde Babylons Stadtgott → Marduk zur beherrschenden Figur des babylon. Pantheons gemacht, was im Mythos → Enūma eliš aitiologisch begründet wird.

Die Expansion des Assyrerreiches seit der 2. H. des 2. Jt., die wesentlich von wirtschaftl. Notwendigkeiten bestimmt war, ging einher mit der von den assyrischen Herrschern gesteuerten Verwandlung des urspr. Berggottes → Assur [2] zu einem Gott, der die Herrschaft über den ganzen Erdkreis beanspruchte und damit die Rechtfertigung für Großreichsambitionen der assyr. Herrscher lieferte. In diesem Punkt unterschied sich die assyr., sehr stark auf den Gott Assur bezogene R. von der babylon. R., in der sich Vorstellungen eines die Welt beherrschenden Gottes zunächst nur in Ansätzen entwickelten. Auch in der Kultpraxis gab es wichtige Unterschiede, so daß man von einer einheitlichen mesopot. (babylon.-assyr.) R. nur bedingt sprechen kann.

C. Offizieller Kult und individuelle Religiosität

Die Zeugnisse für die mesopot. R. beziehen sich zu großen Teilen auf den offiziellen → Kult und die ihn bestimmenden → Rituale und Erscheinungen: Götterfeste, → Opfer, Hymnen und → Gebete, → Kultbilder, in denen die Gottheit gegenwärtig war, Kultbauten (monumentale → Tempel seit Mitte des 4. Jt. arch. bezeugt), Weih- und Votivgaben und eine hierarchisch gegliederte Priesterschaft (→ Priester). Zw. der Institution des Königtums und den Göttern bestand eine untrennbare Verbindung: Sie leitet sich her aus der urspr. Funktion des → Herrschers als Verwalter des der Gottheit (Tempel) gehörenden Landbesitzes (Patrimonium) (3. Jt.). Später (Beginn 2. Jt.) ist in der sumer. Königsliste die Vorstellung von der Einführung des Königtums durch die Götter belegt (TUAT 1, 330, Kol. 1, Z. 1). Der einzelne Herrscher berief sich auf kultisch vollzogene Legitimationsakte seitens der Götter. Er vertrat ihnen gegenüber das Gemeinwesen im Kult. Die Götter gewährten ihm Wohlergehen für das Land (→ hierós gámos).

Deutlicher als im 3. und frühen 2. Jt. lassen sich gegen Ende des 2. Jt. und bes. im 1. Jt. drei dominante Züge der mesopot. R. unterscheiden:

(1) Im Mittelpunkt des offiziellen Staatskultes, der sich trotz aller Veränderungen in Babylonien von der uralten Vorstellung lokaler Panthea nicht völlig gelöst hatte, stand die göttliche Legitimation irdischer Herrschaft und die Erneuerung des Kosmos im Zusammenwirken von Gott und König im jährlichen Neujahrsfest (→ Akītu-Fest, → Enūma eliš, → Neujahrsfest).

(2) Im Zuge zunehmender Individualisierung griffen lit. Texte die Frage nach dem Sinn des Lebens (→ Gilgamesch) und das Thema des leidenden Gerechten (»Hiob-Motiv«) auf (TUAT 3, 110–163). Darin wurden Zweifel am Wirken und der Gerechtigkeit der Gottheit artikuliert. Personennamen sind ein wichtiges Zeugnis für rel. Vorstellungen, die mit dem offiziellen → Kult nicht direkt in Verbindung stehen. Sie drücken Erfahrungen und Erwartungen aus, wie sie sich etwa anläßlich einer Geburt äußern: Dank für die Geburt eines Sohnes, nachdem frühere Kinder gestorben waren, Bitte um Bewahrung angesichts der vielfältigen Gefahren des Lebens oder Lobpreis des persönlichen (Schutz-) Gottes als Beistand und Helfer. Er ist gewöhnlich ein Gott niederen Ranges und selten mit einem Namen belegt.

Fährnisse des Lebens wie Krankheit oder zerstörerische Naturgewalten wurden als dämonische Mächte erlebt, die man mit Beschwörungen abwehrte (vgl. → Dämonen). Dies war Aufgabe v. a. von Beschwörern, die nicht Priester, sondern ebenso gelehrte Experten (→ Magie) waren wie die, die durch Eingeweideschau oder Beobachtung astronomischer und anderer ominöser Erscheinungen den Willen der Götter erkundeten und die Zukunft deuteten (→ Divination). Der Wirkung negativer Vorzeichen begegnete man mit elaborierten magischen Praktiken.

(3) Magische und divinatorische Expertise, wie sie sich für das 2. und 1. Jt. belegen lassen, sind Ausdruck »wiss.« Rationalität und stellen den dritten dominanten Zug der mesopot. R. dar.

→ Apsû; Chthonische Götter; Divination; Enlil; Esagil; Fest; Gebet; Gestirnsgottheiten; Gottkönigtum; Heilgötter, Heilkult; Hörnerkrone; Kathartik; Kult; Magie; Mylissa; Nimbus [3]; Opfer; Pantheon; Polytheismus; Priester; Prophet; Ritual; Tammuz; Tempel

1 R. Borger, Gott Marduk und Gott-König Šulgi als Propheten, in: Bibliotheca Orientalis 28, 1971, 3–24 2 J. S. Cooper, Assyrian Prophecies, the Assyrian Tree, and the Mesopotamian Origins of Jewish Monotheism, Greek Philosophy, Christian Theology, Gnosticism, and Much More, in: Journ. of the American Oriental Soc. 120, 2000, 430–444 3 J. van Dijk, Sumer. R., in: J. P. Asmussen (Hrsg.), Hdb. der R.-Gesch. 1, 1971, 431–496 4 Ders., Le motif cosmique dans la pensée sumérienne, in: Acta Orientalia 28, 1964, 1–59 5 I. L. Finkel, M. J. Geller (Hrsg.), Sumerian Gods and Their Representations, 1996 6 Th. Jacobsen, The Treasures of Darkness. A History of Mesopotamian R., 1976 7 J. Klein, »Personal God« and Individual Prayer in Sumerian R., in: AfO Beih. 19, 1982, 295–306 8 J. Laessoe, Babylon. und assyr. R., in: J. P. Asmussen (Hrsg.), Hdb. der R.-Gesch. 1, 1971, 497–525 9 S. M. Maul, Zukunftsbewältigung, 1994 10 A. L. Oppenheim, Ancient Mesopotamia. Portrait of a Dead Civilization, Kap. IV: Nah ist – und schwer zu fassen der Gott, ²1977, 171–227 11 G. Selz, Unt. zur Götterwelt des altsumer. Staates von Lagaš, 1995 12 W. von Soden, Monotheistische Tendenzen und Traditionalismus im Kult in Babylonien im 1. Jt. v. Chr., in: Studi e materiali di storia delle Religioni 51, 1985, 5–19 13 J. J. Stamm, Die akkad. Namengebung, 1939 14 H. Vorländer, Mein Gott: Die Vorstellung vom persönlichen Gott im Alten Orient und im AT, 1975 15 A. Zgoll, s. v. Sumer. R., TRE 32, 2000, 457–462.   J. Re.

III. ÄGYPTEN

Die äg. R. entwickelte sich als staatlich organisierter Götter- und Totenkult erst mit dem Übergang vom 3. zum 2. Jt. Vorher gab es eine Vielzahl verschiedener lokaler Kulte (→ Pantheon [1] II.), über die sich ziemlich unverbunden als »Staats-R.« der Totenkult des Königs und seiner Beamten legte. Nur die Könige der 5. Dyn. (ca. 2500–2300 v. Chr.) errichteten außer → Pyramiden auch Sonnenheiligtümer; in dieser Zeit setzte sich auch die Vorstellung von der Sohnschaft des Königs am Sonnengott durch. Ein Text faßt die Aufgaben des Königs gegenüber Göttern, Toten und Menschen bündig zusammen: → Re (der Sonnen- und Schöpfergott) hat den König auf der Erde der Lebenden für immer und ewig eingesetzt, um die → Maʾat zu verwirklichen und das Unrecht zu vertreiben, den Menschen Recht zu sprechen und die Götter zufriedenzustellen. Er gibt den Göttern Gottesopfer und den Verklärten Totenopfer. R. ist Aufgabe des Königs. Im weiteren Sinne umfaßt sie die Verwirklichung der Maʾat (Ordnung, Wahrheit, Gerechtigkeit) und die Vertreibung der Isfet (Chaos, Unrecht, Lüge), im engeren Sinne Götter- und Totenkult. In Erfüllung dieser Aufgabe setzt der König auf der Erde als Sohn die Schöpfung fort, die der Schöpfer selbst in Form des Sonnenlaufs in Himmel und Unterwelt in Gang hält.

Die äg. R. stiftete eine unauflösliche Verbindung von Staat, Kosmos und Totenreich. Die in den Tempeln vollzogenen Riten (→ Ritual) hielten den Sonnenlauf in Gang, banden die menschliche Ges. in das kosmische Gelingen ein und verhalfen → Osiris (und damit allen Toten) zum Sieg über den Tod. → Totenkult und Sonnenlauf bildeten die Sphären des Totengottes Osiris und des Sonnengottes Re und entsprachen so den beiden »Ewigkeiten«, in deren Zweiheit die Ägypter den umfassendsten Begriff von »Zeit« zum Ausdruck brachten: die unwandelbare Fortdauer des Osiris (Ḏ.t) und die unendliche, sich zyklisch erneuernde Zeit des Sonnengottes (nḥḥ). Alle »Denkmäler« – Tempel, Pyramiden, Gräber, Obelisken, Stelen, Opferplatten usw. – waren grundsätzlich aus Stein und für die Ewigkeit bestimmt. Das gigantische Projekt, mit Hilfe des Steins die Vergänglichkeit zu überwinden und einen heiligen Raum unbegrenzter Fordauer zu realisieren, prägt die äg. R. ebenso wie der Glaube, der kosmische Prozeß wäre in seinem alltäglichen Gelingen gefährdet, wenn der Staat und damit der Opferkult (→ Opfer) beeinträchtigt würde.

Im MR (ca. 2050/1800/1700 v. Chr.) wurde der Götterkult zum Staatsmonopol, wobei nun neben den alten Zentren → Heliopolis [1] (Re) und → Memphis (Ptah) v. a. → Abydos [2] (Osiris) mit seinem Festspiel der »Osiris-Mysterien« überregionale Bedeutung gewann. Mit der Ausbreitung der Osiris-R. verband sich die Vorstellung eines Gerichts nach dem Tode, bei dem jeder sich vor den Normen der Maʾat verantworten mußte.

Drei umwälzende Neuerungen kennzeichnen die R.-Gesch. des NR (1550–1170 v. Chr.): die »Krise des → Polytheismus«, die in der monotheistischen Revolution des Echnaton (→ Amenophis [4]) von Amarna gipfelte, der »Pantheismus« der Ramessidenzeit (ca. 1300–1170 v. Chr.) mit seiner Idee des verborgenen, alle Einzelgötter umfassenden Weltgottes und die Strömung der »Persönlichen Frömmigkeit« mit ihrer Vorstellung des persönlichen Gottes und Nothelfers.

»Der Eine, der sich zu Millionen macht« ist eine Formel, die in vielen Varianten die neue Gottesidee des sich in der Welt millionenfach manifestierenden verborgenen Einen umschreibt. Der Pantheismus der Ramessidenzeit war Reaktion auf den monotheistischen Umsturz des Echnaton. Auch dieser hatte die Millionen aus dem Einen hervorgehen lassen. Der Gott von Amarna (→ Aton) war aber nicht verborgen. Er stand als Sonne der Welt gegenüber und belebte sie von oben, der verborgene Gott des ramessidischen Pantheismus manifestierte sich als Welt und beseelte sie von innen.

Ebenso neuartig war die Strömung der »Persönlichen Frömmigkeit«. Zwei Motive waren für diese neue Form einer Gott-Mensch-Beziehung charakteristisch: Entscheidung und Verantwortung. Der Mensch sah sich vor eine Wahl gestellt und mußte sich in einem Akt innerer Aufmerksamkeit »Gott ins Herz setzen«, d. h. sein Leben dem Willen Gottes unterordnen und sich in all seinem Tun und Lassen dem göttlichen Urteil verantwortlich wissen. Diesem Bewußtsein entsprang auch ein neuartiges Schuldgefühl. Nur aus der Ramessidenzeit sind Stelen bekannt, die in Erfüllung eines Gelübdes von Menschen aufgestellt wurden, welche eine persönliche Notlage, meist Krankheit, als Strafe einer erzürnten Gottheit ausdeuteten. Das NR war die Blütezeit dieses theologischen Diskurses, der sich in Hunderten von Hymnen niederschlug und in seiner Breite und Intensität unter den Kulturen der Alten Welt einzigartig ist. Auch die »Unterweltsbücher« (→ Totenliteratur) in den Königsgräbern des NR reflektieren die theolog. Ideenevolution dieser Zeit.

Einerseits möchte man hierfür die zunehmende Professionalisierung und Literarisierung des Priestertums (→ Priester), insbes. der thebanischen Amunpriesterschaft, verantwortlich machen. Auf der anderen Seite zeigen aber die Grab-Inschr., daß auch weite nichtpriesterliche Kreise an der Trägerschaft des theolog. Diskurses beteiligt waren. Die Tragweite dieser Debatten erweist sich daran, daß sie zweimal zu einschneidenden polit. Konsequenzen führten: Die »Krise des Polytheismus« mündete in die monotheistische Revolution Echnatons, und die »Persönliche Frömmigkeit« mit ihrer »Theologie des Willens« führte zur Einrichtung einer unmittelbaren Theokratie in Form des thebanischen Gottesstaates, der vom Gott → Amun durch Orakelentscheidungen regiert wurde.

Der Staatsmythos der königlichen Gottessohnschaft wurde in der Spätzeit (664–332 v. Chr.) zum jährlich begangenen Tempelfest, in dem die »Geburt des Gottes«

gefeiert wurde – des Sohnes, den der jeweilige Stadtgott mit seiner göttlichen Gemahlin zeugte. In diesen Tempeltriaden wollte S. Morenz [18. 104 f.] Vorläufer der christl. Trinitätsidee erblicken. Während der persischen, griech. und röm. Fremdherrschaft entwickelten sich messianische Vorstellungen, die das Ende der »Leidenszeit« und die Ankunft eines von den Göttern gesandten Heilskönigs weissagten (demot. ›Prophezeiung des Lammes‹, griech. ›Töpferorakel‹; → Prophet). Gegenüber diesen Parallelen zu Judentum und Christentum entwickelte sich im spätant. Äg. aber auch ein ausgeprägter Tier- und Bildkult (→ Kultbild). Die Bilder wurden zu Garanten der Gottesnähe – in genauer Umkehr zur jüd. R., die Idolatrie zur schlimmsten Sünde, d. h. Zerstörung von Gottesnähe, erklärt.

1 J. Assmann, Äg. – R. und Frömmigkeit einer frühen Hochkultur, ²1991 2 Ders., Maʾat. Gerechtigkeit und Unsterblichkeit im alten Äg., ²1995 3 Ders., Äg. Hymnen und Gebete, ²1999 4 Ders., Tod und Jenseits im Alten Äg., 2001 5 RÄRG 6 H. Brunner, Grundzüge der altäg. R., 1983 7 F. Dunand, Ch. Zivie-Coche, Dieux et hommes en Égypte 3000 av. J. C. – 395 apr. J.-C., 1991 8 A. Erman, Die R. der Ägypter, ²1934 9 H. Frankfort, Ancient Egyptian R., 1948 10 E. Hornung, Das äg. Totenbuch, 1979 11 Ders., Der Eine und die Vielen, ³1983 12 Ders., Altäg. Unterweltsbücher, ²1984 13 H. Kees, Götterglaube im alten Äg., 1941 14 K. Koch, Gesch. der äg. R., 1993 15 D. Meeks, Ch. Favard-Meeks, La vie quotidienne des dieux égyptiens, 1993 16 S. Morenz, Äg. R., 1960 17 Ders., Gott und Mensch im alten Äg., 1964 18 Ders., Die Begegnung Europas mit Äg., 1968 19 E. Otto, Die R. der alten Ägypter, 1964 20 A. I. Sadek, Popular R. in Egypt During the New Kingdom, 1987 21 B. A. Shafer (Hrsg.), R. in Ancient Egypt, 1991 22 C. Traunecker, Les dieux d'Égypte, 1992 23 D. Wildung, Imhotep und Amenhotep. Gottwerdung im alten Äg., 1977. J. AS.

IV. Altes Testament und Syrien-Palaestina

Den verschiedenen, kulturell und histor. zu differenzierenden R. Syrien-Palaestinas sind zunächst die durch ihre geogr. Lage und die davon abhängige Lebensweise bestimmten Faktoren (Küstenlage, Regenfeldbau, Verkehrswege) gemeinsam. So wurden Mythologie und rel. Praxis durch das Meer und den Rhythmus der Vegetationszyklen beeinflußt. Ebenso spielten der Himmel und seine Gestirne mit ihren sichtbaren Zeichen und meteorologischen Phänomenen neben chthonischen Aspekten eine zentrale Rolle. Als vorderorientalische R. partizipierten die R. Syrien-Palaestinas an einem regen kulturellen Austausch in einer Art syrischen Koine.

Nach dem Untergang der Stadtstaaten der Spät-Brz. (1500–1200/1000 v. Chr.) und ihrer polytheistischen Systeme lebten die R. in der syr.-palaestinischen Kleinstaatenwelt der Eisenzeit (ab ca. 1200/1000 v. Chr.; Aramäer, späthethitische Städte (→ Kleinasien III. C.), → Juda und Israel, philistäische Pentapolis (→ Philister), → Edom, → Ammon [2], → Moab) unter veränderten

Bedingungen weiter. Systematisch ausgebildete Panthea wie z. B. in Mesopotamien fanden sich hier nicht mehr, stattdessen eine Auffächerung der R. in staatliche, regionale und persönliche Subsysteme mit den für sie typischen Ausdrucksformen in Gesten, bildhaften Darstellungen und Texten unterschiedlicher Funktion (Korrespondenz, öffentliche Inschr., Mythen, Geschichtsschreibung). Der zentralherrschaftlichen Struktur der Staaten entsprach weitgehend der Typ eines höchsten Gottes wie → Baal, → El, → Hadad, → Jahwe oder eines Himmelsherrn (Baʿal šāmēm). Dieser trug jeweils königliche Züge, vereinte Aspekte und Funktionen von Wetter- und Fruchtbarkeitsgottheiten und übernahm Funktionen des alten → Sonnengottes als Bewahrer und Spender von Recht und Gerechtigkeit (Solarisierung). Regionale rel. Subsysteme sind primär in offenen oder einfachen Kultplätzen und -bauten, sog. bullsites und hebr. bāmōt (Höhenheiligtümern), greifbar. Familiäre oder individuelle R. artikulierte sich außerhalb der Texte teilweise in Gräbern, Tempelmodellen und (Votiv-)Statuetten.

Eine Ausnahmestellung im gesamten Vorderen Orient nahm die R. Israels und Judas mit ihrer Entwicklung zum → Monotheismus, dem anfänglichen Kultbild- und später allgemeinen Bilderverbot sowie ihrem Weg zu einer sog. Buch-R. (Heilige Schriften, Kanonisierung) ein. Die altisraelitische und frühjüdische → Diaspora-Situation seit 720 und 587 v. Chr. führte zusammen mit internen Konflikten (→ Samaria, Samarites; → Qumran) und später mit dem Verlust des Jerusalemer Tempels (im Jahre 70 n. Chr.) zu weiteren Differenzierungen rel. Konzepte (→ Judentum).

→ Judentum; Palmyra II.; Phönizier VI.; Sonnengottheiten; Wettergott

1 R. Albertz, Religionsgesch. Israels in at. Zeit, 1992 2 A. Berlejung, Ikonophobie und Ikonolatrie. Zur Auseinandersetzung um die Bilder im AT, in: B. Janowski, M. Köckert (Hrsg.), Religionsgesch. Israels. Formale und materiale Aspekte, 1999, 208–241 3 W. Dietrich, W. u. M. A. Klopfenstein (Hrsg.), Ein Gott allein? JHWH-Verehrung und biblischer Monotheismus im Kontext der israelit. und altorient. Religionsgesch., 1994 4 M. W. Chavalas (Hrsg.), Emar: History, R. and Culture of a Syrian Town in the Late Bronze Age, 1996 5 H. Gese, Die Religionen Altsyriens, in: C. M. Schröder (Hrsg.), Die Religionen Altsyriens, Altarabiens und der Mandäer, 1970, 1–232 6 B. Janowski et al. (Hrsg.), Religionsgesch. Beziehungen zw. Kleinasien, Nordsyrien und dem AT, 1993 7 O. Keel, Ch. Uehlinger, Göttinnen, Götter und Gottessymbole. Neue Erkenntnisse zur Religionsgesch. Kanaans und Israels, 1992 8 H. G. Kippenberg, R. und Klassenbildung im ant. Judäa, 1978 9 M. Köckert, Vom einen zum einzigen Gott. Zur Diskussion der Religionsgesch. Israels, in: Berliner Theologische Zschr. 15, 1998, 137–175 10 E. Lipiński, Dieux et déesses de l'univers phénicien et punique, 1995 11 J. Maier, Zw. den Testamenten. Gesch. und R. in der Zeit des Zweiten Tempels, 1990 12 H. Niehr, R.en in Israels Umwelt, 1998 13 F. Stolz, Probleme westsemitischer und israelit. Religionsgesch., in: Theologische Rundschau 56, 1991,

1–26 **14** K. van der Toorn, Family R. in Babylonia, Syria and Israel. Continuity and Change in the Forms of Religious Life, 1996 **15** Ders. (Hrsg.), The Image and the Book. Iconic Cults, Aniconism, and the Rise of Book R. in Israel and the Ancient Near East, 1997.   TH. PO.

V. Iran

A. Allgemeines   B. Perser und Meder
C. Parther   D. Zarathustra
E. Sāsāniden   F. Hellenismus

A. Allgemeines

Aussagen, Namen und Bräuche, die mehr oder weniger allen iranischen und der vedischen R. gemeinsam sind, erlauben Hypothesen über die R. des iran. Urvolkes; dies ist für den Zeitraum ab dem 2. Jt. v. Chr. mit verschiedenen Methoden zu erforschen. Schon um 1500 v. Chr. bestand in Nordmesopotamien ein Reich unter einer Dyn. mit arischem Namen, den → Mittani. Sie können nur eine Enklave des iran. Urvolkes gewesen sein. Hier liefern im 14. Jh. arische Gemeinsamkeiten die sprachwiss. Anhaltspunkte für die Rekonstruktion eines Systems, das einen Sonnengott (Sūrya), aus Abstraktionen von Eid und Vertrag zu deren Garanten gewordene »Herren« (Varuṇa mit Tendenz zum Gott des regnenden, Mithra (→ Mithras) mit Tendenz zum Gott des bestirnten Himmels), ein kosmisch-moralisches »Weltgesetz« (ṛtá), einen Kriegergott (Indra), zwei Rosselenker, die am dämmernden Morgenhimmel zu einem täglichen → Opfer erscheinen (die Naśatya), sowie Häuptlingsadel, Streitwagenkriegerschaft und Bauerntum umfaßte. Im Kult der Ur- und aller späteren Iranier brannte ein Feuer, das teils als Medium, teils als Adressat von Götterverehrung aufgefaßt wurde; Libationen wurden vor dem Feuer dargebracht. Der Gebrauch eines halluzinogenen Getränkes (iran. Haoma, indisch Soma) weist auf Schamanismus, auf den wohl auch Visionsbegabung und Erfahrung von »Seelen«-Vielfalt, die sich bei allen späteren Iraniern finden, letztlich zurückgehen.

B. Perser und Meder

Bei den Persern erscheinen die genannten und andere »Herren« als Ahuras, neben denen Mächte des Universums wie der Wind (Vāyu) und das Feuer (ātar) bedeutsam waren. Hingegen wurden Indra, die Naśatya und andere, die bei den Indern zu Göttern wurden, zu bösen Geistern abgewertet. Ein darin angelegter Dualismus wurde myth. weiter ausgebaut und wohl schon in einem sozialen Gegensatz von Ordnung und Wahrheit (aša an Stelle von ṛtá) und Betrug und Lüge (drug) manifest. Bei den → Medern war unter dem Königtum an einen ihrer sechs Stämme, die Mager, ein bes. Priesteramt delegiert. Dies wurde als Institution von den → Achaimenidai [2] übernommen. Die medischen Mager schufen einen eigenen Dualismus, indem sie in ihrer rituellen Praxis die irdische Welt als aus zwei absoluten Bereichen von Rein und Unrein ineinandergelegt behandelten. Zum Unreinen gehörte auch der menschli-che Leichnam, dessen Bestattung sich deshalb zum zentralen Religions- und Sozialanliegen entwickelte. Da Vergraben oder Verbrennen die reinen Elemente Erde und Feuer verunreinigt hätte, blieb nur das Aussetzen an eigens präparierten Orten, wo unreine Tiere die Leichen fressen und damit die Verunreinigung der Luft in Grenzen halten konnten.

C. Parther

Die R. der → Parther ist außer aus später bezeugten Wörtern auch mittels der Arch. der frühen Steppenvölker zu rekonstruieren. Namen von Kultplätzen (einschließlich Gräbern), Priesterämtern, Riten und Göttern sind bekannt, doch scheint in der Verehrung der letzteren die soziale hinter der naturorientierten Komponente zurückzutreten.

D. Zarathustra

Im ostiran. Milieu, zuerst wohl in der Gegend von Balḫ (heute Wazīrābād, NW-Afghanistan), lebte im 7. Jh. v. Chr. mehr als 75 Jahre lang Zarathustra (→ Zoroastres; andere Datier.: 10., 9., 8., 6./5. Jh.), davon etwa die Hälfte als priesterlicher Vollzieher eines gottesdienstlichen Rituals (des Yasna) und als prophetischer Verkündiger eines neuen Gottesverhältnisses; in beidem war er Kämpfer gegen eine orgiastische Hirtennomaden-R. und Reformer einer Tier und Pflanze hegenden Viehzüchter- und Bauern-R. Bald nach seinem Tode breitete sich Zarathustras Botschaft über → Arachosia (mittleres Afghanistan) in westl. Richtung aus. Nach und nach wurde der → Zoroastrismus sogar von den achäm. Großkönigen angenommen. Die kultische Praxis der medischen Mager wurde integriert, was bes. für die Leichenbestattung Folgen hatte (Aussetzung auf »Begräbnis«-Türmen). Götter, die neben der Verehrung → Ahura Mazdās uninteressant geworden waren, bekamen eine neue Bed. (wie Mithra oder Anāhitā).

E. Sāsāniden

Zur Zeit der → Sāsāniden (226–651 n. Chr.) wurde der Zoroastrismus von einer Priesterschaft als Staats-R. durchgesetzt. Die Machtausübung des Ōhrmazd (= früher: Ahura Mazdā) und des Königs, die Rebellionen seiner Gegner und des → Ahriman (= früher: Ahra Mainyu) liefen parallel. Ein Netz von Begräbnistürmen (Daḫmas) und von hierarchisch gestaffelten Feuer(tempel)n überzog das Land. Die seit Zarathustra herangewachsene rel. Überl. wurde gesammelt und in einer dem Kult zugeordneten Form aufgezeichnet (→ Avesta).

F. Hellenismus

Durch die auf Alexandros [4] d. Gr. folgenden Diadochenreiche der → Seleukiden (seit 311 v. Chr.), der sich in der zweitöstlichsten Satrapie verselbständigenden Diodotiden (seit 239 v. Chr.; → Diodotos [2]) und mehrerer indoskythischer Nachfolgestaaten (bis ins 3. Jh. n. Chr.; → Indoskythen) wurden iran. Gebiete und Völker zu den quantitativ gewichtigsten Trägern des Hellenismus (→ Hellenisierung). Dieser war jedoch kulturell dicht und »stilrein« griech. nur in der genannten und den an sie angrenzenden Satrapien, d. h. in Baktrien (→ Graeco-Baktrien), der Areia [1] und Gandhara/→ Gandaritis (h. etwa pers. Prov. Ḫorāsān, Afghanistan und Nordpakistan), während er zw. jenem Gebiet und der genauso hellenisierten semitisch-iran. Kontaktzone im Westen eigentümlich spärlich erscheint. Zudem treten polit. als Liquidatoren, kulturell aber als Belasser des Hell. in den Städten und als Förderer des Iraniertums einschließlich des Zoroastrismus auf dem Lande seit dem 3. Jh. v. Chr. die → Parther ins hellere Licht der Gesch., die das Seleukidenreich von Osten her verkleinerten. Aus mehreren Gründen also enthielt auch die hell. R. in jener synkretistischen Kontaktzone (Adiabene östl., Osrhoene, Ḥatra, Charakene westl. des Tigris) so viele iran. Elemente, daß die Weitervermittlung einiger von ihnen an den mediterranen Hell. dort eine zwar kleine, aber deutlich erkennbare Teilmenge hinterließ. Die Königsideologie zahlreicher hell. Dynasten und mehrerer ganzer Dynastien wurde vom iran. Herrschercharisma (ḫvarnah) geprägt.

Wohl im 2. Jh. v. Chr. entwickelte sich die futurische → Eschatologie in Auseinandersetzung mit der hell. Fremdherrschaft zu einer national-iran. Apokalyptik. Strukturelle Übereinstimmungen mit der jüd. Apokalyptik (→ Apokalypsen) erklären sich aus gleichartigen Entstehungsbedingungen. Der gnostische → Sethianismus (→ Gnosis) enthielt eine Weltalterlehre, der Manichäismus (→ Mani, Manichäer) eine Kosmogonie nach zoroastrischem Muster. Er führte in seinen mittelpers., parthischen und sogdischen Versionen periphere ältere iran. Überl. weiter.

1 K. Barr, C. Colpe, M. Boyse, Die R. der alten Iranier, 1972, 265–372　2 G. Gnoli, s. v. Iranian R., M. Eliade (Hrsg.), The Encyclopedia of R., 7, 1987, 277–280 3 K. Greussing (Hrsg.), R. und Politik im Iran, 1981 4 H. S. Nyberg, Die R. des alten Iran, 1938 (Ndr. 1966) 5 G. Widengren, Iran.-semit. Kulturbegegnung in parth. Zeit, 1960　6 Ders., Die R. Irans, 1965.　　　　C. C.

VI. Minoische Kultur

Min. R. ist der Sammelbegriff für R. und Kult der Insel → Kreta in der Bronzezeit (2600–1100 v. Chr.). Die min. R. ist nur durch arch. (einschl. architektonischer) und ikonographische Quellen bekannt; die wenigen rel. Inschr. in → Linear A-Schrift auf Altären und anderen Kultgegenständen sind noch ungedeutet, während aus den → Linear B-Texten aus → Knosos und Chania (→ Kydonia) lediglich einige min. Namen von Gottheiten hervorgehen.

Aus der Vorpalastzeit (2600–2000 v. Chr.) ist ein einziges Kultgebäude in der kleinen Siedlung von Myrtos (Phurnu Koryphi) bekannt; ein anthropomorphes Kultgefäß aus Ton, die sog. Göttin von Myrtos, wurde darin gefunden. Sonst hat sich der rel. Kult in dieser Frühphase in Höhlen und außerhalb der Rundgräber auf der Messara-Ebene abgespielt, was u. a. durch zerbrochenes Trinkgeschirr bezeugt wird. Gipfelheiligtümer aus der Altpalastzeit (2000–1700 v. Chr.) treten überall auf der Insel auf. Weihgaben bestehen hier aus weiblichen und männlichen Tonstatuetten (als menschliche Anbeter gedeutet), Tierfiguren, Amuletten und anatomischen Exvotos. Gleichzeitig wurden die ersten Kultanlagen in den großen Palästen (Knosos, → Phaistos [4]) eingerichtet, die aber, da der min. Kult sich häufig im Freien abgespielt hat, eher als eine Art von Sakristeien oder Vorbereitungsräumen denn als wirkliche Kulträume zu deuten sind.

Die min. R. der Neupalastzeit (1700–1400 v. Chr.) ist dank der reichen Quellen die uns am besten bekannte. Unter den anthropomorph abgebildeten Gottheiten dominieren die Göttinnen. Entsprechend nehmen die Frauen auch im Kult eine bevorzugte Stellung ein. Es scheint keine dreidimensionalen Kultbilder gegeben zu haben, vielleicht mit Ausnahme der sog. Schlangengöttinnen von Knosos. Im Mittelpunkt des Kultes stand die göttliche → Epiphanie, entweder als ekstatische Göttererscheinung oder als Inszenierung der göttlichen Erscheinung durch → Priester oder Priesterinnen. Kultszenen sind in der min. Kunst häufig dargestellt, bes. in der → Wandmalerei (gute Beispiele in der stark minoisierten Siedlung von Akrotiri auf → Thera), Siegeln und Siegelringen sowie reliefdekorierten Steingefäßen. In den → Palästen (IV.) und Villen gab es zahlreiche dem Kult gewidmete Räume und Anlagen (darunter sog. Pfeilerkrypten und Sakralbecken); die großen Kultfeste fanden aber immer noch im Freien statt, darunter auch die spektakulären Stierspiele. Doppelaxt und sog. Heilige Hörner waren die wichtigsten rel. Symbole.

In der Nachpalastzeit (1400–1100 v. Chr.) erfolgten mit der durchgreifenden gesellschaftlichen Wandlung auch große Veränderungen im rel. Leben. In vielen kleinen Kultbauten (»Bankheiligtümer«) wurden Tonidole der sog. Göttin mit erhobenen Händen verehrt. → Minoische Kultur und Archäologie; Palast; Wandmalerei

G. Gesell, Town, Palace, and House Cult in Minoan Crete, 1985 · R. Hägg, Die göttliche Epiphanie im min. Ritual, in: MDAI(A) 101, 1986, 41–62 · Ders., N. Marinatos (Hrsg.), Sanctuaries and Cults in the Aegean Bronze Age, 1981 · J. A. MacGillivray u. a., The Palaikastro Kouros, 2000 · N. Marinatos, Art and R. in Ancient Thera, 1984 · Dies., Minoan R.: Ritual, Image, and Symbol, 1993 · F. Matz, Göttererscheinung und Kultbild im min. Kreta, 1958 · B. Rutkowski, The Cult Places in the Aegean, 1986 · P. M. Warren, Minoan R. as Ritual Action, 1989.
　　　　　　　　　　　　　　　　　　R. Hä.

VII. Mykenische Kultur

»Mykenisch« ist der mod. Sammelbegriff für R. und Kult des griech. Festlands in der Spät-Brz. (1600–1050 v. Chr.). Die myk. R. ist durch arch. (einschließlich architektonischer), ikonographische und schriftliche Quellen bekannt; letztere bestehen aus den → Linear B-Texten des 13. Jh. aus Pylos [2] und Thebai (sowie des 15./14. Jh. aus → Knosos) mit Erwähnungen von Götternamen, rel. Festen, Beamten und Lieferungen für die Heiligtümer.

Während die R. der Frühen und Mittleren Brz. fast unbekannt ist, erscheint rel. Symbolik min. Ausprägung

(s.o. VI.) zuerst in der Übergangsphase zur Späten Brz.,
bes. in den Schachtgräbern von Mykene (→ Mykenai).
Gleichzeitig finden sich die ersten arch. Spuren von
Kultausübung im Höhenheiligtum von Apollon → Ma-
leatas bei Epidauros (Aschenaltar mit Tierknochen und
min. Doppeläxten). Die Ikonographie der myk. R.
bleibt weiterhin min., auch wenn der Einfluß min. R.
auf die myk. eher oberflächlich gewesen ist. Kultbauten,
meist klein und unterschiedlicher Form, treten erst in
der Palastzeit (1450–1200 v. Chr.) auf, am besten bekannt vom sog. »Kultzentrum« von Mykene und von
→ Phylakopi auf der vom myk. Festland dominierten
Kykladeninsel Melos. Auch im → Megaron der myk.
Paläste hat ein Kult offiziellen Charakters stattgefunden.

Daß wirkliche Kultbilder existierten, ist nicht gesichert, aber wahrscheinlich. Charakteristisch sind die
kleinen, meist weiblichen Terrakottafigurinen, die bes.
in einfacheren und ländlichen Heiligtümern (aber auch
in Gräbern und Häusern) häufig vorkommen. Wie auf
Kreta erscheinen rel. Motive auf Wandmalereien in den
Palästen und Heiligtümern. Prozessionen, → Trankopfer, Tieropfer und gemeinsamer Opferschmaus sind die
wichtigsten Kulthandlungen. Die Götter, die in den
Linear B-Texten vorkommen, gehören zum einen Teil
dem griech. Pantheon an (Zeus, Hera, Poseidon, Artemis, Hermes und Dionysos), während andere Namen
(wie *Marineus* und mehrere Göttinnen mit dem Namen
Potnia, »Herrin«) unbekannt sind.

→ Mykenische Kultur und Archäologie

G. ALBERS, Spätmyk. Stadtheiligtümer, 1994 · R. HÄGG,
Ritual in Mycenaean Greece, in: F. GRAF (Hrsg.),
Ansichten griech. Rituale, 1998, 99–113 · R. HÄGG, N.
MARINATOS (Hrsg.), Sanctuaries and Cults in the Aegean
Bronze Age, 1981 · K. KILIAN, Myk. Heiligtümer der
Peloponnes, in: H. FRONING, T. HÖLSCHER (Hrsg.),
Kotinos. FS E. Simon, 1992, 10–25 · A. D. MOORE,
W. D. TAYLOUR, Well-Built Mycenae, Bd. 10: The Temple
Complex, 1999 · G. E. MYLONAS, Mykenae, 1981 ·
C. RENFREW, The Archaeology of Cult: the Sanctuary at
Phylakopi, 1985 · B. RUTKOWSKI, The Cult Places in the
Aegean, 1986 · E. T. VERMEULE, Götterkult (Archaeologia
Homerica 3), 1974 · H. WHITTAKER, Mycenaean Cult
Buildings, 1997 · J. C. WRIGHT, The Spatial Configuration
of Belief: the Archaeology of Mycenaean R., in:
S. E. ALCOCK, R. OSBORNE (Hrsg.), Placing the Gods, 1994,
37–78.   R. HÄ.

VIII. GRIECHENLAND

A. THEMA B. GRIECHISCHE RELIGION ALS
ARGUMENT C. GRENZEN DER »GRIECHISCHEN«
RELIGION / UNIVERSALISIERUNG
D. INSTITUTIONEN UND TRÄGER
E. FESTE UND RITUALE F. RELIGIÖSES WISSEN
G. HISTORISCHE KONTINUITÄT UND BRÜCHE

A. THEMA

Griech. R. ist in dieser Enzyklopädie in allen Einzelheiten differenziert dargestellt, nicht nur in der
Myth. (→ Mythos) und den einzelnen Göttern und Heroen, sondern auch in den je lokalen Kulten von Städten
und Orten (→ Pantheon), in der Komplexität von
→ Ritualen (→ Gebet, → Festkultur, → Opfer, → Orakel), dem Personal (→ *exegetḗs*, → Priester, → Prophet)
und den Begriffen (→ Polytheismus, → Atheismus,
→ *eusébeia*). Hier kann nicht ein Abriß der Gesch., der
Inhalte und Funktionen oder gar die Bestimmung eines
»Wesens« der griech. R. erfolgen. Vielmehr ist mit der
Verwendung des mod. Begriffs der R. (vgl. [1]) und
dem Erfahrungshorizont von R., den die mod. Forscher
voraussetzen, der »Gegenstand« durch die Fragestellungen geschaffen: Griech. R. entweder als defektive Vorstufe oder als Gegenbild gegen die eigene R.

B. GRIECHISCHE RELIGION ALS ARGUMENT

Moderne Argumente schließen oft an antike rel. Diskurse an:

(1) Die ältere/die »überholte« R.: Der vorgebliche
Konservatismus der griech. R. ist oft nur scheinbar,
unter traditionellen Namen und Ritualen verbergen
sich tiefgreifende Brüche. Nicht selbst neu erfunden zu
haben, sondern sich in eine schon vorhandene Trad.
hineinzustellen: mit diesem Argument knüpft → Herodotos (Hdt. 2,54 f.) an die uralte Trad. der Ägypter an,
mit diesem Argument sehen sich die Römer in der
Trad. der griech. R. Die uralte Herkunft ist bes. bei den
Schriftstellern des Archaismus in der röm. Kaiserzeit betont, etwa bei → Pausanias [8] oder → Plutarchos [2].
Ewigkeit von R. als unübertreffliches Argument dagegen fehlt. R. und Kultur gehören zusammen. Sie sind
gleichzeitig geschaffen und von einer Vorzeit zu trennen; die Götter sind »geboren« (Hes. theog. 453–500;
Hom. h. 4). Erst spät entwickelt sich ein Bewußtsein,
daß die neue R. die alte besiegt und übertroffen habe.
Das Argument der *novitas Christiana* [2] konnte erst dann
propagiert werden, als die staatliche Garantie im 4. Jh.
n. Chr. den in »Neu« impliziten Vorwurf der Revolution aufhob. → Augustinus wehrt um 410 n. Chr. die
Kritik des Trad.-Bruchs ab mit der Parallelgesch. der
zwei *civitates* (»Staatsangehörigkeiten«), deren eine offen, die andere latent von Anfang an existierte (Aug. civ.
15,1; 5; vgl. 19,17).

(2) Natur-R.: Die griech. R. als kulturelle Setzung
steht dem mod. Argument der »Natur-R.« entgegen;
eine histor. Entwicklung vom Baumkult über das Brett-
idol zum Schnitzbild (*xóanon*, vgl. Paus. 2,17,5) und
weiter zur Gold-Elfenbeinstatue ist Konstruktion, die
Gleichzeitiges zum archa. Überlebsel (*survival*) erklärt.
Die Polemik des Apostels Paulus [2] gegen die Natur-R.
als Anbetung des Geschaffenen anstelle des Schöpfers
(Röm 2) verbindet sich mit der Anklage, Natur-R. sei
zugleich Sittenlosigkeit und sexuelle Perversion; Natur-R. könne also keine ethischen Normen setzen. Das
zieht sich durch die christl. Polemik gegen die alte R.
der Hinterwäldler (*pagani*) weiter (→ Tertullianus, *Ad
nationes*). In der griech. R. finden sich aber wenige Elemente von Fruchtbarkeitsritualen ([3]; s. aber dagegen
[4]), keine Naturverehrung; im Vordergrund stehen dagegen die Verknüpfungen zur → Polis und ihren sozialen Gruppen.

(3) Gegenmodell zu den sog. orientalischen Erlösungs-R.: Das Problem ethischer Normensetzung in einem polytheistischen System (→ Polytheismus) ist nur schwer über die persönlichen Götter mit ihren je eigenen Interessen zu leisten. Zu Instanzen der Letztbegründung werden personifizierte Prinzipien (→ Personifikation), denen sich auch die Götter fügen müssen, wie → *Moíra* und → *Díkē* und das Wohl der Polis (im Hell. als → *Týchē* kultisch verehrt). Komplexer ist die Frage, ob die griech. R. eine Soteriologie herausgebildet habe. In der Stimmung des Fin de siècle um 1900 wurde das Modell der Universal- und Erlösungs-R. entwickelt, in dem das Individuum, hilflos in die Welt geworfen, durch einen Heilsweg oder außerirdischen Retter aus der Welt erlöst werden müsse. Demgegenüber mußte die griech. R. als ein Gegenmodell erscheinen, in das »spät«, »aus dem Orient« die »Erlösungs-R.« eingeschleppt wurden [5. 338; 6]: als → Orphik, als → Mysterien, schließlich als das Christentum. Die Gegenüberstellung spiegelt ein Problem des 19. Jh. wider; das Christentum kann aber in histor. Perspektive nur als eine ant. R. in ihrem synchronen Kontext untersucht werden. So ist etwa die Erlösungssehnsucht kein spezifisches Kennzeichen für ant. Christentum oder Judentum; beide geraten in der Spätant. in eine dualistische Strömung, die nach Erlösung verlangt, und gleichzeitig auch die griech. R. ergreift [7]. Auch zuvor schon bilden die ant. Christentümer ihre Sprache im Kontext der zeitgenössischen rel. Sprache; was A. DEISSMANNS programmatischer Buchtitel ›Licht vom Osten‹ (1908; ⁴1923) als Ursprung erforschen wollte, verdrängte dann das ›Theologische Wörterbuch‹ G. KITTELS (1933–1979) [8]. Griech. Denken lernen christl. Pfarrer und Priester bis heute als Propädeutik ihrer Ausbildung, wenn sie die Sprache des NT an den Texten Platons lernen.

C. Grenzen der »griechischen« Religion/ Universalisierung

Attraktiv war griech. R. für die dt. Kultur des frühen 19. Jh. zunächst als Vorbild einer in der Vielfalt der Stämme sich selbst organisierenden Kultur gegen die Gewaltpolitik eines Napoleon. Dahinter steht HERDERS Konzept der R., die je zum Volkscharakter passe. Nach der Gründung des Nationalstaates aber konnte die griech. R. als Modell einer Kulturnation über die zu kleindeutsche Lösung hinwegtrösten.

Alle Versuche, in Analogie zu den Schrift-R. ein Zentrum auszumachen, von dem aus die griech. R. missionierte, treffen nur Randphänomene der Organisation der griech. R.: → Homeros [1], so wichtig sein → Anthropomorphismus für die Vereinheitlichung des Gottesbildes wirkte, ist nicht die »Bibel der Griechen«, weder autoritative Heilige Schrift noch Spiegel der Institutionen und Feste vor Ort. → Delphoi spielt als Kommunikationsort der sich ausdehnenden griech. Welt in der archa. Zeit eine bed. Rolle, aber eine geplante Missionierung, wie etwa die Einführung eines Kalenders oder einer verbindlichen Ethik [9], läßt sich nicht belegen.

So ist das Modell einer sich aus der Vielfalt der lokalen R. selbst schaffenden Gemeinsamkeit in der Verschiedenheit zu bevorzugen: ein autopoietisches System, das durch »Märkte« wie die panhellenischen Spiele konkurrierend und angleichend kommuniziert. Griech. R. ist dann die Option, griech. zu sein; Koalitionen von Städten untereinander werden durch die Wahl gleicher Rituale dargestellt (Hdt. 2,52f.; Aristoph. Lys. 1129–1134; Thuk. 4,96–99) und können zu einer dauerhaften Verbindung führen (Ethnogenese). Nicht Stämme, und in geringem Maße Verwandtschaft, also nicht »natürliche« Verbindungen schaffen in der archa. Zeit die Gemeinschaften, sondern die Siedlungsgemeinden schaffen sich durch Kult- und Rechtsgemeinschaft eine Genossenschaft.

D. Institutionen und Träger

Die griech. R. ist strikt lokal gebunden. Die → Polis als die grundlegende soziale Gemeinde ist Träger der griech. R. in ihrer je lokalen Verschiedenheit. Selbst Gäste aus der Nachbarstadt sind »Fremde« – und als solche aus der eigenverantwortlichen Ausführung eines Opfers ausgeschlossen (Hdt. 5,72,3; 6,81); sie sind »gottlos« (vgl. → Atheismus). Die lokale Gebundenheit der griech. R. äußert sich weiter darin, daß der Besitz im Heiligtum dem je lokalen Gott gehört, nicht etwa dem panhellenischen Gott.

In der griech. R. hat sich keine Institutionalisierung herausgebildet, in der die rel. Institution ihre eigenen Interessen dem Staat gegenüber unterscheidet und vertritt. In diesem Sinne ist die griech. R. eine priesterlose R.: Priesterin oder → Priester ist ein sozialer Status, der mit dem polit. und wirtschaftlichen Status meist übereinstimmt. Kult ist in der Regel ein Subventionsunternehmen, das für Priester keine Gewinne abwirft und also keine Priesterkaste begründet. Finanziert werden die Kulte durch Spenden der Reichen (notfalls erzwungen) oder gemeinschaftlich durch die soziale Gruppe, die die Opfer veranstaltete. Kultkalender haben den Zweck, die Zuständigkeiten der Gruppen festzuschreiben.

Die R. in der Polis geht über die Bürgerrechte hinaus, die die Zugehörigkeit zur polit. Polis begrenzen (auf Männer, Erwachsene, Einheimische). R. vermag die nicht rechtlich Privilegierten zu integrieren, aber auch eine eigene Repräsentation zu schaffen und so in und gegen die Männer-Polis den Frauen, den Jugendlichen, den → Metoiken, der thrakischen Polizei in Athen und den Sklaven eine eigene Identität in der Öffentlichkeit zu geben.

Das Pantheon einer griech. Polis bietet eine Mehrzahl von Identifikationsgestalten, aber doch eine begrenzte Zahl. Die Gruppe der → »Zwölfgötter« ist solch eine Grenze. Die sozialen Gruppen innerhalb der Polis wählen je ihre Gottheit, die dann für ihre Belange repräsentativ ist und oft mehrere Funktionen übernimmt im Unterschied zu anderen lokalen R. [10; 11]. Neue Götter sind Fremde, bringen die Zuordnungen im lokalen Pantheon durcheinander und können nur im

Konsens eingeführt werden (z. B. Asklepios, Bendis, mißlungen Artemis Aristobule).

E. Feste und Rituale

Auch in der polit. R., wo die R. die Polis repräsentiert, sind die unterschiedlichen sozialen Gruppen präsent, in Athen bei den → Panathenaia oder den städtischen → Dionysia (→ Dionysos), etwa Alte und Junge, Männer und Frauen, Bündner und Fremde. Die meisten Feste aber lassen sich als Aufführung der einzelnen sozialen Gruppen verstehen. Im → Ritual erfahren neue wie alte Mitglieder, Akteure wie Zuschauer, wer dazugehört, wer von diesem Kult ausgeschlossen ist.

Eine bes. Haus-R. ist in der griech. R. nur schwach ausgebildet. »Meine« → Herme (Aristoph. Nub. 1478) oder ein Altar am Hauseingang sind ebenso privat wie öffentlich.

Ausgeprägt ist die individuelle R. dagegen in persönlichen Krisensituationen: Rituale vor und nach Reisen, Votive zur Genesung von Krankheiten, dazu der Beitritt zu Kultgemeinschaften, die das persönliche Leben nach dem Tod versprechen. Hier schließen die Mysterienkulte an, die also das System des Polytheismus nicht sprengen.

Die Ebene oberhalb der Polis-R. ist zum einen durch die panhellenischen Spiele gebildet. Im Rahmen von Landschaften bilden sich außerdem die überregionalen Heiligtümer wie das → Panionion der westkleinasiatischen griech. Poleis oder das panboiotische Heiligtum. Einen anderen Typus bildet einmal das Eleusinion (→ Eleusis), das Ende des 5. Jh. v. Chr., Delos ablösend, zum Zentralkult des → Attischen Seebundes organisiert, später zum weltweit besuchten Ort der individuellen Heilssicherung wird (→ Mysteria). Wieder anders das Orakel von Delphoi, das für konkrete, individuelle Entscheidungen von Poleis wie für einzelne ein Wissen zur Verfügung stellt, das menschliches Wissen übersteigt.

Aber auch im Fall der → Orakel gilt, daß es Wahl und keinen Zwang gibt: Man kann das gleiche Orakel mehrfach oder aber eine andere Orakelstätte befragen [12]. Die Zugehörigkeit zu einer sozialen Gruppe mit ihren Festen schließt die Beteiligung an anderen nicht aus. Im Gegenteil, fast überall in der Öffentlichkeit sind rel. Elemente präsent, so daß R. in der Polis unvermeidbar ist. Jüdische und christl. Gemeinden finden in den polytheistischen Städten für die rel. Pragmatik (→ Halakha) Wege, die die Exklusivität der monotheistischen Systematik vermeiden [13].

F. Religiöses Wissen

Da es für Priester keine Ausbildung und keine zentrale Instanz der Kontrolle und Kanonisierung gibt, sondern für viele Priesterämter potentiell jeder in der Stadt gewählt, gelost (→ Los) werden, das Amt auch ersteigern kann, fehlt auch das für viele R. konstitutive Priesterwissen. Weder eine Theologie (im Sinne eines systematisch durchgearbeiteten und gepflegten *belief-system*) noch die Liturgie wird von Spezialisten an ihre Nachfolger tradiert. Einzelheiten kennen eher die sozial niederen Helfer. Und es gibt keine normative Instanz,

über die man verifizieren und kontrollieren könnte. Theologische Denkarbeit leisten die griech. Tragiker (→ Tragödie) vor einer Öffentlichkeit in der Konkurrenz des Theaters, in der Mehrstimmigkeit eines Dramas. Der theologische Gehalt wird nie systematisch und eindeutig sein. Wenn Platon die Vielheit und das Menschengestaltige der kultischen Götter durch die Einheit des Göttlichen ablöst und diese mit dem Guten gleichsetzt, gibt er einer systematischen → Theologie Raum, die philos. Theologie gerne weiterführt. Aber sie bleibt der Realität des Lebens und des Kultes fern.

Im Unterschied zur röm. R. gibt es keine *disciplina* der Rituale (d. h. ein Repertorium und ausgebildete Spezialisten). Wieweit Kultvereine das leisten konnten, wäre zu prüfen; ihr Hauptziel war es nicht. Damit kann es in der griech. R. auch nur eine geringe rituelle Konstanz geben, erst recht keinen Rigorismus. Die Kultsatzungen regeln nur, was in dem entsprechenden Heiligtum besonders und anders gehandhabt wird (vgl. etwa die Inschr. in LSAM und LSCG); nirgendwo aber gibt es eine schriftlich festgehaltene Agende für den Kult.

Was Gebete und Geschenke (Votive, Opfer) nicht vermögen, läßt sich im privaten Bereich mit der Technik der → Magie über unaussprechliche Götter erreichen (verfluchen, fesseln, schädigen oder zur Liebe nötigen; → Zauberpapyri; → *defixio*).

Mythen sind keine Glaubensbekenntnisse. Sie sind nicht als Äquivalent zur Offenbarung der Buch-R. zu verstehen, sei es als die in eine autoritative Erzählung gefaßte urspr. Epiphanie des Naturheiligen oder als die Ambivalenz von biologischem Verhaltensmuster und kultureller Überformung. Griech. Mythen entsprechen zudem selten dem Typ der *charter myths*, die eine Institution der Gesellschaft autoritativ legitimieren, weil sie von Anfang an oder vom Gründerheros so eingerichtet wurde. Die meisten Mythen verkehren vielmehr die verbindliche Autorität durch ihr Gegenteil. Sie spielen eine Alternative durch; die Alltagsrealität ist damit nicht sanktioniert, sondern eine Möglichkeit unter mehreren, nicht die einzige, nicht die beste, aber eine realistische. Die Utopien des → Festes sind attraktiv, aber nicht lebbar. Die Mythen übermitteln damit narrativ eine grundlegende Übereinkunft der Gesellschaft zugleich mit der Option zu einer Alternative [15].

G. Historische Kontinuität und Brüche

Nicht nur die lokale Vielfalt, sondern auch die Vielfalt der Epochen läßt das Konstrukt der Moderne von *der einen* griech. R. differenzieren: Die grundlegende Einheit (Träger) der griech. R. bleibt die Polis. Ihre Strukturen beginnen in der letzten Phase der → Mykenischen Kultur mit der Auflösung der Zentralität des Palastes zugunsten einer segmentären Gesellschaftsordnung. Mit der Formation der Polis seit dem 8. Jh. v. bis zu gewaltsamen Abbrüchen der Stadtkultur in der Spätant. (6. Jh. n. Chr.) bildet sich ihre R. heraus. Rel. Sprachmetaphern, Bilder und Rituale werden aus dem Alten Orient übernommen und angepaßt, nicht nur in der intensiven Phase der »orientalisierenden« Epoche

der griech. Archaik (6. Jh. v. Chr.) [16], sondern durchgehend in immer neuen Schüben, teils bewußt exotisch, teils vollständig zu eigen gemacht. Wie für die orientalischen Elemente gilt auch für die einheimischen Rituale (z. B. in den Kolonien oder für die Frage der Kontinuität ant. »paganer« R.), daß sie als Teilstücke in eine andere R. kontextualisiert werden [17; 18]; bei dieser Kontextualisierung ist es von untergeordneter Bed., ob es sich hierbei um Prozesse von Integration oder Isolierung und Ausgrenzung handelt. Die Gesellschaft und ihre R. bilden den Kontext und Rahmen, in den Rituale, Vereine, Bauernkulte oder Magie, Altes und Neues adaptiert werden: Orientalisches, Italisches in der griech. R.; Paganes im ma. Christentum. Für die röm. »Reichs-R.«, als die Römer mil.-polit. ihr Imperium organisierten, ist eher das Umgekehrte zu beobachten: Römisches fügt sich in die Struktur der griech. R. ein, nicht umgekehrt. Das ant. → Christentum wiederum fügt sich ein und übernimmt dann weitgehend die Struktur der röm. R. Nur der philos. orientierte Diskurs »R.« ist griech. geprägt, also sollte man nicht von einer Hellenisierung, sondern von einer Romanisierung des Christentums sprechen.
→ Kult(us); Opfer; Priester; Ritual;
RELIGIONSGESCHICHTE

1 E. FEIL, Religio, Bd. 1, 1986, 16–31 2 W. KINZIG, Novitas Christiana, 1998 3 B. GLADIGOW, Rez. W. Burkert, in: GGA 235, 1983, 1–16 4 G. BAUDY, Ant. R. in anthropologischer Deutung, in: E.-R. SCHWINGE (Hrsg.), Die Wissenschaften vom Alt. am Ende des 2. Jt. n. Chr., 1995, 229–258 5 E. ROHDE, R. der Griechen, in: Ders., KS, Bd. 2, 1901 (Ndr. 1969) 6 W. F. OTTO, Der Geist der Ant. und die christl. Welt, 1923 7 H. JONAS, Gnosis und spätant. Geist, Bd 1, 1934, Bd. 2, 1993 8 K. MÜLLER, Das Judentum in der religionsgesch. Arbeit am NT, 1983 9 NILSSON, GGR 1, 625–652 10 CH. SOURVINOU-INWOOD, Persephone and Aphrodite at Locri, in: JHS 98, 1978, 101–121 11 CH. AUFFARTH, Aufnahme und Zurückweisung neuer Götter, in: W. EDER (Hrsg.), Die athenische Demokratie im 4. Jh., 1995, 337–365 12 B. GLADIGOW, Chrêsthai Theoîs, in: CHR. ELSAS, H. G. KIPPENBERG (Hrsg.), Loyalitätskonflikte in der R.-Gesch., 1995, 237–251 13 CH. AUFFARTH, Die frühen Christentümer als lokale R., in: Zeitschr. für Ant. und Christentum 5, 2001 14 Ders., Der drohende Untergang, 1991, 1–35; 461–501 15 B. GLADIGOW, Mythische Experimente – experimentelle Mythen, in: R. SCHLESIER (Hrsg.), Faszination des Mythos, 1985, 61–82 16 W. BURKERT, Die orientalisierende Epoche, 1984 17 K. BRODERSEN, Männer, Frauen und Kinder in Großgriechenland, in: CHR. DIPPER, R. HIESTAND (Hrsg.), Siedleridentität, 1995, 45–60 18 R. M. DAWKINS, Modern Greek in Asia Minor, 1916.

CH. AUFFARTH, Feste als Medium ant. R., in: CH. BATSCH u. a. (Hrsg.), Zw. Krise und Alltag, 1999, 31–42 • PH. BORGEAUD, La mère des dieux, 1996 • J. N. BREMMER, Götter, Mythen und Heiligtümer im ant. Griechenland, 1996 (= Greek R., ³2000) • BURKERT (= W. BURKERT, Greek R., 1985) • Ders., s. v. Griech. R., TRE 14, 235–253 • E. R. DODDS, The Greeks and the Irrational, 1951 (dt. 1971) • R. GARLAND, Introducing New Gods, 1992 • F. GRAF, Griech. Myth., 1985 • Ders., Gottesnähe und Schadenzauber, 1996 • J. M. HALL, Ethnic Identity in Greek Antiquity, 1997 • T. LINDERS (Hrsg.), Economics of Cult in the Ancient Greek World, 1992 • NILSSON, Feste • NILSSON, GGR • R. PARKER, Miasma, 1983 • Ders., Athenian Religion. A History, 1996 • S. R. F. PRICE, Religions of the Ancient Greeks, 1999 • P. STENGEL, Die griech. Kultusaltertümer, ³1920 • P. VEYNE, Glaubten die Griechen an ihre Mythen?, 1987 (frz. 1983). C. A.

IX. ETRUSKER UND ITALISCHE KULTUREN
s. Etrusci, Etruria; Italia (II.)

X. ROM
A. WISSENSCHAFTSGESCHICHTLICHER ORT
B. BEGRIFF UND KONSTITUTION DES GEGENSTANDES
C. AUSDIFFERENZIERUNG VON RELIGION IN ROM
D. PRAKTIKEN E. DISKURSE
F. LOKALGESCHICHTE G. EXPANSIONSGESCHICHTE
H. GESAMTBEWERTUNG

A. WISSENSCHAFTSGESCHICHTLICHER ORT
Die Differenzierung von röm. und griech. R. ist ein Werk der Romantik, das im Verlauf des 19. Jh. weiter ausgearbeitet wurde. Mit G. WISSOWA gewann diese Differenz für die röm. R. im Jahr 1902 Hdb.-Form [1]: Während Ritual und Recht (vgl. → Sakralrecht) die röm. R. kennzeichneten, war für die griech. R. die Myth. (→ Mythos) charakteristisch. Die Forsch.-Gesch. des 20. Jh. besteht weit über den dt. Sprachraum hinaus in der Aufarbeitung dieser Dualität. Der Versuch, eine röm. Myth. wiederzugewinnen oder aber ihr Fehlen plausibel zu machen [2; 3], sowie andererseits das Bemühen, griech. Einflüsse auf die röm. R. auszuloten (z. B. [4]), bilden zentrale Linien der Fachgeschichte.

Die damit vorgegebene Vergleichsebene weist ein großes Problem auf: Ein wesentlich überregionales Konstrukt – die »griech. R.« – wird mit einer lokalen rel. Kultur – der »röm. R.« – verglichen. In dieser Konstellation ist die röm. R. natürlich wesentlich leichter als Teil der griech. zu deuten als umgekehrt: Das große Hdb. zur griech. R. von M. P. NILSSON [5] ist zugleich eines der besten Werke zur R.-Gesch. der röm. Kaiserzeit. Weitere Folgeprobleme liegen auf der Hand: Die Charakterisierung als lokale Kultur übersieht die polit. Großraumbildung des Imperium Romanum; die Konzentration auf das → Ritual marginalisiert indigene Diskurse über R. Den so entstandenen Freiraum füllen mod. Konstrukte wie die »orientalischen Religionen«, scheinbar überregional identische Kulte, die attraktive Formen von Gemeindebildung und Soteriologien bieten [6]. Obschon → »Romanisierung« als kulturelles Paradigma in der Forsch. weit verbreitet ist, finden die damit verbundenen Fragestellungen kaum Anwendung auf den Bereich der R., obwohl deutlich ist, daß über Rechtszwänge, Sprache, Elitenaustausch und andere Ausbreitungsprozesse auch rel. Praktiken im gesamten Röm. Reich rezipiert wurden.

B. Begriff und Konstitution des Gegenstandes

Wie Griechenland hat auch Rom keinen Begriff von »R.« entwickelt (s. R.I.). *Religio* bezeichnet zunächst (oft im Pl. *religiones*) rel. Verpflichtungen, erst in der späteren Kaiserzeit wird der Begriff im christl. Milieu verwendet, um verschiedene nichtchristl. Kultkomplexe zu einem kohärenten rel. System (einer *religio Romana*) in Opposition zum Christentum zusammenzuschließen (Tert. apol. 24,1; Acta Cypriani 1,1; [7. 203–234]). → *Sacra* oder *ius divinum* (→ Sakralrecht) bezeichnen (angebbare) Kulte oder Eigentumsrechte, sie grenzen keinen Bereich »R.« von anderen kulturellen Bereichen ab.

Eine Konstitution des Gegenstandes »röm. R.« kann über die Götter (*di deaeque, di immortales*) erfolgen: als die Gesamtheit der auf diese »Symbole« bezogenen kulturellen Praktiken. In der röm. kulturinternen Reflexion spielt die Differenzierung von Kult (*sacra*) und → Divination (*divinatio*) eine wichtige Rolle (z.B. Cic. leg. 2,21f.; 29–33); diese Differenzierung ist noch für die spätant. Eingriffe in die R. im Rahmen der Durchsetzung eines christl. Monopols im *Codex Theodosianus* (→ Codex II.C.) entscheidend; vgl. das Verbot der Divination im *Codex Theodosianus* (16,10,7; 9; 16,10,10–12). Aber Spezialisten beider Bereiche werden als → *sacerdotes* angesprochen, was deren Zusammengehörigkeit in der (heidnischen) röm. R. unterstreicht.

Den Gegenstand der »R.« über Götter zu konstituieren heißt aber nicht, R. durch Götterbiographien zu strukturieren: Ein solcher Zugriff (der die Darstellungen der röm. und anderer R. viel zu häufig charakterisiert hat; z.B. [1; 8]) weist mehrere Probleme auf: (a) Unterschiedliche rel. Praktiken und Diskurse werden auf ein in ihnen in unterschiedlicher Form und Funktion auftretendes »Symbol« (eine Gottheit) bezogen und ausschließlich durch dieses erklärt. (b) Ein spezifischer Diskurs → »Theologie«, der in der europäischen R.-Gesch. insbes. des Christentums überragende Bed. gewonnen hat, wird – über das objektsprachlich Gegebene hinaus – überbetont von der Wiss. fortgeführt (zur Kritik vgl. → Polytheismus II.). (c) Götter werden in den zum größten Teil kleinräumigen ant. Kommunikationszusammenhängen als Symbol lokal u.U. sehr unterschiedlich verwandt: Nicht der Zugriff auf ein gemeinsames »Wesen« (wie dies die R.-Phänomenologie ins Zentrum stellt), sondern das in bestimmten Kontexten gegebene Spektrum von Wahlmöglichkeiten innerhalb eines lokalen → Pantheons ist für eine Charakterisierung von röm. R. (in Rom, im latinischen Praeneste, im gallischen Vienna) von Bed. – womit nicht unterstellt werden soll, daß ein rel. System über die Kategorie »Götter« auch nur annähernd hinreichend zu beschreiben wäre.

C. Ausdifferenzierung von Religion in Rom

Für die röm. Ant. ist – wie für die Ant. allg. – R. grundsätzlich als eine »eingebettete«, d.h. in unterschiedliche kulturelle, polit. und ökonomische Zusammenhänge integrierte Praxis zu fassen. Rel. Rollen werden durch gesellschaftliche Rollen wie etwa die des → *pater familias* oder des Magistraten definiert, polit. Handeln hat rel. Aspekte (→ *inauguratio*, → *auspicatio*). Dieses Eingebettetsein bedeutet allerdings nicht, daß nicht schon früh eine eigene rel. Infrastruktur entwickelt wurde: Der Tempelkomplex am stadtröm. *Forum Boarium*, der bis ins 6. Jh. v. Chr. zurückgeht (→ Roma III.), beweist dies [9]; der dem späten 6. Jh. v. Chr. angehörende Tempel des → Iuppiter (*optimus maximus*, »der beste und größte«) auf dem → Capitolium zeigt, daß gerade R. in Rom schon früh zum Gegenstand urbaner Monumentalisierung wird.

Die Frühgeschichte der späteren Priesterschaften (→ Priester) ist problematisch, ein gegenüber den Magistraturen eigenes Profil gewinnen sie in den Quellen erkennbar erst im 4. Jh. v. Chr. (selbst wenn man die Existenz des → *rex sacrorum* und der → *augures* schon für die Königszeit annimmt). Die Ausdifferenzierung dieser Rollen läuft parallel zur Frage der polit. Kontrolle von R.; in der Figur des Ap. → Claudius [I 2] Caecus (um 300 v. Chr.) ist in der Überl. eine Person gegeben, in der der Konflikt zw. dem rel. und polit. Bereich gebündelt sichtbar wird: vgl. etwa seine »Verstaatlichung« des → Hercules-Kultes der Potitier, die Publikation der → *fasti*, die *lex Ogulnia* über die Beteiligung von Plebeiern (→ *plebs*) an den öffentlichen Priesterschaften.

Besser als jedes andere Ereignis zeigt der sog. → *Bacchanalia*-Skandal des Jahres 186 v. Chr., der die Verfolgung von mehreren Tausend Anhängern des Dionysos-Kultes in It. einschloß [10], wie sehr gruppenbezogene rel. Aktivitäten außerhalb des Spektrums öffentlicher »Polis-R.« (zum Begriff s.o. VIII.), von Griechenland ausgehend, auch den ital. und latinischen Raum erfaßt hatten. Im Vereinswesen, das in den folgenden Jh. greifbar wird, nehmen die röm. → Vereine (→ *collegia*), die sich ausschließlich des (immer auch geselligen) Kultes wegen zusammenschließen, neben den Berufs- oder Familien-(Sklaven-)Vereinen eine wichtige Position im Spektrum der rel. Züge aufweisenden Gruppen ein [11; 12]; ebenso konstituieren sich rel. »Gemeinden« in der Form von Vereinen. Die röm. Gesetzgebung scheint hier restriktiver als die griech., der Ausschluß der Öffentlichkeit von jeder Form der rel. Betätigung ist den polit. Instanzen grundsätzlich verdächtig [13].

Neben den Vereinen sind »Vollzeitreligiose« zu nennen, d.h. Träger von rel. Autorität, die in der Zeit der röm. Republik mehrfach als → *vates* (»Propheten«) in den Quellen auftauchen, deren Gestalt und Äußerungen in Einzelfällen Literarisierungsprozessen unterworfen wurden (→ *Sibyllini libri*; [14]), v.a. in dem Bed.-Wandel, den der Begriff als »göttlich inspirierter Dichter« in der augusteischen Lit. erfuhr (z.B. Verg. ecl. 7,28; 9,34). Ihre Verdrängung in der histor. Überl. und die rigorose, wenn auch weitgehend erfolglose Kontrolle der *Sibyllini libri* (d.h. Kanonisierung und strikte Reglementierung des Zugangs durch die → *quindecimviri sacris faciundis*) zeigen die marginale Position dieses alternativen Bereiches des rel. Spezialistentums in Rom; gleichwohl gehört die so erfolgte Domestizierung und die Erschließung des Legitimationspotentials nichtrömischer rel. Spezialisten (→ Sibyllen, → *haruspices*) zu den erstaunlichsten Merkmalen der röm. R. Erst mit dem Wandel der sozio-polit. Strukturen im 2. und 3. Jh. n. Chr. gewinnt R. eine neue und enorm vergrößerte allg. Rolle als externe Quelle von Autorität in der Person des (paganen wie christl.) »heiligen Mannes« [15] (→ Heilige, Heiligenverehrung); rigoristische Positionen (→ Askese) werden nun zum Massenphänomen (→ Mönchtum).

D. PRAKTIKEN

Röm. R. wird primär greifbar als → Ritual, als Handeln. Das ist – gegen eine auch heute noch dominante forsch.-gesch. Position (s.o. A.) – nicht typisch röm.; noch im Zeitalter der europ. Konfessionalisierung (16./17. Jh.) beklagte man das Fehlen von rel. Diskursen und theologischer Reflexion bei der Masse der Bevölkerung. Der Vorrang des Handelns ist aber nicht rein schichtenspezifisch, sondern kann auch in den schmalen röm. Bildungsschichten – gegebenenfalls in Form einer »kognitiven Dissonanz« von Handeln und Denken [16] – unterstellt werden.

Grundelemente der röm. R. sind das Gebet (vgl. → Hymnos), das jedes rituelle Tun begleitet, → Opfer, → Prozessionen und Spiele (→ *ludi*). Mit diesen Formen werden je spezifische Öffentlichkeiten angesprochen bzw. konstituiert: Für das »öffentliche«, d.h. auf Gemeindekosten durchgeführte röm. Opfer ist bezeichnend, daß der Teilnehmerkreis am Mahl auf die beteiligten Magistrate und Priester beschränkt ist.

Prozessionen verbinden Orte und schaffen so sakrale Räume; in Rom werden sakrale, oft mit der tatsächlichen Bebauungsgrenze nicht übereinstimmende Grenzen bes. aufwendig betont [17]: Das → *pomerium* trennt die Rechtsbereiche *domi* und *militiae* (»daheim in Rom« und außerhalb Roms »im Kriegsrechtsgebiet«); das Marsfeld (→ *Campus Martius*) ist, da es außerhalb der alten Stadtgrenze liegt, Ort zahlreicher Rituale bewaffneter Bürger und rel.-gesch. einer der Orte, die zu den Schauplätzen der weitreichendsten rel. Innovationen gehörten: → Circus und Theater bieten hier Raum für »circensische und szenische Spiele«, ein Typ von ritueller Kommunikation, der seit dem 3. Jh. v. Chr. das öffentliche Leben der röm. und später auch provinzialröm. Stadtbevölkerungen zunehmend beherrscht [18]. Mit der *pompa circensis* weisen die Spiele ein Prozessionselement auf, das im Mitführen von Götterstatuen und -symbolen auf Wagen (*tensae*) die wenig hierarchisierte polytheistische Struktur des röm. → Pantheons anschaulich macht (→ Polytheismus II.). Auch der → Triumph-Zug des siegreichen Feldherrn war in erster Linie ein Prozessionsritual, das das Heer mitsamt dem iuppitergleichen *imperator* und der Beute in die Stadt hinein und über die → Via Sacra und das → Forum Romanum zum Tempel des → Iuppiter Capitolinus führte, um das Auszugsgelübde einzulösen. Bei diesem Ritual findet sich (wie beim Dienstantritt der → *consules* oder den Herrscherjubiläen der Kaiser) das allg. verbreitete Krisenritual des Gelübdes (*votum*, → Weihung) als eine öffentliche rel. Handlung; auch im Bereich der privaten R. ist es häufig anzutreffen [19].

Tempel sind wichtige und repräsentative Elemente der rel. Infrastruktur; sie werden als solche zur Zielscheibe von Angriffen gegen unerwünschte Kulte bis hin zur Enteignung im späten 4. Jh. n. Chr. Im Normalfall ist das *templum* (auf dem ein Gebäude, *aedes*, der Götter errichtet werden kann) bodenrechtlich Eigentum einer Gottheit; ein → Altar markiert den Ort ritueller Kommunikation mit der Gottheit im Opfer. Tempelgebäude und zentrales → Kultbild (das durch Stiftungen um verehrbare Bilder weiterer Götter ergänzt werden kann) sind nicht notwendig, eröffnen aber weitere Möglichkeiten der Kontaktaufnahme und emotionalen Nähe. Das Haus macht den Tempelplatz für die Gottheit attraktiv, dem Kultbild werden im typischen Opfer bestimmte gekochte Fleischteile auf einem Tisch (*mensa*) angeboten; die Statue kann dem Verehrer als belebt erscheinen, ihm zunicken oder eine Reaktion verweigern [20; 21]. Gerade in der schnellen Expansion des Pantheons einer Großstadt bieten das Kultbild und seine Symbolik Möglichkeiten zur Identifizierung und spekulativen oder kultisch-konkreten Profilierung (etwa über Beinamen: [22]) von Gottheiten.

Auch Zeiträume (Tage) können zum Eigentum von Gottheiten werden, was sich in entsprechenden Notierungen im → Kalender (→ Fasti) niederschlägt. Die (im Vergleich zur Moderne freilich sehr begrenzte) Rhythmisierung des Alltagslebens durch Monate (Kalenden, Nonen, Iden), Markttage (→ *nundinae*) oder Versammlungstage (→ *comitia*) umfaßt ein Raster von Gelegenheiten zu öffentlichen Ritualen, die sich vorrangig bei Tempelstiftungstagen (→ *natalis templi*) und vergleichbaren Feiern finden. Für das private kultische Handeln sind damit nur geringe Orientierungen verbunden, sieht man davon ab, daß die genannten Tage für → Geburtstags-Feiern und Gastmähler (→ Gastmahl) bes. beliebt waren. Persönliche R. im Krisenfall (Gelübde, Bitt- und Dankopfer) oder in Vereinen scheint sich kaum an den Vorgaben der Kalender auszurichten [23; 24].

E. DISKURSE

Röm. R. entwickelt sich von Beginn an, d. h. seit der Phase der Stadtwerdung, nicht nur in Beziehung zu der orientalischen (etwa der phönizischen) und der griech. materiellen Kultur (sei es in Form von Kultbildern, Tempelelementen, Kultgeräten, Grabbeigaben und Votivgaben), sondern auch zu den entsprechenden Diskursen. Mit der anachronistischen Konstruktion, daß der (fiktive) R.-Gründer und zweite König Roms → Numa Pompilius Schüler des südital. Philosophen → Pythagoras (6. Jh. v. Chr.) gewesen sei, haben die Römer dies schon im frühen 2. Jh. v. Chr. (»Fund« der Numabücher: [25]) reflektiert.

Die Medien sind unterschiedlich: In der 2. H. des 3. Jh. v. Chr. wird das Drama in seinen verschiedenen

Ausformungen (→ Komödie, → Tragödie, nicht nur als → Praetexta) auch als Form des rel. Diskurses produktiv genutzt. Lit. Gattungen des Hell. werden in schneller Folge, wenn auch mit unterschiedlicher Nachhaltigkeit, in Rom rezipiert (→ Ennius [1], → Euhemeros; → Epos II.3., → Geschichtsschreibung III.) und bieten fruchtbares Material zur Reflexion und Konstruktion kultureller Differenz bzw. Gleichheit. Zwar dominiert in der Lit. das Griech., aber institutionengeschichtlich spielt die ital. Umwelt eine nicht minder wichtige Rolle. Röm. Konstruktionen von Fremdheit spiegeln ein röm. Kontrollinteresse wider, wie z.B. die Einrichtung der Kategorie des *ritus Graecus*, eines Ensembles zusammenhängender Kultvorschriften für bestimmte, keineswegs notwendig aus Griechenland stammende Kulte [26; 27]. Systematisierungsinteressen spiegeln sich seit dem beginnenden 3. Jh. v. Chr. in den → *fasti* und den Protokollen (→ *commentarii*/→ *acta*) der röm. Priesterschaften wider.

Die produktive Anwendung griech. → Philosophie gehört erst dem 1. Jh. v. Chr. an (→ Cicero, → Lucretius [III 1]); sie bleibt auf einen kleinen Kreis beschränkt, in dem die Dominanz epikureischer Positionen (→ Epikureische Schule C.) am Ende der röm. Republik in der Folgezeit durch stoische (z.B. → Cornutus [4]; → Stoizismus) und schließlich mittel- und neuplatonische (→ Neuplatonismus) Orientierungen abgelöst wird, die endlich auch wieder dem Ritual hohen Stellenwert einräumen. Die Rezeption griech. Philos. geschieht parallel zu einem Aufschwung antiquarischer Forsch. (dominierend: M. Terentius → Varro; allg.: [28]), die tradierte Rituale und Symbole mit (zumeist durch genetische Erklärungen geschaffenem) »Sinn« versehen. Das Interesse an solcher »Sinn«-Produktion rührt von der philos. Ausrichtung der Autoren her. Die verwirrende Präsentation mehrfacher → Aitiologien (→ Propertius, → Ovidius) scheint hingegen eine röm. Eigenheit zu sein.

F. LOKALGESCHICHTE

Unter der Perspektive der Ausdifferenzierung läßt sich die Gesch. der röm. R. nur in engem Zusammenhang mit der polit. Gesch. und Sozialgesch. Roms schreiben. Die Rolle der »öffentlichen« R. als R. der Führungsschicht (→ Nobilität) und der Umstrukturierung dieser Führungsschicht durch den Kaiser, der sich als → *pontifex maximus* und häufig durch mehrfache Mitgliedschaften in Priesterkollegien eine zentrale Rolle aneignet, wären hier hervorzuheben. Rel. Architektur und Ritual gehören zu den zentralen Elementen der durch → Euergetismus finanzierten städtischen Infrastruktur bis hin zum gigantischen Doppeltempel Hadrians für → Venus und → Roma [IV.]. Erst am Ende des 4. Jh. n. Chr. verlieren die nichtchristl. Kulte (nicht aber R. an sich) diesen Tragepfeiler der staatlichen und privaten finanziellen Förderung.

Im Hinblick auf das rel. Spektrum läßt sich die R.-Gesch. Roms – trotz Verzögerungen und Beispielen öffentlicher Intoleranz (vgl. → *patrii di*; → Toleranz) –

als »Zuwachs«-Gesch. schreiben. Darüber hinaus gewinnen gerade die stadtröm. Dependancen zahlreicher überregionaler Kulte aufgrund des Prestiges oder der organisatorischen Überlegenheit der Hauptstadt bes. Gewicht: Die Gesch. des röm. → Christentums (Paulus und Petrus in Rom) ist hier durchaus repräsentativ. Gerade in Rom scheint zudem die Umwandlung von konkreten Ritualen und Symbolen in tradierbare Bildungs- und Lit.-Güter, entscheidend für das Fortleben der röm. R. in christl. Zeit, vorangetrieben worden zu sein (vgl. die Dichterin → Proba; vgl. → Bildung D.).

G. EXPANSIONSGESCHICHTE

Röm. R. ist Teil einer gemeinmediterranen R.-Gesch., in der die altoriental. Hochkulturen als produktive Zentren rel. Kultur über einen langen Zeitraum (z.B. → Astrologie, → Isis-/→ Serapis-Kult) einen bes. Stellenwert einnehmen. Mit der polit.-mil. Expansion Roms gewinnen auch die Praktiken, Symbole und materiellen Formen der röm. R. einen bes. Einfluß auf die R.-Gesch. der Kulturen des *Imperium Romanum*. Die beschleunigte Diffusion und Migration von rel. Optionen, Verschriftlichung von Kult (z.B. bei Weih- und → Grabinschriften), röm.-sacerdotale Muster rel. Organisation können die Vielfalt der Aus- und Wechselwirkungen nur anreißen; der Forsch.-Bedarf ist hoch und erstreckt sich weit über den → Kaiserkult oder die Mil.- und Verwaltungs-R. hinaus [29; 30].

H. GESAMTBEWERTUNG

Röm. R. ist als Begriff für ein regionales rel. System und als Epochenbegriff sinnvoll; als Konzept im Sinne des Anzeigens einer »Konfessionalisierung« ist er unbrauchbar. Die »Herkunft« der röm. R. aus dem Prozeß der Stadtwerdung Roms, ihr Eingebettetsein in die sozialen, ökonomischen und polit. Veränderungen der nachfolgenden Jh. sowie ihre Vielfalt in histor. Zeit machen die Frage nach dem »Wesen« der röm. R. und eine darüber definierte Abgrenzung gegenüber einer griech. und »oriental.« R. unsinnig.

Wirkungsgeschichtlich ist röm. R. – als Synonym für die ant. R. – zunächst in der Spätant., der Renaissance und frühen Neuzeit als Alternative zum Christentum betrachtet worden. Abgelöst wird diese Opposition erst seit dem 17. Jh. durch das Gegensatzpaar → Monotheismus/→ Polytheismus. In der Folgezeit wird röm. R. als ritualistische oder als Primitiv-R. dargestellt (Dynamismus, → *numen*), letztere auch im Rückgriff auf ältere Paradigmata. Die röm. R. ist, da mythenarm, im westlichen Mittelmeer isoliert und auf eine Stadt begrenzt, weder für die »Religionsgeschichtliche Schule« noch für die Debatte über den Primat von Ritual oder Mythos (→ Ritual) oder die Diskussion um die Polis-R. (s.o. VIII.) annähernd so interessant wie die griech. R. Entsprechend standen ihre mod. Darstellungen in methodischer Hinsicht oft hinter den Zugriffen, die die Gesch. der griech. R. auszeichneten, zurück. Nicht zuletzt die zeitgenössischen Diskussionen über Verrechtlichung und rechtliche Steuerung von R. in pluralen Gesellschaften oder die aktuellen Globalisierungsdebatten könnten aber für die röm. R. als Forsch.-Gegenstand eine Renaissance bedeuten.

→ Kult(us); Opfer; Priester; Ritual;
RELIGIONSGESCHICHTE

1 G. WISSOWA, R. und Kultus der Römer, ²1912
2 J. N. BREMMER, N. M. HORSFALL, Roman Myth and Mythography, 1987 3 F. GRAF (Hrsg.), Mythos in mythenloser Gesellschaft, 1993 4 F. ALTHEIM, Griech. Götter im alten Rom (RGVV 22,1), 1930 5 NILSSON, GGR, Bd. 2 6 F. CUMONT, Die orientalischen R. im röm. Heidentum, 1909 (³1931) 7 A. BENDLIN, Social Complexity and R. at Rome in the Second and First Centuries BCE (masch. Diss. Oxford), 1998 8 R. MUTH, Einführung in die griech. und röm. R., 1988 (²1998) 9 F. COARELLI, Il Foro Boario, ²1992 10 J.-M. PAILLER, Bacchanalia, 1988
11 F. AUSBÜTTEL, Unters. zu den Vereinen im Westen des Röm. Reiches, 1982 12 J. S. KLOPPENBORG, S. G. WILSON (Hrsg.), Voluntary Associations in the Graeco-Roman World, 1996 13 B. GLADIGOW, Struktur der Öffentlichkeit und Bekenntnis in polytheistischen R., in: H. G. KIPPENBERG, G. G. STROUMSA (Hrsg.), Secrecy and Concealment, 1995 14 T. P. WISEMAN, Lucretius, Catiline, and the Survival of Prophecy, in: Ders., Historiography and Imagination, 49–53 15 P. BROWN, Society and the Holy in Late Antiquity, 1982 (Die Ges. und das Übernatürliche, 1993) 16 H. S. VERSNEL, Inconsistencies in Greek and Roman R., Bd. 1: Ter Unus, 1990 17 J. RÜPKE, Domi militiae, 1990 18 F. BERNSTEIN, Ludi Publici, 1998
19 H. S. VERSNEL (Hrsg.), Faith, Hope and Worship, 1981
20 B. GLADIGOW, Zur Ikonographie und Pragmatik röm. Kultbilder, in: H. KELLER u. a. (Hrsg.), Iconologia Sacra, 1994, 9–24 21 T. S. SCHEER, Die Gottheit und ihr Bild, 2000
22 B. GLADIGOW, Gottesnamen (Gottesepitheta) I, RAC 11, 1202–1238 23 P. HERZ, Unters. zum Festkalender der röm. Kaiserzeit nach datierten Weih- und Ehreninschr., 1975
24 J. RÜPKE, Kalender und Öffentlichkeit, 1995 25 K. ROSEN, Die falschen Numabücher: Politik, R. und Lit. in Rom 181 v. Chr., in: Chiron 15, 1985, 65–90
26 J. SCHEID, Romulus et ses frères, 1990 27 H. CANCIK, H. CANCIK-LINDEMAIER, Patria – peregrina – universa, in: CH. ELSAS u. a. (Hrsg.), Trad. und Translation, 1994, 64–74
28 E. RAWSON, Intellectual Life in the Late Roman Republic, 1985 29 H. CANCIK, J. RÜPKE (Hrsg.), Röm. Reichs- und Provinzialr., 1997 30 W. SPICKERMANN, R. im röm. Germanien, 2001.

FORSCHUNGSBER.: N. BELAYCHE, A. BENDLIN u. a., Forsch.ber. röm. R. (1990–1999), in: Archiv für R.-Gesch. 2, 2000, 283–345.
HANDBUCH: LATTE · M. BEARD, J. NORTH, S. PRICE, Religions of Rome, 2 Bde. 1998.
EINFÜHRUNG: J. NORTH, Roman R., 2000 · J. SCHEID, La R. des Romains, 1998 · J. RÜPKE, Die R. der Römer, 2001.

J. R.

XI. CHRISTENTUM

s. Christentum; Kirche

Reliquien (lat. *reliquiae*, wörtl. »›materielle‹ Überreste« von mythischen oder hl. Gegenständen und Personen, insbes. Gebeine) erfuhren in der vorchristl. wie auch christl. Ant. wachsende Wertschätzung als dingliche Vermittler überirdischer Macht. Vorstellungen des ant. → Totenkultes banden den Kontakt mit den Verstor-

benen an das Grab (→ Heroenkult). Hell. Städte verehrten ihre Gründerheroen inmitten der Stadt als Unterpfand für Schutz und Wohlstand. In privaten Stiftungen (z. B. in Kalydon im griech. Aitolia) lag der Kultsaal für die Heroen unmittelbar über der unterirdischen Grabkammer. Das Totenmahl, insbes. zu den jährlichen Todestagen der Verstorbenen, ist Anknüpfungspunkt für die strukturell ähnliche christl. → Heiligenverehrung.

Im *Martyrium Polycarpi* (18,1), einem der ältesten christl. Märtyrerberichte, werden die Gebeine des Bischofs ›wertvoller als Edelsteine‹ genannt. Ab dem 3./4. Jh. n. Chr. wird allg. die Bestattung christl. Verstorbener bei Heiligengräbern (*ad sanctos*) üblich, damit die → Märtyrer im Jüngsten Gericht Fürsprache für diese einlegen sollten. In Rom ermöglichten die constantinischen Coemeterial-Kirchen (Anf. 4. Jh.) Massenbestattungen in der Nähe von Märtyrergräbern (→ Katakomben). Im Zentrum von Alt-St.-Peter (324) wurde das Grab des → Petrus [1] durch einen monumentalen Porphyrschrein ausgezeichnet, bis dann um 600 → Gregorius [3] I. der Große darüber ein Altarpodium anlegte, unter dem eine Ring- und Stollenkrypta weiterhin den Zugang zum Grabschrein gewährte.

Eine neue Qualität erfuhr die R.-Verehrung durch die Entnahme der Gebeine aus dem urspr. Grabzusammenhang. Kaiserliche Translationen der R. von Aposteln und Heiligen nach Konstantinopel machten Mitte des 4. Jh. den Anfang. Auf Besitz und Handel mit dubiosen R. in privater Hand antwortete → Ambrosius (epist. 22) mit der Auffindung echter Gebeine auf Mailänder Boden und ihrer Beisetzung unter dem Altar der Basilica Martyrum (h. S. Ambrogio). Diese Verbindung von Altar und R.-Grab (*sepulcrum*; griech. *enkaínion*) nach Apk 6,9 wurde die Regel (Paul. Nol. epist. 32,8; Hier. contra Vigilantium 8). Im Altargrab erhielten die R. einen Wohnsitz (*domicilium*) als Mitbürger und Schutzherren (*patroni*) der jeweiligen Stadt. Zugleich sorgte Ambrosius für die Weitergabe der von ihm aufgefundenen R., doch handelte es sich dabei nicht um Gebeine, sondern um Märtyrerblut, das bei der Graböffnung mit einer gipsartigen Substanz aufgesogen wurde; Gaudentius von Brescia und Victricius von Rouen erwähnen den Erhalt dieser R.

Die auf Bibel und Philos. beruhende Vorstellung, daß in jeder Partikel die ganze Kraft (*virtus*) anwesend sei (Victricius von Rouen, De laude sanctorum, PL 20, 452c und 453d), öffnete die Schleusen für einen wuchernden Kult mit Berührungs-R. (*brandea*) aller Art: Von den Heiligengräbern wurden Tücher, Flaschen, Kästchen gefüllt mit Staub, Öl oder Steinen, als persönliche Phylakterien und Heilmittel (→ Wunder durch R.) mitgebracht. Dabei gab in zunehmendem Maß die Verbindung von Bild und R. der Gegenwart (*praesentia*) der Heiligen Gestalt. Zu den bedeutendsten christl. R. zählten das Kreuz Jesu als wichtigste Hinterlassenschaft des auferstandenen Christus, das von → Helena [2] wiederaufgefunden wurde, die R. des Diakons Stephanos, dessen Grab 415 gefunden wurde, und der Mantel des

→ Martinus [1] von Tours, der zur Haupt-R. der Merowingerzeit aufstieg. Die eigentümliche Stellung zw. Diesseits und Jenseits machte den Besitz von R. am Ausgang der Ant. zu einem symbolischen Kapital der überweltlichen Legitimation von Herrschaft, Recht und Privilegien.

→ Heilige, Heiligenverehrung; Märtyrer; Märtyrerliteratur

A. Angenendt, Heilige und R., ²1997 · P. Brown, The Cult of Saints, 1981 (Die Heiligenverehrung, 1991) · E. Dassmann, Ambrosius und die Märtyrer, in: JbAC 18, 1975, 49–68 · Y. Duval, Auprès des saints, corps et âme, 1988 · R. Hägg (Hrsg.), Ancient Greek Hero Cult, 1999 · M. Lamberigts, P. van Deun (Hrsg.), Martyrium in Multidisciplinary Perspective. Memorial L. Reekmans, 1995 · F. Pfister, Der R.kult im Alt., 2 Bde., 1909–1912 (Ndr. 1974).   R. A. WA.

Remancipatio. Im röm. Recht der *actus contrarius* (»Rückgängigmachung«) der → *mancipatio* (der förmlichen Übereignung). Sie dient z. B. der Rückübertragung treuhänderisch überlassener Sachen (→ *fiducia*). Ferner ist die *r.* ein Akt der komplizierten Förmlichkeiten bei der → *emancipatio* (Entlassung aus dem Familienverband). Vor allem aber ist die *r.* bei der alten → *manus*-Ehe (vgl. auch → Ehe III.) ein wichtiger Teil des Scheidungsvorganges: Soll eine solche Ehe aufgelöst werden, muß die Frau aus dem bes. Gewaltrecht des Ehemannes entlassen werden. Diese *r.* besteht aus einer förmlichen Übertragung (*mancipatio*) aus der *manus* des Ehemannes oder seines → *pater familias* an den früheren *pater familias* der Frau oder an einen Treuhänder (*fiduciae causa*). Der »Erwerber« der Frau entläßt sie sodann durch *manumissio* (→ Freilassung C.) aus seinem Gewaltverhältnis, wobei ihm freilich die Vormundschaft (→ *tutela*) und die Rechte eines Patrons (→ *patronus* B.) bleiben.

Honsell/Mayer-Maly/Selb, 401 · Kaser, RPR Bd. 1, 83, 327 f.   G. S.

Remi. Volk in der Gallia → Belgica, das in den Tälern der Aisne, Vesle und Suippe mit Schwerpunkt im mittleren Aisne-Tal siedelte, also in den h. Dépt. Marne und Ardennes und in Teilen der Dépt. Aisne und Meuse [1. 127 f.]. Eingeschlossen von Wäldern, grenzte das Siedlungsgebiet der R. nirgends direkt an Nachbarvölker. Als die R. hier seßhaft geworden waren, wandelten sie ihre urspr. »Nomadenmentalität« insoweit ab, als sich ihre Vorstellung von der grenzenlosen Umwelt nun auf den Raum »jenseits« ihres Siedlungsgebiets orientierte, der den Göttern geweihte Raum infolgedessen nicht mehr über ihnen, sondern um sie herum lag [2; 3]. Nachdem die R. seßhaft geworden waren, wurde ihr Land zu einer kulturellen Drehscheibe im gallischen NO, wo sich die Passagen der Stämme im Osten mit denen der im Norden beheimateten kreuzten. Anders als bei anderen gall. Völkern waren die alten Kontakte über die Achse Saône – Rhône zur mediterranen Welt im Süden sowie vorkeltische Elemente prägend für die

Kultur der R. [4; 1. 67–82]. Seit der 2. H. des 2. Jh. v. Chr. sind ein rasanter wirtschaftlicher Aufschwung und eine sozioökonomische Neuorganisation arch. bes. gut am Beispiel der Region Le Porcien zu beobachten: adelige Höfe mit dazugehöriger Nekropole in runder oder rechteckiger Einfriedung, offene Gruppendörfer (Acy-Romance, Nizy-le-Comte, Thugny-Trugny), Oppida, entweder auf steilen Plateaus (»Vieux Laon« bei Saint Thomas, »Nadin« bei Chateau Porcien; »Moulin à Vent« bei Voncq) oder in der Ebene mit Graben und Befestigung (»La Cheppe« Marne, »Vieux Reims« bei Conde-sur Suippe) und schließlich die Heiligtümer (z. B. Grenz- und Naturheiligtümer) [5]. Vor der röm. Okkupation prosperierte das Land aufgrund der Fähigkeit der R. zur Adaption, durch seine Agrarproduktion bei maximaler Ausbeutung der kultivierbaren Flächen, durch beträchtliches Gewerbe, entwickelten Handel, ein hervorragendes Geldsystem [6. 139–143, 170–172] und den Zugang zu Erzlagerstätten (Vallée de la Vence).

Während des gesamten gall. Krieges standen die R. auf seiten → Caesars (Caes. Gall. passim; Cass. Dio 39,1,1–3; 40,11,2), öffneten den Römern ihre Städte (Caes. Gall. 2,3), wurden 57 v. Chr. in ihrer Stadt → Bibrax (h. Vieux-Laon) von einer kelt. Koalition belagert (Caes. Gall. 2,6,1) und hielten sich der großen Versammlung gall. Stämme in → Bibracte 52 v. Chr. fern (Caes. Gall. 7,63,7). Als → *foederati* und später als *civitas foederata* (Plin. nat. 4,106; CIL X 1705; CIL XII 1855; 1869; 1870) stellten sie ihr Territorium den Römern als nordgallischen Brückenkopf für Nachschub und Logistik zur Verfügung. Danach verzögerte der privilegierte Status der R. zunächst eher die → Romanisierung und begünstigte die Fortdauer von Archaismen; im kultischen Bereich z. B. wurde neben dem mit dem röm. Mars assoziierten kelt. Camulus eine in Verbindung mit der druidischen Lehre (vgl. → Kelten V. B., → Druidae) gestaltete dreigesichtige bzw. dreiköpfige Gottheit weiterhin verehrt (Espérandieu, Rec. 3651, 3652, 3654–59, 3661, 3751; [4]). Da die R. aber durch ihre Lage an der Hauptnachschublinie zu den rheinschen Legionen von den Vorzügen der röm. Zivilisation bes. profitierten, löste seit der 2. H. des 1. Jh. materielles Wohlstandsdenken das Streben nach polit. und finanzieller Autonomie ab, und es kam zu einem wirtschaftlichen Boom.

Es entwickelte sich eine Ges., die nicht auf der Basis von Großgrundbesitz, sondern von mittleren und kleinen Höfen mit Hilfe einer gut ausgebildeten Handwerkerschicht Landwirtschaft auf hohem technischen Niveau betrieb (Erntemaschinen) [7]. Das Land war fruchtbar, Zwiebeln und Winterweizen wurden angebaut (Plin. nat. 18,85; 19,97; Paneg. Constantini I. 8,69). Von der polit. Gesch. der R. sind wir nur bis zum J. 70 n. Chr. unterrichtet, als diese während des → Bataveraufstandes eine Friedensinitiative unternahmen (Tac. hist. 4,68 f.). Erh. sind Grabinschr. remischer Soldaten (CIL III 4466; VI 46; XIII 1844; 2615; 8309) und Zivilisten (CIL XIII 628; 1055; 1091; 1796; 2008; 8104) sowie eine Weihung an Mars Camulus (CIL XIII 8701).

1 S. FICHTL, Les Gaulois du Nord de la Gaule, 1994
2 M. R. LEGROS, Les frontières des Rèmes, in:
Caesarodunum 16, 1981, 175–179 3 F. LEFÈVRE, La partie
septentrionale de la cité des Rèmes, Bull. des Antiquités
Luxembourgeoises 20, 1989, 368–383 4 J. J. HATT, Les
divinités indigènes chez les Rèmes, in: Bull. de la Soc.
Archéologique Champenoise 79, 1986, 51–56
5 B. LAMBOT, P. CASAGRANDE, Les Rèmes à la veille de la
romanisation (Rev. archéologique de Picardie, Sonderheft
11), 1996, 13–38 6 S. SCHEERS, Traité de numismatique
celtique. II: La Gaule Belgique, 1977 7 R. LEGROS, Ordre
romain et techniques celtes au service de la production
agricole chez les Rèmes, in: Latomus 30, 1971, 696–701.
F. SCH.

Remigius. Aus → Mogontiacum (Mainz), 355 n. Chr.
rationarius des *mag. militum* Silvanus in Gallien, ca. 365–
371 *mag. officiorum* → Valentinianus' I.; er deckte
in dieser Zeit die Machenschaften seines Schwagers
→ Romanus in Africa. Dies und die Usurpation des
Mauren → Firmus [3] führten zu seiner Ablösung. 373
erhängte sich R., als seine Verfehlungen aufgedeckt
wurden.

CLAUSS 186f. · PLRE 1, 763.   K. G.-A.

Remismundus. Suebenkönig 465–469 n. Chr. R. war
wohl 461 am westgotischen Hof. Nach dem Tod des
Frumarius [1. 486f.] wurde er 465 zum König aller
→ Suebi erhoben (Chron. min. 2,33). Er war Waffensohn des westgot. Königs → Theoderich II. (Chron.
min. 2,33). Er ist nicht mit dem Prätendenten Rechimundus (459–461 n. Chr.) [1. 936] identisch [2. 667f.].
R. lebte noch, als → Hydatius [2] seine ›Chronik‹ schloß
(468 n. Chr.).
→ Suebi

1 PLRE 2, 938 2 D. CLAUDE, Prosopographie des span.
Suebenreichs, in: Francia 6, 1978, 647–676.   WE. LÜ.

Remmius

[1] Befehlshaber der Wache für den in Pompeiopolis/
Kilikien festgesetzten Partherkönig → Vonones I., den
er 19 n. Chr. auf der Flucht am Fluß Pyramos tötete
(Tac. ann. 2,68; vgl. Suet. Tib. 49,2). Verm. ist er iden-
tisch mit dem in CIL V 2837 (= ILS 2022) genannten
C. R. Rufus.   M. SCH.

[2] R. Palaemon, Q. Berühmter (vgl. Iuv. 6,451 ff.;
7,215 ff.) röm. Grammatiklehrer des 1. Jh. n. Chr. aus
→ Vicetia (h. Vicenza; zur Vita s. Suet. gramm. 23, dazu
[2. 228–242; 3], Bibliogr. [2. 228]). Zu seinen Schülern
zählen u. a. → Persius [2] und → Quintilianus. Verloren
sind Gedichte in alexandrinischer Manier (vgl. Mart.
2,86,11) sowie sein Hauptwerk, eine an Dionysios [17]
Thrax orientierte Schulgrammatik, die der spätant.
Gramm. als Basis diente (vgl. v. a. [4]). Seinen andauernden Ruhm bezeugen u. a. spätant. wie mod. [5] Zuschreibungen verschiedener Handbücher (*Artes*) und
anderer grammatischer Texte [6].

FR.: 1 GRF(add), 68–102.
LIT.: 2 R. KASTER (ed.), C. Suetonius Tranquillus, De
grammaticis et rhetoribus (mit engl. Übers. und Komm.),
1995 3 J. KOLENDO, Le grammairien Q. R. P., in: Index 13,
1985, 177–187 4 K. BARWICK, R. P., 1922 5 P. L. SCHMIDT,
in: HLL 4, § 432, 219f. 6 G. FANTELLI, False attribuzioni
medievali di opere grammaticali a Q. R. P., in: Aevum 24,
1950, 434–441.   P. L. S.

Remus s. Romulus [1]

Rentier (Rangifer tarandus, ὁ τάρανδος/*tárandos*, lat.
tarand(r)us; *parandrus*: Solin. 30,25, dort [?] nach Äthiopien versetzt!). Das in der Eiszeit bis nach Nord-It. und
Südfrankreich verbreitete hirschartige Tier kannten die
Griechen nur aus dem Land der Skythen aufgrund
glaubhafter Berichte bei Theophr. fr. 172,2–3; Ps.-
Aristot. mir. 30,832b 7–16 und Aristot. fr. 317 (Antigonus
Carystius 25) sowie Plin. nat. 8,123–124. Ein märchen-
haftes Motiv in diesen Quellen wie auch bei Solin. 30,25
(dessen Ber. über den *pirander* im MA u. a. von Thomas
von Cantimpré 4,88 [1. 159f.] übernommen wurde) ist
die bei der Jagd hinderliche angebliche Veränderung der
Fellfärbung wie beim → Chamaeleon entsprechend ihrer pflanzlichen Umgebung. Die Germanen (Caes. Gall.
6,21; Sall. hist. 3, fr. 104f.) und Gallier (Varro ling.
5,167) trugen das Fell (*reno*) als Kleidung. Aus der starken
Haut stellten sie Brustpanzer her (Theophr. l.c. und
Plin. l.c.) oder bespannten damit ihre Schilde (Ail. nat.
2,16). Eine auf einer Ödenburger Urne aus der Hall-
stattzeit dargestellte Tierherde [2. 280] wird h. aber als
Hirschrudel [3. 122] bestimmt.

1 H. BOESE (ed.), Thomas Cantimpratensis, Liber de natura
rerum, 1973 2 KELLER 1, 279–281 3 M. HILZHEIMER, s. v.
R., M. EBERT (Hrsg.), Reallex. der Vorgesch., Bd. 11, 1927,
122.   C. HÜ.

Renuntiatio (wörtl. »Bekanntgabe«, »Aufkündigung«).
Im röm. Privatrecht bezeichnet *r.* meist eine einseitige
empfangsbedürftige Erklärung, durch die auf ein Recht
(z. B. eine Erbschaft) verzichtet oder ein Rechtsverhältnis beendet wird. Darunter fallen die einseitige Auflösung eines Verlöbnisses oder einer Ehe, insbes. aber die
Kündigung eines Auftrags (→ *mandatum*) durch den
Auftragnehmer (Paulus Dig. 17,1,22,11) sowie die Kündigung einer Gesellschaft (→ *societas*, vgl. Paulus Dig.
17,2,65). Die Zulässigkeit einer *r.* hängt vom Vertrags-
typ sowie der konkreten Parteivereinbarung ab: Eine
vertragswidrige *r.* ist zwar wirksam, führt aber zu Scha-
denersatzansprüchen.

Unter *r. modi* versteht man die Angabe der Ausmaße
eines Grundstückes durch den → Feldmesser, für deren
Richtigkeit er haftet. Im Staatsrecht heißt *r.* der Akt der
Bekanntgabe der von den → *comitia* gewählten Amtsträger (welche ab diesem Zeitpunkt als *magistratus de-
signati* angesehen werden). *R. legis* nennt man die offizielle Bekanntmachung eines von den Comitien
beschlossenen Gesetzes (→ *lex*). Im Militärstrafrecht bedeutet *r.* den – mit dem Tod durch Verbrennen (*crematio*)

bestraften – Hochverrat mil. Geheimnisse an einen Feind.

TH. MAYER-MALY, R., in: M. J. SCHERMAIER (Hrsg.), Ars boni et aequi. FS W. Waldstein, 1993, 261–265.　　F.ME.

Reparatus

[1] Spätröm. Senator, Bruder des Papstes → Vigilius, um 527 n. Chr. *praefectus urbis Romae* unter dem Gotenkönig → Athalaricus, 536 in Ravenna von den Goten interniert; er floh nach Ligurien, wurde 538 durch → Belisarios *praefectus praetorio (Italiae)* in Mediolanum [1] (Mailand), wo er 539 von den siegreichen Goten ermordet wurde (Cassiod. var. 9,7; Prok. BG 1,26,1 f.; 2,12,34 f.; 21,40).
→ Ostgoten

PLRE 2, 939 f., 1323 · RUBIN 2, 109, 126 f. · CH. SCHÄFER, Weström. Senat unter den Ostgotenkönigen, 1991, 100 f.
　　K.P.J.

[2] Bischof von Karthago, stand 535 n. Chr. im Kontakt mit den Päpsten Johannes II. und → Agapetos [2], schloß im Dreikapitelstreit (→ Synodos) Papst → Vigilius aus der Kirchengemeinschaft aus, wurde 551 von → Iustinianus [1] nach Konstantinopel gerufen und 552 nach Euchaita exiliert, wo er 563 starb.

A. VICIANO, s. v. R., LThK³ 8, 1999, Sp. 1112 f. (Lit.).
　　S.L.-B.

Repetundarum crimen, wörtl. »das Verbrechen (der Annahme) zurückzufordernder (Sachen und Gelder)«, ist das Delikt der Erpressung von Untertanen und Bundesgenossen durch röm. Amtspersonen und leitet seinen Namen von den erpreßten und wiederzuerstattenden Geldern und Gütern her (vgl. *lex de pecuniis repetundis*, Cic. Brut. 106). Das früheste Zeugnis (Liv. 43.2) zeigt ein zivilprozessuales Repetundenverfahren vor → *recuperatores*, das der Senat 171 v. Chr. zugunsten spanischer *socii* gegen mehrere ehemalige Statthalter zugelassen hatte. Eine gesetzliche Grundlage erhielt das Repetundenverfahren durch die *lex Calpurnia* (149 v. Chr.) und eine jüngere *lex Iunia*, die ein besonderes ständiges Geschworenencollegium für Repetundenprozesse einführten (*quaestio perpetua*, → *quaestio*). Ziel des Verfahrens war die Erstattung der erpreßten Beträge. Zu einem Strafverfahren wurde der Repetundenprozeß mit der *lex Acilia* (123/2 v. Chr.), die u. a. eine strafrechtliche Klage auf das *duplum* (Doppelte) der erpreßten Summe zuließ und die bisherige Prozeßeinleitung durch → *sacramentum* beseitigte. An deren Stelle traten die Anzeige des Verletzten beim zuständigen Praetor (→ *delatio nominis*) und der Antrag, als Ankläger zugelassen zu werden. Die *lex Acilia* beschreibt die vom *r.c.* erfaßten Tatbestände als Wegnahme, Beschlagnahme, Erpressung, Unterschlagung und Veruntreuung. Ein sullanisches Repetundengesetz (zw. 81 und 79 v. Chr.) erhöhte die Buße verm. auf das Zweieinhalbfache. Eine *lex Iulia* Caesars (59 v. Chr.) brachte eine grundlegende Neuordnung und führte für schwere Erpressungsfälle die kapi-

tale Anklage ein. Bei einfachen Repetundensachen konnten sich die Provinzialen nach einem *SC Calvisianum* (Augustusinschr. von Kyrene, FIRA I 410, Z. 97 ff.) statt an die *quaestio repetundarum* an den Senat wenden. Der h. berühmteste Repetundenprozeß ist derjenige gegen C. → Verres (70 v. Chr.), in dem Cicero die sizilischen Kläger gegen ihren ehemaligen Statthalter (*propraetor*) vertrat.

W. KUNKEL, s. v. Quaestio, RE 24, 720–786 (= Ders., KS, 1974, 33–110) · W. EDER, Das vorsullanische Repetundenverfahren, Diss. München 1969 · C. VENTURINI, Studi sul »crimen repetundarum« nell'età repubblicana, 1979 · B. SANTALUCIA, Diritto e processo penale nell' antica Roma, ²1998.　　DI.S.

Repetundenverfahren s. Repetundarum crimen

Replicatio. Als Gegeneinrede war die *r.* im röm. zivilprozessualen Formularverfahren für den Kläger das Mittel, mit dem er eine Einrede (→ *exceptio*) des Beklagten entkräften konnte. Diesem stand wiederum eine *duplicatio*, jenem sodann eine *triplicatio* etc. zur Verfügung. All diese Einwände wurden in die Prozeßformel (→ *formula*) eingegliedert und legten damit das vor dem → *iudex* zu erörternde und zu beweisende Streitprogramm fest. Ein Beispiel für die *r.* bietet etwa Dig. 44,2,9,1, wo es dem Kläger ermöglicht wird, dem Einwand der Rechtskraft entgegenzuhalten, daß die Sache zu seinen Gunsten entschieden worden sei.

M. KASER, K. HACKL, Das röm. Zivilprozeßrecht, ²1996, 382.　　C.PA.

Reposianus. Verf. eines im → Codex Salmasianus überl. hexametrischen Gedichts (Anth. Lat. 253 = 247 SHACKLETON BAILEY), das im vandalischen Nordafrika des frühen 6. Jh. n. Chr. entstand. Thema ist die in Hom. Od. 8 erzählte Liebe zw. Ares (Mars) und Aphrodite (Venus), aber der Episode wird eine moralisierende Wendung gegeben. Am Ende plant Venus, sich an der Sonne zu rächen, die sie betrogen habe: Sie läßt Helios in Liebe entbrennen (ein aus Ov. met. 4,190–195 stammendes Motiv) und bestraft seine Nachkommen, beginnend mit Pasiphaë (vgl. Serv. Aen. 6,14; Serv. auct. ecl. 6,47). Da das aber nicht weiter ausgeführt wird, hat der Redakteur der Anthologie verm. nur einen Teil eines längeren Gedichtes exzerpiert und diesen mit dem Titel *De concubitu Martis et Veneris* (›Über das Beilager von Mars und Venus‹) versehen. Der Hain, in dem Mars und Venus zusammenkommen, ist bei Byblos angesiedelt, um so eine Verbindung mit Venus' vorangehender Beziehung zu → Adonis herzustellen (V. 33–36). R. gilt h. allg. als Afrikaner, der – nach den Autoren, die R. imitiert hat, zu urteilen – verm. z.Z. des → Dracontius [3] oder kurz zuvor gelebt hat; jedoch ist R.' Metrik viel korrekter als die des Dracontius.

ED.: U. ZUCCARELLI, 1972 (unbefriedigend).
LIT.: K. SMOLAK, in: HLL 5, § 547.　　ED.C./Ü: U.R.

Repositorium. Urspr. ein röm. Tablett, dann ein Gestell bzw. Tafelaufsatz, der zum Auftragen und Anrichten der Speisen für einen Menügang (Petron. 33; 40; 49) diente und als Luxusgeschirr wohl im beginnenden 1. Jh. v. Chr. eingeführt wurde. Das *r.* konnte von einfacher, runder oder viereckiger Form, aber auch mehrstöckig sein und eine beträchtliche Höhe einnehmen; ferner wurde es auch figürlich verziert (Petron. 36), mit kostbaren Hölzern furniert und an Ecken und Kanten mit Silber ausgelegt (Plin. nat. 33,146). Es galt als schlechtes Omen, das *r.* wegzutragen, wenn ein Gast noch trank (Plin. nat. 28,26, vgl. 18,365). Daneben gab es als weiteres Luxusgerät Gestelle, auf denen Vorspeisen hereingetragen wurden (*gustatorium*, Petron. 34,1, oder *promulsidarium*, Petron. 31,9); auch sie konnten aus kostbarem Material (z. B. Silber) gefertigt sein.
→ Tafelausstattung   R. H.

Reproduktionstechniken wurden in der Ant. seit geom. Zeit zur seriellen Kunstproduktion eingesetzt. Diese liegt vor, wenn von einem eigens dafür geschaffenen Modell eine nicht immer festgelegte Vielzahl von Wiederholungen hergestellt werden soll. Die Absicht kann dabei ökonomisch, ästhetisch (bei gewünschter Gleichheit der Produkte) oder im bes. Fall von Münzen vom Verwendungszweck selbst bestimmt sein. Davon grundsätzlich zu trennen ist die nachträgliche Wiederholung eines eigenwertigen Originals, wie sie beim → Kopienwesen der ant. → Plastik vorliegt (s. auch → Porträt). Der Wunsch nach gleicher Erscheinung verlangt die Serienherstellung bestimmter Bauglieder wie Antefixe, Kapitelle und tönerner Verkleidungsplatten.

In Stein senken R. die Herstellungskosten nicht, da der Vorgang derselbe wie beim Kopieren ist. Die Lieferung von Prototypen für Kapitelle, wie sie in ant. Bauabrechnungen mehrfach nachgewiesen ist, ersparte nur die Entwurfsarbeit, kürzte aber nicht den handwerklichen Vorgang ab. Eine aus rel. Gründen angestrebte Ähnlichkeit bedingte die serielle Herstellung von Votiven mit dem Bild einer bestimmten Gottheit (→ Weihung). Da es sich dabei um anspruchslose Produkte handelte, dürfte der ökonomische Faktor (billigere Massenherstellung) mitbestimmend gewesen sein. Dies gilt auch für Kleinplastik aus → Terrakotta für den häuslichen und sepulkralen Bereich. Jedoch wurde hier exakte Wiederholung häufig vernachlässigt, indem das Endprodukt aus mehreren unterschiedlich zu kombinierenden Teilen zusammengefügt wurde. Da neue Matrizen jeweils aus bereits vorhandenen Produkten und nicht aus der urspr. Patrize gewonnen wurden, verkleinerten sich aufgrund von Schwund beim Brennen die Formen und damit die Produkte zunehmend. Zweifellos nur ökonomische Gründe lagen bei der seriellen Herstellung von einfachem Gerät und von Kleidungsteilen wie Gürtelschnallen und von Fibeln (→ Nadel), Haarnadeln, Fingerhüten u. ä. vor. Auch Waffen wurden aus Kostengründen zumindest teilweise mittels R.

hergestellt. Schmuckherstellung (→ Schmuck) hingegen erforderte R. aus ästhetischen Gründen, um möglichst gleichartige Einzelelemente zu erhalten.

Technisch waren alle Voraussetzungen für serielle Metallproduktion bereits in der Brz. vorhanden (wiederverwendbare Steinformen zum Teilgußverfahren). Die Technik wurde für kleine Geräteteile und für Schmuckformen in der griech. Eisenzeit vielfältig angewandt. Ab klass. Zeit und verstärkt im Hell. dienten Teilgußformen in der → Toreutik zur verbilligten Reproduktion. Die Tradierung der immer wieder zu erneuernden Gußformen geschah durch Gipsabgüsse, von denen einige erhalten sind.

Als billige Massenware wurden in der Keramik Gefäße und → Lampen ab hell. Zeit mittels R. gefertigt (vgl. → Keramikherstellung). Dazu dienten komplette Formschüsseln oder Formstempel, die ein Dekorelement direkt am Gefäßkörper anbringen lassen. Reliefdekor konnte auch in Teilen eigens hergestellt und dann variabel auf die Gefässen appliziert werden.

Zu den typischen seriellen Techniken gehörte die → Münzherstellung, die sich für gewöhnlich des Prägeverfahrens (→ Münzprägung) mit »Stempeln« bediente. Vereinzelt wurden Mz. auch gegossen.

In der → Wandmalerei Kampaniens finden sich vereinzelt genaue Bildwiederholungen. Dies, außerdem die Tradierungsproblematik der ant. → Buchmalerei und die Problematik der Bildgebung in der → Textilkunst haben in der Forsch. früh die Frage nach der Existenz von Kartons und Musterbüchern ausgelöst. Daß sie verwendet wurden, liegt aus praktischen Gründen nahe, doch der Nachweis ist bis h. nicht gelungen.

B. Schmaltz, Terrakotten aus dem Kabirenheiligtum bei Theben, 1974 · E. D. Reeder, Clay Impressions from Attic Metalwork, 1974 · C. Reinsberg, Stud. zur hell. Toreutik, 1980 · B. Hoffmann, Die Rolle handwerklicher Verfahren bei der Formgebung reliefverzierter Terra Sigillata, 1983 · U. Gehrig (Hrsg.), Toreutik und figürliche Bronzen röm. Zeit (6. Tagung über ant. Bronzen, Berlin 1980), 1984 · C. Grandjouan, Hellenistic Relief Moulds from the Athenian Agora, 1989 · A. Geyer, Die Genese narrativer Buchillustration, 1989 · M.-L. Rutschowscaya, Tissus coptes, 1990 · C. Reinholdt, Arbeitszeugnisse geom. und archa. Schmuckwerkstätten, in: AA, 1992, 215–231 · C. Bémont (Hrsg.), Les figurines en terre cuite gallo-romaines, 1993 · F. Rakob (Hrsg.), Simitthus, Bd. 2: Der Tempelberg und das röm. Lager, 1994 · A. Muller (Hrsg.), Le moulage en terre cuite dans l'antiquité (Colloque Lille 1995), 1997.   R. N.

Repudium. Im röm. Recht zunächst die einseitige Verstoßung der Ehefrau durch ihren Mann. Nach dem Wortsinn (von *pudor*, »Scham, Keuschheit«) wird das *r.* eine schwere Verfehlung (bes. Ehebruch, → *adulterium*) der Frau zur Voraussetzung gehabt haben. Nach den Zwölftafeln soll, wie Gai. Dig. 24,2,2,1 berichtet, der Mann die Frau beim *r.* aufgefordert haben, fortzugehen (*baete foras*) und ihre Sachen mitzunehmen (*tuas res tibi habeto*). Schon im 3. Jh. v. Chr. ist das *r.* ohne Schuld der

Frau möglich (vgl. Gell. 4,3,1 f.); spätestens seit dem 1. Jh. v. Chr. kann die Initiative auch von der Frau ausgehen. *R.* ist jetzt nur noch die Erklärung des Scheidungswillens (gleichgültig von wessen Seite). In der Spätant. (nach 300 n. Chr.) wird der Scheidebrief (*libellus repudii*) von einer bloßen Konvention zur Formvorschrift erhoben. Noch gebräuchlicher als der *libellus* dürfte bis in die Kaiserzeit hinein die Überbringung des *r.* durch Boten (*nuntium remittere*) gewesen sein.
→ Ehe III.; Scheidung

E. LEVY, Der Hergang der röm. Ehescheidung, 1925 · HONSELL/MAYER-MALY/SELB, 400 f. G. S.

Res mancipi. Als *r. m.* werden im röm. Recht Gegenstände bezeichnet, die (Gai. inst. 2,22) durch → *mancipatio* auf einen anderen übertragen werden. *r. m.* sind: Sklaven, Rinder, Pferde, Maultiere, Esel (die letzteren nach sabinianischer Lehre ab ihrer Geburt, nach proculianischer Lehre erst ab ihrer Zähmung; Gai. inst. 2,15); ferner ital. Grundstücke (Gai. inst. 1,120), Felddienstbarkeiten wie *via, iter, actus, aquae ductus* (Straßen- und Wegerecht, Viehtrift, Wasserrecht; Ulp. reg. 19,1) und Provinzialgrundstücke des *ius Italicum* (Gai. inst. 2,14a). Mit dem Niedergang der *mancipatio* schwindet auch die Bedeutung der dieser zugeordneten *r.m.* (Cod. Iust. 7,31,5 vom Jahr 531).

HONSELL/MAYER-MALY/SELB, 83, 104 · KASER, RPR Bd. 1, 123 f., 281 f., RPR Bd. 2, 245 · D. LIEBS, Röm. Recht, ⁵1999, 163, 169–173. D. SCH.

Res publica (wörtlich: »öffentliche Sache«) ist (im Gegensatz zu *res privata*, der »privaten Sache«) die Summe der Besitzungen, Rechte und Interessen des röm. Staates, wobei »Staat« nicht als ein von der Bürgerschaft ablösbarer, abstrakter Begriff verstanden wird, sondern die konkrete Gesamtheit der Bürger meint: *r.p. est res populi* (Cic. rep. 1,25,39; »*r.p.* ist Sache des Volkes«, → *populus*). *R.p.* ist demnach nicht mit den mod. Inhalten von »Staat« oder von »Verfassung« identisch, sondern beschreibt urprünglich den Gegensatz einerseits zur Herrschaft des Königs (→ *rex*), andererseits zu den privaten Interessen der einzelnen Familien und ihrer → *domus*. Im Unterschied zum Begriff → *civitas*, der auch den Verband der Bürger (*cives*) bezeichen kann, aber im Lauf der Zeit eher den territorialen Aspekt im Sinne von »Bürgergebiet« verstärkt (und sich damit einer mod. Definition von Staat nähert), behält und betont *r.p.* den Aspekt der polit.-gesellschaftlichen Organisation.
Doch ist der Begriff am Ende der röm. Republik – zumindest in der staatstheoretischen Diskussion – schon so verallgemeinert, weit gefaßt und von seinen Ursprüngen als Bezeichnung einer spezifischen, vom Königtum abgesetzten Organisationsform der Bürgerschaft (»Republik«) entfernt, daß Cicero auch von einer von Königen geleiteten *r.p.* (*regalis r.p.*) sprechen kann (Cic. rep. 3,35,47), sofern sie nur von einem allgemein ak-

zeptierten Rechtsverständnis getragen und der gemeinsame Nutzen gewährleistet ist (vgl. 1,25,39). Diskussionen zum Thema *de re publica* (»über die *r.p.*«) im Senat behandeln in der späten Republik die momentane Lage des Staates; wer im Sinne oder im Auftrag der *r.p.* (*e re publica*) handelt, vertritt die Interessen des Staates. Augustus kann deshalb mit einer gewissen Berechtigung behaupten, die *r.p.* (im Sinne staatlicher Ordnung) wiederhergestellt zu haben (Vell. 2,89,4 und Laudatio Turiae 2,25 = ILS 8393; vgl. R. Gest. div. Aug., Kap. 34). Deshalb muß in der Kaiserzeit *r.p.* durch den Zusatz *libera* (»frei«) qualifiziert werden, um als *r.p. libera* der Herrschaft des → Princeps gegenübergestellt werden zu können, der etwa in der → *Lex de imperio Vespasiani* (Z. 17 ff.) über die *publicae privataeque res* (wörtl.: »öffentl. und privaten Dingen«) steht (vgl. Tac. hist. 1,16,1; ann. 1,3,7 u.ö.).
Obgleich die *r.p.* Träger von Rechten ist, wird sie – anders als der mod. Staat – nicht tätig: *R.p. Romanorum* ist kein Begriff des Staatsrechts. Als Träger staatlichen Handelns erscheint der *populus Romanus* bzw. in offizieller Sprache »Senat und Volk von Rom« (*senatus populusque Romanus*; → SPQR). Im Gebet des Censors (bei Varro ling. 6,86) wird in der Formel *res publica populi Romani Quiritium* die *r.p.* neben den *populus Romanus* gestellt; sie befindet sich quasi in dessen Besitz. Doch kann die *r.p.* auch verlorengehen, wenn etwa – wie in spätrepublikan. Rom – das Zusammenspiel der Verfassungsorgane nicht mehr funktioniert [5] oder – wie in Athen – treuen Verbündeten das Bürgerrecht hartnäckig verweigert wird (C. Gracchus fr. 22 MALCOVATI).
So wie der *populus Romanus* im Laufe seiner Expansion andere *populi* integrierte, blieb diesen auch – zumindest teilweise – die Bezeichnung als *r.p.* innerhalb der umfassenden röm. *r.p.* erhalten. Festus [6] zitiert einen spätrepublikan. Juristen (Servilius oder Servius [Sulpicius] filius) als Beleg für die Meinung, manche *municipes* (→ *municipium*) seien nur unter der Bedingung röm. Bürger (*cives*) geworden, daß sie immer eine eigene *r.p.* neben (*separatim*) der *r.p.* der Römer behalten dürften (Fest. 126), und nennt dabei *Cumanos, Acerranos, Atellanos*, also Municipien der sog. Halbbürger. An einer anderen Stelle erwähnt Festus Praefekturen, die eine Art von *r.p.* besaßen, jedoch keine eigenen Beamten hatten (Fest. 262); auch hier werden neben Capua u. a. Cumae, Acerrae und Atella genannt.
Der Gebrauch des Adj. *publicus* für die öffentlichen Angelegenheiten der Bürgerstädte breitete sich gegen Ende der Republik aus: Sowohl das Stadtrecht von Tarent wie auch die → *Lex Ursonensis* gebrauchen den Begriff häufig und ohne sichtbare Beschränkung (FIRA I² Nr. 18 = lex Tarentina, Z. 1,3,10 u.ö.; FIRA I² Nr. 21 = lex Ursonensis, 65,19; 66,1 und 7 u.ö.). In den spanischen Stadtrechten aus flavischer Zeit wird dann das Wort – zumindest im Kontext der öffentlichen Finanzen – meist vermieden und durch *communis* (»allgemein«, »kommunal«) ersetzt: *pecunia communis* (→ *Lex Irnitana*, 20,60,67), *tabulae communes* (66). Die Bezeich-

nungen *publici* für öffentliche Sklaven (72, 78) und *publica* für öffentliche Abgaben waren dagegen wohl so allg. gebräuchlich, daß man sie problemlos verwenden konnte. Hierin werden möglicherweise erste Auswirkungen einer Denkschule sichtbar, die der Jurist Gaius [2] im 2. Jh. n. Chr. explizit formuliert, wenn er die Bezeichnung *publica* nur den Finanzen des röm. Staates zukommen lassen will, während die Gemeinden (*civitates*) wie Privatpersonen anzusehen seien (Gaius Dig. 50,16,16). Sollte diese Interpretation auch auf den Gebrauch von *r.p.* gezielt haben, ging sie fehl: Gemeinden jeder Rechtsstellung werden inschr. weiterhin häufig als *r.p.* bezeichnet.

Der Gebrauch von *r.p.* für eine Stadt der Latiner ist 159 v. Chr. (SC de Tiburtibus: FIRA 1, Nr. 33), für ausländische Gemeinden wie etwa Athen spätestens ab dem ausgehenden 2. Jh. v. Chr. belegt (C. Gracchus Fr. 22 MALCOVATI).

Im griech. Bereich ist → *politeía* der dem lat. *r.p.* entsprechende Begriff; röm. Urkunden in griech. Sprache weisen seit dem 2. Jh. v. Chr. als wörtl. Übers. *ta dēmósia prágmata* auf (Syll.³ 646).

→ Verfassungstheorie; REPUBLIK

1 A. ROSENBERG, s. v. R.p., RE I A, 1914, 633–674
2 W. SUERBAUM, Vom ant. zum frühma. Staatsbegriff, ³1977
3 R. KLEIN (Hrsg.), Das Staatsdenken der Römer, 1966
4 P. A. BRUNT, Augustus e la *r.p.*, in: La rivoluzione romana: inchiesta tra gli antichisti (Biblioteca di Labeo 6), 1982, 236–244 5 CHR. MEIER, R.P. Amissa, ³1997.　H. GA.

Resafa s. Rusafa

Rescriptum (das »Antwortschreiben«) ist eine der wichtigsten Quellen des röm. Kaiserrechts. Bei Gai. inst. 1,5 wird das *r.* noch einfach als *epistula* (»Brief«) bezeichnet, aber den → *constitutiones* (»Kaisergesetze«) zugerechnet. Der Kaiser schon der Prinzipatszeit erhielt Anfragen und Anregungen von Beamten und Privatpersonen in allen erdenklichen Angelegenheiten. Darauf antwortete der Kaiser entsprechend der Vorbereitung in der Kanzlei *ab epistulis* mit einem *r.*, dessen Entwurf archiviert wurde. Seit Hadrianus (Anf. des 2. Jh. n. Chr.) ersetzten die *rescripta* immer mehr die Gutachten der Respondierjuristen (→ *responsa*) zu Problemen der Rechtspflege. Daher traten die Juristen als → *adsessores* und Vorsteher der kaiserlichen Kanzleien seit dieser Zeit an die Stelle der früher gleichsam freiberuflich gutachtenden Juristen, und die Beratung des Kaisers, die u. a. im *r.* ihren Niederschlag fand, trat an die Stelle des früher üblichen Rats an den Magistrat (→ *consilium*). Die juristischen Schriftsteller seit dem 2. Jh. n. Chr., v. a. aber → Ulpianus und → Iulius [IV 16] Paulus Anf. des 3. Jh. n. Chr. nehmen häufig auf *r.* des Kaisers Bezug. Viele *r.* haben Aufnahme in den *Cod. Theodosianus* (438 n. Chr.) und den *Cod. Iustinianus* (529/534 n. Chr.) gefunden.

→ Epistel; Epistulis, ab; Responsa

DULCKEIT/SCHWARZ/WALDSTEIN, 241 f. · D. NÖRR, Zur Reskriptenpraxis in der hohen Prinzipatszeit, in: ZRG 98, 1981, 1–46.　G.S.

Rešep. Der seit dem 3. Jt. v. Chr. im Raum zwischen → Ebla, → Mari, → Byblos und → Ugarit bezeugte syrische (westsemitische) Gott wurde in der phöniz. Welt des Mittelmeers synkretistisch mit → Melqart verschmolzen (vgl. die Weihinschr. KAI II 88 f. von Ibiza, 5./4. Jh. [1]). In der Gestalt des aus Äg. übernommenen *Smiting God* im bekannten Schema »Der König erschlägt seine Feinde« wirkte er in den mediterranen Hoch- und »Rand«-Kulturen anregend auf die Ikonographie kämpfender Gottheiten [2] und wurde in phöniz. beeinflußten Regionen lange imitiert [3]. Anscheinend ein Sonderfall ist das Kultbild des die Lanze schwingenden, behelmten Apollon von → Amyklai [1] (vgl. [4]), der in Idalion auf Zypern nachweislich mit R. identifiziert wurde [5].

1 M. FERNÁNDEZ-MIRANDA, Resef in Ibiza, in: Homenaje al Prof. M. Almagro Basch, Bd. 2, 1983, 359–386
2 R. HOUSTON SMITH, Near Eastern Forerunners of the Striding Zeus, in: Archaeology 5, 1962, 176–183
3 M. ALMAGRO BASCH, Über einen Typus iberischer Bronze-Exvotos orientalischen Ursprungs, in: MDAI(M) 20, 1979, 133–183 4 E. GEORGOULAKI, Le type iconographique de la statue cultuelle d'Apollon Amyklaios. Un emprunt oriental?, in: Kernos 7, 1997, 95–118 5 É. LIPIŃSKI, Resheph Amyklos, in: E. GUBEL (Hrsg.), Studia Phoenicia, Bd. 5 (Orientalia Lovaniensia Analecta 22), 1987, 87–100.

P. XELLA, s. v. R., DCPP 373 f. · A. M. BISI, s. v. Smiting God, DCPP, 419 f.　H. G. N.

Reskriptprozeß. Dieser röm. Prozeßtyp entwickelt sich ab Hadrianus (2. Jh. n. Chr.) als eine Sonderform des zivilprozessualen Kognitionsverfahrens (→ *cognitio*). Seine Besonderheit besteht darin, daß die maßgebliche Rechtsfrage (also nicht auch die Richtigkeit der Tatsachen) vorab vom Princeps mittels eines Antwortschreibens (→ *rescriptum*) auf die schriftliche Anfrage des nunmehrigen Klägers für das konkrete Verfahren geklärt ist, so daß nunmehr im wesentlichen allein die Richtigkeit der in der Anfrage nur unterstellten Sachlage geprüft werden muß. Auf diese Weise etablierte sich der → Princeps allmählich als der von jedermann im Reich anrufbare oberste Richter und förderte somit die Zentralisierung seiner Machtposition. Wie weit die Bindungswirkung der *rescripta* reichte, ist nicht ganz klar: Einerseits betonen die *principes* selbst immer wieder, daß sie lediglich eine Entscheidung für den konkreten Einzelfall treffen; andererseits ist eine Vielzahl von *rescripta* überliefert, die mit gleichsam müder Nachsicht betonen: *saepe saepissimum rescriptum est* ‹immer und immer wieder ist geantwortet worden›.

M. KASER, K. HACKL, Das röm. Zivilprozeßrecht, ²1996, 633 · D. NÖRR, Zur Reskriptenpraxis in der hohen Principatszeit, in: ZRG 98, 1981, 1–46.　C. PA.

Responsa A. Begriff und Form
B. Bedeutung und Entwicklung

A. Begriff und Form

R. (wörtlich: »Antworten«, Sing. *responsum*) waren urspr. sakralrechtliche Bescheide oder Gutachten der röm. → Priester-Kollegien (*augures, fetiales, haruspices* und *pontifices*) [1. 19–21; 2. 313 f., 560–563]. Nach Dig. 1,2,2,6 erteilte das Pontifikalkollegium (→ *pontifex*; daher: *r. pontificum*) für die Formulierung und Auslegung von Rechtsgeschäften (*cautio* im Sinne einer Vorsorge) oder Klagen (*actio*) vorsorgende oder kautelare *r.*, ebenso für abgeschlossene Sachverhalte des Privatrechts *r.* für die Rechtspflegeorgane (judizische *r.* als *r.* im engeren Sinn). Seit der Laisierung der → *iuris prudentia* (ab E. des 4. Jh. v. Chr.) wurden *r.* auf Anfrage der Streitparteien, Laienrichter oder Amtsträger von privaten Rechtskennern (→ *iuris consultus*) kostenlos erteilt (*r. prudentium, r.* der Experten). Weil die nur auf den konkreten Prozeß beschränkte Bindungskraft der *r.* auf der persönlichen Autorität des Juristen (→ *auctoritas* II.) beruhte, war die Begründung schon in der Republik unüblich und auch im Prinzipat unwesentlich (Sen. epist. 94,27; dazu [1. 147; 2. 576]).

Während die »zahlreichen und denkwürdigen« *r.* des Ti. → Coruncanius um die Mitte des 3. Jh. v. Chr. mündlich gewesen waren (Dig. 1,2,2,38), bürgerte sich in der späten Republik das schriftliche *r.* und seit → Augustus das *r.* in Form der versiegelten Urkunde ein (Dig. 1,2,2,49; dazu [2.561 f.]). Die Publikation der *r. prudentium* setzte mit M. → Porcius [I 9] Cato Licinianus und M. → Iunius [II 1] Brutus (2. Jh. v. Chr.) ein, die ihre *r.* noch im Wortlaut samt den Parteinamen veröffentlichten (Cic. de orat. 2,142; dazu [2. 539]). Seit dem Ende der röm. Republik war eine lit. bearbeitete Form, wie sie die *Digesta* des → Alfenus [4] Varus aufweisen [6. 141–146], üblich: Die *r.* zu wirklichen Fällen wurden abstrakter gefaßt, mit Analysen erdachter Fälle vermischt und mit einer Begründung versehen [1. 283 f.; 2. 562 f.]. Die bes. Lit.-Gattung der *responsorum libri* (Bücher mit *r.*) geht erst auf → Antistius [II 3] Labeo um die Zeitenwende zurück (anders [4. 85 f.]).

B. Bedeutung und Entwicklung

Die judiziellen *r. prudentium* bildeten seit der späten Republik den Kern der röm. Juristentätigkeit und das Feld, auf dem typischerweise das Juristenrecht entstand (→ *interpretatio* C.). Weil sich aber dieses nur durch schrittweise Auslegung (Pomp. Dig. 1,2,2,12 *interpretatio prudentium*) entwickelte und erst mit dem Konsens der Juristengemeinschaft (Papin. Dig. 1,1,7 pr. *auctoritas prudentium*) verfestigte, blieben viele Rechtsfragen ungelöst. Infolge mehrerer auseinandergehender *r.* zum selben Fall (Dig. 33,7,16,1; dazu [2. 563]) litt die Rechtssicherheit. Die soziale Autorität der überwiegend nicht mehr der Nobilität, sondern dem Ritterstand angehörenden Juristen des 1. Jh. v. Chr. [2. 595 f.; 6. 173 f.] vermochte die Bindungskraft der *r.* nicht zu tragen. Deshalb wurden sie von dem um »das Ansehen des Rechts«

besorgten Augustus (Dig. 1,2,2,49) insoweit verstaatlicht, als er einige Juristen mit dem Privileg, *r.* in seiner Vertretung zu erteilen (*ius respondendi ex auctoritate principis*), auszeichnete [3. 1–24; 6. 149].

Die fortschreitende Bürokratisierung der Jurisprudenz im Prinzipat bewirkte den Bedeutungsschwund des *r.* als Rechtsquelle. Von → Hadrianus, der das praetorische Edikt kodifizierte (um 130 n. Chr.; → *edictum* [2]), die kaiserliche Gesetzgebung intensivierte [1. 131–135, 139] und die Autorisierungen von Juristen restriktiv handhabte (Dig. 1,2,2,49), wurde im Fall einer Kontroverse nur den übereinstimmenden *r.* Gesetzeskraft zuerkannt, wobei man aber damals als *r.* schon alle, auch nur lit. geäußerten Meinungen (*sententiae et opiniones*) autorisierter Juristen verstand (Gai. inst. 1,7; vgl. dazu [5. 98]). Seit den zentralistischen Justizreformen des Hadrianus wich in der Rechtsquellenhierarchie das *r.* im technischen Sinne den Entscheidungen der kaiserlichen → *cognitio extra ordinem* (außerordentliche Gerichtsbarkeit): den → *decreta* (»Entscheidungen«) und → *rescripta* (»schriftlichen Antworten«) [5. 84]. Das letzte röm. Werk mit dem Titel *R.* schrieb im 3. Jh. n. Chr. → Iulius [IV 2] Aquila.

Der Spätant. war ein schöpferischer Jurist, der *r.* unter eigenem Namen mit kaiserlicher Autorität erteilt, fremd. Die Kenntnis des Zivilrechts beschränkte sich nun auf die akademische Gelehrsamkeit der östlichen → Rechtsschulen. So verpflichtet das → Zitiergesetz von 426 (Cod. Theod. 1,4,3) den Richter, sich das Gutachten nicht bei den zeitgenössischen Rechtskennern, sondern beim »Totentribunal« der Prinzipatsjuristen einzuholen. Iustinianus I. (6. Jh.), der die interpretative Natur des *r.* nicht mehr verstand, mißdeutete auch das Privileg des *ius respondendi*, indem er (*const. Deo auctore* § 4; *Tanta* § 20a) alle in seine → *Digesta* aufgenommenen Juristen als Träger der kaiserlichen *auctoritas conscribendarum interpretandarumque legum* (›Befugnis, Gesetze aufzuschreiben und zu interpretieren‹) bezeichnet [1. 359, 365 f.].

1 Schulz 2 Wieacker, RRG 3 R. A. Bauman, Lawyers and Politics in the Early Roman Empire, 1989 4 D. Liebs, Röm. Rechtsgutachten und »Responsorum libri«, in: G. Vogt-Spira (Hrsg.), Strukturen der Mündlichkeit in der röm. Lit., 1990, 83–94 5 Ders., Jurisprudenz, in: HLL 4, 1997, 83–101 6 M. Bretone, Gesch. des röm. Rechts (Übers. nach dem it. Original ³1989), 1992. T.G.

Responsion (hebr. *šᵉʾēlōt u-tᵉšūḇōt*, wörtl. »Fragen und Antworten«; Pl. »Responsen«). Rabbinische Gattungsbezeichnung; Korrespondenz, bei der die eine Partei die andere in einer halakhisch (→ Halakha) schwierigen Frage konsultiert. Während bereits in der talmudischen Lit. (→ Rabbinische Literatur) auf die Existenz dieser Gattung hingewiesen wird (vgl. bJebamot 105a), entwickelte sich eine R.-Lit. bedeutenderen Umfangs erst in gaonäischer Zeit (→ Gaon, 6.–11. Jh. n. Chr.), als sich Juden aus der weitgespannten → Diaspora an die halakhischen Autoritäten der jüd. Gelehrsamkeit in Babylonien wandten und von diesen autoritative Gesetzesbescheide erhielten. Über die Fernhandelswege konnten solche Anfragen viele hundert Kilometer weit geschickt werden. Im 11./12. Jh., als sich die Zentren der Gelehrsamkeit nach Europa verlagert hatten, wurde diese Praxis fortgesetzt. Da bis h. in schwierigen Fragen solche R. erteilt werden, nimmt diese Lit. mittlerweile einen kaum überschaubaren Umfang ein (bereits für die frühe gaonäische Periode rechnet man z. B. mit mehreren 10000 solcher R.); nur ein Teil des Materials wurde bislang publiziert. Da die in den R. verhandelten Fragen sich auf alle Bereiche des Lebens beziehen, gewähren diese Texte einen Einblick in die jüd. Lebenswelt, Rel. und Kultur aller Epochen.

Sʜ. Tᴀʟ, s. v. Responsa, Encyclopedia Judaica, Bd. 14, 1971, 83–95 (Lit.). B. E.

Restitutio. In einem allg. juristischen Sinn bedeutet *r.* »Wiederherstellung«. Im Bereich des röm. Strafrechts bezieht sich das auf die vollständige oder auch teilweise Aufhebung einer rechtskräftigen Verurteilung, wodurch der Verurteilte wieder in den alten Stand versetzt wird (vgl. Cod. Iust. 9,51).

Innerhalb des röm. Zivil- und Zivilprozeßrechts ist zw. einer materiellen und einer formellen *r.* zu unterscheiden. Die materielle *r.* ist bei bestimmten Klagen der erstrebte Leistungsgegenstand, so vor allem bei den dinglichen Klagen wie der → *rei vindicatio* (Herausgabeklage des Eigentümers): Der Kläger ist im Erfolgsfall so zu stellen, als ob er die Sache bereits zum Zeitpunkt der → *litis contestatio* (Rechtshängigkeit) zurückerhalten hätte. Der unterlegene Beklagte muß infolgedessen Schadensersatz für die nachträglich beschädigte oder untergegangene Sache leisten und die erh. Früchte ersetzen.

Die formelle *r.* – bis h. *in integrum r.* genannt – bedeutet die »Wiedereinsetzung in den früheren Stand« (vgl. Dig. 4,1). Sie stellt ein Korrektiv derjenigen Härten dar, die sich bei der – aus Gründen des Gerechtigkeitsgebots der Gleichbehandlung grundsätzlich unabdingbaren – pauschalen Anwendung des materiellen wie auch des Verfahrensrechts notgedrungen immer wieder ergeben. Ihrem Ausnahmecharakter gemäß wurde die *in integrum r.* vom Praetor (bzw. bei einigen *actiones in personam* durch den → *iudex*) im Rahmen des Formularprozesses (→ *formula*) nur in den folgenden, als bes. schutzwürdig empfundenen Situationen eingeräumt: Bei *metus* (Furcht), wenn eine Person also erpreßt oder sonstwie eingeschüchtert worden und dadurch entweder in eine nachteilige prozessuale Situation geraten war oder ein von ihr nicht gewolltes Rechtsgeschäft geschlossen hatte, konnte sie in die urspr. Situation zurückversetzt werden. Gleiches gilt, wenn Arglist (→ *dolus*) im Spiele war, wenn ein volljähriger, gleichwohl aber noch junger Mensch (*minor aetas*, s. → *minores*) gehandelt hatte, wenn die Gegenpartei einen reduzierten Rechtsstatus (*capitis* → *deminutio*) besaß, wenn ein entschuldbarer Irrtum (*error*) vorgelegen hatte, wenn ein

Prozeßerfolg dadurch herbeigeführt worden war, daß der (spätere) Streitgegenstand an einen anderen – insbes. eine einflußreiche Person, durch deren Auftreten der Richter beeinflußt werden sollte – veräußert worden war (*alienatio iudicii mutandi causa*), oder schließlich, wenn jemand aus entschuldbaren Gründen nicht zugegen war (*absentia*) und deswegen eine Rechtsposition eingebüßt hatte – etwa weil er im öffentlichen Auftrag auf Reisen war (*rei publicae causa abesse*). In derartigen Fällen erklärte der Praetor oder der Richter entweder die nachteilige Rechtshandlung für unwirksam, oder aber er räumte, wenn dadurch allein die nachteiligen Wirkungen nicht beseitigt werden konnten, der geschützten Person einen auf Rückgewähr gerichteten Rechtsbehelf ein.

M. Kᴀsᴇʀ, K. Hᴀᴄᴋʟ, Das röm. Zivilprozeßrecht, ²1996, 297 f., 422–426 • B. Kᴜᴘɪsᴄʜ, In integrum r., 1974 • W. Sᴇʟʙ, Das prätorische Edikt. Vom rechtspolit. Programm zur Norm, in: H. P. Bᴇɴöʜʀ u. a. (Hrsg.), Iuris Professio. FS M. Kaser, 1986, 259–272 • Wɪᴇᴀᴄᴋᴇʀ, RRG, 460. C. Pᴀ.

Retentio. Die *r.* (wörtlich »Zurückbehaltung«) der eigenen Leistung, um Druck auf den Gegner auszuüben, die von ihm geschuldete Leistung zu erbringen, begegnet im röm. Recht vielfach. Bei strengrechtlichen Klagen (*ius strictum*, → *ius* C.2.) wurde die *r.* mittels Arglisteinrede (→ *exceptio doli*) in *bonae fidei iudicia* (»Klagen nach Treu und Glauben«, → *fides* II.) durch formlose Einwendung bewirkt. Eine *r.* wegen ihrer Aufwendungen hatten z. B. der gutgläubige Bauführer gegen den Eigentümer (Cels. Dig. 6,1,38), der Verwahrer (Mod., Collatio legum 10,2,6) und der Entleiher (Iulianus Dig. 47,2,60). Der *r.* ähnlich war eine Verpfändung, bei der die Verwertung vertraglich ausgeschlossen wurde (Ulp. Dig. 13,7,4).

Ebenfalls als *r.* bezeichnet wurden die Abzüge, die der Ehemann bei einer → Scheidung von der Mitgift (→ *dos*, z. B. *propter mores*, d. h. wegen Verschuldens der Frau, oder *propter liberos*, »wegen der Kinder«) machen konnte.

→ Commodatum; Depositum; Divortium; Pignus

A. Büʀɢᴇ, R. im röm. Sachen- und Obligationenrecht, 1979 • Kᴀsᴇʀ, RPR, Bd. 1, 338 • Ders., RPR, Bd. 2, 192. R. Gᴀ.

Retiarius s. Munus, Munera III.E.

Reticulatum opus s. Mauerwerk C.

Rettich (ῥαφανίς/*rhaphanís*, ῥάφανος/*rháphanos*, etym. verwandt mit ῥάπυς/*rhápys*, ῥάφυς/*rháphys*, »Rübe«; lat. *rhaphanus, radix*), die wohl in Kleinasien aus dem wilden Hederich (Raphanus raphanistrum L.) gezüchtete Kreuzblütler-Art Rhaphanus sativus L. mit eßbarer verdickter Speicherwurzel; seit dem 2. Jt. in Äg. angebaut. Die Griechen (seit Aristoph. Plut. 544 und anderen Komikern, zit. bei Athen. 2,56d–57b) schätzten die gesalzene Wurzel als appetitanregendes Nahrungsmittel und gewannen Öl daraus. Theophr. h. plant. 7,4,2 erwähnt fünf griech. Unterarten von unterschiedlicher Schärfe. Den Anbau auf gedüngtem Boden beschreiben Cato agr. 35,2 sowie Colum. 11,3,47 (Aussaat im Februar und August mit gelegentlichem Anhäufeln) und ganz ähnlich Palladius (agric. 9,5). Plinius (nat. 19,78–87) lehnt zwar persönlich den blähenden und Aufstoßen hervorrufenden R. ab, referiert aber dennoch gegenteilige Meinungen und die Anbaumethoden. Die reiche medizinische Verwendung bei Plin. nat. 20,22–28 (ähnlich Dioskurides 2,112 WELLMANN = 2,137 BERENDES) reicht – unter Berufung auf mehrere griech. Ärzte – von Galle abführender und harntreibender Wirkung bis zur Hilfe gegen Vergiftungen. Ähnliche Anwendungen, aufgelistet in den *Geōrgiká* des → Florentinus [2], überl. Geop. 12,22.

F. ORTH, s. v. R., RE I A, 698 f.   C. HÜ.

Reudigni. German. Volksstamm im Kultverband der Nerthus-Stämme (→ Nerthus) nördl. der → Langobardi (Tac. Germ. 40,2) im Gebiet von Holstein und West-Mecklenburg.

B. RAPPAPORT, s. v. R., RE I A, 700 f. · A. GENRICH, Der Siedlungsraum der Nerthusstämme, in: Die Kunde 26/7, 1975/6, 103–146.   RA. WI.

Revocatio (»Widerruf«) kommt im röm. Recht in zwei spezielleren Bed. vor: (1) als *r. in servitutem* (»r. in die Sklaverei«), der Widerruf der → Freilassung, wohl erst in der Spätant. gebräuchlich (vgl. Cod. Iust. 6,7,2 pr.); (2) im Zivilprozeß. Dort kann der Verurteilte, wenn er schon bezahlt hat, die Wiederaufnahme des Prozesses (→ *restitutio*) nur mit dem Risiko verlangen, durch *r. in duplum* (»r. auf das Doppelte«) beim Scheitern der Restitution die Streitsache ein zweites Mal an den Kläger zahlen zu müssen. Dies galt für das Formularverfahren (→ *formula*) und das Verfahren nach Kaiserrecht (→ *cognitio*), ist im *Corpus iuris* (6. Jh. n. Chr.) aber nicht mehr enthalten. Dafür hat sich in der Spätant. die *r. appellationis* (»Rücknahme der Berufung«) entwickelt: Cod. Theod. 11,30,48 (vom J. 387) schließt sie noch aus; Cod. Iust. 7,62,28 läßt sie unbeschränkt zu.

M. KASER, K. HACKL, Das röm. Zivilprozeßrecht, ²1996, 376, 480, 498, 615, 621.   G. S.

Rex
[1] R. (Pl. *reges*; idg. *$\acute{r}e\hat{g}$-s*, altind. *rāj́-*, kelt. *-rīx*) bezeichnet im Lat. den König; im griech. Raum ist wohl in myk. Zeit die idg. Wortform den Herrscherbezeichnungen *Ϝanax* (→ *wanax*) und → *basileús* gewichen. Das kaiserzeitliche und byz. Wort ῥήξ ist urspr. bloße griech. Umschrift des lat. *rex* und bezeichnet meist Stammeskönige auswärtiger Völker.

Nach der Wortwurzel *$h_3re\hat{g}$-* (»geraderichten«, »ausstrecken«) ist es Aufgabe des *r.* zu »regieren«, d. h. die Welt »aufrecht« und im Lot zu halten, den »richtigen«

Einklang von Ges. und natürlicher Ordnung zu festigen (zur Etym.: [1. 9–15]; zur idg. Bed.: [2. 160–165]). Dies weist dem *r. v. a.* eine sakrale Aufgabe zu, die er in Rom in Abbildung der Struktur der privaten → *domus* für die gesamte Ges. zusammen mit der *regina* (»Königin«), seiner in kultischer Form vermählten Ehefrau (→ *confarreatio*), und den jungfräulichen Haustöchtern (→ Vestalinnen) erfüllte. Dieser sakral-magische Charakter des frühen röm. Königtums, der durch das Erfordernis der Zustimmung der Götter (→ *inauguratio*) zur Wahl des Königs noch verstärkt wurde (Liv. 1,18,6–10), läßt an dem weithin angenommenen großen Kompetenzumfang des frühen latinischen *r.* als oberstem Priester, Richter und Feldherrn zweifeln: Zum einen fehlen direkte Hinweise auf eine dominierende Stellung des *r.* in den Quellen, zum andern wird die Macht des *r.* zirkelschlüssig aus dem → *imperium* der späteren → Consuln erschlossen, deren Macht wiederum vom Königtum abgeleitet wird (obgleich der geringe Umfang der Gewalt der frühen Consuln längst erwiesen ist: [3]), und schließlich widerspricht dies den Ergebnissen der ethnologischen Forsch. zu vergleichbaren gesellschaftlichen Systemen (s. dazu [4. 52–56]).

Das frühe – wohl seit dem 8. Jh. v. Chr. vorhandene – Königtum in Rom, das sich in der Trad. mit → Romulus [1] (einer myth. Gründerfigur), → Numa Pompilius (einem Sabiner wie der Mitkönig von Romulus, Titus Tatius), Tullus → Hostilius [4] (dem einzigen Latiner) und Ancus → Marcius [I 3] (wiederum einem Sabiner) verbindet, erfüllte deshalb eher symbolische Funktionen und war in seiner Macht stark durch die Organisation der → *curiae* und der aufstrebenden *gentes* (→ *gens*) eingeschränkt (so [4. 56–104]). Erst mit den Reformversuchen etr. *reges* (→ Tarquinius Priscus, Servius → Tullius und → Tarquinius Superbus), die jede Möglichkeit der Erweiterung ihrer Machtgrundlage in der Bevölkerung und im rel. Bereich nutzten, scheint eine Verstärkung der Macht des *r.* eingetreten zu sein [4. 117–131]. Doch blieb sie insgesamt geringer als die der röm. Adelsgeschlechter, die den letzten König 509 v. Chr. relativ leicht vertreiben konnten (Liv. 1,59,3–60,4; Dion. Hal. ant. 4,84,1–85,4; s. auch → Porsenna).

Am Beginn der Republik verbannte angeblich ein Schwur des Volkes (Liv. 2,8,2) das Königtum für immer aus Rom, lediglich im → *interrex*, dem → *rex sacrorum*, der Erinnerung an sog. *leges regiae*, im Wohnsitz des *pontifex maximus*, der Regia auf dem Forum Romanum, und im Fest des → *regifugium* lebten Relikte der Königszeit weiter. Die Begründer monarchischer Strukturen an der Wende zum → Prinzipat (→ Caesar; → Augustus) vermieden den Titel *r.* aus Rücksicht auf die alten Adelsgeschlechter.

1 E. BENVENISTE, Le vocabulaire des institutions indo-européennes, Bd. 2, 1969 2 W. MEID, Zur Vorstellungswelt der Indogermanen anhand ihres Wortschatzes, in: Ders. (Hrsg.), Stud. zum idg. Wortschatz, 1967, 155–166 3 A. HEUSS, Zur Entwicklung des Imperiums der röm. Oberbeamten, in: ZRG 64, 1944,

57–133 **4** B. LINKE, Von der Verwandtschaft zum Staat, 1995.   W. ED.

[2] Röm. Cogn. (»König«), nur in republikanischer Zeit in der Familie der Marcii (→ Marcius [I 21–23]), unter Anspielung auf die angebliche Herkunft der Familie von König Ancus Marcius [I 3].

KAJANTO, Cognomina, 316.   K.-L. E.

Rex sacrorum. Lit. auch *r. sacrificulus* (z. B. Liv. 2,2,1), »Opferkönig«, oder einfach *r.* (z. B. Varro ling. 6,12 f.). Das hohe Alter dieses röm. Priesteramtes zeigt sich in der Forderung, der *r.s.* müsse einer patrizischen *gens* angehören (Cic. dom. 38; Liv. 6,41,9; Ausnahme: MRR 1,284 Anm. 8), einer durch → *confarreatio* geschlossenen Ehe entstammen und selbst durch diesen Ritus verheiratet sein (Gai. inst. 1,112). Der *r.s.* wurde vom Pontifikal-Collegium nominiert und, nach seiner Wahl, in den *comitia calata* inauguriert (Antistius Labeo fr. 22 HUSCHKE bei Gell. 15,27,1; Liv. 40,42,8; [1. 722 f.]). Mit den → *flamines maiores* verbanden den *r.s.* Herkunft, *confarreatio*, → *inauguratio* und die Mitgliedschaft im Pontifikal-Collegium, wodurch auch er der Disziplinierungsgewalt des → *pontifex maximus* unterstand (Liv. 40,42,8–11; [2. 452 f.]). Wie die *flamines maiores* durfte der *r.s.* während → *feriae* keiner Arbeit zusehen (Macr. Sat. 1,16,9); gemeinsam mit diesen und den Vestalinnen war es ihm erlaubt, zur Durchführung öffentlicher Rituale in Rom auf einem Wagen zu fahren (CIL I² 593,62 f.).

Sein Amt übte der *r.s.* auf Lebenszeit aus. Bis in die frühe Kaiserzeit waren ihm dabei magistratische Funktionen allerdings untersagt (Liv. 40,42,8–11; Dion. Hal. ant. 4,74,4; 5,1,4); erst Mitte des 1. Jh. n. Chr. scheint es zu einer Lockerung dieser Regel gekommen zu sein [3. 56⁷]. Im Gegensatz zu der in der internen Hierarchie des Pontifikal-Collegiums nicht herausragenden Position des *r.s.* (Cic. har. resp. 6,12 f.; Macr. Sat. 3,13,10 f.) steht seine den *flamines maiores* und dem *pontifex maximus* übergeordnete Stellung in einer von der antiquarischen Lit. (Fest. 198,29–200,4; Gell. 10,15,21; Serv. Aen. 2,2) für dieses Collegium formulierten, aber wohl nicht unmittelbar histor. verwertbaren »Priesterhierarchie«.

Zu den kultischen Pflichten des *r.s.* zählte ein Widderopfer in der → Regia während der *dies Agonales* am 9. Januar (vgl. Varro ling. 6,12; Paul. Fest. 9; InscrIt 13,2,393 f.). Möglicherweise handelte es sich hierbei um ein Piacularopfer (→ *piaculum*) für → Ianus (so Ov. fast. 1,317–334); daraus kann nicht geschlossen werden, daß der *r.s.* Priester dieses Gottes war (vgl. [4. 133, 265 f.]). Die genaueren Umstände der Beteiligung des *r.s.* an den → Consualia am 15. Dezember (InscrIt 13,2,136 f.) sind unklar.

Eine wichtige Rolle spielte der *r.s.* in kalendarischen Ritualen. An den Kalenden eines jeden Monats verrichtete er gemeinsam mit einem *pontifex minor*, der anschließend aus der Beobachtung des Neumondes dem Volk die Plazierung der monatlichen Nonen mitteilte, ein Opfer in der Curia Calabra (vgl. InscrIt 13,2,111; Serv. auct. Aen. 8,654; angeblich nur bis in das J. der Veröffentlichung der → Fasti durch Cn. Flavius [I 2], 304 v. Chr.: Macr. Sat. 1,15,9–12). Ebenfalls an den Kalenden, und wohl in gesuchter Parallelität, opferte seine Frau, die *regina sacrorum*, in der Regia der → Iuno ein Schwein oder Schaf (Macr. Sat. 1,15,19 f.). Noch im 1. Jh. v. Chr. rief der *r.s.* an den Nonen die im laufenden Monat anstehenden *feriae* aus (Varro ling. 6,28; vgl. 6,13; [5. 210–214]). Während des → Regifugium am 24. Februar opferte er auf dem Comitium, um anschließend eine inszenierte »Flucht« vom Forum anzutreten; zur Deutung als Erneuerungsritual, mit dem der *r.s.* das alte Jahr rituell abschloß und den Anf. des neuen am 1. März vorbereitete, vgl. [5. 304–307; 6. 51 f.]. Kalendarische Rituale sind wohl auch die am 24. März und 24. Mai jeweils mit der Kalendersigle Q(*uando*) R(*ex*) C(*omitiavit*) F(*as*) notierten (InscrIt 13,2,430; 461): Die Rolle des *r.s.* ist wahrscheinlich wieder in erster Linie rituelle: Opfer und – urspr. vielleicht monatlich stattfindende – Ankündigung des E. einer durch diese Tage abgeschlossenen *nefas*-Phase finden wieder auf dem Comitium statt (Varro ling. 6,31; Paul. Fest. 311,1–3; vgl. Fest. 310,12–21; 346,22–36; [1. 723–725; 5. 214–221]).

Die mod. Forsch. akzeptiert mehrheitlich die ant. historiographische, selbst schon »späte« Ansicht, der *r.s.* sei nach der Vertreibung des letzten Königs ernannt worden, um dessen sakrale Aufgaben zu übernehmen; auch die Modalitäten seiner Bestellung – die Unterordnung unter den *pontifex maximus* und polit. Marginalisierung – deuteten in die Zeit des Umbruchs von der Königsherrschaft zur Republik (Liv. 2,2,1 f.; Dion. Hal. ant. 4,74; 5,1,4; Fest. 422,11–15). Unter dieser Maßgabe hat man den *rex* der Inschr. auf dem → Lapis niger (CIL I² 4,1 = [7. 58 f. Nr. 39]) auf die Jahre ab 509 v. Chr. und den *r.s.* bezogen [8], eine in der Regia gefundene Bucchero-Scherbe mit der Aufschrift REX (CIL I² 4,2830 = [7. 22 f. Nr. 1.9]) auf die Wirkungsstätte bzw. den Wohnsitz eines frührepublikanischen *r.s.* Allerdings ist eine Früherdatier. beider Inschr. möglich [9. 119–138], die sich somit durchaus auf einen polit. König beziehen können (weitergehende Mutmaßungen: [9. 161–188; 10. 166–171]). In spätrepublikan. Zeit lebte der *r.s.* in einer *domus* an der → Via sacra (Fest. 372,14; [11]). Der Deutungsversuch dieser verwirrenden Befunde durch [9. 56–79] ist im einzelnen kritisiert worden ([12]; vgl. [13. 239–241]). Bedenkenswert scheint daher die These, beim *r.s.* handle es sich um ein schon vor dem Beginn der Republik eingerichtetes, rein sakrales Pendant zu einem gleichzeitigen polit.-mil. Anführer Roms (einem *magister* bei [13. 232–236]). Ein königszeitlicher Ursprung des *r.s.* könnte manche der aufgeworfenen Fragen klären; dies muß aber bis auf weiteres Spekulation bleiben.

Außerhalb Roms ist der *r.s.* als kaiserzeitliches munizipales Priesteramt in Mittelitalien – hier entweder als Reflex einer älteren kultischen Organisationsstruktur

[13. 236] oder aber als bewußter Archaismus des 1. Jh.
n. Chr. – inschr. belegt (CIL X 8417; XI 1610; XIV 2089;
2413; 2634; EEpigr IX 608; AE 1952,157), später auch in
Nordafrika (AE 1933,57; 1946,80; 1987,1066).
→ Kalender; Neujahrsfest III.; Priester

1 A. ROSENBERG, s. v. R. s., RE 1A,1, 721–726
2 J. BLEICKEN, Kollisionen zw. Sacrum und Publicum, in:
Hermes 85, 1957, 446–480 3 W. KUNKEL, R. WITTMANN,
Die Magistratur (HdbA X,3,2,2), 1995 4 L. A. HOLLAND,
Janus and the Bridge, 1961 5 J. RÜPKE, Kalender und
Öffentlichkeit, 1995 6 B. LINKE, Von der Verwandtschaft
zum Staat, 1995 7 M. CRISTOFANI (Hrsg.), La grande Roma
dei Tarquini, 1990 (Ausst. Rom) 8 R. E. A. PALMER, The
King and the Comitium, 1969 9 F. COARELLI, Il foro
romano, Bd. 1, 1983 10 C. J. SMITH, Early Rome and
Latium, 1996 11 E. PAPI, s. v. Domus r. s., LTUR 2, 169 f.
12 F. CASTAGNOLI, Ibam forte Via Sacra (Hor. Sat. 1,9,1), in:
Quaderni di topografia antica 10, 1988, 99–114
13 T. J. CORNELL, The Beginnings of Rome, 1995.
A. BEN.

Reziprozität. Mit R. wird ein Austausch- und sozialer
Integrationsmechanismus bezeichnet, der bes. in vormarktwirtschaftlichen Ges. Bed. hatte und auf der normativen Verpflichtung zur Adäquanz von Leistung und
Gegenleistung beruht. Der Begriff wurde zunächst von
Ethnologen zur Beschreibung von Austauschprozessen
in primitiven Ges. verwendet und dann von Karl PO-
LANYI (1886–1964) in die Diskussion über die vorindu-
strielle Wirtschaft eingeführt. POLANYI versucht, mit
dem Begriff R. das Tauschprinzip symmetrischer Beziehungen in sog. »eingebetteten« Wirtschaften zu beschreiben, die nicht gesetzlich und über den Markt, sondern auf der Basis sozialer Verpflichtungen reguliert
werden. Eng verknüpft und häufig vermischt mit dem
Begriff der R. ist der des Gabentausches, der erstmalig
von Marcel MAUSS (1872–1950) beschrieben wurde.
Doch im Gegensatz zum Gabentausch setzt die R. nicht
den Austausch von materiellen Gütern voraus, sondern
bezieht sich allein auf das Prinzip der Gegenseitigkeit.
Charakteristisch für beide ist jedoch eine häufig explizite Verknüpfung materieller, sozialer und polit. Bed.,
die im mod. Marktaustausch weitgehend nicht gegeben
ist. R. als soziales und moralisches Strukturprinzip ist für
die gesamte griech. Antike überzeugend nachgewiesen worden, während sie als wirtschaftlicher Aus-
tauschmechanismus seit der Entstehung der → Polis mit
Formen des gesetzlich geregelten Marktaustausches
konkurrierte.
→ Macht; Redistribution

1 K. POLANYI, The Economy as Instituted Process, in: Ders.
et al. (Hrsg.), Trade and Markets in the Early Empires, 1957,
243–270 (dt. in: Ders., Ökonomie und Ges., 1979, 219–244)
2 CH. GILL et al., Reciprocity in Ancient Greece, 1998
3 M. MAUSS, Essai sur le don, forme et raison de l'échange
dans les sociétés archaïques, 1925 4 B. WAGNER-HASEL, Der
Stoff der Gaben. Kultur und Politik des Schenkens und
Tauschens im archa. Griechenland, 2000.   S. v. R.

Rezitation(en), öffentliche
I. ENTSTEHUNG UND ENTWICKLUNG
II. ORTE UND ANLÄSSE   III. GATTUNGEN
IV. AUSWIRKUNGEN DES REZITATIONSBETRIEBS

I. ENTSTEHUNG UND ENTWICKLUNG
Die R. von Lit. (lat. *recitatio*), bes. von Dichtung,
stellte in der röm. Kaiserzeit eines der wichtigsten Medien vergänglicher Mündlichkeit dar, das zur Buntheit
des Kulturbetriebs in hohem Maße beitrug. Neben und
in Konkurrenz mit Deklamation (→ Rhetorik, → *declamationes*) und → Theater (→ Tragödie, → Komödie),
deren nicht immer publizierte, bisweilen unfeste Texte
(improvisiert etwa die Kunstrede und der Dialog des
→ Mimos) in der Aufführung die Öffentlichkeit ihrer
Gattungsfunktion fanden, bedeutete die R. in Textproduktion, Performanz und Rezeption eines *work in
progress* zunächst eine nur vorläufige Publikation. Indes:
Dichterlesungen waren in der röm. Republik auf Le-
bensgemeinschaften (kritikfähige und -willige Freunde,
interessierte Mäzene) beschränkt geblieben; seit → Augustus jedoch ermöglichten veränderte soziokulturelle
Bedingungen des poetischen Schaffens – der professionelle, nicht zu eng an einen → *patronus* gebundene
Dichter entwickelte ein gesteigertes professionelles
Selbstbewußtsein – eine R. vor größeren, anonymen
Publika. Sogar eine förmliche Einladung zu solchen
Darbietungen war möglich, seit Asinius [I 4] Pollio als
erster Römer seine Werke (Gedichte und Historien) vor
einem geladenen Publikum rezitierte (Sen. contr. 4,2).
Dem korrespondierte auf seiten der Rezipienten ein
starkes Interesse an neuen Darbietungsformen, waren
doch die große polit. Rede, die Prozeßrede und das
klass. Theater ganz verschwunden oder stark verküm-
mert. Plinius berichtet (epist. 1,13,1), daß etwa in einem
April kaum ein Tag ohne R. vergangen war; auch die
Sommermonate Juli und August wurden nicht ausgespart (Plin. epist. 8,21,2; Iuv. 3,9). Den hohen Stellenwert der neuen Praxis zeigt schließlich das Engagement
der Kaiser (zumal von Augustus, Claudius [III 1], Nero
[1], Domitianus [1]) als interessierte Zuhörer, engagierte
Mäzene oder gar als Rezitatoren. Bes. ergiebig als Quellen sind (bis zur Zeit des → Hadrianus) → Plinius [2]
d. J., → Iuvenalis, auch → Tacitus sowie der Kritiker
→ Martialis [1], die insgesamt ein ebenso anschauliches
wie differenziertes Gesamtbild vermitteln.

II. ORTE UND ANLÄSSE
Eine Vorstellung von etablierten oder angehenden
Schriftstellern (und damit die Möglichkeit für das Publikum, auch die neuesten Werke kennenzulernen)
mochte sich an den verschiedensten Orten ergeben: ein
gleichsam »offizieller« Vortrag im Tagungslokal des *collegium poetarum* (→ *collegium* [2]), dem Templum Herculis Musarum, eine Lesung in einem Privathaus (so sicher noch bei Pollio), satirisch pointiert ein Auftritt auf
dem Forum oder im Bad, wo im geschlossenen Raum
die Stimme so schön klinge (*suave locus voci resonat con-
clusus*, Hor. sat. 1,4,73–78; ähnlich Eumolpus bei Pe-

tron. 90). In der Regel dürften als Auditorien für die R. allerdings angemietete (Tac. dial. 9,3) bzw. von Mäzenen gestellte (Iuv. 7,39–47) Räume gedient haben. Das von Hadrianus gegr. Athenaeum im Atrium Minervae an der Kurie scheint dem Vortrag griech. Dichter vorbehalten gewesen zu sein [1. 24f.]. Bei den seltenen musischen Wettkämpfen, den → Neronia von 60 bzw. 65 n.Chr. und den domitianischen, ebenfalls penteterischen *ludi Capitolini* (→ Kapitoleia) kam allenfalls auch das Theater in Betracht [2. 153f.; 3. 171]. Sonst mußte sich der Schriftsteller selbst um die Werbung kümmern, evtl. die Bestuhlung finanzieren, das Programm der Darbietung verteilen usw. Er rezitierte in der Regel selbst, und zwar im Sitzen, oder ließ einen → *lector* die Rolle übernehmen (Suet. Claud. 41,2; Plin. epist. 8,1,2; 9,34). Dabei bestand immer die Gefahr einer schauspielerischen Übertreibung (Kostüm, Mimik, Klangmittel; Pers. 1,15–18).

III. GATTUNGEN

Augustus hörte gern und geduldig den Vortrag von Gedichten und Geschichtswerken, aber auch Reden und philos. Dialogen (Suet. Aug. 89,3). Plinius findet zu Beginn des 2. Jh. n.Chr. die Kritik am Vortrag seiner Reden ungerechtfertigt, wo doch die R. eines Geschichtswerks, einer Tragödie, lyrischer Gedichte allg. akzeptiert sei (Plin. epist. 7,17,2f.). Im Prinzip konnten also alle Gattungen, die Prosa eingeschlossen, von der neuen Chance der lit. Selbstdarstellung profitieren, wenn auch die Dichtung als spezifisch musisch-musikalische Vorführung im Zentrum der Aufmerksamkeit stand.

Der Satiriker Iuvenalis (1,1–20) gibt vor, mit Rezitatoren von Epen, Togaten (→ *togata*), Elegien und Trag. konkurrieren zu wollen; → Statius' R. seiner *Thebais* waren ein Publikumserfolg (Iuv. sat. 7, 82–86); von einer R. des mythographischen Lehrgedichtes *Katasterismoí* (›Versetzung unter die Sterne‹) des Calpurnius Piso berichtet Plin. epist. 5,17. Auch der Tragiker → Pomponius [III 8] Secundus benutzte die R. (in kleinem Kreise), um sich für die Aufführung vorzubereiten (Plin. epist. 7,17,11f.). Ähnlich dürfte es sich bei → Seneca verhalten, dessen Theaterstücke als R.-Dramen zu bezeichnen angesichts der Ubiquität, aber auch Vorläufigkeit der R. fast tautologisch ist. Wenn sich hingegen Curiatius Maternus unter Kaiser Vespasianus (69–79 n.Chr.) auf R. seiner Stücke beschränkt zu haben scheint, ist dies für seine Persönlichkeit, für die Thematik und veränderte theatergesch. Situation bezeichnend. Über die Vorlesung einer Komödie im alten Stil von → Vergilius Romanus berichtet Plin. epist. 6,21 und nennt in diesem Zusammenhang auch dessen Mimiamben und Palliaten (→ *palliata*); an anderer Stelle erwähnt er neoterische *poematia* des → Sentius Augurinus (Plin. epist. 4,27). Innerhalb der Prosa bot sich seit Pollio zumal die → Geschichtsschreibung an (Sen. epist. 95,2), nach Quint. inst. 10,1,31 ohnehin gleichsam ein Gedicht in Prosa. Claudius [III 1] trug vor der Thronbesteigung seine ›Historien‹ selbst vor (Suet. Claud.

41,1); Lesungen des claudischen Historikers Servilius Nonianus wurden von lautem Beifall begleitet (Plin. epist. 1,13,3). Auch die ersten drei B. von Tacitus' ›Historien‹ mögen zunächst rezitiert worden sein (Plin. epist. 9,27; vgl. [4]).

IV. AUSWIRKUNGEN DES REZITATIONSBETRIEBS

Konsequenzen für Struktur und Stil der für die R. vorgesehenen Werke können nicht ausgeblieben sein. Die bekannte und vielfach beklagte Rhetorisierung der kaiserzeitlichen Lit. (→ Rhetorik) sollte also nicht nur mit der Ausbildung der Schriftsteller in den Rhetorenschulen, sondern auch mit der Aufführungspraxis der R. und der Notwendigkeit einer direkten Ansprache eines Hörpublikums in Zusammenhang gebracht werden. Solche Fragen sind neuerdings werkimmanent am Beispiel von Persius [2] (vgl. [5]) und Martialis [1] (vgl. [6]), Senecas *Philosophica* (vgl. [7]), der *Satyrica* des Petronius [5] (vgl. [8]) und den *Historiae* des Tacitus (vgl. [4]) diskutiert worden. Immer wieder hervorgehoben werden andererseits auch die Schattenseiten des Betriebs – bezogen auf die Produzenten: bloße sprachliche Routine, bezogen auf die Rezipienten: zunehmendes Desinteresse – vom Standpunkt des für ein Lesepublikum sorgsam Feilenden (Hor. ars 472–476), des kritischen Beobachters (Mart. 3,44; 3,45; 10,222ff.) oder des direkt Betroffenen (Plin. epist. 1,13). Dennoch darf vorausgesetzt werden, daß diese erfolgreiche und erfolglos inkriminierte Praxis bis an das Ende der spätant. Stadtkultur florierte, wenngleich Quellen nach dem 2. Jh. n.Chr. abnehmen.

→ Actio [1. rhetorisch]; Literaturbetrieb; Rednerbühne

1 H. BRAUNERT, Das Athenaeum, in: J. STRAUB (Hrsg.), Bonner Historia-Augusta-Colloquium 1963 (Antiquitates 4.2), 1964, 9–41 2 P. L. SCHMIDT, Nero und das Theater, in: J. BLÄNSDORF (Hrsg.), Theater und Ges. im Imperium Romanum, 1990, 149–163 3 H. LEPPIN, Histrionen, 1992, 169–176 4 P. L. SCHMIDT, Die Appellstruktur der taciteischen Historien, in: G. VOGT-SPIRA (Hrsg.), Beitr. zur mündlichen Kultur der Römer, 1993, 177–193 5 W.-W. EHLERS, Zur R. der Satiren des Persius, in: G. VOGT-SPIRA (Hrsg.), Strukturen der Mündlichkeit in der röm. Lit., 1990, 171–181 6 W. BURNIKEL, Zur Bed. der Mündlichkeit in Martials Epigrammbüchern I–XII, in: s. [5], 221–234 7 E. LEFÈVRE, Waren Philos. Schriften Senecas zur R. bestimmt?, in: s. [5], 147–159 8 G. VOGT-SPIRA, Indizien für mündlichen Vortrag von Petrons *Satyrica*, in: s. [5], 183–192.

G. FUNAIOLI, s. v. Recitationes, RE I A, 437–446 ·
FRIEDLÄNDER 4, 225–233 · H.-P. BÜTLER, Die geistige Welt des jüngeren Plinius, 1970 · G. BINDER, Öffentliche Autorenlesungen. Zur Kommunikation zw. röm. Autoren und ihrem Publikum, in: Ders., K. EHRLICH (Hrsg.), Kommunikation durch Zeichen und Wort (Bochumer altertumswiss. Colloquium 23), 1995, 265–332.   P. L. S.

Rha (Ῥᾶ, Ptol. 5,8,6ff.; 6,14,1; 4; *Ra*, Amm. 22,8,27ff.; h. Wolga). Name finnischen Ursprungs; skythisch und griech. hieß der Fluß im 6. Jh. v. Chr. Oaros (Ὄαρος, Hdt. 4,123f.). Die griech. Geographen hatten schon früh eine vage Kunde vom Rh. Sie ließen ihn in die → Maiotis münden. Um die Wende zum 1. Jh. n. Chr. wurde der Rh. der röm. Geogr. bekannt: → Marinos [1] (und Ptolemaios) entwarfen ein überraschend getreues kartographisches Bild des Flusses. Das ausgedehnte Wolgadelta mit seinen vielen Armen blieb jedoch der Ant. unbekannt.

E. KIESSLING, s. v. Rh., RE I A, 1–8.   CHR. D.

Rhabarber (*reubarbarum sive reuponticum* bei Isid. etym. 17,9,40, gewöhnlich ῥᾶ/*rhá*, ῥῆον/*rhéon* bei Dioskurides 3,2 WELLMANN und BERENDES, *rhecoma* bei Plin. nat. 27,128, im MA *rhabarber*), das Knöterichgewächs (Polygonaceae) Rheum rhabarbarum L., Rh. officinale L., Rh. rhaponticum L., nach dem Fluß *Rha* (= Wolga) am Schwarzmeer *rha ponticum* genannt (Amm. 22,8) und daher wohl aus Asien eingeführt. Plin. nat. 27,128–130 (ähnlich Dioskurides 3,2) empfiehlt wegen ihrer erwärmenden und adstringierenden Wirkung die zerriebene Wurzel äußerlich (z. B. zur Heilung von Wunden und Entzündungen) und innerlich mit kaltem Wasser bei Magenschwäche, lange dauerndem Husten, aber auch bei Leber-, Milz- und Nierenkrankheiten.

H. STADLER, s. v. Rh., RE I A, 726–728.   C. HÜ.

Rhabdophoroi (ῥαβδοφόροι, »Stabträger«, auch als ῥαβδοῦχοι/*rhabdúchoi*, »Stabhalter« bezeichnet). Das Wort wurde für verschiedene Beamte verwendet, die einen Stock oder Stab als Amtsinsignie führten, insbes. für Funktionäre bei Wettbewerben und anderen Festen, und zwar für die Schiedsrichter (Plat. Prot. 338a 8) ebenso wie für deren Gehilfen, die der Einhaltung der Regeln Nachdruck verliehen (für Athen: Aristoph. Pax 734; für Olympia: Thuk. 5,50,4). In röm. Kontext wurden die griech. Bezeichnungen *rh.* und *rhabdúchoi* für die *lictores* (→ *lictor*) gebraucht, die den Inhabern des → *imperium* die Rutenbündel (*fasces*) vorantrugen (Pol. 5, 26,10).   P. J. R.

Rhadamanthys (Ῥαδάμανθυς). Unterweltsrichter des griech. Mythos (zus. mit → Minos und → Aiakos; vereinzelt auch → Triptolemos: Plat. apol. 41a 3 f.). Rh. galt als vorgriech. König von Kreta und Herrscher über die ägäischen Inseln (Apollod. 3,6; Diod. 5,84). Sohn von Zeus und → Europe, Bruder von Minos und → Sarpedon (Hom. Il. 14,321 f.; Hes. fr. 140f. M.-W.; Porph. de abstinentia 3,16 nennt Dike als Mutter) [1]. Rh. galt als gerecht (Pind. O. 2,83; Plat. leg. 1,624b 5 f.) und besonnen (Theognis 701; Pind. P. 2,73 f.). Wichtige Rechtsgrundlagen für das griech. Prozeßwesen wurden Rh. zugeschrieben (Plat. leg. 1,625a 2), z. B. der Eid beider Parteien, an den der Richterspruch zu binden sei (Ῥαδαμάνθυος κρίσις, ebd. 12,948b-c). Das strenge Wiedervergeltungsrecht (*ius talionis*) wurde auf Rh. zurückgeführt (Aristot. eth. Nic. 1132b 25 f.), ebenso die Sitte, nicht bei den Götternamen, sondern bei Tieren zu schwören (Porph. de abstinentia 3,16). Herakles berief sich nach der Tötung des Linos auf ein Gesetz des Rh.

und blieb unbestraft (Apollod. 2,64). Außer mit Kreta ist Rh. mit Böotien verbunden: Nachdem er einen Bruder getötet hatte (Tzetz. Lykophron 50), floh er nach Okaleia in Böotien, wo er → Alkmene heiratete (Apollod. 2,70). In Haliartos befand sich ein Grab des Rh. Nach seinem Tod weilte Rh. im → Elysion (so Hom. Od. 4,563 f.; Pind. O. 2,83: auf den Inseln der Seligen) und waltete als Totenrichter (Plat. apol. 41a 1–5; Plat. Gorg. 523e–526d; Verg. Aen. 6,566).

→ Unterwelt

1 M. XAGORARI, s. v. Rh., LIMC 7.1, 626–628.

O. JESSEN, s. v. Rh., ROSCHER 4, 77–86.   K. SCHL.

Rhadine und **Leontichos** (Ῥαδίνη, Λεόντιχος). Unglückliches Liebespaar einer griech. Volkssage, die nach der Hauptquelle Strab. 8,3,20 von → Stesichoros behandelt wurde (PMGF Spur. 278 DAVIES). Da dort nur von παῖδες Σάμιοι (»Kindern aus Samos«) die Rede ist, ist nicht eindeutig zu entscheiden, wo die Handlung verortet ist. Strabon verlegt die Sage ins triphylische Samos, Pausanias kennt aber auf der ionischen Insel Samos ein Grabmal des Liebespaares – ein Wallfahrtsort für unglücklich Verliebte – auf dem Weg von der Stadt Samos zum Heraion (Paus. 7,5,13). Rh. liebt ihren Vetter L., ist aber gegen ihren Willen dem Tyrannen von Korinth zugesprochen worden und wird auf dem Seeweg unter Westwind dorthin gebracht. Ihr Geliebter folgt mit dem Wagen zu Lande. Der Bräutigam läßt das Liebespaar erschlagen, bestattet es später aber aus Reue. Der Ort des Grabes ist bei Strabon nicht überliefert.   CA. BI.

Rhagai (ἡ Ῥάγα: Strab. 11,13,6; ἡ Ῥάγη: Tobit 6,10; Ῥάγοι: Tobit 1,14 u. ö.; (αἱ) Ῥάγαι: Strab. 11,9,1; Arr. 3,20,2 etc.). Stadt (und bevölkerungsreiche Landschaft) des östl. Medien (→ Media), h. Ruinenfeld im Süden Teherans. Im Distrikt von (altpersisch) *Ragā* (elamisch *Rakka*, babylonisch *Raga*ʾ) nahm 521 → Dareios [1] I. den medischen Rebellen Fravarti (→ Phraortes [3]) gefangen ([3. DB II 70 ff.]). Im Sommer 330 ließ → Alexandros [4] d. Gr. bei seiner Verfolgung des flüchtigen → Dareios [3] III. seine Truppen in Rh. fünf Tage rasten. Nach Strab. 11,13,6 wurde Rh. von → Seleukos I. als Εὔρωπος/*Eúrōpos* neu gegründet und von den Parthern in Ἀρσακία/*Arsakía* umbenannt; dagegen unterscheiden Ptol. 6,2,16 f., Amm. 23,6,39 und Tab. Peut. 11,1–3 E. und A. (die Tab. Peut. setzt A. und Rh. gleich). Nach Athen. 12,8,513 f. verbrachten die Partherkönige den Frühling *en Rhágois*. Nach dem Buch Tobit sollen auch Juden in Rh. gelebt haben. Der Name von Stadt und Region lebt in mittel- und neupers. *Ray* weiter (in sāsānidischer Zeit war Rh. Provinz(hauptort) und Sitz nestorianischer Bischöfe [2. 72 f.]). Von den meisten Gelehrten wird das medische Rh. auch mit dem *Raga zaraθuštriš* des Avesta identifiziert [1. 81 f.].

1 M. BOYCE, A History of Zoroastrianism, Bd. 3, 1991 2 R. GYSELEN, La géographie administrative de l'empire sassanide, 1989 3 R. SCHMITT, The Bisitun Inscriptions of Darius the Great. Old Persian Text, 1991.   J. W.

Rhaikelos (Ῥαίκηλος). Nach Aristot. Ath. pol. 15,2 besiedelte Peisistratos [4] zusammen mit den Eretrieis (→ Eretria [1]) am Thermaeischen Golf (→ Thermaios Kolpos) ein χωρίον/*chōríon* (»Platz«) namens Rh., das man bisweilen aufgrund von Lykophr. 1236f. mit → Aineia gleichsetzen wollte. Tatsächlich dürfte es sich aber um den Namen eines Gebietes in der westl. → Anthemus handeln, in dem damals die eretrische Kolonie → Dikaia entstand. In histor. Kontext wird der Ort nicht weiter genannt.

D. VIVIERS, Pisistratus' Settlement on the Thermaic Gulf..., in: JHS 107, 1987, 193–195. M. Z.

Rhamnus (Ῥαμνοῦς). Großer attischer Paralia-Demos, Phyle Aiantis, mit acht (zwölf) *buleutaí*, im nördl. Abschnitt der Ostküste von Attika (ehemals Ovriokastro). Das im 4. Jh. v. Chr. stark befestigte städt. Zentrum der Ῥαμνουσία/*Rhamnusía* mit Zitadelle von 413/2 v. Chr. [3. 77f., 80f.] für die erstmals 342/1 v. Chr. bezeugte Garnison (SEG 43,71) liegt auf einem isolierten Felsplateau. 295 v. Chr. von Demetrios [2] Poliorketes erobert, fiel Rh. bald wieder an Athen und war im → Chremonideïschen Krieg (268/262 v. Chr.) Stützpunkt der verbündeten Ptolemaier [1. 93, 134, 149], nahm ab 262 aber wieder maked. Truppen auf [1. 154]. Ab 229 v. Chr. kam es zu verstärkter Bautätigkeit [1. 188]. SEG 41,63 belegt die Reparatur der Befestigungen bis in sullanische Zeit.

Grabungen haben im Innern ein sog. Gymnasion, ein kleines Theater und ein dichtes Habitat freigelegt. Am Zugang zur Stadt, einer repräsentativen Gräberstraße, liegt ein bedeutendes extramurales Heiligtum mit einem intentionell unfertigen spätklass. Tempel der myth. eng mit Rh. verbundenen → Nemesis [2; 5. 393 Abb. 492; 6], der wie das Kultbild des → Agorakritos (des Pheidias: Paus. 1,32,2; Mela 2,46; Hesych s. v. Ῥαμνουσία Νέμεσις) von 430/420 v. Chr. im Typus der Kore Albani aus winzigen Frg. wiedergewonnen wurde [5. 390]. Die Statue der → Themis des → Chairestratos aus Rh. (IG II² 3109) von ca. 300 v. Chr. im angrenzenden frühhell. [7] Schatzhaus (SEG 40,178) steht in lokaler künstlerischer Trad. [4]. Über 300 Inschr., darunter viele Demen- und Ehrendekrete der Garnison sowie Grab- und Weihinschr., sind für die hell. Gesch. Athens von größter Bed. und belegen u. a. Kult für → Amphiaraos, Aphrodite Hegemone, Dionysos, den Heros Archegetes, Zeus Soter und Athena Soteira. Auch Antigonos [2] genoß bis ca. 229 v. Chr. kult. Verehrung an den Großen Nemesien [1. 167, 182].

Erste Ausgrabungen wurden 1813 und 1880–1892 durchgeführt, neue systematische Unt. durch V. PETRAKOS seit 1975. Quellen: Paus. 1,33,2–8; Strab. 9,1,17; Mela 2,46; Plin. nat. 4,24; 36,17; Ptol. 3,14,21; Anth. Pal. 16,221–224. Inschr. IG II² 1217; SEG 3,122; 15,111–113; 22,128–130; 24,154; 25 ff. passim.

1 CH. HABICHT, Athen, 1995 2 TH. E. KALPAXIS, Hemiteles, 1986, 135–137 3 H. LAUTER, Some Remarks on Fortified Settlements in the Attic Countryside, in: S. VAN DE

MAELE, J. FOSSEY (Hrsg.), Fortificationes Antiquae, 1992, 77–91 4 B. S. RIDGWAY, Hellenistic Sculpture, Bd. 1, 1990, 55–57 Taf. 31 5 TRAVLOS, Attika, 388–403 Abb. 487–507 6 A. TREVOR HODGE, R. A. TOMLINSON, Some Notes on the Temple of Nemesis at Rh., in: AJA 73, 1969, 185–192 7 W. ZSCHIETZSCHMANN, Die Tempel von Rh., in: AA 44, 1929, 441–451.

P. KARANASTASSIS, Wer ist die Frau hinter Nemesis?, in: MDAI(A) 109, 1994, 121–131 • V. PETRAKOS, Rh., 1991 • Ders., Ἀνασκαφὴ Ῥαμνοῦντος, in: Praktika 147, 1992, 1–41; 148, 1992, 1–35; 149, 1994, 1–44 • Ders., Οι ιερείς Ῥαμνοῦντος, 1997 • J. POUILLOUX, La forteresse de Rhamnonte, 1954 • TRAILL, Attica, 12, 22, 53, 62, 67, 75, 112 Nr. 125 Tab. 9 • J. A. DE WAELE, The Design of the Temple of Nemesis at Rh., in: M. GNADE, C. M. STIBBE (Hrsg.), Stips Votiva. FS C. M. Stibbe, 1991, 249–264 • WHITEHEAD, Index s. v. Rh. H. LO.

Rhamphias (Ῥαμφίας). Spartiat, Vater des Klearchos [2] (Thuk. 8,8,2). Mitglied der letzten spartan. Gesandtschaft vor Ausbruch des → Peloponnesischen Krieges (431 v. Chr.), die in Athen Friedenswillen signalisierte, falls die Athener ›den Hellenen die Unabhängigkeit‹ zurückgäben (Thuk. 1,139,3). Rh. sollte im Spätsommer 422 die Streitmacht des → Brasidas verstärken, erhielt aber in Thessalien die Nachricht von dessen Tod und kehrte zurück nach Sparta. K.-W. WEL.

Rhampsinitos (Ῥαμψίνιτος). Nach Hdt. 2,121 f. äg. Herrscher; wird in der Forsch. meist, aber ohne zwingende Argumente, mit → Ramses [3] III. gleichgesetzt. Er soll Nachfolger des Proteus und Vorgänger des → Cheops gewesen sein. Evtl. ist er zu identifizieren mit einem Remphis, der bei Diod. 1,62,5 genannt wird. Der Name könnte im hinteren Bereich das Element *s3 Nijt*, »Sohn der Neith«, enthalten, evtl. ist er zu Psammsinit, d. h. → Psammetichos, »Sohn der Neith«, zu verbessern.

Rh. soll die westl. Torbauten des Hephaistos-Tempels (wohl in Memphis) erbaut und davor zwei Kolossalstatuen errichtet haben. Bekannt ist v. a. die Erzählung vom Meisterdieb, der in das Schatzhaus des sehr reichen Rh. eindrang. Diese Gesch. dürfte auf eine (bislang nicht identifizierte) demotische Erzählung zurückgehen. Herodot berichtet weiterhin, Rh. soll ferner lebendig in die Unterwelt hinabgestiegen sein, wo er sich mit Demeter im Brettspiel maß und von ihr als Geschenk ein goldenes Tuch erhielt. Aus diesem Unterweltsbesuch wurde von den Ägyptern ein Ritual abgeleitet, bei dem ein Priester mit verbundenen Augen von zwei anderen mit Wolfsmasken zu einem Demeter-Heiligtum geführt wurde.

A. LLOYD, Herodotus, Book II, Commentary 99–192, 1988, 52–60. JO. QU.

Rhaphia (Ῥαφία; äg. *Rph*, akkadisch *Rapiḫu*). Zuerst in äg. Städtelisten des 2. Jt. v. Chr. erwähnt, sö von Gaza bei Ḫirbat Biʾr Rafaḥ zu suchen. Hier kam es zur ersten Auseinandersetzung zw. Assyrern und Ägyptern, als 720 v. Chr. Ḫanūnu von → Gaza mit äg. Unterstützung erfolglos gegen → Sargon II. kämpfte. 217 v. Chr. errang Ptolemaios [7] IV. Philopator bei Rh. einen Sieg über Antiochos [5] III. (Pol. 5,82–86; 3 Makk 1,4), der seinerseits 200 v. Chr. die seleukidische Herrschaft begründete und 193 v. Chr. durch die Heirat seiner Tochter Kleopatra [II 4] mit Ptolemaios [8] V. Epiphanes in Rh. einen Ausgleich mit den Ptolemäern suchte. In nachchristl. Zeit trat Rh. zunächst entschieden einer Christianisierung entgegen (Soz. 7,15,11), wurde dann aber sogar Bischofsstadt. In der byz. Zeit verlor Rh. an Bedeutung.

O. KEEL, M. KÜCHLER, Orte und Landschaften der Bibel, Bd. 2, 1982, 106–109.   R. L.

Rhapsoden (ῥαψῳδοί). Professionelle Rezitatoren von (vgl. in der Regel epischer) Dichtung. Der Beruf entstand als Folge des Medienwechsels von der Mündlichkeit zur Schriftlichkeit im Griechenland des 8. Jh. v. Chr. (→ Schriftlichkeit/Mündlichkeit).

A. WORTBEDEUTUNG/BEGRIFFSINHALT
B. FUNKTION UND ENTWICKLUNGSGESCHICHTE

A. WORTBEDEUTUNG/BEGRIFFSINHALT
Vorderglied des Wortes ist der Stamm des Verbs ῥάπτειν/*rháptein*, »nähen« (vgl. ngr. ῥαπτο-μηχανή, »Näh-maschine«), Hinterglied der Stamm des Nomens ᾠδή/*ōidḗ* (< ἀοιδή/*aoidḗ*), »Gesang«, in der Funktion eines (effizierten) Objekts. Bed. also: »der einen Gesang/Gesänge (aus schon vorhandenen Materialteilen) näht« (verbales Rektionskompositum: [4. § 71a]; Spezialstudie: [3]). Die Prägung ist vielleicht urspr. ironisch-abschätzig gemeint (so u. a. [2. 245; 3; 6. 206]), jedenfalls aber eine Kontrastbildung zu ἀοιδός/*aoidós*, »(kreativer) Sänger«, als Reaktion auf das Aufkommen des neuen Berufsstandes (anders [8]). Mit ῥάβδος/*rhábdos*, »Stab«, hat das Wort urspr. nichts zu tun.

B. FUNKTION UND ENTWICKLUNGSGESCHICHTE
Während ihrer primären Vitalitätsphase (mind. vom 16. Jh. bis zum 8. Jh. v. Chr.; → Epos II. B. 1.) ist die griech. Epik Sängerdichtung, gekennzeichnet durch mündlich improvisierende Vortragstechnik; Rezitation von Auswendiggelerntem ist in dieser Phase prinzipiell unmöglich, da mangels Schrift eine Textbasis unbekannt ist. Der die überwiegend alten Stoffe jedesmal neu *ex tempore* gestaltende »Komponist« heißt demgemäß »Sänger, Ersinger« (ἀοιδός/*aoidós*; → Aoiden). Nach Einführung der Schrift um 800 v. Chr. (→ Alphabet) wird die traditionelle Improvisationstechnik während einer kurzen Übergangsphase mit der neuen Schriftlichkeitstechnik kombiniert; diese in der europ. Lit. singuläre Kombinationstechnik ermöglicht die epischen Meisterwerke des → Homeros [1] (vgl. [7]). Dieser sieht sich, als Creator der Werke, naturgemäß immer noch als »Sänger, Ersinger«; das (metrisch an sich verwendbare) Wort »Rhapsode« kennt er nicht – ebensowenig wie → Hesiodos, der noch die gleiche Selbstauffassung hat (Hes. theog. 94–103), und die Verf. der äl-

testen Homerischen Hymnen (z. B. Hom. h. 3,165–173). Die schriftliche Fixierung der Epen Homers und Hesiods (sowie der Homerischen Hymnen und weiterer, nicht mehr erh. epischer Dichtung) ermöglicht durch die erstmalige Schaffung einer Textbasis das Auswendiglernen und damit die wortwörtliche Wiedergabe in der neuen Technik der Rezitation (so schon [1]).

Die erste Generation der Rezitatoren dürften die → Homeridai gewesen sein [6. 206 f.]. Entweder schon für sie oder erst für eine spätere Rezitatoren-Generation kam die Bez. Rh. auf, zuerst belegt bei Herodot (5,67) als Bezeichnung eines Berufsstandes, der sich bes. öffentlichkeitswirksam bei Rh.-Wettkämpfen präsentierte (→ Wettbewerbe, künstlerische); Herodot spricht dabei von der Zeit zw. 600 und 570 v. Chr.; solche Wettkämpfe (Agone) – bei denen Homer und Archilochos rezitiert wurden – erwähnt vor Herodot auch Herakleitos [1] (22 B 42 DK) um 500 v. Chr., und zwar als offenbar bereits fest etablierte Institutionen. In diesem Zusammenhang gehören die ant. Nachrichten über die Einführung einer institutionalisierten Homer-Rezitation durch Rh. alle vier Jahre bei den → Panathenaia in Athen zur Zeit der → Peisistratidai (2. H. 6. Jh. v. Chr.) [9. 29]. Zusammengenommen führen diese Belege auf ein Aufkommen der Rh. und der Rh.-Wettbewerbe bereits im 7. Jh. v. Chr. (also nicht erst als Reaktion auf die chorlyrischen modernisierenden Homerbearbeitungen des → Stesichoros (so [6. 211 f.]). Im 5. Jh. sind der Rh. mit seiner Rezitations- und Text-Erklärungstätigkeit sowie der Rh.-Wettbewerb bereits eine Selbstverständlichkeit, vgl. Platon, ›Ion‹ (Aufzählung auch uns noch bekannter Rhapsoden-Agone bei [2. 246–249]). Aus der Rh.-Praxis – zusammen mit den Bedürfnissen der Homer-Lektüre in der Schule – entwickelte sich die lit. Text-Kommentierung [5. 24; 10. 3f.] (→ Philologie).

→ Aoiden; Epos

1 F. G. WELCKER, Aöden und Improvisatoren, in: Ders., KS 2, 1845, lxxxvii–ci 2 W. ALY, s. v. ῥαψῳδός, RE I A 1, 244–249 3 H. PATZER, Rhapsodos, in: Hermes 80, 1952, 314–324 4 E. RISCH, Wortbildung der homer. Sprache, ²1974 5 PFEIFFER, KP I 6 W. BURKERT, The Making of Homer in the Sixth Century B. C.: Rhapsodes versus Stesichoros (1987), in: Ders., KS, Bd. 1, 2001, 198–217 7 J. LATACZ, Hauptfunktionen des ant. Epos in Ant. und Moderne, in: AU 34.3, 1991, 8–17 8 C. O. PAVESE, Un rapsodo chiamato Omero, in: A&R 38, 1993, 177–186 9 M. L. WEST, Gesch. des Textes, in: J. LATACZ (Hrsg.), Homers Ilias. Gesamtkomm. Prolegomena, 2000, 27–38 10 J. LATACZ, Zur Homer-Kommentierung, in: s. [9], 1–26.   J. L.

Rhaskuporis (Namensformen: Ῥασκύπορις, Ῥα(ι,η)σκούπορις, Ῥασκούπολις; lat. *Rhascypolis, Rhascupolis, R(h)ascipolis, R(h)escuporis, Raescuporis*). Könige der sapäischen Dyn. in Thrakien (vgl. Stemma 8 in PIR² R, Bd. 7.1, p. 59).
[1] Rh. I. Folgte mit seinem Bruder Rhaskos dem Vater Kotys [I 7] in der Herrschaft. Rh. kämpfte 48 v. Chr. bei

Pharsalos für → Pompeius [I 3] (Caes. civ. 3,4,3); von Caesar aber aufgrund der Verdienste des Bruders begnadigt (Lucan. 5,55; App. civ. 4,136). 42 im Bürgerkrieg war Rh. Verbündeter von Iunius [I 10] Brutus und Cassius [I 10], während Rhaskos M. Antonius [I 9] unterstützte (Cass. Dio 47,25,2; App. civ. 4,87; 103–104). Rh.' Sohn war Kotys [I 8] (IG II/III² 3443). Rh. prägte Bronzemünzen mit der Aufschrift βασιλέως Ῥαισκουπόρεως (RPC I 1702–1703). PIR² R 58.

[2] Rh. II. Verheiratet mit einer Tochter des Rhoimetalkes [1]. Rh. und seine Brüder wurden nach dem Tod des Vaters Kotys (verm. [I 6]) 16 v. Chr. zu Mündeln ihres Onkels Rhoimetalkes [1] (Cass. Dio 54,20,3). Im Kampf gegen die → Bessi wurde Rh. 11 v. Chr. von deren Anführer Vologaises ermordet (Cass. Dio 54, 34,5). PIR² R 59.

[3] Rh. III. Begleitete 6 n. Chr. seinen Bruder Rhoimetalkes [1] in den Pannonischen Feldzug als Verbündeter Roms (Cass. Dio 55,30,6). Nach dessen Tod um 12 n. Chr. teilte Augustus Thrakien zw. Rh. und dem Sohn des Verstorbenen, Kotys [I 9], auf. Der mit dem schlechteren Land ausgestattete und von Tacitus (ann. 2,64,2) charakterlich negativ geschilderte Rh. überwand nach dem Tod des Augustus – trotz Eingreifens des Kaisers Tiberius – Kotys und tötete ihn. Rh. wurde daraufhin 19 n. Chr. in Rom von Antonia [7] Tryphaena angeklagt, nach Alexandreia verbannt und getötet (Tac. ann. 2,64–67; 3,38,2; Vell. 2,129,1; Suet. Tib. 37,4). Sein Reich erhielten sein Sohn Rhoimetalkes [2] und die Kinder des ermordeten Kotys. PIR² R 60.

1 CH. M. DANOV, Die Thraker auf dem Ostbalkan von der hell. Zeit bis zur Gründung Konstantinopels, in: ANRW II 7.1, 1979, 21–185, bes. 120–145 2 S. J. SAPRYKIN, Iz istorii pontijskogo carstva Polemonidov, in: VDI 1993.2, 25–49 3 R. D. SULLIVAN, Thrace in the Eastern Dynastic Network, in: ANRW II 7.1, 1979, 186–211 4 M. TAČEVA, The Last Thracian Independent Dynasty of the Rhascuporids, in: A. FOL (Hrsg.), Studia in honorem G. Mihailov, 1995, 459–467.   U.P.

Rhaukos (Ῥαῦκος). Stadt in Mittelkreta, ca. 15 km südwestl. von → Herakleion [1], h. Agios Myron (benannt nach einem Bischof des 3. Jh. n. Chr. in Rh.), mit minoischen Überresten in der Umgebung. Die Akropolis war seit spätmyk. Zeit besiedelt. Zu Anf. des 2. Jh. v. Chr. mit → Gortyn verbündet (Pol. 22,15,1), war Rh. 166 v. Chr. Objekt einer gemeinsamen kriegerischen Aktion von Gortyn und → Knosos (Pol. 31,1) [1. Nr. 44]. Geringe Reste aus röm. Zeit dokumentieren Siedlungskontinuität.

1 A. CHANIOTIS, Die Verträge zw. kret. Poleis in der hell. Zeit, 1966.

H. BEISTER, s. v. Hagios Myron, in: LAUFFER, Griechenland, 250f. • M. GUARDUCCI, Inscriptiones Creticae I, 290–293 • I. F. SANDERS, Roman Crete, 1982, 154.   H.SO.

Rhea, Rheia (Ῥέα, Ῥέη, Ῥεία, Ῥείη). Griech. Göttin; Tochter des → Uranos und der → Gaia, Schwester und Gemahlin ihres Bruders → Kronos, von ihm Mutter des → Zeus, der → Hera, der → Demeter, des → Hades, des → Poseidon und der Histie (Hes. theog. 453–463). Kronos verschlingt die Kinder, um der Gefahr zu entgehen, von einem von ihnen entmachtet zu werden, Rh. versteckt jedoch Zeus in Kreta und gibt Kronos statt dessen einen in Windeln gehüllten Stein. Als Zeus erwachsen ist, befreit er seine Geschwister und stürzt mit ihrer Hilfe seinen Vater. Währenddessen schickt Rh. Hera zu ihrem Schutz zu → Okeanos und → Tethys (Hes. theog. 453–506). Rh. erscheint in den homerischen Hymnen in Verbindung mit der Geburt des Apollon und der Artemis sowie als Zeus' Botin in Verbindung mit dem Schicksal der → Persephone (Hom. h. 3,93; 2,441–443); sie bringt auch → Pelops [1] wieder zum Leben (Bakchyl. fr. 42 SNELL-MAEHLER). Häufig wird Rh. in späterer Zeit zu → Kybele und → Demeter in Bezug gesetzt (Melanippides, PMG 764; P Derveni) [1. 43f.], aber auch zu den → Daktyloi Idaioi (Hellanikos FGrH 4 F 89) und den → Telchines (Diod. 5,55,1–3) [1. 149].

1 T. GANTZ, Early Greek Myth, 1993.   L.K.

Rhea Silvia (auch *Rea Silvia*). Dichterisch auch *Ilía* (zur Identität beider: Dion. Hal. ant. 1,76,3 u.a.), Mutter von → Romulus [1] und Remus. Erstmals ist sie erwähnt bei Naevius (vgl. Serv. Aen. 1,273; 6,777) und bei Ennius (ann. 29,34–50), offenbar als Tochter des → Aineias [1]. Spätere Quellen weisen sie jedoch als Tochter des → Numitor aus und rücken die Gründung Roms damit mehrere Generationen von Aineias und dem Untergang Troias weg. Die Vulgata des Mythos ist im wesentlichen bei Dion. Hal. ant. 1,76–79 und Liv. 1,3f. nachzulesen: König → Amulius von Alba Longa verdrängt seinen Bruder Numitor von der Macht, läßt dessen Sohn töten und zwingt die Tochter Rh. S., → Vestalin zu werden, um so ihre lebenslange Ehe- und damit Kinderlosigkeit sicherzustellen. Als sie jedoch – durch einen Traum vorgewarnt (so Enn. [1. 193f.] – eines Tages im Hain des Gottes → Mars Wasser holt, wird sie von diesem vergewaltigt; sie bringt Romulus und Remus zur Welt. Über ihr weiteres Schicksal gab es zwei Versionen (Dion. Hal. ant. 1,79): Nach der einen wird sie von ihrem Onkel zur Strafe eingesperrt und von ihren Söhnen befreit, nach der anderen läßt Amulius sie in den Tiber werfen, wo sie jedoch der Gott dieses Flusses oder der Flußgott Anio zur Gattin nimmt (so offenbar schon Enn. ann. 39,61–62; Porphyrius zu Hor. carm. 1,2,18). Rh. S. wird so zur Stammutter der Römer und repräsentiert als Ilia zusätzlich die Verbindung zu den kleinasiatischen Wurzeln (Troia/Ilion) (stets als Ilia: Verg. Aen. 1,273; 6,778 [zu unterscheiden von der Rhea sacerdos 7,659]; Tib. 2,5,51; Ov. fast. 2,598; Ov. am. 3,6,47; Hor. carm. 1,2,17; 4,8,22; 3,9,8 etc.) [2]. Die bildende Kunst stellt ausschließlich ihre Begegnung mit Mars dar [3].

1 O. Skutsch (ed.), The Annals of Ennius, 1985 (mit Komm.) **2** A. Rosenberg, s. v. Rea S., RE I A, I, 341–345 **3** M. Hauer-Prost, s. v. Rea S., LIMC 7.1, 615–620; 7.2, 491 f.   L. K.

Rhebas (Ῥήβας).

[1] Fluß in → Bithynia (Apoll. Rhod. 2,343; 650; Tab. Peut. 9,2 verschrieben als *ad herbas*), h. Riva Deresi, mündet an der Nordküste der bithynischen Halbinsel östl. des Bosporos-Ausgangs in den → Pontos Euxeinos.

IK 10,3, 1987, 141 f.

[2] Linker Nebenfluß des unteren → Sangarios, der am Olympos [13] entspringt, h. Gökçesu. Sein Tal bildete die Grenzlandschaft zw. der Phrygia Epiktetos und Bithynia und war seit ca. 65/4 v. Chr. Teil der Prov. Bithynia.

S. Şahin, Stud. über die Probleme der histor. Geogr. des nordwestl. Kleinasiens, in: EA 7, 1986, 129–140 • IK 10,3, 1987, 141 f. • K. Strobel, Galatien und seine Grenzregionen, in: E. Schwertheim (Hrsg.), Forsch. in Galatien, 1994, 30–40 • Ders., Die Galater, Bd. 1, 1996, 192–196, 262.   K. ST.

Rhegion (Ῥήγιον, lat. *Regium*), h. Reggio di Calabria.

Stadt an der bruttischen Küste des → Fretum Siculum (Meerenge von Messina). Strategische Lage und Fehlen von landwirtschaftlich nutzbarem Territorium verwiesen die Stadt auf die einträgliche Kontrolle der Meerenge. In der 2. H. des 8. Jh. v. Chr., kurz nach Zankle (→ Messana [1]), von Siedlern aus Chalkis [1] und Messana [2] gegr. (Strab. 6,1,6). Rh. galt allg. wegen seiner auf → Charondas zurückgehenden Verfassung und seiner Münzprägung als chalkidische Kolonie. Die Gründungsgesch. weist deutliche Einflüsse aus → Delphoi auf (Diod. 8,23,2; Dion. Hal. ant. 19,2). In der Mitte des 6. Jh. v. Chr. beteiligte sich die Stadt Rh. als Verbündete von Lokroi [2] an der Schlacht am Sagra gegen → Kroton (Strab. 6,1,10). Während der Tyrannis des Anaxilaos [1] (494–476 v. Chr.) stellte sich Rh. in einem komplexen Bündnissystem gegen Zankle, Gela, Syrakusai und Lokroi. Im → Peloponnesischen Krieg diente Rh. Athen als erster Flottenstützpunkt (Thuk. 3,86,5; 4,25,1–11). Bei den Auseinandersetzungen zw. Griechen und Karthagern erlangte → Syrakusai allmählich die Kontrolle über die Städte am Fretum Siculum (Diod. 14,44,3 ff.). Rh. wurde schließlich von Dionysios [1] I. 387 v. Chr. erobert und zerstört. Dionysios [2] II. ließ Rh. 359/8 v. Chr. wieder aufbauen und benannte die Stadt nach Apollon *Phoibia* (Strab. 6,1,6).

Im J. 280 v. Chr. wurde Rh. in röm. Auftrag von einer Garnison von → Mamertini unter dem Tribunen Decius Vibellinus zum Schutz gegen → Pyrrhos [3] besetzt. 270 v. Chr. eroberten die Römer die Stadt und befreiten sie von dem Söldnerregime; so geriet Rh. mit dem Abschluß eines Vertrags in den Einflußbereich der Römer, behielt aber als → *civitas foederata* eigene Verwaltung und Kulte (Dion. Hal. ant. 20,16,1). Seit dem E. des Bundesgenossenkriegs [3] 89 v. Chr. war Rh. *municipium*, *tribus Cornificia* (Diod. 37,2), nach Ansiedlung röm. Seesoldaten als *Regium Iulii* im J. 36 v. Chr. röm. Kolonie. 410 n. Chr. wurde Rh. von Alarich (→ Alaricus [2]), 549 von → Totila erobert.

Die ununterbrochene Besiedlung des Ortes von der Ant. bis h. verursachte die fast vollständige Beseitigung der ant. Spuren (Ausnahme: Mauer aus dem späten 5. Jh. v. Chr.). Die Verteilung der FO läßt vermuten, daß die griech. Siedlung nur klein war. In röm. Zeit wurde Rh. erweitert (große suburbane Villen). Noch für die Spätant. lassen sich Prestigebauten nachweisen. Für die Kulte in Rh. gibt es nur wenige Anhaltspunkte: Außerhalb der Stadt lag ein Heiligtum der Artemis Phakelitis (messenischer Einfluß: Strab. 6,1,6; 8,4,9), in dessen Nähe die Athener im J. 415 v. Chr. lagerten (Thuk. 6,44,3). Weitere Kulte galten u. a. Apollon, Poseidon und Herakles Rheginos, bezeugt vom 5. Jh. v. Chr. bis in die Spätant. (Paus. 5,25,2–4; CIL X 6). Für die röm. Zeit ist ein Isis-Serapistempel nachgewiesen (CIL X 1). Die starke seismische Aktivität im Gebiet am Fretum Siculum hat die mythologischen und rel. Vorstellungen in hohem Maße beeinflußt (Diod. 4,85,3 f.; Strab. 6,1,6; Sen. consolatio ad Marciam 17,2; Claud. rapt. Pros. 1,141–151; Lib. or. 18,291–293). – Aus Rh. stammten die Schriftsteller → Ibykos, → Lykos [12] und → Glaukos [7].

G. Vallet, Rhégion et Zancle. Histoire, commerce et civilisation ..., 1958 • P. G. Guzzo, Il territorio dei Bruttii, in: A. Giardina, A. Schiavone (Hrsg.), Società romana e produzione schiavistica, Bd. 1: L'Italia – insediamenti e forme economiche, 1981, 115–136 • G. Camassa, La codificazione delle leggi e le istituzioni politiche delle città greche della Calabria ..., in: S. Settis (Hrsg.), Storia della Calabria antica, 1988, 613–656 • Lo stretto crocevia di culture (Atti 26. Convegno di Studi sulla Magna Grecia, Taranto 1986), 1993 • E. Guidoboni, u. a., Territorial Archaeology in the Area of the Straits of Messina ..., in: D. Griffiths u. a. (Hrsg.), The Archaeology of Geological Catastrophes, 2000, 45–70 • M. Gras u. a. (Hrsg.), Nel cuore del mediterraneo antico. Reggio, Messina, e le colonie calcidesi dell'area dello Stretto, 2000.

A. MU./Ü: J. W. MA.

Rheneia (Ῥήνεια, Ῥήναια, Ῥήνη; lat. *Rhene*, Plin. nat.

4,67). Insel der → Kykladen, von zwei durch einen schmalen Isthmos miteinander verbundenen Teilen gebildet (insgesamt 16 km², bis 150 m H), vom östl. benachbarten → Delos an der engsten Stelle 600 m entfernt, h. Megali Dilos. Die ant. Polis Rh. mit kleinem Territorium lag an der Westküste des Nordteils. 543 v. Chr. ließ Peisistratos [4] Gräber, soweit sie in Sichtweite des Apollon-Tempels waren, von Delos nach Rh. umbetten (Hdt. 1,64; Thuk. 3,104,1 f.). Um 530 v. Chr. wurde Rh. von dem Tyrannen Polykrates [1] dem Apollon und seinem Heiligtum auf Delos geweiht und mit einer Kette verbunden (Thuk. 1,13,6; 3,104,2). In den → Perserkriegen [1] pers., dann Mitglied im → Attisch-Delischen Seebund (vgl. ATL 1,392 f.). 426/5

v. Chr. führten die Athener eine kultische Reinigung auf Delos durch und ließen die verbliebenen Grabinhalte (seit geom. Zeit, 10.–8. Jh. v. Chr.) in einem Sammelgrab im Süden von Rh. beim h. Hagios Kyriaki beisetzen. Von da an blieb der Südteil von Rh. Nekropolenbereich (Thuk. 1,8,1; 3,104,1 f.; Hdt. 1,64; Diod. 12,58,6 f.), ist somit auch in delischen Inschr. oft genannt. Sarkophage, Grab- und Votivaltäre lassen sich bis in röm. Zeit datieren. Nördl. des Massengrabs finden sich Reste von Gebäuden (für Gebärende und Sterbende aus Delos). Strabon (um die Zeitenwende) galt Rh. als unbewohnt (Strab. 10,5,3; vgl. auch Hom. Il. 2,728; Skyl. 58; Ptol. 3,15,28; Plin. nat. 4,67; Mela 2,111; Steph. Byz. s. v. Ῥήνη).

L. Bürchner, s. v. Ῥήνεια (1–2), RE I A, 598 f. · Philippson/Kirsten 4, 114 · H. Kaletsch, s. v. Rh., in: Lauffer, Griechenland, 586 · P. Bruneau, J. Ducat, Guide de Délos, ³1983, 265.   A. KÜ.

Rhenus

[1] Fluß in Ober-It., h. Reno in der Emilia-Romagna, rechter Zufluß des Padus (Po), der im Appenninus oberhalb von → Pistoriae entspringt und an → Marzabotto vorbei durch das Gebiet von Felsina (→ Bononia [1]) fließt. In etr. Zeit mündete er bei Voghiera im SO von Ferrara in den Padus, in röm. Zeit etwas westl. davon. Er mündet h. über einen künstlichen Kanal direkt in die Adria. Sein Flußtal diente z.Z. der → Villanova-Kultur und in etr. Zeit als natürliche Verbindung zw. → Italia und der Ebene des Padus; so erklärt sich die Entwicklung von Felsina, ab dem 6. Jh. v. Chr. von Marzabotto und ab dem 4. Jh. v. Chr. von Voghiera.

S. Patitucci, Voghiera, in: Studi Etruschi 47, 1979, 93–105.
G. U./Ü: J. W. Ma.

[2] Europäischer Fluß, h. Rhein (Ῥῆνος; kelt. *Renos*), den Römern erst durch → Caesar näher bekannt, von ant. Geographen, Historikern und Dichtern als Naturobjekt und wegen seiner polit., wirtschaftlichen und mil. Bed. hervorgehoben.

I. Geographie   II. Geschichte

I. Geographie

Nach Caes. Gall. 4,10,3 entspringt der Rh. bei den → Lepontii, nach Strab. 4,3,3 und 4,6,6 bei den → Helvetii am Adula (einem unbestimmten Teil der Alpes), nach Plin. nat. 3,135 und Tac. Germ. 1,2 (vgl. Avien. 430–434; Amm. 15,4,2) bei den → Raeti. Unweit lokalisierte man auch die Quellen von → Rhodanus (Rhône) und → Istros [2] (Donau). Von dort ergießt sich der Rh. in den → Lacus Brigantinus (Bodensee; vgl. Strab. 4,3,3; 7,1,5, vgl. 7,5,1; Mela 3,24). Die Gesamtlänge des Rh. wird mit 550 bis 1100 km in den ant. Quellen zu gering (tatsächlich 1320 km), die Verlaufsrichtung vielfach ungenau angegeben. Hervorgehoben werden das starke Gefälle (vgl. Caes. Gall. 4,10,3; 17,2; Strab. 4,3,3 f.; Tac. ann. 2,6,4; Amm. 15,4,2), erwähnt werden Strudel und Untiefen (Cic. Pis. 81) sowie das

Zufrieren (vgl. Herodian. 6,7,6; Paneg. 6,6,4). Bis zur Regulierung im 19. Jh. hat der Fluß sein Bett v. a. im Bereich von Ober- und Niederrhein mehrfach verändert. Die Zahl der Mündungsarme wird verschieden angegeben. Vergil (Aen. 8,727) spricht vom *Rh. bicornis*, »zweifach mündenden Rh.«, was häufig aufgegriffen wurde. Die *fossa* (»Kanal«) *Drusiana* (Tac. ann. 2,81; vgl. Suet. Claud. 1,2: *fossae Drusinae*) verkürzte den Weg in die Nordsee über das Mündungsgebiet von Amisia [1] (Ems) und Albis (Elbe). Unter Kaiser Claudius baute 47 n. Chr. Domitius [II 2] einen Kanal zw. Rh. und → Mosa [1], um die Überfahrt nach → Britannia zu erleichtern, aber auch um die Soldaten zu beschäftigen (Tac. ann. 11,20,3; vgl. Cass. Dio 60,30,6).

II. Geschichte

In vorröm. Zeit war der Rh. keine Völkerscheide. Erst Caesar definierte ihn als polit. Grenze zw. → Gallia und Germania (→ Germani), obwohl die ethnischen Verhältnisse dem nicht entsprachen. Der zweimalige Brückenschlag 55 und 53 v. Chr. (Caes. Gall. 4,17–18; 6,9,1–5; 29,2–3) diente der Machtdemonstration. Unter Octavianus bzw. Augustus wurden german. Stämme auf das linke Ufer des Rh. übergesiedelt: *ut arcerent, non ut custodirentur* (»damit sie eine Schutzfunktion erfüllten, nicht zu ihrer Überwachung«, Tac. Germ. 28 über die Ubii). Über die Völker am Rh. z.Z. Caesars informiert v. a. Caes. Gall. 4,10, danach ist bis z.Z. des Tiberius Strab. 4,3,3 f. wichtige Quelle. Vorübergehend wurde der Rh. Aufmarschlinie für die röm. Feldzüge in das Gebiet der Germania Magna, nach Aufgabe der Eroberungskriege blieb er nördlich des Vinxtbachs, der Grenze zw. dem ober- und dem niederrheinischen Gebiet, im wesentlichen Grenzfluß. Jedoch wurden die Nordseeküste und das rechtsrheinische Vorfeld mil. kontrolliert und genutzt. Trotz Aufständen der → Frisii und → Chauci sowie Plünderungszügen von Germanen nach Gallia (Tac. ann. 4,72–74; Suet. Tib. 41,1; Tac. ann. 11,18–20) verzichtete Rom hier auf weiträumige Eroberungen. Der → Bataveraufstand 69/70 n. Chr. und die starken Zerstörungen am Rh. blieben Episode.

Am Hochrhein wurde die Grenze unter Claudius [III 1] vom Rh. an die Donau (→ Istros [2]) vorgeschoben; das von Rom überwachte rechte Vorfeld an Mittel- und Oberrhein wurde in flavischer Zeit (69–96 n. Chr.) dem Reich einverleibt und mil. gesichert (→ *decumates agri*). Mit dem Fall des → Limes um 260 n. Chr. gingen diese Gebiete wieder verloren, der Rh. war erneut Grenzfluß mit einigen Brückenköpfen (unter anderem → Lopodunum; → Mogontiacum; → Divitia). Zunehmende Einfälle von → Alamanni und → Franci führten Anf. des 5. Jh. n. Chr. zur Aufgabe des Rh. als Grenzfluß.

Seit augusteischer Zeit war die Rheinlinie durch Lager und Kastelle stark gesichert, die bes. die rechtsrheinisch mündenden Flüsse und Einfallwege aus der Germania Magna überwachten (u. a. → Nicer; → Moenus; → Lupia). Eine Rheinflotte war schon an den Eroberungsfeldzügen der augusteischen und frühtiberischen

Zeit beteiligt. Später sicherte die *classis Germanica* mit Stützpunkten u. a. in Mogontiacum, Colonia Agrippinensis (Köln) und Fectio (Vechten) den Flußverkehr, erlangte aber in der Spätant. größere mil. Bed. (vgl. Zos. 3,6,2; Paneg. 6,13,2; Amm. 17,1; 18,2). Neben Schiffsbrücken überspannten Brücken unterschiedlicher Konstruktion den Rh. (einige auf Steinpfeilern). Als Verkehrsweg war der Rh. von großer wirtschaftlicher Bed., der dementsprechend von Schiffen zu zivilen und mil. Versorgungszwecken neben und unabhängig von der befestigten, den Rh. begleitenden Straße intensiv genutzt wurde.

→ Germani, Germania; Limes

F. HAUG, s. v. Rh. (2), RE I A, 733–756 · E. SANDER, Zur Rangordnung des röm. Heeres: Die Flotten, in: Historia 6, 1957, 347–367 · R. DION, Rh. bicornis, in: REL 42, 1964, 469–499 · O. HÖCKMANN, Röm. Schiffsverbände auf dem Ober- und Mittelrhein und die Verteidigung der Rheingrenze in der Spätant., in: JRGZ 33, 1986, 369–419 · Ders., Röm. Schiffsfunde in Mainz, in: U. LÖBER, C. ROST (Hrsg.), 2000 Jahre Rheinschiffahrt, 1991, 49–64 · F. FISCHER, Rheinquellen und Rheinanlieger bei Caesar und Strabon, in: Germania 75, 1997, 597–606.   R. A. WI.

Rhesis (ἡ ῥῆσις), allg. »Rede« (Hom. Od. 21,291). Bereits im 5. Jh. v. Chr. t.t. für eine Rede im Drama, bes. in der Tragödie (zum Begriff vgl. Aristoph. Ach. 416, Nub. 1371, Vesp. 580, Ran. 151; Aristot. poet. 1454a 31, 1456a 31). Der Umfang einer *rh.* reicht von ca. 7 bis über 100 V. (Eur. Ion 1122–1228, Phoen. 1090–1199, Bacch. 1043–1152). Die wichtigste Funktion von *rhéseis* im Handlungszusammenhang besteht in der Informationsvergabe. In der Prolog-*rh.* werden häufig von einem Gott die für die Handlung wichtigen Voraussetzungen dargelegt (Eur. Ion 1–81; Men. Dysk. 1–49). In den Komödien des Aristophanes kann eine *rh.* des Protagonisten das Stück eröffnen (Aristoph. Ach. 1–42, Nub. 1–24). Häufiger wird die Expositions-*rh.* mit Verzögerung gegeben, so daß der Zuschauer sich zunächst einer ihm unverständlichen Situation ausgesetzt sieht, über die er erst im nachhinein aufgeklärt wird (Aristoph. Equ. 40–72, Vesp. 54–73, 87–135, Pax 50–59, Av. 30–48). Die häufigste Form der informierenden *rh.* ist der Botenbericht (→ Botenszenen). Daneben finden sich *rh.* in Streit- bzw. Beratungsszenen, die dazu dienen, eine Person von einer bestimmten Handlung abzuhalten bzw. sie dazu zu motivieren (z. B. Soph. Ai. 430ff., Ant. 635ff.). Das Aufeinanderprallen der gegensätzlichen Positionen in Rede und Gegenrede geht in der Regel in eine → Stichomythie über. Eine dritte, vor allem der Reflexion dienende Form der *rh.* findet sich vor allem bei Sophokles (z. B. Soph. Ai. 646–692, 815–865, Oid. T. 1369–1415, Trach. 1–48, 672–722), der sie zur Charakterisierung der Sprechenden einsetzt (Aristot. poet. 1450a 29 ῥήσεις ἠθικάς, *rhéseis ēthikás*, »Reden, die den Charakter zum Ausdruck bringen«, vgl. Aristot. rhet. 1391b 21). Das normale Versmaß ist der iambische Trimeter, bisweilen werden katalektische trochäische

Tetrameter verwendet (z. B. Aischyl. Ag. 1654–1661, Pers. 697–758; → Metrik). *Rh.* weisen in der Regel eine klare rhet. Gliederung auf; das Ende einer *rh.* wird – als immanente Regieanweisung für Sprecherwechsel – deutlich markiert.

In den → Komödien des Plautus finden sich umfangreiche *rh.* als → Prolog (Plaut. Amph. 1–152, Aul. 1–39, Men. 1–76, Merc. 1–110); die hauptsächliche Funktion in den Stücken – in der Regel als Monolog und in rezitierten Langversen – ist die Reflexion (Plaut. Amph. 463–498, Aul. 587–607; vgl. Ter. Ad. 26–81, 855–881). Rhet. Glanzpunkte setzen *rh.* in den Tragödien des → Seneca, bes. in der Form der → Ekphrasis (Sen. Herc. f. 658–829, unterbrochen durch Fragen, Sen. Oed. 530–658, Med. 670–739).

→ Komödie; Tragödie

A. ERCOLANI, Il passaggio di parola sulla scena tragica, 2000 · B. MANNSPERGER, Die Rh., in: W. JENS (Hrsg.), Die Bauformen der griech. Tragödie, 1971, 143–181.   B. Z.

Rheskuporis. Könige des → Regnum Bosporanum mit dem Namen Tiberius Iulius Rh. (zu unterschiedlichen Namensformen s. → Rhaskuporis).

[1] Rh. (II.). Sohn des Kotys [II 1] I., herrschte von 68/9 bis 91/2 n. Chr. (IOSPE 2,52; 355; 358); prägte Goldstatere und betrieb eine von Rom unabhängigere Politik. PIR² I 512; [1. 14–17, 93–103].

[2] Rh. (III.). Sohn des Ti. Iulius Sauromates II., herrschte als »König von Bosporos und der umliegenden Völker« (IOSPE 2,42f.; 4,194 u. a.) von 210/1 bis 226/7 n. Chr.; Königsgräber in Kerč (Glinišče). PIR² I 513; [1. 47–51, 197–221; 3. 443–445].

[3] Rh. (IV.). Nur aus Münzprägungen bekannt (233–234 n. Chr.), die z. T. gleichzeitig mit denen des Kotys [II 3] III. sind. PIR² R 62; [1. 53, 231].

[4] Rh. (V.?). Herrschte von 239/240 bis 275/6 n. Chr. (IOSPE 2,44; 46), unterbrochen 253/4–255/6 durch den Usurpator (?) → Pharsanzes. Krisenlage wegen der Einfälle der → Goti und → Heruli (Zos. 1,31); im letzten Regierungsjahr erscheinen auch Münzemissionen von Sauromates IV. PIR² R 63; [2. 10–12, 18–29, 156–170; 3. 460f., 470].

[5] Regierte von 318/9 bis 334/5 n. Chr. (zunächst als Mitregent des Rhadamsadios), letzte bosporanische Münzemissionen (CIRB 1112); [3. 481f.].

1 N. A. FROLOVA, The Coinage of the Kingdom of Bosporus A. D. 69–238, 1979 2 Dies., The Coinage of the Kingdom of Bosporus A. D. 242–341, 1983 3 V. GAJDUKEVIČ, Das Bosporanische Reich, 1971.   I. v. B.

Rhesos (Ῥῆσος, lat. *Rhesus*). Thrakerkönig, Sohn des Eïoneus (Hom. Il. 10,138) oder des Flußgotts Strymon ([Eur.] Rhes. 279). Rh. tritt mit seinen schneeweißen Pferden erst im zehnten Kriegsjahr als Verbündeter der Troianer auf und stirbt noch in der ersten Nacht, ohne je mitgekämpft zu haben. Auf seinem nächtlichen Spähergang ertappt, hat → Dolon Rh. und die Seinen verraten. Diomedes tötet die Männer im Schlaf, was Rh. in einem Alptraum vorhersieht, und Odysseus entführt die Pferde. Rh.' Vetter Hippokoon erwacht erst, als es bereits zu spät ist (Hom. Il. B. 10, wohl nachiliadisch, s. → Dolonie). Varianten: (a) Rh. kämpft einen Tag lang mit so viel Erfolg, daß Hera und Athena beschließen, ihn mit Diomedes' Hilfe unschädlich zu machen (Pind. fr. 262 = schol. bT Hom. Il. 10,435 ERBSE). Diese Version weist deutliche Motivanklänge (späte Ankunft, Aristie, Tod) an die Memnon-Sage (→ Memnon [1]) auf [1. 28–40]. (b) Ein Orakel weissagt, daß Rh. unbesiegbar sein würde, wenn seine Pferde vom Wasser des → Skamandros trinken würden (schol. A Hom. Il. 10,435 DINDORF, vgl. Verg. Aen. 1,469–473). (b') Athena prophezeit, daß selbst Achilleus und Aias die Zerstörung der griech. Schiffe nicht werden verhindern können, wenn Rh. die erste Nacht überlebt ([Eur.] Rhes. 600–605). In der ps.-euripideischen Trag. Rh. besteht eine (in der Dolonie nicht anklingende) Rivalität zwischen → Hektor und seinem Verbündeten Rh.

1 B. FENIK, Iliad X and the Rhesus, 1964.

M. TRUE, s. v. Rh., LIMC Suppl. 8.1, 1044–1047 · P. WATHELET, Dictionnaire des Troyens de l'Iliade, 1988, 959–970.   RE.N.

Rhetorica ad Alexandrum.

Griech. Lehrbuch der Rhet. im Umfang von etwa 100 mod. Druckseiten, das in den Hss. (keine früher als 14. Jh.) als Schrift des → Aristoteles [6] überl. ist, in den ant. Titelverzeichnissen des *Corpus Aristotelicum* (z. B. bei Diog. Laert. 5,22–27) aber nicht erscheint. Die früheste überl. Zuweisung an Aristoteles findet sich bei Syrianos (in Hermog. commentaria 2 p. 11,17–21 RABE). Nach Quint. inst. 3,4,9 hat Anaximenes [2] von Lampsakos (2. H. 4. Jh. v. Chr.) in seinem rhet. Lehrbuch (*téchnē*) Arten der Rede (εἴδη/ *eídē*) unterschieden; eben diese Einteilung findet sich zu Beginn der Rh.a.A., darunter das ebenfalls bei Quintilian genannte und nirgendwo sonst belegte γένος ἐξετα- στικόν/*génos exetastikón* (Rede zur Aufdeckung von Widersprüchen). Trotz des Widerspruches, daß nach Quintilian → Anaximenes [2] nur zwei Gattungen (*génē*) der Rede unterschied, am Anf. der Rh.a.A. aber von dreien die Rede ist (vielleicht sekundäre Anpassung an die seit Aristoteles gängige Dreiteilung?) identifizierte deshalb schon 1548 Petrus VICTORIUS die Rh.a.A. mit der Schrift des Anaximenes, was seitdem meist akzeptiert wird. Seinen Namen hat das Werk von einem später (jedenfalls vor ca. 200 n. Chr., da bei Athen. 11,508a zit.) ihm beigefügten Widmungsbrief an Alexandros [4] d. Gr.

Die Kap. 1–5 behandeln Wirkungsmöglichkeiten, Anwendungsgebiete und praktische Handhabung der sieben Redearten (zu-/abraten, loben/tadeln, anklagen/verteidigen, Widersprüche aufdecken); dann folgt eine Darstellung der in allen Redearten angewandten rhet. Mittel (Kap. 6–28) sowie eine Erörterung der Redeteile und ihrer Anordnung samt einem kurzen Anhang (29–38).

Durch ihre Gliederung, die Art der Stoffdarbietung, die unverfestigte Terminologie, die Nichtberücksichtigung der Lehre vom → Ethos und von den Staseis (→ Status) erweist sich die Rh.a.A. als von der Aristotelischen Rhet. unbeeinflußt und ist zeitlich wohl etwas früher anzusetzen (zw. 340 und 330 v. Chr.; als *terminus ante quem* ist ca. 290 v. Chr. durch einen Pap. gesichert); es handelt sich also wahrscheinlich um das älteste erh., noch ganz im Gedankengut der Sophistik verwurzelte Lehrbuch der Rhet.

→ Genera causarum; Rhetorik

ED.: M. FUHRMANN, 1966.
LIT.: K. BARWICK, Die ›Rhetorik ad Alexandrum‹ und Anaximenes…, in: Philologus 110, 1966, 212–245 · G. LA BUA, Quintil. ›Inst. Or.‹ 3,4,9 e la ›Rh.a.A.‹, in: Giornale Italiano di Filologia 47, 1995, 271–282 · M. FUHRMANN, Unt. zur Textgesch. der pseudoaristotelischen Alexander-Rhet., 1964 · A. MAFFI, L'exetastikon eidos nella Rh., in: A. PENNACINI (Hrsg.), Retorica e storia nella cultura classica, 1985, 29–43.   M.W.

Rhetorica ad Herennium.

Lat. rhet. Lehrbuch der spätrepublikanischen Zeit (zur Datier. in die 50er J. des 1. Jh. v. Chr. überzeugend [5. 65 ff.]), das in 4 B. den Kanon der *officia oratoris* (→ *officium* [7]) behandelt. Die Quelle war ein auch von → Cicero in De inventione benutztes lat. Hdb. ([4; 6]; die Verwendung der Rh.a.H. durch Cicero nimmt erneut [7. 271 ff.] an). Seit der Spätant. Cicero zugeschrieben, wird das Werk h. vielfach – indes unzureichend begründet – einem bei Quint. inst. 3,1,21 nach Cicero genannten Cornificius zugewiesen (so aber wieder [7. 279 ff.]). Zahlreiche Hss. (zuletzt [8]) und Komm. [9] bezeugen die grundlegende Bed. des Textes für den ma. Rhet.-Unterricht.

ED.: 1 F. MARX, 1894, ²1923 2 G. CALBOLI, 1969 (mit Komm., Bibliogr.: 445–456) 3 G. ACHARD, 1989.
LIT.: 4 D. MATTHES, Hermagoras von Temnos, in: Lustrum 3, 1958, 81–100 5 A. E. DOUGLAS, Clausulae in the Rhet. Her., in: CQ 54, 1960, 65–78 6 J. ADAMIETZ, Ciceros de inventione und die Rh.a.H., 1960 7 T. ADAMIK, Basic Problems of the ad Her., in: Acta antiqua Academiae Scientiarum Hungaricae 38, 1998, 267–285 8 P. R. TAYLOR, Post-Classical Scholarship as Evidence of Textual Authority, in: Rev. d'histoire des textes 25, 1995, 159–188 9 J. O. WARD, Ciceronian Rhetoric in Treatise, Scholion and Commentary, 1995.   P.L.S.

Rhetorik

I. TERMINOLOGIE II. GEGENSTAND UND GESELLSCHAFTLICHE FUNKTION
III. HISTORISCHE ENTWICKLUNG
IV. TRADIERUNG, FORTLEBEN, GEGENWART
V. DAS RHETORISCHE SYSTEM
VI. ANTIKE REDNER UND REDEKUNST

I. TERMINOLOGIE

Oberbegriff: griech. τέχνη ῥητορική/*téchnē rhētorikē*; seit Platon als t.t. ῥητορική/*rhētorikē* [43]; lat. als Technik: *ars oratoria, ars dicendi*; als Fähigkeit: *eloquentia*.

Ausführende: griech. ῥήτωρ/*rhḗtōr* (bei Hom. ῥήτηρ/ *rhḗtēr*); lat. *orator* (erst allg. für jeden Redner gebraucht, dann prägnant im Kontext der Rh.), *rhetor* (t.t. für Redelehrer).

Tätigkeit: griech. ἔιρειν/*eírein* (»sagen«, in gehobener Sprache) oder allgemeiner λέγειν/*légein* (»sprechen«); das lat. Äquivalent wäre *orare* (»beten«, »feierlich sprechen«), doch hat sich als lat. t.t. der Rh. das einfache *dicere* (»sprechen«) eingebürgert (allg. zur Terminologie [1; 16; 28]).

II. Gegenstand und gesellschaftliche Funktion

Die Rh. in ihrer Gesamtheit ist neben der Philos. ein zentraler Bereich des griech.-röm. Kulturerbes. Formen von Rh. sind zwar auch im außereuropäischen Bereich faßbar [9; 23; 30], doch erreichen sie nicht jene Differenziertheit, die ein Spezifikum der griech.-röm. Ant. ist. Die ant. Rh. ist eine Metasprache mit verschiedenen Praktiken [2. 16], die je nach Epoche gleichzeitig oder nacheinander anzutreffen sind: (1) Im Sinne einer Technik (→ *téchnē*) ist Rh. zu fassen als Kunst der Überredung, als Gesamtheit von Regeln und Vorschriften, durch deren Anwendung das Publikum überzeugt wird. Da diese Technik es ermöglicht, unabhängig vom Wahrheitsgehalt des Redegegenstandes zu argumentieren, entwickelte sich zur Eingrenzung der auch von der Rh. selbst erkannten Gefahren der Demagogie und Wahrheitsverfälschung ein (moralisches) System von Regeln und Vorschriften, das sprachliche Mehrdeutigkeiten überwachte, erlaubte und beschränkte. (2) Dazu trat der Unterricht durch einen Meister der Rh. (z.B. Rhetor – Schüler; Rhetor – Kunde). Dieser Aspekt lebt noch h. im Schulunterricht fort, etwa im Einüben erörternder Aufsatzformen (→ Rhetorik). (3) Weiter ist Rh. eine Wiss. der sprachlichen Effekte und Phänomene. Da Sprache in der Rh. als Machtfaktor und Merkmal einer gebildeten Klasse markiert wird, ist Rh. nicht zuletzt eine gesellschaftliche Praxis, deren Systematisierung freilich oft über Praxisrelevantes hinausgeht. All diese Teilbereiche bilden zusammengenommen ein reichhaltiges institutionelles Wissen, das auch Techniken der Anti-Rh. auf den Plan ruft (etwa in Gestalt von subversiver Rh., die bewußt Ambivalenzen und Dissonanzen pflegt, wie etwa Parodien). Die Probleme der Rh. sind sowohl sachlich als auch histor. eng verknüpft mit den Grundfragen der Poetik und der → Hermeneutik.

Die ant. Rh. hat bei einer frühen klaren Markierung ihres Potentials schon im klass. Griechenland im Laufe der verschiedenen polit. Systeme und Kulturen, in denen sie zur Wirkung kam, eine große Fähigkeit zur Adaptation, zur Erweiterung und Neuakzentuierung gezeigt. Befreit aus den Zwängen der rein polit. oder gerichtlichen Inanspruchnahme, in die sie in ihrer Frühzeit in Griechenland gestellt war, entwickelte sich die Rh. in der hell. Zeit und in Rom zu einer *ars dicendi* (»Redekunst«), die in ihrer Fokussierung auf jede Form

von sprachlicher Äußerung nichts Geringeres als eine umfängliche Theorie und Praxis der menschlichen Kommunikation darstellt ([25]; s.u. IV.).

Als Meta-Wiss., die das Bildungssystem organisierte, wenn nicht die Grundlage der Bildung selbst darstellte, war die Rh. bis ins 18. Jh. eine der prägenden Kräfte der europ. Zivilisation. Danach verlor sie zumindest oberflächlich an Bed. (s.u. IV.), und der Begriff »rhetorisch« wurde mit weitgehend negativem Beigeschmack verwendet [46]. Diese negative, simplifizierende Konnotierung, die sich schon in der Ant. nachweisen läßt, resultiert jedoch aus Vorurteilen über das Wesen der Rh. – in einer Reduzierung auf einen ihrer Anwendungsbereiche – als einer Kunst der Gerichtsrede oder gar der manipulativen Advokatenkunst.

Die Rh., die eine der Wurzeln der modernen Linguistik darstellt, hat wesentliche Beiträge zu Gedächtnis-Forschung (→ Memoria (Mnemotechnik); → Mnemotechnik), Sprachtheorie und Psychologie geleistet. Sie hat in vielfacher Hinsicht als ein Ferment der Demokratisierung und der Aufklärung gewirkt [38; 48].

III. Historische Entwicklung
A. Quellen und Selbstbild
B. Griechenland C. Rom

A. Quellen und Selbstbild
So vielfältig in der Ant. die Rh. und ihre verschiedenen Aspekte selbst sind, so heterogen sind auch die Zeugnisse. Neben die zahlreichen Lehr- und Handbücher [13; 45; 53], neben die Testimonien zur Biographie einzelner die Rh. prägender Personen sowie wichtige Reden, welche zu einem gewissen Ausmaß die Praxis repräsentieren (s.u. VI.) treten Spezialschriften, die einzelne Aspekte vertiefen (z.B. Ciceros *De inventione*, vgl. → *inventio*; → Rutilius [II 6] Lupus zur Lehre von den → Figuren). Werke der Philos. und Rh. diskutieren und definieren das Wesen, die Charakteristika und Gefahren der Rh. (z.B. Aristoteles' ›Rhetorik‹; Platons ›Gorgias‹ und ›Phaidros‹; Ciceros ›Brutus‹, ›Orator‹ und ›De oratore‹; Quintilians ›Institutio oratoria‹).

Eine eigentliche (wiss.-gesch.) Gesch.-Schreibung der Rh. gab es in der Ant. nicht, doch da die Rh. immer, auch in den Hdb., über ihr eigenes Wesen reflektiert, kann man von einer impliziten Rh.-Gesch.-Schreibung sprechen (vgl. bes. den Exkurs in Platons *Phaidros* über die im 5. Jh. v. Chr. greifbaren Lehrbücher; Aristot. rhet. 1,1; Cic. Brut. 46–48).

Von den Anf. in Sizilien und Griechenland bis hin zu einer christl. Redekunst (→ Predigt), wie sie → Augustinus vertritt, verläuft die Entwicklung der Rh. stetig [5; 20; 35]. Das sog. System der Rh. (s.u. V.) bildete sich in seinen Umrissen früh heraus, doch wurden bei aller Konstanz in den verschiedenen Phasen die oben (II.) skizzierten Bereiche unterschiedlich akzentuiert. In der ant. wie mod. Rh.-Gesch.-Schreibung kommt immer wieder das Modell vom zweimaligen Aufstieg (im demokratischen Athen des 5. Jh. v. Chr.; im Rom der

Republik) und zweimaligem Niedergang (im Hell.; in der röm. Kaiserzeit) zum Tragen [14; 52. 45–137]. In beiden Fällen wird die Blüte der Rh. an eine Verfassung geknüpft, in der die Rede in der öffentlichen polit. Beratung und den Gerichtshöfen eine klar definierte pragmatische Anwendung findet. Diese Reduktion auf einen polit. Anwendungsbereich ist bei der vielschichtigen ant. Rh. nicht angezeigt, zumal sich bei näherer Betrachtung der angeblichen Niedergangsepochen andere, der polit.-kulturellen Entwicklung angepaßte Betätigungsfelder und Nuancierungen zeigen. So kann z. B. die immer fortschreitende Differenzierung etwa der Figurenlehre (die nur ein Aspekt der Rh. ist; → Figuren) im Hell. nicht als geistlose Haarspalterei abgetan werden, sondern ist Ausdruck von wiss. Genauigkeit und eines tiefen Verständnisses von »Sprache« in Produktion wie Rezeption.

B. Griechenland

1. Vorsystematische Formen
2. Der Beginn der Rhetorik im engeren Sinne (Teisias bis Aristoteles)
3. Hellenismus

1. Vorsystematische Formen

Beim Einsatz überzeugender sprachlicher Aussagen handelt es sich um Erfahrungswissen, das prinzipiell von jedem sprechenden, mit anderen interagierenden Menschen erworben und angewendet werden kann. Darum finden sich selbstverständlich auch vor der Etablierung der Rh. als lehrbarer Kunst sowohl unsystematische Bemerkungen zur Wirkung und Wirkmacht von Sprache als auch zu Situationen, in denen eine Proto-Rh. der öffentlichen Rede (Gebete, Prozesse, Beratungsreden, Leichenreden, Fest- und Preisreden etc.) ihren Ort hat.

Schon die ersten faßbaren griech. lit. Werke, die Epen Homers (→ Homeros [1]), zeigen in den zahlreichen Reden der Figuren ein hohes Bewußtsein dessen, was man später Rh. nennen sollte [17]. Am besten ist dies im Begriff der → Peitho (πειθώ, »Überzeugung«) gefaßt, die das göttliche Moment in der wirksamen Rede bezeichnet (Hes. erg. 73; Hes. theog. 349 u. a.). In nachträglicher Projektion wurde Homer zum Erfinder der Rh. stilisiert (Quint. inst. 10,1,46ff.) und bes. die Reden der Gesandtschaft zu Achilleus (Hom. Il. 9) und Priamos' Bitte um Herausgabe der Leiche Hektors (ebd. 24) als Musterreden gefaßt [20. 11–14].

2. Der Beginn der Rhetorik im engeren Sinne (Teisias bis Aristoteles)

Die Ursprünge der ant. Rh. als einer lehrbaren Kunst des Überzeugens liegen in Sizilien und Griechenland zu einer Zeit, als polit. und sozialer Druck eine komplexere öffentliche Sprache nötig machte und förderte [54]. Auch wenn die Frühzeit der Rh. durch Absenz verläßlicher Zeugnisse weitgehend im dunkeln liegt, besteht eine gewisse Einigkeit darüber, daß die Syrakusaner Teisias und → Korax [3] als erste den Schritt vom individuellen Erfahrungswissen zur lehrbaren Kunst vollzogen (Aristot. rhet. 1402a 17; Plat. Phaidr. 272c–273c; [20. 58–68; 15]). Von Teisias stammt angeblich die Definition der Rh. als πειθοῦς δημιουργός (peithús dēmiurgós, »Demiurg der Überredung«; Prolegomenon Sylloge 277, 16ff. Rabe Bd. 14).

In das griech. Mutterland gelangte die Rh. durch einen Schüler des Teisias und Anhänger des Empedokles [1], den Sophisten → Gorgias [2]; so wurde sie in dieser sprachsensibilisierten Zeit schnell zum gesamtgriech. Phänomen. Gorgias kam 427 v. Chr. als Gesandter von Leontinoi nach Athen. Da er als Ausländer weder polit. tätig sein noch Reden vor Gericht halten konnte, schuf er sich einen Ausgleich dadurch, daß er »Rh.-Lehrer« der jungen Athener wurde: Seine bahnbrechende Leistung bestand darin, daß er eigens für den Unterricht verfaßten und in keiner konkreten Situation anwendbaren Musterreden demonstrierte, wie man Sympathie beim Richter/Zuhörer wecken und dadurch seine Ziele durchsetzen könne. In dieser Praxis konnte er an die fingierten → Reden der Dichtung und der Gesch.-Schreibung anknüpfen [42. 15f.]. Auch wenn er den Akzent auf die Lehrbarkeit der Rh. durch Beispiele legte, impliziert dies ein gewisses Maß an Theorie (etwa in bezug auf den Aufbau der Rede oder die Eignung und Wirkweise von Argumenten). Im Gegensatz zu Teisias und Korax soll Gorgias größeren Wert auf die Stilistik gelegt haben, wodurch die Lehre vom Ausdruck zum unentbehrlichen Gebiet der Rh. wurde. Man bezeichnet später als »Gorgianische Redefiguren« solche, die laut Gorgias eine bes. große Wirksamkeit in der Überzeugungsarbeit zeitigen, darunter → Antithesen und Homoioteleuta in möglichst par. gebauten, kurzen Satzgliedern.

Teisias und Gorgias werden oft in einem Atemzug genannt: Sie hätten zum einen das Stilmittel der *brevitas* (»Kürze«) beherrscht und gleichzeitig die Fähigkeit besessen, unbegrenzt lange über ein Thema zu sprechen, was nach Meinung der Rh.-Gegner auf eine Vernachlässigung des Gegenstandes und seiner Erfordernisse schließen ließ. Zum anderen räumten beide in der Argumentation dem Wahrscheinlichen (εἰκός/eikós) den Primat vor einem absolut zu fassenden, zeitlosen Wahren im Sinne der Philos. ein (Plat. Phaidr. 266d 1–267d). Auch wenn die Betonung des Wahrscheinlichen – aus der Praxis der Rh. sowie in bezug auf die alltägliche Kommunikation gesehen – von hohem Realitätssinn und Einblick in die Natur des Menschen zeugt, kommen mit dieser Betonung doch systemimmanente Widersprüche in die Rh., die von den Gegnern der Sophistik in z. T. verzerrender Karikatur angeprangert wurden (s. u.).

Gorgias verdunkelt den Ruhm anderer Sophisten, die neben und nach ihm bedeutende Beitr. zur Rh. leisteten (vgl. Plat. Phaidr. 266ff.). Zu nennen sind hier v. a. → Thrasymachos von Chalkedon und → Hippias [5]; → Antiphon [4], der als erster Gerichtsreden publizierte; → Theodoros von Byzanz, dessen Hauptverdienst die Gliederung der Rede in ihre Teile ist. Par. zur

Sophistik entwickelte sich im Laufe des 5. Jh. v. Chr. eine spezifisch advokatorische Beredsamkeit (Plat. Gorg. 471): Spezialisten verfaßten für weniger gebildete oder sprachbegabte Klienten (Gerichts-)Reden. Dennoch sind Qualität und Erfolg der berühmtesten Redner der Zeit – von → Lysias [1] bis zu → Hypereides – wahrscheinlich weniger auf für diese Zeit noch nicht bezeugte schriftliche Rh.-Lehrwerke (man lernte aus Musterreden) oder auf den Rh.-Unterricht zurückzuführen als auf die Notwendigkeit polit. öffentlicher Rede und die kulturell verbürgte Bewunderung der Eloquenz, die breite Teile der athenischen Bevölkerung zu einer intensiven Beschäftigung mit Sprache und ihren Ausdrucksmöglichkeiten anhielten.

Das 5. Jh. v. Chr. brachte durch die → Sophistik einen großen Professionalisierungs- und Theorieschub mit sich: Neben der Vertiefung einzelner Aspekte in Theorie und Praxis wurde die Frage nach dem Status der Rh. und ihrer Bed. für die menschliche Ges. gestellt.

Die wichtigste Figur für Theorie und Praxis der Rh. war zu dieser Zeit → Isokrates, ein Schüler des Gorgias. Er propagierte – in Anlehnung an das sophistische Verständnis – Rh. als Bildungs- und Erziehungsinstrument [24] (→ paideía). Er wollte seine Schüler *philosophía* lehren, die sowohl Wissenschaft als auch Lebensweisheit ist, um sie zur Formulierung und Artikulation der richtigen polit. und moralischen Grundsätze zu befähigen (→ enkýklios paideía). In dieser letztlich polit., da auf das Gemeinwohl abzielenden Konzeption ist die Rh. ein wesentlicher Bestandteil.

Diese Synthese war für den Philosophen → Platon [1] ebenso inakzeptabel wie insgesamt die Sophistik und Rh. der früheren Zeit. Bes. in den Dialogen ›Gorgias‹ und ›Phaidros‹ (271c–273c) brandmarkt er die Sophisten, und damit die Rh., als Verderber der Wahrheit. Seine Rh.-Kritik, die nicht zuletzt sein Mißtrauen gegenüber deren aufklärerisch-kritischem Potential dokumentiert, ist zugleich ein Entwurf einer philos. Rh.: Erstens moniert er die Setzung des *eikós* (des Wahrscheinlichen) anstelle der Wahrheit; zweitens müsse die Rede einen organischen Zusammenhang haben und ihre Länge sich an der Notwendigkeit des Gegenstandes orientieren; da drittens Rede Seelenführung (*psychagōgía*: Plat. Phaidr. 261a) sei, müsse der Redner sich »psychologische« Kenntnisse aneignen, die wiederum eine Kenntnis des Alls voraussetzten (270c): Man müsse wissen, welche Art von Rede auf bestimmte Seelenteile wirke (271b) und die Natur seiner Zuhörer kennen (273d). Während Platon im ›Phaidros‹ noch eine Umgestaltung der Rh. im Sinne der Philos. für möglich hält, rückt er im ›Gorgias‹ von dieser vermittelnden Position ab. Philos. und Rh. sind ab Platon als (z. T. unversöhnliche) Antagonisten markiert [24; 54]. Seine Kritik hatte zwar wenig Einfluß auf das rhet. System (die rhet. Praxis konnte sie auch gut ignorieren, vgl. aber Quint. inst. 12,1,33 ff.), doch griff in der Folgezeit jeder, der die Rh. kritisieren oder diskreditieren wollte, mehr oder minder unreflektiert auf Platon zurück (ebd. 2,15,24 ff.).

→ Aristoteles [6] verfaßte seine ›Rhetorik‹, obwohl er sich intensiv mit der Position Platons auseinandergesetzt hat. Da er Abstand zu jenen polit. Verhältnissen gewonnen hatte, die Platon zu seiner Verurteilung der Rh. provoziert hatten, konnte er die Kunst der Rede distanzierter in ihrer anthropologischen Dimension sehen. Seine Schrift *Synagōgḗ Technṓn*, in der er eine Art Gesch. der Rh. bis zu seiner Zeit entwarf und die wichtigsten Schriften in Exzerpten vorstellte, ist leider nicht überl., aber zumindest in Exzerpten und Zitaten, etwa bei → Cicero (Brut. 46–48), faßbar. In seiner ›Rhetorik‹ zeigt er einerseits wiss. Interesse an der Prosarede und der Rh. als geistesgesch. relevanten Phänomenen, andererseits diente diese Schrift dem praktischen Zweck von – allerdings relativ unsystematischen – Notizen für seine Vorlesungen über Rh. Die feindselige Position Platons entschärfend, nimmt Aristoteles zwar dessen Forderung nach einer Psychologie der Rh. auf, versucht aber gleichzeitig, die unterschiedlichen Koordinaten und Anwendungsfelder von Rh. und der Philos. abzustecken. Er definiert Rh. als ›die Fähigkeit, bei jedem Gegenstand zu erkennen, was er an Überzeugungskraft hat‹ (1355b 25–26), und beschränkt die Anwendung der Rh. auf öffentliche Reden in polit. und rel. Versammlungen sowie vor Gericht. Er markiert sie als Gegenspielerin und Pendant der → Dialektik: Während Dialektik sich allgemeinen Fragen zuwende, beschäftige sich Rh. mit Fragen, die einen konkreten Anlaß haben. Konsequenterweise umreißt der erste Teil der ›Rhetorik‹ die je spezifische Argumentationslogik von Philos. und Rh. (→ Topik; [51]); der zweite Teil wendet sich der Psychologie der Rezipienten und der Manipulation von Meinungen und Emotionen zu; der dritte Teil beschreibt folgerichtig die drei Redegattungen (→ genera dicendi), ihre Qualitäten und Charakteristika im Überzeugungsprozeß sowie die Theorie der → Metapher. Aristoteles' ›Rhetorik‹ beeinflußte den Peripatos stark, hier bes. seinen Schüler → Theophrastos (s. u. B. 3.), und verband in exemplarischer Weise Poetik, Rh. und Psychologie.

3. HELLENISMUS

Aus der gemeinhin als hell. Zeit bezeichneten Epoche (vom Tode → Alexandros' [4] d. Gr. 323 v. Chr. bis 29 v. Chr.) sind kaum rhet. Hdb. oder theoretische Schriften überl. [39; 52. 45–137]. Doch kennen wir durchaus berühmte Redner, z. B. → Hegesias [2] von Magnesia (4./3. Jh. v. Chr.). Zudem dokumentieren ägypt. Pap. die Praxis des rhet. Schulunterrichts.

Die griech. Stadtstaaten und Kolonien der → oikuménē wurden von einer sich aus Griechen und hellenisierten Nicht-Griechen rekrutierenden polit. und kulturellen Elite dominiert, für die eine umfassende Bildung, die auch die Rh. einschloß, das Eintrittsbillett war. Auch wenn diese Städte unter der Gewalt des Königs standen, so waren die polit. Entscheidungsorgane und die Gerichtshöfe auf lokaler Ebene weitgehend autonom. Hier, in der königlichen Bürokratie und bei diplomatischen Verhandlungen mit den Königen oder anderen Städten, fand die öffentliche Rede weiterhin ein breites, im Gegensatz zur athenischen Demokratie vielleicht weniger offensichtliches Einsatzfeld.

Auch wenn rhet. Manuale weitgehend fehlen, muß sich in dieser Zeit die Theorie der Rh., genau wie die → Literaturtheorie, entscheidend weiterentwickelt haben. Es zeichnet sich eine Tendenz zur Differenzierung und Kategorisierung – etwa der Redeteile, der Stile, der Figurenlehre etc. – ab, die in hochspezialisierten Lehrbüchern für verschiedenste Einsatzbereiche ihren Niederschlag fanden. Wichtige Beitr. hierzu leisteten das auf Aristoteles folgende Schuloberhaupt des Peripatos, → Theophrastos, und → Hermagoras [1] aus Temnos, deren Werke allerdings vollständig verloren sind. Theophrastos arbeitete einiges weiter aus, was bei Aristoteles nur in Ansätzen faßbar ist, etwa die Lehre von den Redegattungen (→ *genera dicendi*, → *officia oratoris*), die Stiltugenden (→ *virtutes dicendi*), erforschte den → Prosarhythmus und stellte eine Theorie des Vortrags (→ *actio*) auf. Auf Hermagoras wird hingegen die Stasis-Lehre (→ *status*) zurückgeführt.

In der Zeit nach Aristoteles und Theophrastos gab es einen gewissen Ausgleich zw. Rh. und Philosophie. Redelehrer behandelten im Unterricht auch Grundbegriffe der philos. → Logik und → Ethik; die platonische Akademie (→ *Akadémeia*), die Stoa (→ Stoizismus) und in eher derivativer Form auch die Epikureer (→ Epikuros) vermittelten neben der Philos. auch das Rüstzeug der Rh. Die Stoa entwarf eine dem philos. Wahrheitsbegriff und der Ethik verpflichtete Rh. Obwohl dieser rigorosen Neudefinition der Stilschmuck zum Opfer fiel und insofern die Rh. einer ihrer Grundaufgaben entkleidet wurde (Cic. fin. 4,7), war das stoische Modell eine wichtige Referenz für spätere Rh.-Spezialisten. Außer einer dem → Demetrios [4] von Phaleron zugeschriebenen, dem Peripatos verpflichteten Schrift ›Über den Stil‹ (*Perí hermeneías*) sind die Bemühungen der philos. Schulen um die Rh. nicht durch Zeitzeugnisse dokumentiert.

Das erste überl. Lehrbuch der Rh. (4. Jh. v. Chr.) ist die wahrscheinlich dem Anaximenes [2] (Quint. inst. 3,4,9) zuzuschreibende sog. → *Rhetorica ad Alexandrum*, die noch vor der ›Rhetorik‹ des Aristoteles verfaßt wurde. Sie richtet sich an eine ehrgeizige und wohlhabende Klientel, die sich sicher auf dem Parkett der polit. Foren der hell. Königreiche bewegen will. Daher werden in ihr die Grundlagen einer sophistischen Redekunst (*lógōn téchnē*) den Bedürfnissen der Klientel entsprechend ganz auf den praktischen Nutzen in Politik und Jurisdiktion angepaßt. Dies bedeutet eine Konzentration auf die Kunst stringenten Argumentierens und die situationsspezifisch wirksamsten stilistischen Mittel.

C. ROM
1. REPUBLIK 2. KAISERZEIT
3. CHRISTLICHE RHETORIK

1. REPUBLIK

Schon bevor die differenzierte hell. Auffassung von Rh. im republikanischen Rom Fuß faßte, gab es dort – ähnlich wie im Griechenland des 5. Jh. – in der Politik, im Militär, in der eminent politisierten Jurisdiktion und bei anderen öffentlichen Anlässen (z. B. Bestattungsfeierlichkeiten; → *laudatio funebris*) eine ausgeprägte Kultur und Praxis der öffentlichen Rede [10. 49; 52. 71–137].

Vor der Übernahme der Rh. als einer lehrbaren Kunst lernte die polit. Elite (oder diejenigen, die dazu gehören wollten) von konkreten Vorbildern in Kriegswesen, Recht und Politik. Diese Dominanz und Präsenz der öffentlichen Rede, die ein Statusmerkmal der röm. Ges. war, erleichterte den Übergang von reinem Erfahrungswissen zur auch theoretischen Beschäftigung mit der Wirksamkeit des gesprochenen und geschriebenen Wortes.

Mit den → Punischen Kriegen öffnete sich Rom verstärkt der griech. Bildung, auch wenn gerade die Rh. anfangs starken Widerständen der konservativen Kräfte ausgesetzt war (Suet. gramm. 1). Die Einführung der Rh. in Rom erfolgte gleichermaßen durch Philosophen wie Lehrer der Rh., die wegen des Aufklärungs- und Subversions-Verdachtes auf ähnliche Ablehnung stießen wie die Sophisten im Griechenland des 5. Jh. Denn bei allen demokratischen Elementen herrschte in der Politik des republikanischen Rom doch das Senioritätsprinzip, d. h. an der Macht beteiligt waren bevorzugt die alten Familien, die sich allein durch den Verweis auf ihren Status durchsetzen konnten. Junge Aufsteiger (*novi homines*, → *nobiles* B.), auch anderer Statusgruppen, konnten v. a. durch Erfolg in der eminent politisierten Rechtsprechung, die das eigentliche Betätigungsfeld der Rh. war, auch Einfluß in der Politik gewinnen, wie etwa die Karriere → Ciceros zeigt. Der Hauptgrund für die anfängliche Ablehnung der Rh. dürften die Statusdissonanzen sein, die die Rh. in der festgefügten sozialen Hierarchie auslöste [35]. Gerade deshalb fanden die Rh.-Lehrer einen einträglichen Markt in der röm. Mittel- und Oberschicht, die sich über die Verbesserung der rhet. Fähigkeiten (noch) größere polit. Macht versprachen (der Consul des J. 99, Marcus → Antonius [I 7], schrieb unter Akzentuierung der Statuslehre ein ganz auf die polit. Praxis Roms abgestelltes Lehrbuch, vgl. Cic. Brut. 163; Quint. inst. 3,6,44).

Bester Beleg für die zwiespältige Haltung gegenüber der griech. Bildung und der Rh. im besonderen ist der berühmte Politiker und Redner → Cato [1] Maior (vgl. Cic. Brut. 65–69), der einerseits eine Rh.-Ausbildung mit dem Argument ablehnte, daß moralische Überlegenheit gepaart mit natürlicher Redebegabung ausreichend sei, andererseits im Rahmen einer → Enzyklopädie für seinen Sohn der Verf. der ersten lat. Rh. gewesen sein soll (Quint. inst. 3,1,19). Seine bei → Seneca

d. Ä. überl. (Sen. contr. 1, praef. 9), nicht auf die Kunstfertigkeit, sondern auf den Ausführenden sich konzentrierende Definition des Redners als *vir bonus, peritus dicendi* (›ein moralisch guter Mann, der auch gut zu reden weiß‹) wie auch seine Forderung *rem tene, verba sequentur* (›halte den Redegegenstand im Auge, die ‹richtigen› Worte werden folgen‹) schließen eng an die stoische Auffassung der Rh. an, die eine Orientierung des Redeinhalts am moralisch Guten sowie die Integrität des Redners (→ Ethos) forderten.

Die Unterweisung in der Redekunst erfolgte anfangs auf Griech. und an griech. Beispielen, doch vollzog sich bald eine auch sprachliche Aneignung, die die Rh. zu etwas spezifisch Römischem werden ließ.

Ab Ciceros Jugendzeit gab es schon lat. Rhetoren: L. → Plotius [I 1] Gallus soll kurz vor der Wende vom 2. zum 1. Jh. v. Chr. die erste Redeschule mit lat. Unterricht in Rom eröffnet haben [44]. In der theoretischen Rh.-Lit. wurde zunehmend lat. Terminologie verwendet, wobei die griech. Begriffe weiterhin im Gebrauch blieben [1]. Vor dem einheitlichen sozio-kulturellen Hintergrund des röm. Reiches entstanden lat. und griech. Abh. zur Rh.; auch das Schulsystem, das sich in Grundzügen an der griech. Praxis orientierte, blieb zweisprachig. Cicero besuchte z. B. griech. Rh.-Unterricht bei dem einflußreichen Spezialisten der Figurenlehre → Gorgias [4].

In → Cicero fand die Rh. schließlich die große vermittelnde Persönlichkeit, die im Rezeptionsprozeß selbst mit dem von ihm propagierten Rednerideal verschmolz (s. u. VI.B.2). Auch wenn er in vielfacher Hinsicht eine Ausnahmegestalt ist, so wird seine Leistung nur vor dem Hintergrund einer prinzipiell an Sprache interessierten Zeit verständlich, in der die *Latinitas* (→ *virtutes dicendi*) und der sichere Gebrauch der Gramm. der sich in dieser Zeit verfestigenden lat. Lit.-Sprache (vgl. Caesars Werk *De analogia*) zum Merkmal einer polit. und kulturellen Elite wurde.

Die frühesten überl. lat. rhet. Hdb. (die möglicherweise aber schon frühere auf Lat. abgefaßte Lehrwerke voraussetzen) sind die anon. → *Rhetorica ad Herennium* und Ciceros Jugendwerk *De inventione*. Sie sind nach heutiger Kenntnis nach den oben (III.B.) genannten Werken des Anaximenes [2] und Aristoteles [6] die chronologisch nächsten Rh.-Lehrbücher. Beide galten bis zum 15. Jh. als Werke Ciceros und hatten immensen Einfluß auf die europäische Kultur. Die *Rhetorica ad Herennium* (ca. 86–82 v. Chr.) entspricht dem Typ des advokatorisch-juristischen Handbuchs, das den Bedürfnissen der spezifisch röm. Klientel entgegenkommt. Sie behandelt in vier B. das gesamte rhet. System auf der Grundlage der sog. *officia oratoris* (→ *officium* [7]). Obwohl übertriebene Differenziertheit der griech. Rhetoriken und der philos. Dialektik verurteilt werden, sind die Darlegungen gekennzeichnet durch hohen Formalismus und eine gewisse Differenziertheit, die jedoch durch anschauliche Beispiele aus Mythos und röm. Dichtung sowie Betonung der Status-Lehre des → Hermagoras [1] ganz auf die Praxis ausgerichtet ist (Rhet. Her. 1,1).

Die *Rhetorica ad Herennium*, die noch keine Standardisierung des lat. Vokabulars zeigt, und Ciceros *De inventione* bieten verm. einen guten Einblick in die hell. Rh., die schon den röm. Verhältnissen angepaßt ist; Ciceros unvollendetes Jugendwerk (ca. 89 v. Chr.) hat jedoch eine stärker polit. Dimension. Ursprünglich wollte Cicero, ebenfalls nach dem Schema der *officia oratoris*, die gesamte Theorie der Rh. darstellen, doch kam er über den ersten Arbeitsschritt, die → *inventio*, nicht hinaus. Vielleicht unter dem Einfluß des → Philon [9] von Larisa bemüht Cicero sich schon hier um eine philos. Grundlegung der Rh.: Ohne Rede und Kunst der Rede gäbe es kein menschliches Zusammenleben, ja keine Kultur; sie müßten aber mit einem hohen Verantwortungsgefühl und Einsatz in der Politik verbunden sein. Der Gute (*vir bonus*) müsse sich für das Gemeinwesen engagieren, wozu er auch profunde Kenntnis in Rh. benötige. Aufgrund dieses klar definierten Einsatzfeldes lehnt Cicero die Rh. als reine Kunstfertigkeit des guten Redens ab. Er hat auch später kein umfängliches Lehrbuch der Rh. geschrieben.

In den *Partitiones oratoriae* (ca. 53 v. Chr.) versucht Cicero, seinem Sohn die Grundbegriffe der Rh., bes. die Status-Lehre, zu vermitteln; seine *Topica* (ca. 44 v. Chr.) behandeln die Topik in aristotelisch-hell. Trad. sowie die Status-Lehre. Im *Brutus* (ca. 46) bietet er eine Gesch. der Rh., in der auch sein eigener Bildungsweg nachgezeichnet wird (Brut. 283–291). Dieses Werk sowie der *Orator* (ca. 46), der eine Reaktion auf die Kontroverse → Attizismus versus → Asianismus ist, waren von der Spätant. bis zum 15. Jh. nicht bekannt.

Von herausragender Bed. für die Rh. als Bildungsideal in der europ. Trad. ist hingegen Ciceros Werk *De Oratore* (ca. 55 v. Chr.) [6], das nicht nur ein Wiederaufleben des Idealbilds einer sophistischen Rh. im Sinne des Isokrates, gefüllt mit neuen, röm. Inhalten, darstellt, sondern auch die erste Spur einer Rezeption der aristotelischen ›Rhetorik‹ in Rom ist; auch Einflüsse des späteren Peripatos, bes. des Theophrastos, sind klar erkennbar. Unter starker Akzentuierung des Redens in Politik und Rechtswesen versucht er eine Integration von Beredsamkeit und praktischer Philos. [24. 12–42]: Der ideale Redner ist ein romanisierter Sophist, dessen Bestreben gelenkt wird durch polit. Ehrgeiz und Verantwortungsgefühl (z. B. Cic. de orat. 1,8,30–34) und der seine Fähigkeiten vor Gerichtshöfen und vor öffentlichen Versammlungen demonstrieren möchte. Die Kreativität der Rh., die sich nicht auf ein lehrbares Regelwerk reduzieren läßt, wurzelt gleichermaßen in einer umfänglichen Allgemeinbildung (rhet. Theorie, Dichtung, Gesch., Philos., Recht etc.) und in moralischer Verantwortlichkeit. *De Oratore* ist ein wesentlicher Beitr. zur Formierung des Ideals Redner-Politiker, das in der griech.-röm. Ant. (im Gegensatz zum theologisch und wiss. geprägten Ideal des Redners von MA und Neuzeit) vorherrschte [22. 145].

Dieses Bildungsideal sollte aber erst in den folgenden Generationen zur vollen Entfaltung kommen, in einer Epoche, die von Zeitgenossen (→ Dionysios [18] von Halikarnassos; → Tacitus, *Dialogus*; → Seneca Maior; → Petronius [5]) und infolge davon auch in der mod. Forsch. vielfach als Zeit des Niedergangs der Beredsamkeit beklagt wird. Der weite Rh.-Begriff Ciceros erlaubte nämlich eine Entpolitisierung der Rh.; so wurde sie zu einem Bildungsinstrument schlechthin auf einem weiten Anwendungsgebiet. Diese Neuakzentuierung sicherte der Rh. das Fortleben in den nächsten Jahrhunderten [50]. Dadurch, daß das von Cicero geprägte Ideal aber auf ein sozio-polit. Umfeld traf, das – anders als die Einzelstaaten des frühen Griechenland – fast die ganze damals bekannte Welt umfaßte, wurde die Rh. zum Merkmal eines gebildeten Weltbürgertums.

Spätestens ab → Seneca d. Ä. und → Quintilianus wurde Cicero, der auch einer der berühmtesten Praktiker der Rh. seiner Zeit war, zum personifizierten Inbegriff des perfekten Redners. Die Gesch. der Rh. im westlichen Europa stellte sich bis zum 17. Jh. weitgehend als Ciceronianismus dar (vgl. auch → CICERONIANISMUS).

2. KAISERZEIT

Mit dem von Cicero entworfenen Bildungsideal konnte sich der Übergang von der Republik zur Kaiserzeit für die Rh. relativ bruchlos vollziehen [52. 45–137]. Erst jetzt stand die Rh. vor einem polit.-gesellschaftlichen Hintergrund, vor dem sie zu einer Bildungsinstanz ersten Ranges werden konnte. Von einem Niedergang der Rh. kann also gerade nicht gesprochen werden. Denn auch wenn durch die Neuordnung des polit. Systems und der Rechtsprechung das Reden auf dem Forum und in öffentlichen Schauprozessen an Bed. und damit an Sichtbarkeit verlor, hatte die Rh. in der kaiserlichen Bürokratie, in der Außenpolitik und in der nun standardisierten und kodifizierten Gerichtsbarkeit im Prinzip ein noch weiteres Anwendungsfeld. Die Beliebtheit von öffentlichen Deklamationen zu *ad hoc* gestellten oder vorbereiteten Themen war keine Degeneration der Rh., sondern eher ein Beweis für ein großes Interesse an Sprache und gutem Sprechen sowie an situativer Intelligenz, die durch eine intensive Beschäftigung mit der Rh. gefördert werden.

Der Rh.-Unterricht wurde in Rom – wo mehr Wert auf die Verschulung rhet. Fähigkeiten gelegt wurde – stärker als in Griechenland zur dominierenden Kraft in der schulischen Ausbildung (→ Schule). Zentral waren neben dem Gramm.-Unterricht und der Lektüre vorbildlicher Autoren praktische Übungen, unterschiedliche, je nach Altersstufe im Anspruch variierte Deklamationen (→ *declamationes*) in Gestalt von → *controversiae* und → *suasoriae*. Trotz gewisser Vorstufen in der griech. Rh. (→ *progymnásmata*) handelt es sich hierbei nach einer Aussage des Zeitzeugen Seneca d. Ä. um eine Praxis, die erst gegen Ende der Republik entstanden sei (Sen. contr. 1, praef. 11–13; [44]). Die wenigen Testimonien der Praxis der Deklamation (→ Quintilianus, → Cal-

purnius [III 2] Flaccus, → Seneca d. Ä.) zeigen eine Affinität von Rh. und dichterischer Produktion, die in der Forsch. erst noch genauer untersucht werden müßte. Auch wenn einige ant. Autoren (etwa → Petronius [5]) diese Übungen als realitätsfern und insofern für die Berufsvorbereitung nutzlos brandmarken, dürften sie ihren Zweck gut erfüllt haben, denn gerade die Abstraktion von realen Fällen, d. h. das Sichversetzen in jede beliebige Situation, fördert die Kreativität sowie die Fähigkeit des Transfers und des »vernetzten« Denkens in schwer berechenbaren Kommunikationssituationen wie etwa vor Gericht [52. 94–109].

Die hohe Wertschätzung der Rh. führte in der Kaiserzeit zu einer Blüte der Theorie und der Lehrbücher vor einem prinzipiell bilingualen Hintergrund. Der Kaiser → Vespasianus (69–79) stiftete schließlich in Rom öffentliche Lehrstühle für griech. wie lat. Rh. mit staatlicher Besoldung (Suet. Vesp. 18).

a) LATEINISCHE RHETORIK
b) GRIECHISCHE RHETORIK: ZWEITE SOPHISTIK

a) LATEINISCHE RHETORIK

Erster Inhaber des lat. Lehrstuhles war → Quintilianus, dessen *Institutio oratoria* (›Ausbildung des Redners‹) das rhet. System enzyklopädisch wie systematisch erschließt. Bei starker Betonung der Gerichts-Rh. entwickelt er Ciceros Rednerideal weiter und versucht, mit einer stärkeren Berücksichtigung der Ethik die fundamentale Kritik der Philos. an der Rh. zu überwinden. Seine Definition von Rh. als *scientia recte dicendi* (›Wiss., richtig zu sprechen‹, 2,5,24) schließt an die Konzeption des stoischen »gut Redens« (»gut« im Sinne von »moralisch gut«) ebenso an wie an die der Stoa ähnlichen röm. Wertvorstellungen.

Prominenteste Figur der lat. Rh. des 2. Jh. n. Chr. ist Marcus Cornelius → Fronto [6], Erzieher der Kaiser Marcus [2] Aurelius und Lucius Verus. Ungefähr gleichzeitig sind die *Declamationes* des → Calpurnius [III 2] Flaccus anzusetzen.

Zahlreiche weniger bedeutende lat. Redner (die sog. *Rhetores Latini minores* [5; 13]) bis in die Spätant., die mit je unterschiedlicher Akzentsetzung das rhet. System für den Schulunterricht aufbereiten, zeugen von der weiterhin großen Relevanz der Rh. als Status- und Bildungsmerkmal. Zu nennen sind hier v. a. Aquila [5] Romanus und sein Fortsetzer → Iulius [IV 20] Rufinianus (3./4. Jh.); das → *Carmen de Figuris*; sämtliche Behandlungen der → *Artes liberales* von → Consultus Fortunatianus; → Sulpicius Victor; → Iulius [IV 24] Victor; ferner → Martianus Capella (4./5. Jh.); der noch spätere Emporius sowie der eher an der Praxis interessierte Iulius → Severianus.

Charakterisiert ist diese späte Epoche dadurch, daß sich der Reichsschwerpunkt von Rom in die Zentren der Provinzen, etwa nach Gallien (→ Massalia; → Burdigala, → Augustodunum usw.), Spanien (→ Ilerda), Afrika (→ Karthago) verlagerte und sich in allen Pro-

Das System der antiken Rhetorik

Gliederungspunkte	griechische Fachbegriffe	lateinische Fachbegriffe	deutsche Fachbegriffe
1. Voraussetzungen a) Naturanlage b) Ausbildung c) Erfahrung	1. *hyposchéseis* a) *phýsis* b) → *paideía* (*epistémē*, → *téchnē*) c) *empeiría* (*melétē*)	1. (*praesuppositiones*) a) *natura* b) *doctrina* (*scientia, ars*) c) *usus* (→ *exercitatio*)	1. → Voraussetzungen a) Naturanlage b) Ausbildung (Wissen, Kunstlehre) c) Erfahrung (Übung)
2. Methode des Erwerbs a) Unterricht b) Nachahmung (→ Intertextualität) c) Übung	2. *méthodoi* a) → *téchnē* b) → *mímēsis* c) *áskēsis*	2. *res* (*rationes*) a) *ars* b) *imitatio* c) *exercitatio*	2. (Arbeits-)Methoden a) Kunstlehre (»Technik«) b) Nachahmung c) Übung
3. Arten a) Gerichtsrede b) Politische Rede c) Gelegenheitsrede	3. *génē tõn lógōn* a) *génos dikanikón* b) *génos dēmēgorikón* (*symbuleutikón*) c) *génos epideiktikón* (*panēgyrikón*)	3. → *genera causarum* a) *genus iudiciale* b) *genus deliberativum* c) *genus demonstrativum*	3. Arten der Rede a) Gerichtsrede b) Politische Rede c) Gelegenheitsrede (Festrede)
4. Arbeitsstadien des Redners a) Auffindung der Haupt- gesichtspunkte Umfaßt auch: (5.) Pisteis, (6.) Staseis, (7.) Redeteile b) Stoffgliederung (Disposition) Umfaßt auch: (7.) Redeteile c) Darstellung Umfaßt auch: (8.) Stilqualitäten, (9.) Stilarten, (10.) Wortfügungsarten d) Memorieren e) Vortrag	4. *érga tu rhḗtoros* (*stoicheía*) a) *heúresis* b) *táxis* c) *léxis* (*hermēneía*) d) *mnḗmē* e) *hypókrisis*	4. → *officia oratoris* (*res,* *partes, opera, elementa*) a) → *inventio* b) → *dispositio* c) → *elocutio* d) → *memoria* e) *pronuntiatio* (→ *actio*)	4. Arbeitsgänge des Redners (Arbeitsstadien, Aufgaben) a) Auffindung (der Hauptgesichts- punkte) b) Stoffgliederung (Disposition) c) Darstellung (Formulierung, Ausdruck, Stilisierung) d) Memorieren e) Vortrag
5. Pisteis (vgl. 4.a)	5. *písteis* (s. → *pístis*) a) *písteis átechnoi* b) *písteis éntechnoi*	5. *probationes* (s. → *probatio*) a) *probationes inartificiales* b) *probationes artificiales*	5. Beweise a) »kunstlose« (unmittelbare) Beweise b) »künstliche« Beweise
6. Staseis (vgl. 4.a)	6. *stáseis* a) *stochasmós* b) *hóros* c) *poiótēs* d) *metálēpsis*	6. *constitutiones* (s. → *status*) a) *constitutio coniecturalis* b) *constitutio definitiva* c) *constitutio generalis* d) *constitutio translativa*	6. Juristische Fragestellungen a) Frage nach der begangenen Tat b) Definition des Tatbestands c) Beurteilung der Tat d) Klärung der Zuständigkeit des Gerichtshofs
7. Redeteile (vgl. 4.a–b)	7. *mérē tu lógu* a) → *prooímion* b) *diḗgēsis* c) *próthesis* (*prokataskeué*) d) *pístōsis* (*apódeixis, kataskeué*) } *pístis* e) *élenchos* (*lýsis, anaskeué*) f) *epílogos*	7. → *partes orationis* a) → *exordium* b) *narratio* c) (*propositio*) *divisio* (*partitio*) d) *confirmatio* (→ *probatio*) } → *argumen-* e) *confutatio* *tatio* (*refutatio*) f) → *epilogus* (*peroratio, conclusio*)	7. Teile der Rede a) Einleitung b) Erzählung (des Hergangs) c) Präzisierung des Sachverhalts d) positiver } Beweis e) negativer } f) Schluß

Gliederungspunkte	griechische Fachbegriffe	lateinische Fachbegriffe	deutsche Fachbegriffe
8. Stilqualitäten	8. *aretaí tēs léxeōs*	8. → *virtutes dicendi*	8. Stilqualitäten
	a) *hellēnismós*	a) *latinitas (puritas)*	a) Sprachrichtigkeit
	b) *saphḗneia*	b) *perspicuitas*	b) Deutlichkeit
	c) *prépon*	c) *aptum*	c) Angemessenheit
	d) *kósmos*	d) → *ornatus*	d) Redeschmuck
	e) *syntomía*	e) → *brevitas*	e) Kürze
9. Stilarten	9. *charaktḗres tēs léxeōs*	9. → *genera dicendi (elocutionis)*	9. Stilarten
	a) *charaktḗr ischnós*	a) *genus subtile*	a) schlichter Stil
	b) *charaktḗr mésos (miktós)*	b) *genus medium (mixtum)*	b) mittlerer (gemischter Stil)
	c) *charaktḗr megaloprepḗs (hypsēlós)*	c) *genus grande (sublime)*	c) erhabener Stil
10. Wortfügungsarten (8.), (9.), (10.) sind auch berücksichtigt in (4.c)	10. *(harmoníai) synthéseis*	10. *structurae (compositiones)*	10. Wortfügungsarten
	a) *sýnthesis glaphyrá*	a) *structura polita*	a) glatte Fügung
	b) *sýnthesis mésē*	b) *structura media*	b) mittlere Fügung
	c) *sýnthesis austērá*	c) *structura aspera*	c) rauhe Fügung

vinzstädten wiederum Fachleute für Rh. etablierten (vgl. → Ausonius).

b) GRIECHISCHE RHETORIK: ZWEITE SOPHISTIK
Die griech. Rh. ist seit dem 1. Jh. v. Chr., als erstmals eine Nachahmung (μίμησις/→ *mímēsis*, lat. *imitatio*) der Exponenten att. Sprach- und Stilreinheit gefordert wurde (bes. Lysias [1] und Demosthenes [2]; vgl. Quint. inst. 10,2,24ff.), stark von der Debatte um → Asianismus und → Attizismus, die möglicherweise aber gerade ein röm. Beitr. zur Rh. war, geprägt. Der Kanon der zehn wichtigsten attischen Redner wurde vielleicht von Apollodoros [8] aus Pergamon aufgestellt, verbreitet aber von dessen Schüler → Caecilius [III 5] von Kale Akte, der auch Verf. einer Figurenlehre war. Die für die Gesch. der → Literaturkritik wichtige Schrift ›Über das Erhabene‹ (→ Ps.-Longinos) richtet sich gegen ihn. Hauptvertreter der attizistischen Bewegung war → Dionysios [18] von Halikarnassos, dessen stilkritische Würdigungen attischer Redner sowie dessen bedeutendste Schrift ›Über die Wortfügung‹ (Περὶ ὀνομάτων συνθέσεως/*Perí onomátōn synthéseōs*) überl. sind. Auch der Lehrer des Tiberius, → Theodoros von Gadara, war Attizist.

Diese Orientierung an den großen Stilmodellen der Klassik, verbunden mit dem Ideal einer umfänglichen Bildung (→ *enkýklios paideía*) führte unter Hadrianus (117–138) mit dem Kaiser selbst als Vorbild zu einer noch weiteren Vitalisierung der griech. Rh. in der Gestalt der sog. → Zweiten Sophistik, in der öffentliche Schaureden auf großes Interesse stießen (Ailios → Aristeides [3]; [3; 26; 35; 42]; s.u. VI.A.4.)

Hadrianus richtete nun auch Rh.-Lehrstühle in Athen ein, die u. a. von → Lollianos [2] von Ephesos und → Minukianos [1] besetzt wurden. Beide schrieben (wie auch → Zenon von Athen und → Hermogenes [7] von Tarsos) bedeutende Lehrbücher der Rh. Hermogenes (ca. 160–ca. 230 n. Chr.) wurde als letzter bedeutender Theoretiker zur wichtigsten Autorität für die byz. Rh. bis ins 15. Jh.

3. CHRISTLICHE RHETORIK
Mit dem Übergang von der paganen zur christl. Zeit erhielt die Rh. einen veränderten kulturellen Hintergrund, vor dem sie erneut hohe Fähigkeit zur Anpassung und Neuformierung zeigte [7; 33]. Dieser Prozeß war wiederum von Dissonanzen und Anfechtungen geprägt. Im 4. Jh. behauptete sich die Rh. als Statusdistinktion und unerläßliche Kommunikationshilfe (etwa im kaiserlichen Dienst und vor Gericht; [4; 18]). Ein gewisses Mißtrauen gegen die Rh. erwuchs daraus, daß man eine Übertragung dieser weltlichen/rein intellektuellen Statusbestimmung auf die sich herausbildende klerikale Hierarchie, die anderen Kriterien folgen sollte, befürchtete. In der Spätant. wuchs die christl. Elite schließlich in dem Maße in die gesellschaftliche Führungselite hinein, wie die weltliche Macht und lokale Entscheidungsgremien durch die Bischöfe und die klerikale Hierarchie abgelöst wurden. Auch die Bischöfe rekrutierten sich mit der Zeit aus den traditionellen Eliten, etwa den Senatorenfamilien (z. B. → Ambrosius). Die Rh. behielt in diesem Kontext ihre Funktion als Schlüssel zum sozialen Aufstieg und in der Kommunikation zw. kirchlichen Amtsträgern und den Gemeinden, die bes. in den Städten einen hohen Standard der Redekunst erwarteten ([29]; → Predigt).

Diese Situierung zw. gesellschaftlicher Usance und den Ansprüchen der christl. Lehre kennzeichnete die Rh. gleichzeitig als einen zu meidenden Antipoden wie als eine unerläßliche Technik. Das Dilemma bestand darin, daß eine Predigt Gott gefallen und zugleich auf die Menschen wirken sollte bzw. daß der Redner einerseits tiefen Glauben und eine (potentiell durch Gott inspirierte) charismatische Ausstrahlung, andererseits auch hohe sprachliche Kompetenz in der Kommunikation mit dem Kirchenvolk, mit Andersgläubigen sowie den anderen Klerikern aufweisen sollte, ohne selbst narzißtische Befriedigung aus seinen »Auftritten« zu ziehen. Zugleich mußte vermieden werden, daß sich die Gemeinde der Überzeugungskraft eines Menschen unterwerfe. Diese Restriktionen führten zu einem schwer in die Realität umzusetzenden Idealbild des affektfreien Redner-Predigers, der doch wirksam im Sinne Gottes sprechen soll [29].

Leicht unterschiedliche Lösungsversuche dieses Dilemmas boten → Iohannes [4] Chrysostomos (de sacerdotio 4/5) und der als ehemaliger Rh.-Lehrer mit dem Trad.-Bestand der Rh. vertraute → Augustinus (doctr. christ. 4), die beide → Paulus [2] als Modell einer christl. Rh. einsetzen und die Nützlichkeit der Rh. in der Gemeindearbeit betonen. Während Chrysostomos Glauben und Charisma des Redners hervorhebt, entwirft Augustinus – in starker Orientierung an Cicero [40] und in Ablehnung eines charismatischen Redner-Ideals – das Konzept einer christl. Rh., die wesentliche Teile des paganen Trad.-Gutes übernimmt, sich aber strikt an der Predigtpraxis und den christl. Glaubensinhalten orientiert. Damit war der Weg frei für die Tradierung der Rh. ins MA [7; 20; 33].

IV. Tradierung, Fortleben, Gegenwart

Die ant. Rh. ist eine der Wurzeln des mod. Denkens, deren Leistung durch die Kritik und die Polemik der Philos. – bes. im dt.-sprachigen Raum – zeitweise verdunkelt wurde (s.o. II.). Im MA gehörte die Rh. zu den sieben → artes liberales des → Martianus Capella und somit unangefochtenes Bildungsgut. Sie steht im Trivium zw. Gramm. und Dialektik. Bildliche Darstellungen der Personifikation der Rh. zeigen diese zumeist als weibliche Figur an der Seite Ciceros (z.B. in Florenz, in der Spanischen Kapelle von Santa Maria Novella). Trotz dieser hohen Wertschätzung ist im MA ein erster Bed.-Verlust zu verzeichnen, da Rh. vielfach auf die Lehre von den → Figuren und → Tropen reduziert wird.

Die Rh. blieb über Jh. eine zentrale Disziplin an den Lateinschulen und Universitäten; sie hatte eigene Lehrstühle und Fachvertreter. Die Schulbücher/Progymnasmata beruhten bis in die Frühneuzeit (z.B. in Preußen) auf den ant. Lehrbüchern (bes. Rhet. Her. und Cic. Inv., später dann auch Quint. inst.).

Nach dem Modell der Latinisierung erfolgte die Übertragung der Theorien und Stilmodelle der ant. Rh. auf die mod. europäischen Nationalsprachen. Sie blieb insofern ein fruchtbares Modell.

Trotzdem verlor die Rh. mit der wachsenden Wertschätzung der Rationalität in der Philos. nach Descartes und mit der Rh.-Kritik der Aufklärung sowie – im dt.-sprachigen Raum – durch Kants Verdikte zunehmend an Bed. [19; 55]. Erst als in der Moderne und Postmoderne die Verabsolutierung wiss.-technischer Rationalität zunehmend in Zweifel gezogen wurde und man erkannte, daß menschliche Kommunikation einer spezifischen Logik folgt, konnte eine Rehabilitierung der Rh. in einem weiten aristotelischen Sinne erfolgen, wozu wiss. Disziplinen wie systematische Linguistik, Semiotik, Lit.-Theorie usw. beitrugen. Zudem konzedierte man nach den Gewaltexzessen des 20. Jh., daß die intensive Beschäftigung mit Rh. das beste Mittel gegen die Wirkung von Demagogie sei. Wenn man einen Blick auf die mod. Konsenstheorie der Wahrheit oder auf die sog. linguistisch-kommunikative Wende zahlreicher Humanwissenschaften inkl. der Philos. wirft, wird man der Rh. ihren Wahrheitsanspruch kaum absprechen können. In der Tat ist der rigide Wahrheitsbegriff der philos. Trad. als Handlungsmaxime polit. Diskussionen und alltagspraktischer Handlungen denkbar ungeeignet.

Die Rehabilitierung der Rh. in der Philos. machte den Weg frei für eine Revitalisierung der ant. Rh. auch in den anderen Geisteswissenschaften (wenngleich mit geringem Engagement der Klass. Philol. [38; 41]); vgl. das interdisziplinäre Großprojekt des HWdR [16; 47], das der Notwendigkeit einer Neusichtung und Neuformulierung der Rh. auch in histor. Hinsicht entspringt und von der schematischen Petrifizierung durch das ansonsten verdienstvolle Hdb. Lausbergs [28] wegführt.

V. Das rhetorische System

Das sich im Hell. in einer nur relativ kanonischen Form herausbildende rhet. System, dessen Merkmal Spaltung und Differenzierung ist, legt die Aufgaben, Funktionen und Wirkungsbereiche des Redners und der Sprache fest [2. 49–96]. Jeder Spezialfrage, jedem Einzelproblem wird ein genauer Kontext und Stellenwert zugewiesen. Es wird detailliert nachvollzogen, welche Prozesse und Transformationen ein noch sprachloser Gedanke durchlaufen muß, bis am Ende eine argumentativ klar strukturierte, brillant formulierte und dem Anlaß angemessene sprachliche Aussage entstanden ist. Das rhet. System ist also ›ein »Programm« zur Diskurs-Erzeugung‹ [2. 19 f.].

Im rhet. System tritt die Rh. ›offen als Einteilung auf (von Material, Regeln, Teilen, Gattungen, Stilen). Die Einteilung als solche ist Gegenstand eines Diskurses: Ankündigung des Aufbaus der Abh., scharfe Kritik an der Einteilung der Vorgänger‹ [2. 49].

Insofern ist das Schaubild (s.o.) nicht als feststehend-verbindliche, sondern als nur relativ verbindliche Darstellung des rhet. Systems zu verstehen. Der etwa durch Lausbergs Hdb. [28] erweckte Eindruck erdrückender Statik und Pendanterie erfährt eine Korrektur, wenn die systematische Darstellung durch eine diachrone Betrachtungsweise ergänzt wird: Dabei werden die zahlreichen Variationen und Akzentuierungen berücksichtigt, die jeder einzelne Punkt im Laufe der Jh. durchmachte (Detailinformationen unter den im Schaubild durch Verweise gekennzeichneten Begriffen).

→ Bildung; Controversiae; Declamationes; Erziehung; Figuren; Genera dicendi; Kommunikation (E.); Literaturtheorie; Paideia; Schule; Sophistik; Status; Stil, Stilfiguren; Suasoriae; Topik; Tropen; Figurenlehre; Rhetorik

1 R.D.Jr. Anderson, Glossary of Greek Rhetorical Terms Connected to Methods of Argumentation, Figures and Tropes, 2000 2 R. Barthes, Das semiologische Abenteuer, 1988 (frz. 1985) 3 G. Bowersock, Greek Sophists in the Roman Empire, 1969 4 P. Brown, Power and Persuasion

in Late Antiquity, 1992 **5** D. C. BRYANT (Hrsg.), Ancient Greek and Roman Rhetoricians. A Biographical Dictionary, 1968 **6** ST. BITTNER, Ciceros Rh. – eine Bildungstheorie, 1999 **7** A. CAMERON, Christianity and the Rhetoric of Empire. The Development of Christian Discourse, 1991 **8** R. E. ENOS, Roman Rhetoric: Revolution and the Greek Influence, 1995 **9** M. V. FOX, Ancient Egyptian Rhetoric, in: Rhetorica 1, 1983, 9–22 **10** M. FUHRMANN, Die ant. Rh. Eine Einführung, 1984 **11** Ders., Das systematische Lehrbuch. Ein Beitr. zur Gesch. der Wissenschaften in der Ant., 1960 **12** K.-H. GÖTTERT, Einführung in die Rh. Grundbegriffe – Gesch. – Rezeption, 1991 **13** K. HALM (ed.), Rhetores Latini Minores, 1863 (Ndr. 1964) **14** K. HELDMANN, Ant. Theorien über Entwicklung und Verfall der Redekunst, 1982 **15** D. A. G. HINKS, Tisias and Corax and the Invention of Rhetoric, in: CQ 34, 1940, 61–69 **16** HWdR **17** K.-J. HÖLKESKAMP, Zw. Agon und Argumentation. Rede und Redner in der archa. Polis, in: [35], 17–43 **18** M. HOSE, Die Krise der Rhetoren. Über den Bed.-Verlust der institutionellen Rh. im 4. Jh. und die Reaktion ihrer Vertreter, in: [35], 289–299 **19** S. IJSSELING, Rhetoric and Philosophy in Conflict. An Historical Survey, 1976 **20** G. A. KENNEDY, Classical Rhetoric and Its Christian and Secular Trad. from Ancient to Modern Times, 1980 **21** Ders., The Art of Persuasion in Greece, 1963 **22** Ders., A New History of Classical Rhetoric, 1994 **23** Ders., Comparative Rhetoric: An Historical and Cross-Cultural Introduction, 1998 **24** B. A. KIMBALL, Orators and Philosophers. A History of the Idea of Liberal Education, 1986 **25** J. KOPPERSCHMIDT (Hrsg.), Rhet. Anthropologie. Stud. zum Homo rhetoricus, 2000 **26** M. KORENJAK, Publikum und Redner. Ihre Interaktion in der sophistischen Rh. der Kaiserzeit, 2000 **27** W. KROLL, s. v. Rh., RE Suppl. 7, 1940, 1039–1138 **28** LAUSBERG **29** H. LEPPIN, Der Prediger und der Mönch. Zur Bewertung christl. Rede in der Spätant., in: [35], 301–312 **30** U. MAGEN, Rede und Redner in Sumer und Akkad, in: [35], 1–16 **31** J. MARTIN, Ant. Rh. Technik und Methode, 1974 **32** A. MÖNNICH (Hrsg.), Rh. zw. Trad. und Innovation, 1999 **33** J. J. MURPHY, Rhetoric in the Middle Ages. A History of Rhetorical Theory from Saint Augustine to the Renaissance, 1974 **34** Ders. (Hrsg.), A Synoptic History of Classical Rhetoric, 1983 **35** C. NEUMEISTER, W. RAECK (Hrsg.), Rede und Redner. Bewertung und Darstellung in den ant. Kulturen, 2000 **36** R. T. OLIVER, Communication and Culture in Ancient India and China, 1971 **37** C. OTTMERS, Rh., 1996 **38** H. F. PLETT (Hrsg.), Rh. Kritische Positionen zum Stand der Forsch., 1970 **39** S. E. PORTER, Handbook of Classical Rhetoric in the Hellenistic Period 330 B. C. – A. D. 400, 1997 **40** P. PRESTEL, Die Rezeption der ciceronischen Rh. durch Augustinus in De Doctrina Christiana, 1992 **41** R. H. ROBERTS, J. M. M. GOOD (Hrsg.), The Recovery of Rhetoric: Persuasive Discourse and Disciplinarity in the Human Sciences, 1993 **42** D. A. RUSSELL, Greek Declamation, 1983 **43** E. SCHIAPPA, Did Plato Coin Rhetorike?, in: AJPh 111, 1990, 457–470 **44** P. L. SCHMIDT, Die Anf. der institutionellen Rh. in Rom, in: E. LEFÈVRE (Hrsg.), Monumentum Chiloniense, 1975, 183–219 **45** SPENGEL **46** ST. TOULMIN, Die Verleumdung der Rh., in: Neue Hefte für Philos. 26, 1986, 55–68 **47** G. UEDING (Hrsg.), Rh. zw. den Wissenschaften: Gesch., System, Praxis als Probleme des HWdR, 1991 **48** Ders.,

B. STEINBRINK, Grundriß der Rh. Geschichte – Technik – Methode, ³1994 **49** Ders., Klass. Rh., 1995 **50** G. VOGT-SPIRA, Rednergesch. als Lit.-Gesch. Ciceros Brut. und die Trad. der Rede in Rom, in: [35], 207–225 **51** P. VON MOOS, Gesch. als Topik. Das rhet. Exemplum von der Ant. zur Neuzeit und die historia im Policraticus des Johann von Salisbury, 1988 **52** J. WALKER, Rhetoric and Poetics in Antiquity, 2000 **53** WALZ **54** R. WARDY, The Birth of Rhetoric. Gorgias, Plato, and Their Successors, 1996 **55** A. WEISCHE, s. v. Rh., HWdPh 7, 1989, 1014–1025.

C. W.

VI. ANTIKE REDNER UND REDEKUNST
A. GRIECHISCH   B. RÖMISCH

A. GRIECHISCH
1. ARCHAISCHE UND FRÜHKLASSISCHE ZEIT
2. KLASSISCHE ATTISCHE REDEKUNST
3. HELLENISMUS   4. ATTIZISMUS UND
ZWEITE SOPHISTIK   5. SPÄTANTIKE

1. ARCHAISCHE UND FRÜHKLASSISCHE ZEIT

Im griech. Kulturraum läßt sich lange vor der Etablierung der Rede als lit. Gattung eine stark ausgeprägte Wertschätzung des guten Redners und ein feines Gespür für die Vorzüge des gekonnten Redevortrags nachweisen. Die ›Ilias‹ hebt an mehreren Stellen rednerisches Können als eine mit der Kampfkraft gleichrangige Qualität des Helden hervor (Hom. Il. 9,443 heißt es über Inhalt und Ziel der Erziehung des Idealhelden Achilleus: ›von Worten ein Sprecher zu sein und ein Vollbringer von Werken‹); sie unterscheidet auch verschiedene Arten der sprachlichen Formung und des Vortrags, wofür erst Jh. später eine feste Terminologie vorhanden sein wird (Hom. Il. 1,247–49: Nestor; 3,213–15: Menelaos; 3,216–23: Odysseus). Die frühgriech. Gesellschaft bot mit ihren polit. Entscheidungsgremien, Gerichtshöfen, Festen und feierlichen Bestattungen der lebendigen rednerischen Praxis reiche Entfaltungs- und Einwirkungsmöglichkeiten. Reflexe davon findet man in den erh. Resten der Lit. verschiedener Gattungen, z. B. bei Hesiod und selbst in der Chorlyrik; → Solons Salamis-Elegie etwa (fr. 2 GENTILI-PRATO) ist eine polit. Rede in Distichen, wie der Dichter selbst sagt (V. 2). Im 5. Jh. v. Chr. nehmen Häufigkeit und Bedeutung von Reden innerhalb anderer Lit.-Gattungen beträchtlich zu, bes. in → Tragödie und → Geschichtsschreibung.

2. KLASSISCHE ATTISCHE REDEKUNST

Mehrere Faktoren prädestinierten das Athen der 2. H. des 5. Jh. v. Chr. dazu, sich zum Zentrum der aufblühenden Rh. zu entwickeln (→ *dēmokratía*; → Athenai III.-IV.). Die seit 462/1 v. Chr. radikale Demokratisierung aller polit. und juristischen Entscheidungen machte die Rede zum stärksten, oft lebensnotwendigen Instrument der Einflußnahme. So wuchs das Bedürfnis, ein Können, das man bisher als Folge von Naturtalent und Erfahrung angesehen hatte, durch systematische Unterweisung zu erlernen. Gerade in Athen wurde deshalb die nach ant. Zeugnissen (neuerdings bezweifelt

[3]) um die Jh.-Mitte auf Sizilien entwickelte und rasch von der → Sophistik aufgenommene rhet. Theorie rezipiert. Redelehrer wie → Gorgias [2], der als erster massiv rhet. → Figuren einsetzte und von dem zwei Musterreden erh. sind, und → Thrasymachos, der als Erfinder des → Prosarhythmus galt, fanden zahlreiche Kundschaft. Die allen Griechen gemeinsame Freude am Wettkampf, die den damaligen Athenern von Zeitgenossen (Aristophanes, Thukydides) attestierte Unrast und Offenheit für alles Neue sowie das Repräsentationsbedürfnis der att. Großmacht mögen zusätzlich zur rasanten Fortentwicklung der Rh. beigetragen haben.

Die schnell erreichte und etwa 100 J. andauernde Hochblüte manifestiert sich lit.-gesch. im → Kanon [1] der zehn attischen Redner (s.u.), einer in hell. Zeit (vor Mitte 1. Jh. v. Chr.) analog zu anderen Kanones (Lyriker, Tragiker) zusammengestellten Auswahl der vorbildlichen Vertreter der Gattung. Der Kanon enthält sämtliche Arten der Rede (γένη/génē, lat. genera; vgl. → genera causarum), am häufigsten Gerichtsreden (meist Produkte eines → logográphos, seltener Synegorien und Reden in eigener Sache), an zweiter Stelle polit. Reden zum Vortrag vor Rat (→ bulḗ) oder → ekklēsía, am seltensten Prunk- bzw. Gelegenheitsreden.

Die zehn Attiker in chronologischer Ordnung (Näheres s. jeweils s.v.): Von → Antiphon [4] sind drei für wirkliche Mordprozesse geschriebene Reden überl. sowie drei Tetralogien, in denen zu fiktiven Mordfällen Anklage und Verteidigung sich in je zwei kurzen, kontroversen Plädoyers äußern; sie dürften der Lehrtätigkeit Antiphons, der auch eine téchnē (›Lehrbuch der Rhet.‹) verfaßt haben soll, erwachsen sein und zeigen Möglichkeiten und Grenzen des Wahrscheinlichkeitsbeweises (εἰκός/eikós) auf. Unter → Andokides' [1] Namen sind vier Reden erh., darunter zwei Verteidigungen in eigener Sache. Von allen Attikern wurde er von der Nachwelt am wenigsten günstig beurteilt (vgl. Hermog. perí idéōn 2 p. 403 RABE; Philostr. soph. 2,1,14; Quint. inst. 12,10,21). Die Prozeßreden des Metoiken → Lysias [1] zeichnen sich durch meisterhafte Ethopoiie (Zeichnung eines vorteilhaften Charakterbildes vom Sprecher einer Rede) und subtile, scheinbar kunstlose Argumentationstechnik aus; Anhänger des schlichten Stils, bes. die sog. röm. Attizisten des 1. Jh. v. Chr., zogen ihn als Vorbild allen anderen vor.

Ihre Vervollkommnung erreicht die in gorgianischer Trad. stehende Kunstprosa bei → Isokrates, der selbst nie als Redner aufgetreten ist: 6 seiner 21 überl. Reden gehören der Logographie an, die übrigen sind zur Verbreitung in schriftlicher Form verfaßt. Hauptinhalte sind polit. Fragen sowie das Bildungskonzept (→ Bildung; → Erziehung; → paideía) des Isokrates als Gegenentwurf zu Sophistik und Sokratik. → Isaios betätigte sich als Logograph und Redelehrer, nicht aber in der Politik. Erh. sind zwölf juristisch subtil argumentierende Reden für Erbschaftsstreitfälle.

Den fünf Attikern der jüngeren Generation ist das starke Engagement in der athenischen Politik gemeinsam: Die einzige erh. Rede des → Lykurgos [9] verzichtet auf Effekte und versucht stattdessen, allein durch Erhärtung und inkriminierende Wertung von Tatsachen zu wirken. Dem → Hypereides wurde von ant. Kritikern der zweite Rang nach Demosthenes zugebilligt; sein Werk ging aber vollständig verloren und ist erst durch Pap.-Funde, die sechs Reden fast vollständig oder in großen Bruchstücken bieten, wieder kenntlich geworden. → Demosthenes [2] gilt seit etwa dem 1. Jh. v. Chr. unumstritten als der bedeutendste Redner, weshalb von ihm auch das mit Abstand umfangreichste Corpus erh. ist (61 Reden, 56 Prooimien, 5 Briefe, darunter allerdings viel Unechtes). Zahlenmäßig überwiegen die gerichtlichen Plädoyers, sein Ruhm gründet sich aber vornehmlich auf seine Reden vor der Volksversammlung. Daß die in ihnen propagierte Politik gescheitert ist, hat der Bewunderung für die rhet. Meisterschaft niemals Abbruch getan. Von → Aischines [1] sind drei umfangreiche Reden überl.; alle gehören zu Prozessen, bei denen Demosthenes offen oder im Hintergrund auf der Gegenseite wirkte, zu zweien haben wir seine Gegenreden. Die einseitige Abwertung des Aischines ist heute einer ausgeglicheneren Betrachtungsweise gewichen. → Deinarchos entwickelte nach dem Urteil des Dionysios [18] von Halikarnassos keinen eigenen charakteristischen Stil, sondern ahmte Lysias, Hypereides und Demosthenes nach. Damit kündigt sich eine Tendenz an, die die Epoche der hell. Beredsamkeit (zu der er ja schon teilweise gehört) insgesamt prägen wird. Erh. sind drei kürzere Reden zu den → Harpalos-Prozessen.

Im 4. Jh. wirkte eine große Zahl weiterer Redner, und die Produktion wie Publikation muß quantitativ gewaltig gewesen sein – übrig ist davon fast nichts (Ausnahmen: → Alkidamas; → Apollodoros [1]: einige Reden innerhalb des Corpus Demosthenicum; anon. Autoren anderer Pseudepigrapha, z.B. im Corpus Lysiacum).

3. HELLENISMUS

Athens Rh. kam mit dem Verlust der polit. Bedeutung und der zeitweiligen Einschränkung der Demokratie zwar nicht zum Erliegen, verlor aber ihren exemplarischen Rang und hat so kaum Spuren in der Überl. hinterlassen. Dies gilt für die Gattung insgesamt im Hell. und der frühen Kaiserzeit: Erh. ist im wesentlichen nur eine große Zahl von Namen, kurze Fr. und ebenso kurze, meist abwertende Kunsturteile (Hauptquellen: Ciceros rhet. Schriften, Seneca d. Ä., Dionysios [18] von Halikarnassos, Quintilianus). Natürlich wurden aber während der gesamten hell. Epoche nicht nur viele, sondern auch qualitativ hochwertige Reden gehalten und publiziert. Nur eine einseitig auf Athen fokussierte Sichtweise, wie sie seit dem 1. Jh. v. Chr. dominierte und in der Moderne bereitwillig rezipiert wurde, konnte zu dem Urteil gelangen, daß alles, was die Rh. unter den neuen polit. Verhältnissen hervorgebracht hatte, unter die Rubrik »Dekadenz« zu subsumieren sei.

Alle Redearten existierten in ungebrochener Kontinuität: Auch vor den Gerichtshöfen der hell. Städte hielt man Prozeßreden, und die polit. Beredsamkeit verschwand nicht, auch wenn Athens polit. Gremien bedeutungslos geworden waren, sondern konnte sich sowohl bei den regelmäßigen Zusammenkünften der Städte- und Stammesbündnisse (→ koinón) betätigen als auch im polit. Eigenleben der Poleis, denen weitgehende Kompetenzen belassen waren. Der epideiktischen Rede (→ epídeixis) erschlossen sich mit der → Panegyrik auf Herrscher und Städte sogar zusätzliche Themen. Auf die seit Isokrates fest etablierte Position der Rh. als Bildungsmacht ist es zurückzuführen, daß auch die vielerorts entstandenen Rednerschulen (z. B. Rhodos, Pergamon, Tarsos, Athen, Alexandreia) eine reiche Produktion von Übungs- und Schaureden initiierten; daß die Rh. sich vollkommen in die Schule zurückgezogen hätte, ist eine Übertreibung.

Als Archegeten der − aus späterer Sicht − »minderwertigen« hell. Rhet. sah die Ant. → Demetrios [4] von Phaleron, den man aber immerhin noch als Attiker gelten ließ (Quint. inst. 10,1,80). Wenige Fr. vermitteln uns einen blassen Eindruck vom »asianischen« Stil des → Hegesias [2]; als bemerkenswertes Beispiel für rhet. geformte hell. Kunstprosa ist auf die große Königsinschr. von Kommagene [1. Bd. 1. 141 ff.] zu verweisen (1. Jh. v. Chr.).

4. Attizismus und Zweite Sophistik

Die zweite Phase, aus der vollständige Texte der griech. Beredsamkeit in größerer Zahl überl. sind, dauerte ca. 150 J. (von der Flavier- bis zur Severerzeit, ca. 70–220 n. Chr.) und stand ganz im Zeichen des → Attizismus, jener in ihren Ursachen bis h. diskutierten, wohl ins 2. Jh. v. Chr. zurückreichenden, seit Caecilius [III 5] und → Dionysios [18] tonangebenden sprachlich-stilistischen Observanz, die die Attiker des 5. und 4. Jh. v. Chr. zu allein maßgeblichen Stilvorbildern erklärte. Die meisten Redner und Rhetoren kennen wir nur durch →Philostratos [5–8], auf den auch der Terminus → »Zweite Sophistik« zurückgeht (Philostr. soph. 1; vgl. III.C.2.). Erwähnt seien hier nur die durch erh. Werke präsenten Autoren:

Von → Dion [I 3] haben wir neben symbuleutischen, paränetischen und epideiktischen Reden auch moralphilos. Abh., lit.-gesch. Traktate, kynische Dialoge und sophistische »Kunststückchen« (παίγνια/paígnia). Ebensowenig repräsentativ für den mainstream der Zweiten Sophistik sind die meisten erh. Schriften des → Lukianos [1]; denn das Hervorragendste, was die Redekünstler jener Zeit schufen, waren (jedenfalls nach ihrem eigenen Urteil und dem eines großen Teiles ihres Publikums) die sorgfältig vorbereiteten, akkurat einstudierten oder auch improvisierten Prunk- und Übungsreden (μελέται/melétai; → exercitatio), in denen zumeist der griech. Gesch. des 5. und 4. Jh. v. Chr. entnommene oder mythische Themen in hochartifizieller Sprache behandelt wurden. Die meisten und gelungensten Beispiele finden sich bei Ailios → Aristeides [3]; überl. sind

außerdem drei Reden des → Favorinos (zwei davon unter dem Namen Dions), eine des → Herodes [16] Attikos und zwei des M. Antonius → Polemon [6]. Die Rh. der Zeit befaßte sich aber auch mit aktuellen Themen (vgl. z. B. die Smyrna-Reden des Aristeides), huldigte in erlesener → Panegyrik dem Kaiser und anderen Großen, brillierte mit Begrüßungs- und Festansprachen, mit Beschreibungen von Bauten und Kunstwerken (ἔκφρασις/→ ékphrasis), Götterhymnen, → Enkomien und Trauerreden: die archaisierende rhet. geformte Kunstprosa hatte sich nahezu das gesamte, früher von verschiedenen lit. Gattungen, auch der Poesie, besetzte Terrain zu eigen gemacht.

5. Spätantike

Ihre letzte Blütezeit erlebte die griech. Rh. im 4. Jh. n. Chr. Neben den att. Klassikern erhielten nun auch diejenigen, die zwei Jh. zuvor diese am vollkommensten imitiert hatten, den Rang von Stilvorbildern, allen voran Ailios Aristeides [3]. Das Ausmaß an Popularität und Sozialprestige, das den besten Sophisten des 2. Jh. beschieden war, konnte unter den veränderten ökonomischen und kulturellen Verhältnissen nicht mehr erreicht werden, schon deshalb nicht, weil die für traditionelle Bildung offenen Schichten der Gesellschaft erheblich dünner geworden waren und die meisten Vertreter der überkommenen Rh. auch religiös eher dem Althergebrachten anhingen; christl. Rhetoren, wie der in Athen lehrende → Prohairesios, sind im 4. Jh. eine Ausnahme.

Von → Libanios, dem bedeutendsten griech. Rhetor der Spätant., sind sowohl echte Reden als auch für den Schulbetrieb als Stilmuster verfaßte Deklamationen in großer Zahl erhalten. Wesentlich weniger haben wir von seinem Zeitgenossen → Himerios, dessen schwülstiger, mit poetischer Diktion angereicherter Stil schon zu seinen Lebzeiten kritisiert wurde. Andere Redekünstler der Zeit verbanden rhet. Können mit philos. Bildung, so z. B. → Themistios, von dem neben Reden an bzw. über Angehörige des Kaiserhauses auch erklärende Paraphrasen zu Schriften des Aristoteles [6] überliefert sind. Zu nennen sind auch → Iulianus [11], → Synesios, den man zum Bischof seiner Heimatstadt Kyrene machte, sowie Eunapios, der eine Schrift über die Rhetoren und Philosophen des 4. Jh. n. Chr. verfaßte. Am längsten (bis zum Beginn des 7. Jh.) wurde die Trad. der ant. griech. Rh. in der Schule des palästinensischen Gaza gepflegt; christl. Gelehrte wie → Prokopios und → Chorikios unterwiesen hier weiterhin ihre Schüler im korrekten Gebrauch der attizistischen Kunstsprache nach dem Vorbild des Demosthenes, Ailios Aristeides und mittlerweile auch des Libanios, trugen aber auch der gewandelten Aussprache (Isochronie, exspiratorischer Akzent) dadurch Rechnung, daß sie die Klauseln nicht mehr metrisch, sondern rhythmisch regelten (Meyersches Gesetz, vgl. → Kunstprosa). Während des 4. Jh. gewann auch im Christentum − neben radikal bildungsfeindlicher Haltung etwa im asketischen Mönchtum − die Tendenz an Boden, sich die ant.

griech. Bildung – und das bedeutet an erster Stelle die Rhet. – anzueignen und den eigenen Zwecken dienstbar zu machen. Gründliche rhet. Ausbildung, die bei altgläubigen Lehrern wie Libanios sich anzueignen man keine Bedenken hatte, ist unverkennbar in den besten Erzeugnissen der → Predigt-Lit., wie in den Predigten des → Iohannes [4] Chrysostomos, → Gregorios [3] von Nazianzos, → Basileios [3] von Seleukeia; am Ende ihrer Entwicklung sprach die griech. Beredsamkeit wieder – wie 800 Jahre zuvor im demokratischen Athen – zu den Massen des Volkes, nicht nur zu Teilnehmern von Schulkursen und Zirkeln der Gebildeten.

B. RÖMISCH
1. FRÜHE REPUBLIK 2. CICERO
3. PRINZIPAT 4. SPÄTANTIKE

1. FRÜHE REPUBLIK

Die Institutionen der röm. Republik (Volksversammlung, Senat, Gerichte; vgl. → comitia, → senatus, → praetor, → advocatus) und die Gepflogenheiten der Adelsgesellschaft (bes. Bestattung; → laudatio funebris) sind ohne Reden und Redner nicht denkbar, doch verließ man sich in Rom sehr lange auf Talent, Nachahmung und praktische Erfahrung, entwickelte nie eine eigene rhet. Theorie und gewährte der systematischen Unterweisung griech. Provenienz erst spät (seit ca. dem 2. Viertel des 2. Jh. v. Chr.; vgl. III.C.1.) und widerstrebend Zugang (Ausweisung griech. Redner 161 v. Chr.). Von schriftlicher Fixierung von Reden hören wir seit dem Beginn des 3. Jh. v. Chr., Cicero konnte noch eine Ansprache des Appius → Claudius [I 2] Caecus aus dem Jahr 280 (Cato 16; Brut. 61 f.) sowie die → laudatio funebris des Q. → Fabius [I 30] Maximus Cunctator auf seinen Sohn (Cic. Cato 12) lesen (überhaupt wurden in den Adelsfamilien die Grabreden tradiert, Cic. Brut. 62). Als erster Römer scheint M. Porcius → Cato [I] in großem Umfang eigene Reden redigiert und veröffentlicht zu haben; mehr als 150 waren Cicero noch bekannt (Cic. Brut. 65), erh. haben sich lediglich einige Bruchstücke, darunter ein längeres (HRR fr. 95; Gell. 6,3). Mit der sich seit der Gracchenzeit (2. H. 2. Jh. v. Chr.) zuspitzenden inneren Auseinandersetzung stieg die Bedeutung der Rede als Instrument des polit. Machtkampfes. Unter den vielen Rednern dieser Epoche, die Cicero im Brutus nennt und kurz charakterisiert, ragen die zwei Brüder Ti. und C. → Sempronius Gracchus heraus; beide waren in der mittlerweile in Rom fest etablierten griech. Rh. ausgebildet, und ihr Erfolg als Redner beruhte jedenfalls auch auf dem Einsatz dort erlernter Techniken. Zu den besten Rednern der Gracchenzeit scheinen außerdem C. → Papirius [I 5] Carbo, Q. → Aelius [I 16] Tubero und besonders C. → Scribonius Curio gehört zu haben. Mit den Rednern der nächsten Generation, die Cicero in seiner Jugendzeit noch selbst erleben konnte, nähert man sich jener Blütezeit der römischen Rh., die nicht zufällig mit dem allmählichen Auflösungsprozeß der re-

publikanischen Ordnung zusammenfiel (Tac. dial. 40). Auch die großen Namen dieser Zeit, wie M. → Antonius [I 9] (der beste Redner, den Cicero je gehört hat, Tusc. 5,55), L. → Licinius [I 10] Crassus (der als Censor 92 v. Chr. den Unterricht der Rhetores Latini, die auf griech. Theorie verzichten zu können glaubten, untersagte), C. → Iulius [I 11] Caesar Strabo, Q. Lutatius Catulus Vater und Sohn (→ Lutatius [I 3–4]), Q. → Mucius [I 9] Scaevola sowie der Demagoge P. → Sulpicius Rufus sind uns fast nur dadurch bekannt, daß Cicero sie nennt, charakterisiert und miteinander vergleicht sowie einige in seinen rhet. Schriften als Gesprächspartner auftreten läßt.

2. CICERO

Anders als im griech. Bereich, wo die Demosthenes-Verehrung erst Jh. nach dessen Tod einsetzte und nie einen solchen Grad der Ausschließlichkeit erreichte, daß andere Redner aus dem Bewußtsein (und aus der Überl.) völlig verdrängt worden wären, fiel in Rom bereits für die jüngeren Zeitgenossen (vgl. Catull. 49 – die Ironie ändert nichts an der Aussagekraft), mehr noch für die folgenden Generationen der Höhepunkt der lat. Beredsamkeit mit einem einzigen Namen zusammen: M. Tullius → Cicero schaffte nach gründlichster, durch einen Studienaufenthalt in Griechenland vervollkommneter Ausbildung und erstem Auftreten als Redner noch unter der Dictatur des Cornelius [I 90] Sulla den großen Durchbruch im → Verres-Prozeß (70 v. Chr.), wo er sich gegen den bisher gefeiertsten Redner der Zeit, Q. → Hortensius [7] Hortalus, souverän durchsetzte. Die röm. »Attizisten« wie M. → Iunius [I 10] Brutus und C. → Licinius [I 31] Macer, die neben der schlichten Diktion eines Lysias nichts als vorbildlich gelten lassen wollten, betrachteten Cicero zu Unrecht als »Asianer«: Kennzeichnend für ihn ist es gerade, daß er keiner stilistischen Observanz zugeordnet werden kann, sondern über eine Bandbreite von Ausdrucksmöglichkeiten verfügte, die ihn für jeden Gegenstand, jedes Auditorium, jeden Redeteil usw. den richtigen, d. h. wirkungsvollen Ton treffen ließ. Daß es neben Begabung, Fleiß und Erfahrung vornehmlich die rhet. und philos. Schulung nach griech. Art war, die ihm dies ermöglichte, sagt Cicero als erster röm. Redner ausdrücklich und oft. Es liegt ganz auf dieser Linie, daß er sich bemüht, rhet. Theorie und Philos. in lat. Sprache zu behandeln, um den Griechen nicht nur in der praktischen Beredsamkeit (worin er sich mehr oder weniger offen mit Demosthenes vergleicht) Ebenbürtiges entgegensetzen zu können. Quintilians Fazit (Quint. inst. 10,1,112: . . .ut Cicero iam non hominis nomen, sed eloquentiae habeatur, ›. . .so daß Cicero nicht mehr als Name eines Mannes gilt, sondern der Redekunst ‹schlechthin›‹) manifestiert sich in der Überl.-Lage: Von keinem einzigen älteren oder zeitgenössischen Redner und nur von ganz wenigen späteren haben sich vollständige Reden erh.; von Cicero dagegen besitzen wir nicht weniger als 58 (z. T. mit Lücken) sowie Titel bzw. Fr. von weiteren 100. Wenigstens genannt sei von den zahlreichen übrigen Rednern, die z. Zt. Ciceros wirkten, C. Iulius → Caesar, dem Quintilianus unter der Voraussetzung, daß er sich ganz der Rh. gewidmet hätte, Gleichrangigkeit mit Cicero zutraut (Quint. inst. 10,1,114).

3. PRINZIPAT

Aus der Epoche vom Tod Ciceros (43 v. Chr.) bis zu dem nahezu völligen Versiegen der lat. Lit. im 3. Jh. n. Chr. sind sehr wenige lat. Reden erhalten. Über die Entwicklung der Gattung bis zum Ende des 1. Jh. n. Chr. informieren drei überl. theoretische Abh., deren Verfasser sich alle auch in der rhet. Praxis betätigten.

Die unter → Augustus und den meisten seiner Nachfolger mehr oder minder aufrechterhaltene republikanische Fassade konnte niemanden darüber hinwegtäuschen, daß die polit. Entscheidungen nicht mehr in den traditionellen Gremien gefällt wurden. Der polit. Rede war damit zwar nicht ihr gesamtes Betätigungsfeld, wohl aber ihre Relevanz genommen. Sie verlor rasch an Bedeutung, zumal es sich bald als wenig ratsam, unter Umständen gar als lebensgefährlich erwies, von der für das Gedeihen einer Kultur der polit. Rede unentbehrlichen Freiheit des Wortes Gebrauch zu machen (während bei den in frühaugusteischer Zeit wirkenden Rednern → Asinius [I 4] Pollio und → Valerius Messalla noch nichts von Zensur bekannt ist, traf den Historiker und Redner T. → Labienus [4] noch unter Augustus ein Publikationsverbot; dasselbe widerfuhr → Cassius [III 8] Severus unter Tiberius).

Ähnlich wie drei Jh. zuvor in der hell. Welt verschwand also die Beredsamkeit zwar nicht aus dem öffentlichen Leben (die gerichtliche blühte ohnehin weiter), suchte sich aber mehr und mehr ein Forum, auf dem sie uneingeschränkt regieren konnte, und das war die Rh.-Schule, die obligatorische letzte Etappe jeder gründlichen Ausbildung. Das Verfassen von Reden zu fingierten Rechtsfällen (→ controversiae) wie auch zu ebenso fingierten polit. Entscheidungen (→ suasoriae) wurde hier gelehrt, eine schon von den Zeitgenossen vielfach kritisierte Praxis (z.B. Petron. 1,1), in die uns die erh. Schrift des älteren → Seneca (mit vielen Namen und kurzen Zitaten sonst völlig unbekannter Redner) Einblick gewährt. Redner aus Gallien waren seit der Zeit des Tiberius bis zum Ende des 1. Jh. in Rom tonangebend (→ Votienus Montanus; → Domitius [III 1] Afer, der Lehrer Quintilians; → Iulius [IV 1] Africanus); stilistisch folgten die einen dem Vorbild Ciceros, andere pflegten einen fundamental unciceronianischen, an den griech. Asianismus erinnernden Stil, von dem die moralphilos. Abhandlungen und die Briefe des jüngeren Seneca einen Eindruck geben.

In der Flavierzeit (69–96 n. Chr.) wirkten u. a. → Iulius [IV 7] Gabinianus, → Iulius [IV 21] Secundus (der Lehrer des Tacitus) und M. → Aper [1]; die beiden letztgenannten läßt → Tacitus in seinem Dialogus auftreten, einer um die Wende zum 2. Jh. entstandenen Schrift, in der die Frage und die Gründe eines Niederganges der röm. Beredsamkeit kontrovers diskutiert werden. Auch der Spanier → Quintilianus, Roms erster staatlich be-

soldeter Professor für Rhet., hat sich zu diesem Thema in einem (verlorenen) Traktat geäußert; sein erh. Hauptwerk, die Institutio oratoria, vermittelt uns den umfassendsten und detailliertesten Überblick über die ant. Beredsamkeit in ihrem Selbstverständnis als Trägerin von Bildung und lit. Kultur; stilistisch ist Quintilianus Ciceronianer. Die beiden unter seinem Namen erh. Slg. von Declamationes sind höchstwahrscheinlich unecht.

Die erste, nicht für den Unterricht bestimmte lat. Rede seit den Zeiten Ciceros, die vollständig erh. ist, ist der 100 n. Chr. vor dem Senat gehaltene Panegyricus auf Kaiser Traianus. Sein Autor → Plinius [2] der jüngere, der sich mit dieser Rede für das Konsulat bedankte, verfaßte, wie viele seiner Zeitgenossen (z.B. Tacitus, Herennius Senecio) auch Gerichtsreden in großer Zahl, die aber restlos verloren sind. Mit seiner Lobrede auf den Kaiser wird Plinius (jedenfalls aus unserer Sicht) zum Archegeten einer neuen, in der Folge recht produktiven Redeform (→ Panegyrik). Der Stilgeschmack des größeren Teiles des 2. Jh. wurde vom → Archaismus dominiert, der vorübergehend die Orientierung an Cicero in den Hintergrund drängte. Von dessen wichtigstem Repräsentanten, dem gefeierten Redner M. Cornelius → Fronto [6] (dem Lehrer des Marcus [2] Aurelius), hat sich eine Slg. von Briefen erh., aus den Reden aber nur wenige Bruchstücke. Immerhin eine vollständige Rede ist von dem ebenfalls der archaistischen Richtung zuzuordnenden Apuleius (→ Appuleius [III]) überl. (Apologia bzw. Pro se de magia), dazu 23 Ausschnitte unterschiedlicher Länge aus epideiktischen Reden (Florida). Dies sind die letzten erh. Beispiele lat. Rh. vor der Zäsur des 3. Jh. n. Chr.

4. SPÄTANTIKE

Mit dem erneuten Anstieg lit. Produktion seit dem Ende des 3. Jh. nimmt auch die Rh. einen letzten Aufschwung, der sich in zwei erh. Textcorpora dokumentiert: Die Slg. der → Panegyrici Latini besteht aus zwölf Lobreden verschiedener Verf. auf verschiedene Kaiser; der erwähnte Panegyricus des Plinius, der die Slg. einleitet, fällt chronologisch aus dem Rahmen: Neun der verbleibenden elf Reden stammen aus den Jahren zw. 289 und 321, die beiden übrigen aus der 2. H. des 4. Jh. Trotz aller topischen Huldigungs-Rhet. handelt es sich um wertvolle histor. und lit.-gesch. Quellen. Zwei Panegyrici (auf Valentinianus I. und auf Gratianus) finden sich auch unter den acht erh. Reden des Senators → Symmachus, der in einer zunehmend christl. geprägten Welt die Werte der Senatsaristokratie zu wahren suchte und sich um die Neuedition lat. Klassiker (auf Pergament-Codices) verdient gemacht hat (s. auch → Textgeschichte). Von seinem rhet. Können zeugen auch seine Amtsberichte an den Kaiser (relationes – er war u. a. praefectus urbi), deren berühmtester, in dem um die Wiederaufstellung des → Victoria-Altars in der Tagungsstätte des Senates gebeten wurde (Symm. rel. 3), allerdings ohne Erfolg blieb.

Der gewichtige Beitrag, den Gallien zur lat. Beredsamkeit geleistet hat, verkörpert sich zuletzt in → Ausonius, der in Burdigala (Bordeaux) Rhet. lehrte; erh. hat sich neben anderen Werken aber nur eine Rede, eine Dankadresse an Kaiser Gratianus für das Konsulat. In Ausonius, der sich zum Christentum bekannte, personifiziert sich die im Laufe des 4. Jh. vollzogene Synthese von ant. rhet. Bildung und neuem Glauben. Die Meister der christl. Prosa dieser Zeit, allen voran Aurelius → Augustinus, stehen in sprachlich-stilistischer Hinsicht vollkommen in dieser Tradition.

→ Asianismus; Attizismus; Elocutio; Kunstprosa; Literaturbetrieb; Techne; Voraussetzungen der Redekunst; RHETORIK

1 BLASS 2 M. L. CLARKE, Rhetoric at Rome, 1953 3 TH. COLE, The Origins of Rhetoric in Ancient Greece, 1991 4 H. HOMMEL, Griech. Rhet. und Beredsamkeit, in: E. VOGT (Hrsg.), Griech. Lit., 1981, 337–376 5 R. C. JEBB, The Attic Orators from Antiphon to Isaeus, 2 Bde., ²1893, Ndr. 1962 6 G. A. KENNEDY, The Art of Persuasion in Greece, 1963 7 Ders., The Art of Rhetoric in the Roman World, 1972 8 Ders., Greek Rhetoric under Christian Emperors, 1983 9 Ders., A New History of Classical Rhetoric, 1994 10 NORDEN, Kunstprosa 11 D. A. RUSSELL, Greek Declamation, 1983 12 R. WARDY, The Birth of Rhetoric, 1996 13 I. WORTHINGTON (Hrsg.), Persuasion: Greek Rhetoric in Action, 1994.   M. W.

Rhetoriklehrbücher s. Rhetorik

Rhetorios (Ῥητόριος).

Der letzte griech. schreibende astrologische Fachschriftsteller in Äg. vor der Eroberung durch die Araber 640 n. Chr. Rh. war ein wichtiger Vermittler älterer Lehren an das MA. Sein Werk, von dem – verm. noch nicht einmal vollständige – Zusammenfassungen in 90 bzw. 117 Kap. existieren, schöpft bes. aus → Antiochos [23] und → Teukros von Babylon, ferner aus Klaudios → Ptolemaios [65], → Vettius Valens, → Iulianos [19] von Laodikeia und → Olympiodoros' [4] Komm. zu Paulos [2] aus Alexandreia. Im J. 884 verfertigte ein byz. Anon. ein Exzerpt aus dem Werk des Rh. (CCAG 5.1, 1904, 217), das in das *Syntagma Laurentianum* einging und im frühen 11. Jh. von Demophilos benutzt wurde. Auch die Kompilation *De stellis fixis, in quibus oriuntur gradibus signorum*, deren griech. Vorlage wohl aus dem 10. Jh. stammt, integriert Lehren des Rh.; im 12. Jh. versifizierte Johannes Kamateros große Teile der Lehre des Rh. in seinem Lehrgedicht Εἰσαγωγὴ ἀστρονομίας/*Eisagōgḗ astronomías*, ›Einführung in die Astronomie‹.

→ Astrologie

QUELLEN: CCAG 1, 1898, 140–164; 7, 1908, 192–226 (Varianten 5.4, 1940, 122–133); 8.4, 1921, 115–225; 8.1, 1929, 220–248; 5.4, 1940, 133–154 • W. HÜBNER, Grade und Gradbezirke der Tierkreiszeichen, 1999, Bd. 1, 126–127 (und Komm., Bd. 2, 94–103); Bd. 1, 221–251 (und Komm., Bd. 2, 198–221). (Eine Ausgabe der Fr. hat D. PINGREE in Aussicht gestellt).
LIT.: F. BOLL, Sphaera, 1903, 5–21 • W. UND H. G. GUNDEL, Astrologumena, 1966, 249–251 • W. KROLL, s. v. Rh., RE Suppl. 5, 731 • D. PINGREE,

Antiochus and Rhetorius, in: CPh 72, 1977, 203–223 • Ders., Classical and Byzantine Astrology in Sassanian Persia, in: Dumbarton Oaks Papers 43, 1989, 227–239.   W. H.

Rhetra (ῥήτρα, ion. ῥήτρη, eleisch Ϝράτρα; zu εἴρειν/ *eírein* (»sprechen«).

[1] Allg. »feierlicher Spruch«, »mit autoritativem Anspruch Gesagtes«, übertragen auch »Übereinkunft«, »Vertrag« (z. B. Hom. Il. 14,393; Syll.³ 9, Elis, 6. Jh. v. Chr.), später »Beschluß«, »Gesetz« [1. 17–22; 2. 43¹; 3. 120²⁸³]. Die bei Tyrtaios fr. 1ᵇ,6 = °14,6 GENTILI/ PRATO (2. H. 7. Jh. v. Chr.) belegte Wendung εὐθεῖαι ῥήτραι/*eutheíai rhḗtrai* (»rechtmäßige Satzungen«) verweist als Ideal eines alle polit. Interessengruppen umfassenden Konsenses auf die epischen Verbindungen εὐθεῖα (ἰθεῖα) δίκη/*eutheía (itheía) díkē* (»gerader Rechtsspruch«; z. B. Hom. Il. 16,387; 18,508; Hes. erg. 219; 221; 225 f.) und betont damit den normativen Charakter einer Rh. schon in archa. Zeit.

→ Sparta

1 V. EHRENBERG, Neugründer des Staates, 1925 2 BUSOLT/SWOBODA, Bd. 1 3 G. L. HUXLEY, Early Sparta, 1962.

[2] Speziell die »Große« Rh. (in Abgrenzung von den Plut. Lykurgos 13 genannten weiteren Rhetrai) in Sparta stellt das wohl älteste und umstrittenste Dokument zur griech. Verfassungsgesch. dar. Ihre Einbindung in Plutarchs legendenhafte Vita des → Lykurgos [4] erlaubt keine direkten Antworten auf Fragen nach Authentizität, Datierung, Funktion und histor. Kontext (vgl. [2. 116]), so daß die Interpretation kontrovers diskutiert wird und stets von subjektiven Rekonstruktionsversuchen zur spartanischen Frühgesch. abhängt. Plutarch präsentiert den um 650 v. Chr. anzusetzenden Text als delphisches → Orakel an Lykurgos im Kontext der Einrichtung der → Gerusia und gliedert ihn in einen Hauptteil (Plut. Lykurgos 6,2) und einen späteren »Zusatz« (Plut. Lykurgos 6,8), der aber wohl urspr. Teil des Gesamtdokuments war [11. 45]. Die Bestimmungen sehen die Gründung von Heiligtümern für Zeus und Athena vor, die Einrichtung von → Phylen und Oben sowie einer Gerusia, bestehend aus 30 Personen inkl. der beiden Könige; eine Volksversammlung (→ Apella) soll regelmäßig an einem festen Ort tagen und über die eingebrachten Anträge entscheiden. Zudem können Geronten und Könige die Apella im Falle eines »schiefen« Beschlusses auflösen (»Zusatz«). Weitere Teile des Textes sind nicht mehr schlüssig zu rekonstruieren. Die später wichtigen → *éphoroi* werden jedenfalls nicht genannt.

Die Bed. dieser Gemeindeordnung liegt zum einen in der erstmals greifbaren Institutionalisierung polit. Entscheidungsorgane und der rudimentären Regelung von Entscheidungsfindung, zum anderen in der Festlegung von Kriterien für Zugehörigkeit zur Bürgerschaft und für gemeinsame Identität. So könnte die Aufforderung zur Gründung von Heiligtümern auf die Schaffung von Kristallisationspunkten einer gemeinsamen Identität der Spartaner als Angehörige einer Kultgemeinschaft zielen [4. 192–194]; die Bestimmung über die Einrichtung von Phylen und Oben als personale Gliederungseinheiten der Spartaner umreißt Grundvoraussetzungen des Bürgerstatus (jeder Bürger mußte Mitglied sein) und ersetzt ältere Bindungsverhältnisse (ähnlich später die Reform des → Kleisthenes [2] in Athen) [4. 194–201]. Die Apella wird durch feste Tagungstermine der Verfügbarkeit der Aristokraten (wie sie noch bei Homer deutlich ist) entzogen, während mit der Gerusia innerhalb des Adels eine fest umgrenzte Führungsgruppe geschaffen wird, in die auch die Könige sich zu integrieren haben.

In diesem Sinne erscheint ein Zusammenhang der Rh. mit mehrfach bezeugten inneren Spannungen zw. rivalisierenden Adelsfaktionen und der Masse des Volkes (dor. *dámos*) im 7. Jh. plausibel. Einzelfragen wie z.B. nach der Rolle des *dámos* in der Rh. (Aufwertung durch Institutionalisierung der Apella oder geringe Bed. aufgrund der Möglichkeit ihrer Auflösung im »Zusatz«?) oder nach der praktischen Funktionsweise des institutionellen Rahmens bleiben umstritten. Daß die Rh. in einer konfliktreichen Situation als eine Art Kompromiß entstand, scheint auch aus Tyrtaios (fr. 1^b = °14 GENTILI/PRATO) hervorzugehen, der auf den Text Bezug nimmt (was – wohl zu Unrecht – jedoch neuerdings bestritten wird [10]) und dabei bes. Konsensfähigkeit einfordert.

1 K. BRINGMANN, Die Große Rh. und die Entstehung des spartanischen Kosmos, in: K. CHRIST (Hrsg.), Sparta, 1986, 351–386 2 M. CLAUSS, Sparta, 1983 3 ST. LINK, Das frühe Sparta, 2000 4 M. MEIER, Aristokraten und Damoden, 1998, 186–207 5 M. NAFISSI, La nascita del kosmos, 1991, 51 ff. 6 D. OGDEN, Crooked Speech, in: JHS 114, 1994, 85–102 7 P. OLIVA, Sparta and Her Social Problems, 1971, 71–102 8 L. THOMMEN, Lakedaimonion Politeia, 1996, 30 ff. 9 U. WALTER, An der Polis teilhaben, 1993, 157–165 10 H. VAN WEES, Tyrtaeus' *Eunomia*: Nothing to Do with the Great Rh., in: ST. HODKINSON, A. POWELL (Hrsg.), Sparta, 1999, 1–41 11 K.-W. WELWEI, Die spartanische Phylenordnung im Spiegel der Großen Rh. und des Tyrtaios, in: Ders., Polis und Arché, 2000, 42–63.   M. MEI.

Rhexenor (Ῥηξήνωρ).

[1] Sohn des → Nausithoos [1], Bruder des → Alkinoos [1]. Er stirbt kurz nach seiner Hochzeit und hinterläßt als einziges Kind seine Tochter → Arete [1], die spätere Gattin des Alkinoos (Hom. Od. 7,63–66; 146; schol. Hom. Od. 7,56; Eust. ad Hom. Od. 7,63–65).

[2] Vater der → Chalkiope [1], der zweiten Gattin des → Aigeus (Apollod. 3,207; Tzetz. ad Lykophr. 494; Phanodemos FGrH 325 F 5). Alternativ werden als Väter auch Chalkodon (schol. Eur. Med. 673; Athen. 13,556 f.) und → Alkon [1] (Proxenos FGrH 425 F 2) genannt.   SI. A.

Rhianos (Ῥιανός) von Kreta. Epiker, Epigrammatiker und Homer-Philologe der 2. H. des 3. Jh. v. Chr.
A. LEBEN B. WERKE

A. LEBEN

Die einzige zusammenhängende Quelle bildet ein Eintrag in der Suda, der aber auch nur aus drei Sätzen besteht (sie gehen nach [3. 781] auf Dionysios [18] von Halikarnassos zurück). Danach stammt Rh. aus Bene (nahe bei → Gortyn; genaue ant. Lage unbekannt) oder → Keraia(i) auf Kreta (Bene war wohl Geburtsort, Keraia Schulort: [8. 85]). Vom Turnplatzwächter im Sklavenstatus (offenbar in einem Gymnasion) soll Rh. zum *grammatikós* (Literaten), möglicherweise in Alexandreia [1], und zwar zur Zeit des Eratosthenes [2], aufgestiegen sein (gegen früher vertretene Höherdatierungen des Rh. argumentiert umfassend [8]; das gesamte Profil des noch erkennbaren Œuvres bestätigt den Zeitansatz der Suda).

B. WERKE

Nur wenige, meist kurze Fr. sind erh.:

(1) Epen (histor. und myth.): 1. *Achaïká* (mind. 4 B.), 2. *Eliaká* (mind. 3 B.), 3. *Messēniaká* (mind. 6 B.), 4. *Thessaliká* (mind. 16 B.), 5. eine *Herákleia* (oder *Herakleïás*; 14 B.), 6. eine *Phḗmē*, Thema unbekannt.

(2) Epigramme: Erh. sind 10 Epigramme in der *Anthologia Palatina*, überwiegend zum Thema Päderastie, und eines (21 Hexameter) bei Stobaios (4,34) im Kapitel ›Über die Torheit <der Menschen>‹ (umfassend analysiert von [6]).

(3) Eine Homer-Ausgabe (in den Homer-Scholien zitiert als ›die des Rh.‹ oder ›die nach Rh.‹, aus der noch 45 z. T. gute Lesarten bekannt sind (durchgesprochen von [3. 788 f.], als eigener Überl.-Strang gewürdigt von [7. 186 f.]).

Am bekanntesten wurde das Epos *Messēniaká*, das den Freiheitskampf der Messenier (→ Messana [2]) unter ihrem Volkshelden → Aristomenes [1] besang und das → Pausanias [7] neben einer zweiten Hauptquelle, den *Messēniaká* des → Myron [4] von Priene, seiner Darstellung der → Messenischen Kriege zugrunde legte. Verschiedene Versuche, aus Pausanias die Umrisse des Rh.-Epos wiederzugewinnen, können für den Erzählungsumfang und -ablauf nur unsichere Ergebnisse erbringen, da Pausanias nicht mehr das Epos selbst ausschrieb, sondern ein ›Hdb. der frühen Kaiserzeit‹ [3. 783], das schon seinerseits zahlreiche Quellen kombinierte. Erkennbar sind immerhin noch einerseits starke motivische Anleihen bei Homers ›Ilias‹ und andererseits die für die hell.-alexandrinische Lit. typischen erotischen und romantischen Züge (darunter die Verklärung des Aristomenes, den Rh. nach Pausanias auf eine Stufe mit dem homer. Achilleus hob). Einfluß des Kallimachos [3] ist faßbar, aber im Prinzipienstreit der Alexandriner zwischen großer und kleiner Form (→ Hellenistische Dichtung D.) stand Rh. offenkundig auf seiten der Anti-Kallimacheer. Rh. war auch im lit. Rom kein Unbekannter, für Kaiser Tiberius war er sogar der Lieblingsautor (Suet. Tib. 70,2).

ED.: **1** CollAlex 9–21 (dazu SH 715f.) **2** GA I.2, 503–508 (mit Komm.).
LIT.: **3** W. ALY, s. v. Rh., RE I A, 781–790 **4** F. KIECHLE, Messenische Studien, 1959 **5** K. ZIEGLER, Das hell. Epos, ²1966 **6** M. M. KOKOLAKIS, ʹP. ὁ Κρής, 1968 **7** PFEIFFER, KPI, 186f. **8** C. CASTELLI, Riano di Creta: Ipotesi cronologiche e biografiche, in: Rendiconti Ist. Lombardo 128, 1994, 73–87 (dort weitere Lit.).   J.L.

Rhinon (ʹΡίνων). Att. Politiker, der 417/6 v. Chr. Beisitzer (→ *párhedros*) der → *hellēnotamíai* war und nach dem Sturz der »Dreißig« (→ *triákonta*) zu dem Gremium der Zehnmänner (→ *déka*) gehörte, die 403 die Aussöhnung mit den Demokraten im → Peiraieus und deren Rückkehr in die Stadt erreichten. Nach Wiederherstellung der Demokratie legte Rh. Rechenschaft über seine Amtstätigkeit ab und wurde für 403/2 zum → *stratēgós*, für 402/1 zum Schatzmeister der Göttin → Athena und der anderen Götter gewählt (ML 77,26f.; [Aristot.] Ath. pol. 38,3f.; Aristot. fr. 611 ROSE²; Isokr. or. 18,6; 18,8; IG II/II² 1371). → Aischines [1] benannte einen Dialog, → Archippos [1] eine Komödie nach Rh. (Diog. Laert. 2,61; Poll. 7,103; Athen. 15,678e = PCG 2 Archippus fr. 42–44; Poll. 2,183; 10,177).

A. FUKS, Notes on the Rule of the Ten at Athens in 403 B. C., in: Mnemosyne 6, 1953, 198–207 · U. HACKL, Die oligarchische Bewegung in Athen am Ausgang des 5. Jh. v. Chr., Diss. München 1960, 126f. · RHODES, 458–462 · M. CHAMBERS, Aristoteles. Staat der Athener, 1990 (dt. Übers. und Komm.), 313f.   W.S.

Rhinthon (ʹΡίνθων). Dichter lit. → Phlyaken-Stücke (von denen er 38 [1. test. 2 und 3] geschrieben haben soll) aus Syrakus [1. test. 1], zur Zeit Ptolemaios' [1] I. (322–283 v. Chr., König seit 305) [1. test. 3] in Tarent [1. test. 2 und 3] tätig. Von neun erh. Titeln sind acht als Tragödienparodien (zu Stücken des Euripides [1]: Ἀμφιτρύων/›Amphitryon‹, Ἡρακλῆς/›Herakles‹, Ἰφιγένεια ἀ ἐν Αὐλίδι/›Iphigeneia in Aulis‹, Ἰφιγένεια ἀ ἐν Ταύροις/›Iphigeneia im Taurerland‹, Δοῦλος Μελέαγρος/›Meleagros als Sklave‹, Μήδεια/›Medea‹, Ὀρέστας/›Orestes‹, Τήλεφος/›Telephos‹) erkennbar. Unter den insgesamt 28 Fr. gibt es nur vier wörtliche Zitate mit insgesamt sechs Versen; Fr. 10 zeigt die punktuell-scherzhafte Verwendung eines Hinkiambus (mitsamt gelehrtem Verweis auf → Hipponax) in einem iambischen Umfeld. Späte Zeugnisse machen Rh. zum Schöpfer einer eigenen dramatischen Form: der sog. *Hilarotragodía* (»heitere Tragödie«, auch *Phlyakographía* genannt [1. test. 3]) bzw. der *fabula Rhinthonica* [1. test. 5]. Ob sich dahinter mehr verbirgt als die Parodierung oder Travestierung att. Tragödien, wie sie bereits in der att. Mittleren Komödie üblich war, läßt sich aufgrund der spärlichen Überreste nicht mehr sagen. Wenig glaubhaft ist das ebenfalls späte Zeugnis [1. test. 6], Rh. habe Komödien in Hexametern geschrieben und damit → Lucilius [I 6] ein Vorbild für seine Satiren geliefert.
→ Parodie; Phlyaken

1 CGF 183–189 **2** M. GIGANTE, Rintone e il teatro in Magna Grecia, 1971.   H.-G. NE.

Rhion (ʹΡίον). Flacher Küstenvorsprung in Achaia, ca. 8 km nordöstl. von h. Patras [1. 226–227; 2. 199f.], h. Rhio, der über den ca. 2 km breiten Sund (auch Rh. genannt: vgl. Pol. 4,64,2; Liv. 27,29,9; Mela 2,52) mit dem nördl. gegenüberliegenden Antirrhion (oder ebenfalls Rh. bzw. ʹΡ. τὸ Μολυκρικόν/*Rh. to Molykrikón* nach → Molykreion; h. Antirhio) die westl. Einfahrt in den → Korinthischen Golf bildet (Thuk. 2,86,3; Ps.-Skyl. 35; 42; Skymn. 478; Strab. 8,2,3, hier wie bei Ptol. 3,15,5 fälschlich mit → Drepanon [2] gleichgesetzt; Plin. nat. 4,6; 4,13; Paus. 7,22,10; 10,11,6). Hier befand sich ein Heiligtum des → Poseidon, wo Agone (ʹΡίεια/ *Rhíeia*) stattfanden [3. 40; 4. 65]. An der Stelle, an der nach der Schlacht bei Aktion (31 v. Chr.) ein röm. Militärstützpunkt angelegt wurde, steht h. ein großes venezianisch-türkisches Kastell (Kastro tis Moreas).

1 Y. LAFOND, Espace et peuplement dans l'Achaïe antique, in: Studi Urbinati 66, 1993/4, 219–263 **2** Ders., M. CASEVITZ (Hrsg.), Pausanias. Description de la Grèce, Bd. 7, 2000 **3** L. MORETTI, Iscrizioni agonistiche greche, 1953 **4** P. CABANES, Les concours des *Naia* de Dodone, in: Nikephoros 1, 1988, 49–84.

K. FREITAG, Der Golf von Korinth, 1996, 280–284.
                                                            Y. L. u. E. O.

Rhipaia orē (ʹΡιπαῖα ὄρη). Mythisches Gebirge am Nordrand der Welt, mit etwas anderer Namensform genannt bereits bei Alkm. fr. 90 PMGF. Als *Rhípai* kennt sie auch Sophokles, der mit ihnen den Norden bezeichnet (Soph. Oid. K. 1248 mit schol.; vgl. Aischyl. TrGF 3 F 68). Assoziiert werden die Rh. o. bei beiden Autoren und anderen mit der Nacht (→ Nyx). Dies ist auf Spekulationen über die Sonnenbahn zurückzuführen: Nach einer weit verbreiteten Theorie geht die Sonne nach ihrem Untergang um die Erde herum, wird aber dabei von einem hohen Nordgebirge verdeckt (Anaximen. 13 A 7 und 14 DK, ohne Nennung der Rh. o.); als dieses dachte man sich die Rh. o. Lokalisiert werden sie bei den → Arimaspoi und den in der gesamten Ant. eng mit den Rh. o. verbundenen → Hyperboreioi, wobei diese Trad. wohl auf das Epos *Arimáspeia* des → Aristeas [1] von Prokonnesos zurückgeht [1; 2]. Die Rh. o. sollen immer schneebedeckt und von regenreichen Winden umweht sein, weswegen sie als unbewohnbar gelten. Auch der → Boreas weht von ihnen her (Damastes FGrH 5 F 1; Hellanikos FGrH 4 F 187a; Hippokr. *Perí aérōn hydátōn tópōn* 19). Von dem Wehen der Winde hat man auch ihren Namen abgeleitet (Serv. georg. 3,382: von ῥίπτειν/*rhíptein*, »schleudern«; vgl. auch Hom. Il. 15,171). Zunächst dachte man sich die Rh. o. als Nordgrenze der → Oikumene wohl von deren Westende bis zum Ostende reichend. Mit fortschreitender Kenntnis des Nordens und Westens rückten die Rh. o. immer weiter nach NO und wurden mit anderen Gebirgszügen als Grenze zw. Europa und Asien aufgefaßt (Plin. nat. 5,97–99; 6,33; Mela 1,109) [3. 312–316]. Die Rh. o. gelten ferner als das Ursprungsgebiet großer Flüsse, so des Tanais/Don (Aristot. meteor. 350b 7–11; Plin. nat. 4,78).

Ebenso wie die Existenz der Hyperboreer wurde auch die der Rh. o. angezweifelt. Bereits Herodot ist skeptisch in Bezug auf Nachr. über die Hyperboreer und andere Völker im äußersten Norden (Hdt. 4,31–36). Aristoteles bezweifelt Erzählungen von der außergewöhnlichen Größe der Rh. o., jedoch ohne deren Existenz selbst in Frage zu stellen (Aristot. l. c.). Bei Strabon werden Rh. o. und Hyperboreer dann ausdrücklich als aus Unwissenheit entstandene Erfindung abgetan (Strab. 7,3,1). Dagegen ist Poseidonios von der Existenz der Rh. o. überzeugt; er identifiziert sie mit den Alpen und vermutet dort die Hyperboreer; ferner berichtet er, daß bei Waldbränden reiche Silberquellen in den Rh. o. von selbst zutage träten (Poseid. fr. 240a und b; 270).

1 J. D. P. BOLTON, Aristeas of Proconnesus, 1962
2 F. JACOBY, Komm. zu Hekataios FGrH 1 F 194
3 D. TIMPE, s. v. Entdeckungsgesch. I, RGA 7, 307–389.
J. STE.

Rhithymna (Ῥίθυμνα).

Stadt an der NW-Küste von Kreta (Plin. nat. 4,59), h. Rethymnon, bereits in minoischer Zeit besiedelt (Tempel und Nekropole im Süden der Stadt). Auf ptolem. Einfluß deutet im 3. Jh. v. Chr. die vorübergehende Umbenennung in Arsinoë (nach der Gattin Ptolemaios’ [7] IV.) hin. Keine Überreste aus klass. und hell. Zeit, aus spätröm. Zeit ist ein Gebäude erhalten.

M. GUARDUCCI, Inscriptiones Creticae 2, 268–277 ·
I. F. SANDERS, Roman Crete, 1982, 163 · R. SCHEER, s. v. Rethymnon, in: LAUFFER, Griechenland, 584 f. H. SO.

Rhizon s. Risinum, Rhizon

Rhodanus (Ῥοδανός).

Der mit 812 km zweitlängste, wasserreichste Strom in → Gallia, h. Rhône, mit einem überaus fruchtbaren Einzugsgebiet von 99000 km², schiffbar bis über Lugdunum hinauf (zum erfolglosen Versuch, Rh. und Rhenus/Rhein mit Hilfe eines Kanals miteinander zu verbinden, vgl. Tac. ann. 13,53), eine bed. Handelsverkehrsachse mit ihren Handelszentren → Massalia (Marseille), → Arelate (Arles) und → Lugdunum (Lyon) zw. dem Mittelmeer (→ Mare Nostrum) und der inneren Gallia. Er entspringt nahe den Quellen des Rhenus [2] (Strab. 4,6,6) im Gebiet der → Lepontii (Plin. nat. 3,135) bzw. in den Alpes Poeninae (Amm. 15,11,16; vgl. Pol. 3,47,2–5), fließt durch das Tal der → Vallenses, wendet sich bei Octodurus nordwestwärts, durchfließt den → Lacus Lemanus, windet sich im Gebiet der Allobroges durch die Westausläufer des Iura, nimmt in seiner Südwende unterhalb von Lugdunum von rechts den wasserreicheren Arar sowie in der Folge von links die alpinen Zuflüsse Isara [1], Druna, Sulga (h. Sorgue) und Druentia auf, um sich bei Arelate mit mehreren Mündungsarmen durch ein umfangreiches Deltagebiet ins Mittelmeer zu ergießen (Pol. 34,10,5; Ptol. 2,10,2: zwei Arme; Artem. bei Strab. 4,4,8; Plin. nat. 3,33: drei Arme; Avien. ora maritima 688, dort 622–688 viel Mythisches; Timaios FGrH 566 F 70: fünf Arme; Apoll. Rhod. 4,634: sieben Arme). Zum Kanal, den Marius [I 1] von Arelate durch das Delta ziehen ließ, die *fossae Marianae*, h. Bras Mort, vgl. Plin. nat. 3,34.

D. VAN BERCHEM, Les routes et l’histoire, 1982 · A. L. F. RIVET, Gallia Narbonensis, 1988. Y. L.

Rhodaspes (Ῥωδάσπης).

Sohn des Partherkönigs → Phraates [4] IV., wurde von diesem zur Sicherung der Thronfolge → Phraates’ [5] V. 10/9 v. Chr. mit anderen Söhnen und Enkeln zu → Augustus nach Rom geschickt (R. Gest. div. Aug. 32; Strab. 16,1,28; Vell. 2,94,4; Tac. ann. 2,1,2; Suet. Aug. 21,3; 43,4), wo er starb (Grabinschr.: ILS 842).

1 E. NEDERGAARD, The Four Sons of Phraates IV in Rome, in: Acta Hyperborea 1, 1988, 102–115 2 K.-H. ZIEGLER, Die Beziehungen zw. Rom und dem Partherreich, 1964, 51 f. J. W.

Rhode (Ῥόδη).

Verm. identisch mit *Rhódos* (Ῥόδος; vgl. die Namensformen bei Pind. O. 7,71b und schol. Pind. O. 7,71b), der Eponymin der Insel → Rhodos (Diod. 5,56,3; schol. Pind. O. 7,24g), Tochter des → Poseidon und der → Amphitrite (Apollod. 1,28) bzw. der → Aphrodite (Pind. O. 7,14; schol. Pind. O. 7,24 f) oder → Halia [2] (Diod. 5,55,4), auch des → Okeanos (Epimenides FHG 4,404) oder des Asopos (schol. Hom. Od. 17,208) Gemahlin des Helios (→ Sol; Pind. O. 7,14), des Hauptgottes der Insel, auch des Poseidon (schol. Lykophr. 923). Aus der Verbindung mit Helios stammen die sieben Söhne → Ochimos, Aktis, → Kerkaphos, → Kandalos, → Triopas, Makareus und → Phaëthon [3] Tenages sowie die Tochter → Elektryone [2] (Pind. O. 7,71b–74b; schol. Pind. O. 7,24h; 7,131c; Diod. 5,56,5), nach schol. Hom. Od. 17,208 Phaëthon, → Lampetie, Phaëthusa und → Aigle [2]. In hell. Zeit wird die Rhodos als Stadtgöttin der Insel verehrt.

H. VAN GELDER, Gesch. der alten Rhodier, 1900 (Ndr. 1979), bes. 356 f. SU. EI.

Rhodiapolis (Ῥοδιάπολις).

Stadt in SO-Lykia, ca. 10 km nördl. vom h. Kumluca. Laut Theop. FGrH 115 F 103,15 nach Rhode, einer Tochter des Mopsos, benannt. Rh. war verm. rhodische (→ Rhodos) Kolonie. Felsgräber und Inschr. zeugen von ihrer Bed. in klass. Zeit. Mz. weisen Rh. seit 167 v. Chr. als Mitglied des → Lykischen Bundes aus. Bedeutendster Bürger war Opramoas, ein unter den Kaisern Hadrianus (117–138 n. Chr.) und Antoninus Pius (138–161 n. Chr.) in ganz Lykia wirkender → *euergétēs*. Sein Grab trägt eine der längsten Inschr. Kleinasiens (TAM 2, 905).

W. RUGE, s. v. Ῥοδία (4), RE I A, 955 f. · G. E. BEAN, Lycian Turkey, 1978, 148 f. · H. A. TROXELL, The Coinage of the Lycian League, 1982, 62 · C. KOKKINIA, Die Opramoas-Inschr. von Rh., 2000. A. T.

Rhodios (Ῥόδιος). Fluß in der Troas (Hom. Il. 12,20), h. Koca Çay. Er entspringt im Ida [2] und mündet zw. Abydos und Dardanos in den Hellespontos (Strab. 13,1,28). Im Quellgebiet lagen die beiden Städtchen Gordos und Kleandreia (Strab. 13,1,44). Mz. röm. Zeit aus Dardanos zeigen den Flußgott Rh. (SNG Danish Nat. Mus., Troas, Nr. 310).

> L. BÜRCHNER, s. v. Rh. (2), RE I A, 956 · W. LEAF, Strabo on the Troad, 1923, 207 f. · J. M. COOK, The Troad, 1973, 55. E. SCH.

Rhodische Vasen s. Ostgriechische Vasenmalerei

Rhododendron (ῥοδοδένδρον/ *rhododéndron* oder ῥοδο-δάφνη/ *rhododáphnē*, lat. zuerst bei Ps.-Verg. Culex 402, νήριον/ *nḗrion* z. B. bei Dioskurides 4,81 WELLMANN = 4,82 BERENDES, lat. *nerium, rododafne* bei Pall. agric. 1,35,9), der Lorbeerrosenbaum, Oleander (Nerium oleander) oder die Alpenrose (Rh. ferrugineum und hirsutum L.), erscheint erst im 1. Jh. n. Chr. bei Plin. nat. 16,79 (und Dioskurides s.u.) mit allen drei Namen (*rhododendron, rhododaphne* und *nerium*) und ist daher verm. griech. Herkunft. Die an Flußufern buschig wachsende immergrüne Pflanze mit rosenähnlichen Blüten wird in der Ant. zu Recht als giftig für Tiere (z. B. Hunde, Maultiere, Schafe und Ziegen) bezeichnet. Dem Menschen helfen ihre Blüten und Blätter, mit → Raute in Wein getrunken, gegen Schlangenbisse (Dioskurides 4,81 WELLMANN = 4,82 BERENDES; Plin. l.c.). In Wäldern am Schwarzmeer kam der Rh. angeblich bes. häufig vor (nach Plin. nat. 21,77 wird das Volk der Sanni nach dem Genuß des von ihm stammenden Honigs rasend, vgl. für Trapezunt Ail. nat. 5,42). Die gelbblühende Art Rh. flavum ist noch h. im kleinasiatischen Pontos und auf der Insel Lesbos stark verbreitet [1. 167 und Abb. 344]. Nach Pall. agric. 1,35,9 (= Geop. 13,5,3) werden Mäuse durch die in ihre Gänge gestopften Blätter getötet. Vielleicht ist der »wilde Lorbeer« (ἀγρία δάφνη/ *agría dáphnē*) bei Theophr. h. plant. 1,9,3 mit dem im Mittelmeergebiet offenbar indigenen Oleander identisch (vgl. [2. 420]).

> 1 H. BAUMANN, Die griech. Pflanzenwelt, 1982 2 V. HEHN, Kulturpflanzen und Haustiere, ed. O. SCHRADER, ⁹1911 (Ndr. 1963), 416–420. C. HÜ.

Rhodogune (Ῥοδογούνη).
[1] Gattin des → Hystaspes [2], Mutter → Dareios' [1] I. (Suda und Harpokr., s. v.).
[2] Tochter → Dareios' [1] I.? (Hier. adversus Iovinianum 1,45; PL 23, p. 287).
[3] Tochter → Xerxes' I. (Ktes. FGrH 688 F 13).
[4] Tochter → Artaxerxes' [2] II., Gattin des → Orontes [2] I. (Plut. Artaxerxes 27,7; vgl. Xen. an. 2,4,8), damit Bindeglied in der väterlichen Linie der Ahnengalerie → Antiochos' [16] I. von Kommagene zw. Orontiden und Achaimeniden (OGIS 392) [3. 39].
[5] Nach Polyain. 8,28 pers. Heerführerin, deren Taten nach dem Vorbild der → Semiramis gestaltet sind.

[6] Tochter des Partherkönigs → Mithradates [12] I., Schwester → Phraates' [2] II., Gattin des Seleukiden → Demetrios [8] II. Nikator (App. Syr. 67 f.; Iust. 38,9) [2], Heldin der nach ihr benannten Tragödie CORNEILLES.

> 1 M. BROSIUS, Women in Ancient Persia, 1996 2 E. DABROWA, Könige Syriens in der Gefangenschaft der Parther, in: Tyche 7, 1992, 45–54 3 W. MESSERSCHMIDT, Die Ahnengalerie des Antiochos I. von Kommagene, in: J. WAGNER (Hrsg.), Gottkönige am Euphrat, 2000, 37–43. J. W.

Rhodope (Ῥοδόπη). Gebirge, das sich von der Nordküste des Aigaion Pelagos (Ägäis) bis zur thrakischen Ebene um → Philippopolis erstreckte, großenteils hochgebirgig bis zu 2000 m H und schwer zugänglich, h. Rhodopi, östl. Grenzgebirge zw. Griechenland und Bulgarien. Die Rh. schloß nach ant. Trad. auch die Gebirgszüge des h. Rila- und Pirin-Gebirges ein (Hdt. 4,49; 8,116; Thuk. 2,96–98; Strab. 7,5,1; 7, fr. 36). Reiche Erzvorkommen (Gold, Silber, Kupfer). Die Rh. war Siedlungsgebiet der thrakischen Dii, → Satrai und → Bessi; in der Spätant. war die Rh. bes. dicht besiedelt (Philostr. heroikos 62).

> TIR K 35,1, 1993, 51. I. v. B.

Rhodopis (Ῥοδῶπις, »von rosigem Aussehen«). Legendäre Hetäre in Naukratis (1. H. 6. Jh. v. Chr.), Thrakerin (?), Sklavin des Iadmon von Samos, dann vom Samier Xanthos nach Äg. gebracht, wo sie Charax, Bruder der → Sappho, freigekauft haben soll (Hdt. 2,134,3; 135,1 f.); ihre Identität mit Charax' fataler Liebschaft Doricha (Sappho fr. 26,11 DIEHL; vgl. fr. 7 LOBEL/PAGE) ist unklar (Hdt. 2,135,5; Strab. 17,1,33; anders: Athen. 13,596b-d). Rh. erwarb mit ihrer Schönheit ein Vermögen, dessen Zehnten sie in Gestalt von eisernen Ochsenbratspießen nach Delphoi stiftete (Hdt. 2,135, 3–4); die Mykerinospyramide in Gizeh wurde ihr fälschlich zugesprochen (Hdt. 2,134,1 f.; 135,2). Bei Strab. 17,1,33 wird Rh. vollends zur Märchenfigur. L.-M. G.

Rhodos (Ῥόδος).
I. GEOGRAPHIE II. FRÜHZEIT
III. KLASSISCHE BIS RÖMISCHE ZEIT
IV. SPÄTANTIKE UND BYZANTINISCHE ZEIT
V. KULTUR VI. ARCHÄOLOGIE

I. GEOGRAPHIE
Insel im südöstl. → Aigaion Pelagos vor der SW-Küste von Kleinasien, h. der Inselgruppe Dodekanes zugeordnet, mit einer Fläche von 1400 km². Die ant. Gesch. der Insel Rh. wurde zu einem guten Teil von ihrer geogr. Situation geprägt: Die Lage an einer wichtigen Schiffahrtsroute von Griechenland nach Asien und Ägypten sowie die Nähe zur kleinasiatischen Küste (Entfernung nur knapp 10 km) machten Rh. sowohl zu einem Brennpunkt des ant. Handels als auch zu einem

bed. strategischen Faktor im Kalkül auswärtiger Mächte (z. B. der → Ptolemaier, → Seleukiden). Die Landesnatur der Insel selbst − neben der in Nord-Süd-Richtung verlaufenden Bergkette mit dem Atabyrion als höchster Erhebung (h. Attáviros, 1215 m H) breite Küstenstriche, üppige Vegetation, Wald- und Wasserreichtum − bot den Bewohnern beste Voraussetzungen für wirtschaftliche Prosperität.

II. FRÜHZEIT

Bereits in myk. Zeit dicht besiedelt, entwickelten sich auf Rh. nach der dorischen Landnahme (E. des 10. Jh. v. Chr.) die drei Hauptorte → Ialysos, → Kamiros und → Lindos, die zusammen mit → Kos, → Knidos und → Halikarnassos die dorische Hexapolis (Bund von sechs dor. Städten um das Kultzentrum des Triopischen Apollon) bildeten (Hdt. 1,144). Ab dem 7. Jh. v. Chr. unterhielt Rh. weitreichende Handelsaktivitäten bis in den westmediterranen Raum (Keramik aus Rh.), in deren Zusammenhang auch die Gründung des sizilischen → Gela durch Kolonisten aus Lindos (um 690 v. Chr.) zu sehen ist (Thuk. 6,4,3). Kurzfristig unter pers. Herrschaft, wurden die drei großen Städte und andere rhod. Poleis, auch die der kleinasiat. → Peraia, selbständige Mitglieder des → Attisch-Delischen Seebundes (ATL 1,248 f.; 262 f.; 290 f.; 296 f.; 360 f.; 370 f.). In der letzten Phase des → Peloponnesischen Krieges um 408/7 v. Chr. durch → synoikismós erfolgte Gründung der neuen Hauptstadt Rh. an der Nordspitze der Insel (Diod. 13,75,1) war wohl primär eine aktuelle Maßnahme zur Bündelung der Kräfte gegen Athen, markiert aber auch den Auftakt zu einer generell einheitlicheren Politik der Insel. Außerdem demonstrierte die Pracht der nach dem hippodamischen System (→ Hippodamos, → Städtebau) angelegten Stadt [1] mit ihrem künstlichen Hafen (Strab. 14,2,5) ihren Reichtum.

III. KLASSISCHE BIS RÖMISCHE ZEIT

Nach vorübergehendem Anschluß an Sparta wurde Rh. Mitglied auch im → Attischen Seebund (Syll.³ 147,82), stand kurzfristig unter der Herrschaft des karischen Dynasten → Maussollos, opponierte zunächst gegen die maked. Expansion unter Philippos [4] II. und gehörte seit 332 v. Chr. zum Herrschaftsbereich Alexandros' [4] d.Gr. (Arr. an. 2,20,2; Curt. 4,5,9; 4,8,12 f.; Diod. 18,8,1), zu dessen hartnäckigsten Gegnern in der ersten Phase des Feldzugs der in pers. Diensten stehende rhod. Söldnerführer Memnon [3] zählte. In den → Diadochenkriegen konnte Rh., gemäßigt demokratisch organisiert (Pol. 27,4,7; Diod. 20,93,7), nach der Abwehr der Belagerung durch Demetrios [2] 307/6 v. Chr. (Diod. 20,81−100) die polit. Unabhängigkeit bewahren. Eine monumentale Br.-Statue des Stadtgottes Helios (sog. »Koloß von Rh.«) diente als Erinnerung an dieses Ereignis und wurde zu den Sieben → Weltwundern gezählt [2. 84−91]. Bei einem verheerenden Erdbeben im J. 227 v. Chr. wurde der Koloß ebenso zerstört wie ganze Teile der Stadt Rh. Eine beispiellose Hilfsaktion der hell. Könige (Pol. 5,88−90) beim Wiederaufbau war gleichermaßen Ausweis königlicher *euergesía* (→ *euergé-*

tēs) wie auch der allg. Wertschätzung von Rh. als einem potenten Handelspartner [3. 195−199].

220 v. Chr. war Rh. als »erste Seemacht der damaligen Zeit« (Pol. 4,47,1) in einen wegen der Erhebung von Zöllen für die Schiffahrt durch den Bosporos [1] ausgebrochenen Konflikt mit → Byzantion involviert (Pol. 4,47−52). Bei der um 200 v. Chr. einsetzenden röm. Expansion in den hell. Osten erwies sich Rh. als ein loyaler Partner der Römer (angebliche frühere Kontakte zw. Rom und Rh.: Pol. 30,5,6−8 = Liv. 45,25,9) und wurde 188 v. Chr. im Frieden von Apameia (vgl. → Antiochos [5]) mit der Erweiterung seines Festlandbesitzes (Karia, Lykia) belohnt. Auf im 3. Makedonischen Krieg evident gewordenes Streben der Rhodier nach größerer Unabhängigkeit reagierte Rom mit harten Sanktionen, wobei die Konfiskation der lykischen und karischen Territorien (167 v. Chr.) Rh. in seiner wirtschaftlichen Substanz weniger traf als die Erhebung von → Delos zum Freihafen (166 v. Chr.).

Rechtsgrundlage der künftigen Beziehungen zu Rom bildete ein 164 v. Chr. geschlossener Bündnisvertrag (Pol. 30,31,19 f.; Liv. per. 46), der jedoch den Verlust an polit. und maritimer Bed. nicht zu kompensieren vermochte. 88 v. Chr. gelang die Abwehr eines Angriffs der Flotte des Mithradates [6] VI. Lavierend zw. den Fronten des röm. Bürgerkriegs (Unterstützung sowohl für → Pompeius [I 3] als auch für → Caesar: Caes. civ. 3,102,7; 3,106,1), wurde die Stadt Rh. 42 v. Chr. durch Cassius [I 10] schwer in Mitleidenschaft gezogen (App. civ. 4,72−74; Cass. Dio 47,33,4). In der Kaiserzeit war Rh. de facto immer von Rom abhängig, auch wenn ein relativ häufiger, aus den Quellen freilich nicht eindeutig rekonstruierbarer Wechsel in Gewährung (Augustus, Nero, Domitianus) und Entzug (Claudius, Vespasianus) der Freiheit stattfand.   H.SO.

IV. SPÄTANTIKE UND
BYZANTINISCHE ZEIT

Das Bild, das sich für Rh. am E. der Ant. abzeichnet, gleicht dem vieler Ägais-Inseln: Blüte in spätröm. Zeit, als die Stadt Rh., am Schnittpunkt wichtiger Handelswege gelegen, den Mittelpunkt der Prov. Νῆσοι/*Nέsoi* bildete, die Mitte des 7. Jh. n. Chr. jäh unterbrochen wurde (Abreißen der Münzserien 655/6 bis Mitte des 9. Jh. [4. 138]: Theophilos), ökonomischer und demographischer Rückgang [4. 242 f., 434 u.ö.], der erst im 9. Jh. einem erneuten Aufschwung wich, Verlagerung der Handelswege, Konzentration der Siedlungen auf befestigte κάστρα/*kástra* (auf die Stadt Rh. und → Lindos). Ein wichtiger Faktor dabei waren die wiederholten arab. Einfälle und Plünderungen (654 n. Chr. unter → Muʿāwiya; 807 n. Chr. unter → Hārūn ar-Rašīd), in deren Zusammenhang auch die Reste des berühmten Kolosses abtransportiert wurden (Theophanes 345,9−11: Abtransport der Br. angeblich durch einen Juden aus Edessa), die jedoch weder wie im Falle → Kretas zu einer dauerhaften arab. Herrschaft noch wie in → Kypros zu einem byz.-arab. Kondominium führten. Die mil. Verteidigung war zusammengebrochen und konnte erst im 8. Jh. reorganisiert werden, zunächst auf lokaler Ebene [4. 599 ff.].

Rh. gehörte dann zum → théma der Kibyrrhaioten und war nach Angaben al-Masʿūdīs [4. 600] im 10. Jh. wichtiger Flottenstützpunkt und Arsenal der Byzantiner. Im 11. Jh. wurde Rh. in das nunmehr von westl. Händlern beherrschte internationale Handelsnetz einbezogen, was auch die kurze Eroberung durch Venedig im J. 1124 erklärt [4. 98]. Die Auflösung der byz. Herrschaft über die griech. Inselwelt führte bei Rh. nach 1204 zur Herrschaft der Familie des Leon Gabalas, dann zur wechselnden Herrschaft des Reiches von Nikaia, der Genuesen und nach 1309 der Herrschaft der Johanniter (vgl. zuletzt [5]), die die Insel bis 1523 halten konnten. J.N.

V. KULTUR

Rh. zählte zu den bedeutendsten kulturellen Zentren der Ant. Berühmte Kunstwerke aus rhod. Produktion sind, neben dem Koloß (erbaut von Chares [4]), die Nike von Samothrake (Paris, LV) und die Laokoon-Gruppe (Rom, VM). Unter den aus Rh. stammenden oder hier wirkenden Literaten und Gelehrten ragen → Apollonios [2], → Panaitios [4] und → Poseidonios [3] von Apameia hervor. Ferner stammten die Dichter → Antagoras, → Aristodikos, → Dionysios [3], → Konstatinos [2], → Simias und die Philosophen → Melanthios [7], → Andronikos [4], → Eudemos [3] sowie der Mathematiker Attalos [7], der Redner → Aristokles [3] und die Historiker → Antisthenes [2] und → Kastor [2] aus Rh. Für vornehme Römer der späten Republik und frühen Kaiserzeit gehörte ein Bildungsaufenthalt auf Rh. zum guten Ton (z. B. Lucretius, Pompeius [I 3], Cicero, Caesar, Tiberius). Das von der maritimen Großmacht Rh. entwickelte Seerecht hatte bis in byz. Zeit Bedeutung.

VI. ARCHÄOLOGIE

Die Städte → Ialysos, → Kamiros und → Lindos sind arch. gut erschlossen. In Rh.-Stadt verhindert mod. Überbauung entsprechende Prospektion; Reste (Tempelanlagen) finden sich auf der Akropolis, phantasievoll rekonstruiert sind Stadion und Theater, das hippodamische System ist in der h. Stadtanlage noch gut nachvollziehbar.
→ RHODOS

1 R. E. WYCHERLEY, Hippodamus and Rhodes, in: Historia 13, 1964, 135–139 2 K. BRODERSEN, Die Sieben Weltwunder, 1996 3 H. SONNABEND, Naturkatastrophen in der Ant., 1999 4 E. MALAMUT, Les îles de l'empire Byzantin, 2 Bde., 1988 5 N. VATIN, Rhodes et l'ordre de Saint-Jean-de-Jérusalem, 2000.

R. M. BERTHOLD, Rhodes in the Hellenistic Age, 1982 · P. M. FRASER, G. E. BEAN, The Rhodian Peraea and Islands, 1954 · P. FUNKE, Rh. und die hell. Staatenwelt an der Wende vom 4. zum 3. Jh. v. Chr., in: E. DABROWA (Hrsg.), Donum amicitiae ..., 1997, 35–41 · V. GABRIELSEN u. a. (Hrsg.), Hellenistic Rhodes (Studies in Hellenistic Civilization 9), 1999 · H. VAN GELDER, Gesch. der alten Rhodier, 1900 · T. E. GREGORY, s. v. Rhodes, ODB 3,

1191 f. · J. KODER, s. v. Rh., LMA 7, 795–797 · C. MEE, Rhodes in the Bronze Age, 1982 · M. RIEMSCHNEIDER, Rh., 1974 · H. H. SCHMITT, Rom und Rh., 1957 · A. WITTENBURG, s. v. Rh., in: LAUFFER, Griechenland, 588–593. H. SO.

Rhoikos (Ῥοῖκος).

[1] Einer der → Kentauren. Rh. wird gemeinsam mit seinem Gefährten → Hylaios wegen seiner Zudringlichkeit von → Atalante getötet (Kall. h. 3,221 mit schol.; Apollod. 3,106; Ail. var. 13,1). Evtl. identisch mit dem Kentauren Rhoetus (Ov. met. 12,271–301; Var. Rhoetus/Rhoecus z. B. Verg. georg. 2,456; Lucan. 6,390; Val. Fl. 1,141; 3,65).

[2] Knidier, läßt eine Eiche abstützen, die umzustürzen droht, und rettet so auch das Leben der mit dem Baum verbundenen Nymphe (→ Hamadryade), die ihm zum Dank einen Wunsch freigibt. Rh. wünscht sich ein Schäferstündchen mit der Nymphe, und sie verspricht ihm, wenn er sonst enthaltsam sei, eine Biene als Botin zu schicken. Als diese zu ihm kommt, ist Rh. jedoch gerade bei einem Brettspiel und reagiert unwirsch. Daraufhin blendet ihn die Nymphe im Zorn (Charon von Lampsakos, FGrH 262 F 12a = schol. Apoll. Rhod. 2,476–483; vgl. schol. Theokr. 3,13). Nach Pind. fr. 252 SCHROEDER (= Plut. quaestiones naturales 36) wird Rh. von der Biene wegen Untreue gestochen. Solche Bestrafungen von Menschen für nicht eingehaltene Vereinbarungen mit (halb-)göttlichen Wesen sind ein häufiger wiederkehrendes griech. Sagenmotiv [1; 2].

1 P. FRIEDLÄNDER, s. v. Ῥ. (3), RE IA, 1002 f.
2 PRELLER/ROBERT 1,719,2. NI.JO.

[3] Griech. Architekt archa. Zeit aus Samos, Sohn des Phileas. Ant. Schriftquellen (Paus. 10,38,5; Hdt. 1,51; 3,41; 3,60,4; Plin. nat. 8,198; 34,90; Vitr. 7 praef. 12) nennen ihn häufig gemeinsam mit dem Architekten und Bildhauer → Theodoros, schreiben z. T. beiden ein verwandtschaftliches Verhältnis zu und führen zahlreiche technische Erfindungen auf sie zurück. Allerdings hat es den Anschein, als seien dabei verschiedene Personen gleichen Namens zu einer Person verschmolzen, so daß etwa eine Bronzestatue im Artemision von Ephesos wahrscheinlich irrtümlich als Werk des Rh. aus Samos bezeichnet wurde (Paus. 10,38,6) und die de facto unklar bleibende Beteiligung des Rh. am Bau des lemnischen Labyrinths als gesichert bezeichnet worden ist (Plin. nat. 36,90). Dagegen ist unstrittig, daß Rh. als Architekt den großen → Dipteros im Heraion von Samos schuf, wenngleich die Frage unterschiedlich beantwortet wird, ob es sich dabei um den ersten oder zweiten samischen Monumentaltempel handelt. Während die ältere Forsch. und das sich hieran anschließende Schrifttum [1] die Auffassung vertritt, Rh. habe den ersten Dipteros von Samos entworfen, wird Rh. in der jüngeren Forsch. als Architekt jenes Tempels bezeichnet, den Hdt. 3,60 ausdrücklich als den größten von ihm gesehenen Tempel beschreibt, womit aus chronologischen Gründen nur der zweite samische Dipteros, der sog. »Polykrates-Tempel«, gemeint sein kann [2].

1 E. Buschor, Heraion von Samos: Frühe Bauten, in: MDAI(A) 55, 1930, 49–51 2 A. E. Furtwängler, Wer entwarf den größten Tempel Griechenlands? in: MDAI(A) 99, 1984, 97–103.

H. Svenson-Evers, Die griech. Architekten archa. und klass. Zeit, 1996, 7–49. H. KN.

Rhoimetalkes (Ῥοιμητάλκης). Könige von Thrakien (vgl. Stemma 22 in PIR² P, Bd. 6, p. 233; → Thrakes).
[1] Rh. I. Wechselte 31 v. Chr. von Antonius [I 9] zu Octavianus [1] (Plut. mor. 207a; Plut. Romulus 17,3); um 22 v. Chr. beerbte er als röm. Vasallenfürst seinen Schwager Kotys [I 6], für dessen Sohn Rhaskuporis [2] er die Vormundschaft übernahm; 19/8 v. Chr. half m. M. Lollius [II 1] gegen die → Bessi (Cass. Dio 54,20,3), die ihn 11 v. Chr. auf die Chersonesos zurückdrängen konnten (Cass. Dio 54,34,5). 6 n. Chr. unterstützt Rh. die Römer im Pannonischen Krieg (Cass. Dio 55,30,3; 30,6; Vell. 2,112,4). 13 n. Chr. wurde von Rom sein Erbe zw. seinem Sohn Kotys [I 9] und seinem Bruder Rhaskuporis [3] aufgeteilt (Tac. ann. 2,64,2). Rh. prägte Silber- und Bronzemünzen (RPC I Nr. 1704–1720, 1774f.). – u. a. auch mit dem Bild seiner Frau, die namentlich unbekannt ist. PIR² R 67.
[2] Rh. II., C. Iulius Rh. Thrakischer König 19–36 n. Chr. Sohn des Rhaskuporis [3] (EEpigr 9, p. 696; IGBulg 2,743), nach dessen Verurteilung er die *ripa Thraciae* erhielt (Tac. ann. 2,67,2; 4,5,3). Ehe mit Pythodoris [2] (IGBulg 2²,399). Rh. unterstützte 21 und 26 n. Chr. die Römer gegen meuternde thrakische Stämme (Tac. ann. 3,38,3–39; 4,47,1; IGR 1,777 = OGIS 378). Er prägte unter Tiberius Mz. (RPC I 1721). PIR² I 517 und R 69.
[3] Rh. III. Sohn von Kotys [I 9] und Antonia [7] Tryphaena, der nach der Ermordung des Vaters 18/9 n. Chr. zusammen mit seinen Brüdern, Polemon [5] und Kotys [I 10], in Rom unter der Vormundschaft des → Trebellenus Rufus aufwuchs (Tac. ann. 2,64–67; 3,38,3; Syll.² 2,798–799 = IGR 4,145–146). Ca. 38 n. Chr. setzte ihn der befreundete → Caligula zum König über Thrakien ein (Cass. Dio 59,12,2). Nach der Ermordung des Rh. durch seine Frau 46 n. Chr. (Synkellos 631) wurde Thrakien endgültig röm. Provinz. Rh. prägte unter Caligula Mz. (RPC I 1722–1726). PIR² R 68.

1 Ch. M. Danov, Die Thraker auf dem Ostbalkan von der hell. Zeit bis zur Gründung Konstantinopels, in: ANRW II 7.1, 1979, 21–185, bes. 120–145 2 S. J. Saprykin, Iz istorii pontijskogo carstva Polemonidov, in: VDI 1993.2, 25–49 3 R. D. Sullivan, Thrace in the Eastern Dynastic Network, in: ANRW II 7.1, 1979, 186–211 4 M. Tačeva, The Last Thracian Independent Dynasty of the Rhascuporids, in: A. Fol (Hrsg.), Studia in honorem G. Mihailov, 1995, 459–467.

[4] Ti. Iulius Rh. Von Hadrian eingesetzter (IOSPE 2,33 = IGR 1,877) bosporanischer König 133–153/4 n. Chr. Im Streit mit dem späteren Thronerben Ti. Iulius → Eupator bestätigte Antoninus Pius die Regentschaft des Rh. (SHA Antoninus Pius 9,8; anders [2. 351]). Sein Sohn, Ti. Iulius → Sauromates, erlangte

erst 173 die Herrschaft (SEG 45,1017). Die Stadt → Chersonesos [3] versuchte, Autonomie zu erlangen, mußte jedoch aufgrund der Skythengefahr in ein Militärbündnis mit Rh. einwilligen (IOSPE 1,423 = IGR 1,865). Rh. prägte ab 131, noch zu Lebzeiten seines Vorgängers → Kotys [II 2], Gold- und Kupfermz. [1. 37f., 143–156]. PIR² I 516 und Addendum in PIR² R 69, Bd. 7.1, p. 68.

1 N. A. Frolova, The Coinage of the Kingdom of Bosporus A. D. 69–238, 1979 2 V. F. Gajdukevič, Das Bosporanische Reich, 1971. U.P.

Rhoio (Ῥοιώ). Tochter des → Staphylos und der → Chrysothemis [1], Schwester der → Molpadia [1] und der → Parthenos [2]. Nachdem die Schwestern bei der Bewachung des vom Vater neu hergestellten Weins versagt haben, stürzen sie sich ins Meer und werden von → Apollon gerettet, der mit Rh. den → Anios zeugt. Staphylos sperrt die schwangere Rh. in einen Kasten, der in Delos (oder Euboia, Tzetz. Lykophr. 570) angeschwemmt wird, wo Apoll sich des Sohnes annimmt (Diod. 5,62f.; Dion. Hal. de Dinarcho 11,17; Lykophr. 570). In der Gesch. vom Argeier Lyrkos verlieben sich Rh. und ihre Schwester Hemithea (→ Molpadia [1]) in ihn, Rh. ist erfolglos (Parthenios 1). Zur kultischen Zusammengehörigkeit von Granatapfel (ῥοιά/rhoiá) und Weintraube (σταφυλή/staphýlē) Clem. Al. protreptikos 19.

G. Weicker, s. v. Rh. (1), RE IA,1, 1004–1006. R. HA.

Rhoiteion (Ῥοίτειον). Küstenort in der Troas am gleichnamigen Vorgebirge, wohl von → Astypalaia gegr. (Strab. 13,1,42), ca. 4 km südwestl. von Ophryneion, 9 km südl. von Kepez auf dem Baba Kalesi [1. 79f., 87–89]. 480 v. Chr. zog Xerxes an Rh. vorüber (Hdt. 7,43). 425/4 v. Chr. zahlte Rh. acht Talente im → Attisch-Delischen Seebund (ATL 1,393; 544; 2,82; 4,108). Der günstig gelegene Hafen scheint Rh. reich gemacht zu haben (Thuk. 4,52; 8,101; Diod. 17,7,10), doch ließ der Wohlstand in hell. Zeit nach. Im → Syrischen Krieg (191–188 v. Chr.) landeten die Römer 190 v. Chr. hier, weil ihnen die Einfahrt in den Hafen von → Abydos versperrt war (App. Syr. 10,23). Nicht mehr erwähnt wird Rh. im Zollgesetz von Ephesos [2]. In der Nähe von Rh. befanden sich Grabmal und Tempel des Aias [1], dessen Statue Antonius [I 9] nach Äg. entführte und Caesar wieder zurückbringen ließ (Strab. 13,1,30; Lucan. 9,963).

1 J. M. Cook, The Troad, 1973 2 H. Engelmann, D. Knibbe, Das Zollgesetz der Prov. Asia, in: EA 14, 1989, 1–206.

L. Bürchner, s. v. Rh. (3), RE I A, 1007 • W. Leaf, Strabo on the Troad, 1923, 155–157. E.SCH.

Rhomaia (Ῥωμαῖα). Die Rh. waren penteterische (alle 5 J.) oder jährlich stattfindende Feste, die in der griech. Welt seit dem frühen 2. Jh. v. Chr. zu Ehren von → Roma [IV.] gefeiert wurden. Als Modell dienten dabei die traditionellen einheimischen Kulte von Gottheiten oder Heroen (→ Heroenkult); in einzelnen Fällen wurden die Rh. auch gemeinsam mit einem schon existierenden lokalen Kult begangen. Die Rh. beinhalteten Prozessionen, Opfer und Agone (vgl. SEG 30,1073: Chios) – etwa athletische und musische Wettkämpfe (Xanthos, SEG 28,1246) und Reiterspiele (Oropos und Magnesia: [1. 169f.]). Eine Erweiterung erlebten die Rh. als Rh. Sebastá in der Kaiserzeit als Feste der gemeinsamen Kulte von Roma und → Augustus. Die vom → koinón der Provinz Asia in Pergamon veranstalteten Sebastá Rh. waren gar von der Besteuerung befreit (SEG 39,1180 Z. 128–133; [2. 114–116]).

Unter Kaiser Hadrian nannte man auch die stadtröm. → Parilia Rh. (Athen. 8,361f.).

1 R. MELLOR, Thea Rome (Hypomnemata 42), 1975, 165–180 2 S. J. FRIESEN, Twice Neokoros. Ephesus, Asia and the Cult of the Flavian Imperial Family, 1993. SI. PR.

Rhomaioi (Ῥωμαῖοι). Rhōmaíos ist die originäre griech. Bezeichnung für »Römer« und als solche aus sachlichen Gründen v. a. bei griech. Historiographen (z. B. Polybios [2] oder Dionysios [18] von Halikarnassos) belegt. Mit der Verlegung der Reichshauptstadt nach Byzanz (→ Konstantinopolis) aber konnte Rhōmaíos mehr und mehr auch für den griech.-sprachigen Byzantiner verwendet werden; eine anfangs noch vorhandene Differenzierung zw. oἱ ἑῷοι Ῥωμαῖοι/eóioi Rhōmaíoi (»die östl. Rh.«) und oἱ ἑσπέριοι Ῥωμαῖοι/hespérioi Rhōmaíoi (»die westl. Rh.«) wird mit dem Untergang des Westreichs 476 n. Chr. endgültig obsolet, und Rh. wird zur Eigenbezeichnung der (byz.) Griechen; daß sie tatsächlich im Sprachgebrauch verwurzelt war und keineswegs nur zur offiziellen Terminologie zählte, ist daraus zu ersehen, daß sie an volkssprachlichem Lautwandel teilnahm (> ngr. ρωμιός/rhōmiós), eigene griech. Ableitungen bildete, etwa ngr. ρωμιοσύνη/rhōmiosýnē »Griechentum«, und bis weit in die Neuzeit hinein üblich war. Der Begriff ρωμαϊκὴ γλῶττα/rhōmaïkḗ glótta für die griech. Sprache tritt demgegenüber mit einer leichten zeitlichen Verzögerung auf (z. B. sind für Athanasios Rh. »Griechen«, aber rhōmaïkḗ glótta meint die lat. Sprache) und setzte sich auch nicht mit derselben Ausschließlichkeit durch; dennoch stammt der Erstbeleg bereits aus dem 4. Jh. n. Chr. (Acta Pilati 287 TISCHENDORF). Parallel dazu wird der Ausdruck Ἕλληνες/Héllēnes als ethnische Bezeichnung zunehmend unüblich; bereits bei Paulus [2] deutet sich dessen Bed.-Wandel zu »Nichtjude« an. Später wird Héllēn zu »Nichtchrist, Heide« (lat. Vulgata-Übers. zu Apg 16,1: gentilis; bei → Ulfila das fem. haíþno), in neugriech. Volkssprache letztlich zur Bezeichnung urzeitlicher »Riesen«. Einziges Refugium von Héllēnes als Ethnikon blieb die archaisierend-hochsprachliche griech. Lit.; die Renaissance dieses Begriffs ist (abgesehen vom gelehrten Wiederaufleben seit dem 12. Jh.) auf das E. des 19. Jh. und die Ereignisse um die Herauslösung Griechenlands aus dem Osmanischen Reich und die Entstehung des griech. Nationalstaats unter ideologischer Anknüpfung an die klass. Ant. zu datieren.

B. MÜLLER, Bezeichnungen für die Sprachen, Sprecher und Länder der Romania, in: G. HOLTUS, u. a. (Hrsg.), Lex. der romanistischen Linguistik. Bd. 2.1: Lat. und Romanisch. Histor.-vergleichende Gramm. der roman. Sprachen, 1996, 134–151 · B. MÜLLER, Zum Fortleben von LATINU und seinen Verwandten in der Romania, in: Zschr. für roman. Philol. 79, 1963, 38–73 · J. KRAMER, Ant. Sprachform und mod. Normsprache, Teil 1: Rumänisch und Rätoromanisch, in: Balkan-Archiv N. F. 10, 1985, 19f. · Ders., Ant. Sprachform und mod. Normsprache, Teil 2: Griech., in: Balkan-Archiv N. F. 11, 1986, 117–210, bes. 121–134 · Ders., Lingua latina, lingua romana, romanice, romanisce. Stud. zur Bezeichnung des Lat. und Roman., in: Balkan-Archiv N. F. 8, 1983, 81–94. V. BI.

Rhomanos s. Romanos

Rhombites (Ῥομβίτης). Zwei in die → Maiotis von Osten einmündende, hier sehr fischreiche Flüsse, unterschieden durch die Epitheta »der Große« bzw. »der Kleinere« (Strab. 11,2,4; vgl. Ptol. 5,9,3 f.; 26; Amm. 22,8,29).

[1] Rh. megas (ὁ μέγας Ῥ., »Großer Rh.«). Weiter nördl., h. Jeja, laut Strab. l.c. 800 Stadien von der Mündung des → Tanais (Don) entfernt.

[2] Rh. elatton (ὁ ἐλάττων Ῥ., »Kleinerer Rh.«). Weiter südl., laut Strab. l.c. 800 Stadien vom Rh. [1] entfernt, der h. Beisug oder der Kirpil'skij liman.

B. KIESSLING, s. v. Rh., RE 2 A, 1067f. · V. F. GAIDUKEVIČ, Das Bosporanische Reich, 1971, 71 · N. V. ANFIMOV, Kurganiy kompleks Sarmatskogo vremeni iz basseyna r. Kirpili, in: V. I. MARKOVIN (Hrsg.), Novoe v archeologii Severnogo Kavkaza, 1986, 183–190. I. v. B.

Rhombos (ῥόμβος, lat. rhombus, »Schwirrholz«), ein hölzerner Gegenstand, welcher, an einer Schnur befestigt (sch. Clem. Al. Protrepticus 2,17,2) und im Kreise durch die Luft gedreht (Eur. Hel. 1362), ein lautes (sch. Apoll. Rhod. 1,1139), zischendes (sch. Clem. Al. l.c.) Geräusch erzeugt, dessen Höhe von der Heftigkeit der Bewegung abhängt (Archyt. fr. 1). Er wurde in den → Mysterien des Dionysos (Anth. Pal. 6,165), der Kybele (Athen. 14,636a) und der Demeter (OF 110) verwendet. Rh. als Werkzeug der Magie – oft verbunden mit dem Wendehals (→ Iynx) – ist in den Quellen (z. B. Theokr. 2,30) kaum von dem Musikinstrument zu unterscheiden [1].

1 A. GOW, IYΓΞ, POMBOΣ, RHOMBUS, TURBO, in: JHS 54, 1934, 1–13 2 R. KANNICHT, Euripides Helena, 1969, Bd. 2, 357. RO. HA.

Rhombus (ῥόμβος).

[1] In der Ebene ein Viereck mit gleich langen Seiten, aber ungleichen (d. h. zwei spitzen und zwei stumpfen) Winkeln (Eukl. elem. 1, Def. 22; Cens. 83,14 JAHN). Im Raum ist rh. der Rotationskörper, der aus zwei Kegeln mit gleicher Grundfläche besteht (Archim. de sphaera et cylindro 1, Def. 6).

1 T. L. Heath, The Thirteen Books of Euclid's Elements, Bd. 1, ²1925, 189 **2** A. Hug, s. v. Ῥόμβος (*rhombus*), RE I A, 1069.   M. F.

[2] s. Kreisel

[3] s. Rhombos

Rhomphaia (ῥομφαία). Ein hellebardenähnliches großes, zweischneidiges Schwert aus Eisen mit langem Holzgriff, das über der rechten Schulter getragen wurde. Sie war in hell. Zeit die charakteristische Waffe der Thraker (Plut. Aemilius 18,3; Liv. 31,39,11: *rumpia*); Phylarchos FGrH 81 F 57; Arr. FGrH 156 F 103; Gell. 10,25,4; Val. Fl. 6,98). In der jüd.-christl. Lit. bedeutet R. allg. ein großes zweischneidiges Schwert (LXX Gn 3,24; 1 Sam 17,51 (Goliaths Schwert); Lk 2,35; Ios. ant. Iud. 6,190).

H. O. Fiebiger, s. v. ῥομφαία, RE I A, 1072 f.   LE. BU.

Rhoptron s. Musikinstrumente (V. D.)

Rhosos (Ῥωσός). Ortschaft am Golf von → Issos in Syria (Strab. 14,5,19; Ptol. 5,15,2: Ῥῶσσος), 31 km südwestl. von Alexandreia [3] an der Küstenstraße nach Seleukeia Pieria, frühestens seit dem E. des 4. Jh. v. Chr. bezeugt. Vom nachmaligen Augustus bekam Rh. den Titel ἱερά, ἄσυλος καὶ αὐτόνομος/*hierá, ásylos kai autónomos* (»heilig, asylberechtigt und autonom«). Im 5. Jh. n. Chr. zählt Hierokles (synekdemos 705,7) Rh. hingegen zu den Städten der Cilicia Secunda.

Hild/Hellenkemper, 392.   M. H. S.

Rhotazismus (ῥωτακισμός, t. t. griech. Grammatiker, »(häufiger) Gebrauch des durch den ῥῶ/*rhō* genannten Buchstaben dargestellten Lautes [r]«, geprägt nach ἰωτακισμός/*iōtakismós*, → Itazismus). Unter Rh. versteht man den Wandel eines in intervokalischer Stellung auftretenden stimmhaften dentalen oder alveolaren Kons. zu dem Vibranten [r], genauer: dessen Ersatz durch [r]. Rh. führt bisweilen zu dem in Flexion und/oder Wortbildung zu beobachtenden Wechsel von /s/ und /r/.

Typischer und häufigster Fall ([s] >) [z] > [r]: lat. *eset > *ezet* (ESED, CIL I² 1) > *eret > *erit*, : *est, esse*; *arbosem > *arbozem* (*arbosem*, Paul. Fest. 14,9 L) > *arborem*, : *arbōs, arbustus*; griech. allg. παισίν, δημοσίων > westion. παιρίν (Eretria), δημορίων (Oropos); griech. allg. ἄλλοις, Διός > ele. (Olympia) ἄλλοιρ, Διόρ mit Verallgemeinerung von auslautendem -ρ; urgerman. *maizō (got. *maiza*) > ahd. *mēro* »mehr«, > altengl. *māra* »more«.

Ferner [l] > [r]: vlat. *gula(m)* > rumän. *gură* »Mund«, vlat. *sale(m)* > rumän. *sare* »Salz«; [n] > [r]: vlat. *bene* > altrumän. *binre* [bĩre] > *bire*; vlat. *arena(m)* → Lehnwort alban. gegisch *ranë* > toskisch *rërë* »Sand«.

→ Lautlehre

C. D. Buck, Greek Dialects, 1955, 56 f. · M. Lejeune, Phonétique historique du mycénien et du grec ancien, 1972, § 88 (2), 96¹, 118, 136, 353, 355, 357 · Leumann, 176, 178–180 · Sommer/Pfister, 146 f.   C. H.

Rhoxane (Ῥωξάνη).

[1] Gattin → Kambyses' [2] II. (Ktesias FGrH 688 F 13).

[2] Tochter des Hydarnes, Halbschwester des Terituchmes, fiel mit ihrer ganzen Familie der Rache der → Parysatis [1] zum Opfer (Ktesias FGrH 688 F 15), weil Terituchmes sich von seiner Gemahlin Amestris ab- und Rh. zugewandt hatte.

[3] Nach Iulius Valerius 2,33 u. a. Tochter → Dareios' [3] III., der 332 ihre Hand Alexandros [4] d. Gr. anbot (offensichtlich Verwechslung mit → Stateira).

[4] Tochter des → Oxyartes, fiel 327 nach Einnahme der Burg des Ariamazes in die Hände → Alexandros' [4] d. Gr. (Arr. 4,19,5), der sie bald danach nach einheimischem Ritus ehelichte. Nach dem Tod ihres Gatten ließ sie, mit Unterstützung des → Perdikkas [4], die von Alexandros 324 geheiratete Dareiostochter → Stateira (und deren Schwester Drypetis) aus dem Wege räumen (Plut. Alexandros 77). Zusammen mit Alexandros postumgeborenem Sohn → Alexandros [5] IV. (Iust. 13,2,5; Curt. 10,6,9; zu einem früheren Kind s. Epitome Mettensis 70) durch → Antipatros [1] nach Makedonien verbracht, bei dessen Tod nach Epeiros geflohen und durch → Polyperchon [1] nach Makedonien zurückgeführt, geriet Rh. 316 beim Fall von → Pydna in die Hände des → Kassandros, der sie – zusammen mit ihrem Sohn – 310 in Amphipolis von Glaukias umbringen ließ (Diod. 19,105,2; Iust. 15,2,5; Paus. 9,7,2 u. a.).

1 M. Brosius, Women in Ancient Persia, 1996 (zu Rh. 1–2) **2** Berve, Bd. 2, 1926, Nr. 688 (zu Rh. 3–4)   J. W.

Rhoxolanoi (Ῥωξολανοί, lat. *Roxolani*). Sarmatischer Stamm bzw. Stammesverband (→ Sarmatai; Strab. 2,5,7, vgl. 7,2,4; 7,3,17 im Anschluß an Hipparchos [6], Eratosthenes [2]), der etwa bis zur Zeitenwende in den Steppen zw. Tanais (Don) und Borysthenes (Dnjepr) nördl. der → Maiotis (Plin. nat. 4,80; Ptol. 3,5,19; 24 f.) lebte. Im Kampf gegen Diophantos [3], den Strategen Mithradates' [6] VI., kämpften die Rh. unter ihrem König Tasios an der Seite des Palakos, des Königs der Skythai (113 v. Chr.?; Syll.³ 709). Im 1. Jh. n. Chr. siedelten die Rh. am unteren Istros [2] (Donau). Dort mußten sie sich unter Nero (wohl nach 60 n. Chr.) mit dem Legaten Plautius [II 14] auseinandersetzen (ILS 986). 69 n. Chr. fielen sie mit 9000 Mann in Moesia ein (Tac. hist. 1,79 f.; 3,24). Rom war den Rh. unter Kaiser Hadrianus (117–138 n. Chr.) tributpflichtig (SHA Hadr. 6,8). Im 2. Jh. n. Chr. zogen sie weiter westwärts am unteren Istros. Der Aufstand, den sie zusammen mit anderen Stämmen unter Marcus [2] Aurelius 177 n. Chr. gegen die röm. Herrschaft erregten, wurde von diesem niedergeschlagen (SHA Aur. 22,1 f.). → Regalianus, der gegen Gallienus zum Kaiser ausgerufen worden war, kam 260 n. Chr. auf Betreiben der Rh. um (SHA trig. tyr. 10,1 f.;

anders Aur. Vict. Caes. 332; Eutr. 9,8,1). Unter Aurelianus [3] wurden die aufständischen Rh. erneut geschlagen (SHA Aurelian. 33,4). Letzte Erwähnung finden die Rh. bei Iordanes (Get. 74f.), der sie östl. vom Alutas (h. Olt) ansetzt (Iord. Get. 74).

E. Diehl, s. v. Roxolani, RE Suppl. 7, 1195–1197 · A. Mócsy, Pannonia and Upper Moesia, 1974. I.v.B.

Rhuphos s. Rufus

Rhus (Ῥοῦς). Ort in der Nähe von Megara [2] (Paus. 1,41,2; Plut. Theseus 27,8).

E. Meyer, s. v. Megara (2), RE 29, 152–205, bes. 163. K.F.

Rhyndakos (Ῥύνδακος). Fluß in der Troas, der h. nicht als Einheit gesehen wird (Koca Çay, Kocasu Çayı, Orhaneli Çayı). Er entspringt in der → Mysia Abbaïtis, fließt durch Phrygia (→ Phryges), war die Grenze zw. Mysia und → Bithynia, bildet den Lacus Apolloniatis (Uluabat Gölü), tritt an dessen NW-Seite wieder aus und mündet in die → Propontis südl. der Insel Besbikos (h. Imralı Adası). In röm. Zeit war er die Grenze zw. den Prov. → Asia [2] und Bithynia. Im J. 73 v. Chr. siegte hier Licinius [I 26] Lucullus über Mithradates [6] VI. (Plut. Lucullus 11).

L. Robert, À travers l'Asie Mineure, 1980, 89–100.

E. SCH.

Rhypes (Ῥύπες). Stadt in Achaia (→ Achaioi [1], mit Karte), wohl mit den wenigen ant. Überresten (dazu myk. Siedlungsspuren [2. 123–127; 3. 35]) auf dem Plateau Trapeza bei Koumaris, ca. 6 km südwestl. von → Aigion zu identifizieren. Diskutiert wurden außerdem die Fundlagen auf der befestigten Höhe am linken Ufer des Phoinix, ca. 8 km nordwestl. von Aigion [1. 193, 417–418] oder am rechten Ufer des Tholopotamos, 5,2 km nordwestl. von Aigion. Zusammen mit elf anderen Städten war Rh. Mitglied des ersten Achaiischen Bundes (Hdt. 1,145; Strab. 8,7,4). Die Stadt wurde früh aufgegeben (Strab. 8,7,5; Paus. 7,18,7; 23,4; [5. 203f.]), ihr Gebiet (Ῥυπίς; vgl. Thuk. 7,34,1: Ῥυπική) wurde Aigion einverleibt. Einzige inschr. Erwähnung im 4. Jh. v. Chr. [4. 402–407].

1 W. M. Leake, Travels in the Morea, Bd. 3, 1830 (Ndr. 1968) 2 E. Meyer, Peloponnesische Wanderungen, 1939 3 Th. J. Papadopoulos, Mycenaean Achaea, 1979 4 J. Bingen, Inscriptions d'Achaïe, in: BCH 78, 1954, 395–409 5 Y. Lafond, M. Casewitz (Hrsg.), Pausanias. Description de la Grèce, Bd. 7, 2000.

Müller, 841f. Y. L. u. E. O.

Rhythmik I. Begriff
II. Antike Theorie
III. Versrhythmus

I. Begriff

Ῥυθμική, sc. τέχνη (rhythmikḗ, sc. téchnē) war in der griech. Ant. die Lehre vom Rhythmus (seit Aristoxenos

[1]); in der Neuzeit bezeichnet Rh. den Rhythmus allgemein. Die ursprüngliche Bed. von ῥυθμός (rhythmós), lange umstritten, scheint »das Strömen, der Strom« gewesen zu sein [12]. Rhythmós wurde auf Körper- und Tonbewegungen bezogen, aber auch auf unbewegte Körper und Statuen (Arist. Quint. 31 Meibom). Belegt ist rhythmós bei Archil. 67a 7, im Bereich der μουσική (→ musikḗ; Plat. leg. 665a: κινήσεως τάξις, »Ordnung der Bewegung«), in der Rhet. (Aristot. rhet. 3,8,1408b–1409a), als theoretischer Begriff (Aristox. rhythmica fr. 3 Pearson). Lat. Fachschriften verwendeten zur Bezeichnung des Rhythmus neben numerus auch rhythmus (Quint. 9,4,45).

II. Antike Theorie

Vor dem Hintergrund alter Lehren (Damon bei Plat. rep. 400b; Aristoph. Nub. 651) entwickelte in hell. Zeit → Aristoxenos [1] eine fr. erh. Theorie des Rhythmus Ῥυθμικὰ στοιχεία / Rhythmiká stoicheía (lat. Elementa rhythmica), die spätere Autoren verwendeten (Porph. comm. in Ptol. harmonica 4,78 f.(?), vgl. [1. 32]; Arist. Quint. 31–43, 97–100 M.; Bakcheios, MSG 313–316), in Byzanz Michael → Psellos ([1. 20–26]), bei den Römern indirekt Augustinus (De musica). Wie Aristoteles (poet. 1447a 26, phys. 245b 9) unterschied Aristoxenos vom Rhythmus das rhythmizómenon (»rhythmisierte Medium«: Worte, Töne, Körperbewegungen). Als kleinste Zeiteinheit nahm er den prṓtos chrónos (»erste Zeit«) an, dem im jeweiligen Medium die Minimaldauer einer Silbe, eines silbentragenden Tons, einer Tanzbewegung entsprach. Gemessen wurden 2-, 3-, 4- und mehrzeitige Werte (di-, tri-, tetrásēmos), später auch Pausen. In Singversen galt die »Kürze« im Prinzip als 1-, die »Länge« als 2zeitig, in Sprechversen waren die Dauern weniger streng geregelt. Mit dem Fuß (pus), der kleinsten regelmäßig wiederholten Einheit (→ Metrik), bestimmte man den Rhythmus. Die Relation von Hebung (ársis, ánō) zu Senkung (básis, thésis, kátō) ergab die drei elementaren Rhythmengeschlechter (vgl. Aristot. rhet. 1409a 4 ff.): 1. »gleich« (íson): 1:1, »daktylisch« (und »anapästisch«); 2. »doppelt« (diplásion): 2:1, »iambisch« (»trochäisch«); 3. anderthalbfach (hemiólion): 3:2 »paionisch«. Das Urteil schwankte bei 4:3 (epítriton; Aristox. rhythmica fr. 35 gegen fr. 9 Pearson) und 3:1 (triplásion; ebd. fr. 32 gegen fr. 9). Irrationale Chronoi, in der Metrik ohne Bed., wurden nur grob gemessen; der choreíos álogos (»irrationaler ch.«) wird zw. 2:2 und 2:1 ausgesetzt (Aristox. rhythmica fr. 20 P.; [2. 98–121; 3. 49]).

Der nach ant. Auffassung den ganzen Menschen beanspruchende Rhythmus war in hohem Maße Träger des → Ethos; jede Gattung hatte ihr Ethos [4. 53–55; 121–165; 8. 157–159]. Gleichmaß wirkte beruhigend, die Kombination verschiedener Rhythmen erregend, leidenschaftlich. Das Tempo (agōgḗ) richtete sich nach dem Charakter des Textes oder Tanzes (rasch = aufgeregt; langsam = feierlich) und nach der Häufung von Kürzen oder Längen (Spondeen). Die vom Rhythmus unterschiedene rhythmopoiía (Realisierung in einem bestimmten Medium) konnte metrische Verse musikalisch-rhythmisch überformen, etwa durch Überdehnung langer Silben (fr. Neapolitanum 21 P.; vgl. Longinos Prolegomena ad Hephaestionis Euchiridion 83,14 CONSBRUCH), gegebenenfalls durch Pause (*kenós chrónos*, wörtlich »Leerzeit«, Arist. Quint. 40 f. M.). Ähnliches bezeugen andere Quellen (Dion. Hal. comp. 64 = 11,23, das Seikilos-Lied mit 2- und 3zeitigen rhythmischen Symbolen, [5. 54]). Für den lat. Versvortrag erweiterte Augustinus die Pausenlehre, ausgehend von der *aequalitas* (»Gleichheit«) 1:1 (Aug. de musica 3,8).

III. VERSRHYTHMUS

In der griech. Lyrik und im att. Drama als poetisch-musikalische Kunst hochentwickelt, ist der Versrhythmus seit [6. XXI] (›aller Tact muß bey Seite gesetzt werden‹) heftig umstritten. Offenbar fehlt in der Neuzeit die ›Möglichkeit der Einfühlung‹ [7. 2] in ant. Rhythmen, aber auch ein Konsens darüber, was Verstehen heißt. Gleichwohl besteht kein Zweifel über den Wandel der Vers-Rh. In archa. und klass. Zeit waren Rhythmus und Metrum ungeschieden (→ Metrik). Gegen E. des 5. Jh. v. Chr. kam es unter dem Einfluß der Neuen → Musik zur Lockerung (Überdehnung von Längen, parodiert bei Aristoph. Ran. 1314, 1348; *rhythmopoiía* als neue Lehre) und zur musikalisch-rhythmischen Überformung von Versmaßen (Seikilos-Lied; Pausen bei Arist. Quint. 40 f. M.). Mangels gesicherter Erkenntnisse ist der Rhythmus in mod. Handbüchern zur ant. → Metrik meist ausgeklammert. Doch beginnt mit dem Versvortrag das Problem seiner Deutung. Den Vers läßt man oft mit Überlänge oder Pause enden. Auf dem Papier werden Versrhythmen mit Hilfe der mod. Notation rekonstruiert, wobei Überlängen und Pausen vermutete Leerstellen im (nicht unumstrittenen) »Takt« einnehmen [1. XXIII–LIV; 8. 133–157]; oder ant. 3zeitige Symbole zeigen den temporalen Ausgleich synkopierter Metra an [9. 103]; oder auffällige Abweichungen von einem Grundrhythmus werden als Hervorhebungen der betreffenden Worte gedeutet (Marschanapäste [11. 157–161], anders [1. XXXI–XXXV]). Andererseits wurde auf Grund ähnlicher Strukturmerkmale die griech. Vers-Rh. von der »additiven« Quantitäts-Rh. neugriech. Volksmusik her neu beleuchtet [2], die mit dem histor. Taktbegriff unvereinbar ist [10].

→ Metrik; Musik IV.; RHYTHMUS

1 L. PEARSON (ed.), Aristoxenus, Elementa rhythmica, 1990 (mit Einl., engl. Übers. und Komm.) 2 TH. GEORGIADES, Der griech. Rhythmus, 1949 3 L. E. ROSSI, Metrica e critica stilistica, 1963 4 H. ABERT, Die Lehre vom Ethos in der griech. Musik, 1899 (Ndr. 1968) 5 E. PÖHLMANN, Denkmäler altgriech. Musik, 1970 6 G. HERMANN, Hdb. der Metrik, 1799 7 P. MAAS, Griech. Metrik, 1923 (engl. 1962) 8 M. L. WEST, Ancient Greek Music, 1992 9 Ders., Greek Metre, 1982 10 TH. GEORGIADES, Musik und Rhythmus bei den Griechen, 1958 11 F. ZAMINER, Musik im archa. und klass. Griechenland, in: A. RIETHMÜLLER, F. ZAMINER (Hrsg.), Die Musik des Alt., 1989 12 FRISK.

F. Z.

Rhytion (Ῥύτιον). Stadt in Süd-Mittelkreta (Plin. nat. 4,59), h. Rhotasi. Siedlungsspuren von spätminoischer bis in venezianische Zeit. Erstmalige lit. Erwähnung bei Hom. Il. 2,648 (Hinweis auf Bevölkerungsreichtum). Überregionale Bed. besaß Rh. als Kultstätte des Zeus Skylios [1. 141]. Polit. war Rh. von → Gortyn abhängig (Strab. 10,4,14).

1 H. VERBRUGGEN, Le Zeus crétois, 1981.

H. BEISTER, s. v. Pyrgos, in: LAUFFER, Griechenland, 580 · M. GUARDUCCI, Inscriptiones Creticae 1, 1935, 303 f. · I. F. SANDERS, Roman Crete, 1982, 150.　　　H. SO.

Rhyton (τὸ ῥυτόν).
I. GEGENSTAND　II. ALTER ORIENT
III. KLASSISCHE ANTIKE

I. GEGENSTAND

Trichterförmiges Spende- und Trinkgefäß, meist in Kopf oder Protome eines Tieres endend; die Bezeichnung ist abzuleiten von ῥύσις/*rhýsis* (»Strom«), denn die Flüssigkeit konnte durch ein kleines Loch am Boden auslaufen, sofern man es nicht zuhielt [1; 2].

1 F. VON LORENTZ, s. v. Rh., RE Suppl. 6, 643
2 W. H. GROSS, s. v. Rh., KlP 4, 1426 f.　　　I. S.

II. ALTER ORIENT

Im Alten Orient und Äg. vor den Achaimeniden sind Rh. lediglich in Anatolien bezeugt. Dort finden sich schon im frühen 2. Jt. v. Chr. (Beycesultan Schicht V; Kültepe Schicht II) Trinkhörner aus Keramik. Als Tierprotome gestaltete Rh. finden sich zahlreich in hethitischer Großreichszeit, sowohl aus Keramik als auch reich verziert aus Silber [2. Nr. 123 und 124]. Diese Trad. setzt sich in Iran bei den Achaimeniden wie auch in den folgenden Perioden der Parther und Sāsāniden fort. Als Material wurde von Parthern und Sāsāniden auch Elfenbein verwandt.

1 U. B. ALKIM, Anatolien, Bd. 1, 1968, 178, 183
2 O. MUSCARELLA, Ancient Art, The Norbert Schimmel Collection, 1974 3 R. GHIRSHMAN, Perse. Proto-iraniens, Mèdes, Achéménides, 1963 4 Ders., Iran. Parther und Sasaniden, 1962.　　　H. J. N.

III. KLASSISCHE ANTIKE

Eine schlanke, glatte Form kretisch-myk. Zeit wurde ausschließlich bei Libationen (→ Trankopfer) verwendet [1], spätere Rhyta auch als Trinkgefäß, wobei der Wein, wie bildliche Darstellungen zeigen, aus dem Bodenloch als Strahl in den Mund floß. Das auf den ersten Blick verwandte urtümliche Trinkhorn (κέρας/*kéras*) besaß dagegen kein Bodenloch [2], ebensowenig die meisten in Protomen endenden → Kantharoi [1] und Becher des rf. Stils (»Pseudo-Rh.«), die in der Ant. meist nach den betreffenden Tieren oder allg. als προτομή/*protomḗ* bezeichnet wurden. Außer Gebrauch stellte man sie umgestülpt auf den Mündungsrand oder in einen separaten Ständer (das ὑπόθημα/*hypóthēma* bzw. die περισκελίς/*periskelís*), seltener war ein Fuß unmittelbar angearbeitet. Einige Zeugnisse weisen auf rituelle Verwendung im Heroen- und Totenkult [3; 4]. Schatzverzeichnisse und Funde aus Heiligtümern bezeugen Rh. aus Edelmetall und aus Glas [5. 32], erh. sind vorwiegend solche aus Ton.

Ursprungsgebiet der Rh. in Tiergestalt ist der Alte Orient (Anatolien), wo es bereits zahlreiche Varianten gab ([6; 7]; vgl. oben II.). In der griech.-archa. Kunst wird die Form übernommen, aber erst um 500 v. Chr. in Nachahmung achäm. Edelmetall-Rh. vermehrt produziert. Insbes. die attische rf. Keramik bringt nun Rh. und Pseudo-Rh. mit Widder-, Maultier- oder Eberkopf und anderen plastischen Motiven hervor [8]. Im 4. Jh. v. Chr. übernehmen großgriech. Töpfereien in Unterit. den Protomen-Typus bevorzugt mit Greif- oder Pferdekopf; auch ersetzt zuweilen am Trichterrand, wie an gleichzeitigen Metall-Rh. üblich, Reliefdekor nun die rf. Bemalung [9]. Hell. Rh. zeigen Doppelgespanne, Flügelpferde, Elefantenprotomen und andere neue Phantasieformen.

→ Figurengefäße; Toreutik

1 W. MÜLLER, Kretische Tongefäße mit Meeresdekor, 1997, 63–75, 319, 360–381 2 L. FRANKENSTEIN, s. v. Keras (3), RE 11, 263 f. 3 H. HOFFMANN, Rhyta and Kantharoi in Greek Ritual (Greek Vases in the J. Paul Getty Museum 4), 1989, 131–166 4 Ders., Sotades. Symbols of Immortality on Greek Vases, 1997 5 M. STERN, Ancient Glass in Athenian Temple Treasures, in: Journ. of Glass Studies 41, 1999, 19–50 6 K. TUCHELT, Tiergefäße in Kopf- und Protomengestalt, 1962 7 Ders., s. v. Rh., EAA 6, 675–683 8 H. HOFFMANN, Attic Red-Figured Rhyta, 1962 9 Ders., Tarentine Rhyta, 1966. I. S.

Richomeres. Franke in röm. Dienst. Von → Gratianus [2] wurde er als *comes domesticorum* 377/8 n. Chr. von Gallien nach Thrakien geschickt (Amm. 31,7,4); 383 war er → *magister militum per orientem*, 384 Consul. 388 nahm er am Feldzug gegen → Maximus [7] teil. R. machte → Eugenius [1] mit seinem Neffen → Arbogastes bekannt (Zos. 4,54,1), der Eugenius am 22.8.392 zum Kaiser erhob; R. kehrte in den Osten zurück; er starb 393 vor dem Feldzug gegen Eugenius. R. hatte Kontakt mit → Libanios (vgl. z. B. Lib. epist. 972) und → Symmachus (Symm. epist. 3,54–69).

1 PLRE 1, 765 f. 2 F. PASCHOUD (ed.), Zosime, Histoire nouvelle, Bd. 2.2, 1979, 454 (mit franz. Übers.). WE. LÜ.

Richter s. Dikastes; Iudex

Ricimer. → *Magister militum et* → *patricius* 457–472 n. Chr., faktischer Herrscher im röm. Westreich in diesem Zeitraum. R.s Vater war Suebe, seine Mutter Gotin, Tochter des → Vallia. Geb. um 419 (?) [5] (evtl. über die Mutter mit fränk. Königen verwandt: [2. 16 f.], dagegen [5. 380]). Eine Schwester R.s heiratete um 450 den Burgunder → Gundiok.

R. besiegte 456 als → *comes* im Auftrag des weström. Kaisers → Avitus [1] mit einer Flotte die → Vandali

(Chron. min. 2,29), dann wurde er *magister militum*. Er erhob sich zusammen mit → Maiorianus [1] gegen Avitus, den er 456 bei Placentia schlug (ebd. 1,304). Unter Kaiser Maiorianus war R. dann *magister militum et patricius* (ebd. 1,305: von → Leo [4] I. oder → Marcianus [6] ernannt? [6. 38]), Consul 459. Nach dem Mißerfolg dieses Kaisers gegen die Vandali ließ R. ihn 461 hinrichten und setzte Libius → Severus ein (ebd. 1,305), der 465 starb (von R. ermordet: ebd. 2,158; vgl. aber Sidon. carm. 2,317 f.). Evtl. gab es eine Mz.-Prägung mit R.s Namen ([3. 251]; dagegen RIC 10, 190 f.]). Interregnum R.s bis zur Einsetzung des → Anthemius [2] 467 durch Leo I. (Chron. min. 2,158). 467 heiratete R. Alypia, die Tochter des Anthemius (Sidon. carm. 2,484–503), überwarf sich aber mit diesem 470 (Chron. min. 2,158), u. a. wohl wegen Anthemius' antigotischer Politik in Gallien [4. 125 f.]; nach einer vorübergehenden Versöhnung im J. 471 (Ennod. vita Epiphanii 51–75), kam es 472 erneut zum Streit. R. belagerte Anthemius in Rom, wobei dieser gefangen und getötet wurde (Ioh. Antiochenus fr. 209 FHG 4, p. 617). Während der Belagerung bereits machte R. Flavius Anicius [II 15] Olybrius zum Kaiser (Chron. min. 1,306). R. starb am 18.8.472 (ebd. 1,306), seine Position übernahm sein Neffe, der Burgunde → Gundobad.

1 PLRE 2, 942–945 2 H. CASTRITIUS, Zur Sozialgesch. der Heermeister des Westreiches, in: Mitt. des Instituts für Öst. Gesch.forsch. 92, 1984, 1–33 3 J. M. O'FLYNN, Generalissimos of the Western Roman Empire, 1983 4 Ders., A Greek on the Roman Throne: The Fate of Anthemius, in: Historia 40, 1991, 122–128 5 A. GILLETT, The Birth of R., in: Historia 44, 1995, 380–384 6 D. HENNING, Periclitans res publica, 1999 7 S. KRAUTSCHICK, R., in: B. und P. SCARDIGLI (Hrsg.), Germani in Italia, 1994, 269–287. WE. LÜ.

Rider. Hauptort der → Dalmatae, ca. 45 km westl. von → Salona, ca. 10 km südöstl. von Scardona beim h. Danilo Kraljice. Urspr. auf einer Anhöhe errichtet, wurde R. in röm. Zeit in die Ebene (Danilsko polje) verlegt. Zuerst ein einfacher *vicus* unter *magistri*, erhielt R. in der frühen Kaiserzeit eine *vexillatio* der *legio VII Claudia* (CIL III 2772) zum Schutz der Straße Salona – Scardona. Spätestens unter den Flaviern (E. 1. Jh. n. Chr.) wurde R. *municipium*, dessen *duoviri* das röm. Bürgerrecht erhielten (CIL III 2026; 2774; 12815a). Die Riditae trugen illyrische (Bato, Epicadus, Pines, Plator, Tritus) oder dalmatische (Dasas, Pladomenus, Scenobarbus, Sestus, Titus, Turo, Turus, Varro, Verzo) Namen oder auch PN, die ausschließlich in R. begegnen (Aplis, Baezo, Bubas, Celso, Culo, Iettus, Kabaletus, Platino, Toitmio, Tritano) [1. 119 f.]. Infolge der → *Constitutio Antoniniana* gab es hier zahlreiche Aurelii. Einige ital. Familien zogen aus Salona nach R. oder in die umliegenden Städte, u. a. die Rutilii (in Tragurium und R. bezeugt).

1 D. RENDIĆ-MIOČEVIĆ, Grecs et Illyriens dans les inscriptions grecs d'Épidamne-Dyrrhacchion et d'Apollonia, 1993 2 Ders., Il Municipium Riditarum . . . ,

in: G. Rosada (Hrsg.), La Venetia nell'area
padano-danubiana, 1990, 471–485.

G. Alföldy, Bevölkerung und Ges. der röm. Prov.
Dalmatien, 1965, 97f. • Ders., s.v. R., RE Suppl. 11,
1207–1214 • J.J. Wilkes, Dalmatia, 1969, 240f.

PI.CA./Ü: E.N.

Rigodulum. Ort am rechten Ufer der → Mosella, h.
Riol; der Name ist kelt. Hier fand im → Bataveraufstand
70 n.Chr. die Schlacht zw. den verschanzten Treveri
unter Iulius [II 43] Civilis und den aus Mogontiacum
(Mainz) herangeführten Römern unter Petilius [II 1]
Cerialis statt, in deren Verlauf die Vornehmsten der Bel-
gae in röm. Gefangenschaft gerieten (vgl. Tac. hist.
4,71,4f.).

J. Keune, s.v. R., RE 1 A, 803f. • H. Heubner, P.
Cornelius Tacitus, Die Historien – Komm., Bd. 4, 1976,
160.   R.A.WI.

Rigomagus

[1] Röm. Kastell in Germania Inferior (→ Germani [1]
II.) an der Straße von Colonia Agrippinensis (Köln)
nach Confluentes [1] (Koblenz), h. Remagen. Spätestens seit claudischer Zeit bestand ein Holz-Erde-Kastell, seit flavischer Zeit stand ein Steinkastell an derselben Stelle. Zahlreiche Steininschr. sind erh. R. war Be-
nefiziarier-Station (→ beneficiarii) von der 2. H. des 2. bis
zur Mitte des 3. Jh. n.Chr. Ein Münzschatz von
270/280 (274/5?) n.Chr. wird mit der Besetzung des
Kastells durch → Franci in Verbindung gebracht. Wenig
später wurde R. erneut mit verstärkten Mauern befestigt. Zum J. 365 wird R. von Amm. 16,3,1 als einziger
unzerstörter Ort ab Brocomagus (h. Brumath) rheinab-
wärts genannt.

D. Haupt, R., in: J.E. Bogaers, C.B. Rüger (Hrsg.), Der
Niedergermanische Limes, 1974, 208–213 •
H.-H. Wegner, Remagen, in: H. Cüppers (Hrsg.), Die
Römer in Rheinland-Pfalz, 1990, 529–531 • R. Wiegels,
Inschriftliches aus dem röm. Remagen, in: F.E. König
(Hrsg.), Arculiana. FS H. Bögli, 1995, 529–544.   R.A.WI.

[2] Ort in den → Alpes Maritimae (Notitia Galliarum
17,3: civitas Rigomagensium). Lage unbekannt (Briançon-
net? [1]).

1 G. Barruol, Les peuples préromains du sud-est de la
Gaule, 1969, 347–356.   H.GR.

[3] Ortschaft in Gallia Transpadana, → mansio an der
Straße von Ticinum nach Augusta [5] (CIL XI 3281–
3284, Becher von Vicarello; Itin. Anton. 340,5; 360,10;
Itin. Burdig. 557,3; Geogr. Rav. 4,30). Möglicherweise
ist R. beim h. Trino Vercellese [1. 227] zu lokalisieren.

1 Miller.

G. Cavalieri Manasse u.a. (Hrsg.), Piemonte, Valle
d'Aosta, Liguria, Lombardia (Guide archeologiche Laterza,
Bd. 1), 1982, 78–80.   A.SA./Ü: H.D.

Rind I. Allgemein II. Vorderasien und
Ägypten III. Griechenland IV. Rom

I. Allgemein

Das R. (Bos taurus) gehört zu den bovidae und stammt
von dem eurasischen, großhornigen Ur (Bos primigenius)
ab. Die Domestikation von langhornigen Wildrindern
erfolgte in Zentralasien wahrscheinlich 10000 bis 8000
v.Chr. und im Vorderen Orient gegen 7000–6000
v.Chr. Im 3. Jt. v.Chr. verbreiteten sich in Europa verschiedene Rassen des Hausrindes. Bestände von Wildrindern existierten noch in Waldregionen des östlichen
Mittelmeerraumes, so in Dardania und Thrakien (Varro
rust. 2,1,5) sowie in Mitteleuropa (Caes. Gall. 6,28).

In der Ant. wurden R. nicht vornehmlich für die
Fleischgewinnung gezüchtet, sondern insbes. als Zug-
tiere genutzt. Die Antriebskraft für jegliche schwere
Zugarbeit bot in der Gesch. bis zur Industriellen Revolution – beim Pflügen oder beim Transport – das an-
gejochte Ochsengespann. Das R. entwickelt eine Zug-
kraft von ungefähr 588,6 N (=60 Kilopond) bei einer
Geschwindigkeit von 0,6/0,7 m pro Sekunde. Damit
lag die Kraft des R. etwa ein Viertel bis ein Fünftel unter
der des Zugpferdes. Die Ausdauer der Ochsen selbst bei
langdauernden Arbeiten wird immer wieder hervorgehoben. Ein Ochsengespann arbeitet nicht selten un-
unterbrochen neun oder gar zehn Stunden.

G.R./Ü: C.P.

II. Vorderasien und Ägypten

Sumerisch gud, Stier, Ochse, áb, Kuh, amar, Kalb;
akkadisch alpu Stier, Ochse [5]; äg. jw3 und ng(3), daneben diverse Bezeichnungen je nach Geschlecht, Alter,
Erscheinungsbild, Verwendung etc.

Vorderasien und Äg. liegen im urspr. Verbreitungsgebiet des Ur-R. (Bos primigenius), das offenbar an verschiedenen Orten zur Züchtung des Haus-R. (Bos taurus) verwendet wurde; die frühesten Belege stammen
aus dem südostanatolisch-levantinischen Bereich aus
dem 7. Jt. v.Chr. [1. 73]. R. stellten zu allen Zeiten einen hohen Anteil der vom Menschen gehaltenen Tiere.
Seit Beginn der schriftlichen Überl. in Mesopotamien
(E. 4. Jt. v.Chr.) sind R. häufig erwähnt [7]. Nach Geschlecht, Alter, Farbe und Rasse(?) geordnet, wurden
lange → Listen aufgestellt, die zu den Schultexten gehörten [6; 5. 368f.]. Neben der Bed. als Lieferant von
Milch, Fleisch [5. 371f.], Leder und Dung (v.a. als
Brennstoff) war das R. bes. als Gespanntier [4. 267–279]
für den → Pflug in der mesopot. Landwirtschaft uner-
läßlich. Für die kurze Zeit der Dyn. von Akkad (ca.
2350–2150 v.Chr.) wurde der im Indus-Gebiet beheimatete Wasserbüffel (Bubalus arnee) bildlich dargestellt,
wohl als exotische Besonderheit [2]. Der Stier als Inkarnation sexueller Potenz erscheint öfter als Götterepi-
theton (z.B. für Ba'al, Adad, Enlil [9. 165f.]; → Stierkult).

Domestizierte R. sind in Äg. seit der Badari-Kultur
(Anf. 4. Jt. v.Chr.) bekannt [8]. Zahlreiche Darstellungen belegen verschiedene Rassen: lang-, kurzhornige

und hornlose R. sowie Buckel-R. (Zebu). Bes. aus dem AR sind große R.-Herden bekannt, gleichzeitig aber auch die Tatsache, daß durch Handel, aber auch Raubzüge versucht wurde, den R.-Bestand zu vergrößern. Wandmalereien in Gräbern vom AR an zeigen zahlreiche Szenen aus der R.-Haltung sowie verschiedene Verwendungsweisen.

Auch in Äg. waren R. als Lieferanten wichtiger Produkte wie Milch, Leder, Dung und Fleisch wichtig für die Wirtschaft, v. a. aber auch als Arbeitstiere. Daneben waren sie unentbehrlich für die → Opfer bei zahlreichen → Ritualen. Der Bed. des R. im Alltagsleben entspricht einerseits, daß mütterliche Gottheiten die Gestalt einer Kuh (Hathor, Nut) annehmen konnten, und ebenso auf der anderen Seite die sexuelle Potenz der Stiergötter (z. B. Amun; s. auch → Apis [1], → Mnevis). In diesen Bezug gehört auch das Epitheton »Starker Stier« für den Herrscher.

1 C. BECKER, Early Domestication in the Southern Levant as Viewed from Late PPNB Basta, in: L. K. HORWITZ et al., Animal Domestication in the Southern Levant, in: Paléorient 25, 1999, 63–80 **2** R. M. BOEHMER, Das Auftreten des Wasserbüffels in histor. Zeit und seine sumer. Bezeichnung, in: ZA 64, 1975, 1–19 **3** J. BOESSNECK, Die Haustiere in Altäg., 1953 **4** Bulletin on Sumerian Agriculture Bd. 7–8 (Domestic Animals of Mesopotamia): 1993/1995 **5** Chicago Assyrian Dictionary A/1, 1964, 364–372 **6** R. K. ENGLUND, H. J. NISSEN, Die lexikalischen Listen der archa. Texte aus Uruk, 1993 **7** M. W. GREEN, Animal Husbandry at Uruk in the Archaic Period, in: JNES 39, 1980, 1–35 **8** L. SÖRK, s. v. R., LÄ 5, 257–263 **9** K. TALLQVIST, Akkad. Götterepitheta, 1938 **10** E. VILA, L'exploitation des animaux en Mésopotamie aux IVᵉ et IIIᵉ mill. avant J. C., 1998 **11** F. E. ZEUNER, Gesch. der Haustiere, 1967.   H. J. N. u. J. RE.

III. GRIECHENLAND

Das Rind (βοῦς/*bus*) war sowohl im Wirtschaftsleben als auch in der rel. Praxis und Symbolik das wichtigste Haustier der griech. Welt. Die Bed. des R. geht bereits aus den Epen Homers hervor (Hom. Il. 13, 703–707; 15,630–636; 17,61–67; 17,657–664; 18,520–534; 18,573–586; Hom. Od. 14,100; 20,209–212); R.-Fleisch wurde häufig gegessen (Hom. Il. 7,466; 23,26–56; Hom. Od. 3,421–463). Darüber hinaus diente das R. als Wertmesser (Hom. Il. 6,236; 23,703; 23,705; Hom. Od. 1,431). Griechenland bot bis zur spätarcha. Zeit aufgrund einer geringen Bevölkerungsdichte mehr Raum für Weideland und der Reichtum des → Adels bestand auch in Viehherden (vgl. für Megara: Aristot. pol. 1305a); dennoch sollte nicht angenommen werden, in Griechenland habe bis zur archa. Zeit eine Hirten-Ges. vorgeherrscht und der Ackerbau eine nur geringe Rolle gespielt. Es ist unwahrscheinlich, daß R.-Herden jemals die Grundlage der griech. Landwirtschaft darstellten.

R. wurden vorrangig für den Transport von Lasten, zum Pflügen (→ Pflug) und Dreschen eingesetzt; für die Bauern war die Arbeitskraft des Ochsen unverzichtbar,

wie der Rat des Hesiodos zeigt: ›Als erstes erwerbe ein Haus, eine Frau und einen Pflugochsen.‹ (Hes. erg. 405). Aristoteles kommentiert diesen Vers: ›Der Ochse steht für die Armen an der Stelle des Sklaven‹ (Aristot. pol. 1252b). Der Rang des R. als Arbeitstier wird auch von Aischylos und Platon hervorgehoben (Aischyl. Prom. 462–465; Plat. rep. 370d-e). Das Pferd der Ant. war für das Pflügen ungeeignet; Pferde waren zu klein und zu leicht und hatten ein schwieriges Temparament. Nur das nicht fortpflanzungsfähige → Maultier stellte eine − allerdings deutlich unwirtschaftlichere − Alternative dar (vgl. etwa Hom Il. 10,351–353). Die Mehrheit der männlichen Tiere, die in der Landwirtschaft als Arbeitstiere verwendet wurden, wurde kastriert, da der unkastrierte Stier nicht zu bändigen war (→ Kastration).

Die Erzeugung von → Milch und → Käse war im ant. Griechenland kein primäres Ziel der Rinderhaltung; R.-Fleisch hingegen war ein wichtiger Bestandteil der menschlichen → Ernährung, wobei Fleisch meist im Zusammenhang mit dem Opferritual verzehrt wurde: R. galten als die edelsten Opfertiere, die den Göttern von der Polis oder einem Herrscher dargebracht wurden. Einzelpersonen und kleinere Gruppen von Bürgern opferten im klass. Griechenland aber gewöhnlich kleinere, weniger kostspielige Tiere (→ Schaf; → Opfer I. und III.). So erwähnt der Opferkalender des athenischen Demos → Erchia aus dem 4. Jh. v. Chr. keinen Ochsen (LSCG 18). Wie aus einem Kalender derselben Zeit, der für den Kultverband der → Tetrapolis von Marathon galt, hervorgeht, kosteten Kühe mehr als achtmal soviel wie Mutterschafe, wobei sie ungefähr fünfmal soviel Fleisch lieferten.

Zw. Arbeitstieren und zum Opfer vorgesehenen R. wurde unterschieden, abgesehen von den wenigen Ritualen, in denen ein Arbeitstier im Mittelpunkt stand. Bei dem athen. Opferritual der Βουφόνια/→ Buphónia ging es um die Schuld an der Tötung eines Arbeitsochsen; die Zeremonie endete dann mit der Verurteilung und Verdammung der Axt (Paus. 1,24,4; 1,28,10; Porph. de abstinentia 2,28–30). Die *Buphónia* dürfen allerdings nicht als Schlüssel zum Verständnis aller Opferhandlungen aufgefaßt werden, da es sich hier bei dem Opfertier um einen Arbeitsochsen handelte. Obwohl genauere Informationen fehlen, ist zu bezweifeln, daß der Verzehr des Fleisches von Arbeitstieren generell tabuisiert war. Das Fleisch der Opfertiere konnte in Schlachtereien gekauft werden; Paulus warnte daher die Christen von Korinth vor dem Verzehr von Fleisch, das auf dem Markt gekauft worden war (1 Kor 8).

R.-Leder war wertvolles Material für Riemen, Behälter, Kleidung und Rüstungen (vgl. Plat. rep. 370e; → Leder). Die Häute der Opfertiere konnten den Priestern übergeben oder − wie in Athen − von der Polis verkauft werden (IG II² 1496). Trotz der großen Anzahl von Tieropfern importierte Athen im 4. Jh. v. Chr. große Mengen von Häuten (Demosth. or. 34,10).

Es geschah selten, daß ein R. für ein Opfer ausgewählt und dann speziell dafür großgezogen wurde

(Magnesia am Maiandros: LSAM 32; Bargylia: SEG 45,1508). Meistens wurden Opfertiere bei Bauern gekauft. In Athen, wo es offizielle Ochsenkäufer gab (Demosth. or. 21,171; IG II² 334; 1496), bestand ein großer Bedarf an Opfertieren, denn bei einem einzigen Fest wurden bis zu 300 R. geopfert (Isokr. or. 7,29); wegen der begrenzten Weideflächen in Attika war es notwendig, R. aus anderen griech. Regionen zu importieren. Wie der Name vermuten läßt, boten Boiotien und Euboia gute Bedingungen für die Rinderzucht. Im nördlichen Griechenland waren Thessalien (vgl. Xen. hell. 6,4,29) und Epeiros mit dem gut bewässerten Weideland für ihre Rinderzucht bekannt (Aristot. hist. an. 522b; 595b; vgl. Varro rust. 2,5,10). Die mod. griech. Landschaft sollte nicht zu einer Unterschätzung der Möglichkeiten der Viehzucht im ant. Griechenland führen; noch venezianische Aufzeichnungen aus der Zeit um 1700 n. Chr. bieten ein eindrucksvolles Bild der Viehzucht in der Argolis.

Im griech. Mythos wird häufig von den Herden einzelner Götter berichtet; so schildert Homer die Rinderherden des Sonnengottes Helios (Hom. Od. 12,127–141; vgl. auch Hdt. 9,93), und ein Hymnos erzählt, wie Hermes die R. des Apollon stahl (Hom. h. 4). Der Stier war im bronzezeitlichen Kreta ein wichtiges Symbol, wie Darstellungen der minoischen Kunst bezeugen (→ Religion [VI.]); Zeus nimmt im Mythos die Gestalt eines Stieres an, um → Europa zu entführen, und Poseidon schickt einen Stier aus dem Meer, um → Hippolytos zu töten (Eur. Hipp. 1213–1229). Auch Kühe konnten eine symbolische oder rel. Funktion besitzen: In Hermion(e) wurden vier Kühe von vier alten Frauen mit Sicheln getötet und der → Demeter Chthonia geopfert (Paus. 2,35,4–10); → Io wurde von Hera aus Eifersucht in eine Kuh verwandelt. Die Göttin → Hera selbst trug den Beinamen βοῶπις/boôpis (»kuhäugig«), sie besaß wohl eine enge Beziehung zu R. Die Kühe auf dem Fries des → Parthenon waren wahrscheinlich Opfertiere für → Athena. Vom 8. bis zum 6. Jh. v. Chr. waren kleine Figuren von R. aus Bronze und Ton weitverbreitete Votivgaben (→ Weihung).

→ Artemis (I. C.) Tauropolos; Energie (B.2.); Fleisch, Fleischkonsum; Minotaurus; Opfer; Stierkult; Viehwirtschaft

1 A. BURFORD, Land and Labour in the Greek World, 1993, 144–156 2 W. BURKERT, Homo necans, 1972 (²1997) 3 H. GRASSL, Zur Gesch. des Viehhandels im klassischen Griechenland, in: MBAH 4, 1985, 77–87 4 S. HODKINSON, Animal Husbandry in the Greek Polis, in: WHITTAKER, 35–74 5 ISAGER/SKYDSGAARD, 89–91; 96–107 6 M. H. JAMESON, C. N. RUNNELS, TJ. VAN ANDEL, A Greek Countryside: The Southern Argolid from Prehistory to the Present Day, 1994, 285–287 7 M. H. JAMESON, Sacrifice and Animal Husbandry, in: WHITTAKER, 87–119 8 H. KRAEMER, s. v. R., RE Suppl. 7, 1155–1185 9 W. RICHTER, Die Landwirtschaft im Homerischen Zeitalter (ArchHom 2=H), 1968 10 V. ROSIVACH, The System of Public Sacrifice in Fourth-Century Athens, 1994 11 WHITE, Farming 12 K. ZEISSIG, Die Rinderzucht im alten Griechenland, Diss. Giessen, 1934.   MI.JA./Ü: A.H.

IV. ROM

Das R. gehört zu den wichtigen Themen der röm. Agronomen (→ Agrarschriftsteller); die lat. Sprache kannte bereits eine differenzierte Terminologie für das R., die nach Alter oder Geschlecht unterschied: *bos* (»Horntier/Rind«), *taurus* (»Stier«), *vacca* (»Kuh«), *forda/horda* (»trächtige Kuh«), *iuvencus* (»junger Stier«) und *vitulus/vitellus* (»Kalb«; vgl. Varro 2,5,6). Die Agronomen behandeln alle Aspekte der Zucht und Haltung von R., v. a. des Ochsen als des wichtigsten Zugtiers (Varro rust. 1,20; 2,5; Colum. 6,1–27; Plin. nat. 8,176–186; 11 passim). → Columella, der wie Varro dem R. den Vorrang in der Viehwirtschaft einräumt (Colum. 6 praef. 7: *nec dubium ... ceteras pecudes bos honore superare debeat, praesertim in Italia*; vgl. Varro rust. 2,5,3), nennt vier Rassen in It.: das campanische R. mit weißem Fell, von kleiner Größe und nicht sehr stark; die große umbrische Rasse mit weißem, manchmal rotem Fell; die massige etr. Rasse, die über große Kraft verfügt; sowie die weniger schönen, aber starken und widerstandsfähigen R. aus den Apenninen. Da diese Rassen wenig Milch gaben, wurden Kälber in It. manchmal mit der Milch der *cevae* aus Altinum versorgt (Colum. 6,1,1 f.; 6,24,5). Die röm. Gutsbesitzer hatten großes Interesse daran, kräftige Tiere mit starkem Hals und festen Hörnern zu kaufen; es gab genaue Kenntnis der wünschenswerten Eigenschaften von Ochsen, die in der → Landwirtschaft als Arbeitstiere gebraucht wurden (Varro rust. 21,1; Colum. 6,1,3).

Kühe warfen auf gutem Weideland vom 3. bis zum 10. Lebensjahr jedes Jahr ein Kalb, bei Futtermangel aber nur jedes zweite Jahr. Die Kälber, die ein J. lang von den Kühen gesäugt wurden, kennzeichnete man durch ein Brandzeichen (Colum. 6,21; 6,24,4; Verg. georg. 3,157 f.). Das Futter für die R. (*bubus pabulum*) – bes. für die Arbeitstiere – mußte hochwertig sein (Cato agr. 54; vgl. Colum. 6,3); die Ställe (*bubilia*) sollten gut geschützt sein (Varro rust. 1,13,1).

Wie in Griechenland wurden R. auch in Italien vornehmlich als Arbeitstiere eingesetzt, während die Fleischerzeugung für die Rinderzucht nur eine geringe Rolle spielte. Zw. den Tieren, die auf Weideland gehalten wurden, und den Arbeitstieren wurde deutlich unterschieden (Varro rust. 2 praef. 4). Columella zählt R. ausdrücklich zu den Arbeitstieren – neben Maultier, Pferd und Esel (Colum. 6 praef. 6). Bei Vergil besteht ein enger Zusammenhang zw. Pferde- und R.-Zucht (Verg. georg. 3,49–209); R. dienten entweder als Arbeitstiere v. a. zum Pflügen (→ Pflug), wurden als Opfertiere aufgezogen oder waren aber zur Zucht bestimmt (Verg. georg. 3,157–161).

Das Joch wurde den Ochsen entweder vor dem Widerrist auf den Nacken gelegt oder aber vor den Hörnern angebunden. Beide Methoden hatten Vor- und Nachteile, die bereits in der Ant. diskutiert wurden (Colum. 2,2,22–24). Nach → Cato [1] benötigte man für eine 60 ha große Olivenbaumpflanzung 3 Ochsengespanne, 3 Ochsenknechte und 3 Esel, für ein Weingut mit einer Fläche von 25 ha 1 Ochsengespann und 1 Ochsenknecht (Cato agr. 10,1–2; 11,1); → Saserna hielt 2 Ochsengespanne für ein 50 ha großes Gut für ausreichend (Varro rust. 1,19,1). Die Abrichtung der Ochsen, die etwa im Alter von 3 J. beginnen sollte, wird von Columella ausführlich beschrieben, ebenso die Pflege bei Krankheiten (Colum. 6,2; 6,4–19; vgl. 2,3). Cato vertrat die Auffassung, nichts sei nützlicher als eine gute Behandlung der Ochsen (Cato agr. 54,5: *nihil est quod magis expediat quam boves bene curare*). Auch Kühe wurden als Arbeitstiere eingesetzt (Varro rust. 1,20,4; Colum. 6,24,4; Anth. Gr. 9,274; 10,101). Ochsen wurden im → Landtransport auch zum Ziehen schwerer Lasten eingesetzt, wobei mehrere Ochsenpaare hintereinander oder fächerförmig angespannt werden konnten. In der Spätant. zogen Ochsen Getreideschiffe auf dem Tiber von Portus [1] stromaufwärts nach Rom (Prok. BG 1,26,10–12).

R.-Fleisch war in der röm. Ges. ein durchaus geschätztes Nahrungsmittel (Cic. fam. 9,20,1; vgl. Apicius 8,353–356; Gal. 15,879 K.). Das Preisedikt des Diocletianus (→ Edictum [3] Diocletiani) setzte den Höchstpreis für R.-Fleisch (*carnis bubulae*) und Ziegenfleisch auf 8 Denare pro Pfund fest, Schweinefleisch auf höchstens 12 Denare pro Pfund (Ed. Diocl. 4,1–3). Aus dem → Leder konnten Schilde, Kleidung, Harnische, Helme, Sättel, Geschirr und Riemen gefertigt werden. → Käse aus R.-Milch war weniger verbreitet als Schafs- oder Ziegenkäse; immerhin waren einige Sorten aus Gades und Gallien bekannt (Strab. 3,5,4; Plin. nat. 11,240).

Stiere und Ochsen waren im Mythos Symbole der Macht, der Kraft und des Reichtums. Alle ant. Rel. haben die Horntiere in ihre symbolischen Systeme, ihre myth. Konstruktionen und ihre Riten und magischen Praktiken integriert, der äg. → Apis-Kult war in Rom bekannt (Plin. nat. 8,184–186). Die → *Suovetaurilia*, ein Opfer von Stier, Eber und Widder, fanden bei verschiedenen Anlässen statt, so bei der → *lustratio* (Sühneopfer zur Reinigung) des Heeres, des → *populus* (Liv. 1,44,2; Varro rust. 2,1,10; vgl. Tac. ann. 6,37,2) oder des Ackers (Cato. agr. 141,1) und beim → Triumph. Am Fest der *Hordicalia* wurde eine trächtige Kuh geopfert (Varro rust. 2,5,6). Mit R. wurde die Furche gezogen, die die Grenze eines Landgutes oder einer Stadt kennzeichnete (Ov. fast. 4,819–826; Verg. Aen. 5,755). Zum Wohlergehen der R. wurde jährlich ein ländliches Opfer veranstaltet (Cato agr. 83; vgl. 131 f.).

In der ant. Kunst finden sich häufig Bilder von R., meist von Stieren, aber auch von Kühen und Kälbern. So stellt der → Andokides-Maler in monumentaler Weise auf einer Bauchamphora einen Stier dar, der von Herakles zum Opfer geführt wird (Boston MFA; BEAZLEY, ABV 255,6); Ochsengespanne beim Pflügen sind z.B. auf einer Schale des Nikosthenes (Berlin SM; BEAZLEY, ABV 223,66) und einer sf. Amphore (New York Privatsammlung; [2]) dargestellt. Ähnliche Abb. finden sich auf röm. Mosaiken aus Südfrankreich und Africa (Mosaik aus Saint-Romain-en-Gal; Mosaik aus Caesarea/Cherchel in Algerien). Weithin bekannt war in der Ant. → Myrons [3] Standbild einer Kuh, die geradezu lebendig gewirkt haben soll (von Dichtern in Epigrammen gerühmt: Anth. Gr. 9,173–742; 9,793–798).

→ Agrarschriftsteller; Energie (B.2.); Landtransport; Landwirtschaft; Pferd; Stierkult

1 N. BENECKE, Arch. Studien zur Entwicklung der Haustierhaltung, 1994 2 J. BOARDMAN (Hrsg.), Gesch. der ant. Kunst, 1997, 80 3 J. CLUTTON-BROCK, A Natural History of Domesticated Mammals, 1987 4 FLACH 5 S. LEPETZ, L'amélioration des races à l'époque gallo-romaine: l'exemple du boeuf, in: Homme et animal dans l'antiquité gallo-romaine, 1995, 67–79 6 Ders., L'animal dans la societé gallo-romaine de la France, 1996 7 WHITE, Farming 8 F. ZEUNER, The History of Domesticated Animals, 1964.   G.R./Ü: C.P.

Ring (δακτύλιος/ *daktýlios*, ἀκαρές/ *akarés*; lat. *anulus*). Unter R. werden im folgenden ausschließlich Finger-R. verstanden (zu Ohr-R. s. → Ohrschmuck). Bereits die R. der Aigina- und Thyreatis-Schatzfunde aus dem beginnenden 2. Jt. v. Chr. zeigen hervorragende Beherrschung der Technik und hohe künstlerische Qualität. Aus der frühmyk. Zeit sind Golddraht- und Silber-R. zu nennen, daneben auch die sog. Schild-R., die sich zu einer Leitform des myk. Schmucks entwikkeln und ihren Namen nach der ovalen Goldblechplatte haben, die auf dem Reifen in rechtem Winkel aufsitzt. Jagd- und Kriegerdarstellungen gehören anfänglich zum Bildrepertoire, dann auch sakrale Motive, die auf der Platte eingraviert, punziert oder in Relief eingearbeitet sind.

In der nachmyk. Zeit sind R. recht selten und bestehen meist nur aus einem geschlossenen bandartigen Reifen mit z. T. mehrfacher Riefelung. Als Material ist jetzt v. a. Br. belegt, selten Eisen oder Silber, Gold nur in Ausnahmefällen. Ein typischer Finger-R. ist seit dem 7. Jh. v. Chr. der sog. Kartuschen-R., der aus der ägypt. bzw. phöniz. Kultur übernommen wird; in seiner Grundform besteht er aus einer längsovalen Platte, die zw. die Enden eines Reifs gesetzt ist. Diese Platte wird im 6. Jh. v. Chr. zu einer rechteckigen oder rhomboiden Form verändert, in welche man ein Bildmotiv, meist ein Tier, eingraviert. Am Ende der archa. Zeit stellt man diese Platte auch separat her und setzt sie zw. die Enden eines schmalen Reifens; diese Form bleibt bis zum Ende des 4. Jh. v. Chr. bestehen. Mitunter können die Enden der Reifen auch in Form von Löwenprotomen auslaufen, die in ihren Pranken die Platte halten. Bereits im 6. Jh. v. Chr. werden Gemmen in R. eingearbeitet. Daneben werden R. beliebt, bei denen ein → Skarabäus »drehbar« zw. den Enden des Gold- oder Silberbügels eingelassen ist; diese Form lebt bis in klass. Zeit in Griechenland und in Etrurien weiter. Um 500 v. Chr. werden geschnittene Steine in eine kastenartige Einfassung gesetzt.

Der charakteristische griech. R. des 5. und 4. Jh. ist der massive Reif mit einer flachen Platte, in die eine figürliche Darstellung eingraviert ist. Ansonsten entsprechen die R.-Formen des 5. und 4. Jh. v. Chr. im wesentlichen denen der Archaik, allerdings werden bei den Siegelringen die Platten zunehmend runder und die Reifen kräftiger. Daneben gibt es einfache Spiral-R. aus flachen Goldbändern und Schlangen-R. als verkleinerte Form der entsprechenden Armbänder, die bis in röm. Zeit getragen werden (→ Armschmuck). In hell. Zeit werden R. mit in einer runden oder ovalen Platte eingesetzten Steinen beliebt; die Platte kann den Stein dabei auffallend breit umfassen, oder die Fassung ist stufenförmig abgesetzt. Mitunter wird der Reif jetzt verändert, indem man ihn zu einem Heraklesknoten verschlingt oder durch kleine Figuren ersetzt.

Das Tragen von Gold-R. scheint bei den Römern gemäß den lit. Nachrichten (Liv. 9,7,8; 23,12,2; 46,12; Plin. nat. 33,8–36) in der Republik nur den → nobiles und Rittern (→ equites Romani) als Standesabzeichen gestattet gewesen zu sein, während die einfachen Bürger sich mit eisernen R. begnügen mußten. Bei den Frauen der republikanischen Aristokratie könnten Gold-R. als Schmuck ohne den Charakter als Standesabzeichen in Gebrauch gewesen sein (Plin. nat. 33,21). In der Kaiserzeit war das Tragen von Gold-R. zu einer allgemeinen Gewohnheit geworden (z. B. Petron. 32), wobei auch mehrere R. gleichzeitig getragen wurden, z. B. Mart. 11,59. Im Gegensatz zu Etruskern und Griechen kannten die Römer auch den aus Eisen oder Gold gefertigten Verlobungs-R., den der Bräutigam der Braut schenkte (Plaut. Mil. 957; Iuv. 6,27; Plin. nat. 33,12; → Hochzeitsbräuche III.). Bei den röm. R. besteht die einfachste Form aus einem glatten oder geriefelten Draht- oder Blechreif. Häufig sind R. mit in einer Platte eingesetzten Gemmen oder Glaspasten. Die Einfassungen der Steine wie auch die Breite des Reifens waren hierbei recht unterschiedlich. Daneben erfreuten sich auch Schlangen-R. weiterhin großer Beliebtheit. Ab dem 2. Jh. n. Chr. fertigte man auch sehr gerne R. mit mehreren nebeneinanderliegenden Steinfassungen an; seit Ende des 3. Jh. n. Chr. wurden R. auch in der Technik des *opus interrasile* (durchbrochen gearbeitet) hergestellt (→ Schmuck). Sehr beliebt war auch das Einsetzen von Mz. mit Kaiserporträts in die R. Eine Besonderheit unter den röm. R. sind solche mit einander fassenden Händen, die man als Verlobungs- oder Ehe-R. gedeutet hat.

A. Furlas, Der Ring in der Ant. und im Christentum, 1971 · J. Boardman, Greek Gems and Finger Rings: Early Bronze Age to Late Classical, 1975 · B. Deppert-Lippitz, Griech. Goldschmuck, 1985 · A. Alessio, Anelli, in: E. M. de Juliis (Hrsg.), Gli ori di Taranto in età ellenistica, Ausst. Milano 1984, Hamburg 1989, 249–308 · F. Falk, Gold aus Griechenland, Ausst. Pforzheim, 1992 · J. Spier, Ancient Gems and Finger Rings. Catalogue of the Collections. The J. Paul Getty Museum, 1992 · A. B. Chadow, Ringe. Die Alice und Louis Koch Sammlung 1, 1994.   R. H.

Ringen I. Ägypten und Alter Orient
II. Griechenland und Rom

I. Ägypten und Alter Orient

Als uralte Kampfsportart war das R. im Alt. weit verbreitet. Die ältesten Darstellungen in Äg. reichen bis in die 1. Dyn. (ca. 3000 v. Chr.) zurück [1. 533–564, L 1]. In sieben Gaufürstengräbern des MR von Banī Ḥasan finden sich insgesamt ca. 500 Ringerpaare, die mehrfach in kinematographischen Sequenzen angeordnet sind [1. L 15–21; 2. 70–72]. Auch im NR traten Ringkämpfer (darunter bei → Sportfesten) auf, wobei sich u. a. die Nubier auszeichneten [1. L 27–29, 31, 34, 39]. Kampfrichter [1. L 25, 34; 3] wachten über die Regeln, die einen freien Stil mit Griffansatz am ganzen Körper und Bodenkampf erlaubten.

Ausdrücke und Darstellungen des R. sind auch im Alten Orient bereits für das 3. Jt. v. Chr. belegt (Gürtel-R.). Es kommt sogar im → Gilgamesch-Epos vor, wo der Held gegen Enkidu ringt (2,209ff.) [4. 16–18]. Wie in Äg. war es auch Programmpunkt von Kultfesten, z. B. beim → Akītu-Fest, wobei auch von einem »Ringerhaus« (é-gešbá) und einem »großen Hof« (kisalmaḫ) als Wettkampfstätte gesprochen wird [4. 18–22, 28–30]. Einem Ringkämpfer Šulgigalzu wurde als Siegespreis ein Silberring im Wert von zehn Schekel gegeben [4. 30f.]. R. ist Motiv der Siegelkunst der Altlevante [5]. Auch bei den Hethitern (→ Ḫattusa) ist der Ringkampf belegt (KUB XXIII 55 col. 1, Z. 2–27 und 29f.) [6].

II. Griechenland und Rom

Während R. in der minoisch-myk. Kunst nicht dargestellt zu sein scheint, ist es in den homer. Epen eine ganz übliche Disziplin (πάλη/pálē, Hom. Il. 23,635; 700–739; Hom. Od. 8,126f.) [7]. Im Programm der griech. Agone ist R. (angeblich seit 708 v. Chr.) fester Bestandteil [8. 170]. In → Olympia wird es als Einzeldisziplin (auch in der Jugendklasse) wie auch als letzte entscheidende Disziplin des → Pentathlon ausgetragen. Der Ringkampf im → Stadion fand auf aufgelockertem Boden (σκάμμα/skámma) statt. Dreimaliger Niederwurf des Gegners entschied den Kampf; hohes Gewicht erhöhte die Siegeschancen, da es keine Gewichtsklassen gab. Erh. ist das Fr. eines Trainingsbuches für R. (POxy. 3,466). Erfolgreichster Ringer der griech. Ant. war → Milon [2] von Kroton [9. Nr. 115, 122, 126, 129, 133, 139] mit u. a. sechs Siegen in Olympia; ihn erreichten fast Hipposthenes aus Sparta (sechs Olympiasiege) [9. Nr. 61, 66, 68, 70, 73] sowie dessen Sohn Hetoimokles (fünf Siege) [9. Nr. 82–86]. Im Mythos wird vielen Heroen (wie Herakles, Theseus) eine hohe Fertigkeit im R. nachgesagt [10. 150]. In der griech. (und röm. seltener in der röm.) Kunst ist R. ein beliebtes Thema [11. Nr. 162–165], ferner auch in der etr. [12. Grab Nr. 15, 17, 22, 25, 42, 47, 74; 13. 269–285]. In der röm. Unterhaltung ist R. (*luctari*; *luctatio*; *luctatus*; *luctator*) deutlich geringer präsent als im griech. Sport. → Sport; Sportfeste

1 W. DECKER, M. HERB, Bildatlas zum Sport im Alten Äg., 1994 2 A. G. SHEDID, Die Felsgräber von Beni Hasan in Mitteläg., 1994 3 Z. HAWASS, M. VERNER, Newly Discovered Blocks from the Causeway of Sahure, in: MDAI(K) 52, 1996, 184 f. Taf. 56b 4 R. ROLLINGER, Aspekte des Sports im Alten Sumer, in: Nikephoros 7, 1994, 7–64 5 CH. EDER, Kampfsport in der Siegelkunst der Altlevante, in: Nikephoros 7, 1994, 83–120 6 J. PUHVEL, Hittite Athletics as Prefigurations of Ancient Greek Games, in: W. RASCHKE (Hg.), The Archaeology of the Olympics, 1988, 26–31 7 S. LASER, Sport und Spiel, ArchHom T, 1988, 49–52 8 I. WEILER, Der Sport bei den Völkern der Alten Welt, ²1988, 169–176 9 L. MORETTI, Olympionikai, 1957 10 I. WEILER, Der Agon im Mythos, 1974 11 O. TZACHOU-ALEXANDRI (Hrsg.), Mind and Body, 1989 12 S. STEINGRÄBER, Etr. Wandmalerei, 1985 13 J.-P. THUILLIER, Les jeux athlétiques dans la civilisation étrusque, 1985.

M. B. POLIAKOFF, Combat Sport in the Ancient World, 1987 · I. WEILER (Hrsg.), R., 1998 (Texte, Übers., Komm. von G. DOBLHOFER, W. PETERMANDL, U. SCHACHINGER).

W. D.

Ringhalle s. Peristasis

Riparienses milites. *R. m.* werden zuerst in einem Edikt des Constantinus I. von 325 n. Chr. (Cod. Theod. 7,20,4) erwähnt: Hier werden sie als *ripenses* bezeichnet und von den → *comitatenses*, dem Feldheer, unterschieden; sie standen in der Rangordnung unmittelbar unter den *comitatenses*, aber über den Soldaten der *alae* und *cohortes*, der Einheiten der Auxiliartruppen (→ *auxilia*). Nach 24 Dienstjahren wurden die *r. m.* von der Kopfsteuer für die eigene Person und für ihre Ehefrau befreit, waren aber bei einer Entlassung aus gesundheitlichen Gründen weniger privilegiert als die *comitatenses*. Es ist möglich, daß die *ripenses* oder *r. m.* (Cod. Theod. 7,1,18; 7,4,14) in den Grenzregionen urspr. in der Nähe eines Flusses oder an einem Flußufer (lat. *ripa*) eingesetzt wurden. Die → *Notitia dignitatum* erwähnt *legiones riparienses* an der Donau (Not. dign. or. 39 f.), und mehrere röm. Prov. im Westen werden als *ripensis* oder *ripariensis* bezeichnet (Noricum: Not. dign. occ. 34,13). Später wurden die *r. m.* vielleicht mit den → *limitanei* gleichgesetzt und waren somit reguläre Truppen, die an der Grenze stationiert waren.

→ Auxilia; Comitatenses; Limitanei

1 B. ISAAC, The Meaning of the Terms *limes* and *limitanei*, in: JRS 78, 1988, 125–147 2 JONES, LRE, 649–654.

J. CA./Ü: B. O.

Risinum (Rhizon). Stadt und Fluß an der dalmatischen Küste im Gebiet der Ardiaei (Ps.-Skyl. 24 f.: Ῥιζοῦς; Pol. 2,11,16: Ῥίζων, Stadt und Fluß; Strab. 7,5,7: ὁ Ῥιζονικὸς κόλπος und Ῥίζων πόλις; Plin. nat. 3,144: *Rhizinium*, genannt unter den *oppida civium Romanorum*; Ptol. 2,17,5: Ῥίσινον am Ῥιζόνικος κόλπος; Ptol. 2,17,12: Ῥιζάνα; Tab. Peut. 7,1: *Resinum*; Geogr. Rav. 5,379: *Rucinium*; Steph. Byz. s. v. Βουθόη, Polis und Fluß), h. Risan (Montenegro) an der Bucht von Kotor. Mit seinem gut geschützten Hafen war R. den illyri-

schen Piraten unter der Herrschaft des Agron [3] und der Teuta von großem Nutzen. So fand Teuta nach ihrer Niederlage im Kampf gegen die Römer 229 v. Chr. in R. Zuflucht (1. Illyrischen Krieg; Pol. 2,11,16). Da sich die Stadt vor dem Fall des → Genthios 167 v. Chr. den Römern angeschlossen hatte, erhielt sie Steuerfreiheit, mußte aber wie die etwa 40 km südl. gelegene Küstenstadt Olcinium (h. Ulcinj) eine röm. Garnison unter C. Licinius [I 8] aufnehmen. Das → Illyricum wurde durch den Propraetor Anicius [I 4] in drei Verwaltungsbezirke geteilt – R. dem dritten zugewiesen – und der Prov. Macedonia angegliedert (Liv. 45,26). Die Römer setzten sich im Illyricum nur langsam durch. So fiel nach Ausweis der Mz. (HN 316) R. zeitweise unter die Kontrolle des illyrischen Königs Ballaios. Ital. Händler ließen sich in R. nieder (ital. Familien: Serveni in CIL III 8402, Tifatii in CIL III 12785, Minidii in CIL III 8398). R. wurde in den Rang einer *colonia Iulia* (CIL III 12748), *tribus Sergia* (vgl. 1717; 1730), erhoben. Von 167 n. Chr. stammt der Weihestein des M. Lucceius Torquatus, eines Legaten der *legio III Augusta*, für den Gott Medaurus (ILS 4881).

G. ALFÖLDY, Bevölkerung und Ges. der röm. Prov. Dalmatien, 1965, 141 f. · Ders., s. v. Ῥίζων, RE Suppl. 11, 1214–1217 · J. J. WILKES, Dalmatia, 1969, 254 f. · TIR K 34 Naissus, 1975, 114 · P. MIJOVIĆ, A Few Remarks Concerning the Reconstruction of the Antique and Late Antique Roads through Montenegro, in: Putevi i komunikacije u antici 133–144, 1980, bes. 136–139.

PI. CA./Ü: E. N.

Ritter, Ritterstand
s. Equites Romani; Hippeis; Ordo (II.)

Ritual I. BEGRIFF II. ÄGYPTEN
III. MESOPOTAMIEN IV. HETHITER
V. ALTES TESTAMENT / SYRIEN
VI. JUDENTUM VII. KLASSISCHE ANTIKE
VIII. CHRISTENTUM IX. ISLAM

I. BEGRIFF

Der Begriff R. bezeichnet die komplexe Handlungssequenz einzelner, in einem logischen Funktionszusammenhang und nach einer festgelegten R.-Syntax miteinander verbundener Riten. R. finden sich nicht nur in rel., sondern auch in anderen gesellschaftlichen – pol. wie sozialen – Kontexten. Die Bed. von R. für die Teilnehmer läßt sich weder auf eine integrative (Legitimations-R.) noch auf eine die normale Ordnung temporär außer Kraft setzende Funktion – dies die beiden Extrempositionen der R.-Forsch. – reduzieren; die enorme Funktionsbreite von R. muß im histor. Einzelfall vielmehr auf ihren performativen Gehalt hin kontextualisiert und mit den die rituelle Handlung begleitenden kognitiven und emotionalen Aspekten, die R. bei den Teilnehmern hervorrufen, abgeglichen werden.

A. BELLIGER, D. J. KRIEGER (Hrsg.), R.-Theorien, 1998 · B. LANG, R./Ritus, in: HrwG 4, 1998, 442–458 · R. A. RAPPAPORT, R. and Religion in the Making of Humanity, 1999.

A. BEN.

II. ÄGYPTEN

Die äg. Rel. war wesentlich von R. geprägt, deren Ablauf schriftlich fixiert war. Die zugehörigen Handlungen sind aus den Texten zu entnehmen; wo diese heute verloren sind, können sie teilweise aus Darstellungen auf Tempel- und Grabwänden, den sog. »Opfertableaus«, erschlossen werden [1; 3]. Die Anordnung solcher Darstellungen auf der Wand spiegelt nicht unbedingt eine reale Abfolge von Einzelhandlungen wider; fast immer jedoch stehen die Opfertableaus in den Räumlichkeiten in direkter Beziehung zur Funktion oder Symbol-Bed. des Raumes [2]. Dadurch ergeben sich Hinweise auf die reale Durchführung der R. im Tempel.

R. waren fast immer komplex, d. h. aus verschiedenen Sequenzen bestehend, die auch immer wieder neu kombiniert werden konnten. Daher enthalten ganz unterschiedliche R. oft identische Teile, die manchmal sehr alt sein können. Einzelne Opfersprüche lassen sich beispielsweise von den Pyramidentexten (→ Totenliteratur) bis in röm. Zeit verfolgen [6].

Als Voraussetzung zur Durchführung bzw. auch als Bestandteil der meisten R. waren bes. Riten der Reinigung (→ Reinheit) wichtig. Weitere Elemente, die mehr oder weniger prominent innerhalb eines komplexen R. auftreten, sind z. B. das umständliche Öffnen und Schließen des Sanktuars, Räucherung, Libation, Darbringung diverser → Opfer, Ausstattung der Hauptperson (Mensch oder Statue) mit Kronen, Szeptern und Schmuckgegenständen. Dabei hatten die einzelnen Objekte, z. B. verschiedene Kronen oder Halskragen, je eigene Symbolbedeutungen.

Neben staatstragenden R., die sich auf die Götter und den König bezogen, standen funeräre oder medizinisch-magische R., die ebenso für Privatpersonen durchgeführt werden konnten. Über die auf den König bezogenen R. (z. B. Krönung) ist bislang wenig bekannt. Zu nennen ist bes. das Fest zum Regierungsjubiläum (Sedfest, s. [8]), das schon aus der Frühgesch. (ca. 3050 v. Chr.) bezeugt ist. Die Aufrechterhaltung der staatlichen Ordnung bezwecken v. a. Ächtungs-R. gegen äußere und innere Feinde [12] (→ Ächtungstexte).

Die liturgischen Handbücher für die meisten großen Götterfeste sind verloren. Darstellungen und Texte in den Tempeln geben aber Einblicke in die je nach Ort und Gottheit sehr verschiedenen Bräuche [5; 11]. Für den Funerärbereich sind R.-Anweisungen zur Balsamierung von Menschen und für die Apis-Stiere (→ Apis [1]) bezeugt [10; 13].

Im Götter- (und Toten-)Kult ist die wichtigste Unterscheidung die in Speise- und Statuen-R. Beim Speise-R. wurden dem Gott Opfergaben dargebracht, beim Statuen-R. wurde seine Statue geschminkt und mit Kleidung und Schmuck versehen. Diese Elemente gehörten auch zum täglichen Kultvollzug. Beiden R.-Typen ist gemeinsam, daß die benutzten Objekte in Sprüchen mythisch-götterweltlich verklärt wurden [14. 8–14], wobei man sich häufig Wortspiele zunutze

machte. Offiziant war idealerweise der König, real ein Priester, der sich stets neu gegenüber dem Gott legitimieren mußte. Er mußte dem Gott auch versichern, ihm nicht zu schaden.

Von den vollständig erhaltenen R. ist das sog. »Tägliche Tempel-R.«, eine Mischung aus Statuen- und Speise-R., das bedeutendste [7; 9]. Es ist vom NR bis in röm. Zeit belegbar und stellt eindeutig eine Kompilation aus noch älterem Material und neuen Elementen dar. Ein weiteres wichtiges R. ist das »Mundöffnungs-R.« (→ Totenliteratur).

1 M. ALLIOT, Le culte d'Horus à Edfou au temps des Ptolémées, 1949/1954 2 D. ARNOLD, Wandrelief und Raumfunktion in äg. Tempeln des NR, 1962 3 R. DAVID, A Guide to Religious Ritual at Abydos, 1981 4 PH. DERCHAIN (Hrsg.), Rites égyptiens, Bd. 1–8, 1962–1995 5 H. GAUTHIER, Les fêtes du dieu Min, 1931 6 E. GRAEFE, Über die Verarbeitung von Pyramidentexten in den späten Tempeln, in: U. VERHOEVEN (Hrsg.), Rel. und Philos. im Alten Äg., FS Ph. Derchain, 1991, 129–148 7 W. GUGLIELMI, K. BUROH, Die Eingangssprüche des Täglichen Tempel-R. nach Papyrus Berlin 3055, in: J. VAN DIJK (Hrsg.), Essays on Ancient Egypt, FS H. te Velde, 1997, 101–166 8 E. HORNUNG, E. STAEHELIN, Stud. zum Sedfest, 1974 9 A. MORET, Le rituel du culte divin journalier en Égypte, 1902 10 S. SAUNERON, Rituel de l'embaumement, 1952 11 Ders., Les fêtes religieuses d'Esna aux derniers siècles du paganisme, 1962 12 K. SETHE, Die Ächtung feindlicher Fürsten, Völker und Dinge auf altäg. Tongefäßscherben, in: Abh. der Preußischen Akad. der Wiss., Philol.-histor. Klasse 5, 1926, 5–74 13 R. L. VOS, The Apis Embalming Ritual, 1993 14 H. WILLEMS, The Coffin of Heqata, 1996.   A. V. L.

III. MESOPOTAMIEN
A. QUELLEN   B. RITUALE

A. QUELLEN

Primäre Quellen für R. im Sumerischen sind kaum erh. Ausführliche Information bieten sekundäre Quellen wie lit. Texte (Mythen, Epen, Königsinschr., Hymnen) und v. a. Verwaltungsurkunden. Reich ist die primäre Quellenlage für akkadische R.: 11 R.-Hdb. mit einer festgelegten Anzahl von Tafeln und Titeln sind erh. [15]. Auch im Akkad. liefert die Sekundärlit. (lit. Texte, Verwaltungsurkunden, Briefe) wichtige Informationen.

B. RITUALE

R. reflektieren die Wahrnehmung von Raum und Zeit. Zeitliche Ereignisse können als wiederkehrend (zyklisch, nicht-zyklisch) oder nicht-wiederkehrend erfahren werden. Es empfiehlt sich, zw. den Teilnehmern (menschlich: König, Priester, Individuum, Gruppe; nicht-menschlich: Statuen, Objekte, Tempel, Tier) und den Ausführenden (→ Priester, Beschwörer, Wahrsager, Klagesänger) zu unterscheiden.

1. RAUM: PROZESSIONEN

Sieben sumerische hymnische Kompositionen (1. H. 2. Jt. v. Chr.) berichten über Schiffahrten von Gottheiten zu den Hauptgottheiten des sumer. Pantheons, → Enlil und Enki. Der Zweck dieser »Götterreisen« lag darin, das Verhältnis des jeweiligen Gottes zum Hauptgott zu bestätigen und um Fruchtbarkeit für das folgende Jahr zu bitten [19]. Ein anderes Ziel verfolgten die Prozessionen von Götterstatuen anläßlich des sog. → Neujahrsfestes (→ Akītu-Fest, 1. Jt. v. Chr.; → Fest). Hier wurde die Stellung des Gottes → Marduk in Babylonien bzw. des → Assur [2] in Assyrien als des höchsten Gottes proklamiert [13]. Ferner sind Prozessionen von Statuen zu Festtagen belegt (→ Fest) [5. xv].

2. Zeit

a) Zyklische Rituale

Menschlicher Bereich: Offensichtlich konnte der Herrscher während einer »Götterreise« in seinem Amt bestätigt werden [20. 175–189]; primäre Quellen sind im Sumer. für derartige Bestärkungs-R. aber nicht erh. Unter den sekundären Quellen (sog. »Götterreisen«) findet sich singulär der Hinweis auf die Bestätigung des Königs [19]. Lit. Texte sprechen von der Verbindung des Königs mit der Göttin Inanna (→ hierós gámos); ob dieser Mythos eine rituelle Wirklichkeit reflektiert, muß jedoch bezweifelt werden [17]. Akkad. Primärquelle für zyklische R. ist das → Neujahrsfest-R. in Babylonien und Assyrien im 1. Jt. v. Chr (→ Fest). Über saisonal gebundene Kalender-R. der Gruppe liegen nur implizite Informationen (Monatsnamen, administrative Urkunden) vor [18].

Nicht-menschlicher Bereich: Die tägliche und monatliche Verehrung der Götter, Herstellung der Statuen sowie ihre Versorgung mit Nahrung und Kleidung (→ Opfer) kann im 3./2. Jt. v. Chr. durch Verwaltungstexte und lit. Quellen erschlossen werden [11. 183–198]. Aus dem 1. Jt. v. Chr. sind zwei R. bekannt (mīs pî, »Waschung des Mundes«, und pīt pî, »Öffnung des Mundes«), welche sich mindestens über zwei Tage hinzogen; ihr Vollzug oblag dem Beschwörer [21].

b) Nicht-zyklisch wiederkehrende Rituale

Menschlicher Bereich: Drohte eine Mondeklipse, die nach altmesopotamischer Vorstellung ein Unheil ankündigte, wurde im 1. Jt. v. Chr. ein Substitutions-R. für den König durchgeführt (akkad. šar pūḫi; s. [20. 282–285] für ein hethitisches R.). Ein Gefangener wurde für 100 Tage an des Königs Statt eingesetzt, um das Unheil auf sich zu ziehen, danach exekutiert und der Herrscher wiedereingesetzt [12. xxiff.]. Reich ist die Quellenlage für kathartische (→ Kathartik), apotropäische, exorzistische und Heilungs-R. (→ Medizin) [14]. Die Vertreibung von → Dämonen aus dem Hause eines Kranken wurde dadurch erreicht, daß man Ton- und Holzfiguren in und um das Haus plazierte (1. Jt. v. Chr., bīt meseri, »Haus der Einschließung«; [22]). Ein weiteres R.-Hdb. wandte sich gegen die Einwirkungen der Dämonin Lamaštu, die für Krankheiten allg., speziell für Kindbettfieber und Säuglingssterblichkeit steht [6]. Einwirkungen durch Hexerei wurden durch das maqlû-R. (»Verbrennung«) abgewehrt, das nachts im Monat Abu durchgeführt wurde (1. Jt. v. Chr.; [1]). Ebenfalls in den Monat Abu fiel das sog. Ištar-Dumuzi-R., das sich gegen durch Dämonen oder Zauberer hervorgerufene Krankheiten, die teilweise zu Impotenz führten, wandte (1. Jt. v. Chr.; [7]). Ob beide R. nicht-zyklischer oder zyklischer Natur sind, ist unsicher. Ein etwa hundert Tafeln umfassendes Hdb. widmete sich der Abwendung von durch Omina jeglicher Art angekündigtem Unheil. Das R. trägt hier apotropäische und kathartische Züge (1. Jt. v. Chr., sog. namburbû, Löse-R.; [9]). Die Durchführung dieser Krisen-R. oblag dem Beschwörer.

Nicht-menschlicher Bereich: In sumer. Sprache sind Tempelbau-R. in sekundären Quellen belegt [16]; das Akkad. bietet einige R. zum Bau von Tempel und Haus, die von dem Klagesänger durchgeführt wurden [2; 20. 241–244]. Auch die rituelle Herstellung der lilissu–Pauke oblag dem Klagesänger [20. 234–236].

c) Nicht wiederkehrende Rituale

Menschlicher Bereich: Von der Mitte des 2. Jt. v. Chr. ist ein akkad. Inthronisations-R. des Königs bekannt [10]. Priester wurden mit Hilfe der Opferschau bestimmt (attestiert in sumer. Jahresnamen, 3. und 2. Jt. v. Chr.). Ein akkad. R.-Text handelt von der Priesterweihe [8].

Nicht-menschlicher Bereich: In den tierischen Bereich gehören → Opfer und das damit verbundene Opferschau-R. (→ Divination), welches vom Seher durchgeführt wurde.

1 T. Abusch, Mesopotamian Anti-Witchcraft Literature. The Nature of Maqlû, in: JNES 33, 1974, 251–262 2 R. Borger, Das Tempelbau-R. K. 48+, in: ZA 61, 1971, 72–88 3 M. Civil, Another Volume of Sultantepe Tablets, in: JNES 26, 1967, 200–211 4 M. E. Cohen, The Cultic Calendars in the Ancient Near East, 1993 5 St. W. Cole, P. Machinist, Letters from Priests to the Kings Esarhaddon P. and Assurbanipal, 1998 6 W. Farber, s. v. Lamaštu, RLA 6, 439–446 7 Ders., Beschwörungs-R. an Ischtar und Dumuzi, 1977 8 W. G. Lambert, The Qualifications of Babylonian Diviners, in: S. M. Maul (Hrsg.), Tikip santakki, FS R. Borger, 1998, 141–158 9 S. M. Maul, Zukunftsbewältigung, 1994 10 K. F. Müller, Das assyr. R., 1937 11 A. L. Oppenheim, Ancient Mesopotamia. Portrait of a Dead Civilization, ²1977 12 S. Parpola, Letters from Assyrian Scholars to the Kings Esarhaddon and Assurbanipal II, 1983 13 B. Pongratz-Leisten, Die kulttop. und ideologische Programmatik der akītu-Prozession in Babylonien und Assyrien im 1. Jt. v. Chr., 1994 14 E. Reiner, Astral Magic in Babylonia, 1995 15 W. Röllig, s. v. Literatur, RLA 7, 62–64 16 W. H. Ph. Römer, Stud. zu den Texten Gudeas von Lagaš: Die aus Anlaß des Baues des neuen Eninnu durchgeführten Riten, in: Jb. für Anthropologie und Rel.-Gesch. 5, 1984, 57–110 17 W. Sallaberger, »Hl. Hochzeit« – Mythos oder Ritus?, in: Ders., A. Westenholz, Mesopotamien, 1998, 155f. 18 Ders., Der kult. Kalender der Ur III-Zeit, 1993 19 Å. W. Sjöberg, s. v. Götterreisen, RLA 3, 480–483 20 TUAT 2, 163–292 21 C. B. F. Walker, M. B. Dick, The Mesopotamian mīs pî-R., in: M. B. Dick (Hrsg.),

Born in Heaven Made on Earth, 1999, 55–121
22 F. A. M. WIGGERMANN, Mesopotamian
Protective Spirits, 1992.   BA. BÖ.

IV. HETHITER
A. ALLGEMEINE BEMERKUNGEN B. FESTRITUALE
C. KATHARTISCHE, APOTROPÄISCHE UND
HEILUNGSRITUALE D. RITUALSCHULEN

A. ALLGEMEINE BEMERKUNGEN

Die religionsgesch. Bed. des hethitischen Schrifttums liegt in der großen Anzahl der überl. R. Von den etwa 25 000 keilschriftlichen Tontafel-Frg. aus der hethit. Hauptstadt → Ḫattusa gehören nahezu zwei Drittel der R.-Lit. an. Dabei lassen sich verschiedene R.-Trad. feststellen: Das Staatspantheon setzte sich den polit. Gegebenheiten entsprechend aus hethit., palaischen, hattischen und hurritischen Gottheiten zusammen. Deshalb wurden die an sie gerichteten Beschwörungen, Mythologeme und Liturgien in den ihnen eigenen Sprachen, gelegentlich mit hethit. Übers., rezitiert. Eine Analyse der umfangreichen, mehrere Tage währenden hethit. R. macht deutlich, daß sie auf langer Trad., die bis in die Zeit Ḫattusilis I. (ca. 1565–1540 v. Chr.) zurückreicht, beruhen. Dies zeigt sich im Umfang der R., ihrer vollendeten Gestaltung, im strengen, in sich logischen Aufbau, der stets ähnlichen Aufeinanderfolge spezifischer R.-Handlungen und der ebenfalls stets ähnlichen Verwendung der *materia magica*, ferner der R.-Sprache, d. h. spezifischer Fachtermini und syntaktischer Wendungen, die in den verschiedensten R. stereotyp begegnen.

B. FESTRITUALE

Fest-R. bzw. R.-Anweisungen mit den in sie integrierten Mythen (als R.-Aitiologien), Liturgien, Gebeten und Beschwörungen geben einen umfassenden Einblick in die altanatolischen Kulte und rel. Volksbräuche. Die verschrifteten R. kultischer Feste wurden seit der althethit. Zeit bis zum Ende des hethit. Großreichs (16.–12. Jh.) tradiert. Gelegentlich liegen von ein und derselben R.-Anweisung alt-, mittel- und junghethit. Tafeln vor, die nur selten Abweichungen zeigen, die manchmal begründet werden. Die R.-Anweisungen sind detaillierte Rollenbücher zur korrekten Durchführung aller zum Fest gehörenden, oftmals komplizierten und vieldeutigen Zeremonien, u. a. Regieanweisungen für den Auftritt des Königspaares und des Hofstaates im Hofzeremoniell. Sie überliefern den Wortlaut der zu rezitierenden Mythen, Liturgien oder Festgesänge und regeln den technischen Ablauf des Opferzeremoniells, der jeweiligen Riten und die Verpflegung der Festgemeinde. Damit der Kult auch außerhalb der Hauptstadt korrekt vollzogen werden konnte, schickte man Duplikattafeln in die Prov.-Städte.

Die Feste des Kalenderjahres waren großangelegte Veranstaltungen, sowohl kultisch-sakralen als auch gesellschaftlich-profanen Charakters. Ihr Zweck war die Aktivierung der den Gottheiten innewohnenden Kräfte zur Erlangung ergiebigen Regenfalls, üppiger Ernten, zur Vermehrung der Herden und der Jagdtiere, zur Stärkung der charismatischen Kräfte des Königs und zur Erfüllung des Wunsches nach zahlreicher Nachkommenschaft des Königshauses. Da die menschliche Existenz, die auf Land- und Weidewirtschaft und der Jagd beruhte, unmittelbar vom Vollzug der Feste abhängig war, stand die Feier der Feste im Dienst eines kollektiven Ziels der Gemeinschaft, die durch die Festgemeinde vertreten wurde, zu der nicht nur die Menschen, sondern auch die Götter (in Gestalt ihrer Statuetten) gehörten. Zu ihnen stellte der Mensch mit Hilfe des R. eine direkte Verbindung her, die nur durch die sorgfältige Einhaltung der Riten erreicht und aufrechterhalten werden konnte. Somit wurde die Ausübung des R. zu einer Lebensnotwendigkeit.

Das R. regelte die Form der Kommunikation mit den Göttern, deren Anwesenheit in der Verbindung von Opferzeremoniell und Kultmahlzeit zum Ausdruck kommt. Denn im Kultmahl wurden Menschen und Gottheiten zu Tischgenossen, zu einer Speisegemeinschaft. Das gemeinsame Speisen vom Fleisch der Opfertiere verband Mensch und Gott in Harmonie. Insbesondere bewirkte dieser Binderitus eine Einheit zw. dem Königspaar und den Gottheiten, der im sakralen Akt des »die-Gottheit-Trinkens« seinen Höhepunkt fand.

Oberster Priester und zugleich Zelebrant der großen Feste war der König bzw. das Königspaar; Opferherr war gelegentlich auch der Kronprinz. Die eigentlichen R.-Leiter waren die → Priester, denen zahlreiche Kultakteure (wie Beschwörungspriester, Priesterinnen, Kultwärter und Kultwärterinnen, Schmiede, Hirten und Jäger sowie eine große Anzahl von Palastangestellten, etwa Sänger, Musikanten, Tänzer, Tänzerinnen, Mundschenke, Köche) zur Seite standen.

Betrachtet man die Fest-R. unter gruppensoziologischen Gesichtspunkten als verdichtete Abbildungen und Wiederholungen des sozialen Zustandes der hethit. Ges., so vermitteln sie den Eindruck eines straff organisierten, umfassenden Staatswesens, das allein vom König repräsentiert wird. Hierfür sprechen die stark ausgeprägte Ritualisierung des Kults, die starre Einhaltung der Zeremonien, das fast völlige Fehlen ekstatischer Momente und – bis auf geringe Ausnahmen – jeglicher Art von Spontaneität und Individualität der Festgemeinde. Im Laufe der Entwicklung dienten die großen Feste mehr und mehr der Demonstration der königlichen Macht.

Bildlich dargestellt wurden Fest-R. sowohl auf Reliefplatten an den Außenmauern von Palästen [1. 592] als auch auf althethit. Zeremonialgefäßen (ca. 1450 v. Chr. [1. 523 f. und Abb. 94a,b]). Den Höhepunkt des dort dargestellten Festes bildete eine die Fruchtbarkeit des Landes fördernde sexuelle Vereinigung des Königspaares, wie sie auch in Fest-R. erwähnt ist.

C. Kathartische, apotropäische und Heilungsrituale

Diese R. bedienten sich magischer und iatro-magischer Praktiken. Die elementarste und selbst für die kompliziertesten R. unabdingbare Voraussetzung für ein wirksames magisches Verfahren war die Kombination einer manuellen Handlung und einer auf sie bezogenen Rezitation. Daraus entwickelten sich im Laufe der Überl. immer komplizierter gestaltete R., so daß aus urspr. einfachen Fluchgesten und Beschwörungsworten komplizierte Manipulationen und lange Rezitationen entstanden, die für die Patienten manchmal kaum mehr durchschaubar waren. Diese R. richteten sich gegen die sieben Arten der Behexungen und Verfluchungen und dienten der Abwendung bedrohlicher Omina. Ein davon Betroffener befand sich im Zustand der Unreinheit bzw. des Gebundenseins. Die daraus resultierenden Symptome waren Angst, Alpträume, Verfolgungswahn, Impotenz, Aborte, ja sogar der Tod. Das Ritual stellte den Zustand der → Reinheit, d.h. des »Gelöstseins«, wieder her, indem es die stofflich vorgestellten Behexungen usw. vom Körper des Patienten entfernte.

D. Ritualschulen

Im R.-Schrifttum aus Hattusa lassen sich verschiedene R.-Trad. und gelegentlich auch R.-Schulen mit unterschiedlichen Techniken und R.-Materien erkennen: Neben einem zentralanatolischen Kreis, der auf hattischen (vorhethit.), palaischen und luwischen Trad. basiert, findet sich ein hurritischer Kreis, in dem sowohl westsyrische als auch ninevitische Elemente nachweisbar sind, außerdem eine seit dem Mittleren Reich (ca. 1450 v. Chr.) stark ausgeprägte babylonisch-assyrische R.-Tradition.

V. Haas, Hethit. Rel.-Gesch., 1994, 674–911.   V. H.

V. Altes Testament/Syrien

Grundlegende Differenzen bestehen in der Überl. von R. im AT und in Syrien. Während im syr. Bereich R.-Texte mit Handlungsanweisungen existieren, finden sich im AT vornehmlich Erzählungen über Stiftung, Einsetzung und Verlauf von R. So werden etwa im Passa-Mazzot-R. (Ex 12–13; Dt 17) ehemals agrarisch-naturhafte Konnotationen und deren historisierende Umdeutung greifbar, womit auf zeitgesch. (Kultzentralisation, Tempelzerstörung) oder theologisch bedingte Anforderungen (Deuteronomismus) reagiert wurde. Der Begriff der R.-Dynamik stellt diesen Aspekt der Veränderbarkeit von R. in den Vordergrund, um das traditionelle Verständnis des R. als eines starren, sinnentleerten Konformismus zu korrigieren. Life-cycle-R. (Geburt, Heirat, Tod), Initiations-R. (Priesterweihe: Lv 8–9, Pubertät) und polit. R. (Inthronisation, Friedens-/ Bundesschluß: Ex 24) stehen Krisen-R. wie dem kollektiven Trauerfasten (Krieg, Dürre) gegenüber. Ihnen ist eine auf den Körper bezogene Darstellung von Ordnung und Unordnung zu eigen, die im R. kreativ ausbalanciert wird. Von zentraler Bed. ist das priesterschriftliche R.-System, wie es in den Büchern Ex und Lv am besten greifbar wird. Neben dem täglichen Tempel-R. mit seinen Opfern (Nm 28) steht hier die Reinheit und Heiligung des Wüstenheiligtums, der → Priester und jedes einzelnen im Mittelpunkt. Bedeutsam sind v. a. das hattā't und das 'āšām-R. mit ihren Riten des Blutsprengens und -streichens, denen eine von Sündenmaterie reinigende Wirkung zukommt (→ Reinheit). Das AT faßt dies unter den Begriff der »Sühne« (hebr. kippær, LXX: ἐξιλάσασθαι/exilásasthai; lat. expiare, expiatio) als kultische, vom Priester bewirkte Voraussetzung für die (von Gott) gewährte Vergebung der Sünden. Zur Komplexität des hattā't-R. gehören ferner Eliminations-R. für den Reinigungskehricht und zur Verbannung der Sündenmaterie mittels eines Sündenbockes (Lv 16).

In → Ugarit sind die bekanntesten R. die des königlichen → Totenkults, die häufig mit nekromantischen Praktiken verbunden werden. Inwiefern der Baʿal-Zyklus selbst Elemente von R. überliefert bzw. in einem rituellen Kontext verstanden werden muß, ist umstritten [11. 34–85]. Das ugaritische R.-Corpus weist darüber hinaus weitgehende sprachliche und sachliche Übereinstimmungen mit hurritischem, hethitischem und weiterem anatolischen Milieu auf. Anders in Emar (h. Meskene) am mittleren Euphrat, wo sich in den zahlreichen R.-Texten (13. Jh. v. Chr.) kaum hethit. und bisher gar keine mesopot. Einflüsse zeigen. Eine zentrale Rolle in den (Fest)-R. aus Emar kommt der durch Familien(gruppen) repräsentierten Bevölkerung zu; der Herrscher ist hier weder Priester, noch spielt er eine zentrale Rolle als Kultausführender.

1 M. Dietrich, O. Loretz, Stud. zu den ugaritischen Texten, Bd. 1: Mythos und R. in KTU 1.12 ..., 2000 2 D. Fleming, The Emar Festivals, in: M. W. Chavalas (Hrsg.), Emar: History, Rel. and Culture of a Syrian Town in the Late Bronze Age, 1996, 81–121 3 Ders., Time at Emar: The Cultic Calendar and the R. from the Diviner's Archive, 2000 4 F. H. Gorman Jr., The Ideology of R.: Space, Time and Status in the Priestly Theology, 1990 5 K.-P. Köpping, U. Rao (Hrsg.), Im Rausch des R. – Gestaltung und Transformation der Wirklichkeit in körperlicher Performanz, 2000 6 O. Loretz, P. Xella, Beschwörung und Krankenheilung, in: Ras Ibn Hani 78/20, Materiali Lessicali ed Epigrafici, Bd. 1, 1982, 37–46 7 A. Malamat, A Note on the R. of Treaty Making in Mari and the Bible, in: IEJ 45, 1995, 226–229 8 G. del Olmo Lete, Catalogo de los festivales regios de Ugarit, in: Ugarit Forsch. 19, 1987, 11–18 9 D. Pardee, Les textes rituels (Ras Shamra-Ougarit 12), 2000 10 J. Quaegebeur (Hrsg.), R. and Sacrifice in the Ancient Near East (Orientalia Lovaniensia Analecta 55), 1993 11 A. Rosengren Petersen, The Royal God. Enthronement Festivals in Ancient Israel and Ugarit, 1998 12 J. M. de Tarragon, Le Culte à Ugarit, 1980 13 D. P. Wright, R. in Narrative: The Dynamics of Feasting, Mourning, and Retaliation Rites in the Ugaritic Tale of Aqhat, 2000 14 P. Xella, I testi rituali di Ugarit, Bd. 1, 1981.   Th. Po.

VI. Judentum

A. Einleitung

B. Frühgeschichte und frühe biblische Zeit

C. Zeit des ersten Tempels; Nord- und
Südreich   D. Babylonisches Exil

E. Diaspora-Gemeinden; Gründung und
Erfolg der Synagoge   F. Nachexilische Zeit

G. Der Zweite Tempel   H. Entstehung des
rabbinischen Judentums; Der Talmud

J. Palästinische Traditionen

K. Babylonische Traditionen

L. Liturgische Sprachen

A. Einleitung

Die Gesch. des jüd. Gottesdienstes ist durch Dichotomien gekennzeichnet: Institutionalisierung und Individualität, Verpflichtung und Spontaneität, Trad. und Innovation, Vereinheitlichung und örtliche Begrenzung, Tempel und Synagoge, Studium und Gebet, mündliche und schriftliche Überl. Die unterschiedliche Gewichtung dieser verschiedenen Trends im Laufe der jüd. Gesch. führte zu einer Vielfalt von Modalitäten, Texten und Kontexten, von denen einige als Standard akzeptiert wurden, andere als nicht länger durchführbar aufgegeben wurden, während wieder andere als sektiererisch abgelehnt wurden. Drei Tatsachen sind zu betonen: daß als »jüd.« identifizierbare Liturgie überwiegend von der rabbinischen Trad. geprägt ist, daß fast alle Details zu liturgischen Praktiken und ihrer Herausbildung in der Zeit des Zweiten Tempels durch den Talmud (→ Rabbinische Literatur) überl. sind, und – paradoxerweise – daß das rabbin. Judentum keine zentralistische Vereinigung war.

Im 20. Jh. wurden die Forsch. zur jüd. Liturgie durch zwei Entdeckungen maßgeblich beeinflußt: die Auffindung von ma. Fr. in der Kairoer → Geniza und die Entdeckung der Schriftrollen vom Toten Meer (→ Qumran; → Totes Meer, Textfunde). Erstere erlaubte die Einsicht in frühe Entwicklungsstufen des zeitgenössischen liturgischen Kanons, während letztere ein (nicht immer klares) Licht auf die Gottesdienstpraktiken einer jüd. Religionspartei in der späten zweiten Tempelperiode wirft. Beide Corpora weisen auf heterogene Entwicklungen, die sich erst ab dem späten 8. Jh. n. Chr. konsolidierten.

B. Frühgeschichte und frühe biblische Zeit

Israelitische Kulte vor der Zeit des davidischen Königtums (ca. 1000 v. Chr.; → David [1]) waren um den jahwistischen Kult zentriert (→ Jahwe). Das Kultzentrum war noch nicht → Jerusalem, sondern Silo, wo die Bundeslade aufbewahrt wurde (1 Sam 3,3). Der Gottesdienst war stark auf die → Opfer-Praxis bezogen; auch andere zum jahwistischen Kult gehörige Opferstätten sind belegt (vgl. → Juda und Israel). Liturg. Texte, die Aufschluß über die den Opferkult begleitenden Gebetspraktiken geben könnten, sind nicht überl. Ebensowenig ist festzustellen, in welchem Maße elohistische oder andere Kulte unter den Stämmen verbreitet waren. In jedem Fall zeigt die Überl. und Aufnahme des Moseliedes (Ex 15,21) und des Deboraliedes (Ri 5,13) durch die frühen Bibelredaktoren, daß persönliches und spontanes → Gebet existierte.

Der frühe israelitische → Kalender scheint nationalen und rituellen Charakter gehabt zu haben und war am Landwirtschaftszyklus orientiert. Die Hauptfeste, die im Opferkult gefeiert wurden, waren wohl: Neujahr (*Rōš ha-šannā*), Versöhnungstag (*Yom Kippur*), Laubhüttenfest (*Sukkot*), → *Pesaḥ*-Fest der ungesäuerten Brote (*Ḥag ha-Maṣṣot*) und Wochenfest (*Šābuʿōt*), die der Bitte um Regen bzw. dem Erntedank dienten. Spezielle Opfer waren auch am Monatsbeginn (*Rōš Hodæš*), zu Neumond, üblich. *Hanukkā* – keines der Hauptfeste – hat seine Wurzeln möglicherweise in einem volkstümlichen Fest zur Wintersonnenwende. Außerdem wurde in Krisenzeiten (v. a. Dürre und Hungersnot) vom Opferkult unabhängiges Fasten durchgeführt, das verm. von liturg. Bitten und Preisungen (sog. *sᵉliḥōt*, »Bitten um Vergebung«) begleitet wurde. Aus der frühen Zeit sind keine *sᵉliḥōt*-Texte erh., aber diese Litaneien wurden vom rabbin. Judentum wie von anderen jüd. Gruppen tradiert und haben sich bis h. erh.

C. Zeit des ersten Tempels; Nord- und Südreich

Mit der Entstehung der davidischen Dyn. verlagerte sich das Zentrum des jahwistischen Kultes nach Jerusalem (2 Sam 6,2 ff.; → Salomo; Entwicklung der → Psalmen traditionell David zugeschrieben). Nach der Reichsteilung in das Nordreich Israel mit der Hauptstadt → Samaria und das Südreich Juda scheint im Nordreich ein baʿalistisches Pantheon (→ Baʿal) verehrt worden zu sein (1 Kg 12,1 ff.), was auf phöniz.-kanaanäischen Einfluß hindeutet. Die Spannungen, die durch den Baʿal-Kult hervorgerufen wurden, dehnten sich auch auf Juda aus (2 Kg 8,27) und verursachten polit. und soziale Brüche, die den inneren Zusammenhalt gefährdeten.

D. Babylonisches Exil

Mit dem babylon. Exil (seit 586 v. Chr.) wurde der Jahwe-Kult von Juda symbolisch wie praktisch dezentralisiert. Das gestürzte Königtum spielte nun keine Rolle mehr für die Aufrechterhaltung der Staatsreligion, und Priester und → Leviten konnten ohne das Heiligtum keinen Opferkult durchführen.

Allerdings waren Königtum und Tempelfunktionäre keinesfalls die einzigen Vertreter der judäischen Rel. An ihrer Stelle überlieferten nun Schreiber und → Propheten Texte sowie kultische und moralische Werte. Verm. wurden erstmals öffentliche Lesungen aus der Torā und dem vorexilischen Kanon organisiert und öffentliche Gebete als Ersatz für den Opferkult eingerichtet. Weitreichende Folgen hatte die Übernahme des babylon. Kalenders (Ex 29,1 ff.).

E. Diaspora-Gemeinden; Gründung und Erfolg der Synagoge

Jerusalem gegenüber loyale israelit. Gemeinden existierten bereits während der Königszeit, hauptsächlich in Äg. Einige davon führten wohl in Übereinstimmung mit dem Jerusalemer Tempel eigene Opfer durch (z. B. → Elephantine). Wahrscheinlich organisierten die Gemeinden unabhängig *sᵉliḥot*-Gebete an Fasttagen, hielten Bibellesungen ab und führten gemeinschaftliche rituelle Mahlzeiten durch.

Es bleibt unklar, ob die ersten lit. Zeugnisse den Begriff → Synagoge (συναγωγή, hebr. *(bēt) ha-kᵉnesset*, wörtl. »Versammlung«, »Gemeinschaft«) für die Gemeinde selbst oder den Ort der Gemeindeversammlung verwenden. Die frühesten lit. Quellen, die die Institution erwähnen, sind die Mischna, das NT, → Iosephos [4] Flavios und → Philon [12]. Andere Bezeichnungen dafür sind z. B. *bēt ha-tᵉfillā* (»Haus des Gebets«, griech. προσευχή/*proseuché* oder προσευκτήριον/*proseuktérion*), *bēt ha-midraš* (»Haus des Studiums«) oder »Ort der Sabbat-Versammlung« (σαββατεῖον/*sabbateíon*). Den frühesten arch. Beleg für die Institution in Jerusalem bietet die Theodotos-Inschr., die in das 1. Jh. v. Chr. datiert. Sie berichtet, daß Theodotos, Sohn und Enkel von *archisynagōgoí*, das Gebäude zum Lesen der Torā, zum Studium der Gebote und als Unterkunft für Wanderer gegründet habe.

Ironischerweise trug die Zerstörung Jerusalems und seines Zweiten → Tempels durch die Römer unter Titus 68–70 n. Chr. wohl mehr als jedes andere Ereignis zum Erfolg der Synagoge und zur Entstehung des rabbin. Judentums bei. Der zentrale Opferkult wurde – ebenso wie die damit befaßten priesterlichen und patrizischen Schichten – endgültig ausgelöscht. Die entstandene Lücke wurde durch die judäischen → Tannaiten gefüllt; die Synagoge wurde zum einzigen Zentrum von Gemeinde, Kult und Studium (palästin. Synagogen z. B. in Bēt-Šᵉʾān/→ Beisan, → Tiberias, → Maon [1] oder → Sepphoris). Philon berichtet über unterschiedliche Synagogen in Alexandreia [1], insbes. die »Große Synagoge« (s. a. Apg 6,9), und erwähnt auch verschiedene Synagogen in Rom, u. a. eine »Synagoge der Hebräer«, was auf eine judäische, nicht griechischsprachige Gemeinde hindeutet. Im NT werden Synagogen sowohl in Iudaea als auch im griech. Gebiet erwähnt, u. a. in → Kapernaum (Mk 1,21–29), → Nazareth (Lk 4,16–38), → Antiocheia [5] in Pisidien (Apg 13,14–42), → Ikonion (Apg 14,1), → Thessalonike (Apg 17,1–17) und → Ephesos (Apg 18,19). Iosephos belegt die Existenz der »Großen Synagoge von Tiberias« (Ios. bell. Iud. 2,14,4 f.) und berichtet über das einzigartige Recht der Synagoge von → Sardeis, Opfer darzubringen (Ios. ant. Iud. 14,10,24). Die wichtigsten arch. belegten Synagogen sind in Gamla (ca. 67 n. Chr. zerstört), → Delos (1. Jh. v. Chr.–2. Jh. n. Chr.), Stobai (3.–4. Jh. n. Chr.), → Sardeis (616 n. Chr. zerstört), → Dura Europos (bekannt für ihre reichen Fresken; zerstört 256 v. Chr.), → Priene (3.–4. Jh. n. Chr.), Bet Alpha (6. Jh. n. Chr.).

F. NACHEXILISCHE ZEIT

Mit der Rückkehr der judäischen Exulanten nach Jerusalem konnte der Opferkult wieder eingerichtet werden; daneben florierten weiterhin die Diaspora-Gemeinden (→ Diaspora). In Elephantine, dem Zentrum eines Jerusalem gegenüber loyalen Opferkults, wurde offensichtlich auch anderen Gottheiten geopfert. In Alexandreia entstand eine spezielle hell. und hellenisierte Form des Judentums; ein eigener Opferkult ist nicht belegt, aber die → Septuaginta, die Weisheit des → Sirach und die histor. Informationen bei Philon [12] lassen auf Lesungen und das Studium hl. Texte ebenso schließen wie auf gewisse liturgische Bräuche. Alexandreia war auch das Zentrum der → Therapeuten, die – ähnlich wie die Gemeinschaften von → Qumran (→ Essener) – den Jerusalemer Tempelkult ablehnten und deren tägliches Leben von Gebeten und Studium bestimmt war.

G. DER ZWEITE TEMPEL

Die die Opferriten z. Z. des Zweiten Tempels (5. Jh. v.–70 n. Chr.) ergänzende Liturgie bestand aus doxologischen Lesungen: nach Überl. der Mischna (Tamid 5,1) das *Šᵉmaᶜ Yisraʾēl* (Dt 6,4), der Dekalog (Ex 20,2–14) und der priesterliche Segen (Nm 6,24–26). Außerdem wurden wahrscheinlich die »Wallfahrtspsalmen« (Ps 120–134) auf dem Weg zum Heiligtum rezitiert. Nach der Mischna (Tamid 7,3) warfen sich die Opfernden während des Opfers nieder; Responsorien der Gemeinde (vgl. Ps 136,1) könnten einen Teil dieses R. gebildet haben. Sündenbekenntnisse der Gemeinde wurden bei der Darbringung der Erstlingsfrüchte (*widduy Bikkurīm*) und des Zehnten (*widduy Maᶜᵃšēr*) gesprochen; in Krisenzeiten wurde gemeindliches Fasten (vgl. Est 4,16) durchgeführt, laut der Mischna (Taʾanit 2,1–5) gab es spezielle Liturgien für Dürrezeiten.

Nach Mischna (Taʾanit 4,2) und Jerusalemer Talmud (Berakhot 4,1; 7b; Berakhot 26b) wurden in dieser Zeit *Maᶜᵃmadot* genannte Gemeindeversammlungen üblich. Sie fanden sowohl in Privathäusern als auch in Synagogen statt und dienten nicht dem Gebet, sondern der Lesung der Einleitungskapitel der Genesis (→ Bibel). Die Institution des *Maᶜᵃmad* scheint die Basis für die liturg. Ordnung des Tages und somit auch für den Synagogalgottesdienst gebildet zu haben. Der für den Opfergottesdienst gebräuchliche Terminus *ᶜAbodā* wurde nun auch auf außerhalb des Tempels durchgeführte Gebetsgottesdienste ohne Opfer übertragen. Schließlich weist die Mischna (Yoma 7,1; Soᶜa 7:7, 8) auf die Existenz einer Synagoge im Tempel hin.

H. ENTSTEHUNG DES RABBINISCHEN JUDENTUMS; DER TALMUD

Die → Tannaiten (→ Rabbinische Literatur) hielten die Ordnung und den Zeitplan der Gebete im Zusammenhang mit dem Tempelgottesdienst ebenso fest wie die Ordnung des Standard-Gebetsgottesdienstes, üblicherweise aber nicht die Gebete selbst. Die Gemara (Babylon. Talmud Berakhot 33a) nennt vier Typen der Liturgie: *Bᵉrakōt* (»Segen«), *Tᵉfillōt* (»Gebete«), *Qᵉdūššōt* (Gebete zum Neumond), *Habdalōt* (»Übergang vom Sabbat zum Wochentag«).

J. Palästinische Traditionen

Zw. dem 4. und 6. Jh. n. Chr. entstanden in → Palaestina poetische Zusätze zum liturg. Zyklus. Diese als *piyyût* (abgeleitet von griech. ποιητής/*poiētés*) bekannte Gattung charakterisierte die Liturgie Palaestinas und seiner Einflußgebiete (im wesentlichen die Gebiete unter byz. Herrschaft). Der große Erfolg des *piyyûṭîm* im byz. Gebiet wird unterschiedlich erklärt: Einige Forscher schreiben ihn der repressiven Politik des Iustinianus [1] I. zu, bes. dem Dekret von 553 n. Chr., welches jüd. Bibel-Komm. verbot; andere sehen darin eine spontane Entwicklung. Obwohl die babylon. Akademien (→ Pumbedita, → Sura) jede Ausschmückung der Liturgie vehement ablehnten, wurden die *piyyûṭîm* später auch zu einem Charakteristikum des persischen Ritus. Möglicherweise führte die sāsānidische Unterdrückung (→ Sāsāniden) der jüd. Lehrtätigkeit in den J. 450–589 n. Chr. dazu, daß sich die pers. jüd. Gemeinden an die palästin. liturg. Formen anlehnten.

Typologische Charakteristika der frühen *piyyûṭîm* sind: der Gebrauch von Akrosticha, Isometrie, bilaterale Symmetrie, Anadiplosis, Alliteration und Reim. Viele Abschnitte der Gebete wurden von den *payṭanîm* überarbeitet, so daß zwar manche liturg. Stücke typologisch alt sind, in ihrer Form aber bed. Veränderungen unterworfen waren.

Die frühen *piyyûṭim* sind fast ausschließlich von biblischen Quellen und Modellen abgeleitet; rabbin. und Midraš-Elemente wurden selten einbezogen. Allerdings wurden Themen der frühen rabbin. Esoterik (z. B. Merkaba-Mystik, beruhend auf Ez 1,4 ff.; Hekalot-Mystik) aufgenommen.

Zusätzlich zur Erweiterung der Liturgie durch *piyyûṭ*-Kompositionen scheint der palästin. Ritus einen dreijährigen Zyklus der Torā-Lesung, eine eigene Rezension der ʿAmida, die Rezitation zusätzlicher Segenssprüche vor und nach dem *Šmaʿ* sowie unterschiedliche Segenssprüche für einige Teile des Gottesdienstes, inkl. der Torā-Lesung, bewahrt zu haben. Offizianten des Gottesdienstes waren der *ḥazzan*/*payṭan*, der der Gemeinde oft sowohl als Vorsänger wie als Dichter diente, und der Übersetzer, der die Lesungen aus der Torā und aus den Propheten in der Landessprache wiederholte. Die meisten Kenntnisse über die liturg. Texte des palästin. Ritus sind der Entdeckung der Kairoer Geniza im 19./frühen 20. Jh. zu verdanken.

K. Babylonische Traditionen

Wie erwähnt, lehnte die babylon.-jüd. Trad. im Unterschied zur palästin. eine Ausschmückung der trad. vorgeschriebenen Liturgie ab. Die Akademien von → Sura und → Pumbedita waren der Ansicht, daß die Formen des Gebets strikt definiert seien und daß jede Abweichung von den in der Mischna vorgeschriebenen Normen zur Häresie führen könne. Die Verpflichtung zum Gebet betraf die Gemeinde; sollte diese nicht von ihrer wichtigsten Aufgabe abhalten: dem Studium der Torā und der Erfüllung der Gebote (*miṣwot*). Außerdem wurden die Doxologie und die vorgeschriebenen Gebete in der Mischna als Erweiterung der mündlichen Trad. angesehen; als solche waren sie aus dem Gedächtnis zu rezitieren und nicht schriftlich niederzulegen (bTShab 115b). Die Liturgie scheint also wenig umfangreich gewesen zu sein und blieb seit der tannaitischen Periode relativ unverändert. Da die Wertschätzung des Studiums diejenige des Gebets weit übertraf, spielten möglicherweise die Mischna und Midrasch-Diskurse eine wichtige Rolle innerhalb des babylon. Gottesdienstes.

Die Vormachtstellung des babylon. Judentums setzte sich seit dem späten 8./frühen 9. Jh. unter den → Gaonen, den Nachfolgern der → Amoräer, durch. Der Aufstieg des arab. Kalifats (→ Kalif) trug wesentlich zu seiner Verbreitung und Akzeptanz in der jüd. Welt bei. Das spanische Judentum, das über kulturelle Verbindungen bis nach NW-Afrika verfügte, wählte das babylon. Gaonat als Vorbild. Im Adriagebiet und östl. Mittelmeerraum, v. a. in SO-Italien, Griechenland und Kleinasien, führten Vertreter des babylon. Judentums die isolierten und polit. unterdrückten Gemeinden zu neuer Blüte. In Äg. hatten babylon. Juden spätestens in der 1. H. des 9. Jh. eine Gemeinde gegründet, die neben der älteren palästin. bestand, bis diese im 13. Jh. in ersterer aufging, möglicherweise unter der maimonideischen Dyn., deren Gründer Moses ben Maimon aus Cordoba ein strikter Befürworter der babylon. Praxis war.

Für den konkreten liturg. Text ist das babylon. Gaonat ebenfalls von erheblicher Bed. – die frühesten Kodifikationen der jüd. Liturgie sind babylon. (z. B. Gebetbuch des Natronai ben Hilai, 8. Jh.; des Saʿadia Gaon, 882–942). Die babylon. Codices beeinflußten direkt die jüd. Liturgien des Iraq, Spaniens, der Provence und Nordafrikas und übten unterschiedlich starken Einfluß auf die Entwicklung der frz. und dt. Liturgien aus.

L. Liturgische Sprachen

Das Hebr. war die vorherrschende Gebetssprache, aber auch andere Sprachen spielten in der jüd. Liturgie eine wichtige Rolle. Die Mischna erklärt, daß das *Šmaʿ* (»Glaubensbekenntnis«) in jeder Sprache rezitiert werden kann. Obwohl es keinen direkten Beleg gibt, war Griech. mit einiger Wahrscheinlichkeit die Sprache der großen Synagoge von Alexandreia. Ab dem 2. Jh. v. Chr. waren zumindest für die rituellen öffentlichen Lesungen der Torā und der Propheten Übersetzungen nötig, die sie der breiten Bevölkerung verständlich machten; die früheste ist die → Septuaginta (LXX). In Iudaea wie in Babylonien waren für einen Großteil der jüd. Bevölkerung west- und ostaram. Dial. Umgangssprache. Mit dem → Targum Onqelos und danach dem Targum Jonathan reagierte das babylon. Judentum auf das Bedürfnis der Gemeindemitglieder, den Torā- und Prophetentext zu verstehen. Aus dem 1. und dem 2. Jh. n. Chr. stammend, sind beide Werke eher erläuternde als wörtliche Übers. und bieten dem Zuhörer oder Leser dogmatisch korrekte Auslegungen.

Neben dem Fr. des John Rylands Greek Papyrus 458 existiert kein Beleg, der auf einen jüd. Gebrauch der LXX hinweisen könnte. Statt dessen war in griech.-sprachigen jüd. Gemeinden wahrscheinlich die aus dem 2. Jh. stammende Übers. des → Aquila [3] in Gebrauch – wie lange, ist unklar. Eine griech. Übers. in hebr. Buchstaben des Buches → Qohelet (der Aquila-Übers. nachempfunden), das während des Laubhüttenfests gelesen wird, fand sich in der Kairoer Geniza (Cambridge: T-S Misc. 26,74).

Informationen zur Sprache der Liturgie sind spärlich. Möglicherweise war die Umgangssprache auch vorherrschende Gebetssprache, andererseits ist auch der Erfolg der hebr. *piyyūṭīm* seit dem 6. Jh. n. Chr. zu beachten – dies v. a. in Gebieten unter palästin. Einfluß, wo Griech. oder Lat. die Umgangssprache bildeten. Früh-ma. jüd. Übers. sind abgesehen von den aram. und griech. weder direkt, noch durch indirekte Zitate erh. Mit der Expansion des → Islam wurde das Arab. zur Umgangssprache in jüd. Gemeinden vom Iraq bis Andalusien. Saʿadias erläuternde Bibel-Übers. ins Arab. diente zweifellos didaktischen Zwecken ebenso wie rituellen.

Ein Großteil der vorgeschriebenen Liturgie war auswendig zu rezitieren, die wichtigsten Gebete und Doxologien wurden höchstwahrscheinlich bis weit in die gaonische Zeit mündlich überl. Möglicherweise war die Beteiligung der Allgemeinheit an den Gottesdiensten begrenzt – der Vorsänger agierte für die Gemeinde. Dennoch läßt der Erfolg der *piyyūṭīm* in It. und Byzanz ebenso wie die qualitätvollen hebr. Werke von it. Autoren wie Amittai ben Šefatiah (9. Jh.) und Šabbatai Donnolo (ca. 913–982) vermuten, daß das Hebr. außerhalb Palaestinas keine vergessene Sprache war. Allerdings wurde es, obwohl es weiterhin eine zentrale Rolle im Gottesdienst spielte, wahrscheinlich nur von einem kleinen Kreis verstanden und studiert.

W. F. ALBRIGHT, Archaeology and the Rel. of Israel, 1956 · I. ELBOGEN, Jüd. Gottesdienst in seiner gesch. Entwicklung ³1931 (Ndr. 1995; engl. Übers.: Jewish Liturgy – A Comprehensive History, 1993) · D. K. FALK, Daily, Sabbath, and Festival Prayers in the Dead Sea Scrolls, 1998 · S. FINE (Hrsg.), Jews, Christians, and Polytheists in the Ancient Synagogue: Cultural Interaction During the Greco-Roman Period, 1999 · E. FLEISCHER, Eretz-Israel Prayer and Prayer Rituals, 1988 (hebr.) · L. I. LEVINE (Hrsg.), The Synagogue in Late Antiquity, 1987 · ST. C. REIF, Judaism and Hebrew Prayer: New Perspectives on Jewish Liturgical History, 1993 · L. J. WEINBERGER, Jewish Hymnography: A Literary History, 1997 · L. ZUNZ, Literaturgesch. der synagogalen Poesie, 1865.

S. JE./Ü: SU. FI.

VII. KLASSISCHE ANTIKE

Der R.-Begriff ist ein mod. Sammelbegriff zur Bezeichnung einfacher rel. wie nichtrel. Handlungen und miteinander verknüpfter Handlungssequenzen (s. o. I.); als solcher hat er, ebenso wie → Kult und → Religion, keine objektsprachliche Entsprechung in der gesamten Ant. [1; 2]. »R.« ist aus lat. *ritus* entwickelt; der *ritus* bezeichnet in der röm. Sakralsprache aber den »Brauch«, dem entsprechend rel. Handlungen (*caerimoniae, religiones, sacra*) auszuführen seien, nicht jedoch jene Handlungen selbst [2].

Als metasprachliche Kategorie hat der mod. R.-Begriff den Vorteil, daß er in ihrem Aufbau weniger komplexe rel. Handlungen wie den → Eid, den → Fluch, das → Gebet, das Gelübde (*votum*; → Weihung), die Reinigung (→ Kathartik) oder die → Weihung ebenso wie komplexere Handlungssequenzen wie z. B. das → Fest, das → Opfer, die → Prozession, Spiele (→ *ludi*) sowie Handlungssequenzen der christl. rel. Praxis (→ Liturgie; → *missa*; → Segen; → Taufe) unter dem Gesichtspunkt des rel. Handelns zusammenfassen und die auf der objektsprachlichen Ebene gegebene Vielfalt auf einer abstrakten Ebene bündeln kann [3. 38 f.]. Gleichzeitig wird der R.-Begriff zur Typologisierung und Klassifizierung von rel. Handlungen nach deren Form, Struktur und möglichen Bedeutungsebenen verwendet: etwa als kalendarisches, zyklisch wiederkehrendes R. der Gruppe (→ *feriae*; → Kalender; → Neujahrsfest III.; zum christl. Weihnachtsfest s. → Sol) oder des einzelnen (→ Geburtstag); als Krisen-R. des Individuums oder der Gemeinschaft (z. B. → Heilgötter IV. B.; → Sühneriten; → *supplicatio*); als statusdefinierendes R. (z. B. → *consecratio*; → *inauguratio*; → *lustrum*) und Lebenszyklus- oder Übergangs-R. (→ Initiation; → Mysterien; → Taufe; → Totenkult) [4. 450 f.] – die Grenzen zw. derartigen mod. strukturfunktionalistischen Typologien bleiben notwendigerweise unscharf.

Zwischen dem rel. Handeln und der – erklärenden (→ Aitiologie) oder infragestellenden – Reflexion über dieses Handeln unterscheidet schon die klass. Ant. [5], um dann die (äußerliche) Handlung gegen die (innere) Einstellung, auf die es eigentlich ankomme, aufzurechnen ([6. 96 f.]; Sen. epist. 95,50; 110,1). Obwohl sich später auch christl. Autoren (z. B. Lact. inst. epitome 53,1) dieses Arguments bedienen, ist damit also kein grundsätzlicher Gegensatz zw. einer paganen »R.-Rel.« und einer jüdisch-christl. »Glaubens-Rel.« erwiesen. Die rel.-wiss. Verarbeitung dieses Gegensatzpaares erfolgt am E. des 19. Jh. durch die Bezeichnung rel. Tuns mit dem R.-Begriff als einem verengten Handlungsbegriff: R., also rel. Handlung, heißt es nun bei W. R. SMITH, J. G. FRAZER und J. E. HARRISON, sei für die pagane ant. Rel. primär, der → Mythos als Exegese dagegen sekundär [7. 14–24; 8. 145–192]. An diesem Primat des R. und des Kultes als Handlung gegenüber der kognitiven Reflexion und dem »Glauben« in der griech. und röm. Rel. hält, als bewußte Antithese zu dem mod. Rel.-Begriff, in der 2. H. des 20. Jh. noch die funktionalistische (oder »ritualistische«) Forschungsrichtung fest (→ Religion I. C.).

Diesen kategorischen Gegensatz zw. R. und Kult auf der einen und dem Mythos auf der anderen Seite sowie zw. Handeln und Glauben beginnt die neuere R.-Forsch. aufzulösen, insofern sie die Wandelbarkeit und gleichzeitige inhaltliche Unbestimmtheit der Formen und der Bedeutungen des R. – bes. prägnant in den polytheistischen Rel. (→ Polytheismus) – thematisiert [9. 210–252; 10; 11]. Die Einsicht, daß dem R. weder eine feste noch eine autonome Bed. oder kommunikative Funktion zuzusprechen sei, mag zu der Rehabilitierung kognitiver oder emotionaler Elemente in der griech. und röm. Rel. führen: Indem sie die Formen und Inhalte des R. mit immer neuem Sinn erfüllt und somit verändert, ist die Reflexion – in der Ausdeutung und Infragestellung des R. durch das Medium der → Tragödie [12] ebenso wie in der Umkodierung der rituellen Kommunikation durch die außerrituellen Erfahrungen der R.-Teilnehmer [13] – selbst ein wichtiges Moment des rel. Handelns, ist das R. immer auch Reflexion.

1 C. Calame, »Mythe« et »rite« en Grèce: des catégories indigènes?, in: Kernos 4, 1991, 179–204 2 J.-L. Durand, J. Scheid, »Rites« et »rel.«, in: Archives de sciences sociales des religions 85, 1994, 23–43 3 J. N. Bremmer, Greek Rel., 1994, 38–54 4 B. Lang, R./Ritus, in: HrwG 4, 1998, 442–458 5 A. Henrichs, Dromena und Legomena. Zum rituellen Selbstverständnis der Griechen, in: F. Graf (Hrsg.), Ansichten griech. R., 1998, 33–71 6 P. Stengel, Die griech. Kultusaltertümer, ³1920 7 J. N. Bremmer, »Rel.«, »R.« and the Opposition »Sacred« vs. »Profane«, in: s. [5. 9–32] 8 Schlesier 9 C. Bell, R.: Perspectives and Dimensions, 1997 10 P. Boyer, The Naturalness of Religious Ideas, 1994 11 N. Bourque, An Anthropologist's View of R., in: E. Bispham, Ch. Smith (Hrsg.), Rel. in Archaic and Republican Rome and Italy, 2000, 19–33 12 R. Parker, Gods Cruel and Kind: Tragic and Civic Theology, in: Ch. Pelling (Hrsg.), Greek Tragedy and the Historian, 1997, 143–160 13 M. Bloch, Prey into Hunter, 1992, 99–105.   A. Ben.

VIII. Christentum

s. → Kult, Kultus (IV. B.); Liturgie II.; Missa; R. VII.

IX. Islam

Der → Islam greift als Rel. der täglichen Praxis stark normierend in den Alltag der Gläubigen ein, indem sein rel. Gesetz (*Šarī'a*) ihnen zahlreiche rituelle Gebote auferlegt. Unterschiedliche Rechtspraktiken und lokale Trad. haben dazu geführt, daß die Observanz dieser Pflichten regional stark variiert.

Allg. gelten aber die »fünf Pfeiler des Islam« als die wesentlichen kultischen Pflichten (*'ibādāt*); sie gelten für jeden Muslim (Mann oder Frau), der dazu körperlich und finanziell in der Lage ist. Festsetzung und genaue Regelung ist Gegenstand zahlreicher juristischer Traktate, die sich vorwiegend auf das islamische Traditionscorpus (*ḥadīṯ*) stützen, das mehr als der → Koran die Tendenz hat, sich von christl. und jüd. Institutionen abzugrenzen [1]. Dennoch sind die vorislam. Wurzeln der R. deutlich erkennbar:

1) Das Glaubensbekenntnis (*šahāda*) als Akt der Anerkennung wesentlicher dogmatischer Grundsätze. 2) Das rituelle Gebet (*ṣalāt* < syr. *ṣlōṯā* [2]): Im Gegensatz zum freien Gebet (*du'ā'*) handelt es sich um einen kultischen Akt, bei dem Zeitpunkt (fünfmal am Tag) und genaue Abfolge der Gesten und Formeln vorgegeben sind. Obwohl oft kollektiv in der Moschee verrichtet, kann die *ṣalāt* überall erfolgen. Voraussetzung ist ein Zustand ritueller Reinheit (*ṭahāra*), der mit ähnlichen Vorstellungen im → Judentum verwandt ist, aber tendenziell großzügiger gehandhabt wird. Zu den Vorschriften der *ṭahāra* gehören u. a. Speiseverbote (Schweinefleisch, Wein) und das Verbot, bestimmte als unrein angesehene Dinge zu berühren. Rituelle Waschungen (*wuḍū'* bzw. *ġusl*) stellen den erforderlichen Reinheitszustand vor dem Gebet her. Von bes. Bed. ist das mittägliche Freitagsgebet in der Moschee, dessen Ablauf an den christl. Gottesdienst erinnert, auf dem es z. T. basiert. Im Zentrum steht dabei die spezielle Freitagspredigt (*Ḫuṭba*). 3) Die »Wohltätigkeit« (*zakāt* < hebr. *zākūṯā*, »Almosen« [3]): Urspr. eine freie fromme Übung, wurde sie allmählich zu einer regelrechten Steuer für alle Muslime, die vom Staat für karitative Zwecke eingezogen wurde. 4) Das Fasten (*ṣaum*, vgl. hebr.; syr. *ṣaumā*) gehört zu den Praktiken, die → Mohammed von Christen und Juden übernahm. Zunächst bestimmte er dazu den jüd. Versöhnungstag (*'Āšūrā'*) [4], setzte aber nach seinem Streit mit den Juden in Medina (→ Yaṯrib) den Monat Ramaḍān fest, der schon in vorislam. Zeit in Arabien kult. Bed. hatte [5]. Im Ramaḍān hat man sich von Sonnenaufgang bis -untergang jeglicher Speise, aber auch jeglichen Getränks zu enthalten. Empfohlen werden ferner gute Werke (z. B. Rezitation des Koran). Fasten gilt auch außerhalb des Ramaḍān für verdienstlich, soll aber an bestimmten Feiertagen unterbleiben. 5) Die → Pilgerschaft (*Ḥaǧǧ*) nach → Mekka: Zu ihr gehören eine Reihe von rituellen Handlungen, die Reminiszenzen an vorislam. Praktiken aufweisen. Dies gilt speziell für das kollektive Zeremoniell in den hl. Orten um Mekka ('Arafāt, Muzdalifa und Minā), zu dem z. B. das Bewerfen des Teufels mit Steinen gehört (urspr. ein Sonnendämon). Auch die Wahl des Zeitraums (Wallfahrtsmonat *Ḏū'l-Ḥiǧǧa*) und Ka'ba-Kult gehen auf vorislam. Vorbilder zurück. Die Verknüpfung mit dem Abraham-Kult in Anlehnung an christl.-jüd. Trad. nahm hingegen erst Mohammed vor.

Neben diesen »fünf Grundpfeilern« gibt es noch eine Reihe kult. Bräuche (z. B. Beschneidung), die zwar rechtlich nicht verpflichtend, aber in der Praxis wesentliches Merkmal islam. Identität sind. Verbreitet sind ferner Gräberkult und Heiligenverehrung; sufische Orden (→ Sufismus) kennen spezielle R. [6].

1 G. Vajda, s. v. Ahl al-Kitāb, EI², CD-Rom 1999 2 A. Jeffery, The Foreign Vocabulary of the Qurān, 1938, (Ndr. 1977), 197 f. 3 T. H. Weir, s. v. Ṣadaḳa, EI², CD-Rom 1999 4 A. J. Wensinck, s. v. 'Āshūrā', in EI², CD-Rom 1999 5 M. Plessner, s. v. Ramaḍān, EI², CD-Rom 1999.

C. H. Becker, Zur Gesch. des islam. Kultus, in: Ders., Islamstudien, Bd. 1, 1924, 472–500 • F. M. Denny, Islamic Ritual: Theories and Perspectives, in: R. C. Martin, Approaches to Islam in Religious Studies, 1985 •

S. D. Goitein, Studies in Islamic History and Institutions, 1966, Kap. 3, 73–89 · K. Lech, Gesch. des islam. Kultus, Bd. 1: Das ramadan. Fasten, 1979 · G. Monnot, s. v. Ṣalāt, EI², CD-Rom 1999 · I. R. Netton, Sufi Ritual: the Parallel Universe, 2000 · M. Rashed, Das Opferfest im h. Äg., 1998 · E. de Vitray-Meyerovitch, La prière en Islam, 1998 · weitere Lit. s. unter → Pilgerschaft III.   I. T.-N.

Rizinus (σιλλικύπριον/ sillikýprion, κίκι/ kíki, κρότων/ krótōn, lat. ricinus, was jedoch auch ein Name für eine Läuseart ist, z. B. bei Colum. 6,2,6 und 7,13,1), die Euphorbiacee Wunderbaum oder Christuspalme (Ricinus communis), aus Afrika stammend. Sie wuchs in Griechenland wild, wurde aber in Äg. in mehreren Sorten an den Ufern der Gewässer angebaut (vgl. Diod. 1,34,11). Von Hdt. 2,94 erfahren wir die Gewinnung des für Lampen geeigneten, aber unangenehm riechenden Öls durch kaltes Auspressen der zerschlagenen Frucht des *kíki* oder durch Rösten und Kochen (unter Hinweis auf die Ägypter auch bei Dioskurides 1,32 Wellmann = 1,38 Berendes). Plat. Tim. 60a führt das *kíki*-Öl als Beispiel für eine ölig-fette Wassermischung an. Theophr. h. plant. 1,10,1 und 3,18,7 beschreibt die sich im Alter verlängernden, ursprünglich runden Blätter des *krótōn* (auch Theophr. c. plant. 2,16,4). Dioskurides 4,161 Wellmann und Berendes leitet den Namen *krótōn* = »Zecke« (vgl. [1. 122 f.]) und Plin. nat. 15,25 *ricinus* = »Laus« (s. o.) von seinem ähnlich aussehenden Samen ab. Medizinisch beschreibt Dioskurides (l. c.) diesen u. a. als ein für den Magen unangenehmes Brech- und Abführmittel, Plin. nat. 23,83 empfiehlt jedoch ohne Warnung das ungenießbare *oleum cicinum* (*kíki*-Öl) mit Wasser als Abführmittel. Ferner streicht man u. a. die Blätter mit Essig auf die Wundrose auf und läßt sie drei Tage lang einwirken, um damit das Gesicht zu reinigen (Plin. nat. 23,84 und Dioskurides l. c.).

1 H. Baumann, Die griech. Pflanzenwelt, 1982.

H. Stadler, s. v. Ricinus, RE 1 A, 800 f.   C. Hü.

Ro (rȝ, wörtl. »Becher«) ist ein äg. Hohlmaß für Flüssiges und Trockenes zu ⅟₃₂ → Hin (ca. 0,48 l) und entspricht ca. 0,015 l.

1 W. Helck, S. Vleming, s. v. Maße u. Gewichte, LÄ 3, 1201 f.   H.-J. S.

Robbe (φώκη/ phókē, lat. *vitulus marinus*, »Meerkalb«, oder *phoca*, Manil. 5,661) bezeichnete in der Ant. die im Mittelmeer nur noch selten vorkommende bis 4 m lange Mönchs-R., Monachus monachus, mit weißlicher Unterseite. Nur Tac. Germ. 17 scheint auf die Felle des Seehundes (Phoca vitulina) anzuspielen. Bereits Homer (Hom. Od. 4,404–06, vgl. Hom. h. 3,77 φῶκαί τε μέλαιναι, ›die schwarzen R.‹), aber auch Aristophanes (Vesp. 1035; Pax 758) und Theokrit 8,52 kennen die Mönchs-R. Trotz ihrer Harmlosigkeit (Diod. 3,41) wurde sie (als Fischfänger) gejagt und nach dem Fang mit Fischernetzen (Manil. 5,661) u. a. mit dem Dreizack getötet (Opp. hal. 5,379–93).

Das Lab (πιτύα/ pitýa, coagulum) aus dem Magen der R. diente, gemischt mit der Wurzel z. B. der Pflanze *herákleion phýllon*, v. a. als Mittel gegen Epilepsie (Theophr. hist. plant. 9,11,3; vgl. Plin. nat. 8,111; 26,113; 32,112). Mit dem Fell einer kaspischen Art bekleideten sich nur orientalische Völker wie z. B. die Massageten (Hdt. 1,202). Unter Griechen und Römern gab es die Vorstellung, ein R.-Fell wende Blitz, Hagel und Mehltau ab (Plin. nat. 2,146; Geop. 1,14,3 und 5; 5,33,7; Pall. agric. 1,35,14). Nach Sueton (Aug. 90) führte Kaiser Augustus aus Furcht vor Blitz und Donner immer ein solches mit sich. Auch glaubte man, daß die rechte Flosse, unter den Kopf gelegt, Schlaf bringe (Plin. nat. 9,42). Das harte Fleisch lehnte Galen (de alimentorum facultatibus 3,30,4 und 3,36; [1]) ab, da es schlechte Säfte erzeuge.

Von den reichlichen zoologischen Angaben zur R. in ant. Quellen sind nur wenige falsch (Fehlen einer Gallenblase: Aristot. hist. an. 2,15,506a 23; Aristot. part. an. 4,2,676b 28f; das Fell zeigt durch Sträuben der Haare den Beginn der Ebbe an: Plin. nat. 9,42). Die Geburt der Jungen auf dem Land und das Säugen erwähnen Aristoteles (hist. an. 3,20,521b 24f; 6,12,566b 31–567a 3) und Plinius (nat. 9,41 und 11,235). Die Lebensweise im Wasser und an Land wurde beachtet (Aristot. hist. an. 6,12,566b 27–31; 7(8),2,589a 27–31; Aristot. de respiratione 10,475b 29–476a 1; Theophr. fr. 171,1; Plin. nat. 8,111; Ail. nat. 9,50). Die Feindschaft zw. der R. und dem Bären (Opp. hal. 5,38–40) führte man manchmal in Rom im Circus vor (Calp. ecl. 7,65 f.). Ihre Zähmung und Abrichtung zu Kunststücken kannte Plin. nat. 9,41. Xenophanes wunderte sich über eine fossile R. in den Steinbrüchen von Syrakus (21 A 33 DK). Verm. die große Rüssel-R. erwähnt für den indischen Ozean Agatharchides (GGM 1,31).

Geogr. Namen wie → Phokis und → Phokaia erinnern an die R. ebenso wie Münzbilder [2. Taf. 4,22–24] gerade von diesen Orten. Im Gefolge des → Proteus (Hom. h. 3,77; Verg. georg. 4,395) finden sich R. Nach Agatharchides 1,136 und Diod. 3,17 lebten die → Ichthyophagoi und die R. seit den ältesten Zeiten friedlich nebeneinander. Ail. nat. 4,56 berichtet nach Eudemos die Anekdote, daß ein sehr häßlicher Schwammtaucher von einer R. körperlich geliebt und bei seiner Arbeit begleitet wurde.

1 G. Helmreich (ed.), Galenos, De alimentorum facultatibus (CMG 5,4,2), 1923 2 F. Imhoof-Blumer, O. Keller, Tier- und Pflanzenbilder auf Mz. und Gemmen des klass. Alt., 1889 (Ndr. 1972), 27.

Keller 1, 407 f. · A. Steier, s. v. Phoke, RE 20, 453–457 · H. Gossen, s. v. R., RE 1 A, 945–949 · Toynbee, Tierwelt 84 und 194 f.   C. Hü.

Robigalia. Röm. Fest zur Abwehr des Getreidebrandes (lat. *robigo*) am 25. April am 5. Meilenstein an der Via Claudia (Verrius Flaccus, InscrIt 13,2 p. 131; mit differierenden top. Angaben: Ov. fast. 4,901–942), mit dem Opfer eines Schafs und eines Hundes durch den *flamen*

Quirinalis (Ov. fast. 4,905–910; → *flamines*) und (zumindest in späterer Zeit) *ludi* mit Rennwettkämpfen (Tert. de spectaculis 5). Neben einer Göttin Robigo (InscrIt 13,2 p. 131; Ov. fast. 4,907; 911) ist ein Gott Robigus (dieser besser bezeugt) überliefert (Fest. 325,7f. L.; [1. 287f.]). Die von Tertullian vorgenommene Zuweisung der R. an → Mars findet ihre Bestätigung möglicherweise in den agrarischen Funktionen dieses Gottes (z. B. Cato agr. 141) und den topographischen Parallelen im Kult der → Dea Dia und des Mars [2. 714f.].

Die R. waren apotropäisch (*placari oportet*: Gell. 5,12,14). Für die bei Ovid erwähnte Beteiligung des *flamen Quirinalis* gibt es keine befriedigende Erklärung (→ Quirinus). Hunde dienten in der röm. Rel. selten als Opfertiere. Ein roter Hund als Opfertier findet sich im Augurium Canarium bei der Porta Catularia in Rom [3], das zu den *feriae conceptivae* gehörte und zw. dem tatsächlichen und dem sichtbaren Aufgang des Sirius lag (19. Juli–2. August: Fest. 39,13–16, Plin. nat. 18,14); hierbei handelt es sich wohl um das ältere der beiden Feste: Das rote Opfertier deutet auf archa. Ursprung hin (vgl. Arnob. 2,68: Iuppiter Latiaris). Ovids Synchronisierungsversuch beider Feste – der 25. April als Datum der R. *und* des Sirius-Aufgangs – läßt sich nicht nachvollziehen (Ov. fast. 4,935–942; [4. 163f.]); problematisch ist auch seine abweichende Darstellung der Top. der R. [1. 287].

→ Personifikation

1 F. Bömer, P. Ovidius Naso. Die Fasten, Bd. 2, 1958 2 J. Scheid, Romulus et ses frères, 1990 3 F. Coarelli, s. v. Porta Catularia, LTUR 4, 113f. 4 J. Ideler, Über den astronomischen Theil der Fasti des Ovid (Abh. Akad. Berlin), 1822–1823 (1825), 137–169.   C. R. P.

Roboraria. *Statio* der Via Latina in Latium, 13 röm. Meilen von Rom entfernt (Itin. Anton. 305,7), evtl. das h. Osteria della Molara. Der Name leitet sich von den Eichen (lat. *robur*) in dieser Gegend ab (vgl. Gell. 2,20,5).

G. Tomassetti, La Campagna Romana, 1910, 519 (Ndr. 1976).   G. U./Ü: J. W. MA.

Rochen s. Zitterrochen

Rodericus (dt. *Roderich*, span. *Rodrigo*, arab. *Luḏrīq*). Letzter König der → Westgoten. Über das Ende des Westgotenreiches informiert die sog. *Crónica Mozárabe* (in span. Sprache) von 754 n. Chr., die erkennen läßt, daß R. zunächst Provinzstatthalter (der Hispania Baetica?) war und 710, nach dem Tod des → Witiza, nicht unwidersprochen zum König gewählt wurde. Beim Einbruch der Muslime nach Spanien im April/Mai 711 kämpfte R. gerade gegen die Basken, doch konnte er sich dem 12 000 Mann starken Invasionsheer am Guadalete (wohl bei Arcos de le Frontera/Prov. Cádiz) mit einer etwa gleich großen Armee entgegenstellen. In der Schlacht am 23.7.711 fielen sowohl R. als auch seine innenpolit. Gegner. Die Quelle läßt weder erkennen, wer diese Gegner waren (wohl Anhänger Witizas), noch stützt sie die Vermutung, die vernichtende westgotische Niederlage sei durch Verrat zustandegekommen.

Die Entwicklung einer »R.-Legende« (»el Rey Rodrigo«) beginnt im 9. Jh. mit Ibn 'Abd-al-Ḥakam, dessen Werk bereits ihre wesentlichen Elemente enthält. Am bekanntesten ist die Geschichte vom Grafen Julian von Ceuta, der die Muslime aus Rache nach Spanien geführt habe, weil seine Tochter von R. entehrt worden sei. Bei al-Ḥakam findet sich freilich noch keine Spur dieser persönlichen (und offensichtlich topischen) Motivation von Julians Handeln. Außerdem heißt der Verräter bei ihm Olban, woraus vielleicht eine urspr. Namensform *Urban* zu erschließen ist. Ob es in Ceuta (→ Septem fratres; vgl. Paulus Diaconus, Historia Langobardorum 6,46) 711 einen westgot. (oder byz.?) Amtsträger gab, der die muslimische Invasion Spaniens unterstützte, bleibt ungeklärt.

D. Claude, Unt. zum Untergang des Westgotenreiches, in: HJb 108, 1988, 329–358 · Enciclopedia Universal Ilustrada Europeo-Americana, s. v. Julián, Bd. 28.2, 1926, 3126f.; s. v. Rodrigo, Bd. 51, 1926, 1244–1247 · Frenzel, 684–686 · R. Menéndez Pidal, El rey Rodrigo en la literatura (Boletín de la Real Academia Española 11), 1924.   M. SCH.

Rodulfus (Rodoulfus). König der → Heruli, 508 n. Chr. im Kampf gegen die → Langobardi gefallen (Prok. BG 2,14,11–22). Verm. Waffensohn → Theoderichs.

1 PLRE 2, 946 2 J. Moorhead, Theoderic in Italy, 1992, 193.   WE. LÜ.

Römische Kursive s. Schriftstile

Römische Unziale s. Unziale

Römisches Reich s. Roma I.

Rogatio (von lat. *rogare*, »fragen«). Die Befragung des Volks durch den Obermagistrat (→ *consul*, → *praetor*) oder Volkstribunen (→ *tribunus plebis*) über Gesetzesanträge, Wahlvorschläge oder Anklagen. Die Frage, die die Abstimmung (→ *comitia*) einleitet, lautet: ›Wünscht ihr, befehlt ihr ... frage ich euch, Quiriten‹ (*velitis, iubeatis...vos, Quirites, rogo*: Gell. 5,19,9). Die bejahende Antwort ist ›Wie Du fragst‹ (*uti rogas*), die verneinende ist ›Ich widerspreche‹ (*antiquo*), bei Wahlen später *dicit/facit*, und beim Komitialprozeß (→ *comitia*) ›Ich spreche frei‹ (*absolvo*) oder ›Ich verurteile‹ (*damno*) (RRC 413,1; 428,1; 437,1ab). Die geheime und schriftliche Stimmabgabe erfolgt seit 139 v. Chr. nach den *leges tabellariae*.

R. heißt auch der Gesetzesantrag vor dem Volk und die Beschlußvorlage vor dem Senat, nicht jedoch der Wahlakt (→ *suffragium*).

Ch. Döbler, Polit. Agitation und Öffentlichkeit, 1999, 199–219 · U. Hall, Voting Procedure in Roman Assemblies, in: Historia 13, 1964, 267–306 · M. Jehne, Geheime Abstimmung und Bindungswesen in der Röm. Republik, in: HZ 257, 1993, 593–613.   L. d. L.

Rogator. Der röm. Magistrat, der eine Gesetzesvorlage (→ *rogatio*) beim Volk einbringt (Lucil. 853 M.; vgl. Cic. Phil. 1,26); daneben sind *rogatores* die von diesem bestellten »Frager«, die bei der mündlichen Stimmabgabe die einzelnen Voten aufzeichnen, bei dem späteren schriftlichen → *suffragium* jedoch die Auszählung der Stimmtafeln überwachen und das Ergebnis ihrer → *centuria* oder → *tribus* festhalten (Cic. nat. deor. 2,10).

E. S. STAVELEY, Greek and Roman Voting and Elections, 1972 · J. VAAHTERA, Pebbles, Points, or Ballots: the Mergence of the Individual Vote in Rome, in: Arctos 24, 1990, 161–177.   L. d. L.

Roggen s. Getreide

Rogus (lat. *rogus*, daneben bes. poetisch auch das griech. Fremdwort *pyra*, z. B. Verg. Aen. 6,215; Ov. fast. 2,534). In Rom Bezeichnung des Scheiterhaufens zur Verbrennung der Leichen. Er wurde aus Holzstücken und Kleinmaterial auf einem Brandplatz (*ustrina*) nahe der Begräbnisstätte aufgeschichtet und glich in der Form einem quadratischen → Altar (Serv. Aen. 6,177; daher poetisch auch *ara* genannt: Ov. trist. 3,13,21 u.ö.). Urspr. schmucklos (die → *Tabulae duodecim* verboten, die Holzscheite mit der Axt zu glätten, Cic. leg. 2,59), wurde der r. mit der Zeit je nach den Verhältnissen der Bestattenden (*pro qualitate fortunarum*, Serv. Aen. 4,685) aufwendiger errichtet und mit Malereien (Plin. nat. 35,49), Textilien (Stat. silv. 5,1,225) oder wenigstens Girlanden geschmückt. Bes. prachtvoll war der r. bei Bestattungen des Kaiserhauses; spätestens seit dem 2. Jh. n. Chr. wurde er auf dem Marsfeld (→ *campus Martius*) als vier- bis fünfstöckige Stufenpyramide mit reichem figürlichen und textilen Schmuck errichtet und mit einer → Quadriga (bei Frauen mit einer → Biga) gekrönt (beschrieben von Herodian. 4,2,6–8; teils detailreich dargestellt auf den Konsekrationsmünzen, beginnend mit denen der Faustina [2]: RIC III 164, nr. 1135). → Bestattung; Tod

BLÜMNER, PrAlt., 499 f. · P. N. SCHULTEN, Die Typologie der röm. Konsekrationsprägungen, 1979, 21 f.   W. K.

Rolle (κύλινδρος, lat. *rotulus, volumen*). Griech. Papyrus-R. aus Äg., zum großen Teil in bruchstückhaftem Zustand, sind bereits aus dem späten 4. Jh. v. Chr. erhalten. Inwieweit auch die ältesten R. den Exemplaren entsprachen, die sich seit hell. Zeit erh. haben, ist ungewiß: Darstellungen auf Vasen des 5. Jh. v. Chr. zeigen R., die parallel zur Schmalseite beschrieben sind (lat. Fachausdruck: *transversa charta*) und sich somit vom normalen Typus unterscheiden, bei welchem der Text parallel zur Längsseite auf der ganzen Länge der R. in (in kurzen Abständen) aufeinander folgenden Spalten (Kolumnen: *selís*, lat. *pagina*) angeordnet war; solche R. sind aus hell. Zeit erh. Da man annehmen darf, daß die ägypt., technisch weit entwickelte R. der Pharaonenzeit das Modell für die griech. R. abgab, gewinnt die Hypothese an Gewicht, daß bereits im 6. Jh. v. Chr. in Griechenland sowohl *transversa charta* beschriebene R. (vielleicht beschränkt auf kurze Texte) ebenso in Gebrauch waren wie längere R., bei denen aufeinanderfolgende Spalten beschrieben sind; beide Typen sind im pharaonischen Äg. gut belegt.

Die große Menge der R. ab dem 3. Jh. v. Chr. aus der griech.-ägypt. *chóra* und in der sog. *Villa dei Papiri* in Herculaneum (→ Herculanensische Papyri; in wesentlich geringerem Umfang auch von anderen Orten) erlaubt es trotz des manchmal sehr frg. Erhaltungszustandes, die Typen der ant. *volumina* zu rekonstruieren. Ihre Herstellungsnormen wurden vielleicht im alexandrinischen Umfeld fixiert im Zusammenhang einer im ptolem. → Alexandreia [1] gut bezeugten verlegerischen und bibliothekarischen Systematisierung von lit. Texten (→ Bibliothek; → Philologie; → Pinax [5]). Die Produktionsmerkmale der ältesten erh. griech. Expl. sind im wesentlichen die gleichen wie schon im pharaonischen Äg.; allerdings sind die griech. R. meist wesentlich kürzer (zur Herstellung der Papyrus-Rollen s. → Papyrus, mit Abb.).

Für die Beschriftung, die auch die Klebestreifen (*kolléseis*) umfaßte, war anfänglich nur die Seite mit horizontaler Lage der Fasern vorgesehen, die gewöhnlich *recto* genannt wird, während *verso* gewöhnlich die Seite mit vertikaler Ausrichtung der Fasern bezeichnet (→ Recto/verso). Das Vorsatzblatt wird *prótókollon* genannt. Während der → Schreiber seine R. auf den Knien hielt und nach und nach beschrieb, ließ er den schon beschrifteten Teil auf die linke Seite fallen. Der Name des Autors und der Titel des Werkes, bei Werken in mehreren Büchern die Nummer des Buches (manchmal auch die Bandnummer), wurden in der Regel am Ende der Buch-R. genannt; bei von Berufsschreibern gefertigten Kopien folgte zum Zweck der Abrechnung eine Berechnung der Zeilenzahl (gewöhnlich in attischen Ziffern). Das Expl. wurde dann um einen kleinen Stab gerollt, dessen Ende als *omphalós* (lat. *umbilicus*) bezeichnet wird. Manchmal waren die R. auch ohne jeden Halter eng um den Anfangsteil der R. selbst gewickelt. Autor und Titel des Textes, da verborgen im Inneren der R., wurden auf einem Kärtchen, dem *síllybos* (lat. *titulus, index*) wiederholt und außen angebracht (vgl. z. B. Cic. Att. 4,8,2). Einige solcher »Titelzettel« von Pap.-R. sind erh.

Die in hell. Zeit bei der Herstellung der R. eingeführten Normen blieben in röm. Zeit im wesentlichen gleich. Sie betreffen v. a. die Länge und den Umfang der R., an welche das Format bzw. die Höhe verm. angepaßt wurde. Letztere schwankt zw. 16 und 17 cm (in Ausnahmefällen 12–13 cm) und 28–30 cm (selten bis zu 34–35 cm oder wenig darüber), die Länge liegt selten unter 2,5 m oder über 12 m. Dies hatte zur Folge, daß ein ganzes lit. Werk – ein Drama oder eine Rede – in einer R. der üblichen Größe enthalten war, daß sehr kurze Texte in einer einzigen R. zusammengefaßt und daß bes. lange Texte auf mehrere Buch-R. verteilt waren. Ob eine R. nur ein Buch eines ant. Autors oder

eine Auswahl seiner Schriften enthielt, ist meist ungewiß; wie die Bucheinteilung aussah, ist ebenso unsicher.

Das normale Buch war das nur *recto* beschriebene *volumen*. Daneben finden sich jedoch R., die zudem *verso*
beschrieben waren, sog. Opistographen (s. → *opistográ-
phos*): Bücher aus wiederverwendetem Material, bei denen aus Sparsamkeit die Rückseite von Dokumenten
oder anderen uninteressant gewordenen Texten beschrieben wurde. Seltener sind Opistographen, bei denen, wenn sie *recto* vollgeschrieben waren, die Beschriftung *verso* fortgesetzt wurde (in der Regel Konzepte
oder Material-Slgg. eines Autors).

Man darf annehmen, daß die lat. Buch-R. in Rom in
Struktur und Technik sich nicht von der griech. unterschied. Die v. a. lit. und ikonographischen Zeugnisse
(→ Buch; → Codex; → Papyrus) sind jedoch mit Vorsicht zu bewerten; die original erh. Belege sind zu
bruchstückhaft für sichere Aussagen.

Unsere Kenntnis der illustrierten R. hat sich dank
neuer Funde erweitert; das griech. Material (mit enger
technischer und funktionaler Beziehung zw. Text und
Illustration) hat die Forsch. in die Lage versetzt, die Anfänge des illustrierten Buches zu rekonstruieren, verschiedene Qualitätsstufen zu unterscheiden und die
Strukturelemente der Anordnung von Text und Bild in
der R. in Beziehung zum eigentlichen Lesetext zu prä-
zisieren (→ Buchmalerei).

Wie eine R. – mit und ohne Illustrationen – gelesen
wurde, kann aufgrund von lit. und ikonographischen
Zeugnissen gezeigt werden (→ Buch). Nur wenige R.
sind erh., die mit einer Numerierung der »Seiten«
(*kollémata*; lat. *plagula, scheda, pagina*) oder der einzelnen
Spalten versehen waren; in der Regel fehlten offenbar
derartige Hilfsmittel, weswegen es wohl schwierig war,
eine bestimmte Passage wiederzufinden oder direkt zu
zitieren.

Die R. konnte außer aus Papyrus auch aus → Pergament bestehen, selten im Alt., aber in der Regel seit
dem frühen MA (älteste Beispiele im Westen: 7. Jh.; im
Osten: 8./9. Jh.). Als der → *codex* endgültig die R. verdrängte, blieb letztere beschränkt auf den Gebrauch für
bes. Zwecke (z. B. in der Liturgie), mehr im Osten als im
Westen, beschrieben normalerweise *transversa charta*
(s. o.). Abgesehen vom sog. »Rotulo di Giosuè« (Cod.
Vaticanus Palatinus Gr. 431, 10. Jh.), ist dieses der Typus, der sowohl im griech. als auch im lat. MA in Gebrauch blieb, auch für illustrierte Rollen. Zur Aufbewahrung der R. s. → Papyrus.

→ Buch; Codex; Papyrus; Schreiber; Scrinium;
PAPYROLOGIE

M. L. BIERBRIER (Hrsg.), Papyrus: Structure and Usage,
1986 · A. BLANCHARD, Les papyrus littéraires grecs extraits
de cartonnages, in: M. MANIACI, P. MUNAFÒ (Hrsg.),
Ancient and Medieval Book Materials and Techniques,
1993, 15–40 · M. CAPASSO (Hrsg.), Il rotolo librario:
fabbricazione, restauro, organizzazione interna, 1994 ·
Ders., Volumen. Aspetti della tipologia del rotolo librario
antico, 1995 · G. CAVALLO, Discorsi sul libro, in:
G. CAMBIANO et al. (Hrsg.), Lo spazio letterario della Grecia
antica, Bd. 3.1, 1994, 613–647 · Ders., Libri scritture scribi a
Ercolano. Introduzione allo studio dei materiali greci,
1983 · J. CERNY, Paper and Books in Ancient Egypt, 1952 ·
N. HORSFALL, The Origins of the Illustrated Book, in:
Aegyptus 63, 1983, 199–216 · H. R. IMMERWAHR, Book
Rolls on Attic Vases, in: CH. HENDERSON (Hrsg.), Classical,
Medieval and Renaissance Studies in Honour of
B. L. Ullmann, Bd. 1, 1964, 17–48 · W. A. JOHNSON,
Column Layout in Oxyrhynchus Literary Papyri: Maas's
Law, Ruling and Alignment Dots, in: ZPE 96, 1993,
211–215 · N. LEWIS, Papyrus in Classical Antiquity, 1974 ·
M. MANFREDI, Opistografo, in: PdP 38, 1983, 44–54 ·
T. C. SKEAT, The Length of Standard Papyrus Roll and the
Cost-Advantage of the Codex, in: ZPE 37, 1980, 121–136 ·
E. G. TURNER, Greek Manuscripts of the Ancient World,
²1987 · Ders., Greek Papyri. An Introduction, ²1980.
         GU. C./Ü: F. H.

Rollsiegel s. Siegel

Rolltier-Stater. Moderner t. t. für einen Typ der keltischen goldenen sog. → Regenbogenschüsselchen (um
100 v. Chr.) aus dem südlichen Bayern, die früher den
→ Vindelici zugewiesen wurden. Sie zeigen auf dem
Av. das sog. Rolltier, ein drachenartiges, dem Münz-
rund folgend eingerolltes langes Lebewesen, auf dem
Rv. einen → Torques mit 6 Kugeln oder drei lyraför-
mige Ornamente um den Mittelpunkt. R. enthalten die
südbayerischen Schatzfunde von Gaggers, Irsching,
Westerhofen und Sontheim, weitere Einzelstücke wurden in Südbayern gefunden. Teilstück ist der Viertel-
stater.

1 H.-J. KELLNER, Die Münzfunde von Manching und die
keltischen Fundmz. aus Südbayern, 1990 2 B. ZIEGAUS, Der
Münzfund von Großbissendorf, 1995.   DI. K.

Roma (Ῥώμη; *imperium Romanum*).
I. GESCHICHTE   II. BEVÖLKERUNG UND
WIRTSCHAFT DER STADT ROM
III. TOPOGRAPHIE UND ARCHÄOLOGIE DER
STADT ROM   IV. PERSONIFIKATION

I. GESCHICHTE

A. ALLGEMEIN   B. EPOCHENGLIEDERUNG
C. KÖNIGSZEIT
D. REPUBLIK (509–30/27 V. CHR.)
E. KAISERZEIT

A. ALLGEMEIN

Die nach röm. Trad. 753 v. Chr. mit der Gründung
R.s einsetzende röm. Gesch. blieb nur kurze Zeit die
Gesch. der Siedlung und ihrer näheren Umgebung. Bereits in der Königszeit, verstärkt im 4. Jh. v. Chr., wurde
röm. Gesch. zur Gesch. von Latium (→ Latini), dann
von Mittel-It. und im 3. Jh. von ganz It. vom Süden bis
etwa zur Linie Pisa – Ariminum. Nach dem 2. → Punischen Krieg (218–201 v. Chr.) ist der westl. und seit
dem 2. Jh. v. Chr. schließlich der gesamte mediterrane
Raum Teil der Gesch. eines von R. aus regierten Rei-

ches, dessen Umfang durch → Pompeius [I 3], → Caesar, → Augustus und → Traianus noch erheblich erweitert wurde. Die Stadt R. blieb bis zur Gründung der Residenzstadt → Konstantinopolis (330 n. Chr.) der dominierende polit. und soziale Mittelpunkt des Reiches. Neben anderen Städten wie Mediolan(i)um [1], Augusta [6] Treverorum oder Lugdunum behielt sie auch nach der faktischen Reichsteilung nach dem Tod des → Theodosius I. (395 n. Chr.) erhebliche polit. Bed. im Westreich und blieb nach dessen Niedergang im 5. Jh. n. Chr. noch als Sitz des Papstes von hohem symbolischen Wert für das ma. Kaisertum im »Heiligen Röm. Reich deutscher Nation«. Nach jahrhundertelanger eingeschränkter polit. Stellung als Hauptstadt des Kirchenstaates in einem polit. zersplitterten It. (nur ein ›geogr. Begriff‹, so METTERNICH) gewann R. 1870 mit der Wahl zur Hauptstadt des wiedervereinten It. neue Bed., die es in der Ära des → FASCHISMUS (1922–1943) mit dem bewußten Rückgriff auf die ant. Größe R.s (»Romanità«) zu untermauern suchte.

B. Epochengliederung

Die gängige Gliederung der röm. Gesch. folgt dem Kriterium der Abfolge unterschiedlicher Verfassungsformen: Königszeit (753–509), Republik (509–30/27 v. Chr.) und Kaiserzeit, wobei diese wiederum in zwei große Abschnitte unterteilt wird: den → Prinzipat (von Augustus bis zum Regierungsantritt des → Diocletianus), eine noch an republikanische Grundlagen gebundene Phase, und den → Dominat (seit den Reformen des Diocletianus und des → Constantinus [1] I. bis zum E. des Weström. Reiches 476/480), der als spätant. Zwangsstaat gilt. Innerhalb dieser Großepochen erfolgt die Binnengliederung meist nach dem Schema Aufstieg/Entstehung – Blüte/Bewährung – Verfall/Krise (der jeweiligen Verfassungsform und Ges.-Ordnung).

Die Grenzen zw. den Epochen sind fließend und in der Forsch. nicht unumstritten: Der Beginn der Republik (= Rep.; → res publica) schwankt zw. 509 und ca. 450 (die Diskussion bei [1]), die verfassungsrechtliche Einordnung v. a. des Beginns des Prinzipats reicht von republikanischer bis monarchischer Struktur (mit mehreren Zwischenformen [2. 71–82]), und der Schnitt zw. Prinzipat und Dominat im J. 284 n. Chr. wird oft als zu scharf empfunden [3]. Ein bes. Forsch.-Problem bildet der Ansatz der Spätant., noch mehr aber der »Untergang der Ant.«, da hier einerseits zw. dem westl. und östl. Teil des Röm. Reiches unterschieden werden muß (der östl. existiert als Byz. Reich noch bis 1453; → Konstantinopolis III.) und andererseits der Übergang zum westeurop. MA keinen klaren Einschnitt zuläßt: Die seit dem 5. Jh. entstehenden german. Teilreiche stützen sich auf die Kontinuität vom Kaisertum R.s her, auf sein Recht und teilweise seine Sozialstruktur (→ Merowinger; [4; 5; 6; 7]; → Periodisierung).

C. Königszeit

Das traditionelle Datum der Gründung R.s im J. 753 v. Chr. findet eine gewisse Bestätigung im arch. feststellbaren Ausbau der Siedlung auf dem → Mons Pala-

tinus in der Mitte des 8. Jh. (s. u. III.), desgleichen zeigt sich eine Verstärkung urbanistischer Tätigkeit um 600, d. h. in der Phase, die in der röm. Überl. mit dem Beginn des etr. Königtums (616–509; → Etrusci) verbunden wurde. Den scheinbar exakten Daten über Leben und Leistungen der röm. Könige (Liv. 1; Dion. Hal. ant. 1–4) ist jedoch wenig Vertrauen entgegenzubringen. Der erste König → Romulus [1] ist als Gründerfigur ebenso mythisch wie seine polit. Leistungen: Volksversammlung, Senat, Clientel, Einteilung des Volkes in → patricii (vgl. → Adel [3]) und plebeii (→ plebs), drei → tribus (vgl. → Ramnes) und 30 → curiae. Gleiches gilt für die Einrichtung von Priesterschaften und Kulten durch seinen Nachfolger → Numa Pompilius sowie die Expansion R.s unter Tullus → Hostilius [4] und Ancus → Marcius [I 3]. Dennoch spiegelt sich in diesen Nachr. die polit. und soziale Struktur einer wirtschaftlich auf Ackerbau gegr. Gemeinde wider, an deren Spitze ein sakraler, in seinen polit. Kompetenzen beschränkter Wahlkönig stand (→ rex). Die Ges. war bereits sozial gegliedert in aristokratische Geschlechter (gentes/ → gens; patres) und freie Bauern (→ plebs), die sich teilweise den Geschlechtern als → clientes angeschlossen hatten. Daneben existierten fest organisierte Männerbünde (→ curiae), die als Personenverbände mit eigenen Kulten und unter Führung eines → curio [2] den Bestand der Bürgerschaft überwachten, indem sie bei Testamenten und Adoptionen mitwirkten, und die in ihrer Gesamtheit die Grundlage der mil. Organisation und auch die erste Volksversammlung in den → comitia curiata bildeten (dazu [8. 45–104]). Auch der Zusammenschluß der einzelnen Hügelsiedlungen zu einer Gemeinde, die sich in der latin. bzw. sabinischen Herkunft (→ Sabini) der Könige andeutet sowie die Ausdehnung des röm. Gebiets bis zu den Albaner Bergen (Tullus Hostilius) und entlang des Unterlaufs des Tiberis (Ancus Marcius) erfolgte mit hoher Wahrscheinlichkeit im 7. Jh. v. Chr.

Unter den drei folgenden etr. Königen (→ Tarquinius Priscus, Servius → Tullius, → Tarquinius Superbus) verstärkte sich die Stellung R.s in Latium. Nach überwiegender Meinung der Forsch. wirkte sich die Einbeziehung R.s in den etr. Kulturkreis positiv auf die Stadtentwicklung aus; R. wurde zu einer der größten Städte Italiens [9. 198–212] und zog Handwerker und Gewerbetreibende an. Auf diesem Hintergrund gewinnen v. a. die dem Servius Tullius zugeschriebenen Reformen an Plausibilität: Die Gliederung der Stadt in vier tribus, die nun als territoriale Bezirke neben die alten gentilizischen tribus treten, die Einteilung der wehrfähigen Bevölkerung in Vermögensklassen (→ census) und die verstärkte Einbeziehung von plebeii in das nun nach → centuriae, nicht mehr nach curiae gegliederte Heer lassen erkennen, daß die etr. Könige ihre Machtgrundlage auch außerhalb der gentes zu verbreitern suchten und damit eine Zentralisierung der Herrschaft anstrebten [8. 117–124; 9. 173–197; 10]. Der Versuch des letzten Königs, diese Machtkonzentration durch den Bau eines gewaltigen Iuppitertempels sakral zu legitimieren

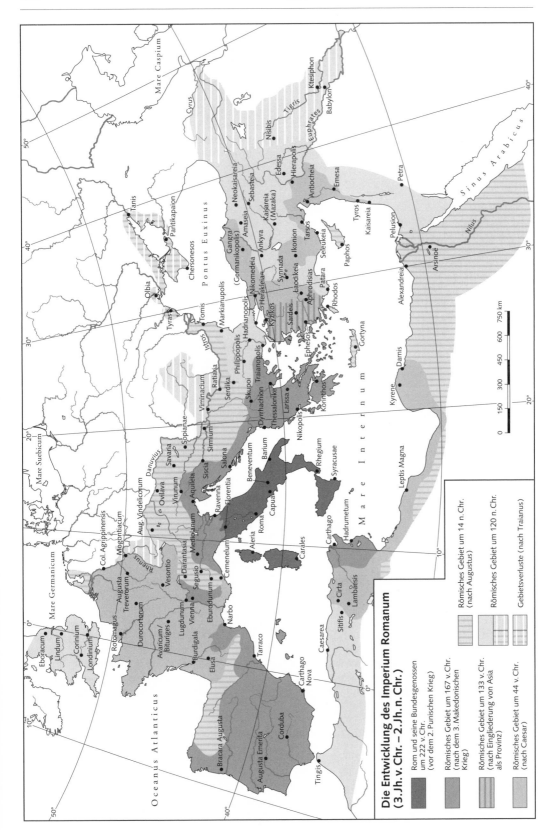

Die Entwicklung des Imperium Romanum (3. Jh. v. Chr. – 2. Jh. n. Chr.)

Rom und seine Bundesgenossen um 222 v. Chr. (vor dem 2. Punischen Krieg)

Römisches Gebiet um 167 v. Chr. (nach dem 3. Makedonischen Krieg)

Römisches Gebiet um 133 v. Chr. (nach Eingliederung von Asia als Provinz)

Römisches Gebiet um 44 v. Chr. (nach Caesar)

Römisches Gebiet um 14 n. Chr. (nach Augustus)

Römisches Gebiet um 120 n. Chr. (nach Trajanus)

Gebietsverluste (nach Traianus)

[8. 124–131], mag dann zur Abschaffung des Königtums (509) durch eine sich in ihrem polit. Status bedroht fühlende Aristokratie geführt haben (zum E. der Königszeit → Porsenna).

D. Republik (509–30/27 v. Chr.)

1. Allgemein
2. Frühe Republik (509–287/6 v. Chr.)
3. Mittlere Republik (287/6–133 v. Chr.)
4. Späte Republik, Zeit der Revolution, Krise der Republik (133–30/27 v. Chr.)

1. Allgemein

Die gängige Binnengliederung der ca. 500 J. währenden Phase der Rep. in »Frühe Rep.« oder »Zeit der Ständekämpfe« (509–287), »Mittlere« bzw. »Hohe Rep.« (ca. 287/6–133) und »Späte Rep.« oder »Krise der Rep.« (133–30/27 v. Chr.) orientiert sich ebenfalls an der Entwicklung der röm. Verfassung. Am Beginn steht die Ausbildung der aus Magistratur (→ magistratus), Senat (→ senatus) und Volksversammlung (→ comitia, → concilium [2]) bestehenden Verfassungsinstitutionen im sog. → »Ständekampf«, es folgt ihre Bewährung in der »Hohen Rep.« und ihr Niedergang in der »Späten Rep.«. Zugleich beschreibt diese Dreigliederung aber auch den Weg R.s zur Weltmacht und den Preis, den die führende Aristokratie dafür zu bezahlen hatte: Etwa gleichzeitig mit dem E. des Ständekampfes hatte R. auch die Herrschaft über It. erreicht (ca. 270 v. Chr.); das ausgewogene Zusammenspiel der Verfassungsinstitutionen bildete dann eine der Grundlagen für die Etablierung röm. Macht im gesamten Mittelmeerraum bis zur Mitte des 2. Jh. v. Chr. (vgl. Pol. 6); schließlich führten die neuen Anforderungen an Staat und Ges., die das Weltreich mit sich brachte, zum Konsensverfall in der Oberschicht und damit zu einer Krise der Verfassung, die zu E. des 2. Jh. sichtbar wurde und schließlich zur Ablösung der Rep. durch den Prinzipat führte.

2. Frühe Republik
(509–287/6 v. Chr.)

Nach röm. Trad. (Liv. 2,1) trat an die Stelle des Königtums abrupt eine von Patriziern getragene Ordnung: An der Spitze standen zwei → Consuln mit königlichem → imperium, jährlich gewählt von der Volksversammlung und beraten von einem patrizischen Senat. Diese Ordnung geriet sofort unter den Druck der → plebs, die sich trotz starker äußerer Bedrohung durch die Latini in einer ersten Sezession (→ secessio plebis) dem patrizischen Staat entzog (494) und sich in den Volkstribunen (→ tribunus plebis) eigene Funktionäre schuf, deren Handlungsfähigkeit durch Eid (→ sacrosanctus) garantiert wurde. Der daraus entstehende Ständekampf (494–287/6) führte dann über mehrere Stufen zur Wiedereingliederung der Plebeier: Mit den Zwölftafelgesetzen (451/0; → Tabulae duodecim) erreichte die Plebs Rechtssicherheit, 445 wurde das Eheverbot zw. Patriziern und Plebeiern aufgehoben, 444 erfolgte die Zulassung der Plebeier zum sog. Consulartribunat (→ tribunus militum

consulari potestate), ab 421 stand Plebeiern die Quaestur (→ quaestor) offen, im J. 400 führte ein Plebeier das Kommando im Krieg gegen → Veii, 367 schließlich wurde die Zulassung jeweils eines Plebeiers zum Konsulat in den leges Liciniae-Sextiae (→ Licinius [I 43] Stolo) festgelegt. Das Erreichen weiterer Ämter durch Plebeier war eine Frage der Zeit (356: → dictator; 351: → censor; 336: → praetor), bis ihnen durch die lex Ogulnia (300) auch die priesterlichen Funktionen von → pontifices und → augures geöffnet wurden. Den Abschluß bildete die lex Hortensia von 287/6 (→ Hortensius [4]) mit der Bestimmung, daß in Zukunft die Beschlüsse der Plebs in den concilia plebis (sog. plebiscita) den Beschlüssen des Gesamtvolks in den comitia centuriata (leges) gleichgestellt würden.

Bes. die Darstellung der frühen Phase des Ständekampfes ist inzwischen in Zweifel gezogen worden; dabei wird der Plebs und ihren Tribunen eine eher konstruktive Rolle beim Ausgleich zw. Patriziat und Plebeiern zugeschrieben, da sich das gesamtstaatliche Konzept der Plebs gegen das partikuläre und föderative Konzept der auf ihre Eigenständigkeit bedachten patrizischen gentes durchgesetzt habe [11]. In jedem Fall stand am E. des Ständekampfes die voll ausgebildete republikanische Verfassung (mit magistratus, senatus, comitia) und eine neue Oberschicht aus Patriziern und führenden Plebeiern, die Nobilität (→ nobiles), die im Senat ihren Konsens bildete, nur wenige Aufsteiger (homines novi; [12]) zuließ und im Grunde der Verfassung eine ausgeprägt plutokratisch-aristokratische Note verlieh [13]. Diese neue Oberschicht war horizontal durch Heiraten, Adoptionen und polit. Nahverhältnisse (→ amicitia) verbunden und vertikal durch das Treueverhältnis der Clientel (→ cliens) mit allen Schichten unterhalb der Aristokratie verknüpft, so daß der Wille des eigentlichen Souverän, der Volksversammlung, stark vorgeformt war [14. 244–324].

Von dieser innenpolit. Entwicklung ist die Expansion R.s in It. nicht zu trennen. Die Bedrohung durch → Latini, → Volsci und → Aequi gab den Plebeiern nicht nur die Chance, ihre mil. Leistung als Legitimation ihrer Forderungen zu nutzen, sie schuf auch die Möglichkeit, den wirtschaftlichen Druck auf die Plebs zu mindern: Nach den Siegen über Fidenae (426) und Veii (396) verdoppelte R. sein Staatsgebiet (ager Romanus) auf ca. 1500 km², erhöhte es trotz des Rückschlags durch den Galliersturm 387/6 (→ Kelten II. C.) im Latinerkrieg (340–338) auf ca. 3000 km² und brachte es in drei Samnitenkriegen (→ Samnites) und nach dem Sieg über Pyrrhos [3] (275) durch regelmäßigen teilweisen Einzug von Feindesland auf 27000 km². Da sich die Zahl der Bürger in dieser Zeit kaum verdoppelte, bildete sich eine riesige Landreserve und Siedlungsmöglichkeiten in → coloniae für Römer und Latini.

Am E. der ersten Phase hatte R. so nicht nur polit. und soziale Stabilität im Innern erreicht, sondern auch die auf zahlreiche Kolonien (→ Bundesgenossensystem, Karte) gestützte und durch personale Beziehungen zw.

der röm. und ital. Oberschicht gesicherte Herrschaft in It. gewonnen, dazu ein zweites Heer aus den vertraglich zum mil. Zuzug verpflichteten Bundesgenossen. Zugleich aber hatten Patrizier wie Plebeier im Ständekampf gelernt, den Erfolg im Krieg als primäres Mittel der Statusbestimmung und -sicherung zu nutzen. Der Krieg war somit zum sozialen Imperativ für die Leistungselite der *nobiles* geworden [15. 10–53].

3. MITTLERE REPUBLIK (287/6–133 v. Chr.)

Auf dieser Grundlage trat R. in die zweite Phase der Rep. ein. In scheinbar planmäßigem Vorgehen gewann R. in drei → Punischen Kriegen (264–241, 218–201, 149–146 v. Chr.), drei → Makedonischen Kriegen (217–205, 200–197, 171–168 v. Chr.), im Krieg gegen den → Seleukiden Antiochos [5] III. (192–189) und in zahlreichen, mit dem Sieg über → Numantia (133) vorerst beendeten Kämpfen in Spanien teils die direkte Herrschaft (→ *provincia*), teils den bestimmenden Einfluß in allen Anrainergebieten des Mittelmeers. Gegen ein tatsächlich planmäßiges Vorgehen mit dem Ziel der Weltherrschaft spricht jedoch der konkrete Ablauf der Expansion, bes. aber der anfangs unschlüssige Umgang mit den territorialen Gewinnen; er steht im Widerspruch zu der prinzipiellen Kriegsbereitschaft der Römer und ihrem hartnäckigen Bestreben, begonnene Kriege nur siegreich zu beenden. R. geriet mit jedem mil. Erfolg in bestehende Konfliktzonen, ließ sich bereitwillig in die Konflikte hineinziehen oder nutzte sie mil. für sich, besaß aber offensichtlich keine konkreten Vorstellungen über polit. Organisationsformen oder die wirtschaftliche Nutzung der dabei gewonnenen Gebiete: Mit dem Gewinn der unterital. Griechenstädte zu Beginn des 3. Jh. betrat R. eine seit Jh. polit. eng mit Sizilien und Griechenland verbundene Zone (→ Dionysios [1] und [2], → Agathokles [2], → Pyrrhos [3]), geriet deshalb in den 1. Punischen Krieg (vgl. auch → Kriegsschuldfrage), organisierte jedoch in deutlicher Abweichung von den in It. erprobten völkerrechtlichen Organisationsstrukturen → Sicilia, 241 gewonnen, erst 14 J. später (227) als Prov., d. h. auf der Grundlage des Kriegsrechts (→ *provincia*). Ebenso zögerlich zeigte sich R. auch in Spanien, wo dem im 2. Punischen Krieg faktisch schon 206 erreichten Gebietsgewinn (vgl. → Cornelius [I 71] Scipio) erst 197 die Einrichtung von zwei Provinzen folgte.

Noch deutlicher wird der Gegensatz zw. röm. Kriegsbereitschaft und röm. Annexionsbedürfnis im griech. Raum. Mit dem Bündnis zw. Hannibal [4] und Philippos [7] V. (215) rückte der adriatische und nw-griech. Raum mehr als bisher (→ Teuta) in den Blick der Römer. Dies führte zu vertraglichen Verflechtungen im 1. → Makedonischen Krieg (215–205; → Aitoloi) und in der Folge zu Kontakten mit → Pergamon, → Rhodos und → Athenai [1], endete aber nach dem Sieg über Philippos im 2. Maked. Krieg (197) nicht mit einer Annexion von → Makedonia, sondern mit der Freiheitserklärung für die Griechenstädte durch R. (196;

→ Quinctius [I 14] Flamininus). Damit war R. als Garant dieser Freiheit aktiv in die großräumige Konfliktzone der → Hellenistischen Staatenwelt eingetreten und wich dem damit verbundenen mil. und diplomatischen Engagement nicht aus, nutzte aber weiterhin die Siege über Antiochos [5] III. (189) und Perseus [2] (168) nicht, um Prov. als Zonen direkter Herrschaft und wirtschaftlicher Ausbeutung einzurichten.

Allerdings läßt sich um 168 eine neue Herrschaftsgesinnung R.s erkennen: Die Auflösung Makedoniens und der maked. Monarchie (→ Perseus [2]), die schwere Schädigung von Rhodos durch territoriale Minderung und Einrichtung eines Freihafens auf → Delos (166) und die ultimative Forderung an den proröm. → Antiochos [6] IV. in Eleusis (Alexandreia), sein Heer zurückzuziehen (→ Popillius [I 2] Laenas), zeigen den Wandel von einem vorsichtigen Hegemonialstreben zu einer imperialistischen Politik, die sich in der Zerstörung von → Karthago und → Korinthos (beide 146 v. Chr.) und von → Numantia (133) zur brutalen Vernichtungspolitik steigerte (zur Wende in der Außenpolitik [16]; zum röm. Imperialismus allg. [15; 17; 18]).

Die Wende in der Außenpolitik war begleitet von bedeutenden Veränderungen in Kultur, Wirtschaft und Sozialgefüge von R. Die Kontakte zu Griechenland weckten ein → Kunstinteresse, das sich jedoch primär in maßlosem Kunstraub (Syrakusai 211, Makedonien/Griechenland 167/146) und der Entwicklung einer griech. Kopienindustrie, nicht in eigenem Kunstschaffen zeigte. Kaum Zuspruch fand dagegen die griech. Philos., v. a. nicht der → Skeptizismus der Akademie (→ Akademeia III., IV.) und die → Epikureische Schule. Dagegen entsprach der Moralkodex des → Stoizismus und dessen Forderung nach polit. Aktivität eher röm. Mentalität und fand über → Polybios [2], → Panaitios [4] und → Cicero Eingang in das röm. Staatsdenken. Auch die Anf. der → Literatur (V.E.) und des → Literaturbetriebs (II.B.1.) wurden trotz des Mäzenatentums einiger röm. *nobiles* nicht von Römern getragen.

→ Livius [III 1] Andronicus, der schon im 3. Jh. v. Chr. griech. Werke (darunter die ›Odyssee‹ Homers) ins Lat. übersetzte, kam als Sklave 272 aus Tarent (→ Taras); → Naevius [I 1] aus Campania schuf das erste lat. Epos (über den 1. Pun. Krieg) und beeinflußte damit → Ennius [1] (aus Messapia), der eine erste röm. Gesch. in Versen (*Annales*) schuf; → Plautus, der Schöpfer der röm. Komödie nach griech. Vorbildern, war Umbrer, sein Nachfolger → Terentius ein Sklave aus Afrika; die Dramatiker → Pacuvius und → Accius stammten aus Campania bzw. Umbria; → Lucilius [I 6], der die von Ennius erfundene → Satire in ihre typisch röm. Form brachte, war Campaner. Lediglich die → Geschichtsschreibung (III.A.) blieb dauerhaft in den Händen polit. erfahrener Angehöriger der röm. Oberschicht und richtete sich zuerst an die Griechen: Fabius [I 35] Pictor, Cincius [2] Alimentus und andere (→ Annalistik) beschrieben die Gesch. R.s seit ihren Anf. noch in griech.

Prosa; erst mit den ca. 170–150 entstandenen *Origines* Catos [1] etablierte sich die lat. Historiographie, die in der frühen Annalistik mit Calpurnius [III 1] Piso, Cassius [III 5] Hemina, Cn. Gellius [2] und Coelius [I 1] Antipater ihre wichtigsten Vertreter fand und deren Bed. auch die vielleicht gleichzeitige Redaktion der Priester-Aufzeichnungen in den → *Annales maximi* zeigt.

Es liegt deshalb nahe zu vermuten, daß bereits im 2. Jh. das strukturelle Ereignisgerüst der frühen röm. Gesch. festgelegt wurde und von der späteren Annalistik zwar narrativ überwuchert, aber nicht mehr wesentlich verändert werden konnte [19]. Wichtige Fortschritte erzielte die röm. Rechtswissenschaft (→ Recht; → *iuris prudentia*), die mit der Entwicklung eines *ius gentium* (→ *ius* A.2.) bereits auf die Anforderungen eines Weltreichs reagiert hatte und nun auch im *ius civile* (→ *ius* A.2.) eine erste Systematisierung in den *Tripertita* des Aelius [I 11] Petus (*cos.* 198) erfuhr.

Neben dieser Erweiterung des kulturellen und wiss. Horizonts stand eine erstaunliche Verengung des Blicks für die Entwicklung im Innern. Zwar war die Nobilität nicht blind gegenüber den wirtschaftlichen Möglichkeiten, die das Reich bot. Schon 218 v. Chr. hatte eine *lex Claudia* (→ Claudius [I 1]) Politik und Handel zu trennen versucht, indem sie Senatoren verbot, zum Großhandel geeignete Schiffe zu besitzen; seit dem 2. Punischen Krieg ergingen zahlreiche Aufwands- und Luxusgesetze, die den ostentativen Reichtum einzelner begrenzen sollten, um den Schein aristokratischer Gleichheit zu wahren und an den → *mos maiorum* zu erinnern [20; 21]. Doch die Scipionenprozesse (→ Cornelius [I 71–72]) in den 180er J. gegen die Sieger über Hannibal [4] und Antiochos [5] III. zeigten nur zu deutlich, daß das Prestige eines »Africanus« oder »Asiagenus« die Chancengleichheit der *nobiles* gefährdete. Der Senat verschärfte die Kontrolle über Provinzstatthalter durch Legaten (→ *legatus*) und Repetundenverfahren (→ *repetundarum crimen*), aber diese halbherzigen Maßnahmen blieben wirkungslos.

Das Schicksal der Bauern fand kaum Interesse: Durch den langen Kriegsdienst an der Bewirtschaftung der Höfe gehindert und durch die Konkurrenz der massenhaft importierten Sklaven (→ Sklaverei) in ihren Erwerbsmöglichkeiten bedroht, gerieten sie nun auch unter den Druck des Landhungers von Rittern (→ *equites Romani*) und Senatoren. So bildete sich in It. ein im wesentlichen durch Sklaven bewirtschafteter → Großgrundbesitz; andererseits verarmten die kriegsbedingt ruinierten Bauern und die Söhne kinderreicher Bauernfamilien, die nach Rom strömten, dort aber für ihre Forderung nach Landzuteilung kein Gehör fanden (→ Landflucht). Eine gesetzliche Beschränkung der Okkupation von *ager publicus* in den 170er J. [22. 51–66] wurde nicht wirksam, zumal etwa gleichzeitig die Gründung von Bürgerkolonien eingestellt wurde. Der Versuch des Consuls Laelius [I 2] im J. 140, ein Ansiedlungsprogramm für ital. Bauern in Gang zu setzen, fand keinen Widerhall bei den Standesgenossen und wurde eingestellt. Die Lage spitzte sich zu.

4. SPÄTE REPUBLIK, ZEIT DER REVOLUTION, KRISE DER REPUBLIK (133–30/27 V. CHR.)

Am Beginn dieser Phase standen die Versuche der beiden Gracchen, Tib. und C. → Sempronius Gracchus (134/3 bzw. 124/122), die im 2. Jh. sichtbar gewordene Landkonzentration in den Händen der Oberschicht und den damit verbundenen Rückgang der landbesitzenden, wehrdienstfähigen Bauern durch Neuverteilung des Bodens zu korrigieren (wobei jedoch eigene polit. Interessen der Gruppen hinter den Gracchen zu vermuten sind [23]). Bes. in den umfassenden Reformplänen des Gaius Sempronius Gracchus wird der »Reformstau« deutlich, der sich durch die Konzentration der *nobiles* auf die Reichspolitik und die Vernachlässigung der Innenpolitik ergeben hatte. Sämtliche Bereiche der gracchischen Reformen wurden zu Konfliktthemen der letzten hundert J. der Rep.: Das Problem der mil. Überlastung der röm. Bevölkerung wurde durch die Senkung des Census-Satzes und schließlich die Zulassung auch Besitzloser zum Heeresdienst im Krieg gegen die → Cimbri und → Teutoni (104–101 v. Chr.) durch → Marius [I 1] vorerst gelöst, doch schuf die dadurch bedingte Versorgung der → Veteranen mit anbaufähigem Land eine enge, über die Zeit des Heeresdienstes hinausgehende Bindung der Soldaten an den Feldherrn (sog. »Heeresclientel«); sie führte zur »Militarisierung der Innenpolitik« und schließlich zum Berufsheer der Kaiserzeit. Die konfliktreich ausgetragenen Versuche, die Veteranenversorgung (→ Agrargesetze) und die Versorgung der hauptstädtischen Bevölkerung mit billigem Getreide (→ Frumentargesetze; s.u. II.C.) durchzusetzen, durchziehen die gesamte späte Republik.

Die von C. Sempronius Gracchus angestrebte Einbeziehung der ital. Bundesgenossen (→ *socius*) in den röm. Bürgerverband vollzog sich erst nach einem blutigen → Bundesgenossenkrieg [3], das Anwachsen der Bürgerschaft auf fast 1 Mio Menschen schwächte jedoch die sozialen Bindungen und damit die Stabilität der Verfassung. Die von L. → Cornelius [I 90] Sulla als Dictator durchgepeitschten Reformen, in deren Mittelpunkt die funktionale Trennung von Innenpolitik und Verwaltung der Prov., die Stärkung des Senats und die Schwächung des Volkstribunats standen, zeigten nur wenig Wirkung. Vielmehr folgte auf Sulla eine ununterbrochene Reihe sich heftig befehdender mil. Führer, denen es teilweise gelang, ihre mil. Erfolge in die Politik zu tragen und die Gesch. der späten Rep. zu einer Gesch. einzelner Personen zu machen, die das Zusammenspiel der Verfassungsorgane allmählich auflösten: so → Aemilius [I 11] Lepidus, → Sertorius, → Licinius [I 11] Crassus, → Pompeius [I 3] (s. dort Karte), → Caesar (→ Gallia, mit Karte) und schließlich → Antonius [I 9], → Aemilius [I 12] Lepidus und der nachmalige → Augustus.

Wie gründlich das ausgewogene Zusammenspiel von Magistratur, Senat und Volksversammlung zusammengebrochen war, zeigte sich v. a. im sog. 1. → Triumvirat (60 v. Chr.), einem Bund zw. Pompeius, Crassus und Caesar mit dem Ziel der gemeinsamen »privaten« Verfügung über die Innen- und Außenpolitik R.s, und verstärkt im Dreierbund zw. Antonius, Lepidus und dem nachmaligen Augustus (43 v. Chr.; sog. 2. Triumvirat), die sich gesetzlich (*lex Titia*) die Aufgabe übertragen ließen, den Staat neu zu ordnen. Beide Triumvirate endeten in einem Bürgerkrieg; das erste im Machtkampf zw. Pompeius und Caesar, aus dem Caesar als Sieger und schließlich Dictator auf Lebenszeit hervorging, bis er am 15. März 44 v. Chr. ermordet wurde; das zweite im Bürgerkrieg zw. Antonius und dem nachmaligen Augustus, der in der Schlacht bei → Aktion endete und dem Sieger das mil. Monopol und damit die Verfügung über das Weltreich brachte.

In überraschendem Gegensatz zur verworrenen innenpolit. Situation, die z. T. in bürgerkriegsartigen Exzessen gipfelte (→ Catilina; → Clodius [I 4]; → Annius [I 14] Milo), blieb die Stabilität des Reiches unberührt. Sein Umfang wuchs sogar v. a. durch die Kriege des Pompeius im Osten und die Eroberung Galliens durch Caesar; zu den 10 Prov. in der Zeit Sullas traten weitere (z. B. im J. 74: Cyrenae; 67: Creta; 64: Bithynia et Pontus und Syria; 58: Cyprus; 50: Gallia; 46: Africa Nova; 30: Aegyptus). Die Organisation des Reiches festigte sich, z. T. durch die Neuordnung des Ostens durch Pompeius nach den → Mithradatischen Kriegen (63 v. Chr.; s. → Pompeius [I 3], Karte), z. T. durch eine verschärfte Kontrolle der Provinzialverwaltung durch die Repetundengesetze Sullas und Caesars, deren detaillierte Vorschriften sie quasi zu »Reichsverwaltungsgesetzen« machten.

E. Kaiserzeit
1. Allgemein
2. Prinzipat (30/27 v. Chr.- 284 n. Chr.)
3. Dominat

1. Allgemein
Mit der röm. Rep. endete die Konkurrenz ehrgeiziger Generäle, die der Politik jede Richtung genommen hatte. Zwar verstärkte sich in der Kaiserzeit an einzelne Personen gebundene Herrschaft, da der Gedanke der Erbmonarchie fehlte und im Grunde jede Usurpation zu legitimer Herrschaft führen konnte [24], doch erscheinen weder → Prinzipat noch → Dominat als lose Abfolge einzelner Gestalten. Dies ist den jeweiligen Begründern dieser Epochen (→ Augustus bzw. → Diocletianus, → Constantinus [I] I.) zuzurechnen, die durch ihre Herrschaftsauffassung und organisatorischen Maßnahmen langfristig prägend wirkten.

2. Prinzipat (30/27 v. Chr.- 284 n. Chr.)
a) Begründung und Grundlagen
b) Früher und Hoher Prinzipat (14–96 und 96–192)
c) Die Krise des 3. Jh.
d) Die Dynastie der Severer (193–235)
e) Die Reichskrise

a) Begründung und Grundlagen
Der Begründer des Prinzipats, der nachmalige → Augustus, der sich als Erbe → Caesars rücksichtslos das Konsulat und damit einen Platz im → Triumvirat erkämpft hatte (→ Augustus B.), distanzierte sich während der Auseinandersetzung mit Antonius [I 9] zunehmend von Caesar, achtete auf republikanische Grundsätze der Legitimität (etwa bei der Verlängerung der triumviralen Gewalt) und trat bes. nach der Verbindung des Antonius mit der hell. Königin Kleopatra [II 12] als Bewahrer altröm./republikanischer Werte auf. Da er schon nach dem Sieg bei Mylai [2]/Naulochoi über Sextus Pompeius [I 5] (36 v. Chr.) die Wiederherstellung der Republik verkündet hatte, aber nach dem Sieg bei → Aktion (31) und dem Tod von Antonius und Kleopatra (30) die gesamte Macht im Staat besaß (*potitus rerum omnium*, R. Gest. div. Aug. 34), mußte er seine Position in einen republikan. Ordnungsrahmen einbauen. Dies gelang ihm so überzeugend, daß zwar aus der Rückschau eine Veränderung hin zur Monarchie erkennbar ist, die Zeitgenossen aber seine Maßnahmen als Rückkehr zur Rep. deuten konnten: Zw. 30 und 28 entließ er mehr als die Hälfte seiner ca. 500 000 Soldaten, die er in It. und den Prov. ansiedelte (→ Romanisierung; *coloniae*; → Veteranen), hob fragwürdige Entscheidungen aus der Triumviratszeit auf, reinigte den Senat von »unwürdigen« Elementen und konstituierte die Bürgerschaft in einem Census neu.

Mit dem Titel → *princeps* griff er republikan. Trad. auf und gab Anf. des J. 27 seine Vollmachten an Senat und Volk zurück. Das brachte ihm den Ehrennamen *Augustus* und das Kommando über die Legionen in den nicht befriedeten (kaiserlichen) Prov. ein, während der Senat die befriedeten (senatorischen) Prov. mit nur wenig Legionen übernahm (zur Aufteilung s. Karte → *legio*). Im J. 23 gab er die ständige Bekleidung des Konsulats auf, im J. 19 erhielt er ein lebenslanges *imperium consulare*. Augustus war damit → *privatus* geworden und konnte behaupten, weder Ehren noch Amtsvollmachten (→ *potestas*) zu besitzen, die mit dem republikan. System unvereinbar und/oder ihm nicht von Senat und Volk verliehen seien; seine Stellung gründe sich nur auf → *auctoritas*, eine Gestaltungskraft mit republikan. Wurzeln, die soziale und damit – nach röm. Verständnis – polit. Macht verlieh, aber staatsrechtlich nicht faßbar war (R. Gest. div. Aug. 34).

In Wahrheit ruhte seine Macht konkret auf vier Säulen: auf den Legionen in seinen Prov., auf ergebenen Helfern und Mitarbeitern (→ Agrippa [1]; → Maecenas [2]; bes. betont von [25]), auf seinem ungeheuren Ver-

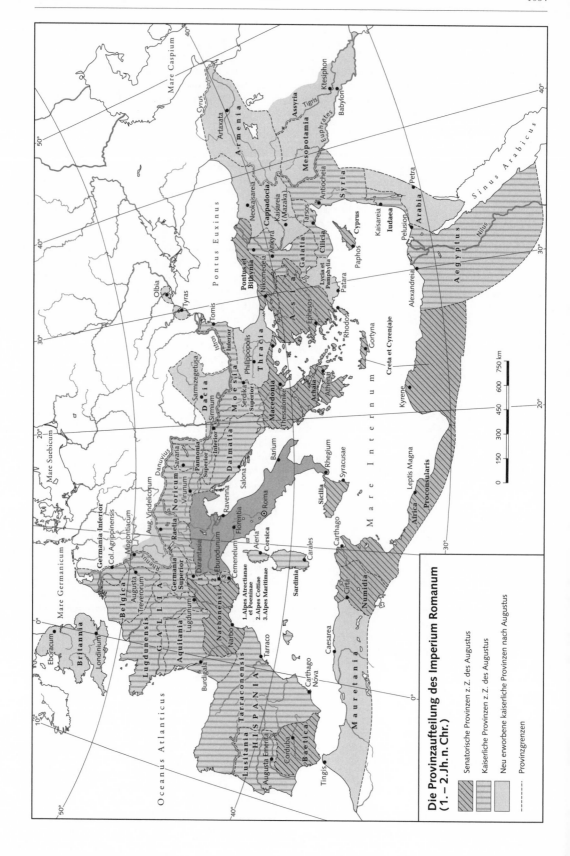

Die Provinzaufteilung des Imperium Romanum (1. – 2.Jh.n.Chr.)

Senatorische Provinzen z.Z. des Augustus

Kaiserliche Provinzen z.Z. des Augustus

Neu erworbene kaiserliche Provinzen nach Augustus

Provinzgrenzen

0   150   300   450   600   750 km

1. Alpes Atrectianae et Poeninae
2. Alpes Cottiae
3. Alpes Maritimae

mögen, das ihm erlaubte, als Bauherr, Mäzen (→ Horatius [7], → Livius [III 2], → Ovidius; → Vergilius; vgl. [26]) und Wohltäter aufzutreten (s.u. III.F.) und zum allgegenwärtigen Patronus und → *pater patriae* zu werden [27; 28], und nicht zuletzt auf einem guten, von gegenseitigem Respekt getragenen Verhältnis zum Senat, da Augustus in der Reichsverwaltung nicht auf die Senatoren verzichten konnte, der Senat dagegen die Überzeugung hegen sollte, er hätte den Princeps zu dem gemacht, was er war.

Mit dem Bemühen, seine nur auf ihn zugeschnittene Position im Staat an einen Nachfolger weiterzugeben, verließ Augustus das Arrangement mit dem Senat, beteiligte ihn aber an der Weitergabe, indem er Ehren und Vollmachten an prospektive Nachfolger (→ Claudius [II 42] Marcellus, Gaius → Iulius [II 32], Lucius → Iulius [II 33], → Tiberius) durch den Senat vergeben ließ. Deshalb beanspruchte der Senat das Recht, dem Princeps die Kaiserwürde durch Beschluß offiziell zu übertragen. Obgleich sich schon bei → Caligula (37–41) zeigte, daß dieses Recht zur bloßen Bestätigung einer von → Praetorianern oder später den Legionen getroffenen Entscheidung verkam, hielten Senat und Kaiser bis in das späte 3. Jh. daran fest. Mit dem dynastischen Gedanken hatte Augustus ein stabilisierendes Element in den Prinzipat eingefügt. Zwar verlieh die Herkunft aus dem Kaiserhaus keinen Anspruch auf den Thron, förderte aber Kontinuität, da die Bürger seit jeher und die Soldaten seit → Marius [I 1] gewohnt waren, der Familie des *patronus* die Treue zu halten. Der Zusammenbruch einer Dyn. konnte zu Unruhen führen (68/9 nach dem Tod → Neros [1]; 192/3 nach dem Tod des → Commodus), da ein neuer Brennpunkt der Loyalität des Heeres gesucht werden mußte. Auch im chaotischen 3. Jh. finden sich genug Versuche, dynastische Kontinuität als Mittel der Krisenbewältigung zu nutzen [29. 185–188].

Bedeutender für die Kontinuität wurde die »Versachlichung« der Herrschaft durch den Aufbau einer eng an den Kaiser gebundenen Reichsverwaltung [30]. Fehlte Augustus anfangs ein festes Konzept, ja war seine Einbindung in die → *res publica* nur gelungen, weil er sich tastend und experimentierend fortbewegte, so stand am Ende seines Lebens doch eine stabile Struktur, die im Kern Jahrhunderte überdauerte und Psychopathen auf dem Thron, Usurpatoren und Bürgerkriege überstand.

Die Senatoren behielten ihre hohen Positionen als Statthalter der senatorischen Prov. im Range von Proconsuln, aber auch als *legati Augusti pro praetore* (→ *legatus* 4.) in den Prov. des Princeps, wo sie ihm ihre Karriere verdankten. Mehr und mehr nahmen Angehörige des nun deutlich vom Senatorenstand abgegrenzten Ritterstandes (→ *ordo* II.; → *equites Romani*) besoldete mil., finanzielle und wirtschaftliche Aufgaben im Auftrag des Kaisers wahr (→ *procuratores*; → *praefectus*; → *tres militiae*). Dabei übertrafen sie zuweilen die Senatoren an Macht (→ *praefectus praetorio*; → *praefectus Aegypti*; → *cura* [2];

→ *cura annonae*). In R. entstand im Haus des Princeps eine in Fachressorts (a → *libellis*, a → *studiis*, ab → *epistulis*, a → *rationibus*) gegliederte Verwaltung, geleitet von → Freigelassenen des Kaisers. Ihre Macht wurde zur Quelle ständiger Reibereien mit dem Senat, bis auch diese Posten (seit Domitianus und bes. unter Hadrianus) Rittern übertragen wurden. Trotz dieses Ausbaus betrug die Zahl der Amtsträger nicht mehr als 200; das war zwar ein Vielfaches der ca. 50 Magistrate der Republik. Verwaltung, aber verschwindend wenig für ein Reich mit ca. 3,5 Mio km², etwa 50 Mio Einwohnern und weit mehr als 1000 Städten (→ *municipium*; → *coloniae*). Die Hauptlast der Verwaltung trugen nämlich die Städte, im Besitz lokaler Autonomie, geleitet und gefördert von einem Stadtrat (→ *decurio* [1]) und städtischen Beamten (→ *duoviri*; → *quattuorviri*), die in den Ritter- und Senatorenstand aufsteigen konnten. Der Kontakt zum Kaiser erfolgte über angesehene Mitbürger oder über die Landtage (→ *concilium* 3.) der Prov., die den → Kaiserkult organisierten und über Gesandtschaften kommunizierten [31].

Die Finanzverwaltung erhielt eine neue Grundlage durch die periodische Einschätzung (→ *census*) der Leistungsfähigkeit der einzelnen Prov., die zu einer gerechteren Besteuerung führte und erstmals einen Staatshaushalt ermöglichte. Das → *aerarium populi Romani* (*Saturni*) als Staatskasse unter Aufsicht des Senats blieb bestehen; weit wichtiger wurde aber das aus regelmäßig fließenden Steuern gespeiste *aerarium militare*, eine kaiserliche Kasse zur Versorgung der → Veteranen. Der → *fiscus Caesaris*, die kaiserliche Privatkasse mit weit höherem Volumen, bildete mit seinen einzelnen Zweigen (z. B. dem → *fiscus Iudaicus*) die eigentliche Kasse des Reiches. Insgesamt litt die Bevölkerung trotz neuer Abgaben in den beiden ersten Jh. des Prinzipats weniger unter Steuerdruck als in der Republik (→ Steuern).

Notwendig war die Sicherung der Finanzen v. a. wegen des Heeres, das den Eid (→ *sacramentum*) nun auf den Kaiser schwor und dessen Loyalität als Basis der Herrschaft gesichert werden mußte. Das nach der Schlacht bei Aktion (31 v. Chr.) von ca. 60 auf 28 Legionen (ca. 150000 Mann) reduzierte, nun stehende Heer verschlang auch in Friedenszeiten durch → Sold (mind. 900 Denare/Jahr), das → *donativum* sowie die Abfindungen nach 20 J. Dienstzeit mehr als die Hälfte des Staatseinkommens. Dazu kamen die Praetorianergarde (mit 16 J. Dienstzeit und dreifachem Legionärssold), 6000 Mann *cohortes urbanae* (→ *cohors*) in R. und die Flottenbesatzungen. Augustus nutzte das Heer zur erheblichen Erweiterung und Sicherung des Reiches bes. in Spanien, den Alpen und an der Donau [32. 395–416]. Erst am Ende seines Lebens riet er, das Reich innerhalb seiner Flußgrenzen an Rhein, Donau und Euphrat zu konsolidieren.

b) Früher und Hoher Prinzipat
(14–96 und 96–192)

Die ersten beiden Jh. unserer Zeitrechnung erscheinen aufgrund dieser strukturierenden Maßnahmen einheitlich, obgleich bereits die erste Gruppe der Principes (aus dem Hause des Augustus; Iulisch-Claudische Dyn. 14–68; s. Stammtafel bei → Augustus) ein Kaleidoskop von Tugenden und Lastern zeigte. → Tiberius (14–37) kümmerte sich vorbildlich um Reich und Prov. und bewies außerordentliche außenpolit. Fähigkeiten in den Auseinandersetzungen mit den Parthern (→ Artabanos [5] II.). → Caligula (37–41) diskreditierte als erster den Prinzipat durch seinen mörderischen Machtrausch und die Forderung nach göttlicher Verehrung. Mit seinem Onkel → Claudius [III 1] (41–54), einem gelehrten Sonderling, kam doch erneut ein fähiger Herrscher auf den Thron. Er straffte die Verwaltung durch Einrichtung zentraler Büros, die von seinen Freigelassenen geleitet wurden (→ Narcissus [1], → Antonius [II 10] Pallas), gliederte Klientelstaaten als Prov. ein (Iudaea: 44; Lycia und Thracia: 43), schuf neue Prov. (Mauretania: 42; Britannia: 43) und verbesserte die ital. Infrastruktur erheblich. → Nero (54–68) wiederum gab sich nach guten Anfängen (→ Afranius [3] Burrus, → Seneca) ganz seinen künstlerischen Interessen hin. Seinem Größenwahn traute man zu, den Brand R.s (64) veranlaßt und die Christen dessen beschuldigt und grausam verfolgt zu haben. Eine Verschwörung gegen ihn (65) mißlang (→ Calpurnius [II 13] Piso); sein Desinteresse am Schicksal des Reiches (→ Iulius [II 150] Vindex) raubte ihm schließlich die Loyalität der Armeen und der Praetorianer und trieb ihn zum Selbstmord.

Die Spannungen bes. zw. Tiberius und dem verunsicherten Senat, die zu den berüchtigten Majestätsprozessen führten (→ maiestas C.3.), hatten ihre Ursache auch in der ungeregelten Nachfolgefrage. Daß im Grunde jeder führende Senator Anwärter auf den Thron war, wurde nach dem Erlöschen der ersten Dyn. im → Vierkaiserjahr (68/9) klar [24. 240–416]. Die Rheinarmee kürte → Verginius Rufus, die Legionen in Spanien und Gallien favorisierten → Galba [2], auf dessen Seite sich auch Verginius schlug; die Praetorianer wollten ihren Praefekten → Otho, die Rheinarmee nun den → Vitellius. Als Sieger ging Flavius → Vespasianus aus dieser Auseinandersetzung hervor, der Kandidat der Legionen im Osten und an der Donau. Der Senat bestätigte jeden Prätendenten als Princeps. Neben die Praetorianer waren nun die Legionen als Kaisermacher getreten, wobei sich bereits die Regionen andeuteten, in denen im 3. Jh. die meisten Soldatenkaiser gekürt werden sollten: Rhein, Donau und Euphrat.

Mit Vespasianus kam eine Familie an die Macht (Flavische Dyn.: 69–96), die nicht altröm., sondern ital. Adel entstammte und deshalb nach Konsens suchen und ihre Stellung bes. betonen mußte: Vespasianus (69–79) bekleidete – meist zusammen mit seinem älteren Sohn → Titus (79–81) – ständig den Konsulat, und nicht zufällig ist gerade sein Bestallungsgesetz (→ lex de imperio Vespasiani), das ihm alle Rechte des Princeps übertrug, inschr. erh. Vielleicht auch deshalb dehnte sein jüngerer Sohn → Domitianus [1] (81–96) als Princeps und Censor auf Lebenszeit (censor perpetuus ab 85) die Befugnisse

des Kaisers bis an die äußersten Grenzen aus, worunter bes. der Senat zu leiden hatte. Sein unberechenbares Regime in R. führte zu Verschwörungen und im J. 96 zu seiner Ermordung, doch konnte er sich bis zuletzt auf loyale Legionen stützen und galt in den Prov. als fähiger und gerechter Herrscher.

Deshalb war die Regierung seines Nachfolgers → Nerva [2] (96–98) sofort durch Spannungen mit den Praetorianern gefährdet, die die Ermordung des Domitianus nicht hinnehmen wollten. Mit der Adoption des Generals der Rheinarmee, → Traianus, gewann Nerva Rückhalt beim Heer und schuf eine neue Dyn., die der → Adoptivkaiser (98–192). Adoption als Mittel der Weitergabe von Herrschaft hatte schon Augustus innerhalb der Familie und Galba außerhalb der Familie (→ Calpurnius [II 24] Piso) angewandt. Neu war nun ihre ideologische Stilisierung als Mittel zur Wahl des Besten, ohne Rücksicht auf Verwandtschaft – in deutlicher Reaktion auf die dynastische Politik der Flavier, die zur Tyrannis des Domitianus geführt hatte. Die Brüchigkeit dieses Konzepts zeigte sich aber in der Häufigkeit von Adoptionen innerhalb der kaiserlichen Familie einerseits (→ Adoptivkaiser, mit Stemma) und in der Selbstverständlichkeit andererseits, mit der → Marcus [2] Aurelius, der erste Kaiser der Dyn. mit einem erwachsenen leiblichen Sohn (→ Commodus), diesen als Nachfolger vorsah (seit 177 Mitkaiser).

Im 2. Jh. n. Chr. erreichte das Röm. Reich seine größte Ausdehnung und höchste Stabilität. Traianus (98–117) eroberte Dakien (→ Dakoi) und seine Goldminen in zwei Kriegen (101–102; 105–106) und erzielte gegen die → Parther (113–117) große Erfolge, die er aber aufgrund von Aufständen in seinem Rücken nicht mehr sichern konnte. Er förderte die Integration der Reichsaristokratie (er selbst kam aus Spanien), organisierte die von Nerva begonnene Alimentarstiftung (→ alimenta) zur Unterstützung von ital. Kindern und half den Prov. aus Schwierigkeiten. Sein Nachfolger → Hadrianus (117–138) gab die Gebietsgewinne im Osten auf und wollte wie Augustus das Reich durch Flüsse und bestenfalls noch durch Wälle geschützt sehen (Hadrianswall in Nordengland; → Limes II.). Er konzentrierte sich ganz auf die innere Organisation des Reiches und verbrachte über die Hälfte seiner Regierungszeit auf Reisen, darum bemüht, das Reich zu einer Einheit zu machen. Sein Nachfolger → Antoninus [1] Pius (138–161) verließ R. nicht; die Unruhen in Britannien (daher Bau des Antoninuswalls) und im Osten (→ Partherkriege B.) beeinträchtigten den allg. Friedenszustand kaum. → Marcus [2] Aurelius (161–180), der sofort seinen Adoptivbruder Lucius → Verus zum Mitkaiser (161–169) machte, hatte dagegen im Osten seit 161 gegen die Parther und an der Donau gegen → Iazyges, → Quadi und → Marcomanni, die 166 bis Verona vorstießen, zu kämpfen. Der Druck auf die Donau hatte sich verstärkt, weil die dortigen Völker ihrerseits aus den dahinterliegenden Räumen bedrängt wurden. → Commodus (180–192) führte nach dem Tod seines Vaters 180

bei Vindobona (Wien) die Pläne zur Sicherung der Donaugrenze nicht weiter, doch hatte sich die Lage ent-
spannt. Er gefiel sich als Gladiator und Hercules Romanus, bis seine engsten Vertrauten seinen mörderischen Exzessen 192 gewaltsam ein Ende setzten.

Das Reich war zu einer Einheit in relativ sicheren
Grenzen geworden. Prov. und Städte florierten, die
Handelswege waren sicher. Der hohe Grad der Romanisierung zeigte sich auch in der Lit., deren Träger oft
aus Prov. kamen: Tacitus wohl aus Südfrankreich, die
beiden Seneca aus Spanien, ebenso wie Lucanus [1],
Martialis [1], Columella, Hyginus und Pomponius
[III 5] Mela. Aus Africa (→ Afrika [3]) stammten Fronto
[6] und Ap(p)uleius [III] und wohl auch Florus [1]. Aber
auch der griech. Raum erlebte eine neue Blüte in den
Schriften eines Pausanias [8], Arrianos [2] und Plutarchos [2]. Der Syrer Lukianos [1] glänzte durch satirische Dialoge, Dion [I 3] Chrysostomos, Herodes [16]
Atticus und Ailios Aristeides [3] durch die geschliffene Sprache
ihrer »Konzertreden« (→ Zweite Sophistik). Wiss. Lit.
entstand im Osten wie im Westen: Plinius [1] (Natur-
kunde), Vitruvius (Architektur), Pedanios Dioskurides
(Botanik), Galenos (Medizin), Ptolemaios [65] (Mathematik, Geogr.) und Ailios → Herodianos [1] schrieben Werke, die einflußreich blieben; ebenso Philosophen wie der Stoiker Epiktetos [2], deren Lehre breiten
Eingang im Westen fand (z. B. bei Seneca, Plinius [1])
und auch beim Kaiser auf Interesse stieß (→ Marcus [2]
Aurelius G.).

Doch fehlte es nicht an Schatten: Die Dichte der
kaiserlichen Eingriffe wuchs und setzte einen Prozeß
der Entmündigung der städtischen Autonomie in Gang;
die zunehmende Planungs- und Regelungskompetenz
der kaiserlichen Büros mußte zur Autokratisierung des
Prinzipats führen; die angestrebte rechtliche Gleichstellung der Reichsbewohner schwächte die Sonderstellung Italiens und auch des röm. Bürgerrechts (→ civitas);
die Gestaltungsmöglichkeiten der Senatoren schwanden
mit der Zunahme der Ritter als Ressortchefs, im kaiserlichen Rat (→ consilium 3. principis) und in der Rechtsprechung; das Wort des Kaisers wurde immer mehr
Gesetz (vgl. → edictum [2] perpetuum); die Trennung zw.
Oben und Unten wurde rechtlich fixiert (→ honestio-
res/humiliores); die ersten Klagen von Bauern über Not
und Mißstände erreichten schon Hadrianus (→ colonatus).

c) Die Krise des 3. Jh.

Aus den Kriegen nach der Ermordung des Commodus ging Septimius → Severus als Sieger hervor. Die
von ihm gegr. Dyn. (193–235) brachte kurzzeitig Stabilität, die dann aber unter dem Druck von außen und in
Bürgerkriegen zerbrach. In der Zeit zw. 235 und 284
agierten mehr als zwei Dutzend reguläre Kaiser und fast
doppelt soviel Usurpatoren. Ab 260 klang die Krise ab.

d) Die Dynastie der Severer
(193–235)

Im Kampf um die Besetzung des Throns diskreditier-
ten sich die Praetorianer, indem sie den vom Senat anerkannten → Pertinax (Dez. 192 – März 193) töteten
und den Prinzipat an den reichen → Didius [II 6] Iulianus (April/Mai 193) verkauften. Noch im April trafen
deshalb die Legionen ihre Wahl: die syrischen wollten
→ Pescennius Niger, die Donaulegionen Septimius
→ Severus und die Armee in Britannien → Clodius
[II 1] Albinus.

Mit Septimius Severus (193–211) setzte sich ein Kaiser durch, der kein Hehl aus der wahren Machtgrundlage des Prinzipats machte und dies den Senat spüren
ließ: Er stützte sich konsequent auf die Soldaten, deren
Loyalität er sich durch Chancen einer Laufbahn bis zum
Ritterrang (und damit in die kaiserliche Verwaltung),
höheren Sold und Privilegien sowie durch Erfolge in
den Kriegen gegen die Parther (197–202) und in Britannien (208–211) erhalten konnte. Damit brach er mit der
zivilen Pose seiner Vorgänger, band sich und seine Dyn.
aber durch fiktive Adoption (→ Antonine) an frühere
principes und teilte deren Pflichtbewußtsein v. a. in der
Rechtspflege und gegenüber den niederen Schichten.
Das ant. Bild des hinterhältigen, vom Haß gegen den
Senat getriebenen Afrikaners auf dem Thron, der – verheiratet mit der Syrerin → Iulia [12] Domna – röm.
Werte verachtete, ist von der Forsch. weitgehend korrigiert [33]. Die Lage des Reiches verlangte Effizienz:
Steuern, speziell die Naturalsteuer der *annona militaris*
zur Versorgung des Heeres, wurden rücksichtslos einge-
trieben, die städtischen Notablen hafteten persönlich
dafür; Transport- und Handelskorporationen wurden
zwangsverpflichtet; erste Ansätze der Berufsbindung
zeigten sich. Nicht nur sein direkter Nachfolger, → Caracalla (211–217), profitierte von der Loyalität der Armee und der entschlossenen Tatkraft seines Vaters, mit
der dieser das Reich nach den Bürgerkriegen stabilisiert,
die Finanzen neu geordnet und eine von Juristen geführte effiziente Reichsverwaltung organisiert hatte
(→ Papinianus), auch der extravagante → Elagabal [2]
(218–222) und der mil. glücklose → Severus Alexander
(222–235), beide unter dem Einfluß ehrgeiziger und
kluger Frauen (→ Iulia [17] Maesa, → Iulia [9] Mamaea)
zehrten noch davon.

e) Die Reichskrise

Im 3. Jh. wurde deutlich, daß röm. Außenpolitik seit
Marcus Aurelius zur bloßen Reaktion auf neue Be-
drohungen geworden war: Im Osten versuchten seit
230 die → Sāsāniden (seit Ardaschir [1] ideologisch in
der Trad. der → Achaimenidai [2]) die Grenzen ihres
Reiches nach Westen auszudehnen, im Westen hatten
sich mit den → Franci und → Alamanni schlagkräftige
german. Stammesbünde gebildet, an der Donau traten
zu den → Quadi die → Goti. Unter diesem Druck riefen
die Legionen immer häufiger ihre Befehlshaber zu Kaisern aus – und schwächten damit in Bürgerkriegen die
Verteidigungskraft des Reiches. Da die Loyalität der
Soldaten teuer erkauft werden mußte, wuchsen Steuer-
und Leistungsdruck auf die Bevölkerung. Die Lage
wurde verzweifelt, als um 250 die Pest auftrat und Heer
wie Bevölkerung dezimierte. Um 260 drohte das Reich

zu zerfallen, da sich zwei militärstrategisch geschlossene Einheiten abspalteten: der gallisch-keltische Westen und der Osten zw. Mittelmeer und → Euphrates [2].

Das Gallische Sonderreich bildete sich seit 260 unter → Postumus, der die Germanen zurückdrängte und in Gallien, Britannien und Spanien Anerkennung fand; ihm folgten → Victorinus (269–271) und → Esuvius [1] Tetricus (271–274). Im Osten entstand nach der Gefangennahme des → Valerianus durch die Sāsāniden (260) das Palmyrenische Sonderreich (→ Palmyra) unter → Odaenathus [2] und dessen Sohn → Vaballathus, für den → Zenobia, zuletzt als selbsternannte Kaiserin, regierte. Doch der Zerfall rettete das röm. Reich, denn die Teilreiche behaupteten sich selbständig; dies erlaubte es → Gallienus (253–268), → Claudius [III 2] Gothicus (268–270) und → Aurelianus [3] (270–275), sich auf den Schutz Italiens und die Abwehr der Goten an der Donau zu konzentrieren. Nach dem Sieg 271 über diese gab Aurelianus Dakien zwar auf, fügte aber als *restitutor orbis* das Ostreich (272) und das Westreich (274) wieder zusammen.

Die Krise war nicht überall spürbar geworden. Während Gallien und die Prov. an der unteren Donau verwüstet waren, prosperierten Britannien, Afrika, Syrien, selbst Pannonien. Auch die Kultur kam nicht zum Erliegen: Cassius [III 1] Dio, Herodianos [2] und Dexippos [2] verfaßten histor. Schriften; als Philosophen wirkten der Platoniker Origenes [1] und die Neuplatoniker Plotinos und Porphyrios; mit Origenes [2], Tertullianus, Minucius [II 1] Felix, Cyprianus [2] und Novatianus erlebte die christl. Lit. eine erste Blüte.

3. Dominat
a) Allgemein b) Begründung und Grundlagen des Dominats
c) Spätantike

a) Allgemein

Die Krise war nur durch Konzentration aller Kräfte auf die mil. Erfordernisse bewältigt worden. Daneben wurden Autonomie der Städte, Freiheit und Bürgerrechte (durch die → *Constitutio Antoniniana* schon 212 geschwächt) zweitrangig. Im Versuch des Aurelianus, seine Herrschaftslegitimation an Sol Invictus (→ Sol) zu binden, zeigen sich bereits Züge sakraler Überhöhung [34]. In den Christenverfolgungen (→ Toleranz) des → Decius [II 1] und des → Valerianus und im Vordringen östl. Kulte (z. B. → Mithras, → Sabazios) war tiefe Verunsicherung gegenüber den röm. Göttern deutlich geworden. Der Vielfalt der Probleme hatten die Begründer des Dominats, → Diocletianus und → Constantinus [1] I., sicher kein geschlossenes Reformkonzept gegenüberzustellen; sie reagierten eher auf aktuelle Erfordernisse. Dennoch fließen wie bei Augustus die einzelnen Maßnahmen in eine kohärente neue Struktur zusammen.

b) Begründung und Grundlagen des Dominats

Mit dem Aufbau einer Mehrkaiserherrschaft (vgl. → Tetrarchie) zog Diocletianus den richtigen Schluß aus den Usurpationen des 3. Jh.: Im J. 285 zog er → Maximinianus [1] als Caesar für Gallien und die Rheingrenze zu Hilfe, 286 machte er ihn zum zweiten Augustus für die Region It., Nordafrika und den Oberlauf der Donau; er selbst kümmerte sich um den Osten und die → Euphratgrenze. 293 ernannte er zwei Caesares als weitere Helfer: → Galerius [5] für die untere Donau und den Balkan und Flavius → Constantinus [1] I. für Gallien, Britannien und die Rheingrenze. Die Caesares wurden von den Augusti adoptiert, waren ihre Schwiegersöhne und designierten Nachfolger. Diese Parallel-Dyn. bewährte sich mil. und polit. unter der Ägide ihres Gründers, zerbrach jedoch nach seinem längst geplanten Rückzug 305. Nach langen Bürgerkriegen bildete sich zuerst (312) das Doppelkaisertum von → Licinius [II 4] und Constantinus [1] und dann, nach dessen Sieg über Licinius (324), wieder eine Alleinherrschaft heraus. Doch behielt die Idee der territorialen Aufteilung der Kaisergewalt innerhalb der kaiserlichen Familie ihre Kraft bis in die Mitte des 5. Jh. (s. Stemma bei → Constantinus [1] und → Theodosius I.).

Eine Folge der Mehrkaiserherrschaft war die Vergrößerung der Armee, deren Kosten eine Reform des völlig zusammengebrochenen Steuer- und Währungssystems bedingten. Das diocletianische System der → *capitatio-iugatio*, einer Kombination von Bodenertragssteuer und Besteuerung menschlicher und tierischer Arbeitskraft, die periodisch eingeschätzt wurde (→ *indictio*), verteilte die Lasten gerechter. Die Konsolidierung der Währung gelang mit dem → Solidus (einer Goldmünze) erst Constantinus, unter dessen Herrschaft sich zur Festigung des Steueraufkommens auch die Boden- und Berufsbindung herausbildete. Wenig Erfolg hatte trotz Androhung harter Strafen anscheinend das Preisedikt (→ *edictum* [3] *Diocletiani*, 301), das minutiös die Preise für Waren und Dienstleistungen festsetzte, um einer erneuten Inflation vorzubeugen.

Angesichts dieser Regelungsdichte mußten im Interesse staatlicher Autorität die Kontrollen verstärkt werden: Aus den ca. 50 Prov. des 3. Jh. wurden nun an die 100 kleinere, besser zu überschauende gebildet. Eine neue Zwischeninstanz von 12 Diözesen (→ *dioíkēsis* II.) mit eigenem Verwaltungsapparat schuf die Verbindung zu den Reichspraefekturen (s. Karte und Schema bei → Diocletianus). An die 25–30000 Beschäftigte unterschiedlichster Rang- und Gehaltsstufen müssen dieses System im 4. Jh. getragen haben (→ Bürokratie III.; → *Notitia dignitatum*; → *scrinium*).

Entscheidend für die Stabilität des Reiches wurde die Neugliederung der Armee in eine Grenztruppe (→ *limitanei*), die unter der Führung von *duces* (→ *dux* [1]) an den Reichsgrenzen stationiert war, und ein bewegliches Heer (→ *comitatenses*), das unter Heermeistern (→ *magister militum*) – zunehmend germanischer Herkunft –

schnell an Brennpunkte gelangen konnte (→ Heerwesen III. C.). Diese Eingreiftruppe hatte einen Vorläufer in der Heeresreform des Gallienus, wurde aber von Constantinus erheblich vergrößert und zum wichtigsten Heeresteil der Spätant. Das eindeutig defensive Konzept war flexibel genug, um auch aggressive Ziele zu verfolgen, wie der Perserzug des → Iulianus [11] zeigte.

In der Religionspolitik verfolgten Diocletianus und Constantinus gegensätzliche Ziele. Die Gründe für die Verfolgung der Christen durch Diocletianus (seit 303; → Toleranz) liegen wohl in seinem Vertrauen in die Kraft der Götter R.s (er nannte sich selbst nach → Iuppiter *Iovius*) und in dem Bestreben, seinen Nachfolgern einen rel. einheitlichen Staat zu hinterlassen. Diese Verfolgung wurde zur bis dahin größten Bedrohung für die Christen. Seit Nero war es zwar zu lokalen Pogromen gekommen, doch hatten die Kaiser insgesamt wenig Interesse an den Christen gezeigt; Traianus hatte verboten, nach ihnen zu fahnden (*conquirendi non sunt*, Plin. epist. 10,97). Erst in der Krise des 3. Jh. erließ Decius 250 ein allg. Opfergebot (*supplicatio*), das Anlaß zur ersten reichsweiten Christenverfolgung wurde. Sie endete aber bald mit dem Tod des Kaisers (251). Auch die Verfolgung unter Valerianus seit 257 wurde von seinem Sohn Gallienus 260 abgebrochen. Das Verfolgungsedikt des Diocletianus (303) war deshalb so gefährlich, weil sich die gut organisierten Christen (→ Christentum C. und D.) offen zu erkennen gaben und die dichte Bürokratie ihre lückenlose Erfassung ermöglichte.

Im Westen zeigte das Edikt kaum Wirkung, im Osten dagegen wurde die Verfolgung blutig durchgeführt, bis Galerius auch dort resignierte und 311 widerwillig die Ausübung der christl. Rel. tolerierte (Lact. mort. pers. 34). Constantinus ging nach seinem vorgeblich mit Hilfe des Christengottes 312 über → Maxentius errungenen Sieg über Toleranz weit hinaus, indem er das Christentum nicht nur als gleichberechtigt anerkannte, sondern auch zu seinem bevorzugten Kult machte, ohne es aber zur verbindlichen Rel. zu erklären. Dies änderte sich bald; bes. im Osten entwickelte sich eine Art »Heidenverfolgung«: → Gratianus (367–383) verbot im J. 381 die Opfer für die alten Götter, → Theodosius I. (379–395) dehnte das Verbot 392 reichsweit auf private Opfertätigkeit aus und machte das Christentum zur Staats-Rel., ein Gesetz Zenons (474–491) befahl die → Taufe aller Bürger (Cod. Iust. 1,11,10,1). Der Versuch des Kaisers → Iulianus [11] (360–363), die alte Rel. nach dem Muster der christl. Kirche durch Almosenwesen, hierarchisierte Strukturen und priesterlichen Moralkodex wieder attraktiv zu machen, scheiterte. Die letzte Hoffnung auf eine Wiederbelebung der alten Kulte schwand 394 mit dem Sieg des Theodosius über den senatsfreundlichen Usurpator → Eugenius [1].

Dabei trat die Kirche keineswegs geschlossen auf. Schon Constantinus mußte erfahren, daß die von staatlichem Druck befreite Kirche ihre theologischen Dispute auch gewalttätig austrug und von ihm Entscheidungen auch unter Einsatz weltlicher Gewalt erwartete (→ Arianismus; → Donatus [1]; → Häresie). Die Einbindung des Kaisers in die Glaubenskämpfe blieb ein Grundzug der Spätant. Letztlich mußte es der Eigenständigkeit der Kirche schaden, wenn die Kaiser bestimmten, was zu glauben war, zumal auch sie keine einheitliche Linie hatten (→ Nicaenum; → Nicaeno-Constantinopolitanum; → Monophysitismus).

Das Christentum erlaubte mehr als der → Kaiserkult die sakrale Erhöhung des Kaisers, der von den Christen selbst als von Gott eingesetzter Herrscher in der Nachfolge Christi stilisiert wurde (→ Eusebios [7]) – was auch jeden selbstherrlichen, häufig brutalen Eingriff in Gesetzgebung und Rechtsprechung rechtfertigte. Im kaiserlichen Ornat und → Zeremoniell flossen traditionelle, christl., hell. und von den Sāsāniden entlehnte Formen zusammen. Die Umgebung des Kaisers galt als »heilig« (*sacrum*) oder gar »hochheilig« (*sacrosanctum*). Die Polarisierung der Ges. in wenige Reiche und unzählige Arme fand ihre Entsprechung im Abstand zw. der Masse der Untertanen und dem fernen Kaiser im Palast, starr und unbeweglich wie die Ges. Das byz. Kaisertum, das sich bes. in dem von Constantinus 324 gegr. und 330 eingeweihten → Konstantinopolis entwickelte, nahm von hier seinen Ausgang.

c) SPÄTANTIKE

Das Reich bildete nach dem Tode des Constantinus (337) unter seinen einander heftig befehdenden Söhnen eine fragile Einheit, die Teilung in Ost- und Westreich deutete sich bereits 364 in der Kompetenzaufteilung zw. den Brüdern → Valentinianus I. (364–375) für den Westen und → Valens (364–378) für den Osten an; sie konkretisierte sich, als nach dem Tod des Theodosius I. (395) seine Söhne → Arcadius (im Osten bis 408) und → Honorius [3] (im Westen bis 428) ihre Bereiche absteckten, und verfestigte sich endgültig in Hofintrigen und rel. Differenzen. Brennpunkte des außenpolit. Geschehens blieb die Abwehr der Sāsāniden und germanischer Stämme.

Im Osten gelang Diocletianus ein mil. Erfolg gegen die Perser, der 298 mit einem Frieden gesichert wurde. Nach dem Tod des Constantinus stieg der Druck durch → Sapor II., dem → Constantius [2] II. wenig entgegenzusetzen hatte; der Perserzug des Iulianus [11] 363 scheiterte, seinem Nachfolger → Iovianus (363–364) blieb nur der Verzicht auf die Gebiete jenseits des Tigris und auf Nisibis. Nach einem neuerlichen Friedensschluß 398 blieb die Ostgrenze bis in die Zeit des → Iustinianus [1] I. (527–565) trotz heftiger Kämpfe mit → Chosroes [5] I. (531–579) ziemlich stabil. Die Angriffe des → Chosroes [6] II. (590/591–628) stießen jedoch weit vor, führten 626 sogar zur Belagerung von Konstantinopolis. Der erfolgreiche Gegenangriff des → Herakleios [7] (610–641), der Chosroes absetzte, kam zu spät. Die 630 einsetzende Expansion des → Islam ließ dem Ostreich im wesentlichen nur die Herrschaft über Kleinasien und Griechenland, das seinerseits bereits von slavischen Stämmen bedroht war.

Im Westen führte der Abzug von Truppen gegen die Perser zur verstärkten Invasion german. Stämme und zu Usurpationen (→ Magnentius); dennoch gelang es Constantius [2] II., die Donaugrenze zu halten; sein Caesar Iulianus [11] warf 357 die → Alamanni bei Argentorate (Strasbourg) zurück. Die Lage änderte sich grundlegend, als die nördl. der Donau angestauten Germanen von den aus dem Osten andrängenden → Hunni in breiter Front erst über die untere Donau (seit 375 die Westgoten; → Fritigern), dann über den Rhein (406/7 die Vandali, Alani, Suebi, Burgundiones) geschoben wurden (→ Völkerwanderung).

Die zumindest ungeschickte Behandlung der friedlich über die Donau gekommenen → Westgoten führte zu einem Aufstand und schließlich zu Niederlage und Tod des Valens 378 bei Hadrianopolis [3] (h. Edirne). Vorläufige Ruhe konnte Theodosius I. erst 382 mit einem Vertrag schaffen, der die Westgoten zu → *foederati* machte, d.h. zur Waffenhilfe verpflichteten Verbündeten mit völkerrechtlich autonomem Status (erstmals auf Reichsboden).

Auch die 406 nach Gallien vorgedrungenen Germanen konnten nicht wieder vertrieben werden. Nominell unter der Hoheit des Kaisers, siedelten sie meist als *foederati* in geschlossenen Verbänden in Spanien und Gallien: die → Suebi in NW-Spanien, die → Vandali zuerst in Südspanien, dann ab 429 in Afrika. Seit 418 setzten sich unter → Ataulfus im südl. und südwestl. Gallien (später auch in Spanien) Westgoten fest, die nach dem Sturm auf R. im J. 410 (→ Alaricus [2]) vergeblich versucht hatten, nach Afrika überzusetzen. Gallien blieb mit Hilfe starker Generäle (→ Constantius [6] III.; → Aetius [2]) in röm. Hand; Aetius gelang es 451 auf den → Campi Catalauni sogar, die Hunnen unter → Attila zu besiegen. Britannien war verloren. Die Ermordung des Aetius (454) durch den mißtrauischen Valentinianus III. (425–455) und das Ende des weström. Kaisertums schufen in Gallien Raum für persönliche Machtbildung (→ Aegidius), v.a. aber für die Ausbreitung der fränkischen Herrschaft (→ Childerich I.; → Chlodovechus; → Merowinger).

Bei der allg. Auflösung der kaiserlichen Autorität im Westen blieb die Absetzung des letzten röm. Kaisers → Romulus [2] Augustulus 476 durch → Odoacer fast unbemerkt, zumal der von Ostrom (Konstantinopolis) anerkannte → Nepos [3] noch bis 480 in Dalmatien residierte. Da seit dem Tod des Theodosius I. (395) hauptsächlich Kinder auf den Thron kamen (→ Kinderkaiser), lag die Macht schon lange bei Höflingen (→ Eutropius [4]; → Chrysaphios; → Eunuchen) und german. Heermeistern, wobei sich diese zuweilen das tödliche Mißtrauen der kaiserliche Familie – mit der sie häufig durch Heiraten verbunden waren – und des Kaisers zuzogen (→ Stilicho; → Aetius [2]). Nach dem Erlöschen der Dyn. des Theodosius im Westen (455) jonglierten → Ricimer und Orestes geradezu mit Kaisern (→ Avitus [1], Maiorianus, Libius → Severus III., Anthemius, Olybrius, Glycerius, Romulus Augustulus).

Der Osten entging diesem Schicksal nur knapp, weil Ardabur [2] Aspar, der nach dem Tod des Theodosius II. (408–450) zuerst Markianos (450–457) und dann Leo [4] I. (457–474) auf den Thron setzte, 471 von → Zenon im Einverständnis mit Leo beseitigt werden konnte. Mit Anastasios [1] (491–518) und Iustinus [1] I. (518–527) festigte sich das byz. Kaisertum erneut so, daß Iustinianus I. (527–565) an eine Wiederherstellung der Reichseinheit denken konnte. Seine Generäle (→ Belisarios, Bonifatius, → Narses [4]) gliederten das Vandalenreich in Nordafrika (534), das Ostgotenreich (→ Theoderich, → Vitigis) in It. (553) und einen kleinen Teil des südspan. Westgotengebiets (555) wieder ein, doch war das meiste E. des 6. Jh. wieder an Langobarden, Westgoten und Mauren verloren. Bleibende Zeugen seines Versuchs, dem röm. Reich im »Neuen Rom« einen Mittelpunkt zu geben, sind die → Hagia Sophia und der *Codex Iustinianus* (→ *codex* II. C.; → *novellae* C.).

Das Repräsentationsbedürfnis der Kaiser, der Reichtum der Senatoren und das Vermögen der Kirche, des drittgrößten Landbesitzers (→ Kirchenbesitz), förderten Architektur, Kunst und Kunsthandwerk. In den Großkirchen in R., Antiocheia [1], Jerusalem, Ravenna und Konstantinopolis glänzten über den Säulen der alten Tempel die Mosaiken, in der hochentwickelten Sarkophag-Plastik und in den Arbeiten der Elfenbeinschnitzer, Gemmenschneider und Goldschmiede standen pagane neben christl. Motiven.

Das ant. Bildungsgut wurde weiter an den Universitäten in R., Mediolan(i)um [1] (Mailand), Karthago, Burdigala (Bordeaux), Athen, Antiocheia, Alexandreia [1] und Konstantinopolis gepflegt und lebte in den Werken christl. Autoren weiter (→ Sidonius Apollinaris; → Boëthius, → Cassiodorus). Seit dem 4. Jh. trat neben die noch im paganen Geist geschriebene Geschichtsdarstellung (→ Ammianus Marcellinus; vgl. Aurelius → Victor; → Eutropius [1]; → Festus [4]; → Historia Augusta) die christliche (→ Lactantius [1]; → Eusebios [7]; → Orosius) und im 6. Jh. das Interesse an den »neuen« Völkern (Goti: → Cassiodorus, → Iordanes [1], → Prokopios [3]; Franci: → Gregorius [4] von Tours). Die Dichtung (im 4. Jh. noch überwiegend pagan, vgl. → Symmachus, → Flavianus [2] Nicomachus, → Ausonius, → Rutilius [II 1] Namatianus) erfuhr eine neue Blüte im Lob R.s, der Kaiser und der Heermeister (→ Panegyrik, → *Panegyrici Latini*, → Claudianus [2], → Ennodius, → Corippus). Die Briefe des → Libanios zeugen von der Kraft der ant. Rhet.; v.a. aber die → Predigten und Schriften der → Kirchenväter im Westen (→ Hieronymus, → Ambrosius, → Augustinus, → Gregorius [3] d.Gr.) und im Osten (→ Athanasios, → Basileios [1] d.Gr., → Gregorios [3] von Nazianzos, → Iohannes [4] Chrysostomos) geben Einblick in eine neue Zeit, in der es weiterhin um den Einfluß im Staat, aber auch schon um die Macht über die Seelen ging [35].

1 R. WERNER, Der Beginn der röm. Republik, 1963
2 W. EDER, Augustus and the Power of Trad., in:
K. A. RAAFLAUB, M. TOHER (Hrsg.), Between Republic and

Empire, 1990, 71–122 **3** J. Bleicken, Prinzipat und Dominat, 1978 **4** P. E. Hübinger (Hrsg.), Kulturbruch oder Kulturkontinuität im Übergang von der Ant. zum MA, 1968 **5** Ders. (Hrsg.), Zur Frage der Periodengrenze zw. Alt. und MA, 1969 **6** K. Christ (Hrsg.), Der Untergang des röm. Reiches, 1970 **7** Demandt **8** B. Linke, Von der Verwandtschaft zum Staat, 1995 **9** T. J. Cornell, The Beginnings of Rome, 1995 **10** D. Kienast, Die polit. Emanzipation der Plebs und die Entwicklung des Heerwesens im frühen Rom, in: BJ 175, 1975, 83–112 **11** W. Eder, Zw. Monarchie und Republik, in: F. Gabrieli (Hrsg.), Bilancio critico su R. arcaica fra monarchia e repubblica (Atti dei convegni Lincei 100), 1993, 97–127 **12** L. Burckhardt, The Political Elite of the Roman Republic …, in: Historia 39, 1990, 77–99 **13** Hölkeskamp **14** J. Bleicken, Lex publica, 1975 **15** Harris **16** R. Werner, Das Problem des Imperialismus und die röm. Ostpolitik im 2. Jh. v. Chr., in: ANRW I 1, 1972, 501–563 **17** D. Flach, Der sog. Röm. Imperialismus, in: HZ 222, 1976, 1–42 **18** D. Vollmer, Symploke, 1990 **19** T. J. Cornell, The Value of the Literary Trad. Concerning Early Rome, in: K. Raaflaub (Hrsg.), Social Struggles in Archaic Rome, 1986, 52–76 **20** I. Shatzman, Senatorial Wealth and Roman Politics, 1975 **21** E. Baltrusch, Regimen morum, 1988 **22** K. Bringmann, Das »Licinisch-Sextische« Ackergesetz und die gracchische Agrarreform, in: J. Bleicken (Hrsg.), Symposium für A. Heuss, 1986 **23** K. Bringmann, Die Agrarreform des Tiberius Gracchus …, 1985 **24** E. Flaig, Den Kaiser herausfordern, 1992 **25** Syme, RR **26** A. Powell, Roman Poetry and Propaganda in the Age of Augustus, 1992 **27** P. Zanker, Augustus und die Macht der Bilder, 1987 **28** C. Böhme, Princeps und Polis, 1992 **29** F. Hartmann, Herrscherwechsel und Reichskrise, 1982 **30** D. Timpe, Unt. zur Kontinuität des frühen Prinzipats, 1962 **31** J. Deininger, Die Provinziallandtage der röm. Kaiserzeit, 1965 **32** E. S. Gruen, The Imperial Policy of Augustus, in: K. A. Raaflaub, M. Toher (Hrsg.), Between Republic and Empire, 1990 **33** A. R. Birley, Septimius Severus. The African Emperor, 1988 **34** G. H. Halsberghe, The Cult of Sol Invictus, 1972 **35** H. Leppin, Die Kirchenväter und ihre Zeit, 2000.

W. Ed.

II. Bevölkerung und Wirtschaft der Stadt Rom

A. Bevölkerung   B. Wirtschaft
C. Lebensmittelversorgung

A. Bevölkerung

R. war in der Ant. die größte Stadt des Mittelmeerraumes und wurde in Europa erst um 1800 von London übertroffen. Unter Augustus hatte R. eine Bevölkerung von ungefähr einer Mio Menschen erreicht, nachdem es sich während der J. der Expansion des Imperium Romanum schnell vergrößert hatte. Schon gegen E. des 6. Jh. v. Chr. war R. eine große Stadt. Sowohl die Größe des Territoriums als auch die Angaben zum Heeresaufgebot deuten auf eine *civitas* von etwa 25000–40000 Menschen hin. Die sehr viel höheren Censuszahlen (→ *census*) aus der Frühen Republik sind unglaubwürdig.

Bis zur Mitte des 4. Jh. v. Chr. war die städtische Bevölkerung vielleicht auf 30000 Personen angewachsen, und stieg bis zum E. des Jh. rasch auf 60000, bis zum Krieg gegen Pyrrhos [3] Anf. 3. Jh. v. Chr. gar auf 90000 Menschen an. Ein solches Bevölkerungswachstum setzt starke Zuwanderung voraus. Diese Entwicklung zu einem Bevölkerungszentrum erforderte zur Sicherung der Wasserversorgung den Bau von Aquaedukten (Aqua Appia: 312 v. Chr.; Anio vetus: 273 v. Chr.; Aqua Marcia: 144 v. Chr.; → Wasserleitungen). In den folgenden Jahrzehnten nahm die Zahl der Einwohner R.s noch weiter zu, bis die freie Bevölkerung 225 v. Chr. etwa 150000 und 8 v. Chr. etwa 600000 Personen umfaßte. Zu den freien Einwohnern kam eine zunehmend steigende Zahl von Sklaven hinzu (→ Sklaverei). Seit der augusteischen Zeit stagnierte die Bevölkerung R.s und wuchs – wenn überhaupt – nur noch geringfügig. Von Zeit zu Zeit müssen in R. Seuchen ausgebrochen sein, die viele Opfer forderten (66 n. Chr.: Tac. ann. 16,13). Dennoch scheint es, als habe die Stadt insgesamt ihre Bevölkerungszahl von ungefähr einer Mio Menschen für lange Zeit behaupten können, möglicherweise bis ins 4. Jh. hinein. Noch für die Mitte des 5. Jh. n. Chr. ist eine Zahl von 400000 angenommen worden; danach ging die stadtröm. Bevölkerung jedoch schnell sehr stark zurück.

Der Konsens innerhalb der Forsch., die Stadt R. habe im frühen Prinzipat etwa eine Mio Einwohner gezählt, basiert vor allem auf der Zahl der erwachsenen männlichen Bürger, die Empfänger des öffentlich verteilten Getreides waren (→ *cura annonae*): etwa 200000 Bürger. Um die Frauen und Kinder zu erfassen, wird diese Zahl mit 3 oder 4 multipliziert; dabei ist aber durchaus fraglich, ob die meisten in R. lebenden Bürger tatsächlich verheiratet waren und Kinder hatten. Zu den Freien und Freigelassenen kommen noch mehrere hunderttausend Sklaven hinzu (→ Sklaverei).

Die Expansion und Beherrschung des Mittelmeerraumes hatten R. nicht nur zur Hauptstadt eines nahezu unermeßlichen Imperiums gemacht, sondern auch zur Hauptstadt der → Krankheiten. Die hygienischen Verhältnisse waren grauenvoll, wobei die schlechten Wohnverhältnisse (→ Vermietung) und die Bevölkerungsdichte die Ausbreitung von ansteckenden Krankheiten förderten. Neue Einwanderer waren zudem bes. anfällig für die einheimische → Malaria. Unter solchen sozialen Bedingungen war die Lebenserwartung der Masse der Bevölkerung extrem niedrig. Es ist durchaus möglich, daß die Altersverteilung in der Stadt von derjenigen der ländlichen Bevölkerung erheblich abwich und auch innerhalb der verschiedenen sozialen Gruppen – Sklaven, → Freigelassene (*liberti*), Freigeborene (*ingenui*, → *ingenuus* [2]) – sehr unterschiedlich war.

Die Erklärung für die bis zum 19. Jh. einmalige Bevölkerungskonzentration in R. muß in der Tatsache gesucht werden, daß die Stadt als Zentrum eines großen Imperiums vielen Menschen Lebenschancen bot. Die Bevölkerungsentwicklung in R. folgt auffallend der

Expansion des Imperiums. Dabei erfolgte die Zuwanderung keineswegs nur freiwillig; die Oberschicht holte für ihre großen Haushalte Scharen von Hausklaven in die Stadt, und dies gilt in der Zeit nach Augustus auch für den → *princeps*.

Die Ausnahmeposition R.s fand ihren Ausdruck bes. in der sozialen Zusammensetzung der Bevölkerung; in der Stadt hielten sich mehrere tausend Senatoren (→ *senatus*) und → *equites Romani* auf, die die polit. Elite des Imperiums darstellten. Die Angehörigen dieser Oberschicht verfügten über Haushalte mit mehreren Dutzend Sklaven. Dazu kamen die Sklaven und Freigelassenen, die im Haushalt und polit. Apparat des *princeps* tätig waren, sowie all jene Sklaven, die im Handwerk, in den Läden, auf den Baustellen oder im Hafen arbeiteten. Sklaven machten insgesamt einen großen Teil der städtischen Bevölkerung aus. Dies spiegelt sich auch in den städtischen Inschr. wider, in denen Sklaven und bes. Freigelassene stark vertreten sind. Ferner ist an Bevölkerungsgruppen wie Künstler, Rhetoriklehrer, Ärzte, Wahrsager etc. zu erinnern, die – von der Hoffnung auf die Gunst wohlhabender Patrone angezogen – nach R. kamen, jedoch im Falle einer Getreideknappheit auch wieder ausgewiesen werden konnten (Suet. Aug. 42,3). Da aus allen Prov. Menschen in das Zentrum des Imperiums wanderten, entstammte R.s Bevölkerung ganz verschiedenen Ethnien, eine Tatsache, die in der röm. Satire kritisch kommentiert wird (Iuv. 3,60–80).

→ Bevölkerung; Landflucht; Migration; Sklaverei

1 BRUNT, 367–388 2 T. J. CORNELL, The Beginnings of Rome. Italy and Rome from the Bronze Age to the Punic Wars (c. 1000–264 B. C.), 1995, 204 ff.; 380–393 3 B. W. FRIER, Demography, in: CAH, Bd. 11, ²2000, 787–816 4 K. HOPKINS, Death and Renewal, 1983 5 P. HUTTUNEN, The Social Strata in the Imperial City of Rome. A Quantitive Study of the Social Representation in the Epitaphs Published in the Corpus Inscriptionum Latinarum, Bd. 6, 1974 6 F. G. MAIER, Röm. Bevölkerungsgesch. und Inschriftenstatistik, in: Historia 2, 1953/4, 318–351 7 W. SCHEIDEL, Emperors, Aristocrats and the Grim Reaper: Towards a Demographic Profile of the Roman Élite, in: CQ 49, 1999, 254–282 8 Ders., Progress and Problems in Roman Demography, in: Ders. (Hrsg.), Debating Roman Demography, 2001, 1–81 9 Ders., Quantifying the Sources of Slaves in the Early Roman Empire, in: JRS 87, 1997, 156–169 10 A. SCOBIE, Slums, Sanitation and Mortality in the Roman World, in: Klio 68, 1986, 399–433. W. J./Ü: A. H.

B. WIRTSCHAFT

Eine Darstellung der Wirtschaft der Stadt R. muß von der Tatsache ausgehen, daß in R. als der Hauptstadt eines Imperiums, das den gesamten Mittelmeerraum umfaßte, immense öffentliche und private Einkünfte verfügbar waren.

Wie in anderen vorindustriellen Städten bestand auch in R. große Nachfrage nach Lebensmitteln. Für die Masse der Einwohner war → Getreide das Haupt-

nahrungsmittel. Die öffentliche Verteilung von Getreide (→ *cura annonae*), später von Brot und anderen Nahrungsmitteln, leistete einen wichtigen Beitrag zur Ernährung der Bevölkerung. Sklaven wurden von ihren Besitzern versorgt – häufig aus den Erzeugnissen ihrer Landgüter. Ein privatwirtschaftlicher → Markt für Grundnahrungsmittel ergänzte das *frumentum publicum* (»öffentlich verteiltes Getreide«) und versorgte die Haushalte der Oberschicht. Der freie Markt deckte zudem den Bedarf an sonstigen Lebensmitteln: an → Wein, Öl (→ Speiseöle), → Gemüse und Fleisch (→ Fleischkonsum). Nicht wenige Einwohner R.s verfügten über ein hohes Einkommen, das ihnen eine abwechslungsreiche Ernährung und den Verzehr von teuren, ausgesuchten Speisen erlaubte. Obst- und Gemüseanbau (→ Obstbau) sowie Geflügelzucht (*pastio villatica*; → Kleintierzucht) wurden daher in der Umgebung R.s intensiv betrieben. Einige Fleischsorten, Fischsauce (*garum*), Wein und Öl – Produkte, die besser haltbar waren – kamen aus weiter entfernt liegenden Gebieten; Tiere wurden oft lebend transportiert.

Von allen übrigen Wirtschaftszweigen besaß ohne Zweifel das Bauhandwerk (→ Bauwesen II.) die größte Bed.; die Stadt erfreute sich der bes. Aufmerksamkeit und Großzügigkeit der Herrscher, die im Rahmen einer öffentlichen Bautätigkeit, deren Ausmaße nie zuvor und in Europa bis zur Industrialisierung nicht mehr erreicht worden sind, Aquädukte für die Trinkwasserversorgung (vgl. → Wasserleitungen), → Tempel, Paläste (→ Palast IV.), Fora (→ Forum III.) und → Thermen errichten ließen (R. Gest. div. Aug. 19–21; Plin. paneg. 51). Allein der Bau und die Instandhaltung der Aquädukte erforderte immense Summen und den Einsatz vieler Menschen. Nach mod. Schätzungen kostete der Bau der Caracalla-Thermen den Gegenwert von 120–140000 t Weizen, mit denen man mehr als 500000 Menschen ein Jahr lang hätte ernähren können. Die Bereitstellung von genügend Wohnraum in den großen Mietskasernen erforderte ebenfalls eine rege Bautätigkeit. Die dekorative Ausgestaltung der Wohnungen wohlhabender Bürger initiierte weitere wirtschaftliche Aktivitäten. Ein Teil der Skulpturen und Kunstwerke war importiert, doch → Mosaiken und → Wandmalereien wurden vor Ort angefertigt. Aufgrund von Verfall, Umbauten und wechselnden Moden gab es einen beträchtlichen, kontinuierlichen Bedarf an Arbeit in diesen Bereichen; unter diesen Umständen kamen viele Handwerker aus den Prov. nach R.

Der umfangreiche Bedarf an qualitätvollen Handwerkserzeugnissen führte zu der Herausbildung eines differenzierten → Handwerks auf hohem Niveau; mehr als 200 Berufsbezeichnungen sind überliefert; zahlreiche Handwerker organisierten sich in Berufsvereinen (→ *collegia*). Die Eliten R.s beschäftigten in ihren Haushalten eigene (ausgebildete) Handwerker, die für den Eigenbedarf unterschiedliche Erzeugnisse herstellten. Die durch Importe ergänzte handwerkliche Produktion in R. diente vor allem dem Bedarf der stadtröm. Bevölkerung selbst; insgesamt war R. kein Exportzentrum für Handwerkserzeugnisse.

Im Dienstleistungssektor arbeiteten ebenfalls viele Menschen. Einige hundert Haussklaven vom einfachen Personal bis hin zum Privatsekretär oder Vermögensverwalter konnten zum Haushalt eines reichen Römers gehören (Tac. ann. 14,43,3; Sen. epist. 47,5–8). Thermen, Theater und andere öffentliche Gebäude benötigten eine große Anzahl von Sklaven, um z. B. Holz zu tragen, die Öfen in Gang zu halten und die Besucher zu versorgen. In der röm. Welt wurden solche Arbeiten gewöhnlich nur von Sklaven und allenfalls Freigelassenen verrichtet. Wahrscheinlich wurden im Dienstleistungssektor mehrere hunderttausend Sklaven (auch Kinder) eingesetzt. Da R. ein Importzentrum war und zahllose Güter, darunter auch Edelmetalle, ferner aber auch öffentliche → Steuern sowie die Erträge der Ländereien des *princeps* und der Senatoren aus dem Mittelmeerraum und aus dem Osten in die Stadt gelangten (Plin. paneg. 29; Aristeid. 26,11–13), arbeiteten in R. und seinem Hafen (Ostia/Portus [1]) viele Menschen, bes. Sklaven und Freigelassene, als Seeleute, Träger (→ *saccarius*), Lageraufseher, Schreiber oder Finanzverwalter im Handel, ferner in der Verwaltung und im Geldgeschäft. Die Hauptstadt lag im Mittelpunkt eines reichsweiten Netzwerkes von steuerlichen und finanziellen Transaktionen.

R. war in hohem Maße wirtschaftlich vom Imperium abhängig, bes. von den Getreidelieferungen aus den Prov. Sicilia, Africa und nach 30 v. Chr. aus Äg. Unter volkswirtschaftlichem Aspekt betrachtet, war die Zahlungsbilanz der Stadt Rom demnach ausgesprochen negativ. Ob jedoch der Reichtum der Stadt R. andere Städte wirtschaftlich stimulierte und so auch It. und die Prov. davon profitierten, wird in der Forsch. kontrovers diskutiert.

→ Arbeit; Banken; Bauwesen; Cura annonae; Getreidehandel; Handel; Handwerk; Markt; Sklaverei

1 J. ANDREAU, Banking and Business in the Roman World, 1999 2 P. A. BRUNT, Free Labour and Public Works at Rome, in: JRS 70, 1980, 81–100 3 J. DELAINE, The Baths of Caracalla. A Study of the Design, Construction and Economics of Large-Scale Building Projects in Imperial Rome, 1997 4 K. HOPKINS, Rome, Taxes, Rents and Trade in: Kodai. Journal of Ancient History 6/7, 1995/6, 41–75 5 Ders., Taxes and Trade in the Roman Empire (200 B. C.-A. D. 400), in: JRS 70, 1980, 101–125 6 F. KOLB, Rom. Die Gesch. der Stadt in der Ant., 1995 7 N. MORLEY, Metropolis and Hinterland. The City of Rome and the Italian Economy 200 B. C.-A. D. 200, 1996 8 J. R. PATTERSON, The City of Rome: From Republic to Empire, in: JRS 82, 1992, 186–215 9 S. TREGGIARI, Urban Labour in Rome: mercennarii and tabernarii, in: P. GARNSEY (Hrsg.), Non-Slave Labour in the Graeco-Roman World, 1980, 48–64.   W. J./Ü: B. O.

C. LEBENSMITTELVERSORGUNG

Die Versorgung eines Bevölkerungszentrums mit mehr als einer Mio Einwohnern warf erhebliche Probleme auf. Hauptnahrungsmittel war → Getreide, das bis zum frühen 2. Jh. v. Chr. zumeist als Brei gegessen wurde, danach als → Brot. Der Verzehr von Getreide war die billigste Form, den Bedarf an Kalorien zu decken; dazu enthält Getreide die wichtigsten Nährstoffe. Seit dem 2. Jh. v. Chr. wurde Brot zunehmend in → Bäckereien gebacken (Plin. nat. 18,83 f.; 18,105–108). Die für die Bevölkerung R.s benötigte Getreidemenge konnte nicht mehr im Umland der Stadt oder in Mittelitalien erzeugt werden; früh war R. daher auf Lieferungen aus den Prov. angewiesen, zunächst aus Sicilia und Sardinia, dann auch aus Africa (→ Getreidehandel); bereits Cato [1] bezeichnete Sizilien als *nutrix plebis Romanae* (»Ernährerin der röm. → *plebs*;« Cic. Verr. 2,2,5). Mißernten, Unruhen in den Prov. oder die Störung der Seewege durch Piraterie (→ Seeraub) konnten zu Getreideknappheit, Preisanstieg und → Mangelernährung/Hunger in R. führen. Unter derartigen Voraussetzungen wurde die Getreideversorgung in der späten Republik durch → Frumentargesetze geregelt; röm. Bürger, die in R. wohnten, erhielten wahrscheinlich 5 *modii* (→ *modius* [3]; ca. 33 kg) Getreide zum festen Preis und seit 58 v. Chr. kostenlos; seit Augustus wurde die Getreideversorgung durch eigene Bürokratie (→ *cura annonae*) organisiert. Was ärmere Menschen in R. sonst aßen, ist uns nicht wirklich bekannt. Wohlhabende Römer, die über größere Kaufkraft verfügten, verzehrten neben Getreide auch → Gemüse, Öl (→ Speiseöle), → Wein und Fleisch (→ Fleischkonsum).

Es gibt viele Hinweise auf andere → Nahrungsmittel. Die Römer schätzten *garum*, eine Fischsauce, die zumeist aus Spanien kam. Der Weinverbrauch betrug etwa 100 Liter pro Kopf im J. Wie der Monte Testaccio (→ Mons Testaceus), ein riesiger, am Tiberufer gelegener Schuttberg aus Scherben von Ölamphoren dokumentiert, wurden in R. große Mengen von Öl verbraucht. Seit der Mitte des 1. Jh. n. Chr. wurde Öl zumeist aus der → Hispania Baetica (Südspanien) importiert, aber auch aus Nordafrika. Schweinefleisch wurde mittels privater *suarii* (»Schweinehändler«) aus It. angeliefert. Das Gebiet rund um die Stadt R. selbst lieferte Gemüse, → Käse und Geflügel.

Zweifellos besaß die Stadt R. einen freien → Markt für Lebensmittel; der Handel wurde weitgehend von privaten Kaufleuten organisiert; die → *navicularii* arbeiteten nicht nur für die *cura annonae*, sondern ebenfalls als Privatpersonen. *Mercatores* und *negotiatores frumentarii* sind häufig bezeugt, wobei einige von ihnen ein beträchtliches Vermögen besaßen. Offensichtlich waren auch sie für die → *cura annonae* tätig. Die Reichen erhielten für ihre Haushalte Nahrungsmittel von ihren Landgütern, die in der Nähe der Stadt lagen (→ Großgrundbesitz).

Viele einfache Bürger kauften verm. Getreide, Wein, Öl, Gemüse und andere Nahrungsmittel in Läden, auf Lebensmittelmärkten (→ *macellum*) oder auf Marktplätzen (*fora*) für den Verzehr zu Hause.

Es scheint, daß die öffentlichen Verteilungen nicht nur eine ganz beträchtliche Nachfrage nach anderen Nahrungsmitteln als Getreide bewirkten, sondern daß sie auch immer mehr von solchen zur Verfügung stellten. Seit dem späten 2. Jh. n. Chr. begannen die *principes*, kostenlos Öl und Schweinefleisch zu verteilen, das sie von privaten Händlern gekauft hatten; in der Spätant. wurde sowohl in R. als auch in Konstantinopel ein großer Verwaltungsapparat für die Verteilung von Brot, Wein und Fleisch aufgebaut.

→ Mangelernährung; Nahrungsmittel

1 Garnsey 2 Ders., Food and Society in Classical Antiquity, 1999 3 A. Giovannini (Hrsg.), Nourrir la plèbe, 1991 4 P. Herz, Studien zur röm. Wirtschaftsgesetzgebung. Die Lebensmittelversorgung, 1988 5 G. E. Rickman, The Corn Supply of Ancient Rome, 1980 6 C. de Ruyt, Macellum: marché alimentaire des Romains, 1983 7 B. Sirks, Food for Rome. The Legal Structure of the Transportation and Processing of Supplies for the Imperial Distributions in Rome and Constantinople, 1991 8 A. Tchernia, Le vin de l'Italie romaine, 1986. W. J./Ü: A. H.

III. Topographie und Archäologie der Stadt Rom

A. Geographie   B. Bronze- und Eisenzeit
C. Königszeit   D. Frühe und mittlere
Republik   E. Späte Republik
F. Caesar und Prinzipat des Augustus
G. Frühe und mittlere Kaiserzeit
H. Spätantike und frühes Christentum

A. Geographie

Die ca. 30 km flußaufwärts der Mündung des Tiber gelegene Stadt R. wurde auf der Ostseite einer für den Fernhandel wichtigen, im Bereich der Tiberinsel zu lokalisierenden Furt gegründet. Die urspr. Geländebeschaffenheit war für eine größere Siedlung eher ungünstig. So liegt R. auf den stark zerklüfteten Ausläufern eines Tuffplateaus, in welches sich der Tiber bis zu 50 m tief eingegraben hat. Die bereits in der Ant. uneinheitliche Bezeichnung dieser Höhenzüge als »sieben Hügel« ist nur bedingt zutreffend. Lediglich die näher am Fluß gelegenen ältesten Siedlungsstellen, der → Mons Palatinus und das → Capitolium (Kapitol), sowie der später einbezogene → Mons Aventinus bilden eigenständige Hügel mit z. T. schroffen Abhängen. Die übrigen, üblicherweise zu den klass. Hügeln R.s gezählten Erhebungen (→ Mons Quirinalis, → Viminalis, → Esquiliae, → Caelius Mons [1], vgl. Karte Roma 1. = K 1.) sind hingegen durch Erosion entstandene Sporne der rückwärtigen Hochfläche und zergliedern sich in weitere Höhenrücken (u. a. Fagutal, Cispius, Oppius). Dazwischen lagen bewaldete Täler mit Bachläufen. Die zentrale Senke im Bereich der späteren Fora war ein Sumpfgebiet, welches über die in der → Subura zusammenkommenden Täler gespeist bzw. über das zw. Palatinus und Kapitol einschneidende → Velabrum zum Tiber entwässert wurde. Das zunächst außerhalb der

Siedlung gelegene Marsfeld (→ Campus Martius, vgl. Karte Roma 2. = K 2.) wie auch der auf der anderen Tiberseite gelegene → Ager Vaticanus und Transtiberim (h. Trastevere) bildeten flache, stellenweise sumpfige Schwemmlandebenen. Alle diese niedrigeren Bereiche wurden regelmäßig durch Tiberhochwasser überflutet (→ Tiberis).

B. Bronze- und Eisenzeit (Lazialzeit), ca. 1400–700 v. Chr.

Die Kenntnisse bezüglich der frühesten Siedlungsphasen R.s bleiben lückenhaft, auch wenn jüngste Unt. am Nordabhang des Palatins und auf dem Kapitol neue Erkenntnisse erbrachten [1]. Die ältesten Funde im röm. Stadtgebiet reichen bis in die mittlere Brz. zurück. So fanden sich an verschiedenen Stellen (Palatin, Kapitol, S. Omobono, Esquilin) Keramikdepots sowie jüngst auf dem Kapitol spät-brz. Feuerstellen, die zumindest eine kontinuierliche Frequentation dieser Bereiche seit dem 14. Jh. v. Chr. belegen. Konkrete Siedlungsbefunde fehlen jedoch noch.

Spätestens ab der frühen Eisenzeit ändert sich dieses Bild. Eine erste ovale Holzpfostenhütte des 10./9. Jh. v. Chr. ist auf dem sw Palatin (Cermalus) nachweisbar. Sie gehört offenbar zu einer Siedlung einfacher Gehöfte, die sich in der Folgezeit in loser Form über den Palatin und dessen Nordabhang ausbreitete. Spätestens ab diesem Zeitraum scheint auch das Kapitol bewohnt gewesen zu sein, wie der jüngste Fund einer früheisenzeitlichen Kinderbestattung nahelegt (diese sind meist in der Nähe von Wohnstätten anzutreffen). Möglicherweise waren auch andere Hügel besiedelt. Eine ausgedehnte Nekropole mit reichen Erdbestattungen entwickelte sich im Forumstal. Insgesamt scheint es sich in diesem Stadium jedoch noch um eine lockere Ansiedlung proto-urbanen Charakters gehandelt zu haben.

Ab der Mitte des 8. Jh. v. Chr. – und damit übereinstimmend mit dem myth. Gründungsdatum R.s (753 v. Chr.) – lassen verschiedene Maßnahmen eine umfassende Neustrukturierung der Siedlung erkennen. Unter Zerstörung älterer Hütten wurde am Fuß des Palatin (entlang der → Via Sacra; K 2. Nr. 45) eine erste Lehmziegelmauer mit Toren (Porta Mugonia) und vorgelagertem Graben errichtet. Auch die ältere Holzpfostenhütte auf dem Palatin wurde zerstört; an ihrer Stelle entstanden zwei neue Hütten, die in den folgenden Jh. absichtsvoll konserviert und daher als »Haus des Romulus« (K 2. Nr. 37) interpretiert wurden. Votivfunde belegen nun erstmals die Existenz von Heiligtümern auf dem Kapitol sowie im Bereich des späteren Vesta-Tempels (K 2. Nr. 44), welche durch Straßen verbunden wurden. Das → Velabrum wurde z. T. trockengelegt und eine erste Platzanlage entstand im Bereich des → Forums; etwas später folgte das Comitium (1. H. 7. Jh.). Infolge dieser Ausdehnung verlagerten sich die Nekropolen nun in die weiter in der Peripherie gelegenen Zonen auf dem Quirinal und Esquilin. Die wachsende Bed. dieser Siedlung ist auch an der sprunghaften Zunahme griech. Importware zu erkennen. Diese Vorgänge belegen eine klare Zäsur in der Entwicklung des Ortes mit der Ausprägung einer entscheidungsfähigen Zentralgewalt und einer vorher unbekannten Dynamik im Stadtwerdungsprozeß. Ob dieser Entwicklungsschub durch den freiwilligen Zusammenschluß (*synoikismós*) mehrerer zunächst über die Hügel verstreut siedelnder Einzelstämme oder durch die Zuwanderung neuer Siedler ausgelöst wurde, ist derzeit nicht zu entscheiden.

C. Königszeit
(7./6. Jh. v. Chr.)

In der Zeit der Könige, bes. unter den etr. → Tarquinii (616–509 v. Chr.) scheint der Urbanisierungsprozeß schnell vorangeschritten zu sein (s.o. I.C.). Parallel zur Ausdehnung des von R. beherrschten Territoriums entwickelte sich die Stadt zu einem der wichtigsten Zentren Mittelitaliens. Die etr. Kultur gewann einen prägenden Einfluß (→ Etrusci, Etruria). Zunächst scheint sich die Siedlungsfläche stark ausgedehnt und das gesamte Areal zw. Quirinal und Caelius miteinbezogen zu haben. Unter Servius → Tullius kam es zur Anlage einer ersten umfassenden Stadtbefestigung, deren ca. 9 km langer Verlauf ungefähr identisch ist mit der im frühen 4. Jh. v. Chr. errichteten, heute noch an vielen Stellen erh. »Servianischen Mauer« (vgl. K 1.). Rein flächenmäßig war R. hiermit eine der größten Siedlungen Italiens, doch darf man größere unbebaute Areale annehmen. Verwaltungsmäßig wurde die Stadt in vier Regionen (→ *tribus*) gegliedert (Palatina, Collina, Esquilina, Suburana; vgl. Karte Roma 3. = K 3.). Auf dem Kapitol entstanden mehrere neue Heiligtümer (→ Fides, → Ops [3], → Veiovis; K 2. Nr. 2,3 und 63), unter denen der Tempel des → Iuppiter Optimus Maximus (K 2. Nr. 1) alle bislang bekannten etr. Kultbauten überragte. Der Kapitolshügel und sein Seitengipfel, die Arx (K 2. Nr. 64), wurden mit eigenen Mauern umfaßt und gewannen so den Charakter eines das rel. Zentrum der Stadt bildenden Burgbergs. Ein neues Kultzentrum entstand am Südabhang des Kapitols mit den Tempeln der → Fortuna und → Mater Matuta (h. S. Omobono; K 2. Nr. 12). Begünstigt durch eine erste Holzbrücke (Pons Sublicius; K 2. Nr. 13) über den Tiber und eine Schiffsanlegestelle entwickelte sich hier im Bereich des Forum Boarium (K 1. Nr. 75 bzw. K 2. Nr. 17) ein wichtiger Warenumschlagplatz.

Durch die Anlage eines komplexen Kanalisationssystems (u.a. → Cloaca Maxima; K 2 Nr. 18) gelang die vollständige Trockenlegung des Forumstals sowie der Vallis Murcia, wo möglicherweise ein erster Vorgänger des Circus Maximus (→ Circus I.C.; K 1. Nr. 76 bzw. K 2. Nr. 25) entstand. Bedeutende Veränderungen betreffen das Stadtzentrum: → Forum [III 8] Romanum (K 2. Nr. 55) und Comitium als zentrale Versammlungs- und Marktorte erhielten eine erste Pflasterung. Neben letzterem wurde der Überl. zufolge mit der Curia Hostilia (K 2. Nr. 57) der erste → Versammlungsbau des Senats errichtet. Im Umkreis entstanden weitere Heiligtümer (→ Lapis Niger, Volcanal). Um 525 v. Chr. wurde

die zwischenzeitlich mehrfach erneuerte Mauer am Nordabhang des Palatin aufgegeben, und es entwickelte sich entlang der Via Sacra ein Wohnviertel reicher Steinhäuser, möglicherweise als Wohnstätten der Aristokratie. Unweit des Vestaheiligtums entstand die → Regia (K 2. Nr. 51), zunächst Sitz der Könige, später des → *pontifex maximus*; in ihrer Umgebung wurden weitere Kulte (→ Mars, → Ops [3],) sowie das Gebäude des → *rex sacrorum* angesiedelt. Auch das *suburbium* veränderte sich. Die Nekropolen verlagerten sich in Bereiche außerhalb der neuen Stadtmauer, welche zugleich die bis in augusteische Zeit unverändert bleibende sakrale Grenzlinie der Siedlung (→ *pomerium*) bildete. Auf der Westseite des Tiber wurde der Überl. zufolge aus strategischen Gründen der Mons Ianiculus besetzt und im Transtiberim-Gebiet ein Brückenkopf gebildet (K 1. XIV.). Auf dem Aventin soll ein Heiligtum der → Luna [1] (K 2. Nr. 24?) errichtet worden sein. Im weiteren Umkreis der Stadt entstanden bereits ab dem 6. Jh. v. Chr. erste steingemauerte Gehöfte, wie der jüngste Fund unweit des Pons Mulvius belegt [2].

D. Frühe und Mittlere Republik
(5.–3. Jh. v. Chr.)

In den Jahrzehnten unmittelbar nach Vertreibung der Könige scheint die Stadt sich weiterhin dynamisch entwickelt zu haben, wenn auch die meisten der für diesen Zeitraum in den Quellen überl. Gebäude arch. nicht faßbar sind. Immerhin ist die Anlage von wenigstens zehn neuen Heiligtümern in verschiedenen Bereichen des Stadtgebietes gesichert, von denen die Tempel für → Saturnus (Staatsschatz, → *aerarium*: 493 v. Chr.; K 2. Nr. 58) und für Castor und Pollux (484 v. Chr.; → Dioskuroi; K 2. Nr. 43) am → Forum [III 8] Romanum die wichtigsten sind. Mehrere Heiligtümer entstanden auch zw. Palatin und Aventin (→ Mercurius, → Ceres).

In Ermangelung großer Freiflächen im Inneren der Stadt erlangte das Marsfeld ab dem späten 6. Jh. Bed. als Ort für größere Versammlungen, Prozessionen und als mil. Übungsgelände. So entstand mit dem sog. → Tarentum an seinem äußersten Westende ein wichtiges Heiligtum, das über eine Straße von der Porta Carmentalis (K 1. ii.) erschlossen und Ziel wichtiger Prozessionen war. Entlang dieser Straße wurden im Bereich des sog. *trigarium* Agone und Wagenrennen abgehalten, was möglicherweise auch den Anlaß zum späteren Bau des Circus Flaminius (221 v. Chr.; K 1. Nr. 71) gab. An ihrem Beginn entstand ferner ein Apollo-Tempel (431 v. Chr.). Auch der übrige Bereich der Ebene scheint schrittweise erschlossen worden zu sein, wie die Anlage der → Villa Publica (→ *census*; 435 v. Chr.), einer ersten → Saepta (Mitte 5. Jh. v. Chr.) im mittleren Marsfeld und ein dem Kriegsgott geweihtes Heiligtum (Ara Martis) belegen. Dieser von Beginn an öffentliche Charakter des → Campus Martius bleibt, wenn auch in der Folgezeit gewissen Veränderungen unterworfen, bis in die fortgeschrittene Kaiserzeit bewahrt.

Mitbedingt durch die polit. Krise der 2. H. des 5. Jh., die in der Eroberung und partiellen Verwüstung der

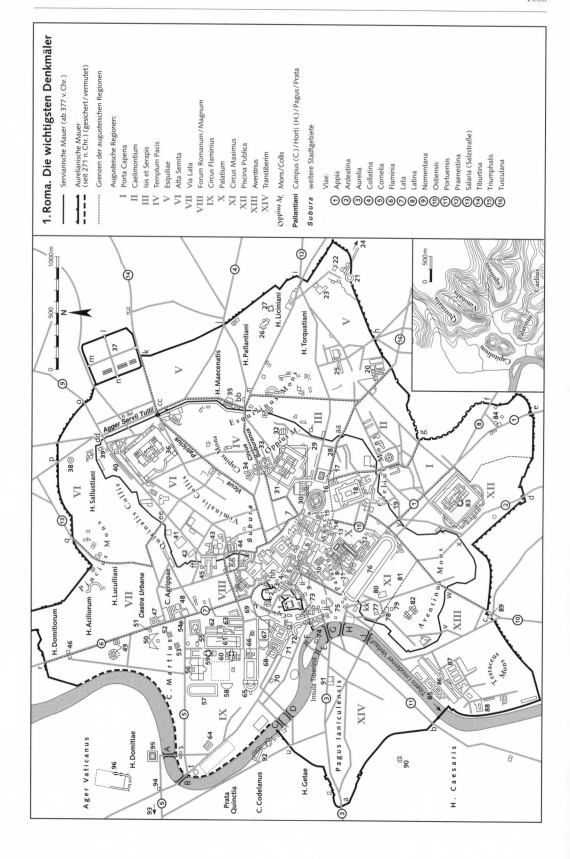

1. Roma. Die wichtigsten Denkmäler

Servianische Mauer (ab 377 v. Chr.)

Aurelianische Mauer (seit 271 n. Chr.) (gesichert / vermutet)

Grenzen der augusteischen Regionen:

Augusteische Regionen:

I Porta Capena
II Caelimontium
III Isis et Serapis
IV Templum Pacis
V Esquiliae
VI Alta Semita
VII Via Lata
VIII Forum Romanum / Magnum
IX Circus Flaminius
X Palatium
XI Circus Maximus
XII Piscina Publica
XIII Aventinus
XIV Transtiberim

Oppius M. Mons / Collis

Pallantiani Campus (C.) / Horti (H.) / Pagus / Prata

Subura weitere Stadtgebiete

Viae:
① Appia
② Ardeatina
③ Aurelia
④ Collatina
⑤ Cornelia
⑥ Flaminia
⑦ Lata
⑧ Latina
⑨ Nomentana
⑩ Ostiensis
⑪ Portuensis
⑫ Praenestina
⑬ Salaria (Salzstraße)
⑭ Tiburtina
⑮ Triumphalis
⑯ Tusculana

Pontes:

A. Aelius
B. Neronis
C. Agrippae
D. Aurelius
E. Cestius
F. Fabricius
G. Aemilius
H. Sublicius
I. Probi

Portae:

a. Aurelia
b. Portuensis
c. Ostiensis
d. Ardeatina
e. Appia
f. Latina
g. Metrouia
h. Asinaria
i. Labicana und Praenestina
j. Tiburtina
k. »Chiusa«
l. Principalis dextra
m. Praetoria
n. Principalis sinistra
o. Nomentana
p. Salaria
q. Pinciana
r. Flaminia
s. Cornelia
t. Triumphalis?
u. Septimiana
v. Lavernalis
w. Raudusculana
x. Naevia
y. Capena
z. Caelimontana
aa. Querquetulana
bb. Esquilina
cc. Viminalis
dd. Collina
ee. Quirinalis
ff. Salutaris
gg. Sanqualis
hh. Fontinalis
ii. Carmentalis
jj. Flumentana
kk. Trigemina

Wichtige Denkmäler:

1. Capitolium (mit Templum Iovis Optimi Maximi Capitolini, Tabularium und Aerarium)
2. Arx (mit Templum Iunonis Monetae)
3. Carcer, Concordia-Tempel
4. Septimius-Severus-Bogen (Arcus Septimii Severi)
5. Forum Romanum/Kaiserfora (s. Karte 2)
6. Titus-Bogen (Arcus Titi)
7. Tempel der Venus und Roma (Templum Veneris et Romae)
8. Augustus-Tempel (Templum Divi Augusti)
9. Vestibulum Domus Palatinae
10. Domus Tiberiana
11. Domus Flavia und Domus Augustana
12. Domus Severiana
13. Aedes Caesarum
14. Tempel des Elagabal
15. Konstantins-Bogen (Arcus Constantini)
16. Amphitheatrum Flavium (Colosseum)
17. Ludus Magnus et Ludus Matutinus
18. Porticus und Tempel des Claudius (Porticus et Templum Divi Claudii)
19. Macellum Magnum?
20. Castra Nova Equitum Singularium (Lateran)
21. Amphitheatrum Castrense (Ludus)
22. Domus Sessoriana
23. Helena-Thermen (Thermae Helenianae)
24. Circus Varianus
25. Castra Vetera Equitum Singularium
26. Nymphaeum (in den Horti Liciniani)
27. sog. Tempel der Minerva Medica
28. Mithraeum unter S. Clemente
29. Domus Aurea
30. Titus-Thermen (Thermae Titi)
31. Traians-Thermen (Thermae Traianae)
32. »sette sale«, Piscina
33. Porticus Liviae
34. Templum Iunonis Lucinae
35. Macellum Liviae
36. Diocletians-Thermen (Thermae Diocletiani)
37. Castra Praetoria
38. Templum Veneris Erycinae
39. Aedes Trium Fortunarum
40. Porticus Miliarensis
41. Templum Quirini
42. Templum Salutis
43. Konstantins-Thermen (Thermae Constantini)
44. Horrea
45. Serapis-Tempel (Templum Serapidis)
46. Gräber
47. Sol-Tempel (Templum Solis)
48. Gräber (Sepulcra)
49. Augustus-Mausoleum und Ustrinum Domus Augustae
50. Horologium Augusti
51. Ara Pacis Augusti
52. Ustrinum Divi Marci Aurelii
53. Ustrinum et Columna Divi Antonini Pii
54. Säule des Mark Aurel (Columna Marci Aurelii)
55. Templum Matidiae und Templum Divi Hadriani
56. Nero-Thermen (Thermae Neronianae)
57. Domitians-Stadion (Stadium Domitiani)
58. Odeion Domitians (Odeum Domitiani)
59. Pantheon
60. Agrippa-Thermen (Thermae Agrippae)
61. Saepta Iulia und Diribitorium
62. Isis und Serapis-Heiligtum (Iseum et Serapeum)
63. Porticus Divorum (Templum Divorum)
64. Ustrinum Hadriani
65. Theater und Porticus des Pompeius (Theatrum Pompeii)
66. Tempel an der Largo Argentina und Porticus Minucia Frumentaria
67. Theater und Krypta des Balbus (Theatrum Balbi)
68. Porticus Philippi und Aedes Herculis Musarum
69. Porticus Octaviae (Metelli) mit Aedes Iunonis Reginae et Iovis Statoris
70. Neptun-Tempel (Templum Neptuni)
71. Circus Flaminius
72. Marcellus-Theater (Theatrum Marcelli)
73. Forum Holitorium (mit drei Tempeln)
74. Templum Aesculapii
75. Forum Boarium (mit Tempel der Fortuna Virilis?)
76. Circus Maximus
77. Templum Lunae?
78. Tempel der Minerva (Templum Minervae?)
79. Tempel der Diana (Templum Dianae?)
80. Thermae Suranae
81. Mithraeum unter S. Prisca
82. Decius-Thermen (Thermae Decianae)
83. Caracalla-Thermen (Thermae Antoninianae)
84. Scipionen-Grab (Sepulcrum Scipionum)
85. Emporium
86. Porticus Aemilia (Navalia?)
87. Horrea Galbana
88. Horrea Lolliana
89. Cestius-Pyramide (Pyramis C. Cestii)
90. Heiligtum des Iuppiter Heliopolitanus
91. Naumachia Augusti
92. Domus Clodiae?
93. Circus Gaii et Neronis
94. Meta Romuli
95. Hadrians-Mausoleum (Mausoleum Hadriani)
96. Naumachia Vaticana oder Naumachia Traiani?

Stadt durch die Gallier (387 v. Chr.; → Brennus [1]) kulminierte, stagnierten die städtebaulichen Aktivitäten. Unmittelbar danach erfuhr die Stadt jedoch einen neuerlichen Aufschwung. Eindrucksvollstes Großprojekt ist die irrtümlich »Servianische Mauer« genannte Verteidigungsanlage, die über weite Strecken dem archa. Mauerverlauf folgt, nun jedoch mit einem Umfang von 11 km auch den Aventin miteinbezog (377–350 v. Chr.; vgl. K 1.). Es folgten der Ausbau des Circus Maximus (329 v. Chr.) sowie unter dem Censor Appius → Claudius [I 2] (312 v. Chr.) die nach ihm benannte → Via Appia (vgl. K 1.) bzw. mit der Aqua Appia die erste → Wasserleitung (vgl. Karte Roma 4.). Kapitol und Forum erfuhren weitere Ausbauten. Letzteres scheint schrittweise seine urspr. Handelsfunktion an ein wahrscheinlich im NO desselben zu lokalisierendes Forum Piscarium abgetreten zu haben und wandelte sich zu einem rein polit. Zentrum. An seiner Westseite, neben dem Comitium, wurde mit den Rostra eine große → Rednerbühne errichtet, die durch die Anbringung der bei der Seeschlacht von Antium (338 v. Chr.) gewonnenen Rammsporne (»Schiffsschnäbel«) zugleich ein staatliches Siegesmonument war. Zuvor hatte bereits der 367 v. Chr. erstmals erwähnte → Concordia-Tempel (K 2. Nr. 60) einen optischen Abschluß der westl. Forumsseite gebracht.

Ab der Mitte des 4. Jh. und bes. im 3. Jh. v. Chr. setzte ein ungewöhnlicher Aufschwung an Tempelneubauten im gesamten Stadtgebiet ein, die sich häufig zu größeren Heiligtumskomplexen, z. B. am Forum Boarium, dem ihm benachbarten Forum Holitorium (K 1. Nr. 73 bzw. K 2. Nr. 11) oder im Marsfeld (h. Largo Argentina), zusammenschlossen und zugleich eine erstaunliche Formenvielfalt entwickelten. Bemerkenswert ist zudem zunehmender griech. Einfluß; in einigen Fällen waren sogar griech. Werkstätten tätig. Haupantriebskraft dieser Tempelbauaktivitäten scheint eine ausgeprägte Konkurrenzsituation der führenden aristokratischen Familien gewesen zu sein, denn die Mehrzahl der Tempel (ca. 50 sind bekannt) waren private Stiftungen röm. Feldherren anläßlich von Siegen während der Eroberung der ital. Halbinsel, die diese meist auf eigenem Grund errichteten. Nach und nach wurde so das Stadtbild mit Triumphatorenmonumenten besetzt, die an die Etappen der röm. Expansion und zugleich an die damit verbundenen Persönlichkeiten und Familien erinnerten. Daß für diese Form der Selbstdarstellung das Medium der → Tempel gewählt wurde, war weniger durch besondere Religiosität motiviert, sondern ist vielmehr als geschickte Unterwanderung strikter republikanischer Gesellschaftsnormen zu verstehen, die dem Hervortreten einzelner aus der in ihrem Machtgefüge äußerst sensibel äquilibrierten Gruppe der Adligen enge Grenzen setzten.

Aus dieser Situation erklären sich letztlich auch verschiedene urbanistische Defizite des republikanischen Rom. So beruhte ein großer Teil des öffentlichen Bauwesens auf dem durch soziale Selbstkontrolle restringierten Initiativen von Einzelpersonen; die Realisierung langfristiger urbanistischer Projekte war kaum möglich. So blieb das Stadtbild R.s in hell. Zeit geprägt von verwinkelten, engen Gassen, es fehlten größere Platzanlagen oder durch Hallen gefaßte Heiligtumskomplexe. Forum und Kapitol bildeten eine lose, im Laufe der Zeit planlos gewachsene Ansammlung von Einzelbauwerken. Schließlich verhinderten die strikten republikanischen Moralvorstellungen den Bau von Gymnasien und festen Theatern, da man mit ihnen einen verderblichen Einfluß der griech. Kultur befürchtete. Diese im Vergleich zu den gleichzeitigen griech. Städten rückständig anmutende Situation wurde bereits von zeitgenössischen Schriftstellern wahrgenommen (Liv. 6,4,6).

E. SPÄTE REPUBLIK (2./1. JH. V. CHR.)

Im 2./1. Jh. v. Chr. kam es zu immer schärferen innenpolit. Spannungen, die zu einem fortschreitenden gesellschaftlichen Desintegrationsprozeß insbes. der Führungselite und schließlich zum Bürgerkrieg führten. Eine aktive Baupolitik wurde hierbei zum Propagandamittel der jeweiligen Kontrahenten. Gleichzeitig brachte die massive Ausdehnung des Herrschaftsgebiets R. in unmittelbaren Kontakt mit der griech. Kultur und Lebensform, die von der Aristokratie bereitwillig aufgenommen wurde. Zugleich erschlossen sich enorme finanzielle Mittel und durch den Zustrom an Sklaven (→ Sklaverei) zusätzliche Arbeitskräfte. Die Bevölkerungszahl stieg sprunghaft an; gegen Ende des 1. Jh. v. Chr. wurde die Millionengrenze überschritten, mit allen hieraus resultierenden Notwendigkeiten für die urbanistische Infrastruktur. Neue Techniken revolutionierten das Bauwesen; schnelle Bauzeiten waren in dieser Wettbewerbssituation unabdingbar.

Ein Schwerpunkt des baulichen Wettstreits der großen Familien lag auf dem Stadtzentrum. Hier entstanden im 2. Jh. in kurzer Folge vier große → Basiliken (→ Basilica Porcia, → Basilica Sempronia, → Basilica Opimia, → Basilica Aemilia; K 2. Nr. 54), die dem Forum erstmals eine gewisse, wenn auch inhomogene architektonische Rahmung gaben. Im selben Zeitraum wurden der Concordia- und der Dioskurentempel in größerem Stil neu gebaut. Nach einem Brand 83 v. Chr. widmete sich Cornelius [I 90] Sulla der Neugliederung des Kapitols, wobei die Errichtung des → Tabularium (Staatsarchiv; K 2. Nr. 62), dessen Fassade das Forum dominierte, eine bautechnische Meisterleistung bildete. Auch die traditionellen Marktplätze in Tibernähe (Forum Boarium, Forum Holitorium) wandelten sich schrittweise. Sie wurden durch gestiftete Tempelbauten monumentalisiert und traten schrittweise ihre urspr. Handelsfunktion an ein sich ab dem 2. Jh. neu entwickelndes Marktviertel im Süden des Aventin ab, wo eine Schiffsanlegestelle, ein Emporium (→ empórion; K 1. Nr. 85), Markt- und Lagerhallen (Porticus Aemilia, Horrea Galbana, H. Lolliana: K 1. Nr. 86–88, H. Aniciana etc.) entstanden. Der dort im Laufe der Jh. anwachsende Scherbenberg (→ Mons Testaceus) belegt die Intensität

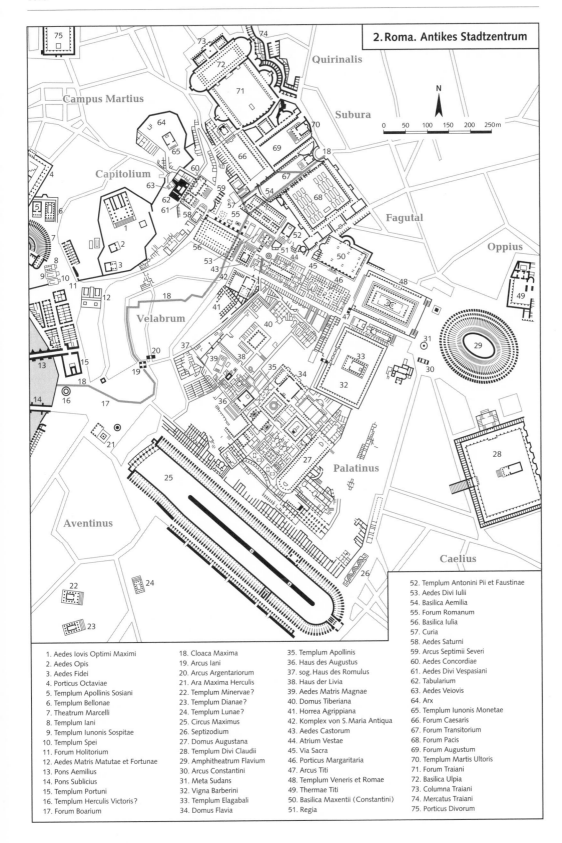

2. Roma. Antikes Stadtzentrum

N

0 50 100 150 200 250 m

Quirinalis

Campus Martius

Subura

Fagutal

Oppius

Capitolium

Velabrum

Palatinus

Aventinus

Caelius

1. Aedes Iovis Optimi Maximi
2. Aedes Opis
3. Aedes Fidei
4. Porticus Octaviae
5. Templum Apollinis Sosiani
6. Templum Bellonae
7. Theatrum Marcelli
8. Templum Iani
9. Templum Iunonis Sospitae
10. Templum Spei
11. Forum Holitorium
12. Aedes Matris Matutae et Fortunae
13. Pons Aemilius
14. Pons Sublicius
15. Templum Portuni
16. Templum Herculis Victoris?
17. Forum Boarium

18. Cloaca Maxima
19. Arcus Iani
20. Arcus Argentariorum
21. Ara Maxima Herculis
22. Templum Minervae?
23. Templum Dianae?
24. Templum Lunae?
25. Circus Maximus
26. Septizodium
27. Domus Augustana
28. Templum Divi Claudii
29. Amphitheatrum Flavium
30. Arcus Constantini
31. Meta Sudans
32. Vigna Barberini
33. Templum Elagabali
34. Domus Flavia

35. Templum Apollinis
36. Haus des Augustus
37. sog. Haus des Romulus
38. Haus der Livia
39. Aedes Matris Magnae
40. Domus Tiberiana
41. Horrea Agrippiana
42. Komplex von S. Maria Antiqua
43. Aedes Castorum
44. Atrium Vestae
45. Via Sacra
46. Porticus Margaritaria
47. Arcus Titi
48. Templum Veneris et Romae
49. Thermae Titi
50. Basilica Maxentii (Constantini)
51. Regia

52. Templum Antonini Pii et Faustinae
53. Aedes Divi Iulii
54. Basilica Aemilia
55. Forum Romanum
56. Basilica Iulia
57. Curia
58. Aedes Saturni
59. Arcus Septimii Severi
60. Aedes Concordiae
61. Aedes Divi Vespasiani
62. Tabularium
63. Aedes Veiovis
64. Arx
65. Templum Iunonis Monetae
66. Forum Caesaris
67. Forum Transitorium
68. Forum Pacis
69. Forum Augustum
70. Templum Martis Ultoris
71. Basilica Ulpia
72. Basilica Ulpia
73. Columna Traiani
74. Mercatus Traiani
75. Porticus Divorum

des Warenumschlags. Ein → *macellum* entstand an zentraler Stelle neben dem Forum Romanum. Neben diesen Handelsbauten wurde die städtische Infrastruktur durch die Anlage zweier weiterer Aquädukte (→ Aqua Marcia, Aqua Tepula), Straßenpflasterungen und den Ausbau der Fernstraßen verbessert. Die Tiberinsel wurde mit Brücken erschlossen (Pons Fabricius, Pons Cestius; K I. E. bzw. F.).

Waren zunächst noch einzelne Tempel und Bauten der öffentlichen Infrastruktur hauptsächlich Instrumente des baulichen Wettbewerbs, ist ein zunehmendes Streben nach spektakuläreren Gebäuden und Ausstattungen festzustellen. Hauptaustragungsort war das Marsfeld. Hier entstanden auf der Nord- und Ostseite des Circus Flaminius in kurzer Folge nicht nur zahlreiche neue Tempel, nun erstmals ganz aus → Marmor, sondern auch mehrere unmittelbar benachbarte Heiligtumskomplexe, deren Tempel nach östl. Vorbild von großen Hallen umfaßt wurden, in denen griech. Beutekunstwerke zur Aufstellung kamen (u. a. Porticus Metelli, P. Octaviae, P. Minucia; K I. Nr. 66 bzw. 69, K 2. Nr. 4). Diese Platzanlagen waren beim Volk als Wandelhallen beliebt und konnten so einer besonderen Aufmerksamkeit gewiß sein. Den Höhepunkt bildete das 61–55 v. Chr. von Pompeius [I 3] d.Gr. errichtete erste steingebaute → Theater der Stadt, das zusätzlich mit einer luxuriösen Porticus versehen wurde (K I. Nr. 65). Das südl. Marsfeld erhielt mit diesen Repräsentationsbauten zunehmend den Charakter eines großen Vergnügungs- und Flanierviertels, das in der Zukunft durch weitere Unterhaltungsbauten und Thermen bereichert wurde.

Die private Wohnsituation der aristokratischen Oberschicht veränderte sich unter dem Einfluß der griech. Kultur nachhaltig. So entstand insbes. seit dem frühen 1. Jh. v. Chr. außerhalb des *pomerium* rings um die Stadt ein dichter Kranz luxuriöser Villen- und → Gartenanlagen (u. a. Horti Sallustiani, H. Luculli, H. Maecenatis, vgl. K I.; → Villa), in denen die Aristokratie griech. Manieren pflegte. Auch im Stadtinnern, wo der *mos maiorum* die Anlage solcher Villen weiterhin verbot, wandelten sich die Häuser zu reichen Stadtpalästen, von denen sich die vornehmsten auf dem Palatin und am Forum befanden (→ Palast). Aufgrund ihrer Funktion im röm. Klientelwesen (→ *cliens*; → *salutatio*) wurden Lage, Größe und Ausstattung zum Gradmesser der gesellschaftlichen Bed. des Hausherrn und zum Instrument seiner polit. Karriere.

Gegenüber dem Wohnluxus der Oberschicht verschlechterte sich die Lage der dicht zusammengedrängt lebenden → *plebs*. Der Bevölkerungszunahme wurde zwar mit der Anlage vielgeschossiger Mietskasernen begegnet (→ Haus; → *insula*), die jedoch als lukrative Spekulationsobjekte in inadäquater Fachwerkbauweise errichtet wurden; Hauseinstürze und Feuerkatastrophen waren die Folge. Die hygienische Infrastruktur blieb unterentwickelt. Die engen, lauten und dunklen Gassen der Subura waren gefürchtet. Ein ähnlich kontrastreiches Bild boten schließlich die Nekropolen des *suburbium*. So entstanden an allen wichtigen Ausfallstraßen, insbes. an der Via Appia, angetrieben durch die Konkurrenzsituation der Oberschicht, immer aufwendigere → Grabbauten, welche um die Aufmerksamkeit der Passanten rangen. Demgegenüber fand die Masse der Stadtbevölkerung weiterhin in einfachen Erdbestattungen, Sklaven und Arme gar in den berüchtigten Leichengruben (*puticuli*) des Esquilin ihre letzte Ruhestätte.

F. Caesar und Prinzipat des Augustus (48 v. Chr. – 14 n. Chr.)

Aus städtebaulicher Sicht brachte bereits die Alleinherrschaft → Caesars eine tiefe Zäsur. Die alten polit. und moralischen Zwänge ignorierend, entwickelte er erstmals weitreichende urbanistische Pläne, die nach östl. Vorbildern ganze Stadtviertel neu zu ordnen suchten. Die einschneidendste Maßnahme und zugleich Zeichen der neuen Machtverhältnisse war die Anlage des → Forum [III 5] Iulium (K 2. Nr. 66) mit dem Tempel der → Venus Genetrix, der Familiengottheit der *gens Iulia*. Die Drastik dieses Eingriffs, welcher der Entlastung des alten Forums dienen sollte, zeigt sich in der hiermit verbundenen Zerstörung des Comitiums, der Basilica Porcia und der Curia Hostilia. Letztere wurde durch die Curia Iulia ersetzt, welche jedoch nur noch einen Annex des neuen Forums bildete. Die Rostra wurden zum Forum umorientiert, welches zudem mit der von Caesar begonnenen → Basilica Iulia (anstelle der Basilica Sempronia; K 2. Nr. 56) eine aufwendige seitliche Rahmung erhielt. Weitere Projekte – wie die großräumige Umleitung des Tiber zur Erweiterung des Marsfelds oder der Teilabtrag der Arx zur Anlage eines großen Theaters – kamen aufgrund der Ermordung Caesars nicht zur Ausführung.

→ Augustus zeigte sich in den nachfolgenden Jahren des Bürgerkrieges und der Zeit seiner Alleinherrschaft wesentlich behutsamer und subtiler. Seine Baupolitik wurde in vielen Zügen richtungweisend für die Kaiserzeit. Hatte er in der Phase des Ringens um die Macht mit der Errichtung des riesigen → Mausoleum Augusti (K I. Nr. 49) im nördl. Marsfeld und dem an sein Wohnhaus (K 2. Nr. 36) auf dem Palatin angeschlossenen Apollo-Tempel (K 2. Nr. 35) noch ganz in spätrepublikanischer Trad. dezidiert dynastische Zeichen gesetzt, verändert sich sein Verhalten in der Prinzipatszeit grundlegend. So erlebte R. in seiner langen Regierungszeit ein umfassendes städtebauliches Erneuerungsprogramm, dessen Schwerpunkte eng mit aktuellen polit. Bestrebungen verbunden waren. Neu war hierbei, daß die öffentliche Bautätigkeit weitgehend durch den *princeps* bzw. seine engsten Vertrauten (→ Agrippa [1]) monopolisiert wurde.

Als Zeichen der → *pietas* und der Wiederherstellung der alten Ordnung ließ Augustus 82 alte Heiligtümer (meist in Marmor) wiederherstellen, deren Instandhaltung in der späten Republik vernachlässigt worden war. Das Forum wurde systematisch von Monumenten besetzt, die mit der *gens Iulia* und ihren Verdiensten ver-

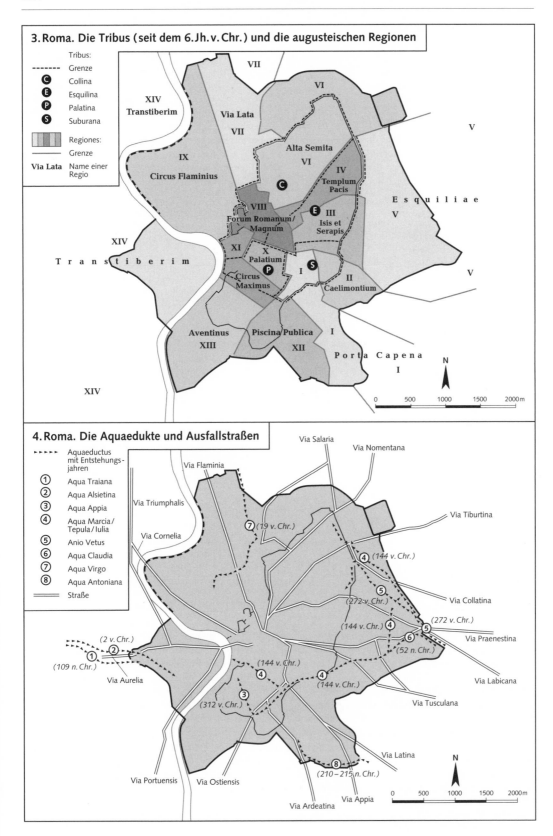

3. Roma. Die Tribus (seit dem 6. Jh. v. Chr.) und die augusteischen Regionen

Tribus:
- ------ Grenze
- **C** Collina
- **E** Esquilina
- **P** Palatina
- **S** Suburana

Regiones:
- —— Grenze
- **Via Lata** Name einer Regio

VII

VI

XIV Transtiberim

Via Lata VII

V

Alta Semita VI

IX Circus Flaminii

C

IV Templum Pacis

E s q u i l i a e V

VIII Forum Romanum / Magnum

E III Isis et Serapis

XIV

T r a n s t i b e r i m

XI

X Palatium

I

S

V

P

Circus Maximus

II Caelimontium

Aventinus XIII

Piscina Publica XII

I

Porta Capena I

XIV

N

0   500   1000   1500   2000 m

4. Roma. Die Aquaedukte und Ausfallstraßen

- ►►►► Aquaeductus mit Entstehungs- jahren
- ① Aqua Traiana
- ② Aqua Alsietina
- ③ Aqua Appia
- ④ Aqua Marcia / Tepula / Iulia
- ⑤ Anio Vetus
- ⑥ Aqua Claudia
- ⑦ Aqua Virgo
- ⑧ Aqua Antoniana
- ═══ Straße

Via Salaria

Via Nomentana

Via Flaminia

Via Triumphalis

⑦ (19 v. Chr.)

Via Tiburtina

Via Cornelia

④ (144 v. Chr.)

⑤

Via Collatina

(272 v. Chr.)

④ (144 v. Chr.)

⑤ (272 v. Chr.)

⑥

Via Praenestina

(2 v. Chr.)

② ①

(52 n. Chr.)

(109 n. Chr.)

Via Aurelia

④ (144 v. Chr.)

④ (144 v. Chr.)

Via Labicana

③ (312 v. Chr.)

Via Tusculana

Via Latina

N

⑧ (210–215 n. Chr.)

Via Portuensis

Via Ostiensis

Via Appia

Via Ardeatina

0   500   1000   1500   2000 m

bunden waren: Als neuer Ostabschluß entstand der Tempel des vergöttlichten Caesar (K 2. Nr. 53), seitlich davon Triumphbögen, die den prädestinierten Nachfolgern bzw. Augustus selbst gewidmet waren. An den Längsseiten wurden die Basilica Iulia und die Basilica Aemilia vollständig erneuert; erstere sollte den Namen der früh verstorbenen Augustusenkel tragen. Der Dioskuren- und der Concordiatempel (K 2. Nr. 60) wurden von → Tiberius in der Rolle als Thronfolger neu renoviert. Wichtigstes Staatsmonument und Symbol röm. Militärmacht wurde jedoch das mit einer ideologisch durchdachten Ausstattung dekorierte → Forum [III 1] Augustum mit dem großen → Mars-Ultor-Tempel (K 2. Nr. 69 und 70).

Neben diesen Staatsbauten wurde jedoch zugleich auf dem Marsfeld ein aufwendiges Bauprogramm mit Unterhaltungseinrichtungen für das Volk realisiert. So wurden mit den Agrippa-Thermen (K 1. Nr. 60) erstmals große Badeeinrichtungen geschaffen, zu denen auch ein künstlicher See (*stagnum Agrippae*) und ein Euripus genannter Kanal gehörten. In unmittelbarer Nähe wurde von Agrippa [1] ein Vorgänger des hadrianischen → Pantheons errichtet. Hinzu kamen das Marcellus- (K 1. Nr. 72 bzw. K 2. Nr. 7) und das Balbus-Theater (K 1. Nr. 67) sowie mit dem Amphitheater des Statilius Taurus das erste dauerhafte Gebäude dieser Art. Neue Portiken entstanden, ältere wurden restauriert. Mehrere → Bibliotheken wurden eröffnet. Die wiederhergestellte, jedoch ihrer polit. Funktion enthobene → Saepta Iulia (K 1. Nr. 61) wurde zu einem luxuriösen Einkaufszentrum, in dem zugleich Gladiatorenspiele (→ *munera*) aufgeführt wurden. Südl. des → Mausoleum Augusti entstanden mit der → Ara Pacis Augustae und dem → Horologium (Solare) Augusti (K 1. Nr. 51 und 50) ungewöhnliche und zugleich sinnreich auf das von Augustus ausgerufene Goldene Zeitalter bezogene Monumente. Im Trastevere wurde ein großes Wasserbecken zur Aufführung von Seeschlachten angelegt (→ Naumachie).

Tiefgreifende Restrukturierungen betrafen auch das Stadtgebiet, das nunmehr in 14 → *regiones* (vgl. Karte Roma 3. = K 3.) und 265 *vici* (→ *vicus*) eingeteilt wurde. In letzteren wurden kleine Kompitalkultstätten (→ *compitalia*) zur Verehrung der → Laren und des → Genius Augusti geschaffen; die Stadt erfuhr hierdurch eine neuartige, systematische ideologische Durchdringung. Zugleich wurde die öffentliche Infrastruktur weiter ausgebaut. Das Tiberufer wurde befestigt, neue Brücken gebaut (Pons Agrippae; K 1. C.). Große → Speicheranlagen entstanden u. a. in Forumsnähe (Horrea Agrippiana; K 2. Nr. 41), wo sie eine wichtige Rolle für die öffentlichen Getreidespenden an das Volk spielten (→ *cura annonae*). Weitere Aquaedukte wurden herangeführt (Aqua Iulia, Aqua Virgo, Aqua Alsietina), eine Feuerwehr eingerichtet (→ *vigiles*). Demonstrativ ließ Augustus, der selbst auf dem Palatin in verhältnismäßig bescheidenen Verhältnissen lebte, in der Subura das luxuriöse Haus des Vedius Pollio einreißen und an seiner

Stelle eine Platzanlage für das Volk errichten (Porticus Liviae; K 1. Nr. 33).

Die Veränderungen erfaßten auch die suburbanen Nekropolen. So verbot Augustus die *puticuli* und führte selbst mit den großen Columbarien (→ Grabbauten) für alle Angehörigen seines Haushalts einen neuen Grabtyp ein, der vorbildhaft wurde. Große Grabmonumente verschwanden hingegen aus dem baulichen Repertoire; eine öffentlichkeitswirksame Inszenierung der Grabstätte war unter den neuen Herrschaftsverhältnissen nicht mehr opportun. Insgesamt führte die augusteische Bau- und Reformpolitik somit zu einer Verbesserung der Lebensverhältnisse der *plebs*, was nicht unwesentlich zur Stabilität des neuen polit. Systems beigetragen haben dürfte.

G. FRÜHE UND MITTLERE KAISERZEIT (1./2. JH. N. CHR.)

Die komplizierte Konstruktion der Prinzipatsideologie, die durch den Gegensatz von Alleinherrschaftsanspruch und nomineller Beibehaltung der → *res publica* geprägt war, ergab für die Baupolitik der folgenden Kaiser bestimmte Vorgaben und Einschränkungen. Grundsätzlich lag die alleinige Initiative bezüglich der öffentlichen Bautätigkeit nun beim Kaiser. Lediglich der Senat konnte in geringem Umfang durch Ehrenmonumente für die Kaiser (z. B. → Triumphbögen des Titus oder Sept. Severus; K 2. Nr. 47 und 59 bzw. K 1. Nr. 4 und 6) aktiv werden. Da jeder Kaiser an seinem Vorgänger gemessen wurde, entwickelte sich ein selbstläufiger Prozeß zu immer aufwendigeren Bauprojekten.

Es lassen sich bestimmte thematische, zeitliche und top. Schwerpunkte feststellen. Ein bes. Problem bildete im 1. Jh. die Suche nach einer dem Kaiser angemessenen Residenz. → Tiberius, → Caligula und → Claudius [III 1] dehnten zwar den kaiserlichen Wohnbereich stark aus und beanspruchten schließlich den gesamten nördl. Palatin, doch zeigen die jüngsten Forsch., daß sie sich hierbei weitgehend traditioneller Wohnschemata bedienten [3]. Erst die von → Nero [1] noch vor dem Brand 64 n. Chr. über den älteren kaiserlichen Häusern errichtete sog. Domus Tiberiana (K 1. Nr. 10 bzw. K 2. Nr. 40) ließ erstmals einen klaren Repräsentationsanspruch erkennen. Zudem griff Nero mit der etwas jüngeren → Domus transitoria auf den gesamten Palatin und die → Velia aus, offenbar unter Zerstörung zahlreicher senatorischer Häuser (u. a. Casa dei Grifi). Nach 64 dehnte sich der kaiserliche Bereich mit der von Nero am Fuß des Oppius errichteten → Domus Aurea (K 1. Nr. 29) samt Parkanlage weiter nach Osten aus. Die Enteignung zahlreicher älterer Besitzer sowie der villenartige Charakter der Anlage, welcher nach röm. Vorstellungen nur außerhalb der Stadt gestattet gewesen wäre, erregten jedoch großen Anstoß, weshalb die Nachfolger mit der Errichtung der Titus- und Traians-→ Thermen (K 1. Nr. 30–31) sowie dem flavischen → Kolosseum (K 1. Nr. 16 bzw. K 2. Nr. 29) das Gelände demonstrativ dem Volk zurückgaben. Endpunkt dieser Entwicklung war schließlich der → Palast des Domitian, der nach jüngsten

Forsch. den gesamten südl. Palatin umfaßte und über Teilen der Domus transitoria errichtet wurde [4]. Mit der hier realisierten funktionalen Aufteilung in einen öffentlichen Repräsentationstrakt mit Audienzräumen (sog. Domus Flavia) bzw. einen privateren Wohnbereich (sog. Domus Augustana, Stadion und Domus Severiana; K 1. Nr. 11–12 bzw. K 2. Nr. 27) mit Gartenanlagen (h. Vigna Barberini; K 2. Nr. 32) sowie der Miteinbeziehung der Administration kann erstmals von einer kaiserlichen Palastresidenz gesprochen werden, welche unter Umbauten (antoninisch-severisch: Umwandlung der Gartenanlage der Vigna Barberini in eine große Porticus mit Tempel) bis in die Spätant. in Benutzung blieb.

Einen weiteren Schwerpunkt bildeten verschiedene Staats- und Repräsentationsbauten, die sich zumeist im Zentrum konzentrierten. Auffallend ist hierbei, daß sich die Kaiser in nachaugusteischer Zeit kaum mehr auf dem alten Forum Romanum engagierten. Eine Ausnahme bildete → Domitianus [1], der nach einem Brand mit dem funktional noch ungeklärten Baukomplex um S. Maria Antiqua (K 2. Nr. 42), dem Neubau des Vestalinnenhauses, großen Horrea-Anlagen entlang der → Via Sacra sowie einem Reiterstandbild massiv in die Peripherie der Platzanlage eingriff. Statt dessen entstanden jedoch in der Trad. Caesars und Augustus' östl. des Forum Romanum mit den sog. Kaiserfora mehrere prächtige Platzanlagen, meist aus Kriegsbeute errichtet. Den Beginn machte das sog. Forum Pacis (→ Templum Pacis; Vespasianus; K 2. Nr. 68) anstelle des älteren Macellum, gefolgt vom sog. → Forum [III 10] Transitorium (Domitianus, Nerva; K 2. Nr. 67) als monumentaler Ausgestaltung des Durchgangs zur Subura (→ Argiletum). Die größte Anlage entstand mit dem → Forum [III 9] Traiani samt Basilica Ulpia, Bibliotheken und der Traianssäule (→ Säulenmonumente; K 2. Nr. 71–74), zu deren Anlage ein Teil des Hügels zw. Arx und Quirinal abgetragen wurde. Nach jüngsten Forsch. entfällt jedoch der bislang im Westen angenommene Traianstempel, an dessen Stelle nun ein großes Propylon vermutet wird, während sich auf der Ostseite offenbar eine hypäthrale Kultanlage befand [5]. Der Komplex orientierte sich somit auf das Marsfeld.

Außer in diesen großen Fora, die zugleich prächtigen Wandelraum und Kulisse für Staatsakte boten, engagierten sich verschiedene Kaiser, insbes. Domitianus und → Hadrianus, in der Restaurierung oder im Neubau von Heiligtümern, wobei bestimmte Vorlieben zum Ausdruck kamen (Domitian: u. a. Iseum [K 1. Nr. 62], Iuppiter Optimus Maximus, Minerva Chalcidica; Hadrian: u. a. Tempel der Venus und Roma [K 2. Nr. 48]; Neubau des → Pantheon [2] samt Platzanlage [K 1. Nr. 59]). Eine Eigenheit der Prinzipatsideologie war seit Augustus die → Vergöttlichung der verstorbenen Vorgänger (sofern diese nicht der → damnatio memoriae verfallen waren) als Mittel der eigenen Herrschaftslegitimation. Hieraus ergaben sich spezifische Bauaufgaben: so errichtete fast jeder Kaiser seinem Vorgänger (seltener Angehörigen) einen eigenen Tempel. Abgesehen von

demjenigen des vergöttlichten Claudius (K 1. Nr. 18 bzw. K 2. Nr. 28) auf dem Caelius konzentrieren sich diese Anlagen im Zentrum (Palatin: Augustus; Fora: Vespasian/Titus; Antoninus Pius und Faustina) bzw. auf dem Marsfeld (Matidia, Hadrian, Marc Aurel). Hier entstanden zudem zur Inszenierung der Verbrennungs- und Apotheoserituale monumentale Brandstätten (→ ustrinum) mit Platzanlagen und Ehrensäulen (Antoninus Pius, Marc Aurel), die zusammen mit dem Augustusmausoleum das nördl. Marsfeld dominierten. Letzteres erhielt zudem ein Pendant im Hadriansmausoleum (K 1. Nr. 95) auf dem westl. Tiberufer, das mit einer eigenen Brücke (Pons Aelius, K 1. A.) an das Marsfeld angeschlossen wurde.

War in republikanischer Zeit die Anwesenheit von Militär in der Stadt nicht gestattet, stationierten die Kaiser zur Herrschaftssicherung umfangreiche Truppenkontingente an der Stadtperipherie. Bereits Tiberius ließ auf der Hochfläche östl. des → Viminalis die große Kaserne der → Praetorianer-Garde (→ Castra [I 5] Praetoria, K 1. Nr. 37) anlegen, die mit einem vorgelagerten Exerzierplatz und umfangreichen Infrastrukturbauten (Thermen, Tempel) eine Militärstadt am Rande von R. bildete. Ähnliche Anlagen entstanden im SO: die → Castra [I 4] Peregrina sowie die → Castra [I 2] Equitum Singularium vetera (→ Traianus) und nova (→ Septimius Severus) auf dem Caelius (K 1. Nr. 25 und 20). Zusätzlich wurden in den einzelnen Regionen kleinere *stationes* der paramil. → *vigiles* eingerichtet.

Die mit Abstand umfangreichsten Maßnahmen der Kaiser galten jedoch der Versorgung und Unterhaltung der → plebs. Der → princeps war nach röm. Verständnis zum → patronus des Volkes geworden und übernahm eine allg. Fürsorgepflicht, die zugleich unter dem Begriff der → liberalitas als Instrument zur Ruhigstellung der polit. entmündigten Masse genutzt wurde. Zunächst waren, um die Grundversorgung der Millionenstadt sicherzustellen, umfangreiche Infrastrukturbauten nötig. Am wichtigsten war die Getreideversorgung. Hierzu erfolgte ein Ausbau der Lagerkapazitäten in der Hafenstadt → Ostia, ergänzt durch die Anlage des leistungsfähigeren → Portus [1] (unter Claudius und Traianus). Der Tiber wurde beidseits mit Treidelwegen befestigt, in R. selbst der Flußhafen und Emporiumsbereich weiter ausgebaut. Neue Speicher entstanden in Zentrumsnähe: u. a. die Horrea Piperataria und Horrea Vespasiani beidseits der Via Sacra (Domitian), im Marsfeld am Beginn der Via Lata (Hadrian) und am Forum Holitorium. Verschiedene Märkte wurden errichtet (u. a. Macellum Liviae [K 1. Nr. 35], M. Magnum [K 1. Nr. 19?] unter Nero, Traiansmärkte). Die → Wasserversorgung der Stadt wurde weiter ausgebaut (Aqua Claudia, A. Traiana, A. Alexandrina, Anio Novus); zahlreiche Schöpfbrunnen und → Nymphäum-Anlagen eingerichtet (→ Septizodium, K 2. Nr. 26; sog. »Trofei di Mario«). Die Wasserentsorgung und Hygiene (öffentliche → Latrinen) wurden verbessert. Einen weiteren Schwerpunkt bildete die Anlage neuer Unterhaltungsbauten zur Inszenierung immer aufwendigerer Spiele (→ *ludi*; → Schauspiele). Caligula und Nero errichteten im Bereich des Vatikan einen großen Circus bzw. hölzerne Amphitheater auf dem Marsfeld. Letztere erfuhren im flavischen Kolosseum mitsamt den Gladiatorenschulen (u. a. Ludus Magnus, K I. Nr. 17) einen großartigen Nachfolgebau. Unter Domitian entstanden ebenfalls auf dem Marsfeld ein Stadion (h. Piazza Navona) und ein → Odeion (K I. Nr. 57–58). Unter den Severern wurden an der östl. Peripherie als Annex einer neuen Kaiserresidenz (Sessorium) das Amphitheatrum Castrense und der Circus Varianus errichtet (K I. Nr. 21 und 24).

Den wohl aufwendigsten Schwerpunkt bildeten die großen → Thermen, die sich zu einem der wichtigsten sozialen Treffpunkte der Stadt entwickelten. War die erste von Agrippa [1] errichtete Badeanlage noch ein verhältnismäßig bescheidener Bau, steigerten sich die nachfolgenden Komplexe stetig in Größe und Ausstattungsluxus. Auffallend ist ihre dezentrale Verteilung auf verschiedene Stadtviertel. Die Nero-Thermen (K I. Nr. 56) im Marsfeld (von Alexander Severus restauriert) scheinen den Typus der Kaiserthermen geprägt zu haben. Es folgten die Thermen des Titus bzw. Traian auf dem Gelände der Domus Aurea (K I. Nr. 30–31) sowie die nicht sicher lokalisierbaren Thermae Commodianae und Thermae Severianae, bis zu den Thermae Antoninianae des Caracalla (K I. Nr. 83) im Süden der Stadt. Daneben existierten im gesamten Stadtgebiet eine Vielzahl exklusiver Privatthermen (→ Bäder).

Im privaten Wohnungsbau (→ Haus) kam es, auch bedingt durch mehrere Großbrände (u. a. 64 und 80 n. Chr.), zu einem Umbruch. Die zahlreichen Mietinsulae (→ *insula*) wurden nun aus Ziegeln oder *opus mixtum* errichtet, was zur allg. Sicherheit beitrug. Diese vielgeschossigen Bauten vereinten im Erdgeschoß Läden, in den Obergeschossen typisierte Wohnungsformen (*mediana*) mit z. T. hohem Komfort. Die Lebensumstände der *plebs* verbesserten sich somit in der Kaiserzeit erheblich. Im Vergleich zur Republik dehnte sich das Wohnareal der Stadt weiter aus, die lückenlose Bebauung reichte an mehreren Stellen über die spätere aurelianische Mauer hinaus. Erstmals entstanden im südl. und östl. Marsfeld Mietshäuser; zahlreiche der älteren Horti wurden aufgeteilt und bebaut. Im Transtiberim-Gebiet entwickelte sich ein einfaches Handwerkerviertel und in Flußnähe entstanden weitere, meist privat betriebene Horrea. Im *suburbium* verdichteten sich die Grabbauten entlang der Ausfallstrecken zu regelrechten Gräberstraßen, die mit zunehmender Entfernung in ausgedehnte Gräberfelder der ärmeren Bevölkerungsschichten übergingen. Dazwischen entwickelten sich insbes. im 2. Jh. riesige Villenkomplexe (Villa dei Quintilii, Gordiansvilla). Schließlich wurde Rom im 1.–3. Jh. von einem dichten, ca. 50 km breiten Gürtel kleiner *villae rusticae* umgeben, die eine unverzichtbare Rolle in der Lebensmittelversorgung der Großstadt spielten (s. o. II.C.).

H. Spätantike und frühes Christentum (3.–5. Jh. n. Chr.)

In den Jahrzehnten nach den Severern (ab 235 n. Chr.) kam das öffentliche Bauwesen fast vollständig zum Erliegen. Lediglich unter → Decius [II 1] entstanden auf dem Aventin neue Thermenanlagen (K I. Nr. 82). Eine Änderung brachte erst die Regierungszeit des → Aurelianus [3]. Er ließ, unter Planierung zahlreicher Wohnhäuser, die 19 km lange, später mehrfach renovierte Stadtmauer anlegen (270–275 n. Chr.; vgl. K I.). Auf dem Marsfeld stiftete er ein großes Heiligtum des → Sol (K I. Nr. 47) und legte in dessen Nähe eine große Kaserne (Castra Urbana) an. Zu einer letzten Hochblüte kam es in der Zeit der Tetrarchie. So ließ → Diocletianus nach Brandschäden im Zentrum zahlreiche Gebäude wiederherstellen (u. a. Curia, Caesar-Forum, Basilica Iulia). An der Ostseite des Forums wurden eine zweite Rednertribüne sowie verschiedene Ehrensäulen auf dem Platz und den älteren Rostra errichtet. Zudem entstanden in dem dicht besiedelten Gebiet östl. des Viminal die großen Diocletians-Thermen (K I. Nr. 36).

In der Auseinandersetzung zw. → Maxentius und → Constantinus [1] I. wurde die Baupolitik noch einmal zum polit. Machtinstrument. So versuchte Maxentius, seine Herrschaft durch verschiedene Großbauprojekte zu festigen (u. a. Maxentius-Basilika [K 2. Nr. 50], sog. Romulus-Tempel, Thermen auf dem Quirinal, Verdoppelung der Stadtmauerhöhe). Mit seiner Villa an der Via Appia entstand zudem eine Art suburbane Palastanlage mit Circus und Grabmonument nach dem Vorbild anderer tetrarchischer Residenzen. Nach dem Sieg Constantins kam es zu einer programmatischen Okkupation der zuvor von Maxentius begonnenen Bauten, die unter dem Namen des neuen Herrschers in Benutzung gingen. Zugleich wurde ein großes Kirchenbauprogramm realisiert, jedoch unter Rücksichtnahme auf den mehrheitlich nichtchristl. Senat außerhalb des *pomerium* und auf kaiserlichem Privatgrund. So entstanden innerhalb der Stadtmauer nur der Laterankomplex als Sitz des Bischofs von R. (über den Castra Nova Equitum Singularium) bzw. mit S. Maria in Gerusalemme eine Palastkirche im Sessorium. Daneben wurden an wichtigen Ausfallstraßen über frühchristl. → Katakomben oder Märtyrerkultstätten große Begräbnisbasiliken gebaut (S. Sebastiano, S. Lorenzo, S. Agnese, SS. Marcellino e Pietro), die im Fall der letzten beiden mit kaiserlichen Mausoleen verbunden wurden. Den bis in die frühe Neuzeit größten Kirchenbau der Christenheit bildete jedoch die Vatikansbasilika über dem mutmaßlichen Petrusgrab. Noch einmal wurde mit Constantin ein röm. Herrscher vom Senat mit einem großen Triumphbogen (K I. Nr. 15) neben dem Kolosseum bedacht, der jedoch bezeichnenderweise vor allem aus → Spolien bestand.

Ab constantinischer Zeit machte sich neben der allg. Reichskrise die Verlagerung der polit. Macht in andere Zentren bemerkbar. Die Kaiser verloren das Interesse an der alten Hauptstadt. Statt dessen traten als Bauherren vermehrt der Senat (→ *senatus*) bzw. Stadtpräfekten (→ *praefectus urbi*) in Erscheinung. Bei der Mehrzahl ihrer Bauaktivitäten handelte es sich jedoch nur noch um Renovierungen und Instandhaltungen älterer Bauwerke, darunter auch zahlreiche ältere Tempel (z. B. Saturnus, um 400 n. Chr.). Letzteres kann als ein bewußtes Festhalten eines Teils der Senatsaristokratie an altröm. Trad. gewertet werden. Daneben entstanden in verschiedenen Stadtvierteln meist als Privatstiftungen eine Reihe kleinerer Kirchenbauten über älteren *tituli*, den ersten frühchristl. Hausgemeinden (u. a. S. Clemente [K 1. Nr. 28], SS. Giovanni e Paolo, S. Vitale, S. Sabina). Bereits ab dem späteren 3. Jh. n. Chr. war die Einwohnerzahl der Stadt rückläufig. Im privaten Wohnbereich ist eine Aufgabe vieler *insulae* zu beobachten, in deren Innerem nun häufig luxuriöse Einzelwohnhäuser entstanden. Im 4. Jh. zählt das erh. Regionenregister 44000 *insulae* sowie 1790 *domus*. Ab dem späten 4. Jh. bestimmten zunehmend Ruinen das Stadtbild; im 5. Jh. sind gar in mehreren Bereichen Gräberfelder im Stadtinnern nachzuweisen. Bemerkenswerterweise bemühten sich die Gotenkönige trotz großer Schwierigkeiten um die Aufrechterhaltung der städtischen Infrastruktur. So finden sich an zahlreichen öffentlichen Bauten des Forums, an Kirchen und Aquaedukten gestempelte Ziegel → Theoderichs. Erst ab dem 6. Jh. ist ein Stillstand der öffentlichen Bautätigkeit zu verzeichnen. Der starke Bevölkerungsrückgang führte zur Verödung weiter Teile des Stadtgebietes. Spätestens in karolingischer Zeit wurden die Kaiserfora mit einfachen Wohnhäusern (Nerva-, Traiansforum) bebaut oder zu landwirtschaftlichen Zwecken genutzt (Caesar-Forum). Der Niedergang des alten Zentrums bereitete schließlich die im MA erfolgte Verlagerung des städtischen Schwerpunkts auf das Marsfeld vor.

→ Rom

1 A. Carandini, P. Carafa (Hrsg.), Palatium e Sacra via, Bd. 1,1 (Bolletino di archeologia 31/33), 1995 (Grabungen auf dem Kapitol 2000 bislang unpubliziert) 2 A. Carandini u. a., La villa dell' Auditorium dall' età arcaica all' età imperiale, in: MDAI(R) 104, 1997, 117–148 3 C. Krause, Domus Tiberiana I (Bolletino di Archeologia 25–28), 1994, 213–228 4 A. Hoffmann u. a., Grandiose Ausblicke. Neue Einblicke in das Palastleben der röm. Kaiser, in: AW 31, 2000, 445–457 (vorläufig; Projekt 2000 nicht abgeschlossen) 5 R. Meneghini, L'architettura del Foro di Traiano attraverso i ritrovamenti più recenti, in: MDAI(R) 105, 1998, 127–148 (vorläufig; Grabungen 2000 noch nicht abgeschlossen).

J. C. Anderson Jr., The Historical Topography of the Imperial Fora, 1984 · Th. Ashby, The Aqueducts of Ancient Rome, 1932 · I. M. Barton (Hrsg.), Roman Public Buildings, 1989 · B. Brizzi (Hrsg.), Mura e porte di Roma antica, 1995 · A. Carandini, La nascita di R., 1997 · Ders., R. Cappelli (Hrsg.), R., Romolo, Remo e la fondazione della città, Ausst. Rom 2000 · P. Carafa u. a., s. v. R., EAA, 2. Suppl. 1971–1994, Bd. 4, 1996, 784–996 · F. Castagnoli, Topografia e urbanistica di R. antica, 1969 · Ders. u. a., s. v. R., EAA VI, 1965, 764–939 ·

F. Coarelli, Rom, 2000 · Ders., Forum Romanum, 2 Bde., 1983–1985 · Ders., Forum Boarium, 1988 · Ders., Campo Marzio, 1997 · Ders., Public Roman Building in Rome between the Second Punic War and Sulla, in: PBSR 45, 1–19 · M. Cristofani (Hrsg.), La Grande R. dei Tarquini, Ausst. Rom 1990 · I. Dondero, P. Pensabene (Hrsg.), R. repubblicana fra il 509 e il 270 a. C., 1982 · D. R. Dudley, Urbs R. A Source Book of Classical Texts on the City and Its Monuments, 1967 · L. Duret, J. P. Néraudau, Urbanisme et métamorphoses de la Rome antique, 1983 · A. P. Frutaz, Le piante di R., 1962 · G. Gatti, Topografia ed edilizia di R. antica, 1989 · E. Gjerstad, Early Rome, 4 Bde., 1953–1973 · P. Gros, Architecture et société à Rome et en Italie centro-méridionale aux deux derniers siècles de la république, 1978 · L. Homo, Rome impériale et l'urbanisme dans l'antiquité, 1951 · H. Jordan, Th. Ashby, A Topographical Dictionary of Ancient Rome, 1929 · A. Kolb, Die kaiserliche Bauverwaltung in der Stadt Rom, 1993 · F. Kolb, Rom. Die Gesch. der Stadt in der Ant., 1995 · R. Krautheimer, Rom, Schicksal einer Stadt: 312–1308, 1987 · R. Lanciani, Storia degli scavi di R., 6 Bde., 1984–2000 · G. Lugli, I monumenti antichi di R. e suburbio, 3 Bde., 1931–1940 · Ders., Fontes ad topographicum veteris urbis Romae pertinentes, 7 Bde., 1952–1969 · E. La Rocca, I Fori Imperiali, 1995 · P. Liverani, La topografia antica del Vaticano, 1999 · L'Urbs. Espace urbaine et histoire. Kongreß Rom 1985 (Collection de l'École Française de Rome 98), 1987 · Nash · D. Palombi, Tra Palatino ed Esquilino: Velia, Carinae, Fagutal, 1997 · J. R. Patterson, The City of Rome: from Republic to Empire, in: JRS 82, 1992, 186–215 · Richardson · G. Rickman, The Corn Supply of Ancient Rome, 1980 · O. F. Robinson, Ancient Rome. City Planning and Administration, 1992 · E. Rodriguez Almeida, Forma Urbis Marmorea. Aggiornamento generale 1980, 1980 · R. Ross Holloway, The Archaeology of Early Rome and Latium, 1994 · L. Spera, Il paesaggio suburbano di R. dall' antichità al medioevo, 1999 · LTUR · U. Ventriglia, La geologia della città di R., 1971 · P. Zanker, Der Kaiser baut fürs Volk, 1997 · A. Ziolkowski, The Temples of Mid-Republican Rome and Their Historical and Topographical Context, 1992. Regelmäßige Grabungspublikationen in: Archeologia Laziale · BCAR · NSA · Lavori e studi di archeologia (Roma. Archeologia nel centro).

MI. H.

IV. Personifikation

Dea Roma; θεὰ Ῥώμη / *theá Rhṓmē* als Göttin: Die kultische Verehrung röm. Macht begann in der griech. Welt im frühen 2. Jh. v. Chr. mit der Einrichtung von Festen (→ Rhomaia), Priesterämtern (Miletos: LSAM 49), Tempeln und anderen Monumenten zu Ehren Roms. Viele dieser Kulte konzentrierten sich auf die personifizierte Gottheit R. (→ Personifikation). R.-Darstellungen wechseln dabei zw. der stehenden und der thronenden Figur ([1]; zu einem → Romulus und Remus darstellenden und der R. geweihten Denkmal (?) vgl. SEG 30,1073: Chios). Daneben existierten aber auch verschiedene andere auf Rom ausgerichtete Kulte, darunter bes. solche für den → *populus Romanus* und röm. Wohltäter.

Ein typisches Beispiel für den R.-Kult im 2. Jh. v. Chr. ist der vom → Lykischen Bund eingerichtete (SEG 18,570): genaue Datier. umstritten: nach 167 v. Chr. [2. 114–118] oder schon früher [3. 125–129]. In Chalkis wurde seit Beginn des 2. Jh. v. Chr. bis in die Kaiserzeit ein Hymnos auf T. Quinctius [I 14] Flamininus gesungen, dessen letzte Verse lauten: ›Besingt, Mädchen, den großen Zeus, Roma, Titus und die Treue der Römer. Heil, Paian, heil, Titus, unser Retter‹ (Plut. Flamininus 16). Aphrodisias [1] und die benachbarten Städte Kibyra und Tabai schworen einander gegenseitige Unterstützung, ewige Eintracht und Verwandtschaft unter der Bekräftigung, keine Handlungen gegen die Römer zu unternehmen, und riefen dabei Zeus Philios, → Homonoia und R. an ([4], zur Datier.: SEG 37,844; 46,1391; vgl. [5]). Zu den im späteren 2. Jh. v. Chr. von Griechen auf dem Capitol in Rom dargebrachten Weihgaben gehörte die Weihung einer Statue der R. an → Iuppiter Capitolinus und den *populus Romanus* durch die Lykier (ILS 31 = ILLRP 174; [6]).

In der Kaiserzeit wurden neue Kulte der R. neben Römern geweihten Kulten eingerichtet. In Kleinasien waren R. und Augustus Gegenstand des ersten Provinzialkults für Griechen (→ Kaiserkult); dazu gehören Tempel und Fest in Pergamon (→ Rhomaia; zu den Priestern: [7]). Es gab auch lokale Kulte, die trad. Gottheiten mit R. und Augustus verbanden (z. B. ein Priester des Zeus, der R. und des Augustus: SEG 35,744, Kalindoia). Ähnliche Verbundkulte wurden in der Kaiserzeit auch in den westlichen Prov. eingerichtet. Vor Lugdunum (Lyon) wurde 12 v. Chr. ein Altar der R. und des Augustus als zentrale Kultstätte der drei nördlichen gallischen Prov. geweiht. Auch im Westen gab es Tempel der R. und des Augustus (vgl. [8]), außerdem Provinzialkulte der R. und des Divus Iulius für röm. Bürger, z. B. in Ephesos oder in Lugdunum.

In Rom wurde der erste Kult der R. 121 n. Chr. von → Hadrianus eingeführt: Der Tempel der Venus und der R. wurde 135 fertiggestellt und durch Maxentius nach einem Brand 307 restauriert [9; 10]. Wahrscheinlich wurde er zur Zeit der → Parilia gegründet, die dann in der Umgangssprache Rhomaia genannt wurden (Athen. 8,361e-f; im 4. und 5. Jh. hieß das Fest offiziell *natalis urbis*: »Geburtstag der Stadt (Rom)«, CIL XIII 2, 443). In der Spätant. wurde die Personifikation der *Roma aeterna* (das ewige Rom) zum Symbol der Dauer und des Bestandes röm. Vorherrschaft [11].

1 E. di Filippo Balestrazzi, s. v. R., LIMC 8.1, 1048–1068
2 R. M. Errington, Θεὰ Ῥώμη und röm. Einfluß südlich des Mäanders im 2. Jh. v. Chr., in: Chiron 17, 1987, 97–118
3 M. Zimmermann, Bemerkungen zur rhodischen Vorherrschaft in Lykien (189/88–167 v. Chr.), in: Klio 75, 1993, 110–130 4 J. Reynolds, Aphrodisias and Rome, 1982, Nr. 1 5 Dies., Ruler Cult at Aphrodisias in the Late Republic and under the Julio-Claudian Emperors, in: A. Small (Hrsg.), Subject and Ruler, 1996, 41–50
6 A. W. Lintott, The Capitoline Dedications to Jupiter and the Roman People, in: ZPE 30, 1978, 137–144

7 S. J. Friesen, Twice Neokoros, 1993, 76–92
8 H. Hänlein-Schäfer, Veneratio Augusti, 1985
9 J. Beaujeu, La rel. romaine à l'apogée de l'empire, 1955, 128–136 10 A. Cassatella, s. v. Venus et R., aedes, LTUR 5, 121–123 11 F. Paschoud, R. Aeterna, 1967.

C. Fayer, Il culto della dea R., 1976 • R. Mellor, Thea Rome, 1975 • Ders., The Goddess R., in: ANRW II 17.2, 1981, 950–1030 • S. R. F. Price, Rituals and Power, 1984 • K. Tuchelt, Frühe Denkmäler Roms in Kleinasien I (MDAI(Ist) Beiheft 23), 1979, 21–45 • M. Beard, J. North, S. Price, Religions of Rome, 1998, Bd. 1, 156–160.
                                        SI. PR./Ü: T. H.

Roman I. Begriff
II. Griechisch III. Lateinisch
IV. Christlich V. Byzantinisch

I. Begriff
»R.« ist kein ant., sondern ein ma. Begriff, wo *roman* urspr. ein in der romanischen Vulgärsprache abgefaßtes Werk bezeichnete. In der Ant. gab es für die Gattung R. keine spezifische Bezeichnung (im Griech. war *dráma* üblich [1], im Lat. *fabula*, Apul. met. 1,1, oder *argumentum*, Macr. Comm. in Somnium Scipionis 1,2,8).

II. Griechisch
A. Überblick und Entwicklung der Gattung
B. Liebesroman C. Narrative Strukturen
D. Andere Romangattungen E. Nachleben

A. Überblick und Entwicklung der Gattung
In der griech. Lit. wird mit »R.« eine Reihe fiktiver Prosatexte bezeichnet, welche durch zwei thematische Grundkonstanten (Liebe und Abenteuer) und eine Reihe von Topoi miteinander verbunden sind. Neben dem Fehlen eines ant. Gattungsbegriffs »R.« erfuhr dieser auch keinerlei theoretische Kodifikation; daher der Charakter einer »offenen Form«, welche alle lit. Gattungen der Ant. aufnahm und durch Übertragung ins Alltägliche, Private und Sentimentale transformierte.

Lange Zeit fragte die Forsch. nach dem Ursprung des R. (Historiographie, Neue Komödie, Intrigentragödie oder eine andere Gattung) – eine positivistische Fragestellung, die h. unlösbar scheint und in den Hintergrund getreten ist. Viel interessanter ist es zu sehen, wie die neue hell. enzyklopädische Form den Erwartungen eines wachsenden Publikums von Lesern und Leserinnen entsprach. Der R. scheint sich ganz in die eskapistische Tendenz des späten Hell. und der frühen Kaiserzeit einzureihen.

In seinem meisterhaften Pionierwerk sah E. Rohde [2] den griech. R. als Ergebnis einer Verbindung von alexandrinischer Liebeselegie (→ Elegie) und utopistischer Reise- und Abenteuer-Lit. an, welche sich in der → Zweiten Sophistik (2.–3. Jh. n. Chr.) vollzogen habe. Diese gewagte Konstruktion brach Anf. des 20. Jh. unter dem Druck der Pap.-Funde zusammen, welche die Chronologie weit nach oben rückten. Eklatant ist der Fall des R. des → Chariton: ROHDE datierte ihn ins 5. Jh. n. Chr., denn er sah die Einfachheit seiner Struktur als Resultat der Affektiertheit eines erfahrenen Rhetors an; die Papyri haben das Werk jedoch ins 1.–2. Jh. n. Chr. gesetzt (andere datieren es aus sprachlichen Gründen ins 1. Jh. v. Chr.).

Angesichts unseres gegenwärtigen Kenntnisstands können wir zwei Phasen in der Entwicklung des griech. R. erkennen: Die erste – zu der Chariton und → Xenophon von Ephesos gehören sowie einige Fr., darunter der sog. → Ninos-Roman, wird zw. dem 2. Jh. v. Chr. und dem 2. Jh. n. Chr. angesiedelt und weist Kennzeichen einer auf Evasion ausgerichteten → Unterhaltungsliteratur (einer »Para-Lit.«) auf. Als im Hell. neu entstandene, hybride Gattung sucht der R. durch Verwendung von histor. Hintergrund (Ninos, Chariton) und Homerzitaten (Chariton) eine Nobilitierung. Die zweite Phase – zu der → Achilleus Tatios [1], → Longos und → Heliodoros [8] gehören und die E. des 2. Jh. n. Chr. bis 3. (oder 4.) Jh. n. Chr. datiert wird – fällt dagegen in das kulturelle Klima der Zweiten Sophistik und besitzt somit eine völlig andere strukturelle und rhet. Komplexität. Die R.-Autoren dieser Zeit setzen eine schon hinreichend verbreitete und beliebte lit. Gattung voraus und unterziehen sie einer raffinierten Umwandlung. Der R. ›Leukippe und Kleitophon‹ des Achilleus Tatios, ein spielerisches und selbstironisches Pastiche, legt alle Konventionen des Genres bloß und nähert es seiner komisch-realistischen Form an. Der R. ›Daphnis und Chloe‹ des Longos verbindet den Liebes-R. mit der bukolischen Dichtung (→ Bukolik) und verändert ihn dadurch stark (bes. bezüglich des Topos der abenteuerlichen Reise), zu einer neuen Untergattung, dem Hirten-R. Der letzte und komplexeste griech. R. schließlich, die Aithiopiká (»Aithiopischen Geschichten«) des Heliodoros, transformiert die Gattung unter philos. Vorzeichen und hebt sie durch seine anspruchsvolle epische Form auf eine höhere Stufe.

B. LIEBESROMAN

Die Werke beider Phasen haben ein narratives Schema gemeinsam, das dem Corpus trotz zahlreicher Varianten Homogenität verleiht: Ein Paar junger Leute aus bester Familie und von göttlicher Schönheit verlobt sich (oder heiratet) zu Beginn der Erzählung, wird vom Schicksal getrennt, erlebt dann eine Reihe paralleler Abenteuer, welche sich aus den R.-Topoi ableiten (Reise, Raub durch Piraten, Versklavung, Gefängnis, Sturm, Schiffbruch, Gerichtsverhandlung, Versuch der Verführung durch mächtige Rivalen) [3], und wird schließlich im topischen happy end wieder zusammengeführt. Hinter diesem Schema lassen sich verschiedene lit. Modelle erkennen: insbes. der Archetyp aller R., die ›Odyssee‹ (v. a. Reise und Wiedervereinigung) und die Intrigentragödie des → Euripides (bes. ›Helena‹: Triumph des ehelichen Eros). Deutlich ist auch der Einfluß der Neuen → Komödie (→ Menandros [4]) mit ihrem Akzent auf dem Privaten und Sentimentalen. Einzelne Topoi haben verschiedenen lit. Gattungen viel zu ver-

danken, wie der Historiographie, der Rhet., der → Fabel und dem → Mimos. Das intertextuelle Spektrum des griech. R. öffnet sich in seiner reifen Phase auch weiteren lit. Formen wie der → ékphrasis, der → Epistolographie, der → Paradoxographie und nimmt damit immer mehr enzyklopädischen Charakter an. All dieses reiche Material wird jedoch, weil in einen alltäglichen, bürgerlichen Erzählkontext versetzt, »abgesenkt« und entmythisiert, so sehr ihm auch der geschickte Einsatz von Theatermetaphern den Schein eines Schauspiels verleihen soll.

Thematisch dreht sich der griech. R. ganz um den Eros: Er sammelt die Topoi der vorangehenden erotischen Dichtung (vgl. v. a. → Sappho) und gibt sie transformiert an die lit. Überl. weiter. Die Protagonisten der griech. R. sind stets junge Leute, die sich dem Eros zunächst verweigern, sich dann aber auf den ersten magnetischen Blick verlieben und in eine zwanghafte Monomanie verfallen. Diese – stets erwiderte – Liebe wird durch zahllose Abenteuer auf die Probe gestellt, aus der sie immer siegreich hervorgeht: Das Paar ist am Schluß im Grunde unverändert, keusch und treu wie zu Beginn [4]. Die Heroisierung des Eros kam vielleicht den Erwartungen und Träumen eines großen, auch weiblichen Publikums entgegen, das u. a in öffentlichen Lesungen Zugang zu den Werken hatte [5; 6]. Es fehlen jedoch auch nicht Elemente, die in der Grundidee des linearen Begehrens und des erwiderten glücklichen Eros Risse auftreten lassen und dadurch den tröstenden Charakter des R. kompromittieren. Insbes. die differenzierte Zeichnung von Rivalenfiguren trägt Züge der Zweideutigkeit: Sie bewegt sich von ganz und gar negativen Figuren (die unterschwellig Identifikation hervorrufen können: Arsake bei Heliodoros), bis hin zu nuancierteren und zuweilen offen positiven Figuren, mit denen der Leser sich ohne weiteres identifizieren soll (Dionysios bei Chariton, Melite bei Achilleus Tatios).

Die griech. R.-Autoren liefern ein prägnantes Zeugnis zu den Veränderungen in der Sozialgesch. der Sexualität, mit der sich der späte FOUCAULT beschäftigt hat [7]: zu dem in der Kaiserzeit eintretenden Übergang von einer auf → Päderastie (die aber auch hier Spuren hinterlassen hat [8]) und pädagogischer Beziehung beruhenden Erotik hin zu einer Erotik der heterosexuellen Beziehung und der gefühlskonnotierten Ehe. Wenn er auch viel von dem traditionellen, patriarchalischen Bild der Frau bewahrt, enthält der griech. R. doch zahlreiche innovative, »protofeministische« Elemente, welche zu einer neuen Konstruktion sexueller Identität beitragen [9; 10] (v. a. wenn man sich seine letzte Heldin, Heliodoros' Charikleia, vergegenwärtigt, die mit odysseischer Tapferkeit und Initiative ihrem männlichen Partner weit überlegen ist).

Einige griech. R. sind von R. MERKELBACH als »Mysterientexte« interpretiert worden [11; 12]: Auf einer rel. Rezeptionsebene seien sie als Schlüssel-R. für Eingeweihte zu lesen gewesen, die hier die Erfahrungen der Initianden bzw. der Gottheit und die Rituale der spätant. Mysterienreligionen (Leiden, Prüfungen, Erlösung) nachvollziehen konnten; diese These ist viel diskutiert, aber weitgehend abgelehnt worden.

C. Narrative Strukturen

Die R. der ersten Phase basieren auf einer kanonischen Erzählsituation mit einem allwissenden Erzähler, der die Gesch. von der Höhe seines alles überblickenden Standpunktes erzählt. Während Xenophon von Ephesos diese Erzähltechnik im Reinzustand, ganz auf den pragmatischen Aspekt abgestellt bietet (was auch vom epitomisierten Text herrühren könnte), variiert sie Chariton mit der Einführung expliziter (Komm.- oder Regie-)Eingriffe des Erzählers und mit beginnender subjektiver Fokalisierung. Mit den R. der zweiten Phase und ihrer komplexeren und subjektiveren Erzähltechnik, welche der des modernen R. nahesteht, ändert sich der narrative Rahmen beträchtlich [13]. Achilleus Tatios überträgt die gesamte Darstellung der Ereignisse, von Alltag und Realismus bestimmt einem Ich-Erzähler, dem Protagonisten Kleitophon (der komische R. der Ant. zieht stets die Perspektive der ersten Person vor, vgl. Petronius und Apuleius, s.u. III.). Dieser fokalisiert die Perspektive oft und über lange Strecken auf sich selbst als handelnde Figur, um spannende und überraschende Effekte zu erzeugen und die Topoi der Gattung neu zu beleben. Noch elaborierter ist die narrative Architektur der *Aithiopiká* des Heliodoros: Der außenstehende Erzähler setzt mit seiner klugen Dosierung der Information von der berühmten Eingangsszene an (was an Henry James erinnert) das Mittel der begrenzten Fokalisierung ein. Zugleich überläßt er das Wort oft Erzähler-Figuren (v. a. dem Propheten Kalasiris, den man als einen im Text widergespiegelten Autor sehen könnte), welche ein geradezu polyphones System schaffen. Mit Heliodoros erreicht der griech. R. daher seine höchste Komplexität in Ausdruck und Thematik.

D. Andere Romangattungen

Der Liebes-R. stellt ein relativ homogenes Corpus dar, welches daher häufig mit dem griech. R. insgesamt gleichgesetzt wird. Von anderen Untergattungen des griech. R. besitzen wir nämlich nur vage Zeugnisse; sie weisen meist Überschneidungen mit anderen Gattungen auf: Im sog. utopischen R. − von dem wir nur die Zusammenfassungen der Werke des → Euhemeros, → Theopompos und → Iambulos besitzen −, erscheint die narrative Komponente der philos. Reflexion völlig untergeordnet; man kann ihn daher schwerlich als autonome Form des R. ansehen (→ Utopie). Nach der Zusammenfassung des Photios (Phot. bibl. cod. 166) zu urteilen, haben die ›Unglaublichen Abenteuer jenseits von Thule‹ des → Antonios [3] Diogenes die Utopie mit der Trad. des griech. Liebesromans zu einer merkwürdigen Form des phantastischen und philos. R. vermengt (zu dem auch die ›Babylonischen Geschichten‹ des → Iamblichos [3] gehören). Aus positivistischer Perspektive sah E. Rohde das Werk des Antonios Diogenes als Beweis dafür an, daß hier die beiden Ströme, aus denen der R. seiner Meinung nach hervorgegangen

war, noch nicht völlig miteinander vereint waren [2. 254–258]; heute − v. a., seitdem man nicht mehr ein direktes Verhältnis dieses Werkes zu → Lukianos' ›Wahren Geschichten‹ (einem Pasticchio aller imaginären Reisen) annimmt − erscheint es uns vielmehr als ein faszinierendes Experiment; es legt nahe, daß die ant. Erzählkunst vielseitiger war, als aus den vollständig erh. Werken hervorgeht.

Auch der sog. biographische R. war wohl kaum eine eigene Romanform: Die ›Kyrupädie‹ des → Xenophon und das ›Leben des Apollonios von Tyana‹ des → Philostratos [5–8] dürften besser als histor.-biographische Werke mit deutlichen romanhaften Elementen einzuordnen sein.

Der Fall des → Aisop-Romans, welcher sich beinahe wie ein ant. Archetyp des pikaresken R. liest [14], liegt anders, ebenso der des → Alexanderromans; die aus mehreren Schichten bestehende fiktionale Alexander-Gesch. baut stark auf der Briefform auf (jüngst ist auch in der griech. Welt ein regelrechter → Briefroman identifiziert worden [15]); sie hat der Vorstellungswelt des Abendlands die mythisierte, stark romanhafte und wirkungsmächtige Alexander-Figur vermacht.

Der griech. und der lat. R. wurden einander in der Forsch. lange Zeit kontrastierend gegenübergestellt − der erste als ernsthaft-idealistische, der zweite als komisch-realistische Form −; dies geschah v. a. aufgrund des lat. Esels-R. (Apuleius, s.u. III.). Von diesem besitzen wir aber eine → Lukianos zugewiesene griech. Epitome, das einzige griech. Beispiel eines parodistischen R. Einige Papyrusfunde (vor allem vom → Iolaos-Roman und von den ›Phönizischen Geschichten‹ (*Phoinikiká*) des → Lollianos [1]) haben jedoch gezeigt, daß es auch in der griech. Erzählkunst eine Gattung mit »niedrigen«, grotesken, obszönen und körperbezogenen Themen gab: jene Richtung, von der der russische Theoretiker M. Bachtin [16] annahm, daß sie am Anfang des modernen R. stand, und die er in der griech. Welt nur in marginalen Gattungen wie dem Mimos und dem sokratischen Dialog erkannt hatte.

E. Nachleben

Als Gattung am Ende des 3. oder im 4. Jh. n. Chr. verschwunden, wurde der griech. R. zum direkten Modell für den byz. R. (s. v.), um danach wieder für viele Jh. zu verklingen. Im MA hielten sich viele seiner Topoi (zum Beispiel im *Decamerone* des Boccaccio), verm. durch lat. Zwischenglieder, insbes. die → *Historia Apollonii Regis Tyri*, vermittelt. Im 16. Jh. begann dann die spektakuläre Wiederentdeckung des griech. R., vor allem des Heliodoros, in dessen Schatten Achilleus Tatios gelesen wurde, und des Longos (Chariton und Xenophon von Ephesos wurden erst im 18. Jh. wieder aufgefunden und haben keine eigentliche mod. Rezeption erfahren). Zunächst durch die Übers. ins Lat. und in die mod. Sprachen, dann durch die zahlreichen Druckausgaben wurde der griech. R. eines der aus der Ant. ererbten Hauptmodelle für die Barockpoetik, mit dem sich diese aufgrund einiger Grundbausteine (Fiktionalität,

Leidenschaft, Intrige, Metapher von der Welt als Theater) in bes. Gleichklang befand. Diese außergewöhnliche Rezeption bezog die Essayistik, die Erzählkunst, das Theater, die bildenden Künste und einige der kulturellen Hauptfiguren des 16. und 17. Jh. ein (SIDNEY, SHAKESPEARE, RACINE, CERVANTES, BASILE). Mit der Geburt des mod. realistischen Typus (engl. *novel*) am Ende des 18. Jh. begann für den griech. R. ein Niedergang in der Forsch., den erst in jüngster Zeit großes wiss. Interesse (narratologischer, soziologischer und psychoanalytischer Natur), wenn auch nicht erneute kreative Rezeption aufgefangen hat.

→ Achilleus Tatios [1]; Aisop-Roman; Antonios [3] Diogenes; Chariton; Heliodoros [8]; Iamblichos [3]; Iambulos; Literarische Gattung; Longos; Ninos-Roman; Novelle; Parthenope-Roman; Pseudo-Kallisthenes; Xenophon von Ephesos; ROMAN

1 N. MARINI, Δρᾶμα: possibile denominazione per il romanzo greco d'amore, in: SIFC 9, 1991, 232–243 2 E. ROHDE, Der griech. R. und seine Vorläufer, 1876 (Ndr. 1974) 3 F. LÉTOUBLON, Les lieux communs du r., 1993 4 I. MATTE BLANCO, The Unconscious as Infinite Sets, 1975 5 B. WESSELING, The Audience of the Ancient Novels, in: H. HOFMANN (Hrsg.), Groningen Colloquia on the Novel, Bd. 1, 1988, 67–79 6 E. L. BOWIE, Les lecteurs du r. grec, in: M. F. BASLEZ (Hrsg.), Le monde du r. grec, 1992, 55–61 7 M. FOUCAULT, Le souci de soi, 1984 (dt. Die Sorge um sich, 1986 = Sexualität und Wahrheit, Bd. 3) 8 B. EFFE, Der griech. R. und die Homoerotik, in: Philologus 131, 1987, 95–108 9 B. EGGER, Zu den Frauenrollen im griech. Roman, in: H. HOFMANN (Hrsg.), s. [5], 33–66 10 S. WIERSMA, The Ancient Greek Novel and Its Heroines, in: Mnemosyne 43, 1990, 109–123 11 R. MERKELBACH, R. und Mysterium in der Ant., 1962 12 Ders., Die Hirten des Dionysos, 1988 13 B. EFFE, Entstehung und Funktion »personaler« Erzählweisen in der Erzähllit. der Ant., in: Poetica 7, 1975, 135–157 14 N. HOLZBERG (Hrsg.), Der Äsop-R., 1992 15 Ders. (Hrsg.), Der griech. Brief-R., 1994 16 M. BACHTIN, Lit. und Karneval, 1990.

F. ALTHEIM, R. und Dekadenz, 1951 • G. ANDERSON, Eros Sophistes, 1982 • S. BARTSCH, Decoding the Ancient Novel, 1989 • R. BEATON (Hrsg.), The Greek Novel, 1988 • M. FUSILLO, Il romanzo greco, 1989 • H. GÄRTNER (Hrsg.), Beiträge zum griech. Liebesr., 1984 • C. GESNER, Shakespeare and the Greek Romance, 1970 • T. HÄGG, Narrative Technique in Ancient Greek Romances, 1971 • Ders., The Novel in Antiquity, 1983 • N. HOLZBERG, Der ant. R., 1986 (²2001) • P. JANNI (Hrsg.), Il romanzo greco, 1987 • D. KONSTAN, Sexual Symmetry: Love in the Ancient Novel and Related Genres, 1994 • H. KUCH (Hrsg.), Der ant. R., 1989 • P. LIVIABELLA FURIANI, M. FUTRE PINHEIRO (Hrsg.), Piccolo mondo antico, 1989 • A. HEISERMAN, The Novel before the Novel, 1977 • R. HELM, Der ant. R., 1948 (Ndr. 1956) • G. MARCOVALDI, I romanzi greci, 1969 • R. MERKELBACH, R. und Mysterium in der Ant., 1962 • G. MOLINIÉ, Du r. grec au r. baroque, 1977 (Ndr. 1995) • J. R. MORGAN, R. STONEMAN (Hrsg.), Greek Fiction, 1994 • C. W. MÜLLER, Der griech. R., in: NHL 2, 377–412 • B. E. PERRY, The Ancient Romances, 1967 • B. REARDON, The Form of Greek Romance, 1991 • E. ROHDE, Der griech. R. und seine Vorläufer, 1876 (Ndr. 1974) • C. RUIZ MONTERO, La estructura de la novela griega, 1988 • A. SCARCELLA, Romanzo e romanzieri, 1993 • E. SCHWARTZ, Fünf Vorträge über den griech. R., 1896 (Ndr. 1943) • G. SCHMELING (Hrsg.), The Novel in the Ancient World, 1996 • S. SWAIN (Hrsg.), Oxford Readings in the Greek Novel, 1999 • J. TATUM (Hrsg.), The Search for the Ancient Novel, 1994 • O. WEINRICH, Der griech. Liebesr., 1962.   M. FU./Ü: T. H.

III. LATEINISCH

A. TEXTBESTAND B. THEMATIK
C. NARRATIVIK D. RELIGIOSITÄT
E. UNTERGATTUNGEN F. NACHWIRKUNG

A. TEXTBESTAND

Im Gegensatz zur reich bezeugten griech. R.-Produktion sind im Bereich der lat. Lit. nur drei Texte erh., die zur Gattung des Liebes-R. gerechnet werden können: Petrons *Satyrica* (= *Sat.*; → Petronius [5]), Apuleius' *Metamorphoses* (= *Met.*; → Ap(p)uleius [III]) und die → *Historia Apollonii regis Tyri* (*HA*). Der R. des Apuleius ist eine Bearbeitung der griech. Μεταμορφώσεις/*Metamorphóseis* eines unbekannten Verf., von denen im ps.-lukianischen Ὄνος/*Ónos* (›Esel‹) ein Auszug erh. ist [16]. Auch für Petron und die *HA* wurden griech. Vorlagen postuliert; doch während für eine griech. *HA* eindeutige Pap. bisher fehlen, sind durch die Fr. des → Iolaos-Romans und Tinuphis-R. prosimetrische (→ Prosimetrum) griech. R. komisch-realistischen Zuschnitts gesichert, wenn freilich die Beziehung zu den *Sat.* ungeklärt bleibt (s. o. II. D.).

B. THEMATIK

Die lat. R. weisen dieselben thematischen Grundkonstanten (Liebe und Abenteuer) und topischen Motive wie die griech. Liebes-R. auf (s. o. II. A.), doch sind sie nur in der *HA* ähnlich ernsthaft-idealisierend verwendet, bei Apuleius und Petron dagegen parodistisch-satirisch verzerrt: Die *sexual symmetry* [11] der typischen Liebespaar-Konstellation ist in der *HA* durch das Inzestmotiv und die Konzentration auf Vater-Tochter-Beziehungen gestört, in den *Sat.* durch das homoerotische Dreiecksverhältnis Encolpius-Giton-Ascyltos, während Lucius in den *Met.* keinen adäquaten Partner hat, sondern durch seine *curiositas* (»Neugier«) in die *serviles voluptates* (»niedrige Wollust«) mit Fotis und der Matrone aus Korinth hineinschlittert, woraus ihn erst die Göttin → Isis befreit. Die parodierende Umkehrung der Konventionen und Motive des griech. Liebes-R. durch Petron und Apuleius setzt also bereits eine Leserschaft mit griech. R.-Erfahrung voraus. Typisch für den lat. R. sind die novellenartig »eingebetteten Erzählungen« [22; 24; 25; 29] idealisierenden, gelegentlich derben bis pornographischen Charakters (aus den → Milesischen Geschichten, [7]), die dem Leser Deutungsangebote für die Haupthandlung bereitstellen (z. B. Ephebe von Pergamon: Sat. 85–87, Witwe von Ephesus: Sat. 111–112, → Psyche und Cupido: Met. 4,28–6,24, Liebhaber im Faß: Met. 9,5–7). Die Entheroisierung des Eros in den *Sat.* und *Met.* ist dabei nicht nur eine Folge der Ersetzung heterosexueller durch päderastisch-homosexuelle Beziehungen, sondern auch der satirisch-ätzenden Perspektive, in der traditionelle Werte wie Liebe und Ehe gesehen und mit der Ehebruch und andere von den Normen abweichende Formen von Sexualverhalten dargestellt werden. Die Konstruktion sexueller Identität bei Petron und Apuleius ist daher ein genauso wichtiger – von FOUCAULT (s. o. II.B.) freilich nicht gewürdigter – Beitrag zur Sozialgesch. der → Sexualität wie der erotische Diskurs des idealisierenden griech. Liebes-R. [6].

C. NARRATIVIK

Die kanonische Erzählsituation mit einem allwissenden Erzähler bewahrt nur die *HA*, während die *Sat.* und *Met.* Ich-Erzählungen sind, in denen der Erzähler Encolpius bzw. Lucius zugleich Hauptperson der Handlung ist. Neuere Unt. [4; 26; 31] haben gezeigt, mit welcher Virtuosität Petron und Apuleius die Möglichkeiten eines zw. den Polen von erzählendem und erlebendem Ich changierenden Erzählens handhaben und dabei mit dem Wissen ihres Erzählers spielen, den sie wie eine Marionette an den Fäden des *auteur abstrait* (d. h. der lit. Projektion des histor. Autors im Text) zappeln lassen und dabei nicht nur die inhaltlichen und motivischen, sondern auch narratologischen Konventionen der Gattung parodieren [8]. Insbesondere für Apuleius hat [31] die notorische Unzuverlässigkeit des Ich-Erzählers Lucius aufgewiesen und den Text als ein narratives Spiel decouvriert, das unendlich viele Antworten zuläßt: Die hermeneutische Struktur des Textes sei nicht eindeutig, sondern biete nur Möglichkeiten von Lesarten an, zw. denen sich der Leser entscheiden könne und die jede für sich Anspruch auf Gültigkeit habe. Mit der Auflösung traditioneller epischer Ordnungen, die ihre Verbürgung in der Kongruenz von Worten und Dingen, von *discours* (Erzählung) und *histoire* (Handlungsverlauf) fanden, und der Begründung einer neuen Ordnung zw. Bedeutendem und Bedeutetem etablieren die R. von Petron und Apuleius auf der Ebene der *histoire* eine neue narrative Kontingenz und präludieren einer narratologischen Artifizialität, die den übrigen ant. R. fehlt und erst wieder in der Erzählkunst der frühen Neuzeit erreicht wird [10].

D. RELIGIOSITÄT

Die von [17; 18] verfochtene Interpretation der meisten ant. R. als Mysterienaretalogien (s. o. II.B.) hat auch die *Met.*, die *HA* und den christl. Clemens-R. (→ Pseudo-Clementinen) als Schlüsseltexte ant. → Mysterien-Kulte von Isis und → Osiris zu erweisen versucht, doch überwiegt weitgehend Skepsis gegen solche einseitige Determinierung. Bes. seit [31] gezeigt hat, daß es sich beim Isis-Diskurs der *Met.* nicht um eine seriöse Bekehrungs-Gesch., sondern um die Parodie einer solchen handelt, verlieren jene Theorien an Glaubwürdigkeit; sie würden es noch mehr, wenn [15] mit ihrer These vom unvollendeten Erhaltungszustand der *Met.* (ein 12. B. verloren?) recht hätte. Die rel. Motive sind demnach nur ein Faktor unter vielen, welche die R. ebenso formen wie andere polit., soziale und kulturelle Gegeben-

heiten der hell.-kaiserzeitlichen Lebenswelt. Vielmehr legen MERKELBACHS Interpretationen eher den Schluß nahe, daß R. wie andere Texte der ant. Lit. auch in den Dienst partikulärer Lektüren philos., christl. oder mysteriengebundenen Interesses gestellt werden konnten, als daß sie primär als verschlüsselte Mysterientexte geschrieben worden wären [2].

E. UNTERGATTUNGEN

Von den Untergattungen des griech. R. fehlt im lat. Bereich der sog. utopische R. völlig. Die fiktionalen Troia-Erzählungen eines → Dares [3] oder eines → Dictys Cretensis sollte man weniger zum R. als zur histor. Fiktion rechnen, was auch für die biographischen R. gilt. Von diesen haben der → Aisop-Roman und das ›Leben des Apollonios von Tyana‹ (→ Philostratos [5] d. J., → Flavianus [2]) in der lat. Lit. keine Spuren hinterlassen, ebensowenig der Brief-R. Reich vertreten sind dagegen die Texte des lat. → Alexanderromans, in den auch die romanhafte Brief-Lit. (Briefwechsel Alexanders mit den Amazonen, Briefe von und an Alexander) integriert ist.

F. NACHWIRKUNG

Als ant. Leser der lat. R. kennen wir den Gegenkaiser Clodius → Albinus [1] (195–197 n. Chr.), dessen Lektüre von *Milesias Punicas Apulei* (»punischen Milesischen Geschichten des Apuleius«) und ähnlicher *ludicra litteraria* (»billiger Unterhaltungsliteratur«) ihn in den Augen von → Septimius Severus als gebildeten Mann disqualifiziert (SHA Alb. 12,12), und – als Gebildete unter den Verächtern des R. – den Kirchenvater → Augustinus (civ. 18,18) und den neuplatonischen Philosophen → Macrobius [1], der die *argumenta fictis casibus amatorum referta* (»erfundenen Liebesgeschichten«) eines Petron oder Apuleius als trügerischen Ohrenkitzel *in nutricum cunas* (»in die Kinderstuben«) verbannen will (Macr. somn. 1,2,8). Der spätant. Autor → Fulgentius [1] hat mit seiner allegorischen Auslegung von Psyche und Cupido (Mythologiae 3,6) diesen Teil der *Met.* als einzigen dem MA überl. und BOCCACCIOS Deutung in den *Genealogiae Deorum Gentilium* (›Genealogien der heidnischen Götter‹) (5,22) sowie die späterer Humanisten geprägt [20; 12]. Nachdem Hss. der *Met.* seit dem 14. Jh. bekannt geworden waren [3], haben sie vielen Erzählern von BOCCACCIO (*Decamerone*) bis zu den Autoren des pikaresken R. – dem anon. Verf. des *Lazarillo de Tormes* sowie CERVANTES – Anregungen verschafft [5]. Die größeren Reste der *Sat.* wurden erst von den Humanisten entdeckt und nahmen zw. dem 15. und 17. Jh. jene Gestalt an, in der wir sie h. noch lesen [3]. Alexander-R. und *HA* erfreuten sich dagegen bis weit ins 17. Jh. eines lebhaften Interesses sowohl in Lat. als auch in den Volkssprachen, wie Hunderte von Hss., frühen Drucken sowie zahlreiche Umarbeitungen und Nachdichtungen bezeugen [1; 28] (s. auch → ROMAN).
→ Aisop-Roman; Ap(p)uleius [III]; Briefroman; Dares; Dictys; Fulgentius; Historia Apollonii regis Tyri; Literarische Gattung; Literatur (v. a. V. G.); Lukianos [1]; Milesische Geschichten; Novelle; Petronius [5]; Pseudo-Clementinen; ROMAN

1 E. Archibald, Apollonius of Tyre. Medieval and Renaissance Themes and Variations, 1991 2 R. Beck, Mystery Religions, Aretalogy and the Ancient Novel, in: [23], 131–150 3 R. H. Carver, The Rediscovery of the Latin Novels, in: [9], 253–268 4 G. B. Conte, The Hidden Author. An Interpretation of Petronius' *Satyricon*, 1996 5 M. Futre Pinheiro, The Nachleben of the Ancient Novel in Iberian Literature, in: [23], 775–799 6 S. Goldhill, Foucault's Virginity, 1995 7 S. J. Harrison, The Milesian Tales and the Roman Novel, in: Groningen Colloquia on the Novel 9, 1998, 61–73 8 H. Hofmann, Parodie des Erzählens—Erzählen als Parodie, in: W. Ax, R. Glei (Hrsg.), Die Parodie in Ant. und MA, 1993, 119–151 9 H. Hofmann (Hrsg.), Latin Fiction, 1999 10 Ders., »Selbstbegründung des Erzählens« im *Goldenen Esel* des Apuleius?, in: B. Greiner, M. Moog-Grünewald (Hrsg.), Kontingenz und Ordo. Selbstbegründung des Erzählens in der Neuzeit, 2000, 15–27 11 D. Konstan, Sexual Symmetry: Love in the Ancient Novel and Related Genres, 1994 12 K. Krautter, Philol. Methode und humanistische Existenz. Filippo Beroaldo und sein Komm. zum Goldenen Esel des Apuleius, 1971 13 B. Kytzler, Fiktionale Prosa, in: NHL 4, 1997, 469–494 14 E. Lefèvre, Stud. zur Struktur der »Milesischen« Novelle bei Petron und Apuleius, 1997 15 D. van Mal-Maeder, Lector, intende: laetaberis, in: Groningen Colloquia on the Novel 8, 1997, 87–118 16 H. J. Mason, Greek and Latin Versions of the Ass Story, in: ANRW II 34.2, 1994, 1665–1707 17 R. Merkelbach, R. und Mysterium in der Ant., 1962 18 Ders., Isis Regina – Zeus Sarapis, 1995 19 Ders., Die Quellen des griech. Alexander-R., ²1977 20 C. Moreschini, Towards a History of the Exegesis of Apuleius (zu Cupido und Psyche), in: [9], 215–228 21 M. Picone, B. Zimmermann (Hrsg.), Der ant. R. und seine ma. Rezeption, 1997 22 G. N. Sandy, Petronius and the Trad. of the Interpolated Narrative, in: TAPhA 101, 1970, 463–476 23 G. Schmeling (Hrsg.), The Novel in the Ancient World, 1996 24 Semiotica della novella latina (Atti del Seminario, Perugia 1985), 1986 25 N. Shumate, Apuleius' Met.: the Inserted Tales, in: [9], 113–125 26 N. W. Slater, Reading Petronius, 1990 27 R. Stoneman, The Latin Alexander, in: [9], 167–186 28 Ders., The Medieval Alexander, in: [9], 238–252 29 J. Tatum, The Tales in Apuleius' Metamorphoses, in: TAPhA 100, 1969, 487–527 30 P. G. Walsh, The Roman Novel, 1970 31 J. J. Winkler, Auctor & Actor, 1985.

N. Holzberg. Der ant. R. Eine Einführung, ²2001

IV. Christlich

A. Themen und Motive aus dem Liebes-Roman
B. Romanhafte apokryphe Apostelakten
C. Romanhafte Heiligenviten und verwandte Texte

A. Themen und Motive aus dem Liebes-Roman

Romanhafte Motive (Reisen, Seestürme, Schiffbruch, Prozesse, Hinrichtungen, Gefährdung und Bewahrung der Keuschheit und Treue, Träume, Visonen, Orakel, Trennung, Sklaverei, → Anagnorisis) finden sich bereits im AT (Gn 37ff.: Josephsgesch.; ferner die B. ›Esther‹, ›Tobit‹ sowie ›Judasbrief‹) und den Evangelien oder wurden aus ihnen herausgesponnen und fortge-schrieben (Gn 41, 46 > ›Joseph und Aseneth‹, ein jüd.-hell. Roman, verfaßt im 1. Jh. v. oder n. Chr. in Äg., im Griech. der LXX [21]; Mt 2,23, Lk 2,40 > Kindheitsevangelien, vgl. → Neutestamentliche Apokryphen; [1; 18. Bd. 1. 330–372]), aber erst in der Gattung der Apostelgeschichten, beginnend mit dem einzigen kanonischen Text dieser Art im NT, entwickeln die Verf. der zahlreichen Acta Apostolorum (→ Apokryphe Literatur; [3; 16; 18. Bd. 2. 71–488]) seit dem 2. Jh. zunächst in Griech., dann in lat. und anderen Übers. Handlungssequenzen, deren Motive überwiegend dem ant. R. entlehnt sind [7; 14; 15; 16]. Kam der ethische Standard der griech. R. – Partnertreue, Bewahrung der Jungfräulichkeit, sexuelle Enthaltsamkeit, Unterwerfung unter den Willen der Gottheit – ohnehin den Überzeugungen des Christentums entgegen, so konnte anhand der Themenkonstanten des R. die Standhaftigkeit und Glaubenstreue der Apostel in analogen Abenteuerreihen profiliert und gleichzeitig die Gattung in den Dienst der Propagierung bzw. ihrer Abgrenzung von → Häresien gestellt werden; umgekehrt lassen einige dieser Texte auch nicht-orthodoxe (gnostische u. a., → Gnosis) Tendenzen erkennen. Freilich verschieben sich manche R.-Motive in der christl. Lit., z. B. das der Irrfahrten und Leiden des Liebespaars zu den Missionsreisen und Leiden der Apostel und ihrer jungen Begleiterin, das der Partnertreue zur christl. Askese oder das der Heirat zur Aufkündigung der Verlobung, zur Absage an die Ehe zugunsten einer spirituellen Verbindung mit Christus, die Anagnorisis zum Märtyrertod und zur Vereinigung im himmlischen Reich, so daß *temples and marriages left in ruins* [14. 242] die Signatur dieser Texte bestimmen.

B. Romanhafte apokryphe Apostelakten

Neben den Thomas-Akten (A.), die auf ein syr. Original zurückgehen und vollständig erh. sind, sind die älteren Apostel-A. des 2. Jh. (Andreas-, Johannes-, Paulus- und Petrus-A.) sowie die zahlreichen jüngeren Apostel-A. des 3./4. Jh. nur fr. überl.; sie waren *textes vivants*, die stets um- und fortgeschrieben wurden, so daß sie h. in diversen Fassungen existieren. Als Verf. der Paulus-A. nennt Tert. de baptismo 17 einen kleinasiatischen Presbyter, der deswegen sein Amt verloren habe; sie v. a. riefen Tertullians Empörung hervor, da die darin berichtete Gesch. der Reisen von → Paulus [2] und → Thekla in ihrer unterschwelligen Erotik und mit den phantastischen Abenteuern stark an den griech. Liebes-R. erinnert. Wenn Thekla sich auch letztlich durch ihren Asketismus auszeichnet und auf Geheiß des Apostels tauft und predigt, widerspricht dies der sonst aus den Paulusbriefen bekannten Auffassung über die Stellung der → Frau in der Gemeinde und mußte dem Rigorismus Tertullians bes. zuwiderlaufen. Erotik kam auch sonst nicht zu kurz, z. B. in der Episode von Drusiana (Nekrophilie) in den Johannes-A. oder der Rettung Theklas (Paulus-A.) und anderer christl. Jungfrauen aus dem Bordell (*Dihēgéseis* des Ps.-Hippolytos).

Neben dem herkömmlichen Motivarsenal enthielten diese Texte genug des Absurden: sprechende Hunde und magische Schaukämpfe, Luftreisen und Wunderwettstreit (Petrus-A.), getaufte Löwen (Paulus-A.), gehorsame Wanzen (Johannes-A.), Menschenfresser (Andreas und Matthias bei den Anthropophagen) und Gefahren aller Art, gegen die sich die neuen Helden der Keuschheit trotz vielfacher erotischer Anfechtungen behaupten müssen. Bes. verbreitet waren die um 260 in Syrien entstandenen → Pseudo-Clementinen, die h. aus zwei Teilen bestehen: 20 griech. Homilien (→ Predigt) des Apostels → Petrus und 10 B. lat. *Recognitiones* (›Wiedererkennungsszenen‹), welche die Schicksale und Abenteuer des Clemens, der Petrus auf dessen Missionsreisen begleitet hatte und dann sein dritter Nachfolger als Bischof von Rom wurde, von der Trennung von seiner Familie bis zur Anagnorisis unter reichlicher Verwendung topischer R.-Motive erzählt [20]. Diese Texte waren als Lesestoff bei den Christen deswegen so beliebt, weil sie Erbauung mit Spannung und Belehrung verbanden und sich trotz ihrer theologischen Orientierung zu einer christl. → Unterhaltungsliteratur entwickelten, die seit dem 3. Jh. die Liebes-R. abzulösen begann [4; 9; 14–16; 19].

C. ROMANHAFTE HEILIGENVITEN UND VERWANDTE TEXTE

Nach dem Vorbild der Apostel-A. wurde seit dem 4. Jh. zunehmend auch das Leben der → Heiligen mit fiktionalen Zügen ausgestaltet. Prototyp dieser romanhaften Heiligenviten war die um 357 von → Athanasios verfaßte *Vita* des ägypt. Einsiedlers → Antonios [5], die bald darauf ins Lat. übersetzt und nicht nur Vorbild für die Martinsschriften des → Sulpicius Severus wurde, sondern auch → Hieronymus zur Abfassung seiner drei Mönchsbiographien anregte, von denen nach seinen eigenen Worten jene des Eremiten Paulus großenteils frei erfunden ist, da er keine verläßlichen Nachr. über ihn ermitteln konnte; daher plünderte er den griech. Liebes-R. um so heftiger und bog ihn für erbauliche Zwecke und die Propagierung seiner asketischen Ideale zurecht. Damit hatte sich die Heiligenvita endgültig zum fiktionalen Heiligen-R., der christl. R. zur christl. Unterhaltungs-Lit. gewandelt [5; 10]. So verwundert es nicht, wenn in der Spätant. griech. Liebes-R. in fiktive Heiligenlegenden umgeschrieben wurden, wie z.B. die der Hl. Parthenope, die in einer koptischen Version des 9. Jh. und einer arab. Fassung des 10. Jh. (Bartānūbā) überl. ist und eine christl. Bearbeitung des → Parthenope-Romans (1. Jh. v. Chr.) darstellt [6]. Romanhafte Ausgestaltung machte sich auch in der Passions- und → Märtyrerliteratur breit, z.B. in den *Dihēgēmata* des Ps.-Neilos von Ankyra (→ Neilos [1]), im Bekehrungs-R. der *Narratio de rebus Persicis* (5./6. Jh.) oder dem R. von dem indischen Prinzen Ioasaph und seiner Bekehrung durch den Mönch Barlaam (→ Barlaam und Ioasaph), einer christl. Version der Buddha-Legende, die neben der ebenfalls in christl. Redaktion überl. → *Historia Apollonii* zu einem der beliebtesten R. des MA geworden ist.

→ Acta Sanctorum; Heilige, Heiligenverehrung; Märtyrerliteratur; Neutestamentliche Apokryphen; Passiones; Paulusakten; Petrusakten; Pseudo-Clementinen; Unterhaltungsliteratur

1 K. BERGER, Hell. Gattungen im NT, in: ANRW II 25.2, 1984, 1031–1432, 1831–1885 2 F. BOVON (Hrsg.), Les Actes apocryphes des apôtres, 1981 3 J. N. BREMMER u. a. (Hrsg.), Stud. in the Apocryphal Acts of the Apostles, 1995 ff. 4 Ders., The Novel and the Apocryphal Acts: Place, Time and Readership, in: Groningen Colloquia on the Novel 9, 1998, 157–180 5 M. FUHRMANN, Die Mönchsgeschichten des Hieronymus, in: Christianisme et formes littéraires de l'antiquité tardive (Entretiens 23), 1977, 41–89 6 T. HÄGG, The Parthenope Romance Decapitated?, in: Symbolae Osloenses 59, 1984, 61–92 7 R. F. HOCK u. a. (Hrsg.), Ancient Fiction and Early Christian Narrative, 1998 8 H. HOFMANN (Hrsg.), Latin Fiction, 1999 9 G. HUBER-REBENICH, Hagiographic Fiction as Entertainment, in: [8], 187–212 10 H. KECH, Hagiographie als christl. Unterhaltungslit., 1977 11 B. KYTZLER, Fiktionale Prosa, in: NHL 4, 1997, 469–494 12 J. R. MORGAN, R. STONEMAN (Hrsg.), Greek Fiction, 1994 13 J. PERKINS, Representation in Greek Saints' Lives, in: [12], 255–271 14 R. I. PERVO, Early Christian Fiction, in: [12], 239–254 15 Ders., The Ancient Novel Becomes Christian, in: [17], 685–711 16 E. PLÜMACHER, s. v. Apokryphe Apostelakten, RE Suppl. 15, 11–70 17 G. SCHMELING (Hrsg.), The Novel in the Ancient World, 1996 18 W. SCHNEEMELCHER (Ed.), Nt. Apokryphen, ⁶1990 (dt. Übers.) 19 R. SÖDER, Die apokryphen Apostelgeschichten und die romanhafte Lit. der Ant., 1932, ²1969 20 M. VIELBERG, Klemens in den pseudoklementinischen Rekognitionen, 2000 21 S. WEST, Joseph and Asenath, in: CQ 24, 1974, 70–81.

H. HO.

V. BYZANTINISCH

In der byz. Zeit wurde der griech. Liebes-R. zunächst nicht weitergepflegt, doch lebte die erzählerische Trad. in verwandten Gattungen und in christl. Gewand weiter: Der → Alexanderroman wurde mehrfach überarbeitet und nahm im 7. Jh. n. Chr. christl.-apokalyptische Motive auf. Aus der indischen Buddha-Legende entstand durch christl. Umformung im 8./9. Jh. der geistliche R. von → Barlaam und Ioasaph. Häufig wurden hagiographische Viten (→ Vitae Sanctorum, → Literatur VI. Christlich), über deren Helden zu wenig biographisches Material vorhanden war, mit Elementen des Reise- und Abenteuer-R. angereichert. Das sog. »Epos« des Digenis Akritas schließlich kombiniert den histor. Hintergrund der byz.-arab. Kämpfe in Kleinasien im 9./10. Jh. mit Motiven des erotischen R.

Im 12. Jh. wurde die Gattung des Liebes-R. im engeren Sinn (d. h. mit der Abfolge von Liebe auf den ersten Blick, Trennung, Abenteuern und glücklicher Wiedervereinigung) im bewußten Rückgriff auf die hell.-kaiserzeitliche Trad. neubelebt. Die Werke der Autoren Eustathios Makrembolites, Theodoros Prodromos, Konstantinos Manasses und Niketas Eugenianos sind in antikisierender Hochsprache, aber (mit Ausnahme des ersten) abweichend von ihren lit. Vorbildern in Versen abgefaßt und spielen in einem fiktiven ant. Milieu.

Eine zweite Gruppe von byz. R. aus dem 13./14. Jh. ist in volkssprachlichen Versen abgefaßt und ohne Verf.-Namen überl. Einige von ihnen stehen inhaltlich in der kaiserzeitlichen und byz. R.-Trad., wobei das erotische Element in Gestalt des »Königs Eros« stark in den Vordergrund tritt, andere sind Bearbeitungen westeurop. Ritter-R., die ihrerseits schon teilweise ant. Stoffe wie z. B. den Troianischen Krieg aufgegriffen haben.

H. HUNGER, Ant. und byz. R., 1980 · F. CONCA, Il romanzo bizantino del XII secolo, 1994 · C. CUPANE, Il romanzo cavalleresco bizantino, 1995 · R. BEATON, The Medieval Greek Romance, ²1996 · P. A. AGAPITOS, D. R. REINSCH (Hrsg.), Der R. im Byzanz der Komnenenzeit, 2000.   AL. B.

Romania. Umgangssprachliche lat. Bezeichnung für das → Römische Reich, bezeugt seit dem 4. Jh. n. Chr., seit dem 6. Jh. auch im Griechischen (Ῥωμανία). Die Bed. verengt sich im westl. Mittelalter auf das Gebiet des früheren → Exarchats von → Ravenna, die h. Romagna; im Osten wird sie in volkssprachlichen Texten für das Byz. Reich (→ Byzantion, Byzanz) weiterverwendet und geht von dort im 11. Jh. auch auf das Sultanat der seldschukischen Türken von »Rūm« in Kleinasien, im 13. Jh. auf das sog. lat. Kaiserreich der Kreuzfahrer in Konstantinopolis und Griechenland über.

J. ZEILLER, L'apparition du mot R. chez les écrivains latins, in: REL 7, 1929, 194–198 · A. KAZHDAN, s. v. R., ODB 3, 1805.   AL. B.

Romanisation. R. ist die deutsche Bezeichnung für den Terminus *self-Romanisation* der angelsächsischen Forsch., während engl. *Romanisation* in seiner urspr. Bed. → Romanisierung meint. Während letzteres eine aktive und intentionale Politik der Römer gegenüber den von ihnen beherrschten Völkern betont, bezeichnet R. einen dynamischen Prozeß, der auch den Willen gesellschaftlich maßgeblicher Gruppen in den röm. Prov. impliziert, die lat. Sprache, röm. Kultur, Lebensformen und rel. Praxis zu adaptieren [1. 147ff.]. R. trägt damit einem seit den 80er J. andauernden Forschungstrend Rechnung, der verstärkt die aktive Rolle und Vorbildfunktion der provinzialen Eliten und den damit verbundenen Nachahmungseffekt in der breiten Bevölkerung thematisiert. E. M. WIGHTMAN [2. 169 u. ö.; 3. 209³⁰] benutzte hierfür zunächst den Begriff *Romanity*. R. betont die eigenständige und regional ganz unterschiedlich verlaufene Entstehung von provinzialen Gesellschaften und Kulturen im röm. Reich, die im wesentlichen ein Produkt der Umdeutung der röm. Kultur vor der Folie der eigenen kulturellen Werte und Traditionen waren. Der Begriff erlaubt damit die in der deutschen Forsch. bis h. weitgehend ignorierte Differenzierung zwischen einer aktiv gelenkten Politik der röm. Seite und einer

prozeßhaften ungelenkten Entwicklung, die zur Herausbildung spezifischer provinzialer Identitäten führte.
→ Hellenisierung; Roma I.; Romanisierung

1 W. SPICKERMANN, Aspekte einer »neuen« regionalen Rel. und der Prozeß der »interpretatio« im röm. Germanien, Rätien und Noricum, in: H. CANCIK, J. RÜPKE (Hrsg.), Röm. Reichsrel. und Provinzialrel., 1997, 145–167 2 E. M. WIGHTMAN, Gallia Belgica, 1985 3 R. WIEGELS, Lopodunum 2, 2000.

LIT.: s. Romanisierung.   W. SP.

Romanisierung A. ALLGEMEIN
B. KONZEPT DER HISTORISCHEN FORSCHUNG
C. AKTUELLER DISKUSSIONSSTAND
D. ROMANISIERUNG IM ANTIKEN DENKEN

A. ALLGEMEIN

Mit dem mod., im Alt. nicht bekannten Begriff R. wird in der althistor. und arch. Forsch. die Verbreitung röm.-italischer Zivilisation, Sprache und Kultur im römischen Reich (→ Roma I.) und darüber hinaus verstanden. R. wird als Konzept zur Erklärung des ökonomischen, kulturellen, geistigen und polit. Wandels in den Provinzen (→ *provincia*) des röm. Reiches von Historikern und Archäologen vielfach benutzt, hat jedoch seit seinem ersten Gebrauch im späten 19. Jh. seine Bed. mehrfach gewandelt. Die Diskussion über Ursachen, Antriebskräfte und Folgen der R. besteht ebenso weiter wie die Frage nach den Wegen und den Trägern der R. in Rom und den Provinzen. Selbst die Brauchbarkeit des Begriffs wird zunehmend von verschiedenen Seiten angezweifelt (s. u.).

B. KONZEPT
DER HISTORISCHEN FORSCHUNG

In den Schriften von Th. MOMMSEN, F. HAVERFIELD und ihren Zeitgenossen bezeichnete R. die Ausbreitung der röm. Zivilisation in It. und den Prov. des röm. Reichs. In diesem Konzept lebt h. noch viel von dem fortschrittsoptimistischen Denken weiter, das im 19. Jh. die Auffassung von histor. Wandel prägte, h. jedoch auf Zweifel und Ablehnung stößt [10]. Zu seiner Entstehungszeit lieferte das Konzept der R. jedoch eine Antwort auf Fragen, die durch neue wiss. Methoden und das damit verbundene starke Anwachsen der Quellengrundlagen entstanden waren. Die Vorstellung, die Inhalte der röm. Zivilisation hätten sich in den Prov. ausgebreitet, stellte einen klaren Fortschritt gegenüber der älteren Idee dar, die polit.-mil. Expansion habe zu einer massenhaften Emigration aus It. und zur Ansiedlung in den Prov. geführt. Die große Menge des röm. geprägten Materials, das die Arch. zutage förderte, ließ sich immer weniger als Folge einer Auswanderung erklären. Die beginnende wiss. Erforschung der Inschr. machten vollends deutlich, daß sich die Lebenswelt der Bewohner des röm. Reiches materiell, wirtschaftlich und geistig verändert hatte und in den »röm. Villen« meist nicht zugewanderte Italiker, sondern Nachkommen von

Britanniern, Galliern und Iberern wohnten, die lat. sprachen und die polit. und soziale Lebensweise der Römer angenommen hatten. Dieser Wandel der Lebensform verlief dabei – zumindest in den nw Prov. – zeitlich parallel mit dem Eintritt dieser Ges. in das röm. Weltreich.

Der Begriff R. wird noch häufig zur Beschreibung dieser Veränderungsprozesse gebraucht, doch variieren die Parameter zur Feststellung des Wandels erheblich: Zuweilen sind die Kriterien der R. so weit gefaßt, daß damit alle Veränderungen in den Prov. im gesamten Reich beschrieben werden können (so z. B. [15]). In anderen Fällen verengt sich der Blickwinkel und richtet sich etwa auf Munizipalisierung (→ municipium), das Bürgerrecht, den Wandel der polit. und gesellschaftl. Institutionen, soziale Mobilität, das Wirtschaftsleben (z. B. [16]) und – in jüngster Zeit – auf Fragen der Identität [18].

Bis in die 1960er J. wurde der Prozeß der R. in recht unreflektierter Weise dargestellt; danach wurde die Debatte um die R. ein Teil der Diskussion über das Wesen des röm. Reiches. Der dahinter stehende Wandel in der Weltanschauung wird h. mit dem Zusammenbruch der europäischen Kolonialreiche und mit der zunehmenden Ernüchterung in der Frage des moralischen Fortschritts in der Gesch. erklärt [14]. R. erschien nicht mehr als ein selbstverständlicher Schritt auf dem Weg zur Zivilisierung; man begann zu fragen, weshalb dieser Prozeß in Gang gekommen war, welche Gruppen ihn bes. vorangetrieben hatten und welche Absichten dahinter standen. R. wurde nun manchmal mit Assimilation gleichgesetzt und dem Widerstand gegen Rom gegenübergestellt, wobei beides als Reaktion auf den röm. Imperialismus gesehen wurde (z. B. [5]; → IMPERIUM). Es wurde auch zunehmend üblich, zwischen der Lebenspraxis der provinzialen Eliten und der übrigen Bevölkerung zu unterscheiden. Einige wenige Unt. zogen dabei ausdrücklich die Kritik am mod. Imperialismus heran und setzten die eigentliche Widerstand leistende einheimische Bevölkerung in Gegensatz zu kollaborierenden Eliten, die sich an röm. Lebensart orientierten [3].

Gleichzeitig versuchten Archäologen v. a. in Großbritannien und den Niederlanden, bei der Unt. dieser Probleme auch theoretische Ansätze der Anthropologie zur Geltung zu bringen, und zwar über das Erklärungsmodell der Akkulturation, das in der Kulturanthropologie seit der Mitte der 1950er J. ein wichtiger Forsch.-Schwerpunkt geworden war (so z. B. [4] und [7]). Aber dieser Ansatz erwies sich als kurzlebig: Die Akkulturationstheorie wird von Anthropologen kaum noch verwendet, weil die damit verbundene Sicht von Kulturen als geschlossene und geregelte soziale und semantische Systeme h. weitgehend abgelehnt wird. Zudem fand dabei das Ungleichgewicht der Macht zwischen den beiden einander begegnenden Kulturen kaum Beachtung, was sich bei der Unt. der R. deshalb als bes. problematisch erwies, weil hier im Grunde jeder Austausch

unter der Bedingung der polit. Dominanz der Römer stattfand [14].

Dennoch waren die betont komparativen und theoretischen Maßstäbe, die die Akkulturationstheorie in die R.-Debatte eingeführt hatte, sehr wertvoll; sie lenkte die Aufmerksamkeit auf eine sorgfältige Analyse der näheren Umstände und der personalen Voraussetzungen des kulturellen Kontakts und zeigte Möglichkeiten auf, Bereiche der Kultur, die zu Veränderungen neigten, von denen zu unterscheiden, die sich dem Wandel eher entzogen. Aus dieser Theorie gewannen die Archäologen auch die Einsicht, daß der Prozeß der Akkulturation keine Einbahnstraße ist, und begannen, nach der Rolle der einheimischen Bevölkerung beim Prozeß der R. zu fragen.

Spätestens in den 1980er J. entstand ein breiter Konsens, daß R. in den meisten Fällen »Eigen-R.« war (engl. *self-Romanisation*; → Romanisation). Diese bis in die 1990er J. herrschende Anschauung wurde auch vom Trend in der Alten Geschichte gestützt, die Grenzen, die der Macht und dem Herrschaftsstreben ant. Staaten gezogen waren, zu betonen. Die Ansicht, röm. Kaiser hätten von ihren Untertanen nicht viel mehr gefordert als Ruhe und Steuern, und sie hätten kein langfristiges imperiales Programm besessen, bestätigte die Vorstellung, R. sei »von unten« bewirkt worden [15]. Die Imitation röm. Lebensart durch lokale Eliten wurde als Auslöser für eine Dynamik des Nacheiferns in den provinzialen Ges. gesehen, die zu einem »Einsickerungs-Effekt« führte (z. B. [8] und [13]). Gerade diese Sichtweise der R. ist zur Zielscheibe eines Großteils der aktuellen Kritik geworden.

C. AKTUELLER DISKUSSIONSSTAND

Eine verbesserte Chronologie der in Frage stehenden Prozesse hat gezeigt, daß die großräumige Entfaltung röm. Kultur in den Prov. weniger jeweils im direkten Anschluß an die röm. Eroberung, sondern in allen Teilen des Reichs etwa gleichzeitig erfolgte [17]. Dies gilt für Inschr., für monumentale Bauten, für den verbreiteten (im Gegensatz zu dem vereinzelten, exotischen) Gebrauch von Keramik in der Trad. der → Terra sigillata-Herstellung, für Begräbnissitten und selbst für die bildenden Künste. Diese formative Periode fällt ungefähr zusammen mit der äußerst expansiven Phase des Reichs von der Mitte des 1. Jh. v. Chr. bis in die ersten Jahrzehnte des 1. Jh. n. Chr. Die Chronologie stimmt ebenso für Regionen wie das südliche Spanien und Kleinasien oder Ägypten wie für kurz zuvor eroberte Gebiete wie Gallien und Germanien. Es bestehen zwar lokale Unterschiede sowohl in der Art als auch im Zeitpunkt des Wandels, aber das allen gemeinsame Muster ist offenkundig. Auch ist h. deutlich, daß die röm. und die italische Kultur genau zu dieser Zeit selbst rapiden Veränderungen unterworfen waren: Diese betrafen neben den bildenden Künsten und dem intellektuellen Leben auch die private und öffentl. Architektur und die Art des polit. Umgangs. Die Kultur in den Prov. war keine Imitation der hauptstädtischen: Die beiden entstanden zur gleichen Zeit [11]. Folglich kann R. nicht mehr als Reaktion auf die röm. Eroberung erklärt werden; sie muß vielmehr in Zusammenhang mit umfassenderen Veränderungen gesetzt werden: der massenhaften Auswanderung aus Italien in der Zeit der Triumvirn (→ *tresviri*) und in der Epoche des → Augustus, dem polit. Wechsel zur Autokratie in Rom, neuen Formen der Reichsverwaltung, der → Hellenisierung – also mit der Schaffung eines reichsweiten kulturellen und sozialen Systems.

Der Versuch, die R. aus dem Nacheiferungsstreben lokaler Eliten zu erklären, der bisher weit verbreitet war, wird ebenfalls gerade modifiziert. Dieser Schritt trifft sich mit einem neuen Verständnis der Ideologie des Kaisertums in der althistor. Forsch. und einer gestiegenen Bereitschaft, den röm. Kaisern und Feldherrn eine Beteiligung an der Schaffung dieser neuen Kulturen zuzugestehen.

Die dominierende Stellung, die das Konzept der R. bei den Vertretern der Provinzialarchäologie seit Bestehen dieser Disziplin einnahm, hatte dazu geführt, daß neue Forsch.-Arbeiten nach den Kategorien dieses Erklärungsansatzes abgefaßt wurden. Somit wurde die Debatte durch neue Unt.-Ergebnisse bereichert (Veränderungen der Ernährungsgewohnheiten oder der Landschaft; Auswirkungen des Wandels auf die Wirtschaft; Einfluß röm. Denkens und Handelns auf lokale Kulte, auf die Familienstruktur und auf die polit. und soziale Ordnung). Andererseits forderte diese Erweiterung des Interessenfeldes auch Kritik heraus: Das Modell der R. werde auf Material angewandt, das besser innerhalb anderer Fragestellungen untersucht worden wäre [10]: So stammen einige Quellengattungen – z.B. Inschr. mit rel. Inhalten – aus Epochen lange nach der formativen Periode, werden aber häufig im Rahmen der R. bearbeitet. Auch wäre es vielleicht angemessener, einige Ergebnisse des Austausches (die Verbreitung von Bautechniken, Baustilen und Stilformen der Plastik im gesamten mediterranen Raum) unter dem Aspekt der Entstehung einer künstlerischen Koine zu betrachten (der wenig über eine ethnische oder polit. Bedeutung aussagt). Des weiteren lassen sich bestimmte Produkte anführen, z.B. Terra sigillata und Wein, die mancherorts und in manchen Perioden speziell mit Rom verbunden waren, an anderen Orten und in anderer Zeit aber nicht.

Sicherlich liegt ein gewaltiges Potential für Mißverständnisse in einem Begriff, der zuweilen einen bes. ethnischen oder kulturellen Bezug in sich zu tragen scheint – das Römische im Gegensatz zum Ägyptischen, Iberischen, Griechischen – und der in vereinfachender Weise gebraucht wird, um Wandel und Reichsentstehung in Beziehung zu setzen. Dies schafft spezielle Probleme für die Unt. von Identität. Andererseits macht es die breite Palette des verwendeten Materials nun leichter, die Diskussion auch auf die östl. Prov. des Reiches auszudehnen [2].

Für die Schöpfer des Begriffs folgte die R. der → Hellenisierung als weiterer Abschnitt des Zivilisationsprozesses. Daher erschien der Gedanke unvorstellbar, in den griech. Prov. des röm. Reiches könnte eine R. stattgefunden haben; dementsprechend betrieb man die arch. Erforschung röm. Relikte in griech. Gebieten nur wenig. Seit jedoch R. einen weit größeren Bereich von Transformationen umfaßt und Epigraphiker, Papyrologen und Historiker bemerkt haben, wie gründlich die hell. Welt zur Zeit der Jahrtausendwende verändert wurde (vgl. [6]), bietet sich das Konzept der R. erneut als nützliches analytisches Instrument an: Interessanterweise verwenden erst wenige Spezialisten den Begriff für den hell. Bereich (so z.B. [12]; s. dagegen [1] und [19]). Bei der Erforschung des republikan. Italien hat die breite und unterschiedl. Verwendung von R. – anders als der Begriff Hellenisierung – wohl mehr Verwirrung als Klärung gebracht.

D. ROMANISIERUNG IM ANTIKEN DENKEN

Ant. Autoren waren sich durchaus der Veränderungen bewußt, die von den Modernen als R. beschrieben wurden (vgl. dazu [18]). → Strabon erwähnt in seiner Darstellung des Röm. Reiches häufig entsprechende Entwicklungen, z.B. die Urbanisierung im Westen, den Verfall lokaler Trad. im Osten und die umfassende Wirkung der röm. Macht auf einzelne Städte und Völker, Tempel und Familien. Er bietet jedoch kein übergreifendes Schema an, das es gestatten würde, die Latinisierung und Befriedung der Iberer beispielsweise mit der Abschaffung der athen. Demokratie und der kretischen Gesetze zu verknüpfen. → Plinius [1] d.Ä. und → Tacitus liefern in der Tat eine Darstellung des Wandels in der Form eines Zivilisationsprozesses, den sie zuweilen auf die Ausbreitung der → *humanitas* beziehen. Diese Vorstellung kann bis → Cicero und → Lucretius [III 1] zurückverfolgt werden. Bei → Appianos (Hann. 41; Lib. 68; Mac. 7) ist ῥωμαΐζειν/*rhōmaízein*, »lateinisch sprechen«, gleichbedeutend mit »es mit Rom halten«. Als Nomen erscheint das Wort *Romanitas* zum ersten Mal in → Tertullianus' *De Pallio* und ist dort in gleicher Weise auf röm. und griech. Kultur bezogen, und zwar im Sinne einer lokalen Kultur im Gegensatz zur *Christianitas*, dem allumfassenden vom Christentum angebotenen Wertesystem.

→ Hellenisierung; Roma I.; Romanisation; IMPERIUM

1 S.E. ALCOCK, Graecia Capta. The Landscapes of Roman Greece, 1993 2 Dies. (Hrsg.), The Early Roman Empire in the East, 1997 3 M. BÉNABOU, La résistance africaine à la romanisation, 1976 4 T.F.C. BLAGG, M. MILLET (Hrsg.), The Early Roman Empire in the West, 1990 5 J.M. BLÁZQUEZ, Nuevos estudios sobre la romanización, 1989 6 A.K BOWMAN, D.W. RATHBONE, Cities and Administration in Roman Egypt, in: JRS 82, 1992, 107–127 7 R. BRANDT, J. SLOFSTRA (Hrsg.), Roman and Native in the Low Countries. Spheres of Interaction, 1983 8 P.A. BRUNT, The Romanization of the Local Ruling Classes in the Roman Empire, in: D.M. PIPPIDI (Hrsg.), Assimilation et résistance à la culture gréco-romaine dans le monde ancien, 1976, 161–173 9 D. CHERRY, T. DERKS,

Gods, Temples and Ritual Practices. The Transformation of Religious Ideas and Values in Roman Gaul, 1998 **10** P. W. M. Freeman, »Romanisation« and Roman Material Culture, in: Journal of Roman Archaeology 6, 1993, 438–445 **11** C. Goudineau, Les fouilles de la Maison au Dauphin. Recherches sur la romanisation de Vaison-la-Romaine, 1979 **12** M. C. Hoff, S. I. Rotroff (Hrsg.), The Romanization of Athens, 1997 **13** R. Macmullen, Romanization in the Time of Augustus, 2000 **14** D. Mattingly (Hrsg.), Dialogues in Roman Imperialism. Power, Discourse and Discrepant Experience in the Roman Empire, 1997 **15** M. Millett, The Romanization of Britain. An Essay in Archaeological Interpretation, 1990 **16** A. Mócsy, Ges. und Romanisation in der röm. Prov. Moesia Superior, 1970 **17** J. B. Ward-Perkins, From Republic to Empire: Reflections on the Early Imperial Provincial Architecture of the Roman West, in: JRS 60, 1970, 1–19 **18** G. D. Woolf, Becoming Roman. The Origins of Provincial Civilization in Gaul, 1998 **19** Ders., Becoming Roman, Staying Greek. Culture, Identity and the Civilizing Process in the Roman East, in: PCPhS 40, 1994, 116–143.   G. WO.

Romanius Hispo. Lat. Rhetor und Rechtsanwalt der frühen Kaiserzeit. Er arbeitete sich durch Intelligenz und Redebegabung aus bescheidenen Verhältnissen zu einem gern gesehenen Gast am Hofe des → Tiberius hoch (Quint. inst. 6,3,100; Tac. ann. 1,74). Im Majestätsprozeß des Quaestors → Caepio [1] Crispinus gegen den Praetor → Granius [II 3] Marcellus trat er als Nebenkläger auf. In den zahlreichen Erwähnungen bei → Seneca d. Ä. halten sich Bewunderung für seine außergewöhnliche Sprachbeherrschung und Bildung (Sen. contr. 2,3,21; 2,4,9) und Kritik an seiner Vorliebe für verletzende, persekutorische Argumentationen (2,5,20; 9,3,11) die Waage. Auch in den Deklamationen scheint er stark rechtsbezogen argumentiert zu haben (1,7,12).   C. W.

Romanos (Ῥωμανός).

[1] R. Melodos, »der Melode« (Ῥωμανὸς Μελωδός). Byz. Hymnograph syrischer Herkunft, * vor 493 n. Chr. in → Emesa (h. Ḥims in Syrien), † zw. 551 und 565 n. Chr. in Konstantinopolis. Zunächst Diakon in → Berytos (Beirut), trat er unter Kaiser Anastasios [1] I. an der Marienkirche in Konstantinopolis seinen Dienst an. Der Legende nach soll er sich hier nach einer Marienerscheinung entschieden haben, Hymnendichter zu werden. Die Form seiner griech. liturgischen Hymnen wurde später als → Kontakion bezeichnet; dessen Blüte wird zugleich durch R. erreicht. R. verquickt Formen der Dichtung → Ephraems (vgl. [9]) mit Elementen der griech. kirchlichen Rhet. Sein bed. Werk ist gekennzeichnet durch den Einsatz rhet. Figuren, ferner die Stilisierung mittels einer ausgeprägten Metaphorik und die Entwicklung einer subtilen Dramaturgie. Als engagierter Theologe bezieht er sich in seinen Hymnen auf die kirchlichen Christus- und Heiligenfeste und widmet sich der Auslegung biblischer und hagiographischer Ereignisse. Die Zuweisung des *Akáthistos Hýmnos* (zw. 500 und 520) zu seinen Werken ist nicht gesichert.

ED.: **1** P. Maas, C. A. Trypanis, Sancti Romani Meloti cantica. Cantica genuina, 1963 **2** Dies., Sancti Romani Meloti cantica. Cantica dubia, 1970 **3** J. Grosdidier de Matons, R. le Mélode, Hymnes, 1964–1981 (Einl., Text, Übers., Anm.) **4** T. Tomadakes, Ῥωμανοῦ τοῦ Μελωδοῦ ὕμνοι, 4 Bde., 1952–1961 **5** J. Koder, Mit der Seele Augen sah er deines Lichtes Zeichen, Herr. Hymnen des orthodoxen Kirchenjahres von R. dem Meloden, 1996 (dt. Übers.).

LIT.: **6** K. Mitsakis, The Language of R. the Melodist, 1967 **7** J. Grosdidier de Matons, R. le Mélode et les origines de la poésie religieuse à Byzance, 1977 **8** H. Hunger, R. Melodos, Dichter, Prediger, Rhetor – und sein Publikum, in: Jb. der Öst. Byzantinistik 34, 1984, 15–42 **9** W. L. Petersen, The Dependence of R. the Melodist upon the Syriac Ephrem, in: Vigiliae Christianae 39, 1985, 171–187 · S. Brock, From Ephraem to R.: Interactions between Syriac and Greek in Late Antiquity, 1999.   K. SA.

[2] R. I. Lakapenos (Lekapenos). Byz. Kaiser 920–944 n. Chr., Armenier, geb. ca. 870, gestorben 948. R. begann seine Karriere als hoher Schiffsoffizier, verheiratete 919 seine Tochter Helene mit dem damals 14-jährigen Thronerben der → Makedonischen Dynastie → Constantinus [9] VII. und ließ sich von ihm 920 zum Mitkaiser krönen, nahm aber bald mehr und mehr die Funktionen eines Hauptkaisers wahr. 927 beendete er einen seit ca. drei Jahrzehnten andauernden Krieg mit Bulgarien und verfolgte auch gegenüber anderen Mächten eine erfolgreiche Außenpolitik. Als kluger Innenpolitiker erwies er sich durch seine Gesetzesnovellen zum Schutz der kleinen gegen die großen Landeigentümer. 944 setzten ihn seine Söhne ab; sie wurden aber 945 von Constantinus VII. entmachtet, der nun endlich ungehindert herrschte.

P. Schreiner, s. v. R. I., LMA 7, 999 · A. Kazdhan, s. v. R. I. Lekapenos, ODB 3, 1806.

[3] R. II. Byz. Kaiser 959–963 n. Chr., Sohn und Nachfolger → Constantinus' [9] VII., stand unter dem Einfluß des → *parakoimómenos* Iosephos Bringas und seiner zweiten Gattin → Theophano, die ihn wahrscheinlich vergiftete. Eine in Paris aufbewahrte Elfenbeintafel zeigt wohl ihn, nicht R. [5] IV., mit seiner ersten, früh verstorbenen Gattin Bertha-Eudokia, der Tochter Hugos von der Provence.

A. Cutler, The Date and Significance of the R. Ivory, in: C. Moss, K. Kiefer (Hrsg.), Byzantine East, Latin West, 1995, 605–614 · P. Schreiner, s. v. R. II., LMA 7, 999 f. · A. Kazdhan, s. v. R. II., ODB 3, 1806 f.

[4] R. III. Argyros. Byz. Kaiser 1028–1034 n. Chr., zuvor Stadtpraefekt (*hýparchos*) von Konstantinopolis, erlangte den Thron durch Heirat mit → Zoë, der Erbin der → Makedonischen Dynastie; er wurde 1034 mit ihrem Einverständnis ermordet.

W. Brandes, s. v. R. III., LMA 7, 1000 · C. M. Brand, A. Cutler, s. v. R. III., ODB 3, 1807.

[5] R. IV. Diogenes. Byz. Kaiser 1068–1071 n.Chr. (gestorben 1072) infolge seiner Heirat mit Eudokia, der Witwe des Kaisers → Constantinus [12] X.; R. geriet nach zwei erfolgreichen Feldzügen gegen die Seldschuken infolge der Niederlage bei Mantzikert 1071 in deren Gefangenschaft und wurde nach seiner Freilassung das Opfer byz. Hofintrigen.

W.BRANDES, s.v. R. IV., LMA 7, 1000f. · C.M. BRAND, A.CUTER, s.v. R. IV., ODB 3, 1807.   F.T.

Romanus. 364–373 n.Chr. *comes Africae*; er sollte die Stadt → Leptis Magna vor Angriffen der Austorianer schützen (Amm. 28,6,1–6). Seine Amtsführung führte zu häufigen Klagen der Bevölkerung, doch wurde R. vom mit ihm verwandten *magister officiorum* → Remigius am Hof unterstützt (Amm. 27,9,1f.). 372 wurde durch R.' Verhalten der Maure → Firmus [3] zur Usurpation getrieben. Bald darauf verlor R. sein Amt, wurde angeklagt (vgl. Zos. 4,16,3), jedoch mit Hilfe des Flavius Merobaudes [1] freigesprochen (Amm. 28,6,29–30; 29,5,2–7). Augustinus (Contra litteras Petiliani 3,25,29) zählt ihn zu den Verfolgern der Donatisten (→ Donatus [1]). PLRE 1, 768 (Nr. 3).   W.P.

Romilius. Name eines alten, schon im 5. Jh. v.Chr. erloschenen patrizischen Geschlechts, nach dem die auf dem *ager Vaticanus* (vgl. Vaticanus als Cogn. bei R. [1]) gelegene *tribus Romilia* benannt ist.
[1] R. Rocus Vaticanus, T. Der Überl. nach *cos.* 455 und *decemvir* (→ *decemviri* [1]) 451 v.Chr. (MRR 1,42; 45f.; InscrIt 13,1,24f.; 93; 362–65). Livius (3,31,3–6) und Dion. Hal. (ant. 10,44–46; 48,2–49,6; vgl. Plin. nat. 7,102) berichten, daß R. nach seinem Konsulat, in dem er einen Sieg über die Aequer errang, zu einer Geldstrafe von 10000 Assen verurteilt wurde, sind aber uneins über den Grund: Nach Livius führte R. den Erlös aus dem Beuteverkauf an das Aerarium ab, nach Dion. Hal. kommandierte R. im Kampf gegen die Aequer den → Siccius Dentatus aus Groll gegen ihn zu einem scheinbar aussichtslosen Unternehmen und wurde von diesem angeklagt. Daß R. verurteilt wurde, mag histor. sein, die Details sind annalistische Ausschmückungen. R.' späterer Vorschlag bei Dion. Hal. (ant. 10,50,3–52,4), eine Gesandtschaft nach Griechenland zum Studium der Gesetze zu schicken, soll offenkundig als Ausdruck seines Gesinnungswandels die Mitgliedschaft im *collegium* der *decemviri* erklären.   C.MÜ.

Romula. Mutter des Kaisers → Galerius [5] Maximianus. Als Verehrerin der Berggötter soll sie nach Lactantius (mort. pers. 11,1f.) die antichristl. Rel.-Politik ihres Sohnes entscheidend beeinflußt haben. Ihre Bed. in der dynastischen Selbstdarstellung des Galerius geht aus einer Anekdote über dessen Zeugung hervor (Ps.-Aur. Vict. epit. Caes. 40,17), die der Zeugung des Alexandros [4] d.Gr. nachgebildet ist (→ Olympias [1]), sowie aus der Benennung der Kaiserresidenz Romuliana (h. Gamzigrad) nach ihrem Namen. Dort sollte Galerius bestattet werden, was jedoch nicht geschah (ebd. 40,16 mit [1]).

1 D. SREJOVIČ, C. VASIČ, Emperor Galerius's Buildings in Romuliana (Gamzigrad, Eastern Serbia), in: Antiquite Tardive 2, 1994, 123–141.   B.BL.

Romulea (Ῥωμυλία). Samnitische Stadt im Gebiet der → Hirpini, auf dem Berg La Toppa (988 m) nahe beim h. Bisaccia (Prov. Avellino) lokalisiert (Steph. Byz. s.v. Ῥ.). R. wurde 296 v.Chr. im 3. Samnitischen Krieg schwer in Mitleidenschaft gezogen (Liv. 10,17,6f.; 11: *Romulea*). Unterhalb von R. befand sich die *statio Subromula* an der Via Appia (Itin. Anton. 120,3; Tab. Peut. 6,5; Geogr. Rav. 4,20: *Submurula*), 16 röm. Meilen von Aec(u)lanum und 11 Meilen von Aquilonia [2] entfernt. → Samnites, Samnium   G.U./Ü: J.W.MA.

Romulus

[1] Der legendäre Stadtgründer Roms. Wörtl. vielleicht »der Römer«. Eine mögliche Entsprechung zw. dem etr. Gentiliz *Rumelna* (Volsinii, 6. Jh. v.Chr.: ET Vs 1,35) und dem angeblichen röm. Gentilnamen → Romilius – der Name läßt sich histor. sicher nur in einer alten *tribus Romilia/-ulia* nachweisen (Paul. Fest. 331 L.) – sowie zw. R. und einem etr. Praenomen *Rumele* [1. 31f.] ergibt nichts für die Historizität der R.-Gestalt. Problematisch ist auch der Versuch [2. 491–520; 3. 95–150], die in das 8. Jh. v.Chr. datierbaren Funde auf dem röm. → Mons Palatinus mit den lit. Nachr. über R. (angeblich verschriftlichte Reflexe einer glaubwürdigen mündlichen Überl.) und dem ant. Gründungsdatum Roms zu einer Rekonstruktion der sog. romuleischen Epoche als des histor. Datums der Stadtwerdung zu verbinden.

Lit. ist R. erst seit der 2. H. des 4. Jh. v.Chr. belegt: Bei Alkimos (FGrH 840 F 12) ist ein Rhomylos Sohn des → Aineias [1] und Vater des Stadtgründers Rhomos, nach späteren Autoren (vgl. FGrH 840 F 21f. = Dion. Hal. ant. 1,72,1f.) ist er dessen Bruder neben Ascanius und Euryleon bzw. selbst der erste Gründer Roms (Dion. Hal. ant. 1,73,3a). Als Enkel des Aeneas (so noch Eratosthenes FGrH 241 F 45; Naevius und Ennius bei Serv. auct. Aen. 1,273) ist R. bei Kallias (FGrH 840 F 14) der Sohn des → Latinus [1] und der Rhome neben Rhomos und Telegonos und somit Enkel des → Telemachos und der → Kirke (vgl. Galitas FGrH 818 F 1). Hier liegt der griech. Versuch des späten 4. Jh. v.Chr. vor, eine verm. ältere mittelital.-röm. Trad. (eine mögliche Variante bei Promathion FGrH 817 F 1; [4. 57–61]) durch die Eingliederung des R. mit der Deutung der ital. Frühgesch. als die Landnahme des Aineias und dessen Nachkommen in Einklang zu bringen – die griech. Überl. nennt als Gründer Roms sonst *Rhṓmē*, *Rhṓmos* oder *Rhṓmanos*. Mit dem späten 4. Jh. v.Chr. läge somit ein *terminus ante quem* für eine röm. Figur namens R. vor.

Die märchenhaften Motive der Erzählung von R. und seinem Zwillingsbruder Remus [5] – ihre göttliche Abstammung, Aussetzung und wundersame Rettung, Jugend und Mannesalter, aber auch der gewaltsame Tod des Remus – hat griech., ital. und darüber hinausreichende Par. [6. 62 f.; 7; 8; 9], ohne daß sich dadurch ein zwingendes Indiz für das hohe Alter der Erzählung ergäbe. Als Paar sind R. und Remus für Rom zuerst 296 v. Chr. sicher belegt, als Cn. und Q. → Ogulnius bei der Ficus Ruminalis (→ Rumina), verm. beim Lupercal, eine Statue einer die Zwillinge säugenden Wölfin aufstellen lassen (Liv. 10,23,11 f.; vgl. RRC p. 137 Nr. 20: 269/266 v. Chr.). Dieser ikonographische Typ wird im Anschluß auch in Griechenland übernommen, so etwa auf Chios (SEG 16, 486) zu Beginn und in Kyzikos (Anth. Pal. 3,19 pr.) in der Mitte des 2. Jh. v. Chr. Hiervon ausgehend verortet [4. 103–128] die Entstehung des Mythos vom Zwillingspaar in der Endzeit der röm. Ständekämpfe im 4./3. Jh. v. Chr. Einzelne Elemente sind aber deutlich älter: So ist die Verbindung der Bronzestatue einer Wölfin unbekannter Herkunft aus dem 6. Jh. v. Chr. mit R. und Remus nicht unmöglich (die Hinzufügung des Zwillingspaares gehört aber in das frühe 16. Jh.), die Datierung des Mythos in das 6. Jh. v. Chr. [10; 6. 60 f.; 11. 48–50] muß allerdings hypothetisch bleiben. Ein etr. Spiegel mit einer zwei Knaben säugenden Wölfin gehört in die 2. H. des 4. Jh. v. Chr. [12]; ein auf den ersten Blick naheliegender Bezug auf R. und Remus wird bezweifelt [4. 65–71].

Lit. bildet sich die Version des Zwillingspaares erst in der 2. H. des 3. Jh. v. Chr. mit Fabius [I 35] Pictor (fr. 5a-b P. = 7 CHASSIGNET), angeblich → Diokles [7] von Peparethos (FGrH 820 F 1) folgend, sichtbar aus der Vielzahl der Var. der Stadtgründung (Doxographie: Dion. Hal. ant. 1,71–73; Plut. Romulus 1–3; Fest. 326–329 L.) heraus; in der Folgezeit kommt es zu – oft rationalisierenden oder die zeitgenössischen Verhältnisse übertragenden [13. 199–208; 14. 88–100] – Erweiterungen durch die Geschichtsschreibung, Dichtung und antiquarische Lit. [15]: → Numitor, der rechtmäßige König von → Alba Longa, wird von seinem Bruder → Amulius vertrieben, seine Tochter → Rhea Silvia/Ilia zur Vestalin gemacht. Von → Mars gebiert sie R. und Remus, die Amulius daraufhin auf dem Tiber aussetzen läßt. Da der Fluß Hochwasser führt, treiben die Zwillinge nahe der Ficus Ruminalis beim Lupercal an Land, wo eine Wölfin (*lupa*) – gemeinsam mit einem Specht (*picus*) nach Plut. Romulus 4, in einer anderen Trad. der Laurenter → Picus – sie nährt, bevor sie von → Faustulus und dessen Frau → Acca Larentia aufgenommen und erzogen werden. Nach ihrer Wiedervereinigung mit Numitor töten sie Amulius und setzen ihren Großvater erneut in seine Herrschaft über Alba Longa ein.

Für die Stadtgründung Roms holen beide Brüder die Auspizien ein: Dem R. auf dem Aventinus erscheinen 12 Geier von NO her, als positives Zeichen über den Palatinus fliegend (→ *praepes*: Enn. ann. 72–91 SKUTSCH; Liv. 1,7,1; Plut. Romulus 9,5; Suet. Aug. 95; [3. 119–121]). Auf diesem Hügel gründet er daraufhin durch das rituelle Ziehen der »ersten Furche«, des *sulcus primigenius*, die Stadt Rom. Als Remus diese Markierung überspringt, wird er von R. oder von einem seiner Anhänger

[4. 9–13] getötet. Durch den Raub der Sabinerinnen (→ Sabini) kommt es zu einem Doppelkönigtum mit dem Sabiner T. → Tatius. Nach dessen Tod herrscht R. bis zu seinem wundersamen Verschwinden allein; dieses stellen die Quellen zum einen als Ermordung, zum anderen als die von → Iulius [I 3] Proculus verkündete Apotheose des R. dar. Seine Identifikation mit → Quirinus ist erst für das 1. Jh. v. Chr. gesichert (Cic. rep. 2,20; Cic. leg. 1,3; Cic. Att. 12,45,2), möglicherweise existierten Apotheose und Identifikation mit dem Gott jedoch bereits im 3. Jh. v. Chr. [14. 101–104].

Seit der Fixierung des Mythos durch Fabius Pictor werden in der ant. Lit. mit R. und Remus Orte wie die Remuria, das Lupercal mit der Ficus Ruminalis, zwei legendäre Hütten des R. (am SW-Hang des → Mons Palatinus bzw. auf dem → Capitolium, s. → Roma III. mit Karte 1), Rituale wie die Riten der Stadtgründung (Ov. fast. 4,821–824; Fest. 310 L.) und Feste wie die → Lupercalia (C. Acilius FGrH 813 F 2), → Parentalia (C. Licinius [I 30] Macer fr. 1 P. = 2 WALT), → Lemuria, → Matronalia und → Consualia aitiologisch verbunden. Als König soll R. ein Asyl (→ Asylon) eingerichtet, den Tempel für → Iuppiter Stator gelobt (Liv. 1,12,6) und den röm. Kult für → Hercules und für Iuppiter Feretrius (Schol. Bernensia Verg. georg. 2,384) sowie die Capitolinischen Spiele (→ Kapiteleia) gegründet haben (Calpurnius Piso fr. 7 P. = 14 FORSYTHE), auch soll er für die Einrichtung der Quaestur (Iunius Gracchanus bei Ulp. dig. 1,13,1), den zwölfmonatigen Kalender und die Interkalation (C. Licinius [I 30] Macer fr. 3–4 P. = 5–6 WALT, vgl. → Kalender B.4.), die Einrichtung des → Senats, die Gründung von drei urspr. → *tribus* und 30 → *curiae* verantwortlich gewesen sein.

Der Romgründer R. erscheint in der polit. Propaganda seit dem späten 2. Jh. v. Chr. [14. 107 f.] nicht nur als Vorbild für den Anspruch einzelner, die *res publica* polit. neu zu begründen [16. 14–39; 17. 175–199], sondern auch als Paradigma des Tyrannen (Sall. hist. 1,55,5; Plut. Pompeius 25,4; Cass. Dio 43,45,3) und in der Zeit der Bürgerkriege (Hor. epod. 7,17–20) als Sinnbild des Brudermordes.

1 C. DE SIMONE, Il nome di Romolo, in: A. CARANDINI, R. CAPPELLI (Hrsg.), Roma: Romolo, Remo e la fondazione della città, 2000, 31 f. 2 A. CARANDINI, La nascita di Roma, 1997 3 Ders., Variazioni sul tema di Romolo, in: s. [1], 95–150 4 T. P. WISEMAN, Remus, 1995 5 G. BINDER, Die Aussetzung des Königskindes, 1964 6 T. J. CORNELL, The Beginnings of Rome, 1995 7 A. MEURANT, Romolo e Remo, gemelli primordiali, in: s. [1], 33–38 8 D. BRIQUEL, Perspectives comparatives sur la trad. relative à la disparition de R., in: Latomus 36, 1977, 253–282 9 Ders., Trois études sur R., in: R. BLOCH (Hrsg.), Recherches sur les religions de l'antiquité classique, 1980, 267–346 10 J. N. BREMMER, R., Remus and the Foundation of Rome, in: Ders., N. M. HORSFALL, Roman Myth and Mythography, 1987, 25–48 11 T. J. CORNELL, La leggenda della nascita di Roma, in: s. [1], 45–50 12 R. ADAM, D. BRIQUEL, Le miroir prénestin de l'antiquario communale de Rome et la légende des jumeaux divins en milieu latin à

la fin du IVᵉ siècle av. J. C., in: MEFRA 94, 1982, 33–65
13 J. POUCET, Les origines de Rome, 1985 **14** J. VON
UNGERN-STERNBERG, R.-Bilder: Die Begründung der
Republik im Mythos, in: F. GRAF (Hrsg.), Mythos in
mythenloser Gesellschaft, 1993, 88–108 **15** H. J. KRÄMER,
Die Sage von R. und Remus in der lat. Lit., in: H. FLASHAR,
K. GAISER (Hrsg.), Synusia. FS W. Schadewald, 1965,
355–402 **16** A. ALFÖLDI, Der Vater des Vaterlandes im röm.
Denken, 1971 **17** S. WEINSTOCK,
Divus Iulius, 1971.

C. J. CLASSEN, Zur Herkunft der Sage von R. und Remus,
in: Historia 12, 1963, 447–457 • T. J. CORNELL, Aeneas
and the Twins, in: PCPhS n. s. 21, 1975, 1–32 • R. WEIGEL,
s. v. Lupa Romana, LIMC 6.1, 292–296.   A. BEN.

[2] R., Augustulus genannt, wurde noch als Kind
durch seinen Vater → Orestes [4] am 31.10.475 n. Chr.
gegen → Nepos [3] zum Kaiser erhoben, aber von Konstantinopolis nicht anerkannt. → Odoacer setzte ihn
nach seinem Sieg im J. 476 kampflos ab; R. erhielt
Wohnsitz bei Neapolis [2] (h. Castel d'Ovo) und Pen-
sion zugewiesen und scheint noch unter → Theoderich
d. Gr. gelebt zu haben. Er gilt trotz des vom Osten als
Kaiser anerkannten, erst 480 gestorbenen Nepos weithin als letzter röm. Kaiser, seine für die Zeitgenossen
unspektakuläre Absetzung als Epochendatum zw. Ant.
und MA. PLRE 2, 949 f.   H. L.

[3] Flavius Pisidius R. Aus Africa, *consularis Aemiliae et
Liguriae* 385 n. Chr., 385–392 *proconsul* oder *vicarius*, 392
comes sacrarum largitionum in Konstantinopolis, *praef. urbi
Romae* 405/6 (403?). R. besaß große Güter in Africa.
Von Augustinus, der ihn als Christen bezeichnet, geta-
delt wegen Ausbeutung seiner Pächter.

PLRE 1, 771 f. (R. 5).   K. G.-A.

[4] Valerius R. Sohn des → Maxentius und der → Maximilla [1] (ILS 666), *cos. I* 308 n. Chr. (nur im Reichsteil
des Maxentius anerkannt), *cos. II* 309. R. starb 309 im
Kindesalter (als → *nobilissimus vir*), bevor er zum Caesar
ausgerufen wurde. Als *divus* (RIC VI, 381, Nr. 239–240)
wurde er im Maxentius-Mausoleum an der Via Appia
beigesetzt.   B. BL.

[5] Mit dem fiktiven Verf.-Namen R. verbindet sich die
einzige erh. lat. Prosa-Slg. aesopischer → Fabeln. Diese
98 Stücke umfassende Slg. [1] entstand in der Spätant.,
wahrscheinlich am E. des 4. Jh. oder zu Beginn des 5. Jh.
n. Chr., und ist in verschiedenen, z. T. stark divergie-
renden Rezensionen überl. Das Verhältnis der Rezensionen untereinander, die Rekonstruktion des Arche-
typs sowie die Quellenfrage sind in der wiss. Diskussion
umstritten [1; 4; 5. 404–431; 6. 61–67; 8. Bd. 2, 473–
509; 10. 105–116]. Als unbestritten kann jedoch gelten,
daß es sich bei dem größten Teil der Stücke um Prosa-
paraphrasen der Versfabeln des → Phaedrus handelt, die
der anon. Verf. entweder selbst anfertigte oder aber aus
einer hypothetischen Zwischenquelle übernahm und
bearbeitete. Dieser Grundbestand der Slg. wurde um
weitere Stoffe aus anderen Slgg., vergleichbar etwa derjenigen des Ps.-Dositheus, erweitert, und zwar wieder-

um vom Verf. selbst oder aber von seiner Vorlage [1; 4;
10. 105–109].

Sprachlich-stilistisch repräsentieren die Fabeln des
R. eine schlichte Erzählprosa ohne hochgesteckten lit.
Anspruch, wobei häufig die Diktion des Phaedrus übernommen oder aber mit dem spätant. Latein des Verf.,
das nicht frei ist von Einflüssen der vulgärlat. Gramm.,
verschmolzen wird [1. XCII–CXV; 10. 112]. Inhaltlich
versucht R. nicht selten, vermeintliche Kürzungen und
Raffungen in der Darstellung der Fabeln des Phaedrus
zu ergänzen und den Handlungsgang vollständig zu entfalten. Die Bearbeitung wurde darüber hinaus durch das
Bemühen geleitet, die bei Phaedrus aus den Stücken
gezogene und oft sozialkritisch ausgerichtete Moral ab-
zumildern und zu entschärfen sowie auf allgemeinere
Belehrung und Moralisierung abzuzielen [6. 62–66;
7; 9].

Die starke Verbreitung und Nachwirkung des R.
wird durch die große Anzahl von prosaischen und poetischen Fabel-Slgg. des MA eindrucksvoll dokumentiert, die sich mit dem Namen Aesops (→ Aisopos) schmük-
ken und fast ausschließlich R. als Quelle haben [6. 61,
67–85]. Wie → Avianus mit seinen Versfabeln die Fabeln des → Babrios indirekt an das MA weitervermittel-
te, so die Slg. des R. die Fabeln des Phaedrus. Avianus
und R. repräsentieren somit die wichtigsten Garanten
für das Weiterleben des ant. Fabelgutes im MA und sind
unverzichtbare Bindeglieder innerhalb der europäischen Fabeltradition.

→ Fabel; Phaedrus

ED., ÜBERS.: **1** G. THIELE, Der lat. Äsop des R. und die
Prosafassungen des Phädrus, 1910 (kritischer Text mit
Komm.; Ndr. 1985) **2** L. MADER, Ant. Fabeln, 1951,
335–348 (dt. Übers.) **3** J. IRMSCHER, Ant. Fabeln, 1978,
343–404 (dt. Übers.) **4** C. M. ZANDER, Phaedrus solutus vel
Phaedri fabulae novae, 1921.
LIT.: **5** M. NOJGAARD, La fable antique, Bd. 2: Les grandes
fabulistes, 1967 **6** K. GRUBMÜLLER, Meister Esopus, 1977
7 K. SPECKENBACH, Die Fabel von der Fabel, in: Frühma.
Stud. 12, 1978, 178–229 **8** F. R. ADRADOS, Historia de la
fábula greco-latina, 3 Bde., 1979–1987 **9** J. KÜPPERS, Zu
Eigenart und Rezeptionsgesch. der ant. Fabel-Dichtung, in:
E. KÖNSGEN (Hrsg.), Arbor amoena comis, 1990, 23–33
10 N. HOLZBERG, Die ant. Fabel, 1993.   J. KÜ.

Rorarii s. Velites

Rosalia (auch *Rosaria*). Das röm. Fest der Darbringung
von → Rosen für die Verstorbenen: Die R. waren eine
private *parentatio* (→ Parentalia), kein Fest der offiziellen
Rel. (sie erscheinen nur in einem späten röm. Kalender,
der sich möglicherweise auch nicht auf die traditionellen R. bezieht: Philocalus, InscrIt 13,2 p. 247, zum 23.
Mai), wurden aber bisweilen auch im Rahmen des
→ Kaiserkultes gefeiert (24.–26. Mai: IPergamon Nr.
374). Der Zusammenhang zw. den R. und dem
Schmücken von mil. Standarten mit Rosen (R. *signorum*) ist unklar; der rituelle Umgang mit den Standarten
ist inschr. [1. Nr. 1262 f.; 2. 115–120] und ikonographisch [3] belegt.

Das Datum für die R. variierte entsprechend der (jahreszeitenabhängigen) Verfügbarkeit der unterschiedlichen Arten von → Rosen. Vermutlich fand für das Fest v. a. die Sorte *Rosa damascena* Verwendung: erste Blüte im Mai und Juni; allerdings kann es im mediterranen Klima zu einer zweiten Blüte im Verlauf des Sommers kommen (Plin. nat. 21,20); entsprechend sind R. auch für den Juli belegt (ILS 7235). Rosen wurden mit gewächshausähnlichen Methoden gezüchtet (Mart. 4,22,5f.; 8,14; Plin. nat. 21,20f.), auch aus den Prov. importiert (Krinagoras Anth. Pal. 6,345; Flor. 1,24; Mart. 6,80,9f.); schwunghafter Handel mit Rosen ist u. a. in Paestum (Verg. georg. 4,119; Auson. de rosis nascentibus 11f.) oder Pompeii belegt, die dann auch für die R. benutzt wurden [4. 203–206]. Daß Rosen für kultische Zwecke zu allen Jahreszeiten verfügbar waren, geht aus den lit. (Prop. 1,17,21f.) und inschr. Quellen (IGR 3,1444,3f.) hervor.

Der früheste Beleg für die R. stammt aus domitianischer Zeit (ILS 3546) E. 1. Jh. n. Chr. Schon im 2. Jh. v. Chr. sind Rosen als kultische Gaben belegt (ILLRP 99), seit dem 2. Jh. n. Chr. die R. dann häufig dokumentiert. Obwohl das frühe Christentum Rosen als Opfergaben gegenüber eine ambivalente Position einnahm (Clem. Alex. Paedagogus 2,8,78; Greg. Tur. Liber in gloria confessorum 40), fanden sie auch im Zusammenhang der christl. Martyrien (Passio Perpetuae 11,2; 13,2) und der Ehren für die Toten (Aug. epist. 158,1–3) Verwendung. Rosen sind auf christl. Grabsteinen (ILCV 296) und Wanddekorationen abgebildet [5. 76–80]. Der Kaiser Constantinus [1] soll dem röm. Bischof Marcus gar einen Rosengarten (*fundus rosarius*) zum Geschenk gemacht haben (Liber Pontificalis 35 p. 73 MOMMSEN). Eine Verbindung zw. den R. und dem Ritus des Darbringens von Rosen an Gedenktagen (*rhodismós*) in der orthodoxen Christenheit wird seit [6. 379f.] postuliert; doch die Hauptquellen stützen eine solche Verbindung nicht [7. 242].

→ Rose

1 R. G. COLLINGWOOD (ed.), The Roman Inscriptions of Britain, 1965 2 R. O. FINK u. a. (ed.), The Feriale Duranum in: YClS 7, 1941, 1–222 3 I. RICHMOND, Roman Legionaries at Corbridge, Their Supply-Base, Temples and Religious Cults in: Archaeologiana Aeliana 4.21, 1943, 162–165 4 DUNCAN-JONES, Economy 5 J. TOYNBEE, J. WARD-PERKINS, The Shrine of St. Peter and the Vatican Excavations, 1956 6 W. TOMASCHEK, Über Brumalia und R., in: SB Akad. Wiss. Wien, Phil.-Histor. Kl, 60, 1868, 351–404 7 H. DELEHAYE (ed.), Acta Sanctorum, Bd. 64,2.

M. P. NILSSON, s. v. R., RE I A 1, 1111–1115. C. R. P.

Roscius. Ital. Gentilname mit vielen Trägern in Ameria (CIL XI 4507–4516) und Lanuvium (CIL XIV 3225–3227). JÖ. F.

I. REPUBLIKANISCHE ZEIT

[I 1] R., L. Röm. Gesandter, 438 v. Chr. mit seinen drei Kollegen von den Fidenaten (→ Fidenae) getötet und deswegen mit Statuen auf der Rostra geehrt (Cic. Phil. 9,4; Liv. 4,17,2–6). K.-L. E.

[I 2] R., Sex. Aus Ameria, Sohn eines gleichnamigen Grundbesitzers, Klient der Cornelii Scipiones und Caecilii Metelli. 81 v. Chr. wurde der ältere R. ermordet, was L. Cornelius [I 90] Sullas Freigelassener → Chrysogonus nutzte, um den Familienbesitz für eine nominelle Summe an sich zu bringen, indem er den Toten auf die Proskriptionslisten setzen ließ (Cic. S. Rosc. 6; 32). Als der jüngere R. mit Hilfe von Caecilia [8] Metella das Erbe zu retten versuchte (ebd. 27; 147–49), schickte Chrysogonus einen Ankläger Erucius vor, der R. im J. 80 wegen Vatermordes und Unterschlagung konfiszierter Güter vor Gericht zog (ebd. 144; 148). Zwei Verwandte des R., T. R. Capito und T. R. Magnus, wurden für den Profiteur gewonnen, indem Capito drei Güter geschenkt bekam (er behinderte seitdem aktiv Sex. R.' Bemühungen: Cic. S. Rosc. 17; 26; 96) und Magnus Chrysogonus' Gutsverwalter wurde (er war Nebenkläger gegen Sex. R.: 17; 23f.). Um den Preis eines Erbverzichts erkaufte R. die Hilfe der Metelli, denen als Nutznießern Sullas daran gelegen war, die Ergebnisse der → Proskriptionen in jedem Punkt zu sichern. Sie schickten den noch unbekannten → Cicero als Anwalt vor, der Capito und Magnus des Mordes, Chrysogonus der Anstiftung beschuldigte, den Prozeß für R. entschied und dies später zum Akt des Widerstandes gegen den Dictator Sulla verklärte (Cic. orat. 107f.; Brut. 312). Sullas Person und Interessen blieben tatsächlich vom R.-Prozeß, Ciceros Debüt vor Gericht, unberührt.

T. E. KINSEY, Cicero's Case against Magnus, Capito and Chrysogonus in the Pro Sex. Roscio Amerino and Its Use for the Historian, in: AC 49, 1980, 173–190.

[I 3] R. Fabatus, L. Aus Lanuvium, Münzmeister 64 v. Chr. (RRC 412). Als Volkstribun 55 war R. an der *lex Mamilia Roscia Peducaea Alliena Fabia* beteiligt, einer Fortschreibung von Caesars zweitem Ackergesetz (vgl. hierzu → Caesar I. B.)(MRR 2,220, Anm. 2); 54 diente er Caesar als Legat in Gallien (Caes. Gall. 5,24,2; 5,24,7; 5,53,6f.). Im Kriegsjahr 49 war R. Praetor; er überbrachte Caesar (inoffiziell? So [1]) im Januar ein Ausgleichsangebot des Pompeius [I 3] (Caes. civ. 1,3,6; 1,8,4; Cic. Att. 8,12,2) und kehrte mit Gegenvorschlägen zurück, die Pompeius, vom Senat beargwöhnt, nur modifiziert annehmen wollte. Caesar verwarf darauf die ganze Aktion (Plut. Pompeius 59,4). Nach dem Fall Roms an Caesar muß R. eine *lex Roscia* eingebracht haben, die den Transpadanern, wie von Caesar versprochen, das Bürgerrecht verlieh (CIL I² 600 = FIRA I 20).

1 D. R. SHACKLETON BAILEY, The Credentials of L. Caesar and L. Roscius, in: JRS 50, 1960, 80–83. JÖ. F.

[I 4] R. Gallus, Q. Röm. Komödienschauspieler (→ *histrio*) des 2./1. Jh. v. Chr. aus → Lanuvium. Als Freigeborener war er nicht der Ehrlosigkeit des Berufsstandes ausgesetzt; hochberühmt zu Lebzeiten, blieb er unvergessen bis ans E. der Ant. und darüber hinaus (vgl.

Shakespeare, Hamlet 2,2,386). Sulla erhob ihn in den Ritterstand (Macr. Sat. 3,14; 13); danach trat R., der zu ungeheurem Reichtum gelangt war, nur noch unentgeltlich auf. Cicero pries seinen integren Charakter und seine vollendete Kunst und verteidigte ihn in einem Privatprozeß; die Rede ist in Fr. erh., ihr Datum unsicher [1]. Das Publikum vergötterte R.; schon dem Säugling habe ein Schlangen-Prodigium Großes prophezeit; dies wurde als Silberrelief und im Gedicht verewigt (Cic. div. 1,79). R. spielte den Ballio aus Plaut. Pseud. (Cic. Q. Rosc. 20) und trat auch in Trag. auf (Cic. de orat. 3,102). Ihm wird die Einführung der → Maske zugeschrieben ([2; 3], vgl.→ Cincius [4]). R. war ein exzellenter Lehrmeister (Cic. Q. Rosc. 29f.) und schrieb eine Abh. über das Verhältnis von Schauspiel- und Redekunst.

1 W. STROH, Taxis und Taktik, 1975, 104–159
2 C. SAUNDERS, The Introduction of Masks on the Roman Stage, in: AJPh 32, 1911, 58–73   3 W. BEARE, The Roman Stage, 1964, App. I.

F. VON DER MÜHLL, s. v. R. (16), RE I A, 1123–1125 ·
H. LEPPIN, Histrionen, 1992, 241–244.   H.-D. B.

[I 5] R. Otho, L. Aus Lanuvium, widersetzte sich als Volkstribun 67 v. Chr. (und Parteigänger von M. Licinius [I 11] Crassus?) den Plänen von Cn. Pompeius [I 3] (Plut. Pompeius 25,6; Cass. Dio 36,24,4; 30,3). Seine *lex Roscia* legte den *census* der Ritter auf 400000 Sesterzen fest und reservierte ihnen die ersten 14 Reihen im Theater (MRR 2,145). Dort gab es 63 wütende Proteste der Plebs gegen einen R., der wohl *praetor urbanus* war [1] (Plut. Cicero 13,2f.) und verm. mit Otho, dem Erben von P. Quinctius Scapula (Cic. Att. 12,37,2; 15,29,2) gleichzusetzen ist.

1 F. X. RYAN, The Praetorship of L. R. Otho, in: Hermes 123, 1997, 235–240.   JÖ. F.

II. KAISERZEIT

[II 1] L. R. Aelianus Maecius Celer. Senator, dessen Laufbahn aus CIL XIV 3612 = ILS 1025 = InscrIt IV 1,129 bekannt ist. Als Militärtribun der *legio IX Hispana* war er wohl am Chattenkrieg des J. 83 n. Chr. beteiligt, wobei er → *dona militaria* erhielt; danach *decemvir stlitibus iudicandis, quaestor* Domitians, *tr. pl., praetor,* im J. 100 *cos. suff.* Daß in der Inschr. keine praetorischen Ämter genannt werden, ist höchst auffällig. Dies muß jedoch nicht heißen, daß er überhaupt keine erhalten hatte. Er war verm. eng mit Traian verbunden. *Proco.* von Africa 116/7 oder 117/8. PIR² R 89.

[II 2] L. R. Aelia[nus Paculus?]. *Cos. suff.* mit Cn. Papirius Aelianus zw. 156 und 159 n. Chr.; Vater von R. [I 3].

M. M. ROXAN, P. WEISS, Die Auxiliartruppen der Prov. Thracia, in: Chiron 28, 1998, 371–420, bes. 409–414 ·
PIR² R 90.

[II 3] L. R. Aelianus Paculus. Sohn von R. [II 2]; Patrizier, *salius Palatinus, cos. ord.* 187 n. Chr; wohl Vater von R. [II 4]. PIR² R 91.

[II 4] L. R. Aelianus Paculus Salvius Iulianus. Wohl Sohn von R. [II 3]; *cos. ord.* 223 n. Chr. Er hatte Grundbesitz auf Sizilien; möglicherweise stammte die Familie von dort.

W. ECK, Senatorische Familien der Kaiserzeit in Sizilien, in: ZPE 113, 1996, 109–128 · PIR² R 92.

[II 5] L. R. [Mae]cius Celer M[anlianus?] Postumus Mam[ilianus] Vergilius Staberia[nus]. Senator der hadrianischen Zeit; *quaestor Augusti, [tr. pl.], praetor,* Legat der *legio XIV Gemina.* Vielleicht praetorischer Statthalter von Lusitania; *cos. suff.* mit Papirius Aelianus gegen E. der Regierung Hadrians. Wohl Sohn von R. [II 1] und Vater von R. [II 2]. PIR² R 93.

[II 6] M. R. Coelius. Senator; Legat der *legio XX Valeria Victrix* in Britannien, mit dessen Statthalter Trebellius Maximus er im J. 68 n. Chr. in harte Auseinandersetzungen geriet. Nach dessen Flucht zu → Vitellius leitete R. zusammen mit den anderen Legionslegaten die Prov. Zumindest nachträglich dürfte er sein Verhalten als Parteinahme für Vespasian stilisiert haben. Schließlich *cos. suff.* 81. PIR² R 81.

[II 7] M. R. Lupus Murena. Senatorensohn, der als *quaestor pro praetore* von Creta-Cyrenae von der Großmutter seiner Frau in Gortyn mit einer Statue geehrt wurde (ILS 8834a). Für die Herkunft der Familie besagt diese Ehrung nichts. PIR² 95.   W. E.

Rose (griech. τὸ ῥόδον/*rhódon,* lat. *rosa*). Die durch ihre Blüte berühmte und nach HEHN [1. 253f.] aus Medien eingeführte Pflanze erwähnt als erster der homerische Hymnus auf Demeter (Hom. h. 2,6) und – mit ihrer purpurroten Farbe – Pind. I. 3/4,36b. Nach Hdt. 8,138 (vgl. Nik. bei Athen. 15,683a-b) wuchsen die berühmten 60blütenblättrigen duftenden Rosen in den sog. »Gärten des Midas« in Makedonien zur Zeit des Königs Perdikkas [1]. Theophrast (h. plant. 6,6,4) kennt eine gefüllte, angeblich 100blütenblättrige R. (vgl. Rosa centifolia) aus der dortigen Gegend von Philippoi. Die Insel → Rhodos war die Roseninsel der Ant. Bei den Römern waren die Rosengärten (*rosaria*) von Paestum (→ Poseidonia) sehr geschätzt (Verg. georg. 4,119; Prop. 4,5,61; Ov. met. 15,708); ihre in Stadtnähe lohnende Anlage empfiehlt bereits Varro rust. 1,16,3. In der röm. Kaiserzeit wurden R. im Winter zum Luxussymbol (Sen. epist. 122,8; Macr. Sat. 7,5,32), weshalb man sie entweder aus Äg. importierte (Mart. 6,80,1f.) oder sogar in Rom unter Glas wachsen ließ (Mart. 4,22,5–6). Bei einem Gastmahl eines Freundes von Kaiser Nero wurden allein für den R.-Schmuck 4 Mio Sesterzen aufgewendet (Suet. Nero 27,3; [2. 2,291 und 348]).

In der Medizin finden wir bei Dioskurides nicht nur den Saft und die in Wein gekochten getrockneten Blätter der als adstringierend und kühlend eingeschätzten Pflanze (1,90,1–2 WELLMANN = 1,130 BERENDES), die man u. a. gegen Augen- und Ohrenschmerzen auflegte, sondern auch die Herstellung des (schon von Hom. Il. 23,186 erwähnten) R.-Öls (1,43 WELLMANN = 1,53 BERENDES) und von R.-Pastillen (1,99,3 WELLMANN = 1,131 BERENDES) gegen Schweißgeruch. Plin. nat. 21,121–125 stimmt vielfach mit Dioskurides überein.

In der griech. Dichtung begegnen viele mit dem Stamm R.- zusammengesetzte schmückende Beiworte wie die »rosenfingrige Morgenröte« (ῥοδοδάκτυλος Ἠώς/ rhododáktylos Ēṓs) bei Hom. Od. 2,1 u.ö. und Hes. erg. 610. Nach Hdt. 1,195 schmückten die Babylonier ihre Gehstöcke u. a. mit einer geschnitzten R. Die R.-Blüten wurden in der griech. Kunst zu Rosetten stilisiert. Die R. ist u. a. der → Aphrodite und dem → Dionysos geweiht. Zur R. im röm. Kult und im Christentum vgl. → Rosalia.
→ Garten

    1 V. HEHN (ed. O. SCHRADER), Kulturpflanzen und Haustiere, ⁸1911 (Ndr. 1963), 251–257 2 FRIEDLÄNDER.
                                                            C.HÜ.

Rosea rura. Ebene im Gebiet der Sabini bei → Reate (auch *Rosea*, Varro rust. 2,7,6; 3,2,9; 3,17,6; *Rosia*, ebd. 3,2,10; *ager Rosulanus*, Serv. Aen. 7,712); hier befanden sich die fruchtbarsten Böden von ganz It. (Varro rust. 1,7,10). Fest. 355,3 leitet den Begriff von *arva rore humida* (»vom Tau feuchtes Land«) ab. Das Gebiet wurde 272 v.Chr. unter dem Censor M'. Curius [4] Dentatus durch die Anlage eines Kanals zw. dem → Lacus Velinus und dem → Nar trockengelegt und landwirtschaftlich nutzbar gemacht (Cic. Att. 4,15,5). Die R.r. wurden zur Aufzucht von Pferden genutzt, die man im Sommer zum Wechsel der Weideplätze in die hohen Montes Burbures schickte (Varro rust. 2,1,17); das sind die h. Monti Reatini, wo sich beim Monte Terminillo der mit den R.r. zu identifizierende Piano delle Rosce befindet.

    N. HORSFALL, s. v. R.r., EV 4, 581.   G.U./Ü: J.W.MA.

Rosetta-Stein s. Stein von Rosette

Rosmarin (lat. *ros marinus* oder *rosmarinum*, entstanden aus ῥὼψ μύριος/*rhōps mýrios*; ῥουσμαρῖνος/*rhusmarínos*; auch λιβανωτίς/*libanōtís*, Dioskurides 3,75 WELLMANN = 3,(89) BERENDES, lat. *libanotis*, z.B. Plin. nat. 19,187), eine bei Griechen und Römern beliebte bläulich blühende, immergrüne Labiate (Rosmarinus officinalis). Sie wächst in der Macchie und war mit Wurzel, Saft, Blättern und Samen ein wichtiges Arzneimittel. Bes. für Leichenfeiern wurden auch Kränze daraus gewunden (vgl. Dioskurides l.c.). Der weihrauchähnliche Duft von Harz und Wurzel empfahl diese, ein Geschenk Aphrodites an die Menschen [1. 89 und Abb. 157], als billige Surrogate beim Räuchern. Theophr. h. plant. 9,11,10 rät, die Wurzel der fruchttragenden (κάρπιμος/*kárpimos*) Art der λιβανωτίς/*libanōtís* gegen Geschwüre und, in trockenem dunklem Wein, gegen Frauenkrankheiten anzuwenden; deren Samen nennt Plin. nat. 24,99 und 101 *cachry(s)* (= κάχρυ/*káchry*, Dioskurides 3,74,1 WELL-

MANN = 3,79 BERENDES). Die Frucht helfe bei Harnzwang, gegen Schmerzen an Ohren und Augen und zur Anregung der Muttermilch. Die Wurzel der fruchtlosen (ἄκαρπος/*ákarpos*) Art (Theophr. h. plant. 9,11,11) wirke purgierend und schütze, zw. Kleidungsstücke gelegt, vor Motten.

    1 H.BAUMANN, Die griech. Pflanzenwelt, 1982.

    F. ORTH, s. v. R., RE I A, 1128 f.   C.HÜ.

Rosmerta. Keltische Göttin, Partnerin des keltischen → Mercurius und durch → *interpretatio Romana* mit → Maia identifiziert. Einzelweihungen für R. sind nicht gesichert. Die wenigen inschr. benannten Darstellungen des Götterpaares zeigen eine klass. gewandete Göttin mit dem von Mercurius entlehnten Geldbeutel (CIL XIII 11696) sowie Füllhorn und → *patera*. Diese Attribute finden sich auch bei Maia und → Fortuna als Partnerinnen des Mercurius; daher ist ohne inschriftliche Nennung die dargestellte Kultgenossin kaum zu identifizieren. Hinweise bietet hier lediglich das durch epigraphische Belege definierte kelt.-german. Kerngebiet der Mercurius/R.-Votive zw. Mosel und Rhein bis zur oberen Maas. Die ikonographischen Attribute deuten auf das fürsorgende Wesen der Göttin hin.

    G. BAUCHHENSS, s. v. R., LIMC 7.1, 644–648 · C. BEMONT, R., in: Études celtiques 9, 1960, 29–43 · Ders., À propos d'un nouveau monument de R., in: Gallia 27, 1969, 23–44 · Ders., À propos des couples mixtes gallo-romains, in: BCH Suppl. 14, 1986, 131–152 · W. BOPPERT, Skulpturenfragmente aus einem Merkur- und R./Maia-Heiligtum in Rheinhessen, in: Arch. Korrespondenzblatt 20, 1990, 333–344 · J. HUPE, Studien zum Gott Merkur im röm. Gallien und Germanien, in: TZ 60, 1997, 53–127, hier 93–99.   M.E.

Rossano di Vaglio. Das lukanische Heiligtum der oskischen Göttin → Mefitis Utiana in den Bergen oberhalb von Vaglio Basilicata wird seit 1969 systematisch ausgegraben. Mehrere Gebäude aus Sand- und Kalksteinquadern, die zwei Phasen angehören, gruppieren sich um einen 27 × 21 m großen gepflasterten Hof. Das Zentrum bildet der langgestreckte Altar entlang der Südseite. Eine große Votivgrube mit oskisch-lukanischen Inschr. (in griech. Alphabet), Wagenrädern, Marmorstatuen, Terrakotten, Thymiateria, Bronzefibeln und Münzen zeigt Kultkontinuität von der 2. H. des 4. Jh. v. Chr. bis ins frühe 1. Jh. n. Chr. Das in der Nähe der schon im 3. Jh. v. Chr. verlassenen Siedlung Serra di Vaglio gelegene Heiligtum war möglicherweise das Bundesheiligtum eines lukanischen Stammes, vielleicht der Utiani.

    D. ADAMESTEANU, H. DILTHEY, Macchia di Rossano. Il santuario della Mefitis. Rapporto preliminare, 1992 · Ders., s. v. Rossano, EAA 2. Suppl., 1971–1994, Bd. 5, 1997, 35–36 · M. LEJAUNE, Méfitis d'après les dédicaces lucaniennes de R.d.V., 1990.   M.M.

Rostam s. Rustam

Rostra s. Rednerbühne

Rostrata. Villa in der Nähe von → Capena im Gebiet der → Falisci, diente als *statio* an der Via Flaminia zw. Rom und → Ocriculum, 24 röm. Meilen von Rom entfernt (Itin. Anton. 124).   G. U./Ü: J. W. MA.

Rotes Meer s. Erythra thalatta

Rotfigurige Vasenmalerei. Die rf. V. wurde um 530 v. Chr. in Athen erfunden, höchstwahrscheinlich vom Andokidesmaler (→ Andokides [2]), und war dort bis E. des 4. Jh. v. Chr. in Gebrauch. Die Maltechnik bedingte, daß zuerst die Umrißlinien der Figuren auf den orangeroten attischen Ton gezeichnet wurden und dann der Hintergrund mit schwarzem Glanzton abgedeckt wurde. Für die wichtigeren Konturen wurden Relieflinien verwendet, verdünnter Glanzton für die weniger wichtigen Linien von Konturen und Binnenzeichnung, Rot und Weiß wurden sparsam für andere Details eingesetzt.

Während des 5. Jh. v. Chr. war die att. rf. Keramik die wichtigste Feinkeramik des Mittelmeergebiets, der viele andere Werkstätten und »Schulen« ihre Entstehung verdanken. Am wichtigsten sind die fünf unteritalischen »Schulen« der → Apulischen, → Kampanischen, → Lukanischen, → Paestanischen und → Sizilischen Vasen (→ Unteritalische Vasenmalerei). Auch in anderen Gebieten Griechenlands entstand rf. V.: vornehmlich in Boiotien, der Chalkidike, Elis, Eretria, Korinth und Lakonien. Die etr. und speziell die faliskische V. wurde ebenfalls erkennbar von der att. beeinflußt.

Die ersten att. rf. Vasenmaler zw. 530–520 v. Chr., der Andokidesmaler und → Psiax, arbeiteten häufig auf → bilinguen Vasen. Ihre Figuren sind oft steif, nur mit einem Minimum an Überschneidungen dargestellt und weisen noch deutliche Spuren der sf. Technik auf, z. B. Ritzlinien und die Verwendung von zusätzlichem Rot (*added red*), um größere Flächen zu kolorieren.

Die nachfolgende Gruppe der »Pioniere« (520–500 v. Chr.) mit ihren Hauptvertretern → Euphronios [2], → Euthymides und → Phintias [2] schöpfte erstmals die Möglichkeiten der neuen Technik voll aus. Sie erprobten in ihren Zeichnungen neue Körperhaltungen mit Rücken- und Frontalansichten und experimentierten mit perspektivischen Verkürzungen. Es erscheinen neue Sujets, die Komposition ist oft von lebhafter Bewegtheit. Bevorzugte Gefäßformen waren großformatige Kratere und Amphoren (→ Gefäße A7, C1–3). Auch führten die »Pioniere« neue Gefäßformen wie → Psykter und Pelike (→ Gefäße C8, A8) ein, weil viele von ihnen Töpfer und Vasenmaler zugleich waren. Inschr. waren auf ihren Vasen üblich, sowohl als Signatur wie als freundschaftliche Herausforderung (→ Euthymides). Zeitgleich arbeiteten einige bedeutende Schalenmaler wie → Oltos und → Eptiktetos [1], die viele bilingue Vasen verzierten und ihre Figuren kunstvoll dem inneren Schalenrund einzufügen wußten.

Die nachfolgende Generation (500–470 v. Chr.) – herausragend sind als Gefäßmaler der → Berliner-Maler und der Kleophrades-Maler sowie als Schalenmaler → Onesimos [2], → Duris [2], → Makron und auch der → Brygos-Maler – führte die rf. V. auf ihre höchste künstlerische Stufe; auch verdoppelte sich die Produktion. Perspektivische Verkürzung (→ Perspektive) war jetzt durchweg erfolgreich, so daß die Figuren bei ihren vielfältigen Handlungen natürlicher erschienen. Das → Ornament wurde weniger benutzt und oft wurde die Anzahl der Figuren im Bild sowie die Angabe der anatomischen Details verringert. Viele neue Sujets erschienen, am bemerkenswertesten sind die mit dem Heros → Theseus verbundenen Darstellungen. Die Spezialisierung in Gefäß- und Schalenmalerei nahm zu, und neue Gefäßformen wurden von den Vasenmalern bereitwillig aufgegriffen, z. B. nolanische Amphoren, Lekythen, Schalen vom Typus B, Askoi und Dinoi (→ Gefäße A5, E3, D3, E13 und C9).

Der früh- und hochklass. Zeitabschnitt (480–425 v. Chr.) erlebte die Fortführung einiger älterer Werkstätten, am bemerkenswertesten diejenige des Berliner-Malers, unter dessen Nachfolgern man u. a. → Hermonax [1], den → Providence-Maler und den → Achilleus-Maler findet. Dessen Schüler war wiederum der → Phiale-Maler. Es entwickelten sich einige wichtige neue Werkstatt-Traditionen, allen voran die der → Manieristen, deren bedeutendstes Mitglied der → Pan-Maler war, und die des → Niobiden-Malers, zu dessen Schülern → Polygnotos [2], der → Kleophon-Maler und der → Dinos-Maler gehören. Schalen waren nicht so beliebt wie zuvor, auch wenn die Werkstatt des → Penthesilea-Malers weiterhin eine große Zahl von Schalen produzierte.

Frühklass. Figuren waren meist untersetzter als frühere und zeigten weniger Bewegung. Sie lassen häufig eine gewisse Ernsthaftigkeit, ja Pathos erkennen, und der Faltenwurf ihrer Gewänder ist weniger linear, dafür stärker plastisch. Im Szenischen wurde jetzt oft der Moment vor der entscheidenden Handlung gezeigt. Tragödie und Wandmalerei begannen, ihren Einfluß geltend zu machen. Auf die hochklass. Vasenmaler wirkten die Skulpturen des → Parthenon ein, vornehmlich in der Art der Gewandwiedergabe mit dem natürlichen Fall des Stoffes und mit einer Bereicherung der Faltenwiedergabe, die Tiefe anzeigen. Bildkompositionen wurden einfacher, in den Mittelpunkt rückten Symmetrie, Harmonie und Ausgleich. Die Figuren wurden schlanker, mit einem Ausdruck göttergleicher Ruhe.

Die rf. V. des späten 5. Jh., deren einflußreichster Vertreter der → Meidias-Maler war, spiegelt oft den »Reichen Stil« der Skulptur. Charakteristika sind wirbelnde, durchscheinende Gewandung mit einer Fülle von Falten, Schmuck und andere Objekte, die im Relief wiedergegeben und mit Gold oder Weiß koloriert sind, schließlich eine Stimmung der »Verweichlichung«, in der männliche Körper ihre Definition durch Muskelzeichnung verlieren. Bevorzugte Sujets waren Frauen, häusliches Leben und die Welten von Aphrodite und Dionysos. Die besten sind die Arbeiten auf kleinformatigen Gefäßen wie Bauchlekythen, Pyxiden und Oinochoen (→ Gefäße E4, E11, und B4–7). Sie waren in dieser Zeit ebenso beliebt wie auch die Lekanis, der Glockenkrater und die Hydria (→ Gefäße E12, C4 und B11–12). In der Bildkomposition wurde die Darstellung mehrerer Ebenen üblich. Man hat oft vermutet, daß die Flucht vor den Schrecken des → Peloponnesischen Krieges den Anstoß zu diesem Wandel gab. Andere Maler führten jedoch die traditionelle Stilhaltung weiter, einige, wie z.B. der → Eretria-Maler, verbanden Elemente des Alten wie des Neuen.

Die beiden Strömungen setzten sich zu Beginn des 4. Jh. fort. Der »Reiche Stil« wird am besten durch das Werk des → Meleager-Malers verkörpert, der »Schlichte Stil« durch den letzten bedeutenden rf. Schalenmaler, den Jena-Maler. Die Stilhaltung der anschließenden → Kertscher Vasen (370–330 v. Chr.) verbindet beide Tendenzen, auch wenn sie stärker zum »Reichen Stil« hinneigt. Der → Marsyas-Maler ist ihr wichtigster Vertreter. Überladene Kompositionen mit großen, statuenhaften Figuren sind typisch. Andere Farben, z.B. Blau und Grün, kommen hinzu, und verdünnter Glanzton in verlaufendem Auftrag wird benutzt, um Volumen und Schatten anzugeben. Ganze Figuren sind gelegentlich durch applizierten Ton in Relief wiedergegeben. Die Zahl der Gefäßformen ging zurück; üblich blieben Peliken, Kelchkratere, Bauchlekythen, Skyphoi, Hydrien und Oinochoen. Bilder des Frauenlebens werden das verbreitetste Sujet, Herodos der beliebteste Heros; Dionysos und Ariadne blieben die bevorzugten Gottheiten.

BEAZLEY, ARV² · BEAZLEY, Paralipomena · BEAZLEY, Addenda² · J. BOARDMAN, Athenian Red Figure Vases: The Archaic Period, 1975 (dt. 1981) · Ders., Athenian Red Figure Vases: The Classical Period, 1989 (dt. 1991) · G. M. A. RICHTER, Attic Red-Figured Vases, 1946 · M. ROBERTSON, The Art of Vase-Painting in Classical Athens, 1992.   J.O.

Rothari. Der Arianer (→ Arianismus) harudischer Abstammung war Herzog von → Brixia, als er 636 n. Chr. die Nachfolge Arioalds als König der → Langobardi antrat. Unter seiner Herrschaft wurde die ligurische Küste von Luna [3] bis zur fränkischen Grenze sowie → Opitergium in Venetien erobert. Ein Feldzug gegen das → Exarchat Ravenna (E. 643) kam nach einer Schlacht am Fluß Scultenna zum Stehen (Paulus Diaconus, Historia Langobardorum 4,42; 45; 47). Am 22.11.643 erließ R. den *Edictus R.*, eine Slg. der langobardischen Rechtsgewohnheiten. R. starb 652. PLRE, 3B, 1096.

P. DELOGU, s. v. R., LMA 7, 1049 f. · G. VISMARA, s. v. Edictus R., LMA 3, 1574 f.   M. SCH.

Rubellia Bassa. Tochter wohl von Rubellius [3] Blandus oder einem seiner Söhne; verheiratet mit einem Senator Octavius [II 4] Laenas; Großmutter des Sergius Octavius [II 6] Laenas Pontianus, *cos. ord.* 131 n. Chr.   W.E.

Rubellius

[1] (R.) Blandus s. Blandus

[2] C. R. Blandus. Proconsul von Creta und Cyrenae; wohl Sohn von R. [1]. PIR² R 109.

[3] C. R. Blandus. Wohl Sohn von R. [2]; Quaestor von Augustus, Volkstribun, Praetor; *cos. suff.* 18 n. Chr. Im J. 20 stellte er im Senat den Antrag, Aemilia [4] Lepida zu verbannen. Verm. ist er der Proconsul von Africa, der für das J. 35/6 bezeugt ist. Durch seine Heirat mit Iulia [8], der Tochter des jüngeren Drusus, trat er zu Tiberius und zur *domus Augusta* in verwandtschaftliche Beziehung, was Tacitus (ann. 6,27,1) sarkastisch kommentiert. Vater von R. [5]. PIR² R 111.

[4] L. R. Geminus. *Cos. ord.* 29 n. Chr. zusammen mit C. Fufius [II 2] Geminus; deshalb konnte die Jahresbezeichnung auch *duobus Geminis cos.* lauten (z. B. CIL VI 2489 = ILS 2028). Wohl Bruder von R. [3]. PIR² R 113.

[5] R. Plautus. Sohn von R. [3] und Iulia [8], der Tochter des jüngeren Drusus; er war damit Mitglied der weitgespannten iulisch-claudischen Familie, mit allen damit verbundenen Chancen und Risiken. Angeblich soll Agrippina [3] d. J. ihn bereits im J. 55 n. Chr. zu einem Aufstand gegen → Nero verleitet haben; doch wurde diese Anschuldigung damals noch niedergeschlagen. Im J. 60 wurde er von Nero wegen seines Ansehens in der Öffentlichkeit nach Asien »verbannt«; schon 62 ließ der Kaiser ihn dort ermorden, sein Vermögen, u. a. der *saltus Blandianus* in Africa, wurde eingezogen. R. war philos. interessiert; Barea Soranus war sein *amicus*, Musonius [1] Rufus mit ihm verbunden. Von Tacitus (ann. 14,22,1) wird er als integre Persönlichkeit geschildert. PIR² R 115.   W.E.

Rubi. *Statio* der Via Minucia, nachmals Traiana, in Apulia (Hor. sat. 1,5,94; Plin. nat. 3,105: *Rubustini*; Itin. Anton. 116,4; Itin. Burdig. 610,1: *civitas Rubos*; Tab. Peut. 6,4; Geogr. Rav. 282,11), h. Ruvo di Puglia. Im 3. Jh. v. Chr. eigene Münzprägung (Silber- und Br.-Mz. HN 48: Ρυψ, Ρυβα, Ρυβαστεινων). Neben griech. und messapischen [1] zahlreiche lat. Inschr., welche die Organisation der *civitas* des 1. Jh. v. Chr. erkennen lassen [2]; in der röm. Kaiserzeit war R. *municipium* (vgl. CIL IX 312). Bisher keine systematischen Grabungen; Zufallsfunde und Raubgrabungen im Bereich der Nekropole am Fuße der ma. und mod. Stadt ergaben Waffen, Goldschmiedeerzeugnisse, Mz. [3. 45; 8; 9; 10. 473] und v. a. Keramik, so Importvasen geom. Zeit aus Korinthos, Vasen des 6. bis 4. Jh. v. Chr. aus Attika und Taras; die qualitätvolle einheimische Keramik läßt erkennen, daß R. ein Zentrum der apulischen Keramikproduktion war. Sie verweist zumindest bis in die 2. H. des 6. Jh. v. Chr. R. in den kulturellen Kontext der Daunii ([4. 3, 12–16; 5]; → Daunische Vasen). Die noch nicht lokalisierte archa. Siedlung befand sich urspr. wohl im SO der h. Stadt (im 5. Jh. v. Chr. auf die leichter zu verteidigende Anhöhe verlegt [6; 7]).

1 R. ARENA, in: Atti del 11. Convegno di Studi Sulla Magna Grecia (1971), Bd. 1, 1974, 213–218 2 G. M. FORNI, Epigrafe di età repubblicana da Ruvo (Bari), in: Rivista

Storica dell'Antichità 2, 1972, 245–256 **3** A. Stazio, Per una storia della monetazione dell'antica Puglia, in: Archivio Storico Pugliese 25, 1972, 39–47 **4** E. M. de Juliis, Centri di produzione e aree di diffusione commerciale della ceramica daunia di sile geometrico, in: Archivio Storico Pugliese 31, 1978, 3–23 **5** F. Biancofiore, Dati per la storia delle civiltà preclassiche nel territorio di Ruvo di Puglia, in: Atti del 6. Convegno dei Comuni Messapici, Peuceti e Dauni (Ruvo 1974), 1981, 53–68 **6** M. Miroslav Marin, Problemi topografici dell'antica città di Ruvo, in: s. [5], 121–267 **7** P. Labellarte, M. R. Depalo, Ruvo di Puglia (Bari), in: Taras 6, 1986, 65–77 **8** A. Andreassi, Jatta di Ruvo, 1996 **9** R. Cassano, Ruvo, Canosa, Egnazia e gli scavi dell'Ottocento, in: G. Pugliese Carratelli (Hrsg.), I Greci in Occidente, 1996, 108–114 **10** P. G. Guzzo, Oreficerie dei Greci d'Occidente, in: s. [9], 471–480.　　M. I. G./Ü: H. D.

Rubico (Ῥουβίκων). Fluß, dessen von der roten Farbe abgeleiteter Name sich wohl in Urgone (dial. Rigone) erh. hat, einem rechten Nebenfluß des Pisciatello; dieser entspringt im Appenninus, mündet 15 km nördl. von → Ariminum in die Adria und führt h. wieder den Namen Rubicone. In der Zeit der Gracchen ([2. 396 f.]; 133–121 v. Chr.) oder Sullas ([1. 76]; → Cornelius [I 90]) löste der R. den → Aesis in der Funktion als Grenzfluß zw. It. und der Prov. → Gallia Cisalpina ab (Cic. Phil. 6,5; Strab. 5,1,11; Plin. nat. 3,115; App. civ. 2,35). Der R. verlor seine administrative Bed., als die Grenze zw. den *regiones* Umbria und Aemilia mit der Gebietsreform des Augustus weiter im Süden verlief.

Im J. 49 v. Chr. überschritt → Caesar mit einem Heer die Grenze seiner Prov. Gallia Cisalpina und löste so den Bürgerkrieg aus (Suet. Iul. 31,2; 81,2; Vell. 2,49,4; Plut. Pompeius 60,2), daher die sprichwörtliche Bed. des R. Arch.: Eine Brücke aus augusteischer Zeit überspannt den R. beim h. Savignano.

1 U. Ewins, Enfranchisement of Cisalpine Gaul, in: PBSR 23, 1955, 73–98 **2** F. W. Walbank, Historical Commentary on Polybius, Bd. 1, ²1970.

D. Baldoni, Il ponte romano, in: Studi Romagnoli 30, 1979, 395–411 · R. Chevallier, Romanisation de la Celtique du Pô, 1980, 106.　　G. U./Ü: J. W. MA.

Rubricatum flumen. Fluß, der südl. von → Barcino(na) im Gebiet der Laietani ins → Mare Tyrrhenum mündet (Mela 2,90; Plin. nat. 3,21; Ptol. 2,6,18), h. Llobregat. Flußaufwärts befand sich die Stadt Rhubrikata (Ῥουβρικάτα; Ptol. 2,6,74), h. Rubí.

TIR K/J 31 Tarraco, 1997, 134.　　P. B.

Rubrikator s. Rubrizierung

Rubrius. In der späten Republik und frühen Kaiserzeit häufiges Gentilnomen; seine Träger sind in der Regel politisch unbedeutend (Schulze, 221; 462).　　K.-L. E.

I. Republikanische Zeit

[I 1] R., C. (?). Brachte 122 v. Chr. als *tr. pl.* ein Gesetz über die Gründung der Kolonie Karthago durch C. → Sempronius Gracchus durch (Plut. C. Gracchus 10,2;

erwähnt als *lex Rubria* CIL I² 585, cap. 59; vielleicht auch Sherk 16, Z. 12 genannt). MRR 1,517; 3,182.　　K.-L. E.

[I 2] R. 67(?) v. Chr. Propraetor von Macedonia (also Praetor 68?), bei dem M. Porcius [I 7] Cato als Tribun diente (Plut. Cato minor 9,1). R. ist vielleicht derselbe wie L. R. Dossennus, Münzmeister 87 (MRR 2,451; RRC 348), aber kaum der bei Cicero (fam. 13,41 f.) erwähnte Statthalter L. Culleolus. R. brachte (wohl als Volkstribun ca. 49–42 v. Chr.) ein Gesetz Caesars zur Regelung der Befugnisse städtischer Beamter in Oberitalien ein (CIL XI 1146 = FIRA I 19 f.; [1]). Vielleicht ist er der L. R. aus Casinum, der 46 unter Übergehung eines Neffen sein Land an M. Antonius [I 9] vererbte (Cic. Phil. 2,40 f.).

1 U. Laffi, La lex Rubria de Gallia Cisalpina, in: Athenaeum 64, 1986, 5–44.　　JÖ. F.

II. Kaiserzeit

[II 1] P. R. Barbarus. Ritter; → *praefectus Aegypti* in den J. 13/2 v. Chr.; auf der Nilinsel Philae erbaute er einen Tempel, in Alexandreia errichtete er einen Obelisken vor dem Caesareum. PIR² R 125.

[II 2] R. Fabatus. Verm. mit Aelius [II 19] Seianus verbunden, nach dessen Tod er unter Arrest gestellt wurde. Obwohl es den Anschein hatte, als ob er zu den Parthern habe flüchten wollen, blieb er unbehelligt. PIR² R 126.

[II 3] R. Gallus. Senator; wohl *cos. suff.* unter Nero, der ihn 68 n. Chr. mit der Führung des Heeres gegen Galba [2] und Verginius Rufus betraute. Verm. ging er zu Galba über; jedenfalls hat ihm auch → Otho ein Armeekommando übertragen. Nach der Niederlage bei Brixellum konnte er bei den Vitellianern für das Heer als Vermittler tätig werden. Später wechselte er auf die Seite Vespasians (vgl. Tac. hist. 2,99,2), der ihn im J. 70 zum Legaten von Moesia ernannte; dort errang er Erfolge gegen die Sarmaten. Möglicherweise mit dem R. identisch, der nach Iuvenal (4,105) an dem fiktiven Gastmahl Domitians teilnahm. PIR² R 127.
→ Vierkaiserjahr

[II 4] R. Gallus. Wohl Sohn oder eher Enkel von R. [II 1]; *cos. suff.* unter Traianus, wohl zu dessen Regierungsbeginn. PIR² R 128.

[II 5] T. R. Nepos. Vielleicht Nachkomme von R. [II 1], Senator. Praetorischer *curator aquarum* unter der Leitung des Consulars Didius [II 2] Gallus 38–49 n. Chr. Sein Sohn ist verm. T. R. Aelius Nepos, *cos. suff.* 79. PIR² R 129; vgl. 124.　　W. E.

Rubrizierung. Wörtlich »farblich markieren« mit *terra rubrica* (wörtl. »rote Erde«), d. h. Rötel, Eisenton, bzw. Ocker (σινωπίς/*sinōpís*; lat. *miltus*; vgl. Plin. nat. 35,12 f., dort aber *sinopis*; ferner Hor. sat. 2,7,98; Aug. quaestiones de Exodo 177,23); in weiterer Bed. »rote Kennzeichnung« mit anderen Materialien wie etwa Mennige oder Quecksilbersulfat (vgl. Plaut. Truc. 294; Fortunatus, Carmina 8,12,12), oder auch Blut (mit Beziehung auf die Leiden Christi und der Märtyrer: Fortunatus, Vita S. Martini 2,463); daher auch *rubrica* in der Bed.

»Wunde«, »Peitschenspur« (Ioh. Diaconus, *Vita Gregorii* 4,97). Bezogen auf Bücher und Hss. »in roter Tinte schreiben«, (wichtige Textteile) »mit rot auszeichnen« – gewöhnlich die *inscriptio* und die Kapitelüberschrift, die ersten Buchstaben oder Wörter, aber auch Kolophon (Abschlußvermerk, → Subskription), laufende Titel und Zahlen, Verweise, Zusätze und Marginalien etc. – um zu schmücken, aber auch um die interne Struktur eines Werks oder Buches unmittelbar einleuchtend zu gestalten und damit die Lektüre oder Benutzung zu erleichtern (Ov. Trist. 1,7; Plin. nat. 33,7).

Der Begriff *rubrica* bezeichnet metonymisch alles, was mit roter Farbe geschrieben ist, bes. im juristischen Kontext (schol. Pers. 5,90), wo *rubrica* auch synonym zu *titulus* gebraucht wird (in einer Hs. der *Institutiones* des Gaius [2], PSI 1182 = CLA III 292, 5./6. Jh. n. Chr., sind die roten Titel am Rand begleitet von der Abkürzung *r.* für *rubrica*, ebenso im *Codex Pisanus* der ›Pandekten‹ (→ Digesta), Cod. Laurentianus ohne Nummer = CLA III 295, 6. Jh.). Als extremes Beispiel kann die Publikation des *Corpus iuris civilis* genannt werden im Gegensatz zu den auf weißen Tafeln (→ *album* [2]) geschriebenen *edicta* des Praetors (Quint. inst. 12,3; → *edictum* [1]): Die Ausführung von R. gilt als Normal- (Pers. 5,90) bzw. Regelfall (Acta Sanctorum, *Vita S. Deicoli*, Januar, Bd. 2, 29). *Rubricae* heißen auch die rot geschriebenen oder gedruckten Liturgiekonventionen in christl. Werken (Hss. und Bücher), die farbig markiert sind, um sie von den in der Feier vorgetragenen Wendungen deutlich zu unterscheiden (vgl. it. *rubricista*, frz. *rubricaire*: »derjenige, der die *rubricae* kennt, lehrt«: »Liturgiker«).

In der Ant. war der Stab (*umbilicus*), um den der → Papyrus gerollt war, rot gefärbt (Ov. trist. 1,1,8; Mart. 5,6,15), vielleicht auch das Vorsatzblatt aus Pergament, auf jeden Fall aber der *síllybos* oder *index*, d. h. das Stückchen Papyrus, Pergament oder Leder, das (am Stab oder am oberen Rand befestigt) den Namen des Autors und den Titel des Werkes anzeigte (Mart. 3,2,11; → Rolle).

Für Wand-Inschr. war Rot sehr gebräuchlich; in griech. und lat. Papyri dagegen wird Rot selten verwendet und begegnet nur in bes. Texten wie etwa den → Zauberpapyri. In griech. und lat. Hss. ist der Gebrauch von Rot für Überschriften oder andere Textteile seit dem 4. Jh. n. Chr. bezeugt: In Rot sind die ersten drei Linien jedes Evangeliums im Cod. *Vercellensis* (Vercelli, Biblioteca Capitolare ohne Nummer = CLA IV 467, 2. H. 4. Jh. n. Chr.), wogegen im Kolophon rote und schwarze Zeilen abwechseln. Rot sind die Zitate in der Hs. der Briefe des Cyprianus (London, British Library Add. 40165 = CLA II 178, E. 4. Jh.); rot sind der Kolophon und die laufenden Überschriften des *Terentius Bembinus* (Cod. Vaticanus Latinus 3226 = CLA I 12, 4./5. Jh.) und auch die ersten drei Zeilen jedes Buches im sog. *Vergilius Mediceus* (Cod. Laurentianus 39.1 und Vaticanus lat. 3225 = CLA III 296 und I 11, gegen E. des 5. Jh., auf jeden Fall vor 494). Gelegentlich sind Textmarkierungen wie *asterískos* (»Sternchen«), *koronís* (»kleine Krone«) und *parágraphos* (einfacher Strich) auch

in Rot ausgeführt. Der vom Kopisten abgeschriebene Text beginnt in der ersten Zeile nicht linksbündig, sondern es wird Platz gelassen für das später in Rot ausgeführte Wort am Textbeginn. Ähnlich verhält es sich mit den Textstellen, die ausgespart werden, um in einem folgenden Arbeitsgang rubriziert zu werden.

Vom 7. Jh. an wird der Gebrauch der R. immer geläufiger, auch für Bücher mit bescheidenem qualitativen Anspruch. Selten begegnet eine ganz in Rot geschriebene Hs. wie das Evangeliar Cod. Harleianus 2795 (9. Jh.), häufig dagegen solche, in denen die farbliche Gestaltung die Aufteilung verschiedener Texte auf der Seite hervorhebt (z. B. Text rot, Komm. schwarz; vgl. Bibliothek von S. Antonio in Padua, Inventar vom J. 1397: *et textus epistole est de littera cenabrii et glossa est de littera de atramento nigra*).

Aus Gründen der Arbeitsökonomie – und um die vorbereitete Farbe besser auszunutzen – wurde die R. nach der eigentlichen Abschrift angebracht; der Kopist hatte entsprechend Platz gelassen und die R. mit eigens dafür vorgesehenen Komm. am Rand angedeutet. Mit Hilfe dieser Angaben konnte die R. auch erheblich später noch ergänzt werden (vgl. z. B. die Rechnung für die Miniaturen in der Hs. aus Treviso, Biblioteca Comunale 172), teilweise erst Jahrhunderte nach der Abschrift (z. B. Hs. Vaticanus Palatinus lat. 249, 1. H. 9. Jh., wo sich die Bemerkung findet: *anno Domini 1396 rubricatus est textus Job*). In den Skriptorien (→ scriptorium) und Kopistenwerkstätten wurde die R. gelegentlich einem eigenen *rubricator* oder *rubeator* überlassen, der auch Kalligraphien und Federminiaturen ausführte und dem die Ausführung dieser Arbeiten intern zugewiesen war.

Im späten MA und vor allem in den Texten der jeweiligen Nationalliteraturen entwickelte sich die R. von einfacher Kennzeichnung der Titel zu in Rot gehaltenen, kleinen einführenden Texten, die über Autor, Umstände der Abfassung, Inhalt, über Sinn des Werks und seiner Teile unterrichten. Diese Texte (»Rubriken« genannt, auch wenn sie nicht in Rot verfaßt sind) haben oft einen anderen Ursprung als der Hauptext und eine eigenständige Überl.; sie können auch in verschiedenen Redaktionsstadien begegnen (z. B. den lat. oder vulgärsprachlich verfaßten, kurzen oder langen Texten, die DANTES ›Divina Commedia‹ begleiten). Die Rubriken können auch gesammelt in einem zusätzlichen Index oder *rubricarium* erscheinen, das normalerweise in Rot ausgeführt ist. *Rubricarium* heißt auch das Register mit vorgefaßten Rubriken (angeordnet nach dem Alphabet, dem Jahr, nach Absender und Empfänger, nach Anfangs- und Endkapiteln etc.); in einem solchen Register stehen die Rubriken von vornherein fest. In diesem Zusammenhang heißt *rubricare* auch soviel wie »registrieren«, »eine Sache festhalten« an einer bestimmten Stelle und unter einem eigenen Etikett, um sie nicht in Vergessenheit geraten zu lassen.

→ Buch; Codex; Rolle; KODIKOLOGIE

E. A. LOWE, Codices Latini Antiquiores, 13 Bde., 1934–1982 (= CLA) · W. WATTENBACH, Das Schriftwesen im MA,

³1896 (Ndr. 1958), 244–251, 344–348 · E. A. LOWE, More Facts about our Oldest Latin Manuscripts, in: CQ 22, 1928, 43–62 (= Ders., Paleographical Papers 1907–1965, Bd. 2, 251–274) · B. BISCHOFF, Paläographie des röm. Alt. und des abendländischen MA, ²1986, 33.　　　　　　T. D. R.

Rudern. Äg. Abbildungen des R. von großen Schiffen erlauben es, für das Alte Ägypten eine Technik zu rekonstruieren, die durch einen zyklischen Wechsel von Sitzen und Stehen während des Zuges charakterisiert ist [1. 106–108]. In der Ruderepisode auf der Sphinx-Stele des Amenophis II. (18. Dyn.: 1428–1397 v. Chr.) übertrifft der König als Steuermann die Leistung seiner Rudermannschaft erheblich [2. 59]. Zu einer regelrechten Regatta traten Rudermannschaften unter → Tutanchamun (18. Dyn.) auf dem Nil an [3]. Auch in der griech. Welt sind Wettkämpfe im R. nicht unbekannt, wenngleich selten [4; 5]. Vor → Hermion(e) fand ein jährlicher R.-Agon statt (Paus. 2,35,1); in Athen sind Stelen mit Ehren-Inschr. für Kosmeten (→ *kosmētḗs* [1]) mit Ruderbooten unterschiedlicher Besatzung geschmückt, was auf R. im Rahmen der Ephebenausbildung (→ *ephēbeía*) hindeutet [6. Nr. 35, 37, 38]. Vergil hat eine Ruderregatta im Rahmen der Leichenspiele für → Anchises dichterisch gestaltet, an der vier unterschiedlich große Dreiruderer teilnehmen (Verg. Aen. 5,114–285); unter Abwandlung des Wagenrennens in Homers *Ilias* (23,262–652) wird der Verlauf des Wettkampfes sehr anschaulich gezeichnet (Losen der Startplätze, Start, Zuschauer, Zweikampf, Unfall am Wendefelsen, Siegerehrung) [7].

1 W. DECKER, Sport und Spiel im Alten Ägypten, 1987 2 Ders., Quellentexte zu Sport und Körperkultur im alten Ägypten, 1975 3 Ders., D. KURTH, Eine Ruderregatta z. Z. des Tutanchamun, in: Nikephoros 12, 1999, 19–31 4 P. GARDNER, Boat-Races among the Greeks, in: JHS 2, 1881, 90–97 5 Ders., Boat-Races at Athens, in: Ebd., 315–317 6 K. RHOMIOPOULOU, National Archaeological Museum, Coll. of Roman Sculpture, 1995 7 E. und G. BINDER (ed.), Vergil. Aeneis, Bd. 3: 5. und 6. Buch, 1998, 166–169 (mit dt. Übers.).

R. PATRUCCO, Lo sport nella Grecia antica, 1972, 357–362 · I. WEILER, Der Sport bei den Völkern der Alten Welt, ²1988, 206–209.　　　　　　W. D.

Rudiae. Stadt der → Sal(l)entini (Ptol. 3,1,76) in Calabria, Heimat des Dichters → Ennius [1] (fr. 377 VAHLEN; vgl. Cic. Arch. 10,22; Strab. 6,3,5; Sil. 12,393–397; Ps.-Acro 4,80,20; von Plin. nat. 3,102 und Mela 2,66 mit R. in Apulia verwechselt). R. liegt im SW von Lupiae (h. Lecce; Strab. 6,1,2; Guido, Geographia 28,71). Erh. haben sich Reste der Wehrmauern (4.–3. Jh. v. Chr.), reiche Gräber aus klass. und hell. Zeit [2; 3] mit messapischen Inschr. [1; 3].

1 M. BERNARDINI, La R. salentina, 1955 2 G. P. CIONGOLI, R., in: F. D'ANDRIA (Hrsg.), Archeologia dei Messapi, 1990, 217–220 3 J.-L. LAMBOLEY, Recherches sur les Messapiens, 1996, 171–185.

NISSEN 2, 857, 881.　　　　　　M. L.

Rudiarius. Bezeichnung für einen → Gladiator, dem – meist vom Veranstalter des Gladiatorenspiels (*editor muneris*) – nach einem siegreichen Kampf in der Arena die → *rudis* [2], ein hölzerner Stab, verliehen wurde zum Zeichen dafür, daß er von nun an nicht mehr in einem → *munus* kämpfen mußte (Mart. liber spectaculorum 29,9; Suet. Claud. 21,5). Die Verleihung geschah oft auf Drängen des Publikums hin; dieses willkürliche Vorgehen wird von den Gegnern der *munera* heftig kritisiert (Fronto, Ad M. Caesarem 2,1 VAN DEN HOUT; Tert. liber de spectaculis 21,4). Frühestens nach zwei Jahren konnte der r. durch Verleihung des → *pilleus* aus dem Gladiatorentraining entlassen werden (coll. 11,7,4). In der Zwischenzeit konnte er sich gegen Bezahlung für ein *munus* anwerben lassen (Suet. Tib. 7,1). Nach der Entlassung war der r. als ehemaliger Gladiator »ehrlos« (*infamis*, Inst. Iust. 3,2), im Gegensatz zum ersten Aufseher (*summa rudis*), der kein aufgestiegener r., sondern als Schiedsrichter frei (von Geburt oder durch Freilassung) und mehrfach als Ehrenbürger ausgezeichnet war [1. 161; 2. 84].

→ Gladiator; Munus

1 L. ROBERT, Hellenica, Bd. 3, 1946 2 Ders., Hellenica, Bd. 5, 1948.

G. LAFAYE, s. v. Rudis, DS 4, 897 · A. HUG, s. v. Rudiarii, RE 21, 1179 · G. VILLE, La gladiature en Occident des origines à la mort de Domitien, 1981.　　　　　　A. HÖ.

Rudis

[1] Dünner Stab, Löffel zum Umrühren von Speisen, Arzneimitteln u. a. (griech. κύκηθρον/*kýkēthron*, Aristoph. Pax 654), in kleiner Form *rudicula* (Plin. nat. 34,176) genannt, meist aus Holz, seltener aus Eisen gefertigt (Plin. nat. 34,170).

[2] Stock, Degen aus Holz für die Fechtübungen der Soldaten und → Gladiatoren. Daneben diente die r. als Abzeichen des → *lanista*, um streitende Gladiatoren zu trennen oder ihren Kampf zu ordnen. Ausgediente Gladiatoren erhielten die r., wenn sie sich zur Ruhe setzten und Aufseher in der Fechtschule wurden (→ *rudiarius*).　　　　　　R. H.

Rübe (γογγυλίς/*gongylís*, ῥάπυς/*rhápys*, ῥάφυς/*rháphys*, βουνιάς/*buniás*, lat. *rapum, napus*). Aus der wilden R. Beta vulgaris wurde die Runkel-R. (var. *rapa*) gezüchtet. Wahrscheinlich hängt die weiße R. der Ant. mit dem R.-Kohl Brassica rapa L. aus der Familie der Cruciferae zusammen. Theophrast erwähnt h. plant. 1,6, 6–7 die fleischige Wurzel der *gongylís* und im 7. B. Einzelheiten des Aussäens. Unter *napus* scheint Colum. 2,10,22–24 (= Pall. agric. 8,2,1–3) die Steck-R. zu verstehen, unter *rapum* die weiße R. Er empfiehlt die Aussaat nach der Sommersonnenwende bzw. Ende August auf gut gedüngtem, lockerem Boden, die weiße R. auf trockeneren leichten Standorten, die Steck-R. im feuchteren Flachland. Beide Sorten, die je nach Bodenart ineinander umschlagen könnten (dies übernahm Isid.

orig. 17,10,8), wurden als gewöhnliches Nahrungsmittel für Mensch und Vieh in Griechenland und im nördlichen It. angebaut. Columella kennt die Verfütterung an das Vieh im winterlichen Gallien. Bei der Aussaat im Sommer soll man nach Colum. 11,3,60f. gegen Insektenfraß an den Keimblättern die Samen mit Ruß mischen und über Nacht Wasser einziehen lassen. Zur Aufbewahrung empfiehlt Colum. 12,56 (= Pall. agric. 13,5), z.B. weiße R. mit Salz zu pökeln und nach dem Abspülen und Abtrocknen in Senfbrühe einzulegen. Auch Plin. nat. 18,126–132 unterrichtet genau über Anbau und Verwendung. Dioskurides (2,110,1 WELLMANN = 2,134 BERENDES) hält die weiße R. in gekochtem Zustand für blähend und aphrodisierend. Die ebenso wirkenden Samen sind für ihn u.a. ein guter Zusatz zu Gegengiften.

F. ORTH, s.v. R., RE I A, 1180–1182. C.HÜ.

Rückbildung s. Wortbildung

Rufillus. Röm. Cogn., als Koseform von Rufinus nicht realer Name (so bei Hor. sat. 1,2,26f.; vgl. 1,4,92 für einen überkultivierten »Dandy«). Rufilla war der Name einer angeblichen Geliebten Octavians (→ Augustus) (Suet. Aug. 69,2).

KAJANTO, Cognomina, 27; 229. K.-L.E.

Rufinos (Ῥουφῖνος).

[1] Griech. Epigrammatiker, der sich nicht mit Gewißheit datieren läßt (neronische/flavische Zeit? [2; 4]; 2. Jh.n.Chr.? [3]; spätes 4. Jh.n.Chr.? [2]) und dessen Herkunft unbekannt ist (Anth. Pal. 5,9: Aufenthalt in Ephesos). Erh. sind 37 erotische Gedichte, alle Anth. Pal. 5,2–103 (zu dieser sog. *Sylloge Rufiniana*, vielleicht aus dem 4. Jh.n.Chr., vgl. zuletzt [5]). Mit Ausnahme des päderotischen Gedichts 28 (vgl. auch 19) behandeln R.' Epigramme, in denen 13 Frauennamen erwähnt werden (zwei weitere fiktive in 44,1), mit lebendiger Originalität die bewährten Themen heterosexueller Liebe: *carpe diem* (12; vgl. 74); altersbedingter Verfall der Schönheit (21; 27; 76; 103); sarkastischer Vergleich der Hetäre mit einem Schiff (44) und übertrieben schmeichelhafter mit Göttinnen (70; 94); Zelebrierung des weiblichen Reizes, der die Jahre überdauert (48; 62); Aufforderung an Eros, gegenseitige Leidenschaft zu entfachen (88; 97). R.' Motive sind oft einmalig in der *Anthologia Palatina*: z.B. Verherrlichung von Schönheit, die eines Praxiteles oder Polykleitos würdig ist (15); Bevorzugung von Sklavinnen gegenüber »hochmütigen« Damen (18,1: *sobaraí* ist einer der Vulgarismen des R.) oder die Schönheitswettbewerbe, so skurril beschrieben, daß ihre formale Eleganz sie rettet (35; 36). Singulär ist das Epigramm in Briefform an die geliebte Elpis (9): In seiner ansonsten sorgfältig metrischen Versifikation fallen einige grobe prosodische Unregelmäßigkeiten auf.

1 D. PAGE (ed.), The Epigrams of R., 1978 (mit Komm.)
2 A. CAMERON, Strato and R., in: CQ 32, 1982, 162–173

3 L. ROBERT, La date de l'épigrammatiste R., in: CRAI 1982, 50–63 4 A. CAMERON, The Greek Anthology from Meleager to Planudes, 1993, 65–69, 78–84, 235f.
5 K. J. GUTZWILLER, Poetic Garlands. Hellenistic Epigrams in Context, 1998, 292f. M.G.A./Ü: TH.G.

[2] R. (Rufus?) Domestikos (Δομέστικος). Ein mit dem Titel eines »kaiserlichen Leibwächters« ausgezeichneter Epigrammatiker des Kyklos des → Agathias. Verm. dessen Freund, wenn es sich um R. von Alexandreia handelt, Student des Rechts (Agathias, Anth. Pal. 1,35); von R. ist ein einziger erotischer Einzeiler erh. (ebd. 5,284: von Planudes einem »Rufus« zugeschrieben). Eine Gleichsetzung [1] mit dem verm. aus Prusa stammenden R. (Adressat von Anth. Pal. 7,558) entbehrt jeglicher Grundlage.

1 B. STUMPO, L'epigramma a Constantinopoli nel secolo VI dopo Cristo, 1926, 16.

Av. und A. CAMERON, The Cycle of Agathias, in: JHS 86, 1966, 6–25 (bes. 8, 19) · M. LAUSBERG, Das Einzeldistichon. Studien zum ant. Epigramm, 1982, 402. M.G.A./Ü: G.K.

Rufinus. Röm. Cogn., abgeleitet von Rufus, in republikan. Zeit in der Familie der Cornelii (Cornelius [I 62]), in der Kaiserzeit weitverbreitet (Antius [8], Aradius [1], Caecilius [II 19], Clodius [II 13], Cuspius [3], Fadius [II 1], Vibius), in der Spätant. auch häufiger Eigenname.

1 DEGRASSI, FCIR, 265 2 KAJANTO, Cognomina, 27f.; 229.
K.-L.E.

[1] *Magister militum per Thracias* um 515 n.Chr., wurde von Kaiser Anastasios [1] I. mit dem Kampf gegen den Söldnerführer → Vitalianus betraut (Ioh. von Antiocheia fr. 214e = FHG 5, 34; Chron. min. 2,99 MOMMSEN; Iord. de summa temporum 358). Wahrscheinlich ist er identisch mit dem gleichnamigen *patricius*, dem wiederholt diplomatische Missionen im Sāsānidenreich übertragen worden sind. Der *patricius* wurde 525/6 von Kaiser Iustinus [1] I. zum König Cavades [1] I. geschickt (Prok. BP 1,11,24) und diente auch Iustinianus [1] I. 530/2 als Gesandter (Prok. BP 1,13,11; 16,1–10). 532 schloß er den »Ewigen Frieden« mit dem Perserkönig Chosroes [5] (Prok. BP 1,22,1–9; 12–17; Theophanes 1,180,22–25; 181,19 DE BOOR; Ioh. Mal. 18 p. 213; Chron. min. 2,103 MOMMSEN).

PLRE 2, 954–957, 1329. K.P.J.

[2] Lat. Grammatiker aus Antiocheia (*vir clarissimus grammaticus Antiochensis*), nicht vor der 2. H. des 5. Jh. tätig. Von ihm sind zwei Komm. erh., die fugenlos zusammengefügt überl. sind: *Commentarium in metra Terentiana* (GL 6,554–565,8) und ein *Commentarium de compositione et de numeris oratorum* (GL 6,565,9–578 [1. 160]). Es handelt sich um zwei kleine Abh., die auf ungeordnete und sprunghafte Weise vorgehen und ganz auf Arbeiten früherer Grammatiker basieren, welche von R. in seinem

Komm. auch genannt werden. Häufige Lücken im Text werden entweder der hsl. Überl. oder – wahrscheinlicher – einem *excerptor* zugeschrieben. Im MA war R. dem Rabanus, Sedulius Scotus und Micon bekannt.

1 P. D'ALESSANDRO, Note al testo di Rufino, in: AION, Sez. Filol.-Lett., 14, 1992, 149–199.

ED.: GL 6, 554–578.
LIT.: SCHANZ/HOSIUS 4,2, 213–214 • P. WESSNER, s.v. R. (39), RE Suppl. 5, 842–843.   P.G./Ü: TH.G.

[3] Flavius R. *Praef. praet. Orientis* 392–395 n. Chr. In Elusa (Gallien) geb., erhielt R. eine juristische Ausbildung und arbeitete zunächst wohl als → *advocatus* (Lib. epist. 1110). Nachdem er im Westen mehrere nicht näher bekannte Ämter bekleidet hatte (Eun. Fr. historica 65), übertrug ihm Theodosius I. 388 das Amt des → *magister officiorum* am Hof in Konstantinopolis (Zos. 4,51,1). R., ein orthodoxer Christ und Förderer des asketischen Mönchtums (Pall. Laus. 11), genoß das volle Vertrauen des Kaisers, der ihn 392 als ersten *mag. officiorum* überhaupt mit dem ordentlichen Konsulat auszeichnete und im Sommer desselben Jahres zum Praetorianerpraefekten (Zos. 4,52,2) beförderte. Als Theodosius I. 394 gegen Eugenius [1] in den Westen zog, stellte er sogar den jungen → Arcadius unter die Obhut des R. Seine Nähe zum Kaiser verschaffte R. starken Einfluß auf die Innen- und Außenpolitik; er handelte z. B. ein wichtiges Abkommen mit Alarich (→ Alaricus [2]) und den Westgoten aus. Seine selbstbewußte Amtsführung machte ihm breite Kreise am Kaiserhof (bes. den späteren *praepositus sacri cubiculi* Eutropius [4]), im Senat von Konstantinopolis, v. a. aber in der Armee zu Feinden. Auf Anstiftung → Stilichos wurde er am 27. Nov. 395 in Konstantinopolis von Soldaten ermordet (Zos. 5,7,5). R. war verheiratet und hatte mehrere Kinder (Eun. ebd. 64).

A. GUTSFELD, Die Macht des Prätorianerpräfekten. Stud. zum *praefectus praetorio Orientis* von 313 bis 395 n. Chr., 2001 • PLRE 1, 778–781 (R. 18) • O. SEECK, s.v. R. (23), RE I A, 1914, 1189–1193.   A.G.

[4] Vettius R. 323 n. Chr. Consul (CIL X 407; ILS 9420); weitere biographische Daten sind unsicher. Er war wohl ein Verwandter des C. Vettius Cossinius R., des *praefectus urbi Romae* 315/6 und Consul von 316 (zu diesem: PLRE 1, 777, Nr. 15). Die Gesetze Cod. Theod. 5,2,1 und 6,35,3 sind wohl nicht an R., sondern an Vulcacius R. [5] adressiert (vgl. PLRE 1, 783). PLRE 1, 781 f. (Nr. 24).

[5] Vulcacius R. Höherer röm. Beamter Mitte 4. Jh. n. Chr. R. war ein Onkel des Caesars Constantius [5] Gallus (Amm. 14,10,4 f.). 340 war er *pontifex maior*, dann *consularis Numidiae, comes primi ordinis*, 342 *comes Orientis*, zw. 344 und 347 *praef. praet. Italiae*, 347 *consul* (CIL VI 32051; ILS 1237), 347–352 *praef. praet.* in Illyrien (CIL III 4180; ILS 727), 354 *praef. praet.* in Gallien (Amm. 14,10,4), 365–368 *praef. praet. Italiae, Illyrici et Africae* (Amm. 27,7,2). R. starb 368 (Amm. 27,11,1). Seine

Karriere ist v. a. durch Inschr. und z. T. schwer zu datierende Gesetze bekannt (s. → R. [4]). Einzelheiten aus seinem Leben sind kaum überl. Ammianus lobt seine würdevolle Persönlichkeit, hält ihn aber auch für habgierig (Amm. 27,7,2). PLRE 1, 782 f. (Nr. 25).   W.P.

[6] Tyrannius R., aus Aquileia. R. († 410 n. Chr.) begeisterte sich wie → Hieronymus für das → Mönchtum, suchte es im Osten kennenzulernen, gründete eine klösterliche Niederlassung in → Palaestina und übersetzte aus dem Griech. ins Lat. Die ›Kirchengesch.‹ des → Eusebios [7] wurde von ihm nicht nur übers., sondern teils auch geändert und erweitert; wertvollste Zutat ist die Fortführung der – bei Eusebios nur bis 324 n. Chr. reichenden – Darstellung bis ins J. 395 (Todesjahr des Theodosius d. Gr., vgl. [5]). Auch bei der Übers. von Werken des → Origenes [2], v. a. *Perí archōn* [3], war R. als Bearbeiter [11] tätig, indem er die als häretisch verdächtigten Stellen so wiedergab, daß sie keinen Anstoß mehr erregen konnten. Um die Rechtgläubigkeit des Origenes zu unterstreichen, übersetzte R. nach 400 den Adamantius-Dialog [1], der diesem zugeschrieben war. Für das östliche Mönchtum warb R. mit einer Übers. der Regel des Basileios ([7; 9]) und der als Reiseroman geschriebenen Gesch. der äg. Mönche (PL 21, 387–462). Von Basileios [1] d. Gr. (PL 31, 1723–1794) und Gregorios [3] von Nazianz [2; 10] übersetzte er Homilien; schließlich auch die pseudoclementinischen *Recognitiones* (›Wiedererkennungen‹), den »ersten christl. → Roman« ([4]; → Pseudo-Clementinen). Nächst → Hieronymus, seinem Jugendfreund und späteren Gegner, war R. der wirkungsvollste Übermittler von griech. christl. Ideen mit Texten der Spätant. an das lat. MA [8]. Die eigenen Werke, dabei eine *Apologia* (›Verteidigung‹, *contra Hieronymum*) [6], treten gegenüber der Übersetzer- und Vermittlertätigkeit zurück.

ED.: 1 V. BUCHHEIT, Tyrannii Rufini librorum Adamantii Origenis adversus haereticos interpretatio, 1966
2 A. ENGELBRECHT, Tyrannii Rufini orationum Gregorii Nazianzeni novem interpretatio (= CSEL 46), 1910
3 H. GÖRGEMANNS, H. KARPP, Origenes. Vier B. von den Prinzipien, 1976 (mit dt. Übers. und Komm.) 4 B. REHM, F. PASCHKE, Die Pseudoklementinen, Bd. 2: Rekognitionen in Rufins Übers. (= GCS 51), 1965 5 E. SCHWARTZ, TH. MOMMSEN, Eusebius Werke II: Die Kirchengesch. (= GCS 9), 1903–1909 6 M. SIMONETTI, Tyrannii Rufini opera (= CCL 20), 1961 7 K. ZELZER, Basili regula a Rufino latine versa (= CSEL 86), 1986.
LIT.: 8 W. BERSCHIN, Griech.-lat. MA, 1980
9 S. LUNDSTRÖM, Die Überl. der lat. Basiliusregel, 1989
10 M. M. WAGNER, Rufinus the Translator, 1945
11 F. WINKELMANN, Einige Bemerkungen zu den Aussagen Rufinus' von Aquileia und des Hieronymus über ihre Übers.-Theorie und -Methode, in: P. GRANFIELD (Hrsg.), Kyriakon, FS J. Quasten, Bd. 2, 1970, 532–547.   W.B.

Rufio (oder evtl. *Rufinus*, vgl. [1. 163 f.⁴]). Sohn eines Freigelassenen → Caesars (vgl. [2. I 56]), den dieser 47 v. Chr. als Kommandanten von drei Legionen in Alexandreia [1] zurückließ. Die Charakterisierung als Cae-

sars »Liebling« (*exoletus*: Suet. Iul. 76,3) ist wohl polemisch.

1 P. GRAINDOR, La Guerre d'Alexandrie, 1931 2 H. SOLIN,
Die stadtröm. Sklavennamen, 1996.

G. GERACI, Genesi della provincia romana d'Egitto, 1983,
26 f.   W. A.

Rufius

[1] C. R. Festus Laelius Firmus. Senator, Sohn des
Procurators C. R. Festus; die Familie stammte aus Volsinii in Etrurien. Er wird verm. mit seinen Söhnen Marcellinus und Proculus in CIL XV 7525 genannt, ebenso
in CIL XI 2698. Die Familie gewann ihre große Bed. erst
gegen E. des 3. Jh. n. Chr. Der prominenteste Vertreter
war C. Ceionius R. → Volusianus, *cos. ord. II* im J. 314.
PIR² R 157; cf. 156; 159; 161.   W. E.

[2] s. Festus [4]

Rufrae, Rufrium. Ortschaft in Samnium (vgl. *Rufrani
vicani*, ILS 80; 5759), von den Römern zu Anf. des 2.
Samnitenkrieges im J. 326 v. Chr. erobert (Liv. 8,25,4:
Rufrium; Sil. 8,568), nachmals *castellum Campaniae* (Serv.
Aen. 7,739), *tribus Teretina* (CIL X 4836), an der Via La-
tina. R. ist am Mittellauf des → Volturnus im Gebiet
von San Felice a Ruvo westl. von Presenzano (Prov.
Caserta) zu lokalisieren, wo Reste eines kleinen röm.
Theaters sowie Statuen des Augustus und des Agrippa
gefunden wurden. Cato lobt die Ölpressen aus R. (Cato
agr. 22,4; 135,2: *ad Rufri Maceriam*).
→ Samnites, Samnium

A. RUSSI, s. v. R., EV 4, 596 f. • S. DE CARO, A. GRECO,
Guide archeologiche Laterza: Campania, 1981, 238 f.
                                           G. U./Ü: J. W. MA.

Rufrius

[1] (P.?) R. Crispinus. Röm. Ritter, über dessen Tätigkeit vor 47 n. Chr. nichts bekannt ist. Damals machte
ihn Kaiser Claudius [III 1] zum Praetorianerpraefekten,
möglicherweise auf Einfluß Messalinas [2] hin. Für sein
Engagement für Claudius wurden ihm vom Senat die
Rangabzeichen eines Praetors und 1,5 Mio. HS zuerkannt. Als R. 51 auf Betreiben Agrippinas als Praetorianerpraefekt abgelöst wurde, erhielt er auch noch die
Rangabzeichen eines Consuls. Verheiratet mit Poppaea
[2] Sabina, die → Otho im J. 58 für sich gewann. Inwieweit dabei Nero involviert war, bleibt in der Überl.
unsicher. Wegen der Pisonischen Verschwörung, in die
R. aber nicht verwickelt war, wurde er nach Sardinien
verbannt, wo er sich bald darauf im J. 66 töten mußte.
PIR² R 169.

[2] Q. Valerius R. Iustus. Senator; *procos. Macedoniae*
und *cos. suff.*, etwa in der Zeit des Severus Alexander.
PIR² R 171.

[3] R. Pollio. Ritter; Kaiser Claudius [III 1] ernannte
ihn unmittelbar nach seiner Machtübernahme im J. 41
n. Chr. zum Praetorianerpraefekten. Nach dem Feldzug
in Britannien, an dem R. sicherlich teilnahm, wurde er

mit einer Statue und einem Sitz im Senat geehrt, wenn
er den Kaiser dorthin begleitete. Um 47 abgesetzt und
später hingerichtet. Ob Verwandtschaft mit R. [1] besteht, muß offen bleiben. PIR² R 173.   W. E.

Rufuli s. Tribunus

Rufus. Weitverbreitetes röm. Cogn. (»rothaarig«, »rot-
köpfig«, Quint. inst. 1,4,25).

1 DEGRASSI, FCIR, 265 f. 2 KAJANTO, Cognomina, 26 f.;
229.   K.-L. E.

[1] [– – –]us R. *Procos.* von Pontus-Bithynia, wohl in
der letzten Zeit der Republik oder den ersten J. des
Augustus. Von mehr als sechs Städten der Prov. wurde
ihm in Rom ein eindrucksvolles Ehrendenkmal errichtet (CIL VI 1508 = 41054; cf. IGUR 71).

W. ECK, CIL VI 1508 (Moretti IGUR 71) und die Gestaltung
senatorischer Ehrenmonumente, in: Chiron 14, 1984,
201–217 • PIR² R 179.

[2] Consular, der nach Philostr. soph. 1,19 unter Nero
(bzw. unter Nerva – die Überl. ist nicht eindeutig) die
Finanzen der Stadt → Smyrna zu überprüfen hatte. Später Statthalter in Germania, wo er über den Philosophen
Niketes [2] aus Smyrna, mit dem er im Streit lebte, ein
Urteil fällen sollte. Die Gesch. klingt dubios; eine sichere Identifizierung ist nicht möglich. PIR² R 183.

[3] Consular, der nach Philostr. Ap. 7,33 ein Freund
des Apollonios [14] war und von Domitian wegen einer
Verschwörung auf eine Insel verbannt wurde. Eine
Identifizierung ist nicht möglich. PIR² R 184.

[4] Reiteroffizier Herodes' [1] d. Gr., der nach dessen
Tod den in Jerusalem eingeschlossenen Römern zu Hilfe kam. PIR² R 190.   W. E.

[5] R. (Rhuphos) von Ephesos. Griech. Arzt, laut Suda
(s. v. Ῥοῦφος) ein Zeitgenosse des → Statilios Kriton, der
unter Traian (d. h. um 100 n. Chr.) lebte [10; 13]. Servilius → Damokrates, der um 50 n. Chr. wirkte, zitiert einen älteren Pharmakologen namens R. (Gal. 14,119 K.),
doch ist dessen von [11] übernommene Identifizierung
mit R. oder mit Menius R., den → Asklepiades [9]
Pharmakion zitiert (Gal. 13,1010 K.), alles andere als
gesichert. Der lat. Name M(a)enius ist unter ephesi-
schen Eigennamen zudem nicht bezeugt. R. hielt sich
längere Zeit in Äg. auf und studierte evt. in Alexandreia
[1]. In seinen Schriften äußert er sich zur Gesundheits-
versorgung dieses Landes und zu einzelnen Erkrankungen, die ihm dort begegnet seien, etwa zur Dracuncu-
lose (Guinea- bzw. Medinawurm; Quaestiones medicinales 65–72 GÄRTNER). Seine sonstigen Aussagen zu
seinen Patienten bzw. seiner ärztlichen Erfahrung deuten auf das südliche Kleinasien hin. Daß er jemals in
Rom war, ist entgegen [9] nirgends bezeugt.

R.' erh. griech. Werke umfassen Abh. über Blasen-
und Nierenkrankheiten [5], Satyriasmus und Gono-
rrhöe (vgl. → Geschlechtskrankheiten) [1], anatomische
Nomenklatur [3] und ärztliche Befragung. Letzteres

Werk ist ein Ratgeber für Ärzte zur Patientenbefragung und erlaubt einen seltenen Einblick in das Verhalten eines ant. Arztes am Krankenbett. Weitere Schriften sind nur in Übers. überl.: eine Abh. über Gelenkerkrankungen (lat.; [2]), eine Abh. über die Gelbsucht (lat. und arabisch; [7]), sowie Fallschilderungen (arab.; [6]). Darüber hinaus ist manches aus Zitaten in medizinischen Enzyklopädien spätant. bzw. arab. Autoren bekannt, für die R. nach → Galenos die zweitwichtigste Autorität war. Die Schriften-Slg. in [1. 291–548] ist alles andere als vollständig und bedarf der Ergänzung durch das in [13; 19] zusammengetragene Material. Außerdem kommen immer wieder Fr. aus arab. Quellen zum Vorschein [12].

R.' Gegenstand ist die medizin. Praxis. Zwar bezieht sich Galen auf ihn als einen Hippokrateskommentator (CMG 5,10,2,2, S. 174, 411), doch ist nicht gesagt, ob R. tatsächlich Komm. verfaßt oder nur einzelne Passagen aus dem *Corpus Hippocraticum* in seinen verlorenen Schriften diskutiert hat [14]. R. war überzeugter Hippokratiker und Anhänger der Viersäftelehre (was aber nicht bedeutet, daß er Hippokrates nicht kritisierte oder gelegentlich über ihn hinausging [8; 15]).

Das Spektrum seiner Schriften ist erstaunlich breit, auch wenn sich manche der bekannten Titel lediglich auf Kapitel größerer Werke beziehen, v. a. seiner medizin. Enzyklopädie ›Für den Nicht-Mediziner‹ oder ›Für die, die keinen Arzt zur Hand haben‹ [10; 13]. Immer sucht er einen pragmatischen Zugang, sei es zu Themen der medizin. Praxis, sei es bei der Diskussion anatomischer Termini. Die Anatomie hielt R. für ein grundlegendes medizin. Fach, obgleich es zu seiner Zeit nicht mehr möglich war, tiefenanatomische Stud. am menschlichen Leichnam zu treiben (De appellationibus p. 134 D.-R.). Er schrieb Bücher über einzelne Krankheiten (darunter → Epilepsie, Hydrophobie und → Melancholie), die Galen hoch lobte (Gal. 5,105 K.) und die von arab. Autoren stark herangezogen wurden [18]. Auch eine Reihe therapeutischer, v. a. diätetischer (→ Diätetik) Verfahren behandelte er in Spezialschriften [16]. Sein Augenmerk galt auch jenen gesellschaftlichen Gruppen, deren Bedürfnisse in der Regel in medizin. Schriften kaum zur Sprache kamen: den Alten, den Kleinkindern (mit wertvollen Ratschlägen zur Kinderpflege und -heilkunde) [12; 17], Reisenden und Sklaven. Sein Mitgefühl mit den Kranken ergibt sich klar aus seinen Aussagen über Patienten mit sexuellen Funktionsstörungen oder chronischen Krankheiten.

Das Überl.-Schicksal von Werk und ärztlichem Ruf des R. ist aufs engste mit der Gesch. des → GALENISMUS verknüpft. Obwohl Galen ihm höchstes Lob zollt, läßt er den Leser im unklaren, in welchem Maße er R. verpflichtet ist. → Oreibasios, → Aëtios [3] und → Paulos [5] zitieren R. häufig [1], doch verschwindet seine eigene Stimme zunehmend hinter Galens Diktion. R. wurde ausgiebig von arab. Autoren herangezogen, das westliche MA kannte ihn jedoch v. a. über Zitate in Rhazes' *Continens* [1. 453–548] oder als Erfinder eines Rezepts, der sogenannten *Hiera Rufi*. Eine Teilausgabe

seiner erh. griech. Werke besorgte Jacques GOUPYL (Paris 1554), andere Texte wurden erstmalig in der Standardausgabe von DAREMBERG-RUELLE 1879 ediert. Seitdem wurde manches aus nicht-griech. Quellen publiziert, v. a. von ULLMANN, mit dem Ergebnis, daß R.' Stärken als ärztlicher Beobachter und Schriftsteller h. stärker gewürdigt werden [8; 13; 14; 19].

ED.: 1 C. DAREMBERG, E. RUELLE, Oeuvres de R. d'Ephèse, 1963 2 H. MØRLAND, De podagra, 1933 3 G. KOWALSKI, De corporis humani appellationibus, Diss. Göttingen 1960 4 H. GÄRTNER, Quaestiones medicinales (mit dt. Übers. und Komm.), 1962, ²1970 5 A. SIDERAS, De renum et vesicae morbis, 1977 6 M. ULLMANN, Krankenjournale, 1978 (z. T. fälschlich R. zugewiesen) 7 Ders., De cura icteri (AAWG 138), 1983.
LIT.: 8 A. ABOU ALY, The Medical Writings of R. of Ephesus, Diss. London 1992 9 H. GOSSEN, s. v. R. (18), RE I A, 1207–1212 10 J. ILBERG, R. von Ephesos: ein griech. Arzt in Traianischer Zeit (Abh. der Sächsischen Akad. der Wissenschaften, Philol.-histor. Klasse 41.1), 1930 11 F. KUDLIEN, R. of Ephesus, in: GILLISPIE 11, 1975, 603–605 12 P. PORMANN, Paul of Aegina's Therapy of Children, Diss. Oxford 1999 13 A. SIDERAS, R. von Ephesos und sein Werk im Rahmen der ant. Medizin, in: ANRW II 37.2, 1994, 1077–1253, 2036–2062 14 SMITH, 240–245 15 H. THOMASSEN, C. PROBST, Die Medizin des R. von Ephesos, in: ANRW II 37.2, 1994, 1254–1292 16 M. ULLMANN, Neues zu den diätetischen Schriften des R. von Ephesos, in: Medizinhistor. Journ. 9, 1974, 23–40 17 Ders., Die Schrift des R. de infantium curatione, in: Medizinhistor. Journ. 10, 1975, 165–190 18 Ders., Islamic Medicine, 1978, 72–77 19 Ders., Die arabische Überl. der Schriften des R. von Ephesos, in: ANRW II 37.2, 1994, 1293–1349.   V. N./Ü: L. v. R.-B.

[6] R. von Samaria. Hippokrateskommentator, der um 150 n. Chr. wirkte. → Galenos' voreingenommenem Ber. zufolge (CMG 5,10,2,2, S. 212, 293) handelte es sich bei R. um einen Juden, der niemals Griech. gelernt hatte, ehe er nach Rom kam und beschloß, einen h. verlorenen Komm. über die Epidemienbücher des → Hippokrates [6] zu schreiben. Galen verurteilt dieses Werk als ein unoriginelles und unkritisches Durcheinander von Informationen, die R. aus seiner großen Bibl. zusammengeklaubt hätte, was ihn allerdings nicht daran hinderte, daraus Angaben über Lesartenpräferenzen früherer Autoren zu entnehmen. Der Versuch von [1], in ihm einen großen, vergessenen Gelehrten zu sehen, ist ebenso parteilich und übertrieben wie Galens Leugnung seiner Fähigkeiten.

1 F. PFAFF, R. aus Samaria, Hippokrateskommentator und Quelle Galens, in: Hermes 67, 1932, 356–359.   V. N./Ü: L. v. R.-B.

[7] Rhuphos (Ῥοῦφος). Rhetor des 2. Jh. n. Chr. aus Perinthos, bekannt nur durch Philostratos (soph. 2,17 = 597 f.). Er entstammte einer sehr reichen und angesehenen Familie, wurde von Herodes [16] und Aristokles [4] ausgebildet und zeichnete sich bes. in einem Typus der Deklamation aus, den man ἐσχηματισμένη ὑπόθεσις/*eschēmatisménē hypóthesis* nannte (die wahre Absicht des Redenden wird verhüllt). R. starb 61jährig in seiner Heimatstadt. Überl. ist unter seinem Namen ein kurzer griech. Traktat über die Redekunst, in dem zu den drei üblichen Gattungen (→ *genera causarum*) das *génos historikón* (Erzählung vergangener Geschehnisse) hinzutritt und die Teile der Gerichtsrede kurz besprochen sowie durch Beispiele meist aus Demosthenes [2] illustriert werden.

ED.: SPENGEL 1,463–470.   M. W.

[8] Rhuphos. Spätestens E. 3. Jh. n. Chr., Verf. paradoxographisch-historiographischer Werke, die Phot. bibl. 103b und 104b als Quelle für B. 4–6 und 9 der *Eklogaí diáphorai* des Sopatros von Apameia nennt: *Dramatikḗ historía* (mind. 8 B.); *Musikḗ historía* (B. 1–3: zu den musischen Agonen und Festen, den Dichtern und Musikern aller dort vertretenen Gattungen; B. 4–5: zu Auleten, Epikern, Sibyllen); *Rhōmaïkḗ historía* (mind. 4 B.). Inwieweit R. von → Dionysios [18] von Halikarnassos abhängt, mit dem ihn Schol. Aristeid. 537,27 Bd. 3 DINDORF anführt, ist ungeklärt.

A. BAGORDO, Die ant. Traktate über das Drama, 1998, 72, 162.   R. SI.

Ruga s. Carvilius [4]

Rugi (*Rugii, Rogi*; Ῥυγοί). Von verschiedenen ant. Autoren [1. 1213f.] erwähnter ostgerman. Stamm, dessen älteste Wohnsitze wohl in SW-Norwegen und im Weichsel-Delta lagen. Tac. Germ. 43,6 erwähnt sie erstmals und lokalisiert sie zw. Oder und Weichsel. Im Laufe der Zeit zogen sie nach Süden und erschienen als Angehörige des Reichs der → Hunni, aber mit eigenem König, in der 1. H. des 5. Jh. n. Chr. an der mittleren Donau. Entweder bereits ab 430 – dann in Abhängigkeit von den Hunni – oder erst nach 453 [2] fanden sie eine neue Heimat im h. Niederösterreich nördl. der Donau (Tullnerfeld, Kamptal). Zentren waren wohl der Burgstall bei Schiltern, die Höhen der Holzwiese bei Thunau, die Heidenstatt bei Limberg und der Oberleiserberg. Eine kleine Gruppe wanderte nach Ostrom ab (Wohnsitze bei → Bizye und Arkadiopolis, Südthrakia). Mit dem Zerfall der röm. Prov. → Noricum Ripense dehnten die an der Donau verbliebenen R. ihre Herrschaft auch auf den südl. Uferstreifen aus. Zw. romanischer Restbevölkerung und R. entwickelte sich ein enger Kontakt und (Waren-)Austausch (Eugippius, Vita Severini 5,1; 5,3; 6,1; 22,2; 31,1f.; 6). 469 erlitten die mit anderen Germanenstämmen gegen die → Ostgoten verbündeten R. eine schwere Niederlage und wurden 487 und 488 von → Odoacer vernichtend geschlagen, als sie, aufgehetzt vom oström. Kaiser → Zenon, zusammen mit anderen Germanen in It. einfallen wollten. Die Reste der R. schlossen sich den Ostgoten an und nahmen 489 am Zug → Theoderichs gegen Odoacer teil. Sie behielten weiterhin eine gewisse Selbständigkeit, wurden aber in den Untergang der Ostgoten hineingerissen.

1 B. RAPPAPORT, s. v. R., RE I A, 1213–1223   2 TIR Castra Regina, 1986, 74.

J. REITINGER, Die Völker im oberöst. Raum am E. der Ant., in: Severin. Zw. Römerzeit und Völkerwanderung (Ausstellungs-Kat.), 1982, 361 f. • K. F. STROHECKER, s. v. R., LAW, 2678 f. • A. STUPPNER, Römer und Germanen an der mittleren Donau, in: H. FRIESINGER, F. KRINZINGER (Hrsg.), Der röm. Limes in Österreich, 1997, 125 f.
                   G. H. W.

Rullianus s. Fabius [I 28]

Rullus s. Servilius

Rumina. Die röm. Göttin R. erscheint in der Trad. in Verbindung mit einem die Zwillinge → Romulus und Remus nährenden Feigenbaum, der *ficus Ruminalis* (Liv. 1,4,5), bei der auch ihr Heiligtum gelegen haben soll. Die ant. etym. Verbindung von R. und *ruma* bzw. *rumis* (weibliche »Brust«; Fest. 326, 332 f. L., Varro ling. 5,54), beruht auf der brustähnlichen Form und dem milchartigen Saft der nahrhaften Feige [1. 112 f.], weshalb R. angeblich Opfer von Milch erhielt (Varro rust. 2,11,5; Non. p. 167 f. M. = 248 L.). Mehrere mod. Forscher lehnen diese Verbindung jedoch ab und stellen einen toponymischen Zusammenhang mit etr. *Rum-*, d. h. mit → Roma her (z. B. [2. 111]).

Gleichwohl findet sich die in der Ant. verbreitete Konnotation der → Feige als fruchtbar und wundersam (als *thaumásion*: vgl. Konon FGrH 26 F 1, § 48) auch in Rom, z. B. bei den → Capratinae Nonae oder bei Iuppiter Ruminus (Aug. civ. 7,11). Die röm. Trad. der *ficus Ruminalis* und der R. ist also möglicherweise alt und verm. schon früh mit Romulus und Remus verbunden worden: Noch in augusteischer Zeit stand eine *ficus Ruminalis* auf dem Palatin nahe dem Lupercal, wo Romulus und Remus von der Wölfin gesäugt worden sein sollen (Ov. fast. 2,411; [3; 4]), ein zweiter wundersamer, mit Attus → Navius verbundener Feigenbaum (*mirum*: Ov. fast. 2,413) befand sich auf dem Comitium (Tac. ann. 13,58; [5]).

1 F. BÖMER, P. Ovidius Naso. Die Fasten, 1958, Bd. 2   2 LATTE   3 G. HADZSITS, The »Vera Historia« of the Palatine »ficus Ruminalis«, in: CPh 31, 1935, 305–319   4 F. COARELLI, s. v. Ficus ruminalis, LTUR 2, 249   5 Ders., s. v. Ficus Navia, LTUR 2, 248 f.   C. R. P.

Runcina. Die Göttin des Unkrautjätens (lat. (*e-/sub-*) *runcare*) erscheint nur in Varro, Antiquitates rerum divinarum fr. 176 CARDAUNS, die männliche Entsprechung *Subruncinator* in der Liste der zwölf Gottheiten der Feldarbeit, welche während der → *Sementivae feriae* angerufen wurden (Fabius [I 34] Pictor bei Serv. georg. 1,21, 2. Jh. v. Chr.). Authentizität und Alter beider Gottheiten sind in Frage gestellt worden (→ Sondergötter; → Obarator), lassen sich aber mit Blick auf die Bed. agrarischer Lebenszyklen für die röm. Gesellschaft verteidigen. Die Suffixbildung von *Subruncinator* und das Verbalkompositum *subruncare* (Hyg. de limitibus p.

76,1–5 CAMPBELL; *eruncare*: Colum. 2,10,28) – neben gebräuchlicherem *runcare* (das entsprechende Werkzeug heißt *runco*: Pall. agric. 1,42[43],3) – verweisen auf den Bereich der Alltags- und bes. der Fachsprache und legen die Möglichkeit einer authentischen Überl. nahe.

C. R. P.

Runen heißen die Zeichen der den Germanen eigentümlichen → Schrift (auf die vielleicht Tac. Germ. 10 anspielt). Das altnordische Wort *rún* bedeutet auch »Geheimnis« (vgl. dt. *Geraune*). Die für die verschiedenen → germanischen Sprachen zu unterschiedlichen Zeiten benutzten R. lassen sich auf eine Reihe von 24 Zeichen zurückführen:

Runen: Das ältere Futhark

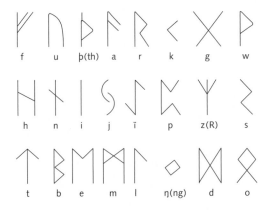

Diese Reihe wird nach dem Lautwert der ersten Zeichen »Futhark« genannt. Das ältere Futhark (älteste erh. Denkmäler: ca. 200 n. Chr., im dänischen Gebiet) wurde bis gegen 750 n. Chr. gebraucht, das jüngere anschließend bis ins 19. Jh. Die Germanen übernahmen die R. wahrscheinlich im 1. Jh. n. Chr. von den → Raeti und benachbarten Völkern [4], allerdings ohne deren alphabetische Anordnung. Die Herkunft aus dem griech.-ital. Schriftkreis (→ Italien, Alphabetschriften) zeigen bes. deutlich die R. für S, T und B. Ob die R. Einfluß auf die → gotische Schrift ausgeübt haben, ist umstritten [6].

1 K. DÜWEL, R.kunde, ²1983 2 W. KRAUSE, Die R.inschriften im älteren Futhark, 1966 3 K. DÜWEL (Hrsg.), Runische Schriftkultur in kontinental-skandinavischer und -angelsächsischer Wechselbeziehung, 1994 4 H. RIX, German. R. und venetische Phonetik, in: T. BIRKMANN u. a. (Hrsg.), Vergleichende german. Philol. und Skandinavistik. FS O. Werner, 1997, 231–248 5 A. BAMMESBERGER (Hrsg.), Pforzen und Bergakker. Neue Unt. zu R.inschriften, 1999 6 W. BRAUNE, E. A. EBBINGHAUS, Gotische Gramm., ¹⁹1981, 15 f. (Lit.).

N. O.

Runen-Solidi. Anglo-friesische Nachahmungen spätröm. Goldmz. des 6. Jh. n. Chr. mit barbarisierter Umschrift in lat. Buchstaben und Runenschrift. Die gegossenen Mz., von denen nur sehr wenige gefunden wurden, dienten als Schmuck oder Amulette und waren nicht für den Zahlungsverkehr bestimmt.

1 P. BERGHAUS, K. SCHNEIDER, Anglo-friesische Runensolidi im Lichte des Neufundes von Schweindorf, 1967 2 SCHRÖTTER, s. v. Runen und Runenmünzen, 577.

GE. S.

Rupilius. Ital. Personenname.

SCHULZE, 220; 443.

I. REPUBLIKANISCHE ZEIT

[I 1] R., P. Praetor spätestens 135 v. Chr.; überwachte als *cos.* 132 mit dem Kollegen P. Popilius [I 8] Laenas die Aburteilung der Anhänger des Ti. → Sempronius Gracchus (Cic. Lael. 37). R. beendete den großen Sklavenkrieg in Sicilia und ordnete die Verhältnisse in der Prov. mit Hilfe einer Senatskommmission neu (*lex Rupilia*, Cic. Verr. 2,2, passim; 2,3; 2,125; Val. Max. 6,9,8; Liv. per. 59 u. a.; MRR 1,497 f.). Bald danach ist er angeblich aus Kummer darüber, daß sein Bruder nicht das Konsulat erlangte, gestorben (Cic. Lael. 73; Cic. Tusc. 4,40).

K.-L. E.

II. KAISERZEIT

[II 1] R. Bonus. Nach HA Aur. 1,4 Vater der Rupilia Faustina, der Großmutter väterlicherseits Marc Aurels. Verm. lautet der Name richtig R. Libo [1. 249 f.]; zum möglichen Praenomen [2. 205 ff.]. PIR² R 213.

1 A. R. BIRLEY, Two Names in the HA, in: Historia 15, 1966, 249–253 2 W. ECK, Prosopographia III, in: ZPE 127, 1999, 205–210.

[II 2] R. Felix. *Praef. Aegypti* 293 bis mindestens 24. Januar 294 n. Chr.

R. BAGNALL, J. B. RIVES, A Prefect's Edict Mentioning Sacrifice, in: Archiv für Rel.-Gesch. 2, 2000, 77–86 · PIR² R 214.

W. E.

Ruricius von Limoges. Christl. Bischof und Autor; war zunächst verheiratet (Hochzeitslied: Sidon. carm. 11), entschloß sich unter Einfluß des → Faustus [3] Reiensis 477 zum asketischen Leben und wurde schließlich 485 Bischof. Er starb kurz nach 507. Ein Epitaph auf ihn und seinen Nachfolger, den Enkel R. II., findet sich bei → Venantius Fortunatus (carm. 4,5). Erh. sind 2 B. mit 18 bzw. 64 (65) Briefen, dazu 14 Briefe an R. Unter diesen Texten finden sich v. a. Empfehlungsschreiben und bischöfliche »Alltagskorrespondenz«, wobei es sich freilich in Wahrheit um sorgfältig stilisierte Briefe handelt, die in der Trad. des → Sidonius Apollinaris stehen und durchaus als Beispiel-Slg. angelegt sind, die Maßstäbe setzen will.

CPL, 985 · J. MACHIELSEN, Clavis patristica pseudepigraphorum medii aevi, Bd 2A, Nr. 719 · R. DEMEULENAERE, CCL 64, 1985, 313–394 (wichtige Korrekturen bei G. BARTELINK, in: Theological Revue 82, 1986, 287–289) · H. HAGENDAHL, La correspondance de R., 1952.

C. M.

Rusaddir (pun. *R'š 'dr*). Zunächst Name des »Großen Kaps« (*r'š 'dr*) Tres Forcas, dann der Stadt R., h. Melilla (Marokko, spanische Enklave). Belege: Mela 1,29: irrtümlich *Rusigada*; *Rhysaddir*. Plin. nat. 5,18; Ῥυσσάδειρον, Ptol. 4,1,7; *Rusadder colonia*: Itin. Anton. 11,3 f. Die ältesten Zeugnisse der pun. Siedlung (3. Jh. v. Chr.) sind in der Nekropole von Cerro de San Lorenzo gefunden worden. Aus R. stammt auch eine neupun. Inschr. [1]. Mz. mit der Legende *R'š 'dr* bezeugen die (relative) Autonomie der Stadt während der Zeit der mauretanischen Könige (→ Mauretania).

1 L. GALAND u. a. (Hrsg.), Inscriptions antiques du Maroc, Bd. 1, 1966, Nr. 18.

J. DESANGES, Pline l'Ancien. Histoire naturelle. Livre V,1–46, 1980, 149 f. · M. PONSICH, s. v. R., DCPP, 379 · M. TARRADELL, Marruecos púnico, 1960, 63–73. W. HU.

Rusafa (*Ruṣāfa*; in byz. Zeit auch Sergiupolis). Ruine in Zentralsyrien, ca. 180 km östl. von Aleppo und 35 km südl. des Euphrat. Röm. Limesfestung (→ Limes VI. D., mit Karte) seit dem 1. Jh. v. Chr. Der Ort, an dem unter → Diocletianus der Offizier Sergios das Martyrium erlitt (vgl. [1]), wurde in der Spätant. zum zentralen Pilgerzentrum christl. arabischer Stämme der Levante und Mesopotamiens. Seit dem 5. Jh. n. Chr. besaß R. Kirchen, darunter die als Bischofssitz dienende und dem Hl. Kreuz geweihte Basilika. Iustinianus [1] I. befestigte das 21 ha große Zentrum R.s in der Mitte des 6. Jh. (Prok. aed. 2,9,3–8) und legte vier Zisternen an. Von 724 bis 745 war R. Residenz des omajjadischen Kalifen Hišām, der eine Moschee neben der Pilgerkirche errichtete. Mit dem Mongolensturm 1258 wurde R. von Christen und Muslimen verlassen.

1 Vita SS. Sergii et Bacchi, Acta martyrum, in: Analecta Bollandina 14, 1895, 373 ff.

W. KARNAPP, Die Stadtmauer von Resafa in Syrien, 1976 · TH. ULBERT, Die Basilika des Hl. Kreuzes in R.-Sergiupolis (Resafa 2), 1986 · E. FOWDEN, The Barbarian Plain: St. Sergius between Rome and Iran, 1999 · D. SACK-GAUSS, Die Große Moschee von Resafa – Ruṣāfat Hišām (Resafa 4), 1996. T. L.

Rusazus. Name des Cap Corbelin und des südl. davon gelegenen punischen Stützpunkts, h. Azeffoun (Algerien). Belege: *R. colonia Augusti*, Plin. nat. 5,20; Ῥουσαζοῦς, Ptol. 4,2,9; *Rusazu municipium*, Tab. Peut. 2,3; *Rusazis municipium*, Itin. Anton. 17,2; *Ruseius mune*, Geogr. Rav. 40,42. Nach [1. 379] erklärt sich der Name folgendermaßen: *R'š-(h)ᶜz(z)* = »Cap (du) Fort«. Inschr.: CIL VIII 2, 8985–8991. Für das J. 484 n. Chr. ist ein Bischof erwähnt (*Rusaditanus*, Notitia episcoporum Mauretaniae Caesariensis 69). Reste von Dämmen, Tempeln, Thermen und von einer Nekropole sind erhalten.

1 E. LIPIŃSKI, s. v. R., DCPP, 379.

AAAlg, Bl. 6, Nr. 70, 71, 74, 87 · J. DESANGES, Pline l'Ancien. Histoire naturelle. Livre V,1–46, 1980, 172 f. · J.-P. LAPORTE, Azzefoun, antique Rusazu, in: Bull. archéologique du Comité des travaux historiques N. F. 23 (1990–1992), 1994, 222. W. HU.

Ruscino

[1] Fluß, der in den Pyrenäen (→ Pyrene [2]) entspringt und an R. [2] vorbei ins Mittelmeer mündet (Strab. 4,1,6: Ῥουσκίνων; Pol. bei Athen. 8,332a: Ῥόσκυνος; Ptol. 2,10,2: Ῥουσκίων; Avien. ora maritima 567: *Roschinus*). Plin. nat. 3,32 nennt den Fluß Tetum (Mela 2,84: *Telis*); h. Têt. Y. L. u. E. O.

[2] (Ῥουσκίνων). Keltisches *oppidum* im Gebiet der → Volcae Tectosages (Ptol. 2,10,9: Ῥουσκινόν) am R. [1] (Strab. 4,1,6: Ῥουσκίνων); h. Château Roussillon, 4 km östl. von Perpignan. Hier sammelten einige Keltenfürsten ihre Truppen, um sich Hannibal [4] im Spätsommer 218 v. Chr. auf dem Zug nach It. bei Iliberis [2] angekommen, entgegenzustellen; dieser gewann sie aber in Verhandlungen für sich (Liv. 21,24,2–5). In röm. Zeit war R. Stadt latin. Rechts (Plin. nat. 3,32), bald darauf *colonia* (Mela 2,84), Station an der Via Aemilia (Itin. Anton. 397,5; Tab. Peut. 2,3: *Ruscione*; Becher von Vicarello: *Ruscinone*, [1. LXXII, 46 I]; *Ruscinne*: [1. LXXII, 46 II]). Arch.: Neue Ausgrabungen [3].

1 MILLER 2 G. BARRUOL (Hrsg.), R. Château Roussillon, 1980 3 A. L. F. RIVET, Gallia Narbonensis, 1988, 135–141. E. O.

Rusellae. Etr. Stadt, Grabungsgelände auf einem Hügel am linken Ufer des Umbro (h. Ombrone) nahe der Mündung ins → Mare Tyrrhenum, ca. 15 km nordwestl. von Grosseto, h. Roselle. Die ersten Zeugnisse gehören zu der → Villanova-Kultur (Pozzetto-Gräber) und der orientalisierenden Kultur (Fossa- und → Tumulus-Gräber; → Grabbauten C.1.). Die Funde zeigen auffallende Ähnlichkeit mit denen im benachbarten → Vetulonia. In die Phase der orientalisierenden Kultur reicht der erste Mauerring (aus luftgetrockneten Lehmziegeln) der Siedlung zurück, ebenso einige bauliche Strukturen, darunter das runde Haus (*casa tonda*), das wahrscheinlich sakral genutzt wurde. R. dürfte sich bereits einen gewissen Ruhm erworben haben, als es, der Überl. zufolge (Dion. Hal. ant. 3,51,4), 606 v. Chr. auf seiten der Latini gegen L. Tarquinius Priscus zu Felde zog. In archa. Zeit datieren verschiedene Häuser mit Steinfundamenten und ein neuer Mauerring aus Stein, in den der alte eingegliedert wurde (ca. 60 ha). Zahlreiche Keramik- und Architektur-Frg. vom 6. Jh. v. Chr. bis in röm. Zeit sind erh. Nach verschiedenen Auseinandersetzungen mit Rom E. des 4./Anf. des 3. Jh. v. Chr. wurde R. 294 v. Chr. endgültig von L. Postumius [I 16] Megellus besiegt (Liv. 10,37,3 f.). Zu E. des 2. → Punischen Krieges unterstützte R. die Römer 205 v. Chr. mit Getreide und Tannenholz (Liv. 28,45,18). Nach dem Bundesgenossenkrieg [3] wurde R. *colonia*, *tribus Scaptia*. Aus der Zeit des Augustus bis zum E. des

1. Jh. n. Chr. stammen zahlreiche Gebäude und Statuen. R. war in der Spätant. Bistum.

> A. MAZZOLAI, Roselle e il suo territorio, 1960 ·
> G. MAETZKE u. a., Roselle. Gli scavi e la mostra, 1977 ·
> D. CANOCCHI, Osservazioni sull'abitato orientalizzante a
> Roselle, in: SE 48, 1980, 31–50 · L. DONATI, La casa
> dell'Impluvium, 1994 · C. CITTER, Grosseto, Roselle e il
> Prile, 1996.　　　　　　　　　　GI. C./Ü: J. W. MA.

Rusguniae. Name des die Bucht von Algier im NO abschließenden Cap Matifou und des in der Nähe des Caps gelegenen punischen Stützpunkts, h. Tametfoust. [1. 379] erklärt den Namen mit *R'š-gnj* = »Cap du Francolin«. Belege: *Ruthisia* (?), Mela 1,31; *colonia Augusti R.*, Plin. nat. 5,20; Ῥουστόνιον, Ptol. 4,2,6; *R. colonia*, Itin. Anton. 16,1; *Rusgume*, Geogr. Rav. 40,43; *Rugunie*, Geogr. Rav. 88,13; *Rusgimia*, Guido, Geographia 132,22. R. wurde vor 27 n. Chr. *colonia* durch *deductio* der *legio IX Gemella* [2]. Inschr.: CIL VIII 2, 9045; 9047; 9246–9255; Suppl. 3, 20849–20851; AE 1956, 160. In R. sind ca. 100 pun. bzw. neupun. Stelen gefunden worden. In röm. Zeit stand in der Stadt ein Tempel des Saturnus, des röm. Baal Hamon. Im J. 419 vertrat der Bischof von R. zusammen mit den Bischöfen von → Icosium und von → Rusuccuru in Karthago die *prov. Mauretania Caesariensis* (Acta concilii Carthaginiensis anno 419 habiti, cognitio 4, § 433; 437; 510 f.).

> 1 E. LIPIŃSKI, s. v. R., DCPP, 379　2 P. SALAMA, La colonie
> de R., in: Rev. Africaine 99, 1955, 5–52 und Taf. I–V.
>
> AAAlg, Bl. 5, Nr. 36 · R. GUÉRY, Notes de céramique ...,
> in: Bull. d'archéologie algérienne 3, 1968, 271–275; 4, 1970,
> 267–295 · P. SALAMA, La trouvaille de sesterces de R., in:
> Rev. Africaine 101, 1957, 205–245.　　　　　　W. HU.

Rusicade. Name eines Vorgebirges und des in dessen Nähe (in der späteren röm. Prov. Numidia) errichteten punischen Stützpunkts, h. Skikda in Algerien (Mela 1,33: *Rusicade*; Plin. nat. 5,22: R.; Ptol. 4,3,3: Ῥουσικάδα; Tab. Peut. 3,3: *R. colonia*; Vibius Sequester, Geographia p. 151: *Rusicade*; Iulius Honorius, Cosmographia A 44: *Rusiccade oppidum*; Geogr. Rav. 39,12: *Rusicade*; 88,22: R.; Guido, Geographia 132,32: *Rusicada*). [1. 379] erklärt den Namen mit *R(')š-(h)kd* = »Cap de la Cruche«. Zahlreiche Stelen weisen auf das Fortleben der pun. Trad. bis zum E. des 1. Jh. n. Chr. hin. Während der Statthalterschaft des P. Sittius wurde R. *colonia* (*Veneria*), zu Anf. des 2. Jh. n. Chr. eine der vier *coloniae* der *res publica Cirtensium* (→ Cirta). Inschr.: ILAlg II 1, 1–378; 379–418. Bedeutende Ruinen sind erh.

> 1 E. LIPIŃSKI, s. v. R., DCPP, 379.
>
> AAAlg, Bl. 8, Nr. 196 · J. GASCOU, Pagus et castellum dans la
> Confédération cirtéenne, in: AntAfr 19, 1983, 175–207 ·
> M. LEGLAY, Saturne Africain. Monuments, Bd. 2, 1966,
> 13–18 · C. LEPELLEY, Les cités de l'Afrique romaine ...,
> Bd. 2, 1981, 441–443.　　　　　　　　　　W. HU.

Ruso s. Abudius; s. Calvisius [2–4]

Ruspina. Name des den Golf von Hammamet (Ost-tunesien) im Süden begrenzenden Vorgebirges und der in dessen Nähe gegr. phöniz. oder pun. Siedlung, h. Monastir (Bell. Afr. passim: R.; Strab. 17,3,12: Ῥουσπῖνον; Plin. nat. 5,25: R.; Sil. 3,260: R.; Ptol. 4,3,9: Ῥουσπίνα; Cass. Dio 42,58,4: Ῥούσπινα; Tab. Peut. 6,2: R.); bei [1. 380] Erklärung des Namens durch *R'š-pn(t)* = »Cap d'Angle«. R. schloß sich 46 v. Chr. als erste Stadt in Africa → Caesar an (Bell. Afr. 6,7; 9,1). Seit → Diocletianus gehörte R. zur Prov. Byzacena. Inschr.: CIL VIII Suppl. 1, 11135 f.

> 1 S. LANCEL, E. LIPIŃSKI, s. v. R., DCPP, 380.
>
> AATun 050, Bl. 57, Nr. 94 · J. DESANGES, Pline l'Ancien.
> Histoire naturelle. Livre V, 1–46, 1980, 233.　　W. HU.

Rustam. Der Sohn des chorasanischen Statthalters Farruḫ-Hormizd stürzte 631 n. Chr. → Azarmiducht und setzte 633 die Anerkennung → Yazdgirds III. durch. Als Kronfeldherr suchte er den Einbruch der Araber abzuwehren. So stieß unter R.s Führung ein persisches Heer bis zur Grenzfestung al-Qādisīya am Rand der syrischen Wüste vor. Dort entwickelte sich im Frühj. 636 oder 637 eine mehrtägige Schlacht, in der die Perser geschlagen wurden, nachdem R. gefallen war (PLRE 3B, 1100).

> B. W. ROBINSON, s. v. R., EI² 8, 1995, 636–638 · B. SPULER,
> Iran in früh-islam. Zeit, 1952, 5–9.　　　　　　M. SCH.

Rusticus. Röm. Cogn.; → Antistius [II 4], → Fabius [II 19], → Iunius [II 27–28].

> KAJANTO, Cognomina, 311 f.　　　　　　　　K.-L. E.

[1] Stadtröm. Diakon, war mit seinem Onkel, Papst → Vigilius, ab 547 n. Chr. in Konstantinopel, wurde ein glühender Verteidiger der »Drei Kapitel« (→ Synodos), weshalb er von Vigilius 550 exkommuniziert wurde. Nach der 5. Ökumenischen Synode (553) zuerst in die äg. Thebais verbannt, schrieb er *Contra Acephalos* gegen die Monophysiten (→ Monophysitismus). Im späteren Exil im Akoimetenkloster bei Konstantinopel korrigierte er die älteren Übers. der Konzilsakten von → Kalchedon und → Ephesos und fertigte zw. 564–566 auch neue Übers. an, die wichtig für die abendländische Konzilsrezeption sind.

> E. SCHWARTZ (Hrsg.), Acta Conciliorum Oecumenicorum,
> Bd. 1.3, 1929 (praef.); Bd. 1.4, 1932/33 (praef.) · Ders.,
> Zur Kirchenpolitik Justinians, in: Ders., Gesammelte
> Schriften, Bd. 4, 1960, 273–328; 311 f.　　　　S. L.-B.

[2] Sextius Iulianus R. Gallier niedriger Herkunft, 367 n. Chr. *mag. memoriae*, 371/3 *procos. Africae*, berüchtigt wegen seiner Grausamkeit, 387 *praef. urbi Romae* des → Maximus [7], in diesem Amt verstorben. PLRE 1, 479 f. (Iulianus 37).

[3] Decimius R. Vornehmer Gallier, *mag. officiorum* → Constantinus' [3] III., 407–409 n. Chr. *praef. praet. Galliarum.* Während der Rebellion des Gerontius [3] war er mit dem Caesar Constans [4] in Spanien, 413 wurde er von Honorius [3] gefangengenommen und in Arverni hingerichtet.

CLAUSS 189 · PLRE 2, 965 (R. 9). K.G.-A.

[4] R. Helpidius. Weder Namensform (Rusticius Elpidius Domnulus) noch Lebenszeit und Kulturraum des lat. Dichters sind mit Sicherheit auszumachen. Einiges spricht dafür, ihn um 500 n. Chr. anzusetzen und der im ostgotischen It. bedeutenden Familie der Flavii Rusticii zuzuordnen. Zwei Werke sind unter seinem Namen überl.: (1.) *Historiarum veteris et novi testamenti tristicha.* Die 24 hexametrischen Dreizeiler, die formal an die bei → Symp(h)osius überl. → Rätsel erinnern, stehen inhaltlich in der Trad. der von → Prudentius' *Dittochaeon* (48 Vierzeiler!) begründeten kunstgemäßen Beschreibungen von theologisch einander zugeordneten Szenen des AT und des NT. Ob es sich um *tituli* für einen konkreten Bilderzyklus handelt, ist nicht zu entscheiden. (2.) *Carmen de Iesu Christi beneficiis* in 149 Hexametern. Auf eine – für christl. Dichtung der lat. Spätant. typische – persönliche Einleitung folgen hymnisch gefärbte Schilderungen von Wundern Christi und seines Heilswirkens für die gesamte Menschheit. Der Autor scheint die Bibelepen des → Iuvencus und des → Sedulius gekannt zu haben, die emphatischen Partien gemahnen an *De laudibus Dei* des → Dracontius [3].

ED.: PL 62,543–548 · W. BRANDES (R. H., De beneficiis, Programm Braunschweig), 1890 (mit Komm.) · F. CORSARO, Elpidio Rustico 1955 (beide Werke). LIT.: S. CAVALLIN, Le poète Domnulus, in: Sciences Ecclésiastiques 7, 1955, 49–66 · D. KARTSCHOKE, Bibeldichtung, 1975, 40f. · L. PIETRI, R. H., un poète au service d'un projet iconographique, in: Bull. de la Soc. nationale des antiquaires de France 1995, 116–139. K.SM.

Rustius. Cn. Marcius R. Rufinus. Ritter, der seine Laufbahn als *centurio* bei einer Legion begann. *Primus pilus* bei der *legio III Gallica* in Syrien; Tribun bei den *vigiles*, den *cohortes urbanae* und den Praetorianern in Rom; zum zweiten Mal *primus pilus* bei der *legio III Cyrenaica* in Arabien. Übergang in die procuratorische Laufbahn: Procurator von Syria (Coele?), Praefekt der beiden ital. Flotten, *praepositus annonae* wohl während des Partherkrieges 198 n. Chr.; Praefekt der *vigiles* 205–207, wobei er den Rangtitel *eminentissimus vir* führte.

R. SABLAYROLLES, Libertinus miles, 1996, 496f., 559f. · PIR² M 246. W.E.

Rusuccuru. Vorgebirge und punische Stadt in der Nähe der Mündung des Oued Sebaou (in der späteren → Mauretania Caesariensis), h. Dellys (Bell. Afr. 23,1: *Ascurum* (?); Plin. nat. 5,20: *Rusucurium*; Ptol. 4,2,8: Ῥουσουκκόραι oder Ῥουσοκκόρου; Itin. Anton. 16,4 und 39,2: *R.*; 36,3 und 39,1: *Rusuccurru*; Tab. Peut. 2,2:

R.; Mart. Cap. 6,668: *R.*; Geogr. Rav. 40,43: *Rusicuron*; 88,13: *Rusucurus*; 88,15: *Rusucurum*; Guido, Geographia 132,22: *Rusicorus*). [1. 380] erklärt den Namen mit *R'š-hqr* = »Cap de la Perdrix«. Unter → Septimius Severus wurde R. *municipium* (CIL VIII 2, 8995); in Itin. Anton. 16,4 und Tab. Peut. 2,2 ist R. als *colonia* bezeichnet. Zwei gegnerische Bischöfe nahmen 411 n. Chr. am Konzil von Karthago teil (Acta concilii Carthaginiensis anno 411 habiti, cognitio 1, § 135; 176). Inschr.: CIL VIII 2, 8995–9004; Suppl. 3, 20706; 20707 (?); 20708 (?); 20710–20729; AE 1985, 901.

1 E. LIPIŃSKI, s. v. R., DCPP, 380.

AAAlg, Bl. 6, Nr. 24, 87 · J. DESANGES, Pline l'Ancien. Histoire naturelle. Livre V, 1–46, 1980, 170–172 · H. DESSAU, s. v. R., RE I A, 1245 · J.-P. LAPORTE, s. v. Dellys, EB, 2255–2261 · Ders., Le statut municipal de R., in: A. MASTINO, P. RUGGERI (Hrsg.), L'Africa romana. Atti del X convegno di studio, Bd. 1, 1994, 419–437. W.HU.

Ruteni. Kelt. Volk im Süden des Massif Central [1] zw. Arverni im Norden, Cadurci im Westen, Gabali im Osten und Volcae im Süden. Da Vasallen der → Arverni, wurde ihnen nach der Niederlage des Königs Bituitus im J. 121 v. Chr. ein Teil ihres Territoriums von den Römern genommen (*R. provinciales*). Im J. 52 v. Chr. schickten sie 12 000 Mann nach → Alesia (Caes. Gall. 7,75). Unter Augustus wurde → Segodunum Hauptort ihrer *civitas* [2]. Diese gehörte erst zu Aquitania, nach der Provinzialreform des → Diocletianus zur Aquitania I. Segodunum war über Anderitum (h. Javols) an Lugdunum, über Divona an Burdigala und über Condatomagus und Cessero (h. St. Thibéry-sur-l'Herault) an die Via Domitia angebunden (Tab. Peut. 1,3). Bei den R. gab es Eisenminen und silberhaltige Bleiminen (Strab. 4,2,2), bei ihnen entwickelten sich Pechproduktion und zw. 20 und 120 n. Chr. → Terra sigillata-Industrie in La Graufesenque nahe Condatomagus [3; 4; 5]. 470 n. Chr. wurden sie von den → Westgoten unterworfen, 533 dem fränkischen Königreich (→ Franci) eingegliedert.

1 A. ALBENQUE, Les Rutènes, 1948 2 M. LABROUSSE, L'empreinte romaine, in: H. ENJALBERT (Hrsg.), Histoire du Rouergue, 1979, 33–72 3 F. HERMET, La Graufesenque (Condatomago): vases sigillés, graffites, 2 Bde., 1934 4 R. MARICHAL, Les graffites de La Graufesenque (Gallia, 47. Suppl.), 1988 5 A. VERNHET, Centre de production de Millau – Atelier de La Graufesenque, in: C. BEMONT, J.-P. JACOB (Hrsg.), La terre sigillée gallo-romaine, 1986, 96–103. J.-M. DE./Ü: E. N.

Rutilius. Name einer weitverzweigten röm. plebeischen Familie, die ab dem Beginn des 2. Jh. v. Chr. bekannt wurde, aber erst am Ende des Jh. zum ersten Mal das Konsulat erlangte.

I. REPUBLIKANISCHE ZEIT

[I 1] R. Lupus, P. Spätestens 93 v. Chr. Praetor, 90 Consul. Erhielt im Bundesgenossenkrieg [3] das Kommando über die Nord-Armee; gegen den Rat seines Legaten C. Marius [I 1] ließ er sich von den Marsern in einen Hinterhalt locken und wurde im Tal des Tolnus (h. Turano) getötet (Liv. per. 73; App. civ. 1,191–194; Oros. 5,18,11f.). MRR 2,25.   K.-L. E.

[I 2] R. Lupus, P., Sohn von R. [I 1]. Attackierte 56 v. Chr., wohl als Volkstribun, Caesars zweites Ackergesetz und unterstützte Pompeius' [I 3] Plan, Ptolemaios [18] XII. nach Äg. heimzuführen. R. galt als Pedant (Cic. ad Q. fr. 2,1,1; Cic. fam. 1,1,3; 1,2,2). Als Praetor befehligte er 49 in It. drei Kohorten für Pompeius, verlor sie durch Zögern beim Rückzug aber an Caesar (Cic. Att. 8,12A,4; Caes. civ. 1,24,3); 48 versuchte R., den Isthmos von Korinth zu sperren (Caes. civ. 3,55,3).   JÖ. F.

[I 3] R. Rufus, P.
A. Politiker und Historiker   B. Jurist

A. Politiker und Historiker

Geboren spätestens 158 v. Chr., diente 134–132 als *tribunus militum* unter P. Cornelius [I 70] Scipio Aemilianus in Spanien (App. Ib. 382; Cic. rep. 1,17) und muß spätestens 118 Praetor gewesen sein, da er sich für 115 um das Konsulat bewarb; er unterlag aber M. Aemilius [I 37] Scaurus (Cic. de orat. 2,280), worauf beide den Konkurrenten wegen → *ambitus* belangten (Cic. Brut. 113). 109–107 bewährte sich R. als Legat des Q. Caecilius [I 30] Metellus im Jugurthinischen Krieg (→ Iugurtha; Sall. Iug. 50,1; 52–53). Als Consul des J. 105 (MRR 1,555) stärkte er nach der Niederlage seines Kollegen bei → Arausio die röm. Kampfkraft durch Aushebungen und spez. Ausbildung (Val. Max. 2,3,2). Da er 94 v. Chr. (Datier. nach [1]; anders MRR 3,145f.) als Legat und dann Stellvertreter des Proconsuls Q. Mucius [I 9] Scaevola in Asia die Provinzialen vor Übergriffen der Steuerpächter schützte, wurde er 92 ([2. 49]; nach [3. 128f.] schon 94) – unter dem Einfluß des C. → Marius [I 1] (Cass. Dio fr. 97,3) – von parteiischen Richtern des Ritterstandes wegen Repetunden verurteilt (→ *repetundarum crimen*; Liv. per. 70; Vell. 2,13,2). Er ging ins Exil, zuerst nach Mytilene, dann nach Smyrna (wo Cicero ihn 78 traf: Cic. Brut. 85), und lehnte die Rückkehr nach Rom ab (Sen. epist. 24,4; Quint. inst. 11,1,13). Schon Cicero (Rab. Post. 27) sah in ihm ein Muster der Tugend (vgl. später Sen. epist. 79,14).

R. war umfassend gebildet. Als Schüler des → Panaitios [4] (Cic. Brut. 114; Cic. off. 3,10) wurde er zum überzeugten Anhänger des → Stoizismus. Das prägte auch seine Beredsamkeit, die scharfsinnig und sachbezogen, aber trocken und wenig publikumswirksam war (Cic. Brut. 114); bei seinem Repetunden-Prozeß verzichtete er auf eine rhet. wirksame Verteidigung (Cic. Brut. 115).

Im Exil schrieb R. eine lat. → Autobiographie (III.) (*De vita sua*) in mind. 5 B., verm. mit apologetischer Tendenz, daneben ein zeitgesch. Werk in griech. Sprache (Athen. 4,168d-e u. ö.; Plut. Pompeius 37,4), das sich inhaltlich wohl mit der Autobiographie berührte,

aber nicht identisch war ([4. 209]; allzu hypothetisch [5. 157–164]). Fr.: HRR 1², 187–190.

1 E. BADIAN, Q. Mucius Scaevola and the Province of Asia, in: Athenaeum 34, 1956, 104–123 **2** ALEXANDER **3** R. B. KALLET-MARX, The Trial of R. Rufus, in: Phoenix 44, 1990, 122–139 **4** SCHANZ/HOSIUS 1, 207–209 **5** G. L. HENDRICKSON, The Memoirs of P. R. Rufus, in: CPh 28, 1933, 153–175.   W. K.

B. Jurist

R. war als Jurist Schüler der drei »Zivilrechtsbegründer« (*fundatores iuris civilis*, Dig. 1,2,2,40). Seine gute Rechtskenntnis zeigte er nicht nur in seinen Reden, sondern auch beim Erteilen von Rechtsauskünften (→ *responsa*; Cic. Brut. 113; [1. 544]). In seinem praetorischen Edikt von 118 v. Chr. beschränkte er den Dienstanspruch des *patronus* gegen den Freigelassenen (→ *operae libertorum*) auf eine *actio operarum* (»Klage auf Dienste«) und dessen Erbschaftsanspruch durch eine fingierte *societas* (Gesellschaft) mit dem Freigelassenen auf die Hälfte seines Erbes [2. 52–58, 99–130]. R. ist auch Urheber der *actio Rutiliana*, einer Prozeßformel mit Subjektswechsel, die beim Schuldnerkonkurs Klagen des *bonorum emptor* (Vermögenserwerber im Konkurs, → *missio* [2]) gegen Konkursschuldner und die der Konkursgläubiger gegen ihn ermöglicht [3].

1 WIEACKER, RRG **2** C. MASI DORIA, Civitas, operae, obsequium, 1993 **3** M. KASER, K. HACKL, Das röm. Zivilprozeßrecht, ²1996, 399f.   T. G.

II. Kaiserzeit

[II 1] R. Claudius Namatianus, wahrscheinlich aus Toulouse (→ Tolosa), hatte wie schon sein Vater hohe röm. Ämter inne (*magister officiorum* 412 n. Chr., *praefectus urbi* 414). 417 kehrte er auf seine von den Goten verheerten Güter zurück, vielleicht auch zur Neuordnung der Prov.-Verwaltung. Die Reise schildert er in einem nur teilweise (bis zum Anf. von B. 2) erh., an der klass. Dichtersprache orientierten, zahlreiche Motive der Epik (>Odyssee<, >Aeneis<) spiegelnden Gedicht in elegischen Distichen, *De reditu suo*. Hier, im Preis der Stadt Rom, hat der spätant., bes. in der nichtchristl. Aristokratie lebendige Glaube an eine sich trotz aller Gefährdung des Reiches stets erneuernde *Roma aeterna* seinen sublimsten Ausdruck gefunden, aktuell begründet durch die von → Constantius [6] III. bewirkte Befriedung Südgalliens. 1973 kamen weitere 39 sehr verstümmelte Verse ans Licht. Daraus ist eine Fortsetzung der Reise verm. bis Arelate, h. Arles (wohl kaum Albenga) kenntlich. Das erst 1493 in einer h. verlorenen Hs. aus Bobbio entdeckte Gedicht war dem MA unbekannt, wirkte aber auf die → Reiseliteratur des Humanismus (Ed. princeps Bologna 1520).

→ Epigrammata Bobiensia

ED.: R. HELM, 1933 (mit Komm.) · P. VAN DE WOESTIJNE, 1936 · J. VESSEREAU, F. PRÉCHAC, ²1961 (mit frz. Übers.) · E. CASTORINA, 1967 (mit it. Übers. und Komm.) · I. BARTOLI, 1971 · E. DOBLHOFER, 2 Bde. 1972–1977 (mit dt. Übers. und Komm.) · A. Fo, 1992 (ital. Übers. und Komm.).

LIT.: PLRE 2,770 f. · HLL, Bd. 6, § 624 (im Druck) · F. CORSARO, Studi rutiliani, 1981 · H. WIEGAND, Hodoeporica. Stud. zur neulat. Reisedichtung, 1984 · H. S. SIVAN, R. N., Constantius III and the Return to Gaul in the Light of New Evidence, in: Mediaeval Stud. 48, 1986, 522–532 · I. LANA, La coscienza religiosa del letterato pagano, 1987, 101–123 · W. MAAZ, Poetisch-myth. Realität in 'De reditu suo' des R. N., in: M. WISSEMANN (Hrsg.), Roma renascens, FS I. Opelt, 1988, 235–256 · G. STAMPACCHIA, Problemi sociali nel De reditu suo di Rutilio Namaziano, in: Index 17, 1989, 243–254 · A. P. MOSCA, Aspetti topografici del viaggio di ritorno in Gallia di Rutilio Namaziano in: F. ROSA, F. ZAMBON (Hrsg.), Pothos, il viaggio, la nostalgia, 1995, 133–151.

J. GR.

[II 2] M. R. Cosinius G[all]us. *Procurator patrimonii* (in Rom); zuvor möglicherweise *procurator* der Prov. Baetica; vielleicht 2. Jh. n. Chr. (AE 1993, 1005).

W. ECK, Zu Inschr. von Prokuratoren, in: ZPE 124, 1998, 228–241 · PIR² R 246.

[II 3] Q. Iulius Cordinus C. R. Gallicus. Senator aus Turin in der Transpadana, * ca. 24 n. Chr.; ob sein Vater bereits Senator war oder mit C. R. Secundus, möglicherweise Procurator von Mauretania Tingitana im J. 51, identisch ist, bleibt umstritten (PIR² R 259). Militärtribun bei der *legio XIII Gemina, quaestor, aedilis plebis*; Legat der *legio XV Apollinaris* in Pannonien, bezeugt im J. 52/3; Praetor, Unterstatthalter von Galatien unter Domitius [II 11] Corbulo. *Sodalis Augustalis*, kooptiert im J. 68 anstelle Neros. Anschluß an Vespasian; *cos. suff.* wohl im J. 72. 74 als Sonderlegat in Africa mit der Ermittlung des *census* und der Festlegung der Prov.-Grenzen beauftragt; unsicher ist, ob er dabei den Proconsul als Statthalter ersetzte. Consularer Statthalter von Germania inferior; Kämpfe mit den → *Bructeri*, wobei er die Seherin → Veleda gefangennahm. *Procos.* von Asia für zwei Jahre, vielleicht 82/3–83/4. *Cos.* II 85; Stadtpraefekt vor dem J. 88, in dieser Stellung schwer erkrankt; aus Anlaß seiner Genesung verfaßte Statius das Gedicht silv. 1,4. Im J. 92, vielleicht schon 91 gestorben. Er erhielt die Priesterämter eines *sodalis Augustalis* und *pontifex*, was seinen herausragenden Rang in der flavischen Ges. bezeugt. PIR² R 248.

W. ECK, Statius, Silvae I 4 und C. R. Gallicus als Proconsul Asiae II, in: AJPh 106, 1985, 475–484 · J. G. W. HENDERSON, A Roman Life. R. Gallicus on Paper and in Stone, 1998 · SYME, RP, Bd. 5, 514–520 · SYME, RP, Bd. 7, 620–634.

[II 4] M. R. Lupus. Ritter. *Praef. annonae* unter Traianus; *praef. Aegypti* von 112–117 n. Chr., wo er den jüdischen Aufstand in der Prov. zu bekämpfen hatte. Er ist mit dem Besitzer zahlreicher Ziegeleibetriebe in Rom und Umgebung zu identifizieren. PIR² R 252.

[II 5] P. R. Lupus. Einer der Erben jenes C. Cestius [I 4] Epulo, der sich in der Pyramide an der Via Ostiensis

begraben ließ. Sicher Senator, verm. praetorischen Ranges (CIL V 1375 = ILS 917a). PIR² R 253. W. E.

[II 6] P. R. Lupus. Zeitgenosse des Seneca (E. 1. Jh. v. Chr./Anf. 1. Jh. n. Chr.); über sein Leben existieren keine Zeugnisse. Vielleicht war er der Sohn des Pompeianers R. Lupus. Er ist der Übersetzer einer griech. Schrift des Cicero-Lehrers → Gorgias [4] zur Figurenlehre. Die das ursprüngliche Werk straffende und kürzende Übers. (2,12) ist in zwei B. erh., doch weisen sowohl der überl. Titel (*P. Rutilii Lupi schemata dianoeas ex Graeco vorso Gorgia*) als auch eine Aussage bei Quintilian darauf hin, daß Teile, die die Sinnfiguren behandelten, verlorengegangen sind oder bewußt von späteren Redakteuren herausgestrichen wurden. Dies muß relativ früh geschehen sein, da auch das ant. → *Carmen de figuris* nur den h. erh. Umfang kennt. Auch die Aufteilung des Werkes in 2 B. scheint nachträglich zu sein (vgl. Quint. inst 9,2,102). Die Schrift ist ein Beleg für die Differenziertheit, die die Wiss. von den Redefiguren in der Entwicklung der → Rhetorik erreichte. Sie enthält viele übers. Beispiele aus griech. Werken, die h. verloren sind und hat insofern auch einen hohen Wert als Quelle der griech. Rhet. Die Übers. ist von hoher Eleganz, wenn es auch manchmal an präziser Fassung der rhet. t.t. mangelt. → Figuren

ED.: C. HALM (ed.), Rhetores Latini Minores, 1863 · E. BROOKS (ed.), R. Lupus, De figuris sententiarum et elocutionis, 1970 (mit Komm.). C. W.

[II 7] R. Maximus. Ein vermutlich im 3. Jh. n. Chr. tätiger röm. Jurist, dessen »Einzelbuch« *Ad legem Falcidiam* in Justinians → *Digesta* einmal exzerpiert wurde (Dig. 30,125).

D. LIEBS, Röm. Provinzialjurisprudenz, in: ANRW II 15, 1976, 357 f. · DERS., Jurisprudenz, in: HLL 4, 1997, 138. T. G.

[II 8] R. Pudens Crispinus. Ritter, der nach seiner ersten Stufe des ritterlichen Militärdienstes (*militia*) in den Senatorenstand aufgenommen wurde. Er absolvierte eine Laufbahn mit sehr vielen Ämtern, die er zumeist nur für recht kurze Zeit innehatte. Nach der Praetur wurde er u. a. *curator viae Clodiae, Cassiae, Ciminiae, iuridicus Aemiliae, Etruriae, Liguriae*, Legat der *legio XV Apollinaris* in Kappadokien; praetorischer Statthalter von Lusitania, dann von Thracia, dort 231 n. Chr. bezeugt; praetorischer Statthalter von Syria Phoenice 232/3; *procos. Achaiae*, schließlich *cos. suff.*, unsicher, ob noch unter Severus Alexander oder erst 238. Vom Senat 238 zum *dux* gegen → Maximinus [2] Thrax gewählt, gegen den er zusammen mit Tullius Menophilus die Stadt Aquileia halten konnte. Er war also einer der *viginitiviri*, die 238 den Untergang des Maximinus Thrax mitherbeiführten. Anschließend noch Statthalter von Hispania citerior und Calaecia; schließlich leitete er den *census* in der Lugdunensis und in der Baetica. Seine Laufbahn mit der Vielzahl der Ämter ist außergewöhnlich; die Gründe hierfür sind nicht erkennbar (CIL VI 41229, mit Literatur). PIR² R 257. W. E.

Rutilus. Röm. Cogn. (»rothaarig«), in republikanischer Zeit in mehreren Familien der Nobilität vorkommend (Cornelii, Marcii, Nautii, Sempronii, Verginii), in der Kaiserzeit in der Weiterbildung *Rutilianus* sehr häufig.

KAJANTO, Cognomina, 230.   K.-L.E.

Rutuli. Volk in Süd-Latium im Gebiet um → Ardea (Strab. 5,3,2–5: Ῥούτουλοι; Dion. Hal. ant. 1,43,2; 57,2; 59,2: Ῥοτόλοι; Ail. nat. 11,16: Ῥουτουλοί; Sil. 8,359: R.) an der Mündung des Fosso Molo und des Fosso Acquabona in den Fosso Incastro, der bei Castrum [1] Inui ins Meer mündet. Ihr legendärer König → Turnus bewarb sich wie Aeneas (→ Aineias [1]) um die Hand der Lavinia, der Tochter des Königs Latinus, und fiel im Zweikampf (Cato orig. fr. 9–11; Verg. Aen. 7–12 passim; Liv. 1,2,1–6; Dion. Hal. ant. 1,59,2; 1,64,2–4; Ov. met. 14,449–453; Strab. 5,3,2; Origo gentis Romanae 13,6; 14,1; anders Dion. Hal. ant. 1,64,2–4; Origo gentis Romanae 13,6; 14,1; Cato orig. fr. 11; Liv. 1,2,1–3). Der Name R. leitet sich von *rutilus* (»rot«) ab: nach [1.] bedeutet R. (*r(e)udh-lŏ̆*) »die Blonden«.

Über die Abstammung der R. gab es in der Ant. verschiedene Anschauungen: a) Nachfahren des Odysseus und der Kirke, deren Sohn Ardeias Ardea gegr. haben soll (Xen. Ag. FGrH 240 F 29; Steph. Byz. s. v. Ἀρδέα); b) Nachfahren von Flüchtlingen aus Argos, die mit → Danaë nach Latium kamen (Verg. Aen. 7,371f.; 409–411; Sil. 1,658–661; Plin. nat. 3,56; Solin. 2,5; Serv. Aen. 7,367; 372) und sich mit dem einheimischen König Pilumnus vereinigten (Verg. Aen. 9,3f.; 10,76; 10,619); c) Nachfahren des Königs Daunus [2], des Vaters des Turnus (Vibius Sequester 158 RIESE: *R., idem Dauni*; vgl. Lykophr. Alexandra 1254); d) latin. Urspr. (Verg. Aen. 12, 40), was aufgrund der Funde aus Ardea, die denen aus *Latium vetus* sehr ähnlich sind, und angesichts der Mitgliedschaft von Ardea im Latinischen Bund (Cato orig. fr. 58; Liv. 32,1,9; Dion. Hal. ant. 5,61,3) plausibel erscheint; auch wurde im Aphrodision bei Ardea ein gemeinsames Fest aller → Latini gefeiert (Strab. 5,3,5).

Für das 6. Jh. v. Chr. charakterisiert Liv. 1,57,1 die R. als ein reiches, mächtiges Volk, das von → Tarquinius Superbus überfallen wurde (Liv. 1,57–60; Dion. Hal. ant. 4,64,1; Eutr. 1,8; Oros. 2,4). In einem Konflikt zw. Ardea und Aricia waren die R. dazu gezwungen, einen Teil ihres Gebiets den Römern abzutreten (Liv. 3,71,1f.; 72,6f.; 4,1,4; 7,4–7; Dion. Hal. ant. 11,52; 54,2). Seit Mitte des 5. Jh. v. Chr. waren sie mit Rom im Kampf gegen die → Volsci verbündet (Liv. 4,9–11 mit Licinius Macer HRR fr. 13: *foedus Ardeatinum*; Dion. Hal. ant. 11,62,4; Ardea wird bei Pol. 3,22,11 bereits in Zusammenhang mit dem 1. Vertrag zw. Rom und Karthago als mit Rom verbündet bezeichnet). Geschwächt durch Überfälle der Volsci, nahm Ardea 442 v. Chr. eine röm. *colonia* auf (Diod. 12,34,5; Liv. 4,11). Während des Kelteneinfalls 387/6 v. Chr. stand Ardea auf seiten der Römer (Liv. 5,43,6–45,3; Val. Max. 4,1,2; Plut. Camillus 23,4). Überfälle der → Samnites (Strab. 5,4,11) füh-

ten im 3./2. Jh. v. Chr. einen allg. Niedergang herbei. Die Mitwirkung der R. an der Gründung von → Saguntum (Liv. 21,7,1f.; Sil. 1,291–293) scheint unhistor. zu sein.

1 G. DEVOTO, Gli antichi italici, ⁴1967.

R. PHILIPP, s. v. R. (2), RE I A, 1282f. • F. DELLA CORTE, La mappa dell'Eneide, 1985 • BTCGI 3, 278–292 (Ardea).
                                                    G. VA./Ü: H.D.

Rutupiae Hafenstadt im äußersten SO von Britannia, h. Richborough (Kent) an dem h. verschlammten Kanal zw. der Insel Tonatis (h. Thanet) und dem Festland von Kent [1]. Der Ort wurde von der Invasionsarmee des Kaisers Claudius [III 1] 43 n. Chr. eingenommen und als mil. Hauptversorgungsbasis bis ins späte 1. Jh. n. Chr. genutzt. Zwischen 80 und 90 n. Chr. wurde hier ein Triumphbogen errichtet, wohl um die nördl. Eroberungen flavischer Statthalter zu feiern [1. 40–73]. Er verfiel im frühen 3. Jh. binnen weniger Jahrzehnte. Um 250 n. Chr. wurde ein Schanzwerk mit drei Gräben um seine Überreste herum errichtet – ein frühes Anzeichen für die Unsicherheit der Küstenregion. Kurz nach 275 n. Chr. wurde über älteren Anlagen auf einem Areal von 2,5 ha ein Fort des *litus Saxonicum* (→ Limes, → Saxones) erbaut [2]. Wie andere Forts des Befestigungswerks hatte auch dieses hohe Verteidigungswälle, vorspringende Türme und enge Tore, aber wenig Innenbauten. Das Fort, von dem noch h. eindrucksvolle Reste von Mauern und Wallanlagen vorhanden sind, wurde bis ins frühe 5. Jh. hinein genutzt.

1 B. W. CUNLIFFE, Fifth Report on the Excavations of the Roman Fort at Richborough, 1968 2 S. JOHNSON, The Roman Forts of the Saxon Shore, 1976, 48–51.

J. P. BUSHE-FOX, Reports on the Excavation of the Roman Fort at Richborough 1, 1926; 2, 1928; 3, 1932; 4, 1949 • S. JOHNSON, Richborough and Reculver, 1987.
                                                    M. TO./Ü: I. S.

Rycroft-Maler. Attischer spät-sf. Vasenmaler, ca. 515–500 v. Chr., benannt nach dem früheren Besitzer einer Amphora (Oxford, AM Inv. 1965.118). Zunächst nur als sf. Maler mit ca. 50 vorwiegend großen Gefäßen bekannt, wurde ihm inzwischen auch eine rf. Hydria (Privat-Slg.) zugewiesen. Stilistisch steht er dem → Priamos-Maler nahe, seine elegante Zeichenweise mit viel Umrißritzung orientiert sich jedoch stärker am rf. Stil. Beide Maler scheinen von → Psiax beeinflußt zu sein. Der R.-M. hat eine Vorliebe für Gespannszenen, wobei die äußerst sparsame Binnenritzung bei den Pferden auffällt. Daneben sind Heraklestaten und Dionysos mit seinem Gefolge die häufigsten Themen.

→ Schwarzfigurige Vasenmalerei

BEAZLEY, ABV, 334–337 • BEAZLEY, Paralipomena, 147–149 • BEAZLEY, Addenda², 91f. • W. G. MOON, Some New and Little-Known Vases by the R. and Priam Painters, in: J. FREL (Hrsg.), Greek Vases in the J. Paul Getty Museum 2, 1985, 41–70.
                                                    H.M.

S

S (sprachwissenschaftlich). Das phönizische Alphabet kannte die beiden Sibilantenzeichen Ṣādē und Šin, die im Griech. als San (Ϻ) bzw. Sigma (Σ) fortgesetzt sind. Im 6. Jh. v. Chr. wurde in Korinth, Kreta, Sikyon und auf den dor. Inseln außer Rhodos San, sonst Sigma gebraucht, welches sich im 5. Jh. überall durchsetzte [1. 33 f.]. Der Buchstabe bezeichnet im Griech. und Lat. einen stimmlosen alveolaren Frikativ (»Sibilant«) [2. 43; 3. 35]. Uridg. s ist im Griech. nur in wenigen Kontexten bewahrt, bes. neben (stimmlosen) Okklusiven sowie im Auslaut (griech. στατός, lat. status < *stạ₂-to-s zur Wz. *steₐ₂ »hintreten«), ansonsten ist es zu h- entwickelt (griech. ἑπτά, lat. septem < *septm̥′), assim. oder geschwunden. Vor Vokal geht anlautendes griech. σ zurück auf tu̯ ti̯ (griech. σείω »erschüttere« < *tu̯eis-ō, vgl. altind. a-tviṣ-anta »gerieten in Erregung«, griech. σέβεται < *ti̯egʷ-e-, zu altind. tyájate) sowie urgriech. ki̯ kʰi̯ (wofür att. boiot. τ, vgl. ion. σήμερον »heute«, att. τήμερον < *ki̯-āmeron). Im Inlaut resultiert σ aus urgriech. ti̯ tʰi̯ (dor. und lesb. dafür σσ, boiot. ττ, vgl. ion.-att. τόσος »soviel«, μέσος »mittlerer«, dor. und lesb. τόσσος, μέσσος, boiot. ὁπόττος »wieviel«, μέττος < *toti̯os, *meti̯os zu altind. táti, mádhyas), die Geminate σσ außerdem aus urgriech. ki̯ kʰi̯ tu (att., boiot. und kret. dafür ττ, vgl. att. ἐλάττων, ion. dor. ἐλάσσων »schneller« < urgriech. *elakʰi̯ōn zu ἐλαχύς »schnell«; homerisch τέσσαρες, att. τέτταρες < *kʷetu̯r̥-es; im 6./5. Jh. wird in einigen kleinasiat. Orten wie Ephesos, Halikarnassos u. a. anstelle von σσ das Zeichen »Sampi« (Τ) gebraucht, vgl. τεΤαραϙοντα [8. 707; 1. 38 f.]) sowie im Äol. und Dor. aus Dental + s (wofür ion.-att., arkad. σ, vgl. homer. ποσσί, att. ποσί »den Füßen«). Schließlich entsteht σ in der Gruppe »Dental + Dental« (griech. ἴστε < *u̯id-te) [4. 306 f., 317–322; 5. 76–81, 90–93, 96].

Im Lat. ist s im Wortan- und -auslaut, vor stimmlosen Okklusiven und im Auslaut von Kons.-Gruppen (außer nach Liquida) bewahrt (s.o.), zw. Vok. zu r entwickelt, vor stimmhaften Kons. geschwunden oder assim. Im An- und Inlaut vertritt es außerdem die uridg. TK-Gruppen (tk, tk̂, dʰgʷʰ usw., vgl. situs »gelegen« < *tki-to- zu griech. κτίζω »gründe«) [6. 154]. Geminate entsteht aus den Gruppen »s + s«, »Dental + s« und »Dental + Dental« und wird hinter Langvok. oder Diphthong zu s vereinfacht (lat. gessī »trug« < *ges-s- zu gestus, lūsī »spielte« < *lūd-s- zu lūdus, sessus »gesessen« < *sed-to- zu sedeo) [7. 175–181, 196 f., 210]. Griech. σ erscheint in lat. Lw. als s (basis, nausea) [7. 179].

→ Psi (sprachwiss.); X (sprachwiss.); Z (sprachwiss.)

1 LSAG 2 W. ALLEN, Vox Graeca, ²1974 3 Ders., Vox Latina, 1965 4 SCHWYZER, Gramm. 5 RIX, HGG 6 W. COWGILL, M. MAYRHOFER, Idg. Gramm., Bd. 1, 1986 7 LEUMANN 8 SCHWYZER, Dial. GE. ME.

S. Abkürzung der röm. Vornamen → Sextus und → Spurius (auch Sp.). S steht auch für → senatus in der Formel → SPQR, als S. S. für den Senatsbeschluß (S[enatus] S[ententia]), ebenso als S. C. auf Mz., die im Auftrag des Senats geprägt werden ([ex] S[enatus] C[onsulto]; → Senatus consultum). Sehr häufig auf Inschr. für das Possessivpronomen der 3. Pers., suus, sua, suum (in allen obliquen Fällen), z. B. S(ua)P(ecunia)P(osuit) (»errichtet mit eigenem Geld«). Auf Mz. vielfach in der Kaiserpropaganda verwendet für → Salus (»Heil«), → Securitas (»Sicherheit«) oder → Spes (»Hoffnung«).

A. CALDERINI, Epigrafia, 1974, 323–330 · H. COHEN, J. C. EGBERT, R. CAGNAT, Coin-Inscriptions and Epigraphical Abbreviations of Imperial Rome, 1978, 74–82. W. ED.

Saalburg. Röm. Limes-Kastell (→ Limes III., mit Karte) nördlich vom h. Bad Homburg an einem Paß über den Taunus. Als älteste Anlagen galten bislang aufeinanderfolgend die kleinen Schanzen A und B, welche meist mit fortifikatorischen Maßnahmen unter Kaiser Domitianus (81–96 n. Chr.) nach dem Chatten-Krieg (→ Chatti) in Verbindung gebracht wurden [1; 2; 3; 4]. Dabei wird Schanze A mit Eingang nach Süden als kurzfristig besetztes Marsch- oder Baulager evtl. schon in die Zeit des Vespasianus (69–79 n. Chr.) datiert [5]. Die regelmäßiger gebaute, stärker umwehrte Schanze B mit Tor nach Norden wird als Centurien-Kastell aus der Zeit um 83/85 n. Chr. oder nach dem Aufstand des Antonius [II 15] Saturninus 89 n. Chr. angesehen [5]. Ihr folgte ein Numerus-Kastell (»Erdkastell«) von 0,7 ha, das etwa 90/100 n. Chr. westl. der Schanzen errichtet und evtl. von Brittones belegt wurde. Es bestand bis ca. 135 n. Chr. Nachgewiesen sind ein kleines Bad und die Entwicklung eines → vicus, evtl. gehören in diese Zeit auch das sog. forum und die sog. mansio. Diese Abfolge und die Deutung der Schanzen als Wehranlagen sind zuletzt ebenso in Frage gestellt worden wie die Datierungen. Erwogen wird ihre Zeitgleichheit mit dem Numerus-Kastell und eine Funktion bei der Zollerhebung; sie gehören demnach möglicherweise erst in traianische Zeit (1. Viertel 2. Jh. n. Chr.; [6. 200–203]). Die auf dem S.-Paß gelegene »Preußenschanze« ist evtl. als ant. Viehpferch anzusehen. Über dem Numerus-Kastell wurde ca. 135 n. Chr. das 3,2 ha große Kastell für die cohors II Raetorum (equitata) civium Romanorum und den evtl. weiter bestehenden → numerus angelegt. Hierzu gehören ein großes Bad im Süden und ein Lagerdorf. Um 155/160 (180?) n. Chr. wurde das Holz-Erde-Kastell in Stein ausgebaut; es bestand bis 233/260 n. Chr. Die Kastellbefestigung und ein Teil der Innenbauten wurden im Auftrag Kaiser Wilhelms II. 1898–1907 wiederaufgebaut. Außerhalb des Lagerdorfs wurde ein »Mithraeum« gefunden.

1 H. JACOBI, Kastell Nr. 11, S. (Der Obergermanisch-Rätische Limes, Abt. B, Bd. 2,1), 1937 2 H. SCHÖNBERGER, Die röm. Truppenlager der frühen und mittleren Kaiserzeit zw. Nordsee und Inn, in: BRGK 66, 1985, 322–497, 461 D 44 3 D. BAATZ, S. (Taunus), in: Ders., F.-R. HERRMANN, Die Römer in Hessen, 1989, 469–474 4 Ders., Limeskastell S., 1996 5 E. SCHALLMAYER, Kastelle am Limes. Die Entwicklung der röm. Militäranlagen auf dem S.-Paß, in: Ders. (Hrsg.), Hundert Jahre S., 1997, 106–118 6 H. KORTÜM, Die Umgestaltung der Grenzsicherung in Obergermanien unter Traian, in: E. SCHALLMAYER (Hrsg.), Traian in Germanien – Traian im Reich, 1999, 195–205.

R.A. WI.

Saba', Sabaioi. Bei den Sabaioi (Σαβαῖοι; lat. *Sabaei*) handelt es sich um eine Völkerschaft in dem im SW der Arabischen Halbinsel, im Gebiet des heutigen Jemen, gelegenen ant. Land und Reich, das aus den einheimischen Inschr. als *sbʾ* (Saba') bekannt ist. S. ist bereits in assyrischen Quellen bezeugt, wie etwa in den Annalen → Tiglatpilesers III., dem die Saba'ajja um 730 v. Chr. mit Geschenken huldigten, in den Annalen → Sargons II., wo 715 der Sabäer Itamra als Tributbringer erwähnt wird, und in einer Inschr. → Sanheribs, nach welcher 685 Karibili von S. Gaben nach Assyrien schickte. Das AT kennt S. (hebräisch *Šebāʾ*, LXX Σαβα) vorwiegend als Händlervolk und Lieferanten von → Weihrauch (Jer 6,20; Jes 60,6). Als früheste Erwähnung einer Karawane ist vielleicht der Besuch der legendären Königin von S. bei König → Salomo (1 Kg 10,1–13) anzusehen. Der älteste Beleg in der griech. Lit. findet sich bei Theophr. h. plant. 9,4,2: Weihrauch und Myrrhe kommen auf der Arab. Halbinsel in der Gegend von S. (Σαβά) und anderswo vor. Die Sabaioi mit ihrer Metropole → Mariaba werden bei Strab. 16,4,2 (nach Eratosthenes) erwähnt. Nach Agatharchides (De mari Erythraeo 102 = Diod. 3,47,4) trägt die Hauptstadt der Sabaioi den gleichen Namen wie das Reich, nämlich *Sabé* (Σαβή), und auch Ptol. 6,7,25 führt die Sabaioi an und nennt *Sábē* (Σάβη) als königliche Residenz (6,7,42). Bei Plin. nat. 6,154 sind die *Sabaei* wegen des Weihrauchs die berühmtesten der Araber und durch den Reichtum an Räucherwerk auch die wohlhabendsten (Plin. nat. 6,161), die sogar ihre Speisen mit Weihrauchholz kochen (Plin. nat. 12,81). Bereits bei Verg. georg. 1,57 heißt es, daß die *Sabaei* ihren Weihrauch nach Rom schicken. Im peripl. m. r. 23 wird das den Homeriten benachbarte Volk in der Form *Sabaítai* (Σαβαῖται) angeführt, während es bei Dion. Per. 959 *Sábai* (Σάβαι) genannt wird.

Die Gesch. des sabäischen Reiches, das aus einem Stämmebund hervorgegangen war, läßt sich durch einheimische epigraphische Denkmäler bis in das 8. Jh. v. Chr. zurückverfolgen. Die urspr. Staatsform war die einer Theokratie, in welcher der Herrscher als legitimer Vertreter des Hauptgottes Almaqah fungierte. Unter König Karib'il Watar zu Beginn des 7. Jh. wurde S. zu einem mächtigen Reich, das Gebiete im SW der Arab. Halbinsel eroberte, das Königreich Ausān im Süden vernichtete und seinen Herrschaftsbereich nach NW aus-

dehnte. Weitere seit dieser Zeit bezeugte altsüdarab. Reiche sind – zunächst als Vasallen von S. – im Süden → Qatabān und im Osten → Hadramaut, zu denen wenig später noch der Städtebund der Minäer (→ Minaioi) hinzukam. In der Mitte des 1. Jt. v. Chr. begann die koloniale Besiedlung NO-Afrikas, des späteren Äthiopien, durch südarab. Sabäer. Im 4. Jh. verlor S. in Kriegen gegen Qatabān seine Vormachtstellung, Hadramaut wurde zu einem bed. Reich, und die Minäer kontrollierten den Handel. Im 3. Jh. erweiterte S. seinen Machtbereich bis in das jemenitische Hochland, unterwarf bis zum 1. Jh. v. Chr. den minäischen Städtebund und verdrängte Qatabān. Über den gescheiterten röm. Feldzug unter Aelius [II 11] Gallus 25/24 v. Chr. wird in den R. Gest. div. Aug. 26 nur vermerkt, daß in Arabien das Heer bis in das Gebiet der *Sabaei* vorrückte.

Seit dem 1. Jh. n. Chr. stritten neben der sabä. Dyn. die aufkommenden Himjaren und weitere Herrscherhäuser um die Macht in Südarabien. Im 3. Jh. war zudem die jemenit. Küstenebene weitgehend unter die Kontrolle der Abessinier gebracht worden. Im *Monumentum Adulitanum II* (= CIG III 5127 B = Recueil des inscriptions de l'Éthiopie 277) berichtet ein namentlich nicht bekannter König von → Axum, daß er jenseits des Erythräischen Meeres (→ Erythra thalatta) bis zum Land der Sabaioi Krieg geführt habe. Um die Mitte der zweiten Hälfte des 3. Jh. fand die sabä. Dyn. in Mārib (→ Mariaba) ihr Ende, und der Schwerpunkt des nunmehrigen sabäo-himjarischen Reiches verlagerte sich nach der himjarischen Metropole Ẓafār. Mit der endgültigen Eroberung Hadramauts zu Beginn des 4. Jh. war ganz Südarabien zu einem großen Reich vereint. Seit der zweiten Hälfte des 4. Jh. bekannten sich die Herrscher zum Monotheismus, der durch die Gründung christl. Gemeinden und auch jüd. Missionstätigkeit vorbereitet worden war.

Als im Zusammenhang mit dem Konflikt zw. Byzanz und den Sāsāniden 517 der jüd. König Yūsuf Asʾar Yatʾar an die Macht gekommen war, bekriegte er die mit den Abessiniern verbündeten Christen. Dies veranlaßte den König von Axum, Kaleb Ella Aṣbeḥā 525 zu einer mit byz. Unterstützung durchgeführten mil. Invasion, in deren Verlauf der Jemen erobert wurde. Südarabien wurde zunächst abessinischer Vasallenstaat, bis um 535 durch eine Revolte König Abrehā (→ Abraham [2]) an die Macht kam. Um 575 gelangte Südarabien in Abhängigkeit von Persien und wurde 597/598 eine Prov. des Sāsānidenreiches, bis 628 der letzte persische Statthalter im Jemen zum → Islam konvertierte. Verschiedene Ursachen, wie der Verlust einer starken Zentralgewalt, die Einflußnahme auswärtiger Mächte, der Niedergang der Landwirtschaft durch die Vernachlässigung der Bewässerungssysteme und der Rückgang des Handels hatten den Untergang des sabäo-himjarischen Reiches und den Zusammenbruch der ant. Hochkultur vorbereitet.

→ Arabia (mit Karte)

1 W. W. MÜLLER, Weihrauch. Ein arab. Produkt und seine Bed. in der Ant., 1978 2 Ders., Skizze der Gesch. Altsüdarabiens, in: W. DAUM (Hrsg.), Jemen. 3000 Jahre Kunst und Kultur des glücklichen Arabien, 1987, 50–56 3 H. D. GALTER, ›... an der Grenze der Länder im Westen‹ – Saba' in den assyr. Königsinschr., in: A. GINGRICH (Hrsg.), Stud. in Oriental Culture and History, FS W. Dostal, 1993, 29–40 4 CHR. ROBIN (Hrsg.), L'Arabie antique de Karib'îl à Mahomet, 1993 5 K. A. KITCHEN, Documentation for Ancient Arabia, Part 1, 1994; Part 2, 2000 6 E. A. KNAUF, Südarabien, Nordarabien und die Hebr. Bibel, in: N. NEBES (Hrsg.), Arabia felix. Beitr. zur Sprache und Kultur des vorislamischen Arabien, FS W. W. Müller, 1994, 113–122 7 CHR. ROBIN, s. v. Sheba, Supplément au DB, 1996, 1043–1254. W. W. M.

Sabakon (Σαβάκων). Erster König der (nubischen) 25. Dyn., äg. Š3b3k3, Bruder und Nachfolger des Pi(anch)i (Pije). Seine mindestens 15 Regierungsjahre werden nach der traditionellen Chronologie um 716/5–702/1 v. Chr. angesetzt. Da aber sein Nachfolger Sebichos nach einer neupublizierten assyrischen Inschr. schon im J. 706 König war [1], muß S. spätestens 720 den Thron bestiegen haben. S. eroberte in seinem 2. Regierungsjahr Äg. und ließ Manethon [1] zufolge seinen Widersacher → Bokchoris lebendig verbrennen. Das Feudalsystem mit zahlreichen Lokalfürsten wurde aber beibehalten. Außenpolit. vermied S. Konflikte mit dem expandierenden Assyrerreich, im Inneren war er der bedeutendste Bauherr seit E. des NR. S. ist in einem Pyramidengrab in al-Kurrū im Sudan bestattet. Sein Andenken ist generell positiv: Hdt. 2,137 beschreibt ihn als klugen, Diod. 1,65 als frommen und wohlmeinenden König.

1 G. FRAME, The Inscription of Sargon II at Tang-i Var, in: Orientalia 68, 1999, 31–57 2 J. LECLANT, s. v. Schabaka, LÄ 5, 499–513 3 B. U. SCHIPPER, Israel und Äg. in der Königszeit, 1999, 200–210. K. J.-W.

Sabanum. Ein grobes leinenes röm. Tuch, das zum Abtrocknen und Abreiben des Körpers nach dem Bade (Apul. met. 1,23, vgl. Mart. 12,70) bzw. als Umhang diente, um nach einem Dampfbad ins Schwitzen zu kommen; des weiteren nutzte man das s. zum Auspressen der Honigwaben und Umhüllen der Speisen beim Kochen (Apicius 6,215; 239). In der Spätant. verstand man unter s. ein leinenes, mit Gold und Edelsteinen geschmücktes Gewand (Ven. Fort. vita S. Radegundis 9) bzw. einen Mantel. R. H.

Sabarcae. Als kriegstüchtig (vgl. Curt. 9,8,4; Diod. 17,102,2: Σαμβασταί/Sambastaí) gefeiertes, demokratisch regiertes [2. 110; 3. 158; 4. 103, 176ff.] und in der Sanskrit- und Pāli-Lit. (sanskrit Ambaṣṣa) gerühmtes Volk, südl. der → Malloi an der Mündung des → Akesines [2] in den Indos siedelnd, von → Perdikkas [4] (Arr. an. 6,15,1: Ἀβαστανοί) 325 v. Chr. unterworfen.

1 BERVE, Bd. 1, 271 2 A. S. ALTEKAR, State and Government in Ancient India, 1958 3 R. C. MAJUMDAR, Ancient India, 1964 4 B. PRAKASH, Political and Social Movements in Ancient Panjab, 1964. FR. SCH.

Sabatinus Lacus. See in Süd-Etruria bei → Caere (Frontin. aqu. 71; Colum. 7,16; Sil. 8,492: Sabatia stagna; Strab. 5,2,9: λίμνη Σαβάτα), h. Lago di Bracciano. Die eponyme Stadt (Geogr. Rav. 4,36: Sabbatis) ist wohl identisch mit dem h. Bracciano und war Station an der Straße, die nördl. des S. L. von Forum [IV 1] Clodii (h. San Liberato) über Aquae Apollinares Novae (h. Vicarello; Thermen, röm. Heiligtum) nach Baccanae (h. Baccano) führte (Tab. Peut. 5,3). Nach dem S. L. ist die tribus Sabatina (Fest. 464f.), nach Aro (h. Arrone), dem Ausfluß des S. L. ins → Mare Tyrrhenum, die tribus Arnensis benannt [1. 274]. Am SO-Ufer des S. L. bei Angularia (Dig. 18,1,69; h. Anguillara Sabazia) wurden Inschr. (CIL XI 3773–76) und andere ant. Überreste nachgewiesen.

1 L. ROSS TAYLOR, Voting Districts of the Roman Republic, 1960.

A. M. COLINI, La stipe delle acque salutari di Vicarello, in: RPAA 40, 1967/8, 35–82 · P. HEMPHILL, Archaeological Survey of Lago Bracciano, 1968. G. U./Ü: J. W. MA.

Sabazios (Σαβάζιος, lat. Sabazius). Die in Phrygien und Thrakien vorkommenden Var. Σαυάζιος, Σαουνάζιος und Σαάζιος lassen an eine urspr. Form Sawazis (oder Savazis) denken, die Var. Σαββαθικός/Sabbathikós deutet auf eine Verwechslung mit hebr. šabbat oder ṣᵉbā'ōt hin [1. 1585–1587]. Das Theonym Sabas kommt in einem phryg. Graffito vor [2].

S. erscheint in lit. Bezeugung zuerst in der 2. H. des 5. Jh. v. Chr. (Aristoph. Av. 875f.; Aristoph. Lys. 388–390; Aristot. Vesp. 8–10). Die spätere Lit. (Clem. Al. Protreptikos 2,15f.; Arnob. 5,20f.; Diod. 4,4; Firm. de errore 10) überliefert einen Mythos, in dem sich → Zeus als Stier mit → Demeter paart; Kore (→ Persephone), das Kind dieser Verbindung, wird später von Zeus in Form einer Schlange begattet (Orph. h. 48; 49) und bringt den Gott Dionysos-Zagreus-S. zur Welt. Im Unterschied zur lit. Verbindung des S. mit → Dionysos findet man inschr. die Verbindung mit Zeus bzw. später → Iuppiter. So besagt eine Inschr. aus Sardeis (OGIS 331), daß → Stratonike, die Mutter des Attalos [6] III., Zeus-S. aus ihrer Heimat Kappadokien nach Pergamon gebracht habe [3]. Bisweilen wird in diesen Inschr. auch eine Mḗtēr megálē (»Große Mutter«) oder Mḗtēr theṓn (»Göttermutter«) erwähnt, die mit → Kybele gleichgesetzt werden kann [4. Nr. 31]. S. taucht in Kleinasien, Thrakien, Moesien, Griechenland, Italien, Belgien, der Schweiz und in Mainz auf, doch die meisten Funde kommen aus Phrygien, Lydien, Thrakien, Moesien und Rom (Verteilung: [4]). Das Problem des Ursprungs des Gottes und seines Kultes bleibt aber ungeklärt.

S. wird als bärtiger, phrygische Kleidung und Kopfbedeckung tragender Gott oder als Zeus-Iuppiter dargestellt. Oft steht er mit einem Fuß auf einem Widderkopf und hält in einer Hand einen Stab oder einen Pinienzapfen, während die andere in der sog. *benedictio
latina*-Position (mit nach oben gerichtetem Daumen,
Zeige- und Mittelfinger und eingeschlagenem Ring-
und Kleinfinger) abgebildet ist. Die bekannten S.-»Votivhände« sind in fünf Gruppen eingeteilt: Die erste ist
ohne jegliche Attribute, die zweite mit Pinienzapfen,
die dritte mit Schlange, die vierte mit Pinienzapfen und
Schlange und die fünfte mit mehreren Attributen, z.B.
Eidechse, Doppelflöte, Frosch, Krater, Schildkröte und
Widderkopf, ausgestattet. Einige Votivhände stellen an
der Handwurzel eine liegende Frau mit einem Säugling
dar [5; 6; 7].

Demosth. or. 18,259f. wird häufig als erste Beschreibung einer Kultprozession von S.-Anhängern
angesehen. Parallelen zum Dionysos-Kult sind stark
akzentuiert; ob Demosthenes aber tatsächlich den S.-
Kult darstellt, ist nicht ganz klar. Die phryg. Musik und
der Tanz der S.-Anhänger soll dem Kult der Großen
Mutter (*Métēr megálē*/Kybele) sehr ähnlich gewesen sein
([3. 545]; vgl. Arr. Bithynika fr. 10). Prozessionen wurden von einem Priester, der zwei Schlangen in seinen
Händen hielt, angeführt. Nach Theophr. char. 16 stellte
die Schlange eine Inkarnation oder Manifestation des
Gottes dar. Den in den Kult Einzuweihenden wurde
angeblich eine Schlange über die Brust gezogen (vgl.
Orph. fr. 31). Diodoros spricht von Nachtfesten (4,4);
die christl. Polemik rückt die → Schlangen in den Mittelpunkt ihrer Darstellungen. Deren Zentralität im S.-
Kult, die ikonographische Ähnlichkeit zu → Men und
die Verbindung mit der Großen Mutter führte zur
Gleichstellung des S. mit Zeus.

Plutarch referiert die Meinung (Plut. symp. 4,6 =
mor. 671f–672a), daß der Sabbat mit Bakchos zu tun
habe, da die Bakchoi manchmal σάβοι (*sáboi*) genannt
würden und die Juden auch Wein am Sabbat tränken.
Iohannes Lydos identifiziert Sabaoth und Iao mit Di-
onysos-S. (Lyd. mens. 4,53; [9; 10. 662–667]). Es deutet
allerdings nichts darauf hin, daß etwa die Sabbatistai aus
Elaiussa in Kilikien Anhänger eines synkretistischen Jah-
we-S. waren; die Einhaltung des Sabbats und der all-
mächtige jüd. Gott, ein *theós hýpsistos*, mögen genügt
haben, um die Identifizierung mit S. herbeizuführen
[3. 547]. Es gibt bisher nur eine Inschr. aus Serdica, die
S. mit dem *theós hýpsistos* identifiziert [11]. Auch die
Angabe (Val. Max. 1,3,3), der → *praetor peregrinus* Cn.
Cornelius Hispalus habe im Jahr 139 v.Chr. Juden wegen ihrer Verehrung des Iuppiter S. aus Rom ausgewiesen, beruht möglicherweise auf einer sekundären Identifizierung des jüd. Gottes mit S. [8. 150f.].

Die vier Fresken im Grab des Vincentius und der
Vibia in den stadtröm. → Katakomben des Praetextatus
zeigen einen weiteren Aspekt des S.-Kultes. Die Inschr.
CIL VI 142 = ILS 3961 (3./4. Jh. n. Chr.) identifiziert
Vicentius als Priester im Kult des S. (*numinis antistes Sa-*

bazi). Drei der vier Bilder zeigen Vibia: Das erste ist ›Der
Raub und Hinabstieg der Vibia‹, nach Ikonographie
und Theologie der Entführung der → Persephone angeglichen. Das zweite Bild zeigt die von → Mercurius
zum Totengericht vor → Dis pater und Aera Cura geführten Vibia und → Alkestis. Im dritten Bild wird Vibia
von einem Boten (*angelus bonus*) durch ein Tor geführt
und gelangt so auf eine Wiese; unter den dort zu Tisch
Sitzenden nimmt sie dann die zentrale Position ein. Die
Überschrift lautet *bonorum iudicio iudicati* (»durch das
Gericht der Rechtschaffenen gerichtet«). Im vierten
Bild ist Vincentius einer der sieben Priester, die an einem reich gedeckten Tisch zu Mahl sitzen. Auch nach
dieser Bilderserie bleiben eschatologische und soterio-
logische Fragen des Kultes ungeklärt [1. 1604–1606;
10. 662f.; 12. Bd. 2, 47f., Bd. 8, 88].

→ Synkretismus

1 S. E. JOHNSON, The Present State of S. Research, in:
ANRW II 17.3, 1984, 1583–1613   2 C. BRIXHE, M. LEJEUNE
(ed.), Corpus des inscriptions paléo-phrygiennes, 1984
3 S. E. JOHNSON, A S. Inscription from Sardis, in: J. NEUSNER
(Hrsg.), Religions in Antiquity, 1968, 542–550
4 M. J. VERMASEREN, E. N. LANE (ed.), Corpus Cultus Iovis
Sabazii, 1983–1989   5 CH. BLINKENBERG, Darstellungen des
S. und Denkmäler seines Kultes, in: Ders., Arch. Studien,
1904, 66–128   6 E. N. LANE, Towards a Definition of the
Iconography of S., in: Numen 27, 1980, 9–33
7 R. GICHEVA, s. v. S., LIMC 8.1, 1068–1071   8 D. WARDLE,
Valerius Maximus: Memorable Deeds and Sayings Book 1,
1998 (engl. Übers. und Komm.)   9 F. CUMONT, Les mystères
de S. et le judaisme, in: CRAI 1906, 63–79   10 NILSSON,
GGR, Bd. 2   11 A. VON DOMASZEWSKI, Griech. Inschr. aus
Moesien und Thrakien, in: Archaeologisch-Epigraphische
Mitteilungen aus Oesterreich-Ungarn 10, 1886, 238f.
12 E. R. GOODENOUGH, Jewish Symbols in the Greco-
Roman Period, 13 Bde., 1953–1965.   S. TA.

Sabbat

Sabbat (hebr. *šabbat*; griech. σάββατον; lat. *sabbata*).
Siebter Tag der jüd. Woche und als Ruhetag wöchent-
lich gehaltener Feiertag, dessen Ursprung nicht eindeutig geklärt ist (vgl. die Diskussionen um den Zusammenhang mit dem akkad. *šapattu*, dem Vollmondtag).
Wahrscheinlich entstand der Tag im alten Israel selbst als
Ausdruck des Privilegrechts JHWHs in Anlehnung an
die Vorschrift zur Landbrache (Ex 23,10f.). Der S. erfährt in der biblischen Überl. doppelte Begründung. So
wird er in der Version des deuteronomischen Dekalogs
durch die Erinnerung an die Sklaverei und die Heraus-
führung aus Äg. motiviert (Dt 5,12–15); in der prie-
sterschriftlichen Version Ex 20,11 erfolgt schöpfungs-
theologisch der Rekurs auf die Ruhe Gottes nach der
Erschaffung der Welt (Gn 2,1–3); zudem wird der Zei-
chencharakter des S. für das Gottesverhältnis betont (Ex
31,12–17).

Wohl bereits ab der Exilszeit (587–539 v.Chr.) wurde der S. zu einem Zeichen israelitischer bzw. jüd. Identität. In den verschiedenen Gruppen und Kreisen des
ant. → Judentums realisierte man das biblische Ruhe-
gebot des S. ganz unterschiedlich: Neben einem »prie-

sterlichen« Zugang, der die Gemeinschaft mit den Engeln betonte (vgl. → Qumran, → *liber Iubilaeorum*), findet sich die Konzentration auf Arbeitsruhe, Freude und Studium (Phil. de Abrahamo 28; Phil. de specialibus legibus 2,60f.; s.a. Ios. c. Ap. 2,175). In diesem Zusammenhang stehen auch die nt. Trad., die von der Durchbrechung der gängigen S.-Halakha durch Jesus im Hinblick auf die eschatologische Durchsetzung der Gottesherrschaft erzählen (Mk 3,1–6; Lk 13,10–17; 14,1–6; Jo 5,1–16; 7,19–24).

In der rabbinischen Trad. bemühte man sich v. a. um genaue Definition der am S. erlaubten bzw. verbotenen Tätigkeiten (vgl. die Mischna- bzw. Talmudtraktate *Šabbat* und *ʿEruv*); zahlreiche Haggadot (→ Haggada) unterstreichen zudem die Freude und Fülle des Tages, die seine eschatologische Dimension impliziert (bBeza 16a; bBerakot 57b). Es entwickelten sich zudem verschiedene Bräuche und Rituale wie das Entzünden der S.-Lampe durch die »Hausfrau«, der Qidduš-Segen über dem Becher Wein zu Beginn des S. und die Habdalā zum Abschluß.

Wie die Beschneidung erscheint die Einhaltung des S. bei griech. und christl. Autoren häufig als Element der → Polemik, da diese als Ausdruck von Faulheit gewertet wurde (Iuv. 14,106; Rut. Nam. 1,391); zudem argwöhnte man, der Tag werde als »dionysische Feier« begangen (Plut. symp. 4,6,2). Iosephos [4] Flavios erwähnt die Befreiung vom röm. Militärdienst aufgrund der jüd. S.-Bräuche (Ios. ant. Iud. 14,226; vgl. auch die Befreiung von der Pflicht, an diesem Tag vor Gericht erscheinen zu müssen, Ios. ant. Iud. 16,163). Im 1. und 2. Jh. hielten zunächst auch heidenchristliche Gemeinden an der Begehung des S. fest. Im Zuge einer zunehmenden Distanzierung der frühen Kirche vom Judentum wurde dieser aber durch die Feier des Sonntags, des urspr. Herrentags, verdrängt (vgl. etwa die Bestimmung Constantinus' [1] I. aus dem J. 321, wonach der Sonntag zum allg. Ruhetag aller Stadtbewohner erklärt wird).

L. DOERING, Schabbat. S.halacha und -praxis im ant. Judentum und Urchristentum, 1999 (Lit.) · G. ROBINSON, The Origin and Development of the Old Testament Sabbath, 1988.   B. E.

Sabbatha (Σαββαθά: peripl. m.r. 27; Σάββαθα: Ptol. 8,14,22; *Sabota*: Plin. nat. 6,155 und 12,52; korrupt Χαβάτανον und Var.: Strab. 16,4,2; inschr. *Šabwat*; in der Form *Šabwa* bereits bei den arab. Geographen: Hamdānī, Ǧazīra MÜLLER 87; 98; Yāqūt, Muʿǧam WÜSTENFELD 3,257). Wie → Maipha die südl., war S. die nördl. Hauptstadt von → Ḥaḍramaut in Südarabien. Wichtig für den Weihrauchhandel, war S. um 29 n. Chr. Sitz des Īlʿazz II. Yaliṭ (= Ἐλέαζος, peripl. m.r. 27), wurde wahrscheinlich um 200 von Yadaʿʾil Bayyin von Ḥaḍramaut zerstört und wieder aufgebaut, um nach 300 durch die Eroberung des Šamir Yuharʿiš, König von Saba und Ḏū Raidān (→ Sabaʾ, Sabaioi), endgültig zu veröden. Grabungen legten einen bedeutenden Tempel frei.

H. VON WISSMANN, M. HÖFNER, Beitr. zur histor. Geogr. des vorislamischen Süd-Arabien (AAWM, Geistes- und Sozialwiss. Kl. 1952, 4), 1953, 106–134.   B. B. u. A. D.

Sabbatios (Σαββάτιος). Vater des Kaisers → Iustinianus [1] I., Illyrier, nur beiläufig erwähnt bei Prok. HA 12,18 und Theophanes p. 183,9 DE BOOR. PLRE 2, 966.   F. T.

Sabe

[1] (Σάβη: Ptol. 8,22,15). Unbestimmte binnenländische Stadt im Innern von → Arabia Felix.

[2] (Σάβη βασίλειον: Ptol. 6,7,42; Σάυη: peripl. m. r. 22; *Save*: Plin. nat. 6,104; *Šawwā*, *Šawwām*: CIS 4,240,7; 314,14). Hauptstadt der → Mapharitis, im Hinterland von → Muza, südl. von Taʿizz. Zur Zeit des *Peripl. m. Erythraei* Residenz des Fürsten Χόλαιβος/*Chólaibos*.

L. CASSON (ed.), Periplus Maris Erythraei, 1989, 148 · A. GROHMANN, Arabien (HdbA Kulturgesch. Alter Orient 3,4), 1963, Anhang (Karte) · H. VON WISSMANN, Zur Gesch. und Landeskunde von Altsüdarabien (SAWW, philol.-histor. Kl. 246), 1964, 68, 291, 399.   I. T.-N.

Sabelli. S. ist nicht, wie Strabons Quelle (vgl. Strab. 5,4,12) nahelegt, ein Diminutiv von → Sabini, sondern vom selben Stamm abgeleitet wie → Samnites und seit Varro eine Bezeichnung für diese. Zum mod. sprachwiss. Gebrauch von S. s. → Oskisch-Umbrisch.

E. T. SALMON, Samnium and the Samnites, 1967.
E. O. u. V. S.

Sabellisch s. Italien: Sprachen (Übersicht)

Sabellius, Sabellianismus. Der (vielleicht aus Libyen stammende) christl. Theologe S. wurde nach mehrjährigem Aufenthalt in Rom von Bischof Kallistos (217–222) wegen seiner Gotteslehre exkommuniziert. Sein weiteres Leben ist in Dunkel gehüllt. S. war ein führender Modalist (→ Modalismus). Wie vor ihm → Noëtos setzte er Gott-Vater und Gott-Sohn gleich, um den → Monotheismus zu wahren (→ Monarchianismus). Die Bezeichnung Gottes als Sohn-Vater (*hyiopátōr*) und die These, daß Gott sukzessive in den »Erscheinungsformen« (*prósōpa*) Vater, Sohn und Geist in der Heilsgesch. wirke, sind S. wohl erst später zugeschrieben worden. Sein gesch. Einfluß wird indirekt darin sichtbar, daß »Sabellianismus« in der östl. Kirche zum festen Begriff für alle monarchianisch-modalistischen Tendenzen und Richtungen wurde, insbes. in der Lehre des → Markellos [4] von Ankyra. (Die Ant. kennt *sabellismós*, *sabellianós* oder *sabellianistḗs*, auch *sabellítēs*, »Sabelliusanhänger«, und das Verb *sabellianízēin*, »Ansichten wie Sabellius haben, sabellianisieren«.)
→ Häresie I.

W. A. BIENERT, S. und Sabellianismus als histor. Problem, in: H. C. BRENNECKE, E. L. GRASMÜCK, C. MARKSCHIES (Hrsg.), Logos. FS L. Abramowski, 1993, 124–139.

GE. MA.

Sabina. Vibia S., geboren ca. 85 n. Chr., Tochter der Salonia → Matidia [1] und des L. → Vibius Sabinus, Schwester der (Mindia) → Matidia [2]. Als Enkelin der Schwester des → Traianus (Diva Augusta → Marciana) seit ca. 100 aus dynastischen Gründen mit dem Enkel von Traianus' Tante, P. Aelius → Hadrianus, verheiratet. Verleihung des Augusta-Titels spätestens im J. 128 (Reichsprägung RIC II 386–390, 475–479), vielleicht schon 119 (so [3] und dann [2]). Sie begleitete Hadrian auf Reisen: sicher ist Nov. 130 in Äg. Besuch des Memnonskolosses (→ Memnon [2]; dazu Gedichte der → Iulia [10] Balbilla: [1. Nr. 28 ff.].). Über die (kinderlose) Ehe des Kaiserpaares kursierten als Folge hadrianfeindlicher Überl. (Ps.-Aur. Vict. epit. Caes. 14,8; SHA Hadr. 23,9) seit der Ant. Spekulationen, denen u. a. die Entlassung des → Suetonius Tranquillus und → Septicius Clarus aufgrund ungeklärter Vorkommnisse (SHA Hadr. 11,3) und auch die päderastischen Neigungen Hadrians (→ Antinoos [2], SHA Hadr. 14, 5–7) Nahrung boten. S. starb wohl 137 (nicht vor dem 29.8.136 = 21. Alex. Jahr), wurde durch Hadrian konsekriert (Reichsprägung RIC II 390, 479; Relief, Rom, Konservatorenpalast: [5. Bd. 2, Nr. 1800; 7. 38–43 Nr. 18]) und im → Mausoleum Hadriani beigesetzt (CIL VI 984).

1 A. BERNAND, Les inscriptions grecques et latines du Colosse de Memnon, 1960 2 A. R. BIRLEY, Hadrian, 1997 3 W. ECK, s. v. Vibius (72b), RE Suppl. 15, 1978, 909–914 4 Ders., Hadrian als pater patriae und die Verleihung des Augustatitels an S., in: G. WIRTH, Romanitas, Christianitas, FS J. Straub, 1982, 217–229 5 HELBIG 6 KIENAST, 132 f. 7 G. M. KOEPPEL, Die histor. Reliefs der röm. Kaiserzeit IV, in: BJ 186, 1986, 1–90 8 RAEPSAET-CHARLIER, Bd. 1, Nr. 802 9 H. TEMPORINI, Die Frauen am Hofe Trajans, 1978, bes. 78–86.   H. T.-V.

Sabini (Σαβῖνοι).

I. HERKUNFT   II. DIE SABINI UND ROM

I. HERKUNFT

Zentral-it. Volk des → oskisch-umbrischen Sprachzweigs. Die meisten ant. Autoren leiten S. von einem göttlichen Ahnherrn *Sabus/Sabinus* ab (*Safinús* in südpicenischen Inschr., wohl 5. Jh. v. Chr.; Cato fr. 50; Gellius HRR fr. 10; Hyginus HRR fr. 9; Sil. 8,420–423); nach Varro (bei Fest. 464; vgl. Plin. nat. 3,108) leitet sich S. von σέβεσθαι/*sébesthai*, »verehren«, wegen ihrer angeblichen Frömmigkeit ab. Man ist h. der Ansicht, daß S. sich vom Stamm des Reflexivpronomens *se* ableitet, erweitert um *bh* zu *s-bh* (> *Sabhos*, »eigen«).

Die ant. Lit. kennt vier Theorien über den Urspr. der S.: (1) Nach Cato (fr. 50) stammten die S., benannt nach Sabinus, dem Sohn des Gottes → Sancus, aus Testruna am Fuße des Gran Sasso bei → Amiternum, von wo aus sie auf der Via Salaria zum Tiberis hinabgezogen seien; nach Vertreibung der urspr. Bewohner ließen sie sich bei → Reate und → Cutilia nieder und gründeten Kolonien, u. a. → Cures (vgl. auch Varro bei Dion. Hal. ant. 1,14,6). (2) Nach Cn. Gellius (HRR fr. 10) sollen die

S. von dem Spartaner Sabus abstammen (vgl. auch Dion. Hal. ant. 2,49,4 f.). Auf spartanische Kolonisten sollen der Kult der Foronia/→ Feronia und spartan. Anklänge von sabin. Bräuchen zurückgehen (vgl. Plut. Romulus 16,1; Numa 1,3; Sil. 2,8; 8,412; Iust. 20,1,13; Zon. 7,3). Diese Deutung hat Gellius wohl einer griech. Quelle des 4./3. Jh. v. Chr. entnommen. (3) Nach Zenodotos von Troizen (FGrH 821 F 3) waren die S. → Umbri, die sich, durch → Pelasgoi aus ihrem Land vertrieben, bei Reate niedergelassen hatten. (4) Nach Strab. 5,3,1 waren die S. autochthone Vorfahren der → Samnites und → Picentes und in der Folge der → Lucani und → Bruttii (vgl. auch VETTER 149; [1. 149 f.]). Andernorts behauptet Strabon (5,4,12), daß sich das Volk der Samnites von den S. durch den Ritus des → *ver sacrum* losgelöst habe.

Strabon und Cato (l. c.) beschreiben das Siedlungsgebiet der S., das sich über nahezu 1000 Stadien von → Nomentum im SW bis nach Amiternum und zu den → Vestini im Osten erstreckte; 280 Stadien trennten die S. vom Ionios Kolpos, 240 vom Mare Tyrrhenum; → Nursia markierte ihre Nordgrenze. Das Gebiet wird durch Gebirgsland in zwei Bereiche gegliedert: das innere Gebiet, arm und wegen des harten Lebens in verstreuten kleinen Dörfern gut geeignet, die Legende vom spartanischen Urspr. der S. heraufzubeschwören; dagegen das reichere am Tiberis (vgl. Fabius Pictor FGrH 809 F 27). Für lange Zeit stand nur dieses mit Rom in Verbindung. Strabon zählt ihre Siedlungen auf: Amiternum, Reate, Interocrea (h. Antrodoco), Cutilia, Foruli, Trebula Matuesca (h. Monteleone Sabino), Eretum und Cures (zum Urspr. von Cures, dem Hauptort der S. am Tiberis mit den engsten Beziehungen zu Rom, vgl. Varro bei Dion. Hal. ant. 2,48,1–4: Ort als Gründung des Modius [2] Fabidius, des Sohns des Gottes Enyualios/→ Quirinus [1] und einer Sabinerin). Der Überl. nach stammte Titus → Tatius aus Cures (vgl. Varro ling. 5,51; Liv. 1,13), ebenso → Numa Pompilius (vgl. Cic. rep. 2,13,25).

Arch. bezeugt ist der Siedlungskern von Cures seit der Eisenzeit; die Existenz euboiischer Importkeramik und deren Imitationen seit dem 8./7. Jh. v. Chr. zeigen, daß Cures eng mit dem etr.-latin. Kulturkreis verbunden war. Das kulturelle Niveau der S. dieser Zeit bezeugen auch frühe Inschr. (vgl. VETTER 352, aus Poggio Sommavilla, 7. Jh. v. Chr.). Der ON Cures oder Cures Sabini (auch für die S. insgesamt) wurde mit dem sabin. Begriff *curis* (= lat. → *hasta*, »Lanze«) und dem Gott Quirinus (vgl. Dion. Hal. ant. 2,48,4) verbunden (gestützt durch das Gründungsaition des Modius Fabidius).

Varro ling. 5,74 listet die von den S. nach Rom importierten Gottheiten auf, so Feronia, Minerva, Novensides, Pales, Vesta, Salus, Fortuna, Fons, Fides; er zählt die Altäre auf, die Titus Tatius verschiedenen Gottheiten in Rom weihte – darunter auch dem Quirinus. → Feronia (Göttin der Landwirtschaft, Fruchtbarkeit, Gewässer) wurde bes. in Trebula Matuesca verehrt, wo ihr Tempel stand; ihr Hauptheiligtum war jedoch der

→ *lucus Feroniae* [1] nahe Capena beim h. Fiano Romano. An einem verkehrstechnisch günstigen Ort gelegen, zog er an den Festtagen Mitte November die umwohnende Bevölkerung an und bot Gelegenheit zum Warenaustausch (Dion. Hal. ant. 3,32,1; Strab. 5,2,9). Weitere Gottheiten der S. waren Semo → Sancus und → Vacuna, in röm. Zeit verschiedentlich mit Diana, Minerva, Victoria identifiziert. Den Lymphae Commotiles waren dagegen der gesamte See und die Insel geweiht, die sich nach Varro ling. 5,71 in seiner Mitte befand. Im Pantheon der S. waren auch Iuppiter Optimus Maximus, Hercules, Neptunus, Silvanus, Victoria und Diana vertreten.

II. DIE SABINI UND ROM

Der Überl. nach standen die S. bereits seit dem 8. Jh. v. Chr. mit Rom in Verbindung: Der bekannte »Raub der Sabinerinnen« sollte das *ius conubii* (»Heiratsrecht«; → *conubium*) zw. beiden Völkern erzwingen; dadurch soll ein Krieg entfesselt worden sein, dessen Ergebnis die diarchische Leitung des Königreichs durch Titus Tatius aus Cures und → Romulus [1] aus Rom sowie die Ansiedlung der S. auf dem Mons Capitolinus gewesen sei (Liv. 1,33,1 f.; Tac. ann. 12,24) oder auf dem Capitolinus und dem Quirinalis (Dion. Hal. ant. 2,50,1 f.; Strab. 3,5,7). Der Name des → Mons Quirinalis soll sich von Cures ableiten. Die mod. Forsch. hält solche Notizen meist für unhistor. Projektionen späterer Ereignisse in die mythische Vergangenheit. Evtl. schon Cato [1], selbst »Wahlsabiner«, war daran interessiert, tiefe, alte Verbindungen zw. Rom und den S. nachzuweisen (vgl. fr. 51). Seine Voreingenommenheit für die S. wurde im Werk von Varro aus Reate fruchtbar (auch bei Dionysios [18], nicht bei Livius).

E. des 6./Mitte des 5. Jh. kam es wohl zur Integration der am Tiberis lebenden S. und der Römer durch die Umsiedlung bed. sabin. Familien nach Rom. Ihnen folgten *clientes* wie die → Claudii und die Valerii. So berichtet Suet. Tib. 1,1 f., daß die Claudii nach Meinung der einen mit Titus Tatius aus Inregillum nach Rom gelangt seien, anderen zufolge jedoch (was wahrscheinlicher ist) fünf J. nach der Errichtung der Republik mit Attus Clausus (vgl. Verg. Aen. 7,706–709; Dion. Hal. ant. 5,40,5; Tac. ann. 11,24,2; 12,25,3 und v. a. Liv. 2,16,3–5). Livius zufolge erhielten sie das röm. Bürgerrecht und ausgedehnte Ländereien am rechten Ufer des → Anio, wurden in der *tribus* Claudia zusammengefaßt und bekleideten bald wichtige öffentliche Ämter (so das Consulat 495 v. Chr.). Für die Valerii wird berichtet (Dion. Hal. ant. 2,46,3; 4,67,3; Plut. Poplicola 1,1; Plut. Numa 5,2), daß Volusus Valerius aus Eretum mit Titus Tatius nach Rom gekommen sei (anders Liv. 1,58,6). Livius schildert wiederholt Auseinandersetzungen zw. S. und Römern seit Tullus → Hostilius [4] (Liv. 1,30,4–10; vgl. Dion. Hal. ant. 3,32 f.), auch unter → Tarquinius Priscus (Liv. 1,36 f.; vgl. Dion. Hal. ant. 3,55 f.; 59; 63–66), unter → Tarquinius Superbus (Dion. Hal. ant. 4,45 f.; 50–52) und in republikanischer Zeit (495 v. Chr.: Liv. 2,26,1 f.; 469 v. Chr.: Liv. 2,63,7; 468 v. Chr.: Liv.

2,64,3; 458 v. Chr.: Liv. 3,26,1). Der wohl berühmteste Kampf fand 460 v. Chr. statt, als es Appius → Herdonius [1] an der Spitze zahlreicher S. gelang, den kapitolinischen Felsen zu besetzen (Dion. Hal. ant. 10,14–16; Liv. 3,15–18), womit sein Heldentum dem des Titus Tatius gleichkam. Diese Streitigkeiten rivalisierender Gruppen, weniger wirkliche Kriege, verursacht durch den Wunsch der S., sich am Anio niederzulassen, endeten 449 v. Chr. mit dem Sieg des röm. Consuls Horatius [3] (Liv. 3,62 f.; Dion. Hal. ant. 11,48 f.). Von Feindseligkeiten der S. gegenüber den Römern hört man erst wieder in der Zeit der Samnitenkriege (→ Samnites). 290 v. Chr. drangen die S. auf röm. Gebiet vor, wurden aber von Curius [4] zurückgeschlagen (Liv. per. 11; Frontin. strat. 1,8,4). In der Folge erhielten sie die *civitas sine suffragio* (Vell. 1,14,6 f.), das volle Bürgerrecht 268 v. Chr. (evtl. nur die Bewohner von Cures). 241 v. Chr. wurden zwei neue *tribus* für alle S. geschaffen: die *tribus Velina* und die *tribus Quirina*. Die S. kämpften im 2. → Punischen Krieg in den röm. Legionen. In augusteischer Zeit wurde das Gebiet der S. mit Samnium zur *regio IV* vereint.

1 A. CAMPANA, La monetazione degli insorti italici durante la guerra sociale, 1987.

J. POUCET, Les Sabins aux origines de Rome, in: ANRW I.1, 1972, 48–135 · G. DEVOTO, Gli antichi italici, ⁴1967 · Civiltà arcaica dei S., 1973 (bisher 3 Bd.) · M. P. MUZZIOLI, Cures S. (Forma Italiae 28), 1980 · C. LETTA, L'»Italia dei mores Romani« nelle Origines di Catone, in: Athenaeum 62, 1984, 416–439 · A. MARINETTI, Le iscrizioni sudpicene, 1985 · B. RIPOSATO, Preistoria, storia e civiltà dei S., 1985 · D. MUSTI, I due volti della Sabina . . ., in: Ders., Strabone e la Magna Grecia, 1988, 235–257 · C. DE SIMONE, Sudpiceno *Safino-*/lat. *Sabino-*: il nome dei *Sabini*, in: AION. Sezione linguistica 14, 1992, 223–239 · G. MAETZKE (Hrsg.), Identità e civiltà dei S. (Atti 18. convegno di studi etruschi ed italici, Rieti 1993), 1996 · G. ALVINO, I S. La vita, la morte, gli dei (Ausst. Rieti 1997), 1998.   G. VA./Ü: H.D.

Sabiniani s. Rechtsschulen

Sabinianus

[1] Wurde im J. 240 n. Chr. von den Einwohnern → Karthagos zum Kaiser ausgerufen, doch wenig später durch den Statthalter Mauretaniens besiegt und von den eigenen Anhängern an → Gordianus [3] III. ausgeliefert (Zos. 1,17,1; SHA Gord. 23,4).

KIENAST¹, 197.   T. F.

[2] s. Vettius Sabinianus

[3] 359–360 n. Chr. in höherem Alter unter Constantius [2] II. *magister equitum per Orientem*. Nach Ammianus war er reich und gebildet, aber auch feige (18,5,5) und faul (18,7,7). So hinderte er → Ursicinus, das von den Persern belagerte Amida zu entsetzen (Amm. 19,3). PLRE 1, 789 (Nr. 3).   W.P.

[4] S. (Magnus). *Magister militum per Illyricum* 479–481 n. Chr.; erfolgreich bei der Abwehr der → Ostgoten unter König Theoderich d.Gr.; wurde 481 auf Geheiß des Kaisers → Zenon aus unbekanntem Grund ermordet.

Stein, Spätröm. R. 2, 14–18 • PLRE 2, 967 (Nr. 4).

[5] Sohn des S. [4], war *consul* und *magister militum per Illyricum*, als ihn 505 n. Chr. bei Horreum Margi an der Morava in Moesia Prima der Hunne Mundo (gemäß PLRE 2, 767 zu unterscheiden von dem Gepiden → Mundo), ein Verbündeter des → Theoderich, und Theoderichs General Pitzias vernichtend schlugen.

PLRE 2, 967f. • Stein, Spätröm. R. 2, 146.

[6] Offizier in → Belisarios' Leibgarde, kam 544 n. Chr., im ersten Jahr des Krieges gegen den Gotenkönig → Totila, dem General Magnus [7] in dem von Totila belagerten Auximum zu Hilfe und besetzte kurz darauf Pisaurum.

PLRE 3B, 1105 • Rubin 2, 170.   F.T.

Sabinius Barbarus. T. S. Barbarus. Praetorischer Legat (der *legio III Augusta*?) in Africa im J. 116/7 n. Chr. [1. 361f.], *cos. suff.* 118. Kaum mit einem Barbarus identisch, der in IGR IV 494 ὑπατικός (*consul*) genannt wird; vgl. Syme, RP 3, 1303; PIR² B 46.

1 W. Eck, Jahres- und Provinzialfasten der senator. Statthalter von 69/70 bis 138/139, in: Chiron 12, 1982, 281–362.   W. E.

Sabinos (Σαβῖνος).

[1] Hippokratischer Arzt und Hippokrateskommentator, der im 1. bis 2. Jh. n. Chr. wirkte. Er war der Lehrer des → Metrodoros [8] und des Stratonikos, der wiederum Lehrer des → Galenos war, welcher in S. einen sorgfältigeren und klareren Ausleger des → Hippokrates [6] sah als in seinen Vorläufern (CMG 5,10,2,1, p. 17, 329–330; 5,10,2,2, p. 510). Zu S.' Schwächen zählten ein Mangel an anatomischen Kenntnissen und Sektionserfahrung (CMG 5,10,1, p. 329) und ein Hang zu überladenen und eigenwilligen Deutungen in dem Bemühen, jedem Wort des Hippokrates gerecht zu werden (CMG 5,10,2,1, p. 11, 17, 167). Der → Methodiker Iulianos [2] griff seine Vorstellungen von den Säften und der Bed. der Natur an, während Galenos sie in *Adversus Iulianum* (CMG 5,10,3, p. 52–53, 58–59) verteidigte. → Gellius [6] (Gell. 3,16,8) zitiert seine Interpretation eines schwer verständlichen Satzes aus der hippokratischen Schrift *De alimento* zustimmend. S.' feinsinnige Beobachtungen zur Hausventilation und zur Städteplanung werden ausführlich von → Oreibasios zitiert (Collectiones medicae 9,15–20; CMG 6,1,2, p. 15–20).   V. N./Ü: L. v. R.-B.

[2] Nur durch die Suda (s. v. Σ.) bekannter Rhetor der 1. H. des 2. Jh. n. Chr., der neben einem griech. Lehrbuch der Deklamationskunst u. a. auch Kommentare zu Thukydides und Akusilaos (wohl dem Logographen aus Argos, s. → Akusilaos) verfaßt haben soll.   M. W.

[3] **S. Grammatikos** (Γραμματικός). Die *Anthologia Palatina* schreibt ihm ein verm. aus dem Kranz des → Philippos [22] stammendes Epigramm zu (Anth. Pal.

6,158): die gekonnte Verkürzung eines achtzeiligen Weihegedichts des → Leonidas [3] von Tarent (ebd. 6,154) auf vier Zeilen. Die Identität des S. mit Tullius S. (bei Planudes aber T. → Geminos [2]), dem Verf. eines feierlichen (ebenfalls aus dem Philippos-Kranz stammenden) Gedichts über den höchst ungewöhnlichen Tod einer Maus (Anth. Pal. 9,410), ist möglich.

GA II.1, 372f.; 2, 404f.   M. G. A./Ü: G. K.

Sabinum. Landgut des Dichters Horaz (→ Horatius [7], vgl. Hor. carm. 2,18,14; Hor. epist. 1,16), wohl ein Geschenk des Maecenas [2] (Hor. sat. 2,3,305ff.). Es lag im Gebiet der → Sabini am Bach Digentia (Hor. epist. 1,18,104; h. Licenza), einem rechten Zufluß des Anio, nördl. von Varia (h. Vicovaro), von wo das Gut agrarische Erzeugnisse bezog (Hor. carm. 1,20,1; 22,9; 2,18,14; 3,1,47; 4,22; Hor. sat. 2,7,118), oberhalb des Dorfes Mandela (Hor. epist. 1,18,147, vgl. ILS 7459; h. Bardella) und eines Heiligtums der → Vacuna (Hor. epist. 1,10,49), unterhalb des Berghangs Ustica (Hor. carm. 1,17,11; beim h. Licenza) und dem Berg Lucretilis (Hor. carm. 1,17,1; h. Gennaro). Die Villa befindet sich auf 397 m H südl. von Licenza am Fuß des Colle Rotondo im »Vigne di San Pietro«, benannt nach einem Konvent, der sich dort im 8. Jh. n. Chr. niedergelassen hatte. Das Wohngebäude in Form eines geschlossenen Rechtecks blickt im Süden auf die Schmalseite einer rechteckigen *porticus* mit Garten und *piscina* [2]. Im Westen Thermen und *vivarium* (»Tiergehege«).

H. Philipp, s. v. S., RE I A, 12553f. (Lageskizze) • L. Voit, Das S., in: Gymnasium 82, 1975, 412–426 • A. Bradshaw, Horace in Sabinis, in: C. Deroux (Hrsg.), Studies in Latin Literature, Bd. 5, 1989, 160–186 • E. A. Schmidt, S. – Horaz und sein Landgut im Licenzatal, 1997.   G. U./Ü: J. W. MA.

Sabinus. Sehr verbreitetes lat. Cogn., das urspr. die Herkunft anzeigt, etwa bei frühen Claudii (Claudius [I 31–32]); später in vielen röm. Gentes erblich [1. 20, 30–51, 186]. Auch als *nomen gentile* gebraucht.

1 Kajanto, Cognomina.

I. Republikanische Zeit

[I 1] Der von Ps.-Verg. (catal. 10) als Emporkömmling und Maultiertreiber verspottete S., dürfte P. → Ventidius, *cos. suff.* 43 v. Chr., sein; er ist zu unterscheiden vom in Cic. fam. 15,20,1 erwähnten Bekannten oder Sklaven des C. Trebonius [1. 393–399].

1 Syme, RP 1.

[I 2] 36 v. Chr. mit der Bekämpfung von Räuberbanden in It. betraut (App. civ. 5,547), ist wohl mit C. Calvisius [6] S. identisch.   Jö. F.

II. Kaiserzeit

[II 1] Ritter; Finanzprocurator in der Prov. Syrien im J. 4 v. Chr., als König → Herodes [1] starb. S. eilte sofort nach Jerusalem, um das Vermögen des Königs in Besitz zu nehmen. Dabei kam es zu Zusammenstößen mit den Bewohnern der Stadt. Als S. belagert wurde, zog der Statthalter Syriens, Quinctilius [II 7] Varus, mit dem Heer nach Jerusalem, um ihn zu befreien (Ios. ant. Iud. 17,222f.; 227; 252–268; 286–294).

[II 2] Gladiator, den Caligula zum Befehlshaber seiner *corporis custodes* (»Leibwache«) ernannte (Cass. Dio 60,28,2; Ios. ant. Iud. 19,122). Messalina [2] soll ihn später zu ihrem Liebhaber gemacht haben (Cass. Dio l.c.).

W.E.

[II 3] Röm. Elegiker und Epiker der augusteischen Zeit († vor 16 n. Chr.). Der Freund Ovids (Ov. am. 2,18,27–34; Ov. Pont. 4,16,13–16) war Verf. von Antwortbriefen der Liebenden an Ovids Heroides (einschließlich Phaon an Sappho, vgl. Ov. am. 2,18,34 und [1]), eines histor. Epos und eines unvollendeten Werks in der Art von Ovids *Fasti* – nichts davon ist erh. In der Neuzeit lebt der Name als der von Melanchthons Schwiegersohn, ebenfalls Elegiker und Ovidianer, weiter.

1 G. ROSATI, S., the Heroides and the Poet-Nightingale, in: CQ 46, 1996, 207–212.   P.L.S.

[II 4] S. Iulianus s. Iulianus [7]

[II 5] Mas(s)urius S. war ein Jurist, der 22 n. Chr. → Ateius [6] Capito in der Führung der → Rechtsschule der Sabinianer ablöste (Dig. 1,2,2,48). Kaiser Tiberius erhob ihn erst mit fast 50 Jahren in den Ritterstand und gewährte ihm das *ius respondendi* (→ *responsa*; Dig. 1,2, 2,50). S. soll noch unter Nero (54–68 n. Chr.) tätig gewesen sein (Gai. inst. 2,218; dazu [5. 63]). Sein erfolgreichstes Werk ist das knappe Lehrbuch *Ius civile* (›Zivilrecht‹, 3 B.; dazu [4; 6]), das von → Titius Aristo annotiert und von → Pomponius, → Ulpianus sowie von → Iulius [IV 16] Paulus kommentiert wurde [2. 262–269]. Die Systematik des Werks rekonstruiert man auf Grund der vielfach umfangreicheren Komm. zu ihm, denen es nur einen Anlaß für Gesamtdarstellungen des Zivilrechts bietet. Das der Trad. des *Ius civile* von Q. → Mucius [I 9] Scaevola Pontifex zufolge beim Erbrecht ansetzende »Sabinussystem« ist rein assoziativ aufgebaut und steht insoweit der abstrakten Systematik der *Institutiones* des → Gaius [2] noch fern [2. 186–189; 6. 80–87]. Außerdem verfaßte S. Schriften, die nur über spärliche Zitate bekannt sind [1]: einen kurzen Komm. zum Edikt (*Ad edictum* [2. 234]), ein vermutlich testamentrechtliches *Ad Vitellium* [3; 6. 52f.] sowie die antiquarischen *Memorialia* (›Denkwürdigkeiten‹), *Fasti* (Kalender für Amtshandlungen) und *De indigenis* (›Über die Urbevölkerung‹). *Responsa* (›Rechtsgutachten‹) des S. sind nur in Dig. 14,2,4 pr., *Adsessoria* (›Anleitung für Beisitzer‹) in Dig. 47,10,5,8 und *De furtis* (›Über Eigentumsdelikte‹) nur bei Gell. 11,18,12 zitiert.

1 O. LENEL, Palingenesia iuris civilis, Bd. 2, 1889, 187–216 2 SCHULZ 3 D. LIEBS, Nichtlit. röm. Juristen der Kaiserzeit, in: K. LUIG, D. LIEBS (Hrsg.), Das Profil des Juristen in der europ. Trad. Symposion F. Wieacker, 1980, 123–198, hier: 138f. 4 R. ASTOLFI, I libri tres iuris civilis di Sabino,

1983 5 R. A. BAUMAN, Lawyers and Politics in the Early Roman Empire, 1989, 62–68 6 G. LUCCHETTI, I libri tres iuris civilis di Sabino, in: Archivio Giuridico 207. fasc. 1–3, 1987, 49–87.   T.G.

Sabis

[1] Nordgallischer Fluß (Caes. Gall. 2,16,1; 2,18), an dem Caesar 57 v. Chr., von → Samarobriva her kommend, gegen die → Nervii und ihre Verbündeten, die Atrebates [1] und Viromandui, kämpfte (ebd. 2,16–27). Identifizierung und Lokalisierung des Flusses sind strittig. Gegen die vorwiegend in der älteren Lit. vertretene Ansicht, der S. sei die Sambra [1] (h. Sambre) und die Schlacht habe 6 km von Maubeuge entfernt bei Hautmont-Boussières stattgefunden [1; 2], werden neuerdings sowohl top.-histor. als auch onomastische Argumente angeführt, die eine Stelle an dem kleinen rechten Nebenfluß des Scaldis (h. Schelde), der h. Selle, an der Straße Cambaracum – Bagacum bei Saulzoir favorisieren [3; 4; 5]; weniger Zuspruch fand die These, der Scaldis selbst habe im oberen Abschnitt S. geheißen [6].

1 M. LEZIN, Le combat ad Sabim, in: Les Ét. Classiques 22, 1954, 401–406 2 M. RAMBAUD, L'art de la déformation historique dans les commentaires de César, ²1966, 165 3 M. A. ARNOULD, La bataille du S., in: RBPh 20, 1941, 29–106 4 J. HERBILLON, Du S. de César à la Selles de Froisart, in: RBPh 55, 1977, 51–55 5 C.B. R. PELLING, Caesar's Battle-Descriptions and the Defeat of Ariovistus, in: Latomus 40, 1981, 747f. 6 R. VERDIÈRE, Bataille du S., bataille du Scaldis ou bataille du S.-Scaldis, in: RBPh 53, 1975, 48–58.

A. PENNACINI, A. GARZETTI, Gaio Giulio Cesare, La guerra gallica, 1996, 492f. (ital. Übers. mit Komm.).

[2] Fluß in der Gallia Cisalpina (Plin. nat. 3,18), h. Savio.   F.SCH.

Saboräer (von hebr. *śābar*, »nachdenken, prüfen, schlußfolgern«). Bezeichnung für diejenigen jüd. Talmudgelehrten des 6. bzw. 7. Jh. n. Chr., die die Endredaktion des babylon. Talmud (→ Rabbinische Literatur) durchführten und diesen durch umfangreichere Abschnitte produktiv ergänzten. Die S. folgten auf die → Tannaiten (Ende 1.–Anf. 3. Jh. n. Chr.) und die → Amoräer (3.–5. Jh. n. Chr.).

G. STEMBERGER, Einl. in Talmud und Midrasch, ⁸1992, 205–207.   B.E.

Sabouroff-Maler. Attischer rf. Vasenmaler, benannt nach dem früheren Besitzer eines seiner *lébētes gamikoí* (→ *lébēs* [2]) in Berlin, SM (F 2404). Der S.-M., ein produktiver Künstler, dem weit über 330 Vasen zugeschrieben werden, arbeitete in verschiedenen Werkstätten. In seiner Frühzeit (470–460 v. Chr.) und in der Übergangsperiode (460–455) war er vorwiegend Schalenmaler und mit den Werkstätten des → Brygos-Malers, → Duris [2] und des → Penthesilea-Malers verbunden. Während des größeren Teils seiner mittleren Phase

(455–440) verzierte er rf. Nolanische Amphoren, Peliken und Lekythen (→ Gefäße, Abb. A5, A8, E3) in der Werkstatt des → Achilleus-Malers. Gleichzeitig verfolgte er daneben auch weiterhin die Herstellung von Hochzeitsgefäßen. Am Ende der mittleren Phase wandte er sich der Bemalung wgr. Lekythen in einer anderen Werkstatt zu, was auch der Schwerpunkt des Schaffens in seiner Spätzeit (440–430) blieb.

Der S.-M. war ein fähiger Künstler, der sich durch lebendige Figurendarstellung auszeichnet. Seine wgr. Gefäße sind der beste Teil seines Werkes, und bei der Anwendung dieser Technik auf den Lekythen war er insofern wegweisend, als er hier als erster die Mattmalerei konsequent anwendete. Ein anderer Aspekt seiner Leistung besteht darin, daß er eine breite Palette von Bildern für den Bereich von Grab und Jenseits entwikkelte, darunter → Charon [1], → Prothesis und der Besuch am Grabe. Mehrere weniger bedeutende Künstler waren offensichtlich seine Schüler, darunter der Trophy-Maler und der Houston-Maler.

F. FELTEN, Thanatos- und Kleophonmaler, 1971, 32–35 · G. G. KAVVADIAS, Ὁ ζωγράφος τοῦ Σ., 2000 · D. C. KURTZ, Athenian White Lekythoi, 1975, 34–37 · J. H. OAKLEY, The Achilles Painter, 1997, 105 f.   J. O.

Sabratha (neupun. Ṣbrt[ʾ]n).

I. GESCHICHTE   II. ARCHÄOLOGIE

I. GESCHICHTE

Eine der drei phöniz. Städte der afrikanischen Tripolis, 65 km westl. von Tripoli/Libyen (Ps.-Skyl. 110 und Strab. 17,3,18: Ἀβρότονον (?); Steph. Byz. s. v. Ἀβρότονον (?); Plin. nat. 5,25; 35: *Sabrata*; 27: *Habrotonum*; Sil. 3,256: S.; Ptol. 4,3,12: Σάβραθα; Stadiasmus maris magni 99 f.: Σαράθρα bzw. Ἀλάθρα; Itin. Anton. 61,3: *Sabrata colonia*; Solin. 27,8 und Tab. Peut. 7,2: *Sabrata*). Die frühesten arch. Spuren führen (nur) bis ins 5. Jh. v. Chr. zurück. Stadtgott war *Šdrpʾ/Šadrapa* (→ Satrapes; [1. 55; 117; 126]; gleichgesetzt mit → Liber Pater).

Die Kraft der pun. Kultur war lange Zeit ungebrochen. Noch z. Z. des Augustus prägte S. Mz. mit neupun. Legenden. Allerdings lebten schon vor der Mitte des 1. Jh. n. Chr. röm. Ritter in der Stadt (Suet. Vesp. 3). Im 2. Jh. n. Chr. wurde S. *colonia* (Itin. Anton. 61,3). Zw. 175 und 180 n. Chr. war ein *duumvir* im Amt [1. 23]. Der Handelsverkehr mit It. war stark entwickelt und ist in → Ostia durch die *stat(io) Sabratensium* inschr. bezeugt: CIL XIV Suppl., 4549 (14). Ein Bischof ist zum ersten Mal für das J. 256 erwähnt (Cypr. sententiae episcoporum 83–85). Seit → Diocletianus gehörte S. zur Prov. Tripolitana. → Iustinianus [1] sicherte die Stadt mit neuen Mauern und erbaute in ihr eine Kirche (Prok. aed. 6,4,13). Inschr.: [2. 1–4; 1. 1–228]; AE 1987, 1063; 1068; 1989, 882; 893; 1996, 1698.   W. HU.

II. ARCHÄOLOGIE

Die bed. arch. Hinterlassenschaft stammt v. a. aus der Epoche der Antoninen (2. Jh. n. Chr.), nach Erhebung der Stadt zur *colonia*: Der Forumsbereich erhielt eine neue, monumentale Ausstattung u. a. mit Forumtempel, mit einem Tempel für die Kaiser Marcus [2] Aurelius und L. Verus und Marmorverkleidung des Kapitoltempels. Im letzten Viertel des 2. Jh. wurde im Ostviertel der Stadt das dreistöckige, in der *scaenae frons* aus den unter Sanddünen erh. gebliebenen Bauteilen nahezu vollständig rekonstruierte Theater errichtet, mit verschwenderischem Dekor und mit ca. 92 m Durchmesser der *cavea* eines der größten des Reiches.   H. G. N.

1 J. M. REYNOLDS, J. B. W. PERKINS (ed.), The Inscriptions of Roman Tripolitania, 1952   2 G. LEVI DELLA VIDA (ed.), Iscrizioni puniche della Tripolitania (1927–1967), 1987.

J. DORE, N. KEAY, Excavations at S. 1948–1951, Bd. 2.1, 1989 · M. FULFORD, R. TOMBER, Excavations at S. 1948–1951, Bd. 2.2, 1994 · HUSS, 36 · P. M. KENRICK, Excavations at S. 1948–1951, 1986 · C. LEPELLEY, Les cités de l'Afrique romaine…, Bd. 2, 1981, 372–380 · R. REBUFFAT, s. v. S., DCPP, 381 · E. M. RUPRECHTSBERGER, S. – Eine ant. Stadt in Tripolitanien, in: Antike Welt 32/1, 2001, 35–46 · A. DI VITA, R. POLIDORI, Das ant. Libyen, 1999, bes. 146–181 · K. VÖSSING, Schule und Bildung im Nordafrika der röm. Kaiserzeit (Coll. Latomus 238), 1991, 106–115.   W. HU.

Sabrina.

Fluß, der in Zentral-Wales entspringt und in den Bristol Channel mündet (Tac. ann. 12,31; Ptol. 2,3,3), h. Severn. Mit Legionsbasen in → Glevum und → Viroconium (h. Wroxeter) spielte sein Flußtal in der Zeit der röm. Eroberung eine wichtige Rolle.

A. L. F. RIVET, C. SMITH, The Place-Names of Roman Britain, 1979, 450 f.   M. TO./Ü: I. S.

Sabucius.

C. S. Maior Caecilianus. Senator; nach der Praetur übernahm er sechs praetorische Ämter; u. a. war er *praef. aerarii militaris*, praetorischer kaiserlicher Statthalter der Belgica kurz nach 180 n. Chr., *procos.* von Achaia. 186 *cos. suff.* (RMD 1, 69). Sein Enkel C. S. Maior Faustinus besaß ebenfalls senatorischen Rang (CIL VI 1510 = ILS 1123a). PIR S 34.   W. E.

Saburra (Saborra).

Feldherr → Iubas [1] von Numidien, 49 v. Chr. am Sieg über Caesars Statthalter C. Scribonius Curio beteiligt, 46 von dem Caesarianer P. → Sittius geschlagen und getötet (Caes. civ. 2,38–42; Bell. Afr. 48,1; 93,3; 95,1; App. civ. 2,181–186; 4,232; Frontin. strat. 2,5,40). Lucanus (4,722) schreibt aus metr. Gründen *Sabbura*.   K.-L. E.

Saccarius.

Das lat. Wort *s.* bezeichnet einerseits Sackmacher und Sackhändler, andererseits die Sackträger, die in Häfen für das Ein- und Ausladen von Schiffsfrachten zuständig waren (Dig. 18,1,40,3); in der lit. Überl. sind neben *saccarii* auch *baiuli* und *geruli* geläufig, im Griech. σακκοφόροι/*sakkophóroi* und φορτηγοί/*phortēgoí* (»Lastträger«). Die *s.* bildeten in verschiedenen Städten *collegia* (→ *collegium* [1]) oder *corpora* (ILS 7292), denen wohl auch die *phalangarii* oder *falancarii*, die sich auf den Transport von Amphoren und Tonnen spezialisiert hatten, zugeordnet waren. In Portus [1] erhielt das *corpus* der *s.* 364 n. Chr. ein Monopol für alle Ladearbeiten (Cod. Theod. 14,22). Das Beladen eines Schiffes durch *s.* zeigt ein von einem Grabdenkmal in Ostia stammendes Gemälde (Isis Giminiana, Rom, VM).

→ Hafen, Hafenanlagen

1 L. Basch, Le musée imaginaire de la marine antique, 1987, Abb. 1048 2 J. Rougé, Recherches sur l'organisation du commerce maritime en Méditerannée sous l'Empire romain, 1966, 179–84 (weitere Lit.) 3 D. Vera, Commento storico alle relationes di Quinto Aurelio Simmaco, 1981, (123 zu Symm. rel. 14,3) 4 J.-P. Waltzing, Étude historique sur les corporations professionelles chez les Romains, Bde. 2 und 4, 1896, 1900 (Ndr. 1970 u. ö.).
H. KON.

Sacellum (»kleines Heiligtum«). Diminutiv zu lat. *sacrum*. Hiervon zu unterscheiden ist das *sacrarium*, der Aufbewahrungsraum für den sakralen Hausrat (*sacra supellex*), das nicht unbedingt konsekriert sein mußte (→ *consecratio*). *S.* kann öffentliche röm. Kultstätten, die aus einem offenen Altar mit einer Einfriedung bestanden (Trebatius bei Gell. 7,12,5; vgl. Fest. 422 L.), aber auch private Heiligtümer bezeichnen. Es hat die Form einer Kapelle, das Götterbild stand in einer Nische (→ *aedicula*), der Opfernde davor (vgl. Paul. Fest. 319 L.). Im täglichen Sprachgebrauch bezeichnete das *s.* auch Larenheiligtümer (z. B. Iuv. 13,232; Liv. 4,30,10; → *lararium*). A. V. S.

Sacer. Das dem alltäglichen Gebrauch Entzogene und den Göttern Übergebene (vgl. *sacrare*, »*s.* machen«: → Opfer I. A.). In den frühesten lat. Belegen wird das Adj. *s.* im Zusammenhang mit Opfertieren (Plaut. Men. 290) und einer Gottheit geweihten Gegenständen (CIL I² 47; 365; 396; 580) verwendet. Im archa. röm. Recht konnte eine bestimmter Verbrechen schuldige Person für *s.* erklärt werden; der Betreffende wurde aus der menschlichen Gemeinschaft ausgeschlossen und durfte ungestraft getötet werden (CIL I² 2; vgl. Fest. 424 L.). Obwohl die röm. Juristen im Lauf der Zeit darauf bestanden, daß nur etwas offiziell Konsekriertes *s.* sein könne (Fest. 424 L.; Gai. inst. 2,5; → *consecratio*), wurde der Begriff schon früh in einem weiteren Sinne auch für Orte und Gegenstände, die mit einer Gottheit in Verbindung gebracht wurden (Enn. scaen. 124), verwendet. Seit augusteischer Zeit begegnet *s.* häufig in der Bed. »göttlich«, »himmlisch« (Verg. Aen. 8,591; Ov. fast. 6,386). In dieser Bed. wurde es schließlich für den Kaiser und seine Dekrete gebraucht (Stat. silv. 5,2,177; Ulp. Dig. 26,7,5,5).

→ Religion X.; Sacra; Sacratio; Sakralrecht; Sanctus

R. Fiori, Homo s., 1996 · H. Fugier, Recherches sur l'expression du sacré dans la langue latine, 1963 · D. Sabbatucci, S., in: SMSR 23, 1952, 91–101.
J. B. R./Ü: S. Kr.

Sacerdos. Seltenes röm. Cogn. (»Priester«), in republikanischer Zeit in der Familie der Licinii (→ Licinius [I 41]), in der Kaiserzeit bei Marius → Plotius [II 5] Claudius S.

Kajanto, Cognomina, 319. K.-L. E.

Sacerdos (Pl. *sacerdotes*). Das zweite Glied des lat. Wortes stammt von indeur. **dhe-* (vgl. griech. *tithénai*, lat. *facere*, dt. *tun*): Ein *s.* war also »einer, der die → *sacra* macht«. *S.* entwickelte sich zu einem Oberbegriff für rel. Funktionsträger, als t. t. hatte es jedoch eine eingeschränktere Bed.: Wie Inschr. belegen, wurde es üblicherweise für → Priester verwendet, die einer einzigen, insbesondere nichtröm. Gottheit dienten. Dieser Sprachgebrauch war bereits im frühen 2. Jh. v. Chr. etabliert (Plaut. Bacch. 307; Plaut. Rud. 285; ILS 18,10). Außerdem wurden die Amtsträger, die die *sacra* der alten Latinergemeinden (→ Latini) weiterführten, oft *s.* genannt (z. B. *s. Laurentium Lavinatium*: ILS 1147; 1430; 1431). Auch einige untergeordnete Kultfunktionäre in Rom trugen den Titel [4. 519–521; 483].

Da diese zwei Verwendungsweisen verm. sehr alt sind, wurde angenommen, der Begriff habe urspr. eine nichtröm. Kategorie bezeichnet [1. 46]. Ab dem 1. Jh. v. Chr., evtl. aber schon früher (vgl. Fest. 198), wurde er jedoch auch auf die Mitglieder röm. Priesterkollegien angewendet, zumindest umgangssprachlich. Cicero verwendet *s.* für die Vestalinnen (dom. 144) und bezeichnet die → *pontifices*, → *augures* und → *quindecimviri* insgesamt als *publici s.* (leg. 2,20; 2,30; nat. deor. 3,5); bei Livius erscheint die Wendung in derselben Bed. (26,23,7). In der späten Republik waren diese die drei wichtigsten Priesterkollegien (Varro bei Aug. civ. 6,3); → Augustus erhob dann die → *septemviri epulones* in einen diesen ebenbürtigen Rang. Seither scheint der Ausdruck »die vier hervorragendsten Kollegien der *s.*« (R. Gest. div. Aug. 9,1) eine offizielle Sammelbezeichnung gewesen zu sein.

In den Westprov. des Röm. Reiches wurde der Titel eines *s.* in der Kaiserzeit oft für städtische Priester, die mit dem Kult einer einzelnen Gottheit betraut waren, verwendet, z. B. *s. Cereris* (»*s.* der Ceres«) in Karthago [3]. Im → Kaiserkult der Prov. bezeichnete *s.* urspr. die Priester von → Roma [IV.] und Augustus, während die Priester offiziell konsekrierter Kaiser → *flamines* genannt wurden. Diese Unterscheidung galt in den Kulten von → *municipia* allerdings nicht und verschwand schließlich auch in den Kulten auf Provinzebene [2. 131 f.; 165–167; 263–267].

→ Flamines; Priester

1 M. Beard, Priesthood in the Roman Republic, in: Dies., J. North (Hrsg.), Pagan Priests, 1990, 17–48 2 D. Fishwick, The Imperial Cult in the Latin West, 2 Bde., 1987–1992 3 J. Gascou, Les sacerdotes Cererum de Carthage, in: AntAfr 23, 1987, 95–128 4 G. Wissowa, Rel. und Kultus der Römer, ¹1912. J. B. R./Ü: S. Kr.

Sachmet. Äg. Göttin, Gattin des Ptah (→ Phthas) und Mutter des Lotosgottes Nefertem, üblicherweise als löwenköpfige Frau dargestellt; Hauptkultort: → Memphis. Wie ihr Name (»die Mächtige«) schon andeutet, ist S. die gefährliche Göttin par excellence. Sie ist die Herrin der Dämonen, speziell der ḫȝ.tiw (»Schlächterdämonen«, die jeweils sieben unsichtbaren Dekansterne; → Astronomie B.2.). Statuen, v. a. der Spätzeit (713–332 v. Chr.), stellen sie daher oft auf einem Thron dar, dessen Seiten mit schlangengestalten Dekanfiguren geschmückt sind. Mit dem zornigen Sonnenauge identifiziert, ist S. → Sothis, die Herrin der Dekane. Hypostasen der Göttin sind jedem Tag des Jahres zugeordnet (Chronokratoren [5]). Durch die Dämonen und dämonische Pfeile (teils personifiziert) verbreitet S. Krankheiten. Sie muß daher durch entsprechende Riten stets besänftigt werden. Ist dies gelungen, wirkt ihre Macht schützend gegenüber ihren eigenen Dämonen. Sie ist daher auch eine Heilgöttin (→ Heilgötter) und ihr spezieller → Priester (wʿb Sḫm.t) ein auf Seuchenbekämpfung spezialisierter Arzt [1; 4]. Im Schutz- und Heilzauber identifiziert sich der Patient bzw. Offiziant daher auch bevorzugt mit »Horus, dem Sprößling der S.«.

1 H. ENGELMANN, J. HALLOF, Der S.-Priester, ein früher Repräsentant der Hygiene und des Seuchenschutzes, in: Stud. zur altägypt. Kultur 23, 1996, 103–146 2 PH. GERMOND, Sekhmet et la protection du monde, 1981 3 S.-E. HOENES, Unt. zu Wesen und Kult der Göttin S., 1976 4 F. VON KÄNEL, Les prêtres-ouâb de Sekhmet et les conjurateurs de Serket, 1984 5 J. YOYOTTE, Une monumentale litanie de granit. Les Sekhmet d'Amenophis III et la conjuration permanente de la Déesse dangereuse, in: Bull. de la Soc. Française d'Égyptologie 87/88, 1980, 46–75.
A. v. L.

Sacra. Der gebräuchliche lat. Begriff für rel. Rituale aller Art (Macr. Sat. 1,16,8). Auf sein hohes Alter weist die Verwendung in alten Priestertiteln (z. B. → rex sacrorum) hin. Röm. Gelehrte unterschieden zw. *s. publica* und *s. privata* (Fest. 284 L.). Erstere wurden im lokalen → Kalender aufgeführt und zerfielen in zwei Haupttypen: in Rituale, die von Magistraten und → Priestern auf Staatskosten für den *populus* durchgeführt wurden, bei denen aber die Beteiligung des Volkes nicht nötig war, und in Feste wie die → Fornacalia oder die → Parilia, an denen üblicherweise große Teile des Volkes teilnahmen (deshalb bisweilen als *s. popularia* bezeichnet). Die *s. privata* wurden für einzelne, Hausgemeinschaften, *gentes* und private Vereinigungen durchgeführt. Sie fielen im allg. nicht unter die Aufsicht von Staatsbeamten. Jedoch war es ein öffentliches Anliegen, daß Gentilkulte nicht ausstarben (Cic. leg. 2,22; 2,48–53; Cic. Mur. 27; vgl. → gens B.). Daher hatten die → *pontifices* die Aufsicht über Veränderungen des rechtlichen Status einzelner, die den Bestand der *s. privata* betreffen konnten, wie etwa im Fall der Adoption von Personen, deren Vater nicht mehr am Leben war (Cic. dom. 34; 36), und fungierten in Belangen der *s. privata* allg. als Ratgeber und Autoritäten (Cic. dom. 132; Cic. har. resp. 14; Liv. 1,20,6). Bisweilen

schränkten röm. Staatsbeamten solche *s. privata* ein, die sie mit den öffentlichen Interessen für nicht vereinbar erachteten, so etwa im Fall der → Bacchanalia des Jahres 186 v. Chr. (Liv. 39,8–10; ILS 18).

G. WISSOWA, Rel. und Kultus der Römer ²1912, 398–402.
J. B. R./Ü: S. KR.

Sacramentarium (Sakramentar). Mit S., *Sacramentorum liber* u. ä. wird der in der Spätant. aus *libelli* (Einzelblättern oder Heften) entstandene christl. liturgische Buchtyp des Sakramentars bezeichnet, der die vom Bischof oder Priester v. a. in der Eucharistiefeier vorzutragenden Gebete, mitunter auch andere liturgische Texte, für bestimmte Feste, Zeiten und Anlässe enthält. Erst seit der 2. Hälfte des 6. Jh. sind Codices erhalten. Nach Herkunft und Eigenart sind die wichtigsten S.-Typen: (stadt-)röm., röm.-fränkisch, altgallisch und keltisch, mailändisch und altspanisch, daneben Mischsakramentare (→ Liturgie II.).

Das *S. Veronense* oder »*Leonianum*« [1], urspr. im Lateran von Päpsten verfaßt oder benutzt, ist eine unvollständige Sammel-Hs. und als Vorstufe des S. im eigentlichen Sinn zu betrachten. Das systematischer aufgebaute *S. Gelasianum vetus* [2] entstand Mitte des 7. Jh. in Rom für eine röm. Titelkirche unter Verwertung älterer Quellen und wurde im fränkischen Reich bearbeitet. Der gregorianische S.-Typ [3] wurde verm. unter Honorius I. (625–638) für die Papstliturgie geschaffen und entwickelte sich in drei Typen weiter. Die S. wurden, bes. in der Karolingerzeit, fortlaufend vervollständigt und besser für den liturgischen Gebrauch eingerichtet (»Junggelasiana« oder »fränk. Gelasiana« des 8. Jh.; gregorianisch-gelasianische Misch-S. ab dem 9. Jh.). Im 12./13. Jh. wurde der Buchtyp S. definitiv durch das (Plenar-)Missale ersetzt. Viele Texte des S. leben bis heute in katholischen Meßbüchern, evangelischen Agenden und dem anglikanischen *Book of Common Prayer* fort.

→ Gebet IV.; Gregorius [3] I.; Libellus; Liturgie II.; Liturgische Handschriften; Missa; Vulgata

ED.: 1 L. C. MOHLBERG, S. Veronense (Cod. Bibl. Capit. Veron. LXXXV [80]), 1956 (³1978) 2 Ders., Liber sacramentorum Romanae aeclesiae ordinis anni circuli (Cod. Vat. Reg. lat. 316/Paris Bibl. Nat. 7193, 41/56 S. Gelasianum), 1960 (³1981) 3 J. DESHUSSES, Le sacramentaire grégorien, ses principales formes d'après les plus anciens manuscrits, 1971–1982.
LIT.: 4 B. COPPIETERS 'T WALLANT, Corpus orationum (CCL 160, A–J), 1992–1999 5 J. DESHUSSES, B. DARRAGON, Concordances et tableaux pour l'étude des grands sacramentaires, 6 Bde., 1982 f. 6 K. GAMBER, Codices liturgici latini antiquiores, 2 Bde., ²1968; Supplementum, 1988 7 M. METZGER, Les sacramentaires, 1994 8 E. PALAZZO, Histoire des livres liturgiques: Le Moyen Age, 1993 9 C. VOGEL, Medieval Liturgy, 1986 (frz. ²1981), 61–134 10 Archiv für Liturgiewiss., 1950ff. (Register der einzelnen Bd.).
M. KLÖ.

Sacramentum I. Allgemein II. Zivilrecht
III. Soldateneid IV. Christentum

I. Allgemein

S. (»Eid«) bezeichnet in Abgrenzung von → *ius iu-randum*, das lat. im allg. die Eidesformel und den Akt der Eidesleistung meint, eher die Wirkung der durch das *s.* eingegangenen Verpflichtung gegenüber dem Schwur-gott (meist → *Iuppiter* (I. B.) in der Funktion des Dius Fidius oder »alle Götter«): Das *s.* droht dem, der eine falsche Behauptung eidlich bekräftigt oder ein unter Eid gegebenes Versprechen nicht gehalten hat (assertori-scher bzw. promissorischer Eid), die Sanktion an, → *sa-cer* zu sein, d.h. einem Gotte zu verfallen und damit vogelfrei zu werden [1. 76–84].

II. Zivilrecht

Die wohl älteste und in allen Streitfällen verwend-bare Form der Klage ist die *legis actio sacramento* (→ *legis actio*). Sie unterliegt strengen Formalien und steht nur röm. Bürgern offen. Dabei hinterlegt jede Partei beim Gerichtsmagistrat (*in iure*) eine am Streitwert bemessene Geldsumme, die als *s.* bezeichnet wird (Varro ling. 5,180; Fest. 468,16–29; Gai. inst. 4,12–20) und als »Wetteinsatz« die gegensätzlichen Ansprüche der Par-teien jeweils belegen soll [2; 6]. Der Einsatz der Partei, deren Behauptung nicht durch die Entscheidung des Richters (*apud iudicem*) bestätigt wird, fällt an den Staat.

Obgleich *s.* schon um 450 v. Chr. im Recht der Zwölftafeln in der Bed. »Geldsumme« gebraucht wird (Tab. I 1a = Gai. inst. 4,14), weist die niedrige Summe des Einsatzes im Freilassungsprozeß (ungeachtet des tat-sächlichen Wertes des Sklaven: Gai. inst. 4,14), die ur-sprüngliche Hinterlegung bei der Priesterschaft (*ad pont(ific)em*: Varro ling. 5,180) und die ehemalige Ver-wendung des Einsatzes für rel. Zwecke (*in rebus divinis*: Fest. 468,29) auf einen frühen Eid wohl beider Parteien, die damit das Risiko des Verlustes der bürgerlichen oder sogar der physischen Existenz eingingen. Der Bed.-Wandel von *s.* (Eid > Geldsumme) geht wohl auf die Verpflichtung des Unterlegenen zurück, die Kosten für die Entsühnung seiner Person oder der durch den → Meineid rel. befleckten Gemeinde zu tragen.

III. Soldateneid

Mit dem *s. militare* (»Militäreid«) verpflichtet sich der Soldat zum Gehorsam gegenüber dem Kommandeur (in der Regel dem Consul) und zu strikter Disziplin (Pol. 6,21,2; Liv. 3,20,3–6; Dion. Hal. ant. 10,18; 11,43; Veg. mil. 2,5). Mit dem Eid verläßt der *civis* (Bürger) die Reihen der → *Quirites*, wird zum *miles* (Soldaten) und unterwirft sich damit verschärften Disziplinarstrafen bis zur Todesstrafe bei Bruch des *s. mil.* [1. 91–94; 3. 19–32]. Kurz vor der Schlacht bei Cannae (216 v. Chr.) wurden bisher freiwillig in den Abteilungen geleistete Eide (z. B. nicht zu fliehen) in das *s. mil.* einbezogen, das nun von den Militärtribunen (→ *tribunus militum*) abge-nommen wurde (Liv. 22,38,1–6; vgl. Pol. 6,21,2). Das *s. mil.* galt für die Dauer eines Feldzugs und wurde – an-ders als der Eid der griech. *éphēboi* (→ *ephēbeía*) – nicht

dem Staat, sondern dem Heerführer geleistet, wohl ein Relikt der noch im 5. Jh. v. Chr. üblichen privaten Kriegführung ([4. 368–387]; → Lapis Satricanus). Die eidliche Bindung an die Person erleichterte die nach Marius [I 1] eintretende enge Beziehung zw. Heerfüh-rer und Heer (sog. Heeresklientel), steht auch hinter dem »Treueeid« Italiens und der westl. Prov. für → Oc-tavianus [1] (R. Gest. div. Aug. 25; Cass. Dio 50,6,5; 57,3,2; obgleich formal kein *s. mil.*; [5. 272–290]) und lebt in der Kaiserzeit im *s. mil.* des Berufsheeres weiter, das dem → *princeps* jährlich am Tag seines Herrschaftsan-trittes (*dies imperii*) oder am Neujahrstag geleistet wurde (Tac. hist. 1,55; Plin. epist. 10,52). Erst in der Spätant. scheint die → *res publica* Teil der Eidesformel gewesen zu sein (Serv. Aen. 8,1; Veg. mil. 2,5; [1. 88–90]).

→ Heerwesen III.

1 J. Rüpke, Domi militiae, 1990 2 W. Kunkel, Unt. zur Entwicklung des röm. Kriminalverfahrens, 1962, 98–130, bes. 106–113 3 J. B. Campbell, The Emperor and the Roman Army: 31 B.C.-A.D. 235, 1984 4 D. Timpe, Das Kriegsmonopol des röm. Staates, in: Eder, Staat 5 V. Fadinger, Die Begründung des Prinzipats, 1969 6 M. Kaser, K. Hackl, Das röm. Zivilprozeßrecht, ²1996, 82.   W. ED.

IV. Christentum

Der christl. Begriff *s.* hat zwei Hauptwurzeln: (1) die röm.-lat. Bed. (»Militäreid«, s. o. III.); (2) Übernahme der Bed. des griech. μυστήριον/*mystérion* (»Mysterium«) durch Lektüre und Übertragung aus griech.-christl. Li-teratur.

→ Tertullianus hielt *s.* wegen des darin implizierten Gedankens der rel.-ethisch verankerten Selbstverpflich-tung für geeignet als Bezeichnung für das Taufgelöbnis als Absage an den Teufel und für das Glaubensbekennt-nis (De corona 11,1; De idolatria 6,1; De pudicitia 14,17), aber auch für die → Taufe als ganze (Ad martyras 3,1; De spectaculis 24,4; De idolatria 19,2; De scor-piace 4,5) und die Eucharistie (Adversus Marcionem 4,34,5; 5,8,3). Im weitesten Sinn bezeichnet *s.* die Glau-benslehre insgesamt (Adversus Praxean 30,5; 31,2).

Gleichzeitig kannte Tertullianus aufgrund der alt-lat. Bibelübersetzungen die Wiedergabe von *mystérion* (= *m.*) durch *s.* (Eph 1,9; 3,9; 5,32; 6,19). M. (aram. *rāzā*) bezeichnet im Buch Daniel die verdeckte Ankündigung der von Gott vorherbestimmten künftigen Geschehnis-se (2,27–30; 2,47), in der Apostelgesch. die verborgenen Gedanken, Pläne und Tätigkeiten Gottes, die erst ge-offenbart werden müssen (1,20; 17,7). → Paulus [2] nennt Christus das *m.* Gottes (1 Kor 2,1), das sich offen-bart hat. Von Philon [12] von Alexandreia übernimmt → Origenes [2] die exegetische Bed. von *m.* zur Be-zeichnung des verborgenen Sinnes der Schrift (vgl. Mk 4,11 und Parallelen), der durch die → Exegese aufge-deckt wird (so auch bei Tertullianus: Jesus – Josua: Ad-versus Marcionem 9,21–25; Kreuz Christi – Holz des Isaak: Adversus Iudaeos 10,5 f.; Kreuz – eherne Schlan-ge: ebd. 10,10). Dieselbe Hermeneutik wendet Origenes – wie schon Iustinos [6] (Dial. 85,7) – auch auf liturgische Gesten und Riten an, die als Symbole für die zu enthüllende oder schon enthüllte Wahrheit verstanden werden. Bes. → Ambrosius, zu dessen Hauptquellen Philon und Origenes zählen, übernimmt diese Deutungsweisen in die lat. Literatur. In De mysteriis 1,3 (vgl. De sacramentis 5,3,12) nennt er das sichtbare Zeichen *s.*, die bezeichnete Wirklichkeit *mysterium*, doch oft sind die beiden Begriffe austauschbar (De mysteriis 3,12).

Sacramenta sind sichtbare Zeichen für eine verborgene Wirklichkeit, wobei zwischen den beiden Ebenen die Relation der *similitudo* (»Ähnlichkeit«, »Entsprechung«) besteht (vgl. epist. 98,9; 55,5,8; 8,14; 11,22; bes. 55,6,11–7,13; vgl. Ambr. de sacramentis 6,1,2f.). → Augustinus stellt die *s.* von → Bibel und → Liturgie nebeneinander [16]. *S.* ist von *memoria* (»Erinnerung«) zu unterscheiden: Letztere benennt nur das Erinnern an ein histor. Ereignis wie etwa den »Geburtstag des Herrn« (*dies natalis domini*), *s.* hingegen schließt zugleich den tieferen geistigen Sinn mit ein: die erlösende und rechtfertigende Bed. sowie die Heiligung des Übergangs vom Tod zum Leben (Aug. epist. 55,1,2). So haben auch etwa Sonne, Mond und Sonntag, die für die Berechnung des Osterfestes maßgebend sind, eine tiefere Bed. (Aug. epist. 55,13,23). Sie sind *similitudines* (»Entsprechungen«), die bei der gläubigen Annahme im Hl. Geist verständlich werden (Aug. epist. 55,5,9; 55,7,13).

Ebenso reflektiert Augustinus die rituellen Handlungen der Eucharistiefeier, in denen Zeichen (*signa*) mit Hilfe von Elementen eine unsichtbare göttliche Wirklichkeit (*res*) anzeigen und vermitteln. Sie setzen sich aus einem sinnlich wahrnehmbaren Element (z.B. Taufwasser) und dem es deutenden Wort zusammen; letzteres bewirkt erst, daß ein Element *s.* wird: *Accedit verbum ad elementum, et fit sacramentum, etiam ipsum tamquam visibile verbum* – ›Es tritt das Wort zum Element, und es wird zum Sakrament, auch dieses gleichsam ein sichtbares Wort‹ (In Iohannis evangelium tractatus 80,3). Ohne das *verbum* ist das Element kein *s.* (vgl. Ambr. de mysteriis 4,20). Gemeinsam mit dem Sakramentsbegriff des Augustinus wird im Laufe der folgenden Jh. jener des → Isidorus [9] von Sevilla († 636) maßgebend, der die Wirkung des Hl. Geistes hervorhebt und nur die *s. baptismus et chrisma, corpus et sanguis* (»Taufe und Salbung, Leib und Blut«; Isid. orig. 6,19, 39–42) aufzählt. Schon in der Spätant. wurde die Firmung von der Taufe getrennt (vgl. → Faustus [3] Reiensis) und während des Hochmittelalters, insbes. im Anschluß an den Sentenzenkomm. (B. 4, distinctio 2, Kap. 1) des Petrus Lombardus († 1160), die Zahl der *s. novae legis* (»Sakramente des neuen Bundes«) auf folgende sieben reduziert: Taufe, Firmung, Eucharistie (Abendmahl), Buße, Krankensalbung (Letzte Ölung), Weihe (Ordo), Ehe.

→ Bibel; Exegese; Mysterien; Taufe

1 G. BORNKAMM, s. v. μυστήριον, ThWB 4, 1942, 809–834 2 C. COUTURIER, »s.« et »mysterium« dans l'œuvre de Saint Augustin, in: H. RONDET et al. (Hrsg.), Études Augustiniennes, 1953 (Théologie 28), 161–332
3 J. FINKENZELLER, Die Lehre von den Sakramenten im allg., 1980 4 J. DE GHELLINCK, Pour l'histoire du mot »s.«, Bd. 1: Les anténicéens, 1924 5 C. JACOB, Arkandisziplin, Allegorese und Mystagogie, 1990 6 A. KOLPING, S. Tertullianeum. Bd. 1: Unt. über die Anfänge des christl. Gebrauches der Vokabel s., 1948 7 A. MANDOUZE, A propos de »s.« chez S. Augustin, in: Mélanges offerts à Ch. Mohrmann, 1963, 222–232 8 Ders., S. et sacramenta chez Augustin, in: Bull. de l'association Guillaume Budé 1989, 367–375 9 E. MAZZA, L'uso di »s.« nella lettera 10,96 di Plinio il Giovane, in: Ephemerides liturgicae 113, 1999, 466–480 10 D. MICHAÉLIDÈS, S. chez Tertullien, 1970 11 CH. MOHRMANN, S. dans les plus anciens textes chrétiens, in: Dies., Études sur le latin des chrétiens, Bd. 1, 1958, 233–244 12 R. PASSINI, »Mysterium« e »S.« in S. Ambrogio, Diss. S. Anselmo (Roma), 1969 13 CH. RIEDWEG, Mysterienterminologie bei Platon, Philon und Klemens von Alexandrien, 1987 14 E. RUFFINI, E. LODI, »Mysterion« e »S.«. La sacramentalità negli scritti dei padri e nei testi liturgici primitivi, 1987 15 A. SOLIGNAC, s. v. Mystère, Dictionnaire de spiritualité, ascétique et mystique 10, 1980, 1861–1874 16 B. STUDER, Die doppelte Exegese bei Origenes, in: G. DORIVAL, A. LE BOULLUEC (Hrsg.), Origeniana Sexta. Origène et la Bible, 1995, 303–323 17 M. ŽITNIK, Sacramenta. Bibliographia internationalis, 1992.   F. MA.

Sacrilegium. Im röm. Recht der Tempeldiebstahl oder genauer die widerrechtliche Entwendung (*furtum*) von (beweglichen) (a) Dingen (*res*), die *sacrae* (→ *sacer*) waren, aus einem Ort, der *sacer* war (*aedes, templum*: Quint. inst. 7,3,10) oder vielleicht auch aus Privatbesitz (Cic. inv. 1,11) sowie (b) Privatsachen, die (wie Geld) in einem Tempel deponiert wurden (so Cic. leg. 2,22 und 41). Letzteres war aber strittig: Septimius Severus und Caracalla entschieden, daß eine solche Tat lediglich als → *furtum* zu betrachten sei (Dig. 48,13,6). Die Entwendung von *sacra privata* wurde in den Tatbestand von *s.* nicht einbezogen, sondern nur als erschwerter Diebstahl angesehen (Dig. 48,13,11). Urspr. ahndete man *s.* mit dem Tode, strafte es später aber wahrscheinlich analog zu der Unterschlagung von Staatsgeldern (→ *peculatus*) nach einer caesarischen oder augusteischen *lex Iulia peculatus et de sacrilegis* mit → *aqua et igni interdictio*. Wir hören aber auch von Deportation und verschiedenen Todesarten, sogar von Verbrennung (Dig. 48,13). Im christl. Kaiserreich wurde der Begriff von *s.* zum allg. Religionsfrevel hin erweitert und sogar für die Mißachtung von kaiserlichen Verordnungen, die mit dem *ius divinum* gleichgestellt wurden, benutzt (Cod. Theod. 16,2,25; Cod. Iust. 9,29).

R. A. BAUMAN, Tertullian and the Crime of S., in: Journ. of Religious History 4, 1967, 175–183 · A. DĘBIŃSKI, S. w prawie rzymskim, 1995 · G. FOCARDI, Il carme del pescatore sacrilego, 1998 · F. GNOLI, Ricerche sul crimen peculatus, 1979, 9f., 104–132 · P. HUVELIN, Études sur le furtum, 1915, 450–458 · MOMMSEN, Strafrecht, 760–776 · O. ROBINSON, Blasphemy and Sacrilege in Roman Law, in: Irish Jurist 8, 1973, 356–371.   J. LI.

Sacriportus. Ortschaft in Latium (Lucan. 2,134; App. civ. 1,87: Ἱερὸς λιμήν) am Oberlauf des Tolerus (h. Sacco) an der Via Labicana zw. → Praeneste und Signia, evtl. in der Nähe von Piombinara. Im Frühjahr 82 v. Chr. schlug Cornelius [I 90] Sulla hier das Heer des Marius [I 2] vernichtend (Plut. Sulla 28,4; App. civ. 1,87; Liv. per. 87; Vell. 2,26; Lucan. 2,134).

NISSEN 2, 651 · G. TOMASSETTI, La Campagna Romana, Bd. 3, 1910, 459 (Ndr. 1976). G.U./Ü: J.W.MA.

Sacrosanctus. Als *s.* wurden nach Festus (318, s. v. *s.*) Gegenstände oder Personen bezeichnet, die durch Eid (→ *sacramentum*) so geschützt sind, daß deren Verletzung den Schädiger mit der Todesstrafe bedroht. Als Beispiele nennt Festus die Tribune der Plebs (→ *tribunus plebis*) und fälschlich auch die plebeischen *aediles*. Die Volkstribunen waren seit ihrer Einsetzung (494 v. Chr.; → Ständekampf) durch eine *lex sacrata* geschützt (Liv. 2,33,1 und 3; Dion. Hal. ant. 6,89,2–4; Cic. rep. 2,58), d. h. durch den Eid der Plebs, jeder Verletzung der Person oder der Handlungsfähigkeit der Tribunen sofort die Bestrafung des Täters, der dadurch → *sacer* (vogelfrei) geworden war, in einer Art Lynchjustiz folgen zu lassen (zur *lex sacrata* s. [1; 2. 145–153; 3. 374–387]). Die nur durch den Eid der Plebs geschützte Amtsgewalt (*sacrosancta* → *potestas*) der Tribunen stand anfänglich der *legitima potestas* der vom Gesamtvolk gewählten Beamten gegenüber und wurde frühestens 449 v. Chr. (vgl. Liv. 3,55,3) allg. anerkannt. Die »Unberührbarkeit« des Volkstribunen erlosch, wenn ihm der Vorwurf der *affectatio regni* (»Strebens nach dem Königtum«) gemacht werden konnte (→ Maelius [2]; Ti. → Sempronius Gracchus); sie konnte auch vom Amt gelöst werden und damit zum Schutz von Patriziern dienen (von → Octavianus [1] im Jahr 36 v. Chr. genutzt: Cass. Dio 49,15,6). In der christl. Spätant. wurde *s.* im Sinne von »hochheilig« verwendet.

1 A. ALFÖLDI, Lex sacrata, 1940 2 J. BAYET, L'organisation plébéienne et les Leges sacratae, in: Ders. (ed.), Titus Livius (Tite-Live), Bd. 3, 1954 (mit frz. Übers. und Komm.) 3 K. VON FRITZ, Leges sacratae and plebei scita, in: Ders., KS zur griech. und röm. Verfassungsgesch., 1976, 374–387. W. ED.

Sadalas (Σαδάλας).
[1] König der → Odrysai 87/6–80/79 v. Chr., Nachfolger von → Kotys [I 4]. S. unterstützte Cornelius [I 90] Sulla gegen Mithradates [6] VI. bei Chaironeia (Cic. Verr. 2,1,63; [1. 258; 318; 337; 2. 114; 3]).
[2] Enkel von S. [1], König der → Odrysai 45/4–42 v. Chr., der im J. 48 im Auftrag seines Vaters → Kotys [I 5] Pompeius [I 3] d.Gr. bei Pharsalos unterstützte (Caes. civ. 3,4,3); S. wird der Sieg über L. → Cassius [I 14] Longinus zugeschrieben (Cass. Dio 41,51,2); Caesar begnadigte ihn (Cass. Dio 41,63,1; Lucan. 5,54). Nach dem Tod des → Burebista eroberte S. odrysisches Territorium zurück (vgl. IGBulg 1,43). Er prägte Bronzemünzen. S. starb offensichtlich nicht kinderlos (so

Cass. Dio 47,25,1), jedenfalls wurde ihm und seiner Frau → Polemokrateia vom Sohn → Kotys [I 6] eine Inschr. errichtet (IGR 1,775; vgl. App. civ. 4,75; [2. 120f.; 4. 189–192]).
[3] Thrakischer König, unterstützte 31 v. Chr. M. Antonius [I 9] bei → Aktion (Plut. Antonius 61,2; [2. 122]).

1 F. DE CALLATAŸ, L'histoire des guerres mithridatiques vue par les monnaies, 1997 2 C. M. DANOV, Die Thraker auf dem Ostbalkan von der hell. Zeit bis zur Gründung Konstantinopels, in: ANRW II 7.1, 1979, 21–185 3 M. HOLLEAUX, Décret de Chéronée relatif à la première guerre de Mithradates, in: REG 32, 1919, 320–337 4 R. D. SULLIVAN, Thrace in the Eastern Dynastic Network, in: ANRW II 7.1, 1979, 186–211 5 M. TACEVA, On the Genealogy of the Last Kings of Thracia (100 B.C.–45 A.D.), in: M. TACEVA-CHITOVA (Hrsg.), Izsledvanija v cest na prof. Danov ... (FS Ch. M. Danov), 1985, 412–417. U.P.

Sadduzäer (Σαδδουκαῖοι; lat. *Sadducaei*).
I. NAME UND QUELLEN II. GESCHICHTE III. CHARAKTERISTIKA

I. NAME UND QUELLEN
Die S. bilden neben den Pharisäern (→ Pharisaioi) und → Essenern die dritte innerjüd. Gruppierung, die das rel. und polit. Geschick des jüd. → Palaestina von der Mitte des 2. Jh. v. Chr. bis zur Zerstörung des Jerusalemer Tempels 70 n. Chr. maßgeblich prägte. Der griech. Name *Saddukaíoi* (nur im Pl. bezeugt) geht verm. auf den Oberpriester Zadok z.Z. → Davids [1] zurück (Σαδδουκ, LXX), in dessen Familie bis ins 2. Jh. v. Chr. die hohepriesterliche Würde erblich war. Die S. wären demnach die unmittelbaren Anhänger und Gefolgsleute der hohenpriesterlichen Dyn.; dieser Name blieb auch, als dieses Amt von den → Hasmonäern (einer nichtzadokidischen Priesterfamilie) übernommen und später von Herodes [1] und den röm. Procuratoren Iudaeas nach polit. Interessen an Abkömmlinge eines kleinen Kreises von Priesterfamilien vergeben wurde. Neben den hohepriesterlichen Familien zählte der Jerusalemer Stadtadel (die sog. Ältesten) wohl mehrheitlich zu den S. Außer bei Iosephos [4] Flavios (wichtigste Quelle für die S.) und im NT (und davon abhängigen christl. Texten ab dem 2. Jh. n. Chr.) ist der griech. Name nicht belegt. Die → rabbinische Literatur enthält einige wenige Texte über die *ṣᵉdûqîm*, die darin meist in Opposition zu den Pharisäern stehen, doch ist der histor. Wert dieser Trad. ebenso umstritten (Texte der Mischna gesammelt in [1. 384–386]) wie die Identifizierung des qumranischen Decknamens »Manasse« in 4QpNah und 4QpPs 37 aus dem 1. Jh. v. Chr. mit den S.; Selbstzeugnisse der S. sind keine überliefert.

II. GESCHICHTE
Die innerjüd. Gesch. seit den Hasmonäern ist bei Iosephos von der immer wieder aufbrechenden Rivalität zw. S. und. Pharisäern geprägt und ohne dieselbe offenbar nicht verstehbar (Ios. ant. Iud. 13,171 f.; 13, 288–298; bQiddushim 66a). Trotz dieser Rivalität (wo-

bei eine Geburtselite mit konservativer Grundhaltung – Priester konnte man in Israel nur aufgrund der Abstammung werden – sich gegen den zunehmenden Einfluß einer Bildungselite zur Wehr setzte – die pharisäische Schriftgelehrsamkeit stand allen offen) gab es zw. ihnen keine grundsätzliche Trennung, im Unterschied zu der Gemeinschaft von → Qumran, die zwar aufgrund der priesterlichen Dominanz manche Verwandtschaft mit den S. aufweist, sich aber gleichwohl vom maßgeblich von S. bestimmten Tempelkult in Jerusalem abgewandt hatte. S. und Pharisäer konnten dagegen auch gemeinsame rel. und polit. Ziele verfolgen, bes. wenn es um das polit. Gleichgewicht und die Beziehung zu Rom ging (vgl. Ios. bell. Iud. 2,411; 4,158–161). Die nur in Mt gebrauchte Zusammenstellung von Pharisäern und S. (Mt 3,7; 16,1; 6; 11f.) könnte darauf Bezug nehmen. Auch im Prozeß gegen Jesus (wo anstelle der Partei- nur die Amtsbezeichnungen vorkommen: Mk 11,18; 27; 14,1 u.ö.) wirkten beide Parteien – wenngleich aus unterschiedlicher Absicht – miteinander (vgl. Mt 21,45; 27,62; ähnlich Jo 11,47; 57; 18,3; vgl. auch 4QpPs 37 II 17). Bei Mk 3,6 und 12,13 (vgl. Mt 22,15f.) sind die Pharisäer mit den »Herodianern« verbunden. In dieser ansonsten unbekannten Gruppe sehen manche Ausleger die sadduz. Sondergruppe der Boethusäer, einer von Herodes [1] und seinen Nachfolgern ins Hohepriesteramt gebrachten Familie (Ios. ant. Iud. 15,320–322; 17,78; 164; 339; 19,297).

III. CHARAKTERISTIKA

Zu den rel. Überzeugungen der S. gehörte die Leugnung einer Auferstehung der Toten (Ios. ant. Iud. 18,16; Mk 12,18–27; Apg 23,6ff., vgl. Avot deRabbi Nathan A 5) und der Existenz von Engeln und Dämonen (Apg 23,8); der *heimarménē* (→ Schicksal) wird keine Gewalt über den Menschen zuerkannt, vielmehr ist dieser Herr seines Geschicks und besitzt einen freien Willen (Ios. bell. Iud. 2,164f.; Ios. ant. Iud. 13,173). Daß sie nur die fünf Bücher Mose als hl. Schrift anerkannten, ist erstmals bei Origenes im 3. Jh. n. Chr. belegt [1. 408²⁴] und in dieser Form kaum richtig, auch wenn sie die Tora (→ Pentateuch) höher achteten als die nachfolgenden kanonischen Schriften (→ Kanon V.). Ihre Rechtspraxis war entsprechend strenger und enger an den schriftlichen Wortlaut der Tora angelehnt als die pharisäische (Ios. ant. Iud. 13,294; 20,199). Auch im Kult nahmen sie in bezug auf Reinheitsfragen eine strengere Haltung ein, die bes. die priesterlichen Vorrechte hervorhob, im Unterschied zu den auf eine Teilnahme des ganzen Volkes zielenden Pharisäern. Die *normative* Geltung der mündlichen Trad., die von den Pharisäern als Offenbarungsquelle anerkannt wurde, lehnten sie ebenfalls ab, obwohl es auch in ihren Kreisen eine gruppenspezifische Trad.-Bildung gab (vgl. Ios. ant. Iud. 13,297f.; 18,16). Zentren der sadduz. Frömmigkeit waren Priestertum und Tempel. Nach dessen Zerstörung verloren sie ihren geistigen Mittelpunkt sowie die Basis ihrer gesellschaftlichen Stellung und ihres Vermögens. Im weiteren Verlauf der jüd. Gesch. blieben sie als eigene

Gruppe ohne erkennbare Bed., wenngleich ein Teil ihrer Trad. auch in die rabb. Lit. Eingang gefunden haben dürfte.

1 SCHÜRER.

G. BAUMBACH, The Sadducees in Josephus, in: L. H. FELDMAN, G. HATA (Hrsg.), Josephus, the Bible, and History, 1989, 173–195 · M. GOODMAN, The Ruling Class of Judaea, 1987 (⁶1995) · Ders., Sadducees and Essenes after 70 CE, in: ST. E. PORTER u. a. (Hrsg.), Crossing the Boundaries, 1994, 347–356 · G. G. PORTON, s. v. Sadducees, Anchor Bible Dictionary 5, 892–895 · E. REGEV, The Sadducean Halakha and the Sadducees' Influence on Social and Religious Life, 1999 (unpubl. hebr. Diss., Bar Ilan Univ., engl. 2002) · A. J. SALDARINI, Pharisees, Scribes, and Sadducees in Palestinian Society, 1988 · L. H. SCHIFFMAN, Sadducean Halakhah in the Dead Sea Scrolls: The Case of the Tevul Yom, in: Dead Sea Discoveries 1, 1994, 285–299 · G. STEMBERGER, Pharisäer, S., Essener, 1991 · C. WASSEN, Sadducees and Halakhah, in: P. RICHARDSON, S. WESTERHOLM (Hrsg.), Law in Religious Communities in the Roman Period, 1991, 127–146 · H.-F. WEISS, s. v. S., TRE 29, 1998, 589–594.   RO.D.

Sadyattes (Σαδυάττης).

Luw. Name: VG *sādu-* »tüchtig«, HG *atta-* entweder »Vater« wie im Hethitischen, dann »tüchtiger Vater«, oder – wohl eher (*atta-* ist Suffix) – »über Tüchtigkeit Verfügender« [1. 450]. Das Vorkommen des Namens nach 1200 v. Chr. ist ein Beweis für das Fortleben der luw. Kultur auch in Westanatolien bis zu den Achaimeniden ca. 550 v. Chr.

1 N. OETTINGER, Stammbildung des hethitischen Verbums, 1979.

[1] Letzter König von Lydien aus dem Geschlecht der → Herakleidai, von Gyges [1] ca. 680 v. Chr. ermordet. Sein Beiname → Kandaules spielt wohl auf Hermes als seine Schutzgottheit an. Die Griechen nannten S. Myrsilos (von hattisch *Mursil; Hdt. 1,7–12 und Nikolaos von Damaskos FGrH 90 F 47).

[2] Lydischer König (ca. 625–600 v. Chr.), der dritte aus der Sippe der → Mermnadai. Er soll seine Schwester Lyde zur Königin gemacht haben; aus der Ehe mit ihr sei → Alyattes (luw. »über Zauber Verfügender«) hervorgegangen, der als Kronprinz sechs J. lang mit der Kriegführung gegen → Miletos beauftragt war (Hdt. 1,16–17; Nikolaos von Damaskos FGrH 90 F 63; Xenophilos FGrH 767).

M. LOMBARDO, Osservazioni cronologiche e storiche sul Regno di Sadiatte, in: ASNP, Ser. III, 10.2, 1980, 307–362.

[3] Lydischer Kaufmann, unterstützte Pantaleon, den Bruder und Widersacher des Kronprinzen → Kroisos. S. wurde später von Kroisos getötet, sein Besitz der Artemis von Ephesos geweiht (Hdt. 1,92 und Nikolaos von Damaskos FGrH 90 F 65).

[4] Sohn des lydischen Königs Ardys [1] aus der Sippe der → Herakleidai; er soll Gyges' Großvater Daskylos ermordet haben (Nikolaos von Damaskos FGrH 90 F 44–46).

[5] Lyder aus der Sippe der Tyloniden, vom König Meles für drei J. zum Reichsverweser von Lydien bestellt (Nikolaos von Damaskos FGrH 90 F 45). PE.HÖ.

Saeculares Ludi s. Ludi (K.); Saeculum

Saeculum (»Zeitalter«).
I. ALLGEMEINES
II. ETRUSKISCHE ÜBERLIEFERUNG
III. RITUELLE GESTALTUNG

I. ALLGEMEINES
Die ant. Theorien zum *s.* behandelt → Censorinus [4] in Kap. 17 von *De die natali* (238 n. Chr.) im Rahmen chronographischer Ausführungen. Seine Quelle ist u. a. Varro, der Serv. Aen. 8,526 zufolge einen Text *De saeculis* verfaßte. Cens. 17,2 definiert *s.* als »längstmögliche menschliche Lebensdauer« (*spatium vitae humanae longissimum partu et morte definitum*).
Etr. (17,5–6) und röm. Trad. (17,7–15) sind bei Censorinus klar geschieden (*Roman(or)um s.*: 17,7): Die rituelle Inszenierung des Beginns eines neuen *s.* durch die *ludi Terentini* oder *ludi saeculares* (»Saecularspiele«) ist Kennzeichen ausschließlich des röm. Systems (Cens. 17,7; s.u. III.). Censorinus sieht einen gesch. Zusammenhang zw. etr. und röm. Trad. und erklärt ihn als Normierungsprozeß des *s. naturale* von variabler Länge zu einem *s. civile* von festgelegter Dauer (17,1; 13). Dieser Zusammenhang ist nicht mißzuverstehen als Hinweis auf einen etr. »Ursprung« der Saeculartheorie (anders [3]).

II. ETRUSKISCHE ÜBERLIEFERUNG
Die etr. Saecularlehre, enthalten in den *Libri rituales* (Cens. 17,5; → Etrusci, Etruria III. Religion; mit Abb.), ist Bestandteil der etr. Disziplin. Daß diese Lehre auch zum Inhalt der *libri fatales* gehört hätte, geht aus der Überl. (Varro bei Cens. 14,6) nicht hervor (anders [1]). Die Schwelle zwischen den *saecula* wird durch Zeichen (*ostenta, portenta*) sinnlich wahrnehmbar; deren Deutung ist Sache von etr. Spezialisten (→ *haruspices*; Plut. Sulla 7; Serv. ecl. 9,46).
Im Rahmen der in den *Tuscae historiae* (erwähnt von Varro bei Cens. 17,6) enthaltenen Gesch.-Theologie ist die etr. Gesch. in ihrem Verlauf linear, d. h. einmalig gedacht. Die Saecularlehre ist dort Bestandteil eschatologischer Reflexion (→ Eschatologie); die Zahl der *s.*, die der etr. Kultur bis zu ihrem Ende (*finis nominis Etrusci*) zugeschrieben werden, ist begrenzt. Die Lebensdauer von Individuen, Städten bzw. *civitates* und des *nomen Etruscum* werden dabei parallelisiert und, im *dies natalis*, verknüpft.

1 C. O. THULIN, Die etr. Disciplin, Bd. 3: Die Ritualbücher, 1909 (Ndr. 1968), 63–75 2 PFIFFIG, 159–162 3 J. F. HALL, The Saeculum Novum of Augustus and Its Etruscan Antecedents, in: ANRW II 16.3, 1986, 2564–2589.
M. HAA.

III. RITUELLE GESTALTUNG
Sicher nachweisbar ist die Zusammenführung der röm. Trad. der → Ludi Terentini mit der etr. Saecularlehre erst für die in der späteren Zählung »fünften« *ludi saeculares*, die Saecularspiele des Augustus 17 v. Chr. [1], die ihrerseits das Muster für die folgenden Spiele unter Claudius (47 n. Chr.), Domitianus (88 n. Chr.) und dann Septimius Severus (204 n. Chr.) lieferten. Die Quellenlage ist ungewöhnlich gut, da mit dem Ereignis selbst eine dichte Dokumentation verbunden wurde, die das seltene Ritual über die Zeitgenossen und den Ort hinaus repräsentieren sollte. Umfangreiche Reste monumentaler Inschr. mit Kopien der → Acta (bes. für Augustus, CIL VI 32323, und für Septimius Severus, ebd. 32326ff.; alle gesammelt in [2]) sowie begleitende Münzserien (17 v. Chr. und bes. 88 n. Chr.) mit Darstellung wichtiger Szenen, gerade auch aus dem vorbereitenden Bereich (Herold, Verteilung von Räuchermitteln), sind erh.
Ausgangspunkt der Augusteischen Spiele waren nicht die (unter II. erwähnten) Zeichen, sondern ein Orakel der → Sibyllini libri; das für diese griech. Orakel-Slg. zuständige Collegium der → Quindecimviri sacris faciundis und seine *magistri* → Augustus und → Agrippa [1] trugen die Durchführung des Rituals. Charakteristisch für das von szenischen und Circusspielen begleitete und auf eine Woche ausgedehnte rituelle Programm (vgl. → Fest) ist die Einbeziehung der wichtigsten sozialen Gruppen (auch Frauen, Kinder; zur Analyse [3]). Das macht ebenso wie die zeitliche Ansetzung der Feiern durch die Kaiser (vgl. Zos. 2,4,3) die erwartete Integrationsleistung deutlich. In der Götterwahl (verstärkt durch dreimaligen klaren Tag-Nacht-Wechsel) wird die umfassende Bed. des Rituals wie seine Augusteische Zuspitzung – Diana und Apollo stehen mit Iuppiter und Iuno im Mittelpunkt – deutlich. Das Festlied dichtete 17 v. Chr. Q. → Horatius [7] Flaccus, der Dichter des fr. Liedes von 204 ist unbekannt.
→ Zeitrechnung

1 P. WEISS, Die 'Säkularspiele' der Republik – eine annalistische Fiktion?, in: MDAI(R) 80, 1973, 205–217 2 G. B. PIGHI, De ludis saecularibus populi Romani Quiritium, 1941 (Ndr. 1965) 3 H. CANCIK, Carmen und sacrificium, in: R. FABER, B. SEIDENSTICKER (Hrsg.), Worte, Bilder, Töne, FS B. Kytzler, 1996, 99–113. J. R.

Säftelehre. Die Vorstellung, körperliche Gesundheit hänge mit den Körperflüssigkeiten zusammen, war weit verbreitet. Schleim findet bereits in der ant. ägypt. Medizin Erwähnung, und auch in der babylonischen Medizin richtete man auf Menge und Farbe der Körperflüssigkeiten besonderes Augenmerk. Den Griechen galten → *ichṓr* bei den Göttern, Blut (αἷμα) bei Menschen und Saft (χυμός) der Pflanzen als Träger des Lebens. Diese Flüssigkeiten (χυμοί/*chymoí*, lat. *humores*) konnten im Übermaß auch gefährlich werden. Zwei Säfte, Schleim (φλέγμα) und Galle (χόλος bzw. χολή), werden bereits in der frühgriech. Dichtung (Archilochos, fr. 96 DIEHL; Hipponax, fr. 51 DIEHL) als bes. schädlich dargestellt. In zahlreichen Texten des *Corpus Hippocraticum* (→ Hippokrates [6]) wird Krankheit mit einem Übermaß (seltener mit einem Mangel) an solchen Säften erklärt: In *De morbo sacro* verursacht Schleim die → Epilepsie, Galle den Wahnsinn (*manía*; → Geisteskrankheiten C.). Anderen hippokratischen Texten (z. B. *De affectionibus* und *De victu*) zufolge befindet sich der Körper in einem permanenten Fließgleichgewicht und scheidet eine Reihe von Flüssigkeiten wie Eiter (πύον), Urin (οὖρον) und Schweiß (ἰδρώς) aus (vgl. *De humoribus*; [1]). Selbst wenn ein Körpersaft, z. B. Blut, als grundsätzlich nützlich angesehen wird, kann er bisweilen Schaden anrichten, v. a. dann, wenn er durch andere Substanzen verändert wird. Dann muß auch er entfernt werden, entweder auf natürlichem Wege (wie bei der Menstruation oder Nasenbluten) oder durch den Arzt (durch Purgieren oder → Aderlaß).

Die vier Hauptsäfte sind eine spätere Entwicklung, die sich der qualitativ gedeuteten Vierelementenlehre des → Empedokles [1] verdankt [2]. Der Autor von *De morbis 4* versteht unter solchen Kardinalsäften Schleim (φλέγμα), Blut (αἷμα), Galle (χολή) und Wasser (ὕδωρ), wobei jeder Körpersaft seine eigene Quelle im Körper habe. Der Autor von *De natura hominis*, Polybos [6] (um 410 v. Chr.), war der erste, der das Wasser durch die schwarze Galle (χολὴ μέλαινα; → Melancholie) ersetzte und die Viersäftelehre zu einem komplexen Schema ausbaute, in dem die vier Säfte mit vier Jahreszeiten, vier Lebensaltern und vier Qualitäten (kalt, warm, trocken, feucht) in Analogie gesetzt wurden. Die jahreszeitliche Abhängigkeit einzelner Krankheiten sowie die homöostatischen Tendenzen des Körpers verliehen dieser Theorie die empirische Basis. Die Klarheit dieses Schemas verlieh ihm Plausibilität, nicht zuletzt weil es sich leicht auf weitere Bereiche ausdehnen ließ, die das Körperbefinden beeinflussen. So verknüpfte der Astrologe → Antiochos [23] (um 180 n. Chr.) die vier Körpersäfte mit den vier Kardinalpunkten am Himmel (Norden, Osten, Süden und Westen) und schrieb jedem von ihnen drei Sternkonstellationen zu. Spätere Autoren, bes. im MA, konstruierten noch kuriosere Korrelationen [3].

Die anscheinend naturgegebene Zyklik im Säftegeschehen war die Voraussetzung dafür, daß die Verfechter der Säftetheorie Prognosen stellen und nach Möglichkeit den Verlauf einer Krankheit sicher steuern konnten. Die Säftetheorie wurde vor dem 1. Jh. n. Chr. so sehr als hippokratische Theorie par excellence aufgefaßt, daß der → Anonymus Londiniensis (6,43) gegen Aristoteles' Zuschreibung einer ihr widersprechenden Theorie an Hippokrates vehement Einspruch einlegte. → Galenos gründete seine gesamte medizinische Theorie auf die Viersäftelehre, auch wenn ihm einige Ungereimtheiten innerhalb dieser Lehre durchaus bewußt waren (vgl. *In Hippocratis De natura hominis commentarii*: CMG V,9,1) und er lieber von Veränderungen der Qualitäten als von Veränderungen der Säfte oder Elemente sprach [4]. Andere Ärzte hingegen lehnten die hippo-

kratische Säftelehre ab (z. B. die → Methodiker) oder verwandten weiterhin den Begriff »Saft« (χυμός) für eine ganze Reihe von Körperflüssigkeiten, deren schädliche Wirkungen auf den Körper erklärt werden konnten, ohne in ihnen konstituierende Grundstoffe des Körpers zu sehen [5]. In der Spätant. spielte allerdings bereits das galenische Modell die führende Rolle, so daß es für Anhänger der Humoraltheorie keine Alternative zu der in *De natura hominis* entwickelten Säftetheorie mehr gab (→ Temperamente).

→ MEDIZIN

1 I. M. LONIE, The Hippocratic Treatises 'On Generation', 'On the Nature of the Child', 'Diseases IV', 1981, 54–62 (Komm.) **2** J. JOUANNA, Hippocrate, 1992, 442–452 **3** E. SCHÖNER, Das Viererschema in der ant. Humoralpathologie, 1964 **4** I. W. MÜLLER, Humoralmedizin: physiologische, pathologische und therapeutische Grundlagen der galenistischen Heilkunst, 1993 **5** W. D. SMITH, Erasistratus' Dietetic Medicine, in: BHM 56, 1982, 364–369.

C. M. BROOKS, Humors, Hormones and Neurosecretions, 1962 · H. FLASHAR, Melancholie und Melancholiker, 1966 · R. KLIBANSKY, E. PANOWSKY, F. SAXL, Saturn und Melancholie, 1990.   V. N./Ü: L. v. R.-B.

Säkularspiele s. Ludi (K.); Saeculum

Saena. Stadt in Etruria (Tab. Peut. 4,3: *Sena Iulia*; Ptol. 3,1,49: Σαίνα), h. Siena. Früheste Siedlungsspuren vom E. der Brz. und Anf. der Eisenzeit. Erh. sind spätetr. Hypogäen (Porta Pispini, Corancina, Porta S. Marco, Porta Camollia). S. war augusteische *colonia* (CIL IX 332) der *regio VII* (Plin. nat. 3,51), *tribus Oufentina* (Tac. hist. 4,45). Aus dem J. 394 n. Chr. stammt eine Weihung des *ordo Saenensium* (CIL VI 1793). Eine Thermenanlage befindet sich bei Pieve a Bozzona an der Via Cassia.

M. CRISTOFANI, Siena (Ausstellungskat.), 1979 · M. VALENTI, Carta archeologica della provincia di Siena, 1995.   M. M. MO./Ü: H. D.

Sänfte (φορεῖον/*phoreíon*; lat. *lectica, sella* sc. *gestatoria, portatoria*). Die S. als Beförderungsmittel ist im Orient seit ältester Zeit bekannt; in Griechenland wird sie erstmals im 4. Jh. v. Chr. erwähnt (Deinarch. 1,36); im Hell. ist sie ein Luxusgegenstand (Athen. 5,195c; 212c; Diod. 31,8,12).

Wann die S. im röm. Reich eingeführt wurde, läßt sich nicht festlegen, doch war sie ab dem 2. Jh. v. Chr. in allg. Verwendung (vgl. Liv. 43,7,5; Gell. 10,3,51); ihr übermäßiger Gebrauch in Rom zwang bereits Caesar, ihre Benutzung in der Stadt einzuschränken, so daß nur bestimmte Altersgruppen (insbes. → Matronen [1]) sie zu festgesetzten Zeiten verwenden durften (Suet. Iul. 43,1), was aber mitunter umgangen und mißachtet wurde (Ov. ars 1,488; Hor. sat. 1,2,98). So waren S. im 1. Jh. n. Chr. im Straßenbild Roms ungewöhnlich, und nur reiche Leute konnten sich diesen Luxus leisten (Iuv. 1,32; 3,239–241). Kaiser ließen sich selbstverständlich in der S. tragen (Suet. Nero 9; 28,2; Cass. Dio 61,3,2).

Man ließ sich in der S. spazierentragen, konnte in ihr lesen, schreiben oder auch schlafen (Iuv. 3,239–241). Daneben war sie das per Edikt verordnete Beförderungsmittel der Reisenden in Italien (Suet. Claud. 25,2). Auch Kranke (Suet. Tib. 30) wurden in ihr befördert; Moralisten tadelten in flavischer Zeit, daß Kinder mit der Sänfte verwöhnt wurden (Quint. inst. 1,2,7). Auch scheint es Miet-S. gegeben zu haben (Iuv. 6,353).

S. wurden aus Holz hergestellt; Applikationen waren aus Br. oder Edelmetall. Es gab zwei Formen: den Tragsessel (*sella gestatoria/portatoria*) und die zum Liegen eingerichtete eigentliche S. (*lectica*). Die *sella* war häufig so geräumig, daß auch zwei Personen darin Platz fanden. Vielfach wies sie ein Verdeck mit oder ohne Vorhänge auf. Sie wurde von Frauen und Männern auf Reisen und in der Stadt benutzt und konnte – nach Entfernung der Tragstangen – als bequemer Sitz dienen. Die *lectica* hatte die Form eines Bettes und war wie dieses mit Kopfstützen, Polstern und Kissen sowie Gurten zum Tragen versehen. Ihre Ausstattung entsprach derjenigen der *sella*, auch in ihr konnten zwei Personen Platz nehmen (Suet. Nero 9). Die *lectica* wurde ebenfalls an Tragstangen getragen, die man gegebenenfalls entfernen konnte; die Träger (*lecticarii*) trugen sie mit den Händen, an über die Schulter gelegten Gurten oder direkt auf den Schultern. Die Zahl der Träger konnte von zwei bis acht variieren; es waren bes. kräftige Burschen, oft fremde Knechte, die auffällig gekleidet waren (vgl. Mart. 9,22).

Im 3. Jh. kam als Sonderform der *lectica* die *basterna* auf (SHA Heliog. 21,7), die von Tieren – meist Maultieren – getragen wurde. Erh. Reste von S. sind selten, ebenso die Darstellung von Menschen in einer S. In der Spätant. behielt die *sella* ihre Beliebtheit, während die *lectica* weitgehend aus dem Straßenbild verschwunden war.

HELBIG, Bd. 2, Nr. 1584 · G. A. MANSUELLI, s. v. Lettiga, EAA, Bd. 4, 1961, 598–600 · G. PISANI SARTORIO, Mezzi di trasporto e traffico (Vita e costumi dei Romani antichi 6), 1988, 31–36. R. H.

Saenianus. Röm. Rhetor der frühen Kaiserzeit, dessen Herkunft und Lebensumstände im dunkeln liegen. → Seneca d. Ä., dem wir die wenigen Testimonien verdanken (Sen. contr. 5,2; 7,5,10; 9,2,28; Sen. suas. 2,18), brandmarkt ihn mit Verurteilungen wie »verrückt«, »schwachsinnig« und »geschmacklos«. Abgesehen davon, daß hier persönliche Abneigung im Spiel sein dürfte, scheint S. abstruse, nicht sachbezogene Argumentationen bevorzugt zu haben. C. W.

Saenius. Ital. Gentilname etr. Herkunft [1. 93; 228].

I. REPUBLIKANISCHE ZEIT

[I 1] **S., L.** Senator (aus Etrurien?) 63 v. Chr., der Beweismaterial aus Faesulae gegen den Catilinarier Manlius [I 1] besorgte (Sall. Catil. 30,1).

[I 2] **S., L.** Wohl Sohn von S. [I 1], eventuell 39 v. Chr. als Senator belegt (MRR 3,34). Vielleicht als Lohn für seine Dienste gegen den Verschwörer M. → Aemilius [I 13] Lepidus (App. civ. 4,215; 218f. über einen Senator »Balbinus«; dazu MRR 3,184) wurde er 30 *cos. suff.* mit Octavianus (→ Augustus: InscrIt 13,1,510). S. beantragte die 29 erlassene *lex Saenia* zur Ergänzung des Patriziats durch den Princeps (vgl. Cass. Dio 52,42,5).

1 SCHULZE. JÖ. F.

II. KAISERZEIT

[II 1] **M. S. Donatus.** Senator; *frater Arvalis* in den J. zw. 219 und 240 n. Chr.

SCHEID, Collège, 151 · J. SCHEID, Commentarii fratrum Arvalium, Nr. 101; 105b–108; 112–114.

[II 2] **M. S. Donatus Saturninus.** Senator, *clarissimus vir*; Vorfahre von S. [II 1] (CIL XIV 5356).

[II 3] **Q. S. Pompeianus.** Ritter; Pächter (*conductor*) der *quattuor publica Africae* unter Antoninus [1] Pius; mit Cornelius Fronto [6] bekannt, dem er in Africa zu Diensten war und der seinerseits den jungen Marcus Aurelius bat, den Steuerpächter bei seinem Vater Antoninus Pius zu empfehlen (Fronto p. 79 VAN DEN HOUT ²1988). In Rom wurde dem S. als Grabmal ein riesiger Altar errichtet (CIL VI 8588 = ILS 1463; [1. 29ff.]).

1 W. ECK, Grabmonumente und sozialer Status, in: P. FASOLD et al. (Hrsg.), Bestattungssitte und kulturelle Identität, 1998, 29–40.

[II 4] **C. S. Severus.** *Cos. suff.* im J. 126 n. Chr. (AE 1995, 1823). Ein näherer familialer Zusammenhang ist unbekannt. W. E.

Saepinum. Samnitische Stadt (Ptol. 3,1,67: Σαίπινον; Tab. Peut. 6,4: *Sepinum*), h. Altília nördl. von Sepino (anders [1]). 293 v. Chr. von den Römern erobert (Liv. 10,44f.). 89 v. Chr. *municipium* (CIL IX 2451f.; 2457; 2565); seit 2 n. Chr. *colonia; regio IV* (Plin. nat. 3,107; CIL IX 2443), *tribus Voltinia*. Die Siedlung des 4. und 3. Jh. v. Chr. (Terravecchia) war von einer Mauer (*opus polygonale*) umgeben. Auf eine zweite, vom Walkerhandwerk bestimmte Phase im 2. Jh. v. Chr. gehen die Reste des Forums mit öffentlichen Gebäuden wie einem *tribunal columnatum* (CIL IX 6368) und einem Tempel zurück. In der Kaiserzeit (CIL IX 2443) kam es zu einem Aufschwung der Bautätigkeit: Befestigungsanlagen (*opus reticulatum*), Neustrukturierung des Forums an der Nordseite, Theater.

1 G. RADKE, s. v. S., KlP 4, 1495.

G. COLONNA, S.: Ricerche di topografia sannitica e medioevale, in: ArchCl 14, 1962, 80–107 · M. MATTEINI CHIARI (Hrsg.), S. Museo documentario dell'Altília, 1982 · G. DE BENEDITTIS u. a., S., Sepino, 1993.

M. M. MO./Ü: H. D.

Saepta. Ein von Portiken umzogener großer, rechteckiger Platz auf dem Marsfeld (→ Campus Martius) in Rom, auf dem sich (vorgeblich seit der Zeit der mythischen Könige) die waffenfähigen Bürger im Rahmen der Centuriats-Comitien (→ *comitia*) zu den Beamtenwahlen versammelten; seit dem 6. Jh. v. Chr. als Baulichkeit nachgewiesen. Unter Caesar wurde der Platz (als *Saepta Iulia*) gleichermaßen architektonisch prunkvoll neugestaltet, wie das politisch-funktionale Gremium der Centuriats-Comitien zu einem pseudorepublikanischen Relikt reduziert wurde.
→ Versammlungsbauten

RICHARDSON, 340 f.　　　　　　　　　　　C. HÖ.

Saetabis. Hauptort der → Contestani nahe der span. Ostküste an der großen Küstenstraße (Geogr. Rav. 304,4) auf einem hohen Berg (Sil. 3,373 *celsa arce*) in fruchtbarer Umgebung, h. Játiva. Ab E. des 3. Jh. v. Chr. zahlreiche Mz. mit S. bzw. *Saiti*. Bei Plin. nat. 3,25 als *municipium Augustum* genannt; in der Kaiserzeit war S. berühmt durch seine Leinenindustrie (*sudaria Saetaba*, Catull. 12,14; Plin. nat. 19,9; Sil. l.c.).

TOVAR 3, 211 · H. GALSTERER, Unt. zum röm. Städtewesen auf der Iberischen Halbinsel, 1971, 71 · A. VENTURA, Játiva romana (Trabajos varios, Valencia, Servicio de Investigación Prehistórica 42), 1972.　　　　　　　　J. J. F. M.

Säule I. ÄGYPTEN UND ALTER ORIENT
II. GRIECHISCH-RÖMISCHE ANTIKE

I. ÄGYPTEN UND ALTER ORIENT
Die S. als statisch bedeutsames Bauglied in Form einer runden Stütze, ob aus Holz oder nachgebildet in Stein oder Backstein, spielte in Äg. und im Alten Orient eine unterschiedliche Rolle. In Äg. waren S. Bestandteil fast jeder Art von Architektur, von dachtragenden Holzpfosten in Wohnhäusern bis zu aufwendig gestalteten Stein-S. in Tempeln und Palästen. Mit Basen und Kapitellen versehen, verraten auch die letztgenannten ihre Herkunft von der Holz-S. Häufig nahmen S. pflanzliche Formen an; sie waren verm. immer bemalt.
Im hethitisch-syrisch-palaestinischen Bereich wurden S. sparsam verwendet; in Tempeln und Palästen dienten sie häufig zur Abstützung überbreiter Eingänge. Von bes. Interesse sind als Doppeltierfiguren gestaltete S.-Basen [1. Taf. 341]. Im mesopot. Bereich waren S. zwar zu allen Zeiten als Bauelement bekannt, wurden aber sehr selten verwendet. Verm. durch Pfeiler in der Baukunst Urartus beeinflußt und über die Vermittlung durch Bauten des medischen Bereiches wurden S. zu einem wesentlichen Merkmal der achäm. Architektur, wo sie in gewaltigen S.-Hallen der Paläste von → Pasargadai, → Persepolis und → Susa verwendet wurden. Die reich verzierten S. weisen äg., syr. und griech.-ionische Elemente auf.

1 PropKg 14.

D. ARNOLD, s. v. S., Lex. der äg. Baukunst, 2000, 221–225 · R. NAUMANN, Die Architektur Kleinasiens von ihren Anfängen bis zum Ende der hethitischen Zeit, 1971, 126–144 · G. R. WRIGHT, Ancient Building in South Syria and Palestine, 1985 · M. C. ROOT, Art and Archaeology of the Achaemenid Empire, in: J. M. SASSON (Hrsg.), Civilizations of the Ancient Near East, Bd. 4, 1995, 2627 f.
　　　　　　　　　　　　　　　　　　H. J. N.

II. GRIECHISCH-RÖMISCHE ANTIKE
A. SÄULE: TERMINOLOGIE, STRUKTUR UND BAUTECHNIK　B. SÄULENORDNUNGEN
C. HALBSÄULEN UND UNKANONISCHE FORMEN; SPOLIEN

A. SÄULE: TERMINOLOGIE, STRUKTUR UND BAUTECHNIK
Der S.-Bau bildet ein Leitmotiv bes. der ant.-griech. → Architektur. Im griech. Sprachraum wird die S. üblicherweise mit κίων/*kíōn* oder στῦλος/*stýlos* bezeichnet, lat. mit *columna*. Die architektonisch verwendete S. besteht in Griechenland und Rom in der Regel aus Stein oder Holz (Eiche, Kastanie). Die steinerne S. setzt sich zusammen aus einer Basis (Ausnahme: dorische Ordnung), einem zuweilen monolithischen, meist aber aus mehreren Trommeln zusammengestückten und verdübelten (z. T. auch aufgemauerten) Schaft und einem aus Abakus und Echinus (→ Echinos [3]) bestehenden Kapitell, das das Auflager für das → Epistylion (Architrav) bildet (Gewinnung, Transport und Versatz riesiger monolither S. wie etwa der vom hocharcha. Apollonion in → Syrakusai mit 8 m H, 2 m Dm und an die 35 t Gewicht waren vielgerühmte Meisterleistungen ant. Ingenieurskunst). Den Abschluß der S.-Schaftes und den Ort des Auflagers für das Kapitell bildet der S.-Hals (Hypotrachelion), meist durch übereinandergelagerte, ringförmige Einkerbungen (Anuli) oder ein andersartiges Dekor gekennzeichnet.
Die formale Ausprägung von Basis, Schaft und Kapitell ist wesentlicher Indikator der S.-Ordnung; bereits → Vitruvius unterscheidet in B. 3 und 4 Tempelformen und -typen wesentlich anhand der Gestalt und → Proportion der S. Neben den Kapitellen und Basen sind auch die Schäfte regelhaft verschieden gestaltet: spitz in einem Grat zulaufende Kanneluren bei der dorischen Ordnung; Kanneluren, die in einem geglätteten Steg enden, bei der ionischen und korinthischen Ordnung. Unkannelierte oder nur teilweise kannelierte Schäfte nehmen seit dem Hell. an Häufigkeit zu (und werden bei der tuskanisch-röm. Ordnung die Regel). Die Kannelur einer S. wurde – ebenso wie die → Entasis – in einem arbeitsaufwendigen Vorgang (vgl. die erh. Bauabrechnungen zum Erechtheion auf der Athener Akropolis; → Bauwesen) erst nach Errichtung der S. und ihrer Eingliederung in den Bauverbund durchgeführt; bis dahin bestand der S.-Schaft aus grob vorgefertigten runden Trommeln, wobei die genaue Form der Kannelur oben und/oder unten bereits vor dem Versatz mittels eines schmalen, präzise ausgemeißelten Streifens vorge-

geben wurde. Fehler bei der Kannelierung durch Verschlag ebenso wie durch zu sprödes Material (bes. im Falle von Marmor) waren nicht selten; solche Bruchstellen wurden später akribisch geflickt (z. B. an den Parthenon-S.). S. aus grobem Poros wurden in der Regel mit einer abschließenden dünnen Stuckschicht überzogen. In den meisten Fällen wurden Teile der S. farbig gefaßt (→ Polychromie). Verschiedene → Optical Refinements der S. verdanken ihre Existenz ebenfalls bisweilen filigraner Bautechnik, z. B. die → Inklination oder ein je nach Position variierter S.-Dm (der im Tempelbau bes. der dor. Ordnung nicht selten ist). Bautechnisch eher schlichter Natur waren die S. im röm. Profanbau wie etwa an Hausperistylen; hier findet sich die unkannelierte tuskanische S., häufig aus Ziegeln aufgemauert und anschließend in Zement oder Stuck gefaßt (Pompeii, Herculaneum).

B. SÄULENORDNUNGEN

1. FRÜHGRIECHISCHE SÄULENFORMEN
2. DORISCHE ORDNUNG   3. IONISCHE ORDNUNG
4. KORINTHISCHE ORDNUNG   5. TUSKANISCHE ORDNUNG   6. KOMPOSIT-ORDNUNGEN

1. FRÜHGRIECHISCHE SÄULENFORMEN

Die der Ausprägung der kanonischen S.-Ordnungen (ab dem späten 7. Jh. v. Chr.) vorangehenden S.-Formen im Bereich der griech. Ant. sind überwiegend von oriental. und äg. pflanzlich-ornamentalen Formen beeinflußt. Hiervon zu trennen ist die abstrakt auf ihre Stützfunktion reduzierte minoische S., wie sie sich in den Palästen Kretas und später auch im mykenischen Kulturbereich (Tiryns, Mykenai; → Mykenische Kultur) findet: ein sich nach unten hin verjüngender Schaft, der auf einer Plinthe steht und von einem Wulstkapitell mit Abdeckplatte bekrönt wird. Im histor. Griechenland des 8. und frühen 7. Jh. v. Chr. dominiert die zunächst meist hölzerne S.-Stütze mit erhöhter, vor Staunässe schützender Plinthe und ohne ein Kapitell, so wie dies Hausmodelle aus Terrakotta verschiedentlich zeigen; vgl. auch das »Toumba-Building« von → Lefkandi auf Euboia.

2. DORISCHE ORDNUNG

Die Rückführung der spezifischen Formen der dor. Bauordnung auf den genagelten und verzapften Holzbau durch Vitruv (4,1,2 ff.) ist in der arch. Bauforsch. seit mehr als 150 J. intensiv und kontrovers diskutiert worden – letztlich ohne greifbares Resultat. Gesichert ist, daß die dor. Ordnung gleich von Beginn an voll entwickelt im Steinbau präsent ist, was auf zeitlich davorliegende, jedoch in Details nicht mehr erh. Vorbilder aus Holz zumindest hindeutet. Frühester erh. dor. Steinbau ist der Artemistempel von → Korkyra (spätes 7. Jh. v. Chr.); inwieweit die Terrakotten des um 630/620 v. Chr. entstandenen Tempels von → Thermos hier als Vorläufer bzw. frühere Entwicklungsstufen der Ordnung vom Holz- hin zum Steinbau zu verstehen sind, ist nach wie vor umstritten. Die dor. Ordnung

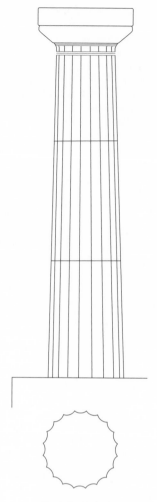

Dorische Säule: Agrigent, Dioskuren-Tempel (480-460 v. Chr.)

dominiert den mutterländischen und westgriech. Tempelbau des 6. und 5. Jh. v. Chr. sowie alle weiteren Formen des S.-Baus (Hallen, Torbauten, Brunnenhäuser etc.) in dieser Zeit, findet sich im ion. Bereich hingegen eher selten (Athenatempel von → Assos). Die sich nach oben hin verjüngende dor. S. ist kanneliert (zunächst 16, dann 20, selten 18 oder 24 Kanneluren), das Kapitell (bestehend aus polsterförmigem Echinus und quadratischer Abakus-Platte) durch mehrere Anuli vom Schaft abgegrenzt. Der Aufriß der dor. S. im Steinbau ist zunächst gedrungen, später dann zunehmend schlank gestaltet (beginnend mit einem Verhältnis von unterem Dm zu Säulen-H von ca. 1:4 hin zu einem Verhältnis von ca. 1:7, im Innenbau bis ca. 1:8). Die dor. Bauordnung wird im Hell. als repräsentative Einzelform im S.-Bau aufgegeben (→ Dorischer Eckkonflikt), jedoch zugleich in andere Funktionskontexte (Wand- und Fassadenarchitektur, Peristyle) eingegliedert. Sie wird in röm. Zeit immer seltener und findet sich ab dem 2. Jh. n. Chr. nur noch vereinzelt (und wenn, dann als museale Reminiszenz an das »alte« Griechenland, wie z. B. am Hadrians-Tor in Athen).

3. Ionische Ordnung

Die ion. S.-Ordnung tritt im monumentalen Steinbau erst gut eine Generation nach der dor. in Erscheinung, und dies auch nicht in von Beginn an voll entwickelter, sondern zunächst eher unkanonisierter Form. Begründet wird dies in der arch. Bauforsch. zum Teil mit dem Umstand, daß die ion. S. anfangs nicht als Glied in einem Architekturverbund, sondern als isolierter Weihgeschenkträger Verwendung fand (→ Säulenmonumente), worauf auch verschiedene ganz individuell pflanzlich-ornamental gefaßte »aiolische« Kapitelle des frühen 6. Jh. v. Chr. (etwa aus Larisa [6] am Hermos oder Neandreia) und weitere Einzelfunde von früh-ion. Kapitellen hinzudeuten scheinen. Erst mit den großen ion. Tempeln des mittleren 6. Jh. v. Chr. in → Samos, → Ephesos und → Didyma (→ Dipteros) scheint die ion. S. und die Bauordnung insgesamt ihre kanonische Form gefunden zu haben: wohl als absichtsvolle Zusammenführung einzelner, nunmehr reglementierter und »entindividualisierter« Votive zu einem Bauwerk im Sinne eines »Gesamt-→ Anathema« – ein Vorgang, der sich mit der komplizierten polit. und kulturellen Situation der ion.-kleinasiatischen Städte in den Jahrzehnten vor der Mitte des 6. Jh. v. Chr. gut in Übereinstimmung bringen läßt (weiteres dazu s. unter → Tempel).

Die ion. S. besteht aus einer mehrschichtigen Basis (die die S. über das meist recht flache Podium erhebt; vgl. → Krepis [1]), einem sehr schlanken Schaft (unterer Dm : Säulen-H zw. 1:10 und 1:13) mit eher geringfügiger Verjüngung und dem Kapitell (polsterförmiger, an den Enden zu Voluten aufgerollter Echinus mit einem → Eierstab als ornamentiertem Auflager; die Form der Voluten ließ sich mit einem zirkelartigen Instrument als Vorritzung erzeugen). Die ion. Basis besteht aus einer → Spira (einem z. T. aufwendig profilierten Zylinder) und einem darauf aufliegenden, ebenfalls profilierten und konvex ausgewölbten → Torus. Eine Sonderform bildete sich in der attischen Baukunst des späten 6. und 5. Jh. v. Chr. aus, die aus einem Torus als Standfläche, einem darauf aufliegenden konkav gewölbten → Trochilos und einem weiteren Torus darüber bestand; diese Form fand auf dem griech. Festland weite Verbreitung. Die Kanneluren des Schaftes (20–48, bei großen Dm später meist 36, bei kleineren meist 24) endeten in einem abgeflachten Steg. Die ion. Ordnung tritt im allg. stark dekoriert in Erscheinung; zum spezifischen Dekor der S. zählen neben verschiedenen Formen der Bemalung auch Vergoldungen und bunte Intarsien an den Kapitellen (z. B. Glasfluß-Einlagen an den Kapitellen des Erechtheion auf der Athener Akropolis) sowie reliefierte Zonen am S.-Schaft (*columnae caelatae*) und am S.-Hals. Die Gestaltung der ion. S. findet sich verschiedentlich auch auf Pfeiler und → Anten übertragen.

4. Korinthische Ordnung

Streng genommen ist die korinth. Ordnung nicht mehr als eine Variante der ion., wobei allein das Kapitell variiert wird; Basis und Schaft der korinth. gleichen der ion. S. Das korinth. Kapitell mit seiner aus einem korbartigen Körper (Kalathos) hervorwachsenden Doppelreihe aus Akanthusblättern und den sich hieraus formenden vier aufgerollten Volutenstengeln an den Ekken (Helikes) hat gegenüber dem ion. Kapitell mit Volutenpolster den Vorteil seiner gleichausgebildeten Seiten und damit einer universell-seriellen Verwendbarkeit am Bau; ein Eckproblem, wie es bes. dem ion. Kapitell innewohnt (triagonaler Echinus mit Eck-Volute), tritt hier nicht auf. Die Genese dieses Kapitell-Typs ist viel diskutiert; die von Vitruv dem Bildhauer → Kallimachos [2] zugeschriebene Erfindung ist eine (allerdings vielrezipierte) Künstleranekdote ohne histor. Gehalt, und die Versuche, die korinth. S. aus Stütz-S. von Statuen (Athena Parthenos) herzuleiten, haben nicht überzeugt.

Das früheste bekannt gewordene korinth. Kapitell fand sich bei den 1811/2 durchgeführten ersten Grabungen am Apollontempel von Bassae (→ Phigaleia); es ist um 420 v. Chr. entstanden und heute verschollen (die Form ist jedoch in Skizzen der Ausgräber überl. und rekonstruierbar). Zunächst ausschließlich in Innenräumen verwendet (Tholoi von Delphoi und Epidauros, Athenatempel in Tegea), tritt es am choregischen Monument für Lysikrates am Südabhang der Athener Akropolis (335/4 v. Chr.) erstmals (und danach dann zunehmend häufig) am Außenbau in Erscheinung. In der späthell. und bes. in der röm. Architektur wird die korinth. S. zum Regelfall; das eher spröde, lichte Pflanzengeflecht der griech. Kapitelle macht dem üppigen Dekorreichtum des »korinth. Normalkapitells« der röm. Kaiserzeit des 1. und 2. Jh. n. Chr. Platz. Als eine Variante bzw. Sonderform des korinth. Kapitells kann das Blattkelch-Kapitell bezeichnet werden, das allein aus einem entsprechend funktional gestalteten Kalathos mit einer kelchförmig aufgestellten Reihe von Akanthusblättern besteht, wie z. B. die Kapitelle am Horologium des Andronikos (»Turm der Winde«) in Athen.

5. Tuskanische Ordnung

Die in der röm. Architektur weit verbreitete tuskanische S., die hier die dor. Ordnung weitgehend ersetzt, entstammt einer wohl im 2. Jh. v. Chr. endgültig vollzogenen Architektursynthese aus etr. und griech. Elementen. Ausgangspunkt der Form ist die S. des etr. Holztempels, aus dem sich seit der mittleren Republik der röm. Podiumstempel als neuer, nun auch mit S. anderer Ordnungen verbundener Bautyp ableitet (vgl. → Tempel). Die tuskan. S. besteht aus einem meist unkannelierten Schaft, der sich auf einer flachen, aus der ion.-korinth. Ordnung abgeleiteten Profilbasis erhebt. Das Kapitell mit zunächst wulstigem, später gestrafftem Echinus sowie Abakusplatte erinnert an die dor. Ordnung; es wird zum S.-Schaft hin mittels eines oder mehrerer massiv profilierter Ringe abgegrenzt. Die tuskan.

Säulen und Basen

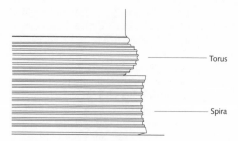

Samos, Hera-Tempel (Zeit des Polykrates)

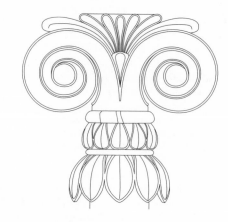

Aiolisches Kapitell: Neandreia (frühes 6. Jh. v. Chr.)

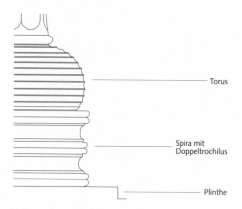

Ephesos, Artemision (550 v. Chr.)

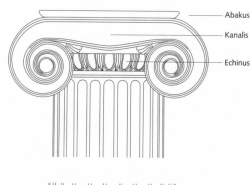

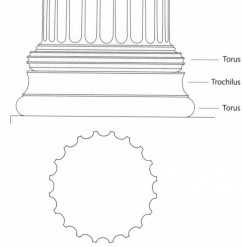

Ionisches Kapitell und Basis: Athen, Tempel am Ilissos (448 v. Chr.)

Delphi, Portikus der Athener (478 v. Chr.)

Korinthische Kapitelle

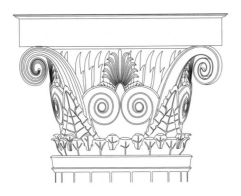

Phigaleia, Tempel des Apollon Epikureios.
Rekonstruktion (420 v. Chr.)

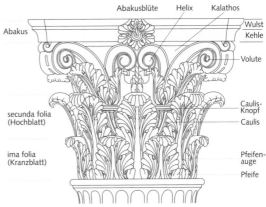

Rom, Tempel des Mars Ultor (2 v. Chr.)

Epidauros, Tholos, K1 (360 – 310 v. Chr.)

Komposit-Kapitell: Rom, Titus-Bogen (81 n. Chr.)

Athen, »Turm der Winde« (ca. 160 v. Chr.)

Leptis Magna, Forum Novum (1. H. 3. Jh. n. Chr.)

Tuskanische Halbsäule: Rom,
Kolosseum (80 n.Chr.)

Kapitell à jour gearbeitet:
Konstantinopolis, Hagia Sophia, Westkonche (6.Jh.n.Chr.)

S. findet bes. in der röm. Profanarchitektur weite Verbreitung, etwa an Hausperistylen oder Fassaden. Die tuskan. Ordnung zählt streng genommen zu den Komposit-Ordnungen (s.u. B.6.); ihre reiche nachant. Rezeptionsgeschichte rechtfertigt jedoch eine eigenständige Behandlung (→ Säulenordnung).

6. Komposit-Ordnungen

Die Vermischung der drei griech. S.-Ordnungen ist ein Phänomen hell. Architektur, jedoch in der parallelen Verwendung mehrerer Ordnungen innerhalb eines Bauwerks bereits in der Spätklassik vorgegeben (→ Parthenon und Propyläen auf der Athener Akropolis; Tempel von Bassae bei Phigaleia). Betroffen waren hiervon zunächst weniger die einzelnen Säulen- bzw. Ka-

pitellformen als ihr Verwendungskontext. So findet sich etwa in der röm. *colonia* Paestum (→ Poseidonia) ein Podiumstempel mit korinth. S. und dor. Gebälk. Eine Verschmelzung aus ion. und korinth. Kapitell erlangte in röm. Zeit den Charakter einer neuen Ordnung (»Komposit-Ordnung«): Der Kalathos mit den Akanthusranken des korinth. wird mit einem vierseitigen Voluten-Echinus in der Art des ion. Kapitells verbunden, wobei ein Eierstab zw. beiden Kompartimenten vermittelt. Vereinzelt finden sich Mischkapitelle jedoch schon in spätklass. (Selinunt: Mischform dor.-ion.) und hell. Zeit (Labraunda).

C. Halbsäulen und unkanonische Formen; Spolien

Ein Phänomen der repräsentativen Fassadenarchitektur ist das Aufkommen von Blend- und Halb-S., die in ihrer Gestaltung den Formen und Ordnungen der S. insgesamt folgen. Frühe Halb-S. finden sich an der durchfensterten Westwand des Erechtheion auf der Athener Akropolis, später an den Fassaden und den Interieurs maked. und thrakischer Kammergräber, an Sokkelbauten sowie in Peristylen. Ein weites Feld für unkanonische Formen waren S.-Schäfte und Kapitelle, bes. auch im Kontext nichtarchitektonischer → Säulenmonumente: »Schlangen-S.«, geschuppte und spiralförmige Schäfte, fanden sich, bes. in der Spätant. und der frühchristl. Baukunst, ebenso wie Figuralkapitelle – letztere meist basierend auf der Grundform des korinth. bzw. Komposit-Kapitells. Ein reicher Fundus an neuen Kapitellformen wird, hierauf aufbauend, in der byz. und später in der romanischen Architektur ausgeprägt. Ein ästhetischer Eklektizismus ganz eigener Art ist das Resultat der spolienhaften Wiederverwendung von S.-Teilen, die in der Spätant. ihren Anfang nimmt (u.a. Rom, San Stefano Rotondo).

Zu den Motiven der ant. und nachant. Verwendung einzelner S.-Formen und Ordnungssysteme vgl. auch → Architektur; Architekturtheorie; Architekturtheorie; Säule; Säulenordnungen.

H. BAUER, Korinth. Kapitelle des 4. und 3. Jh. v. Chr.
(MDAI(A), 3. Beih.), 1973 · PH. BETANCOURT, The Aeolic
Style in Architecture, 1977 · O. BINGÖL, Das ion.
Normalkapitell in hell. und röm. Zeit in Kleinasien,
(MDAI(Ist), 20. Beih.), 1980 · CH. BÖRKER,
Blattkelchkapitelle, 1965 · H. BRANDENBURG, Die
Wiederverwendung von Spolien und originalen
Werkstücken in der spätant. Architektur, in: J. POESCHKE
(Hrsg.), Ant. Spolien in der Architektur des MA und der
Renaissance, 1996, 11–39 · H. BÜSING, Die griech.
Halb-S., 1970 · Ders., B. LEHNHOFF, Volutenkonstruktion
am Beispiel der Erechtheion-Osthalle, in: AK 28, 1985,
106–119 · R. CHITHAM, Die S.-Ordnungen der Ant. und
ihre Anwendung in der Architektur, 1987 · B. FEHR, The
Greek Temple in the Early Archaic Period: Meaning, Use
and Social Context, in: Hephaistos 14, 1996, 165–191 ·
E. FORSSMANN, S. und Ornament, 1956 · W. D. HEIL-
MEYER, Korinth. Normalkapitelle (MDAI(R), 16. Erg.-H.),
1970 · P. HELLSTRÖM, Dessin d'architecture hécatomnide à
Labraunda, in: Le dessin d'architecture dans les sociétés
antiques, 1985, 153–165 · CH. HÖCKER, Architektur als
Metapher. Überlegungen zur Bed. des dor.
Ringhallentempels, in: Hephaistos 14, 1996, 45–79 · Ders.,
Sekos, Dipteros, Hypaethros – Überlegungen zur
Monumentalisierung der archa. Sakralarchitektur Ioniens,
in: Veröffentlichungen der J. Jungius-Ges. der Wiss.
Hamburg 87, 1998, 147–163 · T. N. HOWE, The Invention
of the Doric Order, 1985 · W. KIRCHHOFF, Die
Entwicklung des ion. Volutenkapitells im 6. Jh. v. Chr. und
seine Entstehung, 1988 · H. KNELL, Der tuskan. Tempel
nach Vitruv, in: MDAI(R) 90, 1983, 91–101 · J. KRAMER,
Stilmerkmale korinth. Kapitelle des ausgehenden 3. und
4. Jh. n. Chr., in: O. FELD (Hrsg.), Stud. zur spätant. und
frühchristl. Kunst 2, 1986, 109–126 · H. LAUTER, Die
Architektur des Hell., 1986, 253–276 · B. LEHNHOFF, Das
ion. Normalkapitell …, in: H. KNELL (Hrsg.), Vitruv-
Kolloquium des DArV 1982, 1984, 97–122 · H. L. MACE,
The Archaic Ionic Capital, 1978 · E. VON MERCKLIN, Ant.
Figuralkapitelle, 1962 · W. MÜLLER-WIENER, Griech.
Bauwesen in der Ant., 1988, 217 s. v. S. · J. ONIANS, Bearers
of Meanings. The Classical Orders in Antiquity, the Middle
Ages, and the Renaissance, 1988 · F. PRAYON, Zur Genese
der tuskan. S., in: H. KNELL (Hrsg.), Vitruv-Kolloquium des
DArV 1982, 1984, 141–147 · J. RYKWERT, The Dancing
Column. On Order in Architecture, 1996 ·
T. G. SCHATTNER, Griech. Hausmodelle. Unt. zur
frühgriech. Architektur (MDAI(A), 15. Beih.), 1990 ·
R. SCHENK, Der korinth. Tempel bis zum Ende des
Prinzipats des Augustus, 1997 · R. STADLER, Ein neues
Kompositkapitell aus der Colonia Ulpia Traiana, in: Arch.
im Rheinland 1991, 1992, 83–85 · E. M. STERN, Die
Kapitelle der Nordhalle des Erechtheion, in: MDAI(A) 100,
1985, 405–426 · R. A. TOMLINSON, The Doric Order:
Hellenistic Critics, in: JHS 83, 1963, 133–137 · V. TUSA, Il
capitello dorico-ionico del Museo di Palermo, in: Atti 16.
Congr. di storia dell'architettura, 1977, 179 f. ·
B. WESENBERG, Kapitelle und Basen. Beobachtungen zur
Entstehung der griech. S.-Formen (BJ, 32. Beih.), 1971 ·
Ders., Beiträge zur Rekonstruktion griech. Architektur
nach lit. Quellen, 1983.   C. HÖ.

Säulen des Herakles s. Pylai [1] Gadeirides

Säulenbasis s. Säule

Säulengrab s. Grabbauten (III. C. 2.);
Säulenmonumente (II.–III.)

Säulenheiliger s. Stylit

Säulenmonumente I. ALLGEMEINES
II. GRIECHISCHE ANTIKE
III. RÖMISCHE UND FRÜHCHRISTLICHE ANTIKE
IV. REZEPTIONSGESCHICHTE

I. ALLGEMEINES

Die arch. Forsch. versteht unter S. die denkmalhaft
verwendete, aus ihrem angestammten architektonischen Kontext herausgelöste, meist von einer Skulptur,
einer Skulpturengruppe oder einem Gegenstand be-
krönte → Säule, entweder in der Art eines isoliert stehenden Einzelmonuments oder aber in gruppenartiger
Aneinanderreihung. Beiden Varianten gemeinsam ist
die durch die extrem überhöhte, weithin sichtbare Ver-
tikale der Säule bewirkte Heraushebung des auf dem
Kapitell plazierten Gegenstands. S. sind in Griechenland
spätestens seit dem 4. Jh. v. Chr. gängige Formen der
Denkmal-Architektur. Neben das S. tritt das in Struktur
und Bed. weitgehend analoge Pfeilermonument.

II. GRIECHISCHE ANTIKE

S. dienten in der griech. Ant. seit archa. Zeit überwiegend als Weihgeschenkträger; bekannteste Beispiele
sind die Sphinx-Säulen aus → Aigina und → Delphoi
(beide aus dem 6. Jh. v. Chr.). Nicht selten begegnet das
S. jedoch schon in der Archaik auch als Grabmonument,
etwa in der Nekropole von → Assos (6. Jh. v. Chr.),
dann – im 4. Jh. v. Chr. – im Grabbezirk des Bion auf
dem Athener → Kerameikos; hier konnte die Säule
ebenfalls mit einer Skulptur gekrönt sein, aber auch als
bloßer Inschriftenträger in Erscheinung treten. Eine
Frühform des S. ist darüber hinaus die isoliert stehende
Votiv-Säule ohne Bekrönung (z. B. die sog. »äolische
Votiv-Säule« aus Larisa [6] am Hermos oder das einer
ähnlichen Säule zuzurechnende frühe ionische Kapitell
von Olympia). Dies kann als Beleg für die jüngst mehrfach formulierte These herangezogen werden, wonach
sich insbesondere die ionische Bauordnung mit ihren
dipteralen Monumentalbauten des fortgeschrittenen
6. Jh. v. Chr. (→ Dipteros) aus einer Vereinigung individueller Weihgeschenke zu einem gemeinsamen Votiv
entwickelt hat (→ Tempel).

Als ideale Form für die markante Heraushebung einer verehrungswürdigen Herrscherpersönlichkeit fungiert das S. seit dem Hell.; als Kronzeuge für diesen in
den griech. Stadtstaaten der Klassik unbekannten, nun
aber epochemachenden neuen Denkmal-Typ kann das
sog. »Ptolemäer-Weihgeschenk« in → Olympia (s. dort
Lageplan Nr. 12) bezeichnet werden (3. Jh. v. Chr.). In
ähnlicher Absicht, aber in architektonisch konkret-zi-
tathaftem Ausschnitt wurden verschiedene sog. »Zwei-
säulenmonumente« errichtet, bes. von den Aitolern in

Delphoi. Sie formen, eng beieinander stehend, ein aus zwei gebälküberspannten Säulen bestehendes → Joch aus, das von den Statuen der Geehrten bekrönt und mit einer Ehreninschrift am Architrav versehen war. Einzelne S. im Kontext choregischer Weihungen in Athen (→ *chorēgós*) trugen brn. Dreifüße.

S. finden sich überwiegend in originalem, d. h. mit gebauter Architektur vergleichbarem Maßstab, ausnahmsweise aber auch in verkleinerter Gestalt (Olympia: S.-Höhe 1,70 m) oder in modellhafter Form aus Terrakotta (z. B. das Säulchen aus der Sammlung des Renaissance-Architekten Guarino GUARINI). Dorische, ionische wie auch korinthische Ordnung sind gleichermaßen repräsentiert und in den Formen von Schaft und Kapitell jeweils entsprechend dem Zeitstil ausgestaltet, wobei der benötigte Sockel nicht immer – wie etwa bei der dorischen Votiv-Säule von Paestum (→ Poseidonia) – dem architektonisch notwendigen Vorbild (z. B. der gestuften Krepis) folgt, sondern ein ganz eigenes Gestaltungsfeld öffnet; bemerkenswert sind etwa das Rund-Piedestal der dorischen Säule im Bion-Grabbezirk auf dem Athener Kerameikos oder die denkmalartigen, vom architektonischen Vorbild entfernten Sockelungen ionischer S. (z. B. die delphische Naxier-Säule).

S. sind aus der griech. Ant. insgesamt vergleichsweise selten überl., jedoch auf Vasen (vorzugsweise auf → Panathenäischen Preisamphoren und unteritalischen Prunkgefäßen) so zahlreich abgebildet, daß an der Weitläufigkeit des Typus in der Grab- und Denkmalarchitektur spätestens seit dem 4. Jh. v. Chr. kein Zweifel bestehen kann.

III. RÖMISCHE UND FRÜHCHRISTLICHE ANTIKE

In der frühröm. Republik findet sich das S. verschiedentlich als exponiertes Sieges- und Ehrendenkmal (u. a. in Rom Columna Minucia, 439 v. Chr.; Columna Maenia, 338 v. Chr.; Columna M. Aemilii Paulli, 255 v. Chr.), eine Verwendungsform, die in der röm. Kaiserzeit vereinzelt Fortsetzung erfährt (Columnae Rostratae Augusti, 36 v. Chr.). Verwendung finden S. darüber hinaus als Grabdenkmäler, dienen dort jedoch bald als exklusive Form der persönlichen Repräsentation und verschmelzen mit den republikanischen Ehrensäulen (z. B. die S. an den Ecken der Cestius-Pyramide in Rom). Höhepunkte des röm. S. sind die stadtröm. »Kaisersäulen« des 2. Jh. n. Chr. (Traians-, Marcus Aurelius- und Antoninus Pius-Säule) – Denkmäler, die den Kaiser in Form einer monumentalen Bronzestatue gleichsam »in den Himmel« heben und seine Taten in einem spiralförmigen Reliefband sowie einem plastisch reich dekorierten Sockel rühmen (der zumindest im Falle der Traianssäule auch als kaiserliches Grab diente). Die Trad. dieser den Kaiser über das profane Diesseits erhebenden Säulen wurde in der Spätant. verschiedentlich wieder aufgegriffen, bisweilen ohne unmittelbare sepulkrale Funktion (Porphyr-Säule des Constantinus; Fünfsäulendenkmal der Tetrarchen sowie die Phokas-Säule (*Columna Phocae*) auf dem Forum Romanum).

Wie bereits in der griech., so finden auch in der röm. Ant. alle in der Architektur gängigen Gestaltungsformen von Säulen (neben den »klass.« Formen v. a. korkenzieher-, schlangen- und spiralförmige sowie geschuppte Schäfte) an S. Verwendung. Neben die Kategorie der denkmalhaften S. tritt, bes. in den NW-Prov., die isoliert stehende Säule als Kultmal und Mittelpunkt einer Siedlung – zumeist in Form einer dem Kaiser geweihten Iuppiter- bzw. Iuppiter-Giganten-Säule mit in seiner Ikonographie komplexem Reliefdekor (→ Viergöttersteine; ›Igeler Säule‹).

Das Moment der symbolischen, durch die Säule bewirkten Entrückung spielt im frühchristl. → Mönchtum bei verschiedenen bizarren Formen der Askese eine wichtige Rolle. Säulenheilige wie → Simeon (genannt *Stylítēs*; frühes 5. Jh.) lebten über Jahre hinweg als eine Art menschliches Denkmal in luftiger Höhe auf dem begrenzten Raum des Abakus eines Säulenkapitells; sie galten in der Bevölkerung als bestaunenswerte Attraktionen und fanden Nachfolger bis ins 10. Jh.

IV. REZEPTIONSGESCHICHTE

Skulpturbekrönte S. als demonstrativ-herrscherliche Gesten und Markierungen top. Besonderheiten finden sich in MA und Renaissance nicht selten (Venedig, Piazza San Marco; Hafenmolen von Rhodos). Das röm.-imperiale S. als monumentale Denkmalform erfreute sich in Europa seit dem 16. Jh. wachsender Beliebtheit, nicht zuletzt initiiert von Papst Sixtus V., der 1587/8 eine Skulptur des Apostels Petrus auf die Spitze der diesbezüglich verwaisten Traianssäule in Rom setzen ließ und dem Monument damit neue Aktualität verlieh. In enger Anlehnung an die stadtröm. S. des 2. Jh. n. Chr. wurden zahlreiche Entwürfe für Umbildungen angefertigt und zur Ausführung gebracht, die den jeweiligen Ansprüchen ihrer mod. Erbauer angepaßt waren. Demonstrationen imperialer Größe waren u. a. die Siegessäule in Berlin (1873 als Erinnerung an den Sieg von Sedan eingeweiht und errichtet über einem monumentalen, in der Ant. als Typus unbekannten radial strukturierten Unterbau), die 1792 auf der Place Vendôme in Paris errichtete napoleonische Ruhmessäule für die Armee sowie die beiden großen Londoner S. (›Nelson-Säule‹ auf dem Trafalgar Square, 1840–1843 errichtet, und *The Monument*, nach 1671 zur Erinnerung an den Brand von 1666 erbaut). Auch das demokratische Amerika griff auf diese Repräsentationsform zurück (Entwurf eines säulenförmigen *Washington-Memorials* in Baltimore von Charles BIDDLE), bisweilen allerdings unter seltsamer, pragmatisch-funktionaler Verfremdung (S. als Wasserturm im Komplex der *Louisville Waterworks*, um 1860 von Theodore R. SCOWDEN erbaut). Auch als Grab- und Erinnerungsdenkmal war das S. im Klassizismus gängig (›Ottosäule‹ in Ottobrunn bei München, 1833/4; verschiedene S. auf dem Friedhof *Nekrotaphion Alpha* in Athen).

→ Grabbauten (III.C.2.5); Schlangensäule; Weihung; SÄULE; SÄULENMONUMENT

G. BAUCHHENSS, P. NOELKE, Die Jupitersäulen in den
germanischen Prov., 1981 • B. BRANDES-DRUBA,
Architekturdarstellungen auf unterital. Vasen, 1994,
126–131 • V. H. ELBERN, Symeon Stylites. Verehrung und
Darstellung von Säulenheiligen im christl. Osten und
frühen MA, in: AA 1967, 602–606 • W. GAUER, S. in Rom
und Europa, in: H. BUNGERT (Hrsg.), Das ant. Rom in
Europa. Die Kaiserzeit und ihre Nachwirkungen, 1985,
53–86 • G. GRUBEN, Die Sphinx-Säule von Ägina, in:
MDAI(A) 80, 1965, 170–208 • W. HAFTMANN, Das it. S. von
der Ant. bis in die Neuzeit, 1939 • K. HERRMANN,
Spätarcha. Votiv-Säulen in Olympia, in: MDAI(A) 99, 1984,
121–143 • CH. HÖCKER, Sekos, Dipteros, Hypaithros –
Überlegungen zur Monumentalisierung der archa.
Sakralarchitektur Ioniens, in: Veröffentlichungen der
Joachim-Jungius-Ges. der Wiss. Hamburg 87, 1998,
147–163 • W. HOEPFNER, Zwei Ptolemäerbauten
(MDAI(A), 1. Beih.), 1971 • W. JOBST, Ein spätant. S. in
Ephesos, in: MDAI(Ist) 39, 1989, 245–255 • M. JORDAN-
RUWE, Das S., 1995 • H. KÄHLER, Das Fünfsäulendenkmal
für die Tetrarchen auf dem Forum Romanum, 1964 •
H. LAUTER, Die Architektur des Hell., 1986, 207–211 •
U. PESCHLOW, Betrachtungen zur Gotensäule in Istanbul,
in: A. DASSMANN (Hrsg.), FS J. Engemann (JbAC Ergbd.
18), 1991, 215–228 • S. SETTIS u. a., La Colonna Traiana,
1988 (mit Lit.) • P. D. VALVANES, Säulen, Hähne, Niken
und Archonten auf panathenäischen Preisamphoren, in: AA
1987, 467–480 • L. VOGEL, The Column of Antoninus Pius,
1973 • D. WANNAGAT, Säule und Kontext, 1995, 17–48 (mit
Lit.) • B. WESENBERG, Kapitelle und Basen, 1971 •
E. ZAHN, Die Igler Säule bei Trier, 1982.   C. HÖ.

Saevinius. L. S. Proculus. Vielleicht ritterlicher Herkunft; Senator; zur Laufbahn: AE 1969/70, 601 und
IEph VII 1, 3037. Nach der Praetur wurde er Legat des
procos. von Asia, auf den *insulae Cyclades*, wohl im speziellen Auftrag von Marcus Aurelius und Verus. *Iuridicus
per Flaminiam et Transpadanam*, Legat der *legio XXX Ulpia*
in Xanten; praetorischer Statthalter von Cilicia, anschließend auch in Galatia. *Cos. suff.* um 180 n. Chr.

ALFÖLDY, Konsulat 200; 345 • W. ECK, Zur
Verwaltungsgesch. Italiens unter Marc Aurel, in: ZPE 8,
1971, 71–79, bes. 72 ff.   W. E.

Sagala (Σάγαλα, Ptol. 7,1,46; altindisch *Śākala*, mittel-
ind. *Sāgala*). Stadt im → Pandschab östlich von Hydaspes, der Hauptstadt des indogriech. Königs → Menandros [6] in Pāli Milindapañha. S. mit einem rechteckigen, wohl hell. Stadtplan wurde nach Ptol. l.c. auch
Euthydemia oder Euthymedia genannt. Die Stadt ist
auch in der altind. Lit. (Mahābhārata usw.) bekannt und
wurde im 7. Jh. n. Chr. von dem chinesischen Pilger
Xuanzang besucht. Ihre genaue Lage ist nicht bekannt
(vielleicht h. Sialkot), doch ist sie kaum identisch mit
→ Sangala, das weiter im Osten lag. Es gab ein weiteres
S. in Prasiake (Ptol. 7,1,53), altind. *Sāketa*.

K. KARTTUNEN, India and the Hellenistic World, 1997, 283.
                                                         K. K.

Sagalassos (Σαγαλασσός). Die ca. 1500 m hoch im
mittleren Tauros gelegene Stadt nördl. vom h. Ağlasun
gehörte zu den größten Siedlungen von → Pisidia. Sie
verfügte über ein großes, wasserreiches und von Liv.
38,15 als überaus fruchtbar gerühmtes Territorium.
Alexandros [4] d. Gr. gelang 333 v. Chr. durch die Eroberung von S. die Unterwerfung von Pisidia (Arr. an.
1,28). Die anschließende seleukidische (→ Seleukiden)
und attalidische (→ Attalos, Stemma) Herrschaft ist
noch arch. faßbar. In röm. Zeit gelangte S. zu großer
Blüte und reklamierte für sich den Titel der führenden
Stadt von Pisidia (IGR III 348), deren Bürgern nicht
selten der Sprung in die imperiale Führungsschicht
glückte [2]. Mehrere Kirchen [1. 368 f.] zeugen von
Christianisierung in der Spätant.; S. ist bis in hochbyz.
Zeit als Bistum belegt.

Aufgrund der neuen belgischen Grabungen [4] ist S.
h. die arch. am besten erforschte pisidische Ruinenstätte
[3]. Die mit ihrer Terrassenstruktur deutlich am pergamenischen Vorbild (→ Pergamon) orientierte Stadt wies
bereits in hell. Zeit einen reichen Baubestand auf, der in
röm. Zeit noch erheblich erweitert wurde, u. a. durch
mehrere Tempel für den → Kaiserkult, große Thermen
und ein monumentales Theater. Östl. davon lag ein aus-
gedehntes Töpferviertel, das S. als ein Zentrum kleinasiat. Keramikproduktion ausweist.

1 BELKE/MERSICH 2 H. DEVIJVER, Local Elite, Equestrians
and Senators . . ., in: AncSoc 27, 1996, 105–152
3 L. VANDEPUT, The Archaeological Decoration in Roman
Asia Minor, 1997 4 M. WAELKENS u. a., S., Bde. 1–5,
1993–1997.   H. B.

Sagaritis (Σαγαρῖτις). Nach einer der vielen aitiologischen Versionen der Attissage, die die Selbstverstüm-
melung der Kybelepriester erklären sollen, verliebt sich
→ Attis in die → Hamadryade S. und bricht das Keusch-
heitsversprechen, das er → Kybele gegeben hatte. Die
Nymphe stirbt daraufhin durch die Wunden, die Kybele
ihrem Baum zufügt, Attis dagegen wird wahnsinnig und
entmannt sich (Ov. fast. 221–246; ohne Nennung des
Namens der Nymphe: Iul. or. 8,165a–168c ROCHE-
FORT; Sall. Philosophus, De deis et mundo 4,7 ROCHE-
FORT). Mögliche Verbindungen des Namens S. bestehen
zu dem Fluß(gott) → Sangarios, wahrscheinlich auch
Sagaris genannt (Ps.-Plut. de fluviis 12; Etym. m., s. v.
Σάγαρις und Σαγγάριος), der als Großvater des Attis
in anderen Sagenversionen eine Rolle spielt (Paus.
7,17,11; Timotheos bei Arnob. 5,6), und zu der *ságaris*,
dem Beil, mit dem sich die Kybelepriester entmannen
(Anth. Pal. 6,94,5).

J. HECKENBACH, s. v. Sagaris (1), RE I A, 1733 •
E. M. MOORMANN, s. v. Sangarios, LIMC 7.1, 665 f. (mit
Bibliogr.) • A. NAWRATH, s. v. Sangarios (2), RE I A,
2270 f. • F. PFISTER, s. v. S., RE I A, 1734–1736 •
W. RUGE, s. v. Sangarios (1), RE I A, 2269 f. •
M. J. VERMASEREN, M. B. DE BOER, s. v. Attis, LIMC 3.1,
22–44 (mit Bibliogr.).   SI. A.

Sagartioi (Σαγάρτιοι; altpersisch *asagarta-* »Sagartien«, *asagartiya-* »sagartisch, Sagartier«). In einer Inschr. des → Dareios [1] I. aus Persepolis, die die Länder/Völker des Reiches auflistet, gehen die S. den Parthern, Drangianern, Areiern und Baktrern voraus [3. DPe 15–16]. In der Inschr. von → Bīsutūn berichtet derselbe Herrscher, zwei »Lügenkönige« – der Meder Fravartiš (→ Phraortes [3]) und der Sagartier Ciçantaẖma (der später in Arbela hingerichtet wurde) – hätten sich als Abkömmlinge des Mederkönigs Uvaẖštraš (→ Kyaxares [1]) ausgegeben [2. DB II 13–16, 78–91, IV 18–23]; diese Belege könnten auf sagart. Wohnsitze zw. Parthien und Arbela sowie auf eine polit. Verbindung zw. Medern und S. verweisen. Dagegen waren nach Hdt. 1,125; 3,93; 7,85 die S. einer der »nomadischen« Stämme der Persis mit pers. Sprache und einer eigentümlichen Kampftaktik (Lassowurf). Nach Ptol. 6,26 bewohnten die S. in Medien die Region d. »Zagros-Pforten«; Steph. Byz. s. v. Σ. läßt sie auf *Sagartía*, einer Halbinsel am Kaspischen Meer, wohnen.

1 W. EILERS, s. v. Asagarta, EncIr 2, 701 **2** R. SCHMITT, The Bisitun Inscriptions of Darius the Great. Old Persian Text, 1991 **3** R. SCHMITT, The Old Persian Inscriptions of Naqsh-i Rustam and Persepolis, 2000.   J. W.

Sage s. Mythos

Sagis. Flußarm im Delta des → Padus (Po), der westl. von Spina vom Hauptstrom abzweigt, wo die Tab. Peut. 5,1 die *statio* Sacis ad Padum verzeichnet. In etr. Zeit leitete die Stadt → Atria den S. um, um die venetischen Sümpfe (→ Septem Maria) aufzufüllen und so einen schiffbaren Kanal zu erhalten, den die Römer unter Vespasianus (69–79 n. Chr.) zur *fossa* [3] *Flavia* umgestalteten (Plin. nat. 3,120).   G. U./Ü: J. W. MA.

Sagmen. *Sagmina* (Pl.) hießen die in Rom auf der Arx für die → *fetiales* mitsamt der Erde aus dem Boden gerissenen Kräuter (Plin. nat. 22,5; 25,105; Fest. 424–426 L.), die bei der rituellen Einsetzung des *pater patratus* Verwendung fanden (Liv. 1,24,4–6) und von den *fetiales* auch auf ihren Missionen mitgeführt wurden (Liv. 30,43,9).

J. RÜPKE, Domi militiae, 1990, 100–103.   A. BEN.

Sagra (*Sagra, -ae,* fem.). Kleiner Fluß in Bruttium südl. von → Kaulonia, h. Turbolo, wo um 560 v. Chr. die Lokroi [2] über ein zahlenmäßig weit überlegenes Heer von → Kroton angeblich mit Hilfe der → Dioskuroi siegten (Strab. 6,1,10; Cic. nat. deor. 2,6; 3,11; Plin. nat. 3,95; Plut. Aemilius Paullus 25,1); daher das Sprichwort »Wahrhaftiger als das Geschehen an der S.« (Paroem. 1,36). Altäre der Dioskuren an der S. erwähnt Strab. l.c.

R. VAN COMPERNOLLE, Ajax et les Dioscures au sécours des Locriens sur les rives de la S., in: J. BIBAUW (Hrsg.), Hommages à M. Rénard, Bd. 2, 1969, 733–766 · M. GIANGIULIO, Locri, Sparta, Crotone e le tradizioni leggendarie sulla battaglia della S., in: MEFRA 95, 1983, 473–521 · BTCGI 9, 193.   M. L.

Sagrus. Fluß in Samnium, heute Sangro (Strab. 5,4,2: Σάγρος; Ptol. 3,1,19: Σάρος). Er floß durch das Gebiet der → Carricini an Aufidena und Trebula vorbei, dann durch das Gebiet der → Frentani zw. Iuvanum und Pallanum hindurch und mündete zw. Ortona und Histonium in den → Ionios Kolpos. Er konnte unterhalb von Castel di Sangro auf einer Brücke der von Sulmo nach Aesernia führenden röm. Straße überquert werden. → Samnites, Samnium

L. MARIANI, Aufidena, in: Monumenti antichi dei Lincei 10, 1901, 225–638, bes. 253–259.   G. U./Ü: J. W. MA.

Sagum. Männergewand aus viereckigem Tuch (Filz oder Loden) mit einem dreieckigen oder runden Ausschnitt, mitunter auch mit Kapuze, das als Überwurf oder Umhang getragen und auf der rechten Schulter mittels einer Schnalle oder Fibel (→ Nadel) gehalten wurde, so daß die rechte Körperseite unbedeckt blieb. Das *s.* stammte ursprünglich aus Gallien (Diod. 5,30,1: σάγος; Varro ling. 5,167; Caes. Gall. 5,42,3: *sagulum*), doch wurde es ebenso von Germanen und Iberern sowie in Italien und Nordafrika getragen. Es gehörte einerseits zur Tracht der Sklaven und Arbeiter, zugleich war es das Kriegsgewand der röm. See- und Fußsoldaten, die es über der Rüstung trugen, ferner der Liktoren im Felde oder beim Triumph. Vom *s.* der Soldaten unterschied sich das *s.* des Feldherrn (später → *paludamentum*) durch die Farbe (weiß oder purpur, bzw. schwarz bei Trauer).

M. JUNKELMANN, Die Legionen des Augustus, 1986, 157.   R. H.

Saguntia. Stadt im Westen der → Hispania Baetica (Liv. 34,19,10; Plin. nat. 3,15) am Ufer des Guadalete; h. Baños de Gigonza (Paterna de Rivera).

TOVAR 1, 54f.   P. B.

Saguntum (Σάγουντος, Ζάκανθα). Stadt im Gebiet der → Edetani (Bewohner *Saguntini, Saguntii,* Ζακανθαῖοι; iberischer Name der Stadt offenbar *Arse,* vgl. die Mz.) auf dem letzten Ausläufer des nordöstl. Randgebirges (170 m über N. N.), h. 5 km von der spanischen Ostküste entfernt (die ant. Angaben schwanken: 1,3 km: Pol. 3,17,2; 4,5 km: Plin. nat. 3,20). S. lag in fruchtbarer Umgebung: Die Feigen aus S. waren berühmt (Plin. nat. 15,72; vgl. Cato agr. 8,1). Im MA Murviedro (*murus vetus*) genannt, heißt die Stadt seit 1868 wieder Sagunto, 25 km nördl. von Valencia am Río Palancia (ant. Uduba?, vgl. Plin. nat. 3,20). In der Vorgesch. des 2. → Punischen Krieges spielte S. eine wichtige Rolle. S. trat wohl erst nach Wahl → Hannibals [4] zum Strategen 221 v. Chr. zu Rom in ein Freundschaftsverhältnis. Er belagerte im Frühjahr 219 die Stadt und eroberte sie im Dezember 219 v. Chr. Rom stellte sein Ultimatum erst, als die Stadt den Karthagern bereits in die Hände gefallen war. Wohl um 212 v. Chr. wurde S. von P. und C.

Cornelius [I 77 bzw. I 68] Scipio erobert; danach nahm man den Wiederaufbau der zerstörten Stadt in Angriff (CIL II 3836). Nach Augustus wurde S. *municipium civium Romanorum* (CIL II 3827; 3855; Plin. nat. 3,20). S. war ein Zentrum des Töpfereigewerbes (*vasa Saguntina*: Plin. nat. 35,160; Iuv. 5,29; Mart. 4,46,15). Ant. Reste: Theater, Circus, Tempel, Aquaedukt. An S. führte die große Küstenstraße (Via Augusta) vorüber.

C. ARANEGUI (Hrsg.), S. y el mar, 1991 · F. BELTRAN, Epigrafía latina de S. y su territorium, 1980 · M. A. MARTI, El area territorial de Arse – S. en época ibérica, 1998 · TOVAR 3, 285–288.   J. J. F. M.

Sahak (Isaak). S. I. (der Große), geb. zw. 340 und 350 n. Chr., † 438/9 n. Chr. Patriarch von Armenien, Sohn des Patriarchen Nerses d. Gr. und letzter Vertreter der Gregoriden (Nachfahren von Gregor dem Erleuchter, → Armenia B.). S. wuchs in Konstantinopolis auf und studierte dort. Nach der Teilung Armeniens zw. Byzanz und Persien wurde er 387, in einer Zeit der inneren Zerrissenheit des Landes, zum Patriarchen der armenischen Kirche ernannt. Seine Wahl sollte die Verbindung Armeniens zu Byzanz gegen den zunehmenden pers. Einfluß stärken. S. setzte die von seinem Vater eingeleiteten kirchlichen und sozialen Reformen fort. Zusammen mit → Mesrop konnte er zunächst durch die Erfindung der armen. Schrift (→ Armenisch B.) und die systematisch angelegte Übers. syrischer und griech. Lit. die nationale und kulturelle Identität Armeniens stärken. Dadurch gilt er als der Begründer der armen. Lit. 428 n. Chr. wurde er wegen seiner hellenophilen Tendenz abgesetzt und ins Exil geschickt. 432 durfte er mit pers. Erlaubnis zurückkehren, blieb jedoch abhängig vom persarmenischen Patriarchen Šamuel. Die von S. einberufene Synode von Aštišat (am Euphrat in Armenien) (435) befaßte sich nach der Synode von Ephesos (431) mit dem antiochenischen Einfluß (→ Diodoros [20] von Tarsos, → Theodoros von Mopsuestia, → Iohannes [4] Chrysostomos, → Theodoretos von Kyrrhos) in der armenischen Theologie. Dort wurden die Beschlüsse von Ephesos (bes. der Titel → Marias als *theotókos* gegen das nestorianische *christotókos*) anerkannt und eine Antwort auf den *Tomus ad Armenios* des → Proklos [1], des Patriarchen von Konstantinopolis, verfaßt.
→ Armenia; Armenier,
Armenische Literatur; Armenisch

N. GARSOIAN, The Paulician Heresy. A Study of the Origin and Development of the Paulicianism in Armenia and the Eastern Provinces of the Byzantine Empire, 1967 · G. WINKLER, An Obscure Chapter in Armenian Church History (428–439), in: Rev. des ét. arméniennes N. S. 19, 1985, 85–180.   K. SA.

Šahr-e Kōmiš s. Komisene

Saii. Kelt. Volksstamm, dessen Name später auf den Hauptort überging, h. Sées, Dépt. Orne (Notitia Galliarum 2,6: *civitas Saiorum*; Commentarii notarum Tiro-

nianarum 87,63; vgl. CIL XIII 630). Im 6. Jh. n. Chr. war S. Bischofssitz (*Sagii*; Belege bei [1]).

1 J. B. KEUNE, s. v. S. (2), RE I A, 1757f.

TIR M 31 Paris, 1975, 158, 167.   E. O. u. V. S.

Saioi (Σάϊοι). Thrakischer Volksstamm an der Nordküste des Aigaion Pelagos (Ägäis) gegenüber von → Samothrake (vgl. Archil. fr. 6 DIEHL; Strab. 10,2,17; 12,3,20).

E. OBERHUMMER, s. v. Saii (1), RE I A, 1757 · T. SPIRIDONOV, Istoričeska geografija a n trakijskite plemena do 3. v. pr. n. e., 1983, 51, 101.   I. v. B.

Saïs (Σάϊς). Stadt im westl. Delta am Nilarm von Rosette, äg. *Z3w*, Hauptstadt des 5. unteräg. Gaus, das h. (Dorf) Sā l-Hağar. Als Hauptkultort der Göttin → Neith hatte S. schon in der 1. H. des 3. Jt. Bed. Polit. trat es aber erst im 1. Jt. v. Chr. hervor, als die dort residierenden libyschen Herrscher ab ca. 730 versuchten, ihren Machtbereich zu erweitern. Zunächst von den Nubiern zurückgedrängt, gelang es ihren Nachfolgern → Necho [1] I. und → Psammetichos [1] I. im 7. Jh. v. Chr., die 26. Dyn. zu gründen. In dieser Zeit war S. Residenz der Pharaonen, die dort (im Tempel der Neith, vgl. Hdt. 2,169) auch bestattet wurden. Neben Neith, deren Fest Hdt. 2,62 schildert, wurden in S. weitere Götter verehrt, v. a. → Osiris (Hdt. 2,170f.; Strab. 17,1,23). Aufgrund der Gleichsetzung der Neith mit → Athena wurde S. von den Griechen als Mutterstadt Athens angesehen (z. T. auch umgekehrt); über S. und seine enge Beziehung zu Athen gibt es zahlreiche griech. Zeugnisse (Diod. 1,28; 5,57; Philostr. epist. 70 [406]; Prokl. in Plat. Tim. 308f.; s. auch [2]). Mit dem Beginn der Perserzeit ging die Bed. von S. zurück, aber noch Strab. 17,1,18 bezeichnet es als Hauptstadt des Delta. Seit 325 n. Chr. ist S. als Bistum bezeugt, es blieb bis zum E. des 11. Jh. für die koptische Kirche bedeutend. Im 19. Jh. waren noch Reste des alten S. erhalten, h. sind sie fast völlig verschwunden.

1 J. MÁLEK, s. v. S., LÄ 5, 355–357 2 A. RUSCH, s. v. Neith, RE 16, 2190–2192.   K. J.-W.

Sakadas (Σακάδας). Dichter und berühmter Aulet aus Argos. Er war an der zweiten Organisation (*katástasis*) der Musik in Sparta beteiligt (Plut. mor. 1134bc) und gewann in Delphi ab 586 v. Chr. den pythischen *agón* (→ *Pýthia* [2]) dreimal hintereinander, als dort das solistische Aulosspiel eingeführt wurde (Paus. 10,7,3–5; 6,14,10; vgl. → Musikinstrumente V. B. I.). Sein Siegesstück, das den apollinischen Drachenkampf in fünf Teilen schildert, wurde als »pythischer → *nómos*« bekannt (ebd. 2,22,8; [1]). S. schuf auch elegische Verse (Plut. mor. 1134a), einen → *nómos* [3] für Chor in drei Teilen in je einer anderen Tonart (ebd. 1134b) und eine *Ilíu Pérsis* (›Fall Troias‹; Athen. 610c; [3]). Auf dem Helikon stand seine Statue, mit welcher Pausanias ein nun verschollenes Prooimion des Pindaros [2] in Verbindung bringt (Paus. 9,30,2); noch 369 v. Chr. begleitete das Spielen seiner Melodien den Bau Messenes (ebd. 4,27,7).

1 H. GUHRAUER, Der Pythische Nomos, in: Jbb. für classische Philol., Suppl. 8, 1875–1876, 311–351
2 E. HILLER, S. der Aulet, in: RhM 31, 1876, 76–88
3 F. D'ALFONSO, Sacada, Xanto e Stesicoro, in: Quaderni Urbinati di Cultura Classica 51, 1995, 49–61.   R.O.HA.

Sakai (Σάκαι, Σάκκαι: Name in verschiedenen Varianten z. B. bei Aristoph. Av. 31; Xen. Kyr. 8,3,25–32; 8,3,35–50; Hdt. 7,64; *Sacae*: Plin. nat. 6,50 u. a.). Abgeleitet vom persischen Namen für die Nomaden Zentralasiens, evtl. nach der Selbstbezeichnung einer Stammesgruppe. Für Strab. 11,8,2 sind ›die meisten der Skythen‹ östl. des Kaspischen Meeres S. Nach den altpers. Inschr. gab es mehrere Verbände, die *Sakā haumavargā* (= Σκύθαι Ἀμύργιοι, etwa »die haoma-trinkenden S.«) und die *Sakā tigraḫaudā* (Σκύθαι Ὀρθοκορυβάντιοι, »die spitzhelmigen S.«), die *Sakā para Sugda* (»S. von → Sogdiana«) und die *Sakā paradraya*. S. standen in den → Perserkriegen als Söldner im achäm. Heer, so bei → Marathon (Hdt. 6,113), den → Thermopylai und bei → Plataiai (Diod. 11,7,2; Hdt. 11,31,71); Strab. 11,8,2 erwähnt S. als Teil der Nomaden neben Asiern oder Asianern (= → Alanoi?), Tocharern (→ Tocharoi) und → Sakarauken, die den Griechen → Baktria entrissen, dann → Margiana, → Areia [1] und → Drangiana besetzten; letzteres hieß dann nach den Eroberern Sakastan. 130 v. Chr. griffen die S. den Parther → Phraates [2] II. an, wurden aber zw. 87 und 80 von → Orodes [1] unterworfen. S. brachen um 60 v. Chr. in Indien ein, wo sich mehrere S.-Dynastien bis ins 4. Jh n. Chr. behaupteten. Von daher heißt das untere Indus-Tal im Peripl. maris Erythraei 38 (= GGM 1,286) Σκυθία und wird von Ptol. 7,1,55 Ἰνδοσκυθία genannt. Die Sprache der S. ist für die älteren Perioden nur auf Mz. und in einzelnen Wörtern in griech., lat. und indischen Werken bezeugt. Im südl. Kasachstan wurden in den Friedhöfen von Uigarak, Tagiken, Besshatyr und Issyk zahlreiche Gräber mit Keramik- und Metallgefäßen, Waffen und Pferdegeschirr gefunden. Die Bogen der S. waren sehr massiv und weitreichend.

PH. L. KOHL, Central Asia, Paleolithic Beginnings to the Iron Age, 1984 · B. A. LITVINSKY, Archaeology and Artifacts in Iron Age Central Asia, in: J. SASSON (Hrsg.), Civilizations of the Ancient Near East, Bd. 2, 1995, 1078–1083.   B. B.

Sakarauken (Σακαραῦκαι, zum Namen [2. 68]). Völkerschaft, die, urspr. an den Grenzen Transoxaniens wohnend, von Strab. 11,8,2 (vgl. Iust. prol. 41) zusammen mit den Asioi, Pasianoi und Tocharoi zu den Eroberern Baktriens (im 2. Jh. v. Chr.) gezählt wird. Nachdem sich bereits parthische Könige des ausgehenden 2. Jh. v. Chr. mit »nomadischen« Völkerschaften an der östl. Reichsgrenze hatten auseinandersetzen müssen, gelang es den S. 78/77 v. Chr. sogar, mit → Sa-

natrukes einen ihnen genehmen Arsakiden auf den parth. Thron zu setzen (Lukian. Macrobii 15) und auch noch unter dessen Sohn und Nachfolger → Phraates [3] III. Einfluß auf die arsakid. Politik zu nehmen (numismatischer Befund [1. 110–115]). Damals scheinen sich die Wohnsitze der S. in Transoxanien unweit der parth. Kernlande befunden zu haben (Ptol. 6,14,14; Oros. hist. 1,2,43, beides wohl nach Apollodoros von Artemita). Die von Iust. prol. 42 erwähnten skythischen Geschehnisse (der Untergang der S. und der Aufstieg eines neuen Herrscherstammes, *reges Tocharorum Asiani interitusque Saraucarum*) dürften um die Mitte des 1. Jh. v. Chr. anzusetzen sein. Den S. wird von einigen Gelehrten die Nekropole von Tallyātappe zugeschrieben [1. 125–127].

1 M. J. OLBRYCHT, Parthia et ulteriores gentes, 1998
2 R. SCHMITT, Zu einer neuen »Gesch. Mittelasiens im Altertum«, in: WZKM 67, 1975, 31–91.   J. W.

Sakastane (Σακαστανή: Isidoros von Charax, Stathmoí Parthikoí 18 = GGM 1,253). Das Land am mittleren Etymandros (Helmand), zw. → Arachosia und → Drangiana, seit dem 2. Jh. v. Chr. von → Sakai besetzt, bei Isidoros von Charax auch → Paraitakene genannt. Als der indo-parthische König Gondophares das indische Sakenland eroberte, scheint er auch Arachosien und S. besetzt zu haben. Ardašīr (→ Ardaschir [1] I.), der erste Sāsānidenkönig (224–241), eroberte das Land S. Erst unter Hōrmazd II. (302–309) wurde es zu einer regulären Prov. des Reiches. In der dreisprachigen Inschr. → Sapors I. auf der Kaʿba-ye Zardušt zu → Naqš-e Rostam wird das Land *skstn* (zu lesen Sagestān) erwähnt, griech. heißt es Σεγιστανή/*Segistanḗ*, christl.-sogdisch *sgstʾn*, arabisch *Siǧistān*, h. Sīstān.

F. R. ALLCHIN, N. HAMMOND (Hrsg.), The Archaeology of Afghanistan, 1978.   B. B. u. J. D.-G.

Sakcharon (σάκχαρον, lat. *sacc[h]aron*). Aus dem Mark des Zuckerrohrs, einer im Mittelmeerraum nicht heimischen Pflanze, gewonnener Zucker. Die Griechen lernten das Zuckerrohr und seinen süßen Saft erst mit dem Indienfeldzug des Alexandros [4] kennen (Strab. 15,1,20; Theophr. h. plant. 3,15,5). In kristalliner Form scheint Zucker nicht vor Beginn des 1. Jh. n. Chr., als der direkte Seehandel von Äg. nach Indien in Gang kam, in den Mittelmeerraum gelangt zu sein (peripl. maris Erythraei 14 CASSON). Jedenfalls fand in dieser Zeit das Wort *s.* in der Bed. »Zuckerkorn« Eingang in die Quellen (Plin. nat. 12,32). Zucker wurde verm. nur in sehr kleinen Mengen importiert und erlangte allein in der Medizin Bed., in seltenen Fällen zu therapeutischen Zwecken genutzt (Dioskurides, Materia medica 2,82 WELLMANN; Gal. de simplicium medicamentorum temperamentis 7,12,9 KÜHN). In der ant. Küche dagegen, in der → Honig der wichtigste Süßstoff blieb, fand *s.* keinen Platz.

S. darf nicht mit dem süßlichen körnigen Sekret aus Kieselsäure (dem h. Tabaschir) verwechselt werden, das sich in den Sproßabschnitten bestimmter, v.a. in Indien heimischer Bambusarten ablagert (so aber [1; 2; 3]).

1 J. ANDRÉ, Essen und Trinken im alten Rom, 1998, 164–166
2 M. BESNIER, s.v. Saccharon, DS IV/2, 931–932
3 H. BLÜMNER, s.v. Σάκχαρον, RE I A, 1812–1815.

A. DALBY, Essen und Trinken im alten Griechenland. Von Homer bis zur byz. Zeit, 1998.   A.G.

Sakellarios (σακελλάριος). Seit dem 5. Jh. n. Chr. ein Kämmerer am röm.-byz. Kaiserhof (→ Hof D.), im 8.–12. Jh. der oberste Aufseher über die staatl. Finanzen (letzte Erwähnung 1196), der ab 1094 zeitweilig *mégas* → *logariastḗs* genannt wurde.

P. SCHREINER, s.v. Finanzwesen, -verwaltung (A. I.f.), LMA 4, 456 · P. MAGDALINO, s.v. S., ODB 3, 1828f.   F.T.

Sakkos (σάκκος). Eine geschlossene Haube, die sich insbesondere im 5. und 4. Jh. v. Chr. als Kopfbedeckung griech. Frauen großer Beliebtheit erfreute. Der *s.* wurde nach Ausweis der Vasenbilder und Grabreliefs der attischen Kunst vorwiegend von Dienerinnen getragen, dagegen konnte er in der unterital. Kunst als Kopfbedeckung jeder Frau dargestellt werden. *Sákkoi* hatten vielfach auf der Kalotte eine Schlaufe zum Aufhängen, dazu herabhängende Troddeln; manche *s.* waren unverziert oder mit einfachen Strichen versehen, andere dagegen mit einer reichen Ornamentik aus Mäandern, Wellenlinien, Rankenmotiven u. a. verziert. *S.* bildeten nicht unbedingt die einzige Kopfzier, sondern konnten mit → *kekrýphalos* oder Stirn- und Haarschmuck kombiniert werden.

H. BRANDENBURG, Stud. zur Mitra. Beitr. zur Waffen- und Trachtgesch. der Ant., 1966, 130 f. · A. ONASSOGLOU, Ein Klappspiegel aus einem Grab der Ostlokris, in: AA 1988, 448–450.   R.H.

Sakralrecht I. ALTES TESTAMENT
II. GRIECHISCH-RÖMISCHE ANTIKE

I. ALTES TESTAMENT

Ein S. im Sinne eines neben dem profanen Recht existierenden oder diesem sogar vorangehenden Rechtssystems läßt sich für das alte Israel nicht rekonstruieren. Im Zentrum der neueren Diskussion steht demgegenüber die Frage der »Theologisierung« bzw. der »Jahwesierung« des Rechts. Gemeint ist v. a. die im Buch Exodus (Ex 20,1 ff.: Dekalog und Bundesbuch) begegnende Vorstellung von dem Gott → Jahwe als Gesetzgeber, der damit funktional eine im Alten Orient urspr. königliche Domäne besetzt. Mittels dieser Konstruktion wird das israelitische Recht nicht nur göttlich legitimiert, sondern auch promulgiert. Hierbei stehen sozial- und strafrechtliche Bestimmungen (z. B. 2. Tafel des Dekalogs) durchaus neben solchen, die die Ausübung des Kults und die Jahwe-Verehrung regeln (1. Tafel des Dekalogs; Altargesetz in Ex 20,22 ff.; sog. »kultischer Dekalog« in Ex 34,10–26). Das Nebeneinander

rel. und profaner Rechtssätze akzentuiert dabei den Sachverhalt, daß soziales Handeln immer auch eine rel. Dimension besitzt, was im übrigen auch in der Gebetslit. der → Psalmen deutlich wird. Hintergrund dieser neuartigen Rechtskonzeption sind die sozialen und polit. Krisenerfahrungen des 8. Jh. v. Chr., die dann im Buch Deuteronomium in den sog. Ämtergesetzen in die sachliche Bindung des Königs an Tora und Prophetie (→ Prophet) einmünden (Dt 17,14–20). Ob dieses »Rechtssystem« jemals im Sinne geltenden Rechtes praktiziert wurde oder – was wahrscheinlicher ist – als lit. produktive Rechtsgelehrsamkeit angesichts der verlorenen Eigenstaatlichkeit im 6. Jh. v. Chr. aufgefaßt werden muß, bleibt weiterhin zu diskutieren.

1 R. BACH, Gottesrecht und weltliches Recht in der Verkündigung des Propheten Amos, in: W. SCHNEEMELCHER (Hrsg.), FS G. Dehn, 1957, 23–34
2 B. JANOWSKI, JHWH der Richter – ein rettender Gott. Psalm 7 und das Motiv des Gottesgerichts, in: JBTh 9, 1994, 53–85 3 H. NIEHR, Rechtsprechung in Israel. Unt. zur Gesch. der Gerichtsorganisation im AT, 1987 4 E. OTTO, Wandel der Rechtsbegründungen in der Gesellschaftsgesch. des ant. Israel, 1988 5 Ders., Theologische Ethik des AT, 1994.   TH. PO.

II. GRIECHISCH-RÖMISCHE ANTIKE

Für die ant. Rel.-Gesch. ist der Begriff »S.« ein seit dem ausgehenden 19. Jh. gängiger Neologismus, der bes. die (gegen griech. → Mythologie profilierte) Verrechtlichung der röm. Rel. hervorheben will (fundamental [1]; s.a. [2. 380] mit der Latinisierung *ius sacrum*). Ein ant. Begriff dafür fehlt, ja muß fehlen, da ein umfassender Begriff von → Religion fehlt.

Das *ius divinum* bezeichnet die Eigentumsansprüche der Götter, bei anderen »Spezialrechten« handelt es sich zumeist um *ad hoc* gebildete mod. Sammelbegriffe (*ius pontificale*, Pontifikal-Recht), die in der Ant. systematisch als Teil des öffentlichen → Rechts galten (*ius publicum*), nicht als Bereiche eines eigenständigen Rechtsverständnisses.

Der Neologismus S. wird in der Forsch. gelegentlich auch in Verbindung mit den sog. »Sakralgesetzen« (*leges sacrae*) der griech. und röm. Ant. verwendet, doch handelt es sich bei diesen Texten um kultische und administrative Tempelsatzungen sowie um verschriftlichte Regieanweisungen für rituelles Handeln, nicht um eine Textgattung, die sich mit dem neuzeitlichen Rechts-Begriff, der in »S.« angelegt ist, hinreichend beschreiben ließe.

1 E. PERNICE, Zum röm. S. I, in: Sitz.berichte der königl. Preuss. Akademie der Wiss. zu Berlin 2, 1885, 1143–1169
2 G. WISSOWA, Rel. und Kultus der Römer, ²1912 (¹1902).   J.R.

Sala (Σάλα).

[1] Fluß in der → Mauretania Tingitana, der in den Atlantischen Ozean mündet, h. Oued Bou Regreg (Plin. nat. 5,5: *S.*; 9; 13: *Salat*; Ptol. 4,1,2; 4: Σάλα).

[2] (neupunisch *Sʿlt*). Phöniz. oder pun. Gründung in der Nähe der Mündung des gleichnamigen Flusses, h. Chella in Marokko (Mela 3,107: *S.*; Plin. nat. 5,5; 13: *S.*; Ptol. 4,1,2: Σάλα; Itin. Anton. 6,4: *S. colonia*; Not. dign. occ. 26,5–7; 17: *S.*). [1. 385] leitet den Namen vom semit. Wort *slʿ*, »Fels«, ab; dies erscheint fraglich, da die Stadt ihren Namen wohl vom Fluß übernommen hat. Gegen E. des 1. Jh. v. Chr. prägte S. Münzen mit der neupun. Legende *Sʿlt* – wohl ein Zeichen ihrer (relativen) Autonomie zur Zeit der mauretanischen Könige (→ Mauretania). Während der Regierungszeit des Claudius [III 1] wurde S. von den Römern erobert. Verm. unter demselben Kaiser [2. 151–156] wurde die Stadt *municipium* (vgl. AE 1931, 36), später *colonia*. Inschr.: [3. 300–338]; AE 1983, 995; 1991, 1749 f.

1 E. LIPIŃSKI, s. v. S., DCPP, 385 2 J. GASCOU, Hypothèse sur la création du municipe de S., in: AntAfr 27, 1991, 151–156 3 J. GASCOU, M. EUZEN (ed.), Inscriptions antiques du Maroc, Bd. 2, 1982.

J. DESANGES, Pline l'Ancien. Histoire naturelle. Livre V,1–46, 1980, 96 f., 112 · R. REBUFFAT, M. Sulpicius Felix à S., in: A. MASTINO, P. RUGGERI (Hrsg.), L'Africa romana. Atti del X convegno di studio, Bd. 1, 1994, 185–219.

W. HU.

[3] Stadt im Grenzgebiet zw. Lydia und Phrygia (Ptol. 5,2,26; Not. episc. 1,170; 3,103; 8,182; 13,89), wahrscheinlich auf dem Ruinenfeld östl. von Güney zu lokalisieren. Der ON ist verm. thrakisch-phrygischen Urspr. Unter Domitianus (81–96 n. Chr.) wurde S. Domitianopolis genannt (HN 656; BMC, Gr Lydia 231; SNG v. Aulock, 3115, 3119, 8251 f.).

W. M. CALDER, G. E. BEAN, A Classical Map of Asia Minor, 1958 (Koordinaten De) · L. BÜRCHNER, s. v. S. (4), RE I A, 1817 f. · Ders., s. v. Domitianopolis, RE 5, 1311 · Ders., s. v. Satala (1), RE 2 A, 58 · K. BURESCH, Aus Lydien, 1898, 204 f. · F. IMHOOF-BLUMER, Lyd. Stadtmz., 1897, 131 · J. KEIL, A. VON PREMERSTEIN, Ber. über eine Reise in Lydien und angrenzenden Gebieten Ioniens (Denkschriften der Akad. der Wiss. Wien 57.1), 1914, 53 f. · MAGIE 2, 1429 · ROBERT, Villes, 93, 101.

H. KA.

Sala Consilina. Mod. Ortschaft im Vallo di Diano (Prov. Salerno, Lucania), deren ant. Name nicht überl. ist. Ihre Bekanntheit verdankt sie den Nekropolen mit mehr als 1500 Gräbern frühgesch. Zeit (10. bis 6. Jh. v. Chr.), die im NW und SO des Ortes liegen; die Lage der zugehörigen Siedlung ist noch nicht gesichert.

Reiche Grabinventare und sog. Waffengräber lassen auf eine Elite führender Familien schließen, zumal »Fürstengräber« mit prunkvoller und prestigeträchtiger Ausstattung fehlen. S. C. stand wie → Pontecagnano der → Villanova-Kultur nahe, ist aber der südital. Fossakultur zuzuweisen. Der Warenaustausch mit dem eisenzeitlichen Etrurien und den frühen griech. Kolonien der Magna Graecia weist dem Ort eine Schlüsselrolle in der Verbreitung von hochwertigen Gütern ins Landesinnere zu. Bemerkenswert ist neben einem größeren De-

potfund (v. a. Äxte) auch die in S. C. erschlossene Produktion von geom.-oinotrischer Keramik, die bis nach Etrurien gelangte.
→ Hortfunde

A. DI SANTO, s. v. S. C., EAA 2. Suppl., 1971–1994, Bd. 5, 1997, 64–65 · V. PANEBIANCO, s. v. S. C., EAA 6, 1965, 1070–1071 · K. KILIAN, Früheisenzeitl. Funde aus der Südostnekropole von S. C. (Prov. Salerno), 1970. C. KO.

Salacia. Röm., mit → Neptunus (Gell. 13,23,2) als dessen Gemahlin (Aug. civ. 7,22) verbundene Göttin und Mutter des → Triton (Serv. Aen. 1,144), urspr. jedoch vielleicht die → Personifikation eines Aspektes von Neptuns Wirkungsbereich. In der Moderne wird der Name von lat. *salire* (»springen«) abgeleitet und auf die Springkraft des (Quell-)Wassers zurückgeführt oder als die »Begattungsfreudigkeit« eines urspr. Nässe- und Feuchtigkeitsgottes Neptun gedeutet [1; 2. 255–257, 261 f.]. Die ant. Autoren verbanden die Göttin mit *salum*, »die See« (Varro ling. 5,72; Serv. Aen. 10,76), oder *salax*, »lasziv« (S. als Göttin der Prostituierten: Serv. Aen. 1,720). S. ist für uns hauptsächlich in der ant. gelehrten Spekulation greifbar, erscheint im 3. Jh. n. Chr. aber auch auf einer Weihung gemeinsam mit Neptunus, den → Nymphen, verschiedenen → Flußgöttern und anderen Gottheiten (CIL III 14359,27).
→ Sondergötter

1 A. VON BLUMENTHAL, Zur röm. Rel. der archa. Zeit II, in: RhM 90, 1941, 322–324 2 H. PETERSMANN, Neptuns urspr. Rolle im röm. Pantheon, in: Živa antika 45, 1995, 253–264. D. WAR.

Salakia (Σαλακία). Jungfrau aus Ophionis (ihr Name ist vielleicht vom Salbakosgebirge abgeleitet) die nach einer aitiologischen Legende während einer Apollonprozession ein Kästchen mit Kuchen in Form von Leier, Pfeil und Bogen, typischen Insignien des Gottes also, transportiert. Der Wind entreißt ihr die Opfergabe und weht sie hinaus aufs Meer, das sie zur lykischen Chersonnesos bei → Patara trägt. Ein »Flüchtling aus S.« findet und opfert sie dort (Steph. Byz. s. v. Πάταρα).

HE. B.

Salamander (σαλαμάνδρα aus dem Persischen, lat. *salamandra*, früh mit dem Gecko, lat. *stellio*, identifiziert), verm. der schwarze, mit großen gelben Flecken versehene nachtaktive Feuer-S. Salamandra salamandra aus der Amphibien-Ordnung der Schwanzlurche (Urodela). Die gelbe Fleckung führte zu dem Aberglauben, er könne aufgrund seiner Kälte nicht nur im Feuer leben (z. B. Aug. civ. 21,4), sondern lösche dieses sogar aus (Aristot. hist. an. 5,19,552b 15–17; Plin. nat. 10,188; Geop. 15,1,34; vgl. Theophr. fr. 3,60 und Ail. nat. 2,31). Dieses Motiv wurde im MA durch Isid. orig. 12,4,36 u. a. an Jacobus de Vitriaco, Historia orientalis Kap. 89, Arnoldus Saxo 2,10 [1. 67] und Thomas von Cantimpré 8,30 [2. 286] sowie Aldhelmus, Enigma 15 [3. 104] (zit. bei Thomas) weitergegeben. Sextius Niger bei Plin. nat.

29,76 und Dioskurides (2,62 WELLMANN = 2,67 BEREN-
DES) bestreiten dies.

Plin. nat. 10,188 erwähnt das Erscheinen am Tage
nach starkem Regen (nach Theophr. fr. 6,1,15 sagt sein
Auftreten Regen voraus) und den milchartigen Geifer
(vgl. auch Plin. nat. 29,75), der bei Berührung mit der
menschlichen Haut deren Haare ausfallen und an der
Stelle Ausschlag entstehen lasse. Angeblich vergiftet der
S. alle Äpfel auf einem Baum, Steine und Brunnenwas-
ser durch bloßen Kontakt (Plin. nat. 29,74f., ähnlich
Jacobus l.c.). Schweine seien aber offensichtlich gegen
sein Gift immun (Plin. nat. 29,76). Gegen das Gift hilft
nach Apollodoros bei Plin. nat. 22,31 die in Schildkrö-
tenbrühe gekochte Nessel (urtica), Mostsaft (sapa; Plin.
nat. 23,62) und Öl (Plin. nat. 23,80). Nach Dioskurides
(2,62 WELLMANN = 2,67 BERENDES) wirkt das Tier er-
wärmend und erzeugt Fäulnis und Geschwüre beim
Menschen. Die griech. Kyraniden behaupten u. a. 2,36
[4. 170], daß sein an den Hals eines Fiebernden gehäng-
tes Herz sofort Fieber beseitige. Um das Knie getragen,
verhindere der S. Konzeption und Menstruation.

1 E. STANGE (ed.), Die Encyklopädie des Arnoldus Saxo,
1906 (Progamm Königl. Gymn. Erfurt) 2 H. BOESE (ed.),
Thomas Cantimpratensis, Liber de natura rerum, 1973
3 R. EHWALD (ed.), Aldhelmi opera (MGH AA 15), 1919
(Ndr. 1961) 4 D. KAIMAKIS (ed.), Die Kyraniden (Beitr.
Klass. Phil. 76), 1976.

KELLER 2, 318–320.   C. HÜ.

Salambo (Σαλαμβώ). S. ist eine der um den sterbenden
Vegetationsgott → Adonis trauernden Göttinnen, eine
Variante der syro-phöniz. → Astarte. Hesychios s.v.
Σαλαμβώ nennt sie ›die → Aphrodite bei (den) Babylo-
niern‹; zu ihrer Rolle bei dem Hochsommerfest der
Adonien vgl. Etym. m. s. v. Σ.), ferner SHA Heliog. 7,3,
Acta Sanctorum Bollandia zum 19. Juli (p. 585 FLOREZ)
und Breviarium Eborense [1. 332f.]. Eine phöniz. Erwähnung der S. steckt hinter der Wendung mqdš bt
ṣdmbʿl (»das Heiligste des Tempels der S.«), auf einer
Inschr. aus Gaulos (heute Gozo bei Malta, KAI 62,2),
wenn statt des hier unverständlichen ṣdmbʿl besser ṣlmbʿl
(Bild des → Baal = S.) zu lesen ist. Der Name S. wäre
danach aus dem Epitheton einer Göttin wie Astarte oder
→ Tinnit hervorgegangen. Die Verehrung der S. ist
nach SHA Heliog. 7,3 auch für das syrische → Emesa
und nach Acta Sanctorum Bollandia für Sevilla [2. 72–
74] bezeugt.

1 F. CUMONT, Les Syriens en Espagne et les Adonies à
Séville, in: Syria 8, 1927, 330–341 2 A. GARCIA Y BELLIDO,
Dioses sirios en el Pantheon hispano-romano, in: Zephyrus
13, 1962, 67–74.   H.-P. M.

Salaminia (Σαλαμινία). Eines der beiden in klass. Zeit
belegten athenischen, von Festgesandten (theōroí) benutzten benutzten Gesandtschaftsschiffe (theōrídes); das
andere war die Paralos [1; 2. 153 ff.]. Die S. wurde kurz
vor der Abfassung der ps.-aristotelischen Athenaíon politeía im 4. Jh. v. Chr. durch die Ammonia ersetzt; in

dem Wechsel zeigt sich vermutlich die Bed. des Zeus-
Ammon-Orakels in dieser Zeit. Spätere athenische Gesandtschaftsschiffe waren die Demetrias, die Antigonis
und die Ptolemais (Aristot. Ath. pol. 61,7; [2. 160,
163 f.]). Mit der S. und den anderen theōrídes wurden
theōroí zu Festen und Heiligtümern gebracht (→ theōría).
Die S. diente zudem in Seeschlachten als Aufklärungs-
schiff (Thuk. 3,33,1; 3,77,3; 8,75) und konnte zu wichtigen polit. Anlässen benutzt werden (Thuk. 6,53,1;
6,61,6).

Man hat vermutet, die Mannschaft der S. sei aus dem
génos der Salaminioi rekrutiert worden, deren urspr.
Aufgabe es gewesen sei, nach Attika umgesiedelte Salaminier nach → Salamis zurückzubringen, damit sie
dort an den rel. Festen teilnehmen konnten [2. 170]. Die
Mitglieder der Mannschaft der Paralos wurden Paraloi
genannt und bildeten vielleicht ebenfalls ein génos, das
mit dem Heros Paralos verbunden war [2. 173ff.;
3. 131f.]. Die Bed. der Schiffsmannschaft, oder zumindest ihrer Offiziere, in den eine theōría begleitenden
Ritualen belegt das Dekret der Andrier aus Delphoi
(CID 1,7).

1 F. MILTNER, s. v. Paralos, RE 18.2, 1208–1211
2 B. JORDAN, The Athenian Navy in the Classical Period,
1975 3 R. GARLAND, The Piraeus, 1987.   I. RU./Ü: S. KR.

Salaminioi (Σαλαμίνιοι). Att. génos aus Salamis [5], das
sich in die »S. der sieben Phylen« und die »S. in Sunion«
gliederte und im 4. Jh. v. Chr. vornehmlich als Kultverband faßbar ist, der einige der ältesten Kulte der Polis
versah (Athena Skiras, Aglauros, Pandrosos, Ge Ku-
rotrophos u. a.). Beide Zweige besaßen Heiligtümer des
Herakles, eines in → Sunion, das andere »am Porthmos«,
d. h. an der Meerenge von Salamis ([4]; anders [1; 2; 3]),
wo sich neben Phaleron und Athen die Kulttätigkeit der
S. konzentrierte.

1 W. S. FERGUSON, The S. of Heptaphylai and Sounion, in:
Hesperia 7, 1938, 1–74 2 S. D. LAMBERT, The Attic Genos S.
and the Island of Salamis, in: ZPE 119, 1997, 85–106
3 Ders., IG II² 2345, Thiasoi of Herakles and the S. Again, in:
ZPE 125, 1999, 93–130 4 H. LOHMANN, Wo lag das
Herakleion der S. ἐπὶ πορθμῷ?, in: ZPE 133, 2000, 91–102
5 R. OSBORNE, Archaeology, the S., and the Politics of
Sacred Space in Archaic Attica, in: Ders., S. E. ALCOCK
(Hrsg.), Placing the Gods. Sanctuaries and Sacred Space in
Ancient Greece, 1994, 143–160.

F. BOURRIOT, Recherches sur la nature du genos, 1976,
574–594, 688, 1095–1100.   H. LO.

Salamis (Σαλαμίς).

[1] Größte Insel (93 km²) im Saronischen Golf (→ Sa-
ronikos Kolpos), mit stark gegliedertem Küstenverlauf,
an der engsten Stelle 0,5 km von der att. Küste entfernt;
drei gebirgige Hauptmassive mit zwischengelagerten
hügeligen Senken, auf dem mittleren Massiv (h. Mav-
rovuni) liegen die höchsten Erhebungen (366 m H).
Urspr. hieß die Insel Kychreia nach dem hier seit myk.
Zeit verehrten schlangengestaltigen Gott → Kychreus,

aber auch Pityussa (Strab. 9,1,9–11) und Skiras (Eust. zu Dion. Per. 506). S. war seit dem FH besiedelt (Keramik bei Kamateron).

Die ant. Stadt S., zuvor ebenfalls Kychreia genannt, lag im Osten auf der Halbinsel Punta beim h. Ampelakia (Grabfunde aus myk. Zeit); Strabons Angabe über eine ältere Stadt im Süden (Strab. l.c.) ist wohl irrig. Eine spätmyk. und geom. Nekropole ist an der Arapi-Bucht nachgewiesen, nördl. davon am Arapis-Gebirge (ant. Skiradion) Terrassierungen (Heiligtum der Athena Skiras). Nach Hom. Il. 2,557 war S. die Heimat des → Aias [1]. S. wurde von Megara [2] in Besitz genommen, das sich dann mit Athen heftige Kämpfe um S. lieferte. Wohl eher von Peisistratos [4] (6. Jh. v. Chr.) als von Solon um 600 v. Chr. für Athen erobert, wurde S. seither von dort verwaltet und mit att. Bauern besiedelt [1. 355–362]. Einwohner aus S. wurden bei Sunion unter Verleihung des att. Bürgerrechts angesiedelt (SEG 23,1). Berühmt wurde S. durch die Seeschlacht in den → Perserkriegen [1], die im September 480 v. Chr. im Sund vor der Stadt geschlagen wurde (Tropaion und Polyandrion auf Kynosura [1]; lit. Verarbeitung: Aischyl. Pers.). Im → Peloponnesischen Krieg war Budoron auf der Halbinsel Perama südwestl. des Klosters Phaneromeni (Mauerreste) ein wichtiger Stützpunkt Athens. 405 v. Chr. wurde die Insel durch Lysandros [1] verwüstet. 318 v. Chr. wurde S. vergeblich von → Kassandros belagert (Diod. 18,69,1 f.), 305/4 v. Chr. von ihm erobert, doch von Demetrios [2] für Athen wiedergewonnen. 262 v. Chr. eroberte Antigonos [2] S.; bis 229 v. Chr. blieb S. maked. Belege: Eur. Tro. 799; Etym. m. 707,42; Hdt. 7,90; 141–143; 166; 168; 8,11; 40–42; 9,3–6; 19; Thuk. 2,94; Plut. Aratos 34,4; Paus. 1,35,2–36,1; 2,8,6; Soph. Ai. 596; Steph. Byz. s. v. Σ.

Nach dem Tod Demetrios' [3] II. verließ der maked. Kommandant Diogenes [1] für die Summe von 150 Talenten mit seinen Garnisonstruppen Attika wie die Insel S., die seither wieder Teil des Staates der Athener war (Plut. Aratos 34,6; vgl. IG II² 5080).

→ SCHLACHTORTE

1 U. KAHRSTEDT, Staatsgebiet und Staatsangehörige in Athen, 1934.

L. BÜRCHNER, s. v. S. (1), RE I A, 1826–1831 · PHILIPPSON/KIRSTEN 1, 866–872 · P. W. HAIDER, s. v. S., in: LAUFFER, Griechenland, 594–597 · CH. HIGNETT, Xerxes' Invasion of Greece, 1963 · P. GREEN, The Greco-Persian Wars, 1996.   A. KÜ.

[2] Wichtigste Hafenstadt an der Ostküste von → Kypros (Zypern), der Überl. nach von → Teukros, dem Sohn des → Telamon, gegr., der auch den Kult des Zeus Salaminios einführte (Tac. ann. 3,62). S. lag 2 km nördl. des brz. Zentrums Enkomi/→ Engomi [1], das Mitte des 11. Jh. v. Chr. aufgegeben worden war, und war die Hauptstadt eines Königreichs, das unter Euelthon (ca. 560–525 v. Chr.) als erstes auf Kypros Mz. prägte [2]. Dessen Enkel Gorgos wurde von seinem jüngeren Bruder Onesilos entmachtet, nachdem er sich nicht dem

→ Ionischen Aufstand anschließen wollte. Onesilos fiel in der Schlacht von S. [1] (→ Perserkriege [1]), die Kypros unter pers. Herrschaft brachte (Hdt. 5,104; 114–116). Auch der Versuch des Philhellenen Euagoras [1] I. (435–374/3), die pers. Oberhoheit abzuschütteln, mißlang. Die Herrschaft blieb jedoch bis zur Eingliederung in das Reich der → Ptolemaier nach dem Tod des letzten Königs Nikokreon (gest. 311/0 v. Chr.) in den Händen der Teukriden. Nach dem Seesieg des Demetrios [2] 306 v. Chr. bei S. kurzzeitig unter der Herrschaft des Antigonos [1], wurde die Stadt 294 v. Chr. von Ptolemaios [1] I. zurückerobert. Zunächst Sitz des Strategen von Kypros, verlor S. diese Position im 2. Jh. v. Chr. an (Nea) → Paphos. Daß S. auch in der röm. Kaiserzeit eine der wichtigsten Städte der Insel blieb, zeigen die zahlreichen öffentlichen Bauten. Schwere Zerstörungen richteten Erdbeben 76/7, 332, 342 und 352 n. Chr. an. Nach dem Wiederaufbau unter Kaiser Constantius [2] II. wurde S. als Constantia wieder Hauptstadt der Insel. Von der Invasion der Araber unter → Muawiya im J. 647 n. Chr. erholte sich die Stadt nicht wieder und wurde zugunsten von Famagusta aufgegeben.

Schon im 11. Jh. v. Chr. umgaben Mauern die Stadt. Hafenanlagen sind in geringen Resten an der Mündung des Pediaios erh. Der große, aus Gymnasion, Stadion, Badeanlage, Amphitheater und Theater bestehende Komplex im Zentrum war reich mit Skulpturen ausgestattet [3]. Im Süden liegen eine weitere Therme und zwei große Platzanlagen, deren eine durch den Podiumstempel des Zeus abgeschlossen wird. Von den christl. Basiliken im Stadtgebiet ist die des Epiphanios die größte auf Kypros. In den umfangreichen Nekropolen ragen im Westen die Fürstengräber der geom. und archa. Zeit (ca. 9.–7. Jh. v. Chr.) durch bes. prunkvolle Bestattungen hervor [4]. Die luxuriösen Beigaben in den Grabkammern und den Dromoi, die sogar vollständige Pferdegespanne und z. T. Skelette der Dienerschaft enthielten, zeigen intensive Kontakte mit Griechenland, dem Vorderen Orient und Ägypten.

→ Phönizier; Punier; Zypern, Archäologie

1 J. LAGARCE, Enkomi, in: M. YON (Hrsg.), Kinyras (Travaux de la maison de l'Orient 22), 1993, 92–106 2 BMC, Gr Cyprus LXXXII–CXIV, 46–65 3 V. KARAGEORGHIS, C. C. VERMEULE, Sculptures from S., Bd. 1, 1964; Bd. 2, 1966 4 V. KARAGEORGHIS, Excavations in the Necropolis of S., Bd. 1–4, 1967–1978.

MASSON, 312–323 · T. B. MITFORD, I. NICOLAOU, The Greek and Latin Inscriptions from S., 1974 · V. KARAGEORGHIS, S., die zyprische Metropole des Alt., ²1975 · M. YON (Hrsg.), Salamine de Chypre. Actes du Colloque Lyon 13–17 Mars 1978, 1980 · Dies., La ville de Salamine, in: Dies. (Hrsg.), Kinyras (Travaux de la maison de l'Orient 22), 1993, 139–158 · Die Grabungspublikation der Mission Archéologique Française de Salamine erscheint seit 1969 in der Reihe Salamine de Chypre.   R. SE.

Salampsio (von hebr. *šlōmṣiyōn*, aram. Kurzform *Šᵉlamṣah*, »Friede Zions«; griech. Σαλαμψιώ). Die älteste

Tochter Herodes' [1] d. Gr. und seiner hasmonäischen Frau Mariamme [1]; geb. ca. 33 v. Chr. Nachdem Herodes' Bruder → Pheroras die Eheschließung mit ihr abgelehnt hatte, heiratete sie nach 20 v. Chr. ihren Cousin Phasael II., Sohn Phasaels [1] I., mit dem sie fünf Kinder (Herodes IV., Alexandros III., Antipatros IV., Alexandra und Kypros III.) hatte (Ios. ant. Iud. 16,7,6; 17,1,3; 18,5,4).

N. KOKKINOS, The Herodian Dynasty. Origins, Role in Soc. and Eclipse, 1998 • P. RICHARDSON, Herod: King of the Jews and Friend of the Romans, 1996.   I. WA.

Salarium, urspr. das »Salzgeld« (Plin. nat. 31,89), hieß die reguläre Unkostenvergütung (»Salär«) für die in der kaiserl. Staatsverwaltung außerhalb Roms tätigen Magistrate senatorischen und ritterlichen Standes (z. B. Cass. Dio 53,15,5). Der Gehaltssatz eines Proconsuls, das *s. proconsulare* (Tac. Agr. 42,2), betrug beispielsweise z. Z. des Kaisers → Macrinus (217/8 n. Chr.) 1 Mio Sesterze pro Jahr (Cass. Dio 78,22,5). Die *comites* (→ *comes*) des Statthalters und des → *princeps* erhielten ebenfalls ein *s.* (Suet. Tib. 46; Dig. 1,22,4 u. ö.). Verarmte Senatoren von hohem Ansehen konnten darüber hinaus vom Kaiser ein Jahresgehalt (*annuum s.*) erhalten (Suet. Tib. 47; Suet. Nero 10; Suet. Vesp. 17). Honorare für Ärzte und höhere Lehrer wurden ebenfalls *s.* genannt (Dig. 50,9,4,2). Im mil. Bereich stand *s.* für das Gehalt der → *evocati* (CIL VI 2495; 2589; 3419).
→ Lohn; Sold; Vasarium

1 R. DUNCAN-JONES, Money and Government in the Roman Empire, 1994, 33–46 2 MOMMSEN, Staatsrecht, Bd. 1, 300 f.   L. d. L.

Salas (Σάλας). Fluß in der Germania Magna (Strab. 7,1,3), h. die thüringische Saale, ein linker Nebenfluß der Elbe. Der Name leitet sich von den Salzvorkommen der durchflossenen Landschaften ab. Die fränkische Saale, die in den Main fließt, glaubte man bei Tac. ann. 13,57 zu erkennen; hier dürfte es sich aber um die Werra handeln. In der vorröm. Eisenzeit war das thüringische Saalegebiet v. a. Siedlungsraum der → Kelten, es finden sich hier aber auch südl. Ausläufer der → Jastorf-Kultur. Ab dem 1. Jh. v. Chr. siedelten dort die → Hermunduri. Drusus d. Ä. (→ Claudius [II 24]) soll 9 v. Chr. westl. des S. den Tod gefunden haben. In der späteren Kaiserzeit gehörte das Gebiet zum Reich der Toringi (nachmals Thüringer).

S. DUŠEK, Ur- und Frühgesch. Thüringens, 1999.   G. H. W.

Salassi. Kelt. Stamm im Tal des → Duria Maior (h. Dora Baltea), nach Cato bei Plin. nat. 3,134 Teil der → Taurisci. Die S. kontrollierten die westl. Alpenpässe (Liv. 21,38,7; Strab. 4,6,11) und kassierten Wegzölle (Strab. 4,6,7; App. Ill. 17). Reiche Goldvorkommen ermöglichten eigene Münzprägung, führten aber zum Streit mit Nachbarstämmen und röm. → *publicani* (»Steuerpächtern«; Plin. nat. 18,182). 143 v. Chr. unterwarf Claudius [I 22] die S. (Cass. Dio 22 fr. 74,1; Liv. per. 53; Obseq. 21; Oros. 5,4,7). Als sie sich auflehnten (Cass. Dio 49,34), griffen im Auftrag des nachmaligen Augustus 35 v. Chr. Antistius [I 16] und 34 v. Chr. Valerius Messalla Corvinus (Cass. Dio 49,38,3) ein; 25 v. Chr. wurden sie durch A. Terentius Varro Murena nach einem Aufstand unterworfen und teilweise versklavt (Cass. Dio 53,25; Suet. Aug. 21,1); ein anderer Teil wurde als *incolae* (»Bewohner«) in die Neugründung Augusta [3] Praetoria aufgenommen (Ptol. 3,1,34; ILS 6753).

A. M. CAVALLARO, Romani e S., in: Archeologia in valle d'Aosta, 1981, 61 f. • N. LAMBOGLIA, La posizione dei S. nell'etnografia alpina preromana, in: Rev. d'études ligures 41/2, 1975/6 • A. PAUTASSO, Le monete preromane dell'Italia settentrionale, 1966, 55 f.   H. GR.

Salat s. Lactuca

Salben s. Kosmetik

Saldae. Stadt und Hafen der → Mauretania Caesariensis, später der Sitifensis, nahe der Mündung des Oued Soummam, h. Bejaïa in Algerien (Ps.-Skyl. 111: Σίδα πόλις (?); Ptol. 4,2,9: Σάλδαι κολωνία; Itin. Anton. 5,2: *Saldis*; 17,3: *Saldis colonia*; 31,6: *Saldas*; 32,3: *Saldis*; 39,2: *Saldis*; 39,6: *Saldis colonia*; 39,7: *Saldis*; Notitia episcoporum Mauretaniae Sitifensis 41: S.). S. lag an der Grenze zw. dem Reich des Iuba [2] und der röm. Prov. (Strab. 17,3,12). Augustus gründete dort die *colonia Iulia Augusta Salditana legionis VII immunis* (CIL VIII 2, 8929; 8931; 8933; Suppl. 3, 20638). Inschr.: CIL VIII 1, 2728; 2, 8923–8983; 9328; Suppl. 3, 20680–20704/5; 21032; 21112; 21558; AE 1991, 1732.

H. DESSAU, s. v. S. (1), RE I A, 1866 f. • C. LEPELLEY, Les cités de l'Afrique romaine ..., Bd. 2, 1981, 505–508 • E. LIPIŃSKI, s. v. Bougie, DCPP, 79.   W. HU.

Sale (Σάλη). Stadt an der Nordküste des Aigaion Pelagos (Ägäis) westl. von Doriskos im SO des Vorgebirges Serreion, verm. beim h. Alexandrupolis. In der → Peraia von Samothrake angelegt (Hdt. 7,59,2), gehörte S. 188 v. Chr. z. Z. des → Syrischen Krieges zum Territorium von Maroneia [1] (Liv. 38,41,8: *vicus Maronitarum*). In der röm. Kaiserzeit war S. Wechselstation (*mutatio*) an der Strecke Traianopolis – Philippoi (Itin. Burdig. 602).

B. ISAAC, The Greek Settlements in Thrace until the Macedonian Conquest, 1986, 131 • MÜLLER, 50 f., 74.   I. v. B.

Salebro. Hafen in Etruria (Itin. maritimum 500,6: *Scabris*), h. Portiglione di Scarlino im Golf von Follonica gegenüber von Ilva (Elba). Station an der Via Aurelia zw. der Mündung des Umbro und Populonia (Itin. Anton. 292,3: *Salebrone*; Tab. Peut. 4,3: *Saleborna*), wo sich Reste des Straßenpflasters erh. haben. Verm. ist *Labrone* bei Cic. ad Q. fr. 2,5,8 das korrupt überl. Toponym S. (von WESSELING zu *Salebrone* emendiert).

G. U./Ü: J. W. MA.

Saleius Bassus. Renommierter lat. Epiker (Quint. inst. 10,1,90) des späten 1. Jh. n. Chr. (Tac. dial. 9,2–5; 10,2; Iuv. 7,80 f.), Freund des Iulius [IV 21] Secundus (ebd. 5,2 f.). Werke sind nicht erh.; die Zuschreibung der → Laus Pisonis an ihn ist unbegründet.

SCHANZ/HOSIUS, Bd. 2, 545.   P.L.S.

Salernum. Stadt am Sinus Paestanus im Gebiet der 268 v. Chr. dorthin deportierten Picentes (Strab. 5,4,13), h. Salerno am Irnio im NO des Golfs; im J. 197 v. Chr. vom röm. Senat als *castrum Salerni* auf dem Boden einer früheren, oskisch-etr. Siedlung (im Gewann Fratte Einzelfunde und Nekropolen archa. Zeit; vgl. Plin. nat. 3,70) beschlossene, 194 v. Chr. deduzierte → *colonia* (Liv. 32,29,3; 34,45,2; Vell. 1,15,3; vgl. Ptol. 3,1,7: Σάλερνον). Die Via Popilia, die durch S. führte und die Stadt nordwestl. mit Neapolis [2], südöstl. mit Lucania verband, schuf die verkehrstechnische Voraussetzung für deren wirtschaftliche Blüte. Weitere Straßen führten nach Abellinum und Beneventum im Norden bzw. Paestum/Poseidonia und Velia im Süden (Tab. Peut. 6,5; Itin. Anton. 109,4). In der Zeit Constantinus' [1] d.Gr. erreichte S. seine größte Ausdehnung (etwa 27 ha). Die Stadt wurde im Bundesgenossenkrieg [3] 89 v. Chr. schwer mitgenommen (App. civ. 1,42). Dem Senator Arrius Mecius (CIL X 520) oder Gracchus verdankte S. Ende des 4. Jh. n. Chr. nach einer verheerenden Überschwemmung ihre Wiederherstellung. Das mod. überbaute Zentrum von S. wurde unter der Altstadt von Salerno lokalisiert; im Osten der Altstadt wurden Nekropolen entdeckt, während der östl., ebenfalls mod. überbaute Küstenstreifen suburbanen Villen vorbehalten war. So stammt die spätrepublikanische Anlage bei San Leonardo (arch. Grabungen im Gange) aus der Zeit E. 2./Anf. des 1. Jh. v. Chr.; sie wurde nach dem Ausbruch des → Vesuvius im J. 79 n. Chr. wohl nicht mehr benutzt. Inschr.: CIL X 514–544; InscrIt 1,1, 1981.

V. PANEBIANCO, s. v. Salerno, EAA 6, 1965, 1073–1075 · V. BRACCO, Salerno romana, 1980 · S. DE CARO, A. GRECO, Campania, 1981, 125–132 · M. ROMITO, La villa romana di S. Leonardo a Salerno, in: Apollo. Bollettino dei Musei Provinciali del Salernitano 7, 1991, 23–26 · G. DI MAIO, M. A. IANNELLI, Archeologia di una città. Salerno ..., 1995 · M. ROMITO, I reperti di età romana da Salerno nel Museo Archeologico Provinciale della città, 1996 · A. R. AMAROTTA, La Capua-Reggio (via Annia), tra S. e Luceria, in: Atti dell'Accademia Pontaniana 46, 1997, 195–227 · M. ROMITO, s. v. Salerno, EAA 2. Suppl. 5, 1997, 67–69.   M. G./Ü: J. W. MA.

Saletio. Ortschaft zw. Selzbach und Sauer, an der Mündung dieser beiden Flüsse in den (Alt)-Rhein, h. Sel(t)z (Dépt. Bas Rhin südöstl. von Wissembourg). S. lag an der Grenze der *civitates* der → Triboci und der → Nemetes, denen S. zumindest in spätant. Zeit zugerechnet wurde. Hier kreuzten sich die Straßen Mogontiacum – Argentorate bzw. Saravus – Vosegus – Agri Decumates (Itin. Anton. 354,6; Tab. Peut. 3,3). Siedlungsspuren datieren bis in die Brz.; an der höchsten

Stelle im Gelände liegt ein kelt. Oppidum aus vorröm. Zeit; die röm. Zivilsiedlung entwickelte sich seit Claudius (41–54 n. Chr.) am Fuße des Hügels, schwerpunktmäßig den Selzbach entlang, nach einem orthogonalen System, erreichte eine Ausdehnung von ca. 20 ha und ist bis ins 4. Jh. n. Chr. belegt; beim einzigen bemerkenswerten öffentl. Gebäude handelt es sich wahrscheinlich um eine Therme; daneben finden sich handwerkliche Betriebe wie Töpfereien, Schmieden und Gießereien. Die bedeutendste Nekropole lag im Norden, weitere im Westen und im Süden. Stratigraphisch sind mehrere Zerstörungshorizonte nachweisbar und mit Ereignissen der J. 70, 96, E. des 2. Jh., 235, vom 3. Jh. und von Anf. des 4. Jh. in Verbindung zu setzen. Im Zusammenhang mit german. Übergriffen Anf. des 4. Jh. ist der wegen seiner großen Zahl von *folles* (→ *follis* [3]) bed. Münzschatz von S. zu sehen. Zum J. 356 weist Amm. 16,2,1 auf die Zerstörung des *vicus Saliso* hin. Zu Anf. des 5. Jh. wurden in S. anläßlich der Reorganisation der Verteidigungslinie am Rhein Truppen stationiert (*praefectus Pacen[s]ium Salatione*, Not. dign. occ. 41,2; 15).

A. BRUCKNER, Regesta Alsatiae aevi Merowingici et Karolini (496–918), 1949, Nr. 23, 206, 222, 468, 600 · J. HATT, L'Alsace celtique et romaine ..., 1978, 79 f. · E. KERN, Seltz, in: J-P. PETIT, M. MANGIN (Hrsg.), Atlas des agglomérations secondaires de la Gaule Belgique et des Germanies, 1994, 156 f. (Nr. 162) · J. B. KEUNE, s. v. S., RE I A, 1869 f.   F. SCH.

Salgama (griech. ἁλμαῖα/*halmaía*). Sammelbegriff für sauer eingelegte Gemüse, Kräuter, Früchte. Seit griech. Zeit konservierte man pflanzliche Nahrungsmittel gern, indem man sie in eine Salzbrühe einlegte (Colum. 12,4,4), die oft mit Essig, Gewürzen und sonstigen Zutaten wie Milch und Honig angereichert war (Plin. nat. 19,153; Dioskurides 2,174 WELLMANN). Rezepte für das Einlegen von Kapern, Salat, Kräutern, Zwiebeln, Kornelkirschen, Pflaumen und verschiedenen Apfel- und Birnenarten finden sich bei → Columella (10,117; 12,9 f.). In der einfachen Küche wurden *s.* zu Brot oder zu Getreidebrei gegessen; bei aufwendigeren Mahlzeiten reichte man *s.* wie z. B. Oliven auch zur Vorspeise (Athen. 4,133a).
→ Muria

J. ANDRÉ, Essen und Trinken im alten Rom, 1998 · M. BESNIER, s. v. S., DS IV/2, 1014.   A. G.

Salganeus (Σαλγανεύς). Ort an der boiotischen Ostküste zw. Chalkis [1] und Anthedon auf einem Hügel, den man h. Lithosoros nennt (Toponym Solganiko bis ins 19. Jh. belegt), 2,5 km westl. des h. Drosiá (Ephoros FGrH 70 F 119; Herakl. 1,26). S. hieß angeblich der von den Persern hier 480 v. Chr. voreilig hingerichtete boiotische Lotse durch den → Euripos [1] (Strab. 9,2,9; vgl. [1. 13–15]). Der Ort war von neolith. bis in spätmyk. Zeit [2. 79 f.; 3] besiedelt; er spielte in hell. Zeit bei Kämpfen um Chalkis eine Rolle (Diod. 19,77; Liv. 35,37 f.; 50 f.). Zeitweilig gehörte er zu → Tanagra (Nikokrates FGrH 376 F 1; [1. 22 f.]). Ein Apollon-Kult wird von Steph. Byz. s. v. Σ. bezeugt [4. 74].

1 S. C. BAKHUIZEN, S. and the Fortifications on Its Mountains, 1970 2 FOSSEY, 78–80
3 E. SAPOUNA-SAKELLARAKI, Ο Προϊστορικός Τύμβος »του Σαλγανέα« (Λιθοσώρος) στις Ακτές της Βοιωτίας, in: Αρχαιολογικά Ανάλεκτα εξ Αθηνών 21 (1988), 1993, 77–90
4 SCHACHTER 1.

H.-J. GEHRKE u. a., Zur Lage von S., in: Boreas 9, 1986, 83–104.   M. FE.

Salii

[1] Nach herrschender Meinung gelten die S. als Teilstamm der → Franci mit urspr. Sitz nördl. des Rhein-Deltas, später in Toxandria (h. belg. Brabant; Amm. 17,8,3; ferner sollen die → Merowinger ihren Aufstieg als Könige der S. oder »Saalfranken« begonnen haben [1. 524–541; 2; 4; 5. 55–57 und Abb. 39]. S. werden zuerst von Iul. epist. 361 zum J. 358 n. Chr. erwähnt, wonach sich ein Teil des Volkes → Iulianus [11] unterwarf. Auf dessen Verhältnis zu den S. beziehen sich auch Eunapios (Fragmenta historica 1,217,25 DINDORF) und Ammianus (17,8,3–5: Zug gegen die gewöhnlich S. genannten Franci) sowie Zosimos (3,6,1–3; 3,8,1: Ethnos der S., Teil der Franci auf der Insel Batavia und S. im Heer des Iulianus; vgl. auch Not. dign. or. 5,10 mit 5,51; 5,29 mit 5,177 und mit 7,67; Not. dign. occ. 5,62 mit 5,210 und mit 7,129: S. als röm. Heereseinheiten [6. 65 f.]). Claud. carm. 21,222 vom J. 400 n. Chr., verm. auf Schriften des Iulianus zurückgehend, rühmt, die S. lebten nun als friedliche Bauern; von ihm wiederum abhängig ist Sidon. carm. 7,237. Jüngst wurde bestritten, daß die *lex Salica* das Recht eines Stammes bezeichne; vielmehr meine es »gemeinsames Recht«; die nur im Zusammenhang mit Iulianus erwähnten S. seien mit Franci gleichzusetzen und somit sei die Lehre von der Zweiteilung der Franci aufzugeben [6].
→ Franci

1 R. WENSKUS, Stammesbildung und Verfassung, ²1977
2 E. ZÖLLNER, Gesch. der Franken, 1970 3 L. JACOB, I. ULMANN, Ammianus Marcellinus (Komm.), in: J. HERRMANN (Hrsg.), Griech. und lat. Quellen zur Frühgesch. Mitteleuropas ..., 4. Teil, 1992, 430–469
4 H. H. ANTON, s. v. Franken. III. Historisches, RGA 9, 414–421 5 CH. REICHMANN, Frühe Franken in Germanien, in: A. WIECZOREK u. a. (Hrsg.), Die Franken – Wegbereiter Europas, 1996, 55–65 6 M. SPRINGER, Gab es ein Volk der Salier?, in: D. GEUENICH u. a. (Hrsg.), Nomen et gens, 1997, 58–83.   R. A. WI.

[2] Röm. Waffentanzpriester (so benannt *ab salitando*, »vom Tanzen«: Varro ling. 5,85) in Latium und Rom, wo ihre Körperschaft aus zwei Gruppen (*sodalitates*) von je 12 Mitgliedern, den *S. Palatini* und *S. Collini* (auch *Agonenses* genannt), bestand. Erstere standen im Dienst des → Mars und waren angeblich von → Numa, letztere, im Dienst des → Quirinus [1] stehend, von Tullus → Hostilius [4] gegründet worden (Dion. Hal. ant. 2,70). Jede der beiden *sodalitates* besaß ein eigenes

Dienstlokal (*curia*) – auf dem Palatin (wo angeblich der → *lituus* [1] von → Romulus [1] aufbewahrt wurde: Cic. div. 1,17) bzw. auf dem Quirinal (vgl. [1; 2]) –, eigene Ritualbücher (Varro ling. 6,14) und wurde von einem *magister* (Val. Max. 1,1,9) geleitet. Die Ergänzung erfolgte durch Kooptation; alle Mitglieder mußten → *patricii* (Cic. dom. 38) und zum Zeitpunkt ihres Eintritts (*adlectio*) *patrimi et matrimi* sein (d. h. beide Eltern mußten noch leben; vgl. Dion. Hal. ant. 2,71). Die Mitgliedschaft war lebenslänglich, doch schied man gewöhnlich nach der Wahl zu einem höheren magistratischen Amt oder der Kooptation in eine andere Priesterschaft aus. Aus republikanischer Zeit kennen wir namentlich nur wenige S., unter ihnen P. Cornelius [I 71] Scipio Africanus, der (außergewöhnlich) noch nach seinen Konsulaten als Salier fungierte (Pol. 21,13). Aus der Kaiserzeit gibt es dagegen mehrere Angaben, u. a. Bruchstücke der → Fasti der *S. Palatini* aus den J. 170 bis 219 n. Chr. (Prosopographie: [3; 4; 5]).

Zu Beginn und nach der Beendigung der Kriegssaison hielten die S. feierliche Umzüge durch die Stadt ab – so jedenfalls am 1., 9., 14., 19. (→ *Quinquatrus*), 23. März und am 19. Oktober (*Armilustrium*; vgl. InscrIt 13,2: *sub diebus*) – und genossen danach üppige, als *cenae saliares* sprichwörtlich gewordene Gastmähler. Rituell am wichtigsten war das Herumtragen (*movere*) und die Reinigung (→ *lustratio*) der heiligen Schilde des Mars (→ *ancile*; [6; 7]). An einigen Örtlichkeiten – wie Comitium, Capitol und Aventin – führten die S., von einem Vortänzer (*praesul*) und einem Vorsänger (*vates*) geführt, im Dreischritt einen kunstvollen Waffen- und Stampftanz auf (→ *tripudium*; *amptruare*: Liv. 1,20,4; Fest. 334 L.; Plut. Numa 13). Mit ihren Lanzen schlugen sie auf die Schilde und sangen ein altertümliches Lied (→ *carmen saliare*: FPL 1–9), dessen Worte in histor. Zeit nicht mehr verständlich waren (Quint. inst. 1,6,40); um ihre Auslegung hat sich schon Q. → Aelius [II 20] Stilo bemüht. Sie riefen mehrere Götter an; in der Kaiserzeit wurden dazu die Namen verschiedener Kaiser und Kronprinzen aufgenommen (zuerst Augustus, C. und L. Caesar sowie Germanicus; vgl. R. Gest. div. Aug. 10; Tac. ann. 2,83; AE 1984, 508, fr. 2c, 18 f.). Ebenso altertümlich war die Tracht der S., die die mil. Ausrüstung der archa. Epoche widerspiegelte: bunte → *tunica*, Mantel (→ *trabea*), eherner Brustschutz, → *ancile*, Kurzschwert, Lanze und Spitzhelm [8; 9]. Urspr. mag das Ritual der S. nicht nur kriegerische, sondern auch Initiationsfunktion gehabt haben; so würden die rätselhaften *Saliae virgines* ihre Erklärung finden, die jedoch in histor. Zeit nicht mehr aristokratische Jungfrauen, sondern nur angemietete (*conducticiae*) Schauspielerinnen waren (Fest. 439 L.; vgl. [10; 11]).
→ Priester

1 A. GRANDAZZI, Contribution à la top. du Palatin, in: REL 70, 1992, 31–33 2 D. PALOMBI, s. v. Curia Saliorum, LTUR I, 335 f. 3 G. J. SZEMLER, The Priests of the Roman Republic, 1972 4 G. HOWE, Fasti sacerdotum aetatis imperatoriae, 1904 5 M. W. HOFFMAN LEWIS, The Official

Priests of Rome under the Julio-Claudians, 1955
6 E. BORGNA, »Ancile« e »arma ancilia«, in: Ostraka 2.1,
1993, 9–42 **7** G. COLONNA, Gli scudi bilobati dell'Italia
centrale e l'»ancile« dei »S.«, in: ArchCl 43, 1991, 57–113
8 T. SCHÄFER, Zur Ikonographie der Salier, in: JDAI 95,
1980, 342–373 **9** M. TORELLI, »Appius alce«. La gemma
fiorentina con rito saliare, in: SE 63, 1997 (1999), 227–255
10 Ders., Lavinio e Roma, 1984, 106–115 **11** E. HEINZEL,
Über den Ursprung der Salier, in: F. BLAKOLMER (Hrsg.),
Fremde Zeiten. FS J. Borchhardt, Bd. 2, 1996, 197–212.

R. CIRILLI, Les prêtres danceurs de Rome, 1913 ·
F. GEIGER, s. v. S., RE I A, 1874–1894 · G. WISSOWA, Rel.
und Kultus der Römer, ²1912, 555–559.   J.LI.

Salinae. Mehrere Orte bzw. Ortschaften in It. trugen
diesen von der dortigen Salzgewinnung (→ Salz) abgeleiteten Namen.
[1] S. verzeichnet die Tab. Peut. (5,1; vgl. Geogr. Rav.
327; [1]) an der adriatischen Küstenstraße fünf röm.
Meilen nördl. von Ostia Aterni (h. Pescara) und 13 röm.
Meilen südl. von → Hadria am linken Ufer des Salino,
der, durch den Zusammenfluß des Tavo mit dem Fino
entstanden, die Grenze zw. den → Vestini und den
→ Praetuttii markierte, beim h. Montesilvano Marina.
[2] Ort südl. vom Mons Garganus (h. Promontorio del
Gargano) in Apulia beim h. Trinitápoli (Itin. Anton.
314,7; Tab. Peut. 6,3).
[3] Ortschaft nördl. der Mündung des Tiberis ins
→ Mare Tyrrhenum (Frontin. aqu. 5).

1 N. ALFIERI, Scritti di topografia antica sulle Marche, 2000,
96–99.   G. U./Ü: J. W. MA.

Salinator. Röm. Cogn. (von *sal*, »Salz«) in der Familie
der Livii (→ Livius [I 11–13]); Entstehungslegende bei
Liv. 29,37,4.

KAJANTO, Cognomina, 322.   K.-L. E.

Salinum (ἁλία/*halía*). Kleines Salzgefäß aus Silber
(Plin. nat. 33,153), gelegentlich auch aus Ton. Es gehörte in jeden röm. Haushalt und diente zum Nachsal-
zen der Speisen bei Tisch, hatte aber auch eine bestimmte Funktion für den Hauskult: Bis in die Kaiserzeit vollzog man zw. Hauptgang und Nachspeise mit Hilfe des *s.*
ein → Speiseopfer (Liv. 26,36,6; Stat. silv. 1,4,130 f.).
Diese kult. Bed. erklärt, warum das *s.* vom Vater auf den
Sohn vererbt wurde (Hor. carm. 2,16,13 f.).
→ Mola salsa

M. BESNIER, s. v. S., DS IV/2, 1022 · A. HUG, s. v. S., RE I A,
1904 f.   A. G.

Salla. Stadt in → Pannonia an der Bernsteinstraße, h.
Zalalövö (Ungarn; [1. 14]). Nach Errichtung eines
Hilfstruppenkastells im 1. Jh. n. Chr. erfolgte der Aus-
bau der zivilen Infrastruktur (*municipium Aelium S.*).
Zerstörung im Markomannenkrieg (167–182 n. Chr.),
danach Wiederaufbau, im 4. Jh. mit *villa publica*.

1 F. REDŐ, Zalalövö – Municipium Aelium S., in:
G. HAJNÓCZY u. a. (Hrsg.), Pannonia Hungarica Antiqua,
1999, 14 f. 2 J. ŠAŠEL, Rimske ceste v Sloveniji (Roman

Roads in Slovenia), in: Arheološka najdišča Slovenije 1975,
74–99.   H. GR.

Sal(l)entini. Einheimischer Name der → Messapii im
südlichsten Teil der *regio II*, beim Iapygischen Kap
(Strab. 6,3,1; vgl. Mela 2,66; aber DEGRASSI, FCap. XX:
de Sallentineis Messapieisque). Der Sage nach kamen die S.
unter Idomeneus [1] aus → Lyktos zusammen mit Illyrii
und Lokroi [1] (Varro rust. 3,6; Verg. Aen. 3,400; Verrius Flaccus bei Fest. 440; Solin. 2,10; vgl. Strab. 6,3,5:
ápoikoi aus Kreta) nach It., wo nach ihnen das Iapygische
Kap *promunturium Sallentinum* hieß (Dion. Hal. ant.
1,51; Serv. Aen. 3,400; vgl. Tab. Peut. 7,2). In der Ant.
wurde ihr Name »vom Salz« hergeleitet (*a salo*, Fest. l.c.;
Varro l.c.: *quod in salo amicitiam fecerint*, ›weil sie ihre
Freundschaften im Salz schließen‹). Ein Heiligtum der
Athena bei den S. nennt Strab. 6,3,5. Pferdeopfer für
Iuppiter Menzanas belegt Fest. 190. Nach Varro (l.c.)
wurden die S. in 12 *populi* (Gruppen) unterteilt. 267 und
266 v. Chr. triumphierten die Römer (DEGRASSI, FCap.
XX) über die S. im *bellum Sallentinum*, was mit der Eroberung von → Brundisium endete (Flor. epit. 1,15).
Im Gebiet der S. wurde im 2. → Punischen Krieg ge-
kämpft (Liv. 23,48,3; 24,20,16; 25,1,1); seit dem 1. Jh.
v. Chr. waren die S. romanisiert. Städte der S.: → Uria
und → Castra [II 2] Minervae, von Idomeneus gegr.
(Varro l.c.); Neretum, → Aletium, Basta, Uzentum,
Veretum (Plin. nat. 3,105; Ptol. 3,1,76), → Rudiae
(Ptol. l.c.), Brundisium (Flor. epit. 1,15). *Thuriae in Sal-
lentinis* (Liv. 10,2,1) ist jedoch in Peucetia (→ Peucetii)
zu suchen [1]. Berühmt waren die sallentin. Ölbäume
(Cato agr. 6,1; Varro rust. 1,24,1; Plin. nat. 15,20; Macr.
Sat. 3,20,6), Ziegenherden (Varro rust. 2,3,10) und
Hunde (Varro rust. 2,9,5).

1 V. SIRAGO, Per l'identificazione di Thuriae, in: Ricerche e
Studi 13, 1980–1987, 95–104.

NISSEN 2, 883 f. · R. COMPATANGELO, Un cadastre de pierre
…, 1989 · M. LOMBARDO, I Messapi e la Messapia, 1992 ·
J.-L. LAMBOLEY, Recherches sur les Messapiens, 1996.
                                        M. L.

Sallienus. T. S. Clemens. Senator, der wohl 56 n. Chr.
die Praetur bekleidete (AE 1960,64). Im J. 65 attackierte
er im Senat Iunius [II 14] Gallio, den Bruder des verstorbenen Seneca, wurde aber vom Senat zurückgewiesen (Tac. ann. 15,73,3).   W. E.

Sallius
[1] S. Aristaenetus. Senator, der zw. 253 und 260
n. Chr. Statthalter in Thracia war (AE 1978, 724); Nachkomme von S. [2].
[2] C. S. Aristaenetus. Senator, möglicherweise aus
Byzanz stammend. Seine Laufbahn ist in CIL VI 1511 =
ILS 2934 bis zum Juridikat von Picenum et Apulia erhalten. Später gelangte er bis zum Konsulat [1. 163],
möglicherweise war er Statthalter von Pontus-Bithynia.
Später wohl kaiserlicher Legat von Moesia inferior unter Caracalla oder Elagabalus [2] (AE 1994, 1532). Er

wird als Redner gerühmt. Ob er auch in SEG 17,759 genannt ist, muß offen bleiben. PIR S 55.

1 CH. MAREK, Stadt, Ära und Territorium, 1993.

[3] [C. S. Proculus]. So wird der Name eines ritterlichen Procurators in Suppl. Italica 9,82 ff. Nr. 31 = AE 1983, 325 ergänzt. Er wurde nach den *tres militiae* Procurator in Mauretanien, vielleicht für eine Aushebung (*dilectus*), dann Fiskalprocurator in Galatia zw. 161 und 169 n. Chr.   W. E.

Sallustia. Gnaea Seia Herennia S. Barbia Orbiana. Tochter von Sallustius [II 5] Macrianus, nach Herodianos (6,1,9) angeblich aus patrizischem Geschlecht. Im J. 225 n. Chr. nahm Kaiser → Severus Alexander sie zur Frau. Sie erhielt den Augusta-Titel. Offensichtlich kam es bald zu Spannungen mit der Kaisermutter Iulia [9] Mamaea, was zu einem Umsturzversuch von S.s Vater geführt haben soll. Spätestens E. 227 wurde S.s Ehe mit Severus geschieden; S. wurde nach Africa verbannt. Ihr Name wurde auf Inschriften entfernt. Zum Namen v. a. [1; 2. 179].

1 M. HEIL, Severus Alexander und Orbiana. Eine Kaiserehe, in: ZPE 2001 (im Druck) 2 KIENAST².   W. E.

Sallustius. Ital. Gentilname; s. auch → Salustios.

I. REPUBLIKANISCHE ZEIT

[I 1] S., Cn. Enger Freund Ciceros, 67–45 v. Chr. als sein Korrespondent belegt (Cic. Att. 11,11,2; Cic. fam. 14,11). 58 begleitete er Cicero auf dem ersten Stück der Reise ins Exil, 47 lieh er ihm Geld, und beide wurden zusammen von Caesar begnadigt (Cic. fam. 14,4,6; Cic. div. 1,59). S. las den Entwurf von *De re publica* und drängte – vergeblich – auf kompromißlose Äußerungen Ciceros (ad Q. fr. 3,5,1), ebenso 54 im Prozeß um A. Gabinius [I 2] (ebd. 3,4,2).   JÖ. F.

II. KAISERZEIT

[II 1] P. S. Blaesus. *Frater Arvalis* und *cos. suff.* im J. 89 n. Chr., evtl. identisch oder verwandt mit S. [II 4].

[II 2] C. S. Crispus. Ritter, verwandt mit dem Historiker S. [II 3], der ihn adoptierte (Tac. ann. 3,30,2). Zunächst Anschluß an Antonius [I 9], dann an Octavianus [1], den späteren → Augustus (Sen. clem. 1,10,1), dessen enger Freund er wurde und der ihn in alle wichtigen Angelegenheiten einweihte. So übertraf er viele Senatoren an Einfluß. Bei Augustus' Tod soll S. den Brief abgesandt haben, in dem die Ermordung des Agrippa [2] Postumus befohlen wurde (Tac. ann. 1,6,3); auch die Unterdrückung eines falschen Agrippa → Clemens [2] wurde ihm von Tiberius anvertraut (Tac. ann. 2,40,1). Er führte ein luxuriöses Leben, ohne staatliche Ämter zu übernehmen, und förderte die Dichter Horatius [7] und Krinagoras. Zu seinen Gärten in Rom vgl. LTUR, Bd. 3, 79–83.   W. E.

[II 3] C. S. Crispus. Röm. Politiker und Geschichtsschreiber (1. Okt. 86 bis 13. Mai 34 v. Chr.).
I. LEBEN II. WERKE
III. HISTORIOGRAPHISCHES KONZEPT
IV. DARSTELLUNG UND STIL V. REZEPTION

I. LEBEN

Die Viten des S. von Asconius und Suetonius sind nur in Zitaten faßbar (KURFESS, XXII–XXXI); hingegen bietet die fälschlich Cicero zugeschriebene Antwort auf die gegen ihn gerichtetete Invektive des S. (s. u. II. und V.) eine geschlossene Reihe häufig verifizierbarer Daten, die deshalb wie die in der Historiographie verstreuten Testimonien zu S. behandelt werden dürfen: S. stammte aus einer Familie des Munizipaladels mit Rittercensus der Sabinerstadt → Amiternum; er dürfte in Rom, wo die Familie ein Haus besaß, eine qualifizierte Ausbildung erhalten und seine »polit. Lehrzeit« (→ *tirocinium fori*), in den 60er Jahren absolviert haben. Dann von der allg., später in seinen Werken beklagten Verschwendungssucht (*luxuria*) angesteckt, mußte er das Stadthaus verkaufen; anrüchig war auch seine Zugehörigkeit zum Kreis des → Nigidius Figulus.

Als Aufsteiger (*homo novus*, s. → *nobiles* B.) nicht ohne polit. Ehrgeiz (Sall. Catil. 3,3 ff.), scheint S. 55 oder 54 zum Quaestor gewählt und so Mitglied des Senats geworden zu sein; darauf weist die spätestens 54 als Senatsrede gehaltene oder fingierte Invektive gegen Cicero. In dieser Zeit wurde er von T. → Annius [I 14] Milo beim Ehebruch mit dessen Frau Fausta, der Tochter des → Cornelius [I 90] Sulla, ertappt und gezüchtigt. Sein Auftreten als Volkstribun im J. 52 gegen Milo und dessen Verteidiger Cicero mag deshalb nicht nur polit. motiviert gewesen sein. Andererseits blieb S. bei der folgenden Prozeßwelle gegen die Anhänger des ermordeten Clodius [I 4] Pulcher ungeschoren. Immerhin stieß ihn das pauschale Vorgehen der mit Pompeius [I 3] verbündeten Aristokraten derart ab, daß er sich → Caesar anschloß; der zweite Brief, mit dem er sich Caesar vorstellt, stammt von 51 oder 50 (zur Echtheit s. u. II.). Diese Parteinahme – nicht der als Vorwand gebrauchte Ehebruch – war wohl der Grund, weshalb S. 50 aus dem Senat ausgestoßen wurde.

Nach dem Ausbruch des Bürgerkriegs befehligte S. auf der Seite Caesars 49 glücklos eine Legion in Illyricum, gelangte als Quaestor für das J. 48 wieder in den Senat, kam 47 bei einer Meuterei der für Africa bestimmten Truppen in Campanien fast um und nahm schließlich 46 als Praetor am Africafeldzug Caesars teil; seine Anhänglichkeit brachte ihm die Statthalterschaft der Prov. Africa Nova ein, die seine finanziellen Erwartungen erfüllte; darauf deutet der Prozeß wegen Ausplünderung der Prov. (→ *repetundarum crimen*), der 45 nach seiner Rückkehr gegen ihn angestrengt und nur durch Caesars Eingreifen eingestellt wurde. Mit dessen Tod schwand jede Chance einer weiteren polit. Karriere. S. zog sich zurück, stellte sich den Triumvirn (→ *tresviri*) nicht zur Verfügung, sondern widmete den Rest seines Lebens der Historiographie.

II. Werke

In ihrer Echtheit umstritten sind die Werke 1. und 2. (vgl. [7. 313–351; 2. 742–754], zur *Invectiva* s. [16. 340–349]), als echt gelten 3.–6.

1. *Invectiva in Ciceronem* (›Invektive gegen Cicero‹), ein Pamphlet, das sich in der Form einer Senatsrede als Antwort auf Ciceros Angriffe gibt; sie muß nach Ciceros Verteidigung des Vatinius (August 54, vgl. Inv. 1,4,7: *Vatini causam agis*) verfaßt sein. Als sallustisch gilt sie seit Quintilianus (inst. 4,1,68; 9,3,89).

2. *Epistulae ad Caesarem* (›Brief an Caesar‹). Der zweite Brief (51 oder 50; inhaltlich vor dem ersten zu datieren) erwartet angesichts der Tyrannei der Optimaten (→ *optimates*) das Heil allein von Caesar, dem konkrete Vorschläge zur Neuordnung der *res publica* gemacht werden [11]; der erste Brief (von 48 oder 46) rät zur Mäßigung im Sieg.

3. *Bellum Catilinarium* (*Bellum Catilinae*, ›Der Krieg gegen Catilina‹; ca. 42/1), eine Darstellung des Aufstandes des L. Sergius → Catilina von 64–62 [12; 13]. Für S. ist diese Episode das Symbol der korrupten nachsullanischen Ges.: Die Eigenart der Person Catilinas (Sall. Catil. 5,1–8) wird ergänzt durch den Charakter der Epoche (5,9–13,5). Die monographische, auf Einheitlichkeit und Geschlossenheit angelegte Struktur des Werkes zeigt sich in anachronistischen Antizipationen [14], die Catilina von vornherein als potentiellen Rebellen erscheinen lassen.

4. *Bellum Iugurthinum* (›Der Krieg mit Iugurtha‹; ca. 40), eine Monographie über den Krieg gegen → Iugurtha (111–105 v. Chr.) mit Vorgesch. bis etwa 116 (Sall. Iug. 5,4–16,5) und Übergangsphase bis 112 (20–26). Neben der Darstellung eines großen Verbrechers ist das eigentliche Thema der Beginn des Widerstandes gegen die Dominanz der optimatischen Nobilität, die Vorbereitung des Bürgerkrieges zw. → Marius [I 1] und Sulla (→ Cornelius [I 90]): Anfangs (111/0) bestimmt die Unfähigkeit und Korruption optimatischer Feldherren den Krieg (27–40), auch 109 kämpft Caecilius [I 30] Metellus ohne entscheidende Erfolge (43–62); 108 macht sich die Rivalität zw. Metellus und Marius bemerkbar (63–83), und erst 107–105 beendet der *homo novus* Marius den Krieg erfolgreich (84–115).

5. *Historiae* (›Historien‹), eine Zeitgesch. ab 78 v. Chr. (5 B., nur in Fr. erh.), an der S. wohl von 39 bis zu seinem Tode arbeitete; geplanter Umfang und Abschluß können nur vermutet werden (letztes datierbares Fr. zum J. 67). Mit dem J. 78 v. Chr. beginnt für S. nicht nur die Periode eigener Erfahrung, sondern mit dem Beginn der nachsullanischen Epoche auch – gemäß seiner Periodisierung – eine neue Phase der röm. Gesch.; aber auch hier wird die Vorgesch. in einem Exkurs erfaßt, der spätestens bei den Gracchen beginnt und über den → Bundesgenossenkrieg [3] bis zum Bürgerkrieg zw. Marius und Sulla führt. In B. 1 (zu 78/7) steht die Rebellion des Aemilius [I 11] Lepidus, in B. 2 (zu 76/5) der Aufstand des → Sertorius in Spanien im Vordergrund; die B. 3–5 (B. 3 zu 74–72; B. 4 zu 72–68; B. 5 zu 68/7)

behandeln den Krieg im Osten (→ Mithradates [6]; → Mithradatische Kriege C.) und die Sklavenrevolte des → Spartacus.

6. ›Reden‹. Sie gerieten, wie die *Historiae* wohl postum ediert (Sen. contr. pr. 8; Fronto, Ad Verum 2,9), bald in Vergessenheit.

III. Historiographisches Konzept

Die Proömien zum *Bellum Catilinarium* und zum *Bellum Iugurthinum*, in denen S. ähnlich wie Cicero eine theoretische Betätigung als ehrenhafte Ausfüllung des erzwungenen *otium* (→ Muße III.) rechtfertigt, lassen die Reihe seiner histor. Werke als eine sinnvolle Abfolge verstehen: S. entscheidet sich (Catil. 4,2 ff.) gegen → Annalistik und für polit. Historiographie in der Auswahl des Bedeutsamen. Der *Catilina* kann als direkte, punktuelle Auseinandersetzung mit der eigenen Gegenwart, auch der persönlichen Vergangenheit gedeutet werden, während der *Iugurtha* ähnlich zentral eine Entwicklung erhellt, die von der Zerstörung Karthagos (146 v. Chr.) zu den Bürgerkriegen geführt hat. Daran schließen sich die *Historiae* als eine nun kontinuierliche Darstellung der Zeitgesch. an. Dabei stellt sich die Gesch. für S. als ein rein innerweltliches Geschehen dar, in dem sich der einzelne gegen die Tyrannei der → *fortuna*, der Verhältnisse sowie der gesch.-spezifischen Voraussetzungen behaupten muß und kann. Im Bereich der röm. Gesch. gilt sein Interesse den Epochen nach 146, dem Datum der Zerstörung Karthagos, das in seinem Dekadenzschema entscheidend ist. Die Phase bis zu Sulla erscheint dabei durch verderblichen Ehrgeiz (*mala ambitio*), die eigene Zeit durch die Macht des Geldes (*avaritia, luxuria*) gekennzeichnet. Verantwortlich für den Verfall ist die Nobilität (→ *nobiles*), die Macht einer Clique (*potentia paucorum*). Insofern ist S. zwar parteiisch, aber nicht einer Partei (etwa den → *populares*) zuzuordnen oder als populärer Tendenzschriftsteller zu sehen. Auf diesem Hintergrund und unter diesen historiographischen Prämissen analysiert und interpretiert S. die Gesch. mit dem Anspruch, ein gültiges (*verum*) Ergebnis zu erzielen.

IV. Darstellung und Stil

Mögen sich in dieser Gesch.-Auffassung auch traditionelle, ja klischeeartige Elemente zusammenfinden, so gebührt S. unbestreitbar das Verdienst, als erster lat. Historiker Probleme der Darbietung wie der Stoffwahl gleich ernstgenommen zu haben. Die Tendenz zur monographischen Darstellung, die selbst die *Historiae* geprägt zu haben scheint (etwa bei der Darstellung des Sertorius-Krieges), wirkt sich – auch um den Preis zeitlicher und lokaler Inkonsistenzen – auf die Selektion der Stoffe, die Reduktion auf das relevant Erscheinende und die Emphase aus. Die Funktion der → Exkurse ist eine doppelte: Strukturell wirken sie als Zäsuren, inhaltlich geben sie dem Historiker die Möglichkeit, entscheidende Situationen kommentierend zu beleuchten (vgl. Catil. 36,4–39,4; 53,2–54,6); dabei kommt er auch dem Interesse an geogr.-exotischen Details [15] entgegen (Africa: Iug. 17–19; Sardinien: hist. 2; Pontus: hist. 3). Die eingelegten → Reden und Briefe, nach ant. Praxis fingiert, tragen an den Brennpunkten des Geschehens zur Analyse der Ursachen bei und charakterisieren indirekt den Sprechenden. Der Stil, den S. als solcher Struktur angemessen entwickelt hat, steht mit seinen knappen, abrupten, inkonzinnen [17], zur Sentenz tendierenden Sätzen in bewußtem Gegensatz zur Glätte der ciceronianischen Periodik; sein getragener Stil (*gravitas*) wird von S. durch Archaismen noch erhöht (vgl. [16. 291–335]). Stilistisches Vorbild (vgl. [18–21]) ist v. a. der ältere → Cato [1], während der Einfluß des → Thukydides auch für Weltsicht und Gesch.-Auffassung des S. prägend war.

V. REZEPTION

Die Eigenart von S.' Werken hat, beginnend schon zu seinen Lebzeiten, eine breite Reaktion von Ablehnung bis Zustimmung provoziert: Man polemisierte gegen seine polit. Positionen; → Lenaeus, ein Freigelassener des Pompeius [I 3], verteidigte seinen Patron in einer Invektive gegen S., ein gewisser Didius verfaßte gegen die *Invectiva* eine Antwort im Namen Ciceros; der Vorwurf der Diskrepanz von Lebensführung und moralistischem Anspruch wirkte bis in die Spätant. nach. Stilkritiker, etwa → Asinius [I 4] Pollio, tadelten seine Kürze als Dunkelheit (→ *obscuritas*), sein Archaisieren (→ Archaismus) als manieristisch und warfen S. vor, Cato [1] d. Ä. zu plagiieren. Andererseits löste S. in seiner Generation eine, wenn auch kurzlebige, Stilmode aus. Dauerhafter war sein Einfluß auf die röm. → Geschichtsschreibung von Livius [III 2] und Pompeius [III 3] Trogus über Velleius Paterculus, Tacitus (vgl. [26]) und Granius [II 2] Licinianus bis zu Iulius [IV 6] Exuperantius. Spätestens zur Zeit Quintilians und Martials (vgl. Mart. 14,191) galt S. als Klassiker, wurde neben → Thukydides gestellt und erhielt, zumal durch den Einfluß der Archaisten des 2. Jh. n. Chr., einen festen Platz im Kanon der Schulschriftsteller (neben Vergilius, Terentius und Cicero), den er sich bis h. erh. hat [27]. Während von den ›Historien‹ nur Reden und Briefe in einer Anthologie (mit den Briefen an Caesar) erh. sind und die ›Invektive‹ zusammen mit Cicero-Reden ins MA gelangte, knüpft die breite Rezeption in MA, Renaissance und Neuzeit an den *Catilina* und *Iugurtha* an, die in einer großen Anzahl [28] von teils lückenhaften (*Codices mutili*; vom 9. Jh. an), teils vollständigen Codices (*Codices integri*; vom 11. Jh. an) erh. sind [29; 30].

Vgl. im Ganzen [22–25]; zur Ant. vgl. [16. 153–175, 316–339].

→ Archaismus; Geschichtsschreibung;

GESCHICHTSWISSENSCHAFT

ED.: A. KURFESS, ³1957 • L. D. REYNOLDS, 1991. KOMM.: *Inv./Epist.*: K. VRETSKA, 1961. *Inv.*: E. PASOLI, ²1989. *Epist.*: P. CUGUSI, 1968. *Catil.*: K. VRETSKA, 1976 • P. MCGUSHIN, 1977 • G. GARBUGINO, 1999. *Iug.*: E. KOESTERMANN, 1971 • G. M. PAUL, 1984. *Hist.*: P. MCGUSHIN, 1992/1994 • R. FUNARI, 1996. BIBLIOGR.: 1 A. D. LEEMAN, A Systematical Bibliography of S. (1879–1964), ²1965 2 C. BECKER, S., in: ANRW I 3, 1973, 720–754 3 C. NEUMEISTER, Neue Tendenzen und Ergebnisse der S.-Forsch. (1961–1981), in: Gymnasium 93, 1986, 51–68.

KONKORDANZ: 4 J. RAPSCH, D. NAJOCK, 1991.

LIT.: 5 W. STEIDLE, Sallusts histor. Monographien, 1958 6 D. C. EARL, The Political Thought of Sallust, 1961 7 R. SYME, Sallust, 1964 8 A. LA PENNA, Sallustio e la »rivoluzione« romana, 1968 9 V. PÖSCHL (Hrsg.), Sallust, ²1981 10 K. BÜCHNER, Sallust, ²1982 11 G. LEHMANN, Polit. Reformvorschläge in der Krise der späten röm. Republik, 1980, 52–99 12 K. HELDMANN, Sallust über die röm. Weltherrschaft. Ein Gesch.-Modell im *Catilina*, 1993 13 A. T. WILKINS, Villain or Hero. Sallust's Portrayal of Catiline, 1994 14 G. LEDWORUSKI, Historiographische Widersprüche in der Monographie Sallusts zur catilinarischen Verschwörung, 1994 15 R. ONIGA, Sallustio e l'etnografia, 1995 16 W. D. LEBEK, Verba prisca, 1970 17 A. FUCHS, Das Zeugma bei Sallust, 1994 18 E. SKARD, Sallust und seine Vorgänger, 1956 19 P. PERROCHAT, Les modèles grecs de Salluste, 1949 20 T. F. SCANLON, The Influence of Thucydides on Sallust, 1980 21 B. MACQUEEN, Plato's Republic in the Monographs of Sallust, 1981 22 E. BOLAFFI, Sallustio e la sua fortuna nei secoli, 1949, 179–296 23 F. SCHINDLER, Unt. zur Gesch. des Sallustbildes, 1939 24 R. M. STEIN, Sallust for his Readers, 1977 25 R. POIGNAULT (Hrsg.), Présence de Salluste, 1997 26 K. SCHNEIDER, Tacitus und Sallust, 1964 27 A. KLINZ, Sallust als Schulautor, 1985 28 B. MUNK OLSEN, Catalogue des manuscrits classiques latins, Bd. 2, 1985, 307–363 29 L. CANFORA, Per la storia del testo di Sallustio, in: S. BOLDRINI (Hrsg.), Filologia e forme letterarie. Studi F. della Corte, Bd. 2, 1987, 377–398 30 REYNOLDS, 341–352.

P. L. S.

[II 4] S. Lucullus. Konsularer Legat von Britannien, der von → Domitianus [1] hingerichtet wurde, angeblich weil er eine neue Lanzenform nach seinem Cognomen benennen ließ (Suet. Dom. 10,3). Ob er mit S. [II 1] verwandt oder identisch ist, bleibt umstritten; BIRLEY 82 f.

[II 5] S. Macrinus/Macrianus. So dürfte der Name des Schwiegervaters des → Severus Alexander gelautet haben. Nach Herodianos (6,1,9) müßte er Patrizier gewesen sein, worauf möglicherweise auch die lange Nomenklatur seiner Tochter → Sallustia hinweisen könnte. Als er im J. 227 n. Chr. die → Praetorianer gegen seinen Schwiegersohn aufzuwiegeln suchte, wurde er beseitigt (Herodian. 6,1,9 f.; HA Alex. 49,3 f.). Daß er zum Caesar ernannt worden sei, findet keine Grundlage in den Quellen [1].

1 M. HEIL, Severus Alexander und Orbiana. Eine Kaiserehe, in: ZPE 2001 (im Druck).   W. E.

[II 6] Flavius S. Höherer Beamter unter Constantius [2] II. und Iulianus [11]. Unter Constantius war er → *vicarius quinque provinciarum, vicarius Hispaniarum, vicarius urbis Romae* und → *comes consistorii* (CIL VI 1729, ILS 1254). Iulianus ernannte ihn 361 n. Chr. zum → *praefectus praetorio* in Gallien (vgl. Cod. Theod. 7,4,7; 9,2,1). → Libanios lobt seine Amtsführung (or. 18,182). 363 war er mit Iulianus Consul (Amm. 23,1,1). S. war wie Iulianus altgläubig; er warnte diesen vor dem Feldzug nach Persien (Amm. 23,5,4). Der Rhetor → Alcimus [1] Alethius widmete S. einen Panegyricus (Auson.

commemoratio professorum Burdigalensium 2,23 f.). Evtl. ist S. der Verf. der neuplatonischen Schrift *Perí theôn kaí kósmu*, ›Über die Götter und das Weltall‹ (ed. ROCHEFORT 1960, vgl. aber → Salustios [2]). PLRE 1, 797 f. (Nr. 5). W.P.

Salluvii. Ligurisch-kelt. Volksstamm (Liv. 5,35,2; Liv. per. 60 f.; 73: S.; Strab. 4,1,3; 4,1,5 f.; 4,1,9; 4,1,11 f.; 4,6,3 f.: Σάλυες; Plin. nat. 3,36: S.; 3,47; 124: *Sallui*; Flor. epit. 1,19,5: S.; App. Celt. 12,1; Avien. 701: *Salyes*; Ptol. 2,10,15: Σάλυες; Obseq. 90; 92: *Sallyes*; Amm. 15,11,15: S.) im Hinterland von → Massalia zw. Rhodanus (h. Rhône) und Alpes Maritimae. Ihr zentrales *oppidum* wurde bei → Entremont ergraben; hier gab es wohl einen Kult im Zusammenhang mit den *têtes coupées* (vgl. die kephalophoren Steine im Museum von Aix-en-Provence); für die zahlreichen *oppida* (→ Oppidum II.) der S. sind vergleichbare einheimische Kulte zu vermuten (vgl. auch Roquepertuse und → Glanum). Die S. waren Bauern, Viehzüchter und Handwerker, die Metall, Stein und Leder kunstvoll bearbeiteten, nicht unberührt von griech. und etr. Einflüssen. Im Gebiet der S. legten Siedler aus → Phokaia gegen 600 v. Chr. Massalia an und gerieten sogleich mit den S. in Konflikt. Zur Sicherung der Landverbindung zw. It. und den spanischen Prov. pflegte Rom die Kontakte mit Massalia und schritt 180 v. Chr. (Flor. epit. 1,37,3), 154 v. Chr. (Liv. per. 47) und 123 v. Chr. (Liv. per. 60) gegen die S. ein, bevor nach Zerstörung des *oppidum* bei Entremont der Proconsul C. Sextius Calvinus die Kolonie Aquae [III 5] Sextiae Salluviorum gründete (Liv. per. 61; Strab. 4,1,5; Vell. 1,15,4; h. Aix-en-Provence). Eingegliedert in die Prov. Gallia → Narbonensis, erhoben sich die S. zweimal gegen die röm. Herrschaft: im J. 90 v. Chr. (Liv. per. 73) und z. Z. Caesars (Caes. civ. 1,35,4).

F. BENOÎT, Entremont, 1981 · G. BARRUOL, Les peuples pré-romains du sud-est de la Gaule, 1969, 187–221 · A. ROTH CONGES, Le centre monumental de Glanon, in: M. BATS u. a. (Hrsg.), Marseille grecque et la Gaule, 1992, 351–367. E. O. u. V. S.

Salmakis (Σαλμακίς, lat. *Salmacis*). Name einer griech. → Nymphe und einer Quelle in → Karia unweit von → Halikarnassos; die Stadt besaß einen gleichnamigen Stadtteil mit einem → Hermaphroditos-Heiligtum. Der Name stammt anscheinend aus kleinasiatischem Sprachgut. Der Mythos der S. ist mit einer jungen und sekundären Sagenversion des Hermaphroditos verbunden: S. verliebt sich in den Sohn des → Hermes und der → Aphrodite (so zum ersten Mal Diod. 4,6), der sich aber ihrem Werben widersetzt. Beim Baden in der Quelle umfaßt S. Hermaphroditos und bittet die Götter um ewige Vereinigung. So erklärt Ov. met. 4,285–388 das doppelgeschlechtliche Wesen des Hermaphroditos und die Zauberkraft der Quelle, die auf dessen Bitten von nun an jeden Mann entmannt (vgl. auch Mart. 14,174). Vitruvius attestiert der Quelle wohlschmeckendes und helles Wasser und dementiert, daß sie geschlechtskrank mache (Vitr. 2,8,11 f.; Strab. 14,2,16).

P. HERMANN, s. v. Hermaphroditos, ROSCHER 1.2, 2317 f. CA. BI.

Salmanassar III. (assyrisch *Šulmānu-ašarēd*). Assyr. König (858–824 v. Chr.), residierte wie sein Vater Assurnaṣirpal (883–859 v. Chr.), der eigentliche Begründer des neuassyr. Reichs, in → Kalḫu. Seine Inschr. berichten über zahlreiche Kriegszüge und Kämpfe gegen die umliegenden Regionen, v. a. Syrien, das letztlich unterworfen wurde (853 v. Chr.: Schlacht bei Qarqar gegen eine Koalition unter Adad-idri/Ben-Hadad von Damaskos, die von arab. Kamelreitern unterstützt wurde, unentschieden; Tributempfang auch von Byblos, Tyros und Sidon). S. drang bis nach Kilikien vor; weitere Kämpfe wurden gegen → Uraṛṭu geführt (dabei erreichte er die Tigrisquellen). Erstmals werden in seinen Inschr. [1] → Meder und Perser erwähnt (835 v. Chr.). Das Ende seiner Regierungszeit wurde durch einen mehrjährigen Krieg mit seinem Sohn Aššur-dannin-apli überschattet. Bedeutende Denkmäler sind der sog. »Schwarze Obelisk« (h. London, BM; mit den Annalen der ersten 31 Regierungsjahre und Darstellung von Tributbringern, darunter Jehu von Israel; → Juda und Israel) und die reliefierten Bronzebeschläge der Tore von → Balāwāt. Unter S. kam es zu umfangreicher Bautätigkeit, u. a. in → Assur [1] (Befestigungen, Tempel für Ištar, Doppelheiligtum für Anu und Adad).
→ Mesopotamien

1 A. K. GRAYSON, Assyrian Rulers of the Early First Millennium BC, Bd. 2 (Royal Inscriptions of Mesopotamia, Assyrian Periods 3), 1996, 5–179 2 TAVO B VI 10. J. OE.

Salmantica. Stadt der → Vaccaei (Pol. 3,14,1; 3,14,3: Ἑλμαντική; Liv. 21,5,6: *Hermandica*; Polyain. 7,48: Σαλμαντίς; Ptol. 2,5,9: Σαλμάντικα; Itin. Anton. 434,4: *Salmatice*; CIL II 857; 859; 870: S.), h. Salamanca. Von Hannibal [4] zur Sicherung der Getreideversorgung seines Heeres im J. 220 v. Chr. erobert. Röm. *municipium* an der Heeresstraße von Augusta [2] Emerita nach Asturica Augusta. Hier steht noch h. eine röm. Brücke über den Tormes.

P. BARCELÓ, Aníbal de Cartago, 2000, 80 f. · TOVAR 2, 245 f. · TIR K 30 Madrid, 1993, 195 f. P. B.

Salmona. Linker Nebenfluß der Mosella (Auson. Mos. 366), h. Salm.

J. B. KEUNE, s. v. S., RE I A, 1986. RA. WI.

Salmone (Σαλμώνη).
[1] Ort der elischen → Pisatis. Lage umstritten, evtl. beim h. Néraïda 12 km nördl. von → Olympia (Strab. 8,3,31; Diod. 4,68,1).
[2] Hauptquelle des Enipeus [1] (Strab. 8,3,32).

G. PANAYOTOPOULOS, Questions sur la top. éléenne …, in: A. D. RIZAKIS (Hrsg.), Αρχαία Αχαΐα και Ελεία. Ανακοινώσεις κατά το Πρώτο Διεθνές Συμπόσιο (Athen 1989), 1991, 275–281. H. LO.

Salmoneus (Σαλμωνεύς). Sohn des → Aiolos [1], Bruder des → Athamas, → Sisyphos und → Kretheus. Größenwahnsinnig trachtet S. danach, als → Zeus verehrt zu werden. Daher fährt er auf einem Gespann umher, erzeugt künstliche Blitze und bringt eherne Kessel zum Dröhnen, um den Eindruck des Donners zu vermitteln. Zeus stürzt ihn in den Tartaros. S.' Tochter → Tyro distanziert sich von ihrem Vater, wird verschont und heiratet Kretheus (Hes. fr. 10a, 25–27 M.-W.; fr. 30,1–30 M.-W.; Apollod. 1,89). Während diese Version in Thessalien angesiedelt ist, scheint die Gesch. später erweitert und nach Elis verlegt worden zu sein; danach heiratet S. (noch vor der Zeus-Nachahmung) nach dem Tod seiner Gemahlin Alkidike → Sidero, die Tyro als »harte« Stiefmutter in Knechtschaft unterdrückt. Die Söhne Tyros, die sie dem Poseidon geboren und ausgesetzt hat, → Neleus [1] und → Pelias, befreien ihre Mutter und töten Sidero. Diese Fassung ist offenbar von Sophokles bes. geformt worden (TrGF 4, p. 412 f., 463–472). Ob das Verhalten des S. im Horizont des thessalischen Brauches des Regenmachens mittels eines »Kesselwagens« zu deuten ist oder eher im Horizont der großen Frevler mit ihren Bestrafungen in der Unterwelt (→ Ixion, → Sisyphos, → Tantalos), ist schwer zu entscheiden [1. 653 f.].

1 E. SIMON, s. v. S., LIMC 7.1, 653–655.

A. M. MESTURINI, s. v. Salmoneo, EV 4, 1988, 663–666 · O. WEINREICH, Menekrates, Zeus und S.: Rel.-gesch. Stud. zur Psychopathologie des Gottmenschen in Ant. u. Neuzeit, 1933.   L. K.

Salmydessos (Σαλμυδησσός).

[1] Hafenloser, für die Schiffahrt gefährlich seichter, 700 Stadien langer Küstenstreifen des → Pontos Euxeinos (Ps.-Skymn. 724–727; Ptol. 3,11,4: Σ. ἤτοι Ἁλμυδησσὸς αἰγιαλός, »Strand von S. bzw. Halmydessos«) vom Bosporos [1] bis zum Kap Thynias, wo neben anderen → Thrakes die Astai (Ἀσταί) siedelten (Strab. 7,6,1; vgl. 1,3,4; 7). Die Thrakes am S. ergaben sich 513 v. Chr. kampflos Dareios [1] I. auf seinem Feldzug gegen die Skythai (Hdt. 4,93). Die Thrakes des S. pflegten hier anlandende Schiffbrüchige systematisch auszurauben (Aischyl. Prom. 726: τραχεῖα Σαλμυδησσία, »rauhes Gebiet S.«, in diesem Fall an der Südküste des Pontos Euxeinos lokalisiert; Soph. Ant. 970).

[2] Thrakische Siedlung am S. [1] (Xen. an. 7,5,12–14; Ps.-Skymn. 724–26; Plin. nat. 4,45: *Halmydesos*), h. Midye, die mythische Residenz des Phineus [1] (vgl. Apollod. 1,120). Nach dem Etym. m. (s. v. Σ.) gab es dort einen Fluß S.

B. ISAAK, Thracian Settlements until the Macedonian Conquest, 1983, 239.   I. v. B.

Salo. Rechter Nebenfluß des Iberus [1] (h. Ebro) in Celtiberia (→ Celtiberi), h. Jalón. Er berührt in seinem Lauf Ocilis, Arcobriga, Aquae Bilbilitanorum, Bilbilis, Nertobriga [1] und Allobone. Sein eiskaltes Wasser war bes. geeignet, Eisen zu härten (Mart. 1,49,12; 4,55,15;

12,21,1). In den keltiberischen Kriegen (2. Jh. v. Chr.) war das Tal Operationsbasis der Römer (App. Ib. 188 ff.; [1]).

1 W. V. HARRIS, Roman Expansion in the West III. Spain, in: CAH 8, ²1989, 118–142.

SCHULTEN, Landeskunde 2, 314 f. · TIR K 30 Madrid, 1993, 196.   P. B.

Salodurum. In vorröm. Zeit Station an der Straße südl. des Jura vom Genfer See zum Oberrhein mit Aare-Brücke und guter Schifflände für den Handelsverkehr, h. Solothurn. Nach der röm. Besetzung war S. Posten von → *beneficiarii* (CIL XIII 5170; [1. Nr. 130 Abb.]). Aus dem Straßenposten erwuchs ein → *vicus*, dessen Vorsteher (*magistri vici*) und Dorfbewohner (*vicani Salodurenses*) dem → Iuppiter Optimus Maximus einen Tempel weihten [1. Nr. 141]. Der Hafenbezirk des *vicus* wurde im 4. Jh. n. Chr. zum Kastell umgebaut (3,2 m starke Kastell-Mauer). Aus diesem Kastell entwickelte sich die ma. Stadt.

1 G. WALSER, Röm. Inschr. in der Schweiz, Bd. 2, 1980, Nr. 129–141.

W. DRACK, R. FELLMARIN, Die Römer in der Schweiz, 1988, 510–513 · Dies., Die Schweiz zur Römerzeit, 1991, 247–250 · E. MEYER, Die röm. Schweiz, 1940, 271–274 · F. STAEHELIN, Die Schweiz in röm. Zeit, ³1948, 307–315, 621.   G. W.

Salome (hebr. *šlomṣiyōn*, »Friede Zions«, aram. Kurzform *šlamṣāh*; Σαλώμη).

[1] Schwester → Herodes' [1] d. Gr. (ca. 57 v. Chr.–10 n. Chr.). Sie nahm bis zu dessen Tod eine wichtige Rolle im intriganten Spiel um die Macht am herodianischen Hof ein. So intrigierte sie gegen Herodes' hasmonäische Frau → Mariamme [1] I. und deren Söhne Alexandros und → Aristobulos [4] sowie gegen ihre eigenen Gatten → Iosephos [1] und Kostobaros, die hingerichtet wurden (Ios. bell. Iud. 1,441 ff.; Ios. ant. Iud. 15,80 f.; 15,259 f.). Die von ihr beabsichtigte Eheschließung mit dem Minister → Syllaios am nabatäischen Hof (→ Nabataioi) kam wegen rel. Einwände des Herodes nicht zustande (Ios. ant. Iud. 16,220 ff.; 17,10 [1. 183]). In dritter Ehe war S. auf Anraten → Livias [2] mit Alexas I. (zur Identität [1. 184 f.]) verheiratet. In Freundschaft mit Livia verbunden, vererbte sie ihr die Städte Iamnia (→ Jabne), Azotos, → Phasaelis und Archelais (Ios. ant. Iud. 18,158), die ihr selbst im herodianischen Testament zugedacht worden waren (Strab. 16,2,46).

1 N. KOKKINOS, The Herodian Dynasty. Origins, Role in Society and Eclipse, 1998 2 P. RICHARDSON, Herod: King of the Jews and Friend of the Romans, 1996 3 A. SCHALIT, König Herodes. Der Mann und sein Werk, 1969 4 SCHÜRER 1, 287–335.

[2] (ca. 10 n. Chr. – vor 61 n. Chr.). Tochter der → Herodias (der zweiten Frau des Tetrarchen → Herodes [4] Antipas) und verm. ihres ersten Gatten, des Tetrarchen → Philippos [26] oder des → Herodes [2], eines wei-

teren Halbbruders des Herodes Antipas. Nach Mk 6,22 war sie eine – möglicherweise leibliche – Tochter des Herodes Antipas und somit seiner ersten Frau → Phasaelis [3. 232f.]. Die schwierigen genealogischen Verhältnisse in der herodianischen Dyn. lassen eine eindeutige Identifizierung nicht zu [2. 131ff., 318; 7. 348f.]. Nach Mk 6,17–29 und Mt 14,3–12 und dem Ber. des Iosephos [4] Flavios (Ios. ant. Iud. 18,5,2 § 109–119) verlangte sie auf Wunsch ihrer Mutter als Dank für eine Tanzdarbietung von Herodes Antipas die Köpfung Iohannes' des Täufers. Als Begründung verweist Markos [1] auf die Kritik der → Pharisaioi an der Eheschließung der Herodias, Iosephos aber auf machtpolit. Erwägungen. Die Historizität der Episode ist umstritten. In legendenhafter Ausformung hat sie ein reiches Nachleben in Dichtung, bildender Kunst und Musik gefunden [4. 232; 1; 5; 6].
→ FIN DE SIÈCLE

1 H. DAFFNER, S. Ihre Gestalt in Gesch. und Kunst, 1912 2 A. VON GUTSCHMID, KS, Bd. 2, 1890 3 H. W. HOEHNER, Herod Antipas: A Contemporary of Jesus Christ, 1972 bes. 110–171 4 N. KOKKINOS, The Herodian Dynasty. Origins, Role in Society and Eclipse, 1998 5 K. MERKEL, S.: Ikonographie im Wandel, 1990 6 TH. ROHDE, Mythos S. Vom Markusevangelium bis Djuna Barnes, 2000 7 SCHÜRER 1, 345–349.   I. WA.

Salomo   I. ALTES TESTAMENT
II. AUSSER- UND NACHBIBLISCHE LITERATUR

I. ALTES TESTAMENT

S. (hebr. *Šlomō*, wörtl. »sein Friede« oder »sein Ersatz«). Thronfolger → Davids [1] (2 Sam 9–1 Kg 2) im 2. Drittel des 10. Jh. v. Chr. Seine 40jährige Regierungszeit (1 Kg 11,42, vgl. 1 Kg 2,11) ist eine ideelle Dauer. Sie resultiert aus der Würdigung des Weisen und Tempelerbauers (1 Kg 3,6–8, vgl. Sir 47,12–18). Kritik gilt seinen Altarbauten für fremde Gottheiten (1 Kg 11,1–13) und der Einführung von Zwangsarbeit (1 Kg 5,27–32). Die Erzählungen über S. (1 Kg 3–11) sind z. T. Projektionen aus der späteren Königszeit, die mit den Wirtschaftskontakten zu Hiram von → Tyros (1 Kg 5,15–26; 32; 9,10–14; 26–28; 10,11; 22) und dem Besuch der Königin von → Saba (1 Kg 10,1–10 und 13) ein Modell für Prestige und Macht entwerfen (1 Kg 5,2–8; 9–14). Die polit. Bedeutung S.s ist dennoch unbestreitbar: Er setzte sich für Zentralverwaltung und Steuersystem (1 Kg 4,1–19, vgl. 5,27–32) sowie Tempel und Palast in Jerusalem (1 Kg 5,15–8,13) ein. Die spätere Trad. stilisierte S. zum mächtigen altorientalischen Herrscher (1 Kg 5,1) und zum Autor von → Weisheitsliteratur (Weisheit S.s, Psalmen S.s; → Qohelet). Noch das NT rühmt seine Pracht (Mt 6,29) und Weisheit (Mt 12,42; Lk 11,31).
→ Juda und Israel

L. K. HANDY (Hrsg.), The Age of Solomon, 1997 · V. FRITZ, S., in: MDOG 117, 1985, 47–76.   R. L.

II. AUSSER- UND NACHBIBLISCHE LITERATUR

Die außer- und nachbiblische jüd. Lit. sieht in S. v. a. den Herrn über Geister und Dämonen (vgl. schon Weish 7,20; Ios. ant. Iud. 8,44–49; s. auch die Schrift ›Testament S.s‹ sowie die spätere Beschreibung der Begegnung mit der Königin von → Saba, die als Dämonin dargestellt wird, Targum Scheni zu Est 1,2), der mit Hilfe des Ašmodai/Asmodaios den Tempel auf wunderbare Weise errichtet haben soll (bGit 68a-b). Seine Weisheit (Mt 12,42) und sein Reichtum wurden geradezu sprichwörtlich (vgl. → Eupolemos [1], der behauptet, S. habe die goldene Säule im Zeustempel von Tyros gestiftet; vgl. Mt 6,29). Das Motiv von S. als dem Herrn über Geister und Dämonen wird im Islam aufgegriffen (vgl. Koran Sure 21,82; 34,11 f.; 38,35–38).
→ Weisheitsliteratur

G. STEMBERGER, s. v. S. II. Judentum, TRE 29, 1998, 727–730 (mit Lit.).   B. E.

Salona (Σάλων, Σαλῶναι). Stadt in Dalmatia an der Kastelanski-Bucht oberhalb der Jadro-Mündung mit wichtigem, durch vorgelagerte Inseln und Halbinseln geschütztem, natürlichem Hafen. Die ant. Reste von S. (fast nur Grundmauern erh.) liegen nördl. und westl. des h. Solin, eines Vororts von Split.

Die erste Siedlung thrakischer Manioi wurde im 4. Jh. v. Chr. von kelt.-illyr. → Dalmatae erobert. Kurz darauf wurde S. von Siedlern aus → Issa griech. kolonisiert. Im 2. Jh. v. Chr. wurde S. jedoch von den Dalmatae zurückerobert. Mit der Eroberung durch den Proconsul C. Cosconius [I 1] 78/7 v. Chr. beginnt die röm. Gesch. der Stadt. Zw. 47 und 44 wurde S. zur *Colonia Martia Iulia Salona* (*tribus Tromentina*) erhoben. Um 33 v. Chr. wurde neben der bestehenden Kolonie eine zweite (*tribus Sergia*) gegr. Im Zusammenhang mit den Markomannenkriegen (→ Marcomanni) wurde im 2. Jh. n. Chr. das gesamte Stadtgebiet neu ummauert. Anf. des 4. Jh. n. Chr. erlebte S. aufgrund des ca. 5 km südwestl. entfernt errichteten Palasts des → Diocletianus in Spalatum (Split) eine neue Blüte. Um 613/4 wurde S. von Slaven und Avaren zerstört, die Bewohner zogen sich in den befestigten Palast zurück.

S. war einer der wichtigsten Häfen an der illyr. Küste der Adria und durch Straßen mit anderen Reichsteilen verbunden. Die Stadt war Sitz des Statthalters (einer davon war Anf. des 3. Jh. n. Chr. der Historiker Cassius [III 1] Dio) und anderer öffentlicher Amtsträger der Prov. Dalmatia und hatte damit den Rang einer Provinzhauptstadt. Für das 2. Jh. n. Chr. wird die Einwohnerzahl auf ca. 60000 geschätzt (Amphitheater mit ca. 15000 Sitzplätzen). Die zahlreichen frühchristl. Überreste (mehrere Basiliken, drei Nekropolen) zeugen davon, daß S. früh ein christl. Zentrum war. Mehrere Bischöfe und Märtyrer aus S. sind seit dem 2. Jh. n. Chr. bekannt.

N. DUVAL, E. MARIN, S. III Manastirine (Coll. de l'École française de Rome 194.3), 2000 · B. KIRIGIN, E. MARIN, The Archeological Guide to Central Dalmatia, 1989,

86–116 · E. MARIN, S., in: Latina et Graeca 14, 1980, 17–38 · E. ROTHER, Jugoslawien – Kunst, Gesch., Landschaft, 1976, 122–145.   UL. FE.

Salonina. Iulia Cornelia S., Gattin des Kaisers → Gallienus, 254 n.Chr. zur *Augusta* und *mater castrorum* erhoben (IGR 3, 237; AE 1982, 272; RIC V 1, 63; 105; 107–115; 191–200), zusammen mit ihrem Mann 268 n.Chr. vor Mediolanum [1] umgekommen (Zon. 12,25). Ihre drei Söhne waren P. Licinius Cornelius → Valerianus, P. → Licinius [II 6] Cornelius Saloninus Valerianus und → Marinianus [3].

KIENAST², 222f. · PIR² C 1499 · PLRE 1, 799.   T. F.

Saloninus

[1] Bekannt aus einem Grabepigramm des → Martialis [1] (6,18), als Freund seines Freundes Terentius Priscus genannt; der Tod des S. muß also etwa 90 n.Chr., der Entstehungszeit des 6. B. der Epigramme des Martialis, erfolgt sein.   P. L. S.

[2] s. Licinius [II 6]

Salpe (Σάλπη). → Hebamme aus hell. Zeit, deren medizinische und kosmetische Rezepturen → Plinius [1] in seiner *Historia naturalis* (Plin. nat. 28,38; 28,66; 28,82; 28,262; 32,135; 32,140) zitiert. → Athenaios [3] (Athen. 322a) kennt eine S. als Verfasserin von παίγνια/*paígnia*, »Spielereien«, doch bereitet die Identifizierung der beiden Probleme [1].

1 D. BAIN, Salpe's ΠΑΙΓΝΙΑ; Athenaeus 322a and Plin. H. N. 28,38, in: CQ 48, 1998, 262–268.   V. N./Ü: L. v. R.-B.

Salpensa (Salpesa). Iberische Stadt, in röm. Zeit *municipium Flavium Salpensanum*, h. Cortijo de la Coria (Utrera, Prov. Sevilla). Eine Inschr. mit dem Stadtgesetz von S. (82/84 n.Chr.) wurde bei → Malaca gefunden (ILS 6089; [1. 259ff.]).
→ Lex Salpensana

1 J. L. LÓPEZ CASTRO, Hispania Poena, 1995.

TOVAR 1, 145 f. · A. CABALLOS, W. ECK, F. FERNÁNDEZ, Das Senatus consultum de Cn. Pisone patre, 1996, 245.   P. B.

Salpia. Stadt in → Daunia (Strab. 6,3,9: Σαλαπία; Plin. nat. 3,103: *Salapia*; Itin. Anton. 314,7; Tab. Peut. 6,3; Geogr. Rav. 5,1; Guido, Geographia 22). Sie wurde zweimal angelegt: Zuerst dort, wo sich Überreste an der Straße von Zapponeta nach Torre Pietra finden, am → Ionios Kolpos nordwestl. der Saline Margherita di Savoia am (in der Neuzeit trockengelegten) Lago di Salpi. Diese allen Gründungsmythen zum Trotz (durch Troianer, Lykophr. 1129; anders Vitr. 1,4,12, vgl. Steph. Byz. s. v. Ἐλπία; Strab. 14,2,10) offenbar rein daunische Stadt (vgl. die Mz., 3. Jh. v. Chr., HN 49) wechselte im 2. → Punischen Krieg anfangs auf karthagische Seite, diente Hannibal [4] zeitweise als Winterquartier und wurde 210 v. Chr. von den Römern durch Verrat eingenommen (Liv. 24,20; 47; 26,38; 27,1; 28; App. Hann.

191: Σαλαπία; 218: Σαλαπίνοι; Frontin. strat. 4,7,38: *Salapia*). Im → Bundesgenossenkrieg [3] wurde S. gebrandschatzt (App. civ. 1,52); danach wurde die Stadt v. a. wegen ihrer ungesunden Lage (Cic. leg. agr. 2,71; Vitr. l.c.) an einem malariaträchtigen Sumpf (*Salpina palus*, Lucan. 5,377) verlassen und auf Senatsbeschluß 6,4 km entfernt in einem gesunden Gebiet – wohl am h. Monte di Salpi – neu angelegt, wo durch die Verbindung des Sumpfsees mit dem Meer eine Hafenstadt entstand (Vitr. l.c.), ein → *municipium* der *regio II* (Plin. l.c.).

NISSEN 2, 849 · M. D. MARIN, Scavi archeologici nella contrada S. Vito presso il lago di Salpi, in: Archivio Storico Pugliese 17, 1964, 167–224 · G. ALVISI, La viabilità romana della Daunia, 1970 · BTCGI 7, 166–174.   E. O. u. V. S.

Salpinates. Gemeinde in Etruria, verm. in der Nähe vom h. Orvieto, 392/1 v. Chr. mit den → Volsinii gegen Rom verbündet und unterlegen (Liv. 5,31,5; 32,2).

NISSEN 2, 339.   G. U./Ü: J. W. MA.

Salsamenta s. Muria

Saltus. Mit dem lat. Begriff *s.* wurden der Wald, das Brachland, das teilweise einen Baumbestand besaß, und die Viehweiden bezeichnet (Varro ling. 5,36: *quos agros non colebant propter silvas aut id genus, ubi pecus possit pasci, et possidebant, ab usu salvo saltus nominarunt*). Bei Catullus gehören zum *s. Firmanus: aucupium, omne genus piscis, prata, arva ferasque* (Vogelfang, Fischfang, Wiesen, Ackerland und Tierhaltung: Catull. 114,3; 115,4). Bei den Agrimensoren ist *s.* eine Flächeneinheit. Nach Varro entsprach ein *s.* 4, nach Siculus Flaccus 25 *centuriae* (Varro rust. 1,10,2; Siculus Flaccus, De condicionibus agrorum LACHMANN 182 = THULIN 123). Als Wald- und Weideland war der *s.* für die röm. → Landwirtschaft von nicht geringer Bed.

In der Prinzipatszeit war ein *s.* zumeist das große Gut, das mehrere *fundi* umfassen konnte (Dig. 19,1,52, pr.; → Großgrundbesitz). Im Gegensatz zur klass. Villenwirtschaft ist der *s.* vornehmlich durch eine extensive Landnutzung und durch Verpachtung an *coloni* (→ *colonatus*) gekennzeichnet. In den nordafrikanischen Prov. hatten manche *s.* einen quasi-exterritorialen Status und suchten sich dem Zugriff der städtischen Organe zu entziehen. Eine Reihe inschr. bezeugter *s.* in Africa gehörte wahrscheinlich zunächst Senatoren und kam durch Konfiskation unter Nero in den Besitz der *principes* (*s. Blandianus; s. Domitianus; s. Lamianus:* CIL VIII 25943; vgl. Plin. nat. 18,35). Auf dem *s. Beguensis* des Senators Lucilius [II 1] Africanus wurde im 2. Jh. n. Chr. ein Markt eingerichtet (CIL VIII 270); unter Hadrianus wurden in Mauretania durch einen *procurator Augusti* Grenzsteine an einem *s.* errichtet (ILS 5963), und unter Marcus Aurelius reparierten die *coloni* die Gebäude des *s. Massipianus* (CIL VIII 587 = ILS 5567).

Der Grundbesitz der *principes* in Nordafrica war in mehrere Verwaltungsbezirke (*tractus*) eingeteilt, die wiederum in *s.* untergliedert waren. Die *s.* wurden von

→ *procuratores* verwaltet und an Großpächter (*conductores*) verpachtet, die das Land von Kleinpächtern (*coloni*) bearbeiten ließen (CIL VIII 25902; vgl. zum *s. Burunitanus* CIL VIII 10570 = ILS 6870). Durch die *lex Manciana* und die *lex Hadriana* wurden die *coloni* ermutigt, Brachland der landwirtschaftlichen Nutzung zu erschließen (CIL VIII 25943).

→ Landwirtschaft

1 L. CAPOGROSSI COLOGNESI, Dalla villa al s.: continuità e trasformazioni, in: Du latifundium au latifondo (Actes de la Table ronde Bordeaux 1992), 1995, 191–211 2 J. DESANGES, S. et vicus P(h)osphorianus en Numidie, in: A. MASTINO (Hrsg.), L'Africa romana (Atti del VI convegno di studio), Bd. 1, 1989, 283–291 3 FLACH 4 J. PEYRAS, Les grands domaines de l'Afrique mineure d'après les inscriptions, in: s. [1], 107–128 5 A. SEIDENSTICKER, Waldgesch. des Alterthums, Bd. 1, 1886 6 P. VEYNE, Mythe et réalité de l'autarcie à Rome, in: REA 81, 1979, 261–280. J.K.

Saltus Manlianus. Der Engpaß Puerto de Morata in der Sierra de Vicor südwestl. von Zaragoza, wohl benannt nach dem Praetor P. Manlius [I 5], der 195 v. Chr. bei der Eroberung der Hispania Citerior unter dem Oberbefehl des Consuls Cato [1] hier durchzog (Liv. 40,39,2).

SCHULTEN, Landeskunde 1, 166 · TIR K 30 Madrid, 1993, 146 f. E. O. u. V. S.

Saltus Teutoburgiensis. Der »Teutoburger Wald« wird in den ant. Quellen nur Tac. ann. 1,60,3 als Stätte der Varusschlacht 9 n. Chr. (P. → Quinctilius [II 7]; → Arminius) genannt. Auf seinem Kriegszug in das rechtsrheinische Germanien gelangte Germanicus [2] 15 n. Chr. in das Gebiet zw. Amisia und Lupia, ... *haud procul Teutoburgiensi saltu, in quo reliquiae Vari legionumque insepultae dicebantur* (›nicht weit vom Teutoburger Wald, in dem die Gebeine des Varus und der Legionen unbestattet lagen, wie man sagte‹). Sodann wurden der Kampfplatz aufgesucht und die Gefallenen bestattet.

Jahrhundertelanges Bemühen um die Lokalisierung des Schlachtfeldes und eine uferlose Lit. haben bislang mangels eindeutiger arch. Funde nicht zu einem überzeugenden Ergebnis geführt (die wichtigsten Ansätze bei [2; 3. 951–955; 4], zwangsläufig nicht erschöpfend und durch immer neue Hypothesen zu ergänzen). Auch über den Radius des taciteischen *haud procul*, »nicht weit«, besteht Uneinigkeit. Es werden verschiedene Gegenden v. a. zw. der oberen Lippe, Osning und Weser für den S. T. in Anspruch genommen. Ausgrabungen in der Kalkrieser-Niewedder Senke nördl. von Osnabrück seit 1987 haben Funde und Befunde zutage gefördert, die beim derzeitigen Kenntnisstand wahrscheinlich mit der *clades Variana* in Verbindung stehen [5]. Danach wäre der S. T. in dieser Gegend zu lokalisieren, womit allerdings seine Ausdehnung nach röm. Verständnis offen bleibt.

Gestritten wird ebenfalls über das dem S. T. zugrundeliegende Teutoburgium, was etwa als Name einer

Fluchtstätte angesehen wird [3. 935 f., 941], der dann von den Römern gegebenenfalls auf ein größeres Gebiet übertragen worden wäre (andere Deutungen: vgl. [1. 1169 f.]).

Nach Tacitus ist S. T. erstmals wieder 1627 als Bezeichnung des Lippischen Waldes auf einer Karte belegt, doch setzte sich der Name allg. erst seit der Romantik durch und führte zur Gleichsetzung mit dem Osning und schließlich zu dessen Umbenennung in Teutoburger Wald.

→ Kalkriese (mit Karte); SCHLACHTORTE

1 A. FRANKE, s. v. T. S., RE 5 A, 1166–1171 2 Fr. KOEPP, Lichter und Irrlichter auf dem Wege zum Schlachtfeld des Varus, in: Ders., Varusschlacht und Aliso, 1940, 19–40 3 W. JOHN, s. v. Quinctilius (20), RE 24, 907–984 4 H. VON PETRIKOVITS, s. v. clades Variana, RGA 5, 14–20 5 W. SCHLÜTER, R. WIEGELS, s. v. Kalkriese, RGA 16, 180–199. RA. WI.

Salus (»Wohlergehen«) stand als vergöttlichte Eigenschaft (→ Personifikation) – als weibliche Gottheit, häufig thronend, mit Szepter, Schale, → Schlange oder Getreideähren dargestellt – vor allem mit der Sicherheit und dem Wohlbefinden des röm. Staatswesens, seiner Bürger und später seiner Herrscher in Verbindung. Der stadtröm. Tempel der S. auf dem → Mons Quirinalis, während des 2. → Samnitenkrieges 311 v. Chr. von C. Iunius [I 19] Bubulcus gelobt, wurde am 5. August (Cic. Att. 4,2,4; Cic. Sest. 131) 302 v. Chr. (Liv. 10,1,9; [1]) von diesem dediziert. Möglicherweise ging dem S.-Kult auf dem Quirinal aber ein älterer Kult der S. in Rom voraus (vgl. Varro ling. 5,52). Die Verbindung mit → Semonia läßt vermuten, daß S. als Beschützerin der Saaten angesehen werden konnte (vgl. Macr. Sat. 1,16,8; Fest. 406 L.). Ihr öffentlicher Kult ist aber eher von den griech. Vorstellungen der → *sōtería* beeinflußt, wenn auch anfänglich nicht von den griech. Kulten der hell. Herrscher als *sōtéres* (»Retter«; → Herrscher IV. A.), geprägt. Seit dem 2. Jh. v. Chr. wurde S. mit der griech. → Hygieia (»Gesundheit«) identifiziert. Die schon bei Cicero (Cic. Marcell. 22 f.) betonte Retterrolle des Staatsmannes bei der Gewährleistung der S. des Staatswesens wurde unter Augustus mit der öffentlichen Verehrung der S. als *S. Augusta* weiter konkretisiert. Öffentliche und private Gelübde für die S. des *princeps* (v. a. in den *acta* der → *Arvales fratres*) sowie Eide auf die S. des jeweiligen Kaisers waren in der Kaiserzeit häufig. Unter Galba und Vespasianus entstand das Konzept der *S. Augusti* als Ausdruck der Wiederherstellung des Reiches nach der iulisch-claudischen Dynastie. Die ikonographischen Typen der S. von Galba [2] bis Hadrianus illustrieren, wie das Wohlbefinden der Provinzen als Teil des öffentlichen Wohles angesehen wurde. Weihungen für S. sind in Lusitania und der Baetica bes. häufig.

1 A. ZIOLKOWSKI, The Temples of Mid-Republican Rome, 1992, 144–148.

J. R. FEARS, The Cult of Virtues, in: ANRW II 17.2,
859–861 · M. MARWOOD, The Roman Cult of S., 1988 ·
L. WINKLER, S. Vom Staatskult zur polit. Idee, 1995.
D. WAR.

Salustios (Σαλούστιος).

[1] Griech. Grammatiker (vielleicht 4./5. Jh. n. Chr.
[3. 31]); Verf. eines Komm. zu Kallimachos' [3] ›Hekale‹
(fr. 9; 29; 179 HOLLIS), dessen Gebrauch sich noch in der
Suda feststellen läßt [4. 13–18]. Die Zuschreibung einer
Ed. der Hymnen des Kallimachos [5. 78] sowie der
→ Hypotheseis zu Sophokles' ›Antigone‹ und ›Oidipus
in Kolonos‹ [6. 17–20] ist wahrscheinlich. Wohl mit
dem von Stephanos von Byzanz s. v. Ἄζιλις erwähnten
S. identisch.

> ED.: 1 A. S. HOLLIS, Callimachus. Hekale, 1990
> 2 R. PFEIFFER, Callimachus, Bd. 2, 1953, XXVIII–XXX.
> LIT.: 3 U. VON WILAMOWITZ-MOELLENDORFF, Über die
> Hekale des Kallimachos (1893), in: Ders., KS, Bd. 2, 1941,
> 30–47 4 R. REITZENSTEIN, Index lectionum in Academia
> Rostochiensi, 1890/1 5 A. W. BULLOCH, Callimachus. The
> Fifth Hymn, 1985 6 G. DINDORF, Scholia in Sophoclis
> Tragoedias Septem, 1852.   M. B.

[2] Autor einer kleinen Abh. ›Über die Götter und über
die Welt‹ (Περὶ θεῶν καὶ κόσμου), mit Einflüssen von
Iamblichos [2] und Iulianus [11]. Die Identität ist umstritten: Flavius → Sallustius [II 6] (praef. praet. in Gallien
361–363, cos. 363) oder Saturninus → Secundus Salutius
(praef. praet. Orientis 361–365, der beim Tod des Iulianus
anwesend war; Diskussion bei [3. 347–350]).

Die Abh. wurde wohl unter der Herrschaft des Iulianus [11] im Dienste der paganen Restauration und als
Reaktion auf das Christentum verfaßt. Sie enthält drei
Teile: (1) Kap. 1–4, Einleitung: Notwendige Eigenschaften derjenigen, die sich über die Götter unterrichten wollen, die typischen Attribute der Götter, die Rolle der Mythen, schließlich eine allegorische Interpretation der Mythen von Paris und Attis. (2) Kap. 5–12:
zunächst eine Erörterung der Götter, die sich in drei
Gruppen einteilen lassen (diejenigen Götter, die jenseits
der Welt leben, diejenigen, die in ihr leben, und die
Welt selbst). Die vernunftbegabte Seele, die Zugang zu
ihnen haben kann, muß auch die Vorsehung berücksichtigen, die die Welt lenkt; hieraus ergibt sich die Frage nach dem Übel in der Welt und im Menschen. (3)
Kap. 13–21: Widerlegung des Atheismus; Beschreibung
der Vision der vom Körper getrennten Seelen, die mit
den Göttern himmlische Freuden genießen. Dieser dritte Teil wendet sich allein an diejenigen, die Zugang zu
einer Rel. gefunden haben, die nicht mehr auf Mythen
beruht, sondern die Vereinigung der Seele mit den Göttern erstrebt.

> ED., ÜBERS.: 1 A. D. NOCK, Sallustius. Concerning the
> Gods and the Universe, 1926 (Ndr. 1966, 1988; mit engl.
> Übers.) 2 G. ROCHEFORT, Saloustios, Des dieux et du
> monde, 1960 (Ndr. 1983; mit frz. Übers.).
> LIT.: 3 E. C. CLARKE, Communication, Human and
> Divine: Saloustios Reconsidered, in: Phronesis 43, 1998,
> 326–350.   L. BR./Ü: J. DE.

[3] S. aus Emesa. Sein Vater Basileides war Syrer, seine
Mutter Theoklea stammte aus Emesa; Quelle: → Damaskios, ›Leben des Isidoros‹. S. ist wohl um 430 n. Chr.
geb.; er studierte Recht und erhielt eine Rhet.-Ausbil-
dung bei dem Sophisten Eunoios. S. entschied sich für
ein Leben als Sophist, ging nach Athen und von dort – in
Begleitung des Neuplatonikers Isidoros [7] – nach Alexandreia [1], wo er die Rhet.-Schulen besuchte. Später
(er war ca. 30–40 J. alt) reiste er zu Marcellinus [13], dem
Machthaber von Dalmatien.

S. hatte wohl auch zu Neuplatonikern Kontakte,
wandte sich aber dem → Kynismus zu und praktizierte
eine für das 5. Jh. recht altertümliche Askese. Er soll u. a.
eine Begabung zur Weissagung des gewaltsamen Todes
von Menschen besessen haben, denen er begegnete.

S. behauptete, daß Philosophieren für die Menschen
nicht nur schwierig, sondern ganz unmöglich sei; er
brachte mit Erfolg junge Leute von der Philos. ab, u. a.
Athenodoros aus dem Kreis um → Proklos [2], und stritt
mit Proklos selbst. Schriften sind nicht bekannt.

> C. ZINTZEN (ed.), Damascii Vitae Isidori Reliquiae, 1967 ·
> R. ASMUS, Der Kyniker Sallustius bei Damascius, in: Neue
> Jbb. für das klass. Alt., Gesch. und dt. Lit. und für Pädagogik
> 25, 1910, 504–522.   M. G.-C./Ü: J. DE.

Salutatio (»Begrüßung«).

Der morgendliche Empfang
der Klienten (→ cliens, clientes) durch den → patronus
diente als Aufwartung, zur Entgegennahme von Ratschlägen (Hor. epist. 2,1,102) und von Unterstützung
z. B. durch Geld (→ sportula). Er fand in den ersten beiden Morgenstunden statt (Mart. 4,8); hierbei hatte der
Klient (salutator) in der → toga zu erscheinen (Iuv.
3,126 f.), weswegen Martial (3,46,1) den Klientdienst
auch togata opera nennt. Die Besucher versammelten sich
im vestibulum oder atrium des Hauses ihres patronus und
warteten auf Einlaß (Hor. epist. 1,5,31). Freunde und
hochgestellte Persönlichkeiten wurden zuerst einzeln
oder in Gruppen vorgelassen. Dem patronus nannte ein
→ nomenclator die Namen der einzelnen Besucher, der
diese dann mit einem Handschlag grüßte (Plut. Cicero
36); in der frühen Kaiserzeit konnte zu dem Handschlag
auch der → Kuß des patronus hinzukommen. Gegen E.
des 1. Jh. n. Chr. wurde es Sitte, dem patronus die Hand,
Brust oder das Knie zu küssen (Amm. 28,4,10; Epikt.
3,24,49; Lukian. Nigrinos 22).

Die s. am Kaiserhof war durch Hofbeamte (admissio-
nales) geregelt (→ admissio). Zu der s. des Kaisers zugelassen zu werden, galt als Ehrung, die Verweigerung der
Zulassung als Zeichen der Ungnade. Es erschienen
hauptsächlich Senatoren (→ senatus) und Vertreter des
Ritterstandes (→ equites Romani). Zuweilen wurden Fa-
milienangehörige der Senatoren bei dieser Gelegenheit
dem Kaiser vorgestellt. Auch das einfache Volk konnte
zur s. zugelassen werden, um Bittschriften zu überrei-
chen (Suet. Aug. 53,2; Tac. ann. 4,41). Ein allg. Empfang fand an Feiertagen statt, wie z. B. am Neujahrstag
(Suet. Aug. 57; Cass. Dio 54,35,2–3). Zum Empfangs-
zeremoniell bei der s. gehörten der Handschlag des Be-

suchers (Plut. Antonius 80; Lukian. de saltatione 64), die Umarmung des Kaisers und der Kuß, der insbes. den vornehmsten Rittern und Senatoren (Suet. Tib. 34,2) zukam. → Galba [2] pflegte zudem seine Freunde mit einem Kuß zu beehren (Suet. Otho 6,2). Bereits → Caligula hatte den Fußkuß verlangt (Cass. Dio 59,29,5), der aber eine Besonderheit blieb und erst in der spätröm. Zeit unter → Diocletianus (E. 3./Anf. 4. Jh. n. Chr.) bei Empfang und Verabschiedung von Senatoren und anderen hohen Würdenträgern zur Pflicht wurde. Hinzu trat der Kuß des Gewandsaumes (Amm. 21,9,8; → adoratio).

→ Acclamatio; Admissio; Cliens, clientes; Gruß; Kuß; Patronus; Proskynesis

A. ALFÖLDI, Die Ausgestaltung des monarchischen Zeremoniells am röm. Kaiserhofe, in: MDAI(R) 49, 1934, 38–45 · Ders., Die monarchische Repräsentation im röm. Kaiserreiche, 1979, 6–8, 40–42, 62–64 · D. CLOUD, The Client-Patron Relationship: Emblem and Reality in Juvenal's First Book, in: A. WALLACE-HADRILL, Patronage in Ancient Soc., 1989, 209–215 · A. HUG, s. v. s., RE I A, 2060–2072. R. H.

Salutius s. Secundus

Salvianus. Röm. Cogn., Weiterbildung von → Salvius.

KAJANTO, Cognomina, 177. K.-L. E.

[1] S. von Massilia (h. Marseille), wohl ca. 400 n. Chr. in Trier geboren, auf der Insel Lérins nachweisbar, verheiratet, dann asketisch lebend, verfaßte nach 435 die Schrift *Ad Ecclesiam* (›An die Kirche‹; → Pseudepigraphie [II.]) mit der Aufforderung an alle Christen, aus asketischen Gründen jedes Erbe für die Arbeit der Kirche zu stiften. S. lebte dann als Priester bis zu seinem Tode (nach ca. 465) in Marseille, wo er ca. 439 *De gubernatione Dei* (›Gottes Weltregierung‹) verfaßte, eine Bußschrift an die christl. Römer, die Gottes Willen zwar kennen, aber nicht befolgen, während die Nicht-Christen moralisch handeln können, ohne Gottes Willen zu kennen. S.' Werke sind für die Situation Galliens in der Völkerwanderungszeit aufschlußreich.

H. R. DROBNER, s. v. S., in: F. W. BAUTZ, Biographisch-Bibliographisches Kirchenlexikon, Bd. 8, 1994, 1258–1266 (Lit.) · J. BADEWIEN, Geschichtstheologie und Sozialkritik im Werk Salvians von Marseille, 1980. S. L.-B.

Salvidienus. Ital. Gentilname, aus Salvidius entwickelt.

I. REPUBLIKANISCHE ZEIT

[I 1] Q. S. Rufus Salvius (zweites Cogn., Indiz einer Adoption oder normalisierte Form von S.? [1. 375]), röm. Ritter (Vell. 2,76,4; legendär Cass. Dio 48,33,2), Jugendfreund und vor Agrippa wichtigster Feldherr des jungen Octavianus (→ Augustus). S., vielleicht Offizier in Caesars Armee [1. 398], war 45–44 v. Chr. mit Octavian in Apollonia und beriet ihn nach Caesars Tod (Vell. 2,59,5; Cic. ad Brut. 1,17,4). 42 wehrte er als Legat

der Triumvirn die Landung des Sex. Pompeius [I 5] bei Rhegion ab (MRR 2,366), worauf er zum Imperator ausgerufen wurde (CIL X 8337). S.' eigene Invasion Siziliens scheiterte. Vom Marsch nach Spanien wurde er 41 ins *bellum Perusinum* zurückgerufen, zerstörte Sentinum und verlegte P. → Ventidius und C. Asinius [I 4] Pollio den Weg nach Perusia (App. civ. 5,121–125; 5,140; CIL XI 6721,17). Daraufhin setzte Octavian ihn 40 als Statthalter ganz Galliens ein und designierte ihn zum Consul für 39, ohne daß S. je zuvor ein Senatsamt bekleidet hätte (MRR 2,383; RRC 523). Geheimverhandlungen mit M. Antonius [I 9] enthüllte dieser im Zuge des Ausgleichs von Brundisium (wahrheitsgemäß?) Octavian, worauf S. vom Senat wegen Hochverrats verurteilt und in den Tod getrieben wurde (Suet. Aug. 66,1 f.; App. civ. 5,278 f.; Cass. Dio 48,33,2 f.).

1 SYME, RP 1. JÖ. F.

II. KAISERZEIT

In der Kaiserzeit auch Variante Salvidenus.

[II 1] M. S. Asprenas. *Procos.* von Pontus-Bithynia unter Vespasianus zw. 71 und 79 n. Chr. (RPC 2, 611; 614; 620; 630 f.; 708). Wohl Bruder von S. [II 2]; PIR S 86.

[II 2] M. S. Proculus. *Procos.* von Pontus-Bithynia unter Vespasianus zw. 71 und 79 n. Chr. (RPC 2, 652; 699; 706 f.); PIR S 89.

[II 3] L. S. Rufus Salvianus. *Cos. suff.* 52 n. Chr. (ILS 1986 = CIL XVI 1). Consularer Legat von Pannonia im J. 60 (ILS 1987 = CIL XVI 4). Wohl Nachkomme von Q. S. [I 1] Rufus, *cos. des.* 39 v. Chr.; PIR S 90/91. W. E.

Salvium. Stadt im Gebiet der → Dalmatae (CIL XIII 6538; 14249,2: S. [I. 121]; Ptol. 2,17,9: Σαλουία; Itin. Anton. 269,4: *Salviae*), nach der Eroberung durch die Römer 6–9 n. Chr. in der Prov. Dalmatia an der Straße Salona – Servitium, h. Podgradina bei Glamočpolje oder Halapić (Bosnien). *Municipium* seit Hadrianus (CIL XIII 6538). Kult des → Silvanus Silvestris (CIL XIII 13985; vgl. [2]).

1 C. PATSCH, Unt. zur Gesch. der röm. Prov. Dalmatia, in: Wiss. Mitt. aus Bosnien 11, 1909, 104–183 2 A. und J. ŠAŠEL, Inscriptiones Latinae quae in Iugoslavia... repertae et editae sunt, 1986, Nr. 1631–1959.

G. ALFÖLDY, s. v. S., RE Suppl. 11, 1217–1222 · I. BOJANOVSKI, Pelva und Salviae, in: V. MIROSAVLJEVIC (Hrsg.), Adriatica praehistorica et antiqua. FS G. Novak, 1970, 503–522 · Ders., Bosnien und Herzegovina in ant. Zeit, 1988, 238. PI. CA./Ü: E. N.

Salvius. Häufiger Vorname oskischer oder umbrischer Herkunft, der nicht in der röm. Oberschicht verwendet wird (abgekürzt inschr. *Sa.* oder *Sal.*), erscheint spät als Gentilnomen und ist auch Sklavenname.

KAJANTO, Cognomina, 177 · SALOMIES, 89–91 · SCHULZE, 93 · H. SOLIN, Die röm. Sklavennamen, Bd. 1, 1996, 7 f. K.-L. E.

I. Republikanische Zeit

[I 1] (Sklavenführer) s. Tryphon

[I 2] Nur bei Plut. Pompeius 78,1 und 79,4 unter den Mördern des Pompeius genannter Centurio.

[I 3] Freigelassener und verm. als Agent Caesars tätig (Cic. Att. 10,18,1). Die Identität mit dem bei Cic. fam. 9,10,1; Cic. ad Q. fr. 3,1,21; 3,2,1 erwähnten Briefboten ist unsicher, ebenso die Gleichsetzung mit dem CIL XI 7804 genannten C. Iulius Salvius. S. und S. [I 4] sind bei Cicero schwer zu unterscheiden.   J.BA.

[I 4] Lit. gebildeter Sklave (oder Freigelassener) des T. Pomponius [I 5] Atticus, der an der Vervielfältigung von → Ciceros Werken beteiligt war (Cic. Att. 13,44,3) und Ausschnitte daraus beim Gastmahl vortrug (Cic. Att. 16,2,6).   W.K.

[I 5] Verhinderte 43 v.Chr. als einziger der Volkstribunen, daß M. Antonius [I 9] vom Senat zum Staatsfeind erklärt wurde (App. civ. 3,206ff.). Vielleicht änderte er seine Meinung, denn er wurde noch im Amt das erste Opfer der → Proskriptionen der Triumvirn (App. civ. 4,65ff.).   J.BA.

II. Kaiserzeit

[II 1] P. S. Aper. Zusammen mit Q. Ostorius [6] Scapula wurde er von Augustus im J. 2 v.Chr. zum ersten *praef. praet.* ernannt. PIR S 97.

[II 2] C. S. Capito. Senator; *cos. suff.* im J. 148 n.Chr. FO² 51.

[II 3] S. Carus. *Procos.* von *Creta et Cyrenae* im J. 135 n.Chr. (SEG 28,1566 = AE 1979, 636, Z. 7f.; Dig. 48,16,14). Er oder sein Sohn wurde unter die Patrizier aufgenommen, wenn der in ILS 5024 genannte L. Salvius Carus sein Sohn ist.

[II 4] P. S. Iulianus (Jurist) s. Iulianus [1]

[II 5] P. S. Iulianus. Sohn von S. [II 4]. *Cos. ord.* 175 n.Chr. Im J. 180, also zu Beginn der Regierungszeit des Commodus, war er Legat einer consularen Prov., in der Legionen stationiert waren (Cass. Dio 73,5,2); sie kann nicht identifiziert werden. Commodus ließ ihn wegen einer angeblichen Verschwörung zusammen mit anderen hinrichten (Cass. Dio 73,5,1; HA Comm. 4,8). PIR S 104.

[II 6] C. S. Liberalis Nonius Bassus. Aus Urbs Salvia stammend; möglicherweise geht seine Familie auf einen Sklaven der Gemeinde zurück. Verwandt mit L. Flavius [II 44] Silva. Von Vespasianus und Titus unter die *tribunicii* aufgenommen, dann unter die *praetorii* befördert; *frater Arvalis.* Nach Legionskommando und Iuridikat in Brittannien unter Iulius [II 3] Agricola *procos.* in *Macedonia,* wohl 84/5 n.Chr., und *cos. suff.* 85 oder 86. Später von Domitian verbannt; nach Rückkehr im J. 96 schließlich durch Los *procos.* von *Asia,* doch verzichtete er auf die Übernahme des Amtes. Er war berühmt für seine aggressive Rhetorik. Am Leben seiner Heimatstadt war er trotz seines senatorischen Standes intensiv beteiligt; dort wurde er auch begraben.

W. Eck, Urbs Salvia und seine führenden Familien in der röm. Zeit, in: Picus 12/13, 1992/3, 103ff. · Scheid, Collège, 330ff.

[II 7] L. S. Otho. Sohn von S. [II 8]; aus Ferentium stammend. Nach Sueton (Otho 1,2) verwaltete er seine städtischen Ämter sehr streng. *Cos. suff.* 33 n.Chr., *frater Arvalis* vielleicht seit 37, *procos.* von *Africa* um 40/1. Vielleicht für kurze Zeit Legat in Dalmatien, wo er von Claudius [III 1] beförderte Soldaten bestraft haben soll (Suet. Otho 1,2). Angeblich war er Claudius deswegen zunächst verdächtig, bald aber mit ihm wieder ausgesöhnt, da er eine andere Verschwörung aufdeckte (wenn Cass. Dio 60,12,4 sich auf ihn bezieht). Der Senat errichtete ihm eine Statue innerhalb des Palatium (Suet. Otho 1,3). Aufnahme unter die Patrizier im J. 48. Seine Söhne sind Kaiser → Otho und S. [II 11].

Vogel-Weidemann, 128–135.

[II 8] M. S. Otho. Aus Ferentium in Etrurien stammend. Ritter, dann durch den Einfluß der Livia [2], in deren Haus er aufwuchs, in den Senat aufgenommen. Er erreichte praetorischen Rang (Tac. hist. 2,50,1; Suet. Otho 1,1). Sein Sohn ist S. [II 7].

[II 9] M. S. Otho (Kaiser 69 n.Chr.; Bruder von S. [II 11], Sohn von S. [II 7]) s. Otho

[II 10] L. S. Otho Cocceianus. Sohn von S. [II 11]. 63 n.Chr. bereits in ein Priestercollegium aufgenommen (CIL VI 2002). Im J. 69 begleitete er seinen Onkel, Kaiser → Otho, und seinen Vater zum Kampf gegen → Vitellius; nach der verlorenen Schlacht ermahnte der Kaiser den Neffen, ihn zwar nicht völlig zu vergessen, aber sich auch nicht allzu sehr an ihn zu erinnern: *neu patruum sibi Othonem fuisse aut obliviceretur umquam aut nimium meminisset* (Tac. hist. 2,48,2). Damit weist Tacitus bereits darauf hin, daß Domitianus Othos Neffen später habe hinrichten lassen, weil er den Geburtstag (*dies natalis*) seines Onkels gefeiert habe (Suet. Dom. 10), was Tacitus im verlorenen Teil der ›Historien‹ berichtet haben muß.

[II 11] L. S. Otho Titianus. Sohn von S. [II 7], Vater von S. [II 10]; älterer Bruder von Kaiser → Otho. *Cos. ord.* im J. 52 n.Chr.; Mitglied bei den *Arvales fratres.* Wohl 63/4 *procos.* von Asia; Cn. Iulius [II 3] Agricola wirkte als sein Quaestor (Tac. Agr. 6,2). *Cos. II* vom 26. Jan. bis E. Febr. 69 zusammen mit seinem Bruder Otho. Zunächst von Otho zum Schutz Roms zurückgelassen, dann zum Befehlshaber des Heeres gemacht. Er überlebte die Niederlage seines kaiserlichen Bruders wegen seiner *pietas et ignavia* (›verwandtschaftlichen Bindung und Feigheit‹), wie Tacitus (hist. 2,60,2) sarkastisch formulierte.

Vogel-Weidemann, 441–446.

[II 12] L. S. Secundinus. Senator, der von seiner Frau Petrusidia Augurina in Philippoi bestattet wurde, von wo er möglicherweise stammte. Er hatte die Praetur und eine *legatio* unter dem *procos.* von *Asia* erreicht; unter Marcus Aurelius oder unter Caracalla zu datieren (AE 1992, 1527).   W.E.

Salz I. ALTER ORIENT UND ÄGYPTEN
II. GRIECHISCH-RÖMISCHE ANTIKE
III. KELTISCH-GERMANISCHER BEREICH

I. ALTER ORIENT UND ÄGYPTEN

S. (sumerisch mun; akkadisch *ṭabtu*; hethitisch *puti*; hebräisch *mælaḥ*; äg. *smȝ.t*) spielte in allen altoriental. Kulturen und in Äg. eine wichtige Rolle. Bei den teilweise hohen Temperaturen war S.-Zufuhr lebensnotwendig; so war S. ein Teil der normalen Arbeiterrationen in Mesopot. und Äg. (→ Ration). Es diente v. a. zum Würzen von Speisen wie auch zum Konservieren von Fleisch und Fisch. Auch in der Medizin wurde S. innerlich und äußerlich verwendet. S. war ein wichtiger Bestandteil von Opfermaterie. Im handwerklichen Bereich diente es als wesentlicher Zusatzstoff in der Gerberei (Enthaaren von Häuten), beim Trennen von Gold und Silber, z. T. bei der Fayence- und Glasherstellung. Von koptischer Zeit an wurde in Äg. bei der Mumifizierung mit S. gearbeitet; davor mit Natron mit S.-Anteil (→ Mumie).

Der Vordere Orient und Äg. sind reich an S.-Vorkommen: zum geringeren Teil als Stein-S., zum größeren Teil gewonnen aus S.-Quellen oder Salinen, in denen Fluß- oder Meerwasser verdunstete. Meist war das S. mit Natron oder Soda verunreinigt. Der Transport erfolgte in Klumpen oder in Ziegelform. Die Versalzung und damit die Abnahme der Fruchtbarkeit des Ackerbodens durch bei der Verdunstung von Bewässerungswasser zurückgelassene Salze ist ein Problem im ganzen Alten Orient, bes. in Südmesopotamien; vgl. dazu das Streuen von S. auf das Land als Teil der Verwüstung von Feindesland (Ri 9,45).

D. T. POTTS, On Salt and Salt Gathering in Ancient Mesopotamia, in: Journ. of the Economic and Social History of the Orient 27, 1984, 225–271 · K. BUTZ, On Salt Again ..., in: ebd., 272–316 · R. J. FORBES, s. v. S., Biblisch-Histor. HWB Bd. 3, 1966, 1653 f. · R. FUCHS, s. v. S., LÄ 5, 371 · W. HELCK, Materialien zur Wirtschaftsgesch. des Neuen Reiches, Bd. 5, 1965, 239 · P. T. NICHOLSON, I. SHAW (Hrsg.), Ancient Egyptian Materials and Technology, 2000, 187, 305, 384, 663 f. · H. VON DEINES, H. GRAPOW, WB der äg. Drogennamen, 1959, 340 f.
R. GE. u. H. J. N.

II. GRIECHISCH-RÖMISCHE ANTIKE

A. SALZ IN DER MENSCHLICHEN UND TIERISCHEN ERNÄHRUNG B. VERFAHREN DER SALZGEWINNUNG C. GRIECHENLAND D. ROM

A. SALZ IN DER MENSCHLICHEN UND TIERISCHEN ERNÄHRUNG

Die Feststellung des Cassiodorus, es gebe niemanden, der nicht wünsche, S. (ἅλς/*háls*; lat. *sal*) zu finden (Cassiod. var. 12,24,6: *potest aurum aliquis minus quaerere, nemo est qui salem non desideret invenire*), trifft einen Kern der ant. Wirtschaft, denn S. (Natriumchlorid) ist ein für den Menschen lebensnotwendiges, unentbehrliches Nahrungsmittel und hat daher in der Gesch. seit frühester Zeit eminente Bed. besessen. Vor allem wegen des Geschmacks geschätzt, den es Speisen verleiht, spielt S. aber für das Funktionieren des Organismus von Mensch und Tier eine ebenso lebenswichtige Rolle wie Wasser, und der Entzug von S. wirkt ebenso tödlich wie der von Wasser. Aus diesem Grund werden in der Viehzucht große Mengen S. verbraucht; so benötigt man für eine Kuh ungefähr 30 kg S. pro Jahr. In der Ant. war die Bed. von S. für die Ernährung bereits bekannt: In Griechenland existierten Lobschriften auf das S., dessen Nutzen gerühmt wurde (Plat. symp. 177b; vgl. Isokr. or. 10,12), und Plinius erklärte, ohne S. sei das Leben nicht menschenwürdig (Plin. nat. 31,88). Cato rät, Sklaven jährlich etwa 10 kg S. zuzuteilen (Cato agr. 58); Aristoteles empfiehlt eine vergleichbare Ration für Mutterschafe, damit sie Milch gäben (Aristot. hist. an. 596a). Plinius nimmt an, daß Vieh durch S. zum Fressen angeregt werde (Plin. nat. 31,88; vgl. Colum. 6,23,2). S. war außerdem bis zur Erfindung der Kühltechnik das einzige Mittel zum Konservieren von Nahrungsmitteln, bes. von Fleisch, Käse und Fisch (Cato agr. 88; 162; Colum. 12,4,4f.; 12,6; Plin. nat. 31,93–95; Salzfisch: Athen. 3,116a–121d). Als Symbol für die Einfachheit eines bäuerlichen Haushaltes erscheint bei Horatius [7] das väterliche S.-Faß (*paternum salinum*: Hor. carm. 2,16,13f., → *salinum*).

In der Spätant. geht Vegetius auf den S.-Mangel in einer belagerten Stadt ein und empfiehlt verschiedene Verfahren zur S.-Gewinnung (Veg. mil. 4,11; vgl. Frontin. strat. 3,14,3).

B. VERFAHREN DER SALZGEWINNUNG

Bis zum 19. Jh. waren die Möglichkeiten der S.-Gewinnung recht begrenzt. Meer-S. läßt sich rentabel nur an sehr flachen Küsten, d. h. vor allem an Flußmündungen, und in einem Klima gewinnen, das für die Verdunstung günstig ist. Am Mittelmeer sind die klimatischen Bedingungen aufgrund der hohen Temperaturen im Sommer ideal, aber geeignete Küstenstriche relativ selten. Ferner waren Steinsalzlager, über oder unter Tage, bereits in der Ant. wichtig für die S.-Versorgung: Die berühmtesten sind das S.-Bergwerk Hallstatt in der Nähe von Salzburg sowie die Vorkommen in Spanien (Strab. 3,2,6; Plin. nat. 31,80; Sidon. epist. 9,12,1), Dakien, Kleinasien (Strab. 12,3,37; 12,3,39), Äg. und Nordafrika. Hinzu kommen noch die S.-Seen, bes. der von Tarentum/Taras (Plin. nat. 31,73) und der berühmte Tatta-See in Kleinasien (Strab. 12,5,4). Plinius erwähnt in einem längeren Abschnitt über das S. dessen Gewinnung aus den S.-Seen und aus Meerwasser sowie den Abbau von Stein-S. Auch Quellwasser konnte einen hohen S.-Gehalt besitzen: man kochte solches Wasser auch, um S. als Rückstand zu erhalten (Plin. nat. 31,73–105; vgl. Vitr. 8,3,7). Im 5. Jh. n. Chr. beschreibt Rutilius [II 5] Namatianus die *salinae* an der etrurischen Küste (Rut. Nam. 475–490).

C. GRIECHENLAND

Über die Gewinnung von S. und den S.-Handel in der griech. Welt ist wenig bekannt. Auf dem griech.

Festland waren die Vorkommen begrenzt und sehr wahrscheinlich für den Bedarf nicht ausreichend. Es gab Salinen in Megara, Attika und Euboia. Bedeutende S.-Gärten befanden sich in den Gebieten an der Nordküste des Schwarzen Meeres; die Stadt Olbia [1] verdankte ihren Wohlstand den S.-Gärten und dem Export von mit S. konserviertem Fisch. Aus einer Bemerkung des Aristophanes geht hervor, daß die Athener sich zu Beginn des → Peloponnesischen Krieges der Salinen von Megara [2] bemächtigten (Aristoph. Ach. 760f.).

D. ROM

Auch für die röm. Politik und Wirtschaft hatte S. große Bed. Die bei → Ostia an der Tibermündung gelegenen *salinae* waren deswegen so wichtig für die Versorgung Mittelitaliens mit S., weil es sonst keine anderen Vorkommen in dieser Region gab. Nach Livius sollen die ersten *salinae* an der Tibermündung gleichzeitig mit der Gründung Ostias angelegt worden sein (Liv. 1,33,9). Der Preis für S. soll schon früh festgelegt worden sein, und gegen Ende des 2. Punischen Krieges (E. 3. Jh. v. Chr.) führten die Censoren eine S.-Steuer ein (Liv. 2,8,6; 29,37,3 f.). Seit seiner Frühzeit hatte Rom die *via Salaria* unter Kontrolle, auf der das S. von Ostia in das Sabinerland gebracht wurde (Plin. nat. 31,89; vgl. Cic. nat. deor. 3,11; Strab. 5,3,1). Während des 5. Jh. v. Chr. kam es zu einer erbitterten Auseinandersetzung zwischen Rom und der etr. Stadt → Veii, die ihren Reichtum und ihre Macht aus den in ihrem Besitz befindlichen Salinen an der Tibermündung bezog. Mit dem Sieg Roms ist der Beginn der röm. Expansion in It. eng verknüpft. Gegen Ende des 4. und in der ersten H. des 3. Jh. v. Chr. gewannen die Römer auch die Kontrolle über die Salinen in Süditalien, so daß sie die S.-Versorgung ganz Italiens beherrschen konnten. In der frühen Prinzipatszeit wurden *salinae* an → *publicani* verpachtet.

1 J.-F. BERGIER, Une histoire du sel, 1982 (dt.: Die Gesch. vom Salz, 1989) 2 H. BLÜMNER, s. v. S., RE I A, 2075–2099 3 ESAR 3, 105f., 174, 354; 4, 624 4 R. J. FORBES, Studies in Ancient Technology 3, 1965, 164–181 5 A. GIOVANNINI, Le sel et la fortune de Rome, in: Athenaeum 63, 1985, 373–387.
A. GIO./Ü: C. SK.

III. KELTISCH-GERMANISCHER BEREICH

S. als für die Gesundheit von Mensch und Tier sowie in Haushalt (Konservierung) und Gewerbe (Gerberei usw.) wichtiger Rohstoff war in Mitteleuropa seit dem Neolithikum (5. Jt. v. Chr.) sehr begehrt und ein wichtiges Handelsobjekt. Von Kelten und Germanen wurde S. sehr aufwendig und z. T. halbindustriell gewonnen und verarbeitet. Es kommt als Berg-S. (Stein-S.) z. B. in den Salzburger Alpen vor und wurde dort von kelt. Gruppen v. a. in → Hallstatt und am → Dürrnberg bei Hallein bis ins letzte vorchristl. Jh. im Bergbauverfahren abgebaut. Der Reichtum dortiger arch. Funde und die daraus ablesbaren Fernbeziehungen zeugen von der Bed. und der Wirtschaftskraft des S.-Handels.

Bes. im Mittelgebirgsraum kommt S. auch als Sole in Quellen vor; es wurde dort von kelt. und german. Gruppen durch aufwendiges Sieden gewonnen (→ Bad Nauheim, Halle/Saale) wie im kelt. Westeuropa an den Küsten (Südengland, Westfrankreich, Kanalküste) aus Meerwasser.

→ Germanische Archäologie; Handel;
Keltische Archäologie

K. W. DE BRISAY (Hrsg.), Salt – The Study of an Ancient Industry, 1975 · H. H. EMMONS, H. H. WALTER, Mit dem S. durch die Jahrtausende, 1984 · J. NENQUIN, Salt – A Study in Economic Prehistory, 1961 · K. RIEHM, Werkanlagen und Arbeitsgeräte urgesch. Salzsieder, in: Germania 40, 1962, 360–399.
V. P.